DATE DUE

Silverton Public Library

ANGOL–MAGYAR KÉZISZÓTÁR

———

A CONCISE ENGLISH–HUNGARIAN DICTIONARY

A CONCISE
ENGLISH–HUNGARIAN
DICTIONARY

EDITOR-IN-CHIEF

L. ORSZÁGH

EDITOR

T. MAGAY

FIFTEENTH EDITION

AKADÉMIAI KIADÓ · BUDAPEST 1990

ANGOL–MAGYAR KÉZISZÓTÁR

FŐSZERKESZTŐ

ORSZÁGH LÁSZLÓ

SZERKESZTŐ

MAGAY TAMÁS

TIZENÖTÖDIK KIADÁS

AKADÉMIAI KIADÓ · BUDAPEST 1990

A tizedik kiadás főmunkatársa:

MENTLNÉ LÁNG ILONA

ISBN 963 05 5704 5

Kiadja az Akadémiai Kiadó, Budapest

Első kiadás: 1981

A kiadásért felelős az Akadémiai Kiadó és Nyomda Vállalat főigazgatója
A szerkesztésért felelős: Zigány Judit
Műszaki szerkesztő: Szakács Sándorné
A fedélterv Németh Zsuzsa munkája
Terjedelem: 66 (A/5) ív

90.18907 Akadémiai Kiadó és Nyomda Vállalat — Felelős vezető Hazai György

BEVEZETÉS

1. Mit tartalmaz a Kéziszótár

Az angol nyelv, főleg az angol szókészlet változása, állandó gazdagodása napjainkra szükségessé tette ennek az első ízben 1948-ban megjelent angol—magyar kéziszótárnak korszerűsítését és átdolgozását is. A jelen tizedik, újból átdolgozott kiadás megszerkesztésében alapelv volt, hogy a kötet lapszáma lehetőleg ne növekedjék, sem ne módosuljon alapvetően a szótár szerkezete, vagyis az ismeretanyagot közlő azon elrendezési módja, melyet a szerkesztőség az 1957-es harmadik kiadásra kialakított.

A minőségi és mennyiségi korszerűsítés kívánalmainak eleget teendő a szótár eme új kiadásába jelentős számban kerültek be olyan köznyelvi angol címszavak, szókapcsolatok, frazeológiai adatok, jelentésváltozatok, melyek az utóbbi harminc évben váltak gyakorivá az Atlanti-óceán mindkét oldalán. Növekedett a szótárban a fontosabb új amerikai nyelvi adatok mennyisége is. Bővítettük a vonzatközlés anyagát is. Ahol erre szükség volt, pontosabbá tettünk korábbi kiadásokban előforduló jó egynéhány magyar egyenértékest is.

Az újonnan a szótárba felvett jelentős mennyiségű nyelvi anyag számára helyet is kellett teremteni. Ezt úgy hajtotta végre a szerkesztőség, hogy a szótár korábbi kiadásainak anyagából törölt több archaizmust, a századunk harmadik harmadára ritkává vált olyan angol címszavakat, ill. angol jelentésváltozatokat és a közhasználatból kikopott olyan divatszókat, melyeket már az 1960 után megjelent hasonló méretű angol egynyelvű vagy kétnyelvű szótárak sem közölnek. Csökkent a száma a csupán szűkebb területen használatos szakterminusoknak, valamint a tulajdonneveknek is (melyeket egyébként csakis kiejtésük közlése céljából szerepeltet a szótár). Itt-ott kisebb mértékben megritkítottuk a magyar egyenértékeseket, s az elavulóban levők helyére korszerűbbek kerültek.

Ugyancsak térnyerés céljából a szótár a több elemű, dőlt betűvel szedett angol szókapcsolatokat csupán az egyik elem szócikkében közli. Ezért, ha valaki a *gird up one's loins* szókapcsolatot keresi, és ha a főnévi elem (*loin*) szócikkében nem találja, keresse tovább az ige (*gird*) alatt. A szókapcsolatok szótári elhelyezésében valamiféle szigorú szabályt vagy „logikát" követni aligha lehetséges. Ne csodálkozzék — és főleg ne bosszankodjék — a használó, ha pl. az *it's no use crying over spilt milk* szókapcsolatot annak utolsó eleme, a *milk* címszó alatt találja meg. A jelzős kapcsolatok általában a melléknév szócikkében szerepelnek, de nem mindig. Így például a *total eclipse* a főnév, vagyis az *eclipse* alatt található meg. A szótárhasználathoz türelem kell.

Eme elvi alapokon indokolható anyagcsökkentést már azért is végrehajthatta a Kéziszótár, mivel 1976 óta rendelkezésre áll egy terjedelmes, kétkötetes, felújított angol—magyar nagyszótár, mely a jelen kéziszótár címszó- és frazeológiaanyagának többszörösét tartalmazza (a kéziszótárból újabban kihagyottakat is). E nagyszó-

tárra a jelen kéziszótár szerkesztősége — egyéb forrásmunkák mellett — messze-
menően támaszkodott is.

Az angol nyelv igen gazdag szóképző toldalékokkal alkotott származékszavakban.
Címszavaink sorában csak a leggyakoribbakat vagy a legtöbb jelentésűeket közöltük,
magyar egyenértékeseikkel együtt. A kéziszótárban térhiány okán nem közölt angol
származékok magyar jelentésének megalkotásában (ha az angol alapszó megtalál-
ható címszavaink között) némi segítséget nyújthat a Függelékben található angol
képzőtáblázat.

Nem elvi okokból, hanem elsősorban térigényessége folytán kénytelenek voltunk
megszüntetni az ábrával való szemléltetésnek az 1957-es kiadásban bevezetett gya-
korlatát is. Az 1981 előtti kiadásokban található száz egynéhány képecske túl kevés
volt ahhoz, hogy az illusztrálásban rejlő minőségi értéktöbbletet eléggé meggyőzően
érzékeltesse.

A Kéziszótár, miként a korábbi kiadásai is, az elemi fokú angol nyelvi tájékozott-
sággal már bíró s angol tudásukat (főleg olvasmányi élmények alapján) továbbfej-
leszteni szándékozó magyar anyanyelvűek számára készült. Ezért nem tartalmaz
olyan közlést, mely csak angol ajkúak számára volna szükséges (pl. a magyar ekviva-
lensek kiejtése, ragozási módja). A magyar ajkú szótárhasználók szempontjából
fontos nyelvtani tájékoztatást azonban, mint például az angol igék vagy főnevek
rendhagyóan képzett alakjait, a szótár törzsanyagában közöljük.

A kéziszótár jelen kiadásában 37 000 vastagbetűs angol címszó található, továbbá
a leggyakoribb 200 angol igének szócikke végén határozószókkal vagy elöljárókkal
képzett 1310 állandósult kapcsolata, ugyancsak vastag betűkkel szedve (az ún. alcím-
szók), azonkívül címszószerűen szedett 1400 angol tulajdonnév és 1100 betűrövi-
dítés. — Tartalmaz a szótár ezen felül még a szócikkekbe ágyazva mintegy 20 000
dőlt betűkkel szedett állandósult angol szószerkezetet (frazeológiai adatot), és a cím-
szó nagy-britanniai kiejtésének jelzése után mintegy 4000 esetben az eltérő amerikai
(USA) ejtést is.

2. Az írásjelek

A vessző, a pontosvessző, a virgula, a tilde, a kerek és a csúcsos zárójel a Kéziszótár
jelen kiadásában ugyanazt a szerepet tölti be, mint az összes előző kiadásban és
ugyane szerző kis és nagy angol—magyar szótáraiban. A vessző és pontos-
vessző használatával kapcsolatban némi módosításra hívjuk fel a figyelmet. A
vessző általában a magyar egyenértékeseket választja el egymástól; a pontos-
vessző ugyanazon jelentésszámon belül a jelentésárnyalatokat különíti el. A
félreértések elkerülése végett — kényszerűségből — néha eltekintettünk a vessző
kitételétől azokban az esetekben, amelyekben azt a magyar helyesírás egyébként
megkívánná. — A szögletes zárójelnek [ ] ebben a szótárban kétféle szerepe van.
Egyfelől a címszó után annak kiejtését fonetikus átírásban közlő jeleket zárja körül,
— másfelől a magyar egyenértékesek sorában a magyar szó használati körét, a tár-
gyilag vagy fogalmilag korlátozó megjelölést adja meg, ami tartalmilag nem része
az ekvivalensnek. Pl. *blue-pencil* = töröl [szövegből], *flea-bitten* pettyes, foltos [ló
szőre], *exercise 1.* = gyakorlás [tisztségé], *separate*, ~*s* = egyes darabok [pl. blúz,
szoknya].

3. Visszatekintés

A kéziszótár első kiadása, 1948-ban, minden vonatkozásban egyetlen ember munkája volt s az anyaggyűjtést nem számítva két év alatt készült el. Az 1957-es átrendezett harmadik és jelen átdolgozott és bővített új kiadásban a szerkesztő már egy kis munkatársi együttes segítségét vehette igénybe. Meleg köszönetet mond a hét éven át (1973—1979) a jelen kiadáson végzett munka minden menetében fontos és sokoldalú szerepet betöltő dr. *Magay Tamás*nak és *Mentlné Láng Iloná*nak, akiknek kitűnő anyagismerete, nagy lexikográfiai gyakorlata és fáradhatatlan közreműködése jelentős mértékben járult hozzá az új kiadás létrejöttéhez, és sok terhet vett le a szerkesztő válláról. Tagja volt a szerkesztőségnek Brücknerné Bárdos Ágota és Berkáné Danesch Marianne. Egy részterületen hasznos munkát végzett dr. Kontra Miklós. Alkalomszerűen segítséget nyújtott Paul Aston, Peter Sherwood és Nádasdy Ádám. Újból köszönet illeti N. Horton Smith professzor urat, aki a jelen új kiadás előkészítésében is tanácsadóként működött, főleg stiláris és jelentéshelyességi kérdések eldöntésével.

Budapest, 1981. január 17.

Országh László

A KIEJTÉS JELÖLÉSE

1. A szótár a címszavak kiejtését — szögletes zárójelben — az *Association Phonétique Internationale* átírási rendszere szerint közli.

Helykímélés céljából a többféle kiejtésű szavaknak a legtöbb esetben csak egyféle, a legelterjedtebb ejtését adja meg a szótár. Rendszerszerűen feltünteti azonban a brit angolságtól eltérő a m e r i k a i ejtésváltozatokat, illetőleg azok eltérő elemeit (olykor csak egyetlen hangot), s ezek közül is csupán azt az egyetlen változatot, amelyik az Egyesült Államok területén a legáltalánosabbnak, leggyakoribbnak tekinthető. A brit angolság kiejtésére nézve a D. *Jones* — A. C. *Gimson*-féle *Everyman's English Pronouncing Dictionary* (EPD) 1977-es 14. kiadása, az amerikai angol ejtésváltozatok megállapításához pedig a *Kenyon—Knott*-féle *A Pronouncing Dictionary of American English* (1953), illetőleg a *Barnhart*-féle *The World Book Dictionary* 1972-es kiadása szolgált alapul.

2. A kiejtést nem adja meg a szótár az olyan összetett szavak mellett (pl. *eyebrow* vagy *water-colour*), melyeknél az összetételt alkotó egyes tagok kiejtése az egyes alkotóelemek (*eye* és *brow,* ill. *water* és *colour*) alatt úgyis megtalálható. Kivételt tesz a szótár az olyan összetett szavakkal, amelyekben az összetétel egyik tagjának többféle kiejtése is lehet (pl. *bow* vagy *wind* összetételei), vagy ahol hasonulás folytán, vagy egyéb okból, az összetételt alkotó tagok kiejtése megváltozik, pl. *cupboard* ['kʌbəd], *forehead* ['fɔrɪd] stb.

3. A kiejtés nem közvetlenül a címszó után áll, ha az egyes szófajoknak vagy jelentésváltozatoknak eltérő a kiejtése. Ilyenkor a kiejtés a szócikk belsejében, az egyes római számmal jelzett szófajok vagy arabszámos jelentésváltozatok után található (pl. *digest, graduate, tierce* stb.).

4. A szótár gyakran alkalmaz részkiejtéseket. Erre elsősorban helytakarékossági okokból került sor, de abból a meggondolásból is, hogy — főként az amerikai ejtésváltozatok esetében — az eltérés jobban érzékelhető, ha csak azt a hangot, hangkapcsolatot vagy szótagot tüntetjük fel, amelynek ejtése vagy hangsúlya különbözik a megadott kiejtéstől.

5. Ebben a kiadásban négy kiejtési jel megújításával léptünk tovább: az eddigi [a:], [i], [o] és [u] helyett bevezettük az [ɑ:], [ɪ], [ɔ] és [ʊ] jeleket.

A kiejtési jelek magyarázata

Az egyes hangok leírásában kerültük a tudományos, a fonetikai irodalomban használatos meghatározásokat. Mi itt arra törekedtünk, hogy az általános szótárhasználó számára, éppen ezért laikus, közérthető megfogalmazásban tegyük hozzáférhetővé az egyes hangok minőségét, ejtésmódját. Azoknak, akiket részletesebben érdekel a hangleírás, tanulmányozásra ajánlhatjuk a következő műveket: *Kónya—*

9

Országh, Rendszeres angol nyelvtan (7. kiadás), Terra, Bp. 1976; *András—Stephanidesné, Angol leíró nyelvtan,* I. rész *Fonetika,* Tankönyvkiadó, Bp. 1964; *A. C..Gimson, An Introduction to the Pronunciation of English* (2nd edition), Edward Arnold, London, 1970.

Magánhangzók

[ɑ:] A magyar *á* és *a* között álló hosszú hang. **Father** ['fɑ:ðə*], **bar** [bɑ:*].

[ɑ] Az előbbinél rövidebb hang az [ɔ] amerikai angol megfelelője. **Dog** [dɑg], **hot** [hɑt].

[æ] Szélesre húzott ajakkal ejtett, teljesen nyílt[1] *e* hang. A magyar anyanyelvűeknek körülbelül egyharmada „az *ember levetette* (a kabátját)" szókban két különböző *e* hangot ejt. Az itt vastag betűvel nyomtatott *e* hang ejtése aránylag közel áll az angol [æ]-hez. **Bad** [bæd], **hat** [hæt].

[e] A röviden ejtett magyar *é*-nek megfelelő hang. **Get** [get], **men** [men].

[ɪ] Az [e]-hez, vagyis a röviden ejtett magyar *é*-hez hasonló hang. **Fish** [fɪʃ], **sit** [sɪt].

[i:] Megfelel a hosszú magyar *í*-nek. **Feel** [fi:l], **peace** [pi:s].

[ə] Elmosódó *ö*-szerű hang, az ún. „sorvadó hang", a „schwa". Csak hangsúlytalan szótagban fordul elő. **The** [ðə], **standard** ['stændəd], **another** [ə'nʌðə*].

[ə:] Hosszan ejtett rövid magyar *öö*-re emlékeztető hang, amelyet — a magyartól eltérően — nem ajakkerekítéssel, hanem szélesre húzott ajakkal ejtünk. **Girl** [gə:l], **her** [hə:*].

[ɔ] A magyar *a* és *o* közé eső hang. **Not** [nɔt], **hot** [hɔt]. Az· amerikai angol kiejtésben ennek a hangnak a megfelelőjét többnyire [ɑ]-val jelöltük: **hot** [hɑt; US -ɑ-].

[ɔ:] A magyar *ó*-nál nyíltabb hang. **Saw** [sɔ:], **born** [bɔ:n].

[ʊ] A magyar *u*-nál nyíltabb, inkább az *o*-hoz közelítő hang. **Put** [pʊt], **good** [gʊd].

[u:] A magyar hosszú *ú*-nak megfelelő hang. **Blue** [blu:], **boon** [bu:n].

[ʌ] Széles ajaknyílással ejtett rövid hang, nagyjából megfelel a röviden ejtett magyar *á*-nak, a „palócos" à-nak. **But** [bʌt], **come** [kʌm], **mother** ['mʌðə*].

[y] A magyar *ü*-nek megfelelő hang. A skót *guid* [gyd] és néhány idegen szóban fordul elő.

Kettőshangzók

[aɪ] Á-val kezdődő és *j*-ben végződő hang, mint a magyar *máj* szóban. **My** [maɪ], **child** [tʃaɪld].

[eɪ] É-vel kezdődő és *j*-ben végződő hang, mint a magyar *mély* szóban. **Day** [deɪ], **table** ['teɪbl].

[eə] A magyar *e*-ből indul és az [ə] felé halad. **Pair** [peə*], **there** [ðeə*].

[ɪə] A magyarnál sokkal nyíltabb rövid *i*-ből indul, és halad az [ə] felé. **Here** ['hɪə*], **dear** [dɪə*].

[ɔɪ] Az *o*-ból indul, és *j*-ben végződik, mint a magyar *fojt* szóban. **Boy** [bɔɪ], **oil** [ɔɪl].

[oʊ] Az *ó*-ból indul, és halad a magyarnál nyíltabb *u* [ʊ] felé. **No** [noʊ], **post** [poʊst]. (A brit angolságban terjed az *ö*-szerű hangból kiinduló ejtés.)

---

[1] *Nyílt* azt jelenti, hogy alsó vagy a szokásosnál alacsonyabb nyelvállással képzett magánhangzó.

[aʊ] A rövid magyar á-ból indul, és halad a magyarnál nyíltabb u [ʊ] felé. **Now** [naʊ], **out** [aʊt].

[ʊə] A magyarnál nyíltabb u-ból indul, és megy át az [ə]-be. **Poor** [pʊə*], **pure** [pjʊə*].

Mássalhangzók

Itt csak azokat az angol hangokat soroljuk fel, amelyeknek nincs megközelítő magyar megfelelőjük, illetőleg amelyek jele eltér a magyar ábécé betűinek hangértékétől.

[θ] A zöngétlen *th* hangja. Kimondásakor a nyelv hegyét a két fogsor közé helyezzük. **Thin** [θɪn], **thank** [θæŋk].

[ð] A zöngés *th* hangja. Kimondásakor a nyelv hegyét a két fogsor közé helyezzük és lágyan d-t próbálunk ejteni. **The** [ðə], **then** [ðen], **this** [ðɪs].

[s] Megfelel a magyar *sz* hangnak. **Sell** [sel], **rice** [raɪs].

[ʃ] Megfelel a magyar *s* hangnak. **Ship** [ʃɪp], **fish** [fɪʃ].

[ʒ] Megfelel a magyar *zs* hangnak. **Measure** ['meʒə*[, **usaal** ['ju:ʒəl].

[w] Kiejtésekor u-t készülünk mondani, majd az ajkak érintkezése nélkül átmegyünk a *w* utáni magánhangzóra. **Wall** [wɔ:l], **well** [wel].

[ŋ] Megfelel a magyar *ng* hangkapcsolatnak az orrhangon ejtett *lengő* szóban, de a g hangot nem formáljuk meg tisztán és önállóan. **Long** [lɔŋ], **singing** ['sɪŋɪŋ].

[r] Az angolok az r hangot csak magánhangzó előtt ejtik, de a magyar r-nél lágyabban, pergetés nélkül. **Rather** ['rɑ:ðə*], **correct** [kə'rekt].
Az amerikaiak mássalhangzó előtt és szóvégi helyzetben is ejtik, de az amerikai r hangzásbeli minősége különbözik az angoltól (hátrahajlított nyelvvel képezik). Ebben a szótárban csak olyan esetekben jelöltük (egyszerű [r]-rel), amelyekben egyébként is feltüntettük az amerikaias ejtést, pl. **brazier** ['breɪzjə*; *US* -ʒər], **literature** ['lɪt(ə)rətʃə*; *US* -tʃʊr].

[*] Annak jele, hogy az r-ben végződő szavakban az r néma, tehát a szó magánhangzóra végződik; ám ha a szó után összefüggő beszédben magánhangzóval kezdődő szó következik, akkor kötőhangként kiejtjük, az r-et. Tehát: **for** [fɔ:*], de **for instance** [fər'ɪnstəns].

[x] Erősen ejtett *h*, mint a német *ach* vagy a magyar *doh* szóban. **Loch** [lɔx].

[tʃ] Megfelel a magyar *cs* hangnak. **Child** [tʃaɪld], **catch** [kætʃ].
A félreértések elkerülése végett, ha a t és ʃ jel összetételben vagy szótaghatáron kerül egymás mellé, kötőjelet alkalmaz a szótár, pl. **nutshell** ['nʌt-ʃel], **regentship** ['ri:dʒnt-ʃɪp].

[dʒ] Megfelel a magyar *dzs* hangnak. **Jam** [dʒæm], **hedge** [hedʒ].

Mellékjelek]

['] Hangsúlyjel: a rá következő szótag hangsúlyos. **Alarm** [ə'lɑ:m].

[:] ʃ Azt jelzi, hogy az előtte álló magánhangzó hosszan ejtendő. **Pea** [pi:], **father** ['fɑ:ðə*].

Zárójelbe tett jelek

Ha zárójelben találunk egy-egy kiejtési jelet (legtöbbször az ə-t), ez azt jelenti, hogy a kérdéses hangzót a gyorsabb ütemű élő beszédben az angolok elnyelik, vagy csak alig ejtik. Pl. **favourable** ['feɪv(ə)rəbl], **fearful** ['fɪəf(ʊ)l].

RÖVIDÍTÉSEK ÉS JELEK

a	adjective	melléknév
adv	adverb	határozószó
átv	átvitt értelemben	figuratively
biz	bizalmas, kötetlen szóhasználat	colloquial usage
comp	comparative	középfok
conj	conjunction	kötőszó
etc	etcetera	stb.
GB	British usage	brit szóhasználat
int	interjection	indulatszó
ír	írországi szóhasználat	Irish usage
jelzői haszn	jelzői használat	attributive(ly)
kb.	körülbelül	approximately
l.	lásd	see (under . . .)
n	noun	főnév
	(utána az igei állítmány egyes számban áll)	
n pl	noun plural	többes számban használt főnév
	(utána az igei állítmány többes számban áll)	
összet	összetételben	in compounds
pl	plural	többes szám
pl.	például	for example, e.g.
pp	past participle	múlt idejű melléknévi igenév
pref	prefix	igekötő, előképző
prep	preposition	elöljáró
pres part	present participle	jelen idejű melléknévi igenév
pron	pronoun	névmás
prop	proper noun	tulajdonnév
pt	past tense	múlt idő
rendsz	rendszerint	usually
sg	something	valami, vm
sing	singular	egyes szám
sk	skóciai szóhasználat	Scottish usage, Scotticism
suff	suffix	képző, rag
sup	superlative	felsőfok
sy	somebody	valaki, vk
szem.	személy	person
US	American usage, Americanism	amerikai szóhasználat, amerikanizmus
v	verb	ige
v.	vagy	or

v aux	auxiliary verb	segédige
vi	intransitive verb	tárgyatlan ige
v imp	impersonal verb	személytelen ige
vk	valaki	somebody, sy
vm	valami	something, sg
v refl	reflexive verb	visszaható ige
vt	transitive verb	tárgyas ige
vulg	vulgar	durva, bántóan közönséges szóhasználat

☐   slang
†   elavult, régies
~   a címszót pótolja
=   ugyanaz mint
→   lásd még (utalás a nyilat közvetlenül megelőző jelentésről)
‖→   lásd még (utalás az előtte levő egész szócikkről)
/   virgula, a vagylagosság jele
( )   szavaknak, szókapcsolatoknak elhagyható eleme
[ ]   l. a 6. lapon
⟨ ⟩   nem a szó fordítása, megfelelője, hanem csupán jelentésének körülírása, értelmezése

Egyes igék szócikkének elején kötőjelek között található két vastag betű (pl. -pp-) azt jelenti, hogy az ige végmássalhangzóját a múlt időkben és a jelen idejű melléknévi igenévben megkettőzi. Pl. *drop, dropped, dropping*.

A

A¹, a [eɪ] **1.** A, a (betű); *not to know* ~
from B egészen tudatlan **2.** *A1*
[eɪ'wʌn] első osztályú, elsőrendű, príma, kitűnő **3.** *US* jeles [osztályzat] **4.**
a [zenei hang]; ~ *flat* asz; ~ *major*
A-dúr; ~ *minor* a-moll; ~ *sharp* aisz
A.², A [eɪ] **1.** *adult* ⟨csak 16 éven felülieknek való filmek jelzése⟩ **2.** ~ *level*
→ *advanced 2.*

a³ [eɪ; gyenge ejtésű alakja: ə] *indefinite article* ⟨az angol határozatlan névelő mássalhangzóval ejtendő szavak
előtt:⟩ egy; egy bizonyos; ~ *Mr.*
Brown egy bizonyos Brown úr → *an*
II.

a- [ə-] ⟨előképző nyomatékosító értelemben egykori *on* előrag maradványaként⟩ ... közben, alatt, -va, -ve;
a-singing éneklés közben, énekelve

A.A., AA [eɪ'eɪ] *Automobile Association*
⟨angol autóklub⟩; ~ *member* autóklubtag; ~ *patrol* segélykocsi, „sárga
angyal"

aback [ə'bæk] *adv* hátra, vissza(felé)
[hajós kifejezés]; *be taken* ~ elképed(t),
meghökken(t)

abacus ['æbəkəs] *n* (*pl* ~es *v.* abaci
['æbəsai] [iskolai] számológép

abaft [ə'bɑːft; *US* -æ-] *adv* a hajó fara
felé

abandon [ə'bændən] **I.** *n* fesztelen viselkedés **II.** *vt* elhagy, felad; letesz
(vmről); ~ *oneself to sg* átadja magát
vmnek

abandoned [ə'bændənd] *a* elhagyatott

abandonment [ə'bændənmənt] *n* átengedés, elhagyás, lemondás

abase [ə'beɪs] *vt* megaláz, lealacsonyít;
~ *oneself* megalázkodik

abasement [ə'beɪsmənt] *n* megalázás, lealacsonyítás

abash [ə'bæʃ] *vt* megszégyenít; zavarba
hoz; *be* ~*ed* zavarban van

abate [ə'beɪt] **A.** *vt* **1.** csökkent, mérsékel, enyhít **2.** véget vet, hatálytalanít
B. *vi* csökken, enyhül, alábbhagy

abatement [ə'beɪtmənt] *n* **1.** csökkentés,
leszállítás **2.** csökkenés

abattoir ['æbətwɑː*;* *US* - twɑːr] *n* vágóhíd

abbess ['æbes] *n* apáca-fejedelemasszony,
apácafőnöknő

abbey ['æbɪ] *n* apátság; kolostor

abbot ['æbət] *n* apát

abbreviate [ə'briːvɪeɪt] *vt* rövidít

abbreviation [əbriːvɪ'eɪʃn] *n* rövidítés

ABC, abc [eɪbiː'siː] *n* **1.** ábécé, betűrend; ~ *warfare* ABC-hadviselés **2.**
vmnek elemei

abdicate ['æbdɪkeɪt] *vt* **1.** lemond, leköszön **2.** felad

abdication [æbdɪ'keɪʃn] *n* **1.** lemondás
2. feladás

abdomen ['æbdəmen] *n* **1.** has **2.** potroh

abdominal [æb'dɒmɪnl; *US* -'dɑ-] *a* hasi,
hasüregi; ~ *operation* hasműtét

abduct [æb'dʌkt] *vt* erőszakkal megszöktet, elrabol [embert]

abduction [æb'dʌkʃn] *n* erőszakos megszöktetés; ~ *of women* nőrablás

abed [ə'bed] *adv* † (az) ágyban

Abel ['eɪbəl] *prop* Ábel

Aberdeen [æbə'diːn] *prop*

aberration [æbə'reɪʃn] *n* **1.** eltérés, tévelygés **2.** rendellenes fejlődés, aberráció

abet [ə'bet] *vt* -tt- felbujt (vkt), elősegít
[bűnös tettet]; *aid and* ~ *sy* bűnrészese és felbujtója vknek

abetment [ə'betmənt] *n* bűnpártolás; ~ *in crime* bűnrészesség
abetter [ə'betə*] *n* bűnsegéd, bűnrészes
abetting [ə'betɪŋ] *a* felbujtó, bűnpártoló
abettor [ə'betə*] = *abetter*
abeyance [ə'beɪəns] *n in* ~ függőben; *leave in* ~ függőben hagy, felfüggeszt
abhor [əb'hɔ:*] *vt* -rr- utál, gyűlöl (vmt), irtózik, iszonyodik (vmtől)
abhorrence [əb'hɔr(ə)ns; *US* - hɔ:-] *n* undor, utálat
abhorrent [əb'hɔr(ə)nt; *US* - hɔ:-] *a* elrémítő, iszonyatos, undort keltő
abide [ə'baɪd] *v (pt/pp* ~**d** ə'baɪdɪd **v.** abode ə'boʊd) A.** *vi* tartózkodik, lakik, (meg)marad; ~ *by sg* kitart/megmarad vm mellett **B.** *vt* eltűr, elvisel; *I cannot* ~ *him* ki nem állhatom
abiding [ə'baɪdɪŋ] *a* maradandó
ability [ə'bɪlətɪ] *n* képesség, tehetség
abject ['æbdʒekt] *a* nyomorult, alávaló; ~ *poverty* nagy/sötét nyomor; ~ *terror* pánik
abjection [æb'dʒekʃn] *n* megalázottság; alávalóság
abjectly ['æbdʒektlɪ] *adv* nyomorúságosan, aljasul; gyáván
abjuration [æbdʒʊə'reɪʃn] *n* esküvel való tagadás/lemondás
abjure [əb'dʒʊə*] *vt* eskü alatt (meg)tagad/lemond
ablaze [ə'bleɪz] *a* 1. *be* ~ lángban áll; *set* ~ lángba borít 2. izgatott; *átv* lángvörös [indulattól]
able ['eɪbl] *a* 1. képes; alkalmas; *be* ~ *to do sg* tud vmt tenni, tehet vmt 2. ügyes, tehetséges, rátermett
able-bodied *a* jó erőben levő, izmos; katonai szolgálatra alkalmas; ~ *seaman* tengerészközlegény
ablution [ə'blu:ʃn] *n* mosdás, kézöblítés
ably ['eɪblɪ] *adv* ügyesen; hathatósan
abnegation [æbnɪ'geɪʃn] *n* (ön)megtagadás, lemondás
abnormal [æb'nɔ:ml] *a* rendellenes, szabálytalan, abnorm(ál)is
abnormality [æbnɔ:'mælətɪ] *n* 1. rendellenesség, abnormitás 2. szörny(űség)
abnormity [æb'nɔ:mɪtɪ] *n* = *abnormality*
aboard [ə'bɔ:d] *adv/prep* hajón, repülő-(gépe)n, *US* vonaton, autóbuszon; *go*

~ hajóra száll, beszáll; *all* ~*!* beszállás*!*
abode [ə'boʊd] *n* lakóhely, tartózkodási hely; *take up one's* ~ *in the country* vidéken telepszik le; *of no fixed* ~ bejelentett lakással nem rendelkező
abolish [ə'bɒlɪʃ; *US* -ɑ-] *vt* eltöröl, megszüntet
abolition [æbə'lɪʃn] *n* 1. eltörlés, megszüntetés 2. (*US*) (néger) rabszolgaság eltörlése
abolitionist [æbə'lɪʃənɪst] *n* (néger) rabszolga-felszabadítás híve, abolíciós
A-bomb *n* atombomba;~ *ban* atomcsendegyezmény
abominable [ə'bɒmɪnəbl; *US* -'bɑ-] *a* utálatos; undorító, förtelmes
abominate [ə'bɒmɪneɪt; *US* -'bɑ-] *vt* utál, gyűlöl (vmt), undorodik (vmtől)
abomination [əbɒmɪ'neɪʃn; *US* -bɑ-] *n* utálat, undor; *hold sg in* ~ irtózik vmtől
aboriginal [æbə'rɪdʒənl] I. *a* ősi, eredeti II. *n* őslakó
aborigines [æbə'rɪdʒəni:z] *n pl* őslakók, bennszülöttek
abort [ə'bɔ:t] *vi/vt* 1. elvetél; koraszülése van 2. *átv* semmi sem lesz belőle
abortion [ə'bɔ:ʃn] *n* 1. (el)vetélés, abortusz; *have/procure an* ~ a terhességet megszakítja; (*procured*) ~ a terhesség mesterséges megszakítása, művi vetélés 2. torzalak, -szülött 3. kudarc
abortive [ə'bɔ:tɪv] *a* sikertelen, meddő
abound [ə'baʊnd] *vi* ~ *in/with sg* bővelkedik vmben; hemzseg vmtől
about [ə'baʊt] I. *adv* 1. mindenfelé, körös-körül; nem messze, a közelben; *there was no one* ~ senki sem volt a közelben; ~ *here* ezen a tájon; *be up and* ~ már fenn van, már nincs az ágyban 2. körülbelül, közel, megközelítőleg; körül, táján; *be* ~ *right* nagyjából igaza van; *it is* ~ *time* ideje volna már; ~ *midnight* éjféltájban 3. *be* ~ *to do sg* készül (vmt) tenni, azon a ponton van, hogy . . .; *he's* ~ *to leave* indulni készül, indulófélben van 4. ~ *turn!*, (*US*) ~ *face!* hátra arc*!* II. *prep* 1. -ról, -ről, felől, után, miatt, (vmvel) kapcsolatban; *what is it (all)* ~*?* miről

is van szó?, miről szól?; *what ~ it?*
(1) mit szólsz hozzá? (2) mi közöd
hozzá?, hát aztán?; *well, what ~
it!* na és aztán?, hát aztán!; *how/what
~ ...?* mit szólna/szólnál hozzá,
ha..., mi a véleményed... 2.
vm/vk körül, köré, -nál, -nél; *I have
no money ~ me* nincs nálam pénz
above [ə'bʌv] I. *a* fenti, fent/előbb emlí-
tett; *the ~ book* a fenti könyv II. *adv*
1. felett, felül, fenn; *from ~* felülről,
fentről; *the powers ~* az égi hatalmak
2. fentebb, a fentiekben; *as (stated) ~*
ahogy már említettük, mint fentebb
mondottuk III. *prep* 1. fölé, felett; *~
all* mindenekelőtt, legfőképp 2. több
mint; *it's ~ me* meghaladja képességei-
met; *he is not ~ stealing* a lopást sem
veti meg; *biz be ~ oneself* nem bír
magával jókedvében; *biz get ~ one-
self* felszáll a magas lóra IV. *n the ~* a
fentiek
above-board I. *a* őszinte, nyílt; tisztes-
séges, korrekt II. *adv* őszintén, nyíl-
tan; korrektül, tisztességesen
above-mentioned [-'menʃnd], **-named** *a*
fent említett, fenti, a hivatkozott
abrade [ə'breid] *vt* ledörzsöl, lehorzsol;
levakar; lekoptat
Abraham ['eibrəhæm] *prop* Ábrahám
abrasion [ə'breiʒn] *n* 1. ledörzsölés,
(le)horzsolás 2. lekopás, ledörzsölődés
abrasive [ə'breisiv] I. *a* 1. ledörzsölő;
érdes; *~ paper* csiszolópapír 2. *átv*
nyers(en energikus) [hang, természet],
rámenős [egyéniség] II. *n* csiszoló-
anyag
abreact [æbri'ækt] *vt* lereagál
abreast [ə'brest] *adv* egymás mellett, pár-
huzamosan; *come ~ of sg* felnyomul
vm mellé; *march two~* kettős sorokban
menetel; *be/keep ~ of/with sg* lépést
tart vmvel; *keep ~ of the times* halad a
korral
abridge [ə'bridʒ] *vt* (meg)rövidít; lerövi-
dít; *~d edition* rövidített kiadás
abridg(e)ment [ə'bridʒmənt] *n* 1. rövidí-
tés, kivonat 2. (jog)korlátozás
abroad [ə'brɔ:d] *adv* 1. kinn, külföldön;
külföldre; *go ~* külföldre megy/uta-
zik; *from ~* külföldről 2. széltében-

hosszában; *there's a rumour ~* az a hír
járja 3. *biz be all ~* fogalma sincs a
dologról; zavarban van
abrogate ['æbrəgeit] *vt* megszüntet, eltö-
röl, hatályon kívül helyez
abrogation [æbrə'geiʃn] *n* eltörlés, visz-
szavonás [törvényé]
abrupt [ə'brʌpt] *a* 1. hirtelen, váratlan
2. összefüggéstelen; kapkodó [stí-
lus]; *~ manner* nyers modor 3. meredek
abruptly [ə'brʌptli] *adv* hirtelen(ül)
abscess ['æbsis] *n* tályog, kelés
abscond [əb'skɔnd; *US* -ɑ-] *vi* megszö-
kik, elbújik, elrejtőzik
absence ['æbsns] *n* távollét; hiány(zás);
in ~ of hiányában; *~ of mind* szóra-
kozottság; *~ without leave* engedély
nélküli távollét
absent I. *a* ['æbsnt] távollévő; hiányzó;
be ~ hiányzik, nincs jelen; *~ without
leave (AWOL)* engedély nélkül távol-
(levő) II. *v refl* [æb'sent] *~ oneself
(from sg)* távol marad vmtől
absentee [æbsn'ti:] *n* rendszeresen távol
maradó
absenteeism [æbsn'ti:izm] *n* rendszeres
távolmaradás (munkahelyről), lógás
absent-minded *a* szórakozott
absent-mindedness [-'maindidnis] *n* szó-
rakozottság
absolute ['æbsəlu:t] *a* teljes, feltétlen,
végérvényes, tökéletes, abszolút
absolutely ['æbsəlu:tli] *adv* 1. teljesen;
feltétlenül, abszolúte; *~ not* egyálta-
lán nem 2. *biz ~!* úgy van!
absolution [æbsə'lu:ʃn] *n* felmentés [vád
alól]; feloldozás [bűnök alól]
absolutism ['æbsəlutizm] *n* önkényu-
ralom, abszolutizmus
absolve [əb'zɔlv; *US* -ɑl-] *vt* felment,
feloldoz
absorb [əb'sɔ:b] *vt* 1. elnyel, felszív,
abszorbeál 2. *be ~ed in sg* elmerül/el-
mélyed vmben, teljesen leköti vm
absorbent [əb'sɔ:bənt] I. *a* felszívó, ab-
szorbens, elnyelő, hangnyelő; *~ cotton*
vatta II. *n* abszorbens (anyag)
absorption [əb'sɔ:pʃn] *n* 1. abszorpció
2. *(átv)* elmerülés, elmélyedés
abstain [əb'stein] *vi* tartózkodik *(from*
vmtől)

abstainer [əb'steɪnə*] n (total) ~ szeszes italtól tartózkodó, antialkoholista
abstemious [æb'sti:mjəs] a mértékletes
abstention [əb'stenʃn] n tartózkodás
abstinence ['æbstɪnəns] n tartózkodás, önmegtartóztatás; total ~ szeszes italtól (v. alkoholtól) való teljes tartózkodás, antialkoholizmus
abstinent ['æbstɪnənt] a önmegtartóztató; szeszes italtól tartózkodó
abstract I. a ['æbstrækt] elvont; in the ~ elvontan II. n ['æbstrækt] tartalmi kivonat, összefoglalás; ~ of title telekkönyvi kivonat III. vt [æb'strækt] 1. elvon, absztrahál 2. tartalmi kivonatot készít (vmből) 3. biz eltulajdonít, elemel
abstracted [æb'stræktɪd] a 1. elvonatkoztatott 2. szórakozott
abstraction [æb'strækʃn] n 1. elvonás, absztrakció 2. elvontság; elvont fogalom, absztrakció 3. szórakozottság
abstruse [æb'stru:s] a nehezen érthető, homályos, rejtett értelmű
absurd [əb'sə:d] a képtelen, nevetséges, abszurd
absurdity [əb'sə:dɪtɪ] n képtelenség, abszurdum
abundance [ə'bʌndəns] n 1. bőség, sokaság; in ~ bőven; an ~ of... rengeteg..., egész csomó... 2. bővelkedés, jólét; live in ~ bőségben/jólétben él
abundant [ə'bʌndənt] a bő(séges), kiadós, bőven elég
abuse I. n [ə'bju:s] 1. visszaélés, túlkapás 2. helytelen használat; rongálás 3. gyaláz(kod)ás, mocskolódás; durva bánásmód II. vt [ə'bju:z] 1. visszaél (vmvel) 2. rosszul bánik (vkvel), sérteget, mocskol
abusive [ə'bju:sɪv] a gyalázkodó, sértegető; use ~ language gorombáskodik
abut [ə'bʌt] vi -tt- ~ on (1) határos vmvel (2) felfekszik vmre
abutment[ə'bʌtmənt]n 1. csatlakozó/felfekvési lap; illesztés 2. alátámasztás; (tám)pillér; támfal
abysmal [ə'bɪzml] a feneketlen, mélységes
abyss [ə'bɪs] n szakadék, végtelen mélység/idő

Abyssinia [æbɪ'sɪnjə] prop Abesszínia
Abyssinian [æbɪ'sɪnjən] a/n abesszin
A.C., a.c. [eɪ'si:] alternating current
a/c, A/C account (current) folyószámla, fszla.
acacia [ə'keɪʃə] n akác
academic [ækə'demɪk] I. a 1. akadémiai; egyetemi, főiskolai; ~ year egyetemi tanév 2. tudományos 3. akadémikus, elméleti II. n egyetemi oktató
academical [ækə'demɪkl] I. a főiskolai, egyetemi II. academicals n pl hivatalos egyetemi öltözet
academician [əkædə'mɪʃn; US ækədə-] n akadémikus, akadémiai tag; Royal A~ a Királyi Szépművészeti Akadémia tagja
academy [ə'kædəmɪ] n 1. akadémia, főiskola 2. (tudományos) akadémia; the Royal A~ Királyi Szépművészeti Akadémia
accede [æk'si:d] vi 1. beleegyezik (to vmbe), hozzájárul (to vmhez); ~ to a request kérést teljesít 2. ~ to an office hivatalba lép; ~ to the throne trónra lép
accelerate [æk'seləreɪt] A. vt siettet; gyorsít B. vi gyorsul
acceleration [əksele'reɪʃn] n 1. gyorsulás 2. siettetés; gyorsítás
accelerator [æk'seləreɪtə*] n gyorsító; ~ (pedal) gázpedál
accent I. n ['æksnt; US -sent] 1. hangsúly 2. ékezet, hangsúlyjel 3. kiejtésmód, akcentus; foreign ~ idegenszerű kiejtés II. vt [æk'sent] hangsúlyoz
accentuate [æk'sentjʊeɪt; US -tʃʊ-] vt (ki)hangsúlyoz, vmre súlyt helyez
accentuation [æksentjʊ'eɪʃn; US -tʃʊ-] n (ki)hangsúlyozás
accept [æk'sept] vt elfogad; ~ delivery of goods árut átvesz; ~ a bill of exchange elfogad váltót
acceptable [æk'septəbl] a elfogadható, szívesen látott, kellemes
acceptance [æk'septəns] n 1. elfogadás, helybenhagyás, beleegyezés; meet with general ~ általános helyeslésre talál; present for ~ elfogadásra bemutat [váltót]; ~ of persons részrehajlás 2. elfogadvány; ~ (bill) elfogadott váltó 3. átvétel [árué]

acceptation [æksep'teɪʃn] *n* elfogadott/általános/szokásos jelentés [szóé]
acceptor [ək'septə*] *n* intézvényezett, váltóelfogadó
access ['ækses] *n* 1. belépés, bemenet, bejárás; ~ *road* bekötő út; ~ *only* „átmenő forgalom" [behajtás csak úticéllal]; *give* ~ *to* bejáratul/átjáróul szolgál vhová 2. hozzáférhetőség; *easy of* ~ könnyen hozzáférhető/megközelíthető; *have* ~ *to* (szabad) bejárása van (vkhez); (könnyen) hozzáfér/hozzájut (vmhez) 3. (düh)roham
accessibility [æksesə'bɪlətɪ] *n* hozzáférhetőség, megközelíthetőség
accessible [ək'sesəbl] *a* hozzáférhető, megközelíthető, elérhető
accession [æk'seʃn] *n* 1. ~ *to throne* trónra lépés; ~ *to office* hivatalba lépés 2. szerzeményezés; gyarapodás [könyvtárban]; növedék; *new* ~*s* új szerzemények/beszerzések 3. növekedés
accessory [ək'sesərɪ] I. *a* mellék(es), járulékos, tartozékos, mellék-, pót- II. *n* 1. **accessories** *pl* kellékek, tartozék(ok), alkatrészek, felszerelés, szerelvények, hozzávaló 2. bünrészes, bűntárs, cinkostárs; ~ *before the fact* felbujtó, bűnsegéd; ~ *after the fact* bűnpártoló, orgazda
accidence ['æksɪdns] *n* alaktan
accident ['æksɪdnt] *n* 1. véletlen(ség); *by* ~ véletlenül, esetleg 2. baleset, szerencsétlenség; *fatal* ~ halálos (kimenetelű) baleset; *motoring* ~ autóbaleset; *have* (v. *meet with*) *an* ~ balesetet szenved, baleset éri; ~ *insurance* balesetbiztosítás; ~ *ward* baleseti osztály
accidental [æksɪ'dentl] *a* 1. véletlen, akaratlan, esetleges 2. mellékes, pótaccidentally [æksɪ'dentəlɪ] *adv* véletlenül, akaratlanul, történetesen
acclaim [ə'kleɪm] *vt* hangosan üdvözöl/helyesel; vmnek kikiált
acclamation [æklə'meɪʃn] *n* (lelkes) helyeslés, éljenzés, tetszésnyilvánítás; *carried by* ~ közfelkiáltással megszavazva
acclimatization [əklaɪmətaɪ'zeɪʃn; *US*

-tɪ'z-] *n* 1. meghonosítás, hozzászoktatás, akklimatizálás 2. meghonosodás, akklimatizálódás, akklimatizáció
acclimatize [ə'klaɪmətaɪz] *vt* meghonosít, megszoktat, akklimatizál; *become/get* ~*d* meghonosodik, akklimatizálódik, megszokik (vhol)
acclivity [ə'klɪvətɪ] *n* meredek domboldal, emelkedő
accolade ['ækəleɪd; *US* -'leɪd] *n* 1. lovaggá ütés 2. elismerés, jutalom
accommodate [ə'kɔmədeɪt; *US* -'kɑ-] *vt* 1. hozzáalkalmaz (*to* vmhez); ~ *oneself to sg* alkalmazkodik vmhez 2. elszállásol, elhelyez, szállást ad (vknek); *the hotel can* ~ *500 guests* a szálloda 500 személy befogadására alkalmas; ~ *sy with sg* ellát vkt vmvel 3. kiegyenlít, egybehangol
accommodating [ə'kɔmədeɪtɪŋ *US* -'kɑ-] *a* alkalmazkodó, engedékeny
accommodation [əkɔmə'deɪʃn; *US* -kɑ-] *n* 1. alkalmazkodás 2. elhelyezés, elszállásolás, szállás(hely), férőhely; ~ *for 500 persons* férőhely 500 személy számára 3. *US* **accommodations** *pl* szállás, lakás 4. kényelem, könnyebbség; ~ *ladder* külső/leereszthető hajólépcső; *US* ~ *train* személyvonat 5. szívesség; ~ *bill* szívességi váltó
accompaniment [ə'kʌmpənɪmənt] *n* 1. kíséret 2. kísérő jelenség
accompanist [ə'kʌmpənɪst] *n* (zenei) kísérő
accompany [ə'kʌmpənɪ] *vt* 1. kísér; *accompanied (at the piano) by . . .* (zongorán) kíséri . . . 2. vele jár [következmény], velejárója, kísérő jelensége (vmnek)
accompanying [ə'kʌmpənɪŋ] *a* 1. kísérő 2. vele járó, kísérő
accomplice [ə'kʌmplɪs; *US* -ɑ-] *n* bűnrészes, cinkostárs, bűntárs
accomplish [ə'kʌmplɪʃ; *US* -ɑ-] *vt* bevégez, befejez, megvalósít, teljesít, végrehajt
accomplished [ə'kʌmplɪʃt; *US* -ɑ-] *a* 1. tökéletes, kész; *an* ~ *fact* befejezett tény 2. művelt 3. kiváló; jártas; rutinos (*in* vmben)
accomplishment [ə'kʌmplɪʃmənt; *US*

2

-a-] *n* **1.** befejezés, teljesítés **2.** teljesítmény; eredmény **3.** képesség, jó tulajdonság; *have many ~s* sokoldalúan képzett **4.** (társadalmi) csiszoltság
accord [ə'kɔ:d] **I.** *n* **1.** egyetértés, összhang; *with one ~* egyhangúlag; *of one's own ~* önszántából; *in ~ with sg* összhangban vmvel **2.** megegyezés, egyezség **II. A.** *vi* összhangban van, (meg-) egyezik (*with* vmvel) **B.** *vt* nyújt, (meg)ad (vmt vknek)
accordance [ə'kɔ:dns] *n* egyetértés, (meg)egyezés; *in ~ with sg* vm szerint, vmhez képest, vmnek megfelelően; *be in ~ with sg* megfelel vmnek
according [ə'kɔ:dɪŋ] *adv ~ as* amennyiben, úgy . . . amint, aszerint, hogy . . .; *~ to* szerint, vmhez képest, vmnek megfelelően
accordingly [ə'kɔ:dɪŋlɪ] *adv* (ennek) megfelelően, eszerint, tehát, így, következésképpen, éppen ezért
accordion [ə'kɔ:djən] *n* (tangó)harmonika
accost [ə'kɔst; *US* -ɔ:-] *vt* megszólít; [utcán] leszólít
account [ə'kaʊnt] **I.** *n* **1.** számla, elszámolás; *~ current, current ~* folyószámla; *~ holder* számlatulajdonos; *~ rendered* elszámolás szerint; *~ sale* eladás elszámolásra; *charge an ~* számlát megterhel; *be to sy's ~* vkt terhel; *have an ~ with the . . . Bank* folyószámlája van a . . . Bankban; *open an ~ (with a bank)* számlát nyit (vmely bankban); *put it down to my ~* írja (ezt) az én számlámra; *settle/square an ~* rendez/kifizet számlát; *settle/square ~s with sy* (1) számláját kifizeti/kiegyenlíti, elszámol vkvel (2) *átv* (le)számol vkvel; *have an ~ to settle with sy* van egy kis elintéznivalója vkvel **2.** elszámolási kötelezettség; beszámolás; beszámoló, jelentés; *call sy to ~* felelősségre von vkt, számon kér vmt vktől; *give/render an ~ of sg* (1) elszámol, számot ad vmről (2) beszámol(ót tart) vmről; *give a good ~ of oneself* jó eredményt mutat fel; *by his own ~* saját állítása szerint; *leave sg out of ~* számításon kívül hagy vmt; *take sg*

into ~ tekintetbe/figyelembe/számba vesz vmt **3.** haszon, előny; *turn/put sg to (good)* ~ előnyösen/jól felhasznál vmt, hasznát látja vmnek; *on one's own* ~ saját felelősségére/számlájára **4.** fontosság; *of little/small* ~ nem számottevő; *of no* ~ jelentéktelen; *be held in (great)* ~ sokra tartják **5.** *by all ~s* mindenesetre, feltétlenül; *on* ~ *of* miatt, következtében; *on this/that* ~ ezért, ez okból; *on my* ~ a kedvemért, miattam; *on every* ~ mindenképp, mindenesetre; *on no* ~ semmi esetre sem, semmiképpen **II.** *vt* tart, tekint (vkt vmnek)
account for *vi* **1.** elszámol (vmvel), számot ad (vmről), számol (vmért) **2.** magyaráz (vmt), magyarázatul szolgál (vmre), indokol; igazol (vmt); *there's no ~ing for tastes* ízlések és pofonok különbözők
accountable [ə'kaʊntəbl] *a* felelős (*for* vmért, *to* vknek)
accountancy [ə'kaʊntənsɪ] *n* könyvelés, könyvelőség, könyvvitel
accountant [ə'kaʊntənt] *n* könyvelő; könyvvizsgáló, revizor; *chief* ~ főkönyvelő
accounting [ə'kaʊntɪŋ] *n* könyvelés, könyvvitel
accoutrements [ə'ku:təmənts] *n pl* (katonai) felszerelés
accredit [ə'kredɪt] *vt* megbízólevéllel ellát, akkreditál (*to* vhová)
accredited [ə'kredɪtɪd] *a* meghatalmazott, akkreditált
accretion [ə'kri:ʃn] *n* **1.** növekedés, növedék, gyarapodás **2.** áradmány
accrue [ə'kru:] *vi* növekszik, felszaporodik; *~d interest* felszaporodott kamat
accumulate [ə'kju:mjʊleɪt] **A.** *vt* felhalmoz, (össze)gyűjt **B.** *vi* felhalmozódik, (fel)gyülemlik
accumulation [əkju:mjʊ'leɪʃn] *n* **1.** felhalmozás, összegyűjtés **2.** felhalmozódás; *~ of capital* tőkefelhalmozás
accumulator [ə'kju:mjʊleɪtə*] *n* akkumulátor
accuracy ['ækjʊrəsɪ] *n* pontosság, szabatosság; hitelesség
accurate ['ækjʊrət] *a* pontos, szabatos

accurately ['ækjʊrətlɪ] *adv* pontosan
accursed [ə'kə:sɪd] *a* átkozott
accusation [ækju:'zeɪʃn] *n* vád(emelés)
accusative [ə'kju:zətɪv] I. *a* tárgyesettel járó, accusativusos II. *n* tárgyeset, accusativus
accuse [ə'kju:z] *vt* (meg)vádol (*sy of sg* vkt vmvel); *be ~d of sg* vmvel vádolják; *the ~d* a vádlott/terhelt
accuser [ə'kju:zə*] *n* vádló
accusing [ə'kju:zɪŋ] *a* vádoló
accustom [ə'kʌstəm] *vt* hozzászoktat (*to* vmhez); *~ oneself to sg* hozzászokik vmhez; *be ~ed to sg* hozzá van szokva vmhez, hozzászokott vmhez
accustomed [ə'kʌstəmd] *a* megszokott, szokásos
ace [eɪs] *n* 1. ász, disznó [kártyában]; egyes (szám) [kockában, dominóban] 2. kiválóság, sztár, menő [sportban stb.]; mesterpilóta 3. ász [teniszben] 4. (*be*) *within an ~ of . . .* kis híja, hogy . . .
acerbity [ə'sə:bətɪ] *n* savanyúság, csípősség, fanyarság
acetate ['æsɪteɪt] *n* ecetsavas só, acetát
acetic [ə'si:tɪk] *a* ecetes, ecet-; *~ acid* ecetsav
acetify [ə'setɪfaɪ] A. *vt* megsavanyít B. *vi* megsavanyodik, megecetesedik
acetylene [ə'setɪli:n] *n* acetilén
ache [eɪk] I. *n* fájás, fájdalom II. *vi* fáj
achieve [ə'tʃi:v] *vt* 1. véghezvisz, teljesít, megvalósít; *he will never ~ anything* sohasem viszi semmire 2. kivív, elér
achievement [ə'tʃi:vmənt] *n* 1. teljesítés, véghezvitel 2. teljesítmény, tett; eredmény
Achilles [ə'kɪli:z] *prop heel of ~*, *~' heel* Achilles-sarka (vknek), gyenge/sebezhető oldala (vknek); *~ tendon* Achilles-ín
aching ['eɪkɪŋ] *a* fájó
acid ['æsɪd] I. *a* savas; savanyú, fanyar; *~ drops* savanyúcukor II. *n* sav; *~ test* (1) savpróba (2) *átv* döntő próba
acidity [ə'sɪdətɪ] *n* savasság, savtartalom; savanyúság
acid-proof *a* saválló
ack-ack [æk'æk] □ *n* légvédelmi ágyú

acknowledge [ək'nɔlɪdʒ; *US* -ɑ-] *vt* 1. elismer, beismer, bevall 2. méltányol, elismer 3. nyugtáz; *we ~ receipt of your letter* igazoljuk levelének vételét
acknowledged [ək'nɔlɪdʒd; *US* -ɑ-] *a* 1. elismert; *an ~ fact* tudott dolog 2. elismert, tekintélyes
acknowledg(e)ment [ək'nɔlɪdʒmənt; *US* -ɑ-] *n* 1. elismerés, beismerés, bevallás 2. elismerés, elismervény; *~ of receipt* az átvétel elismerése; *in ~ of* elismeréseképpen 3. acknowledg(e)ments *pl* köszönetnyilvánítás
acme ['ækmɪ] *n* tetőpont
acne ['æknɪ] *n* pattanás [a bőrön]
acolyte ['ækəlaɪt] *n* 1. ministráns, akolítus 2. hű tanítvány
aconite ['ækənaɪt] *n* sisakvirág
acorn ['eɪkɔ:n] *n* makk
acoustic [ə'ku:stɪk] *a* hallási, akusztikai; hang-, halló-
acoustics [ə'ku:stɪks] *n* 1. hangtan, akusztika 2. *pl* akusztika [terem]
acquaint [ə'kweɪnt] *vt* 1. megismertet; értesít, tudat; *~ sy with sg* (meg)ismertet vkvel vmt, értesít vkt vmről, tudomására hoz vknek vmt; *~ oneself with sg* megismerkedik vmvel 2. *be ~ed with sy* ismer vkt; *be ~ed with sg* ismer vmt, tudomása van vmről; *become/get* (v. *make oneself*) *~ed with sy/sg* megismerkedik vkvel/vmvel, megismer vkt/vmt; *make sy ~ed with sg* megismertet vkt vmvel, ismertet vk előtt vmt
acquaintance [ə'kweɪntəns] *n* 1. ismeretség; *make sy's ~* megismerkedik (v. ismeretséget köt) vkvel; *upon further ~ . . .* alaposabb ismeretség után . . . 2. ismerős; *~s* ismerősök, ismeretségi kör; *an old ~* régi/jó ismerős 3. tudás; *he has some ~ with Spanish* egy kicsit tud spanyolul
acquaintanceship [ə'kweɪntənʃɪp] *n* ismeretségi kör
acquiesce [ækwɪ'es] *vi* beleegyezik, belenyugszik, beletörődik (*in* vmbe)
acquiescence [ækwɪ'esns] *n* belenyugvás, hallgatólagos beleegyezés
acquiescent [ækwɪ'esnt] *a* beleegyező, engedékeny, alkalmazkodó

acquire [ə'kwaɪə*] vt (meg)szerez, szert tesz (vmre); sg is an ~d taste (for sy) rájön vmnek az ízére, megszeret vmt, rákap vmre; whisky is an ~d taste a whiskyhez szokni kell
acquirement [ə'kwaɪəmənt] n 1. = acquisition 2. szerzett képesség
acquisition [ækwɪ'zɪʃn] n (meg)szerzés; beszerzés; szerzemény(ezés)
acquisitive [ə'kwɪzɪtɪv] a kapzsi, szerezni vágyó
acquit [ə'kwɪt] vt -tt- 1. felment, mentesít (sy of/on sg vkt vm alól) 2. kiegyenlít, kifizet [adósságot]; nyugtáz 3. ~ oneself viselkedik
acquittal [ə'kwɪtl] n 1. felmentés, felmentő ítélet 2. teljesítés
acquittance [ə'kwɪtns] n 1. kifizetés, kiegyenlítés 2. nyugta(tvány)
acre ['eɪkə*] n 4840 négyszögyard [kb. 4000 m²]; God's A~ temető
acreage ['eɪkərɪdʒ] n ⟨acre-ben kifejezett földterület⟩
acrid ['ækrɪd] a fanyar, keserű; csípős
acridity [æ'krɪdətɪ] n fanyarság, keserűség, csípősség
acrimonious [ækrɪ'moʊnjəs] a csípős, maró [beszéd]; rosszmájú, harapós [ember]; elkeseredett [küzdelem]
acrimony ['ækrɪmənɪ; US -moʊnɪ] n kesernyésség, csípősség [szavaké]
acrobat ['ækrəbæt] n 1. légtornász, akrobata 2. hintapolitikus
acrobatic [ækrə'bætɪk] a akrobatikus
acrobatics [ækrə'bætɪks] n akrobatika
acronym ['ækrənɪm] n betűszó, mozaikszó
across [ə'krɔs; US -ɔ:s] adv/prep át, keresztben, keresztül, odaát, túl; he lives ~ the street az utca másik oldalán (szemben) lakik; US ~ the board mindenkire egyformán vonatkozó, mindenkinek egyenlő arányban
acrostic [ə'krɔstɪk; US -ɔ:-] n 1. versfőkbe rejtett szöveg, akrosztichon 2. ⟨egy rejtvényfajta⟩
act [ækt] I. n 1. tett, cselekedet; cselekvés; cselekmény; catch sy in the (very) ~ tetten ér vkt; biz put on an ~ megjátssza magát; the A~s of the Apostles az Apostolok cselekedetei [bibliában]; ~ of God (1) vis maior (2)

⟨olyan baleset, amelyért senki sem felelős⟩ 2. törvény 3. felvonás II. A. vt, játszik, alakít [szerepet]; megjátszik (vmt); ~ the part of sg vmlyen minőségben működik, vmlyen szerepet játszik/betölt B. vi 1. cselekszik; működik, ténykedik; intézkedik 2. működik (vm); hat [gyógyszer] 3. játszik, szerepel [színházban] act for vi ~ f. sy vkt helyettesít/képvisel
act on = act upon
act up vi ~ up to one's principles elveihez hűen cselekszik
act upon vi 1. hat(ással van) vmre; ~ (up)on the bowels hat a belekre 2. vm szerint eljár, igazodik vmhez, követ [tanácsot]
acting ['æktɪŋ] I. a helyettes, ügyvezető; ~ manager helyettes igazgató II. n színjátszás, [színpadi, színészi] játék
action ['ækʃn] n 1. tett, cselekedet; man of ~ tettek embere 2. cselekvés, működés; bring into ~, put/set sg in ~ működésbe hoz vmt; come into ~ működésbe lép; take ~ intézkedik, cselekszik, akcióba lép; be in ~ működik, üzemben van; be out of ~ nem működik 3. hatás 4. cselekmény [színdarabé]; mozgás, járás [lóé] 5. kereset, per; bring an ~ against sy pert indít vk ellen, bepöröl vkt; ~ at law, legal ~ per, kereset; no ~ will lie keresetnek nincs helye 6. csata, ütközet; be killed in ~ hősi halált hal, elesik (csatában) 7. mechanika [zongoráé]; szerkezet, óramű 8. ~ painting indulati foltfestészet
actionable ['ækʃnəbl] a perelhető
activate ['æktɪveɪt] vt 1. tevékennyé/hatékonnyá tesz; mozgásba/működésbe hoz 2. aktivál, radioaktívvá tesz
active ['æktɪv] a 1. tevékeny, cselekvő, aktív, élénk; take an ~ part in sg tevékeny részt vesz/vállal vmben; on ~ service tényleges katonai szolgálatban 2. ható, hatékony 3. ~ voice cselekvő (ige)alak
activist ['æktɪvɪst] n aktivista
activity [æk'tɪvətɪ] n tevékenység, ténykedés, aktivitás; elfoglaltság

actor ['æktə*] n színész
actress ['æktrɪs] n színésznő
actual ['æktʃʊəl] a 1. valóságos, tényleges; in ~ fact valójában, valóban 2. jelenlegi, mostani
actuality [æktʃʊ'ælətɪ] n 1. valóság, valódiság 2. actualities pl adott/jelenlegi körülmények
actualize ['æktʃʊəlaɪz] vt valóra vált, megvalósít
actually ['æktʃʊəlɪ] adv való(já)ban, tényleg(esen), tulajdonképpen, sőt
actuary ['æktjʊərɪ; US -tʃ-] n biztosítási statisztikus
actuate ['æktjʊeɪt; US -tʃ-] vt 1. mozgásba/működésbe hoz 2. hatással van vkre, indít (vkt vmre), hajt, visz
acuity [ə'kju:ətɪ] n = acuteness
acumen [ə'kju:men] n eszesség, éles ész, gyors felfogás; business ~ üzleti érzék
acupuncture [ækju'pʌŋktʃə*] n tűgyógyítás, akupunktúra
acute [ə'kju:t] a 1. hegyes; éles (átv is); become more ~ egyre fokozódik/nő; ~ angle hegyesszög; ~ triangle hegyesszögű háromszög; ~ accent éles ékezet; ~ ear jó fül/hallás 2. éles elméjű, ravasz 3. heveny, akut [betegség]; ~ care beds intenzív osztály [kórházban]
acuteness [ə'kju:tnɪs] n 1. élesség, hevesség, erősség 2. éles ész, éleselméjűség; ravaszság
ad [æd] n biz apróhirdetés
A.D., AD [eɪ'di:] Anno Domini (= in the year of our Lord Krisztus után) időszámításunk szerint(i), i. sz.
adage ['ædɪdʒ] n közmondás
Adalbert ['ædlbə:t] prop Adalbert, Béla
Adam ['ædəm] prop Ádám; ~'s apple ádámcsutka; not know sy from ~ fogalma sincs, hogy ki az illető; the old ~ a gyarló ember, az örök ember(i gyarlóság)
adamant ['ædəmənt] I. a gyémántkeménységű; on this point he is ~ ebben a kérdésben hajthatatlan II. n gyémántkeménységű anyag/kő; heart of ~ kőszív
adapt [ə'dæpt] vt 1. hozzá alkalmaz/illeszt, alkalmassá tesz; ~ oneself to sg

alkalmazkodik vmhez; be ~ed to/for sg alkalmas vmre, megfelel (vmlyen célnak) 2. átalakit, átdolgoz; ~ a novel for the stage/screen regényt szinpadra/filmre alkalmaz; ~ed from the French francia eredetiből átdolgozta . . .
adaptability [ədæptə'bɪlətɪ] n 1. alkalmazhatóság, felhasználhatóság 2. alkalmazkodóképesség, ruganyosság
adaptable [ə'dæptəbl] a 1. alkalmazható, hozzáilleszthető 2. alkalmazkodó, rugalmas
adaptation [ædæp'teɪʃn] n 1. (hozzá)alkalmazás, hozzáillesztés 2. alkalmazkodás 3. átdolgozás [könyvé, színműé]; (szinre, rádióra stb.) alkalmazás
adapter [ə'dæptə*] n 1. átdolgozó 2. betét, illesztődarab, tartó, adapter; csatlakozó, villásdugó
A.D.C., ADC [eɪdi:'si:] aide-de-camp
add [æd] A. vt 1. összead; hozzáad (to vmhez) 2. hozzátesz; he ~ed (1) tette hozzá (2) hozzátette (hogy) B. vi összead
add in vt hozzáír, beleszámít
add to A. vt hozzáad, hozzátesz B. vi hozzájön (vmhez még vm); this ~s to our difficulties ez növeli nehézségeinket
add together vt összead
add up A. vt összead B. vi 1. kijön [számítás]; it just doesn't ~ up ennek semmi értelme sincs, ennek se füle se farka 2. ~ up to (1) kitesz [összeget] (2) világosan mutat; all that this ~s up to is that . . . mindebből nyilvánvaló (v. az derül ki), hogy . . .
addenda [ə'dendə] n függelék, pótlás
addendum [ə'dendəm] n (pl -da -də) kiegészítés, pótlás →addenda
adder ['ædə*] n vipera
addict I. n ['ædɪkt] rabja (vmlyen káros szenvedélynek); a drug ~ kábítószer rabja, narkomániás II. vt [ə'dɪkt] be/become ~ed to sg vmnek a rabja lesz, vmlyen szenvedélynek hódol
addiction [ə'dɪkʃn] n káros szenvedélynek hódolás (to vmnek)
Addison ['ædɪsn] prop
addition [ə'dɪʃn] n 1. hozzáadás, össze_

adás 2. toldás, pótlás; toldalék, kiegészítés; gyarapodás; *in ~ (to)* ráadásul, azonkivül, amellett; *she will be a useful ~ to the staff* vele nyerni fog a testület
additional [ə'dıʃənl] *a* pótlólagos, járulékos, további, újabb, pót-; *~ charge* többletköltség, pótdíj, felár
additionally [ə'dıʃnəlı] *adv* továbbá, azonfelül, ráadásul
additive ['ædıtıv] *n* adalékanyag
addle ['ædl] **A.** *vt* **1.** megrohaszt; *~d egg* záptojás **2.** megzavar **B.** *vi* **1.** megzavarodik **2.** megzápul, megromlik
addle-headed/pated *a* tökfejű, zavaros elméjű/fejű
address [ə'dres] **I.** *n* **1.** cimzés, cim; *form of ~* megszólítás, cimzés **2.** előadás, beszéd **3.** ügyesség **4.** viselkedés, (beszéd)modor **5.** *pay one's¦~es to* udvarol vknek, teszi a szépet vknek **II.** *vt* **1.** cimez, ír, küld, irányít [levelet, *to* vknek] **2.** beszédet intéz [vkhez, hallgatósághoz], beszél, beszédet mond [gyűlésen], üdvözöl [kongresszust stb.] **3.** megszólít; (vkt vmnek) szólít; *~ oneself to sg* hozzáfog vmhez
addressee [ædre'si:] *n* címzett
adduce [ə'dju:s; *US* ə'du:s] *vt* felhoz, előhoz [bizonyítékot]; hivatkozik [példára stb.]
adenoids ['ædınɔıdz] *n pl* orrpolip
adept ['ædept] **I.** *a* hozzáértő, ügyes; *be ~ at/in sg* jártas vmben, ért vmhez **II.** *n* szakértő(je vmnek)
adequacy ['ædıkwəsı] *n* megfelelés, megfelelő volta vmnek, alkalmasság
adequate ['ædıkwət] *a* megfelelő, kellő, elegendő, kielégítő, adekvát
adhere [əd'hıə*] *vi* **1.** *~ to sg* tapad/ragad vmhez **2.** *~ to sy/sg* ragaszkodik vkhez/vmhez, kitart vk/vm mellett; elfogad [tervet]; *~ to a promise* állja az igéretét
adherence [əd'hıər(ə)ns] *n* **1.** tapadás **2.** pontos betartás [méreteké stb.] **3.** odaadás, ragaszkodás, hűség
adherent [əd'hıər(ə)nt] *n* támogató, híve (vmnek, vknek); *the idea is gaining ~s* az eszme követőkre talál
adhesion [əd'hi:ʒn] *n* **1.** (oda)tapadás,

(oda)ragadás; adhézió **2.** összenövés, lenövés [orvosilag] **3.** támogatás [párté], csatlakozás (vmhez), elfogadás [tervé, határozaté]
adhesive [əd'hi:sıv] **I.** *a* ragadós, tapadó; enyvezett; *~ tape* ragasztószalag **II.** *n* ragasztó(anyag), kötőanyag
ad hoc [æd'hɔk; *US* -'hak] *a* erre a célra készült/létesített, ad hoc, alkalmi
adieu [ə'dju:] *int* isten vele!
ad infinitum [æd ınfı'naıtəm] *adv* örökké, megállás nélkül, végtelenségig
ad interim [ædı'ntərım] *adv* átmenetileg, ideiglenesen
adipose ['ædıpoʊs] *a* zsíros; *~ tissue* zsírszövet
adiposity [ædı'pɔsətı; *US*-pa-] *n* zsírosság, kóros elhájasodás, kövérség
adit ['ædıt] *n* (bánya)bejárat, táró
adjacent [ə'dʒeısnt] *a* szomszédos, határos, mellette fekvő, közeli
adjectival [ædʒek'taıvl] *a* melléknévi
adjective ['ædʒıktıv] *n* melléknév
adjoin [ə'dʒɔın] *vt/vi* határos, közös határral bír, csatlakozik (vmhez), érintkezik (vmvel)
adjoining [ə'dʒɔınıŋ] *a* szomszédos, határos, csatlakozó, érintkező
adjourn [ə'dʒə:n] **A.** *vt* elnapol, (el)halaszt; berekeszt; *the meeting was ~ed for a week* a gyűlést egy héttel elnapolták/elhalasztották **B.** *vi* **1.** *the meeting ~ed at three o'clock* a gyűlést három órakor berekesztették **2.** (át-) megy, átvonul (*to* vhová)
adjournment [ə'dʒə:nmənt] *n* elnapolás, elhalasztás; megszakítás
adjudge [ə'dʒʌdʒ] *vt* **1.** (meg)itél, odaítél **2.** (el)dönt; kimond; *~ sy guilty* bűnösnek mond ki vkt
adjudicate [ə'dʒu:dıkeıt] **A.** *vt* **1.** határozatot/ítéletet hoz [vmely ügyben]; (el)dönt **2.** megítél, odaítél; leüt [árverésen vknek] **3.** *~ sy bankrupt* vagyonbukottnak nyilvánít vkt **B.** *vi* ítélkezik
adjudication [ədʒu:dı'keıʃn] *n* (bírói) ítélet, döntés; odaítélés; *~ order* csődnyitás; *~ of a claim* kárigény rendezése
adjudicator [ə'dʒu:dıkeıtə*] *n* **1.** (döntő)bíró **2.** zsüritag

adjunct ['ædʒʌŋkt] *n* 1. járulék, függelék, kiegészítés 2. segéd, társ 3. (nyelvtani) bővítmény

adjure [ə'dʒʊə*] *vt* ünnepélyesen felszólít, kér

adjust [ə'dʒʌst] *vt* 1. elintéz, rendbe hoz, rendez [ügyet stb.]; ~ *an account* számlát kiegyenlít 2. hozzáigazít; ~ *oneself to new conditions* alkalmazkodik az új viszonyokhoz 3. beigazít, beállít, beszabályoz; utánállít

adjustable [ə'dʒʌstəbl] *a* (be)állítható; beszabályozható, beigazítható

adjuster [ə'dʒʌstə*] *n* kárbecslő [biztosítóé]

adjusting [ə'dʒʌstɪŋ] *a* ~ *screw* (be)állítócsavar

adjustment [ə'dʒʌs(t)mənt] *n* 1. elintézés, (el)rendezés [ügyé]; kiegyenlítés [számláé]; ~ *of a loss* kárrendezés 2. beigazítás, beszabályozás; beállítás, behangolás

adjutant ['ædʒʊtənt] *n* 1. szárnysegéd, segédtiszt 2. ~ (*bird*) marabu, indiai gólya

ad lib [æd'lɪb] *adv* (= ad libitum) tetszés szerint, amennyi csak kell

ad-lib [æd'lɪb] *vi/vt* -bb- rögtönöz, bemondást szúr be, improvizál

ad-man *n* (*pl* -men) reklámügynök, hirdetési szakember

administer [əd'mɪnɪstə*] *vt/vi* 1. kormányoz, igazgat, intéz [ügyeket], adminisztrál 2. ~ *to* (1) vknek vmt nyújt/ad (2) hozzájárul vmhez; ~ *medicine to sy* orvosságot bead vknek

administration [ədmɪnɪ'streɪʃn] *n* 1. (köz)igazgatás, ügyintézés, adminisztráció; ~ *of justice* igazságszolgáltatás; *letter of* ~ hagyatéki gondnokot kirendelő okirat 2. *US* kormányzás; kormány(zat), kabinet; államapparátus 3. nyújtás; (be)adás [orvosságé stb.]

administrative [əd'mɪnɪstrətɪv; *US* -eɪt-] *a* közigazgatási, adminisztratív; ~ *court* közigazgatási bíróság

administrator [əd'mɪnɪstreɪtə*] *n* 1. ügyintéző, adminisztrátor 2. végrendeleti végrehajtó, gyám, (hagyatéki) gondnok

admirable ['ædm(ə)rəbl] *a* csodálatra méltó, nagyszerű, csodálatos

admiral ['ædm(ə)rəl] *n* tengernagy, admirális

admiralty ['ædm(ə)rəltɪ] *n* admiralitás, tengernagyi hivatal; *GB the A*~ tengerészeti minisztérium; *GB First Lord of the A*~ (hadi)tengerészetügyi miniszter

admiration [ædmə'reɪʃn] *n* csodálat, bámulás; *be lost in* ~ elmerül (vk/vm) csodálatában

admire [əd'maɪə*] *vt* (meg)bámul, (meg-) csodál; nagyra becsül

admirer [əd'maɪərə*] *n* bámuló, csodáló, hódoló, udvarló, imádó

admiring [əd'maɪərɪŋ] *a* csodáló

admiringly [əd'maɪərɪŋlɪ] *adv* elragadtatással, csodálattal

admissibility [ədmɪsə'bɪlətɪ] *n* megengedhetőség

admissible [əd'mɪsəbl] *a* elfogadható; megengedhető

admission [əd'mɪʃn] *n* 1. belépés; (belépési) engedély; beengedés, bebocsátás; felvétel [iskolába stb.]; (*price of*) ~ belépti díj, belépődíj; ~ *free* a belépés díjtalan 2. beismerés, elismerés; *make full* ~ mindent bevall; *by/on his own* ~ saját bevallása szerint

admit [əd'mɪt] **A.** *vt* -tt- 1. beenged, bebocsát; felvesz [iskolába, kórházba]; *children not* ~*ted* gyermekek számára belépni tilos; *be* ~*ted* felveszik; (*theatre etc.*) ~*s 500 people* (a színház stb.) befogadóképessége 500 fő 2. elismer; megenged; beismer, bevall; *it must be* ~*ted that* be kell látni, hogy; *it is generally* ~*ted that* . . . általánosan elismert/elfogadott tény, hogy . . . **B.** *vi* ~ *of* megenged, eltűr; *it* ~*s of no excuse* nincs rá mentség

admittance [əd'mɪt(ə)ns] *n* bemenet; beengedés; belépési engedély; bebocsátás; *no* ~ belépni tilos

admittedly [əd'mɪtɪdlɪ] *adv* kétségkívül; bevallottan

admix [əd'mɪks] *vt* összekever; hozzákever, belekever

admixture [əd'mɪkstʃə*] *n* 1. hozzáadás, -keverés 2. keverék, hozzákevert anyag, adalék(anyag)

admonish [əd'mɒnɪʃ; *US* -ɑ-] *vt* figyelmeztet, (meg)int, megdorgál

admonition [ædmə'nıʃn] *n* figyelmeztetés, (meg)intés, dorgálás

admonitory [əd'mɔnıtərı; -'mɑnıtɔ:rı] *a* figyelmeztető, intő

ado [ə'du:] *n* lárma,hűhó,felhajtás;*much ~ about nothing* sok hűhó semmiért; *without much ~* minden teketória nélkül

adobe [ə'doʊbı] *n* vályog(tégla)

adolescence [ædə'lesns] *n* serdülőkor

adolescent [ædə'lesnt] I. *a* serdülő(korú) II. *n* serdülő, kamasz

Adolphus [ə'dɔlfəs; *US* -ɑ-] *prop* Adolf

adopt [ə'dɔpt; *US* -ɑ-] *vt* 1. örökbe fogad 2. magáévá tesz, elfogad; felvesz [nevet, szokást]; alkalmaz [módszert]; *~ a resolution* határozatot hoz

adopted [ə'dɔptıd; *US* -ɑ-] *a* örökbe fogadott

adoption [ə'dɔpʃn; *US* -ɑ-] *n* 1. örökbefogadás; *the country of one's ~* második hazája 2. elfogadás

adoptive [ə'dɔptıv; *US* -ɑ-] *a* örökbe fogadó/fogadott

adorable [ə'dɔ:rəbl] *a* imádni való

adoration [ædə'reıʃn] *n* imádás, imádat, rajongás, tisztelet

adore [ə'dɔ:*] *vt* imád; rajong (vkért, vmért)

adorn [ə'dɔ:n] *vt* díszít, ékesít

adornment [ə'dɔ:nmənt] *n* dísz(ítés), ék(esítés)

adrenal [ə'dri:nl] *a ~ glands* mellékvese

Adriatic [eıdrı'ætık] *a/n ~ (Sea)* Adria(i-tenger)

adrift [ə'drıft] *adv* szelek/hullámok játékának kitéve, hányódva; *turn sy ~* vkt állásából/otthonából elkerget, sorsára bíz vkt

adroit [ə'drɔıt] *a* ügyes

adroitness [ə'drɔıtnıs] *n* ügyesség

adsorption [æd'sɔ:pʃn] *n* felületi elnyelés, adszorpció, adszorbeálás

adulate ['ædjʊleıt; *US* -dʒə-] *vt* hízeleg vknek

adulation [ædjʊ'leıʃn; *US* -dʒə-] *n* hízelgés, nyalás

adult ['ædʌlt] *a/n* felnőtt; *~ education* felnőttoktatás

adulterate [ə'dʌltəreıt] *vt* (meg)hamisít; *~d wine* vizezett/pancsolt bor

adulteration [ədʌltə'reıʃn] *n* (meg)hamisítás [italé stb.]

adulterer [ə'dʌltərə*] *n* házasságtörő férfi

adulteress [ə'dʌltərıs] *n* házasságtörő nő

adulterous [ə'dʌltərəs] *a* házasságtörő

adultery [ə'dʌltərı] *n* házasságtörés

adulthood ['ædʌlthʊd] *n* felnőttkor

adumbrate ['ædʌmbreıt] *vt* 1. vázol, körvonalaz 2. sejtet, előreveti árnyékát (vm)

advance [əd'vɑ:ns; *US* -'væ-] I. *n* 1. (előre)haladás, előnyomulás; *átv* haladás, fejlődés, javulás; *in ~* előre, előzetesen; előlegképpen; *well in ~* jó előre; *in ~ of sg* vm előtt; *make an ~* halad, előrejut; *make ~s to sy* közeliteni próbál vkhez; *~ in price* áremelkedés 2. előleg, kölcsön 3. *(jelzői haszn)* előzetes; *~ booking* helyfoglalás, előjegyzés [szállodai szobáé stb.]; *~ copy* műszaki példány [megjelenés előtt álló könyvé]; *~ money/payment* előleg, foglaló; *~ party* előőrs, élcsapat II. A. *vi* 1. *(átv is)* halad, előrejut, előbbre jut, előnyomul; *~ in age* öregszik; *~ against* megtámad 2. előlép [rangban] 3. emelkedik [ár, költség] B. *vt* 1. előrehoz [határidőt] 2. elősegít, előmozdít; fellendít; előléptet (vkt) 3. előterjeszt [javaslatot], előad [véleményt] 4. előlegez, kölcsönad [pénzt] 5. (fel)emel [árakat]

advanced [əd'vɑ:nst; *US* -'væ-] *a* 1. haladó, progresszív 2. előrehaladott; fejlett; *~ in years* öreg, koros; *~ country* fejlett (iparral rendelkező) ország; *an ~ course* haladó tanfolyam, tanfolyam haladóknak; *~ mathematics* felsőbb matematika; *GB ~ level* (*= A level*) ⟨egyetemi/főiskolai felvételre jogosító középiskolai képesítés, a General Certificate of Education legjobb minősítése⟩

advancement [əd'vɑ:nsmənt; *US* -'væn-] *n* 1. haladás, fejlődés; előlépés, előmenetel 2. előléptetés 3. előmozdítás; fellendítés

advantage [əd'vɑ:ntıdʒ; *US* -'væn-] I. *n* 1. előny, fölény; *have the ~ over sy* előnyben/fölényben van vkvel szem-

ben; *have/gain an ~ over sy* előnyt szerez (v. előnyben van) vkvel szemben 2. nyereség, haszon; *take ~ of sg* kihasznál vmt, él vmnek a lehetőségével; *take ~ of sy* becsap/kihasznál vkt; *turn sg to ~* hasznára/előnyére fordít vmt; *to the best ~* legelőnyösebben; *to my ~* javamra, előnyömre, hasznomra 3. [teniszben] *~ in/server* előny az adogatónál; *~ out/striker* előny a fogadónál II. *vt* 1. elősegít 2. hasznára válik (vm), hasznot hajt/hoz
advantageous [ædvən'teɪdʒəs] *a* előnyös, hasznot hajtó, hasznos
advent ['ædvənt] *n* 1. megérkezés, megjelenés, eljövetel 2. *A~* advent
adventist ['ædvəntɪst] *n* adventista
adventitious [ædven'tɪʃəs] *a* véletlen, esetleges; mellékes, nem lényegi
adventure [əd'ventʃə*] I. *n* kaland, kockázat, merész vállalkozás II. *vt/vi* mer, megkísérel, (meg)kockáztat
adventurer [əd'ventʃərə*] *n* kalandor
adventuress [əd'ventʃərɪs] *n* kalandornő
adventurous [əd'ventʃərəs] *a* kalandos, merész, vakmerő
adverb ['ædvɜ:b] *n* határozószó
adverbial [əd'vɜ:bjəl] *a* határozói
adversary ['ædvəsərɪ; *US* -serɪ] *n* ellenfél; ellenség
adverse ['ædvɜ:s] *a* ellenséges, ellentétes, ellenkező, ártalmas; kedvezőtlen [időjárás]; *~ party* ellenfél
adversity [əd'vɜ:sətɪ] *n* szerencsétlenség, csapás, hányattatás
advertise ['ædvətaɪz] *vt/vi* hirdet, hirdetést tesz közzé; reklámoz; *~ for sg* hirdetés útján keres vmt
advertisement [əd'vɜ:tɪsmənt; *US* ædvə-'taɪz-] *n* (újság)hirdetés, reklám
advertiser ['ædvətaɪzə*] *n* hirdető
advertising ['ædvətaɪzɪŋ] *n* hirdetés, reklámozás;*~ agency* hirdetőiroda
advice [əd'vaɪs] *n* 1. tanács; *piece of ~* (jó) tanács; *take sy's ~* megfogadja vk tanácsát; *take legal ~* jogi tanácsot kér, ügyvédhez fordul; *take medical ~* orvoshoz fordul 2. értesítés; *~ note, letter of ~* értesítőlevél, avizó, feladási értesítés; *as per ~* értesítés szerint; *~s* hírek, értesülések

advisability [ədvaɪzə'bɪlətɪ] *n* vmnek tanácsos volta, ajánlatosság
advisable [əd'vaɪzəbl] *a* ajánlatos, tanácsos, üdvös
advise [əd'vaɪz] A. *vt* 1. tanácsot ad (*sy* vknek), tanácsol, ajánl, javall 2. értesít, tájékoztat, tudósít (*of* vmről); *as ~d* mint már közöltük B. *vi US* tanácskozik (*with* vkvel)
advisedly [əd'vaɪzɪdlɪ] *adv* szándékosan, céltudatosan; alapos megfontolás alapján
adviser, *US* advisor is [əd'vaɪzə*] *n* tanácsadó
advisory [əd'vaɪzərɪ] *a* tanácsadó; *~ board* tanácsadó testület, kuratórium
advocacy ['ædvəkəsɪ] *n* pártfogás, támogatás, képviselet [ügyé]
advocate I. *n* ['ædvəkət] 1. szószóló, védelmező, közbenjáró 2. *sk* (védő-)ügyvéd; *the Faculty of A~s* ügyvédi kar; *Lord A~* Skócia főügyésze II. *vt* ['ædvəkeɪt] pártol, támogat, javasol
advt. *advertisement*
adz(e)[ædz] *n* (ács)bárd; fejsze; bodnárkés
Aegean [i:'dʒi:ən] *a* égei-tengeri; *the ~ Sea* az Égei-tenger
aegis ['i:dʒɪs] *n* védelem, védőszárny; *under the ~ of . . .* égisze alatt
Aelfric ['ælfrɪk] *prop*
Aeneid ['i:nɪɪd; *US* ɪ'ni:ɪd] *prop* Aeneis
aeon ['i:ən] *n* mérhetetlen hosszú időegység, eón
aerate ['eɪəreɪt] *vt* 1. szellőztet, levegőztet 2. szénsavval telít/tölt; *~d water* szódavíz
aeration [eɪə'reɪʃn] *n* 1. szellőztetés 2. szénsavval telítés
aerial ['eərɪəl] I. *a* 1. légi; *~ attack* légitámadás; *~ farming* repülőgépes művelés; *~ photograph* légi felvétel; *~ railway/ropeway* kötélpálya, légpálya 2. légies, fenséges II. *n* antenna
aerie ['eərɪ] *n* = *eyrie*
aero- ['eərou-, 'eərə-] *pref* légi-, lég-; repülő-
aerobatics [eərou'bætɪks] *n* műrepülés
aerodrome ['eərədroum] *n* repülőtér, légi kikötő
aerodynamics [eəroudaɪ'næmɪks] *n* légerőtan, aerodinamika

aero-engine *n* repülőgépmotor
aeronaut ['eərənɔːt] *n* léghajós, pilóta
aeronautic(al) [eərə'nɔːtɪk(l)] *a* repülés-(tan)i, légi, repülő-
aeronautics [eərə'nɔːtɪks] *n* repüléstan
aeroplane ['eərəpleɪn] *n* repülőgép
aerosol ['eəroῠsɔl; *US* -ɑl] *n* aeroszolos palack
aerospace ['eəroῠspeɪs] *n* légitér (és világűr)
aery ['eərɪ] *n* = *eyrie*
Aesop ['iːsɔp; *US* -ɑp] *prop* Aiszóposz (*de*: Ezópus fabulái)
aesthete ['iːsθiːt; *US* 'es-] *n* esztéta
aesthetic(al) [iːs'θetɪk(l); *US* es-] *a* esztétikus, ízléses, jó ízlésű, gusztusos
aesthetics [iːs'θetɪks; *US* es-] *n* esztétika
aestival [iː'staɪvl; *US* 'estɪvəl] *a* nyári
afar [ə'fɑː*] *adv from* ~ messziről; ~ *off* messze
affable ['æfəbl] *a* nyájas, barátságos, előzékeny; beszédes
affair [ə'feə*] *n* 1. ügy, eset, dolog 2. ~ *of honour* lovagias ügy 3. *have an* ~ *with sy* viszonya van vkvel ‖ → *state*
affect [ə'fekt] *vt* 1. hat, (ki)hatással van (vmre); befolyásol; érint (vkt); *be* ~*ed by sg* vm érint/elszomorít vkt, hatással van vm (vkre) 2. megtámad [egészséget]; *be* ~*ed* meg van támadva [szerv] 3. színlel, tettet, megjátszik; felvesz, ölt [alakot]
affectation [æfek'teɪʃn] *n* 1. színlelés, tettetés 2. szenvelgés, affektálás, affektáltság
affected [ə'fektɪd] *a* 1. mesterkélt, érzelgős, affektált; modoros 2. színlelt, tettetett 3. érintett, megtámadott [szerv] 4. hajlandóságú, hajlamú
affecting [ə'fektɪŋ] *a* megindító
affection [ə'fekʃn] *n* szeretet, ragaszkodás, vonzalom; *have an* ~ *for sy* gyengéd érzelmeket táplál vk iránt, szeret vkt; *gain/win sy's* ~/elnyeri vk szeretetét
affectionate [ə'fekʃnət] *a* szerető, gyengéd
affectionately [ə'fekʃnətlɪ] *adv Yours* ~ szeretettel (ölel) [levélbefejezés]
affiance [ə'faɪəns] *vt* eljegyez
affidavit [æfɪ'deɪvɪt] *n* eskü alatt tett írásbeli nyilatkozat [közjegyző előtt]

affiliate [ə'fɪlɪeɪt] **A.** *vt* 1. egyesít, beolvaszt; tagként felvesz [társaságba]; *is* ~*d to/with* kapcsolatban van (vmvel), egyesül (vmvel), beolvad (vmbe); ~*d company* leányvállalat, fiókvállalat 2. ~ *a child upon sy* [apasági keresetben] megállapítja, hogy ki a gyermek apja **B.** *vi* ~ (*with*) barátkozik (vkvel), kapcsolatban van (vkvel, vmvel); csatlakozik [helyi szervezet országoshoz]
affiliation [əfɪlɪ'eɪʃn] *n* 1. belépés [társaságba], csatlakozás (vmhez); felvétel [tagként] 2. beolvasztás [vállalaté] 3. kapcsolat; *US political* ~*s* politikai kapcsolatok/hovatartozás 4. ~ *order* apaság megállapítása, gyermektartásra kötelezés
affinity [ə'fɪnətɪ] *n* 1. rokonság, rokoni viszony 2. vonzódás 3. [kémiai] affinitás
affirm [ə'fɜːm] *vt* (meg)erősít, helybenhagy, (határozottan) állít
affirmation [æfə'meɪʃn] *n* állítás, igenlés, megerősítés, jóváhagyás
affirmative [ə'fɜːmətɪv] **I.** *a* megerősítő, igenlő, állító **II.** *n* answer in the ~ igenlően válaszol
affix **I.** *n* ['æfɪks] rag, képző, toldalék **II.** *vt* [ə'fɪks] 1. hozzáerősít, -ragaszt, -fűz, rányom, hozzátesz; ~ *a seal to* pecséttel ellát (vmt); ~ *one's signature to* (vmt) aláír; ~ *a stamp to* bélyeget ragaszt (vmre) 2. ráfog (vkre vmt)
afflict [ə'flɪkt] *vt* kínoz [vkt betegség]; (le)sújt, szomorít [hír]
affliction [ə'flɪkʃn] *n* szenvedés, szerencsétlenség, csapás; nyomorúság; *the* ~*s of old age* öregkori nyavalyák
affluence ['æfluəns] *n* bőség, gazdagság; *rise to* ~ jómódba kerül, meggazdagszik
affluent ['æfluənt] **I.** *a* gazdag, bőséges; *the* ~ *society* ⟨magas életszínvonalú és luxuscikkekre is költeni tudó társadalom⟩ **II.** *n* mellékfolyó
afford [ə'fɔːd] *vt* 1. módjában van, győzi [költséggel], megteheti; *I căn't* ~ *it* nem engedhetem meg magamnak!; *I can* ~ *to wait* várhatok 2. ad, nyújt; *this* ~*s me great pleasure* nagy öröm ez számomra
afforest [ə'fɔrɪst] *vt* (be)erdősít

afforestation [əfɔrɪ'steɪʃn] n erdősítés, fásítás

affranchise [ə'fræntʃaɪz] vt felszabadít

affray [ə'freɪ] n csetepaté, zavargás

affricate ['æfrɪkət] n affrikáta

affront [ə'frʌnt] I. n sértés II. vt megsért, meggyaláz, megszégyenít

Afghan ['æfgæn] a/n afgán

Afghanistan [æf'gænɪstæn] prop Afganisztán

afield [ə'fi:ld] adv 1. mezőn, szabadban 2. távol (hazájától/otthonától); far ~ messze kinn; go (too) far ~ (nagyon) messzire elkalandozik

afire [ə'faɪə*] I. a égő, lángoló, lángban álló II. adv lángban, tűzben; set sg ~ felgyújt vmt

aflame [ə'fleɪm] a/adv = afire

AFL-CIO [eɪefel-si:aɪ'oʊ] American Federation of Labor — Congress of Industrial Organizations Amerikai Munkásszövetség — Ipari Szervezetek Kongresszusa

afloat [ə'floʊt] adv 1. vízen, tengeren; be ~ úszik, lebeg, hajón/tengeren van/utazik; keep ~ nem merül el, fenntartja magát; serve ~ tengerészetnél szolgál; set/get a ship ~ hajót (zátonyról) leszabadít; get sg ~ [folyóiratot, üzleti vállalkozást stb.] beindít, elindít 2. forgalomban, elterjedve; there is a story ~ azt mesélik

afoot [ə'fʊt] I. a gyalogos II. adv 1. mozgásban, folyamatban; there's a plan ~ tervbe vették (, hogy), azt tervezik(, hogy); there's sg ~ vm van készülőben, vm készül(ődik) 2. † gyalog(osan)

afore [ə'fɔ:*] adv/prep előtt

aforementioned a = aforesaid

aforesaid a fent említett; as ~ mint fentebb említettük

aforethought a előre megfontolt

afoul [ə'faʊl] adv fall/run ~ of sy nekitámad vknek

afraid [ə'freɪd] a be ~ of fél (vmtől, vktől); be ~ that ... (attól) fél, hogy ...; don't be ~! ne félj!; be ~ to do (v. of doing) sg fél (v. nem mer) vmt (meg)tenni; biz I'm ~ (sajnos) attól tartok, hogy; sajnos, félek ...

afresh [ə'freʃ] adv újra, elölről

Africa ['æfrɪkə] prop Afrika

African ['æfrɪkən] a/n afrikai

Afrikaans [æfrɪ'kɑ:ns] n afrikaans

Afro-Asian [æfroʊ-] a afroázsiai

aft [ɑ:ft; US æ-] adv (hajó) vége felé, hátul, hajófaron

after ['ɑ:ftə*; US 'æ-] I. a hát(ul)só, utó-, far-; in ~ years később, a jövőben II. adv/prep 1. után, azután; utána; mögött; ~ dinner ebéd/vacsora után; ~ hours munkaidő után; ~ all végül is, mindennek ellenére, különben is, mégis(csak), elvégre; soon ~ rövidesen azután, röviddel ... után; long ~ jóval utána; for months ~ azután hónapokig; years ~ évekkel azután; US half ~ six fél hét; ~ you! csak Ön után! 2. szerint; [műalkotásról:] ... modorában; ~ a manner egy bizonyos fokig, elég rosszul III. conj miután; ~ all is said and done végül is

after-ages n pl utókor

afterbirth n méhlepény

after-care n utógondozás, utókezelés; ⟨szociális gondoskodás büntetőintézetből kibocsátott egyénről⟩

aftercrop n sarjú

after-days n pl jövendő

after-deck n hátsó fedélzet

after-effect n utóhatás

afterglow n 1. alkonypír 2. utánizzás

after-growth n sarjú

after-life n 1. a későbbi évek; utóélet 2. túlvilág

aftermath ['ɑ:ftəmæθ; US' 'æf-] n 1. sarjú 2. következmény, utóhatás

aftermost a leghátullevő, leghátulsó

afternoon n a délutáni II. n délután; in/ during the ~ délután, a délután folyamán

after-pains n pl (szülési) utófájások

after-taste n utóíz

afterthought n utógondolat

afterwards ['ɑ:ftəwədz; US 'æ-] adv utóbb, később, azután

again [ə'gen] adv újból, újra, megint, ismét; never ~ soha többé; time and ~, ~ and ~ ismételten, újra meg újra; as much/many ~ még egyszer annyi, kétszer annyi; now and ~ hébehóba,

néha(napján), olykor; *but then* ~ *it costs more* viszont többe kerül
against [ə'genst] *prep* ellen; szemben; ellenére; neki-; ~ *a white background* fehér háttér előtt; *as* ~ szemben (vmvel); ~ *a receipt* nyugta ellenében; *exchange it* ~ *eggs* tojásért elcserél; *place the ladder* ~ *the wall* támaszd a létrát a falnak; ~ *his coming* érkezésére készülve
agape [ə'geɪp] *adv* tátott szájjal
agate ['ægət] *n* achát
Agatha ['æɡəθə] *prop* Agáta, Ágota
age [eɪdʒ] I. *n* 1. (élet)kor; ~ *limit* korhatár; *what* ~ *are you?*, *what's your* ~? hány éves (vagy)?; *I am twenty years of* ~ 20 éves vagyok; *at the* ~ *of 16* 16 éves kor(á)ban; *full* ~ nagykorú(ság), a törvényes kor; *of full* ~ nagykorú; *come of* ~ nagykorú lesz; *tall for his* ~ korához képest nagy; *they are of an* ~ egykorúak; *I have a daughter your* ~ van egy veled egyidős lányom; *he is of an* ~ *(to/when ...)* abban a korban van (, hogy.../amikor ...); □ *be your* ~! legyen eszed! 2. kor(szak), emberöltő, generáció; *in our* ~ korunkban; *biz I haven't seen you for* ~s ezer éve nem láttalak II. A. *vi* öregszik B. *vt* öregít
aged *a* 1. ['eɪdʒɪd] koros, idős 2. [eɪdʒd] (-)éves, -korú; *kora ...*; ~ *17* 17 éves
age-group *n* korosztály; évjárat, korcsoport
ageing ['eɪdʒɪŋ] I. *a* öregedő II. *n* öregedés
ageless ['eɪdʒlɪs] *a* időtlen, kortalan; örökifjú; örökkévaló
age-long *a* évszázados
agency ['eɪdʒ(ə)nsɪ] *n* 1. ügynökség; képviselet; iroda 2. tevékenység, működés, hatóerő 3. közbenjárás; *by/ through the* ~ *of* segítségével, közreműködésével
agenda [ə'dʒendə] *n* teendők jegyzéke; napirend; *items on the* ~ napirendi pontok
agent ['eɪdʒ(ə)nt] *n* 1. ügynök, képviselő, közvetítő 2. tényező, természeti erő 3. közeg, (ható)anyag; *chemical* ~ vegyi reagens

age-old *a* ősrégi
agglomerate I. *a* [ə'glɔmərət; US -ɑ-] felhalmozott, összesült, agglomerált II. *n* [ə'glɔmərət; US -ɑ-] breccsa, agglomerátum III. *v* [ə'glɔməreɪt; US -ɑ-] A. *vt* felhalmoz, összeragaszt B. *vi* felhalmozódik, összeragad, összeáll
agglomeration [əglɔmə'reɪʃn; US -ɑ-] *n* halmaz(at), felhalmozódás, összesülés, összeragadás, agglomeráció
agglutinate [ə'glu:tɪneɪt] A. *vt* 1. öszszeragaszt 2. összeilleszt B. *vi* összeragad
agglutination [əglu:tɪ'neɪʃn] *n* agglutináció
agglutinative [ə'glu:tɪnətɪv; US -eɪt-] *a* agglutináló, ragozó [nyelv]
aggrandizement [ə'grændɪzmənt] *n* gazdagodás, hatalmasabbá válás; *he does it all for his own* ~ mindezt azért teszi, hogy a saját jelentőségét/súlyát/hatalmát növelje (v. előtérbe helyezze)
aggravate ['ægrəveɪt] *vt* 1. súlyosbít; *aggravating circumstances* súlyosbító körülmények 2. *biz* bosszant, idegesít
aggravation [ægrə'veɪʃn] *n* 1. súlyosbítás, szigorítás 2. *biz* (fel)bosszantás
aggregate I. *a* ['ægrɪgət] összes, globális II. *n* ['ægrɪgət] 1. összeg; *in the* ~ az egész együttvéve, összesen, globálisan 2. adalékanyag, aggregátum III. *v* ['ægrɪgeɪt] A. *vt* összetömörít, csoportosít, összegyűjt, -állít, -köt; felhalmoz B. *vi* 1. csoportosul, összeáll, -gyűlik, felhalmozódik 2. (számszerűleg) kitesz, (vmlyen összegre) rúg
aggregation [ægrɪ'geɪʃn] *n* 1. felhalmozás 2. (fel)halmozódás, halmaz, tömeg, együttes; egyesülés
aggression [ə'greʃn] *n* támadás, agresszió
aggressive [ə'gresɪv] *a* támadó, veszekedő(s), agresszív
aggressor [ə'gresə*] *n* támadó (fél), agresszor; *the* ~ *nation* a támadó nemzet, az agresszor
aggrieve [ə'gri:v] *vt* bosszant, jogaiban sért; *be/feel* ~*d* megsértődik, megbántva érzi magát (*at/over sg* vm miatt)

aghast [ə'gɑːst; US -æ-] *a* megdöbbent, megrémült

agile ['ædʒaɪl; US 'ædʒ(ə)l] *a* fürge, gyors, agilis

agility [ə'dʒɪlətɪ] *n* fürgeség, gyorsaság, agilitás

Agincourt ['ædʒɪnkɔːt] *prop*

aging ['eɪdʒɪŋ] *a/n* = ageing

agitate ['ædʒɪteɪt] **A.** *vt* **1.** (meg)mozgat **2.** (fel)kever, felráz **3.** *átv* felkavar, -zavar, -izgat, nyugtalanságot szít **B.** *vi* ~ *for* agitál (vm mellett)

agitated ['ædʒɪteɪtɪd] *a* izgatott, zavaros

agitation [ædʒɪ'teɪʃn] *n* **1.** (fel)keverés, (fel)rázás; felkavarodás; mozgás **2.** izgatás, nyugtalanítás **3.** izgalom, nyugtalanság **4.** agitáció

agitator ['ædʒɪteɪtə*] *n* **1.** izgató, lázító; agitátor **2.** keverő(gép)

agit-prop ['ædʒɪtprɔp] *a* agitprop(-)

aglow [ə'gloʊ] **I.** *a* lángoló, sugárzó, tündöklő **II.** *adv* izzóan, lángolóan, kipirulva

Agnes ['ægnɪs] *prop* Ágnes

agnostic [æg'nɔstɪk; US -ɑ-] *a/n* agnosztikus

agnosticism [æg'nɔstɪsɪzm; US -ɑ-] *n* agnoszticizmus

ago [ə'goʊ] *a/adv* [egy bizonyos idő] előtt; ezelőtt; *a few minutes* ~ néhány perce, néhány perccel ezelőtt; *a year* ~ tavaly; *long* ~ régen

agog [ə'gɔg] *a/adv* izgatott(an), (örömteli/kíváncsi) várakozásban; *be all* ~ *to* . . . izgatottan/alig várja, hogy . . .

agonize ['ægənaɪz] **A.** *vi* kínlódik, gyötrődik **B.** *vt* kínoz, gyötör

agonized ['ægənaɪzd] *a* megkínzott; aggodalmas, kétségbeesett; velőtrázó [sikoly]

agonizing ['ægənaɪzɪŋ] *a* gyötrelmes, fájdalmat okozó

agony ['ægənɪ] *n* **1.** nagy fájdalom, lelki gyötrelem, gyötrődés; *suffer agonies* pokolian szenved, kínlódik; ~ *column* ⟨újság apróhirdetéseinek személyi és jótékonysági rovata⟩ **2.** haláltusa, agónia

agrarian [ə'greərɪən] **I.** *a* **1.** mezőgazdasági, agrár **2.** földbirtokügyi **II.** *n* földreformpárti

agree [ə'griː] **A.** *vi* **1.** egyetért (*with* vmvel), beleegyezik (*to* vmbe), hozzájárul (*to* vmhez); *I* ~ *that* . . . egyetértek abban, hogy . . .; *let us* ~ *to differ* maradjunk annyiban, hogy nem egyezik véleményünk (de ne vitatkozzunk tovább) **2.** megegyezik, megállapodik, egyezséget köt (*with* vkvel, *on, about, as to* vmben, vmt illetően); *we* (*all*) ~ *d to* . . ., *we are* (*all*) ~ *d on/that* . . . megegyeztünk/megállapodtunk abban(, hogy . . .); *that is* ~ *d* ebben megegyeztünk!, helyes!, ez áll!; *this was* ~ *d upon* ebben megegyeztünk/megállapodtunk; *they* ~ *d on the terms* megegyeztek a feltételeket illetően; *have you* ~ *d about the prices?* megállapodtak-e az árakban?; *as* ~ *d* (*upon*) megállapodás szerint; *unless otherwise* ~ *d* más értelmű megállapodás híján **3.** egyezik, egyező, összhangban áll (*with* vmvel); *wine does not* ~ *with me* nem tesz jót nekem a bor, nem bírja a bort a gyomrom; *the verb* ~ *s with its subject in number* az állítmány egyezik az alannyal számban **4.** egyetért, kijön (vkvel); *they* ~ *together* kijönnek egymással **B.** *vt* egyeztet [számlákat stb.]

agreeable [ə'grɪəbl] *a* **1.** kellemes, szeretetre méltó **2.** *be* ~ *to sg* hozzájárul vmhez, beleegyezik vmbe; *I am* ~ hajlandó vagyok, belemegyek

agreeably [ə'grɪəblɪ] *adv* kellemesen

agreed [ə'griːd] *a* kölcsönösen megállapított/megállapodott, megegyezés szerinti, megbeszélt; *it is an* ~ *thing* ebben megegyeztek, ebben nincs véleménykülönbség

agreement [ə'griːmənt] *n* **1.** megállapodás, megegyezés; egyezmény, egyezség; szerződés; *come to* (*v. arrive at*) *an* ~ *with sy* egyezséget köt vkvel, megegyezik/megállapodik vkvel; *conclude* (*v. enter into*) *an* ~ szerződést/megállapodást köt vkvel **2.** egyetértés

agricultural [ægrɪ'kʌltʃ(ə)rəl] *a* mezőgazdasági; ~ *college* mezőgazdasági akadémia

agriculture ['ægrɪkʌltʃə*] *n* **1.** földmű-

velés, mezőgazdaság, gazdálkodás 2.
mezőgazdaságtan
agriculturist [ægrɪ'kʌltʃərɪst] *n* mező-
gazda, agronómus
agronomic(al) [ægrə'nɔmɪk(l); *US* -ɑ-]
a agronómiai, mezőgazdaságtani
agronomics [ægrə'nɔmɪks; *US* -ɑ-] *n* =
= *agronomy*
agronomist [ə'grɔnəmɪst; *US*-ɑ-] *n* mező-
gazdasági szakember, agronómus
agronomy [ə'grɔnəmɪ; *US* -ɑ-] *n* mező-
gazdaságtan, agronómia
aground [ə'graʊnd] *adv* zátonyon; *run* ~
zátonyra fut
ague ['eɪgju:] *n* mocsárláz, malária; *fit*
of ~ hidegrázás, lázroham
ah [ɑ:] *int* ó!, óh!
aha [ɑ:'hɑ:] *int* na ugye!
ahead [ə'hed] *adv* előre, előbbre; elöl;
tovább; '~ *only*' kötelező haladási
irány [KRESZ-ben]; ~ *of sy* vk
előtt/elé; *sg lies* ~ *of sy* vm vár rá (a
jövőben); ~ *of schedule* határidő előtt;
be ~ *of time* (1) idő előtt érkezik (2)
siet [óra]
ahem [m'mm; ə'hm] *int* hmm!
ahoy [ə'hɔɪ] *int* vigyázz!, hopp!; *boat*
~! hé hajós!; *all hands* ~! mindenki a
fedélzetre!
aid [eɪd] I. *n* 1. segítség, segély; ~
station (műszaki) segélyhely; *come to*
sy's ~ vk segítségére siet; *in* ~ *of sg*
vmnek támogatására 2. segédeszköz 3
segéderő, segítőtárs II. *vt* (meg)segít;
támogat; segédkezik; elősegít, előmoz-
dít
aide-de-camp [eɪddə'kɔ:ŋ; *US*-'kæmp] *n*
(*pl* **aides-de-camp** eɪdzdə'kɔ:ŋ, *US*
'eɪdzdə'kæmp) szárnysegéd
aid-post *n* (orvosi) segélyhely [katonai]
aigrette ['eɪgret] *n* 1. kócsag 2. tolldísz,
kócsagforgó
ail [eɪl] A. *vt* bánt; *what* ~*s you?* mi
bajod van?, mi fáj? B. *vi* betegeske-
dik, gyengélkedik
aileron ['eɪlərɔn; *US* -ɑn] *n* csűrőlap
[repülőgépen]
ailing ['eɪlɪŋ] *a* fájó, beteg
ailment ['eɪlmənt] *n* betegség, gyengél-
kedés
m [eɪm] I. *n* 1. cél; célzás; *take* ~ cé-

loz; *take* ~ *at sy* megcéloz vkt, célba
vesz vkt; *miss* ~ célt téveszt 2. cél-
(kitűzés), szándék II. *vt*/*vi* 1. (meg-)
céloz, célba vesz (*at* vkt, vmt); ráirá-
nyít (*at* vmre); irányoz; ~ *sg at sy* vkt
vmvel megcéloz; ~ *a gun at sy* puskát
fog vkre; *be* ~*ed at* (vkre/vme) irányul
2. ~ *at doing sg, US* ~ *to do sg* szándé-
kozik/igyekszik/törekszik vmt meg-
tenni; *what are you* ~*ing at?* mire cé-
loz?, hova akar kilyukadni?; ~ *high*
nagyra tör
aimless ['eɪmlɪs] *a* céltalan
ain't [eɪnt] *biz* = *am not, is not, are*
not, have not || →*be, have*
air [eə*] I. *n* 1. levegő, lég; *by* ~ repülő-
gépen, repülővel; *take the* ~ sétál,
levegőzik; *it's in the* ~ (1) hírlik (2)
levegőben lóg, alaptalan; *be on the* ~
a rádióban szerepel; *go off the* ~
„elmegy" [rádióállomás]; *tread on* ~
boldog izgalomban ég; *dissolve into*
thin ~ füstbe megy, semmivé válik
2. (*különféle összetételekben* :) ~ *cooling*
léghűtés; ~ *cover* légi fedezet/biztosí-
tás; ~ *filter* légszűrő(betét); ~ *force*
légierő; *the Royal A*~ *Force* a (brit)
királyi légierő; ~ *hostess* légi utas-
kísérő, stewardess; ~ *letter* (önbor
koló) légipostai levél; *A*~ *Ministry*
légügyi minisztérium; ~ *passenger*
légi utas; ~ *raid* légitámadás →*air*-
-raid; ~ *rifle* légpuska; ~ *sleeve*
szélzsák; ~ *space* légtér; ~ *terminal*
városi iroda [légitársaságé]; ~ *ticket*
repülőjegy; ~ *transport* légi szállítás/
közlekedés 3. arckifejezés, viselke-
dés; *give oneself* ~*s, put on* ~*s, take* ~*s*
adja az előkelőt, megjátssza magát
4. *US* □ *hot* ~ üres duma 5. dal(lam),
ária II. *vt* 1. szellőztet, szárít 2. ki-
mond, fitogtat
air-attack *n* légitámadás
air-balloon *n* [játék] léggömb
air-base *n* légi támaszpont
air-bed *n* (felfújható) gumimatrac
air-bladder *n* úszóhólyag [halé]
airborne *a* 1. légi úton szállított 2.
levegőben [repülés közben]; *become* ~
felszáll 3. légi deszant, ejtőernyős
[csapat]

air-brake *n* légfék
airbrush *n* festékszóró/dukkózó pisztoly
airbus *n* légibusz
air-conditioned *a* légkondicionált, klimatizált
air-conditioning [-kən'dɪʃ(ə)nɪŋ] I. *a* ~ *equipment* klímaberendezés II. *n* légkondicionálás, klimatizálás
air-cooled [-ku:ld] *a* léghűtéses
aircraft *n* (*pl* ~) repülőgép; ~ *carrier* repülőgép-anyahajó
aircraft(s)man ['eəkrɑ:ft(s)mən] *n* (*pl* -men -mən) *GB* (fedélzeti) repülőtisztes
air-crew *n* repülőszemélyzet
air-cushion *n* felfújható párna, légpárna
airdrop *n* ejtőernyővel ledobott utánpótlás
air-duct *n* levegőjárat, szellőzőcső
Airedale ['eədeɪl] *n* Airedale-terrier
airer ['eərə*] *n* ruhaszárító keret
airfield *n* repülőtér
air-fight *n* légiharc
air-flow *n* levegőáramlás
airfoil *n* szárnyszelvény [repgépé]
airgun *n* légpuska
air-hole *n* 1. szelelőlyuk, légakna 2. be nem fagyott terület [jégmezőn] 3. buborék [öntvényen]
airily ['eərəlɪ] *adv* könnyedén, fölényesen, fesztelenül
airiness ['eərɪnɪs] *n* 1. levegősség 2. könnyedség; fesztelenség
airing ['eərɪŋ] *n* 1. szellőztetés 2. levegőzés; *go for an* ~ sétál egyet, kimegy egy kicsit levegőzni
airless ['eəlɪs] *a* 1. levegőtlen, szellőzetlen 2. nyugodt, csendes [este]
air-lift *n* légihíd
airline *n* 1. repülőjárat, légi útvonal 2. légitársaság; ~ *office* városi iroda [légitársaságé]
airliner *n* utasszállító repülőgép, utasgép
airlock *n* 1. légkamra, légzsilip, légzsák 2. légbuborék [csőben]
airmail *n* légiposta; *by/via* ~ légipostával; ~ *edition* légipostai kiadás
airman ['eəmən] *n* (*pl* -men -men) repülő, pilóta
air-minded *a* repülést kedvelő
airplane *n US* repülőgép

air-pocket *n* légűr, légtölcsér
airport *n* légi kikötő, repülőtér; ~ *bus* repülőtéri autóbusz; ~ *fee/tax* repülőtéri illeték
air-pump *n* légszivattyú
air-raid ['eəreɪd] *a* ~ *alarm* légiriadó; ~ *precautions* polgári védelem, [korábban:] légoltalom, légó '| →*air I. 2.*
air-route ['eəru:t] *n* légi útvonal
airscrew *n* légcsavar, propeller
air-shaft *n* szelelőakna, szellőzőakna, légakna
airship *n* léghajó
air-sick *a* légibeteg
air-sickness *n* légibetegség
airstrip *n* (szükség-)felszállópálya, kifutópálya
airtight *a* légmentes(en záródó)
air-to-air *a* levegő-levegő [rakéta]
air-to-ground *a* levegő-föld [rakéta]
airway *n* légi útvonal; ~*s* légitársaság
airwoman *n.* (*pl* -women -wɪmɪn) pilótanő, repülőnő
airworthy *a* repülésre alkalmas [gép], repülőképes
airy ['eərɪ] *a* 1. levegős, szellős 2. légies 3. könnyed; fesztelen 4. komolytalan [ígérgetés]
aisle [aɪl] *n* 1. oldalhajó [templomé] 2. *US* folyosó [padsorok közt, vonaton stb.]
aitch [eɪtʃ] *n* ⟨a *h* hang angol neve⟩; *drop one's* ~*es* nem ejti ki a *h* hangot (vagy rossz helyen ejti ki s ezzel elárulja műveletlenségét), kb. suk-sük nyelven beszél
aitch-bone *n* csípőcsont, marhafartő
ajar [ə'dʒɑ:*] I. *a* félig nyitott II. *adv* félig nyitva
akimbo [ə'kɪmbou] *adv with arms* ~ csípőre tett kézzel
akin [ə'kɪn] *a* rokon (jellegű), hasonló (*to* vmhez)
Al [æl] *prop* ⟨*Allan* becézett alakja⟩
Ala. *Alabama*
Alabama [ælə'bæmə] *prop*
alabaster ['æləbɑ:stə*; *US* -bæ-] *n/a* alabástrom
à la carte [ɑ:lɑ:'kɑ:t] *adv* étlap szerint
alack [ə'læk] *int* † óh jaj !
alacrity [ə'lækrətɪ] *n* fürgeség

à la mode [ɑːlɑːˈmoʊd] adv/a 1. a legutolsó divat szerint(i) 2. fagylalttal (körített)
Alan [ˈælən] prop ⟨angol férfinév⟩
alarm [əˈlɑːm] I. n 1. riadó, vészjel; sound the ~ vészjelet ad 2. riasztóberendezés 3. riadalom, aggodalom, ijedtség; false ~ vaklárma; take ~ at ... megrémül vmitől II. vt (fel)riaszt, megijeszt; be ~ed at ... aggódik/megrémül vm miatt
alarm-bell n vészcsengő
alarm-clock n ébresztőóra
alarming [əˈlɑːmɪŋ] a riasztó, aggasztó
alarmist [əˈlɑːmɪst] n rémlátó
alarm-signal n vészjel
alas [əˈlæs] int ó jaj !, sajna !, fájdalom !, haj !
Alas. Alaska
Alaska [əˈlæskə] prop Alaszka
alb [ælb] n karing, miseing
Albania [ælˈbeɪnjə] prop Albánia
Albanian [ælˈbeɪnjən] a/n albán
Albany [GB, US ˈɔːlbənɪ; Ausztráliában: ˈæl-] prop
albatross [ˈælbətrɔs] n albatrosz, viharmadár
albeit [ɔːlˈbiːɪt] conj habár, noha
Albert [ˈælbət] prop Albert; ~ Hall ⟨nagy hangversenyterem Londonban⟩
albino [ælˈbiːnoʊ; US -baɪ-] n albínó
Albion [ˈælbjən] prop Albion [Anglia költői neve]
album [ˈælbəm] n 1. album 2. nagylemez
albumen [ˈælbjʊmɪn] n 1. (tojás)fehérje 2. = albumin
albumin [ˈælbjʊmɪn] n albumin, fehérje
alchemist [ˈælkɪmɪst] n aranycsináló, alkimista
alchemy [ˈælkɪmɪ] n aranycsinálás, alkímia
alcohoi [ˈælkəhɔl; US -ɔːl] n alkohol; szeszes ital; ~ content szesztartalom
alcoholic [ælkəˈhɔlɪk; US -ˈhɔː-] I. a szeszes; ~ drink szeszes ital II. n alkoholista
alcoholism [ˈælkəhɔlɪzm; US -hɔː-] n iszákosság, alkoholizmus
alcove [ˈælkoʊv] n hálófülke, alkóv
alder [ˈɔːldə*] n éger(fa)

alderman [ˈɔːldəmən] n (pl -men -mən) városatya, tanácsnok
Aldwych [ˈɔːldwɪtʃ] prop
ale [eɪl] n világos sör
Alec(k) [ˈælɪk] prop = Alex
ale-house n † ko(r)csma
alert [əˈləːt] I. a éber, óvatos II. n riadó-(készültség); légiriadó; on the ~ készenlétben, ugrásra készen III. vt riadókészültséget rendel, (fel)riaszt
alertness [əˈləːtnɪs] n éberség
Alex [ˈælɪks] prop Sanyi
Alexander [ælɪgˈzɑːndə*; US -ˈzæ-] prop Sándor
Alexandrine [ælɪgˈzændraɪn] n alexandrinus [versforma], sándorvers
alfalfa [ælˈfælfə] n lucerna
Alfonso [ælˈfɔnzoʊ] prop Alfonz
Alfred [ˈælfrɪd] prop Alfréd
alfresco [ælˈfreskoʊ] I. a szabadban történő II. adv (kinn a) szabadban
alga [ˈælgə] n (pl ~e -dʒiː) alga, moszat
algebra [ˈældʒɪbrə] n algebra
algebraic(al) [ældʒɪˈbreɪk(l)] a algebrai
algebraically [ældʒɪˈbreɪkəlɪ] adv algebrailag, algebrikusan
Algeria [ælˈdʒɪərɪə] prop Algéria
Algerian [æˈldʒɪərɪən] a/n algériai
Algernon [ˈældʒənən] prop ⟨angol férfinév⟩
Algiers [ælˈdʒɪəz] prop Algír
algorithm [ˈælgərɪðm] n algoritmus
alias [ˈeɪlɪæs] I. adv más néven II. n álnév
alibi [ˈælɪbaɪ] n máshollét, alibi; biz kifogás; establish/prove an ~ alibit igazol
Alice [ˈælɪs] prop Aliz
alien [ˈeɪlɪən] a/n idegen, külföldi; be ~ to sg vmvel ellenkezik
alienable [ˈeɪlɪənəbl] a elidegeníthető
alienate [ˈeɪlɪəneɪt] vt elidegenít
alienation [eɪlɪəˈneɪʃn] n 1. elidegenítés; declaration of ~ állampolgárságról lemondás 2. elidegenülés, elidegenedés 3. mental ~ elmebaj
alienist [ˈeɪlɪənɪst] n 1. elmeorvos 2. US [bírósági] elmeszakértő
alight¹ [əˈlaɪt] a égő; catch ~ lángra kap/lobban; set sg ~ vmt felgyújt
alight² [əˈlaɪt] vi leszáll (from vmről);

~ *on* sg rászáll vmre; ~ (*up*)*on* sg vmre ráakad/rátalál
align [ə'laɪn] **A.** *vt* (fel)sorakoztat, sorba állít, egyenesbe hoz **B.** *vi* (fel)sorakozik, sorba áll; ~ (*oneself*) *with* igazodik/csatlakozik vmhez/vkhez
alignment [ə'laɪnmənt] *n* sorbaáll(ít)ás, felsorakoztatás; csoportosulás, csoportosítás (vmlyen elv szerint); *in* ~ egy sorban (vmvel)
alike [ə'laɪk] I. *a* hasonló, egyforma II. *adv* egyformán, hasonlóan, ugyanúgy, egyaránt
alimentary [ælɪ'mentərɪ; *US* -terɪ] *a* tápláló; ~ *canal* emésztőcsatorna
alimony ['ælɪmənɪ; *US* -moʊ-] *n* tartásdíj [elvált asszonyé]
aliquot ['ælɪkwɔt] *a* maradék nélkül osztható; ~ *part* aliquot rész
alive [ə'laɪv] *a* 1. élő, életben (levő); eleven, élénk; *very much* ~ életerős, tevékeny; *keep* ~ ébren tart [érdeklődést]; *look* ~! siess!, mozogj!; *be* ~ *with* sg nyüzsög vmtől; *man* ~! te jó Isten! 2. *be* ~ *to* sg tudatában van vmnek
alkali ['ælkəlaɪ] *n* alkáli(a), lúg
alkaline ['ælkəlaɪn] *a* alkalikus, lúgos
all [ɔːl] I. *a/pron* egész, összes, mind, minden(féle), valamennyi, mindegyik — 1. ~ *dogs are animals* minden kutya állat; ~ *five men* mind az öt ember; *he has lived* ~ *his life in Budapest* egész életében Budapesten élt; ~ *the boys* az összes fiú; *with* ~ *speed* teljes sebességgel; ~ *of us* mindannyian, (mi) mindnyájan; *A~ Fools' Day* április elseje; *A~ Hallows'/Saints' Day* mindenszentek napja (nov. 1.); *A~ Souls' Day* halottak napja (nov. 2.) 2. ~ *whom I met* akivel csak találkoztam; ~ *about Jim* minden(t), ami Jimre vonatkozik; *it was* ~ *he could do* ez volt minden amit tehetett; *that's* ~ (*there is to it*) ennyi az egész, ez a helyzet, ez van; *biz not* ~ *that dear* nem is olyan drága; *it's not so difficult as* ~ *that* nem (is) olyan nehéz; ~ *but* majdnem, csaknem, kivéve; *when* ~ *is said* (*and done*) egyszóval, mindent összegezve; *and* ~

meg minden; ~ *in* ~ mindent összevéve/egybevetve; *in* ~ összesen **3.** *at* ~ egyáltalá(ba)n; *not at* ~ (1) egyáltalá(ba)n nem (2) [vmt megköszönve] szívesen, szót sem érdemel; *for* ~ *I know* már amennyire tudom; *for* ~ *that* annak ellenére (hogy) **4.** (*we are*) *five* ~ 5:5-re állunk; *fifteen* ~ 15 egyenlő/mind [teniszben] II. *adv* egészen, teljesen; összesen, valamennyien — 1. ~ *alone* teljesen egyedül; *I'm* ~ *ears* csupa fül vagyok 2. *biz I am* ~ *for it* teljes mértékben helyeslem, „benne vagyok"; *biz he is* ~ *in* ki van (merülve); *biz* ~ *out* minden erejét igénybe véve, teljes erőbedobással; *go* ~ *out for* sg szívvel-lélekkel küzd vmért, minden erejével azon van, hogy . . . →*all-out*; ~ *over the house* szerte az egész házban, a házban mindenütt; *he is English* ~ *over* minden ízében angol; *that's John* ~ *over* (1) jellemző Jánosra! (2) János most is csak olyan, mint máskor; *it's* ~ *over* már befejeződött/elmúlt, vége (van); *it's* ~ *over/up with him* neki már teljesen vége/befellegzett, „kész" van; *biz he is* ~ *there* feszülten figyel, ott van az esze; *biz he is not* ~ *there* hiányzik egy kereke, kicsit ütődött **3.** ~ *the better* annál jobb; ~ *the same* (1) mindegy (2) mégis, ennek ellenére III. *n* az egész, az összes, minden, mindaz (ami); *the A~* a világmindenség; *my* ~ mindenem; *I will do my* ~ minden tőlem telhetőt megteszek; *lose one's little* ~ egész kis vagyonkáját elveszti
Allah ['ælə] *prop* Allah
all-American *a* 1. egész Amerikát képviselő; *an* ~ *team* amerikai nemzeti válogatott 2. teljesen/mindenestől amerikai [összeállítású, anyagú]
Allan ['ælən] *prop* ⟨angol férfinév⟩
allay [ə'leɪ] *vt* csillapít, enyhít
all-clear *a* ~ *signal* „légiriadó elmúlt" jelzés
all-day *a* egész napos
allegation [ælɪ'geɪʃn] *n* állítás; *false* ~ valótlan állítás, ürügy

allege [ə'ledʒ] vt 1. állít 2. felhoz [példát stb.]
alleged [ə'ledʒd] a állítólagos
allegedly [ə'ledʒɪdlɪ] adv állítólag
Alleghany ['ælɪgeɪnɪ] prop
allegiance [ə'li:dʒəns] n állampolgári hűség/kötelezettség; oath of ~ állampolgári eskü
allegorical [ælɪ'gɔrɪkl; US -'gɔ:-] a jelképes, képletes, allegorikus
allegory ['ælɪgərɪ; US -gɔ:-] n allegória
allergic [ə'lə:dʒɪk] a allergiás (to vmre, átv is)
allergy ['ælədʒɪ] n allergia
alleviate [ə'li:vɪeɪt] vt enyhít, csillapít, könnyít
alleviation [əli:vɪ'eɪʃn] n enyhítés, könynyítés, csillapítás
alley ['ælɪ] n 1. sikátor, köz; right up his ~ éppen az ő utcájában, ez éppen neki való dolog 2. fasor 3. tekepálya
alley-way n = alley 1.
alliance [ə'laɪəns] n szövetség; enter into an ~ with sy szövetségre lép vkvel
allied ['ælaɪd] a szövetséges; the A~ Powers a szövetséges hatalmak ‖ → ally II.
allies ['ælaɪz] →ally I.
alligator ['ælɪgeɪtə*] n alligátor
all-important a nagy fontosságú
all-in a ~ price mindent magában foglaló ár; ~ wrestling szabadfogású birkózás
all-inclusive a ~ tour (minden költséget magában foglaló) társasutazás
alliteration [əlɪtə'reɪʃn] n betűrím, alliteráció
alliterative [ə'lɪtərətɪv; US -reit-] a betűrímes, alliteráló
all-night a egész éjjel (üzemben levő)
allocate ['æləkeɪt] vt 1. kioszt, kiutal, juttat 2. megállapít, meghatároz [helyet]
allocation [ælə'keɪʃn] n 1. kiosztás, kiutalás, hovafordítás, juttatás 2. elhelyezés
allot [ə'lɔt; US -at] vt -tt- = allocate 1.; time ~ted előírt idő
allotment [ə'lɔtmənt; US -a-] n 1. = allocation 1. 2. GB [juttatott v. b érbe adott] veteményeskert

all-out a ~ effort teljes igyekezet/erőbedobás; ~ warfare totális háború
allow [ə'laʊ] vt 1. (meg)enged, engedélyez, hagy, helyt ad (vmnek); please ~ me to ... engedje meg kérem, hogy ..., legyen szabad ...; be ~ed to ... szabad ...; be not ~ed nincs megengedve, tilos; he was not ~ed out nem engedték ki 2. ad, nyújt; ~ sy £200 a year évi 200 fontot biztosít vknek; ~ 5 per cent interest on deposits betétek után 5% kamatot fizet; ~ 3 per cent 3%-ot levon/leenged; ~ sy a discount vknek (ár)engedményt nyújt 3. elismer
allow for vi 1. figyelembe/tekintetbe/számításba vesz; ráhagy [anyag megmunkálásában]; ~ing f. figyelembe véve ... 2. vmlyen címen levon
allow of vi (meg)enged, hagy; lehetővé tesz (vmt); ~s of no delay nem tűr halasztást
allowable [ə'laʊəbl] a megengedett, megengedhető
allowance [ə'laʊəns] n 1. (ár)engedmény, csökkentés, levonás, kedvezmény; ~ for cash készpénzfizetési engedmény 2. juttatás, térítés, engedélyezett összeg; pótlék; entertainment ~ reprezentációs költség(térítés); personal ~ személyi pótlék/juttatás; travelling ~ úti átalány 3. make ~(s) for sg figyelembe/tekintetbe/számításba vesz vmt 4. [megmunkálási] ráhagyás, tűrés
alloy I. n ['ælɔɪ] ötvözet; ~ steel ötvözött acél, nemesacél; no joy without ~ nincsen öröm üröm nélkül II. vt [ə'lɔɪ] 1. ötvöz, elegyít 2. átv megzavar, megront
all-powerful a mindenható
all-round a sokoldalú, univerzális [szakember, sportoló stb.]
all-rounder [-raʊndə*] n sokoldalú ember, „all-round" sportoló
allspice ['ɔ:lspaɪs] n jamaikai szegfűbors, vegyes fűszer
all-time a 1. ~ high (világ)csúcs, világrekord 2. ~ low az eddig elért legalacsonyabb/legkevesebb [teljesítmény, színvonal stb.]

allude [ə'lu:d] vi ~ to sg hivatkozik/
utal/céloz vmre, említ vmt
All-Union a össz-szövetségi
allure [ə'ljʊə*; US -'lʊr] vt csábit, csa-
logat, vonz
allurement [ə'ljʊəmənt; US -'lʊr-] n
vonzás, vonzóerő, csábítás, varázs,
báj
alluring [ə'ljʊərɪŋ; US -'lʊr-] a vonzó,
csábító
allusion [ə'lu:ʒn] n célzás, utalás, hi-
vatkozás, említés
allusive [ə'lu:sɪv] a célzó, utaló
alluvial [ə'lu:vjəl] a áradmányos, horda-
lékos, alluviális; ~ deposit hordalék,
lerakódás
all-weather a minden időjárásnál hasz-
nálható
ally I. n ['ælaɪ] szövetséges; the Allies
a szövetséges hatalmak II. v [ə'laɪ]
A. vt összeköt, összead, egyesít; be
allied with sy szövetkezik (v. szövet-
ségre lép) vkvel; be allied to sg kap-
csolatos/rokon vmvel, azonos jellegű
vmvel B. vi szövetkezik (with vkvel)
|| →allied
Alma Mater [ælmə'mɑːtə*] n alma mater
almanac(k) ['ɔ:lmənæk] n naptár; év-
könyv, almanach
almighty [ɔ:l'maɪtɪ] I. a mindenható
II. n the A~ a Mindenható
almond ['ɑ:mənd] n mandula
almoner ['ɑ:mənə*; US 'æl-] n i. ala-
mizsnaosztó 2. GB kórházi szociális
nővér
almost ['ɔ:lmoʊst] adv majdnem; ~
never szinte soha(sem)
alms [ɑ:mz] n pl alamizsna
alms-house n szegényház, menház
almsman ['ɑ:mzmən] n (pl -men -mən)
szegényházi férfi
aloe ['æloʊ] n 1. áloé 2. aloes pl has-
hajtó
aloft [ə'lɔft; US -ɔ:-] adv 1. fenn, fent
a magasban, felfelé 2. az árbocon,
fent
alone [ə'loʊn] a/adv 1. egyedül; be
left ~ magára maradt; let/leave sy/sg
~ béké(be)n hagy vkt/vmt, nem bánt
vkt/vmt; let ~ ... eltekintve vmtől,
nem is szólva arról (hogy) 2. csak(is),

kizárólag; not in London ~ nemcsak
L-ban
along [ə'lɔŋ; US -ɔ:ŋ] prep/adv 1. men-
té(be)n, hosszában; ~ the road az
út mentén; all ~ (mind)végig, az
egész idő alatt; ~ with együtt (vkvel,
vmvel) 2. tovább, előre; move ~
(tovább)megy
alongside adv/prep hosszában, ... olda-
la mellett/mellé
aloof [ə'lu:f] I. a tartózkodó, zárkózott
II. adv távol; hold/keep ~ elzárkózik,
távoltartja magát
aloofness [ə'lu:fnɪs] n tartózkodó ma-
gatartás, zárkózottság
aloud [ə'laʊd] adv hangosan, fennhangon
alp [ælp] n ~s havasok
alpaca [æl'pækə] n 1. alpaka (juh)
2. alpaka(szövet), lüszter
alpenstock ['ælpɪnstɔk; US -ɑk] n
hegymászóbot, turistabot
alpha ['ælfə] n alfa; ~ particle alfa-ré-
szecske; ~ plus kitűnő [osztályzat]
alphabet ['ælfəbɪt] n ábécé, betűrend
alphabetical [ælfə'betɪkl] a betűrendes,
ábécérendi, alfabetikus; ~ order ábé-
cérend, betűrend
alpine ['ælpaɪn] a alpesi, havasi; ~
events alpesi (verseny)számok; ~
plants havasi növények
alpinist ['ælpɪnɪst] n hegymászó, alpi-
nista
Alps [ælps] prop the ~ az Alpok
already [ɔ:l'redɪ] adv már
Alsace [æl'sæs] prop Elzász
Alsatian [æl'seɪʃjən; US -ʃən] a/n el-
zászi; ~ (dog) német juhászkutya,
farkaskutya
also ['ɔ:lsoʊ] adv is, szintén; ~ run
futottak még, helyezetlenek
Altaic [æl'teɪk] a/n altaji
altar ['ɔ:ltə*] n oltár; high ~ főoltár
altar-boy n ministráns
altar-cloth n oltárterítő
altar-piece n oltárkép
alter ['ɔ:ltə*] A. vt (meg)változtat, át-
alakít, módosít B. vi (meg)változik,
átalakul, módosul
alteration [ɔ:ltə'reɪʃn] n 1. (meg)vál-
toztatás, átalakítás, módosítás 2.
(meg)változás, átalakulás, módosulás

3*

altercation [ɔ:ltə'keɪʃn] *n* pörlekedés, veszekedés, civakodás

alternate I. *a* [ɔ:l'tə:nət] változó, váltakozó, kölcsönös, minden második; ~ *angles* váltószög; *US* ~ *member* [bizottsági, testületi] póttag; *on* ~ *days* másodnaponként II. *n* [ɔ:l'tə:nət] *US* helyettes; váltó társ/pár III. *v* ['ɔ:ltəneɪt] A. *vt* 1. váltogat, felváltva használ/végez/stb., váltakoztat 2. váltógazdaságot folytat, váltakozva termeszt B. *vi* váltakozik (*with* vmvel), váltja egymást, cserélődik; ~ *between laughter and tears* felváltva sír és nevet, hol sír hol nevet

alternately [ɔ:l'tə:nətlɪ] *adv* váltakozva, felváltva

alternating current ['ɔ:ltəneɪtɪŋ] *a* váltakozó áram

alternation [ɔ:ltə'neɪʃn] *n* 1. váltakozás 2. váltogatás

alternative [ɔ:l'tə:nətɪv] I. *a* vagylagos, kétféle, alternatív II. *n* választás (kétféle lehetőség közül), alternatíva; (kétféle, többféle) lehetőség

alternatively [ɔ:l'tə:nətɪvlɪ] *adv* vagylagosan

although ['ɔ:lðoʊ] *conj* bár, ámbár, habár, noha, jóllehet

altimeter ['æltɪmi:tə*; *US* æl'tɪmɪtə*] *n* magasságmérő

altitude ['æltɪtju:d; *US* -tu:d] *n* magasság; ~ *sickness* hegyi betegség

alto ['æltoʊ] *n* 1. alt [hang] 2. mélyhegedű

altogether [ɔ:ltə'geðə*] *adv* teljesen, egészen, összesen; egész(é)ben véve, mindent összevéve

altruism ['æltrʊɪzm] *n* önzetlenség, emberbarátság, altruizmus

altruist ['æltrʊɪst] *n* önzetlen, emberbarát, altruista

altruistic [æltrʊ'ɪstɪk] *a* önzetlen, emberbaráti, altruista

alum ['æləm] *n* timsó

alumina [ə'lju:mɪnə; *US* -'lu:-] *n* timföld

aluminium [æljʊ'mɪnjəm; *US* ælə-] *n* alumínium

aluminum [ə'lu:mɪnəm] *n US* alumínium

alumnus [ə'lʌmnəs] *n* (*pl* alumni ə'lʌmnaɪ) *US* volt növendék/diák, öregdiák

alveolar [æl'vɪələ*] *a/n* alveoláris (mássalhangzó)

always ['ɔ:lweɪz] *adv* mindig

am [æm, gyenge ejtésű alakjai: əm, m] →*be*

a.m. [eɪ'em] ante meridiem (= *before noon*) délelőtt, de.

Amabel ['æməbel] *prop* Amábel

amalgam [ə'mælgəm] *n* amalgám

amalgamate [ə'mælgəmeɪt] A. *vt* egybeolvaszt, egyesít B. *vi* 1. egybeolvad, fuzionál, egyesül 2. keveredik

amalgamation [əmælgə'meɪʃn] *n* 1. egyesítés, egybeolvasztás 2. egybeolvadás, egyesülés, fúzió 3. keveredés

amanuensis [əmænjʊ'ensɪs] *n* (*pl* -ses -si:z) titkár, írnok

amaryllis [æmə'rɪlɪs] *n* amarillisz

amass [ə'mæs] *vt* felhalmoz

amateur ['æmətə*; *US* -tʃʊr v. .-tʃər] *n* műkedvelő, amatőr

amateurish [æmə'tə:rɪʃ; *US* -'tʃʊr- v. -'tʊr-] *a* szakszerűtlen, hozzá nem értő, amatőr, kontár

amatory ['æmətərɪ; *US* -tə:rɪ] *a* szerelmi; szerelmes; érzéki

amaze [ə'meɪz] *vt* meghökkent, megzavar, ámulatba ejt; *I was* ~*d to hear* . . . elképedve hallottam . . .

amazed [ə'meɪzd] *a* meghökkent, ámuló, elképedt

amazement [ə'meɪzmənt] *n* elképedés, meghökkenés, ámulat, meglepetés

amazing [ə'meɪzɪŋ] *a* meglepő, bámu la tos, csodálatos, elképesztő

ambassador [æm'bæsədə*] *n* nagykövet

ambassadress [æm'bæsədrɪs] *n* nagykövetnő

amber ['æmbə*] *n* 1. borostyánkő 2. ~ (*light*) sárga fény [forgalmi jelzőlámpáé]

ambergris ['æmbəgri:s] *n* ámbra

ambidextrous [æmbɪ'dekstrəs] *a* 1. mindkét kézzel egyformán ügyes, kétkezes 2. *átv* kétszínű

ambience ['æmbɪəns] *n* környezet, légkör

ambient ['æmbɪənt] *a* körülvevő, környező

ambiguity [æmbɪ'gju:ɪtɪ] *n* kétértel-

müség, kettős értelem; félreérthetőség
ambiguous [æm'bɪgjuəs] *a* kétértelmű; bizonytalan, homályos, félreérthető
ambit ['æmbɪt] *n* környék, kiterjedés, hatáskör
ambition [æm'bɪʃn] *n* 1. nagyravágyás, becsvágy, (érvényesülési) törekvés, ambíció 2. kitűzött cél
ambitious [æm'bɪʃəs] *a* 1. nagyravágyó, becsvágyó, törekvő, ambiciózus; *be ~ of sg* vágyódik vmre; *be ~ to do sg* legfőbb vágya, hogy vmt tegyen 2. igényes [munka], nagyra törő [tervek]
ambivalent [æmbɪ'veɪlənt] *a* kétértékű, kétértelmű, ambivalens
amble ['æmbl] I. *n* poroszkálás, baktatás II. *vi* poroszkál, baktat, lépked
Ambrose ['æmbroʊz] *prop* Ambrus
ambrosia [æm'broʊzjə; *US* -oʊʒə] *n* istenek eledele
ambulance ['æmbjʊləns] *n* 1. mentőautó, mentőkocsi 2. mentőszolgálat, a mentők
ambush ['æmbʊʃ] I. *n* 1. les(elkedés), elrejtőzés, lesben állás 2. les(hely), rejtek(hely); *lie in ~* lesben áll II. A. *vi* leselkedik, lesben áll/vár B. *vt* lesből támad [ellenségre]
ameba [ə'mi:bə] *n = amoeba*
Amelia [ə'mi:ljə] *prop* Amélia
ameliorate [ə'mi:ljəreɪt] A. *vt* (meg)javít, jobbá tesz, fejleszt B. *vi* (meg)javul, jobbra fordul
amelioration [əmi:ljə'reɪʃn] *n* 1. (meg-)javítás 2. javulás, jobbulás
amen [ɑ:'men] *int* ámen, úgy legyen
amenable [ə'mi:nəbl] *a* 1. irányítható; megközelíthető; *~ child* könnyen kezelhető gyermek; *be ~ to . . .* hajlik a (tanácsra, okos szóra stb.), fog rajta . . . 2. felelős(ségre vonható); *~ to law* törvényesen felelősségre vonható 3. *~ to sy* vk illetékessége alá tartozó
amend [ə'mend] A. *vt* (meg)javít, jobbít [erkölcsileg]; *~ one's way of life* megjavul, jó útra tér 2. módosít, megváltoztat, kiegészít, helyesbít [törvényjavaslatot stb.] B. *vi* megjavul, jó útra tér

amendment [ə'mendmənt] *n* módosítás, helyesbítés, javítás, kiegészítés
amends [ə'mendz] *n pl* kárpótlás, kártalanítás; *make ~ for sg* (1) kártérítést fizet vmért (2) helyrehoz/jóvátesz vmt
amenity [ə'mi:nətɪ] *n* 1. kellem(esség) 2. *the amenities of life* az életet kellemessé/kényelmessé tevő dolgok, kényelem; *the amenities of a place* egy hely által nyújtott szórakozási (és művelődési) lehetőségek
Amer. *American*
America [ə'merɪkə] *prop* Amerika
American [ə'merɪkən] *a/n* amerikai; *~ plan* panzió rendszerű szállodai ellátás
Americanism [ə'merɪkənɪzm] *n* jellegzetesen amerikai szó/kifejezés/szokás, amerikanizmus
Amerindian [æmər'ɪndjən] *a/n* amerikai indián
Ames [eɪmz] *prop* ⟨angol férfinév⟩
amethyst ['æmɪθɪst] *m* ametiszt
amiability [eɪmjə'bɪlətɪ] *n* szeretetreméltóság, kedvesség; *after a few amiabilities* néhány barátságos/kedves szó után
amiable ['eɪmjəbl] *a* szeretetre méltó, barátságos, kedves
amicable ['æmɪkəbl] *a* barátságos; baráti; békés
amicably ['æmɪkəblɪ] *adv* barátilag; békésen
amid [ə'mɪd] *prep* között, közt, közepette
amidships [ə'mɪdʃɪps] *adv* a hajó közepén
amidst [ə'mɪdst] *adv = amid*
amiss [ə'mɪs] *adv/a* helytelenül, rosszul; *take sg ~* rossz néven (v. zokon) vesz vmt, félremagyaráz vmt; *don't take it ~!* ne vegye rossz néven (ha . . .)!
amity ['æmətɪ] *n* barátság, baráti/jó viszony
ammeter ['æmɪtə*] *n* ampermérő, árammérő
ammonia [ə'moʊnjə] *n* 1. ammónia 2. szalmiákszesz
ammoniac [ə'moʊnæk] *a* ammóniás, ammónia-
ammunition [æmjʊ'nɪʃn] *n* lőszer

amnesia [æm'ni:zjə; US -ʒə] n emlékezetvesztés, -kiesés

amnesty ['æmnɪstɪ] n közkegyelem, amnesztia

amoeba [ə'mi:bə] n amőba, véglény

amoebic [ə'mi:bɪk] a amőbáktól eredő, amőba okozta

amok [ə'mɔk; US -ʌk] adv = amuck

among(st) [ə'mɔŋ(st)] prep 1. között, közt; one ~ many egy a sok közül; from ~ the crowd a tömegből; ~ other things egyebek/többek között 2. közé

amoral [eɪ'mɔr(ə)l; US -'mɔ:-] a erkölcs nélküli, amorális

amorous ['æmərəs] a szerelmi, szerelmes

amorphous [ə'mɔ:fəs] a formátlan, alaktalan, amorf

amortization [əmɔ:tɪ'zeɪʃn; US æmətɪ-] n (le)törlesztés, amortizáció

amortize [ə'mɔ:taɪz; US 'æmə-] vt 1. (le)törleszt [kölcsönt] 2. holt kéznek elad

Amos ['eimɔs] prop Ámos

amount [ə'maʊnt] I. n 1. összeg, menynyiség; ~ brought forward áthozat; to the ~ of ... összeg erejéig; no ~ of ... semmi ... sem; any ~ of money óriási pénzösszeg(ek); in small ~s kis tételekben, apránkint 2. fontosság, jelentőség; it is of little ~ csekély jelentőségű, nem fontos II. vi to (összegszerűleg) kitesz, elér [összeget], felmegy, rúg [összegre]; it ~s to this/that ez annyit jelent, hogy; he will never ~ to much sohasem viszi sokra

amour [ə'mʊə*] n szerelmi ügy/viszony

amp [æmp] n biz amper

ampere ['æmpeə*; US -pɪə*] n amper

amphibian [æm'fɪbɪən] n 1. kétéltű (állat) 2. kétéltű jármű/repülőgép

amphibious [æm'fɪbɪəs] a kétéltű; ~ operations (vízi és szárazföldi) kombinált hadműveletek, partraszállási hadműveletek; ~ vehicle kétéltű jármű

amphitheatre, US -theater ['æmfɪθɪ-ɔtə*] n 1. amfiteátrum; körszínház 2. félkörben lépcsőzetesen emelkedő nézőtér/előadóterem, auditórium (maximum)

ample ['æmpl] a bő(séges), elegendő, terjedelmes, tágas

amplification [æmplɪfɪ'keɪʃn] n 1. (ki-) bővítés 2. erősítés

amplifier ['æmplɪfaɪə*] n erősítő

amplify ['æmplɪfaɪ] vt 1. nagyít, (ki-) bővít; részletez 2. erősít

amplitude ['æmplɪtju:d; US -tu:d] n 1. nagyság, bőség 2. kilengés, amplitúdó

amply ['æmplɪ] adv bőségesen, bőven

ampoule ['æmpu:l] n ampulla

amps [æmps] n pl biz = amperes

amputate ['æmpjʊteɪt] vt csonkol, amputál

amputation [æmpjʊ'teɪʃn] n csonkolás, amputálás

Amsterdam [æmstə'dæm] prop Amszterdam

amuck [ə'mʌk] adv run ~ ámokfutást rendez

amulet ['æmjʊlɪt] n talizmán, amulett

amuse [ə'mju:z] vt szórakoztat, mulattat; ~ oneself szórakozik, jól érzi magát; be ~d at/by sg mulat/derül vmn, élvez vmt

amusement [ə'mju:zmənt] n szórakozás, mulatság, élvezet; szórakoztatás, mulattatás; időtöltés; szórakozási lehetőség; he couldn't hide his ~ nem tudta megőrizni komolyságát; ~ arcade ⟨játékautomatákkal felszerelt üzlethelyiség⟩, játékterem; ~ grounds/park vidám park, vurstli; ~ pier tengeri szórakozómóló

amusing [ə'mju:zɪŋ] a szórakoztató, mulattató, élvezetes

Amy ['eimɪ] prop Málcsi, Máli

an¹ [æn; gyenge ejtésű alakja: ən] egy ⟨határozatlan névelő magánhangzóval kezdődő szók előtt⟩ ‖ → a³

an² [æn] conj ha, és ha

anachronism [ə'nækrənɪzm] n anakronizmus, kortévesztés; korszerűtlenség

anachronistic [ənækrə'nɪstɪk] a kortévesztő, korszerűtlen; anakronisztikus

anaconda [ænə'kɔndə; US -'kɑ-] n óriáskígyó

anacreontic [ənækrɪ'ɔntɪk] a/n anakreoni (vers)

anaemia [ə'ni:mjə] *n* vérszegénység, anémia
anaemic [ə'ni:mɪk] *a* vérszegény, anémiás; sápadt, erőtlen
anaesthesia [ænɪs'θi:zjə; *US* -ʒə] *n* 1. érzéstelenség, érzéketlenség 2. érzéstelenítés
anaesthetic [ænɪs'θetɪk] I. *a* érzéstelenítő II. *n* érzéstelenítő (szer), anaestheticum; *under the* ~ az érzéstelenítő hatása alatt
anaesthetist [ə'ni:sθətɪst; *US* ə'nes-] *n* érzéstelenítő (szak)orvos, aneszteziológus
anaesthetize [ə'ni:sθətaɪz; *US* ə'nes-] *vt* érzéstelenít
anagram ['ænegræm] *n* anagramma
anal ['eɪnl] *a* végbél-
analgesic [ænæl'dʒi:sɪk] *a*/*n* fájdalomcsillapító (szer)
analog →*analogue*
analogous [ə'næləgəs] *a* hasonló, rokon, megfelelő, analóg
analogously [ə'næləgəslɪ] *adv* hasonlóság/analógia alapján
analogue, *US* analog ['ænəlɔg; *US* -ɔ:g] *n* 1. vmnek az analógiája, hasonló/analóg dolog/eset 2. ~ *computer* analóg számítógép
analogy [ə'nælədʒɪ] *n* hasonlóság, megfelelés, analógia; *by* ~ (*with sg*) vmnek az analógiája alapján; *on the* ~ *of* vmnek az analógiájára
analyse, *US* analyze ['ænəlaɪz] *vt* elemez, (meg)vizsgál, analizál
analysis [ə'næləsɪs] *n* (*pl* -ses -si:z) elemzés, vizsgálat, analízis
analyst ['ænəlɪst] *n* 1. elemző; vegyelemző, analitikus vegyész 2. pszichoanalitikus
analytical [ænə'lɪtɪkl] *a* elemző, analitikus; analitikai
anapaest ['ænəpi:st] *n* anapesztus
anapest ['ænəpest] *n US* = *anapaest*
anarchic(al) [æ'nɑ:kɪk(l)] *a* zűrzavaros, anarchisztikus, anarchikus
anarchism ['ænəkɪzm] *n* anarchizmus
anarchist ['ænəkɪst] *n* anarchista
anarchy ['ænəkɪ] *n* anarchia, zűrzavar
anathema [ə'næθəmə] *n* egyházi átok, ünnepélyes kiátkozás, anatéma

anatomic(al) [ænə'tɔmɪk(l); *US* -'ta-] *a* bonctani, anatómiai
anatomist [ə'nætəmɪst] *n* anatómus
anatomy [ə'nætəmɪ] *n* 1. bonctan, anatómia 2. boncolás 3. † taglalat
ancestor ['ænsestə*] *n* ős, ősapa, előd
ancestral [æn'sestr(ə)l] *a* ősi
ancestry ['ænsestrɪ] *n* 1. származás, eredet 2. ősök
anchor ['æŋkə*] I. *n* horgony, vasmacska; *cast*/*drop the* ~, *come to* ~ horgonyt vet, lehorgonyoz; *lie*/*ride at* ~ horgonyoz; *weigh* ~ horgonyt felszed II. *vt*/*vi* 1. (le)horgonyoz, horgonyt vet 2. (le)rögzít, biztosít
anchorage ['æŋkərɪdʒ] *n* 1. horgony(zó)hely 2. horgonyzási díj 3. lehorgonyzás, lerögzítés
anchorite ['æŋkəraɪt] *n* remete
anchovy ['æntʃəvɪ] *n* ajóka; ~ *paste* szardellapaszta
ancient ['eɪnʃ(ə)nt] I. *a* régi, ódon, ősi, antik, ókori; agg; *the* ~ *world* az ókor, az antik világ II. *n the* ~*s* (1) az ókoriak (2) az ókori klasszikusok
ancillary [æn'sɪlərɪ; *US* 'ænsɪlerɪ] *a* alárendelt, mellékes, mellék-, segéd-; *be* ~ *to sg* alá van rendelve vmnek, vmhez tartozik
and [ænd, gyenge ejtésű alakjai: ənd, ən, n] *conj* 1. és, s, meg, valamint; ~ *so on*/*forth* és így tovább 2. pedig, viszont 3. *nice* ~ *hot* kellemesen meleg; *come* ~ *see me* látogass meg
Andes ['ændi:z] *prop* Andok
andiron ['ændaɪən] *n* tűzbak, tuskóbak [kandallóban]; tűzikutya
Andrew ['ændru:] *prop* András, Endre
Andy ['ændɪ] *prop* Bandi, Andris
anecdote ['ænɪkdoʊt] *n* adoma, anekdota
anemia [ə'ni:mjə] *n US* = *anaemia*
anemometer [ænɪ'mɔmɪtə*; *US* -'mɑ-] *n* szélmérő
anemone [ə'nemənɪ] *n* szellőrózsa, anemóna
aneroid ['ænərɔɪd] *n* ~ (*barometer*) fémbarométer, aneroid
anesth... *US* →*anaesth*...
aneurysm, -ism ['ænjʊərɪzm] *n* ütőértágulás, -daganat

anew [ə'nju:; US ə'nu:] adv újra, újból
angel ['eɪndʒ(ə)l] n angyal
angelic [æn'dʒelɪk] a angyali
angelica [æn'dʒelɪkə] n angyalgyökér
angelus ['ændʒɪləs] n az Úrangyala
(imádság), angyali üdvözlet
anger ['æŋgə*] I. n harag, düh, méreg;
bosszúság II. vt (fel)mérgesit, (fel-)
bosszant; he is easily ~ed könnyen
dühbe gurul
Angevin ['ændʒɪvɪn] prop Anjou
angina pectoris [æn'dʒaɪnə 'pektərɪs] n
a szívkoszorúér betegsége, angina
pectoris
angle¹ ['æŋgl] I. n 1. szög, sarok;
right ~ derékszög; at right ~s merőle-
gesen, derékszögben; ~ of incidence
beesési szög; ~ of reflection visszave-
rődési szög 2. szempont, szemszög
II. vt (egyoldalúan) állít be (vmt),
elferdit [hirt]
angle² ['æŋgl] vi 1. horgászik (for vmre)
2. törekszik, ,,vadászik" (for vmre)
angle-iron n szögvas
angler ['æŋglə*] n horgász
Angles ['æŋglz] n pl angelek [az ango-
lok germán ősei]
Anglican ['æŋglɪkən] a/n anglikán
anglicise ['æŋglɪsaɪz] vt (el)angolosit
anglicism ['æŋglɪsɪzm] n 1. angliciz-
mus, brit angol nyelvi sajátosság
[más nyelvben] 2. angolos felfogás
angling ['æŋglɪŋ] n horgászás
Anglistics [æŋ'glɪstɪks] n angol filológia,
anglisztika
Anglo-Indian [æŋgloʊ-] n 1. Indiában
született/élő angol 2. aɪ gol és hindu
szülőktől származott szɛ nély, angol-
hindu félvér
Anglomania [æŋgloʊ'meɪnjə] n anglomá-
nia, angol dolgokért való rajongás
Anglomaniac [æŋgloʊ'meɪnɪæk] a/n
anglomán, angol dolgokért rajongó
Anglo-Norman [æŋgloʊ-] a anglo-nor-
mann
Anglophile ['æŋgləfaɪl] n angolbarát
Anglophobe ['æŋgləfoʊb] n angolgyű-
lölő
anglophone ['æŋgləfoʊn] a angolul be-
szélő, angol ajkú/nyelvű [nem angol
születésű]

Anglo-Saxon [æŋgloʊ-] n/a angolszász
Angola [æŋ'goʊlə] prop Angola
angrily ['æŋgrɪlɪ] adv haragosan, mér-
gesen
angry ['æŋgrɪ] a 1. mérges, dühös;
be ~ with sy haragszik/mérges vkre;
be ~ at/about sg haragszik/haragos/
bosszús vmért (v. vm miatt); get ~
méregbe jön; don't be ~! ne haragud-
j(ék)! 2. gyulladt, égő [testfelület]
anguish ['æŋgwɪʃ] n kín, gyötrelem,
gyötrődés, aggodalom
angular ['æŋgjʊlə*] a 1. szögletes 2.
szög-; ~ velocity szögsebesség 3. átv
szögletes, darabos [mozgás]; merev,
esetlen
angularity [æŋgjʊ'lærətɪ] n szögletesség
Angus ['æŋgəs] prop ⟨skót férfinév⟩
aniline ['ænɪli:n] n anilin
animadversion [ænɪmæd'vəːʃn; US -ʒn]
n bírálgatás, rosszallás, gáncs
animadvert [ænɪmæd'vəːt] vi bírálgat,
rosszall (on vmt)
animal ['ænɪml] I. a állati, állat-; the
~ kingdom az állatvilág; ~ needs
emberi/testi szükségletek; ~ spirits
jókedv II. n 1. állat 2. élőlény
animate I. a ['ænɪmət] élő, élettel teli
II. vt ['ænɪmeɪt] életet önt (vmbe);
(meg)elevenít; (meg)élénkít; serkent,
lelkesít; ~d cartoon rajzfilm; animációs
film
animation [ænɪ'meɪʃn] n 1. élénkség,
elevenség, vidámság 2. életre keltés;
rajzfilmkészítés
animosity [ænɪ'mɒsətɪ; US -'mɑ-] n
ellenségeskedés, gyűlölet
animus ['ænɪməs] n gyűlölet
anise ['ænɪs] n ánizs
aniseed ['ænɪsi:d] n ánizsmag
ankh [æŋk] n hurkos kereszt [mint
életszimbólum]
ankle ['æŋkl] n boka; ~ socks bokafix
anklet ['æŋklɪt] n 1. bokaperec 2. ka-
másli 3. bokazokni, -fix
Ann [æn] prop Anna
Annabel ['ænəbel] prop Annabella
annalist ['ænəlɪst] n évkönyvíró, króni-
kás
annals ['ænlz] n pl évkönyvek; krónika
Annapolis [ə'næpəlɪs] prop

Anne [æn] *prop* Anna
anneal [ə'ni:l] *vt* hőkezel
annex I. *n* ['æneks] 1. épületszárny, toldalék(épület), melléképület 2. függelék, melléklet, pótlás II. *vt* [ə'neks] 1. (hozzá)csatol, mellékel, hozzáfűz, hozzátold, -épít 2. bekebelez, elfoglal
annexation [ænek'seɪʃn] *n* elfoglalás, bekebelezés, hozzácsatolás
Annie ['ænɪ] *prop* Annus, Anni
annihilate [ə'naɪəleɪt] *vt* megsemmisít
annihilation [ənaɪə'leɪʃn] *n* 1. megsemmisítés 2. megsemmisülés
anniversary [ænɪ'vəːs(ə)rɪ] *n* évforduló
annotate ['ænəteɪt] A. *vt* jegyzetekkel ellát; ~ed *edition* jegyzetekkel ellátott (v. magyarázatos) kiadás B. *vi* jegyzete(ke)t készít (*on* vmről)
annotation [ænə'teɪʃn] *n* magyarázó jegyzet, kommentár
announce [ə'naʊns] *vt* 1. bejelent, kihirdet, közöl 2. bemond [műsort]
announcement [ə'naʊnsmənt] *n* közlemény, hirdetmény, bejelentés
announcer [ə'naʊnsə*] *n* műsorközlő, bemondó
annoy [ə'nɔɪ] *vt* bánt, bosszant, idegesít; *be* ~ed *with sy* haragszik/mérges vkre; *be* ~ed (*at sg*) bosszankodik (vm miatt)
annoyance [ə'nɔɪəns] *n* bosszúság, kellemetlenség; zaklatás, nyűg
annoying [ə'nɔɪɪŋ] *a* bosszantó, kellemetlen, zavaró; terhes [vendég]
annual ['ænjʊəl] I. *a* 1. évenkénti, évi 2. egy évi II. *n* 1. évkönyv 2. egynyári növény
annually ['ænjʊəlɪ] *adv* évenként, minden évben
annuitant [ə'njuːɪtənt; *US* -'nuː-] *n* évjáradékban részesülő
annuity [ə'njuːɪtɪ; *US* -'nuː-] *n* évjáradék; *life* ~ életjáradék
annul [ə'nʌl] *vt* -ll- megsemmisít, (el-)töröl, érvénytelenít, visszavon
annular ['ænjʊlə*] *a* gyűrűs, gyűrű-
annulment [ə'nʌlmənt] *n* megsemmisítés, megszüntetés, érvénytelenítés
annunciate [ə'nʌnʃɪeɪt; *US* -sɪ-] *vt* bejelent, kihirdet, közhírré tesz
annunciation [ənʌnsɪ'eɪʃn] *n* 1. kihir-

detés, közhírré tétel 2. *the A*~ (1) az Angyali üdvözlet (2) Gyümölcsoltó Boldogasszony (márc. 25)
anode ['ænoʊd] *n* anód
anodyne ['ænədaɪn] *n* fájdalomcsillapító
anoint [ə'nɔɪnt] *vt* felken [személyt]
anomalous [ə'nɔmələs; *US* -'nɑ-] *a* rendellenes, rendhagyó, szabálytalan
anomaly [ə'nɔmælɪ; *US* -'nɑ-] *n* rendellenesség, szabálytalanság, anomália
anon [ə'nɔn; *US* -ɑ-] *adv* † tüstént; *ever and* ~ időnként, újra meg újra
anon. *anonymous* névtelen, ismeretlen, N.N.
anonymity [ænə'nɪmətɪ] *n* névtelenség, ismeretlenség
anonymous [ə'nɔnɪməs; *US* -'nɑ-] *a* névtelen, ismeretlen
anopheles [ə'nɔfɪliːz; *US* -'nɑ-] *n* maláriaterjesztő szúnyog
anorak ['ænəræk] *n* anorák
another [ə'nʌðə*] *a/pron* más, (egy) másik, még egy, újabb; *in* ~ *ten years* (további) tíz év múlva; *that is quite* ~ *matter* ez egészen más; *one* ~ egymás(t)
answer ['ɑːnsə*; *US* 'æn-] I. *n* 1. válasz, felelet; *in* ~ *to* válaszul/válaszolva vmre 2. megoldás [példáé, feladványé] II. *vt/vi* 1. válaszol, felel (vmre, vknek), megválaszol (vmt); ~ *the door/bell* csengetésre ajtót nyit; ~ *the telephone* felveszi a telefont; ~ *to the name of* ... ... névre hallgat [kutya]; ~ (*sy*) *back* felesel, visszabeszél; ~ *a bill of exchange* váltót bevált 2. ~ *for* (*sy, sg*) (1) vk helyett válaszol (2) vkért/vmért kezeskedik/felel/jótáll 3. megfelel (vmnek); ~ *to the description* megfelel a leírásnak; ~ *the purpose* megfelel a célnak 4. ~ *a problem* megoldja a problémát/feladványt
answerable ['ɑːns(ə)rəbl; *US* 'æn-] *a* 1. felelős 2. megválaszolható; megoldható
answering ['ɑːns(ə)rɪŋ; *US* 'æn-] *a* ~ *to the description* a leírásnak megfelelő; ~ *service* telefonszolgálat
ant [ænt] *n* hangya

antagonism [æn'tægənızm] n (kibékíthetetlen) ellentét; ellenséges érzület, antagonizmus
antagonist [æn'tægənıst] n ellenfél
antagonistic [æntægə'nıstık] a ellentétes, ellenséges; antagonisztikus
antagonize [æn'tægənaız] vt ellenszegül, szembeszáll
antarctic [ænt'a:ktık] I. a déli-sark(vidék)i; the A~ Ocean a Déli-Jegestenger; A~ Circle Déli-sarkkör II. n the A~ a Déli-sark, a Déli-sarkvidék, Antarktisz
ant-eater n hangyász(medve)
ante-bellum [æntı'beləm] a US polgárháború előtti, 1861 előtti
antecedence [æntı'si:d(ə)ns] n elsőbbség, prioritás
antecedent [æntı'si:d(ə)nt] I. a megelőző, korábbi II. n 1. előzmény 2. előtag [aránypáré] 3. antecedents pl (1) ősök (2) előélet
antechamber ['æntıtʃeımbə*] n előszoba, várószoba
antedate [æntı'deıt] vt 1. korábbra keltez, antedatál 2. időbelileg megelőz
antediluvian [æntıdı'lu:vjən] a özönvíz előtti
antelope ['æntıloʊp] n antilop
ante meridiem [æntımə'rıdıəm] adv délelőtt → a.m.
antenatal [æntı'neıtl] a szül(et)és előtti; ~ clinic terhességi tanácsadó
antenna [æn'tenə] n (pl ~e -ni:) 1. csáp, tapintó (szerv) 2. antenna
antepenultimate ['æntıpı'nʌltımət] a hátulról a harmadik [szótag]
anterior [æn'tıərıə*] a 1. előbbi, megelőző 2. elülső
anteroom ['æntırʊm; US -ru:m] n előszoba, várószoba
anthem ['ænθəm] n 1. „anthem" [egyházzenei műfaj]; antifona 2. national ~ (nemzeti) himnusz; GB the National A~ az angol himnusz
anther ['ænθə*] n virágportartó, portok
ant-hill n hangyaboly
anthology [æn'θɔlədʒı; US -'θɑ-] n antológia, versgyűjtemény
Anthony ['æntənı; US -nθə-] prop = Antony

anthracite ['ænθrəsaıt] n antracit
anthrax ['ænθræks] n lépfene
anthropoid ['ænθrəpɔıd] a/n emberszabású (majom)
anthropological [ænθrəpə'lɔdʒıkl; US -'la-] a embertani, antropológiai
anthropologist [ænθrə'pɔlədʒıst; US -'pa-] n antropológus
anthropology [ænθrə'pɔlədʒı; US -'pa-] n embertan, antropológia
anthropometry [ænθrə'pɔmıtrı; US -'pa-] n [bűnügyi] emberméréstan, antropometria
anthropomorphism [ænθrəpə'mɔ:fızm] n antropomorfizmus
anthropomorphous [ænθrəpə'mɔ:fəs] a emberszerű, emberszabású, antropomorf
anthropophagi [ænθrə'pɔfəgaı; US -'pafədʒaı] n pl emberevők, kannibálok
anti- ['æntı-] pref ellen-, ... elleni, anti-
anti-aircraft [æntı'eəkra:ft] a légvédelmi, légelhárító; ~ defense légvédelem; ~ gun légvédelmi ágyú
antiatomic [æntıə'tɔmık; US -ta-] a atomvédelmi
antibaby ['æntıbeıbı] a ~ pill fogamzásgátló tabletta
antibiotic [æntıbaı'ɔtık; US -'at-] n antibiotikum
antibody ['æntıbɔdı; US -ba-] n ellenanyag, ellentest
Antichrist ['æntıkraıst] prop Antikrisztus
anticipate [æn'tısıpeıt] vt 1. előre lát, megérez (vmt), előre megfontol; számít (vmre); ~ a surprise (kellemetlen) meglepetésre számít; ~ sy's wishes még a kívánságát is kitalálja vknek, lesi a kívánságát vknek 2. idő előtt (meg)tesz (vmt), megelőz (vkt/vmt), elébe vág (vknek/vmnek), anticipál; ~ one's income előre elkölti jövedelmét; ~ payment lejárat előtt fizet 3. előrebocsát, előre jelez/sejtet 4. siettet, előbbre hoz, korábbra tesz [időpontot]
anticipated [æn'tısıpeıtıd] a 1. idő előtti 2. előrelátott, remélt

anticipation [æntɪsɪ'peɪʃn] n 1. megelőzés, elébevágás, anticipáció; in ~ előre; előlegképp(en); thanking you in ~ előre is köszönve; in ~ of sg vmre számítva/várva; in ~ of your consent ... hozzájárulására biztosan számítva, utólagos beleegyezésével 2. előrelátás, várakozás, megérzés, előérzet
anticipatory [æn'tɪsɪpeɪtərɪ; US -pətɔ:-rɪ] a előzetes; megelőző; előlegezett; várható
anticlerical [æntɪ'klerɪkl] a papságellenes, antiklerikális
anticlimax [æntɪ'klaɪmæks] n hirtelen színvonalsüllyedés [irodalmi műben], antiklimax
anti-coagulant a/n alvadásgátló (szer)
antics ['æntɪks] n pl bohóckodás
anticyclone [æntɪ'saɪklǫʊn] n anticiklon
anti-dazzle [æntɪ'dæzl] a vakításmentes, fénytompitó; ~ light tompított fény
antidote ['æntɪdoʊt] n ellenméreg, ellenszer
antifascist [æntɪ'fæʃɪst] a/n antifasiszta
antifreeze ['æntɪfri:z] n fagyálló (folyadék)
antigen ['æntɪdʒǝn] n ellenanyagképző, antigén
antihalo [æntɪ'heɪloʊ] a fényudvarmentes [film]
anti-hero ['æntɪhɪǝroʊ] n negatív hős
antiknock [æntɪ'nɔk; US -ɑk] n kopogásgátló (szer)
antilogarithm [æntɪ'lɔgǝrɪðm; US -'lɔ:-] n numerus logarithmi, antilogaritmus
antimacassar [æntɪmǝ'kæsǝ*] n karosszékvédő kézimunka [fej alá és karfán]
antimatter ['æntɪmætǝ*] n ellenanyag
antimony ['æntɪmǝnɪ] n antimon
antipathetic [æntɪpǝ'θetɪk] a ellenszenves, antipatikus
antipathy [æn'tɪpǝθɪ] n ellenszenv, idegenkedés, antipátia (to, against vmvel szemben)
antipodes [æn'tɪpǝdi:z] n pl ellenlábasok
antipyretic [æntɪpaɪ'retɪk] a/n lázcsillapitó (szer)
antiquarian [æntɪ'kweǝrɪǝn] I. a régészeti; ~ bookseller antikvárius II. n = antiquary

antiquary ['æntɪkwǝrɪ; US -erɪ] n 1. régiségbúvár, régész 2. régiségkereskedő 3. régiséggyűjtő
antiquated ['æntɪkweɪtɪd] a elavult, régimódi, divatjamúlt, ósdi
antique [æn'ti:k] I. a ókori, antik; ódon, régi(es), régimódi II. n régiség, ódonság; antik tárgy; ~ dealer régiségkereskedő; ~ shop régiségkereskedés
antiquity [æn'tɪkwǝtɪ] n 1. az ókor, ókoriak; of great ~ ősrégi 2. antiquities pl antikvitás, régiség(ek)
antirrhinum [æntɪ'raɪnǝm] n oroszlánszáj, tátincs
anti-Semite [æntɪ'si:maɪt; US -'sem-] a/n zsidógyűlölő, antiszemita
anti-Semitism [æntɪ'semɪtɪzm] n zsidógyűlölet, antiszemitizmus
antiseptic [æntɪ'septɪk] I. a fertőzésgátló, antiszeptikus II. n fertőzésgátló (szer), antiszeptikum
antisocial [æntɪ'soʊʃl] a társadalomellenes, antiszociális
antispasmodic [æntɪspæz'mɔdɪk; US -ɑd-] a/n görcsoldó (szer)
antithesis [æn'tɪθɪsɪs] n (pl -ses -si:z) ellentét, antitézis; szembeállítás; különbözőség
antithetic(al) [æntɪ'θetɪk(l)] a ellentétes
antitoxin [æntɪ'tɔksɪn; US -ɑ-] n ellenméreg
antler ['æntlǝ*] n agancs
Antonia [æn'toʊnɪǝ] prop Antónia
Antony ['æntǝnɪ] prop 1. Antal 2. Antonius
antonym ['æntǝnɪm] n ellentétes értelmű szó
antrum ['æntrǝm] n (test)üreg
Antwerp ['æntwǝ:p] prop Antwerpen
anus ['eɪnǝs] n végbélnyílás
anvil ['ænvɪl] m üllő
anxiety [æŋ'zaɪǝtɪ] n aggodalom, aggódás, aggály; szorongás
anxious ['æŋkʃǝs] a 1. aggódó, nyugtalan; be ~ for/about aggódik (vkért, vm miatt) 2. aggasztó, nyugtalanító 3. vmt nagyon kivánó, sóvár; be ~ to ... alig várja (v. ég a vágytól), hogy ...; I am very ~ that he should come nagy súlyt helyezek arra, hogy eljöjjön

any ['enɪ] **I.** *a/pron* akármi, valami, bármi, bármely(ik); akárki, valaki, bárki; *have you got* ~ *matches?* van gyufád?; *have you* ~ *news?* van valami újság/híred?; ~ *not* ~ semmi(féle), egy sem; *I haven't got* ~ nekem egy sincs; *if* ~ ha egyáltalán bármi/valami; *at* ~ *rate* mindenesetre, legalábbis; *in* ~ *case* mindenesetre; ~ *day* bármely napon/percben; *I expect him* ~ *minute* minden percben megérkezhet; ~ *number/amount* sok **II.** *adv* valamivel, [tagadásban:] semmivel; ~ *good/use* hasznávehető; *do you feel* ~ *better?* valamivel/kicsit jobban érzed (már) magad?; *will you have* ~ *more tea?* parancsol még teát?; ~ *longer/further* tovább; *he didn't behave* ~ *too well* nem valami jól viselkedett **anybody** *n/pron* valaki, akárki, bárki; *not* ~ senki; ~ *else* bárki más **anyhow** *adv/conj* **1.** akárhogy(an), valahogy(an); *feel* ~ nem jól érzi magát; *things are all* ~ valahogy csak eldöcögnek a dolgok; *all* ~ valahogy(an), éppen hogy, jól-rosszul; rendetlenül, összecsapva [végez el vmt] **2.** mindenesetre, különben is **anyone** *n/pron* = *anybody* **anything** *n/pron* bármi, valami; [tagadásban:] semmi; *can I do* ~ *for you?* miben állhatok rendelkezésére/szolgálatára?; ~ *else, madam?* parancsol még valamit, asszonyom?; *hardly* ~ szinte semmi; ~ *for a quiet life* a nyugalom mindennél többet ér; *she is* ~ *but rich* minden csak nem gazdag; ~ *like* (csak) némileg is, bármily mértékben is; *biz like* ~ nagyon, hevesen; *biz it's as easy as* ~ úgy megy, mint a karikacsapás **anyway** *adv/conj* **1.** valahogy(an), akárhogy(an) **2.** mindenesetre, különben is **anywhere** *adv* **1.** valahol, bárhol, akárhol; [tagadásban:] sehol; ~ *else* bárhol másutt **2.** valahová, bárhová, [tagadásban:] sehová **aorta** [eɪˈɔːtə] *n* főütőér, aorta **A.P., AP** [eɪˈpiː] *Associated Press* ⟨egy nagy amerikai sajtóügynökség⟩ **apace** [əˈpeɪs] *adv* gyorsan

apart [əˈpɑːt] *adv* félre, vmn kívül, szét, széjjel, külön; *the two houses are 400 metres* ~ a két ház 400 m távolságra van egymástól; ~ *from sg* eltekintve vmtől; *come* ~ szétesik; széjjelmegy; *live* ~ külön élnek **apartheid** [əˈpɑːtheɪt] *n* faji elkülönítés/megkülönböztetés [Dél-Afrikában] **apartment** [əˈpɑːtmənt] *n* **1.** szoba; ~*s* lakosztály **2.** *US* lakás; ~ *house* bérház **apathetic** [æpəˈθetɪk] *a* fásult, egykedvű, érzéketlen, apatikus **apathy** ['æpəθɪ] *n* fásultság, érzéketlenség, közönyösség, apátia **ape** [eɪp] **I.** *n* **1.** emberszabású (farkatlan) majom **2.** *átv* majom; *play the* ~ majmol vkt **II.** *vt* majmol, utánoz **aperient** [əˈpɪərɪənt] *a/n* hashajtó **aperture** ['æpətjʊə*]; *US* -tʃ-] *n* nyílás, rés, rekesz; lencsenyílás [fényképezőgépen] **apex** ['eɪpeks] *n* (*pl* ~**es** -siːz v. **apices** 'eɪpɪsiːz) csúcs(pont), tetőpont, hegygerinc **aphasia** [əˈfeɪzjə; *US* -ʒə] *n* beszédzavar, -képtelenség, afázia **aphis** ['eɪfɪs] *n* (*pl* **aphides** 'eɪfɪdiːz) levéltetű **aphorism** ['æfərɪzm] *n* velős mondás, aforizma **aphrodisiac** [æfrəˈdɪzɪæk] *n* nemi izgatószer, nemi vágyat fokozó szer **apiarist** ['eɪpjərɪst] *n* méhész **apiary** ['eɪpjərɪ] *n* méhészet; méhes **apices** → *apex* **apiculture** ['eɪpɪkʌltʃə*] *n* méhészet, méhészkedés, méhtenyésztés **apiece** [əˈpiːs] *adv* egyenként, darabonként **apish** ['eɪpɪʃ] *a* majomszerű **apocalypse** [əˈpɔkəlɪps; *US* -ˈpɑ-] *n* apokalipszis; *the A*~ A Jelenések Könyve **apocalyptic** [əpɔkəˈlɪptɪk; *US* -pɑ-] *a* világ végére vonatkozó, apokaliptikus **Apocrypha** [əˈpɔkrɪfə; *US* -ˈpɑ-] *n pl* az apokrif könyvek [bibliai korból] **apocryphal** [əˈpɔkrɪfl; *US* -ˈpɑ-] *a* **1.** apokrif **2.** kétes értékű/hitelességű; koholt

apogee ['æpədʒi:] n 1. földtávol [égitesté, űrhajóé stb.] 2. átv tetőpont, csúcspont
apologetic [əpɔlə'dʒetɪk; US -pɑ-] a védekező, apologetikus
apologetics [əpɔlə'dʒetɪks; US -pɑ-] n hitvédelem, apologetika
apologist [ə'pɔlədʒɪst- US -'pɑ-] n védő, mentegető; hitvédő, apologéta
apologize [ə'pɔlədʒaɪz; US -'pɑ-] vi mentegetődzik, kimenti magát, magyarázkodik, elnézést/bocsánatot kér (to vktől, for vmért)
apologue ['æpəlɔg; US -ɔ:g] n tanítómese, példabeszéd
apology [ə'pɔlədʒɪ; US -'pɑ-] n 1. bocsánatkérés, mentegetődzés, magyarázkodás; make/offer an ~ to sy for sg bocsánatot/elnézést kér vktől vm miatt 2. an ~ for sg vmnek rossz utánzata/pótlása 3. védőirat, apológia
apophthegm ['æpəθem] n velős mondás
apophysis [ə'pɔfɪsɪs; US -'pɑ-] n (pl -ses -si:z) (csont)nyúlvány, apofízis
apoplectic [æpə'plektɪk] a 1. gutaütéses, szélhűdéses; ~ fit/stroke gutaütés 2. gutaütésre hajlamos, vérmes
apoplexy ['æpəpleksɪ] n szélütés, szélhűdés, gutaütés
apostasy [ə'pɔstəsɪ; US -'pɑ-] n hitehagyás
apostate [ə'pɔsteɪt; US -'pɑ-] a/n hitehagyott
apostle [ə'pɔsl; US -'pɑ-] n apostol
apostolic [æpə'stɔlɪk; US -tɑ-] a apostoli; pápai
apostrophe [ə'pɔstrəfɪ; US -'pɑ-] n 1. hiányjel, aposztróf 2. megszólítás
apostrophize [ə'pɔstrəfaɪz; US -'pɑ-] vt megszólít
apothecary [ə'pɔθək(ə)rɪ; -'pɑθəkerɪ] n gyógyszerész, patikus
apotheosis [əpɔθɪ'ousɪs; US -pɑ-] n (pl -ses -si:z) 1. megdicsőülés 2. dicsőítés, (fel)magasztalás
apotheosize [ə'pɔθɪousaɪz; US -'pɑ-] vt dicsőít; (fel)magasztal
appal, US appall [ə'pɔ:l] vt -ll- megdöbbent, meghökkent, megrémít; be ~led (at sg) megdöbben/megrémül (vmtől)
Appalachians [æpə'leɪtʃjən; US -tʃən is] prop Appalache-hegység

appalling [ə'pɔ:lɪŋ] a megdöbbentő, szörnyű, ijesztő
apparatus [æpə'reɪtəs] n 1. készülék, berendezés; felszerelés; segédeszköz 2. digestive ~ emésztőrendszer 3. ~ criticus ['krɪtɪkəs] kritikai apparátus
apparel [ə'pær(ə)l] † I. n felszerelés, ruházat II. vt -ll- (US -l-) (fel)öltöztet
apparent [ə'pær(ə)nt] a 1. látható, nyilvánvaló, világos, kétségtelen 2. látszólagos
apparently [ə'pær(ə)ntlɪ] adv 1. nyilván(valóan), kétségtelenül, szemmel láthatólag 2. látszólag
apparition [æpə'rɪʃn] n kísértet, jelenés
appeal [ə'pi:l] I. n 1. fellebbezés; fellebbvitel; Court of A~ fellebbviteli bíróság; lodge an ~ fellebbez; an ~ lies fellebbezésnek helye van 2. kérés, felhívás 3. vonz(ó)erő, varázs II. vi 1. fellebbez (from/against vm ellen) 2. folyamodik, fordul (to sy for sg vkhez vmért); felhívást intéz; ~ to sg vmhez folyamodik 3. ~ to sy hatást tesz/gyakorol vkre, tetszik vknek, izgat/vonz vkt; that doesn't ~ to me ez nem érdekel/tetszik, ez hidegen hagy
appealing [ə'pi:lɪŋ] a 1. könyörgő 2. rokonszenves, vonzó, megnyerő
appear [ə'pɪə*] vi 1. megjelenik, jelentkezik, mutatkozik, láthatóvá válik; feltűnik; szerepel (vhol); ~ for sy vkt perben képvisel 2. látszik, tűnik; she ~s sad szomorúnak látszik; so it ~s, so it would ~ úgy látszik; it ~s not úgy látszik, hogy nem; it ~s to me that ... nekem úgy tűnik (v. én úgy látom), hogy ...
appearance [ə'pɪər(ə)ns] n 1. megjelenés, jelentkezés; make an ~ megjelenik; put in an ~ megjelenik, mutatkozik 2. látszat, külső megjelenés, külszín; to all ~s látszat szerint, minden arra mutat, hogy ... in ~ látszatra; for the sake of ~s a forma kedvéért; keep up ~s fenntartja a látszatot
appease [ə'pi:z] vt 1. lecsillapít, lecsendesít, megbékít 2. kielégít, enyhít (kíváncsiságot, éhséget stb.]

appeasement [ə'pi:zmənt] *n* 1. megbékítés; lecsendesítés 2. lekenyerezés
appellant [ə'pelənt] *n* fellebbező
appellate [ə'pelət] *a* fellebbviteli
appellation [æpə'leɪʃn] *n* megnevezés, megjelölés, elnevezés
append [ə'pend] *vt* ráakaszt, hozzáfüggeszt, -told, -fűz; mellékel csatol; rátesz [pecsétet]
appendage [ə'pendɪdʒ] *n* 1. függelék, toldalék 2. (gép)tartozék
appendectomy [æpen'dektəmɪ] *n* féregnyúlvány eltávolítása, „vakbélműtét"
appendicitis [əpendɪ'saɪtɪs] *n* féregnyúlványlob, „vakbélgyulladás"
appendix [ə'pendiks] *n* (*pl* ~es -ɪz v. appendices ə'pendɪsiː:z) 1. függelék, toldalék, melléklet 2. (*vermiform*) ~ féregnyúlvány, „vakbél"
apperception [æpə'sepʃn] *n* 1. tudatos észlelés, appercepció 2. tudatosulás
appertain [æpə'teɪn] *vi* ~ *to* tartozik vmhez/vkhez, vonatkozik vmre
appetite ['æpɪtaɪt] *n* 1. étvágy 2. vágy, kedv
appetizer ['æpɪtaɪzə*] *n* étvágygerjesztő
appetizing ['æpɪtaɪzɪŋ] *a* kívánatos, étvágygerjesztő
applaud [ə'plɔ:d] A. *vi* tapsol B. *vt* (meg)tapsol, dicsér; üdvözöl (vmt); *be ~ed* megtapsolják, tapsot kap
applause [ə'plɔ:z] *n* taps, tetszésnyilvánítás; dicséret, helyeslés; *round of* ~ dörgő tapsvihar
apple ['æpl] *n* alma; *the ~ of one's eye* a szeme fénye; ~ *sauce* (1) almakompót (2) *US biz* badarság, szamárság (3) nyalás
apple-cart *n upset sy's* ~ keresztülhúzza vknek a számításait, felborítja vknek a terveit
apple-pie *n* almáspite; *biz in* ~ *order* példás/mintaszerű rendben
appliance [ə'plaɪəns] *n* 1. készülék, eszköz, szerkezet, berendezés; *household* ~*s* háztartási gépek 2. appliances *pl* szerelékek, szerelvények, tartozékok
applicable ['æplɪkəbl] *a* alkalmazható
applicant ['æplɪkənt] *n* pályázó, folyamodó; kérelmező, kérvényező

application [æplɪ'keɪʃn] *n* 1. alkalmazás, felhasználás, használat; *"for external* ~ *only" "*csak külsőleg" 2. kérvény(ezés), kérelem, folyamodvány; pályázat; ~ *form* kérvényűrlap, jelentkezési (űr)lap; vízumkérőlap; ~ *for visa* vízumkérelem; *make an* ~ *for sg* kérvényez/kérelmez vmt; megpályáz vmt; *samples are sent on* ~ kívánságra mintákat küldünk 3. szorgalom, igyekezet
applied [ə'plaɪd] *a* alkalmazott; ~ *art* iparművészet; ~ *mathematics* alkalmazott matematika; ~ *science* technológia
apply [ə'plaɪ] A. *vt* 1. alkalmaz; (fel-) használ; fordít (*to* vmre); ~ *the brakes* fékez; *this rule cannot be applied* ez a szabály nem alkalmazható (v. nem érvényes) vmre; ~ *one's mind to sg* vmre összpontosítja figyelmét; ~ *oneself to sg* vmre adja magát 2. ráilleszt, ráerősít, ráhelyez, felrak (*sg to sg* vmt vmre); felhord [festéket]; ~ *a dressing to* bekötöz [sebet stb.] B. *vi* 1. ~ *to sy for sg* fordul/folyamodik vkhez vmért, kér vktől vmt, kérvényt benyújt vkhez; *where shall I* ~? kihez fordulhatok?, hová kell benyújtani a kérelmet? 2. vonatkozik (*to* vmre, vkre); érvényes; *this does not* ~ *to you* ez nem vonatkozik önre/rád; *delete whichever does not* ~ a nem kívánt rész törlendő
appoint [ə'pɔɪnt] 1. kinevez (vkt vmvé); kijelöl (vkt vmre) 2. kijelöl [helyet]; kitűz, megállapít, megjelöl [időpontot] 3. ~ *that sg shall be done* előír vmt, meghagyja, hogy vmt tegyenek
appointee [əpɔɪn'ti:] *n* kijelölt/kinevezett személy
appointment [ə'pɔɪntmənt] *n* 1. kinevezés; állás 2. megbeszélés; megbeszélt időpont/találkozó; randevú; *by* ~ megbeszélés/megállapodás szerint; *make/fix an* ~ *with sy* megbeszél egy időpontot/találkozót vkvel, előzetesen bejelenti magát vknél; *I have an* ~ *with X at 2 p.m.* 2 órára beszéltem meg (a találkozót) X-szel; du. 2-re vagyok bejelentve X-nél 3. **appoint-**

ments *pl* berendezés(i tárgyak), felszerelés
Appomattox [æpə'mætəks] *prop*
apportion [ə'pɔ:ʃn] *vt* **1.** (arányosan) feloszt, megoszt, szétoszt **2.** kiutal, juttat (vmt vk részére)
apportionment [ə'pɔ:ʃnmənt] *n* **1.** felosztás, szétosztás **2.** kiutalás
apposite ['æpəzɪt] *a* találó, megfelelő, helyénvaló
apposition [æpə'zɪʃn] *n* értelmező (jelző), appozíció
appraisal [ə'preɪzl] *n* (fel)értékelés, felbecsülés, becslés
appraise [ə'preɪz] *vt* (fel)becsül, megbecsül, értékel
appraiser [ə'preɪzə*] *n* becsüs
appreciable [ə'pri:ʃəbl] *a* érezhető, észrevehető, észlelhető
appreciably [ə'pri:ʃəblɪ] *adv* észrevehetően
appreciate [ə'pri:ʃɪeɪt] **A.** *vt* **1.** méltányol, (meg)becsül, értékel; nagyra becsül/értékel; élvez, értékel [műalkotást]; *we should greatly ~ if...* nagyon hálásak lennénk, ha ... **2.** helyesen ítél meg, tisztán lát; (pontosan) érzékel; *I fully ~ the fact that ...* teljesen tisztában vagyok azzal, hogy ... **B.** *vi* értékben/árban emelkedik, felmegy az ára
appreciation [əpri:ʃɪ'eɪʃn] *n* **1.** méltánylás, megbecsülés, (nagyra) értékelés, elismerés; méltatás; *write an ~ of a new novel* méltatást ír egy új regényről **2.** élvezés, értékelés [műalkotásé] **3.** helyes megítélés, megértés, érzékelés **4.** értéknövekedés, áremelkedés
appreciative [ə'pri:ʃjətɪv; *US* -ʃɪeɪ-] *a* méltányoló, megbecsülő, (meg)értő, elismerő; *an ~ audience* hálás/értő közönség
apprehend [æprɪ'hend] *vt* **1.** megragad, megért, érzékel, felfog (vmt) **2.** fél (vmtől) **3.** letartóztat, lefog
apprehensible [æprɪ'hensəbl] *a* megérthető, felfogható
apprehension [æprɪ'henʃn] *n* **1.** megértés, értelem; felfogás; *quick of ~* gyors felfogású **2.** félelem, aggódás, nyugtalanság, rossz előérzet **3.** elfogás, letartóztatás

apprehensive [æprɪ'hensɪv] *a* **1.** felfogó, értelmes, jó felfogású **2.** félénk; nyugtalan (*of* vm miatt), aggódó; *be ~ of sg* tart/fél vmtől; *be ~ for sy('s safety)* aggódik vkért, félt vkt
apprentice [ə'prentɪs] **I.** *n* tanonc, ipari tanuló; gyakornok; újonc; *bind ~* tanoncnak (v. ipari tanulónak) fogad/szerződtet vkt **II.** *vt* tanoncnak/ tanulónak ad/fogad
apprenticeship [ə'prentɪʃɪp] *n* tanoncság, tanoncidő, tanulóidő
apprise [ə'praɪz] *vt* értesít; *be ~d of sg* tud vmről
approach [ə'prəʊtʃ] **I.** *n* **1.** közeledés; (meg)közelítés; *make ~es to sy* közeledni próbál vkhez; *easy of ~* könnyen megközelíthető/hozzáférhető; *the nearest ~ to sg* vmhez leginkább hasonló **2.** (vhova) be- v. odavezető út, bekötő út, feljáró **3.** *átv* megközelítés, felfogás, szemlélet(mód), beállítás; hozzáállás **II. A.** *vt* (meg)közelít; *~ sy on sg* szól vknek egy ügyben; *be ~ing fifty* közel jár az ötvenhez **B.** *vi* közeledik
approachable [ə'prəʊtʃəbl] *a* megközelíthető, hozzáférhető
approaching [ə'prəʊtʃɪŋ] *a* közeli, közelgő, közeledő
approbation [æprə'beɪʃn] *n* jóváhagyás, helybenhagyás, helyeslés
appropriate **I.** *a* [ə'prəʊprɪət] helyénvaló, alkalmas, megfelelő, illő **II.** *vt* [ə'prəʊprɪeɪt] **1.** kisajátít; eltulajdonít **2.** fordit/félretesz vm célra, előirányoz, kiutal, átutal
appropriation [əprəʊprɪ'eɪʃn] *n* **1.** kisajátítás; eltulajdonítás **2.** ráfordítás, felhasználás **3.** költségvetésileg biztosított összeg; hitelkeret
approval [ə'pru:vl] *n* jóváhagyás, helybenhagyás, helyeslés; *goods on ~* megtekintésre küldött áru; *nod ~* beleegyezően bólint
approve [ə'pru:v] **A.** *vt* helyesel, jóváhagy, helybenhagy; *GB ~d school* javítóintézet **B.** *vi* *~ of* elismer(ően vélekedik), helyesel, beleegyezik, hozzájárul
approx. *approximate(ly)*

approximate I. *a* [ə'prɔksɪmət; *US* -ɑ-] (meg)közelítő, hozzávetőleges II. *vt/ vi* [ə'prɔksɪmeɪt; *US* -ɑ-] (meg-) közelít

approximately [ə'prɔksɪmətlɪ; *US* -ɑ-] *adv* hozzávetőleg, körülbelül, kb.

approximation [əprɔksɪ'məɪʃn; *US* -ɒ-] *n* (meg)közelítés, közeledés; *to a first ~* első közelítésre

appurtenance [ə'pəːtɪnəns] *n* tartozék; kellék, hozzávaló, járulék

Apr. *April* április, ápr.

apricot ['eɪprɪkɔt; *US* -ɑt] *n* sárgabarack, kajszibarack

April ['eɪpr(ə)l] *n* április; **~ Fools' Day** április elseje

apron ['eɪpr(ə)n] *n* 1. kötény 2. forgalmi előtér [reptéren] 3. **~ stage** kiugró proszcénium/előszín [színpadé]

apron-strings *n pl* **be tied to** his *mother's/ wife's* **~** anyai gyámkodás alatt áll, papucs alatt van

apse [æps] *n* szentély, apszis

apt [æpt] *a* 1. gyors felfogású, jó eszű/ fejű, értelmes 2. találó, megfelelő, talpraesett [válasz stb.]; alkalmas 3. **be ~ to do** *sg* hajlik/hajlamos vmt megtenni; feltehető, hogy megtesz vmt; **~ to break** könnyen törik; **~ to be overlooked** könnyen átsiklik rajta az ember

aptitude ['æptɪtjuːd; *US* -tuːd] *n* hajlam, adottság, rátermettség; **~ test** alkalmassági vizsga

aptly ['æptlɪ] *adv* megfelelően; találóan, talpraesetten

aptness ['æptnɪs] *n* alkalmasság

aqualung ['ækvəlʌŋ] *n* légzőkészülék [könnyűbúváré]

aquamarine [ækwəmə'riːn] *n* kékeszöld berill, akvamarin

aquaplane ['ækwəpleɪn] I. *n* ⟨hullámlovagláshoz használt, motorcsónak vontatta deszkalap⟩, akvaplán II. *vi* akvaplánozik

aquarium [ə'kweərɪəm] *n* akvárium

aquatic [ə'kwætɪk] *a* vízi; **~ sports** vízi sportok

aquatint ['ækwətɪnt] *n* foltmaratás

aqua-vitae [ækwə'vaɪtiː] *n* pálinka, tömény szesz

aqueduct ['ækwɪdʌkt] *n* vízvezeték

aqueous ['eɪkwɪəs] *a* vizes

aquiline ['ækwɪlaɪn] *a* sas-; **~ nose** sasorr

ARA [eɪɑːr'eɪ] *Associate of the Royal Academy* a Királyi Szépművészeti Akadémia tagja

Arab ['ærəb] I. *a* arab II. *n* 1. arab (ember) 2. arab ló

Arabella [ærə'belə] *prop* Arabella

Arabia [ə'reɪbjə] *prop* Arábia

Arabian [ə'reɪbjən] arábiai; arab; **~ nights** Ezeregyéjszaka

Arabic ['ærəbɪk] I. *a* arab; *a~ numerals* arab számok II. *n* arab (nyelv)

Arabist ['ærəbɪst] *n* arab nyelvész/specialista, arabista

arable ['ærəbl] *a* szántott, művelhető [föld]

arachnid [ə'ræknɪd] *n* (*pl ~a* -də) pókféle

Aram ['eərəm] *prop* ⟨férfi keresztnév⟩

Aramaic [ærə'meɪɪk] *a/n* arám(i) (nyelv)

arbiter ['ɑːbɪtə*] *n* 1. (feltétlen) ura/ irányítója vmnek 2. = *arbitrator*

arbitrament [ɑː'bɪtrəmənt] *n* döntőbírói ítélet, (bírói) döntés

arbitrary ['ɑːbɪtrərɪ; *US* -rerɪ] *a* 1. önkényes, korlátlan, önhatalmú 2. tetszés szerinti, tetszőleges

arbitrate ['ɑːbɪtreɪt] *vt/vi* választott bíróilag (v. döntőbíróilag) (el)dönt

arbitration [ɑːbɪ'treɪʃn] *n* 1. választottbírói eljárás/döntés, döntőbíráskodás; egyeztető eljárás 2. árkémlés

arbitrator ['ɑːbɪtreɪtə*] *n* döntőbíró, választott bíró

arbor[1] ['ɑːbə*] *n* főtengely; orsó

arbor[2] → *arbour*

Arbor Day *US* fák/faültetés napja

arboreal [ɑː'bɔːrɪəl] *a* 1. fás, fa jellegű, fa- 2. fán élő

arboretum [ɑːbə'riːtəm] *n* arborétum

arbour, *US* **arbor** ['ɑːbə*] *n* lugas

arc [ɑːk] *n* (kör)ív

arcade [ɑː'keɪd] *n* árkád(sor); tornác

Arcadia [ɑː'keɪdjə] *prop* Árkádia

arcane [ɑː'keɪn; *US* 'ɑːr-] *a* misztikus, titkos hatású, rejtett

arch[1] [ɑːtʃ] I. *n* 1. bolthajtás, (bolt)ív

II. A. *vt* (be)boltoz; *the cat ~es its back* a macska púpozza a hátát **B.** *vi* boltívet alkot, boltozódik
arch² [ɑ:tʃ]*a* ravaszkás, pajkos, huncut
arch- [ɑ:tʃ-] *pref* fő-, vezető-
arch(a)eological [ɑ:kɪə'lɔdʒɪkl; *US*-'lɑ-] *a* régészeti, archeológiai
arch(a)eologist [ɑ:kɪ'ɔlədʒɪst; *US* -'ɑ-] *n* régész, archeológus
arch(a)eology [ɑ:kɪ'ɔlədʒɪ; *US* -'ɑ-] *n* régészet, archeológia
archaic [ɑ:'keɪik] *a* ódon, régies, elavult
archaism ['ɑ:keɪɪzm] *n* régies kifejezés/szó
archangel ['ɑ:keɪndʒ(ə)l] *n* arkangyal
archbishop [ɑ:tʃ'bɪʃəp] *n* érsek
archbishopric [ɑ:tʃ'bɪʃəprɪk] *n* érsekség
archdeacon [ɑ:tʃ'di:k(ə)n] *n* főesperes
archdiocese [ɑ:tʃ'daɪəsɪs] *n* érsekség (területe)
archduke [ɑ:tʃ'dju:k; *US* -du:k] *n* főherceg
arch-enemy [ɑ:tʃ-] *n* fő ellenség, a sátán
archeol... →*arch(a)eol*...
archer ['ɑ:tʃə*] *n* íjász
archery ['ɑ:tʃərɪ] *n* íjazás, íjászat
archetypal [ɑ:kɪ'taɪpl] *a* őstípusi
archetype ['ɑ:kɪtaɪp] *n* őstípus, archetípus
Archibald ['ɑ:tʃɪbəld] *prop* Archibald
Archie ['ɑ:tʃɪ] *prop* Arcsi ⟨*Archibald* becézett alakja⟩
archiepiscopal [ɑ:kɪɪ'pɪskəpl] *a* érseki
Archimedean screw [ɑ:kɪ'mi:djən] archimedesi csavar
Archimedes [ɑ:kɪ'mi:di:z] *prop* Arkhimédész
archipelago [ɑ:kɪ'pelɪgoʊ] *n* szigetvilág
architect ['ɑ:kɪtekt] *n* (tervező) építész, építészmérnök
architectural [ɑ:kɪ'tektʃ(ə)rəl] *a* építészeti
architecture ['ɑ:kɪtektʃə*] *n* építészet, építőművészet
archives ['ɑ:kaɪvz] *n pl* levéltár, archívum
archivist ['ɑ:kɪvɪst] *n* levéltáros
archly ['ɑ:tʃlɪ] *adv* pajkosan, huncutul, ravaszkásan
archness ['ɑ:tʃnɪs] *n* ravasz(kás)ság, pajkosság

arch-support [ɑ:tʃ-] *n* (lúd)talpbetét
archway ['ɑ:tʃweɪ] *n* **1.** bólthajtás alatti átjárás, boltíves folyosó **2.** árkádsor
arc-lamp *n* ívlámpa
arc-light *n* ívfény
arctic ['ɑ:ktɪk] **I.** *a* (északi-)sarki; sarkvidéki; igen hideg [idő]; *the A~ Ocean* az Északi-Jeges-tenger; *A~ Circle* Északi-sarkkör **II.** *n* **1.** *the A~* az Északi-sark(vidék) **2.** *US* **arctics** *pl* hócipő
ardent ['ɑ:d(ə)nt] *a* tüzes; lelkes, buzgó; heves; *~ spirits* (1) pálinkafélék (2) rajongók
ardour, *US* **ardor** ['ɑ:də*] *n* lelkesedés, buzgalom, hév, tűz
arduous ['ɑ:djʊəs; *US* -dʒʊ-] *a* **1.** meredek **2.** terhes, nehéz, fáradságos
are¹ [ɑ:*, gyenge ejtésű alakja: ə*] →*be*
are² [ɑ:*] *n* ár [100 m²]
area ['eərɪə] *n* **1.** terület; felület, felszín; terep; térség; légtér; *~ code* körzeti hívószám; *postal ~* postai körzet/kerület; *~ bombing* szőnyegbombázás **2.** (kutatási) terület **3.** *GB* ⟨utca felőli alagsori világítóudvar⟩
arena [ə'ri:nə] *n* küzdőtér, aréna
aren't [ɑ:nt] = *are not* →*be*
'arf [ɑ:f] *a* □ = *half*
Argentina [ɑ:dʒ(ə)n'ti:nə] *prop* Argentína
Argentine¹ ['ɑ:dʒ(ə)ntaɪn; *US* -ti:n] **I.** *prop the ~* Argentína **II.** *a/n* argentin, argentínai
argentine² ['ɑ:ɑʒ(ə)ntaɪn; *US* -tɪn] **I.** *a* ezüstszerű, ezüstös **II.** *n* argentin, afrit
Argentinian [ɑ:dʒən'tɪnɪən] *a* argentin, argentínai
arguable ['ɑ:gjʊəbl] *a* vitatható
argue ['ɑ:gju:] **A.** *vt* **1.** (meg)vitat; érvekkel alátámaszt; bizonyít **2.** *~ into doing sg* rábeszél vkt vm megtételére; *~ sy out of doing sg* lebeszél vkt vm megtételéről **B.** *vi* vitatkozik; érvel (*for* vm mellett, *against* vm ellen); okoskodik
argument ['ɑ:gjʊmənt] *n* **1.** érv, bizonyíték; indok; jogalap; argumentum; *advance an ~* érvet felhoz **2.** érvelés, okoskodás **3.** vita, vitatkozás; szó-

4

váltás; *it is beyond ~ that* ... nem vitás, hogy ... **4.** tartalmi összefoglalás **5.** független változó [matematikában]
argumentation [ɑːgjʊmen'teɪʃn] *n* fejtegetés, bizonyítás, érvelés, indokolás, okfejtés
argumentative [ɑːgjʊ'mentətɪv] *a* vitatkozni szerető; okoskodó
aria ['ɑːrɪə] *n* ének, dalbetét, ária
arid ['ærɪd] *a* (*átv is*) száraz
aridity [æ'rɪdətɪ] *n* szárazság
aright [ə'raɪt] *adv* helyesen; jól; *set/put ~* helyrehoz; kiegyenesít
arise [ə'raɪz] *vi* (*pt* **arose** ə'roʊz, *pp* **arisen** ə'rɪzn) **1.** keletkezik, támad, felmerül; *new problems ~* új problémák merülnek fel; *should the occasion ~* amennyiben a helyzet úgy alakul, ha (a helyzet) úgy adódnék ... **2.** fakad, ered, adódik, származik (*from* vmből); *arising from sg* vmből eredő(en) **3.** † felkel, emelkedik
aristocracy [ærɪ'stɒkrəsɪ; *US* -ɑk-] *n* főnemesség, arisztokrácia
aristocrat ['ærɪstəkræt; *US* ə'rɪs-] *n* főnemes, arisztokrata
aristocratic [ærɪstə'krætɪk] *a* főnemesi; előkelő, (*átv is*) arisztokratikus
Aristotle ['ærɪstɒtl; *US* -tɑ-] *prop* Arisztotelész
arithmetic I. *a* [ærɪθ'metɪk] = *arithmetical*. **II.** *n* [ə'rɪθmətɪk] számtan, aritmetika
arithmetical [ærɪθ'metɪkl] *a* számtani, aritmetikai; *~ series* számtani sor/haladvány
Ariz. *Arizona*
Arizona [ærɪ'zoʊnə] *prop*
ark [ɑːk] *n* **1.** bárka; *A~ of the Covenant* frigyszekrény, -láda
Ark. *Arkansas*
Arlington ['ɑːlɪŋtən] *prop*
arm¹ [ɑːm] *n* **1.** kar; *~ action/movement* kartempó; *put an ~ around sy* vkt átkarol; *child in ~s* pólyás, karon ülő (gyerek); *carry sg under one's ~s* a hóna alatt visz vmt; *come to my ~s!* jöjj a keblemre!; *at ~'s length* kartávolságban, kartávolságra; *keep sy at ~'s length* távol tart magától vkt **2.**

ujj [ruháé] **3.** kar [emelőé, mérlegé]; kar(fa) **4.** ág [folyóé, fáé]; elágazás; *~ of the sea* széles torkolat **5.** *átv* ág(azat)
arm² [ɑːm] **I.** *n* **1.** fegyvernem; *the air ~* a repülők/légierők **2. arms** *pl* fegyver; *small ~s* kézi lőfegyver; *~s race* fegyverkezési verseny; *bear ~s* fegyvert visel, katonáskodik; *in ~s* fegyverben, harcra készen; *under ~s* tényleges katonai szolgálatban; *be up in ~s* méltatlankodva tiltakozik, fel van zúdulva (vk ellen); *take up ~s against sy* fegyvert fog/ragad vk ellen; *lay down ~s* leteszi a fegyvert, megadja magát; *resort to ~s* fegyverhez folyamodik; *present ~s* fegyverrel tiszteleg **II. A.** *vt* felfegyverez; *~ed to the teeth* állig felfegyverezve **B.** *vi* fegyverkezik
armada [ɑː'mɑːdə] *n* hajóhad, armada
Armageddon [ɑːmə'gedn] *n* döntő csata
armament ['ɑːməmənt] *n* **1.** fegyverzet, hadi felszerelés **2.** fegyverkezés; *~s industry* fegyverkezési ipar
armature ['ɑːmətjʊə*; *US* -tʃər] *n* **1.** (védő)fegyverzet; felszerelés **2.** armatúra
arm-chair *n* karosszék; fotel
-armed¹ [-ɑːmd] -karú
armed² [ɑːmd] *a* fegyveres, felfegyverzett; *~ forces* fegyveres erők, haderő
Armenia [ɑː'miːnjə] *prop* Örményország
Armenian [ɑː'miːnjən] *a/n* örmény
armful ['ɑːmfʊl] *a* 〈amennyit két karral össze lehet fogni〉, nyalábnyi
arm-hole *n* karkivágás, karöltő
arm-in-arm *adv* karonfogva, karöltve (vkvel)
armistice ['ɑːmɪstɪs] *n* fegyverszünet; *A~ Day* 〈az első világháborút befejező fegyverszünet évfordulója, november 11.〉
armlet ['ɑːmlɪt] *n* **1.** karperec **2.** karszalag **3.** öblöcske
armor(-) → *armour(-)*
armorial [ɑː'mɔːrɪəl] *a* címerrel kapcsolatos, címertani; *~ bearings* címer(pajzs)
armour, *US* **armor** ['ɑːmə*] **I.** *n* **1.** fegyverzet, páncél **2.** vasalás, vértezés,

páncél(zat) 3. páncélos erő [hadosztályé stb.] II. *vt* véd, burkol, felfegyverez, páncélzattal ellát, páncéloz
armoured ['ɑ:məd] *a* 1. páncélos, páncélozott; páncél-; ~ *car* páncél(gép)kocsi; ~ *cruiser* páncélos cirkáló; ~ *train* páncélvonat 2. páncélkocsikkal ellátott, páncélos; ~ *division* páncélos hadosztály; ~ *troops* páncélos alakulatok, a páncélosok
armourer ['ɑ:mərə*] *n* 1. fegyverkovács 2. fegyvermester
armour-plate *n* páncéllemez
armour-plated *a* páncéllemezes, páncélozott
armoury, *US* armory ['ɑ:mərɪ] 1. fegyver(rak)tár 2. *US* fegyvergyár
armpit *n* hónalj
arm-rest *n* karfa, kartámasz
arms [ɑ:mz] → *arm²* *I. 2.*
army ['ɑ:mɪ] *n* 1. hadsereg, haderő, katonaság; ~ *corps* ['ɑ:mɪ kɔ:*, *pl* -kɔ:z] hadtest; *join/enter the* ~ katonának megy; katonai pályára lép; *serve/be in the* ~ katona, katonáskodik, a hadseregben/katonaságnál szolgál; ~ *list* katonai ranglista 2. *biz* sereg, tömeg
Arnold ['ɑ:n(ə)ld] *prop* Arnold
aroma [ə'roʊmə] *n* illat; íz, zamat, aroma
aromatic [ærə'mætɪk] *a* fűszeres illatú/ízű, zamatos, aromás
aromatize [ə'roʊmətaɪz] *vt* ízesít
arose → *arise*
around [ə'raʊnd] *adv/prep* 1. (körös-)körül, minden oldalon/irányban, mindenfelé, közel, *US* itt-ott; *from all* ~ mindenfelől; *he has been* ~ *a lot* sokat tapasztalt/látott (a világból) 2. *US* körülbelül, táján, felé
arouse [ə'raʊz] *vt* 1. felébreszt [álmából] 2. (fel)kelt, (fel)ébreszt [vkben érzést stb.]
arr. 1. *arranged* 2. *arrival* 3. *arrives*
arrack ['ærək] *n* rizspálinka
arraign [ə'reɪn] *vt* bevádol, vádat emel (vk ellen), bíróság elé állít
arraignment [ə'reɪnmənt] *n* 1. megvádolás, vád alá helyezés 2. vádirat
arrange [ə'reɪndʒ] **A.** *vt* 1. (el)rendez,

rendbe hoz/tesz [könyveket stb.]; megigazít [hajat] 2. elintéz; előkészít; (meg)szervez [pl. utazást]; ~ *a marriage between* . . . összehoz vkt vkvel (házasság céljából); ~ *a meeting* megbeszél egy találkozót; ~ *differences* nézeteltéréseket elsimít 3. átdolgoz, átír, alkalmaz [vmlyen hangszerre, énekkarra stb.] **B.** *vi* 1. intézkedik; ~ *for sg* vmről gondoskodik/intézkedik, előkészít/megszervez vmt; *I have* ~*d for a car to meet you* intézkedtem, hogy egy kocsi várja önt 2. megegyezik, egyezségre jut, megállapodik (*with sy for v. about sg* vkvel vmben), megbeszél (*with sy to* . . . vkvel, hogy)
arrangement [ə'reɪndʒmənt] *n* 1. elrendezés, rendberakás 2. **arrangements** *pl* előkészületek; intézkedés; *make* ~*s for sg* előkészületeket tesz vmre, intézkedik (vm dologban), elintéz/megbeszél vmt (*with* vkvel); *I'll make* ~*s for John to meet you at the airport* intézkedem, hogy János várjon a repülőtéren 3. elintézés, elsimítás [vitás ügyé]; megegyezés, megállapodás; egyezség; *by* ~ megegyezés/megállapodás szerint; *come to* (v. *make*) *an* ~ *with sy* megegyezésre jut vkvel, megállapodik vkvel 4. ~ *for piano* zongoraátirat
arrant ['ærənt] *a* hírhedt, cégéres
array [ə'reɪ] *I. n* 1. sor, rend, elrendezés; *in battle* ~ csatarendben 2. ruha 3. esküdtszék beiktatása 4. bemutatás *II. vt* 1. elrendez, sorba állít 2. (fel)díszít 3. esküdteket felhív/lajstromoz
arrears [ə'rɪəz] *n pl* hátralék; lemaradás; *get/fall into* ~ hátralékba kerül; *be in* ~ *with sg* el van maradva vmvel
arrest [ə'rest] *I. n* 1. letartóztatás, őrizetbe vétel; *under* ~ őrizetben 2. feltartóztatás, megakadályozás; ~ *of judgement* ítélet felfüggesztése 3. lefoglalás, zár alá vétel **II.** *vt* 1. feltartóztat, megakadályoz, megakaszt, gátol, lefékez, megállít 2. letartóztat, lefog, őrizetbe vesz 3. leköt, megragad [figyelmet] 4. lefoglal, zár alá vesz
arresting [ə'restɪŋ] *a* figyelmet lekötő, érdekes

4*

arrival [ə'raɪvl] *n* 1. (meg)érkezés; *on* ~ érkezéskor 2. *new* ~*s* újonnan érkezettek, új vendégek [szállodában stb.]; *the new* ~ a kis jövevény [= újszülött] 3. **arrivals** *pl* (újonnan érkezett) szállítmányok; *'arrivals'* „érkezik" [pl. hajó, feliratként]

arrive [ə'raɪv] *vi* 1. (meg)érkezik, megjön 2. ~ *at* elér vmt/vhová, vmre jut; ~ *at a decision* elhatározásra jut, dönt

arrogance ['ærəgəns] *n* gőg, önteltség, fennhéjázás

arrogant ['ærəgənt] *a* gőgös, öntelt, szemtelen, fennhéjázó

arrogate ['ærəgeɪt] *vt* 1. jogot formál (vmre), követel (vmt) 2. (vmt) vknek tulajdonít

arrow ['æroʊ] *n* nyíl

arrow-head *n* nyílhegy

arrowroot *n* ⟨nyílgyökérből készült erőtáplálék⟩

arse [ɑ:s] *n GB vulg* ülep, segg

arsenal ['ɑ:sənl] *n* 1. (lőszer- és) fegyverraktár, arzenál 2. fegyvergyár

arsenic ['ɑ:snɪk] *n* arzén

arson ['ɑ:sn] *n* gyújtogatás

art¹ [ɑ:t] *n* 1. művészet; *the fine* ~*s* képzőművészet, szépművészet; ~*s and crafts* iparművészet; *work of* ~ műalkotás, műremek 2. (*jelzői haszn*) művészeti; művészi; mű-; ~ *critic* műbíráló; ~ *exhibiton* képzőművészeti kiállítás; tárlat; ~ *gallery* képtár, képcsarnok, múcsarnok; ~ *relic* műemlék; ~ *school* képzőművészeti iskola/akadémia; ~ *treasure* műkincs; ~ *work* illusztrációs anyag, grafika [kiadványé] 3. *the* (*liberal*) ~*s* bölcsészet-(tudomány); *faculty of* ~*s*, ~*s faculty/department* bölcsészkar. bölcsészet-(tudomány)i kar, bölcsészet; ~*s student* bölcsész(hallgató) 4. furfang, mesterkedés, csel 5. ügyesség, „tudomány"; *useful* ~*s* technikai tudományok

art² →*be*

artefact ['ɑ:tɪfækt] *n* = *artifact*

arterial [ɑ:'tɪərɪəl] *a* 1. ütőéri, artériás 2. ~ *road* főútvonal

arteriosclerosis [ɑ:tɪərɪoʊsklɪə'roʊsɪs] *n* érelmeszesedés

artery ['ɑ:tərɪ] *n* 1. ütőér, artéria 2. főútvonal; *arteries of traffic* nagy forgalmú útvonalak, főútvonalak

artesian well [ɑ:'ti:zjen; *US* -i:ʒn] artézi kút

artful ['ɑ:tfʊl] *a* ügyes, ravasz; ~ *dodger* agyafúrt kópé

arthritis [ɑ:'θraɪtɪs] *n* ízületi gyulladás

Arthur ['ɑ:θə*] *prop* Artúr

Arthurian [ɑ:'θjʊərɪən] *a* az Artúr-mondakörhöz tartozó

artichoke ['ɑ:tɪtʃoʊk] *n* articsóka

article ['ɑ:tɪkl] **I.** *n* 1. (újság)cikk; *leading* ~ vezércikk 2. áru(cikk), cikk; ~*s of clothing* ruházati cikkek; ~*s for personal use* használati tárgyak/cikkek 3. cikk(ely), szakasz, pont [okiratban, megállapodásban stb.]; *under the* ~*s* az alapszabályok szerint/értelmében; ~*s of apprenticeship* tanoncszerződés, [ma:] ipari tanuló szerződése 4. névelő **II.** *vt* 1. szerződést köt [mint alkalmazott]; ~*d clerk to a solicitor* ügyvédjelölt, joggyakornok 2. részletez [vádpontokat]

articulate I. *a* [ɑ:'tɪkjʊlət] világos, tiszta, (könnyen) érthető, tagolt [beszéd]; *he is not very* ~ nem képes kifejezni magát; *he is highly* ~ kitűnő előadókészsége van, mondanivalóját igen világosan tudja megfogalmazni **II.** *vt/vi* [ɑ:'tɪkjʊleɪt] 1. tagoltan/világosan/érthetően ejt/mond ki (v. beszél), jól artikulál 2. izenként összeilleszt, összeköt

articulated [ɑ:'tɪkjʊleɪtɪd] *a* 1. ízelt [állat] 2. csuklós [jármű] 3. tagolt [beszéd]

articulation [ɑ:tɪkjʊ'leɪʃn] *n* 1. tagolás, kimondás; tagolt beszéd; (érthető/jó) kiejtés; artikuláció 2. összeillesztés; kapcsolat; ízület

artifact ['ɑ:tɪfækt] *n* 1. műtermék 2. tárgyi lelet, kezdetleges termék/szerszám/műalkotás

artifice ['ɑ:tɪfɪs] *n* 1. csel, ravasság 2. ügyesség, lelemény

artificer [ɑ:'tɪfɪsə*] *n* = *artisan*

artificial [ɑ:tɪ'fɪʃl] *a* 1. mesterséges, mű- 2. mesterkélt

artillery [ɑ:'tɪlərɪ] *n* tüzérség

artilleryman [ɑ:'tɪlərɪmən] *n* (*pl* -men -mən) tüzér
artisan [ɑ:tɪ'zæn; *US* 'ɑ:rtɪzən] *n* 1. kézműves, iparos, mesterember 2. műszerész, mechanikus
artist ['ɑ:tɪst] *n* 1. művész 2. festő(művész)
artiste [ɑ:'ti:st] *n* 1. énekes, táncos; színész 2. artista
artistic [ɑ:'tɪstɪk] *a* művészi(es); művészeti; artisztikus
artistry ['ɑ:tɪstrɪ] *n* művésziesség, művészi tökély/érzék
artless ['ɑ:tlɪs] *a* mesterkéletlen, egyszerű, természetes; ártatlan
arty ['ɑ:tɪ] *a biz* 1. művésziesnek látszani igyekvő, művész(ies)kedő 2. gicscses
arum ['eərəm] *n* kontyvirág
Aryan ['eərɪən] *a* árja; indoeurópai
as [æz; gyenge ejtésű alakja: əz] *conj/pron/adv* 1. (a)mint, ahogy(an); ~ ... ~ olyan ... mint; ~ *far* ~ (1) ... ig, egészen ... ig (2) (már) amennyire; ~ *far* ~ *London* egészen Londonig; ~ *far* ~ *I am concerned* ami engem illet; ~ *far* ~ *I can tell* már amennyire én meg tudom mondani/állapítani; ~ *far* ~ *I know* tudomásom szerint; ~ *early* ~ *the fifth century* már az V. században (is); *it costs* ~ *much* ~ *ten pounds* (éppen) tíz fontba kerül; *in so far* ~ amennyiben; *be so good* ~ *to come* légy szíves gyere; *so* ~ *to* (1) ... hogy (2) úgy ... hogy; ~ *well* ~ (1) éppúgy ... mint (2) valamint, is, és; ~ *well* szintén, is, hozzá (még), azonkívül; *we may* ~ *well begin at once* akár azonnal (el is) kezdhetjük →*well*²; *A is to B* ~ *C is to D* A aránylik B-hez mint C a D-hez; ~ *if/though* mintha; ~ *a rule* rendszerint, általában; *such* ~ úgymint, mint például; *such people* ~ ... olyanok, akik ...; ~ *you were!* visszakozz! 2. ~ *for/to* ami (pedig) ...-t illeti; ~ *to you* ami (pedig) téged illet; ~ *to that* ami azt illeti; *good* ~ *it is* bármennyire jó is 3. amint (éppen), míg, mialatt; ~ *soon* ~ mihelyt, amint; *not so* ... ~ nem olyan ... mint; ~ *yet* mindeddig,

ezideig, (eddig) még 4. mivel, minthogy, miután
asbestos [æz'bestɔs] *n* azbeszt
ascend [ə'send] *vi/vt* 1. (fel)emelkedik, felszáll; felmegy 2. ~ *the throne* trónra lép
ascendancy, ascendency [ə'sendənsɪ] *n* fölény, befolyás; *gain* ~ *over sg* fölénybe kerül vkvel szemben
ascendant, ascendent [ə'sendənt] I. *a* emelkedő, felszálló; növekvő II. *n be in the* ~ (1) emelkedőben van (2) egyre nagyobb befolyása van
ascension [ə'senʃn] *n* 1. felmászás, felemelkedés 2. *the A*~ a mennybemenetel; *A*~ *Day* áldozócsütörtök
ascent [ə'sent] *n* 1. megmászás; (fel-) emelkedés, felszállás 2. meredek hegyoldal; emelkedő; felvezető út; hegymenet
ascertain [æsə'teɪn] *vt* kiderít, megtud, megállapít; tisztáz
ascetic [ə'setɪk] *a/n* aszkéta
asceticism [ə'setɪsɪzm] *n* aszkézis, önsanyargatás
Ascham ['æskəm] *prop*
ascorbic [ə'skɔ:bɪk] *a* ~ *acid* aszkorbinsav, C-vitamin
Ascot ['æskət] *prop*
ascribable [ə'skraɪbəbl] *a* vknek tulajdonítható
ascribe [ə'skraɪb] *vt* tulajdonít (*to* vknek/vmnek)
ascription [ə'skrɪpʃn] *n* tulajdonítás
aseptic [æ'septɪk; *US* ə-] *a* fertőzésmentes, baktérium nélküli, steril
asexual [eɪ'seksjʊəl; *US* -kʃʊ-] *a* nem nélküli, aszexuális
ash¹ [æʃ] *n* kőris(fa)
ash² [æʃ] *n* hamu; *burn to* ~*es* elhamvaszt; *be burnt to* ~*es* porig leég(ett); *A*~ *Wednesday* hamvazószerda; *peace to his* ~*es* béke hamvaira
ashamed [ə'ʃeɪmd] *a* megszégyenítve, megszégyenülve; *be* ~ *of* szégyell vmt, szégyelli magát vmért; *you ought to be* ~ *of yourself* szégyelld magad!; *be* ~ *for sy* szégyelli magát vk miatt/helyett
ash-bin, *US* -**can** *n* szemétláda
ashen ['æʃn] *a* hamuszerű, hamuszürke

ashlar ['æʃlə*] n kváderkő, faragott/vágott kő
Ashmolean [æʃ'moʊljən] prop
ashore [ə'ʃɔ:*] adv parton, partra; go ~ partra száll, kiszáll
ashtray n hamutartó
ashy ['æʃɪ] a hamuszerű
Asia ['eɪʃə; US -ʒə] prop Ázsia
Asian ['eiʃn; US -ʒn] n ázsiai
Asiatic [eɪʃɪ'ætɪk; US -ʒɪ-] a ázsiai
aside [ə'saɪd] I. adv 1. félre(-), el-, oldalt, oldalvást; mellé; put ~ félretesz; speak ~ félreszól [színpadon]; take sy ~ félrehív vkt a társaságból; ~ from eltekintve vmtől, vmn kívül 2. [mint színpadi utasítás] félre II. n félreszólás [színpadon]
asinine ['æsɪnaɪn] a ostoba, szamár
ask [ɑ:sk; US æ-] vt 1. (meg)kérdez (sy sg vktől vmt); ~ sy a question vktől kérdez vmt; biz ~ me another mit tudom én; ne bolondozz 2. kér (sy sg v. sg of sy vktől vmt); ~ sy to do sg megkér vkt vmre (v. hogy vmt megtegyen); ~ sy to dinner meghív vkt ebédre; ~ £20 a month havi 20 fontot kér (for vmért); you can have it for the ~ing csak kérni kell és megkapod
    ask about/after vi kérdezősködik vk után/felöl
    ask for vi 1. kér (vmt); ~ f. help segítséget kér; ~ f. a lift felkéredzkedik kocsira; biz you ~ed f. it (1) magadnak köszönheted!, kellett ez neked? (2) ezt (a ziccert) nem hagyhattam ki! 2. keres (vkt); did anyone ~ f. me? keresett valaki?
    ask in vt behívat, bekéret
    ask out vt kihívat
    ask up vt felhívat
askance [ə'skæns] adv look ~ at sy/sg görbe/ferde szemmel néz vkt/vmt
askew [ə'skju:] adv ferdén
aslant [ə'slɑ:nt; US -æ-] adv lejtősen, keresztbe, rézsút, ferdén
asleep [ə'sli:p] adv/a alva, álomban; be fast ~ mélyen alszik; fall ~ elalszik; my foot is ~ elzsibbadt a lábam
asp [æsp] n áspiskígyó
asparagus [ə'spærəgəs] n spárga, csirág
aspect ['æspekt] n 1. tekintet, arckife-

jezés; külső, megjelenés; see sg in its true ~ vmt igazi valójában lát 2. oldal, nézőpont, szempont, szemlélet, szemszög, megvilágítás, aspektus 3. fekvés [házé] 4. igeszemlélet, (igei) aspektus
aspen ['æspən] n rezgő nyár(fa)
asperity [æ'sperətɪ] n darabosság, durvaság, zordság, nyerseség
aspersion [ə'spə:ʃn; US -ʒn] n rágalom, rágalmazás
asphalt ['æsfælt; US -fɔ:lt] n aszfalt
asphyxia [æs'fɪksɪə] n fulladás
asphyxiate [əs'fɪksɪeɪt] vt megfullaszt, megfojt; be ~d megfullad(t)
aspic ['æspɪk] n kocsonya, aszpik
aspidistra [æspɪ'dɪstrə] n kukoricalevél, aszpidisztra
aspirant ['æspɪrənt] n pályázó, kérő, folyamodó, törekvő (to, after, for vmre)
aspirate I. n ['æsp(ə)rət] hehezet, h-hang II. vt ['æspəreɪt] 1. hehezetesen ejt, kiejti [a h-t] 2. testből lecsapol, kiszív [váladékot, gázt]
aspiration [æspə'reɪʃn] n 1. törekvés, vágy(ódás) 2 hehezetes ejtés
aspire [ə'spaɪə*] vi vágyakozik vm után, törekszik/vágyik vmre (after, to)
aspirin ['æsp(ə)rɪn] n aszpirin
aspiring [ə'spaɪərɪŋ] a törekvő
Asquith ['æskwɪθ] prop
ass[1] [æs] n szamár; make an ~ of oneself szamárságot követ el; blamálja magát
ass[2] [æs] n US vulg = arse
assail [ə'seɪl] vt megtámad, megrohamoz, nekiesik
assailant [ə'seɪlənt] n támadó
assassin [ə'sæsɪn] n orgyilkos
assassinate [ə'sæsɪneɪt] vt orvul meggyilkol/megöl
assassination [əsæsɪ'neɪʃn] n orgyilkosság
assault [ə'sɔ:lt] I. n 1. (meg)támadás, ostromlás; roham; make an ~ on rohamot indít vm ellen, megrohamoz vmt; take by ~ rohammal bevesz; ~ party rohamcsapat 2. veszélyes fenyegetés; tettlegesség; erőszak [hatósági közeg elleni, nemi stb.]; ~ and battery testi sértés, tettlegesség II. vt 1. megtámad, (meg)rohamoz, ostromol 2. tettleg bántalmaz, erőszakot követ el (vkn)

assay [ə'seɪ] I. n 1. (fém)vizsgálás, (finomsági) próba, vizsgálat; meghatározás; ércelemzés 2. elemzési minta II. vt/vi megvizsgál, elemez [fémet] assegai ['æsɪgaɪ] n lándzsa assemblage [ə'semblɪdʒ] n 1. gyülekezet; gyülekezés 2. összeszerelés, -állítás assemble [ə'sembl] A. vt 1. összegyűjt, egybegyűjt 2. összerak, -állít, -szerel B. vi összegyűlik, gyülekezik assembly [ə'semblɪ] n 1. gyűlés, gyülekezés, összejövetel; right of ~ gyülekezési jog; general ~ közgyűlés, nagygyűlés; ~ room nagyterem, díszterem 2. összeszerelés, -állítás, -illesztés; ~ line szerelőszalag, futószalag; ~ worker szerelőmunkás 3. ~ hall (1) nagyterem, díszterem [iskolában] (2) szerelőcsarnok 4. sorakozó [katonai jeladás] assent [ə'sent] I. n beleegyezés, jóváhagyás; bow one's ~ beleegyezően bólint; royal ~ jóváhagyás; by common ~ közös megegyezés alapján II. vi jóváhagy, helyesel, hozzájárul (to) assert [ə'sə:t] vi 1. állít, kijelent 2. ~ oneself (1) jogait hangsúlyozza (2) érvényesülni kíván, előtérbe tolja magát assertion [ə'sə:ʃn] n 1. állítás, kijelentés 2. követelés; igény érvényesítése assertive [ə'sə:tɪv] a 1. bizonyítgató 2. önző, tolakodó, rámenős; nyers assess [ə'ses] vt 1. felbecsül, megállapít [kárt, értéket] 2. előír, kivet [adót] assessable [ə'sesəbl] a adóköteles assessment [ə'sesmənt] n 1. felbecsülés; ~ of damages kármegállapítás, -felvétel 2. kivetés [adóé] 3. kivetett adó assessor [ə'sesə*] n 1. törvényszéki szakértő; ülnök; társbíró; szavazóbíró 2. adófelügyelő, -becslő 3. kárbecslő asset ['æset] n 1. assets pl vagyon(tárgyak); cselekvő vagyon, aktivák; követelések; kinnlevőség; ~s and liabilities aktívák és passzívák 2. átv előny; nyereség; (vknek az) erőssége; good health is a great ~ a jó egészség nagy kincs asseverate [ə'sevəreɪt] vt ünnepélyesen állít/kijelent

assiduity [æsɪ'dju:ətɪ; US -'du:-] n szorgalom, serénység; előzékenység assiduous [ə'sɪdjʊəs; US -dʒʊ-] a szorgalmas, kötelességtudó; kitartó assign [ə'saɪn] vt 1. kijelöl, megállapít, megjelöl [helyet, időpontot, feladatot stb.]; kinevez, kijelöl [állásra]; beoszt [munkakörbe]; felad [leckét]; US ~ed counsel kirendelt védő 2. tulajdonít (to vmnek) 3. átad, átenged; átutal; kiutal assignation [æsɪg'neɪʃn] n 1. utalványozás, átruházás 2. kijelölés, megállapítás [időponté, helyé] 3. találka, randevú assignee [æsɪ'ni:; US əsaɪ'n-] n 1. zárgondnok 2. engedményes assignment [ə'saɪnmənt] n 1. átruházás, juttatás; kiutalás; engedményezés 2. kijelölés [állásra]; kinevezés; megbízás; beosztás 3. US [iskolai] feladat 4. felsorolás [okoké, érveké] assimilate [ə'sɪmɪleɪt] A. vt 1. hasonlóvá tesz, hasonít 2. magába olvaszt, beolvaszt, elnyel 3. [biológiailag] áthasonít, feldolgoz [táplálékot], asszimilál 4. hasonít, asszimilál [hangot]; be ~d to sg hasonul/asszimilálódik vmhez B. vi 1. hasonlóvá válik, hasonul, asszimilálódik 2. (el)keveredik, beolvad, asszimilálódik 3. [biológiailag] áthasonul; feldolgozódik, asszimilálódik assimilation [əsɪmɪ'leɪʃn] n 1. hasonlóvá tevés, hasonítás; beolvasztás 2. hasonlóvá válás, hasonulás; beolvadás, asszimiláció, asszimilálódás 3. [biológiailag] áthasonítás, asszimilálás, feldolgozás [tápláléké] 4. hasonulás, asszimiláció [hangoké] assist [ə'sɪst] vt/vi 1. támogat, segít, segédkezik, kisegít 2. elősegít, hozzájárul assistance [ə'sɪst(ə)ns] n segítség, támogatás; segély; be of ~ to sy segít(ségére van) vknek; give/lend ~ to sy segítséget nyújt vknek assistant [ə'sɪst(ə)nt] I. a segéd-, helyettes; pót-; ~ master középiskolai tanár; ~ pilot másodpilóta; US ~ professor adjunktus II. n 1. kisegítő, helyettes 2. alkalmazott; segéd

assize [ə'saɪz] n 1. bírói tárgyalás; *court of* ~*s* ⟨vándorbírák vezetése alatt évente kétszer vidéken ülésező esküdtbíróság⟩ 2. bírói határozat
Assoc. *Association*
associate I. *a* [ə'souʃɪət] társ-, tag-, kisegítő; ~ *judge* kb. bírósági jegyző; *US* ~ *professor* kb. docens **II.** *n* [ə'souʃɪət] társ, tag, munkatárs; ~*s in crime* bűntársak **III.** *v* [ə'souʃɪeɪt] **A.** *vt* társít, összekapcsol, asszociál; *be* ~*d with* kapcsolatban van (vkvel, vmvel); ~ *oneself with sy in an undertaking* társul vkvel vállalkozásban; ~ *oneself with sy/sg* csatlakozik vkhez/vmhez **B.** *vi* társul, szövetkezik, egyesül, érintkezik, barátkozik (*with* vkvel)
association [əsousɪ'eɪʃn] *n* **1.** egyesülés, társulás; kapcsolat, érintkezés (vkvel, vmvel) **2.** egyesület, egylet, szövetség, társaság, társulat; *A*~ *Football* labdarúgás, futball [ellentétben a rögbivel] **3.** társítás; asszociáció; ~ *of ideas* képzettársítás
assonance ['æsənəns] *n* összehangzás; magánhangzós rím, asszonánc
assort [ə'sɔ:t] **A.** *vt* kiválogat, osztályoz **B.** *vi* ~ *with* érintkezik/összefér vkvel
assorted [ə'sɔ:tɪd] *a* **1.** válogatott, osztályozott **2.** összeillő
assortment [ə'sɔ:tmənt] *n* **1.** választék, készlet, mintagyűjtemény **2.** fajta, féleség **3.** osztályozás, szortírozás
Asst., asst. *assistant*
assuage [ə'sweɪdʒ] *vt* csillapít, enyhít
assume [ə'sju:m; *US* ə'su:m] *vt* **1.** elfogad; feltételez, feltesz; *assuming* (*that*) . . . feltéve, hogy . . . **2.** magára vállal/vesz; vállal; átvesz [vezetést stb.] **3.** felvesz, (fel)ölt [magatartást, nevet stb.]; tettet, színlel; ~*d name* álnév
assuming [ə'sju:mɪŋ; *US* ə'su:-] *a* elbizakodott, öntelt, szemtelen
assumption [ə'sʌm(p)ʃn] *n* **1.** feltevés, feltételezés, előfeltétel **2.** felvétel [alaké, jellegé]; tettetés, színlelés [erényé] **3.** vállalás [kötelezettségé]; ~ *of office* hivatalba lépés **4.** Mária mennybemenetele, Nagyboldogasszony ünnepe (aug. 15) **5.** elbizakodottság

assurance [ə'ʃuər(ə)ns] *n* **1.** (határozott) ígéret, biztosíték, garancia, szavatolás, jótállás; *GB life* ~ életbiztosítás **2.** bizonyosság; *to make* ~ *doubly sure* a nagyobb biztonság kedvéért **3.** (ön)bizalom, magabiztosság
assure [ə'ʃuə*] *vt* biztosít, meggyőz; *you may rest* ~*ed* nyugodt lehet, biztos lehet afelől
assuredly [ə'ʃuərɪdlɪ] *adv* kétségtelenül
Assyria [ə'sɪrɪə] *prop* Asszíria
Assyrian [ə'sɪrɪən] *a/n* asszír
aster ['æstə*] *n* őszirózsa
asterisk ['æstərɪsk] *n* csillag(jel):*
astern [ə'stə:n] *adv* **1.** hajó farán, hátul **2.** hátra(felé)
asthma ['æsmə; *US* -z-] *n* asztma
asthmatic [æs'mætɪk; *US* -z-] *a* asztmás
astigmatic [æstɪg'mætɪk] *a* asztigmatikus [lencse]; asztigmiás [beteg]
astigmatism [æ'stɪgmətɪzm] *n* szemtengelyferdülés, asztigmatizmus
astir [ə'stə:*] *a/adv* **1.** fenn [nem ágyban] **2.** mozgásban, izgatottan
astonish [ə'stɔnɪʃ; *US* -ɑ-] *vt* meglep, megdöbbent, bámulatba ejt; *be* ~*ed to see* megdöbbenve látja(, hogy)
astonishment [ə'stɔnɪʃmənt; *US* -ɑ-] *n* csodálkozás, meglepetés; *I heard to my* ~ *that* . . . csodálkozással/megdöbbenéssel értesültem, hogy . . .; *she looked at me in* ~ csodálkozva/megdöbbenten nézett rám
Astoria [æ'stɔ:rɪə] *prop*
astound [ə'staund] *vt* (igen) meglep, meghökkent, bámulatba ejt
astraddle [ə'strædl] *a/adv* lovaglóülésben
astrakhan [æstrə'kæn; *US* 'æs-] *n* asztrahán(prém)
astral ['æstr(ə)l] *a* csillag-
astray [ə'streɪ] *adv* téves irányba(n); *lead* ~ tévútra visz, félrevezet; *go* ~ eltéved
astride [ə'straɪd] *adv/prep* lovaglóülésben
astringent [ə'strɪndʒənt] **I.** *a* **1.** összehúzó, vérzéselállító **2.** csípősen fanyar **II.** *n* összehúzó/vérzéselállító szer
astrodome ['æstrədoum] *n* ⟨navigátor átlátszó megfigyelő kupolája⟩
astrologer [ə'strɔlədʒə*; *US* -ɑ-] *n* csillagjós

astrology [ə'strɒlədʒɪ; *US* -ɑ-] *n* csillagjóslás, asztrológia

astronaut ['æstrənɔːt] *n* űrhajós, asztronauta

astronautics [æstrə'nɔːtɪks] *n pl* űrhajózás, asztronautika

astronomer [ə'strɒnəmə*; *US* -ɑ-] *n* csillagász

astronomic(al) [æstrə'nɒmɪk(l); *US* -'nɑ-] *a (átv is)* csillagászati

astronomy [ə'strɒnəmɪ; *US* -ɑ-] *n* csillagászat, asztronómia

astrophysics [æstrə'fɪzɪks] *n pl* asztrofizika

astute [ə'stjuːt; *US* ə'stuːt] *a* ravasz, ügyes, okos

astuteness [ə'stjuːtnɪs; *US* ə'stuːt-] *n* ravaszság, okosság, ügyesség

A-submarine *n* atom-tengeralattjáró

asunder [ə'sʌndə*] *adv* 1. szét, ketté 2. távol

asylum [ə'saɪləm] *n* 1. men(edék)hely, menház 2. elmegyógyintézet 3. *political* ~ politikai menedék(jog)

at [æt; gyenge ejtésű alakja: ət] *prep* 1. [hely] -on, -en, -ön, -n; -ban, -ben; -nál, -nél; ~ *sea* tengeren; ~ *school* iskolában; ~ *the station* az állomáson; ~ *Oxford* Oxfordban 2. [idő] -kor; ~ *3 o'clock* háromkor; ~ *Xmas* karácsonykor; ~ *night* éjjel; ~ *(the age of) 14* 14 éves korában; *two* ~ *a time* kettesével; ~ *first* először; ~ *last* végre 3. [érték, ár] -ért; *buy sg* ~ *10p* 10 pennyért vesz (meg) vmt; ~ *30p a pound* fontonként 30 pennyért 4. [elfoglaltság] *be* ~ *work* dolgozik, munkában van; *be* ~ *play* játszik; *what are you* ~ *now?* mit csinálsz most?; *she is* ~ *it again!* már megint kezdi! 5. *(különféle kifejezésekben:)* ~ *all* egyáltalán; *not* ~ *all* egyáltalán nem; ~ *least* legalább; ~ *them!* rajta!, neki!, üsd-vágd!; ~ *a sitting* egyetlen erőfeszítéssel, egy ültében

atavism ['ætəvɪzm]*n* visszaütés [az ősökre], atavizmus

atavistic [ætə'vɪstɪk] *a* atavisztikus

ate →*eat*

atelier ['ætəlɪeɪ] *n* műterem, stúdió

atheism ['eɪθɪɪzm] *n* ateizmus

atheist ['eɪθɪɪst] *n* ateista

atheistic [eɪθɪ'ɪstɪk] *a* ateista

Athenaeum [æθɪ'niːəm] *prop*

Athenian [ə'θiːnjən] *a* athéni

Athens ['æθɪnz] *prop* Athén

athlete ['æθliːt] *n* sportember, sportoló; ~*'s foot* lábujjak közti gombabetegség, epidermophytosis

athletic [æθ'letɪk] *a* 1. atlétikai; ~ *meeting* atlétikai viadal 2. izmos, kisportolt; ~ *body/frame* atlétatermet 3. ~ *heart* sportszív

athletics [æθ'letɪks] *n* 1. atlétika 2. sport(olás)

at-home [ət'houm] *n* fogadónap

athwart [ə'θwɔːt] *adv* ferdén, rézsút, keresztben, haránt

atishoo [ə'tɪʃuː] *int biz* hapci!

Atkins ['ætkɪnz] *prop*

Atlanta [ət'læntə] *prop*

Atlantic [ət'læntɪk] I. *a* atlanti-óceáni II. *n the* ~ az Atlanti-óceán

Atlantis [ət'læntɪs] *prop* Atlantisz

atlas ['ætləs] *n* térképgyűjtemény, atlasz

atmosphere ['ætməsfɪə*] *n (átv is)* légkör, atmoszféra

atmospheric(al) [ætməs'ferɪk(l)] *a* légköri; ~ *pressure* légnyomás

atmospherics [ætməs'ferɪks] *n pl* légköri zavarok; recsegés [rádióban]

atoll ['ætɒl; *US* -ɑl] *n* (gyűrű alakú) korallzátony

atom ['ætəm] *n* 1. atom; ~ *bomb* atombomba 2. parány; *not an* ~ *(of)* egy szemernyi(t) sem; *smash to* ~*s* izzéporrá zúz

atomic [ə'tɒmɪk; *US* -ɑ-] *a* atom-; ~ *bomb* atombomba; ~ *defence* atomvédelem; ~ *energy* atomenergia; *A~ Energy Commission* atomenergia-bizottság; ~ *fission* atom(mag)hasadás, maghasadás; ~ *physics* atomfizika, magfizika; ~ *pile* atommáglya, reaktor; ~ *power* atomenergia; ~ *power-station* atomerőmű; ~ *theory* atomelmélet; ~ *war(fare)* atomháború, nukleáris háború; ~ *weapon* atomfegyver, nukleáris fegyver; ~ *weight* atomsúly

atomize ['ætəmaɪz] *vt* porrá tör, (el)porlaszt, atomizál

atomizer ['ætəmaɪzə*] *n* porlasztóké-
szülék, porlasztó, permetező
atonal [eɪ'toʊnl] *a* hangnem nélküli,
atonális
atone [ə'toʊn] *vi* ~ *for sg* vezekel/lakol
vmért, jóvátesz vmt
atonement [ə'toʊnmənt] *n* bűnhődés, jó-
vátétel, vezeklés; megbékélés
atop [ə'tɔp; *US* -ɑp] *adv* rajta, tetején,
legfelül
atrocious [ə'troʊʃəs] *a* 1. szörnyű, iszo-
nyú; kegyetlen 2. *biz* pocsék
atrocity [ə'trɔsətɪ; *US* -ɑ-] *n* szörnyűség,
rémtett, atrocitás
atrophy ['ætrəfɪ] I. *n* sorvadás, elcsöke-
vényesedés, atrófia II. A. *vi* elcsöke-
vényesedik, elgyengül, elsorvad B. *vt*
elgyengít, elsorvaszt
attaboy ['ætəbɔɪ] *int US* pompás!, bra-
vó!, rajta!, gyerünk!
attach [ə'tætʃ] A. *vt* 1. (hozzá)csatol,
hozzákapcsol, -erősít, (rá)köt, hozzá-
köt(öz), odaköt, (hozzá)fűz, (oda)ra-
gaszt; ~ *oneself to sy/sg* csatlakozik
vkhez/vmhez; *house with garage* ~*ed*
ház hozzá tartozó garázzsal; ~*ed please
find* ... csatoltan megküldjük ...;
~ *importance to sg* fontosságot tulaj-
donít vmnek; ~ *hopes to sg* reményt
fűz vmhez, reménykedik vmben; *be*
~*ed to* (1) tartozik (vmhez) (2) ragasz-
kodik (vkhez, vmhez), gyengéd szálak
fűzik (vkhez) 2. letartóztat; lefoglal
B. *vi* kapcsolódik, fűződik, tapad
attachable [ə'tætʃəbl] *a* 1. hozzákapcsol-
ható 2. letartóztatható; lefoglalható
attaché [ə'tæʃeɪ; *US* ætə'ʃeɪ] *n* követségi
titkár, attasé; ~ *case* [ə'tæʃɪkeɪs] dip-
lomatatáska
attachment [ə'tætʃmənt] *n* 1. egybefű-
zés, hozzákapcsolás, -erősítés 2. tarto-
zék, kellék; függelék 3. ragaszkodás,
szeretet; *have an* ~ *for sy* gyengéd
szálak fűzik vkhez 4. letartóztatás
[személyé]; lefoglalás [vagyontárgyé],
letiltás
attack [ə'tæk] I. *n* támadás, roham II.
vt megtámad, megrohamoz, megrohan
attain [ə'teɪn] A. *vt* elér, megvalósít
[célt], elnyer, megszerez [tudást stb.]
B. *vi* ~ *to sg* vmhez jut, elér vmt

attainable [ə'teɪnəbl] *a* elérhető, megsze-
rezhető
attainder [ə'teɪndə*] *n* ⟨halálbüntetéssel
járó megfosztás polgári jogoktól és va-
gyontól⟩; *bill of* ~ ⟨parlament által
bírói tárgyalás nélkül hozott határo-
zat polgári jogoktól és vagyontól való
megfosztásra⟩
attainment [ə'teɪnmənt] *n* 1. elérés,
megszerzés, szerzemény; *easy of* ~
könnyen elérhető/elsajátítható 2. *at-
tainments pl* tehetség, tudás, képesség
attar ['ætə*] *n* rózsaolaj
attempt [ə'tem(p)t] I. *n* 1. kísérlet,
próba, próbálkozás; *make an* ~ ⟨*to,
at*⟩ kísérletet tesz, megkísérel/megpró-
bál (vmt tenni) 2. merénylet II. *vt* 1.
megkísérel, megpróbál 2. ~ *sy's life* vk
ellen merényletet követ el; ~*ed mur-
der* gyilkosság kísérlete
attend [ə'tend] A. *vt* 1. látogat, (meg-)
hallgat, megnéz [előadást], részt vesz
(vmn), jelen van; ~ *school* iskolába
jár 2. ápol, gondoz, ellát, kezel [bete-
get], kiszolgál (vkt), vigyáz (vkre,
vmre) B. *vi* 1. figyel; *please* ~! figyel-
met kérek! 2. részt vesz (*at* vmn), je-
len van
    attend on *vi* = *attend upon*
    attend to *vi* 1. vigyáz, figyel, ügyel
    (vmre); foglalkozik, törődik (vmvel),
    elintéz (vmt); gondoskodik (vmről) 2.
    (meg)hallgat (vkt) figyel (vkre), fog-
    lalkozik (vkvel); ~ *to a customer* vevőt
    kiszolgál; *are you being* ~*ed to?* tetszik
    már kapni? 3. utánanéz, utánajár
    (vmnek)
    attend upon *vi* 1. kiszolgál (vkt),
    szolgálatára áll, segédkezik (vknek);
    ápol, gondoz (vkt) 2. vele/együtt jár
attendance [ə'tendəns] *n* 1. ápolás, gon-
dozás, ellátás, kezelés [betegé]; kiszol-
gálás [szállodában stb.]; *medical* ~
orvosi kezelés, betegellátás; *physician
in* ~ ügyeletes orvos 2. kíséret; *be in*
~ *upon sy* vk mellett teljesít szolgála-
tot, vk kíséretében van 3. jelenlét,
megjelenés, látogatás, részvétel; láto-
gatottság; érdeklődés; ~ *at school* isko-
lalátogatás 4. jelenlevők, rész(t)ve-
vők, hallgatóság (száma)

attendant [ə'tendənt] I. *a* 1. gondozó, kiszolgáló 2. (vmt) kísérő, vele járó, (vmvel) járó 3. jelenlevő, (vmn) részt vevő II. *n* 1. kísérő, szolga; kezelő, gondozó; jegyszedő; *medical* ~ kezelőorvos; *petrol station* ~ benzinkútkezelő; ~*s* kiszolgáló személyzet 2. látogató, rész(t)vevő 3. velejáró, következmény

attention [ə'tenʃn] *n* 1. figyelem, vigyázat, gond; *attract* ~ felhívja a figyelmet, figyelmet kelt; *call/draw sy's* ~ *to sg* felhívja vk figyelmét vmre; *give* ~ *to sg* elintéz vmt; *may I have your* ~, *please* kérem szíveskedjenek ide figyelni; *pay* ~ *to sg* figyel/ügyel/vigyáz (v. gondot fordít) vmre; *pay no* ~ *to sg* nem törődik vmvel, nem ügyel vmre; "*~ Mr X*" X úr kezéhez/figyelmébe [levélben] 2. figyelem, figyelmesség, udvariasság; *show sy* ~ figyelmes/előzékeny vkvel szemben; *pay* ~*s to a lady* udvarol egy hölgynek 3. ~*!* vigyázz! [vezényszó]; *stand at* ~ vigyázzban áll 4. gondozás, kezelés, karbantartás

attentive [ə'tentɪv] *a* figyelmes; *be* ~ *to* figyelemmel van (vmre), figyelmes (vkvel)

attenuate [ə'tenjʊeɪt] **A.** *vt* vékonyít; hígít; gyengít; tompít, csillapít **B.** *vi* gyengül; hígul; vékonyul

attest [ə'test] **A.** *vt* 1. bizonyít, tanúsít, igazol, hitelesít; ~*ed copy* hitelesített másolat; ~*ed milk* igazoltan csírátlan tej 2. eskü alatt állít **B.** *vi* ~ *to* bizonyít, tanúsít (vmt), tanúskodik (vmről)

attestation [æte'steɪʃn] *n* 1. tanúvallomás, tanúskodás 2. hitelesítés

attic ['ætɪk] *n* 1. padlásszoba, manzárd(szoba) 2. oromfal, oromzat

attire [ə'taɪə*] **I.** *n* ruházat **II.** *vt* öltöztet; ~*d in* (vmbe) öltözve

attitude ['ætɪtjuːd; *US* -tuːd] *n* 1. (test)tartás, helyzet, póz; *strike an* ~ (vmlyen) pózba vágja magát, pózol 2. viselkedés, magatartás, állásfoglalás

attitudinize [ætɪ'tjuːdɪnaɪz; *US* -'tuː-] *vi* hatásra vadászik, feltűnően viselkedik, pózol, affektál

Attlee ['ætlɪ] *prop*

attorney [ə'tɜːnɪ] *n* ügyvéd, meghatalmazott; *letter/power of* ~ (ügyvédi) meghatalmazás; *A*~ *General* (1) *GB* legfőbb államügyész (2) *US* igazságügy-miniszter; ~ *at law* ügyvéd; *US district* ~ (állam)ügyész

attract [ə'trækt] *vt* vonz, vonzást gyakorol (vkre); magára von, felkelt [figyelmet]; *feel* ~*ed to sy* vkhez vonzódik

attraction [ə'trækʃn] *n* 1. vonzás, vonz(ó)erő, vonzódás, vonzalom; ~ *of gravity* tömegvonzás 2. varázs, báj 3. attrakció

attractive [ə'træktɪv] *a* vonzó, bájos

attributable [ə'trɪbjʊtəbl] *a* tulajdonítható (*to* vmnek)

attribute **I.** *n* ['ætrɪbjuːt] 1. (jellemző) tulajdonság 2. jelző **II.** *vt* [ə'trɪbjuːt] tulajdonít (*to* vknek/vmnek vmt)

attribution [ætrɪ'bjuːʃn] *n* 1. tulajdonítás 2. tulajdonság 3. ráruházott hatalom, hivatal, tekintély

attributive [ə'trɪbjʊtɪv] **I.** *a* jelzői; ~ *adjective* melléknévi jelző **II.** *n* jelző

attrition [ə'trɪʃn] *n* elkop(tat)ás, elhasznál(ód)ás, ledörzsöl(őd)és; lemorzsolódás; *war of* ~ anyagháború

attune [ə'tjuːn; *US* ə'tuːn] *vt* ~ *to* hozzáhangol

Aubrey ['ɔːbrɪ] *prop* ⟨angol férfinév⟩

auburn ['ɔːbən] *a* aranybarna, vörösesbarna, gesztenyeszínű

auction ['ɔːkʃn] **I.** *n* árverés, aukció; *sell by* (v. *US at*) ~ elárverez, árverésen ad el **II.** *vt* elárverez

auctioneer [ɔːkʃə'nɪə*] *n* árverésvezető

audacious [ɔː'deɪʃəs] *a* vakmerő, merész; szemtelen, arcátlan

audacity [ɔː'dæsətɪ] *n* vakmerőség; arcátlanság

Auden ['ɔːdn] *prop*

audibility [ɔːdɪ'bɪlətɪ] *n* hallhatóság

audible ['ɔːdəbl] *a* hallható

audience ['ɔːdjəns] *n* 1. kihallgatás, meghallgatás 2. hallgatóság, közönség

audio(-) ['ɔːdɪoʊ(-)] *a* audio-, hang-; ~ *frequency* hangfrekvencia; ~ *mixer* hangkeverő pult

audio-lingual *a* ~ *method(s)* audiolingvális módszer(ek) [nyelvoktatásban]

audiometry [ɔ:dɪ'ɔmɪtrɪ; *US* -'ɑ-] *n* hallásvizsgálat
audio-visual *a* audiovizuális [eszközök, oktatás]
audit ['ɔ:dɪt] I. *n* rovancsolás, (könyv-) vizsgálat, revízió; ~ *office* számvevőszék II. *vt* 1. (meg)vizsgál, ellenőriz, átvizsgál, revideál [könyvelést], rovancsol 2. *US* (egyetemi) előadásokat látogat [mint vendéghallgató]
audition [ɔ:'dɪʃn] I. *n* 1. hallás, hallóképesség 2. meghallgatás, próbaéneklés, próbajáték II. *vt* meghallgat [énekest stb.]
auditive ['ɔ:dītɪv] *a* hallási
auditor ['ɔ:dɪtə*] *n* 1. könyvszakértő, -vizsgáló, számvevő, revizor 2. *US* vendéghallgató [egyetemen]
auditorium [ɔ:dɪ'tɔ:rɪəm] *n* (*pl* ~s v. -ria* -rɪə) előadóterem; nézőtér
auditory ['ɔ:dɪt(ə)rɪ; *US* -ɔ:rɪ] *a* hallási, hallás-, halló-; ~ *nerve* hallóideg
Audrey ['ɔ:drɪ] *prop* ⟨angol női név⟩
AUEW [eɪjuːi:'dʌblju:] *Amalgamated Union of Engineering Workers* ⟨egy brit szaksz. szövetség⟩
Aug. *August* augusztus, aug.
auger ['ɔ:gə*] *n* (ács)fúró, nagy kézifúró
aught [ɔ:t] *n* valami; *for ~ I know* amennyire értesülve vagyok; *for ~ I care* felőlem
augment [ɔ:g'ment] A. *vt* növel, gyarapít, nagyobbít; ~ed pay* felemelt fizetés B. *vi* nő, növekszik, nagyobbodik
augmentation [ɔ:gmen'teɪʃn] *n* 1. nagyobbítás, növelés; hosszabbítás 2. nagyobbodás
augur ['ɔ:gə*] I. *n* jövendőmondó; augur II. *vt/vi* jósol, jövendöl
augury ['ɔ:gjʊrɪ] *n* jövendölés, előjel, sejtelem
August¹ ['ɔ:gəst] *n* augusztus
august² [ɔ:'gʌst] *a* magasztos
Augustan [ɔ:'gʌstən] *a* ~ *age* (1) Augustus császár kora (2) aranykor, fénykor [vmely irodalomé]
Augustus [ɔ:'gʌstəs] *prop* Ágoston
auk [ɔ:k] *n* alka [madár]
auld lang syne [ɔ:ldlæŋ'saɪn] *sk* a régi jó idők
aunt [ɑ:nt; *US* æ-] *n* nagynéni; néni

auntie, aunty ['ɑ:ntɪ; *US* 'æ-] *n* biz (nagy)nénikém, néni(ke)
au pair [oʊ'peə*] *a* cserealapon (történő), „au pair" alapon [dolgozik, tanul]
aural ['ɔ:r(ə)l] *a* füli, fül-, halló, hallási
Aurelia [ɔ:'ri:ljə] *prop* Aurélia
Aurelius [ɔ:'ri:ljəs] *prop* Aurél
auricle ['ɔ:rɪkl] *n* 1. fülkagyló 2. (szív-) pitvar; auricula
auricular [ɔ:'rɪkjʊlə*] *a* füllel kapcsolatos, fül-; ~ *confession* fülgyónás; ~ *nerve* hallóideg; ~ *witness* fültanú
auriferous [ɔ:'rɪfərəs] *a* aranytartalmú
aurist ['ɔ:rɪst] *n* fül(szak)orvos, fülész
auscultation [ɔ:sk(ə)l'teɪʃn] *n* [orvosi] meghallgatás, hallgatózás
auspices ['ɔ:spɪsɪz] *n pl* pártfogás; *under the ~ of* (vknek/vmnek az) égisze alatt, (vknek a) védnöksége alatt v. támogatásával
auspicious [ɔ:'spɪʃəs] *a* kedvező, sikeres
Aussie ['ɔzɪ; *US* 'ɑsi:] *a biz* ausztráliai
Austen ['ɔstɪn] *prop*
austere [ɔ'stɪə*; *US* ɔ:-] *a* szigorú, kemény, egyszerű, mértékletes, szerény
austerity [ɔ'sterətɪ; *US* ɔ:-] *n* 1. szigorúság, mértékletesség, egyszerűség 2. (háborús) anyagtakarékosság, megszorítások
Austin ['ɔstɪn] *prop*
Australia [ɔ'streɪljə; *US* ɔ:-] *prop* Ausztrália
Australian [ɔ'streɪljən; *US* ɔ:-] *a* ausztráliai
Austria ['ɔstrɪə; *US* 'ɔ:-] *prop* Ausztria
Austrian ['ɔstrɪən; *US* 'ɔ:-] *a* ausztriai, osztrák
autarchy ['ɔ:tɑ:kɪ] *n* korlátlan/abszolút egyeduralom, diktatúra
autarky ['ɔ:tɑ:kɪ] *n* nemzeti (gazdasági) önellátás
authentic [ɔ:'θentɪk] *a* hiteles, hitelt érdemlő, autentikus
authenticate [ɔ:'θentɪkeɪt] *vt* hitelesít, okmányokkal igazol, hitelességét megállapítja (vmnek)
authentication [ɔ:θentɪ'keɪʃn] *n* hitelesítés, igazolás
authenticity [ɔ:θen'tɪsətɪ] *n* hitelesség
author ['ɔ:θə*] *n* szerző, író
authoress ['ɔ:θərɪs] *n* írónő

authoritarian [ɔ:θɔrɪ'teərɪən; *US* ɔθa-] *a* tekintélyi elvi (v. elvhez ragaszkodó) **authoritative** [ɔ:'θɔrɪtətɪv; *US* ə'θarɪteɪ-] *a* **1.** nagyon határozott, parancsoló, ellentmondást nem tűrő **2.** irányadó, hiteles, mérvadó, megbízható **authority** [ɔ:'θɔrətɪ; *US* ə'θa-] *n* **1.** hatalom, tekintély **2.** (fenn)hatóság; *the authorities* a hatóságok; *the local authorities* a helyi hatóságok/szervek **3.** (szak)tekintély, szakértő, forrás(mű); *be a great ~ on sg* elismert szaktekintély vmben; *have it on good ~* biztos forrásból tudja; *quote one's authorities* felsorolja forrásait **4.** meghatalmazás, felhatalmazás, engedély; *act on sy's ~* vknek megbízásából jár el **authorization** [ɔ:θ(ə)raɪ'zeɪʃn; *US* -rɪ'z-] *n* felhatalmazás, meghatalmazás, engedély(ezés) **authorize** ['ɔ:θəraɪz] *vt* engedélyez; felhatalmaz, meghatalmaz, feljogosít; *be ~d (to)* illetékes (vmre); *the A~d Version* ⟨az 1611-es angol bibliafordítás⟩ **authorship** ['ɔ:θəʃɪp] *n* **1.** szerzőség **2.** írói pálya/mesterség; *take to ~* írói pályára lép **autistic** [ɔ:'tɪstɪk] *a* **1.** autisztikus, befelé forduló **2.** [szépítő értelemben] szellemileg fogyatékos/elmaradott [gyermek] **auto** ['ɔ:toʊ] *n US biz* autó, kocsi; *~ laundry* kocsimosó [üzem]; *~ lift* kocsiemelő **auto-** ['ɔ:tə-] *pref* ön-, auto-, automatikus, önműködő **autobiographic(al)** [ɔ:təbaɪə'græfɪk(l)] *a* önéletrajzi **autobiography** [ɔ:təbaɪ'ɔgrəfɪ; *US* -'ag-] *n* önéletrajz **auto-changer** *n* lemezváltó (automata) **autocracy** [ɔ:'tɔkrəsɪ; *US* -'ta-]*n* önkényuralom **autocrat** ['ɔ:təkræt] *n* zsarnok, diktátor **autocratical** [ɔ:tə'krætɪkl] *a* egyeduralmi, parancsuralmi, zsarnoki **autograph** ['ɔ:təgrɑ:f; *US* -æf] I. *n* **1.** sajátkezű kézírás/aláírás **2.** autogram; *~ album* autogramgyűjtemény **II.** *vt* aláír, dedikál; *an ~ed copy* dedikált példány

auto-ignition *n* öngyulladás **Autolycus** [ɔ:'tɔlɪkəs; *US* -'ta-] *prop* **automat** ['ɔ:təmæt] *n US* automata (étterem, büfé) **automate** ['ɔ:təmeɪt] *vt* automatizál **automatic** [ɔ:tə'mætɪk] I. *a* **1.** önműködő, automata, automatikus, ön-; *~ gear-change* automata seb(esség)váltó; *~ pilot* robotpilóta; *~ weapon* automata fegyver **2.** gépies, önkéntelen II. *n US* revolver, önműködő fegyver **automatically** [ɔ:tə'mætɪk(ə)lɪ] *adv* **1.** önműködően, automatikusan **2.** gépiesen **automation** [ɔ:tə'meɪʃn] *n* automatizálás, automatika **automaton** [ɔ:'tɔmətən; *US* -'tamətan] *n* (*pl ~s* -z v. *-ta* -tə) **1.** automata; robotgép **2.** gépies teremtmény **automobile** ['ɔ:təməbi:l] *n US* autó, gépkocsi; *~ insurance* gépjármű-biztosítás; *~ registration* kb. forgalmi engedély **autonomous** [ɔ:'tɔnəməs; *US* ɔ'ta-] *a* önkormányzati (joggal felruházott), önrendelkezésű, autonóm **autonomy** [ɔ:'tɔnəmɪ; *US* -'ta-] *n* önkormányzat, önrendelkezés, autonómia **autopsy** ['ɔ:təpsɪ; *US* -ta-] *n* hullaszemle (boncolással) **auto-suggestion** [ɔ:təsə'dʒestʃn] *n* önszuggesztió **autumn** ['ɔ:təm] *n* **1.** ősz; *in ~* ősszel; *late ~* késő ősz, őszutó **2.** (*jelzői haszn*) őszi [idő stb.] **autumnal** [ɔ:'tʌmnəl] *a* őszi(es) **auxiliary** [ɔ:g'zɪljərɪ] I. *a* segéd-, pót-, kisegítő, kiegészítő; *~ verb* segédige **II.** *n* **1.** segéd; *auxiliaries pl* segédcsapatok **2.** segédige **av. 1.** *average* **2.** *avoirdupois* **AV** *Authorized Version* →*authorize* **avail** [ə'veɪl] I. *n* haszon, hasznosság; *to no ~, without ~* eredménytelenül, hiába; *of no ~* hasztalan, hiábavaló, eredménytelen; *be of little ~ to sy* keveset használ vknek, nem sokra megy (vmvel) **II. A.** *vi* segít, hasznára/előnyére van, használ **B.** *vt ~ oneself of sg* vmnek hasznát veszi, igénybe vesz vmt

availability [əveɪlə'bɪlətɪ] *n* **1.** elérhetőség, hozzáférhetőség **2.** (fel)használhatóság; érvényesség

available [ə'veɪləbl] *a* **1.** rendelkezésre álló, kapható, elérhető, beszerezhető **2.** felhasználható, igénybe vehető; érvényes [jegy]; *no longer* ~ érvénytelen, lejárt

avalanche ['ævəlɑːnʃ; *US* -læntʃ] *n* (hó)görgeteg, *(átv is)* lavina

avarice ['ævərɪs] *n* kapzsiság, fösvénység, fukarság

avaricious [ævə'rɪʃəs] *a* kapzsi, fösvény, fukar

avaunt [ə'vɔːnt] *int* el innen!

ave ['ɑːvɪ] *int/n* üdvözlégy

Ave. *Avenue*

avenge [ə'vendʒ] *vt* megbosszul; ~ *oneself on sy* bosszút áll vkn

avenger [ə'vendʒə*] *n* bosszúálló

avenue ['ævənjuː; *US* -nuː] *n* **1.** fasor; (vhová vezető) út, felhajtó; *átv* út **2.** *US* sugárút, (széles) út/utca [városban]

aver [ə'və:*] *vt* **-rr-** † bizonyít, állít, erősít

average ['æv(ə)rɪdʒ] **I.** *a* átlagos, közepes, átlag- **II.** *n* **1.** átlag; *on an/the* ~ átlagosan; *above the* ~ átlagon felül(i) **2.** hajókár, havária; *adjust the* ~ hajókárt feloszt; *suffer an* ~ hajókárt szenved **III. A.** *vt* átlagát (ki)számítja (vmnek), átlagol **B.** *vi* (vmlyen) átlagot elér, átlagosan kitesz; *the rainfall* ~*s . . .* a csapadékmennyiség évi átlaga . . .; *he* ~*d 100 miles a day* átlag napi 100 mérföldet tett meg

averse [ə'vəːs] *a be* ~ *from/to sg* idegenkedik/irtózik vmtől

averseness [ə'vəːsnɪs] *n* idegenkedés, irtózás

aversion [ə'vəːʃn; *US* -ʒn] *n* **1.** idegenkedés, irtózás **2.** az utálat tárgya; *my pet* ~ amitől leginkább iszonyodom

avert [ə'vəːt] *vt* **1.** elfordít; ~ *one's eyes from* elfordítja tekintetét vmről **2.** elhárít

aviary ['eɪvjərɪ; *US* -ʲerɪ] *n* kalitka, madárház

aviation [eɪvɪ'eɪʃn] *n* repülés; légi közlekedés

aviator ['eɪvɪeɪtə*] *n* repülő, pilóta

avid ['ævɪd] *a* mohó, kapzsi

avidity [ə'vɪdətɪ] *n* mohóság, kapzsiság

avitaminosis [eɪvɪtəmɪ'noʊsɪs] *n* vitaminhiány

avocation [ævə'keɪʃn] *n* **1.** mellékfoglalkozás; hobbi **2.** *biz* foglalkozás

avoid [ə'vɔɪd] *vt* elkerül (vmt); távolmarad (vmtől); kikerül (vmt); kitér (vm/vk elől)

avoidable [ə'vɔɪdəbl] *a* elkerülhető

avoidance [ə'vɔɪd(ə)ns] *n* elkerülés

avoirdupois [ævədə'pɔɪz] *n* ⟨brit súlymértékrendszer a tízes mértékrendszerre való áttérés előtt⟩

Avon ['eɪv(ə)n] *prop* Avon [folyó Angliában]; *the swan of* ~ az avoni hattyú (= Shakespeare)

avow [ə'vaʊ] *vt* elismer, beismer, bevall; ~ *oneself* (vmnek) vallja magát

avowal [ə'vaʊəl] *n* elismerés, bevallás

avowedly [ə'vaʊɪdlɪ] *adv* beismerten

avuncular [ə'vʌŋkjʊlə*] *a* nagybácsihoz illő; öreguras; atyáskodó

await [ə'weɪt] *vt* vár(akozik) (vkre, vmre)

awake [ə'weɪk] **I.** *a be* ~ ébren van; *be wide* ~ (1) teljesen ébren van (2) éber; *be* ~ *to sg* tudatában van vmnek **II.** *vi* (*pt* **awoke** ə'woʊk, *pp* **awoke** v. ~**d** ə'weɪkt) **A.** *vt* felébreszt **B.** *vi* **1.** felébred **2.** ~ *to* ráébred, tudatára ébred (vmnek), felismer (vmt)

awaken [ə'weɪk(ə)n] **A.** *vt* **1.** felébreszt **2.** ~ *sy to sg* vmnek a tudatára ébreszt vkt **B.** *vi* felébred

awakening [ə'weɪknɪŋ] *n* ébredés

award [ə'wɔːd] **I.** *n* **1.** ítélet, döntés **2.** (pálya)díj, jutalom **II.** *vt* megítél [kártérítést stb. bíróilag]; odaítél [díjat], adományoz [kitüntetést stb.]

aware [ə'weə*] *a be* ~ *of sg, be* ~ *that . . .* tudatában van vmnek, tud(omása van) vmről, tisztában van vmvel; *become* ~ *of the situation* felismeri a helyzetet

awareness [ə'weənɪs] *n* tudatosság

awash [ə'wɔʃ; *US* -ɑʃ] *a/adv* vízen hányódó; vízzel elárasztott; *the street was* ~ az utca vízben állt

away [ə'weɪ] *adv* **1.** el; tovább; messzire; távol; *six miles* ~ 6 mérföldnyi távol-

ságra; *be* ~ *from home* nincs otthon, távol van otthonról; *far* ~ távolban, messze; ~ *with you!* mars innen ! 2. [folyamatosság kifejezésére] rendületlenül [tesz vmt]; *work* ~ tovább dolgozik, állandóan dolgozik; *sing* ~*!* énekelj tovább!
awe [ɔ:] I. *n* félelem, tisztelet; *stand in* ~ *of sy* vkt félve tisztel II. *vt* megfélemlít
awe-inspiring [-in'spaɪərɪŋ] *a* félelmetes
awesome ['ɔ:səm] *a* félelmetes
awe-struck *a* megfélemlített
awful *a* 1. ['ɔ:fʊl] borzasztó, rettenetes, szörnyű 2. ['ɔ:fl] *biz* szörnyű, borzasztó
awfully ['ɔ:flɪ] *adv biz* szörnyen, borzasztóan, rettenetesen; *I'm* ~ *sorry!* végtelenül/borzasztóan sajnálom!; *thanks* ~*!* igen szépen köszönöm!
awhile [ə'waɪl; *US* ə'hw-] *adv* egy (kis) ideig, rövid ideig
awkward ['ɔ:kwəd] *a* 1. ügyetlen, félszeg, esetlen; *the* ~ *age* kamaszkor 2. kellemetlen, kényelmetlen, kínos; alkalmatlan; *an* ~ *customer* kellemetlen pasas, nehéz fickó; *at an* ~ *moment* rosszkor; ~ *silence* kínos csend
awkwardness ['ɔ:kwədnɪs] *n* 1. ügyetlenség 2. kellemetlenség
awl [ɔ:l] *n* ár [szerszám]
awn [ɔ:n] *n* toklász
awning ['ɔ:nɪŋ] *n* ponyva(tető); (vászon)ernyő [üzleté, kirakaté]; (ablak fölötti) napellenző

awoke →*awake*
AWOL [eɪdʌblju:oʊ'el v. 'eɪwɔl] *absent without leave* →*absent*
awry [ə'raɪ] I. *a* fonák, ferde II. *adv* fonákul, ferdén; *go* (*all*) ~ kudarcba fullad, rosszul megy
ax(e) [æks] I. *n* 1. fejsze, balta; *have an* ~ *to grind* önző célja van vmvel 2. *biz* *the* ~ leépítés, létszámcsökkentés, bélista; *get the* ~ leépítik [létszámcsökkentés során elbocsátják] II. *vt biz* leszállít, csökkent [költségeket, költségvetést]; *he has been axed* leépítették
axiom ['æksɪəm] *n* alapigazság, axióma
axiomatic [æksɪə'mætɪk] *a* megdönthetetlen
axis ['æksɪs] *n* (*pl* **axes** -si:z) 1. [elméleti] tengely 2. *the A*~ *powers* a tengelyhatalmak [a II. világháborúban]
axle ['æksl] *n* tengely [járműé]; ~ *weight* tengelynyomás
axle-box *n* kerékagy
axle-tree *n* tengely
ay [aɪ] *n*/*adv*/*int* = *aye*[1]
ayah ['aɪə] *n* hindu dada
aye[1] [aɪ] I. *n* igen-szavazat; *the* ~*s have it* meg van szavazva II. *adv*/*int* igen
aye[2] [eɪ] *adv for* (*ever and*) ~ örökre, örökkön-örökké
Ayrshire ['eəʃə*] *prop*
azalea [ə'zeɪljə] *n* azálea
azure ['æʒə*] I. *a* azúr(kék), égszínkék II. *n* 1. kékség; felhőtlen kék égbolt 2. égszínkék (szín)

B

B¹, b [biː] *n* **1.** B, b (betű) **2.** [zenében] h; *B natural* h; *B flat* b; *B sharp* hisz **3.** *US* „jó" [osztályzat]
b²., **b** *born* született, szül., sz.
B.A., **BA** [biːˈeɪ] **1.** *Bachelor of Arts* →*bachelor* **2.** *British Academy* **3.** *British Airways* ⟨brit légitársaság⟩
baa [baː] I. *n* bégetés II. *vi* (*pt/pp* **-ed** v. ~**'d** baːd) béget
babble [ˈbæbl] I. *n* **1.** gagyogás, gügyögés; fecsegés **2.** csobogás [pataké] II. *vi* **1.** gagyog, gügyög; fecseg **2.** csobog [patak]
babbler [ˈbæblə*] *n* gagyogó, gügyögő; fecsegő
babe [beɪb] *n* csecsemő, (kis)baba
babel [ˈbeɪbl] *n* zűrzavar, hangzavar
baboo [ˈbaːbuː] *n* **1.** úr [hindu megszólítás] **2.** elangolosodott hindu [megvetően]
baboon [bəˈbuːn; *US* bæ-] *n* pávián
baby [ˈbeɪbɪ] I. *a* **1.** gyer(m)ek-, bébi-; *US* ~ *buggy* [ˈbʌgɪ] (összecsukható) gyer(m)ekkocsi; ~ *talk* gőgicsélés **2.** kis, miniatűr; ~ *car* kisautó; *US* ~ *grand* rövid zongora II. *n* csecsemő, (kis)baba; *from a* ~ kisgyermekkora óta; *biz carry/hold the* ~ tartja a hátát, övé a felelősség
baby-face *a* lányos képű
babyhood [ˈbeɪbɪhʊd] *n* csecsemőkor, kisgyermekkor
babyish [ˈbeɪbɪʃ] *a biz* gyerekes, gyermeteg
baby-sit *vi* (*pt/pp* **-sat; -tt-**) más kisgyermekére felügyel/vigyáz [szülők távollétében]
baby-sitter *n* gyermekőrző, pótmama
baby-sitting *n* gyermekőrzés

baccalaureate [bækəˈlɔːrɪət] *n* baccalaureatus, „bachelor"-i fokozat [legalacsonyabb egyetemi fokozat]
bacchanal [ˈbækənl] *n* tivornya
bacchanalian [bækəˈneɪljən] *a* duhaj
baccy [ˈbækɪ] *n biz* dohány, bagó
bachelor [ˈbætʃələ*] *n* **1.** nőtlen ember, legényember; *old* ~ agglegény; ~ *girl* önálló (fiatal) nő; ~ *flat/quarters* legénylakás **2.** baccalaureus; *B*~ *of Arts* a bölcsészettudományok baccalaureusa, Baccalaureus Artium; *B*~ *of Science* a természettudományok baccalaureusa
bachelorhood [ˈbætʃələhʊd] *n* (agg)legényélet, agglegénység
bacillary [bəˈsɪlərɪ] *a* bacilus okozta, bacilusos
bacillus [bəˈsɪləs] *n* (*pl* **-cilli** -ˈsɪlaɪ) bacilus
back [bæk] I. *a* **1.** hátsó, hátulsó; ~ *door* (1) hátsó ajtó (2) tisztességtelen/kerülő út →*back-door;* ~ *stairs* hátsó lépcső →*back-stair(s);* ~ *vowel* hátul képzett (v. veláris) magánhangzó **2.** elmaradt, régi; ~ *number* (1) rég(eb)bi szám [folyóiraté] (2) maradi ember II. *adv* **1.** hátra(felé), vissza; ~ *and forth* előre-hátra, ide-oda; ~ *to the engine* háttal a menetiránynak; *give* ~ visszaad; *is he* ~ *yet?* visszajött már?, hazaérkezett már? **2.** hátul; *third floor* ~ harmadik emeleti udvari szárnyon **3.** *US* ~ *in he USA* otthon/odahaza Amerikában **4.** ezelőtt; régen; *as far* ~ *as 1914* már/még 1914-ben; *US some years* ~ néhány éve III. *n* **1.** hát (vké); hátulja (vmnek); *be at the* ~ *of sg* vm mögött van,

támogat vmt; *be at the* ~ *of sy* támogat vkt; *at the* ~ *of one's mind* tudata/lelke mélyén; *behind his* ~ tudta nélkül; *be on one's* ~ a hátán fekszik; nyomja az ágyat [betegen]; *put one's* ~ *into it* nekigyürkőzik; *put one's* ~ *up* megmakacsolja magát; *put/get sy's* ~ *up* feldüh(ös)ít vkt; *turn one's* ~ *on sy* hátat fordít vknek, cserbenhagy vkt; *with one's* ~ *to the wall* átv szorult/védekező helyzetben 2. hátlap; *on the* ~ a hátlapon 3. hátvéd [sportban] **IV. A.** *vt* 1. hátirattal ellát 2. támogat 3. fogad [lóra] 4. visszatol(at); ~ *the car* tolat (a kocsival) **B.** *vi* hátrál, hátrafelé megy
back down *vi* visszakozik, meghátrál, visszatáncol
back out *vi* kihátrál, kivonja/kihúzza magát (*of* vm alól)
back up *vt* támogat, segít
backache ['bækeık] *n* hátfájás, derékfájás
back-alley *n US* mellékutca
back-answer *n biz* feleselés
back-bencher *n* ⟨olyan képviselő, aki nem tagja az ellenzéki kormánylistának⟩, nem kormánytag képviselő
backbite ['bækbaıt] *vt/vi* (*pt* -bit -bıt, *pp* -bitten* -bıtn) rágalmaz, kibeszél, „fúr" (vkt)
backboard *n* 1. hátlap, támla 2. palánk [kosárlabdában]
backbone *n* (hát)gerinc
back-breaking *a* fárasztó, kimerítő [munka]
backchat *n biz* feleselés
backcloth *n* háttérfüggöny
back-coupling *n* visszacsatolás
back-door *a* titkos, rejtett; hátsó [gondolat] →*back I.*
backdrop *n* háttérfüggöny
-backed [-bækt] hátú
backer ['bækə*] *n* 1. támogató 2. váltókezes; csendestárs
back-field *n* védelem [sportban]
back-fire I. *n* visszagyújtás [motorban], utórobbanás **II.** *vi* visszafelé sül el
back-formation *n* elvonás [szóalkotás]
background *n* 1. háttér; ~ (*information*) az ügy hátterére vonatkozó tájékoztatás 2. képesítés; *social* ~ származás

back-hand *n* visszakezes/fonák ütés
back-handed *a* ~ *blow* váratlan ütés; ~ *compliment* kétélű bók
backing ['bækıŋ] *n* 1. hátlap 2. támogatás, támogatók 3. fogadás, tét
backlash *n* 1. hézag, (holt)játék [csavaré, fogaskeréké] 2. átv reakció, visszahatás
backlog *n* 1. restancia, hátralék 2. tartalék
backmost *a* leghát(ul)só
back-rest *n* háttámasz, támla
back-room *n biz* ~ *boy* ⟨titkos tudományos kutatást végző személy⟩
back-seat *n* hátsó/kis ülés; *take a* ~ a háttérbe húzódik; *US biz* ~ *driver* fogadatlan prókátor
backside *n* hátsó rész, ülep, far
back-sight *n* irányzék [lőfegyveren]
backslide *vi* (*pt/pp* -slid) visszaesik [hibába stb.]
backspace I. *n* visszaváltó [írógépen] **II.** *vi* visszavált
back-stair(s) *a* rejtett, titkos; ~ *influence* protekció, „kiskapu" ‖ →*back I.*
backstays *n pl* patrác(ok)
back-street *n* mellékutca, zugutca
backstroke *n* 1. visszakezes/fonák ütés 2. hátúszás (kartempója)
backtalk *n* feleselés
backtrack *vi* visszalép, -táncol
backward ['bækwəd] **I.** *a* 1. visszafelé irányuló 2. fejletlen, (fejlődésben) visszamaradt [gyermek, ország] 3. nehézkes, kelletlen **II.** *adv* = *backwards*
backwardness ['bækwədnıs] *n* 1. fejletlenség, visszamaradottság [szellemileg] 2. lassúság, restség, kelletlenség
backwards ['bækwədz] *adv* hátra, visszafelé; ~ *and forwards* előre-hátra, ideoda
backwash *n* 1. sodrás; farhullám 2. átv utóhatás
backwater *n* 1. holt ág [folyóé] 2. tespedés, stagnálás
backwoods *n pl* 1. őserdő [Amerikában] 2. *biz* isten háta mögötti terület
bacon ['beık(ə)n] *n* (angol)szalonna; ~ *and eggs* pirított/sült szalonna/sonka tojással; *biz bring home the* ~ elviszi

a pálmát; *save one's* ~ ép bőrrel megussza; *biz pull a* ~ *at sy* hosszú orrot mutat vknek

Baconian [beɪ'koʊnjən] *a* baconi

bacterial [bæk'tɪərɪəl] *a* baktérium okozta, baktériumos

bacteriologist [bæktɪərɪ'ɔlədʒɪst; *US* -'ɑ-] *n* bakteriológus

bacteriology [bæktɪərɪ'ɔlədʒɪ; *US* -'ɑ-] *n* bakteriológia

bacterium [bæk'tɪərɪəm] *n* (*pl* -ria -rɪə) baktérium

bad [bæd] I. *a* (*comp* **worse** wə:s, *sup* **worst** wə:st) **1.** rossz, gonosz; hibás; *from* ~ *to worse* egyre rosszabb, egyre romlik; *not* (*so*) ~, *it isn't half so* ~ meglehetős, nem is olyan rossz; *be* ~ *at sg* ügyetlen/gyenge vmben; *a* ~ *egg* (1) záptojás (2) □ rongyember; ~ *language* disznó beszéd; *biz* ~ *hat/lot* gazember, semmirekellő ember; *go* ~ elromlik, megromlik, megrothad **2.** kellemetlen; ~ *accident* súlyos baleset; *that's too* ~ ez már baj!, (nagy) kár!; *have a* ~ *cold* erősen meghűlt, nagyon náthás **3.** beteg(es); *in a* ~ *way* (1) rossz bőrben [van] (2) lecsúszva II. *n* az ami rossz; *go to the* ~ erkölcsileg megromlik; *take the* ~ *with the good* balsorsot és jószerencsét egyformán viseli; *I am* \$ *50 to the* ~ 50 dollárral vagyok adós, 50 dollár a veszteségem

baddie ['bædɪ] *n biz* rossz fiú, gonosztevő

bade → *bid II.*

badge [bædʒ] *n* **1.** jelvény **2.** *átv* jelkép, szimbólum; bélyeg

badger ['bædʒə*] I. *n* borz II. *vt* zaklat, piszkál, szekál

bad-looking *a biz* rossz kinézésű/külsejű

badly ['bædlɪ] *ad*1 **1.** rosszul; *be doing* ~ rosszul megy (neki); *be* ~ *off* rossz anyagi helyzetben van, rosszul áll (anyagilag) **2.** nagyon; ~ *wounded* súlyosan megsebesült/sérült; *he wants it* ~ igen nagy szüksége van rá

badminton ['bædmɪntən] *n* tollaslabda

badness ['bædnɪs] *n* rosszaság; silányság

bad-tempered *a* **1.** zsémbes, összeférhetetlen **2.** rosszkedvű

baffle ['bæfl] *vt* **1.** zavarba ejt, megza-

var, összezavar; *it* ~*s description* leírhatatlan **2.** meghiúsít, keresztülhúz [számítást]

baffling ['bæflɪŋ] *a* zavarbaejtő, érthetetlen

bag [bæg] I. *n* **1.** zsák; szatyor, zacskó; ~ *and baggage* (1) cókmók, cucc (2) mindenestül, cakli-pakli; ~*s of...* rengeteg, egész csomó...; *he's a* ~ *of bones* zörögnek a csontjai, csupa csont és bőr; *whole* ~ *of tricks* az egész hozzávaló, teljes felszerelés; *biz it's in the* ~ már „meg van nyerve", mérget lehet rá venni **2.** (kézi)táska, retikül; bőrönd **3.** vadászzsákmány **4.** **bags** *pl* pantalló, hosszúnadrág II. *v* -**gg**-A. *vt* **1.** zsákba rak **2.** *biz* zsebre tesz, bezsebel, ellop B. *vi* **1.** kidagad **2.** lazán csüng

bagatelle [bægə'tel] *n* csekélység

Bagdad [bæg'dæd] *prop*

bagful ['bægfʊl] *n* zsákravaló, zsáknyi

baggage ['bægɪdʒ] *n US* poggyász, csomag; málha; ~ *car* poggyászkocsi; *US* ~ *room* poggyászmegőrző

baggage-check *n US* poggyászjegy, feladóvevény

bagger ['bægə*] *n* kotrógép

bagging ['bægɪŋ] *n* zsákvászon

baggy ['bægɪ] *a* lötyögő(s); kitérdelt [nadrág]; táskás [szem]

bagpipe *n* [skót] duda

bagpiper *n* [skót] dudás

B.Agr(ic). *Bachelor of Agriculture* a mezőgazdasági tudományok baccalaureusa, okleveles mezőgazda

bagwash *n* zsákos mosás

Bahamas [bə'hɑ:məz] *prop* Bahama-szigetek

bail¹ [beɪl] I. *n* **1.** jótállás, kezesség, biztosíték; óvadék; *be out on* ~ óvadék ellenében szabadlábon van **2.** jótálló, kezes; *go* ~ *for sy* jótáll vkért; *I'll go* ~ *for that* ezért kezeskedem!, a fejemet teszem rá!; *find* ~ kezest állít II. *vt* **1.** ~ *out* óvadék ellenében szabadlábra helyez **2.** letétbe helyez, megőrzésre átad [árut]

bail² [beɪl] *n* **1.** választórúd [lóistállóban] **2.** krikettpálcika [a wicket tetején keresztbe téve]

bail³ [beɪl] *n* fogó, fül [vödöré]
bail⁴ [beɪl] I. *n* merőedény II. A. *vt*
~ out kimer [csónakot] B. *vi* ~ out
(ejtőernyővel) kiugrik
Baile Atha Cliath ['bwɑ:leɪ'ɑ:heɪ'klɪɑ:]
prop ⟨Dublin ír neve⟩
bailer¹ ['beɪlə*] *n* 1. kezes, óvadékadó
2. letétbe helyező
bailer² ['beɪlə*] *n* vízmerő edény
bailey ['beɪlɪ] *n* 1. külső várudvar/várfal 2. *the Old B~* a londoni büntetőbíróság épülete
bailiff ['beɪlɪf] *n* 1. törvényszolga, végrehajtó; bírósági kézbesítő 2. tiszttartó
bairn [beən] *n sk* gyermek
bait [beɪt] I. *n* csalétek II. A. *vt* 1. zaklat, gyötör 2. csalogat 3. etet [lovat útközben] B. *vi* 1. csalétket tesz [horogra] 2. pihenőt tart, eszik [ló/ember útközben]
baize [beɪz] *n* vastag szövet [huzatnak], posztó
bake [beɪk] A. *vt* 1. (meg)süt 2. (ki)éget [téglát] B. *vi* sül
baked [beɪkt] *a* (ki)sült, megsült
bakelite ['beɪkəlaɪt] *n* bakelit
baker ['beɪkə*] *n* pék; ~'s péküzlet, pék; ~'s *bread* pékkenyér; ~'s *dozen* 13
Bakerloo [beɪkə'lu:] *prop*
bakery ['beɪkərɪ] *n* pékség; péküzlet
baking ['beɪkɪŋ] I. *a* 1. sütő; ~ *soda* szódabikarbóna; sütőpor 2. sülő II. *n* 1. sütés 2. sülés
baking-hot *a* tűzforró
baking-powder *n* sütőpor
baksheesh ['bækʃi:ʃ] *n* baksis, borravaló
balance ['bæləns] I. *n* 1. mérleg; *átv turn the* ~ vk javára billenti a mérleget; *biz be/hang in the* ~ függőben van, eldöntetlen, még nem dőlt el; *his life is in the* ~ élete forog kockán 2. egyensúly; ~ *of power* hatalmi egyensúly; ~ *of trade* külkereskedelmi mérleg; *keep one's* ~ megőrzi hidegvérét; *lose one's* ~ elveszti egyensúlyát; *biz throw sy off his* ~ felborítja vk lelki egyensúlyát 3. mérleg, egyenleg, fennmaradó összeg; ~ *due* tartozik-egyenleg; ~ *forward* egyenlegátvitel 4. maradék, fölösleg II. A. *vt* 1. (meg)mér,

lemér 2. *átv* mérlegel 3. egyensúlyba hoz, egyensúlyban tart; kiegyenlít, kiegyensúlyoz B. *vi* 1. egyensúlyban van; egyensúlyoz 2. ingadozik, habozik
balanced ['bælənst] *a* 1. kiegyensúlyozott 2. egyenlő számú; arányos
balance-sheet *n* mérleg
balancing ['bælənsɪŋ] I. *a* 1. egyensúlyozó 2. ingadozó, habozó, mérlegelő II. *n* 1. (ki)egyensúlyozás, egyensúlyban tartás 2. kiegyenlítés [számláké] 3. mérlegelés
balcony ['bælkənɪ] *n* erkély
bald [bɔ:ld] *a* 1. kopasz, csupasz 2. dísztelen, sivár, szegényes, egyhangú 3. ~ *horse* fehér homlokú ló, hóka (ló)
baldachin ['bɔ:ldəkɪn] *n* díszmennyezet, dísztető
balderdash ['bɔ:ldədæʃ] *n* értelmetlen zagyvalék, zagyva beszéd, hanta
bald-head *n* kopasz fej/ember
bald-headed *a* kopasz; *go at it* ~ nekigyürkőzik, (vadul) nekiesik
baldly ['bɔ:ldlɪ] *adv* nyíltan, kereken, szépítés nélkül
baldness ['bɔ:ldnɪs] *n* 1. kopaszság 2. kopárság
Baldwin ['bɔ:ldwɪn] *prop*
bale¹ [beɪl] I. *n* bála, csomag II. *vt* bálába csomagol/sajtol, báláz
bale² [beɪl] *vi* = *bail⁴* II. B.
baleful ['beɪlfʊl] *a* 1. káros, vészes 2. baljóslatú
Balfour ['bælfə*] *prop*
balk [bɔ:k] I. *n* 1. mestergerenda 2. akadály, fennakadás, zökkenő 3. mezsgye II. A. *vt* 1. megakadályoz, meghiúsít, (meg)gátol 2. csalódást okoz (vknek) 3. kerül, mellőz [témát]; elszalaszt, elmulaszt [alkalmat] B. *vi* 1. megmakacsolja magát, bokkol, kitör [ló] 2. *US* „lerohad" [autó]
Balkans, the [ðə'bɔ:lkənz] *prop* a Balkán (félsziget)
ball¹ [bɔ:l] I. *n* 1. labda; *biz play* ~ *with sy* (becsületesen) együttműködik vkvel; *carry the* ~ *for sy* viseli a terhet nagy részét (vk helyett); *the* ~ *is with you* te következel, rajtad a sor; *keep the* ~ *rolling* viszi a társalgást;

start the ~ *rolling* kezdeményez, elindít, beindít (vmt); *have the* ~ *at one's feet* jó kilátásai vannak; *biz be on the* ~ hivatása magaslatán van; készenlétben van; *keep one's eye on the* ~ résen van 2. golyó; gömb; gombolyag; *the three (golden/brass)* ~*s* zálogház jelvénye/cégtáblája; *load with* ~ golyóra tölt [puskát] 3. hüvelykujjpárna, thenar 4. *biz* ~*s* herék, golyóbisok, tök II. A. *vt* 1. felgombolyít 2. *biz* ~ *up* összezavar, eltéveszt; *get* ~*ed up* összezavarodik, belezavarodik B. *vi* összecsomósodik

ball² [bɔ:l] bál; táncest
ballad ['bæləd] *n* ballada
ball-and-socket joint ['bɔ:ln'sɔkɪt; *US* -'sɑ-] gömbcsukló
ballast ['bæləst] I. *n* 1. (hajó)teher, holtsúly, nehezék, fenéksúly, ballaszt 2. [vasúti] kavics(ágy); *river* ~ folyami kavics 3. *(mental)* ~ jellemszilárdság II. *vt* nehezékkel megrak; stabilizál
ballast-road *n* kavicsút
ball-bearing *n* golyóscsapágy
ball-boy *n* labdaszedő fiú
ball-cartridge *n* éles töltény
ball-cock *n* golyós szelep
balled [bɔ:ld] *a* 1. gömbölyű 2. *with* ~ *fist* ökölbe szorított kézzel ‖ →*ball¹ II.*
ballet ['bæleɪ] *n* balett, táncjáték
ballet-dancer ['bælɪ-] *n* balett-táncos-(nő), balerina
ballet-girl ['bælɪ-] *n* balett-táncosnő
Balliol ['beɪljəl] *prop*
ballistic [bə'lɪstɪk] *a* ballisztikus; ~ *rocket/missile* ballisztikus rakéta
ballistics [bə'lɪstɪks] *n* ballisztika
balloon [bə'lu:n] I. *n* 1. léggömb, léghajó; ballon 2. ⟨képregény bekeretezett szövege⟩ II. A. *vt* fejfúj B. *vi* kidagad
balloonist [bə'lu:nɪst] *n* léghajós
ballot ['bælət] I. *n* 1. szavazógolyó, -cédula 2. titkos választás/szavazás; *take a* ~ megszavaztatja a lakosságot/jelenlévőket II. *vi* (titkosan) szavaz *(for* mellett, *against* ellen)
ballot-box *n* választási urna
ballot-paper *n* szavazólap

ball-pen, ball-point pen *n* golyóstoll
ballroom *n* bálterem
ball-valve *n* golyós szelep
bally ['bælɪ] *a/adv* □ irtó (nagy)
ballyhoo [bælɪ'hu:; *US* 'bæ-] *n biz* nagy hűhó
balm [bɑ:m] *n* 1. balzsam 2. méhfű, mézfű, citromfű 3. *átv* balzsam, gyógyír, vigasz
Balmoral [bæl'mɔr(ə)l] *prop*
balmy ['bɑ:mɪ] *a* 1. balzsamos, illatos 2. csillapító, gyógyító 3. □ = *barmy*
balneology [bælnɪ'ɔlədʒɪ; *US* -'ɑ-] *n* fürdőtan, balneológia
baloney, boloney [bə'loʊnɪ] *n* □ halandzsa, süket duma
balsam ['bɔ:lsəm] *n* balzsam
Baltic ['bɔ:ltɪk] I. *a* balti II. *prop* Baltikum
Baltimore ['bɔ:ltɪmɔ:*] *prop*
baluster ['bæləstə*] *n* karfatartó; mellvédbáb, korlátbáb; ~*s* lépcsőkorlát
balustrade [bælə'streɪd] *n* karfa, korlát, mellvéd
bamboo [bæm'bu:] *n* bambusz(nád)
bamboozle [bæm'bu:zl] *vt biz* rászed, félrevezet, (el)bolondít, lóvá tesz
ban [bæn] I. *n* 1. kiátkozás, kitiltás, átok; *put under a* ~ kiközösít 2. megtiltás, (hivatalos) tilalom II. *vt* -nn- 1. kiközösít, kitilt 2. indexre tesz, (hivatalosan) eltilt, betilt
banal [bə'nɑ:l; *US* 'beɪn(ə)l] *a* elcsépelt, banális
banality [bə'nælətɪ] *n* közhely, banalitás
banana [bə'nɑ:nə; *US* -'næ-] *n* banán
band ['bænd] I. *n* 1. szalag, kötés; csík 2. (vas)pánt 3. köteg; sáv; hullámsáv [rádió stb.] 4. csapat, banda; zenekar II. A. *vt* összeköt B. *vi* ~ *(together)* csoportosul, összeverődik
bandage ['bændɪdʒ] I. *n* kötés, kötszer, (seb)pólya II. *vt* bekötöz
band-aid *n* ragtapasz, gyorstapasz
bandanna [bæn'dænə] *n* tarka selyemkendő
b & b, B and B [bi:ən'bi:] *bed and breakfast* →*bed*
bandbox ['bæn(d)bɔks] *n* kalapdoboz; *as if he came out of a* ~ mintha skatulyából vették volna ki

banderole ['bændəroʊl] *n* **1.** kis zászló **2.** jelmondatos szalag
band-hinge *n* szalagvaspánt [kapun]
bandit ['bændɪt] *n* bandita, útonálló
banditry ['bændɪtrɪ] *n* banditaság
bandmaster *n* karmester
bandoleer [bændə'lɪə*] *n* (vállon átvetve viselt) töltényöv
band-saw *n* szalagfűrész
bandsman ['bændzmən] *n* (*pl* -men -mən) zenekari tag, zenész
bandstand *n* zenekari pavilon, kioszk
bandwagon *n* zenészek kocsija [felvonuláson]; *US biz jump on the* ~ jól helyezkedik
bandwidth *n* sávszélesség [rádió]
bandy ['bændɪ] **I.** *n* hokiütő **II.** *vt* egymásnak ütöget/dobál [labdát]; ~ *words with sy* vkvel gyors szócsatát folytat
bandy-legged *n* karikalábú, ó-lábú
bane [beɪn] *n* **1.** csapás, baj, veszedelem, romlás **2.** méreg
baneful ['beɪnfʊl] *a* vészes, káros
bang [bæŋ] **I.** *adv* **1.** nagy robajjal; *go* ~ *felrobban* **2.** éppen, pont; *he hit me* ~ *in the eye* pont szemen talált **II.** *int* bumm!, durr!, zsupsz! **III.** *n* **1.** csattanás, durranás; csattanó ütés; ütés; *US biz go over with a* ~ bombasiker **2.** *US biz* izgalom, élvezet, hecc **IV. A.** *vt* **1.** üt, ver, dönget **2.** (el)csattant, (el)durrant **3.** bevág, becsap [ajtót] **4.** homlokon egyenesre vág, csikófrizurára vág [hajat] **B.** *vi* **1.** csattan, durran **2.** becsapódik [ajtó] **3.** dörömböl [ajtón]
Bangladesh [bæŋglə'deʃ] *prop* Banglades
bangle ['bæŋgl] *n* karperec
Bangor ['bæŋgə*] *prop*
bang-up *a US* □ pazar, klassz, „bomba"
banian ['bænɪən] *n→banyan*
banish ['bænɪʃ] *vt* száműz; elűz
banishment ['bænɪʃmənt] *n* száműzetés, száműzés, számkivetés
banister ['bænɪstə*] *n* karfa, korlát
banjo ['bændʒoʊ] *n* bendzsó
bank¹ [bæŋk] **I.** *n* **1.** töltés, földhányás; zátony, homokpad; ~ *of snow* hótorlasz **2.** (folyó)part **II. A.** *vt* **1.** körül-

gátol, töltéssel körülfog; ~ *up* feltölt [földdel], felhány, feltorlaszol [havat]; ~ *up fire* tüzet lefojt/betakar **2.** felhalmozódik [hó]; tornyosulnak [felhők] **B.** *vi* **1.** (fordulóban) bedönt [repgépet] **2.** (kanyarban) bedől [repgép]
bank² [bæŋk] **I.** *n* **1.** bank, pénzintézet; ~ *account* bankszámla; ~ *clerk* banktisztviselő; ~ *of deposit* letétbank; ~ *of issue* jegybank; ~ *rate* bankkamatláb; *break the* ~ robbantja a bankot **2.** [orvosi használatban] -bank **II. A.** *vt* bankba tesz, betesz [pénzt] **B.** *vi* **1.** bankot ad [szerencsejátékban] **2.** (vmlyen) bankban tartja a pénzét (*with* vhol); *he* ~s *with the Midland Bank* a M. banknál van számlája **3.** *biz* ~ (*up*)*on sy/sg* (teljesen) megbízik vkben/vmben, számít vkre/vmre
bank³ [bæŋk] *n* **1.** evezőspad [gályán]; ~s *of seats* (1) üléssorok [lelátón] (2) munkapad [műhelyben] **2.** billentyűzet [orgonán]
bank-bill *n* **1.** bankelfogadvány **2.** *US* bankjegy
banker ['bæŋkə*] *n* bankár
bank-holiday *n GB* bankszünnap, munkaszüneti nap
banking¹ ['bæŋkɪŋ] *n* bedőlés, bedöntés [repülőgépé kanyarban]
banking² ['bæŋkɪŋ] *n* bankügy(let); ~ *account* csekkszámla, folyószámla; ~ *hours* nyitvatartás(i idő)
banking-house *n* pénzintézet, bankház
bank-note *n* bankjegy
bankroll *n US* bankjegyköteg
bankrupt ['bæŋkrʌpt] **I.** *a/n* csődbe jutott, vagyonbukott; *become/go* ~ csődbe jut, tönkremegy, megbukik; ~'*s estate* csődtömeg **II.** *vt* csődbe visz/juttat
bankruptcy ['bæŋkrəptsɪ] **1.** *n* csőd, fizetésképtelenség **2.** *biz* bukás, összeomlás
banned [bænd] *→ban II.*
banner ['bænə*] *n* **1.** zászló, lobogó **2.** ~ (*headline*) szalagcím [újságban] **3.** transzparens, tábla [jelszavakkal]
bannock ['bænək] *n sk* kovásztalan zabkenyér

banns [bænz] n pl házasulandók kihirdetése; publish the ~ házasságot kihirdet

banquet ['bæŋkwɪt] I. n díszebéd, -vacsora, bankett II. A. vt díszebédet ad [vk tiszteletére] B. vi lakomázik

banqueting-hall ['bæŋkwɪtɪŋ-] n különterem [banketthez]

Banquo ['bæŋkwoʊ] prop

banshee [bæn'ʃiː; US 'bær·] n ⟨családi kísértet, mely sikolyaival előre jelzi egy családtag halálát [Írországban, Skóciában]

bantam ['bæntəm] I. a apró termetű II. n 1. bantambaromfi 2. ⟨apró termetű harcias ember⟩

bantam-weight n harmatsúly [boksz], légsúly [birkózás, súlyemelés]

banter ['bæntə*] I. n kötekedés, ugratás II. A. vt ugrat, heccel, cukkol B. vi évődik, kötekedik

Banting ['bæntɪŋ] prop

Bantu [bæn'tuː] a/n bantu(néger)

banyan ['bænɪən] n ~ (tree) indiai fügefa

baptism ['bæptɪzm] n keresztség, keresztelés

baptismal [bæp'tɪzml] a keresztelési

baptist ['bæptɪst] n 1. keresztelő; John the B~ Keresztelő (Szent) János 2. B~ baptista

baptist(e)ry ['bæptɪstrɪ] n keresztelőkápolna

baptize [bæp'taɪz] vt megkeresztel

bar [bɑː*] I. n 1. korlát, keresztfa, (fém)rúd; sorompó; akadály, gát; a ~ of chocolate egy tábla csokoládé; be behind (prison) ~s rács mögött van 2. bírósági tárgyalóterem korlátja; vádlottak padja; törvényszék; at ~ bíróság előtt; prisoner at the ~ vádlott 3. the B~ ügyvédi kamara; be called to the B~ (barrister rangú) ügyvéddé avatják; read for the B~ jogot tanul; ügyvédnek/barristernek készül 4. GB csík, sáv [rangjelzés] 5. italmérés, ivó, söntés; (italmérő) pult 6. bár 7. zátony 8. ütem, taktus II. vt -rr- 1. elzár, lezár; ~ out kizár 2. gátol, (meg)akadályoz; ~ sy's way útját állja vknek 3. biz helytelenít, tilta-

kozik (vm ellen); I ~ that ezt nem tűröm 4. (meg)vonalaz

barb [bɑːb] I. n 1. szakáll [nyílhegyé], horgas vég 2. tollrost II. vt felhorgosít, tüskéssé tesz [drótsövényt]

Barbados [bɑː'beɪdoʊz] prop

Barbara ['bɑːb(ə)rə] prop Barbara, Borbála

barbarian [bɑː'beərɪən] a/n barbár

barbaric [bɑː'bærɪk] a barbár, műveletlen, durva, primitív

barbarism ['bɑːbərɪzm] n 1. nyelvrontás, helytelen nyelvhasználat 2. civilizálatlanság, kegyetlenség, barbarizmus

barbarity [bɑː'bærətɪ] n kegyetlenség, vadság, barbárság

barbarous ['bɑːb(ə)rəs] a vad, műveletlen, barbár, vandál, kegyetlen

barbecue ['bɑːbɪkjuː] I. n 1. grillsütő; sütőrostély 2. hússütés a szabadban [roston v. grillsütőn] 3. roston sült hús; grillcsirke stb. II. vt grillsütőben/roston süt

barbed [bɑːbd] a ~ wire szögesdrót; drótakadály

barbel ['bɑːbl] n márna

barber ['bɑːbə*] n borbély, fodrász

barbiturate [bɑː'bɪtjʊrət; US -tʃə-] n altatószer

Barclay ['bɑːklɪ] prop

bard [bɑːd] n [kelta] dalnok, bárd

bardolatry [bɑː'dɔlətrɪ; US -'dɑ-] n Shakespeare-rajongás

bare [beə*] I. a 1. meztelen, csupasz; kopár; lay ~ lemeztelenít, felfed, megmutat; lay ~ one's fangs kimutatja a foga fehérét 2. dísztelen, puszta 3. alig valami, kevés; puszta; ~ majority igen csekély többség; earn a ~ living éppen csak a száraz kenyerét keresi meg; the ~ idea a puszta gondolat II. vt kitakar, lemeztelenít; with ~d head fedetlen fővel

bareback adv nyereg nélkül, szőrén

barefaced a arcátlan, pimasz

barefoot adv mezítláb

barefooted a mezítlábas

bare-headed I. a fedetlen fejű II. adv fedetlen fővel, hajadonfőtt

bare-legged I. a térdig meztelen, csupasz

lábszárú II. *adv* térdig meztelenül, csupasz lábszárral
barely ['beəlɪ] *adv* 1. alig, éppen hogy/ csak 2. szűkösen, hiányosan
bareness ['beənɪs] *n* 1. meztelenség 2. szegénység
bargain ['bɑːgɪn] I. *n* 1. alku, üzlet(kötés); *it's a* ~! áll az alku!; *drive a hard* ~ *with sy* keményen alkudozik vkvel; *make/strike a* ~ *with sy* üzletet/ alkut köt vkvel; *make a good* ~ olcsón jut vmhez; jó üzletet köt; *make the best of a bad* ~ jó képet vág (a rosszhoz), a jobbik oldalát nézi a dolognak 2. (alkalmi) vétel, előnyös vétel; ~ *counter* leértékelt áruk, alkalmi áruk osztálya [áruházban]; ~ *sale* kiárusítás (alkalmi áron), alkalmi/ filléres vásár II. A. *vt* becserél (vmt vmért) B. *vi* alkudozik, alkuszik (*for* vmre); *biz he got more than he* ~*ed for* jól megkapta a magáét
bargain-price *n* alkalmi/leszállított ár
barge [bɑːdʒ] I. *n* 1. uszály 2. (dísz-) bárka 3. másodcsónak [hadihajón] 4. úszó csónakház II. *vi* ~ *about* támolyog, nehézkesen mozog; *biz* ~ *in* betolakodik; ~ *into/against sg* nekiütődik vmnek
bargee [bɑːˈdʒiː] *n* dereglyés, uszálykormányos
bar-iron *n* rúdvas
baritone ['bærɪtoʊn] *n* bariton
barium ['beərɪəm] *n* bárium; ~ *meal* báriumkása, kontrasztkása
bark¹ [bɑːk] I. *n* (fa)kéreg II. *vt* lekérgez [fát]; ~ *one's elbow* lehorzsolja a bőrt könyökéről
bark² [bɑːk] *n* 1. ⟨„bark" típusú vitorlás⟩ 2. bárka
bark³ [bɑːk] I. *n* ugatás; *biz his* ~ *is worse than his bite* amelyik kutya ugat, az nem harap; nagyobb a füstje, mint a lángja II. *vi* 1. ugat; ~ *up the wrong tree* téves irányban támad, rossz helyen kereskedik 2. □ köhög, „ugat" 3. kiált
barkeeper *n* csapos, vendéglős, kocsmáros; büfés
barker ['bɑːkə*] *n biz* 1. vásári kikiáltó 2. revolver, stukker

barking ['bɑːkɪŋ] *n* ugatás
barley ['bɑːlɪ] *n* árpa
barleycorn *n* 1. árpaszem 2. *John B*~ alkoholos ital
barley-water *n* árpanyák
barm [bɑːm] *n* éiesztő
barmaid *n* mixer(nő), [női] italmérő
barman ['bɑːmən] *n* (*pl* -men -mən) italmérő, [régebben:] csapos
barmy ['bɑːmɪ] *a* □ ütődött, dilis
barn [bɑːn] *n* 1. csűr, magtár 2. pajta, szín 3. *US* istálló
barnacle¹ ['bɑːnəkl] *n* csípővas, pipa [ló fékezésére]
barnacle² ['bɑːnəkl] *n* 1. [hajó oldalára tapadó] kagyló 2. *biz* kullancs (természetű ember)
barndoor *n* csűrkapu; *cannot hit a* ~ igen rosszul lő
barn-floor *n* szérű
barnstorm *vi US biz* 1. korteskörútra megy [politikus] 2. tájol [színtársulat]
barnstormer [-stɔːmə*] *n* 1. tájoló színész 2. ripacs
barn-yard *n* gazdasági udvar; szérű(skert)
barometer [bəˈrɒmɪtə*; *US* -ˈrɑ-] *n* légnyomásmérő, barométer
baron ['bær(ə)n] *n* 1. báró, főúr 2. *US* iparmágnás 3. ~ *of beef* dupla hátszín [marhahús]
baroness ['bærənɪs] *n* bárónő, báróné
baronet ['bærənɪt] *n* baronet ⟨legalacsonyabb öröklődő angol nemesi rang⟩
baronetcy ['bærənɪtsɪ] *n* baroneti rang
baronial [bəˈroʊnjəl] *a* bárói, főúri
barony ['bærənɪ] *n* báróság, bárói cím/ rang
baroque [bəˈrɒk; *US* -roʊk] *a/n* barokk
barouche [bəˈruːʃ] *n* nyitott hintó
barrack ['bærək] I. *n* 1. *rendsz pl* kaszárnya, laktanya; barakk; *confinement to* ~*s* laktanyafogság 2. bérkaszárnya II. A. *vt* 1. laktanyában elhelyez 2. *biz* abcúgol, kifütyül B. *vi* ~ *for sy* szurkol vknek
barrack-room *n* ~ *language* kaszárnyastílus
barrage ['bærɑːʒ; *US* bəˈrɑːʒ] *n* 1. (folyami) duzzasztógát 2. zárótűz (*mine*) ~ aknazár

barratry ['bærətrɪ] n hajórongálás
barred [bɑ:d] →bar II.
barrel ['bær(ə)l] I. n 1. hordó 2. csörlődob 3. henger, dob [géprész] 4. cső [ágyué, puskáé]; hüvely [töltőtollé] II. vt -ll- (US -l-) hordóba tölt
barrel-organ n verkli
barrel-vault n dongaboltozat
barren ['bær(ə)n] n 1. terméketlen, meddő 2. sivár, kopár
barrenness ['bær(ə)nnɪs] n 1. terméketlenség, meddőség 2. sivárság
Barrett ['bærət] prop
barricade [bærɪ'keɪd] I. n torlasz, barikád II. vt eltorlaszol, elbarikádoz
Barrie ['bærɪ] prop
barrier ['bærɪə*] n 1. akadály 2. korlát, sorompó 3. peronbejárat
barring ['bɑ:rɪŋ] prep kivéve, nem számítva; ~ none senkit sem véve ki ||→bar II.
barrister ['bærɪstə*] n ~(-at-law) barrister ⟨angol ügyvéd bíróságok előtti felszólalási joggal⟩
barrow¹ ['bærou] n sírdomb
barrow² ['bærou] n talicska, taliga; targonca
barrow³ ['bærou] n ártány
barrowful ['bæroufʊl] a taligányi
Bart. ['bɑ:t] Baronet
bartender ['bɑ:tendə*] n = barman
barter ['bɑ:tə*] I. n árucsere, cserekereskedelem; ~ transaction kompenzációs üzlet II. A. vt elcserél; ~ away olcsón elveszteget B. vi cserekereskedelmet folytat
Bartholomew [bɑ:'θɔləmju:; US -ɑl-] prop Bertalan
basal ['beɪsl] a alapvető, alap-, minimális
basalt ['bæsɔ:lt] n bazalt
bascule-bridge ['bæskju:l-] n felnyíló híd
base¹ [beɪs] I. n 1. alap, alapzat, alaplap 2. tám(asz)pont, kiindulópont, bázis; US get to first ~ szerény eredményt ér el; US he won't get to first ~ semmire se fog jutni 3. lúg, bázis 4. szótő, alapszó II. vt alapoz, alapít (on vmre); ~d on facts tényeken nyugszik, tényekre van alapítva

base² [beɪs] a 1. közönséges, aljas, hitvány 2. hamis(ított); ~ metal nem nemes fém
baseball n US baseball [labdajáték]; ~ player baseball-játékos
base-born a † alacsony származású; törvénytelen [gyermek]
baseless ['beɪslɪs] a alaptalan
base-line n alapvonal
basely ['beɪslɪ] adv aljas módon
basement ['beɪsmənt] n 1. alagsor 2. alapozás [házé]
baseness ['beɪsnɪs] n 1. alávalóság, aljasság, hitványság 2. csekélyértékűség
bash [bæʃ] biz I. n erős ütés; biz have a ~ at sg megpróbál vmt II. vt erősen megüt, beüt, bever; ~ in beüt, behorpaszt
bashful ['bæʃfʊl] a 1. szégyenlős, félénk 2. szemérmes
basic ['beɪsɪk] a 1. alapvető, alap-; B~ English ⟨850 szóra csökkentett angol nyelv⟩; ~ industry kulcsipar; ~ research alapkutatás; ~ training alapkiképzés 2. bázikus, lúgos; ~ salt bázikus só
basil¹ ['bæzl] n bazsalikom
Basil² ['bæzl] prop Bazil ⟨angol férfinév⟩
basilisk ['bæzɪlɪsk] n 1. sárkány 2. sárkánygyík
basin ['beɪsn] n 1. medence 2. melence, tál, vájdling 3. mosdótál; mosdó(kagyló) 4. vízgyűjtő terület
basis ['beɪsɪs] n (pl bases -si:z) alap, alapzat, bázis, kiindulási pont; take as a ~ alapul vesz
bask [bɑ:sk; US -æ-] vi sütkérezik
Baskervill(e) ['bæskəvɪl] prop
basket ['bɑ:skɪt; US 'bæ-] n kosár; US ~ lunch/dinner piknik
basket-ball n kosárlabda
basket-chair n fonott szék
basket-work n 1. kosárfonás, vesszőfonás 2. kosáráru
Basle [bɑ:l] prop Bázel
bass¹ [bæs] n (fekete)sügér
bass² [bæs] n 1. amerikai hársfa 2. hársfaháncs
bass³ [beɪs] a/n basszus

bass-clarinet ['beıs-] *n* basszusklarinét
basset ['bæsıt] *n* borzeb, tacskó
bassinet [bæsı'net] *n* mózeskosár; veszszőből font bölcső
bassoon [bə'suːn] *n* fagott
bast [bæst] *n* hársfaháncs
bastard ['baːstəd; *US* 'bæ-] I. *a* 1. házasságon kívül született, törvénytelen [gyermek] 2. nem valódi, hamis; elfajzott, korcs II. *n* 1. fattyú 2. hamisítvány 2. *biz* hapsi
bastardy ['baːstədı; *US* 'bæ-] *n* törvénytelen származás
baste¹ [beıst] *vt* összefércel
baste² [beıst] *vt* zsírral öntöz [sütés közben]
bastion ['bæstıən; *US* -tʃən] *n* bástya
bat¹ [bæt] *n* denevér; *blind as a ~* vaksi, az orráig se lát; *biz have ~s in the belfry* kótyagos, hóbortos, eszelős
bat² [bæt] I. *n* ütő [krikett stb.]; *off the ~* kapásból; *off one's own ~* saját szakállára, egymaga; *he is a good ~* jó krikettjátékos II. *vt/vi -tt-* 1. üt [krikettverővel] 2. *~ for sy* közbenjár vkért, exponálja magát vkért
bat³ [bæt] *n go full ~* igen siet; *go on a ~* berúg
bat⁴ [bæt] *vt -tt- not ~ an eyelid* szeme se rebben
batch [bætʃ] *n* 1. egy sütet/tétel 2. *biz* csomó, rakás, halom
bate [beıt] *vt* csökkent, elvesz; *with ~d breath* visszafojtott lélegzettel, halkan
bath¹ [baːθ; *US* -æ-; *pl* -ðz] 1. *n* 1. fürdő; *take/have a ~* (meg)fürdik [kádban]; *run a ~ for sy* fürdővizet ereszt vknek; *public ~s* uszoda; *Order of the B~* ⟨angol lovagrend⟩ 2. fürdőkád 3. fürdőszoba; *room with (private) ~* szoba fürdőszobával II. *vt* (meg)füröszt, (meg)fürdet
Bath² [baːθ; *US* -æ-] *prop* Bath; *~ chair* tolókocsi [betegnek]; *~ stone* puha mészkő
bathe [beıð] I. *n* fürdés, úszás [a szabadban] II. A. *vt* 1. (meg)füröszt, (meg-)fürdet 2. áztat, mos B. *vi* fürdik, strandol, úszkál
bather ['beıðə*] *n* fürdőző, strandoló

bathing ['beıðıŋ] *n* fürdés [szabadban]; *~ facilities* fürdési lehetőségek; *~ season* fürdőidény
bathing-cap *n* fürdősapka
bathing-costume *n* fürdőruha
bathing-drawers *n pl* úszónadrág, fürdőnadrág
bathing-suit *n* fürdőruha
bathos ['beıθɔs; *US* -as] *n* ⟨lezökkenés emelkedett stílusból fakó hétköznapiságba⟩, lapos stílus
bathrobe *n US* fürdőköpeny; frottír háziköntös
bathroom *n* 1. fürdőszoba 2. vécé, mosdó
bath-sheet *n* fürdőlepedő
bath-towel *n* fürdőlepedő
bath-tub *n* fürdőkád
bath-wrap *n* fürdőköpeny
bathysphere ['bæθısfıə*] *n* mélytengeri kutatógömb
batiste [bæ'tiːst] *n* batiszt
batman ['bætmən] *n* (*pl* -men -mən) tisztiszolga
baton ['bæt(ə)n; *US* bæ'tan] *n* 1. (karmesteri) pálca 2. gumibot
batsman ['bætsmən] *n* (*pl* -men -mən) ütőjátékos [krikettben]
battalion [bə'tæljən] *n* zászlóalj
batted ['bætıd] →*bat² II., bat⁴*
batten¹ ['bætn] 1. *n* léc; szegélyléc, hézagtakaró deszka/léc; padlódeszka, palló II. *vt* léccel megszegez; *~ down* lezár, leszegez, bedeszkáz [fedélzeti nyílást]
batten² ['bætn] A. *vi* hízik; *~ on sy* vknek a nyakán élősködik B. *vt* hizlal
batter¹ ['bætə*] I. *n* tészta [massza] II. A. *vt* 1. (ismételten) üt; dönget; szétzúz; *~ down* lerombol [épületet]; *~ in* betör [ajtót] 2. lő, ágyúz [várost, falakat] B. *vi* ~ *at the door* döngeti az ajtót
batter² ['bætə*] *n* ütőjátékos [krikettben]
battered ['bætəd] *a* ütött-kopott
battering-ram ['bæt(ə)rıŋ-] *n* faltörő kos
battery ['bætərı] *n* 1. [tüzérségi] üteg 2. [villamos] elem, telep, akku(mulátor); *dry ~* szárazelem; *storage ~*

akkumulátortelep 3. sorozat, készlet [műszereké stb.]

battle ['bætl] I. *n* csata, ütközet; *give ~* megütközik; *~ royal* heves/nagyszabású ütközet II. *vi* harcol, küzd (*against/with* vkvel/vmvel *v.* vk/vm ellen, *for* vmért)

battle-axe *n* csatabárd

battle-cruiser *n* (páncélos) cirkáló, csatahajó

battledore ['bætldɔ:*] *n* tollaslabdaütő

battle-field *n* csatatér

battlements ['bætlmənts] *n pl* lőréses oromzat, pártázat

battle-piece *n* csatakép

battleship *n* csatahajó

batty ['bætɪ] *a* □ bolond, dilis

bauble ['bɔ:bl] *n* 1. játékszer 2. csecsebecse, zsuzsu

baulk [bɔ:k] *n/v = balk*

bauxite ['bɔ:ksaɪt] *n* bauxit

Bavaria [bə'veərɪə] *prop* Bajorország

bawd [bɔ:d] *n* kerítőnő

bawdry ['bɔ:drɪ] *n* ocsmány/trágár beszéd

bawdy ['bɔ:dɪ] *a* erkölcstelen, trágár

bawl [bɔ:l] *vt/vi* ordít, üvölt, rikolt; *US biz ~ sy out* vkt lehord

bay[1] [beɪ] *n* 1. babér 2. *~ rum* ⟨nyugat-indiai hajszesz⟩

bay[2] [beɪ] *n* öböl

bay[3] [beɪ] *n* 1. (ablak)fülke, bemélyedés; oszlopok közti fülke 2. vágányvégződés [fejpályaudvaron] 3. rekesz, rész [repülőgépben, csűrben]

bay[4] [beɪ] I. *n* csaholás; *be/stand at ~* sarokba szorítva védekezni/harcolni kénytelen; *keep at ~* sakkban tart vkt, védekezésre kényszerít; *bring to ~* döntő küzdelemre kényszerít II. *vi* ugat, csahol

bay[5] [beɪ] *a/n* pej [ló]

bayonet ['beɪənɪt] I. *n* szurony, bajonett II. *vt* szuronnyal leszúr

bayonet-joint *n* bajonettzár; *~ base* bajonettfoglalat

bayou ['baɪu:] *n US* 1. mellékfolyó 2. mocsaras terület

baytree *n* babérfa

bay-window *n* zárt erkély; kiugró ablakfülke

bay-wood *n* mahagóni

bazaar [bə'zɑ:*] *n* 1. bazár 2. jótékony célú vásár

bazooka [bə'zu:kə] *n* páncélököl

BBC [bi:bi:'si:] *British Broadcasting Corporation* brit rádiótársaság

B.C., BC [bi:'si:] 1. *Before Christ* időszámításunk előtt, i.e. 2. *British Columbia* 3. *British Council*

be [bi:] *vi* (*pt was* wɔz, *US* -ɑ-; gyenge ejtésű alakja: wəz; *were* wə:*, gyenge ejtésű alakja: wə*; *pp been* bi:n, *US* bɪn) (*Ragozott alakok:*) *I am* [æm] én vagyok; *you are* [ɑ:*] te vagy, ön van, ti vagyok, önök vannak; *he/she is* [ɪz] ő van; *it is* (az) van; *we are* mi vagyunk; *they are* ők vannak; *he/she was* ő volt; *we were* mi voltunk. (*Régies alakok:*) *thou art* [ɑ:t] te vagy; *thou wast* [wɔst; *US* -ɑ-], *thou wert* [wə:t] te voltál — 1. van; létezik; *how are you?* hogy van/vagy?; *how is it that . . .?* hogy lehet(séges) az, hogy . . .?; *don't ~ long!* ne maradj sokáig !, hamar végezz !; *~ good!* légy jó !, viselkedj rendesen !; *it cannot ~* lehetetlen, nem létezik; *if I were you* ha én volnék a helyedben, ha én neked volnék; *were it not for . . .* ha . . . nem volna; *as it were* mintegy, hogy úgy mondjam; *that ~ing the case* miután ez a helyzet 2. (*jelen idejű alakja fordításban gyakran elmarad*) *the house is large* a ház nagy; *it is difficult to do* nehéz megtenni; *what is it?* (1) mi az? (2) mit akarsz? (3) mi baj? 3. megy/jön vhová; *are you for London?* L.-ba mész?; *I have never been to London* sohasem jártam/voltam L.-ban; *I must ~ home* haza kell mennem, otthon kell lennem 4. (*a folyamatos igealakok képzésében*) *he is writing a letter* (éppen) levelet ír 5. (*a szenvedő alak képzésében*) *the letter is written* a levél meg van írva, a levél kész 6. (*kötelezettség, szükségesség kifejezésére*) *am I to do it or not?* megcsináljam-e vagy sem?; *I am to go* mennem kell; *I was to have come* el kellett volna jönnöm, úgy volt, hogy eljövök 7. (*szándék, lehetőség*) *who is*

to speak to-night? ki beszél ma este?; *what is to be done?* most mi a teendő?, mit lehet/kell tenni?; *we were to meet at six* úgy volt, hogy 6-kor találkozunk, 6-kor kellett volna találkoznunk; *it is not to be seen* nem látható 8. (*simuló kérdésekben*) *He is back. Is he?* Ő visszajött. Tényleg?; *so you are back, aren't you?* ugye visszajött(él)?; *he isn't here yet, is he?* ugye még nincs itt?
be about ~ *a. to go* menni készül
be after ~ *a. sy* vkt üldöz/követ
be back visszajön, visszatér
be behind →*behind I.*
be by kéznél van, támogat
be for ~ *f. sg* vmt pártol; *I am f. reform* reformpárti vagyok
be in 1. *he is in* itthon/otthon van, benn van 2. befutott, megjött [hajó, vonat] 3. bejön [képviselő], megválasztják 4. *biz* divatos, divatban van; bevett; *short skirts are in* a rövid szoknya a divat 5. ~ *in for sg* vm fenyegeti, vm vár rá, vm előtt áll; *biz* ~ *in for it* nyakig benne van (a pácban) 6. ~ *in on sg* be van avatva vmbe; ~ *in on everything* minden dologgal/üggyel kapcsolata van, mindent ismer, mindenben érdekelt
be off 1. elmegy, eltávozik; *I'm off* már megyek 2. távol van 3. vége van 4. ~ *well off* jómódban él, jómódú, jól megy neki
be on 1. ég [gáz, villany] 2. *what is on?* mit adnak? [moziban stb.]
be out 1. kinn van, házon kívül van, nincs itthon/otthon 2. *be o. for sg, be o. to do sg* minden igyekezetével törekszik vmre, „rámegy" vmre 3. *be o. in sg* téved vmben 4. megbukott a választáson
be over elmúlt, vége van
be up 1. fenn van, nem fekszik le 2. *biz what's up?* mi történik/van itt?, mi (baj) van?, mi újság?; *there is sg up* vm baj van 3. ~ *up at Oxford* O.-ban van egyetemen 4. *time is* ~ lejárt az idő ‖ →*up*
be- [bɪ-] *pref* 1. meg-, el-; ~*labour* megver, eldönget 2. (*főnévből pp*-t képző) ~*wigged* parókás

beach [biːtʃ] I. *n* tengerpart, tópart, part; strand II. *vt* partra húz [hajót]
beach-comber *n* 1. ⟨kikötőben/tengerparton heverő holmik gyűjtögetéséből v. alkalmi munkákból élő ember⟩, „partfésülő" 2. hosszú parti hullám
beach-head *n* hídfő(állás) [inváziós partraszállásnál]
beacon ['biːk(ə)n] *n* 1. jelzőtűz; jelzőfény, irányfény 2. kiemelkedő tereppont
bead [biːd] I. *n* 1. üveggyöngy, gyöngyszem 2. ~*s pl* olvasó, rózsafüzér; *tell one's* ~*s* a rózsafüzért mondja 3. gyöngydíszítés, gyöngyléc 4. célgömb; *draw a* ~ *on sg/sy* megcéloz vmt/vkt II. A. *vt* gyöngyözéssel díszít B. *vi* gyöngyözik, buborékol
beading ['biːdɪŋ] *n* gyöngydíszítés
beadle ['biːdl] *n* 1. (egyetemi) altiszt 2. egyházfi, sekrestyés
beady ['biːdɪ] *a* gyöngyszerű, gombszerű
beagle ['biːgl] *n* (rövid lábú) vadászkopó
beak[1] [biːk] *n* 1. csőr [ragadozó madáré] 2. vágósarkantyú [hajó orrán] 3. *biz* horgas/kampós orr
beak[2] [biːk] *n* □ 1. rendőrbíró 2. tanár
beaked [biːkt] *a* csőrös; horgas orrú
beaker ['biːkə*] *n* 1. serleg 2. csőrös bögre, menzúrás főzőpohár
beam [biːm] I. *n* 1. gerenda; tartó; (kocsi)rúd 2. mérlegkar 3. fedélzettartó gerenda, keresztrúd [hajón]; *extreme* ~ legnagyobb hajószélesség; *broad in the* ~ (1) széles fedélzetű [hajó] (2) *biz* széles csípőjű [személy]; *on the* ~ keresztirányban [hajón] 4. fénysugár, fénykéve, sugár(nyaláb); *fly/ride the* ~ rádióirányítással repül; *biz off the* ~ „el van tájolva"; *biz on the* ~ végre „kapcsolt" II. A. *vi* ragyog, sugárzik (*at* vkre, *with* vmnek következtében, vmtől) B. *vt* sugároz
beam-ends *n pl biz* *be on one's* ~ szorult helyzetben van
beaming ['biːmɪŋ] *a* 1. sugárzó 2. boldog, vidám
bean [biːn] *n* 1. bab; *biz be full of* ~*s*

(1) eleven, mozgékony (2) sok pénze/
gubája van; *biz give sy ~s* (1) alapo-
san eldönget/elintéz vkt (2) jól lehord
vkt; *biz he hasn't a ~* egy vasa sincs;
every ~ has its black senki sincs hiba
nélkül; □ *spill the ~s* kikotyog/elköp
vmt 2. □ fej, kobak; *old ~* öreg fickó
bean-feast *n* mulatság, muri
bean-stalk *n* babszár
bear¹ [beə*] I. *n* 1. medve 2. mogorva
ember 3. áresésre/besszre spekuláló
tőzsdés, besszjátékos II. *vi* áresésre
spekulál
bear² [beə*] *v* (*pl* bore bɔ:*, *pp* **borne**
bɔ:n; „szül" értelemben szenvedő
szerkezetben **born** bɔ:n) A. *vt* 1.
hord(oz), visel, (magánál) tart; visz;
~ oneself viselkedik 2. szül; terem,
[gyümölcsöt] hoz; *~ a child* gyereket
szül; *when were you born?* mikor szü-
lettél? 3. (el)tűr, elvisel, elszenved;
I cannot ~ him ki nem állhatom;
I cannot ~ to see it nem bírom nézni
B. *vi* 1. [gerenda stb.] elég erős, tart
2. (vmerre) tart; *~* (*to the*) *right*
jobbra tart/tér
bear away *vt* elvisz; *be borne a. by
sg* vmnek a hatása alatt van [érzelmi-
leg], elragadja (a(z) indulat/harag),
elragadtatja magát
bear down A. *vt* legyőz; letör [ellen-
állást] B. *vi ~ d.* (*up*)*on* (1) lecsap
[ellenségre] (2) úton van vm felé
[hajó], vm felé tart
bear in *vi it was gradually borne in
upon him* lassanként belátta
bear off A. *vt* elvisz, elhurcol B. *vi*
távolodik [parttól], kifut [a nyílt
tengerre]
bear on/upon *vi* 1. hatással van
(vmre, vkre), befolyásol (vmt, vkt);
~ hard on sy (1) ránehezedik vkre;
súlyosan érint vkt (2) kemény kézzel
bánik vkvel 2. vonatkozásban/össze-
függésben van vm (vmvel), vonatkozik
(vmre), kihatással van vmre; *how
does this ~ upon the problem?* milyen
kihatással van ez a problémára?,
milyen összefüggésben áll ez a kérdés-
sel?; *bring one's mind to ~* (*up*)*on sg*
vmre összpontosítja a figyelmét

bear out *vt* megerősít, igazol
bear up A. *vt* támogat B. *vi* 1. nem
csügged; *~ up!* ne csüggedj!; *~ up
against sg* ellenáll vmnek, szembeszáll
vmvel, jól visel/tűr [bajt, csapást]
2. lassan közeledik [vmhez hajó]
bear with *vi* elnéző (vkvel szemben);
if you will ~ w. me a little longer
ha volnál szíves még egy kis türelem-
mel lenni (és végighallgatni)
bearable ['beərəbl] *a* tűrhető, elviselhető
bear-baiting *n* medvehecc
beard [biəd] I. *n* 1. szakáll 2. toklász
[kalászé] II. *vt* szembeszáll vkvel
bearded ['biədid] *a* szakállú, szakállas
beardless ['biədlis] 1. *a* csupasz állú,
tejfölösszájú 2. *~ wheat* tarbúza
bearer ['beərə*] *n* 1. tulajdonos [útlevé-
lé stb.], átadó [levélé], bemutató
[csekké]; *the ~ of this letter*...
e sorok átadója... 2. koporsóvivő
3. *a good ~* bőven termő [fa]
bearing ['beəriŋ] 1. viselkedés, magatar-
tás; testtartás 2. súly, fontosság, ki-
hatás, vonatkozás [kérdésé stb.];
consider a question in all its ~s min-
den vonatkozás(á)ban/szempontból/
oldaláról megvizsgál egy kérdést;
have ~ on sg vonatkozásban/összefüg-
gésben van vmvel; *the ~*(*s*) *of a case*
tényállás 3. irány, helyzet; tájékozó-
dás; *find/get one's ~s* kezdi kiismerni
magát; *lose one's ~s* megzavarodik,
zavarba jön; *take the ~s* (*of a ship*)
meghatározza (a hajó) helyzetét; *átv
take one's ~s* tájékozódik, orientálódik
4. *beyond all ~* elviselhetetlen 5. ter-
mőképesség; *in full ~* javában termő
[fa] 6. *~*(*s*) csapágy 7. **bearings** *pl*
címer; *armorial ~s* címerpajzs
bearish ['beəriʃ] *a* 1. esetlen, mogorva
2. alacsony árfolyamú [tőzsde], lany-
ha [piac]
bear-skin *n* 1. medvebőr 2. medvebőr
kucsma [*GB* testőröké]
beast [bi:st] *n* 1. állat, vadállat, barom;
make a ~ of oneself elállatiasodik 2.
ellenszenves/nehéz pasas
beastliness ['bi:stlinis] *n* állatiasság,
brutalitás, bestialitás
beastly ['bi:stli] I. *a* 1. állati(as), brutá-

lis 2. mocskos, ronda 3. kellemetlen
II. *adv biz* nagyon, állatian
beat [bi:t] I. *a* 1. legyőzött, megvert
2. ,,beat" [nemzedék, zene stb.]
II. *n* 1. ütés; (szív)verés, dobbanás;
the ~ of a drum dobpergés 2. ütem,
ritmus 3. őrjárat(i körlet), körjárat(i
útvonal); *be on one's ~* őrjáraton van,
szolgálati úton jár [rendőr]; *be off
one's ~* kivül esik a hatáskörén, nem
tartozik rá 4. □ = *beatnik* III. *v*
(*pt* **beat** hi:t, *pp* ~en 'bi:tn v. beat)
A. *vt* 1. (meg)üt, (meg)ver; porrá
tör; ~ *a carpet* kiporol szőnyeget;
~ *a drum* dobol; ~ *an egg* tojást fel-
ver; *he was ~en* megverték 2. megver,
legyőz; *biz this ~s me* ez rejtély előt-
tem, ez kifogott rajtam, ez nekem ma-
gas; *biz that ~s everything* ez minden-
nek a teteje!, ez mindenen túltesz!;
biz can you ~ it? hallottál már ilyet?
3. □ ~ *it!* tünj el!, kopj le! B. *vi*
1. üt, ver 2. dobog [szív] 3. kopogtat
beat about széllel küzd [hajó]
beat against *vi* nekiverődik; *the
rain was ~ing a. the windows* az eső
verdeste az ablakokat
beat down A. *vt* 1. lerombol, lever;
megdönt [gabonát] 2. leszorít [ára-
kat] B. *vi* letűz [nap]
beat in *vt* 1. betör, bezúz 2. fejébe
ver
beat into *vt* bever (vmbe vmt)
beat off *vt* elhárít
beat out *vt* 1. vékonyra kikalapál
2. kiver
beat up *vt* 1. felver [habot] 2. fel-
hajt, toboroz 3. *US* □ összever (vkt)
beaten ['bi:tn] *a* 1. legyőzött; megvert
2. (ki)vert, kidolgozott, (ki)kalapált
3. *the ~ track* a járt/kitaposott út;
off the ~ track távoli, félreeső 4. *biz*
kimerült
beater ['bi:tə*] *n* 1. verő, ütő; [konyhai]
habverő 2. hajtó [vadászaton]
beatify [bi:'ætɪfaɪ] *vt* boldoggá avat/tesz
beating ['bi:tɪŋ] *n* 1. verés; *give sy a ~*
elagyabugyál vkt 2. legyőz(et)és 3.
hajtás [vadé]
beatitude [bi:'ætɪtju:d; *US* -tu:d] *n*
boldogság, üdvösség

beatnik ['bi:tnɪk] *n* beatnik, hippi
beau [boʊ] I. *a* ~ *ideal* az elképzelhető
legtökéletesebb vmből, eszménykép
II. *n* (*pl* ~s v. ~x boʊz) piperkőc;
gavallér (vké)
Beaufort scale ['boʊfət] Beaufort-skála
Beaumont ['boʊmənt] *prop*
beauteous ['bju:tjəs] *a* szépséges, gyö-
nyörű
beautician [bju:'tɪʃn] *n US* kozmetikus
beautiful ['bju:təf(ə)l] *a* szép, gyönyörű
beautifully ['bju:təflɪ] *adv* szépen, gyö-
nyörűen, nagyszerűen
beautify ['bju:tɪfaɪ] *vt* szépít, díszít
beauty ['bju:tɪ] *n* szépség; ~ *contest*
szépségverseny; *biz well, you are a
~!* na ezt aztán szépen megcsináltad!
beauty-parlour, *US* **-parlor** *n* kozmetikai
szalon
beauty-shop *n* = *beauty-parlo(u)r*
beauty-sleep *n* éjfél előtti alvás
beauty-spot *n* 1. szép hely/táj 2. szép-
ségtapasz
beaver[1] ['bi:və*] *n* 1. hód 2. hódprém
beaver[2] ['bi:və*] *n* sisakrostély
Beaverbrook ['bi:vəbrʊk] *prop*
becalm [bɪ'kɑ:m] *vt* lecsendesít; ~*ed
ship* szélcsend miatt veszteglő hajó
became →*become*
because [bɪ'kɔz; *US* -ɔ:z] I. *conj* mert,
mivel II. *prep* ~ *of* miatt, következté-
ben
beck[1] [bek] *n* sziklás medrű patak
beck[2] [bek] *n* jeladás [fejjel, kézzel];
be at sy's ~ and call vknek mindig
rendelkezésére áll
beckon ['bek(ə)n] A. *vi* int, bólint B.
vt odahív [jeladással]
Becky ['bekɪ] *prop* Rébi ⟨*Rebecca* be-
cézett alakja⟩
become [bɪ'kʌm] *v* (*pt* **became** bɪ'keɪm,
pp **become** bɪ'kʌm) A. *vi* vmvé lesz/
válik; *he became tired* elfáradt, fáradt
lett; *what's ~ of him?* mi lett/történt
vele?, hova lett? B. *vt* illik vkhez;
it ~s her illik hozzá, jól áll neki
becoming [bɪ'kʌmɪŋ] *a* vkhez illő, jól
álló, kecses, előnyös
bed [bed] I. *n* 1. ágy; ~ *and board*
[bedn'bɔ:d] lakás és ellátás; ~ *and
breakfast* [bedn'brekfəst] szoba regge-

livel; *get out of ~ on the wrong side* bal lábbal kel fel; *go to ~* lefekszik (aludni); *biz go to ~ with sy* „lefekszik" vkvel; *make the ~* megágyaz; *take to one's ~* ágyban marad (betegen), ágynak esik; *be brought to ~ of a boy* fiút szül 2. (virág)ágy, ágyás; *not a ~ of roses* nem fenékig tejföl 3. meder 4. alapzat, (alap)réteg, kavicságy, alépítmény [úté] II. *v* -dd- *vt* 1. beágyaz (vmbe) 2. lefektet (ágyba) 3. elültet [növényt] **bed down** *vt* alommal ellát (állatot) **bed in** *vt* be(le)ágyaz vmbe **bed out** *vt* kiültet [növényeket]

B.Ed., BEd [bi:i:'di:] *Bachelor of Education* kb. okleveles pedagógus

bedaub [bı'dɔ:b] *vt* 1. beken, beszenynyez, bemázol, összeken 2. felcicomáz

bedbug *n* US poloska

bed-chamber *n* hálószoba

bed-clothes *n pl* ágynemű

bedded ['bedıd] →*bed II.*

bedding ['bedıŋ] *n* 1. ágynemű, ágy(azat) 2. alom

bedding-out *n* kiültetés [növényeké]

Bede [bi:d] *prop the Venerable ~* B(a)eda venerabilis

bedeck [bı'dek] *vt* beborít; feldíszít

bedew [bı'dju:; *US* -'du:] *vt* harmatossá tesz

bedfellow *n* hálótárs, ágytárs

Bedfordshire ['bedfədʃə*] *prop*

bedim [bı'dım] *vt* -mm- elsötétít, elhomályosít

bedizen [bı'daızn] *vt* kicicomáz, kicsicsáz

bedlam ['bedləm] *n* tébolyda

bedlamite ['bedləmaıt] *n* bolond, őrült

bed-linen *n* ágynemű

bed-pan *n* 1. ágytál 2. ágymelegítő [tál alakú]

bed-plate *n* alaplemez, talplemez

bed-post *n* ágyláb

bedraggled [bı'drægld] *a* besározott, bepiszkított

bed-rest *n* háttámasz [ágyban]

bedridden *a* [betegség miatt] ágyhoz kötött

bedrock *n* 1. fekükőzet 2. *átv* alap; *get*

down to ~ lehatol az alapvető kérdésekig/tényekig; *~ price* utolsó ár

bedroom *n* hálószoba; *spare ~* vendégszoba; *double ~* kétágyas szoba [szállodában]; *single ~* egyágyas szoba **Beds.** [bedz] *Bedfordshire*

bedside *n* ágy oldala; *~ lamp* éjjeli lámpa; *~ table* éjjeliszekrény; *good ~ manner* betegre előnyös hatású (orvosi/ápolói) viselkedésmód

bed-sitter, bed-sitting-room egyszobás lakás, kb. garzonlakás

bed-sore *n* felfekvés [seb]

bedspread *n* ágytakaró

bedstead *n* ágykeret

bed-table *n* éjjeliszekrény

bedtime *n* lefekvés ideje; *it is ~ ideje* lefeküdni

bed-wetting *n* ágybavizelés

bee [bi:] *n* 1. méh; *busy as a ~* hangyaszorgalmú; *have a ~ in one's bonnet* bogara/rögeszméje van 2. *US* összejövetel közös munkára/versenyre; kaláka; *spelling ~* helyesírási verseny

beebread *n* méhkenyér

beech [bi:tʃ] *n* bükk(fa)

Beecher ['bi:tʃə*] *prop*

beef [bi:f] I. *n* 1. marhahús 2. (*pl* **beeves** [bi:vz] hízómarha, húsmarha, vágómarha 3. *biz* izomzat, izomerő; *have plenty of ~* izmos, testes; *put on ~* hízik II. A. *vi* □ panaszkodik B. *vt* □ *~ up* feljavít

beefeater *n* testőr [a Towerban]

beefsteak *n* hirtelensült marhahússzelet, marhabélszín, bifsztek

beeftea *n* erőleves

beefy ['bi:fı] *a* húsos, izmos, tagbaszakadt

beehive *n* méhkas, kaptár

bee-keeper *n* méhész

bee-line *n* légvonal; *make a ~ for sg* toronyiránt megy/siet vhová

been → *be*

beer [bıə*] *n* sör; *not all ~ and skittles* nem fenékig tejföl

beery ['bıərı] *a* 1. sörszerű 2. becsípett [sörtől]

beestings ['bi:stıŋz] *n pl* föcstej

beeswax ['bi:zwæks] *n* méhviasz

beeswing ['bi:zwıŋ] *n* pimpó [boron]

beet [bi:t] *n* 1. (cukor)répa 2. *red* ~,
US ~s cékla
beetle¹ ['bi:tl] *n* bogár
beetle² ['bi:tl] *n* sulyok, ütőfa
beetle³ ['bi:tl] ~ *brows* (1) kiugró szem-
öldökcsontok, bozontos szemöldök (2)
komor tekintet
beetle-browed [-'braʊd] *a* kiugró szömöl-
dökcsontú, bozontos szemöldökű
beetroot *n* cékla
beetsugar *n* répacukor
befall [bɪ'fɔ:l] *v* (*pt* -fell -'fel, *pp* ~en
-'fɔ:lən) A. *vt* (meg)történik (vkvel
vm), ér (vkt vm) B. *vi* előfordul, tör-
ténik
befit [bɪ'fɪt] *vt* -tt- illik (vkhez, vmhez)
befitting [bɪ'fɪtɪŋ] *a* illő, megfelelő
befog [bɪ'fɔg; US -a-] *vt* -gg- ködbe
borít, elhomályosít
before [bɪ'fɔ:*] I. *adv* 1. (*idő*) előbb,
előtt, azelőtt, előzőleg, korábban,
már; *the day* ~ előző nap, tegnap;
not ~ *Christmas* karácsonyig nem;
I have never seen him ~ még sohasem
láttam; *I have been there* ~ már voltam
ott 2. (*hely*) előtt, előre; *go on* ~
előremegy II. *prep* előtt, elé; ~ *my
very eyes* szemem láttára; ~ *long* nem-
sokára, hamarosan; *long* ~ *that* jóval
régebben/korábban; ~ *now* már előbb
(nem most); ~ *Christ* Krisztus (szüle-
tése) előtt; ~ *everything else* minde-
nekelőtt III. *conj* mielőtt; inkább
minthogy/semhogy; ~ *you know
where you are* mire észbe kapnál
beforehand *adv* előzőleg, előzetesen,
előre; korábban
befoul [bɪ'faʊl] *vt* bemocskol; ~ *one's
own nest* saját fészkébe piszkít
befriend [bɪ'frend] *vt* pártol, támogat,
segítségére van
befuddled [bɪ'fʌdld] *a* megzavarodott,
borgőzös állapotú
beg [beg] *vt/vi* -gg- 1. kér; *I* ~ *your
pardon!* (1) bocsánatot kérek! (2)
de kérem! [méltatlankodva]; (*I* ~
your) *pardon?* tessék?, nem értettem,
mit tetszett mondani?, kérem?; *we
~ to inform you* ... tisztelettel érte-
sítjük ön(öke)t ...; *I* ~ *to remark*
bátorkodom megjegyezni 2. könyörög,

koldul; *go* ~*ging* nem kell senkinek
[áru, állás]
began →*begin*
beget [bɪ'get] *vt* (*pt* -got -'gɔt, US -a-,
régies -gat -'gæt, *pp* -gotten -'gɔtn,
US -a-; -tt-) 1. nemz 2. okoz, kelt,
létrehoz
beggar ['begə*] I. *n* 1. koldus; ~*s cannot
be choosers* éhes ember nem válogat;
ajándék lónak ne nézd a fogát 2.
little ~ kis huncut/betyár; *lucky* ~
szerencsés fickó II. *vt* 1. koldusbotra
juttat 2. felülmúl vmt
beggarly ['begəlɪ] *a* szánalmas, nyomorú-
ságos, szegényes
beggary ['begərɪ] *n* nyomorúság, sze-
génység, koldusbot
begin [bɪ'gɪn] *v* (*pt* began bɪ'gæn, *pp*
begun bɪ'gʌn-; -nn-) A. *vt* (el)kezd,
megkezd, hozzáfog B. *vi* kezd; (el-)
kezdődik, megkezdődik; *to* ~ *with*
először is
beginner [bɪ'gɪnə*] *n* kezdő
beginning [bɪ'gɪnɪŋ] *n* kezdet; *from the*
~ kezdettől fogva; *from* ~ *to end*
elejétől végig
begone [bɪ'gɔn; US -ɔ:-] *int* eredj innen!
begot(ten) →*beget*
begrime [bɪ'graɪm] *vt* bekormoz, be-
mocskol
begrudge [bɪ'grʌdʒ] *vt* irigyel, sajnál
(vmt vktől)
beguile [bɪ'gaɪl] *vt* 1. elámít, rászed
2. kellemesen eltölt [időt]
begun →*begin*
behalf [bɪ'ha:f; US -æ-] *n in* ~ *of sy* vk
érdekében/kedvéért, vkért; *on* ~ *of sy*,
on sy's ~ vk nevében/helyett/érdeké-
ben
behave [bɪ'heɪv] *vi* viselkedik; ~ *oneself*
viseli magát, viselkedik; ~ *yourself!*
viselkedj rendesen!; *knows how to* ~
jólnevelt
behaviour, US -vior [bɪ'heɪvjə*] *n* visel-
kedés(mód), magatartás, magaviselet
behavio(u)rism [bɪ'heɪvjərɪzm] *n US*
behaviorizmus
behead [bɪ'hed] *vt* lefejez
beheld →*behold*
behest [bɪ'hest] *n* parancs
behind [bɪ'haɪnd] I. *adv* hátul, hátra;

be ~ with (sg) = be behindhand **II.**
prep mögött, mögé; from ~ mögül,
hátulról; be ~ sy támogat vkt; ~
the beyond isten háta mögött **III.** n
biz far, ülep; kick sy's ~ fenékbe rúg
vkt
behindhand a/adv be ~ (with v.
in sg) el/le van maradva, lemaradt (vmvel,
vmben); hátralékban van
behold [bɪ'hoʊld] vt (pt/pp **beheld** bɪ-
'held) megpillant, észrevesz, (meg)lát;
~! íme!, nézd csak!
beholder [bɪ'hoʊldə*] n néző, szemlélő
behoof [bɪ'hu:f] n to/for/on (the) ~ of
sy vk hasznára/javára/előnyére
behove [bɪ'hoʊv] vt it ~s him to...
őrá tartozik, hogy...; it does not ~
you to... nem illik neked...
beige [beɪʒ] a nyersgyapjú színű
being ['bi:ɪŋ] **I.** a for the time ~ egyelőre
II. n **1.** lét, létezés; come into ~ létre-
jön **2.** tartózkodás (vhol) **3.** lény, lé-
tező, teremtmény ‖ → be
belabour, US **-labor** [bɪ'leɪbə*] vt elnás-
pángol, megver, (jól) helybenhagy
(vkt)
belated [bɪ'leɪtɪd] a elkésett; késő(i)
belay [bɪ'leɪ] vt megköt, odaerősít
belch [beltʃ] **I.** n böffenés, böfögés **II.**
A. vi böfög **B.** vt okád [füstöt, tüzet]
beldam(e) ['beldəm] n vén banya
beleaguer [bɪ'li:gə*] vt ostromol
Belfast [bel'fɑ:st] prop
belfry ['belfrɪ] n harangtorony, -láb
Belgian ['beldʒ(ə)n] a/n belgiumi, belga
Belgium ['beldʒəm] prop Belgium
Belgrade [bel'greɪd] prop Belgrád
belie [bɪ'laɪ] vt **1.** meghazudtol; megcá-
fol **2.** nem vált be/valóra [reményeket
stb.]
belief [bɪ'li:f] n **1.** hit, hiedelem; past
all ~ hihetetlen; to the best of my ~
legjobb tudásom/meggyőződésem sze-
rint **2.** bizalom
believable [bɪ'li:vəbl] a hihető
believe [bɪ'li:v] **A.** vt (el)hisz; gondol,
vél; ~ sy hisz vknek; ~ it or not akár
hiszed akár nem; I ~ (that) úgy hi-
szem/gondolom (hogy); make sy ~ sg
elhitet vkvel vmt; make ~ to do sg
színlel vmlyen cselekvést, úgy tesz,

mintha...; I don't ~ it nem hiszem
(el); Yes, I ~ so azt hiszem, igen;
igen, úgy gondolom; No, I ~ not
azt hiszem, hogy nem, nem hiszem;
he is ~d to be... úgy tudják (róla),
hogy...; it is generally ~d that az az
általános nézet, hogy... **B.** vi hisz,
bízik (in vkben, vmben); I do not ~
nem hiszek
believer [bɪ'li:və*] n hívő
belittle [bɪ'lɪtl] vt (le)kicsinyel, ócsárol
bell[1] [bel] **I.** n **1.** csengő; harang; there's
the ~! csöngettek!; ring the ~ (1)
csönget (2) harangoz (3) ügyesen végre-
hajt vmt; it rings a ~ ez emlékeztet
vmre, eszébe juttat az embernek vmt
2. bura **II.** vt csengőt/harangot felköt
vkre/vmre
bell[2] [bel] **I.** n szarvasbőgés **II.** vi bőg
[szarvas]
bell-bottoms n pl trapéznadrág
bellboy n liftesfiú, boy; londiner
bell-buoy n (veszélyt jelző) csengető
bója, harangos bója
belle [bel] n szép nő; the ~ of the ball
bálkirálynő
belles-lettres [bel'letr] n szépirodalom
bell-flower n harangvirág
bellhop n US = bellboy
bellicose ['belɪkoʊs] a harcias
belligerent [bɪ'lɪdʒər(ə)nt] **I.** a hadvise-
lő **II.** n hadviselő fél
bellow ['beloʊ] **I.** n ordítás, bőgés **II.**
vi/vt ordít, bőg, üvölt, bömböl
bellows ['beloʊz] n pl fújtató
bell-pull n csengőhúzó
bell-push n csengőgomb
bell-ringer n harangozó
bell-tent n félgömb-sátor
bell-wether n **1.** vezérürü **2.** főkolompos
belly ['belɪ] **I.** n **1.** has **2.** kihasasodás
II. A. vt kiduzzaszt, kidagaszt [vitor-
lát] **B.** vi kidagad, kiduzzad [vitorla]
belly-ache n hasfájás
belly-band n hasló
bellyful ['belɪfʊl] n biz he has had a ~
jól bezabált/belakott; he has had his
~ of... alaposan kivette a részét
(vmiből)
belly-landing n hasleszállás [repgéppel]
belong [bɪ'lɔŋ; US -ɔ:-] vi ~ to vm vké,

vkhez/vhová tartozik; *it ~s to me* ez az enyém; *I ~ here* idevalósi vagyok; *~ in* vhová tartozik/való; *~ under* vmlyen kategória alá esik
belongings [bɪ'lɔŋɪŋz; *US* -ɔ:-] *n pl* holmi, (személyi) tulajdon
beloved I. *pp* [bɪ'lʌvd] *~ by all* közkedvelt **II.** *a* [bɪ'lʌvd v. -'lʌvɪd] szeretett, kedvelt **III.** *n* [bɪ'lʌvd v. -'lʌvɪd] vknek szíve választottja; *my ~* kedvesem, szerelmem
below [bɪ'loʊ] **I.** *adv* alul, lent; *here ~ e* földi életben; *the passage (quoted) ~* az alább idézett (v. az alábbi) fejezet; *see ~* lásd alább **II.** *prep* alatt; alá; *ten degrees ~ zero* tíz fok hideg
belt [belt] **I.** *n* **1.** öv; *hit below the ~* (*átv is*) övön alul üt **2.** (hajtó)szíj, gépszíj; szalag **3.** övezet, sáv; zóna **II.** *vt* **1.** (fel)övez **2.** (nadrág)szíjjal elver
beltway *n US =* ring-road
bemoan [bɪ'moʊn] *vt* megsirat, gyászol; fájlal
bemuse [bɪ'mju:z] *vt* elbódít
Ben [ben] *prop* Béni
bench [bentʃ] *n* **1.** pad, lóca; *US biz ~ warmer* tartalék (játékos); *warm the ~* a kispadon ül; *front ~es* első padsorok [brit alsóházban volt miniszterek és ellenzéki vezérek részére] **2.** bírói szék, bíróság; *be raised to the ~* kinevezik bírónak; *King's/Queen's B ~ (Division)* ⟨a legfelső angol bíróság egyik tanácsa⟩ **3.** munkaasztal, munkapad
bencher ['bentʃə*] *n GB* ügyvédi kamara vezetőségi tagja
bench-mark *n* magassági pont; szintjel
bend¹ [bend] **I.** *n* **1.** hajlás, görbület, kanyar, (út)kanyarulat *biz the ~s* keszonbetegség **II.** *v* (*pt/pp* bent bent, néha *~ed* 'bendɪd) **A.** *vt* **1.** (meg-)hajlít, (el)görbít **2.** (meg)feszít **3.** irányít; *~ one's steps homeward* hazafelé veszi útját **B.** *vi* **1.** (meg)hajlik; meghajol; elgörbül **2.** kanyarodik
bend down *vi* lehajol; lehajlik
bend forward *vi* előrehajol
bend on *vt be bent on doing sg* minden igyekezete az, hogy vmt megte-

gyen; *be bent on mischief* rosszban töri a fejét
bend over *vi biz ~ o. backwards* kezét-lábát töri igyekezetében
bend to *vi ~ to the task* nekilát a feladatnak
bend² [bend] *n* **1.** csomó [kötélen] **2.** *~ sinister* fattyúzsineg [törvénytelen származás jele címerpajzson]
bender ['bendə*] *n* **1.** hajlító **2.** □ hatpennys [pénzdarab] **3.** *US* □ tivornya, vad ivászat; *go on a ~* erősen kirúg a hámból
beneath [bɪ'ni:θ] **I.** *adv* lenn; *from ~* alulról **II.** *prep* alatt; alá; *~ me* méltóságomon aluli; *marry ~ one* rangon alul nősül (v. megy férjhez)
Benedick ['benɪdɪk] *prop* Benedek
Benedict ['benɪdɪkt, 'benɪt] *prop* Benedek
Benedictine *n* **1.** [benɪ'dɪktɪn] bencés szerzetes **2. b~** [benɪ'dɪkti:n] benediktiner [likőr]
benediction [benɪ'dɪkʃn] *n* áldás
benefaction [benɪ'fækʃn] *n* **1.** jótett; adomány **2.** jótékonyság
benefactor ['benɪfæktə*] *n* jótevő
benefactress ['benɪfæktrɪs] *n* jótevő (nő)
benefice ['benɪfɪs] *n* egyházi javadalom
beneficence [bɪ'nefɪsns] *n* jótékonyság
beneficent [bɪ'nefɪsnt] *a* jótékony
beneficial [benɪ'fɪʃl] *a* **1.** jótékony (hatású), előnyös, hasznos **2.** *~ interest* haszonélvezeti jog
beneficiary [benɪ'fɪʃərɪ; *US* -ʃɪərɪ] *n* haszonélvező; megajándékozott
benefit ['benɪfɪt] **I.** *n* **1.** jótétemény; *~ performance/match* jutalomjáték; *~ society* segítő egyesület **2.** előny, haszon; *for the ~ of sy* vk javára/kedvéért; *give sy the ~ of the doubt* vkről a legjobbat feltételezi (amíg csak más ki nem derül); *~ of clergy* ⟨papok irástudók egykori kiváltsága, mely szerint ügyeikben csak egyházi bíróság illetékes⟩ **II.** *vi ~ by/from sg* hasznot húz vmből, hasznát látja vmnek
Benelux ['benɪlʌks] *prop/n the ~ states* a Benelux-államok
benevolence [bɪ'nevələns] *n* **1.** jóindulat, jóakarat **2.** jótékonyság

benevolent [bɪ'nevələnt] a 1. jóakaratú, jóindulatú, szíves 2. jótékony
B.Eng., BEng Bachelor of Engineering kb. okleveles mérnök
Bengal [beŋ'gɔːl] prop Bengália
Bengali [beŋ'gɔːlɪ] a/n bengáli
benighted [bɪ'naɪtɪd] a 1. (akire) ráesteledett 2. tudatlanságban levő
benign [bɪ'naɪn] a jóindulatú, üdvös
benignant [bɪ'nɪgnənt] a jóindulatú, kegyes, jóságos
benignity [bɪ'nɪgnətɪ] n jóakarat, jóindulat
Benin [be'nɪn] prop Benin (azelőtt: Dahomey)
Benjamin ['bendʒ(ə)mɪn] prop 1. Benjámin, Béni 2. biz (a család) Benjáminja
Benny ['benɪ] prop Bence
bent [bent] I. a hajló, hajlott; become ~ meghajlik, elgörbül; meggörnyed II. n hajlam (for, towards vmre); follow one's ~ hajlamait követi ‖ →bend¹ II.
Bentham ['bentəm] prop
benumb [bɪ'nʌm] vt 1. megdermeszt 2. elzsibbaszt, megbénít; ~ed with cold hidegtől meggémberedett
benzene ['benziːn] n benzol
benzine ['benziːn] n benzin
benzol ['benzɔl; US -oʊl] n benzol
Beowulf ['beɪəwʊlf] prop ⟨óangol eposz hőse⟩
bequeath [bɪ'kwiːð] vt hagyományoz, örök(ség)ül hagy, ráhagy (vkre vmt)
bequest [bɪ'kwest] n hagyaték
berate [bɪ'reɪt] vt US lehord
bereave [bɪ'riːv] vt (pt/pp bereft bɪ'reft v. ~d bɪ'riːvd) megfoszt (of vmtől/vktől); bereft of hope reményvesztett(en); the ~d az elhunyt hozzátartozói
bereavement [bɪ'riːvmənt] n gyász, közeli hozzátartozó elhunyta
bereft →bereave
beret ['bereɪ; US bə'reɪ] n baszksapka, barett, beré
Berkeley ['bɑːklɪ; US 'bəːrklɪ] prop
Berks. [bɑːks] = Berkshire
Berkshire ['bɑːkʃə*] prop
Berlin [bəː'lɪn; US város 'bəːr-] prop

Bermuda [bə'mjuːdə] prop Bermuda; the ~s Bermuda-szigetek
Bermudian [bə'mjuːdɪən] a/n bermudai
Bernard ['bəːnəd] prop Bernát
berry ['berɪ] I. n 1. bogyó 2. halikra, rákikra II. vt bogyót gyűjt
berth [bəːθ] I. n 1. horgonyzóhely, kikötőhely; give sy a wide ~ nagy íven elkerül vkt 2. hálóhely, fekhely, ágy [hajón, hálókocsiban]; book a ~ hálókocsijegyet rendel/előjegyeztet (v. vált) 3. biz hely, állás II. vt 1. kiköt/lehorgonyoz (hajót) [rakpart mentén] 2. hálóhelyet biztosít/készít [vk számára]
Bertha ['bəːθə] prop Berta
Bertie ['bəːtɪ] prop Berci
Bertram ['bəːtrəm] prop ⟨férfinév⟩
Berwick ['berɪk] prop
beryl ['berɪl] n berill
beseech [bɪ'siːtʃ] vt (pt/pp besought bɪ'sɔːt) könyörög, esdekel (vkhez vmért)
beset [bɪ'set] vt (pt/pp beset bɪ'set; -tt-) körülvesz, szorongat; ~ with difficulties nehézségekkel teli; ~ting sin megrögz(őd)ött hiba/bűn
beside [bɪ'saɪd] prep 1. mellett; mellé 2. vmn kívül; ~ oneself magánkívül; ~ the point nem tartozik a tárgyra, lényegtelen
besides [bɪ'saɪdz] I. adv azonkívül, amellett; many more ~ még sok(an) más(ok) II. prep (vkn, vmn) kívül; ~ me rajtam kívül
besiege [bɪ'siːdʒ] vt ostromol
besmear [bɪ'smɪə*] vt beken, bemaszatol
besmirch [bɪ'sməːtʃ] vt bemocskol
besom ['biːz(ə)m] n ágseprű
besotted [bɪ'sɔtɪd; US -ɑ-] a eltompult [italtól]; elázott
besought →beseech
bespatter [bɪ'spætə*] vt 1. befröcsköl [sárral] 2. pocskondiáz
bespeak [bɪ'spiːk] vt (pt bespoke bɪ'spoʊk, pp bespoken bɪ'spoʊk(ə)n v. bespoke) 1. (meg)rendel [ruhát stb.]; (előre) lefoglal 2. vall (vmre), elárul
bespoke [bɪ'spoʊk] a mérték után (v. rendelésre) készített [ruha, cipő]; ~ tailor mértékszabóság

besprinkle [bɪ'sprɪŋkl] *vt* befröcsköl, megöntöz, meghint

Bess [bes] *prop* Bözsi, Erzsi

Bessy ['besɪ] *prop* = Bess

best [best] I. *a* legjobb; *biz his ~ girl* barátnője; *~ man* a vőlegény tanúja; *the ~ part of sg* a nagyobbik része/fele vmnek, vmnek a java II. *adv* legjobban; *you had ~ do sg* (a) legjobb/legokosabb volna vmt tenned; *as ~ I could* amennyire tőlem tellett III. *n* a (lehető) legjobb; *at ~* legfeljebb; a legjobb esetben; *in one's Sunday ~* ünneplő ruhában; *the ~ of it is* a legjobb a dologban az . . .; *do one's ~* megtesz minden tőle telhetőt, mindent elkövet; *have the ~ of it* győz, nyer; *make the ~ of sg* (1) beéri vmvel (2) kihasznál vmlyen lehetőséget; *make the ~ of one's time* jól kihasználja idejét; *be at one's ~* brillíroz, felülmúlja önmagát; *to the ~ of one's ability* legjobb tudása/képessége szerint; *look óne's ~* a legelőnyösebb színben mutatkozik; *act for the ~* jóhiszeműen cselekszik; *it's all for the ~* jól van ez így IV. *vt* csellel legyőz ‖ →*good*

best-hated [-'heɪtɪd] *a* leggyűlöltebb

bestial ['bestjəl; *US* -tʃəl] *a* állatias, baromi

bestiality [bestɪ'ælətɪ; *US* -tʃɪ-] *n* állatiasság, bestialitás

bestir [bɪ'stə:*] *v refl* -rr- *~ oneself* megmoccan, nekigyürkőzik, nekilódul

bestow [bɪ'stoʊ] *vt* 1. *~* (*up*)*on* ad(ományoz) vknek 2. letesz, elhelyez, letétbe helyez

bestowal [bɪ'stoʊəl] *n* adományozás

bestrew [bɪ'stru:] *vt* (*pt ~ed* bɪ'stru:d, *pp ~ed* v. *~n* bɪ'stru:n) meghint, behint

bestride [bɪ'straɪd] *vt* (*pt bestrode* bɪ'stroʊd, *pp bestridden* bɪ'strɪdn) 1. átlép; átível 2. terpeszállásban áll/ül vm fölött; megül [lovat]

best-seller *n* nagy könyvsiker, „bestseller", sikerkönyv

bet [bet] I. *n* fogadás; *lay/make a ~* fogad [pénzben] II. *vt/vi* (*pt/pp ~*; -tt-) fogad [pénzben, vmre]; *you ~* biztosra veheted; *I ~ you ten dollars* tíz dollárba fogadok, hogy . . .

betake [bɪ'teɪk] *v refl* (*pt betook* bɪ'tʊk, *pp ~n* bɪ'teɪk(ə)n) *~ oneself* (1) elindul vhová (2) vmhez fog/lát

bethel ['beθl] *n* imaház

bethink [bɪ'θɪŋk] *vt* (*pt/pp bethought* bɪθ'ɔ:t) † *~ oneself of sg* (1) (el)gondolkozik vmn, fontolgat vmt (2) vmre emlékezik, eszébe jut vm

Bethlehem ['beθlɪhem; *US* -lɪəm] *prop* Betlehem

betide [bɪ'taɪd] *vt/vi* történik (vkvel/vmvel); *whate'er ~* bármi történjék is; *woe ~ him if . . .* jaj neki, ha . . .

betimes [bɪ'taɪmz] *adv* 1. jókor, kellő időben 2. nemsokára

betoken [bɪ'toʊk(ə)n] *vt* 1. előre jelez, jelent 2. *átv* mutat vmre

betook →*betake*

betray [bɪ'treɪ] *vt* 1. elárul; hűtlenül elhagy, cserbenhagy 2. elcsábít; *~ sy into doing sg* vkt vm (bűnös dolog) megtételére csábít/rávesz

betrayal [bɪ'treɪəl] *n* elárulás; elhagyás

betroth [bɪ'troʊð] *vt* eljegyez

betrothal [bɪ'troʊðl] *n* eljegyzés, kézfogó

betrothed [bɪ'troʊðd] *a/n* eljegyzett, jegyes; *the ~* a jegyespár

Betsy ['betsɪ] *prop* Erzsi, Betti

better¹ ['betə*] I. *a/adv* 1. jobb; *~ half* házastárs, élete párja; *~ part* nagyobbik része; *no ~ than she should be* nem jobb a Deákné vásznánál; *biz six feet and ~* hat lábnál is magasabb; *think ~ of sg* meggondolja magát (v. a dolgot) 2. jobban; *he is ~* jobban van; *get ~* javul; *get ~!* gyógyulj meg!; *~ and ~* egyre jobban; *be ~ off* jobb (anyagi) körülmények között van; *go one ~ than sy* túltesz vkn 3. jobban, inkább; *~ not* inkább ne; *the ~ I know him the more I like him* minél jobban (meg)ismerem, annál jobban szeretem; *you had ~ . . .* jobban tennéd, ha . . .; inkább . . .; *we had ~ go* jó lesz elindulnunk II. *n* 1. a jobb [dolog]; *change for the ~* javul(ás), jobbra fordul(ás); *get the ~ of sy* fölébekerekedik vknek; *all the ~, so much the ~* annál jobb; *for ~ or worse* jóban-rosszban 2. *one's ~s* a felettesek III. A. *vt* megjavít; elősegít, lendít (vmn)

~ *oneself,* ~ *one's circumstances* javít (anyagi) helyzetén, boldogul **B.** *vi* (meg)javul ‖ →*good*
better² ['betə*] *n* fogadó [ember]
betterment ['betəmənt] *n* **1.** megjavítás **2.** javulás **3.** értéknövekedés
betting ['betɪŋ]; ~ *shop/office* fogadóiroda, „totózó" ‖ →*bet II.*
bettor ['betə*] *n* = *better²*
Betty ['betɪ] *prop* Erzsi, Betti
between [bɪ'twi:n] **I.** *prep* között; közé; ~ *you and me,* ~ *ourselves* magunk között szólva, köztünk maradjon; ~ *them they* . . . ök ketten . . . **II.** *adv* között; közé; közben; *far* ~ (1) nagy időközökben (2) nagy távolságokban; *in* ~ (1) közbe, közöttük (2) (idő)közben
between-decks *n* fedélköz
between-season *n* átmeneti időszak
between-times *adv* idő(köz ö)nként, időközökben
betwixt [bɪ'twɪkst] *adv/prep* között; közé; közben; ~ *and between* közbül, középütt, átmeneti állapotban
bevel ['bevl] **I.** *n* **1.** szög, szögben elhajlás; ~ *rule* derékszögvonalzó, vinkli **2.** szögmérő **3.** ferde (sz)él; ~ *edge* ferdére vágott (v. lesarkított) él **II.** *vt* -ll- (*US* -l-) ferdén levág, lesarkít
bevel-gear *n* kúpfogaskerekes hajtómű
bevel(l)ed ['bevld] *a* rézsútos, ferde
bevel-wheel *n* kúpfogaskerék
beverage ['bevərɪdʒ] *n* ital
bevy ['bevɪ] *n* **1.** csapat, falka **2.** csoport; *a* ~ *of girls* egy csapat lány
bewail [bɪ'weɪl] *vt* megsirat, gyászol
beware [bɪ'weə*] *vt* óvakodik (*of* vktől/ vmitől); ~ *of traffic!* vigyázat! autó; ~ *of trains!* vigyázz, ha jön a vonat!
bewilder [bɪ'wɪldə*] *vt* megzavar
bewilderment [bɪ'wɪldəmənt] *n* megzavarodás, zavar(odottság)
bewitch [bɪ'wɪtʃ] *vt* megbabonáz, elbűvöl; ~*ing* elragadó, elbájoló
beyond [bɪ'jɔnd] *US* -a-] **I.** *adv/prep* (*adv is*) túl; (vmn) kívül; felett; amott; ~ *the seas* tengeren túl(i); ~ *11 o'clock* 11 óra után, 11 órán túl; *that is going* ~ *a joke* ez tréfának már sok; ~ *measure* mértéken felül, mértéktelenül; *it's*

(*quite*) ~ *me* ez nekem magas, nem értem; (*this work*) *is* ~ *me* (ez a munka) meghaladja képességeimet; *he lives* ~ *his income* többet költ, mint amennyit keres **II.** *n at the back of* ~ isten háta mögött; *the* ~ a túlvilág
bezel ['bezl] *n* csiszolt oldal [drágakőé]
b.f. [bi:'ef] (*vulg*) *bloody fool* barom, hülye
b/f, b.f. *brought forward* áthozat
B-flat *a* ~ *major* B-dúr; ~ *minor* b-moll
biannual [baɪ'ænjʊəl] *a* félévenkénti
bias ['baɪəs] **I.** *n* **1.** eltérés egyenes vonaltól, rézsútosság; *on the* ~ átlósan, ferdén **2.** elfogultság, egyoldalúság, előítélet (*towards* vkvel szemben); *without* ~ tárgyilagosan, elfogulatlanul **3.** hajlam **II.** *vt* -s- v. -ss- **1.** eltérít, másfelé terel **2.** befolyásol; ~(*s*)*ed against sy* elfogult vkvel szemben
biathlon [baɪ'æθlən] *n* biatlon
bib [bɪb] **I.** *n* **1.** előke, partedli **2.** mellrész [kötényé]; *biz she puts on her best* ~ *and tucker* kicsípi magát **II.** *vi* -bb- iszogat, iddogál
bibber ['bɪbə*] *n* nagyivó
bibcock *n* kifolyócsap, falicsap
Bible ['baɪbl] *n* biblia, szentírás; ~ *class* hittanóra, bibliaóra
biblical ['bɪblɪkl] *a* bibliai
bibliographer [bɪblɪ'ɔgrəfə*; *US* -'ɑ-] *n* bibliográfus
bibliographic(al) [bɪblɪə'græfɪk(l)] *a* könyvészeti, bibliográfiai
bibliography [bɪblɪ'ɔgrəfɪ; *US* -'ɑ-] *n* könyvészet, bibliográfia, irodalom [vmlyen tárgyról]
bibliomaniac [bɪblɪə'meɪnɪæk]*a/n*könyvbolond, könyvbarát
bibliophile ['bɪblɪəfaɪl] *n* könyvbarát
bibulous ['bɪbjʊləs] *a* **1.** iszákos **2.** folyadékot felszívó, szivacsos
bicarbonate [baɪ'kɑ:bənɪt] *n* ~ *of soda* szódabikarbóna
bicentenary [baɪsen'ti:nərɪ; *US* baɪ'sentənerɪ] *n* kétszázéves évforduló
bicentennial [baɪsen'tenjəl] *a/n* kétszázéves (évforduló)
biceps ['baɪseps] *n* bicepsz
bicker ['bɪkə*] *vi* **1.** veszekszik, civódik, pörlekedik **2.** csobog [patak]

biconcave [baɪ'kɔnkeɪv; US -'kɑ-] a kétszer homorú, bikonkáv
biconvex [baɪ'kɔnveks; US -'kɑ-] n kétszer domború, bikonvex
bicycle ['baɪsɪkl] I. n kerékpár, bicikli II. vi kerékpározik
bicyclist ['baɪsɪklɪst] n kerékpáros
bid [bɪd] I. n 1. árajánlat; make a ~ for sg (1) árajánlatot tesz vmre (2) US biz igyekszik megszerezni/elérni vmt 2. bemondás, licit [kártyában]; your ~ te licitálsz; no ~ passz II. v (pt bid v. bade bæd, pp bid v. ~den 'bɪdn; -dd-) A. vt 1. kínál, ajánl, ígér; ~ up felhajtja az árat; ~ fair jónak ígérkezik, jóval kecsegtet 2. megparancsol, meghagy; ~ him come in mondd meg neki, hogy jöjjön be 3. meghív 4. licitál, bemond [kártyában]; ~ 2 hearts két kőr [bemondás] B. vi árajánlatot tesz; ~ for sg árverez/ráígér vmre
biddable ['bɪdəbl] a US engedelmes, könnyen kezelhető
bidden →bid II.
bidder ['bɪdə*] n ajánlattevő; highest ~ legtöbbet kínáló
bidding ['bɪdɪŋ] n 1. meghívás 2. meghagyás, parancs 3. kínálat, ajánlat [árverésen]; competitive ~ versenytárgyalás 4. licit(álás) [bridzsben]
bide [baɪd] vt ~ one's time kivárja az alkalmas pillanatot
biennial [baɪ'enɪəl] I. a kétévenkénti, kétéves II. n 1. kétnyári növény 2. biennále
bier [bɪə*] n 1. Szent Mihály lova 2. ravatal
biff [bɪf] □ I. n ütés II. vt (meg)üt
bifocal [baɪ'foʊkl] a bifokális
bifurcate ['baɪfəkeɪt] I. a elágazó, villás, kettős II. A. vt kettéválaszt B. vi kettéágazik
bifurcation [baɪfə'keɪʃn] n elágazás, kettéágaz(ód)ás, kettéválás
big [bɪg] a (comp ~ger 'bɪgə*, sup ~gest 'bɪgɪst) nagy, terjedelmes; B~ Ben ⟨a londoni parlament toronyórája⟩; ~ business nagytőke; □ ~ shot, US ~ noise „nagyfejű", „nagykutya"; ~ stick erőszakos intézkedés; US have a ~ time remekül érzi magát; ~ top

cirkusz(i sátor); look ~ fontoskodik; ~ with child terhes
bigamist ['bɪgəmɪst] n kétnejű
bigamous ['bɪgəməs] a bigámiás
bigamy ['bɪgəmɪ] n kettős házasság, bigámia
big-bellied nagyhasú
bigger, biggest →big
bight [baɪt] n 1. öböl; hajlat 2. hurok
bigness ['bɪgnɪs] n nagyság
bigot ['bɪgət] n vakbuzgó személy
bigoted ['bɪgətɪd] a vakbuzgó, bigott
bigotry ['bɪgətrɪ] n vakbuzgóság
big-time a US nagyszabású
big-wig n □ „nagyfejű", „fejes"
bijou ['biːʒuː] n bizsu, apró ékszer
bike [baɪk] biz I. n bicikli, bringa, bicaj II. vi kerekezik, biciklizik, bringázik
bikini [bɪ'kiːnɪ] n bikini, kétrészes fürdőruha
bilateral [baɪ'læt(ə)rəl] a kétoldali, kétoldalú; kölcsönös
bilberry ['bɪlb(ə)rɪ; US -berɪ] n fekete áfonya
bile [baɪl] n 1. epe 2. biz ingerlékenység, epésség, rosszindulat
bile-stone n epekő
bilge [bɪldʒ] n 1. hajóalj, hajófenék 2. fenékvíz, aljvíz 3. □ ostoba beszéd
biliary ['bɪljərɪ] a epe-
bilingual [baɪ'lɪŋgw(ə)l] a kétnyelvű
bilious ['bɪljəs] a 1. epebajos; epe-; ~ attack ~ patient epebeteg 2. biz epés, ingerlékeny
bilk [bɪlk] vt elbliccel [fizetést]; ~ sy out of the money kicsal pénzt vktől
bill¹ [bɪl] n 1. alabárd 2. = bill-hook
bill² [bɪl] I. n 1. csőr 2. hegyfok II. vi ~ and coo enyeleg, turbékol
bill³ [bɪl] I. n 1. számla; ~ of costs költségszámla; foot the ~ (1) vállalja/fizeti a költségeket (2) átv vállalja a következményeket; make out a ~ számlát kiállít; the ~, please! fizetek!; let me settle the ~ engedje meg, hogy én fizessek 2. jegyzék; bizonyítvány; ~ of delivery szállítólevél; ~ of fare étlap; ~ of health egészségügyi bizonylat [hajó indulási kikötőjéből]; ~ of lading hajóraklevél, (vasúti) fuvarlevél, rakodójegy; ~ of sale (1) adásvételi

szerződés (2) ⟨záloglevél adósnál maradó ingóságokról⟩ 3. váltó; kötelezvény; US bankjegy; ~ of exchange váltó; ~ drawn, drawn ~ intézvényezett váltó; ~ at sight látra szóló váltó; fictitious ~ pinceváltó; US biz that will fill the ~ ez megfelel a kívánalmaknak, ez menni fog; honour a ~ váltót elfogad/bevált; meet a ~ váltót kifizet; negotiate a ~ váltót forgat 4. plakát, hirdetmény; (theatre) ~ színlap; műsor; stick no ~s! plakátok felragasztása tilos! 5. törvényjavaslat; ~ of rights alkotmánylevél; pass/carry a ~ törvényjavaslatot megszavaz; reject a ~ törvényjavaslatot elutasít 6. vádirat II. vt 1. ~ sy for sg számlát küld vknek vmről 2. felszámít 3. plakáton hirdet; közhírré tesz
Bill⁴ [bɪl] prop Vili
billboard n US hirdetőtábla
billet¹ ['bɪlɪt] n tönk, tuskó
billet² ['bɪlɪt] I. n 1. beszállásolási utalvány, szállásutalvány 2. beszállásolás 3. billets pl szállás 4. állás II. vt beszállásol, elszállásol
billeting ['bɪlɪtɪŋ] n beszállásolás
billfold n US levéltárca
bill-hook n nyesőkés, kacorkés
billiards ['bɪljədz] n billiárd(játék)
billingsgate ['bɪlɪŋzgɪt] n 1. mocskos beszéd, szitkozódás 2. B~ ⟨londoni halpiac⟩
billion ['bɪljən] n 1. GB billió (10¹²) 2. US milliárd (10⁹)
billow ['bɪloʊ] I. n nagy hullám II. vi hullámzik, feltornyosul
bill-poster n plakátragasztó
bill-sticker n = bill-poster
Billy¹ ['bɪlɪ] prop Vili
billy² ['bɪlɪ] n biz gumibot
billy-can n pléhlábas, csajka
billycock n GB biz keménykalap
billygoat n biz bakkecske
billy-o(h) ['bɪloʊ] adv biz like ~ szörnyen, nagyon, roppantul
bimetallic strip [baɪmɪ'tælɪk] bimetall
bimetallism [baɪ'metəlɪzm] n kétvalutás pénzrendszer
bi-monthly [baɪ'mʌnθlɪ] I. a 1. kéthavi; kéthavonként történő/megjelenő

2. havonta kétszeri II. n kéthavonként megjelenő folyóirat
bin [bɪn] n 1. tartó, láda 2. □ diliház
binary ['baɪnərɪ] a kettes számrendszerhez tartozó, binér; ~ digit kettes számrendszerbeli szám; ~ system kettes számrendszer
binaural [baɪn'ɔːr(ə)l; US bɪn-] a két füllel kapcsolatos; ~ stethoscope binaurális sztetoszkóp/szívhallgató
bind [baɪnd] v (pt/pp bound baʊnd) A. vt 1. (össze)köt, megköt(öz) 2. beköt [könyvet]; bound in cloth vászonkötésű 3. bekötöz [sebet] 4. kötelez; ~ oneself to sg kötelezi magát vmre B. vi 1. kötelező ereje van 2. [vakolat stb.] köt; megkeményedik ‖ → bound⁴ bind over vt kötelez; ~ sy o. to keep the peace bíróilag kötelez vkt óvadékkal a tettlegesség elkerülésére
bind up vt bekötöz [sebet]
binder ['baɪndə*] n 1. könyvkötő 2. kévekötő [munkás, gép] 3. mestergerenda 4. iratgyűjtő 5. kötőanyag
bindery ['baɪndərɪ] n könyvkötészet
binding ['baɪndɪŋ] I. a 1. kötő 2. kötelező; legally ~ jogerős II. n kötés
bindweed n apró szulák
binge [bɪndʒ] n □ nagy evészet és muri
bingo ['bɪŋgoʊ] I. n tombola; ~ hall játékterem II. int pompás!
binnacle ['bɪnəkl] n iránytűtartó
binoculars [bɪ'nɒkjʊləz; US -'nɑ-] n pl kétcsövű látcső/távcső
binomial [baɪ'noʊmjəl] I. a kéttagú, binom(iális); ~ theorem Newton-féle binomiális tétel II. n kéttagú/binom egyenlet
biochemical [baɪə'kemɪkl] a biokémiai
biochemistry [baɪə'kemɪstrɪ] n biokémia
biographer [baɪ'ɒgrəfə*; US -'ɑ-] n életrajzíró
biographical [baɪə'græfɪkl] a életrajzi
biography [baɪ'ɒgrəfɪ; US -'ɑ-] n életrajz
biological [baɪə'lɒdʒɪkl; US -'lɑ-] a biológiai; ~ warfare baktériumháború
biologist [baɪ'ɒlədʒɪst; US -'ɑ-] n biológus
biology [baɪ'ɒlədʒɪ; US -'ɑ-] n biológia
biometry [baɪ'ɒmɪtrɪ; US -'ɑ-] n biometria

bionic [baɪ'ɔnɪk; US -'ɑ-] *a* bionikus
biophysics [baɪə'fɪzɪks] *n* biofizika
biopsy ['baɪɔpsɪ; US -ɑ-] *n* szövettani vizsgálat
biosphere ['baɪəsfɪə*] *n* bioszféra
bipartisan [baɪpɑ:tɪ'zæn; US -'pɑ:tɪzn] *a* mindkét párti, pártközi [kétpártrendszerben]
bipartite [baɪ'pɑ:taɪt] *a* kétrétű, kétoldali
biped ['baɪped] *a/n* kétlábú
biplane ['baɪpleɪn] *n* kétfedelű repülőgép
bipolar [baɪ'poʊlə*] *a* kétpólusú
birch [bə:tʃ] I. *n* 1. nyír(fa) 2. nyírfavessző, virgács II. *vt* megvesszőz
bird [bə:d] *n* 1. madár; ~ *of passage* (*átv is*) vándormadár; ~ *of prey* ragadozó madár; ~*s of a feather* (*flock together*) madarat tolláról (embert barátjáról); *a* ~ *in the bush* bizonytalan lehetőség/dolog; *a* ~ *in the hand* (*is worth two in the bush*) jobb ma egy veréb (mint holnap egy túzok); *biz give sy the* ~ kifütyül vkt; *biz get the* ~ kifütyülik; *kill two* ~*s with one stone* két legyet (üt agyon) egy csapásra 2. *biz* alak, pasas, „madár"
bird-cage *n* madárkalitka
bird-call *n* 1. madárfütty 2. madárhívogató síp
bird-dog *n* vadászkutya
bird-fancier *n* madárkedvelő, -tenyésztő
birdie ['bə:dɪ] *n* madárka
bird-lime *n* madárlép
birdman ['bə:dmən] *n* (*pl* -men -mən) 1. = *fowler* 2. *biz* pilóta
birdseed *n* madáreleség
bird's-eye view ['bə:dz-] madártávlat
bird's-nest ['bə:dz-] I. *n* madárfészek II. *vi* madárfészket kiszed
bird-watcher *n* madárfigyelő
Birmingham ['bə:mɪŋəm; US -mɪŋhæm] *prop*
Birnam ['bə:nəm] *prop*
birth [bə:θ] *n* 1. születés; származás; ~ *pill* fogamzásgátló tabletta; *English by* ~ angol születésű 2. szülés; *give* ~ *to* szül, *átv* létrehoz
birth-certificate *n* születési anyakönyvi kivonat

birth-control *n* születésszabályozás
birthday *n* születésnap; ~ *honours* ⟨az uralkodó születésnapján osztott kitüntetések GB-ben⟩; ~ *suit* ádámkosztüm
birth-mark *n* anyajegy
birth-place *n* 1. születési hely 2. szülőföld; szülőház
birth-rate *n* születési arány(szám)
birthright *n* 1. vkt születésénél fogva megillető jog 2. elsőszülöttség(i jog)
Biscay ['bɪskeɪ] *prop Bay of* ~ biszkájai öböl
biscuit ['bɪskɪt] *n* 1. keksz; kétszersült; □ *that takes the* ~*!* ez aztán mindennek a teteje! 2. *US = scone* 3. ~ *ware* biszkvitporcelán
bisect [baɪ'sekt] *vt* kettévág; felez
bisector [baɪ'sektə*] *n* felező(vonal)
bisexual [baɪ'seksjʊəl; US -ʃʊ-] *a/n* biszexuális
bishop ['bɪʃəp] *n* 1. püspök 2. futó [sakkban]
bishopric ['bɪʃəprɪk] *n* püspökség
bisk [bɪsk] *n* = *bisque*
bismuth ['bɪzməθ] *n* bizmut
bison ['baɪsn] *n* bölény
bisque [bɪsk] *n* 1. rákleves; krémleves 2. ⟨tejszínes és diós/mogyorós/mandulás fagylalt⟩
bit¹ [bɪt] *n* 1. zabla; *take the* ~ *between one's teeth* (*átv is*) megbokrosodik 2. fúró(vég), fúrófej 3. kulcstoll 4. gya-. luvas
bit² [bɪt] *n* 1. darab, falat; ~ *by* ~ apránként, lassanként; *a* ~ egy kissé/kicsit; *wait a* ~ várj egy percig; *not a* ~ egyáltalá(ba)n nem; *every* ~ tökéletesen, minden ízében; *have a* ~ *of sg* harap vm kis ennivalót; *do one's* ~ kiveszi a részét, megteszi a magáét 2. pénzdarab; *three-penny* ~ hárompennys (pénzdarab); *US two* ~*s* 25 cent 3. ~ (*part*) nyúlfarknyi szerep
bit³ →*bite II.*
bit⁴ [bɪt] *n* bit [számítástechnikában]
bitch [bɪtʃ] I. *n* 1. szuka 2. *vulg* szajha; *son of a* ~ gazember II. A. *vt* elfuserál B. *vi vulg* zúgolódva morog
bitchy ['bɪtʃɪ] *a US* □ rosszindulatú
bite [baɪt] I. *n* 1. harapás; *at one* ~ egy harapásra 2. csípés; marás 3. falat; *I*

haven't had a ~ *all day* egy falatot sem ettem egész nap; *(biz) make two* ~*s at a cherry* (1) a kákán is csomót keres, dekáz (2) húzódozik [vm megtételétől] **II.** *vt/vi* (*pt* **bit** bıt, *pp* **bitten** 'bıtn) **1.** (meg)harap; (meg)mar, (meg-) csíp; *he got bitten* (1) megharapta [állat] (2) *biz* átejtették; *once bitten twice shy* kit a kígyó megmart, a gyíktól is fél; *be much bitten with sg/sy* bele van gabalyodva vmbe/vkbe **2.** [anyag, hideg] mar, (meg)csíp; *bitten by the frost* megcsípte a dér/fagy **3.** *the wheels do not* ~ nem fognak a kerekek
bite at *vi* vm után kap
bite into *vi* beleharap
bite off *vt* leharap; ~ *off more than one can chew* túl nagy fába vágta a fejszéjét
biter ['baıtə*] *n* harapós állat; *the* ~ *bit* aki másnak vermet ás maga esik bele
biting ['baıtıŋ] *a* csípős, gúnyos
bit-stock *n* furdancs, mellfúró
bitter ['bıtə*] **I.** *a* **1.** keserű **2.** metsző, zord [szél, hideg]; elkeseredett [küzdelem]; keserves [csalódás]; keserű [szavak]; *to the* ~ *end* a végsőkig **II.** **bitters** ['bıtəz] *n pl* gyomorkeserű
bittern ['bıtən] *n* bölömbika
bitterness ['bıtənıs] *n* **1.** keserűség **2.** elkeseredettség
bitter-sweet I. *a* keserédes **II.** *n* ebszőlő, kesernyés csucsor
bitts [bıts] *n pl* kikötőbak [hajón]
bitumen ['bıtjumın; *US* bı'tu:-] *n* bitumen
bituminous [bı'tju:mınəs; *US* -'tu:] *a* bitumenes
bivalent ['baıveılənt] *a* kétvegyértékű
bivouac ['bıvuæk] **I.** *n* táborozás szabadban **II.** *vt* (*pt/pp* ~**ked** 'bıvuækt) szabadban táboroz
bi-weekly [baı'wi:klı] *a* **1.** kéthetenkénti **2.** hetenként kétszer megjelenő
bi-yearly [baı'jə:lı] *a* **1.** kétévenkénti **2.** félévenkénti
biz [bız] *n* □ = *business*
bizarre [bı'za:*] *a* bizarr
bk. *book* könyv
B.L., BL [bi:'el] **1.** *Bachelor of Law* a

jogtudományok baccalaureusa **2.** (b.l., **bl** is) *bill of lading* →*bill*³
blab [blæb] **I.** *n* **1.** fecsegő **2.** fecsegés **II.** *vi/vt* **-bb-** ~ (*out*) (ki)kotyog, (ki)fecseg
blabber ['blæbə*] *n* = *blab I.*
black [blæk] **I.** *a* **1.** fekete; ~ *cap* / halálos ítéletet hirdető bíró sapkája〉; ~ *coffee* feketekávé; *the B*~ *Country* füstös-kormos iparvidék [Birmingham körül]; *B*~ *Death* fekete halál, pestis; ~ *eye* véraláfutásos szem, „monokli"; ~ *flag* kalózlobogó; ~ *friar* domonkosrendi szerzetes; ~ *frost* száraz kemény hideg; ~ *letter* gót betű(típus); *biz B*~ *Maria* [mə-'raıə] rabomobil; ~ *market* feketepiac; ~ *pudding* véreshurka; ~ *sheep* a család szégyene, tisztességes családból való gazember; ~ *tie* (1) fekete nyakkendő (2) szmoking [mint előírt viselet]; ~ *vomit* (1) vérhányás (2) sárgaláz **2.** fekete (bőrű), néger; *US* ~ *belt* néger övezet; *US* ~ *studies* negrológia, negrisztika **3.** *átv* sötét, komor; gonosz; ~ *art* fekete mágia, varázslat; ~ *humour* abszurd humor; ~ *mass* (1) gyászmise (2) szatanista fekete mise; ~ *widow* amerikai mérges pók; *go* ~ elsötétül; *give sy a* ~ *look* sötét/fenyegető pillantást vet vkre; *look* ~ (1) sötéten/haragosan néz (*at* vkre) (2) rosszul állnak (a dologok) **II.** *n* **1.** fekete szín; *set sg down in* ~ *and white* írásba foglal vmt **2.** fekete ruha; *in* ~ feketében, gyászban **3.** korom(szem) **4.** néger **5.** piszok(folt) **III. A.** *vt* **1.** befeketít **2.** tisztít [cipőt] **3.** ~ *out* (1) kihúz, áthúz [írást] (2) elsötétít; kiolt [lámpákat] **B.** *vi* megfeketedik, elfeketedik
blackamoor ['blækəmuə*] *n* szerecsen
black-and-white *a* fekete-fehér [film, televízió]; ~ *artist* tusrajzoló
blackball *vt* kigolyóz, kiközösít [közösségből]
black-beetle *n* svábbogár
blackberry ['blækb(ə)rı; *US* -berı] *n* földi szeder
blackbird *n* feketerigó
blackboard *n* (iskolai) tábla

blackcap n barátka [madár]
black-coated worker hivatalnok, tisztviselő, értelmiségi dolgozó
black-cock n fajdkakas
black-currant n fekete ribiszke
blacken ['blæk(ə)n] **A.** vt 1. feketére fest 2. befeketít **B.** vi megfeketedik
blackguard ['blæɡɑ:d] I. n (sötét) gazember II. vt legazemberez
blackhead n mitesszer
blacking ['blækɪŋ] n cipőkrém
blackish ['blækɪʃ] a feketés
black-jack n 1. kalózlobogó 2. nagy bőrpohár 3. US amerikai tölgy 4. US gumibot
black-lead [-'led] n grafit
blackleg n 1. biz sztrájktörő, ,,sárga" 2. csaló
black-list I. n 1. feketelista 2. bűnügyi nyilvántartó II. vt feketelistára/indexre tesz
blackmail I. n zsarolás II. vt (meg)zsarol
black-out n 1. elsötétítés 2. (pillanatnyi) eszméletvesztés 3. rádió-összeköttetés időleges megszűnése 4. (news) ~ hirzárlat
black-rust n feketeüszög
blackshirt n feketeinges, fasiszta
blacksmith n patkolókovács
blackthorn n kökény
bladder ['blædə*] n 1. hólyag; húgyhólyag 2. biz (futball)belső
blade [bleɪd] n 1. penge; lap [kardé] 2. lapát [turbináé, ablaktörlőé]; szárny [propelleré]; lap, toll [evezőé] 3. szál [fűé, gabonáé]
-bladed [-bleɪdɪd] 1. (-)lapú 2. (-)pengéjű 3. (-)szárnyú
blah [blɑ:] n US □ link duma
blain [bleɪn] n gennyes pattanás
Blake [bleɪk] prop
blamable ['bleɪməbl] a hibáztatható
blame [bleɪm] I. n 1. szemrehányás, vád 2. felelősség; lay the ~ (up)on sy vkt okol/hibáztat vmért; the ~ lies with him ő a hibás II. vt 1. hibáztat, okol (sy for sg vkt vmért); who is to ~? ki a hibás/felelős? 2. biz ~ sg on sy vmt ráken vkre
blameless ['bleɪmlɪs] a 1. ártatlan, feddhetetlen 2. kifogástalan

blameworthy a feddést/gáncsot érdemlő, hibáztatható
blanch [blɑ:ntʃ; US -æ-] **A.** vt 1. fehérít 2. ~ almonds mandulát hámoz **B.** vi elfehéredik, elsápad; megőszül
blancmange [blə'mɒnʒ; US -'mɑ-] n édes tejes-rumos zselé
bland [blænd] a 1. szelíd, udvarias, nyájas 2. kellemes, enyhe
blandish ['blændɪʃ] vt cirógat, becéz; hízeleg, kedveskedik (vknek)
blandishment ['blændɪʃmənt] n hizelgés, kedveskedés
blank [blæŋk] I. a (átv is) üres; tiszta; kitöltetlen; ~ bill bianko váltó; ~ cartridge vaktöltény; ~ cheque bianko csekk; ~ credit fedezetlen/személyi hitel; ~ despair sötét kétségbeesés; ~ endorsement üres forgatmány; ~ look üres/kifejezéstelen tekintet; look ~ zavarban levőnek látszik; ~ verse rímtelen vers [ötös jambusokban]; ~ wall csupasz/kopár fal; my mind went ~ megállt az eszem II. n 1. nyomtatvány, blanketta, űrlap 2. célpont, céltábla közepe 3. hiányjel 4. átv űr, hiány; his mind is a complete ~ emlékezete teljesen kihagy 5. nem nyerő sorsjegy/szám; draw a ~ nem nyerő számot húz. felkopik az álla 6. fire a ~ vaktöltést elsüt
blanket ['blæŋkɪt] I. n 1. takaró, pokróc; ~ of snow hótakaró; biz born on the wrong side of the ~ balkézről való [gyerek] 2. (jelzői haszn) mindenre kiterjedő, általános; ~ formula általános formula; ~ order keretrendelés II. vt 1. letakar, betakar 2. elfogja a szelet (más hajó elöl)
blare [bleə*] I. n harsogás; trombitaszó II. vi/vt harsog; trombitál
blarney ['blɑ:nɪ] n hízelgő beszéd
blasé ['blɑ:zeɪ; US -'zeɪ] a fásult, blazirt
blaspheme [blæs'fi:m] v/vt istent káromol, szitkozódik, gyalázkodik
blasphemous ['blæsfəməs] a istenkáromló
blasphemy ['blæsfəmɪ] n istenkáromlás
blast [blɑ:st; US -æ-] I. n 1. széllökés, -roham, erős légáramlat 2. [kohászatban] fúvószél, befúvott levegő; be

in ~ üzemben van [kohó]; *átv biz at/in full* ~ „gőzerővel" 3. lökésszerű erős hang [fúvóhangszeré]; tülkölés; *sound a* ~ *(on the siren)* megszólaltatja a szirénát 4. légnyomás [robbanáskor]; robban(t)ás [bányában] II. *vt* 1. robbant 2. (*átv is*) letarol, elpusztít; tönkretesz; romba dönt [reményeket] 3. □ ~ *it/you!* a fene egye(n) meg!

blasted ['blɑ:stɪd; *US* -æ-] *a* átkozott, istenverte

blast-furnace *n* nagyolvasztó

blasting ['blɑ:stɪŋ; *US* -æ-] *n* 1. robbantás; ~ *agent* robbantóanyag 2. pusztítás

blastoff *n* kilövés (pillanata) [űrrakétáé stb.]

blatant ['bleɪt(ə)nt] *a* 1. zajos, nagyhangú 2. otromba; égbekiáltó

blather ['blæðe*] *n/vi* = *blether*

blaze[1] [bleɪz] I. *n* 1. láng(ok), lobogó tűz; *burst into a* ~ lángra lobban; ~ *of anger* dühkitörés 2. ragyogás, tündöklés, fény 3. □ *go to* ~*s!* eredj a pokolba!; ... *like* ~*s* [fut, dolgozik] mint egy őrült II. *vi* 1. lángol, lobog 2. ragyog **blaze away** A. *vt* elpufogtat [lőszert] B. *vi* ~ *a. at sg* beleveti magát (munkába) **blaze up** *vi* 1. lángra lobban 2. dühbe gurul, felfortyan

blaze[2] [bleɪz] I. *n* 1. csillag [ló homlokán] 2. (turista)jelzés [fába vágva] II. *vt* útjelzést vág [fába]

blazer ['bleɪzə*] *n* sportkabát, blézer

blazon ['bleɪzn] I. *n* címer(pajzs) II. *vt* 1. leír, fest [címert] 2. feldíszít

blazonry ['bleɪznrɪ] *n* 1. címerleírás 2. *biz* színpompás díszítés

bleach [bli:tʃ] *vt* 1. (ki)fehérít [ruhát] 2. szőkít [hajat]

bleacher ['bli:tʃə*] *n* 1. fehérítő 2. *US* **bleachers** *pl* fedetlen lelátó

bleaching ['bli:tʃɪŋ] *n* fehérítés; ~ *powder* klórmész

bleak [bli:k] *a* 1. sivár, lakatlan; puszta, kopár 2. zord [időjárás] 3. *átv* sivár [kilátások]; halvány [mosoly]

blear-eyed ['blɪər-] *a* 1. csipás szemű 2. homályos látású; vaksi, rövidlátó

bleat [bli:t] I. *n* bégetés, mekegés II. *vi/vt* 1. béget, mekeg 2. nyafog, remegő hangon beszél 3. ostobán beszél

bleed [bli:d] *v* (*pt/pp* **bled** bled) A. *vi* vérzik; ~ *to death* elvérzik B. *vt* 1. vért vesz (vktől), véreztet 2. *biz* megvág (vkt); ~ *white* kiszipolyoz

bleeder ['bli:də*] *n* vérzékeny ember

bleeding ['bli:dɪŋ] I. *a* vérző; ~ *heart* szívvirág II. *n* vérzés

blemish ['blemɪʃ] I. *n* 1. hiba; folt 2. szégyenfolt; *without* ~ feddhetetlen II. *vt* 1. beszennyez 2. megrongál

blench [blentʃ] *vi* visszariad, meghökken

blend [blend] I. *n* keverék II. A. *vt* (össze)kever B. *vi* vegyül, (össze)keveredik; *the colours* ~ *well* a színek jól illenek egymáshoz

blender ['blendə*] *n* turmixgép

Blenheim ['blenɪm] *prop*

bless [bles] *vt* (*pt/pp* ~ed v. **blest** blest) 1. (meg)áld; ~ *me!*, ~ *my soul!* istenem!, ejha!; *God* ~ *you!* (1) áldja meg az Isten! (2) egészségére! [tüsszentéskor]; *biz be* ~ed *with sg* meg van áldva vmvel [javakkal] 2. dicsér, magasztal, imád [Istent] 3. megszentel [főleg ennivalót]

blessed ['blesɪd] *a* áldott; szent; boldog; *The B*~ *Virgin* Szűz Mária; □ *the whole* ~ *lot* az egész (vacak) rakás/csomó

blessing ['blesɪŋ] *n* áldás

blest →*bless*

blether ['bleðə*] I. *n* üres/ostoba fecsegés II. *vi* összevissza fecseg

blew →*blow*[2] *II.*

blight [blaɪt] I. *n* 1. üszög, penész; [állati, növényi] vész 2. ártalmas hatás, mételye II. *vt* 1. elhervaszt; kiéget; ~ed *by frost* elfagyott 2. meghiúsít [reményeket]

blighter ['blaɪtə*] *n* □ ipse, semmiházi

Blighty ['blaɪtɪ] *n* † □ Anglia

blimey ['blaɪmɪ] *int vulg* a kutyafáját!, a fene egye meg!

blimp [blɪmp] *n* 1. kis felderítő léghajó 2. *biz* túlzó soviniszta/hazafi

blind [blaɪnd] I. *a* 1. vak, világtalan; ~ *in one eye* fél szemére vak; *biz turn a* ~

eye to sg úgy tesz, mintha nem venne észre vmt; *be ~ to sy's faults* nem látja más hibáit 2. ~ *alley* zsákutca; ~ *date* 〈randevú ismeretlen fiúval/ lánnyal〉; ~ *flying* vakrepülés, műszeres repülés; ~ *landing* vakleszállás, műszeres leszállás; ~ *letter* hiányosan címzett levél; *biz sy's* ~ *side* vk gyenge oldala; ~ *spot* (1) vakfolt [szemben] (2) 〈olyan kérdés, amiben az ember tájékozatlan/elfogult〉; ~ *story* csattanó nélküli történet; ~ *turning* be nem látható útkanyarulat 3. □ ~ *(drunk)* (tök)részeg II. *n* 1. *the* ~ a vakok 2. ablakredőny, (vászon)roló 3. ürügy III. *vt* megvakít, elvakít
blindfold ['blaındfoʊld] I. *a* 1. bekötött szemű 2. meggondolatlan II. *adv* 1. bekötött szemmel, vaktában 2. elvakultan III. *vt* 1. vknek szemét beköti 2. félrevezet
blind-man's buff [blaındmænz'bʌf] szembekötősdi
blindness ['blaındnıs] *n* vakság
blink [blıŋk] I. *n* 1. pislogás, pislantás, hunyorítás 2. csillámlás, villanás II. A. *vi* 1. pislog, hunyorít 2. pislákol 3. csillan B. *vt* nem vesz tudomásul, szemet huny (vm felett)
blinkers ['blıŋkəz] *n pl* 1. szemellenző 2. *US* villogó
blinking ['blıŋkıŋ] I. *a* 1. pislogó, hunyorgó 2. *biz* átkozott II. *n = blink I.*
bliss [blıs] *n* 1. boldogság 2. üdvösség
blissful ['blısfʊl] *a* boldog, áldott
blister ['blıstə*] I. *n* 1. hólyag [bőrön]; pattanás 2. öntési hiba, hólyag II. A. *vi* felhólyagzik B. *vt* hólyagossá tesz, hólyagot húz (vmn)
blister-beetle *n* kőrisbogár
blithe [blaıð] *a* vidám, jókedvű
blithering ['blıðerıŋ] *a biz* túl sokat locsogó, hülye, „szédült"
blithesome ['blaıðs(ə)m] *a = blithe*
B.Lit(t)., **BLit(t)** [bi:'lıt] *Bachelor of Literature* az irodalomtudományok baccalaureusa
blizzard ['blızəd] *n* hóvihar
bloated ['bloʊtıd] *a* dagadt, duzzadt
bloater ['bloʊtə*] *n* füstölt sós hering

blob [blɔb; *US* -a-] *n* 1. csöpp 2. paca, folt
block [blɔk; *US* -a-] I. *n* 1. (fa)tuskó, rönk, tőke; féktuskó; *go on the* ~ dobra kerül [elárverezik]; *perish on the* ~ vérpadon hal meg 2. tömb; kőlap, kőkocka; jegyzettömb; háztömb; (bélyeg)blokk; ~ *of flats* (nagy) bérház; ~ *of shares* részvénypakett 3. ~ *letters* nagybetűk, nyomtatott betűk 4. akadály; eldugulás 5. csiga(sor) 6. (nyomó)dúc, klisé II. *vt* 1. elzár, eltorlaszol, elrekeszt, megakaszt, gátol 2. zárol, befagyaszt [követelést stb.]; ~*ed account* zárolt számla 3. ~ *in* vázlatosan berajzol, nagy vonalakban (fel)vázol; ~ *out* vázlatosan kitervel
blockade [blɔ'keıd; *US* -a'-] I. *n* ostromzár, blokád; *raise the* ~ ostromzárt megszüntet; *run the* ~ ostromzáron keresztülhatol II. *vt* 1. körülvesz, elzár 2. ostromzár alá vesz
blockhead *n* tökfejű
blockhouse *n* 1. boronaház 2. kiserőd
blocking ['blɔkıŋ; *US* -a-] *n* 1. eltorlaszolás, forgalom elakadása 2. ~ *(up)* aláékelés
bloke [bloʊk] *n* □ pasas, pofa, alak, hapsi, tag, pacák, krapek
blond(e) [blɔnd; *US* -a-] *a/n* szőke
blood [blʌd] I. *n* 1. vér; ~ *alcohol level* véralkoholszint; *draw/let* ~ (1) eret vág (vkn), vért vesz (vktől) (2) vért ont; *his* ~ *runs cold* megfagy ereiben a vér; *in cold* ~ szemrebbenés nélkül, hidegvérrel; *his* ~ *is up* felforr(t) a vére, fejébe száll a vér; *hot* ~ heves vér; ~ *feud* vérbosszú; *biz he is out for* ~ vérszomjas; *there is bad/ill* ~ *between them* harag van közöttük 2. származás; vérrokonság; *blue* ~ kék vér [előkelő származás]; *prince of the* ~ királyi herceg; *new* ~ *átv* friss vér, új erő; *young* ~ fiatalember; *it runs in the* ~ ez családi vonás (nála); ~ *will tell,* ~ *is thicker than water* vér nem válik vízzé 3. piperkőc II. *vt* 1. vért vesz (vktől) 2. vérhez szoktat [kutyát]
blood-and-thunder ['blʌdən'θʌndə*] I. *a* vérfagyasztó II. *n* rémregény
blood-bank *n* véradó központ, vérbank

bloodcount *n* vérsejtszámlálás
blood-curdling *a* vérfagyasztó
blood-donor *n* véradó
blood-group *n* vércsoport
blood-horse *n* telivér
bloodhound *n* véreb
bloodless ['blʌdlɪs] *a* 1. vértelen; kedélytelen 2. vérontás nélküli
blood-letting *n* vérlebocsátás, véreztetés
blood-money *n* vérdíj
blood-orange *n* vérnarancs
blood-poisoning *n* vérmérgezés
blood-pressure *n* vérnyomás; *high* ~ magas vérnyomás
blood-pudding *n* véreshurka
blood-relation *n* vérrokon
bloodshed *n* vérontás
bloodshot *a* véraláfutásos
bloodstain *n* vérfolt
blood-stream *n* véráram
blood-sucker *n* pióca, vérszopó
blood-test *n* vérvizsgálat
bloodthirsty *a* vérszomjas
blood-transfusion *n* vérátömlesztés
blood-type *n* vércsoport
blood-vessel *n* véredény
bloody ['blʌdɪ] *a* 1. véres 2. gyilkos, kegyetlen 3. *vulg* ronda, szarházi
bloom [blu:m] I. *n* 1. virág(zás); *in full* ~ teljes virágjában; *in the* ~ *of youth* ifjúsága virágjában/teljében 2. hamvasság; szépség II. *vi* virágzik, virul
bloomer ['blu:mə*] *n GB* □ hiba, ballépés
bloomers ['blu:məz] *n pl US* ⟨bokáig érő női nadrág rövid szoknyával⟩
blooming ['blu:mɪŋ] I. *a* 1. virágzó viruló 2. □ nyomorult, vacak II. *n* virágzás, virulás
Bloomsbury ['blu:mzb(ə)rɪ] *prop*
blossom ['blɔs(ə)m; *US* -a-] I. *n* virág(zás) [gyümölcsfáé]; *in* ~ virágzó [fa, bokor] II. *vi* kivirul, virágzik
blot [blɔt; *US* -a-] I. *n* 1. folt, paca 2. szégyenfolt II. *vt* **-tt-** 1. betintáz, bepacáz; elmaszatol; *(átv is)* bemocskol 2. kitöröl ~ *out* (1) kitöröl (2) elfeledtet (3) eltakar 3. leitat [írást]
blotch [blɔtʃ; *US* -a-] I. *n* 1. gennyes pattanás, pörsenés 2. (tinta)folt II. *vt* foltossá tesz

blotchy ['blɔtʃɪ; *US* -a-] *a* foltos
blotted ['blɔtɪd; *US* -a-] →*blot* II.
blotter ['blɔtə*; *US* -a-] *n* itatós(papír)
blotting-pad ['blɔtɪŋ-; *US* -a-] *n* mappa itatóspapírral
blotting-paper ['blɔtɪŋ-; *US* -a-] *n* itatóspapír
blotto ['blɔtoʊ; *US* -a-] *a* □ tökrészeg
blouse [blaʊz; *US* -s] *n* 1. blúz 2. zubbony
blow[1] [bloʊ] *n* 1. ütés, (ököl)csapás; *strike a* ~ üt; *administer a* ~ *to sy* ütést mér vkre; *exchange* ~*s, come to* ~*s* verekedésre kerül sor; *at one* ~ (1) egyetlen ütéssel (2) egycsapásra 2. csapás, szerencsétlenség
blow[2] [bloʊ] I. *n* 1. fújás, fúvás; széllökés 2. levegőzés; *go for a* ~ levegőre megy II. *v (pt* **blew** blu:, *pp* ~*n* bloʊn) A. *vt* 1. fúj (vmt); ~ *one's nose* kifújja az orrát; ~ *a boiler* kazánt kifúj/kiürít; ~ *sy a kiss* vknek csókot int; ~ *hot and cold* egyszer így beszél, másszor úgy 2. ~ *a fuse* biztosítékot kiéget/kivág 3. □ ~ *it!* a fene egye meg!; *I'll be* ~*ed if* . . . itt süllyedjek el, ha . . .; ~ *the expense* (1) szórja a pénzt (2) fütyülök a kiadásokra! B. *vi* 1. fúj [szél]; *biz* ~ *high*, ~ *low* bármi történjék is, ha törik ha szakad 2. liheg 3. kiolvad [biztosíték]
   blow in *vi* 1. befúj 2. (látogatóban) benéz, beállít
   blow off A. *vt* 1. elfúj 2. lefúj 3. kienged [gőzt]; kifúvat [kazánt] B. *vi* 1. elrepül [kalap] 2. *biz* henceg
   blow out A. *vt* 1. kifúj, elfúj [gyertyát] 2. felpuffaszt 3. kifúj, kifúvat [csövet]; ~ *one's brains* o. főbe lövi magát B. *vi* 1. kialszik [gyertya] 2. leereszt [gumi] 3. kiég, kiolvad [biztosíték]
   blow over A. *vi* 1. elvonul [vihar], elül 2. feledésbe megy; elsimul B. *vt* feldönt, felborít [szél]
   blow up A. *vt* 1. felfúj; felpumpál 2. felrobbant 3. felnagyít [fényképet] 4. *biz* letol, lehord (vkt) B. *vi* 1. felfújódik 2. felrobban 3. *it is* ~*ing up for rain* a szél esőt hoz
blow[3] [bloʊ] I. *n* virágzás II. *vi (pt* **blew** blu:, *pp* **blown** bloʊn) virágzik

blow-ball n pitypang/gyermekláncfű bóbitája

blower ['bloŏə*] n 1. fújó, kürtös 2. ventillátor 3. kályhaszelelő lap

blow-fly n húslégy, dongó

blow-hole n 1. szelelőlyuk, szellőzőnyílás 2. buborék [öntvényben]

blow-lamp n forrasztólámpa

blown¹ [bloŏn] a 1. kifulladt 2. légybeköpte, romlott [étel] 3. fúvott [üveg] ‖ → *blow²*

blown² [bloŏn] a teljesen kinyílt [virág]

blow-out n 1. durrdefekt 2. kiégés [biztosíték] 3. *biz* nagy muri/evészet

blowpipe n 1. forrasztócső 2. fúvócső 3. [orvosi] szonda

blow-torch n = *blow-lamp*

blow-up n 1. robbanás 2. dühroham 3. felnagyított fénykép

blowy ['bloŏı] a 1. szeles, viharos 2. huzatos

blowzy ['blaŏzı] a rendetlen/elhanyagolt külsejű [nő]

blubber ['blʌbə*] I. a duzzadt (ajkú) II. n bálnazsír III. A. vi hangosan sír, bőg B. vt *cheeks* ~*ed with tears* sírástól duzzadt arc

bludgeon ['blʌdʒ(ə)n] I. n bunkósbot II. vt erősen (meg)ver

blue [blu:] I. a 1. kék; ~ *fox* kékróka; *US* ~ *jeans* farmernadrág; *once in a* ~ *moon* hébe-hóba, nagy ritkán; ~ *ribbon* (1) kék szalag (2) első díj, nagydíj 2. *biz in a* ~ *funk* igen beijedve; *US* ~ *laws* ⟨kicsinyesen szigorú puritán törvények⟩; ~ *joke/story* malac vicc, pikáns történet; *feel* ~ rosszkedvű, levert, el van kenődve; *till all is* ~ igen sokáig II. n 1. kék (szín); *win/get one's* ~ bekerül a válogatott csapatba 2. (kék) ég; (kék) tenger; *out of the* ~ hirtelen, derült égből 3. kékítő 4. *the* ~*s, a fit of* ~*s* rossz hangulat, rosszkedv, lehangoltság; *have the* ~*s* rosszkedvű, mísze van 5. *US* (*Louisiana*) ~*s* „blues" ⟨néger eredetű, melankolikus hangulatú lassú (tánc)dal(ok)⟩ III. vt 1. kékít 2. □ elherdál [pénzt]

Bluebeard ['blu:bıəd] prop Kékszakáll

luebell n harangvirág

blueberry ['blu:b(ə)rı; *US* -berı] n fekete áfonya

blue-blooded [-'blʌdıd] a előkelő származású, kékvérű

blue-book n „kékkönyv": (1) *GB* ⟨a kormány álláspontját igazoló okmányok gyűjteménye⟩ (2) *US* ⟨előkelőségek névkönyve; állami alkalmazottak jegyzéke⟩

bluebottle n 1. húslégy, dongó 2. *US* búzavirág

blue-coat boy ⟨a *Christ's Hospital* nevű iskola diákja⟩

blue-collar a ~ *workers* fizikai dolgozók

bluejacket n (hadi)tengerész, matróz

blue-pencil vt -ll- (*US* -l-) cenzúráz, töröl [szövegből], meghúz [kéziratot]

blueprint n 1. fénymásolat, kéknyomat 2. terv(rajz); (részletes) tervezet

bluestocking n kékharisnya, tudós nő

bluff¹ [blʌf] I. a 1. meredek 2. nyers modorú (de egyenes) II. n hegyfok, partmeredély

bluff² [blʌf] I. n 1. ámítás, becsapás, blöff 2. [kártyában] blöff; *call sy's* ~ (1) vkt színvallásra kényszerít (2) felveszi a kihívást II. A. vt becsap, rászed B. vi blöfföl

bluish ['blu:ıʃ] a kékes

blunder ['blʌndə*] I. n baklövés, mellefogás, hiba II. A. vi melléfog, bakot lő B. vt rosszul csinál/intéz, eltol, elügyetlenkedik

 blunder against/into vi beleütközik (vmbe, vkbe)

 blunder out vt kikotyog [titkot]

 blunder (up)on vi ráhibázik (vmre)

blunderbuss n mordály

blunderer ['blʌndərə*] n kétbalkezes

blunt [blʌnt] I. a 1. tompa, életlen 2. buta 3. nyers (modorú); *the* ~ *fact* a nyers valóság II. vt (le)tompít; kicsorbít

bluntly ['blʌntlı] adv *to put it* ~ őszintén szólva

bluntness ['blʌntnıs] n 1. tompaság 2. tompultság, butaság 3. nyerseség

blur [blə:*] I. n 1. folt 2. szégyenfolt 3. ködösség, homály(osság), elmosódottság II. vt -rr- 1. elmaszatol, elken 2. bemaszatol 3. elhomályosít

blurb [bləːb] *n* fül(szöveg)
blurt [bləːt] *vt* ~ *out* kikottyant, kifecseg
blush [blʌʃ] I. *n* 1. (el)pirulás; (szégyen-)
pír; *spare my* ~*es* ne dicsérj szembe 2.
hajnalpír 3. *at first* ~ első látásra II.
vi 1. elpirul, elvörösödik 2. szégyen-
kezik
blushing ['blʌʃɪŋ] *a* 1. (el)piruló 2. szé-
gyenlős 3. piros(ló)
bluster ['blʌstə*] I. *n* 1. zúgás [szélé];
lárma 2. hetvenkedés, pofázás II. A.
vi 1. zúg, fúj [szél] 2. nagy hangon
beszél, pofázik, hetvenkedik B. *vt*
fennhéjázva (v. nagy hangon) kije-
lent
blusterer ['blʌstərə*] *n* hetvenkedő, nagy-
hangú ember
B.M., BM [biː'em] 1. *Bachelor of Medi-
cine* az orvostudományok baccalau-
reusa 2. *British Museum*
B.Mus., BMus [biː'mʌs] = *Mus. B*(*ac.*)
Bn., bn. *battalion*
bo [boʊ] *int* hess!; *can't say* ~ *to a goose*
igen félénk
B.O., b.o. [biː'oʊ] *body odour*
boa ['boʊə] *n* 1. boa 2. ~ *constrictor*
óriáskígyó
Boadicea [boʊədɪ'sɪə] *prop*
boar [bɔː*] *n* 1. kan(disznó) 2. vadkan
board [bɔːd] I. *n* 1. deszka(lap); *go on
the* ~*s* színpadra lép; *take to the* ~*s*
színésznek megy 2. (hirdető)tábla;
karton, kemény papír; *in paper* ~*s*
fűzve, fűzött [könyv] 3. ellátás, élel-
mezés, koszt; „asztal" [mint élelme-
zés]; ~ *and lodging* lakás és ellátás; *full*
~ teljes ellátás/panzió; *sweep the* ~
(1) mindent besöpör/elnyer [kártyás]
(2) mindenkit lehengerel, elsöprő si-
kert arat 4. fedélzet [hajóé]; *on* ~
hajón, fedélzeten [repgép is], *US* vo-
naton; *go on* ~ hajóra száll, *US* beszáll
[vonatba, repgébe], felszáll (-ra, -re);
átv go by the ~ tönkremegy, félredob-
ják, kútba esik 5. tanács(kozó testü-
let), bizottság; *GB B*~ *of Trade* keres-
kedelemügyi minisztérium; *B*~ *of
Directors* (vállalati) igazgatóság; *biz
be on the* ~ igazgatósági tag II. A. *vt*
1. (be)deszkáz 2. kosztot ad (vknek),
élelmez 3. (hajóra) száll, beszáll [vo-

natba stb.], felszáll B. *vi* étkezik,
kosztol
board around *vi US* napokat eszik
board out A. *vt* kosztba ad B. *vi* nem
otthon étkezik
board up *vt* bedeszkáz
boarder ['bɔːdə*] *n* 1. bennlakó diák 2.
kosztos; *take in* ~*s* kosztosokat tart
boarding ['bɔːdɪŋ] *n* 1. deszkázat; padló
2. hajóraszállás; beszállás; ~ *card* be-
szállókártya [hajó, repgép] 3. étkez-
(tet)és, ellátás
boarding-house *n* panzió
boarding-school *n* bennlakásos iskola,
internátus
board-room *n* tanácsterem
board-wages *n pl* pénzbeni megváltás
[bennlakó alkalmazott élelmezési költ-
ségéé]
boast [boʊst] I. *n* 1. dicsekvés 2. vknek
a büszkesége II. A. *vi* dicsekszik,
henceg, kérkedik; *that's nothing to* ~
of ezzel nem lehet büszkélkedni B. *vt*
magasztal
boastful ['boʊstfʊl] *a* kérkedő, dicsekvő,
hencegő
boat [boʊt] I. *n* 1. csónak; hajó; *be all
in the same* ~ mindnyájan azonos
helyzetben vannak; kezet foghatnak;
when my ~ *comes in/home* majd ha
megütöm a főnyereményt; *burn one's*
~*s* felégeti a hidakat maga mögött
2. (mártásos)csésze II. *vi* csónakái
zik; hajózik; *go* ~*ing* csónakázn-
megy
boater ['boʊtə*] *n* lapos kemény szalma-
kalap, zsirardi(kalap)
boat-house *n* csónakház
boating ['boʊtɪŋ] *n* csónakázás
boatload *n* hajórakomány
boatman ['boʊtmən] *n* (*pl* -men -mən) 1.
csónakos; csónakmester 2. csónak-
bérbeadó, -kölcsönző
boat-race *n* evezősverseny
boatswain ['boʊsn] *n* vitorlamester, fe-
délzetmester
boat-train *n* vonat hajócsatlakozással
bob[1] [bob; *US* -ɑ-] I. *n* 1. súly [ingán];
fityegő; úszó [horgászzsinóron] 2.
kurtított farok [lóé] 3. bubifrizura; ~
of hair konty 4. *US* szántalp II. *v* -bb-

A. *vt* rövidre vág(at) [hajat]; megkurtít [ló farkát] B. *vi* szánkózik
bob² [bɔb; *US* -ɑ-] I. *n* 1. kis lökés/ütődés 2. (fej)biccentés, kis meghajlás II. *vi* -bb- 1. fel-le mozog; ~ *up* felbukkan; felmerül; ~ *up and down in the water* hányódik/táncol a vízen 2. ~ *to sy* meghajlik térdhajtással vk előtt
Bob³ [bɔb; *US* -ɑ-] I. *prop* Robi II. *n dry b~* krikettjátékos [Etonben]; *wet b~* evezős [Etonben]
bob⁴ [bɔb; *US* -ɑ-] *n*□ shilling
bobbed [bɔbd; *US* -ɑ-] *a* rövidre vágott →*bob¹ II.*
bobbin ['bɔbɪn; *US* -ɑ-] *n* orsó, cséve, gombolyító; ~ *lace* vert csipke
bobby¹ ['bɔbɪ; *US* -ɑ-] *n biz* ⟨londoni rendőr⟩
bobby² ['bɔbɪ; *US* -ɑ-] *n US* ~ *pin* hullámcsat [hajba]; ~ *socks* =' *bobbysox*
Bobby³ ['bɔbɪ; *US* -ɑ-] *prop* Robi, Bobi
bobbysox ['bɔbɪsɔks; *US* -ɑ- -ɑ-] *n pl US* bokazokni
bobbysoxer ['bɔbɪsɔksə*; *US* -ɑ- -ɑ-] *n US biz* bakfis
bob-sled/sleigh *n* bob, kormányos versenyszán
bobtail I. *a* kurta/kurtított farkú II. *n* kurta/kurtított farkú kutya/ló
bode [boʊd] A. *vt* 1. jósol, jövendöl 2. sejtet B. *vi* ~ *ill* rosszat jelent, rossz előjel; ~ *well* jót jelent, jó előjel
bodeful ['boʊdfʊl] *a* baljós(latú)
bodice ['bɔdɪs; *US* -ɑ-] *n* (női) mellény; pruszlik
-bodied [-bɔdɪd; *US* -ɑ-] testű
bodiless ['bɔdɪlɪs; *US* -ɑ-] *a* testetlen
bodily ['bɔdɪlɪ; *US* -ɑ-] I. *a* testi, valóságos; *go about in* ~ *fear* testi épségéért aggódik II. *adv* 1. testben 2. személyesen 3. mind együtt, testületileg
boding ['boʊdɪŋ] *n* előjel; ómen
bodkin ['bɔdkɪn; *US* -ɑ-] *n* 1. ár [szerszám] 2. fűzőtű; hajtű 3. † tőr 4. *sit* ~ két személy közé bepréselve ül
Bodleian [bɔd'liːən] *a* ⟨a Th. Bodley által alapított oxfordi könyvtár⟩
Bodley ['bɔdlɪ] *prop*
body ['bɔdɪ; *US* -ɑ-] *n* 1. test; ~ *linen*

testi fehérnemű, alsóruha; ~ *stocking* (testszínű) trikóruha; *keep* ~ *and soul together* éppen csak tengődik; ~ *odour* testszag, izzadságszag 2. törzs 3. hulla 4. testület; *in a* ~ testületileg; ~ *corporate* jogi személy; ~ *politic* népközösség, állam 5. főrész; tömeg; *large* ~ *of people* nagy (ember)tömeg; *a* ~ *of water* víztömeg; ~ *of troops* csapattest 6. kocsiszekrény, karosszéria
body-guard *n* testőr
body-snatcher *n* hullatolvaj [boncolási célra]
Boer ['boʊə*] *a/n* búr; ~ *War* angol—búr háború (1899—1902)
boffin ['bɔfɪn; *US* -ɑ-] *n* □ tudományos/műszaki szakember
bog [bɔg; *US* -ɑ-] I. *n* mocsár II. *vi/vt* -gg- ~ (*down*), *get* ~*ged* (*down*) megfeneklik, megreked, mocsárba süllyed
bogey ['boʊgɪ] *n* rémkép, kísértet
bogey-man *n* (*pl* -men -men) mumus
boggle ['bɔgl; *US* -ɑ-] *vi* ~ *at sg* (1) viszszariad vmtől (2) meghátrál vm elől, húzódozik vmtől
boggy ['bɔgɪ; *US* -ɑ-] *a* mocsaras
bogie ['boʊgɪ] *n* forgózsámoly
bogus ['boʊgəs] *a US* hamis, nem valódi, ál-, színlelt
bogy ['boʊgɪ] *n* = *bogey*
boh [boʊ] *int* = *bo*
Bohemian [boʊ'hiːmjən] *a* 1. bohém; cigányos 2. cseh(országi)
boil¹ [bɔɪl] *n* kelés, furunkulus
boil² [bɔɪl] I. *n* forrás(pont); *bring to* ~ felforral II. A. *vt* (fel)forral; vízben főz B. *vi* forr, fő; *the kettle is* ~*ing* forr a (tea)víz
    boil down *vt/vi* 1. (be)sűrít, lepárol 2. tömörít, röviden összefoglal; *it* ~*s d. to this . . .* a dolog lényege az, hogy . . .
    boil over *vi* túlforr [folyadék edényből], kifut; ~ *o. with rage* forr benne a düh, tajtékzik a dühtől
boiled [bɔɪld] *a* főtt; párolt; ~ *egg* főtt tojás; *US* ~ *shirt* keményített ingmell
boiler ['bɔɪlə*] *n* 1. forraló, főző 2. kazán 3. melegvíztároló, bojler
boiling ['bɔɪlɪŋ] I. *a* forrásban lévő; *biz*

~ *hot* tüzforró; ~ *point* forráspont II.
n forralás, főzés
boisterous ['bɔɪstərəs] *a* 1. féktelen, szilaj, heves 2. zajos, lármás
bold [boʊld] *a* 1. merész, bátor; *make* ~ bátorkodik; *make* ~ *to do sg* (merészen) megenged magának vmt; *make* ~ *with sy* fenntartás nélkül beszél vkvel 2. arcátlan 3. feltűnő, szembeszökő 4. = *boldface*
boldface *a/n* ~ (*type*) félkövér/fett betű(típus)
boldfaced *a* 1. arcátlan 2. = *boldface*
boldness ['boʊldnɪs] *n* 1. merészség arcátlanság
bole [boʊl] *n* fatörzs
Boleyn ['bʊlɪn] *prop*
Bolingbroke ['bɔlɪŋbrʊk] *prop*
Bolivia [bə'lɪvɪə] *prop* Bolívia
Bolivian [bə'lɪvɪən] *a* bolíviai
boll [boʊl] *n* tok(termés) [gyapoté, lené]
bollard ['bɔləd; *US* -ɑ-] *n* 1. hajócövek, kikötőbak 2. jelzőoszlop; terelőoszlop 3. korlát
boll-weevil *n* gyapotmagfúró bogár
boloney [bə'loʊnɪ] →*baloney*
Bolshevik ['bɔlʃɪvɪk; *US* 'boʊlʃevi:k] *a/n* bolsevik
Bolshevism ['bɔlʃɪvɪzm; *US* 'boʊlʃə-] *n* bolsevizmus
Bolshevist ['bɔlʃɪvɪst; *US* 'boʊlʃə-] *a/n* bolsevista
bolster ['boʊlstə*] I. *n* 1. vánkos, párna 2. aljzat; párnafa, ászokfa, nyeregfa II. *vt* ~ (*up*) alátámaszt, támogat
bolt¹ [boʊlt] I. *adv* ~ *upright* egyenesen, kihúzva magát, nyársat nyelve II. *n* 1. tolózár, retesz [ajtón]; (zár)nyelv; závár(zat) 2. csapszeg; (anyás)csavar 3. nyílvessző; *has shot one's* ~ kijátszotta utolsó ütőkártyáját 4. villámcsapás; *biz a* ~ *from the blue* derült égből villámcsapás 5. futás; *make a* ~ *for it* vhová elinal/eliramodik 6. egy vég [vászon] III. A. *vt* 1. elzár, elreteszel 2. bekap [ételt] 3. kilép [pártból] B. *vi* elrohan, elinal
bolt² [boʊlt] *vt* 1. szitál 2. megvizsgál
bolter ['boʊltə*] *n* ijedős/szilaj ló
bolt-head *n* csavarfej

bolt-hole *n* 1. rejtekhely; kibúvó 2. csavarfurat, csapszegfurat
bolus ['boʊləs] *n* nagy pirula
bomb [bɔm; *US* -ɑ-] I. *n* bomba; *release a* ~ bombát ledob II. *vt* 1. bombáz, bombát vet (vmre) 2. ~ *out* kibombáz 3. ~ *up* bombával felszerel [repgépet]
bombard ['bɔmbɑ:d; *US* 'bam-] *vt* 1. bombáz 2. megdobál 3. támad [szidalmakkal]; [kérdésekkel] ostromol
bombardier [bɔmbə'dɪə*; *US* bam-] *n* 1. tüzér tisztes 2. bombakioldó [személy repgépen]
bombardment [bɔm'bɑ:dmənt; *US* bam-] *n* bombázás
bombast ['bɔmbæst; *US* 'bam-] *n* dagály, fellengzősség, bombaszt
bombastic [bɔm'bæstɪk; *US* bam-] *a* dagályos, bombasztikus
Bombay [bɔm'beɪ; *US* bɑ-] *prop*
bomb-bay *n* bombarekesz [repülőgépen]
bomb-carrier *n* bombázó(gép)
bomb-crater *n* bombatölcsér
bomb-disposal *n* bombaeltávolítás, hatástalanítás [fel nem robbant bombáé] /
bomber ['bɔmə*; *US* -ɑ-] *n* = *bomb-carrier*
bomb-proof *a* bombabiztos
bomb-shell *n* gránát; *átv biz this was a* ~ *to us* ez bombaként hatott ránk
bomb-sight *n* célzókészülék [bombavetőn]
bomb-site *n* foghíjas telek [bombázás helyén]
bona-fide [boʊnə'faɪdɪ] I. *a* jóhiszemű; tisztességes II. *adv* jóhiszeműen; tisztességesen, komolyan
bonanza [boʊ'nænzə] *n US* 1. gazdag érclelőhely/telér 2. *átv* szerencsés lelet, „aranybánya"; (hirtelen jött) gazdagság; bombaüzlet
bond [bɔnd; *US* -ɑ-] I. *n* 1. kötelék (*átv is*); *bilincs; biz* ~*s of friendship* baráti kötelékek 2. téglakötés; kötés [molekulában] 3. kötelezettség; óvadék, biztosíték 4. kötvény, kötelezvény, adóslevél 5. vámőrizet; *be in* ~ vámőrizetben/vám(szabad)raktárban van 6. = *bond-paper* II. *vt* 1. beköt

[téglát falba] 2. vámzár alá helyez, vámszabadraktárban elhelyez 3. elzálogosít
bondage ['bɔndɪdʒ; US -ɑ-] n 1. jobbágyság 2. rabszolgaság 3. fogság
bonded ['bɔndɪd; US -ɑ-] a 1. kötvénnyel/okirattal biztosított; ~ debt kötvényesített kölcsöntartozás 2. vámőrizetben/vámraktárban elhelyezett; ~ warehouse vám(szabad)raktár
bondholder n kötvénytulajdonos
bondmaid n † fiatal rabszolganő
bondman ['bɔndmən; US -ɑ-] n (pl -men -mən) 1. rabszolga 2. jobbágy 3. kezes
bond-paper n miniszterpapír, finom írópapír
bondsman ['bɔndzmən; US -ɑ-] n (pl -men -mən) = bondman
bone [boʊn] I. n 1. csont; ~ cancer csontrák; ~ of contention a vita tárgya, Erisz almája; I feel it in my ~s a csontjaimban érzem, biztos vagyok benne; have a ~ to pick with sy elintézni- v. számolnivalója van vkvel; pick a ~ lerág csontot; make no ~s about sg habozás nélkül megtesz vmt, nem sokat teketóriázik, kertelés nélkül megmond vmt; he won't make old ~s nem fog megöregedni 2. (hal)szálka; halcsont 3. bones pl dominó(kockák), játékkockák [kockajátékban] II. vt 1. kicsontoz; (hal)szálkát kiszed (vmből) 2. □ elemel, ellop 3. US biz ~ up magol
boneblack n csontszén
boned [boʊnd] a 1. csontos 2. kicsontozott
bone-dry a 1. csontszáraz 2. biz szomjas
bonehead n US csökönyös ostoba ember
bone-lace n vert csipke
boneless ['boʊnlɪs] a 1. csont/szálka nélküli 2. biz erélytelen, puhány
bone-meal n csontliszt
boner ['boʊnə*] n US □ melléfogás, baklövés, baki
bonesetter n biz csontrakó
bone-shaker n rossz rugózású jármű, tragacs
bonfire ['bɔnfaɪə*; US -ɑ-] n örömtűz; máglya

Boniface ['bɔnɪfeɪs; US 'bɑ-] prop 1. Bonifác 2. b~ jókedvű vendéglős
bonnet ['bɔnɪt; US -ɑ-] n 1. főkötő 2. sapka [perem és ellenző nélkül] 3. GB motorháztető
bonnie, bonny ['bɔnɪ; US -ɑ-] a sk csinos, jóképű
bonus ['boʊnəs] n rendkívüli osztalék, külön juttatás, prémium, nyereségrészesedés
bony ['boʊnɪ] a 1. csontos; szálkás 2. nagy csontú, csontos
boo [buː] I. int hess!, sicc! II. A. vt kifütyül; lepisszeg B. vi pfujoz
boob [buːb] n □ = booby
booby ['buːbɪ] n nagy kamasz, bamba fajankó, mafla; □ ~ hatch diliház
booby-trap n 1. otromba tréfa 2. ⟨aknát robbantó használati tárgy⟩
boodle ['buːdl] n □ pénz (politikai vesztegetésre)
boogie-woogie ['buːgɪwuːgɪ] n US bugivugi [tánc]
boohoo [buːˈhuː] I. n jajveszékelés, siránkozás II. vi bőg [sír]
book [bʊk] I. n 1. könyv; ~ club könyvbarátok klubja, könyvklub; ~ jacket borító(lap) [könyvé]; ~ review könyvismertetés; ~ token könyvutalvány; ~ of accounts főkönyv [üzleti]; be in sy's bad/black ~s kegyvesztett vknél, vk feketelistáján van; be in sy's good ~s kegyben áll vknél; bring to ~ elkönyvel; bring sy to ~ (for sg) számon kér vktől (vmt), kérdőre von vkt (vmért); keep the ~s könyvel; speak by the ~ (1) úgy beszél mintha könyvből olvasná (2) tekintélyre hivatkozik; swear by the B~ a Szentírásra esküszik; that will suit my ~ (ez) megegyezik terveimmel 2. ~ of cheques csekkfüzet; ~ of matches lapos gyufacsomag; ~ of needles egy levél (varró-)tű; ~ of stamps bélyegfüzet; ~ of tickets jegyfüzet II. A. vt 1. (el)könyvel, bejegyez [könyvelési tételt] 2. (le)foglal, előjegyez(tet), megrendel [szobát, jegyet stb.]; ~ in advance (1) lefoglal, előjegyez(tet) (2) előre/elővételben megvált [jegyet]; seats can be ~ed from 10 a.m. to 8 p.m. jegyárusítás

(v. jegyek válthatók) 10—20 óráig; ~ *a tour* befizet egy társasutazásra; *be (fully)* ~*ed up* teljesen megtelt, nincs szabad szoba [szállodában]; *biz I am* ~*ed up for this evening* a mai estém foglalt 3. kiad menetjegyet [utasnak] 4. *biz be* ~*ed* (1) megbüntetik [közlekedési szabálysértésért] (2) sárga cédulát kap [játékos] **B.** *vi* menetjegyet vált; ~ *through* végig megváltja a jegyet

bookable ['bukəbl] *a* (elővételben) (meg-)váltható [jegy]; lefoglalható [szoba]; *all seats* ~ jegyek válthatók

bookbinder *n* könyvkötő

bookbinding *n* könyvkötés

bookcase *n* könyvespolc, könyvszekrény

booked [bukt] *a* lefoglalt

bookends *n pl* könyvtámasz

bookie ['buki] *n biz* = *bookmaker*

booking ['bukıŋ] *n* 1. előjegyzés, helyfoglalás, jegyrendelés; szobafoglalás, szállásfoglalás; *make a* ~ szobát foglal; *make the* ~*s* (el)intézi a hely- és szobafoglalást 2. jegyváltás 3. jegyárusítás 4. *biz get a* ~ sárga cédulát kap [játékos]

booking-clerk *n GB* (vasúti) jegypénztáros

booking-office *n GB* jegypénztár

bookish ['bukıʃ] *a* 1. könyvkedvelő 2. elméleti; tudálékos; könyvszagú

bookkeeper *n* könyvelő

bookkeeping *n* könyvelés, könyvvitel

book-learning *n* elméleti tudás/műveltség

booklet ['buklıt] *n* könyvecske, brosúra, füzet

bookmaker *n* (lóverseny-)fogadóirodás, bukméker, könyves

bookman ['bukmən] *n* (*pl* -**men** -mən) tudós

book-mark(er) *n* könyvjelző, olvasójel

bookmobile *n US* mozgókönyvtár, könyvtárbusz

book-plate *n* ex libris

book-post *n* postai nyomtatvány-díjszabás; *by* ~ nyomtatványként

bookrest *n* könyvállvány, könyvtartó

bookseller *n* könyvkereskedő

bookshelf *n* (*pl* -**shelves**) könyvespolc

bookshop *n* könyvkereskedés, könyvesbolt

bookstall *n* [pályaudvari] könyvárusítóhely, (utcai) könyvárus, könyvesbódé

bookstand *n* = *bookstall*

bookstore *n US* = *bookshop*

bookworm *n* könyvmoly

boom¹ [bu:m] **I.** *n* 1. alsó vitorlafa, öregfa, „bum" 2. torkolatzár

boom² [bu:m] **I.** *n* 1. zúgás, dörgés, moraj(lás) 2. (üzleti) fellendülés, áremelkedés, konjunktúra; ~ *and bust* konjunktúra és dekonjunktúra **II. A.** *vi* 1. zúg, dörög, morajlik 2. fellendül, virágzik **B.** *vt* reklámoz

boomerang ['bu:məræŋ] *n* bumeráng

boon [bu:n] **I.** *a* 1. kellemes, vidám; ~ *companion* víg cimbora 2. † bőkezű **II.** *n* 1. áldás, jótétemény 2. adomány

boor [buə*] *n* faragatlan ember, bugris

boorish ['buərıʃ] *a* durva, faragatlan

boost [bu:st] **I.** *n* 1. reklám(ozás) 2. értékemelkedés [reklám következtében]; fellendülés 3. erősítés, fokozás **II.** *vt* 1. alulról tol, felemel; ~ *sy into a job* beprotezsál vkt állásba 2. reklámot csinál (vmnek); fellendít 3. erősít, fokoz; feszültséget emel [vezetékben]

booster ['bu:stə*] *n* ~ *rocket* gyorsítóraréta, indító (segéd)rakéta; ~ *stage* indító fokozat

boot¹ [bu:t] **I.** *n* 1. magas szárú cipő; csizma; *high* ~*s* csizma; *the* ~ *is on the other leg* az igazság éppen az ellenkező oldalon van; □ *get the* ~ kirúgják; □ *give sy the* ~ kirúg vkt [állásából] 2. csomagtartó [gépkocsiban] **II.** *vt* □ ~ (*out*) kirúg vkt ‖ →*boots*

boot² [bu:t] **I.** *n* előny, haszon; *to* ~ ráadásul **II.** *vt what* ~*s it to . . .?* mi értelme/haszna van, ha . . .?

bootblack *n US* cipőtisztító [ember]

booted ['bu:tıd] *a* csizmás

bootee ['bu:ti:] *n* kötött babacipő

booth [bu:ð; *US* -θ] *n* 1. (piaci) bódé; sátor, elárusítóhely [vásáron] 2. fülke [szavazó, *US* telefon]

bootjack *n* csizmahúzó

bootlace *n* cipőfűző

bootleg I. *a* csempészett II. *n* 1. csizmaszár 2. csempészett alkohol(os ital) III. *vt* **-gg-** csempész [alkoholt] **bootlegger** [-legə*] *n US* alkoholcsempész **bootless** ['bu:tlɪs] *a* hiábavaló, eredménytelen **bootlicker** [-lɪkə*] *n* talpnyaló **boot-lid** *n* csomagtartófedél **boots** [bu:ts] *n GB* (szállodai) szolga, londiner **bootstrap** *n US* cipőhúzó (fül); **lift/raise oneself by one's** ~s a maga erejéből emelkedik fel **boot-tree** *n* sámfa **booty** ['bu:tɪ] *n* zsákmány, préda, martalék; **play** ~ (1) cselből veszít játék elején (2) összejátszik vkvel **booze** [bu:z] *vulg* I. *n* pia II. *vi* piál **boozy** ['bu:zɪ] *a* részeges, (nagy) piás **bo-peep** [boʊ'pi:p] *n* ⟨egy fajta bújócskajáték⟩ **bor.** *borough* (l. ott!) **border** ['bɔ:də*] I. *n* 1. szegély, vm széle 2. határ; **the B**~ a skót határ(vidék), a skót végek; ~ **station** határállomás II. A. *vt* 1. szegélyez, beszeg 2. határol B. *vi* ~ **on** *sg* (1) határos vmvel (2) nagyon közel jár/van/esik vmhez **borderer** ['bɔ:dərə*] *n* határvidéki lakos **bordering** ['bɔ:dərɪŋ] *a* határos **border-land** *n* 1. határvidék, -sáv 2. átmenet **border-line** *n* határ(vonal); *a* ~ **case** határeset **bore¹** [bɔ:*] I. *n* 1. furat 2. kaliber, belső átmérő II. A. *vt* (ki)fúr [lyukat stb.] B. *vi* fúr(ást végez); fúródik **bore²** [bɔ:*] I. *n* unalmas ember/dolog II. *vt* untat; **be** ~**d** (*to death*) (halálosan) unatkozik (v. unja magát) **bore³** [bɔ:*] *n* szökőár **bore⁴** → *bear²* **boredom** ['bɔ:dəm] *n* unalom, unatkozás **borer** ['bɔ:rə*] *n* 1. fúró(s) [ember] 2. fúróberendezés 3. szúró rovar; hajóféreg **boric** ['bɔ:rɪk] *a* ~ **acid** bórsav **boring¹** ['bɔ:rɪŋ] *n* (talaj)fúrás **boring²** ['bɔ:rɪŋ] *a* unalmas, untató **Boris** ['bɔrɪs; *US* -ɑ-] *prop* Borisz ⟨férfinév⟩

born [bɔ:n] *a* 1. (vmlyen) születésű 2. (vmre) született ‖ →*bear²* **-borne** [-bɔ:n] (vm által) szállított ‖ →*bear²* **boro'** ['bʌrə] *borough* (l. ott!) **boron** ['bɔ:rɔn] *n* bór **borough** ['bʌrə; *US* 'bə:roʊ] *n* 1. város; törvényhatóság 2. választókerület **borrow** ['bɔroʊ; *US* -ɑ-] *vt* kölcsönvesz, kölcsönkér, kölcsönöz; ~**ed** *word* kölcsönszó **borrower** ['bɔroʊə*; *US* -ɑ-] *n* kölcsönvevő, kölcsönző **borrowing** ['bɔroʊɪŋ; *US* -ɑ-] *n* 1. kölcsön(vétel) 2. átvétel [nyelvi] **Borstal** ['bɔ:stl] *n* javítóintézet; ~ *boy* javítóintézeti növendék **borzoi** ['bɔ:zɔɪ] *n* orosz agár **bosh** [bɔʃ; *US* -ɑ-] *n biz* szamárság, buta beszéd **bosky** ['bɔskɪ; *US* -ɑ-] *a* bokros, cserjés **bos'n** ['boʊsn] *n* = *boatswain* **bosom** ['bʊz(ə)m] *n* kebel, mell; ~ *friend* kebelbarát **bosomed** ['bʊz(ə)md] *a* 1. keblű 2. szivébe zárt, elrejtett **boss¹** [bɔs; *US* -ɔ:-] *n* gomb, kidudorodás [pajzson stb.], kiemelkedés, domborulat **boss²** [bɔs; *US* -ɔ:-] *biz* I. *n* 1. főnök, góré, tulaj 2. (kerületi/városi) pártvezér II. *vt* irányít, uralkodik (vmn, vkn); parancsolgat (vknek); ~ *the show* az egészet irányítja, ő a góré **boss-eyed** *a biz* kancsal **bossy** ['bɔsɪ; *US* -ɔ:-] *a biz* erőszakosan vezető, parancsolgató **Boston** ['bɔst(ə)n; *US* 'bɔ:st(ə)n v. -ɑ:-] *prop* **bosun, bo'sun** ['boʊsn] *n* = *boatswain* **Boswell** ['bɔzw(ə)l] *prop* **Bosworth** ['bɔzwəθ] *prop* **botanic(al)** [bə'tænɪk(l)] *a* növénytani, botanikus; ~ *garden* botanikus kert, füvészkert **botanist** ['bɔtənɪst; *US* 'bɑ-] *n* botanikus **botanize** ['bɔtənaɪz; *US* 'bɑ-] *vt/vi* növénytannal foglalkozik; növényt gyűjt, botanizál **botany** ['bɔtənɪ; *US* 'bɑ-] *n* növénytan, botanika

7*

botch [bɔtʃ; US -ɑ-] I. n tákolmány; kontármunka, fusermunka II. A. vt 1. ~ (up) kontár módon csinál; (ügyetlenül) összetákol, -eszkábál 2. elront, elfuserál B. vi kontárkodik

botfly n bögöly, bagócs

both [bouθ] I. a/pron mindkét, mindkettő, mind a kettő; ~ of them mindketten; ~ of us mindegyikünk II. adv mindketten III. conj ~ ... and mind ... mind ... , is ... is

bother ['bɔðə*; US -ɑ-] I. n 1. bosszúság, baj, méreg 2. alkalmatlanság, zaklatás, alkalmatlankodás, nyűg II. A. vt 1. terhel, nyaggat, háborgat, zaklat, terhére van, molesztál 2. ~ it! fene ezt a dolgot ! B. vi 1. alkalmatlankodik 2. nyugtalankodik; ~ about/with sg vmvel törődik; don't ~ (about it) ne törődj vele!, ne izgasd magad (miatta) !

botheration [bɔðə'reɪʃn; US bɑ-] n kellemetlenség, bosszúság, alkalmatlanság, nyűg

bothersome ['bɔðəsəm; US 'bɑ-] a kellemetlen(kedő), bosszantó, terhes

bottle[1] ['bɔtl; US -ɑ-] I. n palack, üveg; a ~ of wine egy üveg bor II. vt 1. palackoz, üvegbe tölt; lefejt 2. befőz, üvegben eltesz/tartósít; ~d fruit befőtt 3. ~ up elfojt, magába fojt [haragot]

bottle[2] ['bɔtl; US -ɑ-] n GB (széna)köteg

bottle-fed a üvegből/mesterségesen táplált [csecsemő]

bottle-green a palackzöld

bottleneck n 1. útszűkület; torlódás 2. szűk keresztmetszet

bottle-opener n sörnyitó

bottle-party n ⟨baráti összejövetel, ahová az italt a vendégek viszik⟩

bottler ['bɔtlə*; US -ɑ-] n palackozó

bottom ['bɔtəm; US -ɑ-] I. a legutolsó, legalsó; my ~ dollar utolsó vasam; ~ gear első sebesség [gépkocsi]; ~ price utolsó ár II. n 1. fenék, vmnek alja/vége; from the ~ of my heart szívem legmélyéről; find ~ again átv újra talpra áll; knock the ~ out of an argument halomra dönt [érvelést]; get to the ~ of sg vmnek mélyére hatol; be at the ~

of sg vmért felelős (mint kezdeményező), ő van vm mögött 2. alap(zat); at ~ alapjában véve 3. biz fenék, ülep; kick sy's ~ vkt fenékbe rúg 4. hajófenék; in British ~s brit hajókban, angol lobogó alatt III. A. vt 1. fenékkel ellát 2. végére jár (vmnek) 3. alapoz B. vi 1. fenékre süllyed, feneket ér 2. alapszik (on vmn)

-bottomed [-bɔtəmd; US -ɑ-] fenekű

bottomless ['bɔtəmlɪs; US 'bɑ-] a feneketlen; the ~ pit a pokol

bottomry ['bɔtəmrɪ; US 'bɑ-] n hajókölcsön

botulism ['bɔtjʊlɪzm; US 'bɑtʃə-] n konzervmérgezés, kolbászmérgezés

bough [baʊ] n (nagy fa)ág

bought →buy

bouillon ['bu:jɔ:ŋ] n húsleves

boulder ['bouldə*] n 1. nagy szikladarab 2. vándorkő

boulevard ['bu:lvɑ:*; US -vɑ:rd] n sugárút (fasorral)

bounce [baʊns] I. n 1. ugrálás, szökellés; visszapattanás, -ugrás 2. ruganyosság, életerő, vitalitás 3. biz hetvenkedés, hencegés 4. hirtelen/erős ütés 5. US □ kidobás [állásból] II. A. vi 1. ugrál [labda], ugrándozik 2. ~ in beront 3. biz dicsekszik, hetvenkedik B. vt 1. ~ into sg beugrat vmbe 2. US □ kidob vkt vhonnan; the check was ~d a csekket visszadobták

bouncer ['baʊnsə*] n 1. hencegő 2. nagy/erős személy/dolog 3. szemérmetlen hazugság 4. US □ kidoboóember

bouncing ['baʊnsɪŋ] a 1. életerős, vidám 2. ~ lie szemérmetlen hazugság

bound[1] [baʊnd] I. n határ; know no ~s nem ismer határt; out of ~s megengedett területen kívül(i), tiltott, tiltva; within the ~s of reason az ésszerűség határain belül II. vt (el)határol; korlátoz

bound[2] [baʊnd] I. n ugrás; at a ~ egyetlen ugrással II. vi 1. ugrik, ugrál, ugrándozik 2. visszapattan

bound[3] [baʊnd] a vhova tartó; ~ for home útban hazafelé

bound[4] [baʊnd] a 1. (meg)kötött, össze-

kötött, bekötött; *be ~ up in sg* nagyon érdekli vm, érdekelve van vmben; nagyon el van foglalva/merülve (vmvel, vmben); *they are ~ up in each other* közös minden gondolatuk/tettük, egygyé váltak (lelkileg); *be ~ up with sg* szoros kapcsolatban áll vmvel 2. *(kötelesség, elkerülhetetlenség kifejezésére:)* *he is ~ to do sg* köteles vmt megtenni; *he's ~ to come* el kell jönnie; *it is ~ to happen* feltétlenül be fog következni, elkerülhetetlen; *I'll be ~* biztos vagyok benne, fogadni mernék ‖ → *bind*
boundary ['baöndərı] *n* határ(vonal)
bounden ['baöndən] *a it is my ~ duty* szent kötelességem
bounder ['baöndə*] *n GB biz* modortalan, műveletlen és erőszakos fickó
boundless ['baöndlıs] *a* határtalan
bounteous ['baöntıəs] *a* 1. bőkezű, nagylelkű, jótékony 2. bőséges, bő
bountiful ['baöntıföl] *a = bounteous*
bounty ['baöntı] *n* 1. jótékonyság, nagylelkűség 2. (pénz)adomány, pénzjutalom, prémium; államsegély
bouquet [bö'keı] *n* 1. (virág)csokor 2. zamat, buké [boré]
bourbon ['bə:bən] *n US* amerikai whisky [kukoricából]
bourgeois ['böəʒwɑ:] I. *a* polgári, tőkés, burzsoá II. *n* polgár, tőkés, burzsoá
bourgeoisie [böəʒwɑ:'zi:] *n* polgárság, burzsoázia
bourn(e) [böən; *US* bɔ:rn] *n* † 1. célpont 2. határterület
bout [baöt] *n* 1. küzdelem, harc 2. roham [betegségé]; *~ of influenza* (heveny) influenzás megbetegedés 3. menet [ökölvívásban], csörte [vívásban] 4. = *drinking-bout*
'bout [baöt] = *about*
boutique [bu:'ti:k] *n* boutique, butik
bovine ['böövaın] *a* 1. szarvasmarhaféle, ökör- 2. *biz* nehézkes, tunya, buta
bow¹ [böö] I. *n* 1. íj, (kör)ív 2. vonó [hegedűé stb.] 3. keret, szár [szemüvegé] 4. kötött csomó, (szalag)csokor; *~ knot* hurokcsomó II. A. *vt* 1. (meg-)hajlít 2. *how do you ~ that passage?* milyen vonóvezetést alkalmaz ennél a résznél? B. *vi* vezeti a vonót

bow² [baö] I. *n* meghajlás, fejbólintás, köszönés; *make a deep/low ~ to sy* mélyen meghajol vk előtt; *make one's ~ to the company* elköszön a társaságtól II. A. *vi* 1. meghajol *(to* vk előtt); bókol; *~ to sy* (oda)köszön vknek 2. megalázkodik *(before* vk előtt); meghajlik *(to* vk/vm előtt), megadja magát, beletörődik *(to* vmbe) B. *vt* 1. meghajt [fejet]; meghajlít 2. *~ sy in* hajlongva bevezet; *~ sy out* ajtóig kísér és elbúcsúzik
bow³ [baö] *n* orr [hajóé]; *on the ~* a hajó elején/orrán
bow-compass ['böö-] *n* nullkörző, marokkörző, íves körző
bowdlerize ['baödləraız] *vt* valláserkölcsi célzattal megcsonkít [szellemi alkotást], megtisztít, kiherél [írásművet]
bowel ['baöəl] *n* bél; *~(s)* (1) belek, belső részek (2) gyengéd érzések; *~ movement* széklet
bower ['baöə*] *n* 1. női szoba, budoár 2. lugas 3. falusi házikó, kerti ház
bow-hand ['böö-] *n* jobb kéz [hegedűsé]
bowie-knife ['bööı-] *n* *(pl* -knives) *US* vadászkés
bowing¹ ['bööıŋ] *n* vonóvezetés
bowing² ['baöıŋ] *n* meghajlás, köszönés; *~ acquaintance* futólagos ismeretség; *have a ~ acquaintance with sy* v. *sg* (1) köszönő viszonyban van vkvel (2) vm kis felületes ismerete van [egy tárgykörben]
bowl¹ [bööl] *n* 1. [kisebb gömbölyű] tál, (fületlen) ivócsésze; edény 2. † medence 3. pipafej; kanál mélyedése 4. *US* stadion
bowl² [bööl] I. *n* (fa)golyó; *(game of) ~s* (1) *GB* golyójáték (2) *US* teke(játék), kugli; *play (at) ~s* (1) *GB* golyózik (2) *US* tekézik, kuglizik II. A. *vt* 1. gördít, gurít; hajít [labdát krikettben] 2. *~ out* (1) kizár a játékból [krikettjátékost] (2) *átv* legyőz 3. *~ over* (1) felborít, felfordít (2) tehetetlenné tesz; *he was ~ed over by the news* fejbevágta a hír B. *vi* 1. tekézik 2. labdát dob 3. gördül, gurul
bow-legged ['böö-] *a* karikalábú
bowler ['böölə*] *n* 1. kuglizó, tekéző 2.

dobó [krikettben] 3. ~ hat keménykalap
bowlful ['boulful] n egy tálnyi
bowline ['boulın] n 1. vitorlafeszítő-kötél 2. tengerészcsomó
bowling ['boulıŋ] n golyójáték, US tekézés; ~ alley tekepálya; ~ green gyepes tekepálya
bowman ['boumən] n (pl -men -mən) íjász, nyilas
bowshot ['bou-] n nyíllövés(nyi távolság)
bowsprit ['bousprıt] n orrárboc
bowstring ['bou-] n íjhúr
bow-tie [bou-] n csokornyakkendő
bow-window [bou-] n íves zárt erkély
bow-wow I. int [bau'wau] vau-vau II. n ['bauwau] vau-vau, kuszi, kutyus
box¹ [boks; US -a-] n puszpáng, buxus
box² [boks; US -a-] I. n 1. doboz, láda; a ~ of matches egy skatulya gyufa; ~ number <apróhirdetés hivatkozási száma> kb. „jelige"; in the wrong ~ (1) rossz helyre tévedt be (2) kínos helyzetben van 2. páholy, fülke, rekesz; ~ seat páholyülés; prisoner's ~ vádlottak padja 3. bak [kocsin] 4. házikó 5. boksz [lóistállóban] II. vt 1. dobozba/rekeszbe helyez/csomagol; ~ up összezsúfol 2. ~ the compass (1) világtájakat helyes sorrendben elmondja (2) biz visszatér kiindulási pontjához (v. eredeti álláspontjához)
box³ [boks; US -a-] I. n ütés; ~ on the ear(s) pofon II. A. vt ~ sy's ear(s) megpofoz vkt B. vi bokszol
box-camera n bokszgép
boxcar n US zárt tehervagon
boxer ['boksə*; US -a-] n 1. bokszoló, ökölvívó 2. bokszer [kutya]
boxful ['boksful; US 'ba-] a doboznyi
boxing ['boksıŋ; US 'ba-] n bokszolás, ökölvívás
Boxing Day GB karácsony más(od)napja
boxing-gloves n pl bokszkesztyű
box-office n [színházi] jegypénztár; ~ hit kasszadarab, nagy színházi siker
box-wood n = box¹
boy [boı] n 1. fiú; her ~ friend a fiúja, a fiú akivel jár; from a ~ kisfiú korától kezdve 2. bennszülött inas [gyarmatokon]

boycott ['boıkɔt; US -at] I. n bojkott II. vt bojkottál, kiközösít
boyhood ['boıhud] n gyermekkor, fiúkor
boyish ['boııʃ] a kisfiús, fiús
Boyle [boıl] prop
Br. British
BR [bi:'a:*] British Rail(ways) brit államvasutak
bra [bra:] n biz melltartó
brace [breıs] I. n 1. kapocsvas; merevítő rúd 2. támasz, dúc 3. kapcsos zárójel } 4. ~ and bit (mell)furdancs 5. GB braces pl nadrágtartó 6. (pl ~) egy pár [állat, tárgy] II. vt 1. megerősít, merevít, dúcol 2. ~ sy up megerősít/felfrissít vkt; ~ oneself up öszszeszedi magát, nekigyürkőzik vmnek
bracelet ['breıslıt] n karperec, karkötő
bracer ['breısə*] n 1. heveder, tartószíj 2. csuklóvédő [íjászé] 3. US szíverősítő; üdítő ital
bracing ['breısıŋ] I. a (fel)üdítő, erősítő [levegő] II. n 1. erősítés, felüdítés, frissítés 2. merevítés
bracken ['bræk(ə)n] n saspáfrány
bracket ['brækıt] I. n 1. tartó, konzol; polc 2. zárójel; round ~s kerek zárójel (); square ~s szögletes zárójel [] 3. US income ~s jövedelemkategóriák; lower income ~s kisfizetésűek, csekély jövedelműek II. vt 1. zárójelbe tesz 2. összekapcsol 3. biz egy kalap alá vesz
brackish ['brækıʃ] a kissé sós
bract [brækt] n murva; fedőlevél
brad [bræd] n apró fejű szeg
bradawl ['brædɔ:l] n (szeg)lyukfúró ár
Bradshaw ['brædʃɔ:] n GB <régi brit menetrendkönyv>
brae [breı] n sk domboldal
brag [bræg] I. n 1. kérkedés, hencegés 2. kérkedő, hetvenkedő, hencegő II. vi -gg- kérkedik, henceg, hetvenkedik
braggadocio [brægə'doutʃiou] n 1. háryjánoskodás 2. hencegő, „Háry János"
braggart ['brægət] a/n = brag I. 2.
bragged [brægd] →brag II.
bragging ['brægıŋ] n kérkedés
brahman ['bra:mən] n brahman <legfelső kasztbeli hindu>
brahmin ['bra:mın] n 1. = brahman 2. US gőgös felső értelmiségi

braid [breɪd] I. n 1. (haj)fonat 2. zsinór, paszomány; szegély II. vt 1. copfba fon, összefon 2. szegélyez, zsinóroz, paszománnyal díszít 3. befon [kábelt]
braille [breɪl] n Braille-irás, vakírás
brain [breɪn] I. n agy(velő); ész; ~(s) trust agytröszt, szakértőcsoport; man of ~s eszes ember; cudgel/rack one's ~s töri a fejét; use your ~s gondolkozz!; more ~ than brawn többet ésszel mint erővel; pick sy's ~s kihasználja vknek a tudását; have sg on the ~ vm izgatja, vm jár a fejében, töpreng vmn; sg has turned his ~ vm elkapatta, vmtől fejébe szállt a dicsőség II. vt fejbe ver, agyonüt
brain-drain n ⟨értelmiség emigrálása⟩, tudóscsábítás
-brained [-breɪnd] -eszű
brain-fag n szellemi kifáradás, (ideg)kimerültség
brain-fever n agyhártyagyulladás; agyvelőgyulladás
brainless ['breɪnlɪs] a esztelen, buta
brainpan n koponya
brain-storm n 1. félrebeszélés, hirtelen elmezavar 2. US biz = brain-wave
brainwash vt (ideológiailag) átnevel
brainwashing n US (ideológiai) átnevelés, agymosás
brain-wave n biz hirtelen jó ötlet, pompás/szenzációs ötlet
brainy ['breɪnɪ] a eszes, okos
braise [breɪz] vt párol, dinsztel [húst]
brake¹ [breɪk] n saspáfrány
brake² [breɪk] n sűrűség, csalitos
brake³ [breɪk] I. n tiló II. vt tilol
brake⁴ [breɪk] I. n fék; ~ lining fékbetét; ~ pedal fékpedál; put on the ~(s) fékez; the ~ is on be van húzva a fék II. vt/vi fékez
brake⁵ →break.
brake-block n féktuskó
brake-drum n fékdob
brakeman ['breɪkmən] n US (pl -men -mən] = brakesman
brake-shoe n fékpofa
brakesman ['breɪksmən] n (pl -men -mən) vasúti fékező
brake-van n fékezőkocsi

braking ['breɪkɪŋ] n fékezés; ~ distance fékút
bramble ['bræmbl] n földi szeder
bran [bræn] n korpa
branch [brɑːntʃ; US -æ-] I. n 1. ág 2. (átv is) ág(azat); szak(ma); üzletág 3. fiók(üzlet); ~ office fiókiroda, kirendeltség 4. elágazás 5. kar [gyertyatartóé, csilláré]; leágazó cső II. A. vi 1. elágazik 2. ~ out szétágazik; kiterjed; ~ out into sg vm új dologba kezd B. vt szétoszt
branching ['brɑːntʃɪŋ; US -æ-] a elágazó, szétváló
branch-line n [vasúti] szárnyvonal
brand [brænd] I. n 1. parázs, üszök 2. növényi rozsda 3. beégetett bélyeg, megbélyegzés 4. védjegy; márka; (bizonyos áru)fajta 5. † kard II. vt égetéssel megjelöl, bélyeget beéget (vmbe); (átv is) (meg)bélyegez
branding-iron ['brændɪŋ-] n billog
brandish ['brændɪʃ] vt forgat [kardot]
brand-new a vadonatúj
brandy ['brændɪ] n pálinka, borpárlat, konyak
brash [bræʃ] a biz 1. szemtelen, pimasz 2. hetyke; tapintatlan
brass [brɑːs; US -æ-] n 1. sárgaréz; □ ~ hat aranygallérosok, vezérkari tisztek és tábornokok; ~ knuckles bokszer; ~ winds, the ~ rézfúvósok; biz get down to ~ tacks a tárgyra/lényegre tér 2. brasses pl rézedények; rézszerelvények 3. réz síremléklap 4. GB □ pénz, dohány 5. □ szemtelenség, pofátlanság
brass-band n rezesbanda
brasserie ['bræsərɪ] n söröző
brass-founder n rézöntő, rézműves
brassière ['bræsɪə*; US brə'zɪər] n melltartó
brassy ['brɑːsɪ; US -æ-] a 1. rezes, rézből való 2. □ szemtelen, pimasz
brat [bræt] n kölyök, poronty
bravado [brə'vɑːdoʊ] n hősködés
brave [breɪv] I. a 1. bátor, merész; derék 2. mutatós, nagyszerű II. n 1. bátor ember 2. indián harcos III. vt dacol, szembeszáll (vkvel); ~ it out

rágalmakkal nem törődik, gyanú alatt dacosan viselkedik

bravery ['breɪv(ə)rɪ] *n* **1.** bátorság **2.** pompa

bravo¹ ['brɑ:voʊ] *n* orgyilkos

bravo² [brɑ:'voʊ] *int* bravó!

brawl [brɔ:l] **I.** *n* **1.** lármás veszekedés **2.** verekedés **II.** *vi* **1.** civakodik, veszekszik **2.** verekszik

brawler ['brɔ:lə*] *n* veszekedős ember

brawn [brɔ:n] *n* **1.** izom(erő), testi erő **2.** disznósajt

brawny ['brɔ:nɪ] *a* erős, fejlett izomzatú

bray¹ [breɪ] **I.** *n* **1.** szamárordítás **2.** trombitaharsogás **II.** *vi* **1.** recseg, harsog [trombita] **2.** ordít, iáz [szamár]

bray² [breɪ] *vt* mozsárban tör

braze [breɪz] *vt* keményen forraszt

brazen ['breɪzn] **I.** *a* **1.** rézből való, réz-, bronz- **2.** rezes, érces [hang] **3.** *brazen-faced* **II.** *vt* ~ *out* hetykén/magabiztosan csinál

brazen-faced *a* szemtelen, pimasz

brazier ['breɪzjə*; *US* -ʒər] *n* **1.** rézműves **2.** szénserpenyő **3.** kokszkosár

Brazil [brə'zɪl] *prop* Brazília

Brazilian [brə'zɪljən] *a/n* brazíliai, brazil

breach [bri:tʃ] **I.** *n* **1.** megszegés; megsértés; ~ *of contract* szerződésszegés; ~ *of domicile* magánlaksértés; ~ *of faith* hűtlenség; ~ *of the peace* közcsendháborítás, rendbontás, garázdaság; ~ *of promise* (1) szószegés (2) házassági ígéret megszegése **2.** (át)törés, rés, hasadás, hullámtörés; *stand in the* ~ kb. sorompóba áll **3.** szakítás, viszály, meghasonlás **II.** *vt* rést üt (vmben), áttör [arcvonalat]

bread [bred] **I.** *n* kenyér; ~ *roll* zsemle; ~ *and butter* [bredn'bʌtə*] (1) vajas kenyér (2) *átv* megélhetés, „kenyér" →*bread-and-butter; quarrel with one's* ~ *and butter* összevész a kenyéradójával; maga alatt vágja a fát; *earn/make one's* ~ (meg)keresi a kenyeret; *take the* ~ *out of sy's mouth* elveszi vk kenyerét; † *break* ~ *with sy* vkvel együtt eszik; *know on which side one's*

~ *is buttered* tudja mi áll érdekében **II.** *vt* kiránt, paníroz [húst]

bread-and-butter [bredn'bʌtə*] *a* **1.** *US* hétköznapias, prózai **2.** ~. *letter* köszönőlevél (szíves látásért) ‖ →*bread* I.

bread-basket *n* **1.** kenyérkosár **2.** □ has

bread-bin *n* kenyértartó

bread-crumb *n* **1.** kenyérbél **2.** morzsa, prézli

bread-fruit *n* kenyérfa gyümölcse

bread-line *n* sorban állás élelmiszerért v. ingyen ebédért

bread-sauce *n* zsemlemártás

bread-stuffs *n pl* kenyérgabona, -liszt

breadth [bredθ] *n* **1.** szélesség **2.** ~ *of view* széles látókör, liberalizmus, nagyvonalúság

breadwinner *n* kenyérkereső

break [breɪk] **I.** *n* **1.** törés, hasadás, rés; megszakítás; megszakadás; ~ *of day* hajnalhasadás; ~ *of journey* útmegszakítás; *without* ~ megszakítás nélkül **2.** (óraközi) szünet, tízperc; *an hour's* ~ egy óra ebédszünet **3.** hirtelen változás; ~ *in the voice* (1) hangváltozás, a hang elváltozása/csuklása (2) mutálás [kamaszé]; ~ *in the weather* (hirtelen) időváltozás **4.** kihagyás (jele) [szövegben] **5.** *US biz* alkalom, sansz, érvényesülési lehetőség **6.** *biz* baklövés; nyelvbotlás; *a bad* ~ (1) (csúnya) baklövés (2) (nagy) pech **II.** *v* (*pt* **broke** broʊk, † **brake** breɪk, *pp* **broken** 'broʊk(ə)n, *biz* **broke** broʊk) **A.** *vt* **1.** (össze)tör; ⟨ltör; (el-)szakít; ~ *in two* kettétör; ~ *a dollar* felvált egy dollárt; ~ *open* feltör, felfeszít, kibont; *the window is broken* betört az ablak; *átv* ~ *sy* összetör/tönkretesz vkt; ~ *the back of a task* túljut a (munka) nehezén; ~ *cover* kitör rejtekéből [vad]; ~ *sy of a habit* vkt leszoktat vmről; ~ *the news gently to sy* tapintatosan (elsőnek) közöl vkvel hírt; ~ *a record* csúcsot/rekordot (meg)dönt/(meg)javít **2.** megszakít, félbeszakít; ~ *one's journey* megszakítja az útját/utazását; ~ *the peace* csendet/közrendet háborít; ~ *the silence* megtöri a csendet **3.** betör, belovagol [lovat] **4.** megszeg; megsért; ~

one's word megszegi a szavát **B.** *vi* **1.** (össze)törik, eltörik; (meg)hasad; (meg)szakad **2.** felszakad, kifakad [seb] **3.** megváltozik [idő] **4.** változik, mutál [hang] **5.** ~ *even* megkeresi a rezsit/kiadásait, egyenesbe jön **6.** ~ *from work* félbeszakítja a munkát; ~ *loose* elszökik a pórázról, elszabadul, kitör **break away A.** *vt* letör, leszakít; elszakít (vmtől) **B.** *vi* **1.** letörik, leszakad **2.** szakít [vmlyen szokással]; elszakad [csoporttól] **3.** szétválik; ~ *a.!* oszolj! **4.** elmenekül **break down A.** *vt* **1.** letör; lerombol, lebont **2.** felbont, lebont [tervet]; lebont [vegyületet] **3.** szétszór **B.** *vi* **1.** letörik **2.** (*átv is*) összeomlik; megbetegszik **3.** belesül [mondókájába] **4.** elromlik, defektet kap; leáll [motor stb.] **5.** könnyekre fakad **break forth** *vi* kitör; kiszökell **break in A.** *vt* **1.** betör, feltör [ajtót] **2.** betör [lovat] **B.** *vi* **1.** betörik, beszakad **2.** betör [betörő]; ~ *in* (*up*)*on* sy vkre ráront/rátör, félbeszakít [beszélgetést] **break into** *vi* **1.** betör vhova **2.** vmre fakad, hirtelen vmbe kezd; ~ *i. a run* nekiiramodik, futni kezd **break off A.** *vt* **1.** letör vmt **2.** (hirtelen) megszakít, félbeszakít; abbahagy; ~ *o. an engagement* felbont eljegyzést **B.** *vi* megszűnik, abbamarad **break out** *vi* **1.** kitör [háború, járvány, tűz] **2.** elszökik **3.** ~ *o. into pimples* pattanások keletkeznek az arcán **break through** *vt* áttör, áthatol vmn **break up A.** *vt* **1.** darabokra tör, szétzúz, szétdarabol **2.** feloszlat **3.** felbont; részeire bont [vegyületet] **4.** feltép, felszed [kövezetet] **B.** *vi* **1.** zajlani kezd [jég] **2.** felbomlik; szétoszlik, feloszlik **3.** elerőtlenedik; *he is ~ing up* fogytán az ereje, napjai meg vannak számlálva **4.** bezárja kapuit [iskola tanév végén]; *we ~ up on June 20* nálunk június 20-án van vége a(z) tanításnak/iskolának

break with *vi* szakít (vkvel); felhagy (vmvel) **breakable** ['breɪkəbl] *a* törékeny **breakage** ['breɪkɪdʒ] *n* **1.** törés; ~ *resisting* törésbiztos **2.** eltörött holmi **3.** kártérítés törésért, töréskár **break-away I.** *a* szakadár **II.** *n* elszakadás **break-down** *n* **1.** üzemzavar; defekt, műszaki hiba, meghibásodás; leállás, elakadás; *have a* ~ elromlik [kocsi]; ~ *service* autómentő (segély)szolgálat; ~ *gang* (vasúti) üzemzavart megszüntető brigád; ~ *lorry/truck/van* autómentő [kocsi] **2.** (*nervous*) ~ idegöszszeomlás, -kimerülés **3.** (terv)felbontás, lebontás **4.** lebontás, elemzés [vegytanban] **breaker¹** ['breɪkə*] *n* **1.** hullámtörés parton, kicsapó/nagy hullám, bukóhullám; ~*s ahead* (1) vigyázat! nagy hullámok! (2) *átv* a neheze még hátra van, bajokra van kilátás **2.** törő [gép, ember], zúzómalom **breaker²** ['breɪkə*] *n* kis vizeshordó **breakfast** ['brekfəst] **I.** *n* reggeli; *continental* ~ reggeli [vaj, dzsem, sütemény]; *English* ~ angol/komplett reggeli [sonka tojással stb.]; *US* ~ *food* 〈reggelire hidegen/melegen fogyasztott tésztaféle készítmény〉; *have* ~ reggelizik **II.** *vi* reggelizik **breaking** ['breɪkɪŋ] *n* **1.** (össze)törés **2.** ~ *and entering* betörés [házba] **breaking-point** *n* töréspont **breakneck I.** *a* nyaktörő; *at a* ~ *speed* őrült sebességgel/iramban **II.** *n* **1.** nyaktörés **2.** meredek hely **break-out** *n* kitörés [járványé] **break-through** *n* áttörés [arcvonalé] **break-up** *n* **1.** felbomlás; (szét)szóródás **2.** tanév vége **3.** időváltozás **breakwater** *n* hullámtörő gát, kikötőgát **bream** [briːm] *n* dévérkeszeg **breast** [brest] **I.** *n* **1.** mell, kebel; csecs, emlő; *give the* ~ *to a child* gyereket megszoptat **2.** szügy [lóé]; fehér hús, mellehúsa [szárnyasé] **3.** lélek, lelkiismeret; *make a clean* ~ *of sg* őszintén bevall, tiszta vizet önt a pohárba **II.** *vt* szembeszáll, megküzd vmvel **breast-band** *n* szügyelő

breast-deep *a* mellig érő
breast-drill *n* (mell)furdancs, amerikáner
-breasted [-'brestɪd] -mellű
breast-feed *vt* (*pt/pp* **-fed**) anyatejen nevel, szoptat
breast-high *a* mellig érő
breast-pin *n* **1.** nyakkendőtű **2.** bross, melltű
breast-plate *n* **1.** mellvért **2.** mell-lap [fúrón]
breast-pocket *n* szivarzseb
breast-strap *n* hámigaszíj
breast-stroke *n* mellúszás; mellúszó (kar-) tempó
breastwork *n* mellvéd, könyöklő
breath [breθ] *n* **1.** lélegzet, lehelet; ~ *test* alkoholpróba, (alkohol)szondázás; *be out of* ~ kifulladt; *below/under one's* ~ halkan, suttogva; *in the same* ~ egy lélegzetre, egyszuszra; *catch one's* ~ kifújja magát; *be short of* ~ levegő után kapkod, ki van fulladva, zihál; *take sy's* ~ *away* elállítja lélegzetét, meglepi; *don't waste your* ~ kár a benzinért/szóért; *keep your* ~ *to cool your porridge* okosabban teszed, ha hallgatsz **2.** fuvalom; *not a* ~ *of wind* szellő se fúj, (egy) ág se rezdül
breathalyser ['breθəlaɪzə*] *n* alkoholszonda, *biz* szuszogtató
breathe [bri:ð] **A.** *vi* lélegzik, lélegzetet vesz, lehel; ~ *again/freely* fellélegzik, megkönnyebbülten sóhajt fel **B.** *vt* **1.** (be)lehel, kilehel; ~ *a sigh* sóhajt **2.** suttogva mond; *don't* ~ *a word of it!* egy szót se róla (más előtt)!
breathed [breθt] *a* zöngétlen [hangzó]
breather ['bri:ðə*] *n* **1.** lélegző **2.** kifullasztó testgyakorlat **3.** pihenő (míg az ember kifújja magát), szusszanás
breathing ['bri:ðɪŋ] **I.** *a* lélegző; ~ *space* szünet, pihenő **II.** *n* lélegzés
breathless ['breθlɪs] *a* **1.** lélekszakadva (rohanó) **2.** izgatott, lázas **3.** élettelen, holt
breath-taking *a* lélegzetelállító
bred →*breed II.*
breech [bri:tʃ] *n* **1.** hátsó rész; töltényűr, závárzat **2. breeches, britches** ['brɪtʃɪz] *pl* (1) (térd alatt gombolt) nadrág, térdnadrág, bricsesz (2) nad-

rág; *she wears the* ~*es* az asszony az úr a háznál; *biz too big for one's* ~*es* szemtelenül beképzelt **II.** *vt* nadrágot húz [gyermekre]
breech-loader [-loʊdə*] *n* hátultöltő puska
breed [bri:d] **I.** *n* **1.** fajta, nem **2.** költés **II.** *vt/vi* (*pt/pp* **bred** bred) **1.** tenyészt **2.** nemz; költ **3.** okoz, szül, előidéz; ~ *ill blood* rossz vért szül **4.** kiképez, nevel
breeder ['bri:də*] *n* tenyésztő
breeding ['bri:dɪŋ] *n* **1.** tenyésztés **2.** nemzés; ~ *season* tenyészidő, párzási időszak **3.** nevelés; *lady of birth and* ~ előkelő származású és modorú hölgy; *good* ~ jólneveltség, jó modor
breeze¹ [bri:z] *n* **1.** szellő, szél **2.** *GB biz* civakodás **II.** *vi* **1.** szellő fújdogál **2.** *she* ~*d in* belibegett
breeze² [bri:z] *n* **1.** szénpor, dara **2.** betonba való rostált salak; ~ *blocks* salakbeton építőelem
breezy ['bri:zɪ] *a* **1.** szellős, szeles **2.** *biz* fesztelen, élénk **3.** lendületes
Bren-gun ['bren-] *n* golyószóró
brer [brɑ:*] *n* [= *brother* USA néger tájszólásban] pajtás, testvér
brethren ['breðrən] *n* (hit)testvérek, felebarátok || →*brother*
Breton ['bret(ə)n] *a/n* breton, bretagne-i
brevet ['brevɪt] *n* címzetes/tiszteletbeli tiszti rang; ~ *major* címzetes őrnagy
breviary ['bri:vjərɪ] *n* breviárium
brevity ['brevətɪ] *n* rövidség
brew [bru:] **I.** *n* **1.** főzés [söré, teáé] **2.** főzet **3.** kotyvalék **II. A.** *vt* **1.** főz [sört, italt] **2.** *átv* kifőz [tervet]; ~ *mischief* rosszat forral **B.** *vi* **1.** forr, fő **2.** készül(ődik); *storm is* ~*ing* vihar van készülőben
brewer ['bru:ə*] *n* sörfőző
brewery ['brʊərɪ] *n* sörfőzde
Brian ['braɪən] *prop* ⟨ír férfinév⟩
briar¹ ['braɪə*] *n* tüskebokor, vadrózsa(bokor); *sweet* ~ illatos csipkerózsa/vadrózsa
briar² ['braɪə*] *n* **1.** fehérhanga-bokor; hanga(gyökér), hangafa **2.** hanga(-gyökér)pipa
briar-rose *n* vadrózsa

bribe [braɪb] I. *n* megvesztegetés(i összeg), „(meg)kenés" II. A. *vt* 1. megveszteget, „megken", lepénzel 2. édesgetve rávesz vmre B. *vi* veszteget
briber ['braɪbə*] *n* vesztegető
bribery ['braɪbərɪ] *n* vesztegetés
bric-à-brac ['brɪkəbræk] *n* csecsebecse, mütyürke, apró régiségek
brick [brɪk] I. *n* 1. tégla; *drop a ~* tapintatlan megjegyzést tesz, ostobán elszólja magát; *make ~s without straw* nehéz és hiábavaló munkába fog 2. *biz a regular ~* rendes/derék fickó II. *vt* téglával falaz
brickbat *n* 1. tégladarab 2. *biz* bántó/sértő megjegyzés
brick-field *n* téglagyár
brick-kiln *n* téglaégető kemence
bricklayer *n* falazó kőműves
brickwork *n* téglafal
brickyard *n* téglagyár
bridal ['braɪdl] I. *a* nász-, menyegzői; *the ~ party* a násznép
bride [braɪd] *n* 1. menyasszony [az esküvő napján] 2. (pár hetes) fiatalasszony
bride-cake *n* lakodalmi torta
bridegroom ['braɪdgrʊm] *n* 1. vőlegény [az esküvő napján] 2. fiatal férj
bridesmaid ['braɪdzmeɪd] *n* nyoszolyólány, koszorúslány
bridesman ['braɪdzmən] *n (pl* -men -mən) † vőfély
bridge¹ [brɪdʒ] I. *n* 1. híd 2. orrnyereg 3. hegedűláb II. *vt* 1. hidat épít/ver 2. áthidal
bridge² [brɪdʒ] *n* bridzs [kártyajáték]
bridgehead *n* hídfő
bridge-player *n* bridzsjátékos
Bridget ['brɪdʒɪt] *prop* Brigitta
bridgework *n* 1. híd [fogé] 2. hídverés, hídépítés
bridle ['braɪdl] I. *n* kantár II. A. *vt* 1. felkantároz [lovat] 2. *átv* megzaboláz, féken tart, (meg)fékez B. *vi ~ (up)* gőgösen viselkedik, fenn hordja az orrát
bridle-bit *n* zabla
bridle-path *n* lovaglóút
brief [bri:f] I. *a* 1. rövid, kurta 2. tömör; *in ~* röviden, egyszóval II. *n* 1. rövid kivonat; *news in ~* rövid hírek

2. ügyvédi megbízás [bírósági ügyre]; *hold a ~ for sy* vkt támogatva érvel, síkra száll vkért 3. tájékoztatás, [katonai] eligazítás III. *vt* 1. ügyvédi megbízást ad vknek 2. eligazít(ást ad) [támadás előtt]; kioktat
brief-case *n* aktatáska
briefing ['bri:fɪŋ] *n* eligazítás
briefness ['bri:fnɪs] *n* rövidség, tömörség
brier ['braɪə*] *n = briar¹, briar²*
brig [brɪg] *n* kétárbocos vitorláshajó
Brig. *Brigadier*
brigade [brɪ'geɪd] *n* 1. dandár 2. brigád
brigadier(-general) [brɪgə'dɪə*(-)] *n* dandártábornok
brigand ['brɪgənd] *n* útonálló, briganti
brigandage ['brɪgəndɪdʒ] *n* útonállás, brigantizmus
brigantine ['brɪgəntaɪn] *n* 1. kétárbocos vitorlás 2. kalózhajó
bright [braɪt] *a* 1. fényes, ragyogó; világos; élénk [szín]; tiszta [idő], derült [ég]; *~ red* élénk piros; *~ prospects* nagyszerű kilátások; *see the ~ side of things* derülátó 2. okos, eszes, intelligens; *not too ~* nem nagy ész
brighten ['braɪtn] A. *vt* 1. (ki)fényesít, tisztít 2. felderít, felvidit, derűsebbé tesz B. *vi* kiderül; felderül
brightness ['braɪtnɪs] *n* 1. ragyogás, fényesség, világosság 2. derű, tisztaság 3. gyors észjárás, okosság
Brighton ['braɪtn] *prop*
Bright's disease [braɪts] krónikus vesegyulladás
brilliance ['brɪljəns] *n* 1. fényesség, ragyogás; fényerősség, világosság 2. éleselméjűség
brilliancy ['brɪljənsɪ] *n = brilliance*
brilliant ['brɪljənt] I. *a* ragyogó, pompás, briliáns II. *n* briliáns
brim [brɪm] I. *n* 1. szél [poháré, tengeré], perem; *full to the ~* csordultig tele 2. karima [kalapé] II. *v* -mm- A. *vi* csordultig telik; *~ over with sg* vmtől túlcsordul; *~ over with health* majd kicsattan az egészségtől B. *vt* csordultig tölt
brimful [brɪm'fʊl; *US* '-'-] *a* színültig tele
brimless ['brɪmlɪs] *a* karimátlan

brimmed [brɪmd] →*brim II.*
brimstone ['brɪmstən; *US* -stoʊn] *n*
1. † kénkő 2. harcias nő, sárkány, hárpia
brindled ['brɪndld] *a* 1. tarka, pettyes 2. csíkos
brine [braɪn] *n* 1. sósvíz 2. tenger, óceán
bring [brɪŋ] *vt* (*pt/pp* brought brɔ:t) 1. hoz 2. ~ *pressure to bear on sy* befolyást gyakorol vkre; ~ *to pass* előidéz 3. rávesz; *I cannot* ~ *myself to do it* sehogyan sincs ínyemre ezt tenni, sehogy sem akaródzik megtennem
bring about *vt* 1. előidéz 2. véghezvisz 3. visszafordít [hajót]
bring along *vt* elhoz, magával hoz
bring back *vt* 1. visszahoz 2. emlékezetébe idéz, visszaidéz
bring down *vt* 1. lehoz 2. leszállít [árat] 3. vmt (pl. eseménysor leírását) egy bizonyos időbeli pontig (le)vezet/elbeszél 4. lelő; elejt 5. ledönt, legyengít, elerőtlenít 6. ~ *d. the house* viharos tapsot kap, nagy sikert ér el [színházban]
bring forth *vt* 1. terem [gyümölcsöt], szül, világra hoz 2. okoz, előidéz
bring forward *vt* 1. előhoz; felhoz, bemutat 2. előrehoz, előbbre hoz 3. átvitelez, átvisz, áthoz [összeget]
bring in *vt* 1. behoz, bevezet 2. hoz, jövedelmez 3. ~ *sy in guilty* vkt bűnösnek talál; ~ *in a verdict* döntést hoz [esküdtszék]
bring into *vt* 1. ~ *i. action* működésbe hoz, munkába állít [gépet] 2. ~ *i. the world* világra hoz
bring off *vt* 1. elhoz 2. megment, kiment 3. véghezvisz, sikerre visz [vállalkozást] 4. lebeszél
bring on *vt* 1. előidéz, okoz; *you have brought it on yourself* magadnak köszönheted (bajodat) 2. szóba hoz, felvet
bring out *vt* 1. kihoz, elővesz 2. kihangsúlyoz; világosan kifejez 3. közzétesz, megjelentet 4. bemutat, első báljára visz [leányt] 5. szóra bír, megszólaltat
bring over *vt* 1. áthoz 2. meggyőz, megnyer (vm ügynek)

bring round *vt* 1. elvisz; elhoz, magával hoz 2. magához térít; *be brought* ~ magához tér, visszanyeri eszméletét 3. rávesz, rábeszél (vmre), megnyer; 4. ~ *the conversation r. to a subject* rátereli a beszélgetést vmre
bring through *vt* 1. átsegít vmin 2. megment [beteget], áthúz [nagy beteget krízisen]
bring to A. *vt* 1. magához térít 2. megállít [hajót] **B.** *vi* megáll [hajó]
bring under *vt* 1. alávet, leigáz 2. vm csoportba beoszt
bring up A. *vt* 1. felhoz, előhoz, közelebb hoz 2. felnevel 3. előteremt [pénzt] 4. kiokád 5. ~ *up short* hirtelen megállít **B.** *vi* horgonyt vet [hajó]
bringing-up ['brɪŋɪŋ-] *n* neveltetés, (fel-) nevelés
brink [brɪŋk] *n* 1. vmnek széle; *on the* ~ *of sg* vmhez közel, vmnek a szélén/határán 2. meredek part
briny ['braɪnɪ] *a* sós(vízű)
briquet(te) [brɪ'ket] *n* brikett
brisk [brɪsk] *a* fürge, eleven, mozgékony, élénk, tevékeny; *at a* ~ *pace* fürgén, gyors tempóban
brisket ['brɪskɪt] *n* (marha)szegy
bristle ['brɪsl] **I.** *n* sörte **II. A.** *vt* felborzol **B.** *vi* 1. ~ (*up*) (*átv is*) felborzolódik 2. hemzseg (*with* vmtől)
bristly ['brɪslɪ] *a* szúrós, tüskés, szőrös
Bristol ['brɪstl] *prop*
Brit. 1. *Britain* 2. *British*
Britain ['brɪtn] *prop* Nagy-Britannia, Anglia
Britannia [brɪ'tænjə] *prop* Nagy-Britannia ⟨jelképes neve⟩
Britannic [brɪ'tænɪk] *a* brit
britches →*breech I. 2.*
British ['brɪtɪʃ] *a* brit, angol; *the* ~ az angolok, a britek; *the* ~ *Empire* a brit birodalom; ~ *Council* ⟨a brit kulturális kapcsolatok intézete⟩
Britisher ['brɪtɪʃə*] *n* brit, angol
Briton ['brɪtn] *n* † 1. brit 2. angol
Brittany ['brɪtənɪ] *prop* Bretagne
brittle ['brɪtl] *a* törékeny
broach [broʊtʃ] *vt* 1. szóba hoz, előhoz [kérdést] 2. csapra ver
broad [brɔ:d] *a* 1. széles, bő; *three foot* ~

3 láb széles; ~ *jump* távolugrás; *it is as* ~ *as it is long* egyre megy, egykutya 2. átfogó, tág [szabály, keretek] 3. világos, érthető; *in* ~ *daylight* fényes nappal; ~ *hint* félreérthetetlen célzás 4. durva, nem finom; ~ *accent* parasztos beszéd; ~ *story* sikamlós történet 5. nagylelkű, türelmes; *B*~ *Church* ⟨az anglikán egyház liberális szárnya⟩
broadcast ['brɔːdkɑːst; *US* -kæ-] **I.** *n* (rádió- v. televízió)adás, közvetítés; (rádió)műsor; *outside* ~ külső közvetítés **II. A.** *vt* (*pt/pp* ~) **1.** (rádión/televízióban) ad/közvetít/sugároz **2.** *biz* közhírré tesz, terjeszt **3.** szétszór **B.** *vi* rádióban/televízióban szerepel
broadcasting ['brɔːdkɑːstɪŋ; *US* -kæ-] *a/n* = *broadcast I.*; ~ *station* adóállomás
broadcloth *n* **1.** duplaszéles finom (fekete) posztó **2.** *US* puplin
broaden ['brɔːdn] **A.** *vt* szélesít **B.** *vi* bővül, szélesedik
broad-gauge *a* széles nyomtávú
broadloom carpet faltól falig szőnyeg, feszített szőnyeg, szőnyegpadló
broadly ['brɔːdlɪ] *adv* ~ *speaking* nagyjában, nagyjából
broad-minded *a* liberális gondolkodású; megértő
broadsheet *n* egylapos nyomtatvány
broadside *n* **1.** hajó oldala **2.** hajóágyúk sortüze **3.** rágalomhadjárat **4.** = *broadsheet*
broadsword *n* pallos
Broadway ['brɔːdweɪ] *prop*
Brobdingnag ['brɔbdɪŋnæg] *prop*
brocade [brə'keɪd; *US* broʊ-] *n* brokát
broccoli ['brɔkəlɪ; *US* -ɑk-] *n* spárgakel
brochure ['broʊʃə*; *US* -'ʃʊr] *n* brosúra
brogue[1] [broʊg] *n* bakancs
brogue[2] [broʊg] *n* ír kiejtés [angol nyelvé]
broil[1] [brɔɪl] *n* pörlekedés, veszekedés
broil[2] [brɔɪl] **A.** *vt* roston süt [húst]; ~*ed chicken* grillcsirke **B.** *vi* **1.** roston sül **2.** sül a napon vk, nagyon melege van
broiler ['brɔɪlə*] *n* **1.** villamos grillsütő **2.** rántani való csirke, broiler
broke [broʊk] *a* □ pénztelen; *I'm* ~

nincs egy vasam se, le vagyok égve; *be dead/flat* ~ teljesen le van égve, egy vasa sincs; *go* ~ tönkremegy ‖→ *break II.*
broken ['broʊk(ə)n] *a* tört, törött, megtört; *in* ~ *English* tört angolsággal; ~ *ground* egyenetlen talaj; ~ *home* felbomlott család; ~ (*white*) *line* szaggatott vonal, terelővonal; ~ *meat* ételmaradék; ~ *money* aprópénz; ~ *reed* gyenge ember, akire nem lehet hagyatkozni/támaszkodni ‖→ *break II.*
broken-down *a* **1.** letört, munkaképtelen **2.** összeomlott, elromlott, hasznavehetetlen
broken-hearted *a* reményvesztett, sebzett szívű
broken-winded *a* **1.** kehes [ló] **2.** nehezen lélegző
broker ['broʊkə*] *n* **1.** alkusz, tőzsdeügynök **2.** közvetítő, ügynök
brokerage ['broʊkərɪdʒ] *n* alkuszdíj
brolly ['brɔlɪ; *US* -ɑ-] *n* *biz* esernyő
bromide ['broʊmaɪd] *n* **1.** bróm, idegcsillapító **2.** *US* □ unalmas ember **3.** □ unalmas közhely
bromine ['broʊmiːn] *n* bróm
bronchia ['brɔŋkɪə; *US* -ɑ-] *n pl* hörgők
bronchial ['brɔŋkjəl; *US* -ɑ-] *a* hörg(ő)-, hörgi
bronchitis [brɔŋ'kaɪtɪs; *US* braŋ-] *n* hörghurut
bronco ['brɔŋkoʊ; *US* -aŋ-] *n US* be nem tört ló
bronco-buster *n US* lovat betörő csikós/cowboy
Brontë ['brɔntɪ] *prop*
Bronx cheer [brɔŋks; *US* -ɑ-] *biz* pfujolás
bronze [brɔnz; *US* -ɑ-] **I.** *a/n* bronz **II. A.** *vt* bronzzal bevon **B.** *vi* (napon) lesül
brooch [broʊtʃ] *n* melltű
brood [bruːd] **I.** *n* **1.** költés; fészekalja **2.** ivadék **II. A.** *vi* **1.** költ, kotlik, ül [tojáson] **2.** ~ *over sg* tűnődik vmin
brooder ['bruːdə*] *n* **1.** kotlós **2.** keltető; ~ *stove* műanya
brood-mare *n* tenyészkanca
broody ['bruːdɪ] *a* **1.** kotlós; *go* ~ megkotlik **2.** töprengő

brook[1] [bruk] *n* patak, csermely, ér
brook[2] [bruk] *vt* elszenved, eltűr; *it* ~*s*
no delay nem tűr halasztást
brooklet ['bruklıt] *n* = *brook*[1]
Brooklyn ['bruklın] *prop*
broom [bru:m] *n* 1. seprű 2.
rekettye
broomstick ['brum-] *n* seprűnyél; □ *be
married over the* ~ vadházasságban él
Bros. ['brʌðəz] *brothers*
broth [broθ; *US* -ɔ:] *n* zöldséges húsleves
brothel ['broθl; *US* -ɑ-] *n* bordélyház
brothel-keeper *n* bordélyos
brother ['brʌðə*] *n* 1. (fiú)testvér, fivér
2. (*pl* **brethren** 'breðrən) (hit)testvér,
felebarát
brotherhood ['brʌðəhud] *n* 1. testvériség
2. társulat, szaktestület
brother-in-arms *n* (*pl* **brothers-in-arm**)
fegyvertárs, bajtárs
brother-in-law *n* (*pl* **brothers-in-law**)
sógor
brotherlike *n* testvéri(es)
brotherliness ['brʌðəlınıs] *n* testvériesség, segítő jóbarátság
brotherly ['brʌðəlı] *a* testvéri(es)
brougham ['bru:əm] *n* csukott kétüléses
hintó [egylovas]
brought [brɔ:t] *a* ~ *forward* áthozat
‖ → *bring*
brow [brau] *n* 1. szemöldök; *knit/pucker
one's* ~*s* összehúzza a szemöldökét,
homlokát ráncolja 2. homlok,
arc(kifejezés) 3. hegyorom, hegyfok
browbeat *vt* (*pt* **-beat,** *pp* **-beaten**) 1. megfélemlít 2. lehurrog 3. erőszakoskodik vkvel; ~ *into* belekényszerít
(vmbe)
brown [braun] I. *a* barna; ~ *bear* barnamedve; ~ *bread* barna kenyér; ~ *coal*
barnaszén, lignit; ~ *paper* csomagolópapír; ~ *rice* hántolatlan rizs; ~ *sugar*
nyerscukor; □ *do sy* ~ becsap/átejt
vkt; *in a* ~ *study* elgondolkozva, magába mélyedve II. A. *vt* 1. barnít 2.
lesüt, pirít, pörköl 3. □ *be* ~*ed off*
unja a banánt, elege volt B. *vi* lesül,
lebarnul
brownie ['brauni] *n* 1. tündérke 2. ⟨8—
11 éves leánycserkész⟩
brownish ['braunıʃ] *a* barnás

brown-out *n* részleges elsötétítés
browse [brauz] A. *vi* 1. legel(észik) 2.
böngészik, olvasgat B. *vt* (le)legel
Bruce [bru:s] *prop*
bruin ['bru:ın] *n* mackó
bruise [bru:z] I. *n* horzsolás, zúzódás,
ütés nyoma II. *vt* 1. (össze)zúz,
(fel)horzsol 2. kékre ver 3. megsebez
[lelkileg]
bruiser ['bru:zə*] *n* (hivatásos) bokszoló, verekedős vagány
bruit [bru:t] *vt* ~ *abroad* elhíresztel
brunch [brʌntʃ] *n US* villásreggeli (reggeli és ebéd helyett)
brunette [bru:'net] *n* barna nő
brunt [brʌnt] *n* lökés, támadás ereje;
bear the ~ *of sg* viseli vmnek a nehezét,
az oroszlánrészét végzi/vállalja vmnek,
tartja a hátát vmért
brush [brʌʃ] I. *n* 1. kefe; *give sg a* ~
kikefél vmt 2. ecset, pamacs 3. bozontos farok [rókáé] 4. csetepaté; ~
with the enemy ütközet 5. sugárnyaláb
6. (áramszedő) kefe 7. sűrűség, csalit(os) II. A. *vt* 1. kefél 2. söpör 3.
gyengén hozzáér B. *vi* fürgén mozog
brush aside *vt* 1. félresöpör, eltávolít
2. elhessent, elhesseget 3. mellőz
brush by *vt* elsiet vk/vm mellett
brush off *vt* 1. lekefél, leráz magáról 2. elűz; elhesseget
brush up *vt* 1. felkefél, kitisztít 2.
felélénkít, felelevenít, felfrissít [tudást]
brush-maker *n* kefekötő
brush-off *n US biz* kerek elutasítás
brush-pen *n* filctoll
brushwood *n* 1. bozót, csalitos 2. ágfa,
rőzse
brush-work *n* festési technika, ecsetkezelés
brushy ['brʌʃı] *a* 1. bozontos 2. bozótos
brusque [brusk; *US* -ʌ-] *a* nyers, rideg,
brüszk, goromba
Brussels ['brʌslz] *prop* Brüsszel; ~
sprouts kelbimbó
brutal ['bru:tl] *a* 1. állati, baromi 2.
brutális, durva, kegyetlen
brutality [bru:'tælətı] 1. állatiasság
durvaság, kegyetlenség, érzéketlenség
brutalize ['bru:təlaız] *vt* 1. lealjasít 2.
kegyetlenül bánik vkvel

brute [bru:t] **I.** *a* baromi; ~ *force* nyers
erő **II.** *n* **1.** állat, barom **2.** kegyetlen/baromi ember
brutish ['bru:tɪʃ] *a* **1.** állati(as), baromi
2. érzéketlen, kegyetlen
Brython ['brɪθən] *a/n* nyugat-angliai
kelta
B.S. [bi:'es] *US = B.Sc.*
B.Sc. [bi:es'si:] *Bachelor of Science*
→*bachelor*
BST [bi:es'ti:] *British Summer Time*
nyári időszámítás
Bt. *Baronet*
bubble ['bʌbl] **I.** *n* **1.** buborék; ~ *bath*
pezsgőfürdő; ~ *gum* (felfújható) rágógumi **2.** üres látszat **3.** csalás, panama
II. **A.** *vi* bu(gy)borékol, bugyog, pezseg; ~ *over with sg* vmtől túlhabzik,
vm kibuggyan; ~ *over with joy* túlárad az örömtől **B.** *vt* becsap, megcsal
bubble-and-squeak [bʌblən'skwi:k] *n*
GB káposzta (benne főtt) hússal
bubbly ['bʌblɪ] **I.** *a* pezsegő **II.** *n* □ pezsgő
bubonic plague [bju:'bɔnɪk; *US* -'ba-]
bubópestis
buccaneer [bʌkə'nɪə*] *n* kalóz, martalóc
Buchanan [bju:'kænən] *prop*
buck¹ [bʌk] **I.** *n* **1.** bak, hím [szarvas,
nyúl stb.] **2.** † piperkőc; *old* ~ „öreg
fiú" [mint megszólítás] **3.** *US* fűrészbak **4.** bak [tornaszer] **5.** *US* néger/indián férfi **6.** *US* □ ~ *private*
közlegény; ~ *sergeant* szakaszvezető
II. **A.** *vi* **1.** bokkol [ló] **2.** akadozva
indul [motor] **3.** ellenáll, ellenszegül
(*against* vmnek) **B.** *vt* ~ *off* ledob
[lovast]
buck² [bʌk] *vi* henceg
buck³ [bʌk] *biz* **A.** *vt* ~ *sy up* lelkesít/felvidít vkt **B.** *vi* **1.** *US* ~ *for sg* vmt
nagy igyekezettel keres **2.** ~ *up* öszszeszedi magát, még jobban nekigyürkőzik; felvidul; ~ *up!* bátorság!,
szedd össze magad!
buck⁴ [bʌk] *n US* □ dollár
buck⁵ [bʌk] *n* osztót jelző zseton [pókerben]; *biz pass the* ~ másra tolja/hárítja a felelősséget
bucked [bʌkt] *a* (*much*) ~ felindult,
lelkes

bucket ['bʌkɪt] **I.** *n* vödör, csöbör; □
kick the ~ beadja a kulcsot, elpatkol
II. **A.** *vt* kíméletlenül hajszol [lovat]
B. *vi* **1.** *biz* gyorsan lovagol/evez **2.**
siet
bucketful ['bʌkɪtfʊl] *a* vödörnyi
bucket-seat *n* kagylóülés [gépkocsiban]
bucket-shop *n US* zugbank
buckeye *n* amerikai (piros virágú) vadgesztenye
Buckingham ['bʌkɪŋəm] *prop*
buckle ['bʌkl] **I.** *n* csat; kapocs **II.A.** *vt* **1.**
(be)csatol, felcsatol **2.** meghajlít, meggörbít **B.** *vi* **1.** ~ (*down*) *to* (komolyan) hozzálát, nekifog (vmnek) **2.**
elgörbül, meghajlik; megvetemedik
buckler ['bʌklə*] *n* kis kerek pajzs
buckram ['bʌkrəm] *n* **1.** kanavász, bukrám **2.** *biz* merev modor, fontoskodás
Bucks. [bʌks] *Buckhinghamshire*
bucksaw *n US* keretfűrész
buckshee ['bʌkʃi:] *a/adv* □ ingyen,
potyán; ~ *ticket* potyajegy
buck-shot *n* „posta", öregszemű sörét
buckskin *n* szarvasbőr; ~*s* szarvasbőrnadrág
buckthorn *n* varjútövis
buck-tooth *n* (*pl* -teeth) kiálló fog
buckwheat *n* hajdina
bucolic [bju:'kɔlɪk; *US* -'ka-] **I.** *a* falusias, bukolikus, pásztori **II.** *n* ~*s*
pásztorköltemények
bud¹ [bʌd] **I.** *n* rügy, bimbó, szem; *be in*
~ rügyezik; *átv nip sg in the* ~ csírájában elfojt vmt **II.** *v* -dd- **A.** *vi* rügyezik, bimbózik, csírázik, sarjad **B.** *v*
ojt, (be)szemez
bud² [bʌd] *n biz* testvér, pajtás [megszólításban]
Budapest [bju:də'pest] *prop*
budded ['bʌdɪd] →*bud¹ II.*
Buddha ['bʊdə] *prop*
Buddhism ['bʊdɪzm] *n* buddhizmus
Buddhist ['bʊdɪst] *a/n* buddhista
budding ['bʌdɪŋ] **1.** bimbózó, rügyező **2.**
átv kezdő
buddy ['bʌdɪ] *n US biz* **1.** pajtás **2.**
[megszólításban:] pajti(kám)!, öcskös!
budge [bʌdʒ] **A.** *vi* moccan, elmozdul; *I*
won't ~ *an inch* tapodtat sem megyek;

he won't ~ rendíthetetlenül ragaszkodik vmhez **B.** *vt* (el)mozdít, mozgat
budgerigar ['bʌdʒərɪɡɑ:*] *n* törpepapagáj
budget ['bʌdʒɪt] **I.** *n* (állami) költségvetés, büdzsé; *open the* ~ benyújta a költségvetést; *B*~ *Day* ⟨az állami költségvetés parlamenti benyújtásának napja⟩ **II.** *vt* **1.** ~ *for sg* költségvetést biztosít, költségvetésben előirányoz **2.** beoszt, biztosít [időt]
budgetary ['bʌdʒɪt(ə)rɪ; *US* -erɪ] *a* költségvetési
buff [bʌf] **I.** *n* **1.** bivalybőr; *in the* ~ anyaszült meztelen(ül); *strip to the* ~ meztelenre vetkőzik **2.** barnássárga szín **II.** *vt* (bőrrel) tisztít [fémet]
buffalo ['bʌfəloʊ] *n* **1.** bivaly **2.** bölény
buffer[1] ['bʌfə*] *n* **1.** lökhárító, ütköző [vasúti kocsin] **2.** ~ *state* ütközőállam
buffer[2] ['bʌfə*] *n biz* (*old*) ~ vén salabakter
buffet[1] *n* **1.** ['bʌfɪt] pohárszék, tálalóasztal **2.** ['bʊfeɪ; *US* -'feɪ] büfé; *cold* ~ hideg felvágott, imbisz; ~ *supper* hideg vacsora; ~ *car* büfékocsi
buffet[2] ['bʌfɪt] **I.** *n* ütés, csapás **II. A.** *vt* üt [kézzel] **B.** *vi* birkózik, megküzd; ~ *with the waves* küzd a hullámokkal [hajó]
buffoon [bə'fu:n; *US* bʌ-] *n* bohóc, pojáca
buffoonery [bə'fu:nərɪ; *US* bʌ-] *n* bohóság, bolondozás, bohóckodás
bug [bʌɡ] **I.** *n* **1.** poloska; *biz big* ~ nagykutya **2.** *US* rovar, bogár **3.** *biz* rejtett mikrofon, lehallgatókészülék, „poloska" **II.** *vt* -gg- lehallgatókészülékkel felszerel; lehallgat [beszélgetést]
bugaboo ['bʌɡəbu:] *n* mumus, rémkép
bugbear *n* = *bugaboo*
bugger ['bʌɡə*] *n* **1.** pederaszta férfi **2.** □ hitvány alak/fickó, gazember
bugging ['bʌɡɪŋ] *n biz* felszerelés lehallgatókészülékkel; lehallgatás
buggy[1] ['bʌɡɪ] *n* homokfutó, bricska
buggy[2] ['bʌɡɪ] *a* poloskás
bug-hunter *n biz* rovarkutató, entomológus
bugle ['bju:ɡl] **I.** *n* kürt; ~ *call* kürtszó **II.** *vi/vt* kürtöl

bugler ['bju:ɡlə*] *n* kürtös
Buick ['bju:ɪk] *prop*
build [bɪld] **I.** *n* **1.** alak, szerkezet, felépítés **2.** testalkat **II.** *vt* (*pt/pp* **built** bɪlt) épít; *it was built ... épült ...; I am built that way* én már ilyen vagyok
  build in *vt* beépít
  build up *vt* **1.** befalaz, elfalaz **2.** beépít **3.** *átv* kiépít, felépít
  build upon *vi* épít/alapoz vmre, bízik vkben/vmben
builder ['bɪldə*] *n* építész, építőmester
building ['bɪldɪŋ] *n* **1.** építés; ~ *contractor* építési vállalkozó; ~ *and loan association*, ~ *society* lakóházépítő/lakásépítő szövetkezet; ~ *materials* építőanyagok; ~ *operations* építkezés; ~ *permit* építési engedély; ~ *plot/site* (1) építkezési terület (2) házhely, telek **2.** épület; ~ *estate* lakótelep
building-trade *n* építőipar
build-up *n* **1.** felépítés **2.** építmény, konstrukció
built [bɪlt] *a* építésű ‖→*build II.*
built-in *a* beépített; ~ *kitchen units* beépített konyha(bútorok)
built-up *a* beépített; ~ *area* beépített/lakott terület
bulb [bʌlb] *n* **1.** gumó, (virág)hagyma **2.** villanykörte, égő **3.** üveggömb [hőmérő]
bulb-holder *n* villanykörte-foglalat
bulbous ['bʌlbəs] *a* gumós
Bulgaria [bʌl'ɡeərɪə] *prop* Bulgária
Bulgarian [bʌl'ɡeərɪən] *a/n* bulgáriai, bolgár
bulge [bʌldʒ] **I.** *n* **1.** kihasasodás, kidudorodás; dudor, duzzanat **2.** (*population*) ~ demográfiai hullám **II. A.** *vi* kidülled, kidudorodik, kihasasodik, kiduzzad **B.** *vt* kidülleszt, kiduzzaszt
bulging ['bʌldʒɪŋ] *a* kidülledt, duzzadó
bulk [bʌlk] **I.** *n* **1.** tömeg, terjedelem; nagy mennyiség; *the* ~ nagyobb része vmnek, vmnek a zöme; ~ *goods* tömegáru, ömlesztett/csomagolatlan áru; ~ *buying/purchase* vásárlás nagy tételekben; *in* ~ (1) nagyban, egy tételben (2) ömlesztve (tárolt); *sell in* ~ nagyban (v. nagy tételben) ad el **2.** (hajó)rakomány **II. A.** *vi* kiemelkedik;

~ *large* nagynak tűnik fel; fontos szerepet játszik

bulkhead *n* választófal [hajón]

bulky ['bʌlkɪ] *a* terjedelmes, testes; alaktalan

bull¹ [bʊl] I. *n* 1. bika; *biz take the ~ by the horns* bátran megküzd nagy nehézségekkel, egyenesen szembeszáll a veszéllyel; *like a ~ in a china shop* mint elefánt a porcelánüzletben, mint bivaly a szőlőben; *John Bull* ⟨Angliát megszemélyesítő jelképes alak⟩ 2. áremelkedésre spekuláló tőzsdejátékos, hossz-játékos II. A. *vi* áremelkedésre spekulál [tőzsdén] B. *vt ~ the market* árakat felhajtani igyekszik

bull² [bʊl] *n* bulla

bull³ [bʊl] *n biz Irish ~* mulatságos fogalmazási önellentmondás [pl. ha nem irok, ne is válaszolj]

bull-calf *n* 1. (*pl* -calves) bikaborjú 2. *biz* mafla/mulya ember

bulldog *n* 1. bulldog 2. *biz* szívós/bátor ember 3. *biz* [oxfordi egyetemi] fogdmeg

bulldozer ['bʊldoʊzə*] *n* 1. földtoló (gép), talajgyalu, bulldózer 2. *US* □ ⟨másokat terrorizáló egyén⟩

bullet ['bʊlɪt] *n* golyó, lövedék

bullet-headed *a* 1. kerekfejű 2. *US* csökönyös, ostobán makacs

bulletin ['bʊlɪtɪn] *n* hivatalos jelentés/ közlemény; közlöny; *news ~* hírek, (hír)közlemény [rádióban stb.]; ~ *board* hirdetőtábla

bullet-proof *a* golyóálló

bull-fight *n* bikaviadal

bull-fighter *n* bikaviador, torreádor

bullfinch *n* pirók

bull-frog *n* kecskebéka

bull-headed *a* = *bullish 3.*

bullion ['bʊljən] *n* 1. rúdarany, -ezüst 2. aranyrojt, aranyos sujtás/paszomány

bullish ['bʊlɪʃ] *a* 1. bikaszerű 2. emelkedő árfolyamú 3. bután csökönyös

bull-necked *a* bikanyakú

bullock ['bʊlək] *n* ökör, tulok; *young ~* tinó

bull-ring *n* (bikaviadali) aréna

bull-session *n US biz we had a ~* megbeszélésünk volt a fiúkkal

bull's-eye ['bʊlzaɪ] *n* 1. céltábla középpontja, célfekete; tízes (kör) 2. kerek tetővilágító ablak

bully¹ ['bʊlɪ] I. *a US* remek, pompás II. *n* erőszakos verekedő, másokat terrorizáló egyén, zsarnok III. A. *vt* megfélemlít, terrorizál, kínoz [gyengébbeket]; ~ *sy into doing sg* fenyegetésekkel/erőszakkal kényszerít vkt vmnek az elvégzésére B. *vi* erőszakoskodik, zsarnokoskodik

bully² ['bʊlɪ] *n ~ (beef)* marhahúskonzerv

bully³ ['bʊlɪ] *n* buli [hokiban]

bullying ['bʊlɪɪŋ] I. *a* erőszakos II. *n* erőszakoskodás, terrorizálás

bulrush ['bʊlrʌʃ] *n* káka, sás

bulwark ['bʊlwək] *n* 1. bástya, védőfal 2. fedélzeti korlát [hajón]

Bulwer-Lytton ['bʊlwə'lɪtn] *prop*

bum¹ [bʌm] *n* fenék, far, ülep

bum² [bʌm] *US biz* I. *a* értéktelen, vacak II. *n* csavargó III. *vi* -mm- csavarog

bumble¹ ['bʌmbl] *vi* ügyetlenkedik

bumble² ['bʌmbl] *vi* zümmög

bumble-bee *n* poszméh

bumboat *n* élelmiszerárus csónak [kikötőben]

bummed [bʌmd] →*bum² III.*

bump [bʌmp] I. *n* 1. tompa ütés, ütődés; lökés 2. koccanás [összeütközés] 3. daganat 4. koponyadudor; ~ *for locality* tájékozódási érzék 5. hepehupa 6. emelő légroham II. *int* bumm! III. A. *vt* 1. tompán megüt; ~ *one's head* beüti a fejét (vmbe) 2. *US* □ ~ *off sy* lepuffant vkt B. *vi* megüti magát, összeütközik; beleütközik (*into/against* vmbe); ~ *into sy* összeszalad vkvel

bumper ['bʌmpə*] *n* 1. ütköző; lökhárító; ~ *to* ~ egyik (kocsi) a másikat éri, sűrűn egymás mögött 2. itallal telt serleg 3. ~ *crop(s)* rekordtermés

bumpkin ['bʌmpkɪn] *n* esetlen falusi fajankó, bugris [megvetően]

bumptious ['bʌmpʃəs] *a* fennhéjázó, önhitt, arrogáns

bumpy ['bʌmpɪ] *a* hepehupás, egyenetlen, döcögős; ~ *road* rázós út

bun [bʌn] *n* 1. ⟨édes péksütemény⟩, kb. molnárka 2. konty

8

bunch [bʌntʃ] I. *n* 1. csomó, köteg, nyaláb; *a* ~ *of grapes* egy fürt szőlő 2. csokor 3. *biz* társaság II. A. *vt* csomóba köt B. *vi* 1. összeverődik, csoportosul 2. összecsomósodik
bundle ['bʌndl] I. *n* csomó, batyu; nyaláb; csomag, köteg II. *vt* 1. batyuba köt, összekötöz, bebugyolál 2. csomóba/nyalábba köt
bundle into *vt* be(le)gyömöszöl; betuszkol (vmbe)
bundle off/out A. *vt* elzavar, elkerget, kidob B. *vi* elkullog, meglép
bundle up *vt* becsomagol, összekötöz
bung [bʌŋ] I. *n* dugasz, dugó [hordóé] II. A. *vt* bedugaszol, bezár B. *vi* bedagad, eltömődik
bungalow ['bʌŋgəlou] *n* 1. (földszintes verandás) családi ház 2. nyaralóház, bungaló
bung-hole *n* szád [hordóé]
bungle ['bʌŋgl] I. *n* kontár munka; *make a* ~ *of sg* elront/elfuserál/eltol vmt II. A. *vt* elront, eltol, elügyetlenkedik, elfuserál (vmt) B. *vi* kontárkodik, kontár munkát végez
bungler ['bʌŋglə*] *n* ügyetlen ember, kontár, fuser
bungling ['bʌŋglɪŋ] I. *a* kontárkodó II. *n* ügyetlenség, kontárkodás
bunion ['bʌnjən] *n* gyulladásos daganat [nagy lábujjon], nagy bütyök
bunk¹ [bʌŋk] *n* hálóhely [hajón stb.]; ~ *bed* emeletes ágy
bunk² [bʌŋk] *n US* □ = bunkum
bunker ['bʌŋkə*] *n* 1. szénkamra, üzemanyagtartály [hajón]; rekesz [raktárban] 2. terepakadály [golfpályán] 3. bunker
bunkum ['bʌŋkəm] *n US biz* ostobaság, üres beszéd, maszlag, link duma
bunny ['bʌnɪ] *n* nyuszi
Bunsen burner ['bʊnsn] Bunsen-égő
bunting¹ ['bʌntɪŋ] *n* sármány
bunting² ['bʌntɪŋ] *n* 1. zászló; zászlóanyag, dekorációs textilanyag 2. csuklyás hálózsák [csecsemőnek]
Bunyan ['bʌnjən] *prop*
buoy [bɔɪ] I. *n* bója II. *vt* 1. felszínen tart, fenntart; ~ *up átv* fenntart,

gyámolít, bátorít 2. bójákkal kijelöl/ellát
buoyancy ['bɔɪənsɪ] *n* 1. úszóképesség 2. felhajtó erő 3. rugalmasság, elevenség, lendület, virgoncság
buoyant ['bɔɪənt] *a* 1. úszóképes 2. lendületes, élénk, vidám, reménykedő
bur¹ [bə:*] *n* 1. bojtorján 2. nehezen lerázható személy, „kullancs"
bur² [bə:*] *n* (fog)fúró
Burbage ['bə:bɪdʒ] *prop*
Burberry ['bə:bərɪ] *a* börberi kabátszövet/(eső)kabát
burble ['bə:bl] *vi* mormog, csacsog
burden ['bə:dn] I. *n* 1. teher; *be a* ~ *to sy* terhére van vknek; *beast of* ~ igavonó barom, málhás állat; ~ *of proof* bizonyítás terhe 2. rakomány, tonnatartalom [hajóé] 3. refrén 4. vmnek a lényege/veleje II. *vt* megterhel, megrak
burdensome ['bə:dns(ə)m] *a* terhes, nehéz
burdock ['bə:dɔk; *US* -ak] *n* bojtorján
bureau ['bjʊərou] *n* (*pl* ~x v. ~s 'bjʊərouz) 1. *GB* íróasztal 2. hivatal, iroda 3. minisztérium 4. *US* (tükrös) fiókos szekrény, komód, sublót
bureaucracy [bjʊ(ə)'rɔkrəsɪ; *US* -'ra-] *n* 1. közigazgatási hivatali szervezet/gépezet 2. hivatalnoki kar 3. bürokrácia
bureaucrat ['bjʊərəkræt] *n* 1. hivatalnok 2. bürokrata
bureaucratic [bjʊərə'krætɪk] *a* bürokratikus
burg [bə:g] *n US* város
burgee ['bə:dʒi:] *n* fecskefarkú szalagzászló, árbocszalag [vitorláson]
burgeon ['bə:dʒ(ə)n] *n* bimbó, rügy; hajtás
burgess ['bə:dʒɪs] *n* 1. polgár 2. város/egyetem parlamenti képviselője
burgh ['bʌrə; *US* 'bə:-] *n* = borough
burgher ['bə:gə*] *n* (városi) polgár
burglar ['bə:glə*] *n* (éjszakai) betörő
burglary ['bə:glərɪ] *n* (éjszakai) betörés(es lopás)
burgle ['bə:gl] *vt/vi* betör, behatol (vhova) [éjszakai betörőként]
burgomaster ['bə:gəmɑ:stə*] *n* polgármester
Burgundy ['bə:g(ə)ndɪ] I. *prop* Burgundia II. *n b*~ burgundi (vörös) (bor)

burial ['berɪəl] *n* temetés
burial-ground *n* temető
burial-service *n* gyászszertartás
burin ['bjuərɪn] *n* rézkarcoló tű
burke [bə:k] *vt* 1. megfojt 2. *biz* berekeszt [vitát] 3. agyonhallgat, eltussol
burlap ['bə:læp] *n* csomagolóvászon, zsákvászon
Burleigh ['bə:lɪ] *prop*
burlesque [bə:'ləsk] I. *n* 1. burleszk, bohózat 2. tréfás utánzás, paródia II. *vt* parodizál
Burlington ['bə:lɪŋtən] *prop*
burly ['bə:lɪ] *a* 1. termetes, nagy 2. nyers, rideg
Burma ['bə:mə] *prop* Burma
Burmese [bə:'mi:z] *a/n* burmai
burn¹ [bə:n] *n* patakocska
burn² [bə:n] I. *n* égés(i seb), égett hely II. *v* (*pt/pp* ~t bə:nt *v.* ~ed bə:nd) A. *vt* 1. (el)éget, megéget; kiéget; ~ *oil* olajjal fűt/tüzel; ~ *a hole in the carpet* kiégeti a szőnyeget; *have money to* ~ felveti a pénz; ~ *one's money* szórja a pénzt 2. csíp, éget, mar B. *vi* 1. ég, elég, megég 2. világít, fénylik 3. csíp
burn away A. *vt* eléget B. *vi* elég
burn down *vt* felgyújt, felperzsel [várost]
burn in *vt* beéget
burn out A. *vt* kiéget; ~ *itself out* (teljesen) leég, kiég, kialszik B. *vi* elég, kiég, kialszik
burn up A. *vi* 1. teljesen elég 2. fellobog, fellángol, feltámad [tűz] B. *vt* 1. (teljesen) eléget, tökéletesen elpusztít 2. *US* □ dühbe hoz
burner ['bə:nə*] *n* 1. égető 2. égő; *a four-~ oil-stove* négylángú olajkályha/olajtűzhely
burning ['bə:nɪŋ] *a* égető, forró; ~ *hot* tűzforró; *átv* ~ *question* égető kérdés
burnish ['bə:nɪʃ] A. *vt* fényesre csiszol, políroz B. *vi* (ki)fényesedik
Burns [bə:nz] *prop*
burnt [bə:nt] *a* égetett; ~ *sugar* égetett cukor, karamell ‖ → *burn²* II.
burp [bə:p] *vi US* böfög
burr¹ [bə:*] *n* 1. csiszolatlan szél [öntvényé], sorja 2. (fog)fúró 3. ropogtatott r hang

burr² [bə:*] *n* = *bur¹*
burrow ['bʌrou; *US* 'bə:-] I. *n* (földbe ásott) lyuk [nyúlé, rókáé], rókalyuk, vakondlyuk II. A. *vt* ás [üreget] B. *vi* (tudományosan) búvárkodik
bursar ['bə:sə*] *n GB* 1. pénztáros, gazdasági igazgató 2. ösztöndíjas
bursary ['bə:s(ə)rɪ] *n GB* 1. gazdasági hivatal, pénztár 2. ösztöndíj
burst [bə:st] I. *n* 1. szétrobbanás, (szét-) repedés 2. kitörés; ~ *of anger* dühkitörés; ~ *of applause* tapsvihar; ~ *of laughter* felharsanó kacagás 3. rohanás, vágta; ~ *of activity* lázas tevékenység; ~ *of speed* hajrá II. *v* (*pt/pp* ~) A. *vt* 1. szétrepeszt, szétszakít; ~ *a door open* feltöri az ajtót 2. kifakaszt [kelést, bimbót] 3. szétrobbant; *a* ~ *tyre* durrdefekt B. *vi* szétreped, -szakad, -robban, -pukkad; *ready to* ~ (izgatottságtól) majd kubújik a bőréből; ~*ing with health* majd kicsattan az egészségtől
burst forth *vi* = *burst out*
burst in A. *vt* betör (vmt) B. *vi* beront (vhová); közbevág [beszélgetésbe]
burst into *vi* 1. ~ *i. bloom* virágba borul; ~ *i. laughter* nevetésbe tör ki; ~ *i. tears* könnyekre fakad 2. beront [szobába]
burst out *vi* 1. felkiált; ~ *o. laughing* hangos nevetésben tör ki 2. kiüt, kitör [betegség, háború]
burst upon *vi the sea* ~ *u. our view* a tenger tárult a szemünk elé
bursting ['bə:stɪŋ] *n* 1. kazánrobbanás 2. kidurranás, kipukkadás
bury ['berɪ] *vt* (el)temet, elás; ~ *a dagger in sy's breast* tőrt márt vk kebelébe
burying-ground ['berɪŋ-] *n* temetkezési hely
bus [bʌs] I. *n* (*pl US* ~ses is) (autó-) busz; ~ *service* autóbuszjárat; ~ *shelter* autóbuszváróhely; *biz miss the* ~ lekési a csatlakozást, elszalasztja az alkalmat II. *vt/vi* -ss- *v.* -s- buszon visz/megy
bus-boy *n US* pincértanuló
busby ['bʌzbɪ] *n* prémes csákó, kucsma
bus-conductor *n* autóbuszkalauz
bush¹ [buʃ] *n* 1. bokor, cserje; *beat*

about the ~ kertel, köntörfalaz, kerülgeti a forró kását 2. bozót; őserdő; ~ *telegraph* ⟨titkos. hírközlési/hírtovábbítási módszer afrikai néptörzseknél⟩ 3. bozont 4. borostyánág [vendéglőcégérként]
bush² [bʊʃ] I. *n* (csapágy)persely II. *vt* (ki)bélel, perselyez [csapágvat]
bushel ['bʊʃl] *n* véka ⟨gabonamérték: *GB* 36,35 l, *US* 35,24 l⟩
bush-fighter *n* gerillaharcos, partizán
bush-hammer *n* szemcséző/doroszoló kalapács
bushing ['bʊʃɪŋ] *n* 1. szigetelőhüvely 2. (csapágy)persely
bushman ['bʊʃmən] *n* (*pl* -men -mən) 1. |Dél-Afrikában] busman 2. [Ausztráliában] ⟨bozótos belső.területek lakója⟩
bushy |'bʊʃɪ] *a* 1. bokros, bozótos 2. bozontos
busily |'bɪzɪlɪ] *adv* serényen, szorgalmasan
business ['bɪznɪs] *n* 1. üzlet; *course of* ~ üzletmenet; ~ *address* hivatali/üzleti cím; ~ *agent* megbízott képviselő, ügynök; ~ *hours* üzleti/hivatalos órák; ~ *house* cég, üzletház; ~ *machine* irodagép; ~ *manager* vállalatvezető, igazgató ~ *share* üzletrész; ~ *suit/wear* utcai ruha; *on* ~ üzleti/hivatalos ügyben/úton; *do* ~ *with sy* üzletet köt vkvel, elintéz vmt vkvel; *go into* ~ kereskedelmi/üzleti pályára megy/lép; *be in* ~ üzletember, üzleti pályán működik; *enter into* ~ *connections* üzleti összeköttetésbe lép; *set up in* ~ üzletet nyit; ~ *is* ~ az üzlet üzlet; *talk* ~ üzleti/szakmai dolgokról beszél 2. vállalat, kereskedés, üzlet 3. foglalkozás, szakma; *line/branch of* ~ szakma, üzletág 4. ügy, dolog, munka, kötelesség; ~ *of the day* napirend; *get* (*down*) *to* ~ a lényegre/tárgyra tér; *go about your* ~ eredj a dolgodra; *this is no* ~ *of yours* semmi közöd hozzá, ne üsd bele az orrod; *mind your own* ~ törődj a magad dolgával; *send sy about his* ~ (1) vkt elküld, leráz vkt a nyakáról (2) vkt rendreutasít; *have* ~ *with sy* dolga van vkvel; *have no* ~

to do sg nincs joga vmt tenni; *how's* ~? hogy mennek a dolgok?; *what* ~ *have you to be here?* mi keresnivalód van itt?; *he means* ~ komolyan gondolja, nem tréfál
business-college *n US* kereskedelmi főiskola
businesslike *a* 1. gyakorlatias 2. üzletszerű 3. komoly 4. szakszerű, módszeres; világos, szabatos [stílus]
business-man *n* (*pl* -men -mən) üzletember, kereskedő
business-woman *n* (*pl* -women -wɪmɪn) üzletasszony
buskin ['bʌskɪn] *n* 1. félmagas csizma 2. koturnus
busman ['bʌsmən] *n* (*pl* -men -mən) autóbuszvezető; ~'s *holiday* ⟨szabadidő/vakáció melyen vk önként ugyanazt csinálja, mint munkaidejében⟩
buss [bʌs] *n biz* cuppanós csók
bussed, busses →*bus*
bus-stop *n* (autó)buszmegálló
bust¹ [bʌst] *n* 1. mellszobor 2. felsőtest; (női) mell 3. mellbőség
bust² [bʌst] I. *n* 1. *US* □ kudarc, (teljes) csőd; *go* ~ tönkremegy 2. *biz go on the* ~ kirúg a hámból, „züllik" II. A. *vt* 1. tönkretesz, kikészít 2. *US* kipukkaszt B. *vi* tönkremegy; ~ *up* (1) beleköp vmbe, elront vmt (2) tönkremegy
bustard ['bʌstəd] *n* túzok
buster ['bʌstə*] *n US* 1. *biz* (kis)fiú, öcskös,öcsi 2. óriási dolog 3. mulatás.
bustle ['bʌsl] I. *n* sürgés-forgás, nyüzsgés, sietség, tolongás II. A. *vi* sürgölődik, nyüzsög, tesz-vesz B. *vt* ösztökél, siettet
bustling ['bʌslɪŋ] *a* sürgölődő, fontoskodó
bust-up *n* 1. bukás, csőd, összeomlás 2. összeveszés
busy ['bɪzɪ] I. *a* 1. elfoglalt; ~ *signal* „mással beszél" jelzés; "*line* ~" foglalt [telefon]; *I am* ~ el vagyok foglalva, sok a dolgom, nem érek rá; *be* ~ *with/over sg* vmvel el van foglalva; *be* ~ *doing sg* azzal van elfoglalva, hogy ..., javában csinál vmt; *get* ~ hozzálát a munkához 2. serény, tevékeny, szorgalmas, élénk 3. forgalmas;

a ~ day mozgalmas nap **II.** *n* □ hekus, detektív **III.** *vt ~ oneself* serénykedik, elfoglalja magát (vmvel) **busybody** *n* minden lében kanál, tolakodó/fontoskodó személy **but** [bʌt; gyenge ejtésű alakja: bət] **I.** *conj* **1.** de, azonban, hanem **2.** *~ that* hacsak/hogy/mintha nem; *who knows ~ that he may come yet* ki tudja, hogy nem jöhet-e még meg; *not ~ that I pity you* nem mintha nem sajnálnálak **II.** *adv* **1.** csak, csupán; *~ yesterday* hiszen csak/még tegnap; *he has ~ a few books left* csak egy pár könyve maradt; *I cannot~* nem tehetek mást, mint hogy **2.** legalább; *had I ~ known* ha legalább tudtam volna azt, hogy; *you can ~ try* legalább próbáld meg **III.** *prep* **1.** kivéve, vmn kívül; *all ~* majdnem; *he all ~ dies of his wound* majdnem belehalt sebébe; *all ~ him* mind az ő kivételével; *last ~ one* utolsó előtti; *anything ~ that* mindent csak azt nem; *not ~ that* nem mintha; *next door ~ one* innen a második ajtó **2.** *~ for him* nélküle, ha ő nem (lett) volna; *~ for that* enélkül, ha ez nem volna; *~ for the rain ...* ha nem esett volna ...; *~ then* (de) viszont **IV.** *vt/n ~ me no ~s* csak semmi de!, ne gyere folyton kifogásokkal és ellenvetésekkel **butane** ['bjuːteɪn] *n* butángáz; *~ lighter* gázöngyújtó **butcher** ['bʊtʃə*] **I.** *n* **1.** mészáros; *the ~'s* hentes(üzlet), húsbolt; *~'s meat* húsáru [hal és szárnyas kivételével] **2.** *átv* gyilkos, hóhér **II.** *vt* (le)mészárol, leöl **butcher-bird** *n* tövisszúró gébics **butchery** ['bʊtʃərɪ] *n* **1.** mészáros-/hentesszakma **2.** lemészárlás, vérfürdő **butler** ['bʌtlə*] *n* (fő)komornyik **butt¹** [bʌt] *n* nagy hordó **butt²** [bʌt] *n* **1.** puskatus **2.** vmnek a vastagabb vége **3.** bunkó; fatörzs **4.** céltábla, golyófogó **5.** *~s* lövölde **6.** (cigaretta)csikk **butt³** [bʌt] **I.** *n* **1.** döfés [szarvval] **2.** lökés **II. A.** *vi* **1.** öklel **2.** beleütközik, tülekedik **3.** *~ in* közbevág **B.** *vt* **1.** felöklel **2.** tompán/bütüsen illeszt **butt-edge** *n* bütü

butt-end *n* bunkó, tus, vmnek a vastagabb/boldogabb vége **butter** ['bʌtə*] **I.** *n* **1.** vaj; *clarified/run ~* olvasztott vaj; *sweet ~* teavaj; *he looks as if ~ would not melt in his mouth* olyan mintha kettőig sem tudna számolni **2.** *biz* hízelgés, „nyalás" **II.** *vt* **1.** megvajaz; *~ed eggs* vajas rántotta **2.** *biz ~ sy up* hízeleg/„nyal" vknek **buttercup** *n* boglárka **butter-fingers** *n pl* ügyetlen/kétbalkezes férfi/nő **butterfly** ['bʌtəflaɪ] *n* **1.** lepke, pillangó; *~ bow* csokornyakkendő; *~ nut* szárnyascsavar **2.** *~ (stroke)* pillangóúszás **buttermilk** *n* író [tejtermék] **butternut** *n* amerikai vajdió **butter-scotch** *n* tejkaramella **buttery¹** ['bʌtərɪ] *a* **1.** vajas **2.** hízelgő **buttery²** ['bʌtərɪ] *n* **1.** † éléskamra **2.** büfé, étkezde [egyetemen] **3.** söröző [nagyobb étteremé] **butt-joint** *n* bütüillesztés, tompa illesztés; csatlakozó/összeillő vég **buttock** ['bʌtək] *n* (fél)far; *~s* far, ülep **button** ['bʌtn] **I.** *n* **1.** gomb; *press/push the ~* megnyomja a gombot, megindít [villamos készüléket]; *not worth a ~* fabatkát sem ér; *be a ~ short* egy kerékkel kevesebb van neki **2.** *biz ~s* szállodai küldönc, boy **II. A.** *vt* gombol; *~ up* begombol (vmt); *~ up the mouth* lakatot tesz a szájára **B.** *vi* gombolódik **buttonhole** **I.** *n* **1.** gomblyuk **2.** gomblyukba tűzött virág **II.** *vt* **1.** vkt társalgás közben kabátgombjánál fogva tartóztat **2.** gomblyukaz **buttonhook** *n* cipőgomboló **buttress** ['bʌtrɪs] **I.** *n* **1.** támfal, -pillér; dúc, támasztógerenda **2.** *átv* támasz, pillér **II.** *vt* megtámaszt, (alá)dúcol **buxom** ['bʌksəm] *a* testes, pirospozsgás, egészségtől duzzadó [nő] **buy** [baɪ] **I.** *n biz a good ~* jó üzlet/vétel **II.** *vt (pt/pp bought* bɔːt) (meg)vásárol, (meg)vesz; megvált [jegyet] **buy in** *vt* **1.** árverésen eladó számára visszavásárol **2.** nagyobb tételben beszerez, készleteket halmoz fel

buy off vt (pénzzel) megvált (vmt), kivált (vkt); kifizet [zsarolót] **buy out** vt vktől mindent/üzletrészt megvásárol; kielégít [vkt anyagilag] **buy up** vt felvásárol, összevásárol **buyer** ['baɪə*] n vevő, vásárló; anyagbeszerző; ~s' market nagy kínálat; prospective ~ leendő vevő **buzz** [bʌz] I. n 1. zümmögés, dongás, döngicsélés; zúgás, zsongás; búgás, berregés 2. kósza hír II. vi 1. zümmög, dong, döngicsél; ~ about sürgölődik 2. zúg, susog; my ears are ~ing csöng/zúg a fülem 3. búg, berreg 4. □ ~ off elinal 5. gyorsan és alacsonyan röpül [vm felett repülőgép] **buzzard** ['bʌzəd] n ölyv, héja **buzzer** ['bʌzə*] n 1. gőzsíp, gyári sziréna 2. berregő, áramszaggató **buzz-saw** n US körfűrész **by** [baɪ] I. prep 1. (helyhatározó:) mellett, közelében, -nál, -nél; át, keresztül; ~ the river a folyó mellett; ~ Dover Doveron át; North ~ East északkeletre 2. (időhatározó:) (legkésőbb) -ra, -re; ~ Wednesday (legkésőbb) szerdára; ~ now, ~ this time mostanra, mostanig, most már; ~ the time he arrived . . . amikorra/mire megérkezett . . . 3. (eszközhatározó:) által; -tól, -től; -val, -vel; vmnél fogva; made ~ hand kézi, kézi gyártású; (written) ~ . . . irta . . .; a play ~ Shaw S. darabja; a lecture on Burns ~ X X előadása B-ről; he earns his living ~ teaching tanítással keresi kenyerét, tanításból él; ~ the help of . . . segítségével; (all) ~ oneself (teljesen) egyedül; lead sy ~ the hand kézen fogva vezet vkt 4. (közlekedés:) ~ air repülőgéppel; ~ bus (autó)busszal; ~ car autóval, kocsival, kocsin; ~ sea tengeren, hajóval, hajón; ~ train/rail vonattal, vonaton 5. (mértékhatározó:) -szám(ra), -val, -vel; ~ degrees fokozatosan; ~ the dozen tucatszám(ra); sell ~ the pound fontszám(ra) (v. fontra) árusit; be paid ~ the hour órabér alapján fizetik; one ~ one egyenként; three feet ~ two háromszor két láb (területű); longer ~ three inches

három hüvelykkel hosszabb 6. szerint; alapján; értelmében; ~ rights jog szerint II. adv 1. közel; close/hard ~ egészen közel; taking it ~ and large nagyjából, egészben véve 2. félre; lay/set/put sg ~ félretesz (átv is) 3. ~ and ~ nemsokára, idővel; ~ the ~/bye erről jut eszembe, hogy el ne felejtsem, apropó III. pref (bye alakban is) másodlagos, mellékes, mellék- **bye** [baɪ] →by II. 3. és III. **bye-bye** I. int pá-pá, viszlát!, szia! II. n go to ~ hajcsiba/csicsikálni megy **by-effect** n mellékhatás **bye-law** n = by-law **by-election** n időközi választás, pótválasztás **bygone** ['baɪgɔn; US -ɔ:n] a/n (rég)múlt; let ~s be ~s borítsunk fátylat a múltra **by-interest** n magánérdek **by-law** n 1. helyhatósági szabályrendelet 2. társasági alapszabályzat **by-line** n 1. szárnyvonal 2. mellékfoglalkozás **bypass** n kitérő; kerülő út; terelőút **bypath** n mellékösvény, dűlőút **byplay** n mellékesemény [színpadon] **byplot** n mellékcselekmény **by-product** n melléktermék **Byrd** [bə:d] prop **byre** ['baɪə*] n (tehén)istálló **by-road** n mellékút **Byron** ['baɪərə)n] prop **Byronic** [baɪ'rɔnɪk; US -'rɑ-] a byroni **bystander** ['baɪstændə*] n néző; the ~s az ott ácsorgók/bámészkodók **bystreet** n mellékutca **byway** n mellékút, ösvény; ~s of learning a tudomány kevésbé művelt mellékterületei **byword** n 1. közmondás 2. gúny/közmegvetés tárgya; he is a ~ for meanness közismerten fukar, a fukarság megtestesítője/prototípusa **by-work** n mellékmunka, mellékfoglalkozás; alkalmi munka **Byzantine** [bɪ'zæntaɪn; US 'bɪzənti:n v. -taɪn] a/n bizánci **Byzantium** [bɪ'zæntɪəm; US -ʃɪ-] prop Bizánc

C

C¹, c [si:] *n* 1. C, c (betű)2. *US* „közepes"
[osztályzat] 3. C [hang]; *c flat* cesz;
C major C-dúr; *C minor* c-moll; *C
sharp* cisz
C²., C 1. *Catholic* katolikus 2. *Celsius,
centigrade* Celsius-fok, C°
c³., c 1. *cent(s)* 2. *century* 3. *chapter*
4. = *ca.* 5. *cubic* köb-
C.A., CA [si:'eɪ] *Chartered Accountant*
→*chartered*
ca., ca circa (=*about*) körülbelül, kb.
cab [kæb] I. *n* 1. konflis, bérkocsi 2.
taxi 3. mozdonyvezető-állás, sátor;
vezetőülés [teherautón]; ház, kezelő-
fülke [darun] II. *vi* -bb- *biz* ~ *it*
bérkocsin/konflison/taxin megy, taxi-
zik
cabal [kə'bæl] *n* titkos szövetség, ármány
cabaret ['kæbəreɪ; *US* -'reɪ] *n* 1. kb.
kisvendéglő 2. ~ (*show*) (szórakoz-
tató) műsor, kabaré(műsor)
cabbage ['kæbɪdʒ] *n* káposzta; ~ *lettuce*
(1) fejes saláta (2) *US* fejes káposzta
cabbed [kæbd] →*cab II.*
cabby ['kæbɪ] *n biz* = *cab-man*
cab-driver *n* = *cabman*
caber ['keɪbə*] *n sk* fatörzs; *tossing the*
~ fatörzsdobás [skót nemzeti játék]
cabin ['kæbɪn] *n* 1. (utas)fülke, kabin;
kajüt; ~ *bag* kézitáska; ~ *class* másod-
osztály [hajón]; ~ *cruiser* kajütös
(túra)motorcsónak, jacht 2. kunyhó
cabin-boy *n* hajósinas
cabinet ['kæbɪnɪt] *n* 1. szekrény; vitrin;
tárló 2. szekrény, doboz [rádióé stb.]
3. kormány(tanács), kabinet; ~ *coun-
cil* minisztertanács; *C*~ *Minister* mi-
niszter (aki a kabinet tagja)
cabinet-maker *n* mű(bútor)asztalos

cable ['keɪbl] I. *n* 1. (hajó)kötél, kábel
2. kábel(távirat); ~ *reply* távirati
válasz 3. csavart minta [kötött hol-
min] II. *vi/vt* kábelez, táviratoz
cable-car *n* drótkötélpálya
cablegram [-græm] *n* kábeltávirat
cable-laying *n* kábelfektetés
cable-railway *n* = *cable-car*
cabman ['kæbmən] *n* (*pl* -men -mən)
1. bérkocsis 2. taxisofőr, taxis
caboodle [kə'bu:dl] *n US* □ *the whole* ~
az egész társaság/kompánia
caboose [kə'bu:s] *n* 1. hajókonyha 2.
US pályamunkáskocsi; fékezőkocsi
cab-rank *n* taxiállomás
cabriolet [kæbrɪə'leɪ] *n* nyitható tetejű
(gép)kocsi, kabriolet
cab-stand *n* = *cab-rank*
cacao [kə'kɑ:oʊ] *n* kakaóbab
cache [kæʃ] I. *n* 1. rejtekhely 2. elrej-
tett készlet/élelem II. *vt* elrejt, eldug
cachet ['kæʃeɪ; *US* -'ʃeɪ] *n* 1. ostya(tok),
kapszula [gyógyszernek] 2. *átv* fém-
jelzés
cackle ['kækl] I. *n* 1. gágogás, kodácso-
lás 2. fecsegés; *cut your* ~ fogd be
a szád !, elég a dumából ! 3. vihogás
II. *vi* 1. gágog, kodácsol 2. fecseg 3.
vihog
cacophony [kæ'kɔfənɪ; *US* -'kɑ-] *n*
hangzavar, rossz hangzás, kakofónia
cactus ['kæktəs] *n* (*pl* ~es -sɪz v. cacti
'kæktaɪ) kaktusz
cad [kæd] *n* 1. durva ember, fajankó
2. jellemtelen fráter, gazember
cadaver [kə'deɪvə*] *n* hulla, tetem
cadaverous [kə'dæv(ə)rəs] *a* hullaszerű,
halálsápadt
caddie ['kædɪ] *n* golfütőket hordó fiú

caddish ['kædıʃ] *a* durva, otromba (viselkedésű); gáz, piszkos
caddy¹ ['kædı] *n* = *caddie*
caddy² ['kædı] *n* kis teásdoboz
cadence ['keɪd(ə)ns] *n* hanglejtés, ütem, ritmus, mérték, kadencia
cadenza [kə'denzə] *n* kadencia
cadet [kə'det] *n* 1. hadapród, kadét; *GB* ~ *corps* iskolazászlóalj ⟨katonatiszti előképzést nyújtó szervezet egyes középiskolákban⟩ 2. gyakornok 3. kisebbik fiú [családban]
cadge [kædʒ] *vi/vt biz* kunyerál, tarhál
cadger ['kædʒə*] *n* 1. koldus 2. naplopó, ingyenélő 3. házaló
Cadillac ['kædɪlæk] *prop*
cadre ['kɑ:də*] *n* 1. katonai keretszervezet, (pót)keret 2. káder
Caedmon ['kædmən] *prop*
Caesar ['si:zə*] *prop*
Caesarean, *US* Ces- [si:'zeərɪən] *a* ~ *section* császármetszés
caesura [si:'zjʊərə; *US* -'ʒʊə-] *n* sormetszet, cezúra
café ['kæfeɪ; *US* -'feɪ] *n* 1. kávéház 2. *GB* (alkoholmentes) kis étterem
cafeteria [kæfɪ'tɪərɪə] *n* önkiszolgáló vendéglő/étterem, önki
caffeine ['kæfi:n] *n* koffein
cage [keɪdʒ] I. *n* 1. kalitka 2. bekerített terület; hadifogolytábor 3. bányalift II. *vt* kalitkába zár; bezár
cagey ['keɪdʒɪ] *a biz* ravasz, óvatos, gyanakvó
cahoots [kə'hu:ts] *n* (*US* □) *be in* ~ *with sy* összejátszik vkvel, egy gyékényen árul vkvel
Cain [keɪn] *prop* Káin
Caine [keɪn] *prop*
cairn [keən] *n* kőhalom [síremlék]
Cairo ['kaɪəroʊ] *prop* Kairó
caisson [kə'su:n v. (főleg *US*) 'keɪsən] *n* 1. lőszerszekrény 2. süllyesztőszekrény, keszon
cajole [kə'dʒoʊl] *vt* cirógat, levesz a lábáról; ~ *sy into doing sg* rábeszél/rávesz vkt vmnek a megtételére
cajolery [kə'dʒoʊlərı] *n* hízelgés, rábeszélés
cake [keɪk] I. *n* 1. sütemény, tészta; *fancy* ~ cukrászkülönlegesség, torta;

small ~*s* teasütemény; ~*s and ale* finom étel és ital, trakta, dínomdánom; *be selling like hot* ~*s* úgy veszik, mintha ingyen adnák; *biz take the* ~ övé a pálma; *cannot eat one's* ~ *and have it* nem lehet, hogy a kecske is jóllakjék és a káposzta is megmaradjon; *biz a piece of* ~ kellemes dolog, „üdülés" 2. (hús)pogácsa; zablepény 3. ~ *of soap* egy darab szappan 4. (takarmány)pogácsa II. A. *vt* laposra összenyom/összeprésel; *be* ~*d with mud* vastagon rászáradt a sár B. *vi* megalvad; megkeményedik
cake-walk *n* 1. ⟨egy fajta tánc⟩ 2. *biz* könnyű feladat, gyerekjáték
calabash ['kæləbæʃ] *n* lopótök
Calais ['kæleɪ] *prop*
calamitous [kə'læmɪtəs] *a* szerencsétlen, gyászos
calamity [kə'læmətı] *n* balsors, csapás, szerencsétlenség
calceolaria [kælsɪə'leərɪə] *n* papucsvirág
calcify ['kælsɪfaɪ] A. *vt* elmeszesít B. *vi* elmeszesedik
calcine ['kælsaɪn] A. *vt* mésszé éget; kiéget B. *vi* mésszé ég
calcium ['kælsɪəm] *n* kalcium
calculable ['kælkjʊləbl] *a* kiszámítható; megbízható
calculate ['kælkjʊleɪt] A. *vt* 1. kiszámít 2. tekintetbe vesz 3. tervez 4. *US* hisz, vél B. *vi US* ~ (*up*)*on sg* számol vmvel, számít vmre
calculated ['kælkjʊleɪtɪd] *a* kiszámított, szándékos; ~ *risk* tudatos kockázat
calculating ['kælkjʊleɪtɪŋ] *a* 1. számoló; ~ *machine* számológép 2. számító, ravasz
calculation [kælkjʊ'leɪʃn] *n* 1. (ki)számítás 2. költségvetés 3. terv
calculator ['kælkjʊleɪtə*] *n* 1. kalkulátor 2. zsebszámológép
calculus ['kælkjʊləs] *n* (*pl* ~*es* -sız v. calculi -laɪ) 2. számítás; *differential* ~ differenciálszámítás; *integral* ~ integrálszámítás 3. kő [epe, vese]
Calcutta [kæl'kʌtə] *prop*
caldron →*cauldron*
Caleb ['keɪleb] *prop* ⟨férfinév⟩

Caledonia |kælı'doonjə] *prop* Skótország
calendar ['kælındə*] *n* 1. naptár; ~
watch naptáros (kar)óra 2. lajstrom
3. *GB* (egyetemi) évkönyv |tan- és
vizsgarenddel]
calender ['kælındə*] *vt* kalanderez, mángorol [szövetet]; simít [papírt]
calends ['kælındz] *n pl on the Greek* ~
sohanapján
calf¹ [kɑ:f; *US* -æ-] *n* (*pl* calves kɑ:vz,
US -æ-) 1. borjú; *cow in/with* ~
vemhes tehén; ~'s teeth tejfogak 2.
borjúbőr 3. *biz* ~(-)*love* diákszerelem
calf² [kɑ:f; *US* -æ-] *n* (*pl* calves kɑ:vz;
US -æ-) lábikra
calf-skin *n* borjúbőr
Caliban ['kælıbæn] *prop* Kalibán
caliber → *calibre*
calibrate ['kælıbreıt] *vt* fokbeosztással
ellát, kalibrál, hitelesít
calibration [kælı'breıʃn] *n* (fok)beosztás,
kalibrálás, hitelesítés
calibre, *US* -ber ['kælıbə*] *n* 1. kaliber,
furat, belső átmérő, űrméret 2. *átv
biz* képesség, rátermettség, kaliber,
formátum, súly, fontosság
calico ['kælıkoʊ] *n* pamutvászon, karton, kalikó
Calif. *California*
California [kælı'fɔ:njə] *prop* Kalifornia
caliper → *calliper*
calisthenics → *callisthenics*
calk¹ [kɔ:k] I. *n* jégszeg [patkón],
jégvas [talpon] II. *vt* jégszeget felver
calk² → *caulk*
call [kɔ:l] I. *n* 1. kiáltás; ~ *for help*
segélykiáltás; *within* ~ hívótávolságon belül 2. madárfütty; [katonai]
hívójel; hívás; függöny elé szólítás;
be on ~ készültségben van; (*s)he
took 5* ~s ötször tapsolták ki (a függöny elé) 3. (telefon\hívás, telefonbeszélgetés; ~ *signal* hívójel; szünetjel 4. (rövid) látogatás; *make/pay a* ~
on sy meglátogat vkt 5. *átv* hívó szó;
elhivatottság, hivatás(érzet) 6. *there
is no* ~ *to* ... semmi szükség arra,
hogy ... 7. (fizetési) felhívás, felszólítás; *money on* ~ azonnali visszafizetésre felmondható kölcsön; napi
pénz; *payable at* ~ látra fizetendő

[csekk, váltó] 8. kereslet 9. bemondás, licit [kártya] 10. *US that was a
close* ~ szerencsésen megúszta, egy
hajszálon múlt ... II. A. *vt* 1. (ki)kiált
2. hív, nevez; *be* ~*ed* ... -nak/-nek
hívják, ... a neve 3. (oda)hív;
kihív; felhív [telefonon]; ~ *a doctor*
orvost hív 4. bemond, licitál [kártyában] B. *vi* 1. kiált, kiabál; szól;
London ~*ing!* itt London (beszél)!
2. meglátogat (*on* vkt), látogatást
tesz (*at sy's place* vknél); benéz vkhez;
has anyone ~*ed?* volt itt vk?; *I*
~*ed to see you* benéztem hozzád;
I'll ~ *again* újra (el)jövök
    call around *vi will you* ~ *a. tomorrow?* nézzen be holnap
    call at *vi* meglátogat; ~ *at a port*
kikötőt érint, kikötő; *the train* ~*s at
every station* a vonat minden állomáson megáll
    call back A. *vt* 1. (telefonon) újra
felhív 2. visszahív 3. felidéz B. *vi* 1.
visszaszól, visszakiált 2. *I shall* ~ *b.
for it* visszajövet majd beszólok érte
    call down *vt* 1. lehív; ~ *d. curses
on sy* megátkoz vkt 2. (*US* □) lehord, letol
    call for *vt* 1. vmért kiált 2. (meg-)
kíván, igényel; *sg much* ~*ed f.* nagyon
keresett vm 3. érte jön/megy; "*to
be* ~*ed for*" postán maradó (küldemény) 4. vmt hozat
    call forth *vt* 1. előhív, előcsal, kicsal 2. előidéz, eredményez, kelt
    call in *vt* 1. beszólít, behív; bekér(et)
2. elhív, lakására hív [orvost, szerelőt] 3. lehív [követelést]; bevon [vmt
forgalomból]; behajt, bekér [kölcsönpénzt]
    call off *vt* 1. lemond, lefúj 2. eltérít [figyelmet]; elhív, elszólít
    call on *vi* 1. meglátogat (vkt) 2.
= *call upon*
    call out A. *vt* kihív [párbajra is],
kivezényel; sztrájkba szólít B. *vi*
felkiált; ~ *o. to sy* odakiált. vknek;
~ *o. for sg* vmért kiált
    call over *vt* 1. áthív 2. (fel)olvas
[névsort]
    call up *vt* 1. felhív [telefonon] 2.

felidéz, felelevenít 3. felkelt, felébreszt 4. behív [katonának]
call (up)on vi felszólít; *I feel ~ed u. to* ... kötelességemnek érzem, hogy ...; *I now ~ (up)on Mr N to* ... (és) most felkérem N urat (tartsa meg előadását, stb.)
call-box n telefonfülke
callboy n 1. US [szállodai] boy 2. segédügyelő 〈aki a színészt színpadra szólítja〉
call-card n névjegy
caller ['kɔ:lə*] n 1. látogató 2. hívó fél
call-girl n 〈telefonon lakásra hívható prostituált〉, kb. telefonszínésznő
calligraphy [kə'lıgrəfı] n szép kézírás
calling ['kɔ:lıŋ] n 1. hívás 2. hivatás, (élet)pálya 3. látogatás; US ~ card névjegy 4. kiáltás
calliper, US caliper ['kælıpə*] n (*pair of*) ~s mérőkörző, kaliberkörző; ~ square tolómérce, subler
callisthenics, US calisthenics [kælıs-'θenıks] n csuklógyakorlat, torna
call-loan n azonnali visszafizetésre felmondható kölcsön; napi pénz
callosity [kæ'lɔsətı; US -'la-] n 1. bőrkeményedés 2. érzéketlenség
callous ['kæləs] a 1. kérges tenyerű, bőrkeményedéses 2. érzéketlen
callousness ['kæləsnıs] n érzéketlenség, kőszívűség
call-over n névsorolvasás
callow ['kæloʊ] a 1. tollatlan, kopasz 2. tapasztalatlan, éretlen
call-up n (katonai) behívó
callus ['kæləs] n bőrkeményedés, tyúkszem
calm [ka:m] I. a 1. csendes, nyugodt; *keep ~* megőrzi nyugalmát 2. *biz* hidegvérű, szenvtelen II. n 1. szélcsend 2. csend; nyugalom III. A. vt lecsendesít, lecsillapít B. vi ~ (*down*) lecsendesedik, lecsillapul; csillapodik
calmness ['ka:mnıs] n nyugalom
Calor gas ['kælə*] butángáz
calorie ['kælərı] n kalória
calorific [kælə'rıfık] a ~ value fűtőérték
CalTech, Caltech ['kæltek] *California*

Institute of Technology Pasadenai Műegyetem
calumniate [kə'lʌmnıeıt] vt (meg)rágalmaz
calumny ['kæləmnı] n rágalom, rágalmazás
calve [ka:v; US -æ-] vi borjazik
calves →*calf*[1], *calf*[2], *calve*
Calvinist ['kælvınıst] n kálvinista
calyx ['keılıks] n (*pl ~es* -sız v. calyces 'keılısi:z) (virág)kehely
cam [kæm] n (vezérlő) bütyök
Camb. *Cambridge*
camber ['kæmbə*] n hajlás, ív(elés), görbület, hajlat
cambric ['keımbrık] n gyolcs, patyolat
Cambridge ['keımbrıdʒ] *prop* Cambridge; ~ *blue* (1) világoskék (2) a cambridge-i sportválogatott tagja
Cambs. [kæmbz] *Cambridgeshire*
came →*come*
camel ['kæml] n teve
camel('s)-hair n teveszőr
camera ['kæm(ə)rə] n 1. fényképezőgép; (*TV*) ~ (tévé)kamera; ~ *tube* képfelvevőcső 2. bírói szoba; *in ~* zárt ajtók mögött, nyilvánosság kizárásával
camera-man n (*pl* -men -men) (film-) operatőr
cami-knickers [kæmı-] n pl (női) ingnadrág, nadrágos kombiné
camisole ['kæmısoʊl] n † (derékig érő) fűzővédő, „leibchen"
camomile ['kæməmaıl] n kamilla, székfű
camouflage ['kæmʊfla:ʒ] I. n álcázás II. vt álcáz, rejtőztet
camp[1] [kæmp] I. n tábor(hely), sátortábor; *pitch a ~* tábort üt; *strike* (v. *break up*) *a ~* tábor bont II. vi ~ (*out*) táboroz, sátorban alszik/lakik, kempingezik; *go ~ing* kempingezni/ táborozni megy
camp[2] [kæmp] a groteszk, abszurd, bizarr
campaign [kæm'peın] I. n hadjárat; kampány; mozgalom II. vi hadjáratban részt vesz
camp-bed n kempingágy
camp-chair n kempingszék; strandszék
camper ['kæmpə*] n 1. táborozó, turista; kempingező 2. US lakóautó

camp-fever n tífusz
camp-fire n tábortűz
campground n = campsite
camphor ['kæmfə*] n kámfor
camping ['kæmpıŋ] n táborozás; kemping(ezés); ~ area (1) kempingezésre használható terület (2) US kemping; ~ warden kempinggondnok
camping-ground n táborhely
campsite n táborhely; kemping
camp-stool n tábori szék; kempingszék
camp-stove n kempingfőző
campus ['kæmpəs] n US a(z) egyetem/főiskola területe
camshaft n vezérműtengely
can¹ [kæn] I. n 1. kanna; □ carry the ~ ő tarthatja a hátát 2. US konzerv(doboz); (bádog)doboz II. vt -nn- befőz, konzervál
can² [kæn; gyenge ejtésű alakjai: kən, kn; k, g előtt: kŋ] v aux (pt could kʊd; gyenge ejtésű alakja: kəd; régies alakok: egyes sz. 2. szem canst [kænst], pt 2. szem. could(e)st [kʊdst]) 1. tud, képes vmre; -hat, -het; cannot ['kænət], can't [kɑːnt, US -æ-] nem tud, nem képes; ~ you swim? tud(sz) úszni?; ~ you see it? látja?, látod?; you ~ go elmehet(sz); how ~ you tell? mit tudod?; I cannot but nem tehetek mást, mint hogy; you cannot but succeed csakis győzhetsz; you ~ but try azért mégis megpróbálhatod; he couldn't come nem tudott (el)jönni; as best I could amennyi tőlem tellett 2. (feltételes mondatokban:) could you bring me ... tud(na) hozni nekem ...
Canaan ['keɪnən] prop Kánaán
Canada ['kænədə] prop Kanada
Canadian [kə'neɪdjən] a kanadai
canal [kə'næl] I. n csatorna II. vt -ll- (US -l-) csatornáz, csatornával ellát
canalization [kænəlaɪ'zeɪʃn; US -lɪ'z-] n csatornázás
canalize ['kænəlaɪz] vt 1. csatornáz 2. irányít
canapé ['kænəpeɪ] n (zsúr)szendvics (pirított kenyérből)
canard [kæ'nɑːd] n hírlapi kacsa
canary [kə'neərɪ] n kanári(madár)
canasta [kə'næstə] n kanaszta

Canberra ['kænb(ə)rə] prop
cancel ['kænsl] vt -ll- (US -l-) 1. áthúz, (ki)töröl 2. érvénytelenít; lepecsétel [bélyeget]; visszavon, megsemmisít, storníroz 3. levesz a műsorról, töröl [tervből stb.]; (sg) has been ~led [előadás stb.] elmarad; ~ out egymást megsemmisítik [mennyiségtanban], kiesnek
cancellation [kænsə'leɪʃn] n 1. áthúzás, törlés 2. érvénytelenítés; (le)bélyegzés; first-day ~ elsőnapi (le)bélyegzés; ~ stamp postabélyegző
cancer ['kænsə*] n 1. rák [betegség] 2. Tropic of C~ Ráktérítő
cancerous ['kæns(ə)rəs] a rákos
candelabrum [kændɪ'lɑːbrəm] n (pl -bra -brə) (karos) gyertyatartó
candid ['kændɪd] a 1. őszinte, nyílt 2. pártatlan, elfogulatlan
candidate ['kændɪdət; US -eɪt] n jelölt
candidature ['kændɪdətʃə*] n 1. jelöltség 2. jelölés
candidness ['kændɪdnɪs] n őszinteség
candied ['kændɪd] a cukrozott, cukorban eltett
candle ['kændl] n 1. gyertya; burn the ~ at both ends két végén égeti a gyertyát [= nem kíméli erejét, agyondolgozza magát]; cannot hold a ~ to him nem lehet vele egy napon említeni, nyomába se léphet; not worth the ~ nem éri meg a költséget/fáradságot 2. gyertya [fényerősség egysége]
candle-light n gyertyafény
Candlemas ['kændlməs] n Gyertyaszentelő (február 2.)
candle-power n gyertyafény(erő)
candlestick n gyertyatartó
candour ['kændə*] n 1. őszinteség, nyíltság 2. elfogulatlanság
candy ['kændɪ] I. n 1. jegeccukor, kandiscukor 2. US cukorka, édesség; ~ store édességbolt II. vt cukorban eltesz, kandíroz; cukorral bevon
cane [keɪn] I. n 1. nád 2. nádpálca, sétabot; get the ~ megverik II. vt 1. megver, megbotoz 2. náddal befon
cane-sugar n nádcukor, nádméz
canine I. a ['keɪnaɪn] kutyaféle, kutya-

II. n ['kænain; US 'kei-] ~ (tooth) szemfog

caning ['keiniŋ] n pálcázás, megbotozás

canister ['kænistə*] n 1. (bádog)doboz 2. kartács

canker ['kæŋkə*] I. n 1. üszög, ragya; fekély [főként szájban] 2. rozsda [növényen] 3. átv rákfene II. A. vt kimar, sebekkel/ fekélyekkel borít; elpusztít B. vi megférgesedik, megromlik

cankerous ['kæŋkərəs] a 1. üszkös, fekélyes 2. pusztító, maró

canned [kænd] a 1. eltett, konzervált, -konzerv; ~ fish halkonzerv; ~ meat húskonzerv; biz ~ music gramofonzene, gépzene 2. US □ tökrészeg ||→can¹ II.

cannery ['kænəri] n konzervgyár

cannibal ['kænibl]· n emberevő, kannibál

cannibalism ['kænibəlizm] n emberevés

cannibalize ['kænibəlaiz] vt kibelez [járművet]

canning ['kæniŋ] n konzerválás, konzervgyártás, befőzés; ~ industry konzervipar ||→can¹ II.

cannon ['kænən] I. n 1. ágyú, löveg 2. GB karambol [biliárdjátékban] II. vi 1. ágyúz 2. GB összeütközik

cannonade [kænə'neid] n ágyúzás, ágyútűz

cannon-ball n ágyúgolyó

cannon-fodder n ágyútöltelék

cannot →can² 1.

canny ['kæni] a ravasz, okos

canoe [kə'nu:] I. n kenu II. vi kenuzik

canoeing [kə'nu:iŋ] n (kajakozás-)kenuzás

canon ['kænən] n 1. egyházi törvény, kánon; C~ of the Mass a mise változatlan része 2. átv szabály, zsinórmérték [jó izlésé stb.] 3. kánon [hiteles művek] 4. kanonok

canonic(al) [kə'nɔnik(l); US -'nɑ-] I. a 1. kánoni, kanonikus, hitelesnek elismert 2. egyházi, papi II. n in full ~s teljes papi díszben

canonization [kænənai'zeiʃn; US -ni'z-] n szentté avatás

canonize |'kænənaiz] vt szentté avat

can-opener n konzervnyitó

canopy ['kænəpi] n mennyezet, markíz

canst →can²

cant¹ [kænt] I. n 1. ferdeség 2. fordulat; billenés II. A. vt lejtőssé tesz, oldalt dönt, megdönt B. vi ferdén/rézsútosan áll, lejt, dől

cant² [kænt] I. n 1. álszent frázisok 2. nyafogás 3. szakmai nyelv/zsargon, tolvajnyelv; csoportnyelv II. vi 1. nyafog 2. álszenteskedik

can't = cannot →can²

Cantab. ['kæntæb] a/n Cantabrigiensis (=of Cambridge) cambridge-i (diák)

cantaloup ['kæntəlu:p] US -loupe·[-loup] n sárgadinnye

cantankerous [kən'tæŋk(ə)rəs] a 1. civódó, veszekedő 2. rosszindulatú

canteen [kæn'ti:n] n 1. kantin [laktanyában]; (üzemi) étkezde, büfé [üzemben, gyárban stb.]; students' ~ diákmenza, egyetemi étkezde 2. kulacs 3. csajka 4. ~ of cutlery evőeszközkészlet (doboza)

canter ['kæntə*] I. n könnyű vágta; win at a ~ kenterben/könnyen győz II. vi/vt könnyű vágtában megy/ lovagol

Canterbury ['kæntəb(ə)ri] prop

canticle ['kæntikl] n (egyházi) dicsőítő ének, himnusz

cantilever ['kæntili:və*] n tartókar, konzol(os tartó); ~ bridge konzolos híd

canto ['kæntou] n ének [egy nagyobb költemény részlete]

canton ['kæntɔn; US -ən] n kanton [Svájcban]

cantonment [kæn'tu:nmənt] n 1. (katonai) beszállásolás 2. szálláskörlet

Cantuarian [kæntju'eəriən] a canterburyi

Canute [kə'nju:t] prop Kanut

canvas ['kænvəs] n 1. vászon, kanavász; under ~ (1) sátor alatt [katonaság] (2) felvont vitorlákkal 2. olajfestmény, vászon

canvass ['kænvəs] I. n korteskedés II. vt/vi 1. megvitat, meghány-vet 2. korteskedik 3. házal

canvasser ['kænvəsə*] *n* 1. kortes 2. házaló ügynök
canyon ['kænjən] *n* kanyon, szurdok
cap [kæp] I. *n* 1. sapka; ~ *and bells* csörgősipka; *if the* ~ *fits*(, *wear it!*) akinek nem inge (ne vegye magára); *in* ~ *and gown* egyetemi díszben; *set one's* ~ *at sy* kiveti hálóját vkre [nő]; *win one's* ~ bekerül a válogatott csapatba 2. fejkötő; fityula 3. kupak, fedél, sapka, fedő, tető II. *vt* -**pp**- 1. sapkával ellát 2. felülmúl, lefőz; *to* ~ *it all* mindennek tetejébe 3. válogatott csapatba bevesz [játékost]; ~*ped 17 times* 17-szeres válogatott . . .
cap. [kæp] *capital letter*
capability [keipə'biləti] *n* képesség; adottság
capable ['keipəbl] *a* 1. képes, alkalmas (*of* vmre) 2. ~ *of misinterpretation* félreérthető 3. hozzáértő, tehetséges
capacious [kə'peiʃəs] *a* tág(as), téres, nagy befogadóképességű
capaciousness [kə'peiʃəsnis] *n* tágasság
capacitate [kə'pæsiteit] *vt* 1. alkalmassá tesz 2. képesnek minősít
capacity [kə'pæsəti] *n* 1. térfogat, befogadóképesség, kapacitás; *filled to* ~ zsúfolásig megtelt; *measure of* ~ ürmérték 2. tehetség, képesség, ügyesség 3. minőség; *in the* ~ *of legal adviser* jogtanácsosi minőségben
cap-à-pie [kæpə'pi:] *adv* tetőtől talpig (felfegyverezve)
caparison [kə'pærisn] † I. *n* díszes lószerszám, csótár II. *vt* feldíszít, felszerszámoz
cape¹ [keip] *n* köpeny, körgallér
cape² [keip] *n* hegyfok
caper¹ ['keipə*] *n* kapri(bogyó)
caper² ['keipə*] I. *n* 1. fickándozás, bakugrás; *cut* ~*s* ficánkol, ugrabugrál 2. kópéság, csíny II. *vi* ugrál, szökdécsel
Cape Town ['keiptaʊn] *prop* Fokváros
capillarity [kæpi'lærəti] *n* hajszálcsövesség
capillary [kə'piləri; *US* 'kæpileri] *a* 1. hajszálcsöves; ~ *attraction* hajszálcsövesség 2. ~ *vessels* hajszálerek
capital ['kæpitl] I. *a* 1. fő-, fontos, leg-

főbb; ~ *ship* csatahajó; *of* ~ *importance* nagy/döntő fontosságú 2. főbenjáró; ~ *punishment* halálbüntetés 3. remek, kitűnő II. *n* 1. főváros 2. ~ (*letter*) nagy kezdőbetű, nagybetű 3. tőke; ~ *expenditure* tőkeberuházás; ~ *goods* tőkejavak, termelési eszközök; ~ *levy* vagyondézsma, -váltság; ~ *stock* alaptőke; *make* ~ *of sg* tőkét kovácsol vmből 4. oszlopfő
capitalism ['kæpitəlizm] *n* kapitalizmus
capitalist ['kæpitəlist] *n* tőkés, kapitalista
capitalistic [kæpitə'listik] *a* tőkés, kapitalista
capitalization [kəpitəlai'zeiʃn; *US* -li'z-] *n* tőkésítés
capitalize ['kæpitəlaiz] A. *vt* 1. tőkésít 2. (*átv is*) tőkét kovácsol (vmből), kihasznál, hasznosít (vmt) 3. nagy kezdőbetűvel (v. nagybetűvel) ír B. *vi* ~ *on sg* tőkét kovácsol vmből
capitally ['kæpitli] *adv* nagyszerűen
capitation [kæpi'teiʃn] *n* 1. fejadó, fejpénz 2. lélekszám
Capitol ['kæpitl] *n US* parlamenti épület(ek)
capitulate [kə'pitjuleit; *US* -tʃə-] *vi* megadja magát, kapitulál
capitulation [kəpitju'leiʃn; *US* -tʃə-] *n* 1. megadás, feladás, kapituláció 2. felsorolás
capon ['keipən; *US* -pan] *n* kappan
capped [kæpt] →*cap II.*
caprice [kə'pri:s] *n* 1. szeszély 2. önfejűség 3. caprice, capriccio
capricious [kə'priʃəs] *a* 1. szeszélyes 2. önfejű
Capricorn ['kæprikɔ:n] *n Tropic of* ~ Baktérítő
caps. [kæps] *capital letters*
capsicum ['kæpsikəm] *n* paprika
capsize [kæp'saiz] A. *vi* felborul [hajó, autó] B. *vt* felborít [hajót, autót]
capstan ['kæpstən] *n* csörlő, gugora
capsule ['kæpsju:l; *US* 'kæps(ə)l] *n* 1. (mag)tok; gubó, burok 2. kapszula [orvossághoz]; kupak [palackon]; hüvely 3. (*space*) ~ (űr)kabin
Capt. *Captain*
captain ['kæptin; *US* -ən] I. *n* 1. száza-

dos 2. kapitány; parancsnok 3. vezér, vezető; ~ of industry iparmágnás II. vt parancsnoka, kapitánya [alakulatnak, sportcsapatnak stb.]
captaincy ['kæptɪnsɪ; US -tən-] n 1. századosi/kapitányi rang, kapitányság 2. parancsnokság
caption ['kæpʃn] n 1. képszöveg, képaláírás; felirat 2. fej [okiraté]
captious ['kæpʃəs] a 1. gáncsoskodó, kákán csomót kereső, szőrszálhasogató 2. furfangos [kérdés]
captivate ['kæptɪveɪt] vt meghódít, megnyer, elbájol
captivation [kæptɪ'veɪʃn] n elbájolás
captive ['kæptɪv] I. a 1. foglyul/rabul ejtett 2. letartóztatott, bebörtönzött 3. rögzített; ~ balloon rögzített léggömb II. n fogoly, rab; take ~ foglyul ejt
captivity [kæp'tɪvətɪ] n fogság, rabság
captor ['kæptə*] n foglyul ejtő
capture ['kæptʃə*] I. n 1. elfogás 2. zsákmány(olás) II. vt 1. elfog, foglyul ejt 2. bevesz [várat] 3. megragad [figyelmet]
capturing ['kæptʃərɪŋ] n 1. elfogás 2. bevétel [váré]
Capuchin ['kæpjʊʃɪn; US -tʃ-] n kapucinus
Capulet ['kæpjʊlet] prop
car [kɑ:*] n 1. kocsi, autó; ~ aerial autóantenna; ~ rental gépkocsikölcsönzés; by ~ kocsival, autóval 2. (vasúti) kocsi, vagon; US teherkocsi; kocsi [villamosé] 3. fülke [lifté]; gondola, kosár [léghajóé]
carafe [kə'ræf] n üvegkancsó
caramel ['kærəmel] n égetett cukor, karamella
carapace ['kærəpeɪs] n páncél [állaté]
carat ['kærət] n karát
caravan ['kærəvæn] I. n 1. karaván 2. lakókocsi; ~ site lakókocsitábor II. vi -nn- (US -n-) lakókocsiban/lakókocsival utazik
caravanner ['kærəvænə*] n lakókocsizó
caravanning ['kærəvænɪŋ] n utazás lakókocsival/lakókocsiban, lakókocsizás
caravanserai [kærə'vænsəraɪ] n karavánszálló

caravel ['kærəvel] n gyors kis hajó
caraway ['kærəweɪ] n kömény; ~ seed köménymag
carbide ['kɑ:baɪd] n karbid
carbine ['kɑ:baɪn] n karabély
car-body n kocsiszekrény, karosszéria
carbohydrate [kɑ:bə'haɪdreɪt] n szénhidrát
carbolic acid [kɑ:'bɔlɪk; US -'bɑ-] karbolsav
carbon ['kɑ:bən; US -ɑn] n 1. szén; ~ dating radiokarbon-kormeghatározás; ~ dioxide [daɪ'ɔksaɪd] széndioxid; szénsav(gáz); ~ monoxide szénmonoxid 2. szénrúd [ívlámpában] 3. = carbon-paper 4. ~ (copy) (indigó-)másolat
carbonaceous [kɑ:bə'neɪʃəs] a széntartalmú
carbonate I. n ['kɑ:bənɪt; US -eɪt] karbonát II. vt ['kɑ:bəneɪt] szénsavval telít
carbonated ['kɑ:bəneɪtɪd] a szénsavas
carbonic [kɑ:'bɔnɪk; US -'bɑ-] a szén-; ~ acid szénsav
carboniferous [kɑ:bə'nɪfərəs] a széntartalmú
carbonize ['kɑ:bənaɪz] vt elszenesít
carbon-paper n indigó, másolópapír
carborundum [kɑ:bə'rʌndəm] n karborundum [csiszolóanyag]
carboy ['kɑ:bɔɪ] n (sav)ballon
carbuncle ['kɑ:bʌŋkl] n 1. gránátkő 2. karbunkulus, ,,darázsfészek" [kelevény]
carburetor ['kɑ:bəreɪtə*] n US = carburetter
carburetter, -rettor [kɑ:bjʊ'retə*] n karburátor, porlasztó
carcase, carcass ['kɑ:kəs] n 1. hulla, tetem, dög; ~ meat tőkehús 2. üres váz
carcinogenic [kɑ:sɪnə'dʒenɪk] a rákokozó, rákkeltő, karcinogén
carcinoma [kɑ:sɪ'noʊmə] n rák, carcinoma
card¹ [kɑ:d] I. n kártoló, gyapjúfésű II. vt kártol
card² [kɑ:d] n~1. kártya, névjegy, kartotéklap; ~ catalogue cédulakatalógus [könyvtári]; ~ file cédulagyűjtemény

[tudósé]; ~ index (*file*) kartoték, cédulakatalógus →*card-index* 2. (játék-) kártya; ~ *trick* kártyamutatvány; make a ~ ütést csinál; *lay/put one's* ~*s on the table* nyílt kártyával játszik; *it's in the* ~*s* azt veti ki a kártya; *have a* ~ *up one's sleeve* van még egy ütőkártyája; *house of* ~*s* kártyavár; *play one's* ~*s well* ügyesen intézi a dolgait, jól adminisztrálja magát 3. (levelező)lap; *Christmas* ~ karácsonyi üdvözlet 4. *biz* fickó; *he is a* ~ jópofa, érdekes ember

cardan-shaft ['kɑ:dən-] *n* kardántengely

cardboard *n* karton(papír)

card-carrying *a* tagdíjfizető, tényleges [párttag]

carder ['kɑ:də*] *n* kártoló

cardia ['kɑ:dɪə] *n* gyomorszáj

cardiac ['kɑ:dɪæk] *a* szívvel kapcsolatos [betegség stb.], szív-; ~ *murmur* szívzörej; ~ *failure* szívelégtelenség

Cardiff ['kɑ:dɪf] *prop*

cardigan ['kɑ:dɪgən] *n* kardigán

cardinal ['kɑ:dɪnl] I. *a* legfőbb, sarkalatos; ~ *number* tőszám; *the* ~ *points* a négy világtáj II. *n* bíboros

card-index *vt* kartotékol, kicéduláz ‖ → *card²* 1.

card-sharper *n* hamiskártyás, sipista

care [keə*] I. *n* 1. gond; *free from* ~ gondtalan(ul), gond nélkül(i) 2. gond, gondosság, gondoskodás, törődés, aggodalom, igyekezet; *take* ~ *of sg* vigyáz vmre, gondját viseli vmnek, gondoskodik vmről; *take* ~*!*, *have a* ~*!* vigyázz!; *"glass with* ~*"* vigyázat törékeny; *want of* ~ gondatlanság; ~ *of Mr B*, *c/o Mr B* B. úr leveleivel/címén II. *vi* 1. törődik, gondol (*about*, *for* vkvel, vmvel); *I don't* ~*!*, *what do I* ~*?* bánom is én!; *I don't* ~ *who you are* nem érdekel ki vagy; *I don't* ~ *a red cent*, *I could not* ~ *less* fütyülök rá; *I don't* ~ *if I do* lehet róla szó; *biz who* ~*s?* ki bánja? 2. szeret(ne); hajlandó (vmt tenni); *if/would you* ~ *to* ha volna szíves..., volna-e kedve... szeretne-e...

care about *vi* törődik vmvel

care for *vi* 1. törődik vkvel/vmvel; foglalkozik vmvel, vm érdekli; *f. all I* ~ (én)felőlem (akár)..., énmiattam (ugyan...) 2. vmt szeret; *would you* ~ *f. a drink?* óhajt-e v. nincs kedve vmt inni?

careen [kə'ri:n] *vt* hajót oldalára fordít

career [kə'rɪə*] I. *n* 1. (élet)pálya, hivatás; pályafutás; karrier; ~ *diplomat* hivatásos diplomata; ~ *girl* (hivatásból) dolgozó nő 2. rohanás II. *vi* vágtat

careerist [kə'rɪərɪst] *n* karrierista

carefree *a* gondtalan

careful ['keəf(ʊ)l] *a* 1. gondos, figyelmes 2. óvatos; *be* ~*!* vigyázz!, légy óvatos!

carefully ['keəflɪ] *adv* 1. gondosan, figyelmesen 2. óvatosan

carefulness ['keəf(ʊ)lnɪs] *n* gondosság; óvatosság

careless ['keəlɪs] *a* 1. gondatlan, figyelmetlen 2. gondtalan

carelessness ['keəlɪsnɪs] *n* gondatlanság

caress [kə'res] I. *n* cirógatás, dédelgetés, átölelés, csókolás II. *vt* átölel, cirógat, dédelget

caret ['kærət] *n* hiányjel (ʌ)

caretaker *n* (ház)felügyelő, (ház)gondnok, házgondozó; ~ *government* ideiglenes kormány, hivatalnokkormány

careworn *a* gondterhelt, elcsigázott

car-ferry *n* komp(hajó)

cargo ['kɑ:gəʊ] *n* (*pl* ~(**e**)**s** -əʊz) szállítmány, teher, (hajó)rakomány

Caribbean Sea [kærɪ'bi:ən] *prop* Karib-tenger

caribou ['kærɪbu:] *n* rénszarvas

caricature ['kærɪkətjʊə*; *US* -tʃ-] I. *n* karikatúra, torzkép II. *vt* kifiguráz, karikatúrát rajzol (vkről)

caries ['keərɪi:z] *n* csontszú; (*dental*) ~ fogszuvasodás, fogszú

carillon ['kærɪljən; *US* 'kærələn] *n* harangjáték

carious ['keərɪəs] *a* szuvas

Carl [kɑ:l] *prop* Károly

Carlisle [kɑ:'laɪl] *prop*

Carlton ['kɑ:lt(ə)n] *prop*

Carlyle [kɑ:'laɪl] *prop*

Carmelite ['kɑ:mɪlaɪt] *n* karmelita

carmine ['kɑ:maɪn] *a/n* karmazsinvörös

carnage ['kɑ:nɪdʒ] n mészárlás, vérontás
carnal ['kɑ:nl] a testi, érzéki, nemi; ~ knowledge nemi közösülés
carnation [kɑ:'neɪʃn] n szegfű
Carnegie [kɑ:'negɪ; US 'kɑ:r-] prop
carnival ['kɑ:nɪvl] n farsang, karnevál
carnivore ['kɑ:nɪvɔ:*] n húsevő
carnivorous [kɑ:'nɪv(ə)rəs] a húsevő
carob ['kærəb] n szentjánoskenyér(fa)
carol ['kær(ə)l] I. n vidám ének; Christmas ~ karácsonyi ének; ~ singers ⟨akik házról házra járva karácsonyi éneket énekelnek, mint a mi betlehemeseink⟩ II. vi/vt -ll- (US -l-) énekel
Caroline ['kærəlaɪn] prop Karolina, Karola
carom ['kærəm] n US karambol [biliárd]
carousal [kə'raʊzl] n mulatás, tivornya, ivászat
carouse [kə'raʊz] vi mulat, dőzsöl, iszik
carousel, US **carrousel** [kæru:'zel; US kærə'sel] n 1. lovasjáték, karusszel 2. US körhinta, ringlispil
carp¹ [kɑ:p] n ponty
carp² [kɑ:p] vt ócsárol
carpal ['kɑ:pəl] a kézfeji
car-park n várakozóhely, parkoló(hely)
Carpathian Mountains [kɑ:'peɪθjən] prop Kárpátok
carpenter ['kɑ:pəntə*] I. n ács II. vt ácsol
carpentry ['kɑ:pəntrɪ] n ácsmesterség
carpet ['kɑ:pɪt] I. n szőnyeg; be on the ~ (1) szőnyegen forog/van [kérdés] (2) dorgálásban részesül II. vt 1. szőnyeggel takar/borít 2. felhint 3. biz összeszid, lehord
carpet-bagger n US politikai kalandor; jöttment; szerencselovag
carpet-slippers n pl szövetpapucs
car-port n fedett autóparkoló, garázsféle szer [két oldalán nyitott]
carriage ['kærɪdʒ] n 1. kocsi, jármű; GB (railway) ~ (vasúti) kocsi, vagon 2. szállítás, fuvarozás; szállítmány, fuvar; letter of ~ fuvarlevél 3. fuvardíj; ~ forward fuvardíj utánvételezve; ~ free/paid bérmentve, fuvar(díj) fizetve 4. testtartás
carriage-drive n kocsiút [parkban]
carriageway n 1. kocsiút, országút 2. úttest

Carrie ['kærɪ] prop Lina, Linus, Linácska
carrier ['kærɪə*] n 1. hordár, küldönc 2. fuvaros, bérkocsis; szállítóvállalat, fuvarozó, szállítmányozó; common ~ (hivatásos) szállító, közfuvarozó 3. csapatszállító jármű/hajó/stb. 4. keret, (csomag)tartó 5. (bacilus)hordozó, bacilusgazda 6. hordozóanyag; ~ rocket hordozórakéta
carrier-bag n bevásárlószatyor
carrion ['kærɪən] n dög, hulla
carrion-crow n varjú
Carroll ['kær(ə)l] prop
carrot ['kærət] n 1. sárgarépa; hold out a ~ to sy elhúzza a mézesmadzagot vknek a szája előtt 2. biz ~s vörös hajú ember
carroty ['kærətɪ] a vörös színű [haj]
carrousel →carousel
carry ['kærɪ] I. n 1. hordtávolság [fegyveré] 2. röppálya 3. sword at the ~ kivont karddal II. A. vt 1. (el)visz, (el)szállít; it won't ~ you very far nem mész vele sokra; ~ things too far (v. to excess) túlzásba viszi a dolgokat 2. hord, visel; ~ authority/weight tekintélye/súlya van; ~ interest kamatozik; ~ arms! fegyvert vállra!; ~ one's liquor well jól bírja az italt; ~ it high magasan hordja az orrát; ~ oneself badly (1) rossz a tartása (2) rosszul viselkedik 3. megnyer; elfoglal; ~ a town bevezsi a várost; ~ all/everything before one nagy/elsöprő sikere van, mindenkit lehengerel; he carried his hearers with him magával ragadta hallgatóit; ~ one's point véleményét elfogadtatja; the bill was carried a törvényjavaslatot elfogadták/megszavazták 4. von, vezet; ~ a wall round the garden falat húz a kert köré 5. [számolásban:] ~ two and seven are nine marad kettő meg hét az kilenc; dot and ~ one felir és marad B. vi hord [lőfegyver vmennyire]; the sound carried 3 miles a hang 3 mérföldre hallható volt
carry away vt elvisz; I got carried a. elragadtattam magam
carry forward vt átvisz, áthoz [más

lapra]; *carried f.* átvitel [könyvelésben]
carry off *vt* elvisz, elnyer; ~ *it o.* megússza a dolgot; sikerül neki
carry on A. *vt* folytat **B.** *vi* **1.** ~ *on (with one's work etc.)* folytatja (munkáját stb.), tovább dolgozik **2.** *biz* ~ *on with sy* flörtöl vkvel, viszonya van vkvel **3.** *biz* furcsán viselkedik
carry out *vt* teljesít, végrehajt, kivitelez
carry over *vt* **1.** átszállít, átvisz **2.** átvisz [könyvelésben]; prolongál [tőzsdén] **3.** (vkt) megnyer
carry through *vt* **1.** végigcsinál, befejez **2.** (nehézségekből baj nélkül) kivezet (vkt)
carry-cot *n* mózeskosár
carrying ['kærɪɪŋ] *n* **1.** vitel, szállítás; ~ *of arms* fegyverviselés; ~ *capacity* (hasznos) szállítótér, teherbírás, hordképesség; ~ *trade* fuvarozás(i vállalat) **2.** várbevétel **3.** elfogadás [javaslaté]
carryings-on *n pl such* ~*!* micsoda (illetlen) viselkedés!
cart [kɑːt] **I.** *n* kétkerekű taliga, kordé; *put the* ~ *before the horse* fordított sorrendben csinál vmt; □ *be in the* ~ pácban/kutyaszorítóban van **II.** *vt* fuvaroz, (el)szállít; hord
cartage ['kɑːtɪdʒ] *n* **1.** fuvarozás **2.** fuvardíj
cartel [kɑː'tel] *n* kartell
carter ['kɑːtə*] *n* taligás, fuvaros
Carthage ['kɑːθɪdʒ] *prop* Karthágó
Carthaginian [kɑːθə'dʒɪnɪən] *a* karthágói
cart-horse *n* igásló
Carthusian [kɑː'θjuːzjən] **I.** *a* karthauzi **II.** *n* karthauzi szerzetes
cartilage ['kɑːtɪlɪdʒ] *n* porc, porcogó
cart-load *n* szekérrakomány
cartographer [kɑː'tɔgrəfə*; *US* -'tɑ-] *n* térképész
cartography [kɑː'tɔgrəfɪ; *US* -tɑ-] *n* térképészet
carton ['kɑːtən] *n* **1.** kéregpapír, karton **2.** kartondoboz
cartoon [kɑː'tuːn] **I.** *n* **1.** (rajz)vázlat; freskóterv **2.** karikatúra, tréfás rajz

3. *(animated)* ~ rajzfilm **II.** *vt* **1.** vázlatot készít (vmről) **2.** tréfás képet rajzol, karikatúrát készít (vkről, vmről)
cartoonist [kɑː'tuːnɪst] *n* gúnyképrajzoló, karikaturista
cartophilist [kɑː'tɔfɪlɪst; *US* -'tɑ-] *n* képeslapgyűjtő
cartridge ['kɑːtrɪdʒ] *n* **1.** töltés, töltény, patron **2.** (cserélhető) pick-up, lejátszófej [lemezjátszón] **3.** kazetta(töltés)
cartridge-belt *n* töltényöv
cart-road *n* szekérút, földút
cart-wheel *n* **1.** kocsikerék **2.** *turn* ~*s* cigánykereket hány
cartwright *n* bognár, kocsigyártó
carve [kɑːv] *vt* **1.** (fel)vág, szeletel **2.** (ki)vés, (ki)farag [szobrot]
carver ['kɑːvə*] *n* **1.** képfaragó **2.** szeletelőkés
carving ['kɑːvɪŋ] *n* **1.** faragás, vésés **2.** (fa)faragvány, fafaragás
carving-knife *n* (*pl* -knives) szeletelőkés
cascade [kæ'skeɪd] *n* vízesés, zuhatag
case¹ [keɪs] *n* **1.** ügy, eset; *if that's the* ~ ha így áll a dolog; *in no* ~ semmi esetre sem; *in this/that* ~ ebben/abban az esetben; *in* ~ feltéve, hogy...; amennyiben; ha; *just in* ~ arra az esetre, ha netalán; *in* ~ *of...* esetén; *in any* ~ mindenesetre; mindenképpen; *the* ~ *in point* a szóban forgó eset; *a* ~ *in point* hasonló/idevágó eset **2.** ügy, eset [jogi]; *state one's* ~ előadja a tényállást, kifejti álláspontját; *make out a* ~ *against sy* vádat emel (v. keresetet indít) vk ellen
case² [keɪs] **I.** *n* **1.** láda, doboz **2.** tok, tartó; fiók; táska **3.** szekrény **4.** *upper* ~ (nyomtatott) nagybetű(k), verzál (betűk); *lower* ~ kisbetű(k), kurrens (betűk, szedés) **II.** *vt* **1.** becsomagol, ládába/tokba tesz/rak, ládáz **2.** bevon, behúz, (be)burkol
case-book *n* **1.** döntvénytár **2.** [orvosi] esetnapló **3.** dokumentumgyűjtemény
case-endings *n pl* (nyelvtani) esetragok
case-hardened [-hɑːdnd] *a* **1.** (keményre) acélozott; fémfelületű **2.** *biz* lelkileg eltompult
case-history *n* kórelőzmény, anamnézis
casein ['keɪsiːɪn] *n* kazein

case-law n esetjog
casement ['keɪsmənt] n ablak(szárny)
casement-window n (szárnyas) ablak
case-report n kórleírás
case-study n esettanulmány
casework n esettanulmány
case-worker n kb. szociális előadó
cash [kæʃ] I. n 1. készpénz; hard ~ készpénz; net ~ készpénzfizetés engedmény nélkül; ready ~ fizetés az áru átvételekor; ~ and carry „fizesd és vidd" [eladási feltétel]; ~ down készpénz(fizetés) ellenében; ~ in hand készpénzállomány, pénztári készlet; in ~ készpénzben 2. pénz; be out of ~ nincs pénze; be in ~ van pénze II. A. vt készpénzt kap/ad [csekkért stb.], bevált [csekket]; ~ in befizet [pénzt bankba]; biz ~ in (one's checks) beadja a kulcsot B. vi US biz ~ in on sg hasznot húz vmből
cash-account n pénztárszámla
cash-book n pénztárkönyv
cash-box n pénzszekrény
cash-desk n pénztár
cashew [kæ'ʃu:] n kesu(dió)
cashier¹ [kæ'ʃɪə*] n pénztáros
cashier² [kə'ʃɪə*] vt elbocsát
cashmere [kæʃ'mɪə*] n kasmír(szövet)
cash-register n pénztárgép
casing ['keɪsɪŋ] n 1. burkolat; tömítés; foglalat; tok 2. abroncs [autógumié] 3. US □ ~ the joint terepszemle [rablás előtt]
casino [kə'si:noʊ] n játékkaszinó
cask [kɑ:sk; US -æ-] n hordó
casket ['kɑ:skɪt; US -æ-] n 1. ékszerládika 2. US érckoporsó
Caspian Sea ['kæspɪən] prop Kaspi-tenger
casque [kæsk] n sisak
casserole ['kæsəroʊl] n 1. tűzálló tál/edény; lábas, serpenyő 2. ragu/vagdalék tűzálló tálban
cassette [kə'set] n kazetta; ~ (tape) recorder kazettás magnó
Cassius ['kæsɪəs; US 'kæʃəs] prop
cassock ['kæsək] n reverenda
cassowary ['kæsəweərɪ; US -werɪ] n kazuár
cast [kɑ:st; US -æ-] I. a ~ iron öntött

vas →cast-iron II. n 1. dobás, hajítás; dobás távolsága 2. (kocka)vetés, sors 3. mozgás, irány [szemé]; have a ~ in one's eye kancsalít 4. minta, öntvény, lenyomat 5. szereposztás 6. színárnyalat 7. összeadás 8. fajta, típus; ~ of mind lelkület, észjárás; a man of his ~ a magafajta ember III. vt (pt/pp cast kɑ:st; US -æ-) 1. dob, vet, hajít; ~ the lead tengermélységet mér; ~ loose szabadjára enged; ~ a glance at sg rápillant vmre 2. ledob, levet [ruhát]; elhány, elveszt [fogat, patkót stb.]; the cow ~ its calf a tehén elvetélt 3. (ki)számol; ~ figures számokat összead; ~ sy in costs költségekben elmarasztal vkt 4. önt [fémet] 5. [szerepet] kioszt
cast about vi ~ a. for sg keresgél vmt
cast aside vt félredob, félretesz
cast down vt lehangol
cast in vt ~ in one's lot with sy vkvel közös kockázatot vállal, osztozik vk sorsában
cast off vt 1. elbocsát; kitaszít (vkt) 2. levet [ruhát, előítéletet], elvet 3. befejez [horgolást]; szemeket fogyaszt [kötésben]
cast on vi kötést elkezd; szemet szaporít [kötésen]
cast up vt összead [számokat]
castaway ['kɑ:stəweɪ; US 'kæ-] n 1. hajótörött 2. kitaszított
caste [kɑ:st; US -æ-] n kaszt; lose ~ társadalmi helyzetét elveszti, deklaszszálódik
castellated ['kæstəleɪtɪd] a bástyás
castigate ['kæstɪgeɪt] vt 1. fenyít, büntet 2. szigorúan (meg)bírál
castigation [kæstɪ'geɪʃn] n 1. fenyítés, botozás 2. szigorú bírálat
casting ['kɑ:stɪŋ; US -æ-] I. a ~ vote döntő szavazat II. n 1. öntés 2. öntvény
cast-iron a 1. öntöttvas 2. átv merev, haj(li)thatatlan
castle [kɑ:sl; US -æ-] I. n 1. vár, kastély; ~s in the air, ~s in Spain légvárak; my house is my ~ az én házam az én váram 2. bástya [sakkban] II. vt sáncol [sakkban]

cast-off I. *a* 1. levetett; kiselejtezett; ~ *clothing* levetett ruhák 2. visszautasított, elvetett [dolog] II. *n* 1. ~*s* levetett ruhák 2. elvetett dolog, viszszautasított személy **castor** ['ka:stə*; *US* -æ-] *n* 1. szóró [cukoré, borsé stb.]; ~ *sugar* porcukor 2. gurítókerék [zongora stb. lábán], bútorgörgő **castor-oil** *n* ricinusolaj **castrate** [kæ'streɪt; *US* 'kæs-] *vt* kiherél **castration** [kæ'streɪʃn] *n* kiherélés **casual** ['kæʒjʊəl v. -ʒʊ-; *US* -ʒʊ-] I. *a* 1. véletlen·2. alkalmi; ~ *hand/labourer* alkalmi munkás; † ~ *ward* hajléktalanok menhelye 3. *biz* rendszertelen, nemtörődöm 4. (hét)köznapi, mindennapi, utcai [ruha] II. *n* alkalmi munkás **casualty** ['kæʒjʊəltɪ v. -ʒʊ-; *US* -ʒʊ-] *n* 1. (halálos) baleset; sérülés; haláleset; ~ *ward/department* baleseti osztály [kórházban] 2. halott, sebesült [háborús]; (baleseti) sérült; ~ *list* háborús veszteséglista; *casualties* (1) veszteség [emberben] (2) halálos áldozatok [balesetkor] **casuist** ['kæzjʊɪst; *US* -ʒʊ-] *n* kazuista **cat** [kæt] *n* 1. macska; *bell the* ~ bemegy az oroszlán barlangjába; *see which way the* ~ *jumps* kivárja a fejleményeket; *let the* ~ *out of the bag* elárulja a titkot, eljár a szája; *a* ~ *may look at a king* a legkisebbnek is megvannak a jogai; *like a* ~ *on hot bricks* tűkön ül 2. rosszindulatú nő; *she is a regular old* ~ undok/vén boszorka/bestia 3. (kilencágú) korbács; *no room to swing a* ~ olyan szűk a hely, hogy mozdulni/mozogni se lehet (benne) **cataclysm** ['kætəklɪzm] *n* 1. özönvíz 2. felfordulás **catafalque** ['kætəfælk] *n* ravatal **Catalan** ['kætələn] *a* katalán **catalepsy** ['kætəlepsɪ] *n* merevkór, „viaszmerevség" **catalogue**, *US* -log ['kætələg; *US* -ɔ:g] I. *n* jegyzék, katalógus II. *vt* lajstromoz jegyzékbe vesz, katalogizál **Catalonia'** [kætə'loʊnjə] *prop*

catalpa [kə'tælpə] *n* szivarfa, katalpa **catamaran** [kætəmə'ræn] *n* katamarán **cat-and-dog** [kætn'-] *a lead a* ~ *life* kutya-macska barátságban élnek **catapult** ['kætəpʌlt] I. *n* 1. parittya, csúzli 2. hajítógép; katapult II. *vt* katapulttal indít/kilő [repgépet, pilótát], katapultál **cataract** ['kætərækt] *n* 1. vízesés 2. hályog [szemen] **catarrh** [kə'ta:*] *n* hurut **catastrophe** [kə'tæstrəfɪ] *n* katasztrófa, szerencsétlenség **catastrophic** [kætə'strɔfɪk; *US* -ɑf-] *n* szerencsétlen, végzetes, katasztrofális **cat-burglar** *n* padláson át besurranó betörő **catcall** I. *n* kifütyülés, lehurrogás II. *vt* kifütyül, lehurrog **catch** [kætʃ] I. *n* 1. elfogás, elkapás [labdáé] 2. fogás; zsákmány 3. csapda, csel; fogas kérdés; *there's a* ~ *in it* valami gyanús/csalafintaság van a dologban 4. csappantyú, (csapó-)zár; zárnyelv; retesz; tolóka 5. kánon [zenei] II. *v* (*pt/pp* **caught** kɔ:t) A. *vt* 1. (meg)fog, megragad; elfog, elcsíp; ~ *hold of sg* megragad vmt; ~ *sight of sy* észrevesz vkt; ~ *the bus* eléri/elcsípi a buszt; ~ *fire* meggyullad, tüzet fog; *he caught his finger in the door* becsípte az ujját az ajtóba; *biz you'll* ~ *it!* ki fogsz kapni!, ráfázol még! 2. rajtakap; ~ *sy in the act* tetten ér vkt; ~ *me doing it!* próbálj rajtakapni!, ne félj, nem teszem! 3. felfog, (meg)ért; *I didn't* ~ *what you said* nem értettem, mit mondtál 4. elfog, elkap [tekintetet] 5. megkap, elkap [betegséget]; ~ *cold* megfázik, meghűl 6. *biz* rászed, becsap 7. ~ *sy a blow* behúz vknek egy ütést B. *vi* 1. (meg)akad, fog [fogaskerék stb.], bezáródik [ajtó] 2. ~ (*in the pan*) odaég [étel], lekozmál [tej] **catch at** *vi* utánakap, vm után kap **catch on** *vi biz* 1. sikere van 2. ért, „kapcsol"; *he hadn't caught on* (1) nem vált be·(2) nem érti a célzást/ viccet, „nem kapcsolt"

9*

catch out *vt* rajtakap, tetten ér
catch up A. *vt* 1. ~ *sy up* utolér vkt
2. felfüggeszt 3. elfog 4. közbeszól,
félbeszakit 5. megért B. *vi* ~ *up*
with sy utolér vkt
catch-as-catch-can ['kætʃɔzkætʃ'kæn] *n*
szabadfogású birkózás, pankráció
catcher ['kætʃɔ*] *n* fogó [játékos]
catching ['kætʃɪŋ] I. *a* 1. ragályos, raga-
dós 2. fülbemászó [dallam]
catchment area ['kætʃmɔnt] *n* vízgyűj-
tő terület
catchpenny I. *a* reklám célú/ízű, feltűnő,
blikkfangos II. *n* mutatós de értékte-
len áru, bóvli
catchphrase *n* divatos szólás
catchword *n* 1. divatos jelszó 2. élőfej
[szótárban] 3. őrszó
catchy ['kætʃɪ] *a* 1. ravasz, fogós 2.
elbájoló 3. fülbemászó
catechism['kætɪkɪzm]*n*katekizmus,káté
catechize ['kætɪkaɪz] *vt* 1. kérdés és
felelet formájában tanít 2. kikérdez
categorical [kætɪ'gɔrɪkl; *US* -'gɔ:-]*a* fel-
tétlen, kategorikus; határozott
category ['kætɪgɔrɪ] *n* fogalomkör, osz-
tály, kategória
cater ['keɪtɔ*] *vi* ~ *for* (*US: to*) ellát,
élelmez (vkt), gondoskodik (vkről)
cater-cornered [-'kɔ:nɔd] *a/adv US* át-
lósan szemben(i)
caterer ['keɪtɔrɔ*] *n* élelmiszerszállító,
élelmező (vállalat)
catering ['keɪtɔrɪŋ] I. *a* ~ *department*
élelmiszerosztály [áruházban]; ~ *trade*
vendéglátóipar II. *n* ellátás, élelme-
zés; utasellátás
caterpillar ['kætɔpɪlɔ*] *n* hernyó; ~
tractor hernyótalpas traktor
caterwaul ['kætɔwɔ:l] *vi* 1. nyivákol,
nyávog, nyervog 2. kornyikál
caterwauling ['kætɔwɔ:lɪŋ] *n* macska-
zene, nyervogás
catgut ['kætgʌt] *n* bélhúr
Cath. *Catholic*
catharsis [kɔ'θɑ:sɪs] *n* (*pl* -ses -si:z)
lelki megtisztulás, katarzis
cathartic [kɔ'θɑ:tɪk] *a/n* hashajtó
Cathay [kæ'θeɪ] *prop* Kína
cathedral [kɔ'θi:dr(ɔ)l] *n* székesegyház;
~ *town* püspöki város

Cather ['kæðɔ*] *prop*
Catherine ['kæθ(ɔ)rɪn] *prop* Katalin
catheter ['kæθɪtɔ*] *n* katéter
Cathleen ['kæθli:n] *prop* Katalin [írül]
cathode ['kæθoʊd] *n* katód
catholic ['kæθɔlɪk] I. *a* 1. katolikus,
általános, egyetemes 2. szabadelvű
II. *n* (római) katolikus
catholicism [kɔ'θɔlɪsɪzm; *US* -'θɑ-] *n*
katolicizmus
catholicity [kæθɔ'lɪsɔtɪ] *n* elfogulatlanság
cat-ice *n* hártyás jég
catkin ['kætkɪn] *n* barka
cat-lap *n* lötty, rossz tea
cat-nap *n* szunyókálás, szundítás
cat-o'-nine-tails [kætɔ'naɪnteɪlz] *n pl*
kilencágú korbács
cat's-cradle *n* levevős játék
cat's-eye *n* macskaszem
Catskill ['kætskɪl] *prop*
cat's-meat *n* macskaeledel
cat's-paw *n* 1. enyhe szellő 2. ⟨beugra-
tott ember, aki másnak ,,kikaparja
a forró gesztenyét''⟩, ,,pali''
cat's-tail *n* nádbuzogány
catsup ['kætsɔp] *n* = *ketchup*
cattail *n* = *cat's-tail*
cattish ['kætɪʃ] *a* rosszindulatú, ravasz,
alattomos, komisz
cattle ['kætl] *n* marha, (lábas)jószág;
horned ~ szarvasmarha
cattle-show *n* mezőgazdasági kiállítás;
tenyészállatvásár
cattle-truck *n* marhavagon; marhaszál-
lító teherautó
catty ['kætɪ] *a* = *cattish*
cat-walk *n* 1. keskeny gyalogjáró/fu-
tóhíd 2. tetőjáró
Caucasian [kɔ:'keɪzjɔn; *US* -ʒn] *a* kau-
kázusi
Caucasus ['kɔ:kɔsɔs] *prop* Kaukázus
caucus ['kɔ:kɔs] *n* 1. pártválasztmány
2. *GB* pártvezetőségi gyűlés
caudal ['kɔ:dl] *a* farki, far(o)k-
caught →*catch II*.
caul [kɔ:l] *n* 1. magzatburok 2. csep-
lesz
cauldron, *US* caldron ['kɔ:ldr(ɔ)n] *n*
katlan, üst
cauliflower ['kɔlɪflaʊɔ*; *US* 'kɔ:-] *n*
kelvirág, karfiol

caulk, US calk [kɔ:k] vt hézagol, duggat [hajó stb.
repedéseit, réseit]
causal ['kɔ:zl] a okozati, oki, okcausality [kɔ:'zælətɪ] n okság, okviszony
causative ['kɔ:zətɪv] a/n műveltető (ige)
cause [kɔ:z] I. n 1. ok 2. ügy 3. pör
II. vt okoz, előidéz; ~ sy to do sg
vmt csináltat/tétet vkvel
causeless ['kɔ:zlɪs] a oktalan, indokolatlan
causeway ['kɔ:zweɪ] n út töltésen, töltés(út) [mocsáron át]
caustic ['kɔ:stɪk] a 1. maró, égető 2.
átv csípős, epés
cauterize ['kɔ:təraɪz] vt kiéget
caution ['kɔ:ʃn] I. n 1. óvatosság 2. biztosíték, óvadék 3. figyelmeztetés; intés; he was let off with a ~ dorgálással
megúszta 4. □ különös/furcsa alak/
dolog, csodabogár II. vt figyelmeztet,
óva int
cautionary ['kɔ:ʃ(ə)nərɪ; US -erɪ] a
óva intő
cautious ['kɔ:ʃəs] a óvatos
cautiousness ['kɔ:ʃəsnɪs] n óvatosság
cavalcade [kævl'keɪd] n lovas felvonulás; fogatbemutató
cavalier [kævə'lɪə*] I. a fennhéjázó II.
n 1. lovas; lovag 2. GB C~s királypártiak [I. Károly hívei]
cavalry ['kævlrɪ] n lovasság
cavalryman ['kævlrɪmən] n (pl -men
-mən) huszár
cave¹ [keɪv] I. n 1. barlang 2. üreg
II. A. vt kiváj B. vi ~ in (1) beomlik
(2) megadja magát, beadja a derekát
cave² ['keɪvɪ] int vigyázz (jön a tanár)!
caveat ['kævɪæt; US 'keɪ] n óva intés,
figyelmeztetés
cave-dweller n = caveman 1.
caveman n (pl -men) 1. barlanglakó
2. ösztönember
Cavendish ['kæv(ə)ndɪʃ] prop
cavern ['kæv(ə)n] n barlang, üreg
cavernous ['kæv(ə)nəs] a üreges
caviar(e) ['kævɪɑ:*] n kaviár
cavil ['kævɪl] vi -ll- (US -l-) gáncsoskodik, szőröz
cavity ['kævətɪ] n 1. üreg, odú, lyuk 2.
odvasság, szuvasodás [fogé]

cavort [kə'vɔ:t] vi biz fickándozik, ugrabugrál
caw [kɔ:] vi károg; krákog
Cawdor ['kɔ:də*] prop
Caxton ['kækst(ə)n] prop
C.B., CB [si:'bi:] 1. Companion (of the
Order) of the Bath ⟨egy brit kitüntetés⟩
C.B.E., CBE [si:bi:'i:] Commander (of
the Order) of the British Empire ⟨egy
brit kitüntetés⟩
CBS [si:bi:'es] Columbia Broadcasting
System ⟨egy amerikai rádiótársaság⟩
CC 1. County Council megyei tanács
2. Cricket Club
cc cubic centimetre(s) köbcentiméter,
cm³
CD [si:'di:] Corps Diplomatique (= Diplomatic Service/Corps) a diplomáciai
testület, DT
Cdr. Commander
Cdre. Commodore
C.E., CE [si:'i:] 1. Church of England
2. Civil Engineer
cease [si:s] I. n megállás, szünet;
without ~ szüntelenül II. A. vt abbahagy, megszüntet; ~ fire! tüzet
szüntess! B. vi 1. megszűnik, abbamarad 2. eláll (from vmtől, from
doing sg vmnek a megtételétől)
cease-fire n tűzszünet
ceaseless ['si:slɪs] a szakadatlan, szüntelen
Cecil ['sesl; US 'si:sl] prop Cecilián
[férfinév]
Cecilia [sɪ'sɪljə] prop Cecilia
Cecily ['sɪsɪlɪ] prop Cecilia, Cili
cedar ['si:də*] n cédrus(fa)
cede [si:d] vt átenged, felad, engedményez (to vkre, vknek); ~ a right to
sy jogot átenged vknek
Cedric ['si:drɪk] prop ⟨angol férfinév⟩
ceiling ['si:lɪŋ] n 1. mennyezet, plafon;
US hit the ~ plafonig ugrik 2. (price)
~ maximális ár(szint), plafon 3. maximális emelkedési határ, csúcsmagasság [repgépé]
celandine ['selndaɪn] n 1. (vérehulló)
fecskefű 2. salátaboglárka
celebrate ['selɪbreɪt] vt 1. (meg)ünnepel
2. dicsőít 3. ~ Mass misézik

celebrated ['selıbreıtıd] *a* híres, ünnepelt
celebration [selı'breıʃn] *n* 1. (meg)ünneplés 2. dicsőítés
celebrity [sı'lebrətı] *n* 1. hírnév 2. híres ember, híresség, kitűnőség
celerity [sı'lerətı] *n* gyorsaság, sebesség
celery ['selərı] *n* zeller
celestial [sı'lestjəl; *US* -tʃl] *a* 1. mennyei, égi; ~ *body* égitest 2. *the C~ Empire* a kínai birodalom
Celia ['si:ljə] *prop* Célia
celibacy ['selıbəsı] *n* nőtlenség
celibate ['selıbət] *a/n* nőtlen
cell [sel] *n* 1. cella, zárka 2. cella [akkuban] 3. sejt
cellar ['selə*] *n* pince
cellarage ['selərıdʒ] *n* 1. raktározás pincében; pincehelyiség 2. pincebér
cellist ['tʃelıst] *n* csellista
cello ['tʃeloʋ] *n* cselló
cellophane ['seləfeın] *n* celofán
cellular ['seljʋlə*] *a* 1. sejtes, sejt-; sejt alakú 2. laza szövetű
celluloid ['seljʋlɔıd] *n* celluloid
cellulose ['seljʋloʋs] *n* cellulóz
Celsius ['selsjəs] *prop*
Celt [kelt; *US* selt v. kelt] *n* kelta (ember)
Celtic [keltık; *labdarúgócsapat:* 'sel-] I. *a* kelta II. *n* kelta nyelv
cement [sı'ment] I. *n* 1. cement 2. ragasztószer; (fog)cement 3. *átv* kötelék II. 1. cementez; (cementtel) öszszeragaszt; ~*ed lens* ragasztott lencse 2. *átv* megerősít, megszilárdít
cement-mixer *n* betonkeverő (gép)
cemetery ['semıtrı; *US* -əterı] *n* temető
cenotaph ['senətɑ:f; *US* -æf] *n* [jelképes] (dísz)síremlék, kenotáfium; *The C~* ‹a két világháború hősi halottainak emlékműve Londonban›
cense [sens] *vt* tömjénez
censer ['sensə*] *n* tömjénező
censor ['sensə*] I. *n* 1. cenzor 2. erkölcsbíró II. *vt* megvizsgál, cenzúráz
censorial [sen'sɔ:rıəl] *a* cenzori
censorious [sen'sɔ:rıəs] *a* bírálgató, szigorú
censorship ['sensəʃıp] *n* 1. cenzori hivatal/tisztség 2. cenzúra

censure ['senʃə*] I. *n* kifogás, (elítélő) megbélyegző) bírálat, megrovás; *vote of* ~ bizalmatlanság szavazása II. *vt* (meg)fedd, megró, elítél, rosszall
census ['sensəs] *n* népszámlálás; összeírás
cent [sent] *n* cent [a dollár századrésze]; *I haven't got a red* ~ nincs egy vasam se
cent. century
centenarian [sentı'neərıən] I. *a* százéves II. *n* százéves ember
centenary [sen'ti:nərı; *US* 'sentənerı] I. *a* százéves, századik; centenáriumi II. *n* százéves/századik évforduló, centenárium
centennial [sen'tenjəl] *a/n* = *centenary*
center →*centre*
centigrade ['sentıgreıd] *a* százas beosztású; ~ *thermometer* Celsius-hőmérő
centigram(me) ['sentıgræm] *n* centigramm
centimetre, *US* -meter ['sentımi:tə*] *n* centiméter
centipede ['sentıpi:d] *n* százlábú
central ['sentr(ə)l] I. *a* központi, közép-; ~ *heating* központi fűtés; *C~ Europe* Közép-Európa II. *n US* (telefon)központ
centralization [sentrəlaı'zeıʃn; *US* -lı'z-] *n* központosítás, centralizáció
centralize ['sentrəlaız] A. *vt* központosít, centralizál B. *vi* központosul
centrally ['sentrəlı] *adv* központilag
centre, *US* center ['sentə*] I. *n* 1. középpont, központ; ~ *of commerce* kereskedelmi gócpont 2. közép(párt) II. A. *vt* 1. központosít; összpontosít; középpontba állít; *be* ~*d upon* vmre összpontosul 2. középre ad [labdát] B. *vi* ~ *(up)on sg* vmre összpontosul; ~ *round sg* vm körül forog
centre-board *n* svert, fenékuszony
centre-forward *n* középcsatár
centre-half *n* (*pl* -halves) középfedezet
centre-piece *n* asztaldísz
centrifugal [sen'trıfjʋgl] *a* centrifugális, röpítő
centrifuge ['sentrıfju:dʒ] *n* centrifuga
centripetal [sen'trıpıtl] *a* centripetális, központkereső

century ['sentʃərı] *n* (év)század
ceramic [sı'ræmɪk] *a* kerámiai
ceramics [sı'ræmɪks] 1. *n* kerámia |ipar|, agyagművesség 2. *n pl* kerámia, kerámiai termékek
ceramist ['serəmɪst] *n* keramikus
cereal ['sıərıəl] I. *a* gabonanemü II. *n* 1. gabonanemű, -növény, liszttermék; ~s gabonafélék, -neműek 2. *rendsz pl* ⟨reggelire tejjel fogyasztott készétel, pl. zab- v. kukoricapehely⟩
cerebellum [serı'beləm] *n* (*pl* ~s -z v. -bella -belə) nyúltagy, kisagy
cerebral ['serıbr(ə)l] *a* agyi, agy-; ~ accident/haemorrhage agyvérzés; ~ sclerosis agyérelmeszesedés
cerebrum ['serıbrəm] *n* (*pl* ~s -z v. -bra -brə) agyvelő, nagyagy
ceremonial [serı'moonjəl] I. *a* szertartásos, ünnepélyes II. *n* szertartás, ünnepély
ceremonious [serı'moonjəs] *a* 1. ünnepélyes, szertartásos 2. merev, formális, körülményes
ceremony ['serımənı; *US* -moo-] *n* szertartás, ünnepély; *stand on* ~ ragaszkodik a formaságokhoz; *without* ~ teketória nélkül
cerise [sə'ri:z] *a* cseresznyepiros
cert¹ [sə:t] *n* □ biztos dolog, tuti
cert² [sə:t] *n biz* (iskolai) bizonyítvány, bizi
cert. *certificate(d)* oklevél, okleveles, okl.
certain ['sə:tn] *a* 1. biztos; *for* ~ biztosan; *make* ~ *of sg* (1) megbizonyosodik/meggyőződik vmről (2) biztosít vmt 2. bizonyos; valami; *a* ~ egy bizonyos; *a* ~ *Mr. Brown* valami B. úr, (egy) bizonyos B. úr
certainly ['sə:tnlı] *adv* 1. biztosan 2. [válaszként] ~! hogyne!, feltétlenül!; szívesen!; ~ *not!* semmi esetre sem!
certainty ['sə:tntı] *n* biztosság, bizonyosság
certifiable [sə:tı'faıəbl] *a* igazolható; *biz he is* ~ szédült pali, kötözni való bolond
certificate I. *n* [sə'tıfıkət] 1. bizonyítvány; igazolás; igazolvány; bizony-

lat 2. |iskolai] bizonyítvány; oklevél; *general* ~ *of education (GCE)* kb. érettségi bizonyítvány II. *vt* [sə'tıfıkeıt] igazol, bizonyít
certificated [sə'tıfıkeıtıd] *a* képesített, okleveles
certified ['sə:tıfaıd] *a* igazolt, hiteles(ített); ~ *copy* hiteles(ített) másolat; *US* ~ *public accountant* okleveles könyvvizsgáló ‖ →*certify*
certify ['sə:tıfaı] A. *vt* (írásban) igazol, bizonyít; *this is to* ~ (*that*) ezennel igazolom/igazoljuk (,hogy); *biz you ought to be certified* megőrültél? B. *vi* ~ *to sg* tanúskodik (v. igazolást ad) vmről
certitude ['sə:tıtju:d; *US* -tu:d] *n* bizonyosság
cerulean [sı'ru:ljən] *a* égszínkék
cerumen [sı'ru:men] *n* fülzsír
cervical [sə:'vaıkl; *US* 'sə:vıkl] *a* nyaki, nyak-
Cesarean →*Caesarean*
cessation [se'seıʃn] *n* megszűnés, megszüntetés; ~ *of arms* fegyverszünet
cession ['seʃn] *n* lemondás, átengedés
cesspit ['sespıt] *n* = *cesspool*
cesspool ['sespu:l] *n* pöcegödör, emésztőgödör
Ceylon [sı'lɔn; *US* -an] *prop* = *Sri Lanka*
Ceylonese [selə'ni:z] *a/n* ceyloni, szingaléz
cf. [kəm'peə*] confer (= *compare*) lásd, l., vesd össze, vö.
c/f, c.f. *carried forward* átvitel
cg *centigram(me)(s)* centigramm, cg
CGS, cgs [si:dʒi:'es] 1. *centimetre-gramme-second (system of units)* CGS-(mérték-) rendszer 2. *Chief of General Staff*
ch. *chapter*
chafe [tʃeıf] I. *n* (fel)horzsolás II. A. *vt* 1. (ki)dörzsöl, (fel)horzsol 2. felingerel, felizgat B. *vi* felháborodik, dühöng (*at* vm miatt)
chaff [tʃɑ:f; *US* -æ-] I. *n* 1. pelyva, szecska 2. értéktelen holmi 3. ingerlés, ugratás II. *vt* megtréfál, ugrat, csipked
chaff-cutter *n* szecskavágó (gép)
chaffinch ['tʃæfıntʃ] *n* pinty

chafing ['tʃeɪfɪŋ] n dörzsölés, felhorzsolás
chafing-dish n gyorsforraló
chagrin ['ʃægrɪn; US ʃə'grɪn] I. n 1. bosszúság, kellemetlenség 2. gond, (lelki) fájdalom II. vt bosszant, bánt; be ~ed at sg bántja vm, bosszankodik vm miatt
chain [tʃeɪn] I. n 1. lánc; láncolat; ~ of hotels szállodahálózat; ~ of ideas gondolatsor; ~ (of shops v. US stores) (üzlet)hálózat; US ~ store fiók(üzlet) 2. (főleg pl) lánc, bilincs II. vt leláncol, megláncol, megbilincsel
chain-bridge n lánchíd
chain-gang n US összeláncolt rabok
chain-letter n hólabda (levelezés)
chain-mail n páncéling
chain-reaction n láncreakció
chain-smoker n ⟨aki egyik cigarettáról a másikra gyújt⟩
chain-stitch n láncöltés
chair [tʃeə*] I. n 1. szék; take a ~ leül 2. (egyetemi) tanszék 3. elnök(ség) |gyűlésen]; take the ~, be in the ~ elnököl; leave the ~ berekeszti az ülést; ~! rendre! II. vt elnököl [ülésen]
chair-back n széktámla
chair-lift n libegő
chairman ['tʃeəmən] n (pl -men -mən) elnök |gyűlésen]
chaise [ʃeɪz] n hintó, cséza
chalet ['ʃæleɪ; US -'leɪ] n faház, nyaralóház
chalice ['tʃælɪs] n kehely
chalk [tʃɔːk] I. n 1. kréta; not by a long ~ korántsem, távolról sem; as different as ~ and cheese ég és föld (különbség); □ he walked his ~ meglógott, „olajra lépett" 2. mészkő II. vt 1. bekrétáz, krétával ír/megjelöl; ~ up sg (eredményt) elér, (pontot) szerez 2. mésszel trágyáz
chalky ['tʃɔːkɪ] a 1. krétás; krétaszerű; meszes 2. sápadt
challenge ['tʃælɪndʒ] I. n 1. kihívás |párbajra, sportküzdelemre]; alkalom az erőpróbára 2. feladat; érdeklődéskeltés II. vt 1. kihív [párbajra,

küzdelemre]; ellenállásra/ellentmondásra késztet 2. kérdőre/felelősségre von; dacol (vmvel), ellenszegül (vmnek); felszólít 3. kétségbe von; (esküdtek személyét) kifogásolja
challenge-cup n vándordíj
challenger ['tʃælɪndʒə*] n 1. felszólító 2. kihívó
challenging ['tʃælɪndʒɪŋ] a kihívó; állás foglalásra/reagálásra késztető
chamber ['tʃeɪmbə*] n 1. † szoba; terem 2. chambers pl (1) garzonlakás (2) ügyvédi iroda 3. kamara; C~ of Commerce Kereskedelmi Kamara; ~ music kamarazene; ~ orchestra kamarazenekar 4. ház [országgyűlése] 5. kamra; üreg, (töltény)űr, tölténytartó; revolver with six ~s hatlövetű revolver
chamberlain ['tʃeɪmbəlɪn] n kamarás
chambermaid ['tʃeɪmbəmeɪd] n szobalány, szobaasszony [szállodában]
chamber-pot n éjjeli(edény)
chamfer ['tʃæmfə*] vt 1. rovátkol; kifúr 2. lesarkít, leélez
chamois ['ʃæmwɑː; US 'ʃæmɪ] n 1. zerge 2. = chamois-leather
chamois-leather ['ʃæmɪ-] n zergebőr, szarvasbőr, kecskebőr
champ [tʃæmp] vt zajosan rágcsál; ropogtat [abrakot]
champagne [ʃæm'peɪn] n pezsgő
champaign ['tʃæmpeɪn] n síkság
champion ['tʃæmpjən] I. n bajnok II. vt sikra száll (vmért)
championship ['tʃæmpjənʃɪp] n 1. bajnokság 2. sikraszállás [egy ügyért]
chance [tʃɑːns; US -æ-] I. n 1. véletlen; by ~ véletlenül 2. eshetőség, lehetőség, esély, valószínűség, (kedvező) alkalom; kilátás; give sy a ~ (korrekt módon) alkalmat ad vknek vmre; have an eye to the main ~ mindenben a maga hasznát keresi, a pénz neki a fő; on the ~ that ... arra számítva, hogy; on the off ~ abban a valószínűtlen esetben, ha; the ~s are that ... igen valószínű, hogy ...; stand a good/fair ~ jó esélye van 3. szerencse; kockázat; game of ~ szerencsejáték; take ~s kockáztat; take one's ~ szerencsét pró-

bál II. A. vt megkockáztat; biz ~
one's arm megreszkíroz/megkártyáz
vmt, szerencsét próbál B. vi 1. ~
to do sg véletlenül tesz vmt; I ~d to
meet him véletlenül/éppen (össze)ta-
lálkoztam vele 2. ~ upon (sy, sg)
belebotlik vkbe, ráakad vmre
chancel ['tʃɑːnsl; US -æ-] n [templomi]
szentély
chancellery ['tʃɑːnsələrɪ; US -æn-] n 1.
kancellária 2. (nagy)követség(i iroda)
chancellor ['tʃɑːnsələ*; US -æn-] n 1.
kancellár 2. Lord (High) C~ ⟨az angol
felsőház elnöke s Anglia legfőbb birá-
ja⟩, lordkancellár 3. GB első titkár
[követségen] 4. GB tiszteletbeli rek-
tor [egyes egyetemeké]
chancery ['tʃɑːns(ə)rɪ; US -æ-] n 1.
kancellária 2. fellebbviteli bíróság 3.
(központi) árvaszék 4. in ~ (1) csőd-
ben, kellemetlen helyzetben (2) be-
kulcsolva [boksz] 5. = chancellery 2.
chancy ['tʃɑːnsɪ; US -æ-] a kockázatos
chandelier [ʃændə'lɪə*] n csillár
chandler ['tʃɑːndlə*; US -æ-] n 1. ✝
gyertyaárus 2. szatócs, kereskedő [ve-
gyesboltban]
change [tʃeɪndʒ] I. n 1. csere 2. válto-
zás; változtatás; változatosság; for
a ~ a változatosság kedvéért; ~ of
voice mutálás; ~ of life klimax 3.
váltás; ~ of clothes váltás ruha 4.
(pénz)váltás; (small) ~ aprópénz;
keep the ~! nem kérek vissza!; biz
get no ~ out of sy nem megy vele
semmire 5. tőzsde 6. változat; ring
the ~s on sg (végletekig) variál egy
témát II. A. vt 1. (meg)változtat;
módosít; átváltoztat; he has ~d his
address lakást cserélt; megváltozott
a címe; ~ colour elpirul, elsápad 2.
vált; (ki)cserél; ~ one's clothes átöltö-
zik; ~ gear sebességet vált; ~ trains
for... átszáll ... felé 3. (fel)vált
[pénzt] B. vi 1. (meg)változik; módo-
sul; ~ for the better jobbra fordul, ja-
vul; ~ (in)to sg átalakul/átváltozik
vmvé, átvált vmbe/vmre 2. átszáll
(at... for vhol vm felé); all ~! vég-
állomás! (átszállás!) 3. átöltözik 4.
cserél (with vkvel)

change about vi hátraarcot csinál
change down vi visszakapcsol
[kisebb sebességre]
change up vi nagyobb sebességre
kapcsol
changeable ['tʃeɪndʒəbl] a változékony,
ingatag, állhatatlan
changeableness ['tʃeɪndʒəblnɪs] n válto-
zékonyság, állhatatlanság
changeless ['tʃeɪndʒlɪs] a változatlan
changeling ['tʃeɪndʒlɪŋ] n (tündérek
által) elcserélt gyermek
change-over n 1. (átv is) helycsere 2.
(irány)változtatás; átirányítás; átté-
rés; ~ period az áttérés időszaka
changer ['tʃeɪndʒə*] n (pénz)váltó
changing ['tʃeɪndʒɪŋ] a 1. változó 2.
(meg)változtató
changing-room n öltöző
channel ['tʃænl] I. n 1. csatorna; meder
2. tengerszoros; the English C~ a La
Manche csatorna 3. átv út; through
the usual ~s a szokásos úton-módon,
szolgálati úton 4. (TV) csatorna II.
vt -ll- (US -l-) 1. csatornáz, csator-
nán elvezet; [folyó] utat talál 2.
rovátkol
chant [tʃɑːnt; US -æ-] I. n (egyházi)
ének, zsolozsma II. vt/vi énekel
chanticleer [tʃæntɪ'klɪə*; US 'tʃæn-] n
kakas
chantry [tʃɑːntrɪ; US -æ-] n 1. gyászmi-
se-alapítvány 2. alapítványi kápolna
chanty ['tʃɑːntɪ; US -æ-] n matrózdal,
tengerészmunkadal
chaos ['keɪɒs] n káosz, zűrzavar
chaotic [keɪ'ɒtɪk; US -'ɑ-] a zűrzavaros
chap[1] [tʃæp] I. n repedés [kéz bőrén],
kicserepesedés II. v -pp- vi kicsere-
pesedik, fölrepedezik
chap[2] [tʃæp] n rendsz pl állkapocs, pofa-
csont; toka [állaté]
chap[3] [tʃæp] n biz fickó, fiú, pasas, pofa;
old ~ öreg fiú, öregem
chap. chapter
chap-book n ✝ ponyva; népkönyv
chapel ['tʃæpl] n 1. kápolna 2. imaterem,
-ház 3. istentisztelet 4. nyomdász-
szakszervezet (helyi egysége)
chaperon ['ʃæpəroʊn] I. n gardedám
II. vt gardíroz, kísér

chap-fallen *a* 1. lógó állú 2. lehangolt, leforrázott
chaplain ['tʃæplɪn] *n* káplán, lelkész
chaplet ['tʃæplɪt] *n* 1. rózsafüzér, olvasó 2. nyaklánc 3. koszorú
Chaplin ['tʃæplɪn] *prop*
chapman ['tʃæpmən] *n* (*pl* -men -mən) † vándorárus, házaló
chapped [tʃæpt] →*chap*¹ *II.*
chapter ['tʃæptə*] *n* 1. fejezet; *give ~ and verse* pontosan megnevezi forrásait 2. káptalan
chapter-house *n* káptalanterem
char¹ [tʃɑ:*] *I. n* 1. alkalmi munka, napszám 2. *biz* takarítónő, bejárónő *II. vi* -rr- takarít; *go out ~ring* napszámba jár (dolgozni, takarítani)
char² [tʃɑ:*] *v* -rr- **A.** *vi* elszenesedik **B.** *vt* elszenesít, szénné éget
char-à-banc ['ʃærəbæŋ] *n* † társaskocsi
character ['kærəktə*] *n* 1. jelleg, jellemző vonás, saját(os)ság; *in ~ with sg* összhangban vmvel; *out of ~ össze nem egyezően; in his ~ of* ....-i minőségében 2. jellem; *man of ~* jellemes ember 3. szolgálati/erkölcsi bizonyítvány; (munkahelyi) vélemény; hír, hírnév; *bear a good ~* jó hírnévnek örvend 4. személy, alak [színdarabban]; *~s* személyek 5. személyiség; sajátságos egyéniség 6. betű; írás
characteristic [kærəktə'rɪstɪk] *I. a* jellemző; jellegzetes; *it's ~ of him* ez jellemző rá *II. n* jellemző tulajdonság, jellegzetesség; ismertetőjel
characterization [kærəktəraɪ'zeɪʃn; *US* -rɪ'z-] *n* jellemzés
characterize ['kærəktəraɪz] *vt* jellemez
characterless ['kærəktəlɪs] *a* 1. jellemtelen 2. jellegtelen
charade(s) [ʃə'rɑ:d(z); *US* -'reɪd(z)] *n* kitalálósdi [társasjáték, kb. „Amerikából jöttünk"]
charcoal ['tʃɑ:kəʊl] *n* faszén, állati szén
charcoal-burner *n* faszénégető
chard [tʃɑ:d] *n* (*Swiss*) *~* nagylevelű fehérrépa
charge [tʃɑ:dʒ] *I. n* 1. vád; *bring a ~ against sy* vádat emel vk ellen 2. roham; támadás 3. költség; díj; *~s* költségek, kiadások; *free of ~* költség-

mentesen, díjmentesen, ingyen(es) 4. töltés [lövedékben, akkuban] 5. megbízás, megbízatás; felügyelet, gondoskodás; kötelesség; feladat; *person in ~* gyám, gondnok; felügyelő; *be in ~ of sy/sg* gondjaira van bízva vm/vk; felelős vmért/vkért; *take ~ (of)* gondjaiba vesz (vkt, vmt); *give sy in ~* átad vkt a rendőrségnek 6. teher; *be a ~ on sy* teher(tétel) vk számára *II. A. vt* 1. (meg)vádol (*with* vmvel) 2. (meg)támad, megrohamoz 3. felszámít [költséget], kér [árat]; *how much do you ~ for it?* mennyit kér (v. számít fel) érte? 4. megterhel [számlát]; számlájára ír (vmt) 5. (meg)tölt [puskát], (fel)tölt [akkut] 6. megbíz (*with* vmvel); gondjaira bíz (vkt); *be ~d with sg* megbízást kap vmre, megbízzák vmvel 7. ráparancsol (vmt vkre), felszólít (vkt vmnek a megtételére); *~ the jury* kioktatja az esküdteket [bíró] **B.** *vi* támad, rohamoz; *~ at sy* ráront vkre, megtámad vkt
chargeable ['tʃɑ:dʒəbl] *a* 1. vádolható 2. tulajdonítható 3. felszámítható
charge-account *n US* folyószámla, hitelszámla
charged [tʃɑ:dʒd] *a* (meg)töltött; feszültség alatt álló; *US ~ water* szódavíz
chargé d'affaires [ʃɑ:ʒeɪdæ'feə*] *n* (*pl* **chargés d'affaires** ʃɑ:ʒeɪdæ'feə*) diplomáciai/követségi ügyvivő
charger¹ ['tʃɑ:dʒə*] *n* † harci mén
charger² ['tʃɑ:dʒə*] *n* † nagy (lapos) tál
charging ['tʃɑ:dʒɪŋ] *n* (árammal) töltés
Charing Cross [tʃærɪŋ'krɔs] *prop*
chariot ['tʃærɪət] *n* [ókori] harci szekér, versenyszekér [kétkerekű]
charioteer [tʃærɪə'tɪə*] *n* kocsihajtó
charisma [kə'rɪzmə] *n* (*pl* ~**ta** -mətə) 1. személyes varázs [vezéré] 2. karizma; természetfeletti tehetség
charitable ['tʃærətəbl] *a* jószívű, jótékony(sági), bőkezű
charity ['tʃærɪtɪ] *n* 1. emberszeretet, jótékonyság, könyörület(esség); *~ ball* jótékony célú táncmulatság/bál 2. jó-

tett; alamizsna; *live on* ~ alamizsnából él
charity-boy *n* † árvaházi fiú
charity-school *n* † árvaház; szegényiskola
charlatan ['ʃɑːlət(ə)n] *n* kuruzsló, sarlatán; csaló, kókler
Charlemagne ['ʃɑːləmeɪn] *prop* Nagy Károly
Charles [tʃɑːlz] *prop* Károly
Charleston ['tʃɑːlstən] *prop*
Charlie, Charley ['tʃɑːlɪ] *prop* Karcsi; *US* □ *Mr Charlie* fehér ember [néger szemszögéből]; *US biz Charley horse* inrándulás; izomláz
Charlotte[1] ['ʃɑːlət] *prop* Sarolta
charlotte[2] ['ʃɑːlət] *n* gyümölcspuding, pite
charm [tʃɑːm] I. *n* 1. igézet, varázslat 2. báj, kellem 3. amulett II. *vt* elvarázsol, megbabonáz; elbűvöl; ~ *away* eltüntet; ~*ed to meet you* igen örülök a szerencsének!
charmer ['tʃɑːmə*] *n* 1. bűvész(nő) 2. elbűvölő teremtés; sarmőr
charming ['tʃɑːmɪŋ] *a* bájos, elragadó
charnel-house ['tʃɑːnl-] *n* 1. csontház, csontkamra 2. kripta
charred [tʃɑːd] →*char*[1], *char*[2]
chart [tʃɑːt] I. *n* 1. (tengerészeti) térkép 2. diagram; grafikon 3. táblázat II. *vt* 1. térképez 2. grafikonosan ábrázol
charter ['tʃɑːtə*] I. *n* 1. oklevél, szabadalomlevél, okirat, statútum; ~ *member* alapító tag 2. hajóbérlet(i szerződés); ~ *flight* különjárat [bérelt repülőgépé] II. *vt* 1. kibérel, bérbe vesz [tömegszállító járművet] 2. szabadalmaz 3. engedélyez
chartered ['tʃɑːtəd] *a* 1. *GB* ~ *accountant* okleveles könyvvizsgáló; ~ *libertine* ⟨akinek a közvélemény elnézi kicsapongásait⟩ 2. ~ *(air)plane* bérelt repülőgép [kedvezményes árú társasutazásra]
charter-party *n* hajóbérleti szerződés
Chartist ['tʃɑːtɪst] *a/n GB* chartista ⟨az 1838-as People's Charterrel elindított munkásmozgalom tagja⟩
charwoman *n* (*pl* -women) takarítónő, bejárónő

chary ['tʃeərɪ] *a* 1. takarékos, szűkmarkú 2. óvatos
Chas. [tʃɑːlz] *Charles* Károly
chase[1] [tʃeɪs] I. *n* 1. vadászat; űzés, üldözés; *give* ~ *to sg* üldöz vmt 2. vadászterület II. *vt* üldöz, kerget; vadászik (vmre)
chase[2] [tʃeɪs] *vt* vésettel diszit, trébel
chaser ['tʃeɪsə*] *n* 1. vadász, üldöző 2. hajóágyú 3. □ „kísérő" [ital, pl. whisky után sör]
chasm ['kæzm] *n* szakadék; űr
chassis ['ʃæsɪ] *n* (*pl* ~ -sɪz) 1. alváz 2. chassis, sasszi ⟨lemezjátszó, rádió stb. a doboza nélkül⟩; szerelőlap
chaste [tʃeɪst] *a* szemérmes, tiszta, szűzies
chasten ['tʃeɪsn] *vt* 1. fegyelmez, büntet 2. (meg)zaboláz
chastise [tʃæˈstaɪz] *vt* 1. megfenyit, megbüntet 2. mérsékel, zaboláz
chastisement ['tʃæstɪzmənt] *n* 1. fenyités 2. mérséklés
chastity ['tʃæstɪtɪ] *n* szűz(i)esség, erkölcsösség, tisztaság
chasuble ['tʃæzjʊbl] *n* miseruha
chat [tʃæt] I. *n* beszélgetés, csevegés; *have a* ~ elbeszélget II. *v* -tt- A. *vi* (el)beszélget, cseveg, diskurál B. *vt biz* ~ *sy up* begyülde elegyedik vkvel
Chatham ['tʃætəm] *prop*
Chatsworth ['tʃætswəːθ] *prop*
chatted ['tʃætɪd] →*chat II.*
chattel ['tʃætl] *n* ingó vagyon; *goods and* ~*s* ingóságok, cókmók
chatter ['tʃætə*] I. *n* 1. csicsergés, csiripelés 2. fecsegés, karattyolás II. *vi* 1. csicsereg, csiripel 2. fecseg 3. vacog [fog] 4. zörög, kopog [gép]
chatterbox *n* csacsogó, locsifecsi
chatterer ['tʃætərə*] *n* = *chatterbox*
Chatterton ['tʃætət(ə)n] *prop*
chatty ['tʃætɪ] *a* beszédes, fecsegő
Chaucer ['tʃɔːsə*] *prop*
chauffeur ['ʃoʊfə*; *US* -'fəːr] *n* sofőr
chautauqua [ʃə'tɔːkwə] *n US* előadássorozat (táborozással egybekötve)
chaw-bacon ['tʃɔː-] *n* † bugris
cheap [tʃiːp] *a* olcsó, értéktelen; *buy sg* ~ olcsón vásárol/vesz vmt; *biz on the* ~ (1) olcsón (2) kevés fáradság-

gal; *he got off* ~ olcsón megúszta;
biz feel ~ (1) érzi, hogy helytelenül
járt el vkvel, szégyenkezik (2) kutyá-
ul érzi magát; *hold sg* ~ nem sokra
becsül vmt; *make oneself* ~ rangján
alul bratyizik
cheapen ['tʃiːp(ə)n] *vt* olcsóbbá tesz,
leszállít [árat]
cheap-jack *n* olcsójános
cheapness ['tʃiːpnɪs] *n* 1. olcsóság 2.
gyenge minőség
cheat [tʃiːt] I. *n* 1. csalás, rászedés
2. csaló II. A. *vt* megcsal, rászed;
~ *sy out of sg* kicsal vkből vmt; ~
the gallows megússza az ügyet B.
vi csal
check¹ [tʃek] I. *n* 1. akadály, gátló kö-
rülmény 2. hirtelen megállítás/meg-
állás/megtorpanás; (katonai) kudarc
3. ellenőrzés; felülvizsgálat; *hold in*
~ sakkban tart; *keep a* ~ *on sg* ellen-
őriz vmt, ellenőrzése alatt tart vmt;
féken tart [indulatokat] 4. elismer-
vény; ruhatári jegy; feladóvevény
[poggyászé]; zseton; *biz hand in*
one's ~ beadja a kulcsot, elpatkol
5. *be in* ~ sakkban van [király] 6.
US = cheque 7. *US* számla [étterem-
ben] 8. „pipa" [kipipálás listán] II.
int ~! sakk! III. A. *vt* 1. ellenőriz;
átvizsgál; megjelöl, megpipál [lis-
tán]; meggyőződik (vmről) 2. (hirte-
len) megakaszt; féken/sakkban tart;
visszafojt [haragot stb.]; mérsékel 3.
megdorgál 4. sakkot ad [királynak]
5. *US* felad [poggyászt]; ruhatárba
tesz, bead (megőrzésre) B. *vi* megáll,
megtorpan
   check in *vi* 1. jelentkezik [reptё-
ren]; bejelenti magát [szállodában]
2. bélyegez [munkába érkezéskor]
   check off *vt* kipipál [neveket listán]
   check on *vi* ellenőriz, utánanéz
(vmnek)
   check out *vi* 1. kijelenti magát,
távozik [szállodából] 2. bélyegez
[munkából távozáskor] 3. *biz* meghal
   check up A. *vt* kivizsgál, felülvizs-
gál, ellenőriz, utánanéz (vmnek) B.
vi 1. ~ *up on sg* ellenőriz/megvizsgál
vmt utánanéz vmnek; ~ *up on sy*

lepriorál/lekáderez vkt 2. ~ *up with*
sg egyezik/egybevág vmvel
check² [tʃek] *n* kockás szövet/minta
checkbook *n US* csekkfüzet
checked [tʃekt] *a* kockás, pepita
checker¹ ['tʃekə*] *n* ellenőr; átvevő
checker² ['tʃekə*] *n US = chequer*
checkers ['tʃekəz] *n US* dámajáték
check-in *n* jelentkezés, megjelenés [rep-
téren]; bejelentkezés [szállodában];
~ *desk* jegy- és poggyászkezelés
[helye reptéren]; ~ *time* jelentkezési/
megjelenési idő [reptéren]
checking ['tʃekɪŋ] *n* 1. ellenőrzés, át-
vizsgálás 2. *US* (csomag)feladás
check-list *n* névsor, címjegyzék [elle-
nőrzés céljára]
checkmate I. *n* sakk-matt II. *vt* 1. meg-
mattol, sakk-mattot ad [királynak]
2. *átv* sarokba szorít
check-out *n* 1. pénztár [önkiszolgáló
boltban] 2. kijelentkezés [szállodá-
ból]; ~ *time* a szoba átadásának idő-
pontja
checkroom *n US* poggyászmegőrző,
ruhatár
checkup *n* ellenőrzés; kivizsgálás; fe-
lülvizsgálat; *general* ~ általános ki-
vizsgálás
Cheddar ['tʃedə*] *prop* ⟨angol sajtfajta⟩
cheek [tʃiːk] *n* 1. arc, orca; pofa; ~
by jowl fej fej mellett, négyszemközt,
bizalmasan 2. *biz* szemtelenség, po-
fátlanság; *have the* ~ *to* van pofája,
hogy ...
cheeky ['tʃiːkɪ] *a biz* szemtelen, pimasz
cheep [tʃiːp] *vi* csipog
cheer [tʃɪə*] I. *n* 1. (jó)kedv, jó hangu-
lat, vidámság; *what* ~? hogy (mint)
vagy? 2. étel, lakoma; *good* ~ eszem-
-iszom 3. vigasz(talás); *words of* ~
vigasztaló szavak 4. éljenzés, tapso-
lás; *three* ~*s for X* háromszoros éljen
X-nek; *biz* ~*s!* egészségére! II. A.
vt 1. ~ (*up*) felvidít 2. (meg)éljenez,
megtapsol B. *vi* 1. ~ *up* felvidul; ~
up! fel a fejjel!, ne csüggedj! 2.
éljenez, tapsol; ~ *for a team* szurkol
csapatáért, biztatja csapatát
cheerful ['tʃɪəf(ʊ)l] *a* víg, jókedvű;
derűs

cheering ['tʃɪərɪŋ] I. a felvidító, biztató II. n éljenzés
cheerio [tʃɪərɪ'ou] int biz 1. viszontlátásra!, viszlát! 2. egészségére!
cheer-leader n US szurkolókórus vezetője
cheerless ['tʃɪəlɪs] a szomorú, levert
cheery ['tʃɪərɪ] a 1. vidám 2. felvidító
cheese¹ [tʃi:z] n sajt
cheese² [tʃi:z] n □ quite the ~! ez már teszi!, ez az igazi!
cheese-cake n 1. túróslepény 2. US □ ⟨félmeztelen nő fényképe⟩
cheese-cloth n 1. fátyolszövet, tüll 2. túrós zsák
cheese-curd n túró
cheesemonger n sajtkereskedő
cheese-paring n 1. sajthéj 2. zsugoriság, krajcároskodás
cheesy ['tʃi:zɪ] a sajtszerű, sajtszagú
cheetah ['tʃi:tə] n gepárd, vadászleopárd
chef [ʃef] n főszakács, séf
Chelsea ['tʃelsɪ] prop
Cheltenham ['tʃeltnəm] prop
chem. chemical
chemical ['kemɪkl] I. a vegyi, kémiai, vegy- II. chemicals n pl vegyszerek
chemicalize ['kemɪkəlaɪz] vt kemizál
chemise [ʃə'mi:z] n † (női) ing
chemist ['kemɪst] n 1. vegyész 2. gyógyszerész; ~'s (shop) gyógyszertár
chemistry ['kemɪstrɪ] n vegytan, kémia
chemotherapy [kemə'θerəpɪ] n gyógyszeres kezelés
cheque [tʃek] n csekk; pay by ~ csekkel fizet
cheque-book n csekkfüzet, csekk-könyv
chequer ['tʃekə*] I. n kockás/tarka minta II. vt 1. kockássá tesz, kockásan mintáz 2. tarkít; ~ed career változatos/eseménydús pályafutás
Chequers ['tʃekəz] prop
cherish ['tʃerɪʃ] vt 1. kedvel, dédelget, babusgat 2. becsben tart, ápol [érzelmet, emléket]; táplál [reményt, illúziókat]; ~ the hope that abban reménykedik (v. ringatja magát), hogy ...
Cherokee [tʃerə'ki:] prop
cheroot [ʃə'ru:t] n vágott végű szivar
cherry ['tʃerɪ] n cseresznye
cherub ['tʃerəb] n 1. (pl ~im -bɪm)

angyal, kerub 2. (pl ~s 'tʃerəbz) kis angyal [gyermek külsejéről], angyalarcú pufók kisgyermek
chervil ['tʃɜ:vɪl] n turbolya
Cherwell ['tʃɑ:w(ə)l] prop
Chesapeake ['tʃesəpi:k] prop
Cheshire ['tʃeʃə*] prop ⟨egy angol sajtfajta⟩; grin like a ~ cat vigyorog mint a fakutya
chess [tʃes] n sakk(játék)
chess-board n sakktábla
chess-men/pieces n pl sakkfigurák
chest [tʃest] n 1. láda, szekrény; ~ of drawers fiókos szekrény, komód 2. pénztár; university ~ egyetemi pénztár 3. mellkas; cold on the ~ légcsőhurut; □ get it off one's ~ kimondja ami a szívét nyomja, kipakol vmvel
-chested [-tʃestɪd] mellű
Chester ['tʃestə*] prop
chesterfield ['tʃestəfi:ld] n 1. felsőkabát 2. támlás dívány (két karfával), szófa
Chesterton ['tʃestətən] prop
chestnut ['tʃesnʌt] I. a gesztenyebarna, gesztenyeszínű, (gesztenye)pej II. n 1. gesztenye(fa); sweet/Spanish ~ szelídgesztenye 2. gesztenyebarna (szín); ~ (horse) pej (ló) 3. biz régi ismert adoma, szakállas vicc
cheval-glass [ʃə'vælglɑ:s] n nagy forgatható állótükör
Cheviot ['tʃevɪət] prop
Chevrolet ['ʃevrəleɪ] prop
chevron ['ʃevr(ə)n] n ⟨ʌ alakú katonai rangjelzés zubbony ujján⟩, „gerenda"
chevy ['tʃevɪ] vt = chiv(v)y
chew [tʃu:] I. n 1. rágás 2. bagó II. A. vt 1. rág, megrág; □ ~ the rag régi sérelmeken rágódik 2. ~ sg over = chew (up)on sg B. vi 1. kérődzik 2. ~ (up)on sg töpreng vmn, meghány-vet vmt
chewing-gum ['tʃu:ɪŋ-] n rágógumi
chic [ʃi:k] n elegancia, sikk
Chicago [ʃɪ'kɑ:gou; US -'kɔ:gou is] prop
chicanery [ʃɪ'keɪnərɪ] n törvénycsavarás, fondorkodás
Chichester ['tʃɪtʃɪstə*] prop
chick [tʃɪk] n 1. kiscsirke, (napos)csibe 2. kisgyermek 3. □ pipi [lányról]

chicken ['tʃɪkɪn] n csirke, csibe; spring
~ rántani való csirke; biz she is no ~
már nem mai csirke; don't count your
~ before they are hatched ne igyál előre
a medve bőrére
chicken-feed 1. baromfieleség 2. US □
aprópénz
chicken-hearted a félénk, nyúlszivű
chicken-pox n bárányhimlő
chicken-run n baromfiudvar, -kifutó
chick-pea n csicseriborsó
chickweed n tyúkhúr
chicle ['tʃɪkl] n növényi kaucsuk [rágó-
gumi alapanyaga]
chicory ['tʃɪkərɪ] n cikória
chide [tʃaɪd] vt (pt chid tʃɪd, pp chidden
'tʃɪdn) szid, korhol, lehord, pirongat
chief [tʃi:f] I. a fő; legfőbb II. n főnök;
vezér
chiefly ['tʃi:flɪ] adv főleg, elsősorban
chieftain ['tʃi:ftən] n törzsfőnök
chiffon ['ʃɪfɔn; US -ɑn]n ⟨áttetsző (mű-)
selyem⟩
chiffonier [ʃɪfə'nɪə*] n fehérneműszek-
rény, sublót
chilblain ['tʃɪlbleɪn] n fagydaganat, fa-
gyás
child [tʃaɪld] n (pl ~ren 'tʃɪldr(ə)n)
gyer(m)ek; from a ~ gyermekkora
óta; be with ~ terhes, állapotos;
~'s play átv gyerekjáték
child-bearing n szülés
child-bed n gyermekágy
child-birth n szülés
childe [tʃaɪld] n † nemes ifjú, ifjú lovag
Childermas ['tʃɪldəmæs] n aprószentek
napja (dec. 28.)
childhood ['tʃaɪldhʊd] n gyermekkor
childish ['tʃaɪldɪʃ] a gyerekes; gyermeki-
es
childless ['tʃaɪldlɪs] a gyermektelen
childlike a gyermeteg, gyermekded
child-minder n gyermekfelügyelő, pót-
mama
Chile ['tʃɪlɪ] prop Chile
Chilean ['tʃɪlɪən] a/n chilei
chili →chilli
chill [tʃɪl] I. a (átv is) hűvös, hideg,
fagyos II. n 1. hideg; fagy; cast a ~
upon a company lehűti a kedélyeket;
take the ~ off sg vmt kissé felmelegít

2. meghűlés; catch a ~ meghűl, meg-
fázik III. vt 1. (meg)fagyaszt, (le)hűt;
(meg)dermeszt; ~ed to the bone teljesen
átfázott 2. átv megdermeszt, lehűt
(vkt) 3. (lehűtéssel) edz
chilled [tʃɪld] a 1. hűtött, fagyasztott;
~ meat fagyasztott hús 2. ~ steel
edzett acél
chilli, US chili ['tʃɪlɪ] n erős piros papri-
ka, cseresznyepaprika
chilliness ['tʃɪlɪnɪs] n (átv is) hidegség,
hűvösség
chilly ['tʃɪlɪ] a 1. hideg, hűvös; feel ~
fázik, borzong 2. átv hideg, hűvös,
barátságtalan
Chiltern ['tʃɪltən] prop
chime [tʃaɪm] I. n 1. harangjáték,
harangszó 2. összhang, harmónia
[hangszereké] II. A. vt ~ the bells ha-
rangoz, megszólaltatja a harangjáté-
kot/harangokat B. vi 1. cseng-bong;
the bells are chiming szólnak a haran-
gok 2. ~ in közbeszól 3. ~ (in)
with, ~ together összhangban van,
egyetért (vkvel)
chimney ['tʃɪmnɪ] n 1. kémény, kürtő
2. (lamp) ~ lámpaüveg, cilinder
chimney-corner n kandallósarok, kemen-
cepadka
chimney-piece n díszes kandallóborítás,
kandallópárkány
chimney-pot n 1. kéményfej, -toldalék
2. ~ hat cilinder
chimney-stack n (gyár)kéménysor
chimney-sweep n kéményseprő
chimpanzee [tʃɪmpən'zi:] n csimpánz
chin [tʃɪn] n áll; up to the ~ fülig, nyakig
(átv is); biz keep your ~ up! fel a fej-
jel!
China¹ ['tʃaɪnə] prop Kína
china² ['tʃaɪnə] n porcelán (edény)
Chinaman ['tʃaɪnəmən] n (pl Chinamen
-mən) kínai (ember)
Chinatown n kínai negyed
chinaware n porcelán áru/edény
chin-chin ['tʃɪn'tʃɪn] int üdv!, szervusz-
tok!; egészségedre!
chine [tʃaɪn] n 1. hátgerinc 2. bélszín
vesepecsenye
Chinese [tʃaɪ'ni:z] I. a kínai; ~ lantern
lampion II. n kínai (ember/nyelv)

chink¹ [tʃɪŋk] n rés, hasadás
chink² [tʃɪŋk] I. n 1. csengés [üvegé,
fémé] 2. □ (kész)pénz, dohány II.
vt csörget [pénzt], megcsendít [poha-
rakat koccintásnál]
-chinned [-tʃɪnd] -állú
chintz [tʃɪnts] n festett vászon; bútor-
kreton
chin-wagging [-wægɪŋ] n biz locsogás,
traccsolás, dumálás
chip [tʃɪp] I. n 1. forgács, szilánk; a
~ of/off the old block apja fia; have a
~ on one's shoulder kihívóan viselke-
dik, krakélerkedik 2. (ki)csorbulás
[tányéré, pengéé] 3. szelet; GB ~s
hasábburgonya, rósejbni, US burgo-
nyaszirom 4. zseton; □ dohány,
steksz [pénz]; biz when the ~s are
down mikor döntésre kerül II. v -pp-
A. vt 1. vág, farag; apróra/szeletekre
vág 2. letör; kicsorbít B. vi 1. letörik,
kicsorbul 2. ~ at gúnyol; ~ in bele-
szól ~ in with hozzájárul vmvel
chipmunk ['tʃɪpmʌŋk] n amerikai csíkos
földi mókus
chipped [tʃɪpt] a 1. csorba, kicsorbult
2. szeletelt; ~ potatoes burgonyafor-
gács, hasábburgonya, rósejbni
‖→chip II.
Chippendale ['tʃɪp(ə)ndeɪl] prop/n ⟨egy
XVIII. századi bútorstílus⟩, Chippen-
dale-stílus(ú)
chipper ['tʃɪpə*] a US biz élénk, mozgé-
kony
chippings ['tʃɪpɪŋz] n pl forgács, szilán-
kok, kőtörmelék
chippy ['tʃɪpɪ] n □ csaj, kurva
chiropodist [kɪ'rɔpədɪst; US -'rɑ-] n
lábápoló, pedikűrös
chiropody [kɪ'rɔpədɪ; US -'rɑ-] n láb-
ápolás, pedikűr
chiropractic [kaɪərə'præktɪk] n hátge-
rincmasszázs, chiropraxis
chiropractor ['kaɪərəpræktə*] n hátge-
rincmasszázzsal gyógyító
chirp [tʃə:p] I. n c(s)iripelés, csicsergés
II. vi c(s)iripel, csicsereg
chirpy ['tʃə:pɪ] a élénk, vidám
chirr [tʃə:*] n cir(i)pelés
chirrup ['tʃɪrəp] n 1. csicsergés 2. cset-
tentés a nyelvvel [lóbiztatás]

chisel ['tʃɪzl] I. n 1. véső 2. biz becsapás
II. vt -ll- (US -l-) 1. vés 2. átv csiszol
cizellál [stílust] 3. biz becsap, bepaliz
chisel(l)ed ['tʃɪzld]a finoman kidolgozott,
élesen kirajzolt; cizellált; ~ features
finom metszésű arcvonások
chisel(l)er ['tʃɪzlə*] n US biz csaló, szél-
hámos
chit¹ [tʃɪt] n gyerek, kölyök; a ~ of a
girl csitri
chit² [tʃɪt] n 1. levélke, rövid feljegyzés/
utasítás 2. kötelezvény, váltó
chit-chat ['tʃɪt-tʃæt] n terefere
chitterlings ['tʃɪtəlɪŋz] n pl belsőségek;
hurkafélék
chivalrous ['ʃɪvlrəs] a lovagias, nagylel-
kű, udvarias
chivalry ['ʃɪvlrɪ] n 1. lovagi rend 2.
lovagiasság, udvariasság
chive [tʃaɪv] n metélőhagyma, snidling
chiv(v)y ['tʃɪvɪ] vt 1. űz, hajt, hajszol
2. piszkál(ódik), bosszant
chloroform ['klɔrəfɔ:m] n kloroform
chlorophyl(l) ['klɔrəfɪl] n klorofill, levél-
zöld
chock [tʃɔk; US -ɑ-] I. n (fa)tuskó; ék;
féktuskó; alátét II. vt ~ (up) alátá-
maszt, ékkel kitámaszt, felékel
chock-a-block [tʃɔkə'blɔk; US -ɑ--ɑ-]adv
összepréselve, szorosan egymás mellett
chock-full a zsúfolt, tömött
chocolate ['tʃɔklət; US -ɑ-] n csokoládé
choice [tʃɔɪs] I. a a válogatott, finom,
legjobb minőségű II. n 1. választás;
by/for ~ legszívesebben, ha választani
kell. . . ; have no ~ (in it) nincs más
választása; make/take one's ~ választ
(vmből), kedvére válogat 2. választék
3. vmnek a legjava
choir ['kwaɪə*] n énekkar; kórus
choir-boy n kóristafiú, karénekes
choke [tʃoʊk] I. n 1. megfojtás, megful-
lasztás 2. megfulladás 3. elfojt(ód)ás
4. fojtószelep; szivató II. A. vt 1.
megfojt, fojtogat, (meg)fullaszt 2. el-
fojt, eltöm; (meg)szívat B. vi 1. ful-
lad(ozik), megfullad 2. eltömődik
choke-damp n bányalég
choker ['tʃoʊkə*] n 1. megfojtó, fojtoga-
tó 2. biz nyakkendő 3. biz (igen)
magas gallér, papi gallér

choky¹ ['tʃoʊkɪ] *a* fullasztó, fojtogató
choky² ['tʃoʊkɪ] *n* □ sitt
choler ['kɔlə*; *US* -ɑ-] *n* 1. epe 2.
harag
cholera ['kɔlərə; *US* 'kɑ-] *n* kolera
choleric ['kɔlərɪk; *US* 'kɑ-] *a* hirtelen
haragú, kolerikus
choose [tʃuːz] *v* (*pt* **chose** tʃoʊz, *pp*
chosen 'tʃoʊzn) A. *vt* (ki)választ;
kiválogat; *not much to* ~ *between*
them egyik tizenkilenc, a másik egy
híján húsz; egyik kutya, másik eb
B. *vi* 1. választ 2. elhatározza magát,
dönt; *I cannot* ~ *but* nem tehetek mást
mint, kénytelen vagyok
choos(e)y ['tʃuːzɪ] *a biz* finnyás, válogatós
chop¹ [tʃɔp; *US* -ɑ-] I. *n* 1. csapás, vágás
2. hússzelet, borda(szelet) [disznóé,
birkáé] II. *vt*-pp- 1.'aprít, vagdal, (fel-)
vág, szétdarabol 2. széttagol, elharap
[szavakat]
chop at *vi* rávág, rácsap [fejszével]
chop down *vt* kivág [fát]
chop in *vi* beleszól, közbeszól
chop off *vt* levág, lehasít
chop up *vt* feldarabol, felszeletel
chop² [tʃɔp; *US* -ɑ-] *n* toka [disznóé],
állkapocs; *lick one's* ~*s* megnyalja
a szája szélét; ~*s of the Channel*
a La Manche csatorna óceáni bejárata
chop³ [tʃɔp; *US* -ɑ-] I. *n* változás, hullámzás II. *vi* -pp- 1. változik, *átv*
hullámzik; ~ *and change* forog mint a
szélkakas, véleményét változtatja; ~
about/round hirtelen megfordul [szél]
chop⁴ [tʃɔp; *US* -ɑ-] *n* 1. hivatali pecsét/
engedély 2. minőség; *first* ~ elsőrendű minőség
chop-house *n* olcsó étterem
chopper ['tʃɔpə*; *US* -ɑ-] *n* 1. húsvágó
bárd, szakóca 2. szecskavágó 3. *biz*
helikopter
chopping ['tʃɔpɪŋ; *US* -ɑ-] *a* ~ *board*
húsvágó deszka; ~ *block* húsvágó tőke
choppy ['tʃɔpɪ; *US* -ɑ-] *a* 1. változékony, változó irányú [szél] 2. fodrozódó [víz]
chop-sticks *n pl* evőpálcikák
chop-suey [-'suːɪ] *n* *US* ⟨kínai rizses
húsétel⟩

choral ['kɔːr(ə)l] *a* kari, énekkari
chorale [kɔ'rɑːl; *US* -'ræl] *n* korál
chord [kɔːd] *n* 1. húr 2. ívhúr [köré]
3. (hang)szál 4. akkord
chore [tʃɔː*] *n* mindennapi házi munka,
fárasztó (apró)munka
choreographer [kɔrɪ'ɔgrəfə*; *US* kɔːrɪ-
'ɑg-] *n* koreográfus
choreography [kɔrɪ'ɔgrəfɪ; *US* kɔːrɪ-
'ɑg-] *n* koreográfia
chorister ['kɔrɪstə*; *US* 'kɔː-] *n* 1.
karénekes, fiúkórus tagja 2. *US* karnagy
chortle ['tʃɔːtl] *vi* viháncol, kuncog
chorus ['kɔːrəs] *n* 1. énekkar, kórus;
~ *master* karigazgató 2. karének,
kórus
chorus-girl *n* kórista(lány), (balett)görl
chose →*choose*
chosen ['tʃoʊzn] *a* válogatott, kiválasztott ‖ →*choose*
chough [tʃʌf] *n* csóka
chow¹ [tʃaʊ] *n* csau [kutyafaj]
chow² [tʃaʊ] *n* *US* □ kaja
chowder ['tʃaʊdə*] *n* amerikai halászlé
chrestomathy [kre'stɔməθɪ; *US* -ɑm-] *n*
szemelvénygyűjtemény
Christ [kraɪst] *prop* Krisztus
christen ['krɪsn] *vt* (meg)keresztel; elnevez
Christendom ['krɪsndəm] *n* keresztyénség
christening ['krɪsnɪŋ] *n* keresztelő
Christian ['krɪstjən] *v*. (*főleg US*) -tʃ-]
I. *a* keresztény, (*protestáns használatban:*) keresztyén; ~ *Science* ⟨egy
amerikai szekta⟩ II. *n* keresztény (ember), hívő
Christianity [krɪstɪ'ænətɪ] *n* keresztyénség
Christina [krɪs'tiːnə] *prop* Krisztina
Christmas ['krɪsməs] *n* karácsony; *Father* ~ kb. Mikulás, Télapó; ~ *Day*
karácsony (első napja)
Christmas-box *n* karácsonyi (pénz)ajándék [postásnak stb.]
Christmas-eve *n* Karácsonyest(e), szenteste
Christmas-tide *n* karácsonytól újévig
terjedő idő, karácsony hete
Christmas-tree *n* karácsonyfa

Christopher ['krɪstəfə*] *prop* Kristóf
chrome [kroʊm] *n* króm; ~ **steel** krómacél
chromium ['kroʊmjəm] *n* króm; ~ *-plated* krómozott
chromosome ['kroʊməsoʊm] *n* kromoszóma
chronic ['krɔnɪk; *US* -ɑ-] *a* idült, tartós, krónikus
chronicle ['krɔnɪkl; *US* -ɑ-] I. *n* krónika; ~ *play* történelmi dráma II. *vt* krónikában feljegyez
chronicler ['krɔnɪklə*; *US* -ɑ-] *n* krónikás
chronologic(al) [krɔnə'lɔdʒɪk(l); *US* -ɑ-ɑ-] *a* időrendi, kronologikus
chronology [krə'nɔlədʒɪ; *US* -'nɑ-] *n* időrend(i tábla/sor), kronológia
chronometer [krə'nɔmɪtə*; *US* -'nɑ-] *n* precíziós időmérő (óra), kronométer
chrysalis ['krɪsəlɪs] *n* (*pl* ~es -sɪz v. chrysalides krɪ'sælɪdiːz) báb [rovaré, lepkéé]; gubó
chrysanthemum [krɪ'sænθ(ə)məm] *n* krizantém
Chrysler ['kraɪzlə*] *prop*
chub [tʃʌb] *n* fejes domolykó [hal]
chubby ['tʃʌbɪ] *a* pirospozsgás, pufók
chuck¹ [tʃʌk] I. *n* 1. az áll megveregetése 2. *biz* give *sy* the ~ kirúg [állásból]; *get the* ~ kirúgják II. *vt* 1. nyájasan megveregeti 2. abbahagy, otthagy; *biz* ~ *it!* hagyd abba!, ne hülyéskedjél! 3. eldob
  chuck about *vt* dobálódzik; ~ *one's weight a.* hányavetin viselkedik
  chuck away *vt biz* eldob
  chuck out *vt* kidob; ~ *o. sy* vkt vhonnan kidob
  chuck up *vt* felad, abbahagy; ~ *up the sponge* feladja a küzdelmet
chuck² [tʃʌk] *n* 1. satu [esztergapadon]; (befogó)tokmány 2. marhatarja
chucker-out [tʃʌkər-] *n* □ kidobóember
chuckle ['tʃʌkl] I. *n* kuncogás, megelégedett nevetés (zárt szájjal) II. *vi* kuncog
chuckle-head *n* tökfej
chukker ['tʃʌkə*] *n* játékidő, részidő [lovaspólóban]
chum [tʃʌm] *biz* I. *n* pajtás, cimbora,

haver; *US* szobatárs II. *vi* -mm- ~ *up with sy* összebarátkozik vkvel
chummy ['tʃʌmɪ] *a biz* bizalmas, baráti
chump [tʃʌmp] *n* 1. tuskó, tömb 2. □ tökfej; *off his* ~ kész bolond
chunk [tʃʌŋk] *n biz* nagy darab
chunky ['tʃʌŋkɪ] *a biz a* ~ *lad* tagbaszakadt fickó
church [tʃəːtʃ] *n* 1. templom 2. istentisztelet; *go to* ~ istentiszteletre/ templomba megy 3. egyház; *C~ of England* anglikán egyház; ~ *register* egyházi anyakönyv; *enter* (v. *go into*) *the C~* papi/lelkészi pályára megy
church-goer *n* templomba járó ember
Churchill ['tʃəːtʃɪl] *prop*
churchman ['tʃəːtʃmən] *n* (*pl* -men -mən) pap, lelkész
churchwarden *n* 1. egyházközségi tanácstag 2. † *biz* csibuk
churchyard *n* temető
churl [tʃəːl] *n* 1. bugris, goromba pokróc, modortalan fráter; kellemetlen alak 2. fukar/fösvény ember
churlish ['tʃəːlɪʃ] *a* 1. neveletlen, faragatlan, bugris 2. fösvény, fukar
churn [tʃəːn] I. *n* köpű II. *vt* 1. köpül; habot ver 2. túráztat [motort]
chute [ʃuːt] *n* 1. (víz)zuhatag, vízesés 2. csúsztató(pálya), csúszda 3. *biz* ejtőernyő
chutney ['tʃʌtnɪ] *n* ⟨egy fajta indiai fűszer/ételízesítő⟩
Chuzzlewit ['tʃʌzlwɪt] *prop*
CIA [siːaɪ'eɪ] *Central Intelligence Agency* Központi Hírszerző Ügynökség (USA)
CIC [siːaɪ'siː] *Counter Intelligence Corps* ⟨amerikai kémelhárítási szervezet⟩
cicada [sɪ'kɑːdə; *US* -'keɪ-] *n* énekes kabóca
cicatrice ['sɪkətrɪs] *n* (seb)forradás, heg
Cicero ['sɪsəroʊ] *prop*
cicerone [tʃɪtʃə'roʊnɪ] *n* idegenvezető
CID [siːaɪ'diː] *Criminal Investigation Department* bűnügyi nyomozó hatóság
cider ['saɪdə*] *n* almabor
CIF, c.i.f., cif [siːaɪ'ef] *cost, insurance, freight* → *cost*
cigar [sɪ'gɑː*] *n* szivar
cigarette [sɪgə'ret] *n* cigaretta

cigarette-case *n* cigarettatárca
cigarette-holder *n* szipka
C.-in-C., C-in-C [si:in'si:] *Commander-in Chief*
cinch [sɪntʃ] *n* *US* 1. nyeregheveder 2. □ könnyű dolog/eset 3. *biz* erős fogás
Cincinnati [sɪnsɪ'nætɪ] *prop*
cinder ['sɪndə*] *n* hamu; parázs; salak; *burnt to a* ~ szénné égett
Cinderella [sɪndə'relə] *prop* Hamupipőke
cinder-track *n* salakpálya
cine-camera ['sɪnɪ-] *n* filmfelvevő(gép)
cine-film ['sɪnɪ-]*n* keskenyfilm, mozifilm
cinema ['sɪnəmə] *n* 1. filmszínház, mozi 2. film [mint művészet]
Cinemascope ['sɪnəməskoʊp] *a/n* „kinemaszkóp", szélesvásznú (film)
cinematograph [sɪnə'mætəgrɑ:f; *US* -æf] *n* = *cine-projector*
cine-projector ['sɪnɪ-] *n* vetítőgép
Cinerama [sɪnə'rɑ:mə] *n* „kineráma", kb. panoráma-szélesvásznú (film)
cinnamon ['sɪnəmən] *n* fahéj
cinq(ue)foil ['sɪŋkfɔɪl] *n* 1. pimpó [virág] 2. ötkaréjos virág/rózsa [díszítmény]
cipher ['saɪfə*] *I. n* 1. zéró, nulla 2. számjegy 3. jelentéktelen ember; *a mere* ~ egy nagy nulla/senki 4. titkosírás, sifre; *a message in* ~ rejtjeles közlés/üzenet 5. monogram *II. A. vt* titkosírással ír, rejtjelez *B. vi biz* számol
circle ['sə:kl] *I. n* 1. kör, körvonal, karika; ~ *s round the eyes* karikás szemek 2. (teljes) kör, körpálya; *come full* ~ teljes kört ír le 3. körforgás, ciklus; *the grand* ~ óriásforgás, -kelep [a nyújtón] 4. kerület, körzet 5. erkély [színházban]; *upper* ~ második emeleti erkély 6. [társasági, érdeklődési stb.] kör; ~ *of friends* baráti kör *II. A. vt* 1. körbejár, körüljár, megkerül 2. körülvesz, körülfog, körülkerít; övez (*with* vmvel) *B. vi* körbemegy, kering
circuit ['sə:kɪt] *n* 1. körforgás 2. kerület 3. [bírói] körút 4. áramkör; ~ *diagram* kapcsolási rajz; *short* ~ rövidzárlat

circuitous [sə:'kju:ɪtəs] *a* 1. kerülő 2. körülményes, hosszadalmas
circular ['sə:kjʊlə*] *I. a* kör alakú, kör-; visszatérő; ~ *letter* körlevél; ~ *saw* körfűrész *II. n* körlevél
circularize ['sə:kjʊləraɪz] *vt* körlevélben közöl, köröz(tet)
circulate ['sə:kjʊleɪt] *A. vi* 1. (körben) forog, kering 2. közkézen forog; forgalomban van; terjed *B. vt* körforgásba/forgalomba hoz, terjeszt, köröz
circulating ['sə:kjʊleɪtɪŋ] *a* (körben) forgó, körforgásban/forgalomban levő; ~ *library* kölcsönkönyvtár
circulation [sə:kjʊ'leɪʃn] *n* 1. körforgás, (vér)keringés 2. forgalom, (bankjegy-)forgalom 3. példányszám [sajtóterméké]
circumcise ['sə:kəmsaɪz] *vt* körülmetél
circumcision [sə:kəm'sɪʒn] *n* körülmetélés
circumference [sə'kʌmf(ə)rəns] *n* kerülete vmnek; körméret; széle vmnek
circumflex ['sə:k(ə)mfleks] *n* ~ (*accent*) kúpos ékezet
circumlocution [sə:kəmlə'kju:ʃn] *n* kertelés, mellébeszélés, szószaporítás
circumnavigate [sə:kəm'nævɪgeɪt] *vt* körülhajóz
circumnavigation ['sə:kəmnævɪ'geɪʃn] *n* körülhajózás
circumscribe ['sə:kəmskraɪb] *vt* 1. körülír 2. körülhatárol; korlátoz
circumscription [sə:kəm'skrɪpʃn] *n* 1. körülírás 2. elhatárolás, korlátozás 3. körirat [érmen]
circumspect ['sə:kəmspekt] *a* körültekintő, óvatos
circumspection [sə:kəm'spekʃn] *n* körültekintés, óvatosság
circumstance ['sə:kəmstəns; *US* -æns] *n* 1. **circumstances** *pl* körülmények, viszonyok, helyzet, állapot; *in/under the* ~*s* ilyen körülmények között; *under no* ~*s* semmi esetre sem, semmi körülmények között 2. **circumstances** *pl* anyagi viszonyok/körülmények; *be in good/easy* ~*s* jó anyagi körülmények között él 3. részlet, (tény)körülmény, mozzanat 4. eset, véletlen 5. ceremónia, pompa; *with pomp and* ~ hivatalos dísszel, nagy pompával

circumstantial [sə:kəm'stænʃl] a 1. körülményes; részletes 2. ~ evidence közvetett bizonyíték
circumvent [sə:kəm'vent] vt 1. rászed, megcsal 2. megkerül, kijátszik [törvényt] 3. elgáncsol [tervet]
circus ['sə:kəs] n (pl ~es -sɪz] 1. cirkusz 2. körtér
cirrhosis [sɪ'rousɪs] n ~ of the liver májzsugorodás
Cissy ['sɪsɪ] prop Cili ⟨női név⟩
cistern ['sɪstən] n víztartály, -tároló
citadel ['sɪtəd(ə)l] n fellegvár, citadella
citation [saɪ'teɪʃn] n 1. idézés 2. idézet
cite [saɪt] vt 1. idéz 2. megidéz, beidéz
citified ['sɪtɪfaɪd] a elvárosiasodott
citizen ['sɪtɪzn] n 1. állampolgár 2. (városi) polgár 3. polgári személy
citizenry ['sɪtɪznrɪ] n polgárság
citizenship ['sɪtɪznʃɪp] n állampolgárság
citric ['sɪtrɪk] a citrom-; ~ acid citromsav
citron ['sɪtr(ə)n] n 1. cédrátcitrom 2. cukrozott gyümölcshéj
citrus ['sɪtrəs] n citrusfélék
city ['sɪtɪ] n város; the C~ London belvárosa (v. üzleti negyede); he's in the C~ londoni üzletember; ~ centre városközpont, centrum; ~ editor gazdasági rovatvezető; ~ hall városháza, városi tanácsház; ~ news tőzsdei hírek
city-man n (pl -men) (londoni) üzletember
cityscape ['sɪtɪskeɪp] n városkép
civic ['sɪvɪk] a polgári, városi; ~ centre közigazgatási negyed (középületei); ~ design városépítészet
civics ['sɪvɪks] n állampolgári ismeretek
civies ['sɪvɪz] n pl = civvies
civil ['sɪvl] 1. polgári, civil; polgár-; ~ action polgári per; ~ death polgári jogok elvesztése, polgári halál; C~ Defence polgári védelem, légoltalom, légó; ~ disobedience kb. passzív rezisztencia; ~ engineer általános mérnök, építőmérnök; ~ engineering általános mérnöki (v. építőmérnöki) tanulmány(ok)/szak/munka, mélyépítés; ~ law magánjog; ~ list civillista, az udvartartás költségei; GB ~ list pension állami kegydíj; ~ rights

polgárjogok; ~ rights movement polgárjogi mozgalom/harc; ~ servant köztisztviselő, állami hivatalnok; ~ service (1) közszolgálat (2) közigazgatás (3) köztisztviselői kar; ~ war polgárháború 2. udvarias 3. békés, civilizált
civilian [sɪ'vɪljən] I. a polgári, civil II. n polgári egyén, civil
civility [sɪ'vɪlɪtɪ] n udvariasság
civilization [sɪvɪlaɪ'zeɪʃn; US -lɪ'z-] n civilizáció; kultúra; művelődés; műveltség
civilize ['sɪvɪlaɪz] vt civilizál, kiművel
civil-spoken a udvarias
civvies ['sɪvɪz] n pl □ civil (ruha)
Civvy Street ['sɪvɪ] □ civil élet
cl., cl 1. centilitre(s) centiliter, cl 2. class
clack [klæk] I. n 1. zörgés; kattogás 2. fecsegés II. vi 1. kattog, csattog; csattan, zörög 2. biz fecseg, locsog
clad [klæd] →clothe
claim [kleɪm] I. n 1. igény, követelés; ~ adjuster biztosítási kárbecslő; ~ for damages kártérítési igény/kereset; lay ~ to sg igényt tart/támaszt vmre, követel/igényel vmt; lay ~ to, put in (v. make) a ~ for (jog)igényt bejelenti vmre, igényt támaszt vmre, kártérítést igényel (vmért) 2. (jog)alap, jogcím 3. US államtól kiigényelt lakó- vagy bányaterület II. vt 1. igényel, követel; jogot formál 2. állít (vmt); he ~s that ... azt állítja, hogy . . .
claimant ['kleɪmənt] m igénylő; igényjogosult; felperes
clam [klæm] n 1. ehető kagyló 2. US biz hallgatag ember
clamber ['klæmbə*] I. n kapaszkodás, kúszás II. vi mászik, kúszik; ~ up felmászik, felkapaszkodik
clammy ['klæmɪ] a nyirkos, hideg(en tapadó); nyúlós; ragacsos
clamor →clamour
clamorous ['klæmərəs] a zajos, lármás
clamour, US -or ['klæmə*] I. n zaj, lárma, moraj II. vi 1. lármázik, zúg 2. ~ for sg követel vmt
clamp[1] [klæmp] I. n 1. kapocs, szorító, satu; csíptető; fogó; kampó II. A.

vt összekapcsol, -szorít, -fog, leszorít, lefog B. *vi biz ~ down on sg* megszigorít/leállít vmt
clamp² [klæmp] *n* burgonyaverem
clan [klæn] *n* klán, (skót) törzs
clandestine [klæn'destɪn] *a* titkos, alattomos
clang [klæŋ] I. *n* 1. csengés, zengés [fegyveré, trombitáé stb.] 2. (madár-) rikácsolás II. A. *vi* 1. cseng, zeng 2. rikácsol [madár] B. *vt* csenget
clangor →*clangour*
clangorous ['klæŋgərəs] *a* csengő, zengő
clangour, *US* -gor ['klæŋgə*] *n* csengés, zörgés
clank [klæŋk] I. *n* (lánc)csörgés II. A. *vi* (tompán) cseng, csörög B. *vt* csörget, zörget
clannish ['klænɪʃ] *a* 1. klánjához húzó 2. klikkjének érdekeit szolgáló
clansman ['klænzmən] *n* (*pl* -men -mən) klán tagja
clap¹ [klæp] I. *n* 1. csattanás, dörgés 2. taps; *give sy a ~* megtapsol vkt II. *v* -pp- A. *vt* 1. megtapsol; *~ one's hands* tapsol 2. *~ sy on the back* megveregeti vknek a vállát 3. csattogtat [madár a szárnyát] B. *vi* 1. tapsol 2. csattan
  clap in *vt biz ~ sy in prison* börtönbe csuk
  clap to *vt* bevág, becsap (ajtót)
  clap up *vt* hirtelen/sietve megköt, tető alá hoz [békét, szerződést]
clap² [klæp] *n vulg* kankó, tripper
clapboard ['klæbɔ:d; *US* 'klæbərd] *n US = weather-board*
clapper ['klæpə*] *n* 1. kereplő 2. harangnyelv
clapping ['klæpɪŋ] *n* taps(olás)
claptrap *n* népszerűséget hajhászó üres beszéd
Clara ['kleərə] *prop* Klára
Clare [kleə*] *prop* Klára, Klári
Clarence ['klærəns] *prop* ⟨férfinév⟩
Clarendon ['klærəndən] *prop*
claret ['klærət] *n* vörösbor
clarification [klærɪfɪ'keɪʃn] *n* 1. tisztázás 2. derítés, szűrés [folyadéké]
clarify ['klærɪfaɪ] A. *vt* 1. tisztít, derít, leszűr 2. tisztáz B. *vi* (ki)tisztul

clarinet [klærɪ'net] *n* klarinét
clarion ['klærɪən] *n* harsona
Clarissa [klə'rɪsə] *prop* Klarissza
clarity ['klærətɪ] *n* világosság, tisztaság
Clark(e) [klɑ:k] *prop*
clash [klæʃ] I. *n* 1. csattanás; összeütődés 2. összeütközés, -csapás; *~ of views* nézeteltérés II. A. *vt* összeüt, -csap B. *vi* 1. zörög 2. összeütközik 3. ellenkezik; ellentmond 4. ütközik, összeesik [két program stb.]
clasp [klɑ:sp; *US* -æ-] I. *n* 1. kapocs, csat; kampó 2. ölelés 3. fogás, kézszorítás II. *vt* 1. bekapcsol, összekapcsol 2. erősen tart, átfog, átölel, átkarol; *~ one's hands* összekulcsolja kezét 3. megragad; *~ sy's hand, ~ hands* melegen kezet szorít (vkvel)
clasper ['klɑ:spə*; *US* -æ-] *n* kacs, inda
clasp-knife *n* (*pl* -knives) zsebkés, bicska
clasp-pin *n* biztosítótű
class [klɑ:s; *US* -æ-] I. *n* 1. [társadalmi] osztály; *~ conflict* osztályellentét; *~ interest* osztályérdek; *~ struggle/war* osztályharc 2. osztály [rendszertani egység] 3. osztály [iskolában] 4. (tanítási) óra; tanfolyam 5. *US* évfolyam, osztály [tanulóké] 6. osztály [mint minőségi kategória]; *biz no ~* gyenge (minőségű); *be in a ~ by itself* egészen kiváló, külön klasszist képez II. *vt* osztályoz, beoszt, besorol
class-conscious *a* osztály(ön)tudatos
class-fellow *n* osztálytárs; *US* évfolyamtárs
classic ['klæsɪk] I. *a* 1. klasszikus 2. elsőrangú, kitűnő II. *n* 1. remekíró; *the English ~s* az angol klasszikusok 2. remekmű, klasszikus mű 3. *the ~s* latin és görög nyelv és irodalom
classical ['klæsɪkl] *a* klasszikus
classification [klæsɪfɪ'keɪʃn] *n* osztályozás, beosztás, besorolás
classified ['klæsɪfaɪd] *a* 1. *~ ad(vertisement)* apróhirdetés; *~ directory* szaknévsor 2. *US* bizalmas, titkos (jellegű) [közlés stb.]
classify ['klæsɪfaɪ] *vt* osztályoz, besorol
classless ['klɑ:slɪs; *US* -æ-] *a* osztály nélküli

class-mate *n* osztálytárs

classroom *n* tanterem, osztály

classy ['klɑːsɪ; *US* -æ-] *a biz* finom, príma, klassz, előkelő, divatos

clatter ['klætə*] I. *n* 1. zörgés, csattogás; ~ *of hoofs* lódobogás 2. társalgás zaja, zsibongás II. A. *vi* 1. zörög, csörömpöl 2. fecseg 3. zörömböl, neszez B. *vt* zörget; csörömpöl (vmvel)

clause [klɔːz] *n* 1. záradék, kikötés, cikkely 2. mellékmondat

clavicle ['klævɪkl] *n* kulcscsont

claw [klɔː] I. *n* 1. karom; köröm; olló [ráké]; *in sy's* ~*s* vknek a karmai között 2. szöghúzó fogó/villásvég II. A. *vi* karmol B. *vt* megkarmol; (karmával) megragad

claw-hammer *n* szöghúzó kalapács

clay [kleɪ] *n* 1. agyag 2. *biz* porhüvely; *wet/moisten one's* ~ iszik

clayey ['kleɪɪ] *a* agyagos

clay-pigeon *n* agyaggalamb

clean [kliːn] I. *a* 1. tiszta; ~ *record/sheet* büntetlen/tiszta előélet 2. sima, akadálymentes 3. ügyes; jó; korrekt [játékos stb.] II. *adv* teljesen; *I* ~ *forgot* teljesen elfelejtettem; *cut* ~ *through* teljesen átmetsz; *biz come* ~ töredelmesen bevall III. *vt* (ki)tisztít; (meg-)mos; (le)súrol; (ki)takarít
  clean down *vt* letisztít, lekefél; lecsutakol
  clean out *vt* 1. kitisztít, kitakarít 2. *biz* kifoszt, kirabol 3. kimerít, (f)elhasznál
  clean up *vt/vi* 1. rendbe tesz, (ki-)takarít; megtisztít; eltávolít [szemetet] 2. *biz* zsebre vág [hasznot/nyereséget], besöpör [pénzt]

clean-cut *a* élesen körülhatárolt, világos

cleaner ['kliːnə*] *n* 1. tisztító [szer, gép stb.] 2. takarító(nő) 3. ~*s*, ~*'s* ruhatisztító

clean-handed *a* tisztakezű, becsületes

cleaning ['kliːnɪŋ] *n* (ki)tisztítás; takarítás

cleaning-rod *n* puskavessző

clean-limbed *a* jó alakú/lábú, szép termetű

cleanliness ['klenlɪnɪs] *n* tisztaság, rendesség

cleanly I. *a* ['klenlɪ] tiszta, rendes II. *adv* ['kliːnlɪ] tisztán

cleanness ['kliːnnɪs] *n* tisztaság

cleanse [klenz] *vt* tisztít, purgál

clean-shaven *a* 1. simára/frissen borotvált 2. borotvált képű

clean-up *n* 1. razzia, (politikai) tisztogatás 2. *biz* nagy haszon

clear [klɪə*] I. *a* 1. tiszta, világos, áttetsző, átlátszó 2. világos, tiszta, nyilvánvaló, érthető; *as* ~ *as day* világos mint a nap; ~ *majority* abszolút többség; *make sg* ~ megmagyaráz vmt, nyilvánvalóvá/érthetővé tesz vmt; *make oneself* ~ megérteti magát 3. hibátlan, makulátlan 4. szabad, akadálymentes [út]; ~ *signal* szabad útjelzés [gépkocsiknak stb.], zöld út; *the signal "all* ~*" was sounded* lefújták a légiriadót; *road* ~ az út járható; zöld út; *the coast is* ~ nincs veszély, szabad a levegő 5. teljes, egész; *two* ~ *days* két teljes nap 6. *be* ~ *about sg* biztos vmben, bizonyos vm felől II. *adv* 1. teljesen, egészen; *keep/stay/steer* ~ *of sg* elkerül vmt, óvakodik/tartózkodik vmtől; *stand* ~ *of the doorway* félreáll az ajtóból 2. tisztán, világosan, érthetően III. A. *vt* 1. tisztít; ~ *one's throat* torkát köszörüli 2. felment (*of a charge* vád alól), tisztáz 3. kiürít; ~ *the harbour* elhagyja a kikötőt 4. szabaddá tesz [utat] 5. leszed [asztalt] 6. átugrik [árkot, akadályt] 7. kiegyenlít, kifizet [adósságot], lezár [számadást] 8. ~ *ten per cent* tíz százalékot keres vmn; *I* ~*ed my costs* költségeim megtérültek 9. vámkezeltet 10. bevált [csekket] B. *vi* kiderül, megtisztul
  clear away A. *vt* eltávolít, eltakarít; [asztalt] leszed B. *vi* felszáll, feltisztul [köd, időjárás]
  clear off A. *vt* 1. befejez 2. eltávolít 3. kifizet [adósságot] B. *vi biz* meglóg; ~ *off!* takarodj(on)!
  clear out A. *vt* 1. kiürít 2. *biz* tönkretesz [anyagilag] B. *vi biz* meglép, meglóg, lelép
  clear up A. *vt* 1. kitakarít [szobát

stb.] 2. tisztáz, kiderít; megold B. vi kiderül, kitisztul [időjárás stb.]
clearance ['klıər(ə)ns] n 1. megtisztítás, szabaddá tétel [úté, pályáé] 2. vámkezelés, vámvizsgálat, elvámolás 3. igazolvány, engedély, vámnyugta 4. kiárusítás; ~ sale (szezonvégi) kiárusítás 5. [műszaki értelemben] tér, hézag; szabad mozgás, játék; térköz 6. felszállási/leszállási engedély [repgépé]
clear-cut a 1. éles körvonalú 2. átv világos, tiszta, félreérthetetlen
clearing ['klıərıŋ] n 1. kiárusítás 2. elszámolás, kifizetés; klíring(elés) 3. vámolás, vámkezelés 4. (erdei) tisztás 5. megtisztítás, szabaddá tétel [úté, pályáé] 6. tisztázás, felmentés [vád alól]
clearing-house n klíringintézet
clearly ['klıəlı] adv 1. tisztán, világosan, érthetően 2. nyilván(valóan)
clearness ['klıənıs] n tisztaság
clearway n 1. gyorsforgalmi út [megállni tilos] 2. [mint jelzőtábla] megállni tilos!
cleat [kli:t] n 1. ék 2. kötélbak, kikötőbak 3. rögzítőléc, vezetőléc
cleavage ['kli:vıdʒ] n 1. hasadás 2. hasítás
cleave¹ [kli:v] v (pt cleaved kli:vd, cleft kleft, clove kloʊv, pp cleaved, cleft, cloven 'kloʊvn) A. vt hasít; ~ (in two) kettéhasít, széthasít; cloven hoof hasított köröm, pata; show the cloven hoof kilátszik a lóláb, megmutatkozik ördögi természete B. vi (szét)hasad
cleave² vi (pt cleaved kli:vd, clove kloʊv, clave kleıv, pp cleaved) 1. ragaszkodik (to vkhez, vmhez) 2. tapad (to vmhez)
cleaver ['kli:və*] n hasítóbárd
clef [klef] n (hangjegy)kulcs
cleft¹ [kleft] n hasadék, szakadék
cleft² → cleave¹
clemency ['klemənsı] n 1. irgalom, könyörület 2. enyheség [időjárásé]
Clemens ['klemənz] prop
clement¹ ['klemənt] a 1. irgalmas, könyörületes, jóságos 2. enyhe

Clement² ['klemənt] prop Kelemen
Clementine ['kleməntaın] prop Klementina
clench [klentʃ] vt 1. összeszorít [fogakat, kezet]; with ~ed hands/fist ökölbe szorított kézzel 2. megragad, megmarkol 3. = clinch II.
Cleopatra [klıə'pætrə] prop Kleopátra
clerestory ['klıəstərı] n gádorfal, -ablak
clergy ['klə:dʒı] n papság, klérus
clergyman ['klə:dʒımən] n (pl -men -mən) [anglikán] pap, lelkész
cleric ['klerık] n pap, lelkész
clerical ['klerıkl] I. a 1. papi 2. írnoki; ~ error elírás; ~ work irodai/írnoki munka 3. klerikális II. n 1. pap, lelkész 2. clericals pl papi ruha
clerk [GB klɑ:k; US -ə:-] n 1. írnok, irodai dolgozó, hivatalnok, tisztviselő 2. US (üzleti) elárusító, eladó
Cleveland ['kli:vlənd] prop
clever ['klevə*] a 1. okos, eszes 2. ügyes, leleményes
cleverness ['klevənıs] n 1. okosság, intelligencia 2. ügyesség, leleményesség
clew [klu:] I. n 1. gombolyag 2. vitorla alsó csúcsa 3. útmutatás, vezérfonal II. vt ~ up (1) felgöngyöl(ít) [vitorlát] (2) befejez
cliché ['kli:ʃeı; US -'ʃeı] n közhely, elkoptatott frázis
click¹ [klık] I. n kettyenés, kattanás, csattanás; csettintés II. vt csattant; ~ one's heels összevágja a bokáját
click² [klık] biz vi 1. összepasszol 2. első látásra „beleesnek" egymásba 3. sikere van, szerencsés, eléri célját
client ['klaıənt] n 1. ügyfél, kliens 2. (állandó) vevő, vásárló
clientele [kli:ən'tel; US klaı-] n (állandó) ügyfelek, vevőkör, klientéla
cliff [klıf] n szikla, (kő)szirt
climacteric [klaı'mæktərık] a változás kora, klimax
climate ['klaımıt] n 1. éghajlat, klíma 2. átv légkör, atmoszféra; ~ of opinion közhangulat
climatic [klaı'mætık] a éghajlati
climax ['klaımæks] n 1. tetőpont 2. klimax [biológiai] 3. orgazmus

climb [klaɪm] I. n 1. emelkedés 2. mászás II. A. vt megmászik (vmt); felmászik (vmre) B. vi 1. emelkedik 2. mászik, kúszik; ~ down (1) leereszkedik (2) enged a 48-ból, alább adja; visszakozik climber ['klaɪmə*] n 1. mászó, kúszó; emelkedő 2. törtető 3. kúszónövény climbing ['klaɪmɪŋ] I. a mászó, kúszó II. n 1. (hegy)mászás 2. emelkedés clime [klaɪm] n 1. éghajlat 2. táj clinch [klɪntʃ] I. n 1. szögrögzítés 2. szójáték 3. átkarolás, lefogás [ökölvívásban] II. vt 1. megszegel, összeszegel, (szögekkel) összeerősít 2. megköt (alkut); eldönt [vitát] clincher ['klɪntʃə*] n biz megdönthetetlen érv, perdöntő bizonyíték cling [klɪŋ] vi (pt/pp clung klʌŋ) 1. belekapaszkodik (to vkbe, vmbe); csüng (to vkn); ragaszkodik (to vkhez, vmhez); they ~ together (1) egymásba kapaszkodnak, egymáshoz simulnak (2) ragaszkodnak egymáshoz 2. tapad (to vmhez) clingstone peach duránci barack clinic ['klɪnɪk] n 1. rendelőintézet, szakrendelő 2. klinika clinical ['klɪnɪkl] a klinikai; ~ picture kórkép; ~ thermometer orvosi hőmérő, lázmérő clink¹ [klɪŋk] I. n csengés, csörgés, csörömpölés II. A. vt csörget; ~ glasses koccint B. vi csörög clink² [klɪŋk] n □ börtön, sitt clinker ['klɪŋkə*] n 1. klinker(tégla) 2. salak clinker-built a palánkos (építésű) [hajó] clip¹ [klɪp] I. n 1. kapocs, szorító, csíptető, gemkapocs 2. tölténytár II. vt -pp- 1. csíptet, összekapcsol 2. körülvesz, körülfog 3. szorosan tart/fog clip² [klɪp] I. n 1. nyírás 2. lenyírt gyapjú 3. frizura 4. biz ütés; hit sy a ~ behúz neki egyet 5. US at a lively ~ jól kilépve, gyorsan II. vt -pp- 1. (meg)nyír, lenyír, vagdal; ~ sg out (of) kivág vmt (vmből) 2. (ki)lyukaszt 3. ~ one's words elharapja a szavakat clip-board n csipeszes írótábla

clip-on a rácsíptethető; ~ brooch klipsz clipper ['klɪpə*] n 1. clippers pl nyírógép, hajvágó gép 2. klipper ⟨gyors járatú vitorlás hajó⟩ 3. biz remek dolog clipping ['klɪpɪŋ] n 1. nyírás 2. nyiradék 3. (jegy)lyukasztás 4. újságcikk-kivágás, újságkivágat, lapkivágat clique [kliːk] n klikk, banda clitoris ['klɪtərɪs; US 'klaɪ-] n csikló Clive [klaɪv] prop cloak [kloʊk] I. n köpönyeg, palást; ~ and dagger story romantikus kalandtörténet II. vt 1. beborít 2. leplez cloak-room n ruhatár, csomagmegőrző clock [klɔk; US -ɑ-] I. n 1. óra [fali-, álló-]; round the ~ 24 órán át, éjjel-nappal; három műszakban [dolgozik]; put the ~ back (1) visszaigazítja az órát (2) átv visszafelé forgatja a történelem kerekét; work against the ~ versenyt fut az idővel 2. biz stopper II. A. vt mér, stoppol, elér [időt versenyen] B. vi ~ in/on bélyegez [munkába érkezéskor]; ~ out/off bélyegez [távozáskor] clock-face n számlap [óráé] clockwise adv az óramutató forgásának irányában clockwork n óramű; with ~ precision óramű pontossággal; like ~ [megy] mint a karikacsapás clod [klɔd; US -ɑ-] n 1. rög, göröngy 2. = clod-hopper clod-hopper n 1. földet túró paraszt 2. bumfordi ember clog [klɔg; US -ɑ-] I. n 1. kölönc, akadály 2. facipő, klumpa II. v -gg- A. vt 1. akadályoz, gátol 2. eltöm; get ~ged eldugul B. vi 1. akadozik 2. eltömődik cloister ['klɔɪstə*] I. n 1. kolostor 2. kerengő II. vi (kolostorba) bezár; lead a ~ed life kolostori/zárkózott életet él close I. a [kloʊs] 1. zárt, csukott, bekerített 2. fülledt; levegőtlen 3. (egész) közeli, hű; ~ friend meghitt barát 4. alapos, pontos; ~ reasoning alapos okfejtés; ~ translation szöveghű/pontos fordítás; on ~r examination közelebbről megvizsgálva 5. sűrű, tömött,

tömör, szoros; szűk; ~ *order* tömött sorok **6.** zárkózott, hallgatag, tartózkodó; titkolózó, titoktartó **7.** szűkmarkú, zsugori, takarékos **8.** tilos; ~ *season* (vadászati) tilalmi idő **9.** zárt [magánhangzó] **II.** *adv* [klous] szorosan, szűken; közel; ~ *at hand*, ~ *by/to* közvetlenül mellette; (egészen) közel vmhez; *be* ~ *(up)on 40* 40 éves **III.** *n* **1.** [klous] elhatárolt földterület, zárt füves térség [székesegyház körül] **2.** [klous] *(skót)* sikátor, köz **3.** [klouz] befejezés; (vmnek a) vége; *draw to a* ~ véget ér, befejeződik **IV.** *v* [klouz] **A.** *vt* **1.** bezár; becsuk; lezár; ~ *a hole* befoltoz, megstoppol egy lyukat; ~*d to all vehicles* minden jármű forgalma mindkét irányból tilos; *my mouth is* ~*d* lakat van a számon; *the shops are* ~*d* az üzletek zárva tartanak **2.** lezár, befejez **B.** *vi* **1.** (be)zárul, záródik, becsukódik **2.** (be-) zár, csuk [zárva tart] **3.** végződik, befejeződik
 close down *vt* bezár [üzemet], beszüntet; *we are now closing d.* adásunk véget ért
 close in *vi* **1.** közeleg [éjszaka]; rövidülnek [a napok] **2.** körülvesz; ~ *in on sy* körülkerít/bekerít vkt
 close round *vt* körülvesz
 close up A. *vt* **1.** összevon **2.** bezár **B.** *vi* **1.** bezárul **2.** közelebb megy
 close with *vi* **1.** nekitámad, összecsap **2.** megállapodásra jut vkvel
close-cropped [klous'kropt; *US*-ɑ], -**cut** *a* tövig lenyírt, nullás géppel nyírott
closed [klouzd] *a* zárt; ~ *shop* ⟨üzem, melyben csak szervezett munkások dolgozhatnak⟩
closed-circuit *a* ~ *television* zártláncú/ ipari televízió
close-down ['klouz-] *n* bezárás, leállítás [üzeme, gyáré]; ~ *sale* végkiárusítás
close-fisted [klous-] *a* szűkmarkú, fösvény
close-fitting [klous-] *a* testhezálló
close-grained [klous-] *a* sűrűn erezett [fa]; finomszemcsés
close-knit [klous-] *a* szorosan összetartozó/összefüggő

closely ['klousli] *adv* **1.** szorosan **2.** közelről; gondosan; figyelmesen
close-mouthed [klous-] *a* szűkszavú
closeness ['klousnis] *n* **1.** zárkózottság **2.** dohosság, fülledtség **3.** közelség **4.** elzártság **5.** pontosság
close-set [klous-] *a* közel fekvő [szemek stb.]
closet ['klozit; *US* -ɑ-] **I.** *n* **1.** főleg *US* szobácska, fülke; kamra; lomtár **2.** † (angol) vécé **3.** *US* faliszekrény; beépített/járható szekrény **II.** *vt be* ~*ed with sy* vkvel bizalmas megbeszélésre elvonul/összeül
closet-play *n* könyvdráma
close-up ['klous-] *n* közeli felvétel, közelkép, premier plan
closing ['klouzin] **I.** *a* befejező, utolsó, záró; ~ *day* határidő, az utolsó nap; ~ *prices* záróárfolyamok; ~ *time* üzletzárási idő, záróra **II.** *n* befejezés, zárás
closure ['klouʒə*] *n* **1.** bezárás **2.** zárlat **3.** [parlamenti] vitazárás
clot [klot; *US* -ɑ-] **I.** *n* **1.** (vér)csomó, rög **2.** □ hülye **II.** *vi* -tt- csomósodik, megalvad
cloth [klɔθ, *pl* klɔθs; *US* klɔːθ, *pl* klɔːðz] *n* **1.** szövet, posztó; vászon; ~ *binding* vászonkötés; *lay the* ~ megterít(i a asztalt); ~ *of gold* aranybrokát **2.** *the* ~ a papság **3.** *invented out of whole* ~ elejétől végig koholt [történet]
clothe [klouð] *v* (*pt/pp* ~**d** klouðd, † **clad** klæd) *vt* **1.** (fel)öltöztet, felruház; *warmly* ~*d* melegen öltözött **2.** kifejez
clothes [klouðz; *US* klouz] *n pl* **1.** ruha, ruházat; *put on one's* ~ felöltözik **2.** fehérnemű
clothes-brush *n* ruhakefe
clothes-hanger *n* ruhaakasztó, vállfa
clothes-horse *n* ruhaakasztó, -szárító
clothes-line *n* ruhaszárító kötél
clothes-peg/pin *n* ruhaszárító csipesz
clothier ['klouðiə*] *n* szövet- és ruhakereskedő
clothing ['klouðin] *n* **1.** öltözet, ruházat, ruhák; *articles of* ~ ruházati cikkek **2.** öltöz(köd)és

clotted ['klɔtɪd; US -ɑ-] →clot II.
cloud [klaʊd] I. n 1. felhő, felleg; be under a ~ bajban van, rossz szemmel nézik; have one's head in the ~s álmodozó ember, fellegekben jár; every ~ has a silver lining minden rosszban van valami jó is, borúra derű 2. sötétség, árnyék 3. folt; felhő [folyadékban]; homály [üvegen] II. A. vt felhőbe borít B. vi 1. beborul, elhomályosul; ~ up/over (1) felhősödik (2) átv elkomorul
cloud-burst n felhőszakadás
cloud-cuckoo-land n felhőkakukkvár, eszményi világ, légvár
clouded ['klaʊdɪd] a 1. felhős 2. foltos 3. zavaros [folyadék]; ~ mind elborult elme
cloudless ['klaʊdlɪs] a felhőtlen
cloudy ['klaʊdɪ] a 1. felhős, borús 2. homályos; zavaros
clout [klaʊt] I. n 1. rongy(darab), törlőrongy 2. US □ politikai nyomás 3. biz pofon, ütés II. vt biz üt
clove¹ [kloʊv] n szegfűszeg
clove² [kloʊv] n (fokhagyma)gerezd
clove³ →cleave¹, cleave²
cloven →cleave¹
clover ['kloʊvə*] n lóhere; be/live in ~ jól él, gyöngyélete van
cloverleaf n (pl -leaves) lóhere [különszíntű csomópont]
clown [klaʊn] I. n 1. bohóc 2. faragatlan ember II. vi bohóckodik, bolondozik
clownish ['klaʊnɪʃ] a 1. bohóckodó, bolondos 2. faragatlan
cloy [klɔɪ] vt eltölt [étel]; be ~ed with sg megcsömörlik vmitől
club [klʌb] I. n 1. bunkósbot 2. golfütő 3. treff; makk [kártya]; ~s are trump (1) treff az adu (2) átv itt az erősebb az úr 4. klub, társaság, zárt kör; (sport)egyesület II. v -bb- A. vt 1. bunkósbottal (meg)üt 2. egyesít (társaságba) B. vi ~ together egyesül(nek), összeáll(nak) (társaságba)
club-foot n (pl -feet) tuskóláb, dongaláb
club-house n egyesületi székház, klubhelyiség, klubház
club-law n ököljog

club-sandwich n US többemeletes szendvics
cluck [klʌk] I. n kotyogás II. vi kotyog [kotlós]
clue [klu:] n 1. nyom, nyomravezető jel; ~s bűnjelek 2. kulcs [megfejtéshez], nyitja (vmnek)
clump [klʌmp] I. n 1. rakás, halom, csomó 2. (fa)csoport II. A. vt 1. felhalmoz 2. csoportosan ültet 3. vastagon megtalpal B. vi nehézkesen megy
clumsiness ['klʌmzɪnɪs] n esetlenség, ügyetlenség
clumsy ['klʌmzɪ] a esetlen, ügyetlen
clung →cling
cluster ['klʌstə*] I. n 1. nyaláb, csomó; csoport 2. fürt 3. raj II. A. vi összegyűlik, csoportosul B. vt csoportba gyűjt
clutch¹ ['klʌtʃ] I. n 1. megragadás, (meg)fogás; get into sy's ~es vknek karmai közé kerül 2. tengelykapcsoló, kuplung; let in/up the ~ felengedi a kuplungot; put the ~ out, push/throw out the ~ kikuplungoz, kinyomja a kuplungot II. A. vt megragad, megfog B. vi 1. ~ at every straw minden szalmaszálba belekapaszkodik 2. kuplungoz
clutch² [klʌtʃ] n egy fészekalja [tojás, csibe]
clutter ['klʌtə*] I. n összevisszaság, zűrzavar II. A. vt rendetlenséget/ zűrzavart teremt; ~ up telezsúfol [szobát]; everything is ~ed up minden egymás hegyén-hátán áll
Clyde [klaɪd] prop
clyster ['klɪstə*] n beöntés, allövet
cm centimetre(s) centiméter, cm
Co. [koʊ] Company
C.O. [si:'oʊ] commanding officer
c/o [si:'oʊ] care of . . . . . . leveleivel/ címén
coach [koʊtʃ] I. n 1. hintó, kocsi; ~ and six hatos fogat; drive a ~ and four through an Act of Parliament a törvényt kijátssza 2. vasúti (személy-) kocsi 3. (távolsági) kocsi; ~ terminal távolsági buszpályaudvar; by ~ autóbusszal 4. magántanító 5. ed-

ző II. vt előkészít, felkészít [for vizs-
gára, versenyre]; edz
coach-box n bak [kocsi ülése]
coach-builder n kocsigyártó, bognár
coach-driving n (fogat)hajtás; hajtóver-
seny
coaching ['koʊtʃɪŋ] n 1. előkészítés,
felkészítés (vizsgára, versenyre), tre-
nírozás, edzés 2. *the old* ~ *days*
a régi postakocsis világ
coachman ['koʊtʃmən] n (pl -men
-mən) kocsis, hajtó
coach-station n (autó)buszmegálló
coagulate [koʊ'ægjʊleɪt] A. vi megalvad,
összeáll B. vt (meg)alvaszt
coagulation [koʊægjʊ'leɪʃn] n 1. meg-
alvadás 2. alvasztás
coal [koʊl] I. n szén; *carry* ~s *to Newcas-
tle* Dunába vizet hord; *haul sy over the*
~s jól lehord vkt, megmossa vknek
a fejét; *heap* ~s *of fire on sy's head*
a rosszat jóval viszonozza vknek
II. A. vt szénnel ellát B. vi szenel,
szenet vesz fel [hajó]
coal-bearing a széntartalmú
coal-bed n szénréteg, széntelep
coalesce [koʊə'les] vi 1. összenő, egye-
sül 2. szövetkezik, koalícióra lép
coal-field n szénmedence
coal-gas n világítógáz
coal-heaver n szénrakodó munkás
coaling-station['koʊlɪŋ-]n szenelőállomás
coalition [koʊə'lɪʃn] n szövetkezés, egye-
sülés, koalíció; ~ *government* koalíci-
ós kormány
coal-measure n szénréteg
coal-mine n szénbánya
coal-pit n szénbánya
coal-scoop n (szobai) szeneslapát
coal-scuttle n szenesvödör
coal-seam n szénréteg
coal-tar n kőszénkátrány
coarse [kɔːs] a 1. durva [anyag]; vas-
tag, durva [szövet] 2. *átv* durva, kö-
zönséges, nyers, goromba
coarse-fibred [-faɪbəd] a durva rostos/
rostú
coarse-grained a durva szemcsés/szem-
cséjű
coarsen ['kɔːsn] A. vt (el)durvít B. vi
(el)durvul

coarseness ['kɔːsnɪs] n durvaság, nyer-
seség, gorombaság
coast [koʊst] I. n (tenger)part, partvidék
II. vi 1. part mentén hajózik 2. (lej-
tőn szánkóval) lesiklik; szabadonfutó-
val legurul (lejtőn) [kerékpárral] 3.
biz vmből megél
coastal ['koʊstəl] a (tenger)parti; ~
trade partmenti kereskedelem
coaster ['koʊstə*] n 1. parti hajó 2.
poháralátét, „szett" 3. ~ *brake* kontra-
fék [kerékpáron]
coast-guard n 1. partőr 2. parti őrség
coasting ['koʊstɪŋ] n 1. part(ment)i
hajózás 2. lesiklás [lejtőn]; legurulás
[lejtőn] szabadonfutóval
coastline n partvonal
coastwise I. a partmenti II. adv part
mentén
coat [koʊt] I. n 1. kabát, zakó; (kosz-
tüm)kabát; felöltő; ~ *and skirt* kosz-
tüm; ~ *of mail* páncéling; ~ *of arms*
címer(pajzs); *cut one's* ~ *according
to one's cloth* addig nyújtózkodik,
ameddig a takarója ér; *turn one's* ~
köpönyeget forgat 2. bunda, bőr
[állaté] 3. takaró 4. (külső) réteg,
festékréteg, bevonat; *ground* ~ alapo-
zás [festékkel], alapozófesték II. vt
bevon [festékkel, fémmel stb.]
coated ['koʊtɪd] a borított, burkolt,
(festékkel) bevont; ~ *tongue* lepedékes
nyelv
coating ['koʊtɪŋ] n 1. bevonás, burko-
lás; alapozás [festékkel] 2. bevonat,
(fedő)réteg 3. kabátszövet
coat-stand n (álló) ruhafogas
coax [koʊks] vt csalogat; rábeszél
(*into, to* vmre); ~ *sg out of sy* (hízel-
géssel) kicsikar vkből vmt
cob [kɔb; *US* -a-] n 1. kukoricacső
2. kis zömök ló 3. darabos szén;
(érc)darab 4. hím hattyú
cobble[1] ['kɔbl; *US* -a-] I. n nagy kavics,
folyamkavics; macskakő, utcakő II.
vt (ki)kövez [utcát]
cobble[2] ['kɔbl; *US* -a-] vt összefoltoz
cobbler ['kɔblə*; *US* -a-] n 1. foltozó-
varga 2. cobbler
Cobden ['kɔbdən] prop
cobweb n pókháló

coca-cola [koʊkə'koʊlə] n Coca-Cola, kóla

cocaine [koʊ'keɪn] n kokain

cock¹ [kɔk; US -a-] I. n 1. kakas; biz ~ of the walk/school főkolompos, vezérürü, vezér 2. hím [madaraké] 3. (víz)csap 4. kakas [lőfegyveren]; at full ~ felhúzott kakassal 5. vulg fark(a vknek), fasz II. vt felhúzza a kakasát [puskának]

cock² [kɔk; US -a-] I. n gyors mozdulat [felfelé]; hirtelen oldalmozdulat; ~ of the eye hunyorítás, szemvillanás II. vt 1. felállít; ~ the/its ears fülét hegyezi; ~ one's eye at sy (rá)kacsint vkre; ~ one's nose magasan hordja az orrát 2. felgyűr, felhajt; ~ one's hat félrecsapja a kalapját; ~ed hat háromszögletű kalap; knock into a ~ed hat tönkrever, kikészít (vkt), halomra dönt [érveket]

cock³ [kɔk; US -a-] n kis szénaboglya

cockade [kɔ'keɪd; US ka-] n kokárda

cock-a-doodle-do [kɔkədu:dl'du:; US ka-] int kukurikú!

cock-a-hoop [kɔkə'hu:p; US ka-] I. a büszkélkedő, beképzelt II. adv ujjongva

Cockaigne [kɔ'keɪn; US ka-] prop Eldorádó

cock-and-bull story [kɔkən'bʊl; US 'ka-] hihetetlen történet, dajkamese

cockatoo [kɔkə'tu:; US ka-] n kakadu

cock-boat n boci [mentőcsónak]

cockchafer ['kɔktʃeɪfə*; US 'ka-] n cserebogár

cock-crow n kakaskukorékolás

cocked [kɔkt; US -a-] →cock² II.

cocker ['kɔkə*; US -a-] n (kis angol) spaniel

cockerel ['kɔk(ə)rəl; US -a-] n fiatal kakas

cock-eyed a 1. kancsal 2. □ ferde; furcsa, abszurd

cock-fight(ing) n kakasviadal

cockhorse n vesszőparipa [gyermeké]; hintaló; ride a ~ térden/hintalovon lovagol

cockle¹ ['kɔkl; US -a] n gabonaüszög, konkoly

cockle² ['kɔkl; US -a-] I. n 1. ehető

szívkagyló 2. ~s of the heart a szív legbensőbb érzései 3. ~(-shell) lélekvesztő II. A. vt összeráncol B. vi összeráncolódik; összepödrődik

cockney ['kɔknɪ; US -a-] I. a londoni születésű, tipikusan londoni [ember, kiejtés] II. n 1. (tipikusan) londoni (ember) 2. 'cockney' tájszólás/kiejtés

cockpit n 1. kakasviadali tér 2. gyakori harcok/háborúk színhelye 3. pilótafülke, -ülés

cockroach ['kɔkroʊtʃ; US 'ka-] n svábbogár

cockscomb ['kɔkskoʊm; US 'ka-] n kakastaraj

cocksure a magabiztos, elbizakodott, beképzelt

cocktail n koktél; ~s koktélparti

cocky ['kɔkɪ; US -a-] a biz beképzelt; pimasz

coco ['koʊkoʊ] n kókusz(pálma)

cocoa ['koʊkoʊ] n kakaó; ~ bean kakaóbab

coconut ['koʊkənʌt] n 1. kókuszdió; ~ matting kókuszszőnyeg 2. □ kobak, „kókusz"

cocoon [kə'ku:n] n selyemgubó

coco-palm n kókuszpálma

cod¹ [kɔd; US -a-] n tőkehal

cod² [kɔd; US -a-] vt -dd- biz becsap, rászed; ugrat

C.O.D. [si:oʊ'di:] cash (v. US collect) on delivery →delivery

coddle ['kɔdl; US -a-] vt elkényeztet, túltáplál

code [koʊd] I. n 1. törvénykönyv, jogszabálygyűjtemény; kódex 2. jelrendszer, kód; rejtjeles ábécé; ~ book jelkódex, rejtjelkulcs; ~ word jelige; break a ~ titkosírást megfejt II. vt 1. rejtjelez 2. kódol [programot]

codex ['koʊdeks] n (pl codices 'koʊdɪ-si:z) kódex

codger ['kɔdʒə*; US -a-] n biz furcsa öreg fickó, „pofa", pasas

codices →codex

codicil ['kɔdɪsɪl; US 'ka-] n pótvégrendelet, (kiegészítő) záradék

codification [koʊdɪfɪ'keɪʃn; US ka-] n törvényelőkészítés, becikkelyezés, kodifikálás

codify ['koʊdɪfaɪ; *US* 'kɑ-] *vt* törvénybe iktat/foglal, becikkelyez, kodifikál

coding ['koʊdɪŋ] *n* rejtjelezés; kódolás

codling ['kɔdlɪŋ; *US* -ɑ-] *n* főzőalma

cod-liver oil csukamájolaj

co-ed [koʊ'ed; *US* 'koʊed] *n biz* ⟨diákleány koedukációs iskolában⟩

co-education [koʊedju:'keɪʃn; *US* -dʒʊ-] *n* koedukáció

coefficient [koʊɪ'fɪʃnt] *n* együttható, tényező, koefficiens

coequal [koʊ'i:kv(ə)l] *a/n* egyenrangú

coerce [koʊ'ə:s] *vt* 1. kényszerít *(into* vmre) 2. korlátoz, elnyom

coercion [koʊ'ə:ʃn] *n* 1. kényszer 2. korlátozás

coercive [koʊ'ə:sɪv] *a* 1. kényszerítő 2. korlátozó

Coeur de Lion [kə:də'li:ɔ:ŋ] *prop* Oroszlánszívű Richárd

coeval [koʊ'i:vl] I. *a* egykorú, egyidejű, kortárs II. *n* kortárs

coexist [koʊɪg'zɪst] *vi* egyidejűleg van/létezik

coexistence [koʊɪg'zɪst(ə)ns] *n* együttélés, egyidejű létezés, együttlét; *peaceful* ~ békés egymás mellett élés

coexistent [koʊɪg'zɪstənt] *a* egyidejűleg létező

C of E [si:əv'i:] *Church of England*

coffee ['kɔfɪ; *US* -ɔ:- v. -ɑ-] *n* kávé; *black* ~ fekete(kávé); *white* ~ tejeskávé, kapuciner; ~ *bar* (esz)presszó, kávézó; ~ *break* kávészünet [munka folyamán]; ~ *table* alacsony asztalka

coffee-bean *n* kávébab, -szem

coffee-cup *n* kávéscsésze, feketéscsésze

coffee-grounds *n pl* kávéalj, zacc

coffee-house *n* kávéház

coffee-mill *n* kávéőrlő, -daráló

coffee-pot *n* kávéskanna

coffee-room *n* 1. kávézó 2. (szállodai) étterem

coffee-spoon *n* mokkakanál

coffee-stall *n* mozgó kávébódé

coffee-table book gazdagon illusztrált díszmű

coffer ['kɔfə*; *US* -ɔ:-] *n* 1. pénzszekrény 2. kazetta [mennyezeté] 3. = *coffer-dam*

coffer-dam *n* 1. jászolgát 2. keszon

coffer-work *n* kazettás mennyezet

coffin ['kɔfɪn; *US* -ɔ:-] I. *n* koporsó II. *vt* koporsóba tesz

cog [kɔg; *US* -ɑ-] *n* 1. fog [fogaskeréké]; ~ *railway* fogaskerekű vasút

cogency ['koʊdʒ(ə)nsɪ] *n* hathatósság, kényszer; meggyőző erő [érvé]

cogent ['koʊdʒ(ə)nt] *a* hathatós, meggyőző [érv stb.]; nyomós [ok]

cogitate ['kɔdʒɪteɪt; *US* 'kɑ-] A. *vi* gondolkozik B. *vt* kigondol; megfontol; ~ *mischief* rosszban töri a fejét

cogitation [kɔdʒɪ'teɪʃn; *US* kɑ-] *n* gondolkodás, megfontolás, töprengés

cognac ['kɔnjæk; *US* 'koʊ-] *n* konyak

cognate ['kɔgneɪt; *US* -ɑ-] I. *a* rokon *(with* -val/-vel) II. *n* 1. (vér)rokon [anyai ágon] 2. rokon szó

cognition [kɔg'nɪʃn; *US* -ɑ-] *n* megismerés; észlelés; ismeret

cognitive ['kɔgnɪtɪv; *US* -ɑ-] *a* megismerő, észlelő

cognizance ['kɔgnɪz(ə)ns; *US* -ɑ-] *n* 1. tudomás; *take* ~ *of sg* (hivatalosan) tudomásul vesz (v. megállapít) vmt 2. illetékesség, hatáskör; *fall within sy's* ~ vknek a hatáskörébe tartozik

cognizant ['kɔgnɪz(ə)nt; *US* -ɑ-] *a* *be* ~ *of sg* tudomással bír vmről

cog-wheel *n* fogaskerék

cohabit [koʊ'hæbɪt] *vi* együtt él [élettársként]

cohabitation [koʊhæbɪ'teɪʃn] *n* együttélés [élettársi közösségben]

coheir [koʊ'eə*] *n* örököstárs

cohere [koʊ'hɪə*] *vi* 1. összetapad 2. összetartozik, -függ

coherence [koʊ'hɪər(ə)ns] *n* összefüggés

coherency [koʊ'hɪər(ə)nsɪ] *n* = *coherence*

coherent [koʊ'hɪər(ə)nt] *a* összefüggő, -tartozó; következetes

cohesion [koʊ'hi:ʒn] *n* (össze)tapadás, összetartás; kohézió

cohesive [koʊ'hi:sɪv] *a* összefüggő, (össze)tapadó; kohéziós

cohort ['koʊhɔ:t] *n* csapat, (had)sereg

coif [kɔɪf] *n* † 1. poroszlósapka 2. (apáca)főkötő

coiffure [kwɑ:'fjʊə*] *n* frizura

coign [kɔɪn] *n* (épület)sarok, kiszögellés ‖ → *vantage*
coil¹ [kɔɪl] I. *n* 1. tekercs, orsó; ~ *spring* tekercsrugó 2. tekercs, tekercselés [villamos] 3. spirál [fogamzásgátlásra] II. A. *vt* felteker, -göngyölít, -csavar B. *vi/vt* 1. ~ (*up*), ~ *itself up* összecsavarodik 2. tekereg, kígyózik felgöngyölödik, -csavarodik
coil² [kɔɪl] *n* † *mortal* ~ a földi élet zűrzavara
coin [kɔɪn] I. *n* érme, pénzdarab II. *vt* 1. ~ *money* pénzt ver; *biz be* ~*ing money* csak úgy dől hozzá a pénz 2. ~ *a new word* új szót alkot
coinage ['kɔɪnɪdʒ] *n* 1. pénzverés 2. törvényes pénz, pénzrendszer 3. új szóalkotás
coincide [koʊɪn'saɪd] *vi* 1. egybevág; összeillik, megegyezik (*with* vmvel); ~ *in opinion* egy nézeten van(nak) 2. [időben] egybeesik, ütközik (*with* vmvel)
coincidence [koʊ'ɪnsɪd(ə)ns] *n* 1. egybevágás, megegyezés 2. egybeesés, ütközés [időben] 3. véletlen
coiner ['kɔɪnə*] *n* 1. pénzverő 2. pénzhamisító 3. szóalkotó
coir ['kɔɪə*] *n* kókuszrost
coition [koʊ'ɪʃn] *n* = *coitus*
coitus ['koʊɪtəs] *n* közösülés, coitus
coke¹ [koʊk] *n* koksz
coke² [koʊk] *biz* kóla
coke³ [koʊk] *n* □ kokain
col [kɔl; *US* -ɑ-] *n* hegynyereg, hágó
Col. 1. ['kə:nl] *Colonel* ezredes, ezr. 2. *Colorado*
col. *column*
colander ['kʌləndə*] *n* szűrőedény; áttörő szita; szűrőtölcsér
cold [koʊld] I. *a* 1. hideg; ~ *cream* arckrém; ~ *pack* hideg borogatás, priznic; ~ *steel* szúró- és vágófegyverek; ~ *storage* hűtőházi raktározás, mélyhűtés; ~ *store* hűtőház; ~ *wave* vízhullám [fodrászati]; *be/feel* ~ fázik; *grow* ~ kihűl, lehűl; *pour/throw* ~ *water on sg* lehűti a lelkesedést (vm iránt); ellenez vmt; *in* ~ *blood* szemrebbenés nélkül, hidegvérrel; *biz have* ~ *feet* be van gyulladva 2. *átv*

hideg, hűvös, közönyös, barátságtalan; ~ *comfort* gyenge/sovány vigasz; ~ *war* hidegháború; *give sy the* ~ *shoulder* félvállról beszél vkvel, hűvösen kezel vkt II. *n* 1. hideg, fagy; *biz be left out in the* ~ nem törődnek vele, mellőzik; *biz come in from the* ~ kellemetlen/veszélyes helyzete véget ér 2. ~ (*in the head*) (meg)hűlés, nátha; *catch* (*a*) ~ meghűl, megfázik; *have a* ~ náthás, meg van hűlve
cold-blooded [-'blʌdɪd] *a* 1. hidegvérű, érzéketlen 2. előre megfontolt [gonosztett]
cold-chisel *n* hidegvágó
cold-hearted *a* kőszívű
coldness ['koʊldnɪs] *n* hideg(ség)
cole [koʊl] *n* kelkáposzta
Coleridge ['koʊl(ə)rɪdʒ] *prop*
cole-slaw *n* káposztasaláta
colewort *n* kelkáposzta
colic ['kɔlɪk; *US* -ɑ-] *n* bélgörcs, kólika; ~ *belt* haskötő
colitis [kɔ'laɪtɪs; *US* koʊ-] *n* vastagbélgyulladás
Coll., coll. *college*
collaborate [kə'læbəreɪt] *vi* 1. együttműködik, kollaborál, közösen dolgozik (*on* vmn) 2. az ellenséggel együttműködik
collaboration [kəlæbə'reɪʃn] *n* 1. együttműködés, kollaboráció 2. kollaborálás [ellenséggel]
collaborator [kə'læbəreɪtə*] *n* 1. munkatárs, közreműködő 2. kollaboráns
collapse [kə'læps] I. *n* 1. összeomlás 2. kollapszus, ájulás II. *vi* 1. összeomlik 2. összeesik 3. összecsukható
collapsible [kə'læpsəbl] I. *a* összecsukható, összehajtható II. *n* összeállítható gumikajak, faltboot
collar ['kɔlə*; *US* -ɑ-] I. *n* 1. gallér; *biz get hot under the* ~ dühbe gurul; *seize sy by the* ~ nyakon csíp 2. nyaklánc 3. nyakló, hám, nyakörv 4. (fém)gyűrű, bilincs II. *vt* 1. megfog, megragad, galléron ragad 2. [húst sütés előtt] göngyöl(ve átköt) 3. *biz* elcsen
collar-bone *n* kulcscsont
collar-stud *n* inggomb

collar-work *n biz* nehéz munka
collate [kɔ'leɪt] *vt* összehasonlít, egybevet [szövegeket], egyeztet
collateral [kɔ'læt(ə)rəl] *a* **1.** párhuzamos **2.** mellék-; járulékos, kiegészítő; közvetett; ~ *facts* mellékkörülmények; ~ *relative* oldalági rokon
collation [kɔ'leɪʃn] *n* **1.** egybevetés, összeolvasás **2.** könnyű étkezés; *cold* ~ hidegvacsora, felvágott
colleague ['kɔli:g; *US* -ɑ-] *n* kartárs, kolléga
collect **I.** *a* [kə'lekt] utánvételezett; ~ *call* „R" beszélgetés [a hívott fél fizet]; ~ *package* utánvétcsomag **II.** *adv* [kə'lekt] *send* ~ utánvéttel küld **III.** *n* ['kɔlekt; *US* -ɑ-] rövid alkalmi ima **IV.** *v* [kə'lekt] **A.** *vt* **1.** (össze-) gyűjt, összeszed; ~ *stamps* bélyeget gyűjt; ~ *oneself* összeszedi magát **2.** beszed, behajt [kinnlevőséget] **3.** elhoz [csomagot], érte megy (vmért, vkért) **B.** *vi* összegyűlik
collected [kə'lektɪd] *a* **1.** higgadt, összeszedett, fegyelmezett **2.** összegyűjtött
collection [kə'lekʃn] *n* **1.** gyűjtés; *take up a* ~ adományokat gyűjt **2.** gyűjtemény
collective [kə'lektɪv] **I.** *a* **1.** együttes, közös, kollektív; ~ (*bargaining*) *agreement* kollektív szerződés; ~ *farm* mezőgazdasági termelőszövetkezet; ~ *ownership* közös tulajdon(jog), társadalmi tulajdon; ~ *property* köztulajdon, társadalmi tulajdon, népvagyon; ~ *security* kollektív biztonság **2.** ~ *noun* gyűjtőnév **II.** *n* kollektíva
collectivism [kə'lektɪvɪzm] *n* kollektivizmus
collectivize [kə'lektɪvaɪz] *vt* társadalmi tulajdonba vesz, társadalmasít
collector [kə'lektə*] *n* **1.** gyűjtő; pénzbeszedő; jegyszedő **2.** áramszedő
colleen ['kɔli:n; *US* -ɑ-] *n* leány [ír szóhasználat]
college ['kɔlɪdʒ; *US* -ɑ-] *n* **1.** kollégium, testület **2.** főiskola; kollégium
collegiate [kə'li:dʒɪət] *a* kollégiumi, főiskolai **2.** ~ *church* társaskáptalani templom
collide [kə'laɪd] *vi* összeütközik, beleütközik (*with* vmvel, vmbe)

collie ['kɔlɪ; *US* -ɑ-] *n* skót juhászkutya
collier ['kɔlɪə*; *US* -ɑ-] *n* **1.** szénbányász, vájár **2.** szénszállító hajó
colliery ['kɔljərɪ; *US* -ɑ-] *n* szénbánya
Collins ['kɔlɪnz] *prop*
collision [kə'lɪʒn] *n* (össze)ütközés, karambol; ~ *insurance* baleseti törésbiztosítás; *come into* ~ *with* sy/sg összeütközik vkvel/vmvel
collocation [kɔlə'keɪʃn; *US* kɑ-] *n* **1.** összeállítás **2.** (állandósult) szókapcsolat, szószerkezet, kollokáció
colloid ['kɔlɔɪd; *US* 'kɑ-] *n* kolloid
collop ['kɔləp; *US* -ɑ-] *n* hússzelet
colloquial [kə'loʊkwɪəl] *a* bizalmas/könnyed/fesztelen társalgási nyelvi
colloquialism [kə'loʊkwɪəlɪzm] *n* bizalmas/fesztelen/társalgási nyelvi kifejezés
colloquially [kə'loʊkwɪəlɪ] *adv* bizalmas/fesztelen/társalgási stílusban, bizalmas érintkezés nyelvén
colloquy ['kɔləkwɪ; *US* 'kɑ-] *n* eszmecsere, beszélgetés
collusion [kə'lu:ʒn] *n* összejátszás, csalás; *act in* ~ *with* sy összejátszik vkvel
Colo. *Colorado*
Cologne [kə'loʊn] *prop* Köln
colon¹ ['koʊlən] *n* vastagbél
colon² ['koʊlən] *n* kettőspont
colonel ['kɔ:nl] *n* ezredes; ~ *general* vezérezredes
colonial [kə'loʊnjəl] **I.** *a* **1.** gyarmati; *C~ Office* gyarmatügyi minisztérium **2.** *US* koloniális (építészeti stílus) **II.** *n* gyarmatos
colonialism [kə'loʊnjəlɪzm] *n* gyarmati rendszer, gyarmatosítás
colonialist [kə'loʊnjəlɪst] *n* gyarmatosítás híve, kolonialista
colonist ['kɔlənɪst; *US* 'kɑ-] *n* gyarmatos
colonization [kɔlənaɪ'zeɪʃn; *US* kɑlənɪ'z-] *n* gyarmatosítás
colonize ['kɔlənaɪz; *US* 'kɑ-] *vt* gyarmatosít
colonizer ['kɔlənaɪzə*; *US* 'kɑ-] *n* gyarmatosító
colonnade [kɔlə'neɪd; *US* kɑ-] *n* oszlopsor
colony ['kɔlənɪ; *US* 'kɑ-] *n* **1.** gyarmat

2. kolónia; csoport; *a ~ of artists* művésztelep
color → *colour*
Colorado [kɔlə'rɑ:doʊ; US kɑlə'rædoʊ] *prop*
coloration [kʌlə'reɪʃn] *n* 1. színezés 2. színeződés, festődés
colossal [kə'lɔsl; US -'lɑ-] *a* óriási, kolosszális
colostrum [kə'lɔstrəm; US -'lɑ-] *n* föcstej
colour, *US* **color** ['kʌlə*] I. *n* 1. szín; ~ *bar* faji megkülönböztetés [színesek és fehérek között]; ~ *film* színes film; *the ~ problem* a négerkérdés; ~ *scheme* színösszeállítás; ~ *television* (v. *TV*) színes televízió/tévé 2. arcszín; *change* ~ (1) elvörösödik (2) elsápad; *be/feel/look off* ~ nem érzi jól magát; rossz színben van; *high* ~ élénk arcszín 3. színezet, látszat; ürügy; *give/ lend* ~ *to a story* életszerűvé/valószínűvé tesz egy történetet; *under* ~ *of sg* vm ürügye/leple alatt 4. festék; *paint sg in bright* ~*s* rózsaszínű megvilágításban ecsetel 5. **colours** *pl* nemzeti zászló/színek; *call to the* ~*s* behív katonának; *with flying* ~*s* győz(tes)ként; lengő zászlókkal; *get/win one's* ~*s* bekerül a válogatott csapatba; *nail one's* ~*s to the mast* leszögezi álláspontját és nem tágít; *show one's true* ~*s* kimutatja a foga fehérét; *stick to one's* ~*s* hű marad elveihez II. A. *vt* (be)fest, (ki)színez (*átv is*) B. *vi* 1. (el)színeződik 2. elpirul
colour-bearer *n* zászlóvivő
colour-blind *a* színvak
coloured ['kʌləd] *a* 1. színes; élénk 2. *US* néger; ~ *people* színesbőrűek
-coloured [-kʌləd] (-)színű
colourfast *a* színtartó
colourful ['kʌləfʊl] *a* színdús, színpompás, élénk, sokszínű, tarka
colouring ['kʌlərɪŋ] I. *a* színező, festő; ~ *matter* színező anyag, színezék II. *n* 1. színezés; színfelrakás 2. színezet
colourless ['kʌlələs] *a* színtelen, fakó; unalmas
colourman ['kʌləmən] *n* (*pl* -men -mən) festékkereskedő

colour-wash *n* színes falfesték
colt¹ [koʊlt] *n* 1. csikó; ~'*s tooth* tejfog 2. *biz* kezdő, zöldfülű
colt² [koʊlt] *n* revolver, colt
colter → *coulter*
coltish ['koʊltɪʃ] *a* 1. zöldfülű 2. szeleburdi, ugrifüles
coltsfoot ['koʊltsfʊt] *n* martilapu
Columbia [kə'lʌmbɪə] *prop*
columbine ['kɔləmbaɪn; US 'kɑ-] *n* harangláb, galambvirág
Columbus [kə'lʌmbəs] *prop* Kolumbusz
column ['kɔləm; US 'kɑ-] *n* 1. oszlop; ~ *of figures* számoszlop 2. hasáb, rovat [újságban stb.]
columnist ['kɔləmnɪst; US 'kɑ-] *n US* rovatvezető, állandó (tárca)cikkíró
coma ['koʊmə] *n* ájulás, kóma
comatose ['koʊmətoʊs] *a* 1. kábult, eszméletlen 2. aluszékony
comb [koʊm] I. *n* 1. fésű 2. fésülés 3. fésű, gereben 4. lép [méheké] 5. taraj, taréj [hullámé is]; *cut sy's* ~ letöri a szarvát vknek 6. lóvakaró [kefe] II. *vt* 1. fésül; *átv* átfésül, átvizsgál; ~ *out* (1) kifésül (2) átfésül; *bélistáz* 2. fésül, gerebenez, kártol
combat ['kɔmbæt; US 'kɑ-] I. *n* küzdelem, harc; ~ *plane* vadászrepülőgép; ~ *unit* harci egység II. A. *vi* küzd, verekszik (*for* vmért), harcol (*against* vm ellen) B. *vt* 1. legyőz (vkt, vmt); küzd (vm/vk ellen) 2. megtámad
combatant ['kɔmbət(ə)nt; US 'kɑ-] *n* 1. harcos, küzdő 2. védelmező, szószóló (*for* vmé)
combative ['kɔmbətɪv; US 'kɑ-] *a* harcias
comber ['koʊmə*] *n* 1. fésülő-, kártoló-, gerebenezőgép 2. parti hullám
combination [kɔmbɪ'neɪʃn; US kɑ-] *n* 1. egyesítés, összetétel, kombináció 2. egyesülés 3. vegyület, vegyülék 4. (szám)kombináció 5. (*pair of*) ~*s* ingadrág, kezeslábas [trikó alsónemű] 6. oldalkocsis motorkerékpár
combination-lock *n* kombinációs zár/ lakat
combine I. *n* ['kɔmbaɪn; US 'kɑ-] 1. kartell; érdektársulás 2. ~ (*harvester*) arató-cséplő gép, kombájn II. *v*

[kəm'baɪn] A. *vt* összeköt, összekapcsol; egyesít; ~ *work with pleasure* összeköti a kellemest a hasznossal; ~ *forces* egyesíti az erőket, szövetkezik (*with* vkvel) B. *vi* 1. egyesül; szövetkezik; *everything ~ed against him* minden összeesküdött ellene 2. vegyül, keveredik

combined [kəm'baɪnd] *a* egyesített, kombinált; egyesült; ~ *operations* ⟨vízen, szárazföldön és levegőben egyidejűleg folyó hadműveletek⟩

combings ['koʊmɪŋz] *n pl* kifésült haj

combining form [kəm'baɪnɪŋ] ⟨csak összetételekben előforduló szóalak⟩, előtag [pl. *Anglo-, electro-*]

comb-out *n* átfésülés [területé]

combustible [kəm'bʌstəbl] I. *a* 1. éghető, gyúlékony 2. izgulékony II. *n* gyúlékony tüzelőanyag

combustion [kəm'bʌstʃ(ə)n] *n* 1. égés, gyulladás 2. tűzvész 3. izgalom, felfordulás

come [kʌm] *v* (*pt* **came** keɪm, *pp* **come** kʌm) A. *vi* 1. jön; eljön; megérkezik; következik; ~ *and see me* látogass meg; *easy ~ easy go* ebül jött ebül ment; *the time to ~* a jövendő; *for three months to ~* még 3 hónapig; *biz a week ~ Tuesday* kedden lesz egy hete; *she is coming ten* tíz éves lesz, tizedik évében van 2. ~ *to know* (1) megtud (2) megismer (vkt); *I came to like him* megszerettem; *I have ~ to believe that* ... kezdem azt hinni, hogy ...; *I came to realize that* ... rájöttem, hogy ...; *now that I ~ to think of it* jobban meggondolva a dolgot, erről jut eszembe 3. származik; *where do you ~ from?* honnan jön ön?, hová valósi?; *he ~s of a good family* jó családból származik 4. történik; ~ *to pass* (meg)történik; ~ *what may* bármi történjék is 5. lesz, válik (vmlyenné); *it didn't ~ to anything* nem lett belőle semmi; ~ *to nothing* füstbe megy, semmivé lesz; ~ *short of sg* nem sikerül, nem ér fel vmhez 6. Kifejezésekben: ~! ~! ugyan-ugyan!, hidegvér!; ~ *now!* ugyan kérlek!; *how ~!* furcsa!, hogy

lehetséges? B. *vt* megtesz [utat]; ~ *a long way* hosszú utat tesz meg **come about** *vi* 1. megtörténik; *how did it ~ a.?* hogy történt (ez)? 2. megfordul; irányt változtat **come across** *vi* ráakad (vkre, vmre), véletlenül találkozik (vkvel); *it came a. my mind* az jutott eszembe ... **come along** *vi* 1. vele megy; végigmegy; eljön; ~ *a.!* siess!, gyerünk! 2. fejlődik, halad **come at** *vi* 1. nekiront, nekiesik 2. elér vmt, hozzáfér vmhez; *difficult to ~ at* nehéz megtalálni/hozzáférni **come away** *vi* 1. eljön 2. letörik, leszakad, leválik **come back** *vi* 1. visszajön, -tér 2. *it came b. to him* visszaemlékezett rá, újból eszébe jutott **come before** *vi* 1. (vk, vm) elé kerül [ügyirat stb.] 2. megelőz (vkt) **come down** *vi* 1. lejön (vhonnan); leszáll (vmről); *he has just ~ d. from Oxford* most végzett Ox.-ban 2. ledől [építmény]; kidől [ember, ló]; *he came d. with the flu* influenzával ágynak esett 3. esik [eső] 4. *átv* lecsúszik, lesüllyed [anyagilag, erkölcsileg]; *he has ~ d. in the world* igen lecsúszott, valaha jobb napokat látott 5. *prices are coming d.* az árak esnek 6. öröklődik, rászáll, (rá)marad [utókorra hagyomány stb.] 7. *biz he came d. handsomely* gavallérosan fizetett; *he came d. with £5* öt fonttal rukkolt ki 8. *biz ~ d. on sg* (jól) lehord vkt **come forward** *vi* 1. jelentkezik [felhívásra] 2. előjön [javaslattal] **come in** *vi* 1. bejön, belép (vhová); befut, megérkezik [hajó, vonat]; jön [dagály]; ~ *in!* szabad!, tessék (belépni)!; *he came in second* másodiknak jött/futott be 2. bejön, befolyik [pénz] 3. megérik 4. divatba jön 5. hatalomra/mandátumhoz jut [párt]; befut [személy] 6. Különféle kifejezésekben: ~ *in for sg* részt kap vmből, részesül vmben; *biz where do I ~ in?* (1) mi a hasznom ebből? (2) mi az én szerepem?; *it may ~ in handy/*

useful ez még igen hasznos lehet, ez még jól fog jönni
come into *vi* 1. belép; (be)jut; ~ *i. existence* létrejön, megszületik; ~ *i. power* hatalomra jut 2. ~ *i. sg* örököl vmt
come off *vi* 1. lejön; leesik (vmről); *biz* ~ *o. it!* szűnj meg!, hagyd abba! 2. lejön, leszakad [gomb]; lejön, lemállik [festék] 3. megtörténik, létrejön, végbemegy 4. sikerül; ~ *o. well* jól sikerül; *he came o. badly* rosszul járt, a rövidebbet húzta
come on *vi* 1. *you go first, I'll* ~ *on later* menj előre, én majd követlek/megyek/jövök; ~ *on!* gyerünk!, rajta!; *oh(,)* ~ *on!* ugyan kérlek (hagyd már)! 2. jól fejlődik/nő; halad [tanulmányaiban] 3. jön, közeledik [éjszaka, tél stb.] 4. sorra kerül; ~ *on for trial* bíróság elé kerül, tárgyalja a bíróság 5. belép a színre [színész]
come out *vi* 1. kijön (vk vhonnan, vhová); megjelenik [vk vhol v. könyv], napvilágra kerül, kitudódik [hír] 2. kijön, előtűnik [pecsét ruhán]; kifakul [szín]; kijön, sikerül [fénykép] 3. először lép fel [színpadon]; debütál; ~ *out with sg* kirukkol vmvel; *came out first* első lett [vizsgán] 4. ~ *out (on strike)* sztrájkba lép 5. ~ *out at* jön/kerül vmbe, kitesz [összeget]
come over *vi* 1. átjön 2. átpártol, átáll 3. elfogja vmely érzés; *what has* ~ *o. you?* hát téged mi lelt?; *biz* ~ *o. funny/queer* kezdi magát roszszul érezni
come round *vi* 1. körüljár, megkerül (vmt) 2. átjön; benéz vhova (látogatóba); ~ *r. and see me* gyere el és látogass meg, ugorj át hozzám 3. magához tér 4. jobb belátásra jut; enged; *he has* ~ *r.* belement, -egyezett
come through *vi* 1. átmegy, áthatol 2. átmegy, keresztülmegy (vmn), átesik [betegségen]; megúszik (vmt) 3. beváltja a hozzá fűzött reményeket, megállja helyét 4. jól (be-) jön, jól lehet fogni [rádióadást stb.]
come to *vi* 1. (oda)jön; ~ *to hand*

kézhez kap [levelet], megérkezik [levél]; ~ *to a full stop* teljesen megáll [vm működése] 2. [összegszerűleg] kitesz; *how much does it* ~ *to?* mennyibe kerül?; *your bill* ~ *s to $5* számlája 5 dollárt tesz ki 3. *if it* ~ *s to that* ha ez megtörténnék, ha arra kerül a sor; [közbevetve:] ~ *to that!* vagy akár; ha úgy vesszük 4. magához tér, visszanyeri eszméletét 5. beleegyezik
come under *vi* 1. hatáskörébe tartozik 2. tartozik, be van sorolva [cím alá] 3. ~ *u. sy's influence* vk befolyása alá kerül
come up *vi* 1. ~ *up to sy* odamegy vkhez 2. feljön, felbukkan; megjelenik; felmerül; *his case* ~ *s up next week* ügyét jövő héten tárgyalják; *sorry, sg has* ~ *up* sajnálom, vm közbejött 3. kihajt, kikel [növény] 4. ~ *up to sg* felér vmvel; ~ *up to one's expectations* beváltja a hozzá fűzött reményeket 5. ~ *up against sg* (bele)ütközik vmbe [nehézségbe stb.] 6. ~ *up with* (1) elér/utolér (vkt) (2) előhozakodik (vmvel)
come upon *vi* 1. ráakad (vkre), összeakad (vkvel) 2. rátör
come-at-able [kʌm'ætəbl] *a biz* (könnyen) hozzáférhető, elérhető
come-back *n* 1. visszatérés, újra fellendülés, magáhoztérés 2. *biz* visszavágás [szóval]
COMECON, Comecon ['kɔmɪkɔn; *US* -a- -a-] *Council for Mutual Economic Aid* Kölcsönös Gazdasági Segítség Tanácsa, KGST
comedian [kə'mi:djən] *n* 1. vígjátékszínész, komikus 2. vígjátékíró 3. bolondos ember
come-down *n* 1. lecsúszás [anyagilag, erkölcsileg] 2. megalázás
comedy ['kɔmɪdɪ; *US* -a-] *n* vígjáték, komédia
comely ['kʌmlɪ] *a* bájos, kedves, jó megjelenésű, csinos
comer ['kʌmə*] *n* 1. aki jön, érkező 2. *biz* jól kezdődő/menő dolog
comestibles [kə'mestɪblz] *n pl* élelmiszerek

11

comet ['kɔmɪt; US -ə-] n üstökös
comeuppance [kʌm'ʌpəns] n US biz
megérdemelt büntetés
comfit ['kʌmfɪt] n édesség
comfort ['kʌmfət] I. n 1. [szellemi,
anyagi] jólét; kényelem [lakásban,
szállodában]; US (public) ~ station
nyilvános illemhely 2. vigasz(talás);
words of ~ vigasztaló szavak; be of
good ~! ne csüggedj! II. vt vigasztal,
felvidít
comfortable ['kʌmf(ə)təbl] a 1. kényel-
mes; make oneself ~ kényelembe he-
lyezi magát 2. kellemes, nyugodt; ~
income szép jövedelem 3. be/feel ~
könnyebben érzi magát [beteg]
comforter ['kʌmfətə*] n 1. vigasztaló 2.
GB sál 3. US tűzdelt paplan 4. cumi
comfortless ['kʌmfətlɪs] a 1. kényelmet-
len 2. vigasztalan, sivár
comfrey ['kʌmfrɪ] n (fekete) nadálytő
comfy ['kʌmfɪ] a biz kényelmes
comic ['kɔmɪk; US -ə-] I. a vidám, tré-
fás, komikus; vígjátéki ~ opera víg-
opera; ~ strips képregény II. n 1.
komikus, varietészínész 2. comics pl
képregény
comical ['kɔmɪk(ə)l; US -ə-] a tréfás,
furcsa, mulatságos, komikus
coming ['kʌmɪŋ] I. a 1. jövő, közelgő,
elkövetkezendő; the ~ year a jövő év;
a ~ man a jövő embere 2. ~ to sy vkt
megillető; he had it ~ to him ezt nem
kerülhette el, számíthatott rá II. n
(el)jövetel, érkezés; ~s and goings jö-
vés-menés ‖ →come
comity ['kɔmɪtɪ; US -ə-] n udvariasság;
~ of nations nemzetek kölcsönös jóin-
dulata/jóviszonya, az íratlan nemzet-
közi szabályok
comma ['kɔmə; US -ə-] n vessző(,);
inverted ~s idézőjel
command [kə'mɑːnd; US -'mæ-] I. n 1.
parancs 2. parancsnokság; he is in ~
ő parancsnokol, ő a parancsnok; have
~ of sg uralkodik vmn; take ~ átveszi
a hatalmat; high(er) ~ hadvezetőség;
~ post (1) harcálláspont (2) US hadi-
szállás 3. rendelkezés vmvel; the money
at my ~ a rendelkezésemre álló pénz;
~ of a language nyelvtudás, -ismeret

4. ~ performance udvari díszelőadás 5.
[kibernetikában] utasítás II. vt 1.
(meg)parancsol, elrendel; ~ respect
tiszteletet kelt/parancsol 2. vezényel,
parancsnokol 3. rendelkezik (vkvel,
vmvel); ~ oneself uralkodik (ön)ma-
gán; yours to ~ állok rendelkezésére
4. ~ a fine view szép kilátást nyújt
commandant [kɔmən'dænt; US kɑ-] n
parancsnok
commandeer [kɔmən'dɪə*; US kɑ-] vt
katonai célra igénybe vesz
commander [kə'mɑːndə*; US -'mæ-] n
parancsnok
commander-in-chief n fővezér, főpa-
rancsnok
commanding [kə'mɑːndɪŋ; US -'mæ-] a
1. parancsnokoló; ~ officer parancs-
nok 2. (tiszteletet stb.) parancsoló 3.
impozáns
commandment [kə'mɑːndmənt; US
-'mæ-] n parancs(olat); the Ten C~s
a tízparancsolat
commando [kə'mɑːndoʊ; US -'mæ-] n
(pl ~(e)s -oʊz) különítmény, roham-
csapat, kommandó; ~ raid rajtaütés
commemorate [kə'meməreɪt] vt meg-
ünnepel [vk/vm emlékét], megemlé-
kezik (vkről/vmről)
commemoration [kəmemə'reɪʃn] n em-
lékünnep, megemlékezés; in ~ of sy/sg
vk/vm emlékére
commence [kə'mens] A. vt (el)kezd B.
vi (el)kezdődik
commencement [kə'mensmənt] n 1. kez-
det 2. avatási nap [némely egyete-
men tanévzáráskor]
commend [kə'mend] vt 1. rábíz 2. (be-)
ajánl 3. dicsér
commendable [kə'mendəbl] a 1. dicsé-
retes 2. ajánlható
commendation [kɔmen'deɪʃn; US kɑ-]
n 1. (be)ajánlás 2. dicséret
commendatory [kə'mendət(ə)rɪ; US
-tɔːrɪ] a 1. dicsérő 2. ajánló
commensurable [kə'menʃ(ə)rəbl] a 1.
(össze)mérhető (with, to vmvel) 2.
arányos (to vmvel)
commensurate [kə'menʃ(ə)rət] a össze-
mérhető (with vmvel); be ~ with sg
arányban áll vmvel

comment ['kɔment; US -ə-] I. n magyarázat, megjegyzés, kommentár; call for ~ kritikát kíván; no ~! nincs semmi megjegyzésem! II. vi ~ on magyaráz, magyarázó jegyzetekkel ellát (vmt); megjegyzéseket tesz (vmre) commentary ['kɔmənt(ə)rı; US 'kamənterı] n 1. magyarázó szöveg, fejtegetés; kommentár 2. (rádió)közvetítés; running ~ helyszíni közvetítés commentator ['kɔmenteɪtə*; US 'ka-] n 1. (hír)magyarázó, kommentátor 2. (helyszíni) közvetítő, riporter commerce ['kɔmə:s; US -ə-] n kereskedelem commercial [kə'mə:ʃl] I. a kereskedelmi; C~ Exchange árutőzsde; ~ paper értékpapír; ~ traveller kereskedelmi utazó; ~ treaty (nemzetközi) kereskedelmi szerződés II. n 1. kereskedelmi utazó 2. reklám [rádió, tévé] commercialize [kə'mə:ʃəlaɪz] vt üzleti alapokra helyez, elüzletiesít commiserate [kə'mɪzəreɪt] vi együttérez (with vkvel) commiseration [kəmɪzə'reɪʃn] n szánalom, részvét, együttérzés commissar [kɔmɪ'sa:*; US ka-] n 1. komisszár, politikai biztos 2. (people's) ~ népbiztos commissariat [kɔmɪ'seərɪət; US ka-] n 1. hadbiztosság 2. népbiztosság commissary ['kɔmɪsərɪ; US 'kamɪserɪ] n 1. biztos, meghatalmazott, komiszszárius 2. népbiztos 3. hadbiztos; ~ general főhadbiztos commission [kə'mɪʃn] I. n 1. megbízás; meghatalmazás; rendelkezés; letter of ~ megbízólevél 2. bizottság; Royal C~ parlamenti vizsgálóbizottság 3. tiszti kinevezés 4. bizomány; ~ agent bizományi ügynök; ~ shop bizományi üzlet; goods on ~ bizományi áru 5. jutalék, bizományi díj; charge a ~ jutalékot számít 6. véghezvitel, elkövetés [bűncselekményé] II. vt 1. megbíz (vkt vmvel); megrendel [művet]; megrendelést ad [művésznek] 2. felruház, kinevez, megtesz (vmnek) 3. üzembe helyez [gépet]

commissioned [kə'mɪʃnd] a megbízott; ~ officer (hivatásos) tiszt commissioner [kə'mɪʃ(ə)nə*] n biztos, megbízott; meghatalmazott; ~ of police rendőrkapitány; Lord High C~ királyi főbiztos commit [kə'mɪt] vt -tt- 1. elkövet 2: rábíz; ~ oneself (1) rábízza magát [Istenre stb.] (2) elkötelezi magát, állást foglal, nyilatkozik (to vm mellett) (3) kompromittálja magát; ~ to memory könyv nélkül megtanul; ~ to writing írásba foglal 3. ~ to prison előzetes letartóztatásba helyez; ~ sy for trial vád alá helyez commitment [kə'mɪtmənt] n 1. elkötelezés, (el)kötelezettség 2. utalás (vhová) committee [kə'mɪtɪ] n bizottság; be/sit on the ~ tagja a bizottságnak commode [kə'moʊd] n fiókos szekrény, komód commodious [kə'moʊdjəs] a kényelmes, tágas commodity [kə'mɔdətɪ; US -'ma-] n (közszükségleti) árucikk; household commodities háztartási cikkek commodore ['kɔmədɔ:*; US 'ka-] n 1. sorhajókapitány, (kereskedelmi) hajóskapitány, rangidős kapitány 2. jachtklub vezetője common ['kɔmən; US -ə-] I. a 1. közönséges, egyszerű, átlagos, mindennapos, megszokott, gyakori; ~ man kisember, átlagember; ~ people az egyszerű emberek; US ~ school elemi/általános iskola; ~ sense józan ész; be ~ talk közbeszéd tárgya; word in ~ use közhasználatú/közkeletű szó 2. közös, együttes; általános, köz-; ~ ground közös (elvi) alap; ~ law (1) országos szokásjog (2) magánjog; C~ Market Közös Piac; ~ table közös asztal 3. ~ denominator közös nevező; ~ divisor közös osztó; highest ~ factor legnagyobb közös osztó; ~ fraction közönséges tört; ~ noun köznév 4. közönséges, ordenáré II. n 1. az általános, a közös; have sg in ~ with sy közösek vmben, közös vonásuk . . .; they have nothing in ~ mindenben eltérnek egymástól; in ~ with sy (1) azonos hely-

zetben (2) együtt/közösen vkvel; *out of the* ~ szokatlan 2. közlegelő; *right of* ~ használati jog [földé]
commonalty ['kɔmənltɪ; *US* 'kɑ-] *n* köznép, a polgárság
commoner ['kɔmənə*; *US* 'kɑ-] *n* 1. közember, polgár 2. az angol alsóház tagja
common-law *a* ~ *marriage* élettársi viszony; ~ *wife* élettárs
commonly ['kɔmənlɪ; *US* 'kɑ-] *adv* 1. általában, rendszerint; ~ *called* közkeletű nevén . . . 2. közönségesen
commonplace I. *a* 1. elcsépelt, elkoptatott, banális 2. köznapi; szürke II. *n* 1. közhely 2. mindennapos dolog
common-room *n* (*senior*) ~ tanári szoba, társalgó, klubhelyiség
commons ['kɔmənz; *US* 'kɑ-] *n pl* 1. köznép; a nép 2. *the House of C*~ az angol alsóház 3. *short* ~ kevés ennivaló, sovány koszt
commonweal *n* a közjó
commonwealth *n* nemzetközösség; *the C*~ Brit Nemzetközösség
commotion [kə'mouʃn] *n* 1. nyugtalanság, izgatottság; zűrzavar; *be in a state of* ~ forrong [tömeg] 2. felkelés
communal ['kɔmjʊnl; *US* 'kɑ-] ɒ 1. közösségi, kommunális 2. községi
commune I. *n* ['kɔmju:n; *US* 'kɑ-] 1. közösség 2. önkormányzat; kommuna II. *vi* [kə'mju:n] 1. tanácskozik 2. = = *communicate B. 1.*
communicable [kə'mju:nɪkəbl] *a* 1. közölhető 2. közlékeny
communicant [kə'mju:nɪkənt] *n* 1. hírközlő; összekötő 2. áldozó; úrvacsorázó
communicate [kə'mju:nɪkeɪt] A. *vt* 1. közöl [hírt]; átad [üzenetet, hőt] 2. megoszt (*sg with sy* vmt vkvel) B. *vi* 1. áldozik; úrvacsorát vesz 2. érintkezik, közlekedik (*with sy* vkvel) 3. [szoba] egymásba nyílik (*with*)
communication [kəmju:nɪ'keɪʃn] *n* 1. (hír)közlés, értesítés; ~ *engineering*, ~*s* híradástechnika, távközlés; ~*s satellite* távközlési műhold 2. hír, értesítés, közlemény 3. közlekedés 4. öszszeköttetés, érintkezés; kapcsolat; *enter/into* ~ érintkezésbe lép

communication cord vészfék
communicative [kə'mju:nɪkətɪv; *US* -keɪ-] *a* közlékeny, beszédes
communion [kə'mju:njən] *n* 1. (lelki) közösség; (bensőséges) kapcsolat; *be of the same* ~ hitsorsos(ok); *hold* ~ *with oneself* lelkiismeret-vizsgálatot (*v.* önvizsgálatot) tart 2. (*Holy*) *C*~ áldozás; úrvacsora
communiqué [kə'mju:nɪkeɪ] *n* hivatalos közlemény, kommüniké
communism ['kɔmjʊnɪzm; *US* 'kɑ-] *n* kommunizmus
communist ['kɔmjʊnɪst; *US* 'kɑ-] *a/n* kommunista; ~ *party* kommunista párt
community [kə'mju:nətɪ] *n* közösség; ~ *centre* művelődési ház; *US* ~ *chest* jótékonysági alap; ~ *singing* közös ének(lés)
commutable [kə'mju:təbl] *a* 1. (fel)cserélhető 2. átváltoztatható, módosítható
commutation [kɔmju:'teɪʃn; *US* kɑ-] *n* 1. felcserélés 2. átváltoztatás [büntetésé] 3. *US* ~ *ticket* bérlet(jegy)
commutator ['kɔmju:teɪtə*; 'kɑ-] *n* átváltó, -kapcsoló, kommutátor
commute [kə'mju:t] A. *vt* 1. átváltoztat [büntetést] 2. konvertál [járadékot] 3. felcserél, kicserél B. *vi* ingázik
commuter [kə'mju:tə*] *n* ingázó
compact¹ ['kɔmpækt; *US* 'kɑ-] *n* szerződés, megállapodás, egyezség
compact² I. *a* [kəm'pækt] tömött, tömör (*átv is*) II. *n* ['kɔmpækt; *US* 'kɑ-] púdertartó III. *vt* [kəm'pækt] tömörít
compactness [kəm'pæktnɪs] *n* tömöttség, tömörség
companion [kəm'pænjən] *n* 1. társ; élettárs; *lady*~ társalkodónő 2. vmnek a párja 3. kézikönyv
companionable [kəm'pænjənəbl] *a* barátságos; barátkozó, társaságkedvelő
companionship [kəm'pænjənʃɪp] *n* baráti kapcsolat; társaság (vké)
companionway *n* kabinlépcső, kabinlejárat [hajón]
company ['kʌmpənɪ] *n* 1. társaság; *be good* ~ jó társalgó; *keep sy* ~ (1) együtt van vkvel, szórakoztat vkt (2) elkísér vkt, vele megy; *biz keep* ~

with sy együtt jár vkvel; *keep good* ~ jó társaságba jár; *part* ~ *with* sy elválik/elbúcsúzik vktől; *see very little* ~ keveset jár társaságba; *they have* ~ vendégeik vannak 2. [kereskedelmi] társaság, vállalat 3. (szín)társulat 4. század; ~ *officer* csapattiszt; *get one's* ~ századossá lép elő 5. csoport; csapat 6. (hajó)legénység

comparable ['kɔmp(ə)rəbl; *US* 'kɑ-] *a* összehasonlítható (*with* vmvel); hasonlítható (*to* vmhez)

comparative [kəm'pærətɪv] I. *a* 1. öszszehasonlító 2. viszonylagos II. *n* középfok [melléknévé]

compare [kəm'peə*] I. *n beyond/without* ~ páratlan, felülmúlhatatlan II. A. *vt* 1. összehasonlít (*sg with* sg vmt vmvel), hasonlít (*sg to* sg vmt vmhez); ~ *notes* megfigyeléseiket kicserélik; *not to be* ~*d with* sg nem lehet vele egy napon említeni; *as* ~*d to/with* vmhez képest 2. [melléknevet] fokoz B. *vi* felér, versenyez (*with* vmvel)

comparison [kəm'pærɪsn] *n* 1. összehasonlítás; *by/in* ~ aránylag, viszonylag; *in* ~ *with* sg vmhez képest 2. ~ *of adjectives* (melléknév)fokozás

compartment [kəm'pɑːtmənt] *n* szakasz, fülke; rekesz; kamra

compass ['kʌmpəs] I. *n* 1. terjedelem, kiterjedés; *in a small* ~ kis mértékben/terjedelemben; *beyond his* ~ meghaladja értelmi képességeit, „magas" neki; *fetch a* ~ kerülőt tesz 2. (*a pair of*) ~*es* körző 3. iránytű, tájoló; ~ *card/rose* szélrózsa; ~ *saw* lyukfűrész; *points of the* ~ világtájak, a szélrózsa irányai II. *vt* 1. körülvesz, bekerít 2. megkerül

compassion [kəm'pæʃn] *n* szánalom, könyörület, részvét (*on* sy vk iránt)

compassionate [kəm'pæʃənət] *a* könyörületes; ~ *leave* családi ügyben adott rendkívüli szabadság

compatibility [kəmpætə'bɪlətɪ] *n* összeegyeztethetőség, összeférhetőség

compatible [kəm'pætəbl] *a* összeegyeztethető, összeférhető

compatriot [kəm'pætrɪət; *US* -'peɪ-] *n* honfitárs

compeer [kɔm'pɪə*; *US* kɑ-]*n* 1. pajtás 2. egyenrangú (személy), méltó párja (vknek)

compel [kəm'pel] *vt* -ll- kényszerít

compendious [kəm'pendɪəs] *a* rövid, velős, tömör

compendium [kəm'pendɪəm] *n* (*pl* ~s -z v. -dia -dɪə) tömör kivonat, kompendium

compensate ['kɔmpenseɪt; *US* 'kɑ-] *vt/vi* 1. pótol 2. kiegyenlít, ellensúlyoz, kompenzál 3. kártalanít, kárpótol, kompenzál (*for* vmért)

compensation [kɔmpen'seɪʃn; *US* kɑ-] *n* 1. kártérítés, kárpótlás, kártalanítás, beszámítás 2. ellensúlyozás 3. viszonzás

compensatory [kəm'pensət(ə)rɪ; *US* -tɔːrɪ] *a* kiegyenlítő, kompenzáló

compère ['kɔmpeə*; *US* 'kɑ-] I. *n* bemondó, konferanszié II. *vi/vt* (be)konferál

compete [kəm'piːt] *vi* 1. versenyez; konkurrál 2. pályázik (*for* vmre)

competence ['kɔmpɪt(ə)ns; *US* 'kɑ-] 1. alkalmasság; szakértelem 2. illetékesség; hatáskör 3. *have a modest* ~ van egy kis vagyona

competency ['kɔmpɪt(ə)nsɪ; *US* 'kɑ-] *n* = competence

competent ['kɔmpɪtənt; *US* 'kɑ-] *a* 1. elegendő, kellő; ~ *knowledge of English* jó angol nyelvtudás 2. alkalmas; *be* ~ *in* sg (jól) ért vmhez, (igen) alkalmas vmre 3. illetékes

competition [kɔmpɪ'tɪʃn; *US* kɑ-] *n* verseny; versengés; konkurrencia

competitive [kəm'petətɪv] *a* 1. verseny-; ~ *examination* versenyvizsga, versenypályázat 2. versenyképes; ~ *price* versenyképes ár

competitor [kəm'petɪtə*] *n* 1. versenyző, induló [versenyen] 2. versenytárs, konkurrens

compilation [kɔmpɪ'leɪʃn; *US* kɑ-] *n* 1. összeállítás, szerkesztés [szótáré, antológiáé] 2. különféle forrásokból öszszeállított könyv/gyűjtemény, kompiláció

compile [kəm'paɪl] *vt* összeállít, (meg-) szerkeszt

compiler [kəm'paɪlə*] *n* összegyűjtő; szerkesztő; összeállító

complacence [kəm'pleɪsns] *n* önelégültség, (meg)elégedettség
complacency [kəm'pleɪsnsɪ] *n* = *complacence*
complacent [kəm'pleɪsnt] *a* önelégült
complain [kəm'pleɪn] *vi* panaszkodik (vm miatt), elpanaszol (*of* vmt)
complainant [kəm'pleɪnənt] *n* 1. panasztevő 2. felperes
complaint [kəm'pleɪnt] *n* 1. panasz(kodás); *lodge a ~ against sy* vkt bepanaszol, panaszt tesz vk ellen 2. reklamáció 3. baj, betegség, bántalom; *childish ~s* gyermekbetegségek
complaisance [kəm'pleɪz(ə)ns] *n* 1. előzékenység, udvariasság 2. engedékenység
complaisant [kəm'pleɪz(ə)nt] *a* 1. előzékeny, udvarias 2. engedékeny; elnéző
complement I. *n* ['kɔmplɪmənt; *US* 'ka-] 1. kiegészítés, pótlék 2. teljes mennyiség/létszám 3. állítmánykiegészítő II. *vt* ['kɔmplɪment; *US* 'ka-] kiegészít, (ki)pótol
complementary [kɔmplɪ'ment(ə)rɪ; *US* ka-] *a* kiegészítő; *~ angles* pótszögek
complete [kəm'pli:t] I. *a* 1. teljes, egész; összes 2. befejezett, elkészült 3. tökéletes II. *vt* 1. befejez 2. betetőz [boldogságot] 3. kiegészít 4. kitölt [űrlapot]
completely [kəm'pli:tlɪ] *adv* teljesen
completeness [kəm'pli:tnɪs] *n* teljesség
completion [kəm'pli:ʃn] *n* befejezés; elkészülte (vmnek); *be in course of ~* befejezéséhez közeledik
complex ['kɔmpleks; *US* 'ka-] I. *a* [*US* kɔm'pleks] 1. összetett, komplex; *~ sentence* összetett mondat 2. bonyolult, komplikált II. *n* 1. összesség, az (összetett) egész 2. lelki gátlás; komplexus; *inferiority ~* kisebbrendűségi érzés
complexion [kəm'plekʃn] *n* 1. arcszín; *fresh ~* üde arcszín 2. jelleg; szín(ezet)
complexity [kɔm'pleksətɪ] *n* bonyolultság, összetett volta (vmnek)
compliance [kəm'plaɪəns] *n* 1. engedékenység; szolgálatkészség; előzékenység 2. *~ with sg* teljesítése vmnek; *in ~ with sg* vm szerint, vmnek megfelelően
compliant [kəm'plaɪənt] *a* 1. engedékeny 2. szolgálatkész, előzékeny
complicate ['kɔmplɪkeɪt; *US* 'ka-] *vt* bonyolít, komplikál
complicated ['kɔmplɪkeɪtɪd; *US* 'ka-] *a* bonyolult, komplikált
complication [kɔmplɪ'keɪʃn; *US* ka-] *n* 1. bonyodalom 2. bonyolultság 3. szövődmény
complicity [kəm'plɪsətɪ] *n* bűnrészesség, bűnpártolás
compliment I. *n* ['kɔmplɪmənt; *US* 'ka-] 1. bók; *pay a ~ to sy* bókot mond vknek; *angle/fish for ~s* bókokra vadászik 2. *~s* (*pl*) üdvözlet; *send one's ~s to sy* üdvözletét küldi vknek; *~s of the season* újévi/karácsonyi üdvözlet; *with the author's ~s* tisztelete jeléül a szerző II. *vt* ['kɔmplɪment; *US* 'ka-] 1. dicsér, bókot mond 2. gratulál (*sy on sg* vknek vmhez)
complimentary [kɔmplɪ'ment(ə)rɪ; *US* ka-] *a* 1. hízelgő 2. tisztelet-; *~ copy* tiszteletpéldány; *~ ticket* tiszteletjegy
comply [kəm'plaɪ] *vi* *~ with* (1) teljesít [parancsot stb.], eleget tesz, enged (vmnek) (2) alkalmazkodik (vmhez)
component [kəm'pəʊnənt] I. *a* ~ *part* alkotóelem II. *n* alkatrész;] alkotóelem
comport [kəm'pɔ:t] *vt* ~ *oneself* viselkedik
compose [kəm'pəʊz] *vt* 1. alkot, képez [részek az egészet]; *be ~d of sg* áll vmből 2. szerez, komponál [zenét], ír [operát], költ, ír [verset] 3. (ki)szed [szöveget nyomdász] 4. ~ *oneself* lecsillapodik, összeszedi magát; ~ *one's thoughts* összeszedi a gondolatait 5. rendez, eldönt [vitát stb.]
composed [kəm'pəʊzd] *a* nyugodt, higgadt
composer [kəm'pəʊzə*] *n* zeneszerző
composing stick [kəm'pəʊzɪŋ] szedővas, sorjázó [betűszedéshez]
composite ['kɔmpəzɪt; *US* kəm'pazɪt] *a* összetett, vegyes
composition [kɔmpə'zɪʃn; *US* ka-] *n* 1. összeállítás 2. megfogalmazás; szerzés [zenéé]; elrendezés, kompozíció [mű-

alkotásé] 3. betűszedés 4. összetétel [anyagé, vegyületé] 5. zenemű, szerzemény 6. [iskolai] fogalmazás 7. (lelki) beállítottság, természet
compositor [kǝm'pozıtǝ*; US -'pa-] n (betű)szedő
compos mentis ['kompǝs'mentıs; US 'ka-] beszámítható, épelméjű
compost ['kompost; US 'kampoʊst] n keveréktrágya, komposzt
composure [kǝm'poʊʒǝ*] n higgadtság, lélekjelenlét, (lelki) nyugalom
compound¹ I. a ['kompaʊnd; US 'ka-] összetett; ~ fraction emeletes tört; ~ fracture nyílt (csont)törés; ~ interest kamatos kamat; ~ sentence összetett mondat II. n ['kompaʊnd; US 'ka-] 1. összetétel 2. keverék; vegyülék III. v [kǝm'paʊnd] A. vt 1. összekever, elegyít; elkészít [orvosságot] 2. összetesz 3. elrendez [vitás ügyet] 4. ~ a felony (pénz ellenében) eláll a feljelentéstől B. vi megállapodik, megegyezik (with vkvel)
compound² ['kompaʊnd; US 'ka-] n ⟨kerítéssel körülvett európai lakóház belsőségével Dél- és Kelet-Ázsiában⟩
comprehend [komprı'hend; US ka-] vt 1. megért; felfog 2. magába(n) foglal
comprehensible [komprı'hensǝbl; US ka-] a érthető, felfogható
comprehension [komprı'henʃn; US ka-] n felfogás, felfogóképesség, értelem; megértés; is beyond my ~ nem vagyok képes megérteni, ez nekem magas
comprehensive [komprı'hensıv; US ka-] a átfogó, széles körű; minden részletre kiterjedő; ~ dictionary nagyszótár; fully ~ insurance kb. kaszkóbiztosítás; GB ~ school általános középiskola [több tagozattal 11—18 éveseknek]
compress I. n ['kompres; US 'ka-] borogatás II. vt [kǝm'pres] összeprésel, -nyom, zsúfol, sűrít; ~ed air sűrített levegő
compressible [kǝm'presǝbl] a összenyomható, sűríthető
compression [kǝm'preʃn] n 1. összeszorítás, -nyomás 2. átv tömörítés, sűrítés
compressor [kǝm'presǝ*] n légsűrítő, kompresszor

comprise [kǝm'praız] vt tartalmaz, magába(n) foglal; áll (vmből)
compromise ['komprǝmaız; US 'ka-] I. n kiegyezés, megállapodás, kompromisszum II. A. vt 1. elsimít [vitás ügyet] 2. veszélyeztet; kompromittál B. vi kiegyezik
comptroller [kǝn'troʊlǝ*] n számvevő
compulsion [kǝm'pʌlʃn] n kényszer, erőszak; under ~ kényszer hatása alatt
compulsive [kǝm'pʌlsıv] a megrögzött, megszállott
compulsory [kǝm'pʌls(ǝ)rı] a kötelező; ~ measure kényszerrendszabály; ~ subject kötelező tantárgy
compunction [kǝm'pʌŋkʃn] n megbánás, lelkiismeret-furdalás, bűntudat
computation [kompju:'teıʃn; US kampjǝ-] n (ki)számítás; kalkuláció (eredménye)
computational [kompju:'teıʃǝnl; US kampjǝ-] a számítási; számítógépes; ~ technology számítástechnika
compute [kǝm'pju:t] vt (ki)számít
computer [kǝm'pju:tǝ*] n számítógép
computerize [kǝm'pju:tǝraız] vt számítógéppel (v. gépi úton) feldolgoz [adatokat], komputerizál
comrade ['komreıd; US 'kamræd] n bajtárs, elvtárs; ~s in arms fegyvertárs
comradeship ['komreıdʃıp; US 'kamræd-] n bajtársi(as)ság; elvtársiasság
con¹ [kon; US -a-] vt -nn- megtanul (könyv nélkül), betanul
con² [kon; US -a-] vt -nn- kormányoz [hajót]
con³ [kon; US -a-] US □ I. n ~ man szélhámos, beugrató, hilózó II. vt -nnbecsap, rászed
con⁴ [kon; US -a-] n the pros and ~s az ellene és mellette szóló érvek
concatenation [konkætı'neıʃn; US kan-] n 1. összeláncolás 2. lánc(olat), összefüggés
concave [kon'keıv; US kan-] a homorú, konkáv
concavity [kon'kævǝtı; US kan-] n homorúság
conceal [kǝn'si:l] vt 1. elrejt 2. eltitkol

concealment [kən'si:lmənt] *n* 1. elrejtés 2. eltitkolás 3. rejtekhely
concede [kən'si:d] *vt* 1. beleegyezik, (meg)enged, koncedál 2. megad
conceit [kən'si:t] *n* 1. önteltség, önhittség 2. (bonyolult) szellemes hasonlat
conceited [kən'si:tɪd] *a* beképzelt, önhitt, öntelt
conceivable [kən'si:vəbl] *a* elképzelhető; *the best* ~ a lehető legjobb
conceive' [kən'si:v] *vt/vi* 1. kigondol, kieszel 2. ~ (*of*) megért, felfog (vmt); vélekedik (vmről); *I can't* ~ *why* el sem tudom képzelni, hogy miért 3. ~ *a dislike for* megutál 4. teherbe esik; (meg)fogan
concentrate ['kɔns(ə)ntreɪt; *US* 'ka-] I. *n* sűrítmény, koncentrátum II. A. *vt* összpontosít, sűrít, koncentrál B. *vi* összpontosul, koncentrálódik; tömörül; ~ *on* (*doing*) *sg* figyelmét vmre összpontosítja
concentrated ['kɔns(ə)ntreɪtɪd] *a* összpontosított [tűz]; koncentrált, tömény [oldat]
concentration [kɔns(ə)n'treɪʃn] *n* összpontosítás, sűrítés, koncentrálás; ~ *camp* koncentrációs tábor; *degree of* ~ töménységi fok, koncentráció
concentric [kən'sentrɪk] *a* közös középpontú, koncentrikus, körkörös
concept ['kɔnsept; *US* 'ka-] *n* fogalom
conception [kən'sepʃn] *n* 1. fogamzás 2. eszme; felfogás, elgondolás; elképzelés; *I haven't the remotest* ~ halvány sejtelmem sincs; *power of* ~ felfogóképesség, képzelőerő
conceptual [kən'septjuəl; *US* -tʃ-] *a* fogalmi
concern [kən'sə:n] I. *n* 1. kapcsolat, vonatkozás; érdekeltség; *of high* ~ nagy fontosságú; *no* ~ *of mine* semmi közöm hozzá 2. gond, törődés; aggodalom, nyugtalanság 3. dolog, ügy 4. vállalkozás; vállalat; *a paying* ~ jól jövedelmező vállalkozás II. *vt* 1. (vkre) tartozik, (vkt) érint, illet, érdekel; vonatkozik (vkre, vmre); *as far as I am* ~*ed* ami engem illet; ~ *oneself with sg* foglalkozik vmvel; érdeklődik vm iránt; *be* ~*ed in sg* érinti vm,

érdekelve van vmben; *the parties* ~*ed* az érdekelt felek 2. *be* ~*ed for sy* nyugtalankodik/aggódik vk miatt
concernedly [kən'sə:nɪdlɪ] *adv* nyugtalanul, aggódva
concerning [kən'sə:nɪŋ] *prep* vonatkozólag, illetőleg; ~ *Frank* ami Ferit illeti
concert I. *n* ['kɔnsət; *US* 'ka-] 1. egyetértés, összhang; *in* ~ *with sy* vkvel egyetértésben 2. hangverseny, koncert; ~ *grand* hangversenyzongora; ~ *pitch* normál a II. *vt* [kən'sə:t] 1. megbeszél, megállapodik 2. (el)rendez
concerted [kən'sə:tɪd] *a* megbeszélt, megállapodott, közös; *take* ~ *action* közös lépéseket tesz
concert-hall *n* hangversenyterem
concertina [kɔnsə'ti:nə] *n* harmonika
concession [kən'seʃn] *n* 1. engedmény; *make a* ~ engedményt tesz 2. engedély, koncesszió
concessive [kən'sesɪv] *a* megengedő
conch [kɔŋk; *US* -a-] *n* kagyló
conciliate [kən'sɪlɪeɪt] *vt* 1. kibékít, kiengesztel 2. (össze)egyeztet
conciliation [kənsɪlɪ'eɪʃn] *n* 1. kiegyezés 2. békéltetés
conciliatory [kən'sɪlɪət(ə)rɪ; *US* -tɔ:rɪ] *a* 1. egyeztető, békéltető 2. békülékeny
concise [kən'saɪz] *a* tömör, velős, rövid; ~ *dictionary* kéziszótár
concision [kən'sɪʒn] *n* tömörség
conclave ['kɔnkleɪv; *US* 'ka-] *n* 1. konklávé 2. *biz* zárt ülés
conclude [kən'klu:d] A. *vt* 1. befejez; *to* ~ egyszóval; *to be* ~*d in our next* vége a következő számban 2. (ki)következtet 3. (meg)köt [szerződést, békét]; elintéz [ügyet] B. *vi* 1. befejeződik, végződik 2. következtet, következtetésre jut 3. *US* határoz, dönt
conclusion [kən'klu:ʒn] *n* 1. befejezés, vég; *in* ~ vég(ezet)ül, befejezésül, egyszóval 2. elhatározás 3. következtetés; *draw a* ~, *come to a* ~ következtetést von le (vmből) 4. *try* ~*s with sy* összemérai az erejét vkvel
conclusive [kən'klu:sɪv] *a* döntő [bizonyíték], meggyőző [érv]
concoct [kən'kɔkt; *US* -'ka-] *vt* 1. ké-

szít, (össze)kotyvaszt [ételt, italt] 2. kifőz, kiagyal
concoction [kən'kɔkʃn; US -'ka-] n 1. főzet, készítmény 2. kiagyalás, kitervelés 3. kiagyalt dolog/történet
concomitant [kən'kɔmɪtənt; US -'ka-] I. a vele járó, kísérő II. n velejáró, kísérő jelenség
concord ['kɔŋkɔ:d; US 'ka-] n 1. egyetértés; összhang, harmónia 2. egyezés [nyelvtanilag] 3. szerződés
concordance [kən'kɔ:d(ə)ns] n 1. egyetértés, összhang 2. szómutató, konkordancia
concordant [kən'kɔ:d(ə)nt] a (meg)egyező, egybehangzó, összhangban álló
concordat [kɔn'kɔ:dæt; US kan-] n konkordátum
concourse ['kɔŋkɔ:s; US 'ka-] n 1. összefutás, -szaladás 2. tömeg, csődület, csoportosulás 3. US (elő)csarnok [pályaudvaré]
concrete ['kɔnkri:t; US 'kan-] I. a 1. tömött, szilárd 2. valós, létező, kézzelfogható, konkrét II. n beton; ~ mixer betonkeverő III. A. vt betonoz B. vi [kən'kri:t; US kan-] megszilárdul, megkeményedik
concretion [kən'kri:ʃn] n 1. összeállás; megkeményedés 2. összenövés 3. kő- (képződés) [emberi testben]
concubine ['kɔŋkjubaɪn] n ágyas
concupiscence [kən'kju:pɪs(ə)ns] n bujaság, érzékiség; érzéki/buja vágy
concur [kən'kə:*] vi -rr- 1. egybeesik 2. egyetért (with vkvel)
concurrence [kən'kʌr(ə)ns; US -'kə:-] n 1. egybeesés 2. egyetértés
concurrent [kən'kʌrənt; US -'kə:-] a 1. (meg)egyező 2. egyidejű
concuss [kən'kʌs] vt be ~ed agyrázkódást szenved
concussion [kən'kʌʃn] n 1. megrázkódás 2. ~ (of the brain) agyrázkódás
condemn [kən'dem] vt 1. (el)ítél; ~ sy to ... vkt ... re ítél; ~ed cell siralomház 2. megbélyegez; kárhoztat (to vmre)
condemnation [kɔndem'neɪʃn; US ka-] n 1. elítélés; kárhoztatás; megbélyegzés 2. elutasítás

condensation [kɔnden'seɪʃn; US ka-] n 1. sűrítés; cseppfolyósítás; kondenzálás 2. sűrűsödés, kondenzáció
condense [kən'dens] A. vt 1. sűrít; cseppfolyósít; kondenzál 2. tömörít, (össze)sűrít [gondolatokat stb.] B. vi (össze)sűrűsödik; cseppfolyósodik, lecsapódik, kondenzálódik
condensed [kən'denst] a (átv is) sűrített; ~ milk sűrített/kondenzált tej
condenser [kən'densə*] n 1. sűrítő(készülék); kondenzátor 2. gyűjtőlencse, kondenzor
condescend [kɔndɪ'send; US ka-] vi átv leereszkedik, kegyeskedik
condescension [kɔndɪ'senʃn; US ka-] n átv leereszkedés
condign [kən'daɪn] a megérdemelt
condiment ['kɔndɪmənt; US'ka-] n fűszer
condition [kən'dɪʃn] I. n 1. feltétel; on ~ that azzal a feltétellel, hogy; on no ~ semmilyen körülmények között 2. állapot; helyzet; change one's ~ megnősül; in good ~ jó állapotban/karban 3. conditions pl körülmények, viszonyok 4. állás, rang; man of ~ előkelő ember; all sorts and ~s of men minden rendű és rangú ember II. vt 1. kiköt, feltételhez köt, megszab; meghatároz, szabályoz; be ~ed by sg függ vmtől; if I were so ~ed ha én volnék ebben a helyzetben 2. kondicionál
conditional [kən'dɪʃ(ə)nl] I. a feltételes; be ~ (up)on sg vmtől függ II. n feltételes mód [nyelvtanban]; first ~ feltételes jelen idő; second ~ feltételes múlt idő
conditioned [kən'dɪʃnd] a ~ reflex feltételes reflex
condole [kən'doʊl] vi ~ with sy on sg részvétét kifejezi vknek vm miatt
condolence [kən'doʊləns] n részvét(nyilvánítás); offer ~s részvétet nyilvánít
condom ['kɔndəm; US 'ka-] n koton
condominium [kɔndə'mɪnɪəm; US ka-] n 1. [több ország] közös birtoka, kondomínium 2. US öröklakás
condone [kən'doʊn] vt 1. megbocsát, elnéz (vmt) 2. jóvátesz, kárpótol
conduce [kən'dju:s; US -'du:s] vi ~ to sg hozzájárul vmhez, elősegít vmt

conducive [kən'dju:sɪv; US -'du:-] a be ~ to sg = conduce to sg
conduct I. n ['kɔndʌkt; US 'kɑ-] 1. vezetés, igazgatás 2. magaviselet, -tartás, viselkedés; életvitel II. vt [kən'dʌkt] 1. vezet; ~ed tour [szervezett] társasutazás 2. vezényel; ~ed by vezényel..., karmester... 3. igazgat; irányít 4. ~ oneself viselkedik 5. vezet [elektromosságot, hőt]
conduction [kən'dʌkʃn] n (hő)vezetés; áramvezetés
conductive [kən'dʌktɪv] a vezetőképes
conductivity [kɔndʌk'tɪvətɪ; US kɑ-] n (fajlagos) vezetőképesség
conductor [kən'dʌktə*] n 1. vezető, kísérő 2. karmester 3. kalauz; vonatkísérő 4. vezető [áramé, hőé]
conduit ['kɔndɪt; US -ə-] n 1. (víz)vezeték, csatorna; városi csatornázás 2. kábeltok
cone [koʊn] n 1. kúp 2. toboz 3. (fagylalt)tölcsér
cone-bearing a tobozos
coney ['koʊnɪ] n = cony
confab ['kɔnfæb; US 'kɑ-] biz I. n = confabulation II. vi -bb- = confabulate
confabulate [kən'fæbjʊleɪt] vi tereferél, beszélget, cseveg, traccsol
confabulation [kənfæbjʊ'leɪʃn] n beszélgetés, terefere, csevegés, traccs
confection [kən'fekʃn] n csemege, édesség
confectioner [kən'fekʃnə*] n cukrász
confectionery [kən'fekʃ(ə)nərɪ; US -nerɪ] n 1. (cukrász)sütemény, édesség 2. cukrászat 3. cukrászda
confederacy [kən'fed(ə)rəsɪ] n 1. (állam)szövetség, konföderáció; US the Southern C~ a déli szakadár államok (1861—1865) 2. összeesküvés
confederate I. a [kən'fed(ə)rət] szövetséges II. n [kən'fed(ə)rət] 1. szövetséges 2. bűntárs III. v [kən'fedəreɪt] A. vt egyesít B. vi szövetkezik
confederation [kənfedə'reɪʃn] n államszövetség
onfer [kən'fə:*] v -rr- A. vt adományoz [címet, tud. fokozatot (up)on vknek] átruház [jogot stb. on, upon vkre] B. vi tanácskozik, tárgyal

conference ['kɔnf(ə)r(ə)ns; US 'kɑ-] n értekezlet, tanácskozás; konferencia
conferment [kən'fə:mənt] n adományozás [címé, rangé stb.]
confess [kən'fes] A. vt 1. bevall, beismer 2. elismer; megvall [hitet, bűnt]; meggyón [vétket] 3. gyóntat B. vi 1. gyón(ik) 2. ~ to a thing (1) hitet tesz vm mellett (2) bevall/beismer vmt
confessedly [kən'fesɪdlɪ] adv elismerten; nyíltan, bevallottan
confession [kən'feʃn] n 1. beismerés; vallomás 2. gyónás; seal of ~ gyónási titok; hear sy's ~ gyóntat vkt 3. hitvallás
confessional [kən'feʃənl] n gyóntatószék
confessor [kən'fesə*] n 1. gyóntató 2. hitvalló
confetti [kən'fetɪ] n konfetti
confidant [kɔnfɪ'dænt; kɑ-] n kebelbarát, vknek a bizalmasa
confide [kən'faɪd] A. vt rábíz, bizalmasan közöl B. vi ~ in sy bizalmába avat, megbízik benne
confidence ['kɔnfɪd(ə)ns; US 'kɑ-] n 1. bizalom; have every ~ in sy teljesen megbízik vkben; in (strict) ~ (egész) bizalmasan; be in sy's ~ bizalmasa vknek; take sy into one's ~ beavat egy titokba 2. magabiztosság; ~ in oneself önbizalom 3. ~ (trick) beugratás, szélhámoskodás 4. bizalmas közlés
confidence-man n (pl -men) US szélhámos, beugrató
confident ['kɔnfɪd(ə)nt; US 'kɑ-] I. a 1. (maga)biztos; bizakodó; ~ of sg biztos vmben 2. önhitt, beképzelt II. n vknek a bizalmasa
confidential [kɔnfɪ'denʃl; US kɑ-] a 1. bizalmas, titkos [értesülés stb.] 2. bizalmas; bizalmi; meghitt; ~ clerk bizalmi ember/tisztviselő; ~ secretary magántitkár
confiding [kən'faɪdɪŋ] a jóhiszemű, nem gyanakvó, bizalomteljes
configuration [kənfɪgjʊ'reɪʃn] n 1. alakzat 2. alakítás, képzés
confine [kən'faɪn] vt 1. (be)zár; ~d within the four walls négy fal közé zárva; be ~d to bed az ágyat őrzi/nyomja 2. bebörtönöz, becsuk; ~d to bar-

racks laktanyafogság 3. korlátoz; ~ *oneself to sg* vmre szorítkozik; *be* ~*d for space* helyszűkében van 4. *be* ~*d* lebetegszik, szül ‖ → *confines*
confinement [kən'faɪnmənt] *n* 1. bezárás; (szoba)fogság; börtön(büntetés); *solitary* ~ magánzárka 2. kényszerű elszigeteltség 3. lebetegedés, szülés
confines ['kɔnfaɪnz; *US* 'kɑ-] *n pl (átv is)* határok, keretek; *within the* ~ *of sg* vmnek a határai/korlátai között ‖ → *confine*
confirm [kən'fə:m] *vt* 1. megerősít, megszilárdít [hatalmat stb.] 2. megerősít [hirt stb.]; hitelesít 3. (vissza)igazol [rendelést stb.] 4. érvényesít, megerősít [repülőjegyet]; *have sg* ~*ed* érvényesíttet vmt 5. konfirmál; bérmál
confirmation [kɔnfə'meɪʃn; *US* kɑ-] *n* 1. megerősítés; visszaigazolás 2. konfirmáció; bérmálás
confirmed [kən'fə:md] *a* ~ *drunkard* megrögzött iszákos
confiscate ['kɔnfɪskeɪt; *US* 'kɑ-] *vt* elkoboz, lefoglal
confiscation [kɔnfɪs'keɪʃn; *US* kɑ-] *n* elkobzás, lefoglalás
conflagration [kɔnflə'greɪʃn; *US* kɑ-] *n* tűzvész
conflict I. *n* ['kɔnflɪkt; *US* -ɑ-] összeütközés, viszály, ellentét, ellentmondás, konfliktus II. *vi* [kən'flɪkt] 1. (össze-) ütközik 2. ellentmondásba kerül, ellenkezik (*with* vmvel)
conflicting [kən'flɪktɪŋ] *a* ellentétes, ellenkező, (egymásnak) ellentmondó
confluence ['kɔnfluəns; *US* 'kɑ-] *n* összefolyás, egyesülés
confluent ['kɔnfluənt; *US* 'kɑ-] I. *a* összefolyó, egymásba torkolló, egyesülő II. *n* mellékfolyó
conform [kən'fɔ:m] A. *vt* 1. hasonlóvá tesz, hozzáilleszt (*to* vmhez) 2. ~ *oneself to sg* alkalmazkodik vmhez B. *vi* alkalmazkodik (*to* vmhez)
conformable [kən'fɔ:məbl] *a* 1. megegyező (*to* vmvel); összeférő (*to* vmvel); hozzáillő (*to* vmhez) 2. engedelmes; alkalmazkodó
conformation [kɔnfɔ:'meɪʃn; *US* kɑ-] *n* 1. (ki)alakulás, alakzat, szerkezet,

struktúra 2. felépítés [emberi testé] 3. alkalmazkodás (*to* vmhez)
conformist [kən'fɔ:mɪst] *n* 1. alkalmazkodó/beilleszkedő ember 2. az anglikán egyház híve, konformista
conformity [kən'fɔ:mətɪ] *n* 1. hasonlóság, összhang, (meg)egyezés 2. alkalmazkodás, beilleszkedés; *in* ~ *with sg* vm szerint, vmnek megfelelően, vmhez képest
confound [kən'faʊnd] *vt* 1. összekever, összezavar, összetéveszt (*with* vmvel) 2. megzavar, zavarba hoz 3. ~ *him!* az ördög vigye el!; *biz a* ~*ed long time* átkozottul hosszú idő 4. † megsemmisít, széttrombol, elront
confront [kən'frʌnt] *vt* 1. szembesít 2. szembeszáll, szembe találja magát [nehézséggel stb.] 3. összevet
confrontation [kɔnfrʌn'teɪʃn; *US* kɑ-] *n* szembesítés
Confucian [kən'fju:ʃjən] *a* konfuciusi, konfuciánus
confuse [kən'fju:z] *vt* 1. összezavar; zavarba hoz; *get* ~*d* megzavarodik, összezavarodik, zavarba jön 2. összetéveszt (*sg with sg* vmt vmvel)
confused [kən'fju:zd] *a* 1. zavaros 2. összezavart, zavarban levő (ember)
confusing [kən'fju:zɪŋ] *a* zavarba hozó/ejtő
confusion [kən'fju:ʒn] *n* 1. zűrzavar, rendetlenség, összevisszaság; *everything was in* ~ minden a feje tetején állt; ~ *worse confounded* a zűrzavar netovábbja 2. összetévesztés; ~ *of names* névcsere 3. megdöbbenés
confutation [kɔnfju:'teɪʃn; *US* kɑ-] *n* cáfolat
confute [kən'fju:t] *vt* 1. meggyőz (vkt) tévedéséről 2. (meg)cáfol
congé ['kɔ:nʒeɪ] *n* 1. távozási engedély, szabadságolás 2. távozás, (udvarias) búcsú
congeal [kən'dʒi:l] A. *vi* megfagy; megdermed B. *vt* megdermeszt; *átv his blood was* ~*ed* megfagyott ereiben a vér
congenial [kən'dʒi:njəl] *a* 1. rokon lelkű/szellemű, hasonló beállítottságú 2. alkalmas, kedvező

congenital [kən'dʒenɪtl] *a* vele született
conger ['kɔŋgə*; *US* -əŋ-] *n* angolna
congested [kən'dʒestɪd] *a* 1. zsúfolt, tömött, túlnépesedett [terület] 2. ~
traffic forgalmi torlódás 3. vértolulásos
congestion [kən'dʒestʃn] *n* 1. zsúfoltság, túlnépesedés 2. (forgalmi) torlódás 3. vértolulás, vérbőség
conglomerate I. *a* [kən'glɔmərət; *US* -am-] összehalmozott, összetömörült
II. *n* [kən'glɔmərət; *US* -am-] halom, rakás **III.** *v* [kən'glɔməreɪt; *US*-am-]
A. *vt* összehalmoz **B.** *vi* összeáll; összehalmozódik
conglomeration [kənglɔmə'reɪʃn; *US* -am-] *n* 1. halom, rakás 2. összehalmozás 3. (kőzet)összeállás
Congo ['kɔŋgoʊ; *US* -əŋ-] *prop* Kongó
Congolese [kɔŋgoʊ'liːz; *US* kaŋ-] *a/n* kongói
congrats [kən'græts] *int biz* gratulálok!
congratulate [kən'grætjʊleɪt; *US* -tʃə-] *vt* 1. szerencsét kíván, gratulál (*sy on sg* vknek vmért); köszönt, üdvözöl (*on sg* vmnek alkalmából) 2. *you can* ~ *yourself* szerencsésnek nevezheted magad
congratulation [kəngrætjʊ'leɪʃn; *US* -tʃə-] *n* szerencsekívánat, gratuláció; ~*s!* gratulálok!
congratulatory [kən'grætjʊlət(ə)rɪ; *US* -'grætʃələtɔːrɪ] *a* üdvözlő, szerencsét kívánó, gratuláló
congregate ['kɔŋgrɪgeɪt; *US* 'ka-] **A.** *vi* összegyülekezik, összejön, összesereglik **B.** *vt* összegyűjt, -hív, egybegyűjt
congregation [kɔŋgrɪ'geɪʃn; *US* ka-] *n* 1. gyülekezet, a hivők; egyházközség 2. kongregáció
congregational [kɔŋgrɪ'geɪʃənl; *US* ka-] *a* 1. gyülekezeti 2. C~ kongregacionalista [egyház]
congress ['kɔŋgres; *US* -əŋ-] *n* 1. nagygyűlés, kongresszus 2. C~ az USA kongresszusa
congressional [kəŋ'greʃənl] *a* kongresszusi
congressman ['kɔŋgresmən; *US* 'ka-] *n* (*pl* **-men** -mən) *US* kongresszusi tag, képviselő
Congreve ['kɔŋgriːv] *prop*

congruent ['kɔŋgruənt; *US* 'ka-] *a* egybevágó, megegyező; (egymásnak) megfelelő, összeillő
congruous ['kɔŋgruəs; *US* 'ka-] *a* = *congruent*
conic(al) ['kɔnɪk(l); *US* -a-] *a* kúp alakú ~ *section* kúpszelet
conifer ['kɔnɪfə*; *US* -oʊ-] *n* tobozos, tűlevelű
coniferous [kə'nɪfərəs] *a* toboztermő, tűlevelű
conjectural [kən'dʒektʃ(ə)rəl] *a* sejtett, valószínűségen/feltevésen alapuló
conjecture [kən'dʒektʃə*] **I.** *n* sejtés, találgatás, feltevés **II.** *vt* sejt, gyanít, következtet (vmre)
conjoin [kən'dʒɔɪn] **A.** *vt* összekapcsol, összeköt, összeilleszt **B.** *vi* egyesül
conjoint ['kɔndʒɔɪnt; *US* kən'dʒ-] *a* egyesített, egyesült; közös; együttes
conjointly ['kɔndʒɔɪntlɪ; *US* kən'dʒ-] *adv* egyetemlegesen, együttesen
conjugal ['kɔndʒʊgl; *US* 'ka-] *a* házassági, házastársi
conjugate I. *a* ['kɔndʒʊgɪt; *US* 'ka-] 1. egyesített; egyesült 2. páros(ított) **II.** *v* ['kɔndʒʊgeɪt; *US* 'ka-] **A.** *vt* 1. összekapcsol, összeköt 2. párosít 3. [igét] ragoz **B.** *vi* egyesül
conjugation [kɔndʒʊ'geɪʃn; *US* kan-] *n* igeragozás
conjunction [kən'dʒʌŋkʃn] *n* 1. kapcsolat; *in* ~ *with sy* vkvel egyetértésben/együtt 2. kötőszó 3. összetalálkozás [eseményeké], összejátszás [körülményeké]
conjunctive [kən'dʒʌŋktɪv] **I.** *a* összekötő **II.** *n* 1. kötőmód 2. kötőszó
conjunctivitis [kəndʒʌŋktɪ'vaɪtɪs] *n* kötőhártya-gyulladás
conjuncture [kən'dʒʌŋktʃə*] *n* a körülmények találkozása, a dolgok állása; *at this* ~ a dolgok ilyen állása mellett, a jelen helyzetben
conjure A. *vt* 1. ['kʌndʒə*] kiűz [ördögöt]; ~ *up* (meg)idéz [szellemet]; felidéz [emléket] 2. ['kʌndʒə*] elővarázsol 3. [kən'dʒʊə*] ünnepélyesen kér/felszólít **B.** *vi* ['kʌndʒə*] 1. bűvészkedik; varázsol; *a name to* ~ *with* varázserejű név 2. szellemet idéz

conjurer, -or ['kʌndʒərə*] n varázsló
conk¹ [kɔŋk; US -ɑ-] n □ orr
conk² [kɔŋk; US -ɑ-] vi biz ~ out bedöglik, lerohad, lerobban
conker ['kɔŋkə*; US -ɑ-] n biz vadgesztenye
Conn. Connecticut
Connaught ['kɔnɔ:t] prop
connect [kə'nekt] A. vt 1. ~ (up) összeköt, összekapcsol 2. kapcsolatba/öszszefüggésbe hoz; be ~ed kapcsolatban/összeköttetésben áll, rokonságban van; be ~ed by marriage sógorságban van B. vi 1. összefügg, összeköttetésben van (with vkvel) 2. csatlakozik, csatlakozása van (with vmhez) 3. egyesül
connected [kə'nektɪd] a összefüggő, kapcsolatban levő; csatlakozó
Connecticut [kə'netɪkət] prop
connecting-rod [kə'nektɪŋ-] n hajtókar
connection [kə'nekʃn] n 1. összekötés; (össze)kapcsolás; wrong ~ téves kapcsolás 2. összefüggés, kapcsolat; in ~ with sy/sg vkvel/vmvel kapcsolatban; in this ~ ebben a(z) összefüggésben/vonatkozásban 3. összeköttetés; kapcsolat 4. csatlakozás [vonatoké stb.] 5. rokoni kapcsolat, rokonság 6. üzletfél; üzletkör 7. (nemi) kapcsolat 8. felekezet
connective [kə'nektɪv] I. a összekötő, -kapcsoló II. n kötőszó
conned [kɔnd; US -ɑ-] →con¹, con², con³
connexion [kə'nekʃn] n = connection
conning¹ ['kɔnɪŋ; US -ɑ-] a ~ tower parancsnoki torony [hadihajóé, tengeralattjáróé]
conning² ['kɔnɪŋ; US -ɑ-] n magolás →con¹
connivance [kə'naɪv(ə)ns] n szemhunyás, elnézés, hallgatólagos beleegyezés
connive [kə'naɪv] vi 1. ~ at szemet huny vm felett, elnéz vmt 2. összejátszik (with vkvel)
connoisseur [kɔnə'sə:*; US kɑ-] n műértő
connotation [kɔnə'teɪʃn; US kɑ-] n mellékértelem, hangulati velejáró
connote [kɔ'noʊt] vt (vmt) jelent, jelen-

tése magában foglalja; másodlagosan jelent
connubial [kə'nju:bjəl; US -'nu:-] a házassági; házastársi
conquer ['kɔŋkə*; US 'kɑ-] A. vt 1. meghódít; leigáz 2. legyőz B. vi győz
conqueror ['kɔŋkərə*; US 'kɑ-] n hódító; győztes; William the C~ Hódító Vilmos
conquest ['kɔŋkwest; US 'kɑ-] n 1. hódítás, legyőzés; the (Norman) C~ a normann hódítás[Angliában 1066-ban] 2. meghódított terület 3. átv make a ~ of sy meghódít vkt
consanguinity [kɔnsæŋ'gwɪnətɪ; US kɑ-] n vérrokonság
conscience ['kɔnʃ(ə)ns; US 'kɑ-] n lelkiismeret; in all ~ (1) nyugodt lélekkel (2) igazán, bizonyára; I would not have the ~ to nem vinne rá a lélek; have sg on one's ~ vm nyomja a lelkiismeretét; have no ~ lelkiismeretlen; ~ money ⟨lelkiismeret-furdalás miatt történő névtelen utólagos (adóbe)fizetés⟩
conscience-smitten a lelkiismeret-furdalásos
conscientious [kɔnʃɪ'enʃəs; US kɑ-] a lelkiismeretes; ~ objector ⟨katonai szolgálatot lelkiismereti okból megtagadó személy⟩
conscious ['kɔnʃəs; US 'kɑ-] a 1. tudatos 2. öntudaton/eszméleten levő; become ~ visszanyeri az öntudatát, magához tér 3. be ~ of/that tudatában van vmnek
consciousness ['kɔnʃəsnɪs; US 'kɑ-] n 1. öntudat; regain ~ visszanyeri öntudatát/eszméletét, eszméletre/magához tér 2. tudatosság; tudat
conscript I. a ['kɔnskrɪpt; US 'kɑ-] besorozott II. n ['kɔnskrɪpt; US 'kɑ-] besorozott (katona) III. vt [kən'skrɪpt] besoroz
conscription [kən'skrɪpʃn] n sorozás
consecrate ['kɔnsɪkreɪt; US 'kɑ-] 1. szán, szentel (to vmnek) 2. beszentel, felszentel
consecration [kɔnsɪ'kreɪʃn; US kɑ-] n felszentelés; beszentelés, megszentelés; felavatás
consecutive [kən'sekjʊtɪv] a 1. egy-

másra következő; *on three* ~ *days* három egymást követő napon **2.** ~ *clause* következményes mellékmondat

cónsensus [kən'sensəs] *n* közvélemény, (általános) megegyezés

consent [kən'sent] **I.** *n* beleegyezés, hozzájárulás; *with one* ~ egyhangúlag; *silence gives* ~ a hallgatás beleegyezés; *age of* ~ törvényes kor [leányé] **II.** *vi* beleegyezik, hozzájárul, jóváhagy

consequence ['kɔnsɪkwəns; US 'kɑnsɪkwens] *n* **1.** következmény; *in* ~ *of sg* vm miatt/következtében **2.** fontosság; *of no* ~ jelentéktelen, nem fontos/jelentős

consequent ['kɔnsɪkwənt; US 'kɑnsɪkwent] *a* ~ (*up*)*on sg* vmből következő/eredő

consequential [kɔnsɪ'kwenʃl; US kɑ-] *a* **1.** = *consequent* **2.** fontos (következményekkel járó) **3.** nagyképű, fontoskodó

consequently ['kɔnsɪkwəntlɪ; US 'kɑnsɪkwentlɪ] *adv* következésképp(en), tehát

conservancy [kən'sə:v(ə)nsɪ] *n* (vízügyi/erdészeti) felügyelőség

conservation [kɔnsə'veɪʃn] *n* **1.** fenntartás, megőrzés; ~ *of energy* az energia megmaradásának elve **2.** természetvédelem

conservationist [kɔnsə'veɪʃnɪst] **I.** *a* természetvédelmi **II.** *n* természetvédő

conservatism [kən'sə:vətɪzm] *n* **1.** konzervativizmus **2.** óvatosság

conservative [kən'sə:vətɪv] **I.** *a* **1.** konzervatív **2.** óvatos **II.** *n* konzervatív (párti)

conservatoire [kən'sə:vətwɑ:*] *n* konzervatórium, zeneiskola

conservatory [kən'sə:vətrɪ; US -tɔ:rɪ] *n* **1.** üvegház, télikert **2.** *US* = *conservatoire*

conserve [kən'sə:v] **I.** *n* befőtt; konzerv **II.** *vt* **1.** megtart, megóv, konzervál **2.** tartósít, befőz, eltesz

consider [kən'sɪdə*] *vt* **1.** megfontol, fontolóra vesz; ~*ed opinion* indokolt/megfontolt vélemény; *not so bad* ~*ing* aránylag nem is (olyan) rossz **2.** tekin-

tetbe/figyelembe vesz; *all things* ~*ed* mindent összevéve, végre **3.** vmnek tekint/tart; ~ *it as done* tekintsd megtörténtnek

considerable [kən'sɪd(ə)rəbl] *a* tekintélyes, jelentékeny, számottevő, tetemes

considerably [kən'sɪd(ə)rəblɪ] *adv* jelentékeny mértékben, meglehetősen

considerate [kən'sɪd(ə)rət] *a* figyelmes, tapintatos, előzékeny

consideration [kənsɪdə'reɪʃn] *n* **1.** megfontolás; *take into* ~ tekintetbe/figyelembe vesz; *leave out of* ~ figyelmen kívül hagy **2.** szempont, tényező; *on/under no* ~ semmi esetre sem **3.** előzékenység; *in* ~ *of*, *out of* ~ *for sg* tekintettel vmre **4.** ellenszolgáltatás; *for a* ~ nem ingyen, díjazás fejében

considering [kən'sɪdərɪŋ] *adv* figyelembe/tekintetbe véve, tekintettel

consign [kən'saɪn] *vt* **1.** bizományba ad/küld; elküld [árut] **2.** rábíz, átad, kiszolgáltat; ~ *to the flames* tűzbe vet; ~ *to oblivion* átad a feledésnek **3.** letétbe helyez [pénzt bankban] **4.** átruház

consignee [kɔnsaɪ'ni:; US kɑ-] *n* **1.** bizományos **2.** címzett [áruküldeményé]

consigner, -or [kən'saɪnə*] *n* **1.** bizományba adó **2.** feladó, küldő

consignment [kən'saɪnmənt] *n* **1.** (el-)küldés, feladás [áruké] **2.** küldemény **3.** bizományi áru; ~ *note* (1) bizományi számla (2) fuvarlevél; kísérőjegyzék; *on* ~ bizományba(n)

consist [kən'sɪst] *vi* ~ *of* áll vmből; ~ *in* áll vmben

consistence [kən'sɪst(ə)ns] *n* **1.** állag, összetétel **2.** sűrűség, tömörség, konzisztencia **3.** állandóság **4.** következetesség

consistency [kən'sɪst(ə)nsɪ] *n* = *consistence*

consistent [kən'sɪst(ə)nt] *a* **1.** következetes; állhatatos **2.** megegyező (*with* vmvel) **3.** tömör, sűrű

consistory [kən'sɪst(ə)rɪ] *n* egyházi tanács(ülés), konzisztórium

consolable [kən'soʊləbl] *a* vigasztalható

consolation [kɔnsə'leɪʃn; US kɑ-] n
vigasz(talás); ~ prize vigaszdíj
consolatory [kən'sɔlət(ə)rɪ; US -'sa-
lətɔ:rɪ] a vigasztaló
console¹ ['kɔnsoʊl; US 'kɑ-]n 1. tartópil-
lér; kiugró gyám; konzol; állvány 2.
játékasztal [orgonáé] 3. (zene- és
tévé)szekrény 4. kapcsolótábla
console² [kən'soʊl] vt vigasztal
consolidate [kən'sɔlɪdeɪt; US -'sa-] A.
vt 1. megerősít, -szilárdít, állandósít
2. egyesít [vállalatokat stb.] 3. álló-
sít, konszolidál; ~d annuities = con-
sols; ~d debt állósított/fundált adós-
ság; ~d funds állami kölcsönkötvé-
nyek törlesztési alapja B. vi megszilár-
dul, -keményedik
consolidation [kənsɔlɪ'deɪʃn; US -sa-] n
1. egyesítés 2. egyesülés 3. megszilár-
dítás; állósítás
consols ['kɔnsəlz; US -ɑ- -ɑ-] n pl GB
állami kölcsönkötvények
consommé [kən'sɔmeɪ; US kɑnsə'meɪ]
n erőleves, húsleves
consonance ['kɔnsənəns; US 'kɑ-] n 1.
együtthangzás, egybehangzás 2. meg-
egyezés, összhang
consonant ['kɔnsənənt; US 'kɑ-] I. a
egybehangzó II. n mássalhangzó
consort I. n ['kɔnsɔ:t; US 'kɑ-] 1. hit-
ves, házastárs; the queen ~ a királyné;
the prince ~ a királynő férje 2. kísérő-
hajó II. vi [kən'sɔ:t] ~ with (1) érint-
kezik/társul (vkvel) (2) összeillik
(vmvel); egyetért (vmvel)
consortium [kən'sɔ:tjəm; US -ʃɪ-] n (pl
~s -z v. -tia -tjə, US -ʃɪə) konzor-
cium
conspectus [kən'spektəs] n 1. áttekin-
tés, szinopszis 2. összefoglalás
conspicuous [kən'spɪkjʊəs] a 1. nyilván-
való 2. szembetűnő, feltűnő; be ~ by
one's absence távollétével tündököl
conspiracy [kən'spɪrəsɪ] n összeeskü-
vés; a ~ of silence agyonhallgatás
conspirator [kən'spɪrətə*] n összeesküvő
conspire [kən'spaɪə*] vi 1. összeeskü-
szik (against vm ellen) 2. hozzájárul
[to romlásához]
constable ['kʌnstəbl] n 1. rendőr; biz
outrun the ~ eladósodik 2. hadsereg-

parancsnok [a középkorban], királyi
várkapitány
constabulary [kən'stæbjʊlərɪ; US -lerɪ]
n rendőrség
Constance ['kɔnstəns; US 'kɑ-] prop 1.
Konstancia 〈női név〉 2. Lake of ~
Boden-tó
constancy ['kɔnst(ə)nsɪ; US 'kɑ-] n 1.
állandóság 2. állhatatosság
constant ['kɔnst(ə)nt; US 'kɑ-] I. a 1.
állandó, változatlan 2. kitartó 3. szi-
lárd II. n konstans, állandó
Constantinople [kɔnstæntɪ'noʊpl; US
kɑ-] prop Konstantinápoly (ma: Isz-
tambul)
constellation [kɔnstə'leɪʃn; US kɑ-] n
csillagzat; csillagok állása, konstelláció
consternation [kɔnstə'neɪʃn; US kɑ-] n
megdöbbenés, megrökönyödés, kon-
sternáció
constipate ['kɔnstɪpeɪt; US 'kɑ-] vt szék-
rekedést okoz; ~d székrekedéses
constipation [kɔnstɪ'peɪʃn; US kɑ-] n
székrekedés, szorulás
constituency [kən'stɪtjʊənsɪ; US -tʃʊ-]
n választókerület
constituent [kən'stɪtjʊənt; US -tʃʊ-] I.
a 1. alkotó; ~ part alkotórész 2.
assembly alkotmányozó (nemzet)gyű-
lés II. n 1. alkotórész, -elem 2. vá-
lasztópolgár
constitute ['kɔnstɪtju:t; US 'kɑnstɪtu:t]
vt 1. alkot, alakít, képez 2. kinevez,
megtesz vmnek
constitution [kɔnstɪ'tju:ʃn; US kɑnstɪ-
'tu:-] n 1. alkotmány 2. szervezet,
alkat; mental ~ lelki alkat, beállított-
ság 3. összetétel 4. alkotás, szervezés
5. alapszabály
constitutional [kɔnstɪ'tju:ʃənl; US kɑn-
stɪ'tu:-] I. a 1. alkotmányos 2. szer-
vezeti, alkati II. n biz egészségügyi
séta
constitutionalism [kɔnstɪ'tju:ʃnəlɪzm; US
kɑnstɪ'tu:-] n alkotmányosság
constitutive ['kɔnstɪtju:tɪv; US 'kɑnstɪ-
tu:-] a 1. alkotó 2. lényeges, fontos
constrain [kən'streɪn] vt 1. kényszerít,
erőltet 2. szorít 3. korlátoz
constrained [kən'streɪnd] a erőltetett,
kényszeredett, nem természetes

constraint [kən'streɪnt] *n* kényszer; *show* ~ tartózkodóan viselkedik
constrict [kən'strɪkt] *vt* összehúz, összeszorít
constriction [kən'strɪkʃn] *n* 1. összeszorítás, -húzás 2. összehúzódás; szűkület 3. szorító érzés
constrictor [kən'strɪktə*] *n* összehúzó izom, záróizom
construct [kən'strʌkt] *vt* 1. (meg-/fel)épít 2. összeállít, alkot, (meg)szerkeszt
construction [kən'strʌkʃn] *n* 1. építés, építkezés; szerkesztés; ~ *worker* építőmunkás 2. épület 3. szerkezet, konstrukció 4. értelmezés; *put a wrong* ~ *on sg* rosszul értelmez vmt
constructive [kən'strʌktɪv] *a* 1. építő, alkotó, konstruktív 2. szerkezeti 3. vélelmezhető
construe [kən'stru:] A. *vt* 1. taglal, elemez [mondatot] 2. értelmez [vk szavait]; magyaráz [vk viselkedését] 3. lefordít B. *vi* [nyelvtanilag] elemezhető; *be* ~*d with* (vmlyen) szerkezettel áll [nyelvtanilag]; *it does not* ~ nincs értelme
consul ['kɔns(ə)l; *US* -ɑ-] *n* konzul; ~ *general* főkonzul
consular ['kɔnsjulə*; *US* 'kɑnsələr] *a* konzuli
consulate ['kɔnsjulət; *US* 'kɑnsəlɪt] *n* 1. konzulátus 2. konzulság
consult [kən'sʌlt] A. *vt* 1. tanácsot/irányítást/szakvéleményt/felvilágosítást kér (*sy on sg* vktől vmre vonatkozóan) 2. utánanéz [szótárban, könyvben] B. *vi* tanácskozik, értekezik (*with* vkvel)
consultant [kən'sʌlt(ə)nt] *n* 1. (szak-) tanácsadó, konzultáns; konzultáló orvos 2. tanácskérő
consultation [kɔns(ə)l'teɪʃn; *US* kɑ-] *n* 1. tanácskozás, konzultáció 2. tanácskérés 3. (orvosi) konzílium
consultative [kən'sʌltətɪv] *a* tanácsadó(i), konzultatív
consulting [kən'sʌltɪŋ] *a* (szak)tanácsadó, szak- [orvos, mérnök]; ~ *engineer* mérnökszakértő; ~ *hours* (1) rendelés(i idő) (2) fogadóórák; ~ *room* rendelő
consume [kən'sju:m; *US* -'su:m] A. *vt* 1. (el)fogyaszt [élelmet] 2. felhasznál;

felemészt 3. elpusztít; *be* ~*d with thirst* eleped a szomjúságtól B. *vi* 1. elfogy 2. (el)pusztul
consumer [kən'sju:mə*; *US* -'su:-] *n* fogyasztó; ~(*s'*) *goods* fogyasztási cikkek; ~ *research* piackutatás; ~ *society* fogyasztói társadalom
consummate I. *a* [kən'sʌmɪt] tökéletes, teljes, legmagasabb fokú II. *vt* ['kɔnsəmeɪt; *US* 'kɑ-] 1. véghezvisz, teljesít 2. betetőz, tökéletessé tesz 3. elhál [házasságot]
consummation [kɔnsə'meɪʃn; *US* kɑ-] *n* 1. beteljesítés, végrehajtás 2. beteljesülés 3. betetőzés [vágyaké] 4. elhálás [házasságé]
consumption [kən'sʌmpʃn] *n* 1. fogyasztás 2. tüdővész
consumptive [kən'sʌmptɪv] *a* 1. fogyasztó 2. pusztító 3. tüdővészes
contact ['kɔntækt; *US* 'kɑn-] I. *n* 1. érintkezés, kapcsolat; ~ *lens* kontaktlencse, kontaktszemüveg; *make* ~ (*with*) kapcsolatot teremt, érintkezésbe lép (vkvel); ~ *print* kontakt-másolat 2. [villamosságban] érintkezés; kapcsolás; (villany)kapcsoló II. *vt* kapcsolatba/érintkezésbe lép (vkvel)
contact-man *n* (*pl* -men) közvetítő, kapcsolatszerző, kijáró [hivatalokban]
contact-pin *n* faldugó
contagion [kən'teɪdʒ(ə)n] *n* 1. fertőzés 2. fertőző betegség, ragály
contagious [kən'teɪdʒəs] *a* fertőző, ragályos (*átv is*)
contain [kən'teɪn] *vt* 1. tartalmaz, magába(n) foglal 2. fékez, visszatart, feltartóztat, türtőztet; ~ *oneself* uralkodik magán, türtőzteti magát
container [kən'teɪnə*] *n* tartály; tartó; konténer
containerize [kən'teɪnəraɪz] *vt* konténerben szállít
contaminate [kən'tæmɪneɪt] *vt* (be-) szennyez, (meg)fertőz
contaminated [kən'tæmɪneɪtɪd] *a* [radioaktív stb. anyagokkal] fertőzött, szennyezett
contamination [kɔntæmɪ'neɪʃn] *n* 1. (be-) szennyezés 2. szennyeződés, szennyezettség 3. szennyező anyag

contd. *continued*
contemplate ['kɔntempleɪt; *US* 'ka-] **A.**
vt **1.** szemlél **2.** megfontol, fontolgat
3. szándékozik **B.** *vi* elmélkedik
contemplation [kɔntem'pleɪʃn; *US* ka-]
n **1.** szemlélődés, elmélkedés, kontempláció **2.** szándékolás, tervezés
contemplative ['kɔntempleɪtɪv; *US* 'ka-;
vallási értelemben: kən'templətɪv] *a*
szemlélődő, elmélkedő, kontemplatív
contemporaneous [kəntempə'reɪnjəs] *a*
egyidejű, egykorú; kortárs(i)
contemporary [kən'temp(ə)rərɪ; *US*
-rerɪ] **I.** *a* **1.** egykorú, kortárs(i); ~
literature kortárs irodalom **2.** jelenkori, mai **II.** *n* kortárs
contempt [kən'tempt] *n* megvetés, lenézés, semmibevevés; ~ *of court* (1) bíróság megsértése (2) meg nem jelenés;
in ~ *of sg* vm ellenére
contemptible [kən'temptəbl] *a* megvetendő, hitvány; vacak
contemptuous [kən'temptjʊəs; *US* -tʃʊ-]
a megvető, lenéző, gőgös, szemtelen;
be ~ *of sg* semmibe vesz vmt
contend [kən'tend] **A.** *vi* **1.** versenyez,
verseng *(for* vmért) **2.** harcol, küzd
(against vm ellen) **3.** civódik, veszekszik, vitatkozik **B.** *vt* állít, vitat
content¹ ['kɔntent; *US* 'ka-] *n* **1.** contents *pl* tartalom; *(table of)* ~s tartalomjegyzék **2.** befogadóképesség, űrtartalom; terjedelem; összetétel
content² [kən'tent] **I.** *a* **1.** (meg)elégedett **2.** hajlandó; *be* ~ *to do sg* hajlandó vmt megtenni **II.** *n* **1.** elégedettség,
megelégedés **2.** „igen" szavazat **III.**
vt **1.** kielégít, eleget tesz (vmnek); ~
oneself with sg megelégszik/beéri vmvel
2. [kártyában] „tart"
contented [kən'tentɪd] *a* (meg)elégedett
contention [kən'tenʃn] *n* **1.** harc, küzdelem **2.** vita, pörlekedés, szócsata **3.**
versengés, verseny, vetélkedés **4.** állítás, erősködés
contentious [kən'tenʃəs] *a* **1.** veszekedő,
pörlekedő **2.** vitás
contentment [kən'tentmənt] *n* megelégedés
contest I. *n* ['kɔntest; *US* 'ka-] **1.** verseny, küzdelem; mérkőzés **2.** vita **II.**

v [kən'test] **A.** *vt* **1.** harcol, küzd; ~
a seat (in Parliament) képviselőjelöltként fellép **2.** kétségbe von, (el)vitat;
megtámad **B.** *vi* **1.** vitatkozik, veszekszik (vkvel) **2.** verseng [díjért]
contestant [kən'testənt] *n* **1.** versenyző,
versenytárs, küzdő **2.** peres fél
context ['kɔntekst; *US* 'ka-] *n* szövegösszefüggés, -környezet, kontextus
contextual [kən'tekstjʊəl; *US* -tʃʊ-] *a*
szövegre vonatkozó, a szövegtől függő
contiguity [kɔntɪ'gjʊ:ətɪ; *US* ka-] *n* **1.**
összefüggés **2.** szomszédosság
contiguous [kən'tɪgjʊəs] *a* ~ *to* vmvel
határos/érintkező/szomszédos/összefüggő
continence ['kɔntɪnəns; 'ka-] *n* [nemi]
önmegtartóztatás; mértékletesség
continent ['kɔntɪnənt; *US* 'ka-] **I.** *a* **1.**
mértékletes **2.** önmegtartóztató **II.** *n*
1. szárazföld **2.** világrész, kontinens **3.**
the C~ a kontinens [Európa Nagy-Britannia nélkül]
continental [kɔntɪ'nentl; *US* ka-] *a* **1.**
szárazföldi, kontinentális; *C*~ *Divide*
amerikai vízválasztó **2.** európai
contingency [kən'tɪndʒ(ə)nsɪ] *n* **1.** véletlenség; lehetőség, eshetőség; előre
nem látott esemény **2.** *rendsz pl* előre
nem látott kiadás(ok)
contingent [kən'tɪndʒ(ə)nt] **I.** *a* **1.** véletlen, esetleges **2.** feltételes; *be* ~
upon sg vm eseménytől függ **II.** *n* **1.**
véletlenség, lehetőség, eshetőség **2.**
kontingens; részleg
continual [kən'tɪnjʊəl] *a* folytonos, szakadatlan, állandó, örökös
continuance [kən'tɪnjʊəns] *n* **1.** tartósság, folytonosság **2.** folytatás; elhúzódás; tartam **3.** elhalasztás, elnapolás
continuation [kəntɪnjʊ'eɪʃn] *n* **1.** folytatás; ~ *course* továbbképző tanfolyam **2.** folytatódás **3.** meghosszabbítás
continue [kən'tɪnju:] **A.** *vt* **1.** folytat; *I
shall* ~ *to* ... én továbbra is ...; *to be*
~*d* folytatása következik **2.** meghagy
[állásban] **3.** (el)halaszt **B.** *vi* **1.** folytatódik, (el)tart **2.** megmarad (állás-

ban stb.); ~ *on one's way* továbbmegy (útján)
continuity [kɔntı'nju:ətı; *US* kantı'nu:-] *n* **1.** folytonosság, folyamatosság **2.** forgatókönyv
continuous [kən'tınjuəs] *a* folyamatos, összefüggő, szakadatlan; ~ *flight* leszállás nélküli repülés; ~ *performance* folytatólagos előadás; ~ *white line* (1) *GB* terelővonal (2) [Magyarországon] záróvonal
contort [kən'tɔ:t] *vt* kicsavar, eltorzít; elferdít
contortion [kən'tɔ:ʃn] *n* **1.** kicsavarás; eltorzítás **2.** eltorzulás
contortionist [kən'tɔ:ʃnıst] *n* kígyóember, gumiember
contour ['kɔntuə*; *US* 'ka-] *n* körvonal(ak)
contour-line *n* magassági vonal, szintvonal [térképen]
contour-map *n* szintvonalas térkép
contra ['kɔntrə; *US* 'ka-] **I.** *prep* ellen **II.** *n* ~ *(entry)* ellentétel
contraband ['kɔntrəbænd; *US* 'ka-] *n* **1.** csempészet; *run* ~ csempészkereskedelmet folytat **2.** csempészáru
contrabass [kɔntrə'beıs; *US* ka-] *n* nagybőgő, kontrabasszus
contraception [kɔntrə'sepʃn; *US* ka-] *n* fogamzásgátlás; születésszabályozás
contraceptive [kɔntrə'septıv; *US* ka-] **I.** *a* fogamzásgátló; ~ *pill* fogamzásgátló tabletta **II.** *n* fogamzásgátló (szer), óvszer
contract I. *n* ['kɔntrækt; *US* 'ka-] **1.** szerződés, megegyezés, -állapodás; ~ *note* kötjegy; ~ *price* szerződéses ár; *by private* ~ magánegyezség útján, szabadkézből; *party to the* ~ szerződő fél; *enter into a* ~, *make a* ~ *(with sy)* szerződést köt (vkvel) **2.** eljegyzés **II.** *v* [kən'trækt] **A.** *vt* **1.** összehúz, összevon **2.** vállal [kötelezettséget]; köt [szerződést, házasságot] **3.** ~ *debts* adósságokat csinál **4.** megkap [betegséget]; felvesz [szokást] **B.** *vi* **1.** öszszehúzódik, összemegy **2.** szerződik; szerződést/megállapodást köt *(for* vmre)
contracted [kən'træktıd] *a* **1.** összehú-

z(ód)ott, összezsugorodott **2.** összevont; kivonatos
contractile [kən'træktaıl; *US* -t(ə)l] *a* összehúzódásra képes, összehúzódó
contracting [kən'træktıŋ] *a* szerződő; *the high* ~ *parties* a magas szerződő felek
contraction [kən'trækʃn] *n* **1.** összehúzás, összevonás **2.** összehúzódás **3.** (le)rövidítés, rövid összefoglalás **4.** ~ *of debts* adósságcsinálás
contractor [kən'træktə*] *n* **1.** vállalkozó **2.** szállító
contractual [kən'træktʃuəl] *a* szerződéses, szerződési
contradict [kɔntrə'dıkt; *US* ka-] *vt* ellentmond, (meg)cáfol, tagad
contradiction [kɔntrə'dıkʃn; *US* ka-] *n* ellentmondás, következetlenség; ~ *in terms* önellentmondás
contradictory [kɔntrə'dıktərı; *US* ka-] *a* ellentmondó, ellentétes
contradistinction [kɔntrədı'stıŋkʃn; *US* ka-] *n in* ~ *to* vmvel szemben/ellentétben
contra-indication [kɔntraındı'keıʃn; *US* ka-] *n* ellenjavallat
contralto [kən'træltou] *n* alt (hang)
contraption [kən'træpʃn] *n biz* szerkezet, készülék, szerkentyű
contrapuntal [kɔntrə'pʌntl] *a* ellenpontos, ellenpontozott
contrariety [kɔntrə'raıətı; *US* ka-] *n* **1.** ellenkezés **2.** következetlenség; ellentétesség
contrariness ['kɔntrərınıs; *US* 'kantrerı-] *n* **1.** ellenkezés **2.** különcködés
contrariwise ['kɔntrərıwaız; *US* 'kantrerı-] *adv* **1.** ellenkezőleg **2.** ellenkezve
contrary ['kɔntrərı; *US* 'kantrerı] **I.** *a* **1.** ellenkező, ellentétes **2.** *biz* makacs, nyakas, akaratos, ellenkező **II.** *adv* ~ *to sg* szemben/ellentétben vmvel, vmtől eltérően; ~ *to the rules* szabályellenesen **III.** *n* ellentét, az ellenkező(je vmnek); *by contraries* ellentétképpen, várakozással ellentétben; *on the* ~ (éppen) ellenkezőleg; *to the* ~ ellenkező értelemben, ellenkezőleg
contrast I. *n* ['kɔntra:st; *US* 'kantræst] **1.** ellentét; *in/by* ~ *with* (vmvel) ellentétben **2.** ellentétes dolog; ~ *meal*

kontrasztpép II. v [kən'tra:st; US
-æ-] A. vt ellentétbe hoz/állít, szembeállít, összehasonlít B. vi elüt, különbözik (with vmtől), ellentétben áll (with
vmvel)
contravene [kɔntrə'vi:n; US ka-] vt 1.
ellenszegül, ellentmond 2. áthág, megszeg, megsért [törvényt stb.]
contravention [kɔntrə'venʃn; US ka-] n
áthágás, megsértés, megszegés
contretemps ['kɔ:ntrəta:ŋ] n pl szerencsétlenség, szerencsétlen körülmény
contribute [kən'trıbju:t] vt/vi fizet, ad(akozik); hozzájárul (to vmhez); közreműködik (to vmben); ~ newspaper
articles újságcikkeket ir
contribution [kɔntrɪ'bju:ʃn; US ka-] n
1. hozzájárulás; közreműködés; ~ to
knowledge tudományos eredmény 2.
közlemény; cikk 3. adó, sarc
contributor [kən'trɪbjʊtə*] n közreműködő; (külső) munkatárs
contributory [kən'trɪbjʊtərɪ; US -bjə-
tɔ:rɪ] a hozzájáruló; közreműködő; ~
negligence vétkes gondatlanság
contrite ['kɔntraɪt; US 'ka-] a bűnbánó
contrition [kən'trɪʃn] n töredelem, bűnbánat
contrivance [kən'traɪvns] n 1. feltalálás;
kiagyalás; terv 2. szerkezet, eszköz 3.
találmány 4. találékonyság
contrive [kən'traɪv] vt 1. kigondol, kieszel, kitalál; feltalál 2. ~ to ... szerét/módját ejti vmnek; sikerül ... 3.
kijön, megél [kevésből is]
control [kən'troʊl] I. n 1. fennhatóság;
irányítás; felügyelet; ellenőrzés; get
under ~ ellenőrzés alá kerül, megfékezik; have ~ over hatalma van (vm)
felett, felügyelete alá tartozik; keep
under ~ ellenőrzés alatt tart; under
government ~ állami ellenőrzés alatt;
get out of ~ kitör, (f)elszabadul; ~
experiment ellenőrző próba/kísérlet 2.
kormányzás [hajóé]; vezérlés, irányítás [repülés, távközlés]; ~ panel vezérlőasztal; ~ signals közlekedési jelzőberendezés; ~ tower irányítótorony;
beyond ~ nem irányítható, kezelhetetlen 3. controls pl vezérlőberendezés,
vezér(lő)mű II. vt -ll- 1. irányít, vezé-

rel [gépet stb.]; szabályoz; felügyel 2.
megfékez; korlátoz 3. ellenőriz
controllable [kən'troʊləbl] a 1. vezethető, kormányozható; irányítható 2.
ellenőrizhető
controller [kən'troʊlə*] n 1. ellenőr, felügyelő 2. számvevő
controversial [kɔntrə'və:ʃl; US ka-] a 1.
vitás, vitatott; ellentmondás/vita középpontjában álló 2. vitakedvelő
controversialist [kɔntrə'və:ʃəlɪst; US
ka-] n vitatkozó, polemizáló
controversy ['kɔntrəvə:sɪ; US 'ka-] n
vita, polémia; beyond ~ vitán felül
controvert ['kɔntrəvə:t; US 'ka-] vt elvitat
controvertible [kɔntrə'və:təbl; US ka-]
a kétségbevonható, megtámadható
contumacious [kɔntju:'meɪʃəs; US
kantu-] a 1. engedetlen; hatóságnak
ellenszegülő; rebellis 2. makacs
contumacy ['kɔntjʊməsɪ; US 'kantu-] n
1. nyakasság, makacsság 2. ellenszegülés (hatóságnak v. bírói döntésnek)
contumely ['kɔntju:mlɪ; US 'kantʊməlɪ]
n arcátlanság; sértő/megalázó viselkedés
contuse [kən'tju:z; US -'tu:z] vt (össze-)
zúz, zúzódást okoz; ~d wound zúzott
seb
contusion [kən'tju:ʒn; US -'tu:] n zúzódás
conundrum [kə'nʌndrəm] n találós kérdés, rejtvény; talány
conurbation [kɔnə:'beɪʃn; US ka-] n városhalmaz, elvárosiasodott peremtelepülés
convalesce [kɔnvə'les; US ka-] vi lábadozik; felépül
convalescence [kɔnvə'lesns; US ka-] n
lábadozás; gyógyulás; gyógyüdülés
convalescent [kɔnvə'lesnt; US ka-] I. a
lábadozó; ~ hospital szanatórium,
gyógyüdülő II. n lábadozó beteg
convection [kən'vekʃn] n hőáramlás,
konvekció; ~ heat áramlási hő
convector [kən'vektə*] n konvektor
convene [kən'vi:n] A. vt 1. összehív 2.
megidéz B. vi gyülekezik
convenience [kən'vi:njəns] n 1. kénye-

lem; *at your* ~ amikor önnek megfelel; *at your earliest* ~ mielőbb, mihelyt csak megteheti; *marriage of* ~ érdekházasság 2. *(public)* ~ nyilvános illemhely 3. **conveniences** *pl* kényelem, komfort; *with all modern* ~s összkomfortos
convenient [kən'viːnjənt] *a* 1. kényelmes 2. alkalmas, megfelelő
convent ['kɔnv(ə)nt; *US* 'kanvent] *n* 1. szerzet 2. zárda, kolostor
convention [kən'venʃn] *n* 1. egyezmény, megállapodás 2. illem(szabályok), szokás(ok), konvenció; *social* ~s társadalmi szokások/szokásformák 3. *US* összejövetel, konferencia; (államelnököt jelölő párt)kongresszus, konvenció
conventional [kən'venʃənl] *a* 1. szokásszerű, hagyományos, konvencionális 2. stilizált
converge [kən'vəːdʒ] *vi* összefut, összetart, konvergál
convergence [kən'vəːdʒ(ə)ns] *n* összefutás, összetartás, konvergencia
convergent [kən'vəːdʒ(ə)nt] *a* összefutó, konvergáló
conversant [kən'vəːs(ə)nt] *a* ~ *with* (1) jártas (vmben), alaposan ismer (vmt) (2) jól ismer (vkt), jó viszonyban van (vkvel)
conversation [kɔnvə'seɪʃn; *US* ka-] *n* 1. társalgás, beszélgetés 2. érintkezés 3. ~ *piece* életkép, zsánerkép, enteriőr
conversational [kɔnvə'seɪʃnl; *US* ka-] *a* 1. társalgási 2. beszédes
converse I. *a* ['kɔnvəːs; *US* 'ka-] ellentétes, (meg)fordított II. *n* ['kɔnvəːs; *US* 'ka-] beszélgetés III. *vi* [kən'vəːs] társalog, beszélget
conversely ['kɔnvəːslɪ; *US* 'ka-] *adv* kölcsönösen, viszont, fordítva
conversion [kən'vəːʃn; *US* -ʒn] *n* 1. megtérítés 2. megtérés 3. átalakítás, átváltoztatás; átváltás, konvertálás; ~ *table* átszámítási táblázat 4. átalakulás, átváltozás
convert I. *n* ['kɔnvəːt; *US* 'ka-] megtért, áttért [személy] II. *vt* [kən'vəːt] 1. megtérít; *be* ~*ed* megtér 2. átalakít, átváltoztat, átvált, konvertál *(into* vmvé); ~ *into cash* pénzzé tesz

converter [kən'vəːtə*] *n* (áram)átalakító, konverter
convertible [kən'vəːtəbl] I. *a* 1. átalakítható, átváltoztatható; ~ *ladder* kis háztartási létra; ~ *top* (fel)nyitható tető [autóé] 2. átváltható, konvertibilis [valuta] II. *n* (fel)nyitható tetejű kocsi, sportkocsi, kabriolet
convex [kɔn'veks; *US* ka-] *a* domború, konvex
convexity [kɔn'veksətɪ; *US* ka-] *n* domborúság
convey [kən'veɪ] *vt* 1. szállít; visz; hoz, hord 2. közvetít, átad, továbbít [üzenetet, levelet]; *these words* ~ *nothing to me* ezek a szavak nem mondanak nekem semmit 3. átruház
conveyance [kən'veɪəns] *n* 1. szállítás, továbbítás 2. szállítóeszköz, jármű 3. átközlés, átadás [híré, gondolaté] 4. átruházás; tulajdonátruházási okirat
conveyer [kən'veɪə*] *n* = *conveyor*
conveyer-belt *n* szállítószalag
conveyor [kən'veɪə*] *n* 1. fuvaros, szállít(mányoz)ó 2. = *conveyer-belt*
convict I. *n* ['kɔnvɪkt; *US* 'ka-] fegyenc; elítélt II. *vt* [kən'vɪkt] 1. elítél, bűnösnek mond ki 2. ~ *sy of his errors* bebizonyítja vk tévedéseit
conviction [kən'vɪkʃn] *n* 1. elítélés 2. rábizonyítás 3. meggyőzés; *carry* ~ meggyőző 4. meggyőződés, szilárd hit
convince [kən'vɪns] *vt* meggyőz *(sy of sg* vkt vmről)
convivial [kən'vɪvɪəl] *a* 1. ünnepi, víg; ~ *evening* mulatás; ~ *song* bordal 2. kedélyes, társaságot kedvelő
convocation [kɔnvə'keɪʃn; *US* ka-] *n* 1. egybehívás 2. (egyetemi) tanácsülés; egyház(megye)i gyűlés
convoke [kən'vouk] *vt* összehív
convolution [kɔnvə'luːʃn; *US* ka-] *n* 1. tekeredés, csavarodás, felgöngyölődés 2. tekercs, spirálmenet 3. (agy)tekervény
convolvulus [kən'vɔlvjuləs; *US* 'va-] *n* szulák, folyondár, hajnalka
convoy ['kɔnvɔɪ; *US* 'ka-] I. *n* járműkaraván/hajókaraván védőkísérettel, konvoj; kísérőhajó II. *vt* [*US* kən'vɔɪ] fedezettel kísér, védőkíséretet ad

convulse [kən'vʌls] vt megráz(kódtat); ~d with pain fájdalomtól eltorzult arccal; ~d with laughter gurul a nevetéstől
convulsion [kən'vʌlʃn] n 1. rángatódzás, vonaglás; throw into ~s görcsös rohamokat idéz elő 2. (társadalmi) megrázkódtatás; [politikai] felfordulás
convulsive [kən'vʌlsɪv] a 1. rángatódzó, görcsös 2. felforgató
cony ['koʊnɪ] n (pl conies 'koʊnɪz) 1. (üregi) nyúl 2. nyúlbőr, -prém
coo [ku:] I. n turbékolás II. vi turbékol, gügyög
cook [kʊk] I. n szakács(nő) II. A. vt 1. (meg)főz, (meg)süt; elkészít 2. kohol, hamisít; ~ accounts számlát hamisít 3. □ he is ~ed (1) ki van (dögölve) (2) be van csípve B. vi fő; sül; készül [étel]
cookbook n US szakácskönyv
cooker ['kʊkə*] n 1. tűzhely, [gázstb.] főző 2. GB főzni való gyümölcs; rétesalma
cookery ['kʊkərɪ] n főzés, szakácsművészet; ~ book szakácskönyv
cook-general n főzőmindenes
cook-house n nyári/tábori konyha
cookie ['kʊkɪ] n = cooky
cooking ['kʊkɪŋ] n sütés, főzés; ~ facilities főzési lehetőség(ek); do the ~ főz; ~ utensils konyhaedények
cooking-range/stove n tűzhely
cook-shop n kifőzés, étkezde
cooky ['kʊkɪ] n 1. US édestészta, aprósütemény, (édes) keksz 2. sk kb. zsemle
cool [ku:l] I. a 1. hűvös, hideg, friss; it is turning ~ lehűl (a levegő stb.) 2. átv hűvös, közömbös, szenvtelen; biz ~ as a cucumber rendíthetetlen nyugalmú, csigavérű; biz a ~ customer (1) pléhpofa, flegma alak (2) szemtelen pasas; keep ~! hidegvér! 3. biz kerek [összegről] II. n hűvösség; biz keep your ~! nyugi! III. A. vt 1. (le)hűt, hűsít 2. mérsékel, lehűt B. vi (le-) hűl; ~ down/off lehűl
coolant ['ku:lənt] n hűtőfolyadék
cooler ['ku:lə*] n 1. hűtőedény, -eszköz 2. biz „hűvös" [= börtön]

cool-headed a higgadt
Coolidge ['ku:lɪdʒ] prop
coolie ['ku:lɪ] n kuli [Indiában, Kínában]
coolness ['ku:lnɪs] n 1. hűvösség 2. hidegvér
coon [ku:n] n US 1. mosómedve 2. ravasz/dörzsölt fickó 3. néger [megvetően]
coop [ku:p] I. n 1. (tyúk)ketrec 2. halászkosár 3. □ siti II. vt bezár [csirkéket]; ~ up sy beszorít/becsuk vkt
co-op ['koʊɒp; US -ap] n biz 1. szövetkezet 2. szövetkezeti bolt
cooper ['ku:pə*] n kádár, pintér
co-operate [koʊ'ɒpəreɪt; US -'ɑ-] vi együttműködik, szövetkezik
co-operation [koʊɒpə'reɪʃn; US -ap-] n együttműködés, kooperáció
co-operative [koʊ'ɒp(ə)rətɪv; US -'apərei-] a szövetkezeti; ~ society (fogyasztási) szövetkezet; ~ shop/store szövetkezeti bolt
co-opt [koʊ'ɒpt; US -'ɑ-] vt beválaszt tagnak/társnak, kooptál
co-ordinate I. a/n [koʊ'ɔ:dɪnɪt] egyenrangú, egyenlő; ~ clause mellérendelt mondat II. vt [koʊ'ɔ:dɪneɪt] koordinál, összhangba hoz, egymás mellé rendel
co-ordination [koʊɔ:dɪ'neɪʃn] n 1. mellérendelés 2. összhangba hozás, koordinálás, koordináció
coot [ku:t] n vizityúk
cop¹ [kɒp; US -ɑ-] n 1. dombocska 2. cséve, kópsz
cop² [kɒp; US -ɑ-] n □ zsaru, hekus
cop³ [kɒp; US -ɑ-] vt -pp- □ nyakon csíp, elcsíp, elkap
co-partner [koʊ'pɑ:tnə*] n üzlettárs
co-partnership [koʊ'pɑ:tnəʃɪp] n üzlettársi kapcsolat, társas viszony
cope¹ [koʊp] n 1. ~ of heaven égbolt 2. papi köpeny, vecsernyepalást, pluviále
cope² [koʊp] vi ~ with sg megbirkózik vmvel, megállja a helyét vmben
copeck ['koʊpek] n kopek
Copenhagen [koʊpn'heɪg(ə)n] prop Koppenhága
coper ['koʊpə*] n lócsiszár
cope-stone n csúcskő, zárókő, fedőkő

co-pilot [kouˈpaɪlət] *n* másodpilóta
coping-stone [ˈkoupɪŋ-] *n* 1. = *cope-stone* 2. *átv* csúcspont
copious [ˈkoupjəs] *a* 1. bőséges, kiadós 2. szóbő; termékeny; terjengős
copped [kɔpt; *US* -ɑ-] →*cop³*
copper¹ [ˈkɔpə*; *US* -ɑ-] *n* 1. vörösréz 2. rézedény 3. (egypennys/egycentes) aprópénz 4. □ *have hot* ~*s* gyomorégése van, másnapos
copper² [ˈkɔpə*; *US* -ɑ-] *n* □ zsaru, hekus
copper-beech *n* vérbükk
Copperfield [ˈkɔpəfiːld] *prop*
copper-nose *n* borvirágos/rezes orr
copperplate I. *n* 1. rézlemez 2. rézmetszet; ~ *writing* kalligrafikus/szép kézírás II. *vt* rézzel bevon
coppersmith *n* rézműves
coppice [ˈkɔpɪs; *US* -ɑ-] *n* csalit
copra [ˈkɔprə; *US* -ɑ-] *n* kopra
co-property [kouˈprɔpətɪ; *US* -ɑp-] *n* közös tulajdon
co-proprietor [kouprəˈpraɪətə*] *n* társtulajdonos
copse [kɔps; *US* -ɑ-] *n* = *coppice*
copula [ˈkɔpjulə; *US* ˈkɑ-] *n* kapcsolószó, kopula
copulate [ˈkɔpjuleɪt; *US* ˈkɑ-] *vi* közösül; párosodik, párzik
copulation [kɔpjuˈleɪʃn; *US* kɑ-] *n* közösülés; párosodás, párzás
copy [ˈkɔpɪ; *US* -ɑ-] I. *n* 1. másolat, kópia 2. utánzat 3. példány 4. (nyomdába menő) szöveg, kézirat; *advertising* ~ reklámszöveg; *fair* ~ tisztázat; *rough* ~ fogalmazvány, piszkozat 5. (riport)anyag; (cikk)téma II. *vt* 1. leír, (le)másol, tisztáz 2. utánoz, lemásol
copybook *n* irka, füzet
copyhold *n* [jobbágyi] örökhaszonbérlet
copyholder *n* örökhaszonbérlő (jobbágy), úrbéres
copyist [ˈkɔpɪɪst; *US* -ɑ-] *n* másoló, írnok
copy-reader *n US* segédszerkesztő [hírlapnál]
copyright *n* 1. szerzői/kiadói jog; ~ *reserved* minden jog fenntartva 2. *jelzői haszn* szerzői joggal védett II. *vt* szerzői jogot biztosít/fenntart

copywriter *n* 1. reklámszövegíró 2. cikkíró
coquet [kɔˈket; *US* kou-] *vi* -tt- flörtöl, kacérkodik
coquetry [ˈkɔkɪtrɪ; *US* ˈkou-] *n* kacérkodás; kacérság
coquette [kɔˈket; *US* kou-] *n* kacér nő
coquettish [kɔˈketɪʃ; *US* kou-] *a* kacér, kokett
coral [ˈkɔr(ə)l; *US* ˈkɔ-ː] *n/a* korall
coral-reef *n* korallzátony
corbel [ˈkɔːb(ə)l] *n* konzol, falkiugrás, gyámkő, gyámkar
cord [kɔːd] I. *n* 1. kötél, zsineg, zsinór; fonál 2. öl [famérték: 3,6 m³] 3. bilincs, kötelék II. *vt* 1. kötéllel megköt 2. ölez [fát]
cordage [ˈkɔːdɪdʒ] *n* kötélzet
corded [ˈkɔːdɪd] *a* 1. átkötött 2. bordázott
Cordelia [kɔːˈdiːljə] *prop* Kordélia
cordial [ˈkɔːdjəl; *US* -dʒ-] I. *a* 1. szívélyes, barátságos 2. szíverősítő [orvosság, ital stb.] II. *n* szíverősítő [ital]
cordiality [kɔːdɪˈælətɪ; *US* kɔːˈdʒælətɪ] *n* szívélyesség, meleg fogadtatás
cordite [ˈkɔːdaɪt] *n* füst nélküli lőpor
cordon [ˈkɔːdn] I. *n* 1. (rendőr)kordon 2. rendszalag 3. kordonművelésű (gyümölcs)fa II. *vt* ~ *off* kordonnal lezár/körülvesz
cords [kɔːdz] *n pl biz* = *corduroy* 2.
corduroy [ˈkɔːdərɔɪ] *n* 1. kordbársony 2. corduroys *pl* kordbársony nadrág 3. ~ *road* dorongút
core [kɔː*] I. *n* 1. magtok 2. mag 3. vmnek belseje/magja/veleje/legjava; *to the* ~ ízig-vérig; a velejéig; *true to the* ~ (szín)valódi; *in my heart's* ~ szívem mélyén 4. (kábel)ér; *three-*~ háromeres [kábel] II. *vt* kimagoz [gyümölcsöt]
co-respondent [kouɪˈspɔndənt; *US* -ɑn-] *n* házasságtörő harmadik fél [válóperben]
corgi [ˈkɔːgɪ] *n* ⟨kis walesi kutyafaj⟩
Corinth [ˈkɔrɪnθ; *US* ˈkɔ-ː] *prop* Korinthosz
Coriolanus [kɔrɪəˈleɪnəs; *US* kɔ-ː-] *prop*
cork [kɔːk] I. *n* 1. parafa 2. dugó II. *vt* bedugaszol

corker ['kɔːkə*] n 1. érv [vitában] 2. remek/klassz fickó/dolog

corkscrew I. n dugóhúzó II. *vi* csigavonalban/spirálisan száll/halad

corky ['kɔːkɪ] a 1. parafaszerű, parafás 2. *biz* élénk, mozgékony, rugalmas; frivol

corm [kɔːm] n gumós gyökér

cormorant ['kɔːm(ə)rənt] n 1. kormorán, kárókatona 2. kapzsi ember

corn¹ [kɔːn] n 1. gabonaszem 2. gabona 3. *GB* búza 4. *US, Ausztrália* kukorica; *C~ Belt* kukoricatermő övezet [az USA-ban Iowa, Illinois és Indiana államok] 5. *ir, sk* zab 6. (só)szemcse

corn² [kɔːn] n tyúkszem

corn-cob n kukoricacsutka

corncrake n haris

corn-crib n *US* kukoricagóré

cornea ['kɔːnɪə] n szaruhártya

corned [kɔːnd] a besózott; ~ *beef* besózott marhahús(konzerv)

cornel ['kɔːnəl] n som

Cornelia [kɔːˈniːljə] prop Kornélia

corner ['kɔːnə*] I. n 1. sarok, szöglet; zug; *drive sy into a* ~ sarokba szorít vkt; *turn the* ~ (1) befordul a sarkon (2) túljut a nehezén; *cut* ~*s* (1) „levágja" a kanyart [gyorshajtó autós] (2) *átv* egyszerűsíti az ügyintézést 2. felvásárló szindikátus 3. szöglet(rúgás) [labdarúgásban] II. *vt* 1. sarokba szorít 2. sarokkal ellát 3. (spekulációs célból) felvásárolja az árut; ~ *the market* felvásárlással áruhiányt teremt (a piacon)

corner-kick n = corner I. 3.

cornerstone n sarokkő

cornet ['kɔːnɪt; *US* -'net] n 1. piszton; kornett 2. stanicli, (papír)zacskó 3. (fagylalt)tölcsér

corn-field n 1. *GB* búzatábla 2. *US* kukoricatábla

cornflakes n pl kukoricapehely

cornflour n kukoricaliszt, pudingliszt

corn-flower n búzavirág

cornhusk n *US* kukoricacsuhé

cornice ['kɔːnɪs] n 1. párkánykoszorú 2. függönykarnis

Cornish ['kɔːnɪʃ] a cornwalli kelta

cornpone n *US* kukoricalepény, (kukorica)prósza

cornstarch n *US* = *cornflour*

cornucopia [kɔːnjʊˈkoʊpjə; *US* kɔːnə-] n bőségszaru

Cornwall ['kɔːnw(ə)l] prop

corny¹ ['kɔːnɪ] a 1. gabonában dús 2. □ elcsépelt, elkoptatott, szakállas [vicc]; giccses, érzelgős

corny² ['kɔːnɪ] a tyúkszemes

corollary [kəˈrɔlərɪ; *US* 'kɔːrəlerɪ] n folyomány, (szükségszerű) következmény

corona [kəˈroʊnə] n (pl ~s -z v. ~e -niː) (nap)korona; fényudvar

coronach ['kɔrənək; *US* 'kɔːrənəx] n [skót, ír] gyászdal, -ének

coronary ['kɔrən(ə)rɪ; *US* 'kɔːrənerɪ] a szívkoszorúér-; ~ *artery* szívkoszorúér; ~ *thrombosis* szívkoszorúér-trombózis

coronation [kɔrəˈneɪʃn; *US* kɔː:-] n koronázás

coroner ['kɔrənə*; *US* 'kɔː:-] n halottkém [nem természetes halál esetén]

coronet ['kɔrənɪt; *US* kɔːrəˈnet] n 1. kis/hercegi/főúri korona 2. diadém, fejék

Corp. [kɔːp] 1. *Corporal* tizedes 2. *Corporation*

corporal¹ ['kɔːp(ə)rəl] a testi; ~ *punishment* testi fenyíték

corporal² ['kɔːp(ə)rəl] n tizedes, káplár

corporate ['kɔːp(ə)rət] a testületi; ~ *body, body* ~ jogi személy; ~ *responsibility* egyetemleges felelősség

corporation [kɔːpəˈreɪʃn] n 1. testület; társaság; jogi személy 2. városi tanács 3. *US* korlátolt felelősségű társaság; vállalat 4. *biz* pocak

corporative ['kɔːp(ə)rətɪv; *US* -rɪ-] a testületi

corporeal [kɔːˈpɔːrɪəl] a 1. testi 2. anyagi, materiális, fizikai

corps [kɔː*] n (pl corps kɔːz) 1. testület 2. [katonai] alakulat

corpse [kɔːps] n hulla, tetem

corpulence ['kɔːpjʊləns; *US* -pjə-] n testesség, kövérség

corpulent ['kɔːpjʊlənt; *US* -pjə-] a testes, kövér

corpus ['kɔːpəs] n (pl corpora 'kɔːpərə) 1. test; *C~ Christi* úrnapja 2. korpusz ⟨írások/források gyűjteménye⟩

corpuscle ['kɔːpʌsl; US -pə-] n testecske, részecske, korpuszkula
corral [kɔːˈrɑːl; US kəˈræl] I. n cserény, karám II. vt -ll- 1. összeterel, -zár 2. US elcsíp
correct [kəˈrekt] I. a helyes, hibátlan, kifogástalan, megfelelő, korrekt; it's the ~ thing így illik/helyes II. vt 1. kijavít, kiigazít, helyesbít, korrigál; beigazít [órát] 2. rendreutasít, megbüntet, megfenyít; stand ~ed tévedését/hibáját beismeri 3. ellensúlyoz [káros befolyást]
correction [kəˈrekʃn] n 1. (ki)javítás, helyesbítés, kiigazítás, korrigálás; speak under ~ fenntartással nyilvánít véleményt 2. rendreutasítás, megbüntetés, fenyítés; □ house of ~ fegyintézet 3. ellensúlyozás
correctitude [kəˈrektɪtjuːd; US -tuːd] n korrektség [viselkedésben]
corrective [kəˈrektɪv] a ~ training javító-nevelő munka
correctness [kəˈrektnɪs] n helyesség, kifogástalanság, korrektség, pontosság
corrector [kəˈrektə*] n nyomdai korrektor
correlate ['kɔrəleɪt; US 'kɔː-] A. vi (kölcsönös) összefüggésben van (with, to vmvel) B. vt összefüggésbe hoz (with vmvel), viszonyít (with, to vmhez)
correlation [kɔrəˈleɪʃn; US kɔː-] n viszonosság, kölcsönösség, kölcsönviszony, korreláció
correlative [kəˈrelətɪv] a viszonos, kölcsönviszonyban levő, korrelatív
correspond [kɔrɪˈspɔnd; US kɔːrəˈspɑnd]vi 1. megfelel (to vmnek), (meg-) egyezik, összhangban van (with vmvel) 2. levelez
correspondence [kɔrɪˈspɔndəns; US kɔːrɪˈspɑ-] n 1. megfelelés, összhang; egyezés; hasonlóság; kapcsolat, összefüggés 2. levelezés; ~ clerk (kereskedelmi) levelező; ~ column levelek a szerkesztőhöz; ~ course levelező oktatás/tagozat
correspondent [kɔrɪˈspɔndənt; US kɔːrɪˈspɑ-] n 1. levelező; tudósító; answers to ~s szerkesztői üzenetek 2. (külföldi) levelező, üzletbarát

corresponding [kɔrɪˈspɔndɪŋ; US kɔːrɪˈspɑ-] a 1. megfelelő 2. ~ member levelező tag
corridor ['kɔrɪdɔ:*; US 'kɔː-] n folyosó; GB ~ train oldalfolyosós kocsikból álló szerelvény
corrigenda [kɔrɪˈdʒendə; US kɔː-] n pl sajtóhibák jegyzéke
corrigible ['kɔrɪdʒəbl; US 'kɔː-] a javítható
corroborate [kəˈrɔbəreɪt; US -ˈrɑ-] vt megerősít, hitelesít; igazol
corroboration [kərɔbəˈreɪʃn; US -rɑ-] n megerősítés, hitelesítés; igazolás
corrode [kəˈroʊd] A. vt 1. kimar, megtámad [fémet], korrodál 2. átv szétrág, kikezd B. vi rozsdásodik; korrodálódik
corrosion [kəˈroʊʒn] n 1. szétmarás 2. rozsda, rozsdásodás, korrózió
corrosive [kəˈroʊsɪv] I. a maró, korróziót okozó II. n maróanyag
corrugate ['kɔrʊgeɪt; US 'kɔːrə-] vt barázdál, hullámosít, redőz
corrugated ['kɔrʊgeɪtɪd; US 'kɔːrə-] a ~ cardboard hullámlemez, -papír; ~ iron hullám(vas)lemez
corrugation [kɔrʊˈgeɪʃn; US kɔːrə-] n 1. redő, borda; bordázat 2. redőzés
corrupt [kəˈrʌpt] I. a 1. romlott (átv is); ~ practices tisztességtelen üzelmek, vesztegetés 2. megvesztegethető 3. elrontott, meghamisított [szöveg] II. A. vt 1. elront, megrothaszt 2. megveszteget; korrumpál B. vi megromlik, megrothad; romboló hatású
corruptible [kəˈrʌptəbl] a megvesztegethető
corruption [kəˈrʌpʃn] n 1. romlás, rothadás 2. romlottság 3. (meg)vesztegetés, korrupció
corsage [kɔːˈsɑːʒ] n 1. (női) ruhaderék 2. US virág(csokor), mellcsokor
corsair ['kɔːseə*] n 1. kalóz 2. kalózhajó
cors(e)let ['kɔːslɪt] n mell- és hátvért
corset ['kɔːsɪt] n [női] (gyógy)fűző
cortège [kɔːˈteɪʒ] n díszkíséret
cortex ['kɔːteks] n (pl -tices -tɪsiːz) 1. fakéreg 2. kéreg(állomány) [agyé]
corundum [kəˈrʌndəm] n korund

coruscate ['kɔrəskeɪt; US 'kɔ:-] vi
csillog, ragyog, tündöklik, szikorkázik
corvée ['kɔ:veɪ] n robot [munka]
corvette [kɔ:'vet] n 1. † vitorlás hadi-
hajó 2. kísérő naszád, korvett
cos [kɔs; US -ɑ-] = cosine
cosec ['kousek] = cosecant
cosecant [kou'si:kənt] n koszekáns,
cosec
cosh [kɔʃ; US -ɑ-] n □ gumibot, ólmos-
bot
co-signatory [kou'sɪgnət(ə)rɪ; US
-tɔ:rɪ] n társaláíró
cosine ['kousaɪn] n koszinusz, cos
cosiness ['kouzɪnɪs] n barátságosság,
meghittség, melegség
cosmetic [kɔz'metɪk; US kɑ-] I. a
szépítő, kozmetikai II. n 1. szépítő-
szer, kozmetikai szer 2. cosmetics pl
kozmetika
cosmic ['kɔzmɪk; US -ɑ-] a kozmikus;
~ speed kozmikus sebesség
cosmogony [kɔz'mɔgənɪ; US kɑz'mɑ-]
n kozmogónia, világeredet-elmélet
cosmonaut ['kɔzmənɔ:t; US 'kɑ-] n
űrrepülő, űrhajós
cosmopolitan [kɔzmə'pɔlɪt(ə)n; US
kɑzmə'pɑ-] I. a kozmopolita II. n
világpolgár
cosmos ['kɔzmɔs; US 'kɑ-] n világegye-
tem
Cossack ['kɔsæk; US 'kɑ-] n kozák
cosset ['kɔsɪt; US 'kɑ-] vt elkényeztet
cost [kɔst; US -ɔ:-] I. n 1. ár; at any ~,
at all ~s bármibe kerül is, minden
áron 2. költség, kiadás; ~ accountant
kalkulátor; ~ price, first ~ önköltségi
ár; ~ of living megélhetési költ-
ségek →cost-of-living; ~, insurance,
freight (c.i.f.) költség, biztosítás,
fuvardíj [a rendeltetési kikötőig az
eladót terheli]; dismiss with ~s
elutasit és költségekben elmarasztal
[panaszost]; to one's ~ saját kárán II.
vi/vt (pt/pp ~) 1. vmbe kerül; ~ what
it may bármibe kerül is 2. kikalkulál-
ja/megállapítja az árát (vmnek), be-
áraz
Costa Rica [kɔstə'ri:kə; US kɑ-] prop
Costa Rican [kɔstə'ri:kən; US kɑ-]
a/n Costa Rica-i

costermonger ['kɔstə-; US -ɑ-] n GB
utcai gyümölcs- és zöldségárus, kofa
cost-free a díjmentes(en)
costing ['kɔstɪŋ; US -ɔ:-] n árvetés, kal-
kuláció
costive ['kɔstɪv; US -ɑ-] a székrekedéses
costliness ['kɔstlɪnɪs; US -ɔ:-] n költsé-
gesség
costly ['kɔstlɪ; US -ɔ:-] a költséges, drá-
ga
cost-of-living a megélhetési; ~ bonus
drágasági pótlék
costume ['kɔstju:m; US 'kɑstu:m] n 1.
ruha 2. viselet, jelmez; ~ ball jelmez-
bál; ~ jewellery divatékszer; ~ piece/
play jelmezes történelmi (szín)darab
3. kosztüm
costumier [kɔ'stju:mɪə*; US kɑ'stu:-]
n 1. jelmezkészítő, -kölcsönző 2. női
szabó
cosy ['kouzɪ] I. a kényelmes, barátságos,
meghitt II. n (tea) ~ teababa
cot¹ [kɔt; US -ɑ-] n 1. (juh)akol 2.
kunyhó
cot² [kɔt; US -ɑ-] n 1. gyermekágy
2. US tábori ágy; függőágy [hajón]
cot³ [kɔt; US -ɑ-] = cotangent
cotangent [kou'tændʒ(ə)nt] n kotangens,
ctg
co-tenant [kou'tenənt] n bérlőtárs
coterie ['koutərɪ] n klikk, zárt kör
Cotswolds, The [ðə'kɔtswouldz] prop
cottage ['kɔtɪdʒ; US -ɑ-] n házikó; villa;
nyaralóház; ~ cheese (érett) túró;
gomolya, juhsajt; ~ industry háziipar;
~ loaf angol házikenyér; ~ piano
pianino
cottager ['kɔtɪdʒə*; US -ɑ-] n 1. GB
[kunyhóban lakó] gazdasági munkás
2. US nyaraló(vendég)
cottar, -ter ['kɔtə*; US -ɑ-] n sk zsellér
cotton ['kɔtn; US -ɑ-] I. n 1. gyapot;
pamut(szövet); karton; ~ cloth pa-
mutszövet; ~ goods pamutáru; ~
yarn pamutfonal, cérna II. vi biz
1. jól megfér, kijön vkvel; ~ (on)
to sy ragaszkodik/vonzódik vkhez;
I don't ~ on to him ki nem állhatom
2. biz ~ up to sy dörgölődzik vkhez
cotton-belt n US gyapottermő vidék zóna
cotton-gin n gyapotmagtalanító gép

cotton-mill *n* pamutszövöde, -fonoda
cotton-plant *n* gyapotcserje
cottonseed *n* gyapotmag; ~ *oil* gyapotmagolaj
cottontail *n* US amerikai üreginyúl
cottonwood *n* US amerikai nyárfa
cotton-wool *n* GB vatta
cotyledon [kɔtɪ'liːd(ə)n; US kɑ-] *n* sziklevél
couch [kautʃ] I. *n* 1. dívány, kanapé 2. vacok [vadállaté] II. A. *vt* 1. *be* ~*ed on the ground* a földhöz lapul 2. szavakba foglal, megfogalmaz B. *vi* 1. fekszik, (meg)lapul, kushad 2. lesben áll
couchette [kuː'ʃet] *n* fekvőhely(es kocsi)
couch-grass ['kuːtʃ-] *n* tarackbúza
cougar ['kuːgə*] *n* puma
cough [kɔf; US -ɔː-] I. *n* köhögés, köhintés II. A. *vi* köhög B. *vt* 1. ~ *out* kiköhög 2. ~ *up* (1) felköhög (vmt) (2) □ kibök, kinyög [titkot stb.] (3) □ leszúr, kiguberál [pénzt] 3. □ köp [vallatáskor]
cough-drop *n* köhögés elleni cukorka
could [kud] →*can²*
couldn't ['kudnt] (= *could not*) →*can²*
couldst →*can²*
coulter, US **colter** ['koultə*] *n* csoroszlya [ekéé]
council ['kaunsl] *n* 1. tanács [testület]; ~ *estate* lakótelep 2. tanácskozás; tanácsülés; *be/meet in* ~ tanácskozik; ~ *of war* haditanács
council-house *n* (lakótelepi) bérház
councillor, US **-cilor** ['kaunsələ*] *n* tanácsos, tanácstag
council-school *n* GB városi iskola [szemben a magániskolával]
counsel ['kaunsl] I. *n* 1. tanács 2. tanácskozás; *take* ~ *with sy* (1) tanácskozik vkvel (2) tanácsot kér vktől 3. terv, szándék; *keep one's own* ~ nem beszél terveiről, titokban tartja szándékát 4. jogtanácsos, ügyvéd; (vállalati) ügyész; ~ *for the defendant* védőügyvéd; *King's/Queen's* C~ királyi tanácsos [némely rangidős barrister tiszteletbeli címe] II. *vt* -ll- (US -l-) tanácsol, javasol, ajánl
counsellor, US **-selor** ['kaunslə*] *n* 1.

tanácsadó 2. US jogtanácsos; ügyvéd 3. US felügyelő [gyermektáborban]
count¹ [kaunt] I. *n* 1. számolás, számítás, (meg)számlálás; *keep* ~ *of sg* megszámol vmt, számon tart vmt *lose* ~ *(of sg)* számolást eltéveszt 2. számlálás/számolás eredménye, végösszeg 3. vádpont II. A. *vt* 1. (meg-)számlál, (meg)számol 2. (bele)számít; sorol; *not* ~*ing* nem számítva 3. vmnek tart/tekint (vkt) B. *vi* számol, számít; *that does not* ~ ez nem számít **count down** *vi/vt* visszaszámol **count in** *vt* be(le)számít **count on** *vi* számít vkre/vmre **count out** *vi* 1. kiszámol [pénzt] 2. kiszámol [ökölvívót] 3. *biz you can* ~ *me o. of that* rám ne számíts ebben (az ügyben) **count upon** *vi* = *count on*
count² [kaunt] *n* gróf [nem angol]
countdown *n* visszaszámlálás
countenance ['kauntənəns] I. *n* 1. arc-(kifejezés), tekintet; *keep one's* ~ uralkodik magán; *put sy out of* ~ zavarba hoz vkt; *stare sy out of* ~ szemtelenül végigmér vkt 2. támogatás II. *vt* eltűr, elnéz
counter¹ ['kauntə*] *n* 1. játékpénz, zseton 2. pult; (pénztár)ablak
counter² ['kauntə*] I. *n* hárítás [vivásban], visszaütés [bokszban] II. *vt* 1. ellenáll (vknek, vmnek), szembehelyezkedik (vmvel) 2. hárít visszaüt
counter³ ['kauntə*] *n* kéreg [cipőben]
counter⁴ ['kauntə*] *n* számoló(gép), számláló(készülék)
counter- [kauntə(r)-] I. *pref* ellen-II. *adv* ellentétesen, ellentétben
counteract [kauntə'rækt] *vt* ellensúlyoz; semlegesít, közömbösít
counteraction [kauntə'rækʃn] *n* közömbösítés, ellensúlyozás
counterbalance I. *n* ['kauntəbæləns] ellensúly II. *vt* [kauntə'bæləns] ellensúlyoz, kiegyenlít, kompenzál
counterblast ['kauntəblɑːst; US -æst] *n* tiltakozás
countercharge ['kauntətʃɑːdʒ] I. *n* viszonvád II. *vt* viszonvádat emel (vk ellen)

countercheck ['kaʊntətʃek] n 1. visszahatás, ellenhatás, gátoló hatás 2. akadály, ellenállás, gát
counterclaim ['kaʊntəkleɪm] n ellenigény(lés), viszontkereset
counter-clockwise [kaʊntə'klɔkwaɪz; US -'klɑk-] adv az óramutató járásával ellenkező irányba(n)
counter-current ['kaʊntəkʌrənt] n ellenáram(lás)
counter-draft ['kaʊntədrɑ:ft] n visszváltó [kereskedelmi, pénzügyi]
counter-espionage [kaʊntər'espjənɑ:ʒ] n kémelhárítás
counterfeit ['kaʊntəfɪt] I. a hamis [pénz] II. n utánzat III. vt 1. utánoz, hamisit 2. tettet, szimulál, megjátszik
counterfoil ['kaʊntəfɔɪl] n szelvény
counter-insurance ['kaʊntərɪnʃuər(ə)ns] n viszontbiztosítás
counter-intelligence ['kaʊntərɪntelɪdʒəns] n kémelhárítás
counter-jumper ['kaʊntədʒʌmpə*] n biz boltossegéd, vizesnyolcas
countermand [kaʊntə'mɑ:nd] vt visszaszív, visszahív, visszavon
countermarch ['kaʊntəmɑ:tʃ] I. n viszszavonulás II. vi ellenirányban menetel
counter-measure ['kaʊntəmeʒə*] n ellenintézkedés
countermove ['kaʊntəmu:v] n ellenintézkedés
counter-offensive ['kaʊntərəfensɪv] n ellenoffenzíva, ellentámadás
counter-offer ['kaʊntərɔfə*] n ellenajánlat
counterpane ['kaʊntəpeɪn] n ágytakaró
counterpart ['kaʊntəpɑ:t] n 1. máso(d)lat 2. alakmás; hasonmás; ellenpéldány 3. = opposite number
counterpoint ['kaʊntəpɔɪnt] n [zenei] ellenpont, kontrapunkt
counterpoise ['kaʊntəpɔɪz] I. n 1. ellensúly 2. egyensúly II. vt egyensúlyba hoz, egyensúlyoz
counter-poison ['kaʊntəpɔɪzn] n ellenméreg
counter-productive [kaʊntəprə'dʌktɪv] a nemkívánatos eredményre vezető

counter-propaganda ['kaʊntəprɔpəgændə] n ellenpropaganda
counter-reformation ['kaʊntərefə'meɪʃn] n ellenreformáció
counter-revolution ['kaʊntərevə'lu:ʃn] n ellenforradalom
counter-security [kaʊntəsɪ'kjʊərətɪ] n ellenbiztosíték, visszkezes(ség)
countersign ['kaʊntəsaɪn] I. n 1. jelszó 2. ellenjegyzés II. vt ellenjegyez
countersink ['kaʊntəsɪŋk] I. n süllyesztőfúró, frézer II. vt (pt -sank -sæŋk, pp -sunk -sʌŋk) (be)süllyeszt [csavarfejet]; countersunk screw süllyesztett fejű csavar
counter-stroke ['kaʊntəstroʊk] n 1. visszavágás, -ütés 2. ellentámadás; ellenlökés
counter-type ['kaʊntətaɪp] n 1. ellentípus 2. (vmnek) megfelelő tipus
countervail ['kaʊntəveɪl] vt ellensúlyoz, (kár)pótol
counterweight ['kaʊntəweɪt] n ellensúly
countess ['kaʊntɪs] n grófnő; grófné
counting ['kaʊntɪŋ] n számolás; számlálás
counting-house n iroda, könyvelés
countless ['kaʊntlɪs] a számtalan
countrified ['kʌntrɪfaɪd] a vidékies/falusias (gondolkodású)
country ['kʌntrɪ] n 1. vidék, táj 2. vidék [szemben a várossal]; ~ cousin vidéki rokon, „falusi kislány Pesten"; ~ dance (angol) népi tánc; ~ folk falusiak, falusi nép/emberek; ~ gentleman (vidéki) földesúr; ~ life vidéki élet; ~ town vidéki város; in the ~ vidéken, falun; to the ~ vidékre, falura; go up ~ vidékre utazik [várostól távolra] 3. ország; haza; go to the ~ az országgyűlést feloszlatja és általános választásokat ír ki
country-club n klubház (sportpályákkal) (városon kívül)
country-house n vidéki kastély, udvarház, kúria
countryman ['kʌntrɪmən] n (pl -men -mən) 1. vidéki ember; paraszt 2. földi(je vknek); fellow ~ honfitárs, földi
country-seat n = country-house
countryside n vidéki táj, vidék

county ['kaʊntɪ] n megye; US ~ agent megyei gazdasági felügyelő; † ~ borough megyei (önkormányzatú) választókerület; ~ council megyei tanács; ~ court megyei bíróság, járásbíróság; ~ family dzsentricsalád; ~ town, US ~ seat megyeszékhely
coupé ['ku:peɪ; US -'peɪ] n 1. csukott hintó 2. kétajtós autó, kupé
couple ['kʌpl] I. n pár; in ~s páronként; a ~ of (1) néhány (2) kettő, két; the newly married ~ az ifjú pár II. A. vt 1. összekapcsol 2. párosít B. vi párosul
couplet ['kʌplɪt] n rímes verspár
coupling ['kʌplɪŋ] n (össze)kapcsolás
coupon ['ku:pɔn; US -ɑn] n szelvény, kupon, (élelmiszer)jegy
courage ['kʌrɪdʒ; US 'kə:-] n bátorság; have the ~ of one's convictions ki mer állni meggyőződése mellett; lose ~ elbátortalanodik; take ~, pluck up ~ nekibátorodik
courageous [kə'reɪdʒəs] a bátor
courier ['kʊrɪə*] n 1. futár 2. idegenvezető
course [kɔ:s] I. n 1. menet, folyamat, (le)folyás; in the ~ of sg vm során/folyamán; in the ~ of time idővel; in due ~ kellő időben, a maga idejében; of ~ természetesen, persze; run its ~ lefolyik, lezajlik; let nature take her ~ szabad folyást enged a természetnek 2. (út)irány; ~ correction pályamódosítás [űrhajóé]; steer a ~ vm úton halad; take one's own ~ maga útján jár 3. (verseny)pálya, versenytér 4. tanfolyam, kurzus; a ~ of lectures előadássorozat 5. kezelés, kúra 6. [étel] fogás; four-~ dinner négyfogásos ebéd 7. (tégla)sor 8.
courses pl havibaj II. A. vt 1. üldöz 2. futtat [lovat] B. vi 1. fut, szalad 2. folyik; kering
courser ['kɔ:sə*] n gyors ló, versenyló
coursing ['kɔ:sɪŋ] n falkavadászat
court [kɔ:t] I. n 1. udvar 2. (királyi) udvar(tartás); C~ of St. James's az angol királyi udvar 3. (sport)pálya, teniszpálya 4. bíróság, törvényszék; ~ of honour becsületbíróság; ~ of

justice bíróság, törvényszék; in ~ bíróság előtt; out of ~ peren kívül 5. udvarlás; make/pay ~ to sy udvarol vknek II. vt 1. udvarol vknek 2. átv vmt keres; ~ danger kihívja a veszélyt
court-card n figurás kártya
courteous ['kə:tjəs] a udvarias, előzékeny; szíves
courteousness ['kə:tjəsnɪs] n udvariasság
courtesan [kɔ:tɪ'zæn; US 'kɔ:tɪzən] n kurtizán
courtesy ['kə:tɪsɪ] n udvariasság, előzékenység, szívesség; ~ title ⟨angol főrangúak gyermekeinek szokásszerűen használt főrangú címe⟩; by ~ (of . . .) (vk) szívességéből, ingyenesen
court-house n törvényszék, bíróság [épülete]
courtier ['kɔ:tjə*] n udvaronc
courtliness ['kɔ:tlɪnɪs] n finom magaviselet, finomság, csiszoltság
courtly ['kɔ:tlɪ] a udvarias, finom, arisztokratikus
court-martial I. n (pl courts-martial) hadbíróság, haditörvényszék II. vt -ll- (US -l-) hadbíróság/haditörvényszék elé állít
court-plaster n angoltapasz, ragtapasz
court-room n bírósági tárgyalóterem
courtship ['kɔ:t-ʃɪp] n udvarlás
courtyard n udvar [házé]
cousin ['kʌzn] n unokatestvér; first ~ első(fokú) unokatestvér; first ~ once removed elsőfokú unokatestvér(em) gyermeke; second ~ másodfokú unokatestvér
cove¹ [koʊv] n 1. ivboltozat 2. kis (tenger)öböl 3. vájat, üreg, barlang
cove² [koʊv] n □ fickó, pasi, pacák
covenant ['kʌvənənt] I. n 1. szerződés 2. szövetség, frigy II. A. vi 1. megegyezik, megegyezést köt (with vkvel) 2. kötelezettséget vállal, ígér B. vt (szerződésileg) kiköt, lerögzít
Covent Garden ['kɔv(ə)nt'gɑ:dn] prop ⟨londoni operaház⟩
Coventry ['kɔv(ə)ntrɪ] prop Coventry; send sy to ~ bojkottál vkt
cover ['kʌvə*] I. n 1. fedő [fazéké stb.]

2. takaró; terítő; huzat; *loose* ~ védő-huzat 3. fedél, tábla [könyvé]; ~ *design* kötésterv; ~ *girl* ⟨(szép) nő akinek fényképe folyóirat címlapján jelenik meg⟩; *from* ~ *to* ~ elejétől végig 4. (levél)boríték →*separate* 5. fedél, menedék; védelem; rejtekhely; bozót; *take* ~ menedéket keres; elrejtőzik; *be under* ~ biztonságban van 6. *under* ~ *of sg* vmnek a(z) leple/ürügye alatt; ~ *organization* fedőszerv 7. (pénz)fedezet, biztosíték; biztosítás 8. teríték; ~ *charge* teríték ára; ~*s were laid for five* öt személyre terítettek II. *vt* 1. (be)fed, (be)takar, (be-)borít; leplez, palástol; *stand* ~*ed* kalapot a fején tartja; ~ *one's tracks* (láb)nyomát eltünteti 2. véd(elmez); fedez 3. megtesz [utat, távolságot] 4. magában foglal, felölel (vmt); kiterjed (vmre); érvényes (vmre) 5. tudósít, hírlapi beszámolót ír (vmről); közvetít [vmt rádión, tévén] 6. fedez [költséget],biztosít; *be* ~*ed against fire* tűzkár ellen van biztosítva 7. ~ *sy with a pistol* pisztollyal sakkban tart 8. befedez [kancát]
cover in *vt* betemet; betakar
cover over *vt* 1. befed 2. elterít 3. betemet
cover up *vt* 1. befed, betakar; ~ *up warmly!* jól takaróddzék be! 2. (el)leplez
coverage ['kʌvərɪdʒ] *n* 1. rendszeres tájékoztatás/beszámolás, tudósítás [sajtóban]; közvetítés [rádión, tévén] 2. kiterjedés; terjedelem [pl. biztosításé]
Coverdale ['kʌvədeɪl] *prop*
covered ['kʌvəd] *a* (be)fedett; ~ *wagon* ekhós szekér
covering ['kʌvərɪŋ] *a* 1. fedő 2. fedező 3. ~ *letter* kísérőlevél
coverlet ['kʌvəlɪt] *n* ágytakaró
covert ['kʌvət] I. *a* 1. rejtett, titkolt, burkolt 2. védett, fedezett II. *n* 1. búvóhely; menedék 2. **coverts** *pl* alsó tollazat
covert-coat *n* felöltő
covet ['kʌvɪt] *vt* megkíván, vágyik vmre

covetous ['kʌvɪtəs] *a* nagyon vágyó (*of* vmre)
covetousness ['kʌvɪtəsnɪs] *n* sóvárgás (vm után), mohóság
covey ['kʌvɪ] *n* 1. csapat [fogolymadarakból] 2. társaság, csoport
cow[1] [kaʊ] *n* tehén; *wait till the* ~*s come home* „majd ha fagy", pünkösd után kiskedden
cow[2] [kaʊ] *vt* megfélemlít
coward ['kaʊəd] *a/n* gyáva
cowardice ['kaʊədɪs] *n* gyávaság
cowardly ['kaʊədlɪ] I. *a* gyáva II. *adv* gyáván
cowbell *n* kolomp [tehén nyakán]
cow-berry *n* áfonya
cowboy *n US* lovas marhapásztor
cow-catcher *n US* vágánykotró, bivalyhárító
cower ['kaʊə*] *vi* 1. leguggol, lekucorodik, meglapul 2. retteg vmtől
cowherd *n* gulyás, csordás
cow-hide *n* 1. tehénbőr 2. *US* szíjostor, korbács
cowl [kaʊl] *n* 1. kámzsa, csuklya 2. kéménysisak, -toldat
cowling ['kaʊlɪŋ] *n* áramvonalas burkolat [repgépé], motorburkolat
co-worker [kaʊ'wə:kə*] *n* munkatárs
Cowper ['kaʊpə*; *a költő:* 'ku:pə*] *prop*
cow-pox *n* tehénhimlő
cow-puncher *n US* = *cowboy*
cowrie ['kaʊrɪ] *n* kagylópénz
cowslip ['kaʊslɪp] *n* 1. *GB* kankalin 2. *US* mocsári gólyahír
cox [kɔks; *US* -ɑ-] *biz* = *coxswain*
coxalgia [kɔk'sældʒɪə; *US* kɑ-] *n* csípőfájás
coxcomb ['kɔkskoʊm; *US* -ɑk-] *n* 1. csörgősapka 2. bolond 3. piperkőc, dendi, gigerli
coxed [kɔkst; *US* -ɑ-] *a* = *coxswained*
coxless ['kɔkslɪs; *US* -ɑ-] *a* = *coxswainless*
coxswain ['kɔkswein, *US* -ɑ-; *hajósok nyelvén:* 'kɔksn; *US* -ɑ-] I. *n* kormányos [evezős versenyhajón] II. *vt/vi* kormányoz [evezős hajót]
coxswained ['kɔkswemd; *US* -ɑ-; *hajósok nyelvén:* 'kɔksnd; *US* -ɑ-] *a* kormányos

coxswainless ['kɔksweɪnlɪs, US -ɑ-; hajósok nyelvén: 'kɔksnlɪs; US -ɑ-]a kormányos nélküli
coy [kɔɪ] a félénk; szemérmes
coyness ['kɔɪnɪs] n félénkség, tartózkodás
coyote ['kɔɪoʊt; US kaɪ-] n US prérifarkas
coypu ['kɔɪpu:] n nutria [állat]
cozen ['kʌzn] vt † ~ sy into (doing) sg beugrat vkt vmbe, csellel rávesz vkt vmre
cozy ['koʊzɪ] a/n = cosy
CP [si:'pi:] Communist Party
cp. [kəm'peə*] compare vesd össze, vö.
c.p., cp [si:'pi:] candle-power
C.P.A. CPA [si:pi:'eɪ] Certified Public Accountant →certified
Cpl. Corporal
crab¹ [kræb] n 1. tengeri rák; biz catch a ~ „rákot fog" [evezős] 2. ~ (louse) lapostetű 3. csörlő
crab² [kræb] 1. ~ (apple) vadalma 2. biz savanyú ember
crab³ [kræb] vt -bb- 1. karmol [sólyom] 2. biz ócsárol
crabbed ['kræbɪd] a 1. mogorva, kellemetlen, rosszindulatú, zsémbes 2. homályos [stílus]; nehezen olvasható [kézírás] ‖ →crab³
crab-pot n rákvarsa, rákcsapda
crab-tree n vadalmafa
crabwise adv rák módjára
crack [kræk] I. a kiváló, elsőrendű; ~ player elsőrendű/nagyszerű játékos, krekk; ~ shot mesterlövész II. n 1. csattanás, durranás; reccsenés; ~ on the head fejbeütés; in a ~ egy pillanat alatt 2. repedés, rés 3. □ szellemes ötlet, „bemondás" 4. biz have a ~ at sg megpróbálkozik vmvel III. int durr!, puff! IV. A. vt 1. csattant, pattant; ~ a joke elsüt/megereszt egy viccet 2. (szét)repeszt, feltör, betör; ~ a bottle with sy vkvel megiszik egy üveg bort; □ ~ a crib betör házba 3. krakkol [kőolajat] B. vi 1. csattan, pattan; recseg-ropog 2. (szét)reped, (szét)pattan; betörik 3. mutál [hang] crack down vi ~ d. on sy vkvel igen szigorúan bánik, „rámászik" vkre

crack on vi vitorlát felvon
crack up A. vt agyba-főbe dicsér B. vi 1. összeomlik, összeroppan [testileg, szellemileg] 2. szétzúzódik, öszszetörik; lezuhan [repgép]
crack-brained a bolond, ütődött
crack-down n biz lehordás, (alapos) megleckéztetés, „elkapják az ürgét"
cracked [krækt] a 1. repedt 2. biz dilis, ütődött, bolond
cracker ['krækə*] n 1. ostorhegy, sudár 2. pukkantó [játék] 3. diótörő 4. crackers pl (1) US sós keksz (2) GB □ dilis, ütődött 5. (US megvetően) fehér proletár
cracking ['krækɪŋ] n (meg)repedés; work to the ~ point megszakadásig dolgozik
crackjaw n nyelvtörő (szó)
crackle ['krækl] I. n 1. ropogás 2. repedezés II. vi pattog, ropog; reped(ezik)
crackling ['kræklɪŋ] n 1. recsegés-ropogás 2. ropogósra sült malacbőr
crackpot I. a őrült, bolond [gondolat] II. n ütődött (ember), rögeszmés (bolond)
cracksman ['kræksmən] n (pl -men -mən) biz betörő
crackup n □ 1. lezuhanás [repülőgépé] 2. idegösszeomlás
Cracow ['krækoʊ] prop Krakkó
cradle ['kreɪdl] I. n 1. bölcső 2. lengőállvány II. vt bölcsőben nevel/ringat
craft [krɑːft; US -æ-] n 1. ügyesség; mesterségbeli szakértelem 2. ravaszság, fortély, becsapás 3. ipar, szakma, mesterség; ~ union szakmai szakszervezet 4. (pl ~) hajó, vízi/légi jármű
craftiness ['krɑːftɪnɪs; US -æ-] n ravaszság
craftsman ['krɑːftsmən; US -ræf-] n (pl -men -mən) mesterember, kézműves
craftsmanship ['krɑːftsmənʃɪp; US -æf-] n (kiváló) szakmabeli/mesterségbeli tudás
crafty ['krɑːftɪ; US -æ-] a ravasz, fortélyos
crag [kræg] n kőszirt, szikla
craggy ['krægɪ] a sziklás, szirtes
crake [kreɪk] n haris
cram [kræm] v -mm- A. vt 1. (tele)töm,

(bele)zsúfol (*into* vmbe); ~*med with
quotations* idézetekkel teletűzdelt **2.**
vknek fejébe ver, bemagoltat **3.** be-
magol **B.** *vi* **1.** teletömi magát [étellel]
2. magol
cram-full *a* zsúfolt, csordultig telt
crammer ['kræmə*] *n* vizsgára előkészí-
tő magántanító
cramming ['kræmıŋ] *n* **1.** tömés **2.** ma-
golás
cramp [kræmp] **I.** *n* **1.** görcs **2.** ~
(*iron*) ácskapocs **3.** befogópofa **II.**
vt **1.** összeszorít, -kapcsol, -fog; befog
[satuba] **2.** gátol, akadályoz, görcsöt
okoz; *be* ~*ed for room* szűkében van
a helynek
cramped [kræmpt] *a* **1.** szűk **2.** görcsös
[kézírás]
crampon ['kræmpən] *n* **1.** kőmarkoló
kapocs **2.** jégszeg
cranberry ['krænb(ə)rı; *US* -berı] *n*
tőzegáfonya
crane [kreın] **I.** *n* daru **II. A.** *vt* **1.** daru-
val felemel **2.** kinyújtja/nyújtogatja
[a nyakát] **B.** *vi* ~ *at sg* megtorpan
vmnél
crane-man *n* (*pl* **-men**) darukezelő
cranial ['kreınjəl] *a* koponyai
cranium ['kreınjəm] *n* (*pl* ~**s** -z v.
crania 'kreınjə) koponya
crank[1] [kræŋk] **I.** *n* forgattyú, indítókar,
kurbli **II.** *vt* ~ (*up*) felkurbliz, kézi
forgattyúval beindít [motort]
crank[2] [kræŋk] *n* **1.** bolondos/excentri-
kus ötlet, bolondéria **2.** különc
crank-case *n* forgattyúház, motorteknő,
karter
crank-shaft *n* forgattyús tengely, főten-
gely
cranky ['kræŋkı] *a* **1.** bizonytalan **2.**
kanyargós **3.** félbolond, excentrikus
cranny ['krænı] *n* hasadék, repedés,
rés [falban]
crap [kræp] *n vulg* **1.** szar **2.** hülyeség
crape [kreıp] *n* fekete krepp
craps [kræps] *n US* kockajáték
crapulous ['kræpjuləs] *a* **1.** iszákos **2.**
másnapos
crash[1] [kræʃ] **I.** *n* **1.** csattanás, robaj,
recsegés-ropogás **2.** összeomlás, tönk-
remenés; (ár)zuhanás, pénzügyi krach/

bukás **3.** (repülőgép-)lezuhanás, re-
pülőgép-szerencsétlenség **4.** ~ *pro-
gram* rohammunka **II. A.** *vi* **1.** össze-
csattan, ropog, durran **2.** lezuhan;
~ *into* beleszalad (vmbe) **B.** *vt* szét-
zúz, összezúz
crash[2] [kræʃ] *n* házivászon
crash-course *n* gyorstalpaló tanfolyam
crash-helmet *n* bukósisak
crash-landing *n* kényszerleszállás (gép-
töréssel)
crass [kræs] *a* (*átv is*) vastag, durva
crate [kreıt] **I.** *n* ládakeret, rekesz **II.**
vt ládába/fakeretbe/rekeszbe csomagol
crater ['kreıtə*] *n* **1.** kráter **2.** bomba-
tölcsér
crave [kreıv] **A.** *vt* ~ *sg from/of sy* kö-
nyörög vknek vmért; ~ *sy's pardon*
bocsánatot kér vktől **B.** *vi* ~ *for/after*
sg vágyakozik/sóvárog vm után
craven ['kreıv(ə)n] *a/n* gyáva (ember)
craving ['kreıvıŋ] *n* erős vágy, sóvár-
gás
craw [krɔ:] *n* **1.** madárbegy **2.** (állati)
gyomor
crawl [krɔ:l] **I.** *n* **1.** csúszás, mászás,
kúszás **2.** ⁻ gyorsúszás, kallózás **II.**
vi **1.** csúszik, mászik, kúszik **2.** ván-
szorog **3.** mászkál **4.** nyüzsög (*with*
vmtől) **5.** *biz* nyal (*to* vknek) **6.** kallózik
crawler ['krɔ:lə*] *n* **1.** csúszómászó
(állat); *biz* tetű **2.** talpnyaló **3.** ját-
szóruha, tipegő [kisgyermeké] **4.** utas-
ra vadászó taxi
crawly ['krɔ:lı] *a biz* viszketős
crayfish ['kreıfıʃ] *n* folyami rák
crayon ['kreıən] *n* pasztellkréta, rajz-
kréta, rajzszén
craze [kreız] **I.** *n* divat, mánia, őrület;
it's all the ~ *now* most mindenki ezért
bolondul **II.** *vt* **1.** megőrjít **2.** apró
repedéseket idéz elő [majolikán]
craziness ['kreızınıs] *n* **1.** őrület, őrült-
ség **2.** roskatagság
crazy ['kreızı] *a* **1.** őrült, bolond, boga-
ras; *drive/send sy* ~ megőrjít; *be* ~
about sy bele van habarodva vkbe;
be ~ *about sg* bolondul vmért **2.** rozo-
ga, gyenge, düledező
creak [kri:k] **I.** *n* nyikorgás, csikorgás
II. *vi* csikorog, nyikorog; recseg

creaky ['kri:kɪ] *a* csikorgós, nyikorgós
cream [kri:m] I. *n* 1. tejszín; *clotted* ~, *Devonshire* ~ tejföl; ~ *bun* kb. képviselőfánk 2. krém; ~ *cheese* krémsajt 3. vmnek a legjava (v. színe-java); ~ *of the jest/joke* a történet legmulatságosabb része II. A. *vt (átv is)* lefölöz B. *vi* 1. fölösödik 2. habzik
cream-coloured *a* csontszínű
creamer ['kri:mə*] *n* 1. fölözőgép 2. fölözőedény; *US* tejszínesedény
creamery ['kri:mərɪ] *n* 1. tejfeldolgozó üzem 2. tejcsarnok
creamy ['kri:mɪ] *a* 1. tejszínszerű, krémes 2. elefántcsontszínű
crease [kri:s] I. *n* ránc, gyűrődés, redő II. A. *vt* ráncol, redőz; (össze)gyűr B. *vi* ráncosodik; (össze)gyűrődik
crease-resisting [-rɪ'zɪstɪŋ] *a* nem gyűrődő, gyűrhetetlen
crease-retention *n* éltartóság [nadrágé]
create [kri:'eɪt] A. *vt* 1. teremt, alkot; ~ *a part* egy szerepet játszik 2. előidéz; kelt; kivált 3. vmlyen rangra emel; ~ *sy a knight* vkt lovaggá üt B. *vi* □ jelenetet csinál/rendez, jelenetez, hisztizik
creation [kri:'eɪʃn] *n* 1. teremtés, alkotás 2. teremtmény 3. világ; *the brute* ~ az állatvilág 4. alkotás, mű; (divat)kreáció 5. kinevezés
creative [kri:'eɪtɪv] *a* alkotó, teremtő; ~ *process* alkotó folyamat
creator [kri:'eɪtə*] *n* alkotó, teremtő
creature ['kri:tʃə*] *n* 1. teremtmény 2. teremtés, személy 3. állat 4. vknek a(z) eszköze/kreatúrája 5. ~ *comforts* anyagi jólét
crèche [kreɪʃ] *n* 1. kb. bölcsőde; óvoda 2. *US* betlehem
credence ['kri:d(ə)ns] *n gain* ~ hitelre talál, elhiszik; *give/attach* ~ *to sg* hitelt ad vmnek, elhisz vmt
credentials [krɪ'denʃlz] *n pl* 1. megbízólevél [követé] 2. igazoló iratok
credibility [kredɪ'bɪlətɪ] *n* hihetőség
credible ['kredəbl] *a* 1. hihető 2. hitelt érdemlő
credit ['kredɪt] I. *n* 1. hitel, bizalom; *give* ~ *to sg* elhisz vmt, hitelt ad vmnek 2. [erkölcsi] hitel, becsület; jó

hírnév; *it does him* ~ becsületére válik 3. jó pont/(érdem)jegy [osztályzat]; *pass an examination with* ~ jó eredménnyel vizsgázik 4. *US* tanulmányi pontszám(érték) 5. hitel; *commercial/commodity* ~ áruhitel; ~ *account* hitelszámla; ~ *card* hitelkártya; ~ *standing* hitelképesség; ~ *union* hitelszövetkezet; *accord/grant* ~ hitelt nyújt 6. jóváírás, követelés; ~ *note* jóváírási értesítés; *debit and* ~ „tartozik és követel"; ~ *side* követel oldal; *enter/put a sum to sy's* ~ vknek jóváír (v. számlája javára ír) egy összeget II. *vt* 1. elhisz; hitelt ad [hírnek] 2. bízik (vmben) 3. hitelt ad/nyújt 4. javára ír 5. ~ *sy with sg* vmt vknek tulajdonít
creditable ['kredɪtəbl] *a* 1. dicséretre/elismerésre méltó 2. hitelképes 3. megbízható, szavahihető
creditor ['kredɪtə*] *n* hitelező
credo ['kri:doʊ] *n* = *creed*
credulity [krɪ'dju:lətɪ; *US* -'du:-] *n* hiszékenység
credulous ['kredjʊləs; *US* -dʒə-] *a* hiszékeny
creed [kri:d] *n* 1. (apostoli) hitvallás, krédó, hiszekegy 2. *átv* hitvallás
creek [kri:k] *n* 1. kis öböl 2. *US* patak
creel [kri:l] *n* halászkosár
creep [kri:p] I. *n* 1. csúszás, mászás 2. *the* ~*s* libabőr, borzongás, hidegrázás; *give sy the* ~*s* a hátán végigfut a hideg vmtől II. *vi (pt/pp crept* krept) 1. csúszik, mászik, kúszik; lopódzik; ~ *on* odakúszik 2. megalázkodik 3. borzong; *make one's flesh* ~ libabőrös lesz (a háta) vmtől
creeper ['kri:pə*] *n* 1. kúszónövény 2. kúszómadár 3. kotróháló 4. jégvas [cipőn]
creepy ['kri:pɪ] *a* hátborzongató; *feel* ~ borzong
creepy-crawly *a* 1. libabőrös, borzongató 2. szolgalelkű
cremate [krɪ'meɪt] *vt* (el)hamvaszt [holttestet]
cremation [krɪ'meɪʃn] *n* (el)hamvasztás
crematorium [kremə'tɔ:rɪəm] *n (pl* ~*s* -z v. *-ria* -rɪə] krematórium

crenel(l)ated ['krenəleɪtɪd] *a* csipkézett; lőrésekkel ellátott (oromzatú)
creole ['kri:oöl] *a/n* kreol
creosote ['krɪəsoöt] *n* karbolsav, kreozot
crêpe, crepe [kreɪp] *n* 1. krepp; ~ (*rubber*) *sole* krepptalp; ~ *paper* krepp-papír 2. gyászfátyol; gyászkarszalag
crepitate ['krepɪteɪt] *vi* serceg, recseg
crepitation [krepɪ'teɪʃn] *n* sercegés, csikorgás, sistergés
crept →*creep II.*
crepuscular [krɪ'pʌskjölə*; *US* -kjə-] *a* szürkületi, alkony(at)i
crescent ['kresnt] **I.** *a* 1. növekvő 2. sarló/félhold alakú **II.** *n* 1. holdsarló, félhold 2. ⟨félkör alakú házsor⟩ 3. *átv* a félhold ⟨a mohamedán vallás, ill. az egykori török birodalom jelképe⟩
cress [kres] *n* zsázsa
Cressida ['kresɪdə] *prop*
crest [krest] **I.** *n* 1. (kakas)taraj; bóbita 2. (sisak)forgó 3. dombtető, hullámtaréj 4. címerpajzs 5. *átv* vmnek a teteje (v. legmagasabb foka) **II.** *vt* 1. tetejére kúszik 2. föléje tornyosul vmnek
crest-fallen *a* csüggedt, levert, elszontyolodott
cretaceous [krɪ'teɪʃəs] *a* 1. krétaszerű 2. krétakori; ~ *age* krétakor
Crete [kri:t] *prop* Kréta (szigete)
cretin ['kretɪn] *n* hülye, kretén
cretonne [kre'tɔn; *US* -ɑn] *n* kreton
crevasse [krɪ'væs] *n* gleccserszakadék
crevice ['krevɪs] *n* rés, hasadék
crew¹ [kru:] *n* 1. legénység, személyzet [járműé] 2. csapat, brigád 3. banda
crew² →*crow² II.*
crew-cut *n* kefehaj
Crewe [kru:] *prop*
crib [krɪb] **I.** *n* 1. jászol; betlehem 2. *US* gyerekágy 3. kunyhó, viskó 4. *biz* puska [iskolában] 5. *biz* plágium **II.** *vt* -bb- 1. bezsúfol, beszorít [szűk helyre] 2. *biz* puskázik; plagizál
cribbage ['krɪbɪdʒ] *n* ⟨egy kártyajáték⟩
Crichton ['kraɪtn] *prop*
crick [krɪk] **I.** *n* (izom)rándulás; szaggatás **II.** *vt* megrándít [nyakát]
cricket¹ ['krɪkɪt] *n* tücsök

cricket² ['krɪkɪt] *n* krikett [játék]; *biz that's not* ~ ez nem tisztességes eljárás
cricketer ['krɪkɪtə*] *n* krikettjátékos
cricket-match *n* krikettmérkőzés
cricket-shirt *n* fehér pólóing
crier ['kraɪə*] *n* kikiáltó
crikey ['kraɪkɪ] *int biz* azt a kutyafáját!
crime [kraɪm] *n* 1. bűncselekmény, bűntett; ~ *fiction* bűnügyi regény, krimi 2. vétek, bűn
Crimea [kraɪ'mɪə] *prop* Krím(-félsziget)
Crimean [kraɪ'mɪən] *a* krími
criminal ['krɪmɪnl] **I.** *a* 1. bűnös; ~ *conversation* házasságtörés 2. büntetőjogi, bűnvádi; ~ *act* bűntett; ~ *action* bűnvádi eljárás; ~ *code* büntető törvénykönyv; ~ *law* büntetőjog; ~ *offender* bűntettes
criminally ['krɪmɪnəlɪ] *adv* 1. bűnösen 2. büntetőeljárás szerint
criminology [krɪmɪ'nɔlədʒɪ; *US* -'nɑ-] *n* kriminológia
crimp [krɪmp] **I.** *n* 1. hullámosság [hajé, gyapjúé, bádogé] 2. *US* □ *put the* ~ *in* elgáncsol [tervet] **II.** *vt* hullámosít, ondolál [hajat]
crimson ['krɪmzn] *a/n* karmazsin(vörös); ~ *rambler* (piros) futórózsa; *turn* ~ elvörösödik, elpirul
cringe [krɪndʒ] **I.** *n* hajlongás, szerviliz-mus **II.** *vi* megalázkodik, alázatosan hajlong
crinkle ['krɪŋkl] **I.** *n* ránc, redő; ~*d'paper* krepp-papír **II. A.** *vt* (össze)gyűr, ráncol **B.** *vi* (össze)gyűrődik, ráncolódik
crinkly ['krɪŋklɪ] *a* ráncos, redős, gyűr(ő-d)ött; fodros, göndör
cripple ['krɪpl] **I.** *n* nyomorék, béna **II.** *vt* megbénít, megnyomorít, (*átv is*) tönkretesz
crippled ['krɪpld] *n* nyomorék, rokkant, béna, mozgásképtelen
crisis ['kraɪsɪs] *n* (*pl* -ses -si:z) válság, krízis
crisp [krɪsp] **I.** *a* 1. ropogós, porhanyós, omlós 2. göndör, hullámos [haj] 3. erőteljes, eleven [stílus], határozott [modor] 4. éles, metsző [hang], friss, csípős, éles [levegő] **II.** *n* 1. ~(*s*) burgonyaszirom 2. *biz* (ropogós) bankjegy **III.** *vt* ropogósra süt

13

criss-cross ['krɪskrɔs; *US* -ɔːs] **I.** *a* keresztezett; cikcakkos **II.** *adv* keresztül-kasul; összevissza **III.** *n* keresztvonás **IV.** *vt* keresztez

criterion [kraɪ'tɪərɪən] *n* (*pl* ~s -z v. -ria -rɪə) ismérv, ismertetőjel, próbakő, kritérium

critic ['krɪtɪk] *n* műbíráló, kritikus

critical ['krɪtɪkl] *a* **1.** bíráló, kritikus; kritikai **2.** válságos, kritikus

criticism ['krɪtɪsɪzm] *n* bírálat, kritika

criticize ['krɪtɪsaɪz] *vt* (meg)bírál, kritizál

critique [krɪ'tiːk] *n* kritika, bírálat [írott]

croak [krouk] **I.** *n* **1.** brekegés **2.** károgás **II.** *vi* **1.** brekeg **2.** károg **3.** *átv* károg, huhog **4.** □ elpatkol

Croatia [krou'eɪʃə; *US* -ʃə] *prop* Horvátország

Croatian [krou'eɪʃjən; *US* -ʃən] *a/n* horvát

crochet ['krouʃeɪ; *US* -'ʃeɪ] **I.** *n* horgolás **II.** *vt* (*pt/pp* ~ed 'krouʃeɪd, *US* -'ʃeɪd) horgol

crochet-hook ['krouʃɪhuk] *n* horgolótű

crock¹ [krɔk; *US* -ɑ-] *n* **1.** cserépedény **2.** cserépdarab

crock² [krɔk; *US* -ɑ-] *GB* **I.** *n* **1.** □ hasznavehetetlen/„kikészült" ember **2.** ócska tragacs **II. A.** *vi* ~ *up* [egészségileg] tönkremegy, lerobban **B.** *vt* [egészségileg] tönkretesz

crockery ['krɔkərɪ; *US* -ɑ-] *n* cserépedény, háztartási porcelán- és fajanszedény

crocodile ['krɔkədaɪl; *US* -ɑ-] *n* **1.** krokodil; ~ *tears* krokodilkönnyek **2.** *biz* kettős sorban menetelő diáklányok

crocus ['kroukəs] *n* **1.** sáfrány; *autumn* ~ kikerics **2.** sáfrányszín

Croesus ['kriːsəs] *prop* Krőzus (*görögösen:* Kroiszosz)

croft [krɔft; *US* -ɔː-] **1.** telek **2.** kis gazdaság; kisbérlet

crofter ['krɔftə*; *US* -ɔː-] *n* kisgazda, törpebirtokos

croissant ['krwɑːsɑːŋ] *n kb.* kifli

cromlech ['krɔmlek; *US* -ɑ-] *n* ókelta kőemlék

Cromwell ['krɔmw(ə)l] *prop*

crone [kroun] *n* vén banya, szipirtyó

crony ['krounɪ] *n biz* (régi) haver

crook [kruk] **I.** *n* **1.** pásztorbot, püspökbot **2.** kampó **3.** kanyarulat, görbület **4.** *US biz* csaló **5.** □ *on the* ~ tisztességtelen úton **II.** *vt* (be)hajlít, (be-) görbít

crook-back(ed) *a/n* púpos

crooked ['krukɪd] *a* **1.** görbe, hajlott **2.** tisztességtelen, nem egyenes **3.** [krukt] kampós, horgas

croon [kruːn] *vt* halkan dúdol, zömmög

crooner ['kruːnə*] *n* † halkan éneklő sanzonénekes

crop [krɔp; *US* -ɑ-] **I.** *n* **1.** termés; *second* ~ sarjú; *under/in* ~ művelés alatt álló; *out of* ~ parlagon heverő **2.** begy, bögy **3.** hajvágás; *Eton* ~ Eton-frizura; *give sy a close* ~ kopaszra nyír vkt **4.** ostornyél **5.** cserzett bőr, színbőr, hátbőr **6.** sereg [ember, kérdés stb.] **II.** *v* **-pp- A.** *vt* **1.** begyűjt [termést] **2.** rövidre vág, levág **3.** lelegel **4.** bevet, megművel **B.** *vi* **1.** terem **2.** ~ *up* felbukkan, felmerül

crop-dusting *n* légi permetezés; repülőgépes gyomirtás

crop-eared *a* **1.** vágott fülű [kutya] **2.** kopaszra nyírt (és ezért elálló fülű)

cropper ['krɔpə*; *US* -ɑ-] *n* **1.** *good* ~ jó természozamot hozó növény **2.** arató **3.** golyvás galamb **4.** zuhanás; *biz come a* ~ (1) felbukik [lóval]; elvágódik (2) tönkremegy (3) „elhúzzák" [vizsgán]

croquet ['kroukeɪ; *US* -'keɪ] *n* krokett [játék]

croquette [krou'ket] *n* krokett [étel], ropogós

crosier ['krouʒə*] *n* pásztorbot [püspöké]

cross [krɔs; *US* -ɔː-] **I.** *a* **1.** kereszt irányú, haránt **2.** ellentétes, szemben álló, ellentmondó (*to* vmvel, vmnek) **3.** *biz* mogorva, ingerült; *be* ~ *with sy* haragszik/mérges vkre; *as* ~ *as two sticks,* ~ *as a bear* harapós kedvében van **II.** *n* **1.** kereszt **2.** keresztezés [fajoké] **3.** szenvedés, megpróbáltatás; *bear one's* ~ viseli a keresztjét

III. A. *vt* **1.** keresztbe tesz/rak; ~ *one's arms* keresztbe teszi a karját; *keep fingers* ~*ed* szorít vmért/vkért **2.** ~ *oneself* keresztet vet **3.** keresztez [csekket], áthúz **4.** átmegy, áthalad [úttesten stb.]; átkel [tengeren]; áthajt [záróvonalon stb.]; *sg* ~*es sy's mind* vm átvillan az agyán, vm eszébe jut **5.** (szembe)találkozik (vkvel); ~ *sy's path* keresztezi vknek az útját; ~ *each other* keresztezik egymást **6.** keresztülhúz [terveket stb.]; *be* ~*ed in love* szerelmi csalódás érte **7.** keresztez [fajtákat] **B.** *vi* **1.** keresztezik egymást [utak, levelek] **2.** átkel, átmegy **3.** kereszteződnek [fajták]
cross out *vt* áthúz, töröl, kihúz [szót stb.]
cross over *vi* **1.** átkel, átmegy **2.** átkereszteződik
crossbar *n* keresztrúd, -gerenda, -léc
cross-beam *n* keresztgerenda, tartógerenda, kereszttartó; főtefa
cross-bencher *n GB* középpárti/független képviselő
cross-bones *n pl* keresztbe tett lábszárcsontok [halálfej alatt]
crossbow [-boʊ] *n* nyílpuska
cross-breed I. *n* keresztezett fajta, fajkereszteződés, hibrid **II.** *vt* (*pt/pp* **-bred**) [fajokat] keresztez
cross-check I. *n* (újra) egyeztetés **II.** *vt* (újra) egyeztet, újra átvizsgál
cross-country *a* mezei, terep-; ~ *race* (1) terepfutás (2) tereplovaglás
cross-cut *n* **1.** harántvágás **2.** átvágás; útrövidítés
cross-examination *n* keresztkérdezés, keresztkérdések feltevése
cross-examine *vt* keresztkérdéseket tesz fel (vknek)
cross-eyed *a* kancsal, bandzsa
cross-fertilization *n* keresztbeporzás
crossfire *n* (*átv is*) kereszttűz
cross-grained [-greɪnd] *a* **1.** haránt rostú [fa] **2.** akaratos, makacs; házsártos
cross-hairs *n pl* fonalkereszt [távcsőben]
cross-hatch *vt* keresztben vonalkáz, sraffoz

cross-head(ing) *n* nagybetűs alcím
crossing ['krɔsɪŋ; *US* -ɔ:-] *n* **1.** átkelés [tengeren]; áthaladás [úttesten] **2.** útkereszteződés; vasúti átjáró; (*street*) ~ (kijelölt) gyalogátkelőhely; (*border*) ~ *point* határátkelőhely **3.** (faj)kereszteződés; keresztbeporzás
cross-legged *a* keresztbe (ve)tett lábakkal ülő
crossness ['krɔsnɪs; *US* -ɔ:-] *n* mogorvaság, zsémbesség, rosszkedv
cross-purpose *n* *be at* ~*s* (*with sy*) két malomban őrölnek
cross-question I. *n* keresztkérdés **II.** *vt* = *cross-examine*
cross-reference *n* utalás [könyvben]
cross-road *n* **1.** keresztút **2.** ~*s* útkereszteződés; *be at the* ~*s* válaszúthoz érkezett
cross-section *n* keresztmetszet
cross-stitch *n* keresztöltés
cross-talk *n* **1.** áthallás [telefonban] **2.** feleselés, visszabeszélés
cross-tie *n US* vasúti talpfa
crosswalk *n US* gyalogátkelőhely
crosswise *adv* keresztbe(n), haránt
cross-word (**puzzle**) *n* keresztrejtvény
crotch [krɔtʃ; *US* -ɑ-] *n* **1.** villás elágazás [fán] **2.** csúzli **3.** ⟨az ember lábainak szétválási helye a törzs alján⟩
crotchet ['krɔtʃɪt; *US* -ɑ-] *n* **1.** horog, kampó **2.** negyed hangjegy **3.** rögeszme, bolondos/fantasztikus ötlet, „bogár"
crotchety ['krɔtʃɪtɪ; *US* -ɑ-] *a* rögeszmés, bogaras, dilis [ember]
crouch [kraʊtʃ] **I.** *n* **1.** lekuporodás **2.** (alázatos/mély) meghajlás **II.** *vi* **1.** lekuporodik, (meg)lapul, leguggol **2.** (alázatosan) meghajol
croup[1] [kru:p] *n* far [lóé]
croup[2] [kru:p] *n* krupp, álhártyás torokgyík
croupier ['kru:pɪə*] *n* krupié, játékvezető [játékkaszinóban]
crow[1] [kroʊ] *n* **1.** varjú; *as the* ~ *flies* légvonalban, toronyiránt; *have a* ~ *to pluck with sy* számolnivalója van vkvel; *US eat* ~ kellemetlenséget kell lenyelnie **2.** = *crowbar*
crow[2] [kroʊ] **I.** *n* kukorékolás **II.** *vi*

(*pt* ~**ed** kroud, † **crew** kru:, *pp* ~**ed)**
1. kukorékol 2. (örömében) hangosan
kiabál; [csecsemő] gügyög, sikongat;
~ *over sg* ujjong vm fölött
crowbar *n* emelőrúd, feszítőrúd, bontóvas
crowd [kraud] I. *n* 1. tömeg 2. tolon-
gás 3. *biz* társaság, banda II. A. *vt*
1. teletöm, összezsúfol, (kis helyre)
összeszorit 2. ~ *out* kiszorít (vhonnan);
be ~*ed out* (helyszűke miatt) kiszo-
rul(t), kinn reked(t) 3. ~ *on sail* fel-
vonja az összes vitorlát B. *vi* tolong;
özönlik, csődül (*to* vhová); előrenyo-
makodik
crowded ['kraudıd] tömött, zsúfolt; ~
cities túlnépesedett városok
crown [kraun] I. *n* 1. korona; ~ *colony*
koronagyarmat; ~ *prince* trónörökös;
~ *princess* trónörökösnő; ~ *witness*
koronatanú; *come to the* ~ trónra lép
2. fejtető, feje búbja; tető, csúcs, ko-
rona [fogé, fáé stb.]; ~ *of the road*
az út koronája 3. *half a* ~ fél korona,
félkoronás [értéke 1971-ig két és fél
shilling volt; megfelel 12 és fél új
pennynek] II. *vt* 1. megkoronáz 2.
betetéz; *to* ~ *all* mindennek a tetejé-
be; *that* ~*s all!* ez aztán a teteje min-
dennek !
crowning ['kraunıŋ] I. *a* betetőző, végső
II. *n* koronázás
crown-land *n* koronabirtok
crow's-feet ['krouz-] *n pl* szarkalábak
[szem körül]
crow's-nest ['krouz-] *n* árbockosár
Croydon ['krɔıdn] *prop*
crozier ['krouʒə*] *n* == *crosier*
crucial ['kru:ʃl] *a* döntő, kritikus, vál-
ságos
crucible ['kru:sıbl] *n* 1. olvasztótégely
2. *átv* tűzpróba
crucifix ['kru:sıfıks] *n* feszület
crucifixion [kru:sı'fıkʃn] *n* keresztre
feszítés
cruciform ['kru:sıfɔ:m] *a* kereszt alakú
crucify ['kru:sıfaı] *vt* 1. keresztre feszít
2. sanyargat, kínoz
crude [kru:d] *a* 1. nyers, megmunkálat-
lan, finomítatlan; éretlen; ~ *oil* nyers-
olaj 2. *átv* nyers [kidolgozatlan írás-
mű stb.]; durva [modor]

crudity ['kru:dıtı] *n* nyerseség (*átv is*)
cruel [kruəl] *a* kegyetlen
cruelty ['kruəltı] *n* kegyetlenség
cruet ['kru:ıt] *n* ~ (*stand*) ecet-olajtar-
tó (üvegkészlet)
Crui(c)kshank ['krukʃæŋk] *prop*
cruise [kru:z] I. *n* tengeri utazás [pihe-
nés céljából] II. *vi* 1. cirkál 2. ten-
geren utazik
cruiser ['kru:zə*] *n* 1. cirkáló 2. ==
cabin cruiser
cruising ['kru:zıŋ] *a* cirkáló; ~ *speed*
utazósebesség
crumb [krʌm] I. *n* 1. (*átv is*) morzsa 2.
kenyérbél 3. *átv* ~ *of comfort* egy
csöpp vigasz II. *vt* kiránt, paníroz
[húst]
crumble ['krʌmbl] A. *vt* szétmorzsol
B. *vi* elmorzsolódik; szétporlad, bom-
lásnak indul
crumbling ['krʌmblıŋ] *a* omladozó [fal]
crumbly ['krʌmblı] *a* törékeny, morzsá-
lódó; omladozó, roskatag
crumpet ['krʌmpıt] *n GB* 1. ⟨melegen
fogyasztott teasütemény⟩ 2. □ ,,kó-
kusz" [fej]; *off one's* ~ ütődött
crumple ['krʌmpl] A. *vt* ~ (*up*) összegyűr
B. *vi* 1. (össze)gyűrődik 2. ~ *up* (1)
összegyűrődik (2) összeomlik
crunch [krʌntʃ] A. *vt* [fogakkal] össze-
roppant, ropogtat; csikorgat B. *vi*
ropog, csikorog
crupper ['krʌpə*] *n* 1. far [lóé] 2. far-
hám, farmatring
crusade [kru:'seıd] *n* keresztes hadjárat
crusader [kru:'seıdə*] *n* keresztes vitéz
cruse [kru:z] *n* † agyagkorsó
crush [krʌʃ] I. *n* 1. összenyomás, szét-
nyomás, összemorzsolás, szétmorzso-
lás 2. tolongás, tömeg; ~ *barrier*
terelőkorlát 3. kisajtolt gyümölcslé
4. *US* □ *have a* ~ *on sy* bele van esve
vkbe II. A. *vt* 1. szétzúz, összezúz,
szétmorzsol, összemorzsol, szétnyom
2. összeprésel, -nyom; kiprésel 3. *átv*
szétzúz, felmorzsol [ellenállást] B.
vi 1. összenyomódik, -megy 2. (ösz-
sze)gyűrődik 3. tolong, furakodik
crush out *vt* kisajtol, kinyom, kiprésel
crush through ~ *one's way t. the*
crowd átfurakodik a tömegen

crush up A. *vt* összetör, -zúz, -nyom
B. *vi* összeszorul; *please ~ up a little*
tessék kissé összébb húzódni
crusher ['krʌʃə*] *n* 1. zúzógép 2. *biz*
csapás
crushing ['krʌʃɪŋ]*a* megsemmisítő; lesújtó
Crusoe ['kru:soʊ] *prop*
crust [krʌst] I. *n* 1. kéreg; (kenyér)héj
2. külső réteg; *the upper ~* felső tizezer 3. lerakódás 4. heg, var II. A.
vt kéreggel/réteggel bevon B *vi* réteg
képződik (vmn); lerakódik
crustacean [krʌ'steɪʃjən] *n* héjas állat
crusty ['krʌstɪ] *a* 1. héjas, kérges 2.
fanyar, zsémbes, mogorva
crutch [krʌtʃ] *n* 1. *(a pair of) ~es*
mankó 2. *(átv is)* támasz; támasztórúd, dúc
crux [krʌks] *n* nehézség, bökkenő
cry [kraɪ] I. *n* 1. kiáltás; *a far ~ from*
(1) jó messze vmtől (2) össze sem hasonlítható vmvel; *within ~* hallótávolságon belül 2. kiabálás, zsivaj, lárma;
much ~ and little wool sok hűhó semmiért 3. sírás; *have a good ~* jól kisírja magát II. *v (pt/pp* cried kraɪd)
A. *vt* 1. (ki)kiabál, (ki)kiált 2. eladásra kínál B. *vi* 1. (fe)kiált, kiabál, ordit
2. sír 3. ugat, csahol
  cry down *vt* leszól, ócsárol
  cry for *vi* sírva kér vmt, esdekel
  vmért
  cry off A. *vi* visszalép, eláll (vmtől)
  B. *vt* visszavon (vmt)
cry-baby *n* 1. nyafka/sírós gyerek 2.
nyafka személy
crying ['kraɪɪŋ] I. *a* 1. síró 2. kiáltó
3. égbekiáltó II. *n* 1. sírás 2. kiáltás
crypt [krɪpt] *n* altemplom
cryptic ['krɪptɪk] *a* 1. kriptaszerű 2.
rejtélyes
crypto- ['krɪptoʊ-] *pref* rejtett, titkos
crypto-communist *a/n* titkos kommunista/párttag
cryptogram ['krɪptəgræm] *n* titkosírás
crystal ['krɪstl] *n* 1. kristály 2. *US*
óraüveg
crystal-gazer [-geɪzə*] *n* kristálygömbből jósoló
crystalline ['krɪstəlaɪn] *a* 1. kristályos
2. kristálytiszta

crystallization [krɪstəlaɪ'zeɪʃn; *US* -lɪ'z-]
n (ki)kristályosodás
crystallize ['krɪstəlaɪz] A. *vt* 1. kristályosit; *~d fruit* cukrozott gyümölcs
2. *átv* kikristályosít B. *vi* 1. kristályosodik 2. *átv* kikristályosodik
C.S., CS [si:'es] *Civil Service*
CSE [si:es'i:] *Certificate of Secondary
Education* kb. középiskolai végbizonyítvány
cu. *cubic* köb-
cub [kʌb] *n* 1. (állat)kölyök 2. *biz*
tejfölösszájú, tacskó 3. kiscserkész,
farkaskölyök 4. kezdő újságíró/riporter
Cuba ['kju:bə] *prop* Kuba
cubage ['kju:bɪdʒ] 1. köbtartalom, térfogat 2. köbözés
Cuban ['kju:bən] *a/n* kubai
cubby-hole ['kʌbɪ-] *n* kamrácska, kellemes (kis) zug
cube [kju:b] I. *n* 1. kocka 2. harmadik
hatvány, köb; *~ root* köbgyök II. *vt*
köbre emel
cub-hunting *n* vadászat rókakölykökre
cubic ['kju:bɪk] *a* 1. kocka alakú 2.
köb-; *~ measures* űrmértékek 3. harmadfokú; *~ equation* harmadfokú
egyenlet
cubical ['kju:bɪkl] *a* = *cubic*
cubicle ['kju:bɪkl] *n* 1. hálófülke, alkóv
2. öltöző, kabin [uszodában]
cubism ['kju:bɪzm] *n* kubizmus
cubist ['kju:bɪst] *n* kubista (festő)
cuckold ['kʌkoʊld; *US* 'kʌkld] I. *n*
megcsalt/felszarvazott férj II. *vt* megcsal, felszarvaz [férjet]
cuckoo ['koʊku:] *n* kakukk
cuckoo-clock *n* kakukkos óra
cucumber ['kju:kʌmbə*] *n* uborka
cud [kʌd] *n* felkérődzött táplálék;
chew the ~ (1) kérődzik (2) *átv biz*
rágódik/kérődzik/töpreng vmn
cuddle ['kʌdl] I. *n* ölel(kez)és II. A. *vt*
(át)ölel, megölel, magához ölel B.
vi 1. összekuporodik, összebújik 2.
~ up to sy odasimul/odabújik vkhez
cudgel ['kʌdʒ(ə)l] I. *n* fütykös, bunkósbot; *~ play* botpárbaj; *take up the
~s for sy* kiáll/síkraszáll vkért II.
vt -ll- (*US* -l-) megbotoz, megver

cue¹ [kju:] *n* 1. végszó [szerepé]; *give sy his/the* ~ (1) megadja a végszót vknek (2) utasítást ad vknek 2. utasítás; intés; *take one's* ~ *from sy* igazodik vkhez, követ vkt

cue² [kju:] *n* 1. (biliárd)dákó 2. copf, hajfonat

cuff¹ [kʌf] *n* 1. kézelő, mandzsetta; *off the* ~ rögtönözve, kapásból 2. *US* felhajtás, hajtóka [nadrágé]

cuff² [kʌf] I. *n* pofon II. *vt* pofon üt

cuff-links *n pl* kézelőgombok

cuirass [kwɪ'ræs] *n* mellvért, páncél

cuisine [kwi:'zi:n] *n* konyha

cul-de-sac [küldə'sæk v. 'kʌldəsæk; *US* kʌl-] (*pl* **culs-de-sac** kiejtése változatlan) *n* zsákutca

culinary ['kʌlɪnərɪ; *US* 'kju:lɪnerɪ] *a* konyhai; étkezési; ~ *plants* zöldségfélék

cull [kʌl] *vt* 1. választ, kiszemel 2. [virágot] szed

cullender ['kʌlɪndə*] *n* = *colander*

culminate ['kʌlmɪneɪt] *vi* 1. delel [csillag, nap] 2. tetőfokára hág, tetőz, kulminál

culmination [kʌlmɪ'neɪʃn] *n* 1. delelés, delelőpont 2. *átv* betetőzés, tetőpont, csúcs [pályafutásé, dicsőségé]

culpability [kʌlpə'bɪlətɪ] *n* 1. büntethetőség 2. bűnösség

culpable ['kʌlpəbl] *a* 1. büntetendő 2. bűnös, vétkes

culprit ['kʌlprɪt] *n* 1. bűnös 2. vádlott

cult [kʌlt] *n* vallásos tisztelet, kultusz

cultivate ['kʌltɪveɪt] 1. művel [földet] 2. (ki)művel, (ki)fejleszt [képességet stb.] 3. gyakorol, művel, kultivál [tudományágat] 4. tart, ápol [barátságot], kultivál [ismeretséget]

cultivated ['kʌltɪveɪtɪd] *a* 1. (meg)művelt [föld]; ~ *plant* kultúrnövény 2. művelt, kulturált [ember]

cultivation [kʌltɪ'veɪʃn] *n* 1. (meg)művelés 2. műveltség 3. gyakorlás, kultiválás

cultivator ['kʌltɪveɪtə*] *n* 1. földművelő 2. talajmegmunkáló gép, kapálógép, kultivátor

cultural ['kʌltʃ(ə)rəl] *a* művelődési, kulturális; kultúr-; ~ *attaché* kultúrattaszé; ~ *exchange* kultúrcsere

culture ['kʌltʃə*] *n* 1. művelés 2. művelődés, műveltség, kultúra

cultured ['kʌltʃəd] *a* művelt

culvert ['kʌlvət] *n* vízátvezető cső/csatorna [úttest alatt]; kábelcsatorna

cumber ['kʌmbə*] *vt* 1. terhére van 2. akadályoz 3. megterhel, megrak

cumbersome ['kʌmbəsəm] *a* kényelmetlen, terhes, fáradságos; ormótlan

cumbrous ['kʌmbrəs] *a* = *cumbersome*

cumin ['kʌmɪn] *n* kömény

cummerbund ['kʌməbʌnd] *n* [indiai] öv

cumulative ['kju:mjʊlətɪv; *US* -leɪ-] *a* 1. fokozódó, növekvő; halmozódó; összesítő 2. felhalmozott

cumulus ['kju:mjʊləs] *n* gomolyfelhő

Cunard [kju:'nɑ:d] *prop*

cuneiform ['kju:nɪfɔ:m] *a* ékírásos; ~ *writing* ékírás

cunning ['kʌnɪŋ] I. *a* 1. ravasz, „dörzsölt" 2. ügyes, jártas 3. *US* csinos, aranyos II. *n* ravaszság, fortély

cunt [kʌnt] *n vulg* pina

cup [kʌp] I. *n* 1. csésze; *not my* ~ *of tea* nem az én esetem 2. (talpas) pohár, serleg, kupa; kehely; *biz in one's* ~*s* ittas, pityókás 3. (virág)kehely; kehely, köpöly [orvosi] 4. *átv* sors, osztályrész; *a bitter* ~ a szenvedések keserű pohara 5. ⟨kb. negyed liter⟩ II. *vt* -pp- köpölyöz, vért vesz

C.U.P., CUP [si:ju:'pi:] *Cambridge University Press* Cambridge-i Egyetemi Nyomda

cup-bearer *n* pohárnok

cupboard ['kʌbəd] *n* (fali)szekrény; konyhaszekrény; ~ *love* haszonra vadászó szeretet, érdekszerelem

cup-final *n* kupadöntő

cupful ['kʌpfʊl] *n* csészényi

cupidity [kju:'pɪdətɪ] *n* 1. vágy, kívánság, sóvárgás 2. kapzsiság

cupola ['kju:pələ] *n* kupola

cupped [kʌpt] →*cup II.*

cupping ['kʌpɪŋ] *n* köpölyözés, vérvétel

cup-tie *n* kupamérkőzés

cur [kə:*] *n* 1. korcs [kutya] 2. faragatlan fickó, akasztófavirág

curable ['kjʊərəbl] *a* gyógyítható

curate ['kjʊərət] *n* segédlelkész, káplán; ~ *in charge* lelkész, plébános

curative ['kjuərətɪv] *a* gyógyhatású, gyógy-; ~ *power* gyógyhatás
curator [kjuə'reɪtə*] *n* **1.** gondnok **2.** múzeumvezető
curb [kə:b] **I.** *n* **1.** zabla, fék **2.** *átv* fék, akadály **3.** kútkoszorú, kútmellvéd **4.** *US* járdaszegély **5.** ~ *market* utótőzsde, zugtőzsde, szabadpiac **II.** *vt* (*átv is*) megzaboláz, -fékez
curb-bit *n* feszítőzabla
curb-roof *n* megtört tető
curb-stone *n* **1.** (járda)szegélykő **2.** járdaszegély
curd [kə:d] *n* **1.** aludttej (sűrűje) **2.** ~ (*cheese*) (tehén)túró
curdle ['kə:dl] **A.** *vt* **1.** megalvaszt; koagulál **2.** *átv* megfagyaszt, megdermeszt **B.** *vi* **1.** megalvad **2.** *átv* megfagy (a vér az ereiben)
cure [kjuə*] **I.** *n* **1.** gyógyítás, gyógymód, kezelés, kúra **2.** gyógyulás **3.** lelkipásztorság **4.** pácolás, füstölés [élelmiszeré] **II. A.** *vt* **1.** (meg)gyógyít; ~ *sy of sg* kigyógyít vkt vmből (*átv is*) **2.** besóz, füstöl, érlel, pácol **B.** *vi* **1.** (meg)gyógyul **2.** gyógyít
cure-all *n* csodaszer
curettage [kjuə'retɪdʒ] *n* méhkaparás
curfew ['kə:fju:] *n* **1.** kijárási tilalom **2.** takarodó
curing ['kjuərɪŋ] *n* **1.** gyógyítás **2.** besózás, pácolás, füstölés
curio ['kjuərɪoʊ] *n* ritka/különös/érdekes műalkotás/régiség, ritkaság
curiosity [kjuərɪ'ɔsətɪ; *US* -'ɑ-] *n* **1.** kíváncsiság **2.** érdekesség, ritkaság; *old curiosities* régiségek
curious ['kjuərɪəs] *a* **1.** kíváncsi; *I am* ~ *to know* szeretném tudni **2.** furcsa, különös **3.** részletekbe menő [vizsgálat]
curiously ['kjuərɪəslɪ] *adv* ~ *enough* (elég) különös módon
curl [kə:l] **I.** *n* **1.** göndörödő hajfürt **2.** csavarodás **II. A.** *vt* **1.** kisüt, göndörít [hajat]; ~ *up* fodorít, besodor **2.** csavar, hajlít, görbít; ~ *one's lip* ajkát biggyeszti, gúnyosan elhúzza a száját **B.** *vi* **1.** göndörödik, fürtökbe hull, csavarodik **2.** ~ *up* (1) összekuporodik, összegömbölyödik (2) *biz* összeesik

curler ['kə:lə*] *n* (haj)sütővas; hajcsavaró
curlew ['kə:lju:; *US* -lu:] *n* póling [madár]
curlicue ['kə:lɪkju:] *n* cirkalmas írás, cirkalom
curling ['kə:lɪŋ] *n* **1.** bodorítás, hajsütés **2.** *sk* kb. jégkoronghajítás
curling-irons *n pl* (haj)sütővas
curling-pin *n* hullámcsat, hajcsavaró
curling-tongs *n pl* = *curling-irons*
curly ['kə:lɪ] *a* göndör, fodros, bodros
curmudgeon [kə:'mʌdʒ(ə)n] *n* **1.** goromba ember/pokróc **2.** fösvény
currant ['kʌr(ə)nt; *US* 'kə:-] *n* **1.** ribizli **2.** mazsola
currency ['kʌr(ə)nsɪ; *US* 'kə:-] *n* **1.** pénznem, valuta; *foreign* ~ külföldi pénznem/fizetőeszköz, deviza; *legal* ~ törvényes fizetési eszköz; ~ *restriction* devizakorlátozás **2.** forgalom [pénzé]; közhasználat [szóé]; *gain* ~ elterjed; *give* ~ *to a rumour* (rém)hírt forgalomba hoz **3.** érvényesség, lejárati idő
current ['kʌr(ə)nt; *US* 'kə:-] **I.** *a* **1.** forgalomban levő, érvényes [pénz]; közhasználatú [szó]; elterjedt, általános(an elfogadott), divatos [nézet stb.]; *be* ~ elterjedt, általános; *in* ~ *use* közhasználatú [szó, kifejezés] **2.** folyó; ~ *account* folyószámla; ~ *assets* forgótőke; ~ *events* aktuális események; ~ *expenses* rezsi(költségek), folyó kiadások; ~ *month* folyó hó; ~ *number/issue* legfrissebb szám [folyóiraté] **II.** *n* **1.** ár, áram(lat); ~ *of air* légáram(lat); *drift with the* ~ úszik az árral, sodródik **2.** [villamos] áram; ~ *breaker* árammegszakító; ~ *supply* áramszolgáltatás
currently ['kʌr(ə)ntlɪ; *US* 'kə:-] *adv* jelenleg
curriculum [kə'rɪkjʊləm] *n* (*pl* -la -lə) **1.** tanmenet, tananyag **2.** ~ *vitae* ['vi:taɪ v. (főleg US) 'vaɪti:] önéletrajz
currier ['kʌrɪə*; *US* 'kə:-] *n* tímár, bőrkikészítő és festő
curry[1] ['kʌrɪ; *US* 'kə:-] *n* **1.** ⟨erős indiai fűszer⟩ **2.** ⟨curry-val készített húsétel⟩
curry[2] ['kʌrɪ; *US* 'kə:-] *vt* **1.** (le)ápol, (le)csutakol, vakar [lovat] **2.** kiké-

szit, cserez [bőrt] 3. elver, elpáhol 4. ~ *favour with* sy igyekszik magát vknél behízelegni
curry-comb *n* lóvakaró (szerszám)
curry-powder *n* = *curry*[1] *1.*
curse [kə:s] I. *n* átok II. A. *vt* (meg)átkoz; káromol; *be* ~*d with* ... -vel verte meg az isten B. *vi* káromkodik, átkozódik
cursed ['kə:sɪd; *US* kə:st *is*] *a* átkozott, istenverte
cursing ['kə:sɪŋ] *n* káromkodás, átkozódás
cursive ['kə:sɪv] *a* ~ *handwriting* folyóírás
cursory ['kə:s(ə)rɪ] *a* futólagos, felületes
curt [kə:t] *a* 1. rövid, kurta 2. udvariatlan
curtail [kə:'teɪl] *vt* 1. (le)rövidít, (meg-)kurtít 2. megnyirbál, csökkent 3. megfoszt (*of* vmtől)
curtailment [kə:'teɪlmənt] *n* csökkentés, megnyirbálás
curtain ['kə:tn] I. *n* függöny; *fireproof* ~ [színházi] vasfüggöny; *draw the* ~*s* összehúzza a függönyöket; *draw a* ~ *over sg* fátyolt borít vmre II. *vt* 1. befüggönyöz; ~ *off* elfüggönyöz 2. elrejt
curtain-call *n* kitapsolás (a függöny elé)
curtain-fire *n* zárótűz
curtain-raiser *n* előjáték [színdarabé]
curts(e)y ['kə:tsɪ] I. *n* meghajlás [nőké], bók térdhajtással II. *vi* meghajol
curvature ['kə:vətʃə*; *US* -tʃʊr] *n* görbület; ~ *of the spine* hátgerincferdülés
curve [kə:v] I. *n* 1. görbület, hajlat 2. görbe, függvényábra, grafikon 3. kanyar(ulat) II. A. *vt* hajlít, görbít B. *vi* hajlik, görbül;.kanyarodik
curved [kə:vd] *a* görbe, hajlott, hajlított
Cushing ['kʊʃɪŋ] *prop*
cushion ['kʊʃn] I. *n* párna, vánkos II. *vt* kipárnáz, párnával ellát
cushy ['kʊʃɪ] *a* □ kényelmes, könnyű
cusp [kʌsp] *n* 1. csúcs, hegy(e vmnek) 2. holdszarv, holdcsúcs
cuspidor ['kʌspɪdɔ:*] *n US* köpőcsésze

cuss [kʌs] *n* 1. átok, káromkodás 2. fickó, (fura/kellemetlen) alak
cussed ['kʌsɪd] *a biz* megátalkodott, komisz, nyakas
cussedness ['kʌsɪdnɪs] *a biz* rosszindulatú makacsság, megátalkodottság, komiszság
custard ['kʌstəd] *n* kb. tejsodó
custard-powder *n* pudingpor
custodian [kʌ'stoʊdjən] *n* őr, gondnok; múzeumvezető
custody ['kʌstədɪ] *n* 1. felügyelet; őrizet, megőrzés; *in safe* ~ biztos őrizetben, letétben; *place* sy/sg *in the* ~ *of* sy vk őrizetére bíz vkt/vmt 2. őrizet(be vétel), letartóztatás; *take* sy *into* ~ őrizetbe vesz vkt
custom ['kʌstəm] I. *a US* rendelésre készült [ruha]; ~ *tailors* mértékszabóság II. *n* 1. szokás; ~ *of trade* kereskedelmi szokás/szokvány; *as was his* ~ ahogy szokta (volt), szokása szerint; *it's the* ~ *of the country* errefelé így szokás 2. vevőkör 3. **customs** *pl* vám; ~*s* (*duties*) (behozatali) vám; ~*s clearance* vámkezelés; vámvizsgálat; ~*s declaration* vámnyilatkozat; ~*s examination* vámvizsgálat; ~*s regulations* vámszabályok
customable ['kʌstəməbl] *a* vámköteles
customary ['kʌstəm(ə)rɪ; *US* -merɪ] *a* szokásos
custom-built *a* rendelésre készült/gyártott
customer ['kʌstəmə*] *n* 1. vevő, vásárló, fogyasztó, vendég, kuncsaft; ügyfél 2. *biz* alak, pofa; *a queer* ~ fura alak/pofa; *rough/ugly* ~ nehéz pasas, kellemetlen fráter
custom-free *a* vámmentes
custom-house *n* vámház, vámhivatal
custom-made *a* rendelésre készült
cut [kʌt] I. *a* 1. vágott, metszett; *low* ~ *dress* mélyen kivágott ruha; ~ *and dried* (1) száraz, unalmas, lélektelen (2) teljesen kész csak fel kell használni 2. leszállított [ár] 3. herélt II. *n* 1. vágás, metszés; *biz a* ~ *above* sg/sy jobb vmnél/vknél 2. metszet 3. szabás 4. szelet 5. csökkentés; *a* ~ *in salaries* fizetéscsökkentés; ~ *in*

prices, price ~ árleszállítás 6. árok
7. kihagyás, (ki)húzás [cikkből, szindarabból] 8. *give sy the* ~ *direct* elnéz vk feje fölött III. *v (pt/pp* ~; *-tt-*) A. *vt* 1. (meg)vág, elvág, levág; metsz; ~ *in half/two* kettévág, megfelez, kettéoszt; ~ *sy short* félbeszakít/ megállít vkt 2. (le)nyir 3. kiszab [ruhát] 4. emel, [kártyát] 5. mellőz (vmt); ~ *sy dead* vkről tudomást sem vesz; ~ *a class* elmulaszt/elbliccel egy órát; ~ *the whole business* faképnél hagyja az egész ügyet 6. csökkent, leszállít [árat, bért] 7. meghúz [cikket; szindarabot] B. *vi* 1. vág; ~ *both ways* mindkét félre érvényes, kétféleképpen értelmezhető, mindkettőjüket egyaránt érinti; ~ *and come again* meg egyszer vesz [ételből] 2. ~ *and run* elrohan, eliszkol, elinal
cut across *vi/vt* átvág
cut away A. *vt* levág, lenyes B. *vi biz* elkotródik
cut back A. *vt* 1. visszametsz [növényt] 2. csökkent; lefarag B. *vi* [történetben] visszaugrik korábbi eseményre
cut down *vt* 1. levág, ledönt 2. csökkent, leszállít, lefarag 3. lerövidít; megrövidit, meghúz [cikket stb.]
cut in A. *vt* bevág; bevés B. *vi* 1. közbevág 2. elévág [előzés közben járműnek] 3. lekér [táncban]
cut off *vt* 1. levág; elvág 2. szétkapcsol, kikapcsol; megszakít 3. eltaszít magától; ~ *sy o. with a shilling* kitagad vkt 4. megöl
cut out *vt* 1. kivág 2. kiszab [ruhát] 3. kiszorít [versenytársat] 4. eltávolít 5. *biz be* ~ *o. for sg* vmre rátermett, vmre különösen alkalmas; *have one's work* ~ *o. for one* jó sok dolga lesz (vele), nehéz munka vár rá 6. *biz* ~ *it o.!* hagyd abba !, fogd be a szád !
cut up A. *vt* 1. felszel, felvág 2. szétszed, szétrombol 3. *biz* „leránt", „levág" [bíráló] 4. *she was* ~ *up about it* igen bántotta a dolog B. *vi biz* 1. ~ *up (well)* [halálakor] nagy vagyont hagy hátra 2. ~ *up rough* megsértődik, „begurul"

cutaneous [kju:'teɪnjəs] *a* bőr-; ~ *disease* bőrbetegség
cut-away *n* zsakettkabát
cutback *n* 1. korlátozás, csökkentés; leépítés; *US* fizetéscsökkentés 2. visszaugrás [korábbi eseményre filmben]
cute [kju:t] *a* 1. *biz* ravasz, agyafúrt 2. *US biz* csinos, helyes
Cuthbert ['kʌθbət] *prop* ⟨angol férfinév⟩
cuticle ['kju:tɪkl] *n* felhám
cutie ['kju:tɪ] *n US biz* ügyes kis csaj
cutlass ['kʌtləs] *n* 1. rövid (tengerész-) kard 2. *US* vadászkés
cutler ['kʌtlə*] *n* késes
cutlery ['kʌtlərɪ] *n* 1. késesáru 2. késesmesterség 3. evőeszköz(ök)
cutlet ['kʌtlɪt] *n* (borda)szelet, kotlett; *veal* ~ borjúszelet
cutoff *n* 1. (út)átvágás, útrövidítés 2. folyókanyar-átvágás 3. kikapcsolás [áramé]
cutout I. *a* kivágott II. *n* 1. kivágott/kivágós minta/rajz 2. (túlterhelési) megszakító
cutpurse *n* † zsebtolvaj
cut-rate *a* leszállított árú
cutter ['kʌtə*] *n* 1. szabász 2. vágógép; (film)vágó 3. nagy csónak 4. egyárbocos hajó, kutter; *US revenue* ~ parti vámőrhajó
cutthroat I. *a* öldöklő, gyilkos [verseny] II. *n* gyilkos
cutting ['kʌtɪŋ] I. *a* 1. vágó, metsző, éles 2. *átv* metsző, csipős, éles II. *n* 1. vágás, levágás, metszés; szabás 2. vágás [filmé] 3. bevágás [domboldalban] 4. levágott darab, forgács 5. dugvány 6. (újság)kivágat 7. csökkentés 8. (kártya)emelés || →*cut III.*
cutting-room *n* vágószoba [filmvágáshoz]
cuttle-fish ['kʌtl-] *n* tintahal
cutty ['kʌtɪ] *a sk* rövid, kurta
cutwater *n* jégsarkantyú [hídpilléré], jégtörő él, hajóorrél
C.V.O., CVO [si:vi:'oʊ] *Commander of the (Royal) Victorian Order* ⟨brit kitüntetés⟩
cwt. *hundredweight*
cyanide ['saɪənaɪd] *n* cianid

cybernetic [saɪbə'netɪk] *a* kibernetikai
cybernetics [saɪbə'netɪks] *n* kibernetika
cyclamen ['sɪkləmən] *n* ciklámen
cycle ['saɪkl] I. *n* 1. kör(forgás), ciklus, szakasz; körfolyamat; [motornál] ütem 2. időszak, kor, korszak, ciklus 3. mondakör; (dal)ciklus 4. kerékpár, bicikli; ~ *path* kerékpárút II. *vi* kerékpározik, kerekezik, biciklizik
cyclic(al) ['saɪklɪk(l)] *a* körben mozgó, körkörös, ciklikus, periodikus
cycling ['saɪklɪŋ] *n* kerékpározás, biciklizés
cyclist ['saɪklɪst] *n* kerékpáros, biciklista
cyclometer [saɪ'klɔmɪtə*; *US* -am-] *n* kilométermérő, kerékfordulatszám-mérő
cyclone ['saɪkloʊn] *n* forgószél, ciklon; ~ *cellar* ciklonbiztos pince
cyclopaedia [saɪkloʊ'piːdjə] *n* enciklopédia, lexikon; ismerettár
cyclorama [saɪklə'rɑːmə] *n* 1. körkép, panoráma(kép) 2. körhorizont, körfüggöny [építészetben]
cyclostyle ['saɪkləstaɪl] *n* stenciles sokszorosítógép
cyclotron ['saɪklətrɔn; *US* -an] *n* ciklotron
cygnet ['sɪgnɪt] *n* fiatal hattyú
cylinder ['sɪlɪndə*] *n* henger; ~ *capacity* hengerűrtartalom
cylindric(al) [sɪ'lɪndrɪk(l)] *a* henger alakú; hengeres
cymbal ['sɪmbl] *n* cintányér

Cymbeline ['sɪmbɪliːn] *prop*
Cymric ['kɪmrɪk] *a* walesi
Cynewulf ['kɪnɪwʊlf] *prop*
cynic ['sɪnɪk] *n* cinikus
cynical ['sɪnɪkl] *a* cinikus, kiábrándult
cynicism ['sɪnɪsɪzm] *n* cinizmus; cinikus/maró megjegyzés
cynosure ['sɪnəzjʊə*; *US* 'saɪnəʃʊr] *n* 1. északi sarkcsillag 2. közfigyelem és közcsodálat tárgya
Cynthia ['sɪnθɪə] *prop* Cintia ⟨női név⟩
cypher ['saɪfə*] *n* = *cipher*
cypress ['saɪprəs] *n* ciprus(fa)
Cyprian ['sɪprɪən] *a/n* ciprusi
Cypriot ['sɪprɪət] *n* ciprusi
Cyprus ['saɪprəs] *prop* Ciprus (szigete)
Cyril ['sɪr(ə)l] *prop* Cirill
Cyrillic [sɪ'rɪlɪk] *a* cirillbetűs
Cyrus ['saɪərəs] *prop* ⟨férfinév⟩
cyst [sɪst] *n* ciszta, tömlő, hólyag
cystitis [sɪs'taɪtɪs] *n* hólyaghurut, -gyulladás
cystoscopy [sɪs'tɔskəpɪ; *US* -'tɑ-] *n* hólyagtükrözés
cystotomy [sɪs'tɔtəmɪ; *US* -'tɑ-] *n* hólyagmetszés
cytology [saɪ'tɔlədʒɪ; *US* -'tɑ-] *n* sejttan
czar [zɑː*] *n* cár
czardas ['tʃɑːdæʃ] *n* csárdás [tánc]
czarevitch ['zɑːrəvɪtʃ] *n* cárevics
Czech [tʃek] *a/n* cseh (ember/nyelv)
Czechoslovak [tʃekə'sloʊvæk] *a/n* csehszlovák (ember)
Czechoslovakia [tʃekəslə'vækɪə] *prop* Csehszlovákia

D

D, d [di:] *n* **1.** D, d (betű) **2.** [zenében]
d [hang] **3.** *US* „elégséges" [osztály-
zat]
d., d 1. denarius (= *penny* v. *pence*)
[1971 előtt] **2.** *died* meghalt, megh.
'd *biz had, should, would* (l. ott!)
D.A [di:'eɪ] *US District Attorney*
dab¹ [dæb] **I.** *n* **1.** megérintés, legyintés
2. folt, darabka, csöppnyi vm **II.**
vt **-bb- 1.** megérint, meglegyint; nyo-
mogat, megtöröl [szemet] **2.** felrak
[festéket]; bepúderoz [arcot]
dab² [dæb] *a biz* hozzáértő, ügyes, szak-
értő [személy]
dab³ [dæb] *n* lepényhal
dabble ['dæbl] **A.** *vt* megnedvesít, meg-
locsol **B.** *vi* **1.** pancsol **2.** ~ *in/at sg*
felületesen (v. amatőr módjára) foglal-
kozik vmvel
dabbler ['dæblə*] *n* kontár
dachshund ['dækshʊnd] *n* borzeb, tacskó
dactyl ['dæktɪl] *n* daktilus
dactyloscopy [dæktɪ'lɔskəpɪ; *US* -'lɑ-]
n daktiloszkópia
dad [dæd] *n biz* apu(ka), papa
daddy ['dædɪ] *n biz* = *dad*
daddy-long-legs [dædɪ'lɔŋlegz] *n* (hosz-
szú lábú) tipolyszúnyog
Daedalus ['di:dələs] *prop* Daidalosz
daffodil ['dæfədɪl] *n* sárga nárcisz
daffy ['dæfɪ] *a biz* ostoba
daft [dɑːft; *US* -æ-] *a* **1.** bolond **2.** vi-
dám
dagger ['dægə*] *n* tőr; *be at ~s drawn*
feszült viszonyban van(nak); *look ~s
at sy* gyilkos pillantást vet vkre
dago ['deɪgoʊ] *n US* □ digó [megvető
értelemben]
daguerrotype [də'gerətaɪp] *n* dagerrotípia

dahlia ['deɪljə; *US* 'dæ-] *n* dália
Dahomey [də'hoʊmɪ] *prop* (ma: *Benin)*
Dáil Eireann [daɪl'eərən] ⟨az ír parla-
ment neve⟩
daily ['deɪlɪ] **I.** *a* mindennapos; napon-
kénti; napi; ~ *habit* állandó szokás
II. *adv* naponta, naponként, minden-
nap **III.** *n* **1.** napilap **2.** bejárónő
dainty ['deɪntɪ] **I.** *a* **1.** finom, kecses,
gyengéd **2.** ízléses **3.** finnyás **II.** *n*
csemege
dairy ['deərɪ] *n* **1.** tejgazdaság, tejüzem
2. tejcsarnok, tejivó
dairy-farm *n* tehenészet, tejgazdaság
dairymaid *n* fejőlány
dairyman ['deərɪmən] *n (pl -men -mən)*
tejes(ember)
dairy-produce *n* tejtermék
dais ['deɪɪs] *n* emelvény
Daisy¹ ['deɪzɪ] *prop* Margit, Dézi
daisy² ['deɪzɪ] *n* **1.** százszorszép, marga-
réta; *push up daisies* alulról szagolja
az ibolyát **2.** klassz dolog
Dak. *Dakota*
Dakar ['dækə*] *prop*
Dakota [də'koʊtə] *prop*
dale [deɪl] *n* völgy
dalesman ['deɪlzmən] *n (pl -men -mən)*
völgylakó [Észak-Angliában]
Dallas ['dæləs] *prop*
dalliance ['dælɪəns] *n* enyelgés
dally ['dælɪ] **A.** *vt* elfecsérel **B.** *vi* **1.**
enyeleg, flörtöl **2.** tétlenkedik, időt
elfecsérel
Dalmatia [dæl'meɪʃə; *US* -ʃə] *prop*
Dalmácia
Dalmatian [dæl'meɪʃən; *US* -ʃən] **I.** *a*
dalmáciai, dalmát **II.** *n* dalmát eb
dam¹ [dæm] **I.** *n* (védő)gát, völgyzáró

gát, töltés II. *vt* -mm- duzzaszt [vizet], elzár; gátat emel (vmnek) (*átv is*)
dam² [dæm] *n* anyaállat
damage ['dæmɪdʒ] I. *n* 1. kár; veszteség 2. **damages** *pl* kártérítés; *action for* ~*s* kártérítési kereset 3. *cause sy* ~ kárt okoz vknek; □ *what's the* ~*?* mit kóstál? II. *vt* megrongál; megkárosít
damaged ['dæmɪdʒd] *a* sérült; hibás
damaging ['dæmɪdʒɪŋ] *a* hátrányos, káros, sérelmes
damask ['dæməsk] I. *a* ~ (*rose*) sötét rózsaszín II. *n* 1. damaszt [szövet] 2. damaszkuszi acél
dame [deɪm] *n* 1. hölgy ⟨női lovagi rang⟩ 2. néni 3. *US* □ tyúk, csaj
dame-school *n* ⟨öreg tanítónő kis magániskolája⟩
dammed [dæmd] →*dam¹ II.*
damn [dæm] I. *n* átok, káromkodás; *I don't give a* ~*! fütyülök rá! II. vt* 1. (el)átkoz; ~ *it!* a fene egye meg !; *I'll be* ~*ed if* itt süllyedjek el, ha . . . 2. elítél, lehúz [irod. művet]
damnable ['dæmnəbl] *a* kárhozatos, pocsék, gyalázatos
damnation [dæm'neɪʃn] *n* kárhozat
damned [dæmd] I. *a* (el)átkozott; *do one's* ~*est* megteszi ami csak tőle telik II. *adv* átkozottul; *biz* ~ *funny* rém vicces
damning ['dæmɪŋ] I. *a* elítélő; ~ *evidence* terhelő bizonyíték II. *n* kárhoztatás
Damocles ['dæməkli:z] *prop* Damoklész; *sword of* ~ Damoklesz kardja
damp [dæmp] I. *a* nyirkos, dohos II. *n* 1. nyirkosság 2. bányalég 3. lehangoltság III. *vt* 1. megnedvesít 2. tompít, elfojt; ~ *sy's spirits* kedvét szegi vknek
damp-course *n* nedvesség elleni szigetelőréteg [falban]
dampen ['dæmp(ə)n] *vt* = *damp III.*
damper ['dæmpə*] *n* 1. bélyegnedvesítő 2. hangtompító; *put a* ~ *on a party* lehűti a társaság hangulatát 3. égésszabályozó [kályhában]
dampness ['dæmpnɪs] *n* nyirkosság

damsel ['dæmzl] *n* leányka
damson ['dæmz(ə)n] *n* † vörös tojásszilva(fa)
dance [dɑ:ns; *US* -æ-] I. *n* 1. tánc 2. táncmulatság, bál; *lead sy a* (*fine*) ~ jól megtáncoltat vkt II. A. *vi* 1. táncol 2. ugrándozik, élénken mozog B. *vt* (el)táncol; táncoltat; ~ *attendance on sy* kiszolgál vkt; sürgölődik vk körül
dance-band *n* tánczenekar
dance-hall *n* táncos mulató(hely)
dancing ['dɑ:nsɪŋ; *US* -æ-] I. *a* táncoló II. *n* tánc
dancing-master *n* tánctanár
dandelion ['dændɪlaɪən] *n* pitypang, gyermekláncfű
dander ['dændə*] *n* *biz get one's* ~ *up* dühbe gurul
dandle ['dændl] ringat; [térden] lovagoltat
dandruff ['dændrʌf] *n* korpa [fejbőrön]
dandy ['dændɪ] I. *a* *US biz* remek, pompás, klassz II. *n* piperkőc
Dane [deɪn] *n* dán; *Great* ~ dán dog
danger ['deɪndʒə*] *n* veszély; ~*!* vigyázat !; ~ *money* veszélyességi pótlék; *a* ~ *to sy/sg* veszélyes vkre/vmre, veszélyezet-vmt; *be in* ~ veszélyben van; *be out of* ~ túl van a(z élet)veszélyen
dangerous ['deɪndʒ(ə)rəs] *a* veszélyes
dangle ['dæŋgl] A. *vt* lógat, lóbál; ~ *sg before sy* csalogat/biztat vkt vmvel B. *vi* fityeg; ~ *after a woman* egy nő körül lebzsel
Daniel ['dænjəl] *prop* Dániel
Danish ['deɪnɪʃ] I. *a* dán II. *n* dán (nyelv)
dank [dæŋk] *a* nyirkos, nedves
Danube ['dænju:b] *prop* Duna
Daphne ['dæfnɪ] *prop* ⟨női név⟩
dapper ['dæpə*] *a* 1. jól öltözött/vasalt 2. mozgékony [kis ember]
dapple ['dæpl] *vt* tarkít, pettyez
dappled ['dæpld] *a* pettyes, tarka
dapple-grey *a/n* almásszürke
D.A.R. [di:eɪ'ɑ:*] *Daughters of the American Revolution* ⟨amerikai hazafias nőszövetség⟩
dare [deə*] *vt/vi* (*pt/pp* **durst** də:st v. **dared** deəd) 1. mer(észel); *don't you*

~ megtiltom, hogy . . .; *how ~ you?*
hogy merészel? *I ~ say* merem mondani/állítani (hogy) . . . 2. dacol (vkvel); szembeszáll (vkvel, vmvel) 3. kihív; felhív; *I ~ you to jump* no lássam, mersz-e ugrani?
dare-devil *n* fenegyerek
daren't [deənt] = *dare not* nem mer
daring ['deərıŋ] I. *a* merész, vakmerő II. *n* merészség
Darjeeling [dɑ:'dʒi:lıŋ] *prop*
dark [dɑ:k] I. *a* 1. sötét; ~ *blue* sötétkék; *the ~ races* a sötétbőrűek 2. homályos; sötét, titkos; ~ *ages* sötét középkor; ~ *horse* ismeretlen képességű vetélytárs; *keep it ~* eltitkol II. *n* 1. sötétség; sötétedés; *after ~* besötétedés után 2. tudatlanság; *be in the ~ (about it)* nem tud róla
darken ['dɑ:k(ə)n] A. *vt* elsötétít; elhomályosít; *don't ~ my door again* be ne merd hozzám tenni a lábad többé; ~ *counsel* fokozza a zavart B. *vi* elsötétül
darkling ['dɑ:klıŋ] *a* sötétedő
darkness ['dɑ:knıs] *n* 1. sötétség, homály(osság) 2. gonoszság
dark-room *n* sötétkamra
darky ['dɑ:kı] *n US biz* néger, nigger [megvető értelemben]
darling ['dɑ:lıŋ] *a/n* kedvenc, kedves; *(my)* ~*!* drágám!, kedvesem!
darn¹ [dɑ:n] I. *n* beszövés, stoppolás II. *vt* stoppol
darn² [dɑ:n] *int* □ ~ *it!*, ~*ed!* a fene egye meg!
darning ['dɑ:nıŋ] *n* beszövés, stoppolás
darning-egg *n* stoppolófa
dart [dɑ:t] I. *n* 1. dárda 2. darts célbadobós játék 3. szökellés II. A. *vt* hajit, vet B. *vi* 1. nekilendül *(at* vmnek) 2. szökken; ~ *across to* átszalad vhova
Dartmoor ['dɑ:tmʊə*] *prop*
Dartmouth ['dɑ:tməθ] *prop*
Darwin ['dɑ:wın] *prop*
dash [dæʃ] I. *n* 1. (neki)ütődés; csattanás; *the ~ of oars* evezőcsapások 2. nekiiramodás; *at a ~* egy csapásra; *make a ~ for sg* vm után veti magát; *make a ~ at* megrohan (vmt) 3. vágta

[rövidtávfutás] 4. *a ~ of (sg)* egy (pár) csepp(nyi), gondolatnyi (vmből); *a ~ of pepper* egy csipetnyi bors 5. lendület; mersz; *cut a ~* feltűnést/ hatást kelt 6. gondolatjel; vonás [morzejel] II. *int* ~ *it!* a fene egye meg! III. A. *vt* 1. összetör; ~ *sg to pieces* darabokra tör, összezúz 2. meghiúsít 3. (be)fröcsköl 4. hozzákever, elegyít B. *vi* robog, rohan
dash against A. *vi* nekiront (vmnek) B. *vt* nekivág (vmt vmnek)
dash away *vi* elrohan, elviharzik
dash in(to) *vi* beront (vhová)
dash off *vi* 1. elrohan 2. lefirkant; sebtében odavet
dash out *vi* kirohan
dashboard *n* 1. sárhányó 2. műszerfal, szerelvényfal
dashed [dæʃt] *a* istenverte, feneette
dashing ['dæʃıŋ] *a* lendületes; ragyogó
data ['deɪtə] *n* v. *n pl* adat(ok); ~ *bank* adatbank; ~ *processing* (gépi) adatfeldolgozás ‖→*datum*
date¹ [deɪt] I. *n* 1. időpont, kelet; dátum; ~ *of birth* születési idő; ~ *of issue* kiállítás/kiadás kelte; *up to* ~ korszerű, modern; *out of* ~ elavult, korszerűtlen; *to* ~ a mai napig; *of this* ~ e naptól, a mai naptól 2. *US biz* találka, randevú, randi; *have/ make a ~ with sy* találkája van vkvel II. A. *vt* keltez; (vmlyen időpontra) tesz; *your letter* ~*d from 16 March* az Ön(ök) március 16-i keltezésű levele . . . B. *vi* 1. ered; ~ *back to*, ~ *from* származik/kelteződik vmely időből 2. *it is beginning to* ~ kezd korszerűtlen lenni
date² [deɪt] *n* datolya
dated ['deɪtıd] *a* 1. keltezett 2. elavult
dateless ['deɪtlıs] *a* 1. keltezetlen 2. időtlen
dateline *n* 1. keltezés (helye) 2. határidő; lejárat
dative ['deɪtıv] *n* részeshatározó eset, dativus
datum ['deɪtəm] *n (pl* data 'deɪtə) 1. adat; adalék 2. méretadat ‖→*data*
datum-line *n* alapvonal
daub [dɔ:b] I. *n* 1. vakolat; alapréteg

[festéké stb.] 2. mázolás II. vt 1.
beken (with vmvel); ~ a wall falat
vakol 2.
dauber ['dɔ:bə*] n rossz festő
daughter ['dɔ:tə*] n l(e)ány(a vknek)
daughter-in-law n (pl daughters-in-law)
meny(e vknek)
daunt [dɔ:nt] vt megijeszt, megfélemlít; elcsüggeszt; nothing ~ed el nem
csüggedve, elszántan
dauntless ['dɔ:ntlɪs] a rettenthetetlen
davenport ['dævnpɔ:t] n 1. szekreter
2. US dívány, rekamié
David ['deɪvɪd] prop Dávid
Davies ['deɪvɪs] prop
davit ['dævɪt] n csónakdaru
Davy Jones's locker [deɪvɪ'dʒoʊnzɪz]
a tenger feneke; hullámsír
daw [dɔ:] n csóka
dawdle ['dɔ:dl] A. vi lóg, cselleng B.
vt ~ away the time elvesztegeti az időt
dawdler ['dɔ:dlə*] n piszmogó
dawn [dɔ:n] I. n hajnal, virradat II.
vi virrad, pitymallik, hajnalodik; it
begins to ~ on me kezdem sejteni,
dereng már vm
day [deɪ] n 1. nap [időtartam]; ~
return/ticket egy napig érvényes menettérti jegy [kedvezményes]; every ~
mindennap; every other ~ minden másnap; twice a ~ kétszer naponta; all ~
(long) egész nap(on át); the ~ before
yesterday tegnapelőtt; the ~ after
tomorrow holnapután; ~ in ~ out
látástól vakulásig; ~ by/after ~ napról napra, nap mint nap; 2 years ago
to a ~ éppen 2 éve; one of these (fine)
~s, some ~ majd egyszer, egy szép
napon (majd); the other ~ a minap,
a napokban; let's call it a ~ tegyük le
a lantot, mára elég; carry/win the ~
győzedelmeskedik, elviszi a pálmát;
man of the ~ a nap hőse; a ~ off szabadnap; a ~'s work egy napi munka;
it's all in the ~'s work! megszokott/
mindennapos dolog!; it's many a ~
igen régen, valaha; what is the ~ of
the month? hányadika van? 2. nap,
nappal; before ~ virradat előtt; by
~ nappal; ~ and night éjjel-nappal;
~ letter levéltávirat; ~ nursery óvo-

da; ~ shift nappali műszak 3. in our
~s manapság, napjainkban; the good
old ~s a régi jó idők; in all my born
~s egész életemben; in the ~s of
Shakespeare Sh. idején/korában; in
~s to come a jövőben
day-boarder n félbennlakó [intézetben]
day-boy/girl n bejáró [diák]
day-break n hajnal(hasadás)
day-dream n ábrándozás, álmodozás
day-labourer n napszámos
daylight n (nappali) világosság, napvilág
daylight-saving time nyári időszámítás
day-room n társalgó, klubhelyiség
day-school n iskola [bennlakók nélkül]
day-time n nappal
day-to-day a naponta ismétlődő; n.
Dayton ['deɪtn] prop
daze [deɪz] I. n kábulat; zavar; in a ~
kábultan II. vt (el)kábít, elbódít;
meghökkent
dazzle ['dæzl] I. n káprázat II. vt elkápráztat, (el)vakít
db, dB decibel
D.C., DC [di:'si:] 1. (d.c. is) direct current 2. District of Columbia (USA)
D.C.L., DCL [di:si:'el] Doctor of Civil
Law a magánjog doktora
D.D., DD [di:'di:] Doctor of Divinity
hittudományi doktor
D-day ['di:deɪ] ⟨a partraszállás napja,
1944. VI. 6.⟩
DDT [di:di:'ti:] dichloro-diphenyltrichloroethane ⟨féregirtó szer⟩, DDT
deacon ['di:k(ə)n] n diakónus
deaconess ['di:kənɪs] n diakonissza
deactivate [di:'æktɪveɪt] vt hatástalanít
dead [ded] I. a 1. halott, holt; ~ and
gone meghalt (és eltemettetett), nincs
többé; legally ~ eltünt, holttá nyilvánított; ~ end zsákutca (átv is) →dead-
end; ~ heat holtverseny; ~ language
holt nyelv; ~ letter (1) írott malaszt
(2) kézbesíthetetlen levél; ~ load
holtsúly; ~ matter holt/élettelen
anyag; ~ season holt szezon; ~ weight
holtsúly 2. érzéketlen (to vmvel
szemben); ~ nettle árvacsalán; go ~
elzsibbad 3. teljes; ~ calm teljes
szélcsend; ~ loss teljes veszteség;

~ *reckoning* hozzávetőleges számítás; ~ *set* erőszakos támadás; *a* ~ *shot* mesterlövész; *he's* ~ *on time* másodpercre pontos **II.** *adv* **1.** holtan **2.** egészen; *in* ~ *earnest* halálosan komolyan; ~ *drunk* holtrészeg; *he's* ~ *against it* mereven ellenzi; ~ *slow!* lépésben (hajts)!; *stop* ~ hirtelen megáll **III.** *n* **1.** *the* ~ a holtak **2.** *in the* ~ *of night* az éjszaka közepén; *in the* ~ *of winter* a tél derekán/közepén

dead-alive *a* **1.** unalmas, egyhangú **2.** kedvetlen

dead-beat *a* holtfáradt

dead-centre, *US* **-ter** *n* holtpont

deaden ['dedn] **A.** *vt* tompít, gyengít; csökkent **B.** *vi* tompul, gyengül; csökken

dead-end *a* ~ *kid* utcagyerek →*dead I.*

dead-head *n biz* potyajegyes; potyautas

dead-line *n* **1.** határidő **2.** lapzárta

dead-lock *n átv* holtpont

deadly ['dedlɪ] **I.** *a* halálos; ~ *nightshade* nadragulya **II.** *adv* halálosan; ~ *dull* halálosan unalmas

dead-march *n* gyászinduló

deadness ['dednɪs] *n* élettelenség; közöny

deadpan *n US* □ pléhpofa

dead-wood *n* **1.** elhalt faág **2.** hasznavehetetlen/fölösleges dolog

deaf [def] *a* süket; *the* ~ a süketek; ~ *in one ear* fél fülére süket; ~ *as a doorpost* süket mint a nagyágyú; *turn a* ~ *ear to* nem akarja meghallgatni

deaf-aid *n* hallásjavító (készülék)

deaf-and-dumb ['def(ə)ndʌm] *a* süketnéma

deafen ['defn] *vt* **1.** (meg)süketít **2.** tompít, szigetel [hangot]

deaf-mute *n/a* süketnéma

deafness ['defnɪs] *n* süketség

deal¹ [di:l] **I.** *n* **1.** mennyiség; *a great/ good* ~ *(of sg)* jó sok (vmből) **2.** (kártya)osztás **3.** bánásmód, eljárás; *biz give sy a fair/square* ~ korrektül tisztességesen jár el vkvel szemben; *US New D*~ új gazdasági politika (1932) **4.** alku, üzlet; *it's a* ~ áll az alku!; *do a* ~ *with sy* megegyezik vk-

vel; *US biz a big* ~ (1) jó fogás (2) ez is valami? **II.** *vt (pt/pp* **dealt** delt) **1.** ad [ütést] **2.** oszt [kártyát] **deal at** *vi* vknél vásárol **deal by** *vi* bánik vkvel **deal in** *vi* kereskedik vmvel **deal out** *vt* (ki)oszt **deal with** *vi* **1.** kereskedik vkvel, üzleti összeköttetésben áll vkvel; *man difficult to* ~ *w.* „nehéz" ember; *refuse to* ~ *w. sy* nem akar vkvel többé érintkezni **2.** foglalkozik vmvel **3.** bánik vkvel

deal² [di:l] *n* fenyőfa deszka

dealer ['di:lə*] *n* **1.** kereskedő; *plain* ~ nyílt ember **2.** (kártya)osztó

dealing ['di:lɪŋ] *n* **1.** viselkedés, bánásmód **2.** **dealings** *pl* kapcsolat; üzelmek

dealt →*deal¹ II.*

dean [di:n] *n* **1.** dékán **2.** esperes

deanery ['di:nərɪ] *n* dékáni/esperesi állás/lak

dear [dɪə*] **I.** *a* **1.** kedves, drága; *D*~ *Sir,* [levélben:] Tisztelt Uram/Cím! **2.** költséges, drága **II.** *adv* drágán **III.** *n* kedves; *my* ~ drágám **IV.** *int* ~ *me!, (oh)* ~*!,* ~*(,)* ~*!* Uram Isten! te jó ég!

dearness ['dɪənɪs] *n* drágaság

dearth [də:θ] *n* hiány, inség

death [deθ] *n* **1.** halál; *he'll be the* ~ *of me* (még) a sírba fog vinni; *at* ~*'s door* a halál küszöbén; *be in at the* ~ (1) jelen van a vad felkoncolásánál (2) *átv* a kritikus pillanatban jelen van; *you'll catch your* ~ halálra fázol; *do/put sy to* ~ megöl/kivégez vkt; *... to* ~ halálosan [fáradt stb.] **2.** halál(eset); ~*s* halálesetek; gyászjelentések [újságban]; *US* ~ *house* siralomház; ~ *penalty* halálbüntetés

death-bed *n* halálos ágy

death-bell *n* lélekharang

death-duty *n* örökösödési illeték

deathless ['deθlɪs] *a* halhatatlan

deathly ['deθlɪ] **I.** *a* halálos **II.** *adv* halálosan; ~ *pale* halálsápadt

death-mask *n* halotti maszk

death-notice *n* halálozási hír [újságban]

death-rate *n* halálozási arányszám

death-rattle *n* halálhörgés
death-roll *n* halotti lista
death's-head ['deθs-] *n* halálfej; ~
moth halálfejes lepke
death-trap *n* életveszélyes hely
death-warrant *n* halálos ítélet
débâcle [deɪ'bɑ:kl] *n* átv összeomlás,
bukás
debar [dɪ'bɑ:*] *vt* -rr- 1. elzár, kirekeszt
2. megakadályoz
debark [dɪ'bɑ:k] **A.** *vi* partra száll **B.**
vt partra szállít
debarkation [di:bɑ:'keɪʃn] *n* partraszállás
debase [dɪ'beɪs] *vt* 1. lealáz 2. leront
[minőséget] 3. leértékel [pénzt]
debasement [dɪ'beɪsmənt] *n* 1. lealacsonyítás 2. leértékelés, devalválás
debatable [dɪ'beɪtəbl] *a* vitatható
debate [dɪ'beɪt] **I.** *n* vita; the question
under ~ a vita tárgya **II. A.** *vt* (meg-)
vitat **B.** *vi* vitatkozik (with sy on sg
vkvel vmn); I was debating in my
mind azon tűnődtem; debating society
nyilvános vitakör
debauch [dɪ'bɔ:tʃ] **I.** *n* dorbézolás, kicsapongás **II. A.** *vt* elzülleszt, elcsábít
[nőt] **B.** *vi* dorbézol
debauched [dɪ'bɔ:tʃt] *a* züllött, kicsapongó
debauchery [dɪ'bɔ:tʃ(ə)rɪ] *n* 1. kicsapongás, erkölcstelenség 2. elcsábítás
debenture [dɪ'bentʃə*] *n* adóslevél, kötelezvény
debilitate [dɪ'bɪlɪteɪt] *vt* elgyengít, legyengít
debility [dɪ'bɪlətɪ] *n* gyengeség
debit ['debɪt] **I.** *n* tartozás; tartozik oldal [könyvelésben]; credit and ~
tartozik-követel; pass to sy's ~ terhére
ír vknek **II.** *vt* (meg)terhel (with
vmvel), terhére ír (vknek vmt)
debonair [debə'neə*] *a* udvarias, jókedvű, kedélyes
Deborah ['debərə] prop Debóra
debouch [dɪ'baʊtʃ] *vi* beömlik; kiömlik;
beletorkollik
debriefing [di:'bri:fɪŋ] *n* kikérdezés, kihallgatás
debris ['deɪbri:; US də'bri:] *n* törmelék,
roncs

debt [det] *n* adósság, tartozás; active ~s
kinnlevőségek; bad ~s behajthatatlan
követelések; owe sy a ~ of gratitude
hálával tartozik vknek; ~ of honour
becsületbeli adósság; pay the ~ of
nature meghal; be in ~ el van adósodva; run into ~ adósságba veri magát;
be out of ~ rendezte az adósságait;
meet one's ~s adósságát kiegyenlíti
debtor ['detə*] *n* adós
debunk [di:'bʌŋk] *vt* US biz leleplez;
illúzióktól megfoszt
debus [di:'bʌs] *v* -ss- **A.** *vt* kiszállít
[autóbuszból] **B.** *vi* kiszáll [autóbuszból]
début, debut ['deɪbu:; US -'bju:] *n* első
fellépés, bemutatkozás
débutante, debutante ['debju:tɑ:nt] *n*
első bálozó
Dec. December december, dec.
dec. deceased meghalt, megh., elhunyt
decade ['dekeɪd] *n* (év)tized
decadence ['dekəd(ə)ns] *n* hanyatlás,
romlás, dekadencia
decadent ['dekəd(ə)nt] *a* hanyatló, dekadens
Decalogue, US -log ['dekəlɔg; US
-ɔ:g] *n* tízparancsolat
decamp [dɪ'kæmp] *vi* 1. tábort bont,
felszedi a sátorfát 2. eloson, elillan
decampment [dɪ'kæmpmənt] *n* 1. táborbontás 2. megfutamodás
decant [dɪ'kænt] *vt* lefejt [bort]; áttölt
decantation [di:kæn'teɪʃn] *n* lefejtés
[boré]; áttöltés
decanter [dɪ'kæntə*] *n* asztali (boros-)
palack
decapitate [dɪ'kæpɪteɪt] *vt* lefejez
decapitation [dɪkæpɪ'teɪʃn] *n* lefejezés
decarbonize [di:'kɑ:bənaɪz] *vt* szénteleнít; koromtalanít
decathlon [dɪ'kæθlɔn; US -ɑn] *n* tízpróba
decay [dɪ'keɪ] **I.** *n* 1. romlás, hanyatlás; fall into ~ romba dől, pusztul
2. rothadás; szuvasodás **II.** *vi* bomlik,
romlik, pusztul, korhad, szuvasodik,
hanyatlik, fogy, elhal; ~ed tooth
odvas fog; ~ed with age elaggott
decease [dɪ'si:s] **I.** *n* halál **II.** *vi* meghal;
the ~d a halott, az elhunyt; Mr
Smith, ~d néhai S. úr

deceit [dɪ'siːt] *n* 1. csalás, megtévesztés 2. csalárdság
deceitful [dɪ'siːtful] *a* csaló; álnok; hamis
deceive [dɪ'siːv] *vt* 1. becsap, megtéveszt; hiteget; *be ~d* téved 2. megcsal [házastársat]
deceiver [dɪ'siːvə*] *n* csaló
decelerate [diː'seləreɪt] *vt* lassít, sebességet csökkent
deceleration ['diːselə'reɪʃn] *n* sebesség csökken(t)ése
December [dɪ'sembə*] *n* december
decency ['diːsnsɪ] *n* illem, illendőség; tisztességtudás; *the common decencies* (társadalmi) konvenciók, illemszabályok
decennial [dɪ'senjəl] *a* tizévenkénti
decent ['diːsnt] *a* 1. illedelmes, tisztességes 2. meglehetős, tűrhető 3. *biz* rendes; derék [fickó stb.]
decentralization [diːsentrəlaɪ'zeɪʃn; *US* -lɪ'z-] *n* decentralizálás
decentralize [diː'sentrəlaɪz] *vt* decentralizál
deception [dɪ'sepʃn] *n* 1. csalás, fortély 2. csalódás, tévedés
deceptive [dɪ'septɪv] *a* megtévesztő
decibel ['desɪbel] *n* decibel, 0,1 bel
decide [dɪ'saɪd] **A.** *vt* eldönt; elhatároz; *~ sy's fate* dönt vk sorsáról **B.** *vi* dönt, határoz; *~ (up)on sg* vmre elhatározza magát; *~ for sg* vm javára **dönt**
decided [dɪ'saɪdɪd] *a* határozott, kifejezett; *~ difference* szemmel látható különbség
decidedly [dɪ'saɪdɪdlɪ] *adv* határozottan; kifejezetten
deciduous [dɪ'sɪdjuəs; *US* -dʒʊ-] *a* 1. lombhullató 2. agancsváltó 3. nem állandó; múlékony
decimal ['desɪml] **I.** *a* tízes; tizedes; *~ currency* tízes pénzrendszer; *~ fraction* tizedes tört; *~ point* tizedespont; *~ system* tízes számrendszer **II.** *n* tizedes (tört); *correct to five places of ~s* öt tizedesjegy pontosságú
decimalize ['desɪməlaɪz] *vt* tízes számrendszert vezet be
decimate ['desɪmeɪt] *vt* (meg)tizedel

decimation [desɪ'meɪʃn] *n* (meg)tizedelés
decipher [dɪ'saɪfə*] *vt* kibetűz, megfejt; megold [rejtjelet]
decipherable [dɪ'saɪf(ə)rəbl] *a* megfejthető, olvasható
decision [dɪ'sɪʒn] *n* 1. döntés, elhatározás; *come to a ~* dönt, határoz, elhatározásra jut 2. határozat, ítélet 3. elszántság
decision-making *n* határozathozatal
decisive [dɪ'saɪsɪv] *a* döntő
deck [dek] **I.** *n* 1. (hajó)fedélzet; *lower ~* (1) alsó fedélzet (2) tengerészlegénység; *clear the ~s for sg* nekikészül vmnek 2. *US* kártyacsomag **II.** *vt* 1. befed, beborít 2. díszít; *~ oneself out* kicicomázza magát
deck-chair *n* nyugágy
deck-hand *n* fedélzeti munkás
declaim [dɪ'kleɪm] *vi/vt* szónokol, szaval, deklamál
declamation [deklə'meɪʃn] *n* szavalás, szónoklat; nagyhangú beszéd
declamatory [dɪ'klæmət(ə)rɪ; *US* -tɔːrɪ] *a* nagyhangúan szónokias
declaration [deklə'reɪʃn] *n* nyilatkozat, kimondás, (ki)hirdetés; *~ of war* hadüzenet; *US D~ of Independence* függetlenségi nyilatkozat (1776. július 4.); *~ of value* értékbevallás
declare [dɪ'kleə*] *vt* kijelent, mond, nyilatkozik, üzen; *have you anything to ~?* van valami elvámolnivalója?; *well, I ~!* ejha!; *~ oneself* (1) igazi színében mutatkozik (2) nyilatkozik [vőlegényjelölt]; *~ oneself bankrupt* csődöt kér maga ellen
declaredly [dɪ'kleərɪdlɪ] *adv* nyiltan
declassified [diː'klæsɪfaɪd] *a* (index alól) feloldott
declassify [diː'klæsɪfaɪ] *vt* felold [titkossági tilalom alól]
declension [dɪ'klenʃn] *n* 1. lejtő 2. romlás, hanyatlás 3. (fő)névragozás, deklináció
declination [deklɪ'neɪʃn] *n* elhajlás, eltérés
decline [dɪ'klaɪn] **I.** *n* hanyatlás; csökkenés; *~ in prices* árcsökkenés; *be on the ~* hanyatlóban van **II. A.** *vi*

14

1. gyengül, hanyatlik, romlik; *in one's declining years* élete vége felé, öregkorában 2. (le)ereszkedik **B.** *vt* 1. [udvariasan] elutasít, visszautasít; elhárít; *he ~d to discuss the matter* nem volt hajlandó az ügyet megvitatni 2. ragoz [főnevet stb.]

declivity [dɪ'klɪvətɪ] *n* lejtő, lanka

declutch [diː'klʌtʃ] *vi* kioldja/kinyomja a tengelykapcsolót, kikuplungoz

decoct [dɪ'kɔkt; *US* -'ka-] *vt* lepárol, (ki)főz

decoction [dɪ'kɔkʃn; *US* -'ka-] *n* főzet, kifőzés

decode [diː'koʊd] *vt* dekódol, kirejtjelez

décolleté [deɪ'kɔlfeɪ] *n* (nyak)kivágás, dekoltázs

decolonization [diːkɔlənaɪ'zeɪʃn; *US* diːkɑlənɪ'-] *n* gyarmat(ok) felszabadítása [anyaország által]

decolonize [diː'kɔlənaɪz; *US* -'ka-] *vt* függetlenné tesz [volt gyarmatot]

decolo(u)rization [diːkʌləraɪ'zeɪʃn; *US* -rɪ'z-] *n* szinvesztés, fakulás

decolo(u)rize [diː'kʌləraɪz] *vt* színtelenít; fakít

decompose [diːkəm'poʊz] **A.** *vt* szétbont **B.** *vi* felbomlik, szétbomlik; elrothad

decomposition [diːkɔmpə'zɪʃn; *US* -ka-] *n* felbomlás; rothadás, oszlás

decompound [diːkəm'paʊnd] *a* többszörösen összetett

decompressor [diːkəm'presə*] *n* nyomáscsökkentő

decontaminate [diːkən'tæmɪneɪt] *vt* fertőtlenít; sugárzásmentesít

decontamination ['diːkəntæmɪ'neɪʃn] *n* (sugár)fertőtlenítés

decontrol [diːkən'troʊl] *vt* -ll- korlátozást megszüntet, szabaddá tesz

decorate ['dekəreɪt] *vt* 1. (fel)díszít 2. fest; tapétáz [lakást] 3. kitüntet

decoration [dekə'reɪʃn] *n* 1. (fel)díszítés 2. díszítmény, dekoráció 3. szobafestés; tapétázás 4. kitüntetés

decorative ['dek(ə)rətɪv; *US* -reɪ-] *a* díszítő (hatású), dekorativ

decorator ['dekəreɪtə*] *n* 1. szobafestő; tapétázó (mester) 2. lakberendező

decorous ['dekərəs] *a* illő, illedelmes; tisztességes

decorticate [diː'kɔːtɪkeɪt] *vt* lehántol, lehámoz

decorum [dɪ'kɔːrəm] *n* illem, tisztesség

decoy [dɪ'kɔɪ] **I.** *n* csalétek **II.** *vt* tőrbe csal, csalogat

decoy-duck *n* 1. csalikacsa 2. beugrató ügynök

decrease I. *n* ['diːkriːs] csökkenés, fogyás **II.** *v* [diː'kriːs] **A.** *vi* fogy, csökken **B.** *vt* fogyaszt; csökkent

decreasing [diː'kriːsɪŋ] *a* csökkenő; fogyó

decreasingly [diː'kriːsɪŋlɪ] *adv* egyre kevésbé

decree [dɪ'kriː] **I.** *n* 1. rendelet 2. végzés; döntés; ~ *nisi* ['naɪsaɪ] ⟨nem jogerős ítélet házassági bontóperben⟩ **II.** *vt* határoz; elrendel

decrepit [dɪ'krepɪt] *a* rokkant, elaggott

decrepitude [dɪ'krepɪtjuːd; *US* -tuːd] *n* elaggottság; rozogaság

decrescent [dɪ'kresnt] *a* fogyó [hold]

decry [dɪ'kraɪ] *vt* 1. leszól, becsmérel 2. leértékel

dedicate ['dedɪkeɪt] *vt* 1. (fel)szentel; ~ *oneself to* vmnek szenteli magát 2. ajánlással ellát, dedikál [könyvet]

dedication [dedɪ'keɪʃn] *n* 1. felszentelés; felajánlás 2. dedikálás; dedikáció

dedicatory ['dedɪkət(ə)rɪ; *US* -ɔːrɪ] *a* ajánló

deduce [dɪ'djuːs; *US* -'duːs] *vt* 1. leszármaztat, levezet 2. következtet (*from* -ból, -ből)

deducible [dɪ'djuːsəbl; *US* -'duː-] *a* 1. leszármaztatható, levezethető 2. kikövetkeztethető (*from* -ból, -ből)

deduct [dɪ'dʌkt] *vt* leszámít; levon; *after ~ing* ... levonásával

deduction [dɪ'dʌkʃn] *n* 1. levonás 2. következtetés; levezetés

deductive [dɪ'dʌktɪv] *a* levezető; deduktív [módszer]

deed [diːd] *n* 1. tett, cselekedet 2. tény, valóság; *in* ~ való(ság)ban, ténylegesen 3. (k)jegyzői) okirat; ~ *of arrangement* egyezségi okirat

deed-box *n* iratláda

deed-poll *n* egyoldalú szerződés(t tartalmazó okirat)

deem [diːm] *vt* vmnek tart/tekint/gon-

dol/ítél; ~ sg necessary vmt szükségesnek tart
deep [di:p] I. a 1. (átv is) mély; ~ red mély vörös, sötétvörös; ~ voice mély hang; átv in ~ water nehézségek közepette; ~ sorrow nagy bánat; biz go off the ~ end dühbe gurul, „begerjed"; four ~ négyes sorokban 2. alapos; ~ insight into human nature az emberi természet alapos ismerete 3. álnok; ravasz;' □ he's a ~ one sötét/agyafúrt alak II. adv mélyen; ~ in thought gondolataiba merülve; drink ~ sokat iszik, a kancsó fenekére néz; still waters run ~ lassú víz partot mos III. n 1. mélység; in the ~ of winter a tél közepén 2. tenger, óceán; commit to the ~ tengerbe temet
deep-chested a domború mellkasú
deepen ['di:p(ə)n] A. vi 1. mélyebbé válik 2. erősödik; sötétebbé válik B. vt 1. (átv is) (ki)mélyit, (ki)szélesít 2. elmélyít; fokoz
deep-felt a mélyen/őszintén átérzett
deep-freeze I. n mélyhűtő II. vt (pt -froze, pp -frozen) mélyhűt
deep-frozen a mélyhűtött
deep-laid a ravaszul kigondolt
deeply ['di:plı] adv mély(séges)en; sigh ~ nagyot sóhajt
deepness ['di:pnıs] n mélység
deep-rooted a mélyen gyökerező
deep-sea a mélytengeri
deep-seated a = deep-rooted
deep-set a mélyen ülő [szem]
deer [dıə*] n (pl ~) őz, szarvas, rőtvad
deerskin n szarvasbőr, őzbőr
deerstalker n 1. szarvasvadász 2. vadászsapka
deface [dı'feıs] vt 1. elcsúfít; megrongál 2. olvashatatlanná tesz
defacement [dı'feısmənt] n 1. elcsúfítás, rongálás 2. olvashatatlanná tétel
de facto [di:'fæktoʊ] ténylegesen, valójában
defalcate ['di:fælkeıt] vi sikkaszt
defalcation [di:fæl'keıʃn] n 1. sikkasztás 2. elsikkasztott összeg; hiány
defamation [defə'meıʃn] n rágalmazás, becsületsértés, becsmérlés

defamatory [dı'fæmət(ə)rı; US -ɔ:rı] a rágalmazó; becsmérlő
defame [dı'feım] vt rágalmaz; becsmérel, becsületébe gázol (vknek)
defatted [di:'fætıd] sovány [tej stb.]
default [dı'fɔ:lt] I. n 1. hiány; mulasztás; késedelem; nem teljesítés [fizetésé]; in ~ of sg vm hiányában; judgment in ~ mulasztási ítélet; match won by ~ másik fél távolmaradása következtében nyert mérkőzés 2. hiba; vétség II. vt/vi 1. elmulaszt; mulasztást követ el; nem teljesít 2. (fizetést) beszüntet; fizetési kötelezettségnek nem tesz eleget 3. idézésre nem jelenik meg 4. elmakacsol (vkt)
defaulter [dı'fɔ:ltə*] n 1. szószegő; mulasztó 2. tárgyaláson meg nem jelenő fél 3. késedelmes adós 4. sikkasztó
defeasance [dı'fi:zns] n érvénytelenítés; hatálytalanítás
defeasible [dı'fi:zəbl] a megtámadható
defeat [dı'fi:t] n 1. vereség; kudarc; sustain a ~ vereséget szenved 2. bukás II. vt 1. legyőz, megver 2. meghiúsít [tervet]; megdönt [kormányt]; be ~ed kisebbségben marad
defeatism [dı'fi:tızm] n defetizmus, kishitűség
defecate ['defıkeıt] A. vt 1. tisztit, derít [folyadékot] 2. ürít B. vi székel
defecation [defı'keıʃn] n székelés; széklet
defect I. n ['di:fekt; US dı'fekt əs] hiány; hiányosság, tökéletlenség II. vi [dı'fekt] megszökik, elfordul (vktől); disszidál
defection [dı'fekʃn] n elszakadás; elpártolás; disszidálás
defective [dı'fektıv] a hiányos, hibás, tökéletlen; mentally ~ child értelmileg fogyatékos gyermek
defector [dı'fektə*] n disszidens
defence [dı'fens] n 1. védelem; védekezés; in ~ védelmére; counsel for the ~ védőügyvéd; witness for the ~ mentőtanú; best ~ is offence legjobb védekezés a támadás 2. **defences** pl erősítések, védőművek

defenceless [dɪ'fenslɪs] *a* védtelen
defend [dɪ'fend] *vt/vi* (meg)véd, oltalmaz; ~ *oneself against/from sg* védekezik vm ellen
defendant [dɪ'fendənt] *n* alperes; vádlott
defender [dɪ'fendə*] *n* védő
defense [dɪ'fens] *n* US = *defence*
defensible [dɪ'fensəbl] *a* védhető; igazolható
defensive [dɪ'fensɪv] I. *a* védekező; ~ *warfare* védekező hadviselés II. *n* védelem; *be/stand on the* ~ védekezik, védelmi állásba vonul
defer¹ [dɪ'fɜ:*] *v* -rr- A. *vt* elhalaszt, halogat, késleltet; *on* ~*red terms* részletfizetésre B. *vi* késlekedik
defer² [dɪ'fɜ:*] *vi* -rr- *to sg* alkalmazkodik vmhez, belenyugszik vmbe
deference ['def(ə)rəns] *n* 1. alkalmazkodás; belenyugvás 2. tiszteletadás; *with all due* ~ *to you* minden köteles tiszteletem ellenére; *in* ~ *to his wishes* kívánságainak tiszteletbentartásával
deferential [defə'renʃl] *a* hódolatteljes; tiszteletteljes; engedelmes
deferment [dɪ'fɜ:mənt] *n* (el)halasztás; haladék
defiance [dɪ'faɪəns] *n* 1. kihívás 2. dac; *bid* ~ *to sy* ujjat húz vkvel; *set sy at* ~ dacol/ellenkezik vkvel; *in* ~ *of the law* fittyet hányva a törvénynek
defiant [dɪ'faɪənt] *a* kihívó; dacos
defiantly [dɪ'faɪəntlɪ] *adv* kihívó arccal/hangon
deficiency [dɪ'fɪʃnsɪ] *n* 1. hiány, elégtelenség; ~ *disease* hiánybetegség 2. hiányosság; tökéletlenség 3. hiány, deficit
deficient [dɪ'fɪʃnt] *a* 1. hiányos, elégtelen 2. (szellemileg) fogyatékos; *mentally* ~ gyengeelméjű
deficit ['defɪsɪt] *n* hiány, deficit; veszteség; *make up the* ~ (költségvetési) hiányt pótol
defile¹ I. *n* ['di:faɪl] 1. hegyszoros 2. (katonai) (dísz)elvonulás II. *vi* [dɪ'faɪl] elvonul, ellép [csapat]
defile² [dɪ'faɪl] *vt* bemocskol; meggyaláz

defilement [dɪ'faɪlmənt] *n* 1. beszennyezés 2. mocsok, tisztátalanság
definable [dɪ'faɪnəbl] *a* meghatározható
define [dɪ'faɪn] *vt* 1. meghatároz; körülír, értelmez 2. (pontosan) meghatároz, határt szab; korlátoz; ~ *one's position* tisztázza (politikai) álláspontját
definite ['defɪnɪt] *a* 1. határozott; bizonyos, világos; végleges; *a* ~ *answer* határozott/egyértelmű válasz; *at a* ~ *hour* meghatározott időpontban 2. ~ *article* határozott névelő
definitely ['defɪnɪtlɪ] *adv* feltétlenül, hogyne
definiteness ['defɪnɪtnɪs] *n* (meg)határozottság; végérvényesség
definition [defɪ'nɪʃn] *n* 1. meghatározás, definíció 2. képélesség; felbontóképesség [tévéé]
definitive [dɪ'fɪnɪtɪv] *a* 1. végleges 2. döntő
deflate [dɪ'fleɪt] *vt* 1. kienged, kiereszt [gázt, levegőt]; ~*d tyre* kilyukadt/leeresztett gumi(abroncs) 2. (pénzforgalmat) csökkent
deflation [dɪ'fleɪʃn] *n* 1. leengedés; leeresztés [léggömbé, gumié] 2. defláció [pénzé]
deflationary [dɪ'fleɪʃn(ə)rɪ; US -erɪ] *a* deflációs [politika]
deflect [dɪ'flekt] A. *vt* elterel, eltérít B. *vi* eltér; elhajlik
deflection, -xion [dɪ'flekʃn] *n* 1. eltérés; kitérés, kilengés [mutatóé] 2. elhajlítás 3. megvetemedés; behajlás
defloration [di:flɔ:'reɪʃn] *n* meggyalázás, deflorálás
deflower [di:'flauə*] *vt* 1. meggyaláz, deflorál [nőt] 2. szépségétől megfoszt
Defoe [dɪ'fou] *prop*
defoliate [di:'foulɪeɪt] *vt* lombtalanít
defoliation [di:foulɪ'eɪʃn] *n* 1. lombhullás 2. lombtalanítás
deforest [di:'fɔrɪst; US -'fɑ-] *vt* kivág [erdőt]
deform [dɪ'fɔ:m] *vt* eltorzít, elcsúfít; *become* ~*ed* deformálódik
deformation [di:fɔ:'meɪʃn] *n* 1. (el-)torzítás, deformálás 2. (el)torzulás; testi fogyatékosság; deformáció; vetemedés

deformed [dɪ'fɔ:md] *a* eltorzult, nyomorék
deformity [dɪ'fɔ:mətɪ] *n* **1.** testi fogyatékosság; idomtalanság **2.** rútság [jellemé is]
defraud [dɪ'frɔ:d] *vt* becsap, megkárosít
defray [dɪ'freɪ] *vt* (ki)fizet, fedez, visel [költségeket]
defrayal [dɪ'freɪəl] *n* költségviselés
defrost [di:'frɔst; *US* -ɔ:-] *vt* **1.** leolvaszt [hűtőszekrényt] **2.** *US* = *demist*
defroster [di:'frɔstə*; *US* -ɔ:-] *n US* = *demister*
deft [deft] *a* ügyes, fürge
deftness ['deftnɪs] *n* ügyesség, jártasság
defunct [dɪ'fʌŋkt] *a* elhunyt; kihalt
defuse [di:'fju:z] *vt* hatástalanít [robbanó szerkezetet]
defy [dɪ'faɪ] *vt* **1.** kihív **2.** ellenszegül, dacol; ~ *description* leírhatatlan
deg. *degree(s)* fok(ozat)
degeneracy [dɪ'dʒen(ə)rəsɪ] *n* elkorcsosulás, degeneráltság
degenerate I. *a* [dɪ'dʒen(ə)rət] korcs; degenerált **II.** *vi* [dɪ'dʒenəreɪt] elkorcsosul; elfajzik; elfajul
degeneration [dɪdʒenə'reɪʃn] *n* elfajulás; elkorcsosulás
degradation [degrə'deɪʃn] *n* **1.** lefokozás, degradálás **2.** lealacsonyodás; lealacsonyítás **3.** lekopás, erózió [kőzeteké] **4.** elfajzás; degenerálódás
degrade [dɪ'greɪd] **A.** *vt* **1.** lefokoz, degradál **2.** lealacsonyít **3.** gyengít; elporlaszt, erodál **B.** *vi* lealacsonyodik; elfajzik
degrading [dɪ'greɪdɪŋ] *a* lealázó; megalázó
degree [dɪ'gri:] *n* **1.** fok; *20 ~s centigrade* 20 C° (v. a nemzetközi szabvány szerint: 20 °C), plusz húsz fok (Celsius); ~ *of latitude* szélességi fok; *by ~s* fokozatosan, fokonként **2.** fokozat; mérték; *to a (high) ~* nagymértékben; *to a certain ~* bizonyos fokig/mértékig **3.** rang; *of low ~* alacsony származású **4.** *take a ~* (egyetemi) diplomát/fokozatot szerez; *honorary ~* tiszteletbeli tudományos fokozat [díszdoktorság stb.]
dehumanize [di:'hju:mənaɪz] *vt* emberi mivoltából kivetkőztet
dehydrate [di:'haɪdreɪt] *vt* víztelenít; dehidrál; *~d stock* levespor; *~d vegetables* szárított főzelék/zöldség
de-ice [di:'aɪs] *vt* jégtelenít
deification [di:ɪfɪ'keɪʃn] *n* istenítés
deify ['di:ɪfaɪ] *vt* istenít
deign [deɪn] *vt ~ to do sg* kegyeskedik/méltóztatik vmt megtenni; *he did not ~ to answer* még válaszra sem méltatott
deism ['di:ɪzm] *n* deizmus
deity ['di:ɪtɪ] *n* istenség
deject [dɪ'dʒekt] *vt* lehangol, elkedvetlenít
dejected [dɪ'dʒektɪd] *a* kedvetlen, bús; lehangolt, levert
dejection [dɪ'dʒekʃn] *n* levertség, csüggedtség
de jure [di:'ʒʊərɪ] jogosan, jog szerint(i)
Del. *Delaware*
Delaware ['deləweə*] *prop*
delay [dɪ'leɪ] **I.** *n* **1.** késlekedés, késés; haladék, késedelem; *without further ~* minden további késedelem nélkül **2.** késleltetés, hátráltatás **II. A.** *vi* késik; késlekedik **B.** *vt* **1.** elhalaszt, kitol, elodáz **2.** késleltet, feltartóztat; akadályoz
delayed [dɪ'leɪd] *a* késleltetett
delayed-action *a* időzített; késleltetett működésű
delectable [dɪ'lektəbl] *a* élvezetes, kellemes
delegate I. *n* ['delɪgət] meghatalmazott, (ki)küldött követ, képviselő **II.** *vt* ['delɪgeɪt] **1.** kiküld, megbíz **2.** ráruház [hatáskört, jogkört]
delegation [delɪ'geɪʃn] *n* **1.** kiküldetés **2.** küldöttség, bizottság, delegáció **3.** (jog)átruházás
delete [dɪ'li:t] *vt* töröl, kihúz; deleál
deleterious [delɪ'tɪərɪəs] *a* ártalmas, káros
deletion [dɪ'li:ʃn] *n* törlés, áthúzás
Delhi ['delɪ] *prop*
Delia ['di:ljə] *prop* Délia ⟨női név⟩
deliberate I. *a* [dɪ'lɪb(ə)rət] **1.** szándékos **2.** megfontolt, körültekintő **II.** *v* [dɪ'lɪbəreɪt] **A.** *vt* meggondol, meg-

fontol; megtárgyal, megvitat **B.** *vi*
1. tanakodik (magában); ~ *over/on a
question* mérlegel/latolgat egy kérdést
2. tanácskozik
deliberately [dɪ'lɪb(ə)rətlɪ] *adv* 1. szándékosan, akarattal 2. megfontoltan
kimérten
deliberateness [dɪ'lɪb(ə)rətnɪs] *n* 1. szándékosság 2. megfontoltság
deliberation [dɪlɪbə'reɪʃn] *n* 1. megfontolás, mérlegelés; *after due* ~ hosszas
gondolkodás után 2. tanácskozás 3.
megfontoltság
deliberative [dɪ'lɪb(ə)rətɪv; *US* -reɪ-]
a tanácskozó
delicacy ['delɪkəsɪ] *n* 1. finomság; gyengédség, tapintat 2. (alkati) gyengeség, törékenység 3. (asztali) csemege,
ínyencfalat
delicate ['delɪkət] *a* 1. ízletes; pompás,
finom 2. tapintatos 3. kényes; gyenge
delicatessen [delɪkə'tesn] *n* 1. csemegeüzlet 2. csemegeáru
delicious [dɪ'lɪʃəs] *a* gyönyörűséges;
pompás
delight [dɪ'laɪt] I. *n* öröm, gyönyörűség;
élvezet; *much to the* ~ *of* (vk) nagy
örömére; *take* ~ *in sg* örül vmnek,
örömét leli vmben II. **A.** *vt* gyönyörködtet, örömöt szerez (vknek); *be*
~*ed at sg* el van ragadtatva vmtől;
be ~*ed with sy/sg* el van ragadtatva
vktől/vmtől; *I shall be* ~*ed* nagy
örömömre fog szolgálni...; *I was*
~*ed to hear* (nagy) örömmel hallottam... **B.** *vi* ~ *in sg* örömét leli vmben
delightful [dɪ'laɪtfʊl] *n* elragadó, bűbájos; gyönyörűséges, pompás
Delilah [dɪ'laɪlə] *prop* Delila
delimit [di:'lɪmɪt] *vt* körülhatárol (vmt);
határt szab (vmnek)
delimitation [dɪlɪmɪ'teɪʃn] *n* 1. elhatárolás 2. *átv* korlát(ozás)
delineate [dɪ'lɪnɪeɪt] *vt* 1. ábrázol, felrajzol; vázol 2. körvonalaz, ismertet
[tervet stb.]
delineation [dɪlɪnɪ'eɪʃn] *n* 1. ábrázolás;
tervrajz; alaprajz 2. leírás; körvonalazás; felvázolás
delinquency [dɪ'lɪŋkwənsɪ] *n* 1. köte-

lességmulasztás; vétség; bűncselekmény 2. bűnözés
delinquent [dɪ'lɪŋkwənt] *a/n* 1. bűntettes, kötelességmulasztó 2. bűnöző;
tettes
delirious [dɪ'lɪrɪəs] *a* 1. félrebeszélő,
eszelős 2. izgatott; ~ *with joy* örömittas
delirium [dɪ'lɪrɪəm] *n* félrebeszélés;
önkívület; ~ *tremens* ['tri:menz] delirium tremens
deliver [dɪ'lɪvə*] *vt* 1. (meg)szabadít;
be ~*ed of a child* gyermeket szül;
~ *oneself of an opinion* véleményt
mond 2. kiszolgáltat, átad, kiad;
~ *sy into the hands of the enemy* az
ellenség kezére ad vkt; ~ *up* tettest
kiad [egyik állam a másiknak]; ~
over (to sy) (vknek) átad, (vkre) átruház [jogot stb.] 3. kézbesít; (le-)
szállít [árut]; ~ *a message* üzenetet
átad 4. hoz [ítéletet]; mond [beszédet]; tart [előadást]
deliverable [dɪ'lɪv(ə)rəbl] *a* szállítandó;
szállítható; kézbesítendő; átadandó
deliverance [dɪ'lɪv(ə)rəns] *n* 1. megszabadítás (*from* vmtől) 2. átadás, leszállítás 3. (vélemény)nyilvánítás 4.
† szülés [levezetése]
deliverer [dɪ'lɪv(ə)rə*] *n* 1. megszabadító 2. kézbesítő; szállító
delivery [dɪ'lɪv(ə)rɪ] *n* 1. felszabadítás
2. szülés 3. átadás, kézbesítés; ~
note szállítójegy; ~ *van* árukihordó
teherautó; *cash/pay* (v. *US collect*)
on ~ szállításkor/átvételkor/utánvéttel fizetendő/fizetve 4. előadás(mód)
delivery-man *n* (*pl* -men) kézbesítő,
árukihordó
delivery-pipe *n* nyomócső
dell [del] *n* kis erdős völgy
de-lousing [di:'laʊsɪŋ] *n* tetvetlenítés
Delphi ['delfaɪ] *prop* Delphi, Delphoi
delphinium [del'fɪnɪəm] *n* szarkaláb
[növény]
delta ['deltə] *n* 1. delta [görög betű];
~(-)*wing* deltaszárny(ú) 2. torkolatvidék, delta [folyóé]
delude [dɪ'lu:d] *vt* becsap, megcsal;
~ *oneself with false hopes* hiú reményekkel áltatja magát

deluge ['delju:dʒ] **I.** *n* özönvíz, áradat; *the D~* a Vízözön, az Özönvíz **II.** *vt* eláraszt, elönt (*with* -val/-vel)
delusion [dɪ'lu:ʒn] *n* 1. csalás, megtévesztés 2. káprázat; érzékcsalódás; *be under the ~* abban a tévhitben él; *~ of grandeur* nagyzási hóbort 3. csalódás, tévedés
delusive [dɪ'lu:sɪv] *a* csalfa; megtévesztő
de luxe [də'luks] *a* luxus, osztályon felüli
delve [delv] **A.** *vt* (ki)ás **B.** *vi* turkál [zsebben]; kutat (*for* vm után); *~ into sg* vmnek a mélyére hatol
Dem. Democrat
demagog(ue) ['deməgɔg; *US* -ɔ:g] *n* népámító, demagóg
demagogy ['deməgɔgɪ; *US* -goʊdʒɪ] *n* népámítás, demagógia
demand [dɪ'mɑ:nd; *US* -æ-] **I.** *n* 1. követelés; kívánság; kérés; *~ note* adófizetési meghagyás; *on ~* bemutatásra/látra fizetendő [váltó]; bemutatóra szóló [csekk] 2. igény, kereslet; (*much*) *in ~* keresett, kapós; *make great ~s on sg* erősen igénybe vesz **II.** *vt* 1. kér, követel; *~ to know whether...* tudni akarja, hogy... 2. megkövetel; igényel; *it ~s skill* ügyességet igényel
demanding [dɪ'mɑ:ndɪŋ; *US* -'mæ-] *a* igényes; megerőltető
demarcation [di:mɑ:'keɪʃn] *n* 1. elhatárolás; határvonal 2. határmegállapítás
demean [dɪ'mi:n] *v refl ~ oneself* lealacsonyítja/lealázza magát
demeanour [dɪ'mi:nə*] *n* viselkedés
demented [dɪ'mentɪd] *a* őrült; háborodott
demerit [di:'merɪt] *n* 1. vétség; hiba 2. érdemtelenség
demesne [dɪ'meɪn] *n* † (ősi) birtok
demi-god ['demɪ-] *n* félisten
demijohn ['demɪdʒɔn; *US* -ɑn] *n* demizson
demilitarization ['di:mɪlɪtəraɪ'zeɪʃn; *US* -rɪ'z-] *n* 1. lefegyverzés 2. katonaság kivonása
demilitarize [di:'mɪlɪtəraɪz] *vt* 1. demilitarizál, lefegyverez 2. katonaságot kivon (vhonnan)
demise [dɪ'maɪz] **I.** *n* 1. átruházás [ingatlané, jogé] 2. haláleset; *~ of the crown* trón megüresedése **II.** *vt* átruház [végrendelettel, lemondás útján], hagyományoz, örökül hagy
demission [dɪ'mɪʃn] *n* lemondás, leköszönés [állásról]
demist [di:'mɪst] *vt* jégtelenít, párátlanít [szélvédőt stb.]
demister [di:'mɪstə*] *n* párátlanító, fagymentesítő
demo ['demoʊ] *n biz* tüntetés
demob [di:'mɔb; *US* -ab] *vt* -bb- = demobilize
demobilization ['di:moʊbɪlaɪ'zeɪʃn; *US* -lɪ'z-] *n* (katonai) leszerelés
demobilize [di:'moʊbɪlaɪz] *vt* leszerel [katonát]
democracy [dɪ'mɔkrəsɪ; *US* -'mɑ-] *n* demokrácia
democrat ['deməkræt] *n* demokrata
democratic [demə'krætɪk] *a* demokratikus; *US D~ Party* demokrata párt
democratize [dɪ'mɔkrətaɪz; *US* -'mɑ-] *vt* demokratizál
demographic [di:mə'græfɪk] *a* demográfiai
demography [di:'mɔgrəfɪ; *US* -'mɑ-] *n* demográfia
demolish [dɪ'mɔlɪʃ; *US* -ɑ-] *vt* 1. lerombol; ledönt; lebont 2. megdönt [elméletet stb.]
demolition [demə'lɪʃn] *n* lebontás [épületé]; (le)rombolás, (el)pusztítás; *~ bomb* rombolóbomba; *~ work* bontási munka
demon ['di:mən] *n* démon; gonosz szellem; *he's a ~ for work* csak úgy ég a munka a keze alatt
demoniac [dɪ'moʊnɪæk] *a* ördögi
demonstrability [demənstrə'bɪlətɪ] *n* bizonyíthatóság; kimutathatóság
demonstrable ['demənstrəbl] *a* (be-) bizonyítható; kimutatható
demonstrate ['demənstreɪt] **A.** *vt* 1. (be)bizonyít, kimutat 2. bemutat; szemléltet **B.** *vi* tüntet, felvonul
demonstration [demən'streɪʃn] *n* 1. (be-) bizonyítás, kimutatás [igazságé] 2. bemutatás; szemléltetés; *~ car* bemu-

tató kocsi 3. (ki)nyilvánítás; ~ of love szeretetmegnyilvánulás 4. tüntetés
demonstrative [dɪ'mɔnstrətɪv; US -'ma-] a 1. meggyőző; (be)bizonyító [érv] 2. nyíltszívű [személy] 3. mutató [névmás] 4. tüntető
demonstrator ['demənstreɪtə*] n 1. tanársegéd, demonstrátor 2. [politikai] tüntető
demoralize [dɪ'mɔrəlaɪz; US -'ma-] vt demoralizál; erkölcsileg megront
demote [di:'moʊt] vt US 1. lefokoz |katonát] 2. alsóbb osztályba sorol [tanulót]
demur [dɪ'mə:*] I. n habozás; akadékoskodás II. vi -rr- 1. habozik; aggályoskodik 2. akadékoskodik; tiltakozik (at/to vmvel kapcsolatban)
demure [dɪ'mjʊə*] a 1. illedelmes; higgadt 2. álszemérmes, negédesen finomkodó
demurred [dɪ'mə:d] →demur II.
den [den] n 1. barlang, odú, tanya 2. biz dolgozószoba, „odú"
denationalize [di:'næʃnəlaɪz] vt 1. elnemzetietlenít 2. állampolgárságától megfoszt 3. visszaad [államosított tulajdont]
denaturalize [di:'nætʃrəlaɪz] vt állampolgári jogoktól megfoszt
dengue ['deŋgɪ] n trópusi náthaláz
deniable [dɪ'naɪəbl] a tagadható
denial [dɪ'naɪəl] n 1. (meg)tagadás; visszautasítás 2. tagadás, el nem ismerés
denigrate ['denɪgreɪt] vt befeketít, rossz hírbe hoz
denim ['denɪm] n durva pamutszövet, cajgvászon, farmervászon
Denis ['denɪs] prop Dénes
Denise [də'ni:z] prop Döniz ⟨női név⟩
denizen ['denɪzn] n lakos, lakó; ~s of the forest az erdő lakói [az állatok] 2. honosított külföldi 3. meghonosodott szó/állat/növény
Denmark ['denma:k] prop Dánia
denominate [dɪ'nɔmɪneɪt; US -'na-] vt megnevez; elnevez
denomination [dɪnɔmɪ'neɪʃn; US -na-] n 1. név; megnevezés; elnevezés 2. felekezet 3. névérték, címlet

denominational [dɪnɔmɪ'neɪʃənl; US -nam-] a felekezeti
denominator [dɪ'nɔmɪneɪtə*; US -'na-] n nevező [törté]
denotation [di:noʊ'teɪʃn] n 1. megjelölés 2. jelentés [szóé] 4. jel
denote [dɪ'noʊt] vt 1. jelez (vmt), mutat, utal (vmre) 2. [értelmet] kifejez, jelent
dénouement, de- [deɪ'nu:ma:ŋ; US deɪnu:'ma:ŋ] n (vég)kifejlet, kibontakozás
denounce [dɪ'naʊns] vt 1. feljelent, denunciál; leleplez [csalót] 2. felmond [szerződést]
dense [dens] a 1. sűrű; tömör; a ~ crowd sűrű tömeg 2. együgyű
densely ['denslɪ] adv sűrűn; ~ populated sűrűn lakott
denseness ['densnɪs] n 1. sűrűség 2. együgyűség, ostobaság
density ['densətɪ] n sűrűség; fajsúly
dent [dent] I. n 1. rovátka 2. horpadás II. vt 1. rovátkáz 2. (be)horpaszt
dental ['dentl] a 1. fogászati, fog-; ~ plate műfogsor, protézis; ~ surgeon (1) fogorvos (2) szájsebész 2. ~ consonant dentális mássalhangzó, foghang
dentate ['denteɪt] a fogazott
dentifrice ['dentɪfrɪs] n 1. fogkrém, -por 2. szájvíz
dentist ['dentɪst] n fogász, fogorvos; ~'s surgery, US ~'s office fogászati rendelő
dentistry ['dentɪstrɪ] n fogászat
dentition [den'tɪʃn] n 1. fogzás 2. fogazat
denture ['dentʃə*] n (mű)fogsor
denudation [di:nju:'deɪʃn; US -nu:-] n 1. csupaszság; kopárság 2. letarolás; erózió 3. le-, megkopasztás
denude [dɪ'nju:d; US -'nu:d] vt lemeztelenít, levetkőztet; ~ed mountains letarolt hegyek
denunciation [dɪnʌnsɪ'eɪʃn] n feljelentés, bevádolás
denunciator [dɪ'nʌnsɪeɪtə*] n vádoló; feljelentő, besúgó, denunciáns
Denver ['denvə*] prop
deny [dɪ'naɪ] vt 1. tagad; ~ the charge tagadja a vádat; there is no ~ing the

fact kétségbevonhatatlan tény 2. megtagad, visszautasít; *he's not to be denied* nem lehet neki nemet mondani; *if I am denied* . . . ha elutasítanak . . .; ~ *oneself sg* megtagad magától vmt
Denys ['denɪs] *prop* Dénes
deodorant [di:'oʊdərənt] *a/n* szagtalanító; ~ (*stick*, *spray*) dezodor
deodorize [di:'oʊdəraɪz] *vt* szagtalanít
deoxyribonucleic [di:ɔksɪraɪbənju:'kli:-ɪk; *US* -ɑksɪraɪboʊnu:-] *a* ~ *acid* dezoxiribonukleinsav
dep. 1. *departs*, *departure* indul [menetrendben] 2. *deputy*
depart [dɪ'pɑ:t] *vi/vt* 1. elutazik, eltávozik, elindul; *you may* ~ elmehet(sz) 2. meghal; ~ *this life* meghal; *the* ~*ed* az elhunyt(ak) 3. eltér (*from* vmtől)
department [dɪ'pɑ:tmənt] *n* 1. (szak-) osztály; tagozat; szak(asz); *D*~ *of English*, *English D*~ angol tanszék; *this is my* ~ ez az én dolgom/szakmám; ez rám tartozik 2. ~ *store* áruház 3. *US* minisztérium
departmental [di:pɑ:t'mentl] *a* ágazati
departure [dɪ'pɑ:tʃə*] *n* 1. elutazás, elindulás; (el)távozás; ~ *platform* indulási vágány; ~*s* induló vonatok; ~ *time* indulási idő(pont); *take one's* ~ elmegy, eltávozik 2. eltérés (*from* vmtől); *a new* ~ új módszer/eljárás
depend [dɪ'pend] *vi átv* függ; *that* ~*s!*, *it* (*all*) ~*s!* attól függ! ~ (*up*)*on sy/sg* (1) függ vmtől/vktől, múlik vkn/vmn (2) bízik vkben/vmben, számít vkre/vmre; (*you may*) ~ *upon it* bízhatsz benne; *she* ~*s on her own efforts* saját erejéből tartja fenn magát
dependable [dɪ'pendəbl] *a* megbízható
dependant [dɪ'pendənt] *n* 1. alattvaló, alárendelt [személy] 2. **dependants** *pl* (1) eltartottak [családtagok] (2) cselédség
dependence [dɪ'pendəns] *n* 1. függőség; függés 2. bizalom (*on* vkben, vmben)
dependency [dɪ'pendənsɪ] *n* 1. tartozék 2. gyarmat; *the island is no longer a* ~ *of the UK* a sziget már nem tartozik az Egyesült Királysághoz
dependent [dɪ'pendənt] I. *a* 1. függő,

alárendelt 2. ellátatlan, eltartott [családtag]; *be* ~ *on/upon sy/sg* rá van utalva vkre/vmre II. *n* = *dependant*
depict [dɪ'pɪkt] *vt* lefest; leír; ábrázol
depilatory [dɪ'pɪlət(ə)rɪ; *US* -ɔ:rɪ] *a/n* szőrtelenítő
deplane [di:'pleɪn] *vi* kiszáll [repülőgépből]
deplete [dɪ'pli:t] *vt* kimerít, kiürít
deplorable [dɪ'plɔ:rəbl] *a* szánalomra méltó, siralmas; sajnálatos
deplore [dɪ'plɔ:*] *vt* 1. sajnál, szán 2. helytelenít
deploy [dɪ'plɔɪ] A. *vi* [katonaság] felfejlődik B. *vt* felvonultat; telepít
deployment [dɪ'plɔɪmənt] *n* felfejlődés [katonaságé]; telepítés [rakétáké]
deplume [dɪ'plu:m] *vt* megkopaszt (*átv is*)
deponent [dɪ'poʊnənt] *n* írásban eskü alatt valló tanú
depopulate [di:'pɔpjʊleɪt; *US* -'pɑ-] A. *vt* elnéptelenít [vidéket]; kiirt [erdőt stb.] B. *vi* elnéptelenedik
depopulation [di:pɔpjʊ'leɪʃn; *US* -pɑ-] *n* 1. elnéptelenítés; kiirtás [erdőé, vadállományé] 2. elnéptelenedés, kihalás
deport [dɪ'pɔ:t] A. *vt* deportál, számkivetésbe szállít/küld, kényszerkitelepít B. *vi* ~ *oneself* viselkedik
deportation [di:pɔ:'teɪʃn] *n* deportálás; száműzés; kitoloncolás; elhurcolás
deportee [di:pɔ:'ti:] *n* deportált/kitelepített személy
deportment [dɪ'pɔ:tmənt] *n* viselkedésmód, magatartás
deposal [dɪ'poʊzl] *n* lemondatás
depose [dɪ'poʊz] A. *vt* 1. lemondat, letesz 2. eskü alatt vall/tanúsít B. *vi* tanúskodik; ~ *to having seen* eskü alatt vallja, hogy látta . .
deposit [dɪ'pɔzɪt; *US* -'pɑ-] I. *n* 1. letét; betét [bankban]; betét [üvegre]; foglaló; előleg 2. üledék, lerakódás; réteg II. *vt* 1. letétbe helyez, betesz [bankba] 2. lerak [homokot, üledéket stb.]; *be* ~*ed* lerakódik
depositary [dɪ'pɔzɪt(ə)rɪ; *US* -'pɑ-] *n* letéteményes

deposition [depə'zɪʃn] *n* **1.** letétel [uralkodóé]; elmozdítás [hivatalból] **2.** lerakódás; üledék **3.** (tanú)vallomás; tanúskodás

depositor [dɪ'pɔzɪtə*; *US* -'pɑ-] *n* letevő; betevő; ~'s *book* (takarék)betétkönyv

depository [dɪ'pɔzɪt(ə)rɪ; *US* -'pɑzɪtɔ:rɪ] *n* raktár; megőrzőhely

depot ['depoʊ] *n* **1.** raktár **2.** ezredtörzs **3.** ['di:poʊ] *US* vasútállomás

depravation [deprə'veɪʃn] *n* **1.** megrontás **2.** erkölcsi romlottság

deprave [dɪ'preɪv] *vt* megront, elront; lezülleszt

depraved [dɪ'preɪvd] *a* romlott [ember]; elfajult [ízlés]

depravity [dɪ'prævətɪ] *n* romlottság, gonoszság

deprecate ['deprɪkeɪt] *vt* helytelenít; elítél

deprecation [deprɪ'keɪʃn] *n* **1.** helytelenítés, rosszallás **2.** könyörgés, esedezés [bocsánatért, vm elhárításáért]

depreciate [dɪ'pri:ʃɪeɪt] **A.** *vt* **1.** leértékel, devalvál [pénzt]; lenyom [árat] **B.** *vi* **1.** elértéktelenedik, devalválódik **2.** becsmérel; lekicsinyel

depreciation [dɪpri:ʃɪ'eɪʃn] *n* **1.** elértéktelenedés; értékcsökkenés, devalváció **2.** lebecsülés, becsmérlés

depredation [deprɪ'deɪʃn] *n* **1.** pusztítás, rombolás; kifosztás **2.** elprédálás

depress [dɪ'pres] *vt* **1.** lenyom, megnyom **2.** elcsüggeszt, elkedvetlenít; pangást idéz elő [kereskedelemben]; csökkent [árat, színvonalat]

depressed [dɪ'prest] *a* **1.** lapos, (le)nyomott **2.** lanyha, pangó [üzletmenet]; ~ *area* gazdaságilag elmaradt terület **3.** lehangolt, levert

depressing [dɪ'presɪŋ] *a* lehangoló, nyomasztó

depression [dɪ'preʃn] *n* **1.** horpadás **2.** levertség, lehangoltság; depresszió **3.** (üzleti) pangás; depresszió **4.** alacsony légnyomás(ú légtömegek) **5.** (*átv is*) leszorítás; hanyatlás; süllyedés

depressive [dɪ'presɪv] *a* lehangoló, leverő

deprival [dɪ'praɪvl] *n* = *deprivation*

deprivation [deprɪ'veɪʃn] *n* **1.** megfosztás **2.** nélkülözés

deprive [dɪ'praɪv] *vt* megfoszt (*of* vmtől)

Dept., dept. *department*

depth [depθ] *n* (*átv is*) mélység; *be out of one's* ~ (1) mély vízben van (2) vmben nem otthonos, túl nagy fába vágta a fejszéjét; *in the* ~ *of winter* tél közepén **2.** magasság [vízé]; vastagság [falé]

depth-charge *n* mélyvízi bomba

deputation [depjʊ'teɪʃn; *US* -pjə-] *n* küldöttség

depute [dɪ'pju:t] *vt* **1.** felhatalmaz **2.** kiküld, delegál (*to do sg* vmre)

deputize ['depjʊtaɪz; *US* -pjə-] *vi* helyettesít, képvisel (*for* vkt)

deputy ['depjʊtɪ; *US* -pjə-] *n* **1.** követ; képviselő(házi tag) **2.** helyettes; megbízott; *by* ~ helyettes útján; *act as* ~ *for sy* helyettesít vkt

deputy-manager *n* igazgatóhelyettes, vállalatvezető-helyettes

De Quincey [də'kwɪnsɪ] *prop*

deracinate [dɪ'ræsɪneɪt] *vt* (*átv is*) gyökerestől kitép

derail [dɪ'reɪl] **A.** *vt* be/get ~ed kisiklik [vonat] **B.** *vi* kisiklik [vonat]

derailment [dɪ'reɪlmənt] *n* kisiklás

derange [dɪ'reɪndʒ] *vt* **1.** széthány [iratokat]; megzavar [működést]; ~ *sy's plans* felborítja vk terveit **2.** őrületbe kerget (vkt); *be* ~*d* megháborodott

derangement [dɪ'reɪndʒmənt] *n* **1.** működési zavar **2.** ~ (*of mind*) elmezavar

deration [di:'ræʃn] *vt* jegyrendszert megszüntet, szabadforgalmúvá tesz

Derby[1] ['dɑ:bɪ; *US* 'də:-] *n* epsomi lóverseny

derby[2] ['dɑ:bɪ; *US* 'də:-] *n US* keménykalap

derelict ['derɪlɪkt] **I.** *a* **1.** gazdátlan, elhagyott **2.** *US* hanyag, kötelességmulasztó **II.** *n* gazdátlan hajó/tárgy

dereliction [derɪ'lɪkʃn] *n* **1.** gazdátlanul hagyás **2.** hanyagság; ~ *of duty* kötelességmulasztás

derequisition ['di:rekwɪ'zɪʃn] *vt* felszabadít, szabaddá tesz [rekvirált dolgot]

deride [dı'raıd] *vt* kigúnyol, kinevet
derision [dı'rıʒn] *n* 1. kicsúfolás, kigúnyolás 2. gúny tárgya
derisive [dı'raısıv] *a* gúnyos
derivation [derı'veıʃn] *n* 1. (le)származtatás 2. származás; eredet 3. származék
derivative [dı'rıvətıv] I. *a* 1. leszármaztatott, képzett [szó] 2. derivált [vegyület] II. *n* 1. származékszó 2. [vegyi] származék 3. differenciálhányados, derivált
derive [dı'raıv] A. *vi* származik, ered (*from* vmből) B. *vt* származtat; nyer (*from* vmből)
dermatologist [də:mə'tɔlədʒıst; *US* -'tɑ-] *n* bőrgyógyász
dermatology [də:mə'tɔlədʒı: *US* -'tɑ-] *n* bőrgyógyászat
derogate ['derəgeıt] *vi* csorbít, csökkent (*from* vmt)
derogation [derə'geıʃn] *n* 1. csökkentés, megcsorbítás [jogé] 2. becsmérelés
derogatory [dı'rɔgət(ə)rı; *US* -'rɑgətɔ:rı] *a* 1. csökkentő, csorbító, korlátozó (*from/to* vmt); hátrányos, sérelmes [*to* vk jogaira] 2. méltatlan (*to* vmhez) 3. (le)kicsinylő; *in a* ~ *sense* elítélő értelemben
derrick ['derık] *n* 1. mozgódaru 2. fúrótorony [állványzat] 3. akasztófa
derring-do [derıŋ'du:] *n* † merészség, hőstett
descale [di:'skeıl] *vt* kazánkőtől megtisztít
descant [dı'skænt] *vi* 1. énekel 2. hosszasan beszél, áradozik (*upon* vmről)
descend [dı'send] A. *vi* 1. leereszkedik; lemegy 2. leszármazik (*from* vktől), száll [örökségként *on* vkre] 3. ~ (*up*)*on sy* megrohan vkt B. *vt* ~ *the stairs* lemegy a lépcsőn
descendant [dı'sendənt] *n* leszármazott; utód, ivadék
descending [dı'sendıŋ] *a* lemenő, leszálló; csökkenő; ereszkedő
descent [dı'sent] *n* 1. leszállás, leereszkedés (*vhonnan vhová*); *the D*~ (*from the Cross*) a keresztlevétel [festmény címeként] 2. lejtő, esés 3. [katonai] rajtaütés, deszant 4. (le)származás; családfa 5. öröklés

describable [dı'skraıbəbl] *a* leírható
describe [dı'skraıb] *vt* leír, ecsetel
description [dı'skrıpʃn] *n* 1. leírás; *it answers the* ~ a leírásnak megfelel 2. fajta, féle; *of the worst* ~ a legroszszabb fajtájú, a legrosszabb a maga nemében
descriptive [dı'skrıptıv] *a* leíró
descry [dı'skraı] *vt* felfedez, meglát
Desdemona [dezdı'moünə] *prop* Dezdemóna
desecrate ['desıkreıt] *vt* megszentségtelenít
desecration [desı'kreıʃn] *n* megszentségtelenítés
desegregate [di:'segrıgeıt] *vt* (faji) megkülönböztetést megszüntet [iskolákban stb.]
desegregation [di:segrı'geıʃn] *n* (faji) megkülönböztetés megszüntetése, deszegregáció
desert[1] [dı'zə:t] *n* 1. érdem; *according to his* ~*s* (ki-ki) érdeme szerint 2. **deserts** *pl* megérdemelt jutalom/büntetés; *get one's* ~*s* megkapja méltó büntetését
desert[2] I. *a* ['dezət] lakatlan, puszta [vidék]; sivatagi [növény, állat]; ~ *belt* sivatagi zóna II. *n* ['dezət] sivatag; pusztaság III. *v* [dı'zə:t] A. *vt* elhagy, otthagy [feleséget, pártot stb.] B. *vi* 1. átáll, átpártol (vhová) 2. megszökik
deserted [dı'zə:tıd] *a* elhagyott; lakatlan
deserter [dı'zə:tə*] *n* (katona)szökevény
desertion [dı'zə:ʃn] *n* szökés; elhagyás; dezertálás; átállás
deserve [dı'zə:v] A. *vt* (meg)érdemel, kiérdemel; ~ *attention* figyelemre méltó B. *vi* ~ *well* jót érdemel
deservedly [dı'zə:vıdlı] *adv* megérdemelten; jogosan
deserving [dı'zə:vıŋ] *a* érdemes; (jutalmat/dicséretet/támogatást) érdemlő
desiccate ['desıkeıt] A. *vt* (ki)szárít; B. *vi* kiszárad
desiccation [desı'keıʃn] *n* 1. kiszárítás 2. kiszáradás
desideratum [dızıdə'reıtəm] *n* (*pl* **-ta**

-tə) hiány; megkívánt dolog; kívánalom

design [dɪ'zaɪn] I. *n* 1. tervezet; tervrajz, vázlat 2. elgondolás; tervezés; (meg)szerkesztés 3. kivitel(ezés); konstrukció 4. terv, szándék; *by ~* szándékosan; *have ~s on sy* vmt forral vk ellen; *with this ~* e célból 5. minta II. A. *vt* 1. szándékol; tervez, kigondol 2. (meg)rajzol, (fel)vázol 3. tervez [épületet stb.], (meg)szerkeszt B. *vi* 1. tervezőként/rajzolóként dolgozik 2. *~ to do sg* tervez/szándékozik vmt megtenni

designate I. *a* ['dezɪgneɪt v. -nɪt] (ki-) jelölt II. *vt* ['dezɪgneɪt] 1. kijelöl, kiválaszt; *~ sy as his successor* utódjaul jelöl ki vkt 2. nevez; mond (vmlyennek)

designation [dezɪg'neɪʃn] *n* 1. kijelölés, kinevezés (*to* vmre) 2. megnevezés; név 3. megjelölés; rendeltetés

designedly [dɪ'zaɪnɪdlɪ] *adv* szándékosan, készakarva

designer [dɪ'zaɪnə*] *n* 1. (műszaki) tervező, szerkesztő; rajzoló 2. cselszövő, intrikus

designing [dɪ'zaɪnɪŋ] I. *a* ármányos; ravasz, ügyes II. *n* (meg)tervezés, (meg)szerkesztés

desirability [dɪzaɪərə'bɪlətɪ] *n* kívánatosság

desirable [dɪ'zaɪərəbl] *a* kivánatos; *it is most ~* jó lenne, ha . . .

desire [dɪ'zaɪə*] I. *n* vágy; kívánság; óhaj; *at sy's ~* vk kívánságára II. *vt* 1. óhajt, kíván (vmt), vágyik (vmre) 2. kér; követel; *what does he ~ me to do?* mit kíván, hogy tegyek?

desirous [dɪ'zaɪərəs] *a* vágyódó, sóvárgó; *be ~ of doing sg* (nagyon) szeretne vmt megtenni

desist [dɪ'zɪst] *vi* eláll (*from* vmtől)

desk [desk] *n* 1. íróasztal; iskolapad 2. kassza, pénztár; *pay at the ~!* a pénztárnál tessék fizetni!

Des Moines [dɪ'mɔɪn] *prop*

Desmond ['dezmənd] *prop* ⟨angol férfinév⟩

desolate I. *a* ['desələt] elhagy(at)ott; vigasztalan; sivár II. *vt* ['desəleɪt] 1.

elpusztít, elnéptelenít [országot] 2. lehangol, lesújt

desolation [desə'leɪʃn] *n* 1. kipusztulás; elnéptelenedés 2. elhagyatottság; sivárság

despair [dɪ'speə*] I. *n* kétségbeesés; *the ~ of teachers* a tanítók réme {rossz diák]; *give way to ~* kétségbeesik II. *vi* 1. kétségbeesik 2. *~ of sg* reményvesztetten felad vmt

despatch [dɪ'spætʃ] *n* = *dispatch*

desperado [despə'rɑːdoʊ] *n (pl ~es* -ouz) bandita

desperate ['desp(ə)rət] *a* 1. reménytelen, kétségbeesett 2. elszánt; *a ~ fellow* mindenre elszánt fickó

desperately ['desp(ə)rətlɪ] *adv* 1. reménytelenül; *~ wounded* életveszélyesen megsebesült 2. elszántan, elkeseredetten [küzd] 3. rettenetesen [fél]

desperation [despə'reɪʃn] *n* kétségbeesés, elszántság; *drive to ~* vkt végsőkig ingerel; végső kétségbeesésbe hajszol

despicable ['despɪkəbl] *a* megvetendő, alávaló

despise [dɪ'spaɪz] *vt* megvet

despite [dɪ'spaɪt] *prep* vmnek ellenére, dacára

despiteful [dɪ'spaɪtfʊl] *a* = *spiteful*

despoil [dɪ'spɔɪl] *vt* 1. † kirabol, kifoszt 2. megfoszt (vmtől)

despoliation [dɪspoʊlɪ'eɪʃn] *n* 1. kirablás, kifosztás 2. megfosztás

despondency [dɪ'spɒndənsɪ; *US* -ɑn-] *n* reménytelenség, csüggedés

despondent [dɪ'spɒndənt; *US* -ɑn-] *a* csüggedt, levert

despot ['despɒt; *US* -ət] *n* zsarnok, kényúr, despota

despotic [de'spɒtɪk; *US* -ɑt-] *a* zsarnoki [hatalom]; önkényeskedő [ember]

despotism ['despətɪzm] *n* zsarnokság, önkényuralom

desquamate ['deskwəmeɪt] *vi* (le)hámlik [bőr]

dessert [dɪ'zəːt] *n* 1. *GB* gyümölcs [étkezés végén]; *US* édesség [mint fogás] 2. desszert, csemege; *~ spoon* gyermek(e-vő)kanál

destination [destɪ'neɪʃn] *n* rendeltetés(i hely), célállomás

destine ['destɪn] *vt* szán (*for* vmre); *be* ~*d to*/*for* vmre rendeltetve van, úgy rendelte a sors, hogy . . .

destiny ['destɪnɪ] *n* sors, végzet, rendeltetés

destitute ['destɪtjuːt; *US* -tuːt] *a* 1. ~ *of sg* vmt nélkülöző 2. szűkölködő; nyomorgó

destitution [destɪ'tjuːʃn; *US* -'tuː-] *n* szükölködés, szegénység; nyomor

destroy [dɪ'strɔɪ] *vt* 1. (el)pusztít, megsemmisít 2. (le)rombol, romba dönt

destroyer [dɪ'strɔɪə*] *n* (torpedó)romboló

destructible [dɪ'strʌktəbl] *a* elpusztítható

destruction [dɪ'strʌkʃn] *n* 1. (le)rombolas, (el)pusztítás, rombadöntés; megsemmisítés 2. romlás, pusztulás; *sy's* ~ vk veszte

destructive [dɪ'strʌktɪv] *a* romboló, pusztító, ártalmas (*of*/*to* vmre)

desuetude [dɪ'sjuːɪtjuːd; *US* 'deswətuːd] *n* elévülés; *fall into* ~ megszűnik [szokás]

desultory ['des(ə)lt(ə)rɪ; *US* -ɔːrɪ] *a* kapkodó, rendszertelen, ötletszerű

detach [dɪ'tætʃ] *vt* 1. elválaszt, leválaszt; elkülönít 2. kikülönít [katonai egységet stb.]

detachable [dɪ'tætʃəbl] *a* levehető, lecsavarható; leszerelhető

detached [dɪ'tætʃt] *a* 1. különálló, elválasztott, elkülönített; ~ *house* különálló ház 2. tárgyilagos [vélemény, nézet]

detachment [dɪ'tætʃmənt] *n* 1. leválasztás 2. elkülönülés; (lelki) függetlenség 3. különítmény

detail ['diːteɪl; *US* dɪ'teɪl *is*] I. *n* 1. részlet; részletezés; *in* ~ részletesen; *in every* ~ minden részletében; *go into* ~*s* részletekbe bocsátkozik 2. (katonai) eligazítás II. *vt* 1. részletez 2. [osztagot] kirendel; eligazítást kiad

detailed ['diːteɪld; *US* dɪ't-] *a* részletes; kimerítő

detain [dɪ'teɪn] *vt* 1. fogva tart; őrizetbe vesz 2. visszatart; feltart; akadályoz

detainee [diːteɪ'niː] *n* őrizetbe vett (személy)

detect [dɪ'tekt] *vt* 1. kinyomoz, leleplez 2. észlel; felfedez; kimutat [hibát, tévedést]

detectable [dɪ'tektəbl] *a* kideríthető; észlelhető

detection [dɪ'tekʃn] *n* 1. kiderítés, kinyomozás 2. (hiba)érzékelés, (hiba-)megállapítás

detective [dɪ'tektɪv] *n* nyomozó, detektív; ~ *story*/*novel* detektívregény

detector [dɪ'tektə*] *n* detektor

détente [deɪ'tɑːŋt] *n* enyhülés [feszültségé]

detention [dɪ'tenʃn] *n* 1. visszatartás 2. fogvatartás, letartóztatás

deter [dɪ'tə:*] *vt* -rr- elrettent, elijeszt

detergent [dɪ'tə:dʒ(ə)nt] *n* mosószer; tisztítószer

deteriorate [dɪ'tɪərɪəreɪt] A. *vt* megront B. *vi* (meg)romlik

deterioration [dɪtɪərɪə'reɪʃn] *n* rosszabbodás; (el)kopás; értékcsökkenés

determinable [dɪ'tə:mɪnəbl] *a* meghatározható

determinate [dɪ'tə:mɪnət] *a* 1. (meg)határozott 2. döntő

determination [dɪtə:mɪ'neɪʃn] *n* 1. meghatározás 2. elhatározás, (eltökélt) szándék 3. döntés, véghatározat

determinative [dɪ'tə:mɪnətɪv; *US* -neɪ-] *a* döntő, elhatározó; meghatározó

determine [dɪ'tə:mɪn] A. *vt* 1. meghatároz, megállapít 2. eldönt; elhatároz; *he is* ~*d on sg* elhatározta magát vmre; irányt szab (vmnek) B. *vi* 1. határoz, dönt (*on* vm mellett) 2. véget ér

determined [dɪ'tə:mɪnd] *a* (el)határozott, eltökélt, elszánt

deterred [dɪ'tə:d] → *deter*

deterrent [dɪ'ter(ə)nt; *US* -'tə:-] *n* elrettentő dolog/eszköz/példa

detest [dɪ'test] *vt* utál, megvet

detestable [dɪ'testəbl] *a* utálatos

detestation [diːte'steɪʃn] *n* utálat

dethrone [dɪ'θrəun] *vt* tróntól megfoszt

dethronement [dɪ'θrəunmənt] *n* trónfosztás, detronizálás

detonate ['detəneɪt] A. *vi* (fel)robban B. *vt* (fel)robbant

detonation [detə'neɪʃn] *n* robbanás, detonáció

detonator ['detəneɪtə*] n gyújtószer-
kezet; gyutacs
detour ['di:tʊə*] I. n kerülő (út); US
terelőút II. vt elterel [forgalmat]
detract [dɪ'trækt] A. vt levon (from
vmből); csökkent B. vi értéke/minő-
sége csökken vm által
detractor [dɪ'træktə*] n becsmérlő
detrain [di:'treɪn] A. vt vonatbólkirak/ki-
szállít B. vi vonatról leszáll, vonatból
kiszáll
detriment ['detrɪmənt] n kár, hátrány;
to the ~ of sy/sg vk/vm kárára
detrimental [detrɪ'mentl] a káros, hát-
rányos
detritus [dɪ'traɪtəs] n (kőzet)törmelék
Detroit [də'trɔɪt; US dɪ-] prop
deuce¹ [dju:s; US du:s] n kettes [kár-
tyában, kockajátékban]; negyven
mind (40 : 40) [teniszben]
deuce² [dju:s; US du:s] n 1. balszeren-
cse 2. biz fene, ördög; play the ~ with
sg összezavar, bajt csinál; how the ~!
hogy az ördögbe!
deuced [dju:st; US du:-] a átkozott(ul),
fene
Deuteronomy [dju:tə'rɒnəmɪ; US du:-
tə'rɑ-] n Mózes ötödik könyve
De Valera [dəvə'leərə] prop
devaluation [di:væljʊ'eɪʃn] n leértékelés
devalue [di:'vælju:] vt leértékel
devastate ['devəsteɪt] vt elpusztít, leta-
rol
devastating ['devəsteɪtɪŋ] a 1. pusztító
[vihar] 2. biz elsöprő [győzelem];
gyilkos [bírálat]; ellenállhatatlan
[szépség]
devastation [devə'steɪʃn] n 1. pusztítás
2. pusztulás
develop [dɪ'veləp] A. vt 1. (ki)fejleszt;
kifejt [érveket] 2. kiaknáz [termé-
szeti kincseket]; hasznosít, (fel)par-
celláz [területet] 3. (meg)kap [beteg-
séget]; he ~ed appendicitis vakbélgyul-
ladást kapott 4. előhív [filmet] B. vi
1. (ki)fejlődik, kibontakozik 2. mu-
tatkozik, jelentkezik 3. US kitudó-
dik; it ~ed today ma (azután) kiderült,
hogy ...
developed [dɪ'veləpt] a fejlett; ~ country
(iparilag) fejlett ország

developer [dɪ'veləpə*] n előhívó [szer]
developing [dɪ'veləpɪŋ] I. a fejlődő; ~
country fejlődő ország II. n előhívás
[fényképé]
development [dɪ'veləpmənt] n 1. (ki-)
fejlődés; fejlemény 2. (ki)fejlesztés; ~
project fejlesztési terv 3. kifejtés; ki-
dolgozás 4. előhívás [filmé]
Devereux ['devəru:] prop
deviant ['di:vjənt] a/n normáktól eltérő,
deviáns
deviate ['di:vɪeɪt] vi eltér, elhajlik
(from vmtől)
deviation [di:vɪ'eɪʃn] n eltérés, elhajlás
(from vmtől)
deviationism [di:vɪ'eɪʃənɪzm] n (ideoló-
giai) elhajlás
deviationist [di:vɪ'eɪʃənɪst] n [pártvo-
naltól] elhajló (személy)
device [dɪ'vaɪs] n 1. eszköz, megoldás
[vm elérésére] 2. fogás, trükk 3. szer-
kezet; készülék 4. terv, elgondolás;
leave sy to his own ~s sorsára hagy
vkt
devil ['devl] I. n 1. ördög; ~'s books az
ördög bibliája; ~'s dozen tizenhárom;
go to the ~ tönkremegy; give sy the ~
befűt vknek; give the ~ his due megad-
ja a császárnak ami a császáré; (there'll
be) the ~ to pay ennek nagy ára lesz!;
play the ~ with sg tönkretesz vmt;
raise the ~ (about sg) nagy balhét csap
(vm miatt); talk of the ~ ... nem kell
az ördögöt a falra festeni ... ; the ~
take it! vigye el az ördög!; the ~ take
the hindmost hulljon a férgese!; between
the ~ and the deep see két tűz között 2.
the poor ~ szegény ördög, szerencsét-
len flótás 3. tépőfarkas II. v -ll- (US
-l-) A. vi „négerezik", albérletben dol-
gozik (for vknek) B. vt 1. fűszeresen
főz/süt [húst] 2. farkasol [rongyot]
devilish ['devlɪʃ] I. a ördögi II. adv ördö-
gien; biz pokolian [csinos stb.]
devil-may-care a nemtörődöm
devilment ['devlmənt] n ördöngősség;
gonoszkodás
devilry ['devlrɪ] n = devilment
devious ['di:vjəs] a 1. kanyargós 2.
körmönfont, csavaros [észjárás]; by ~
ways mindenféle mesterkedéssel

devise [dı'vaız] I. *n* végrendelkezés [ingatlan vagyonról] II. *vt* 1. kigondol, kieszel 2. örökül hagy [ingatlant, *to* vknek] 3. (meg)szerkeszt [gépet stb.]
devitalize [di:'vaıtəlaız] *vt* életképtelenné tesz; ideget öl [fogét]
devoid [dı'vɔıd] *a* ment(es) (*of* vmtől); ~ *of sense* értelmetlen
devolution [di:və'lu:ʃn; *US* dev-] *n* 1. átháramlás; áthárítás; átruházás [jogköré stb.] 2. decentralizálás; decentralizáció
devolve [dı'vɔlv; *US* -a-] A. *vt* 1. átruház 2. áthárít (*to/upon* vkre) B. *vi* háramlik, rászáll (*on, upon* vkre);*it* ~*s on you* rajtad áll; *the estate* ~*d upon him* ő örökölte a birtokot, a birtok reá szállt
Devon ['devn] *prop*
Devonshire ['devnʃə*] *prop*
devote [dı'voʊt] *vt* szentel, szán (*to* vmt vmre)
devoted [dı'voʊtıd] *a* hű, ragaszkodó, odaadó
devotee [devə'ti:] *n* hívе/rajongója vmnek
devotion [dı'voʊʃn] *n* 1. áhitat; imádság 2. odaadás (*to* vk iránt); rajongás (vmért) 3. szentelés (*to* vmnek)
devotional [dı'voʊʃənl] *a* hitbuzgalmi, áhitatos; vallásos
devour [dı'vaʊə*] *vt* 1. elnyel, (fel)fal 2. elpusztít; *be* ~*ed by fear* gyötri a félelem
devout [dı'vaʊt] *a* 1. ájtatos [ima]; jámbor [lélek] 2. hő [vágy]; őszinte [kívánság]
devoutness [dı'vaʊtnıs] *n* ájtatosság; vallásosság; buzgóság
dew [dju:; *US* du:] I. *n* harmat II. A. *vi* harmatozik B. *vt* harmatossá tesz, megnedvesít
Dewar ['dju:ə*] *prop*
dew-drop *n* harmatcsepp
Dewey ['dju:ı; *US* 'du:ı] *prop*
dew-fall *n* harmat(hullás)
dewlap *n* lebernyeg [marháé]
dewy ['dju:ı; *US* 'du:ı] *a* harmatos
dexterity [dek'sterətı] *n* (kéz)ügyesség, fürgeség
dexterous ['dekst(ə)rəs] *a* 1. ügyes (*in* vmben) 2. jobbkezes

dextrous ['dekstrəs] *a* = *dexterous*
dhoti ['doʊtı] *n* [hindu] ágyékkötő
diabetes [daıə'bi:ti:z] *n* cukorbaj
diabetic [daıə'betık] *n* cukorbajos, diabetikus; ~ *bread* levegőkenyér
diabolic(al) [daıə'bɔlık(l); *US* -'ba-] *a* ördögi
diachronic [daıə'krɔnık; *US* -an-] *a* diakrón, diakronikus
diacritic(al) [daıə'krıtık(l)] *a* ~ *mark/sign* diakritikus jel, mellékjel
diadem ['daıədem] *n* (királyi) korona, diadém; koszorú [fejen]
diagnose ['daıəgnoʊz] *vt* [betegséget/kórt] megállapít
diagnosis [daıəg'noʊsıs] *n* (*pl* -**ses** -si:z) kórmeghatározás, diagnózis
diagonal [daı'ægənl] I. *a* átlós, rézsútos II. *n* átló
diagram ['daıəgræm] *n* 1. (sematikus) ábra, diagram 2. grafikon, görbe
diagrammatic [daıəgrə'mætık] *a* vázlatos; diagramszerű
dial ['daı(ə)l] I. *n* 1. óralap, számlap, tárcsa [telefoné, műszeré]; ~ *tone* búgó hang, „vonal" [telefonkészülékben] 2. napóra II. *vt/vi* -**ll**- (*US* -**l**-) tárcsáz
dialect ['daıəlekt] *n* tájszólás, nyelvjárás; ~ *dictionary* tájszótár
dialectic [daıə'lektık] *n* dialektika
dialectical [daıə'lektıkl] *a* dialektikus; ~ *materialism* dialektikus materializmus
dialectics [daıə'lektıks] *n* 1. vitatkozás, okfejtés 2. dialektika
dial(l)ing ['daıəlıŋ] *n* tárcsázás; *US* ~ *tone* = *dial tone;* ~ *code* távhívó körzetszám ‖ →*dial II.*
dialogue, *US* -**log** ['daıəlɔg; *US* -ɔ:g] *n* társalgás, párbeszéd
dial-plate *n* számlap
dial-telephone *n* tárcsás telefon
diameter [daı'æmıtə*] *n* átmérő
diametrical [daıə'metrıkl] *a* 1. átmérőn fekvő 2. *in* ~ *opposition,* ~*ly opposite/opposed* homlokegyenest ellenkező [nézet stb.]
diamond ['daıəmənd] *n* 1. gyémánt; *rough* ~ nyers de jószívű ember; ~ *cut* ~ ⟨két ravasz ember túl akar járni egymás eszén⟩, emberére talált; ~

wedding gyémántlakodalom 2. tök, káró [kártyában] 3. rombusz 4. *US* baseballpálya
Diana [daɪ'ænə] *prop* Diána
diaper ['daɪəpə*] *n* 1. *US* pelenka 2. kockamintás lenvászon
diaphanous [daɪ'æfənəs] *a* átlátszó
diaphragm ['daɪəfræm] *n* 1. rekeszizom 2. (fény)rekesz
diarist ['daɪərɪst] *n* naplóíró
diarrh(o)ea [daɪə'rɪə] *n* hasmenés, diaré
diary ['daɪərɪ] *n* napló
diathermy ['daɪəθə:mɪ] *n* diatermia
diatonic [daɪə'tɒnɪk; *US* -'tɑ-] *a* diatonikus [skála]
diatribe ['daɪətraɪb] *n* támadó beszéd/írás
dibber ['dɪbə*] *n* ültetőfa
dibble ['dɪbl] I. *n* ültetőfa II. *vt* (ki)ültet [növényt], palántáz
dibbling ['dɪblɪŋ] *n* (növény)ültetés, palántázás
dibs [dɪbz] *n pl* □ pénz, guba
dice [daɪs] I. *n* 1. játékkocka 2. kockajáték ‖→*die*[1] *7.* II. A. *vt* kockára vág [sárgarépát stb.] B. *vi* kockázik
dice-box *n* kockarázó pohár
Dick [dɪk] *prop* Ricsi
dickens[1] ['dɪkɪnz] *n* ördög, fene; *what the ~?* mi a fene?
Dickens[2] ['dɪkɪnz] *prop*
Dickensian [dɪ'kenzɪən] *a* dickensi
dicker ['dɪkə*] *vi US* alkudozik
Dickinson ['dɪkɪnsn] *prop*
dicky[1] ['dɪkɪ] *n biz* 1. pótülés [autóban] 2. ingmell, plasztron 3. madárka [gyermeknyelven]
dicky[2] ['dɪkɪ] *a* □ gyenge, beteg
dicta →*dictum*
dictaphone ['dɪktəfoʊn] *n* diktafon
dictate I. *n* ['dɪkteɪt] parancs(szó) II. *vt* [dɪk'teɪt; *US* 'dɪk-] 1. tollbamond, diktál 2. parancsol
dictation [dɪk'teɪʃn] *n* 1. tollbamondás, diktálás 2. parancs(olás), utasítás
dictator [dɪk'teɪtə*] *n* diktátor, zsarnok
dictatorial [dɪktə'tɔ:rɪəl] *a* 1. parancsoló, erőszakos 2. parancsuralmi, diktatórikus
dictatorship [dɪk'teɪtəʃɪp] *n* parancsuralom, diktatúra

diction ['dɪkʃn] *n* előadásmód, stílus
dictionary ['dɪkʃ(ə)nrɪ; *US* -ʃənerɪ] *n* 1. szótár 2. lexikon
dictum ['dɪktəm] *n* (*pl ~s* -z v. -**ta** -tə) vélemény, nyilatkozat; szólás(mondás)
did →*do*[1]
didactic [dɪ'dæktɪk] *a* oktató
didactics [dɪ'dæktɪks] *n* oktatástan, didaktika
diddle ['dɪdl] *vt biz* becsap; rászed
didn't ['dɪdnt] = *did not* →*do*[1]
didst [dɪdst] →*do*[1]
die[1] [daɪ] *n* 1. (*pl* **dice** daɪs) játékkocka; *the ~ is cast* a kocka el van vetve →*dice* *l. 2.* (*pl* **dies** daɪz) (1) érmesajtoló (szerszám) (2) csavarmenetvágó; *sink a ~* homorúan kivés bélyegzőt/mintát
die[2] [daɪ] *v* (*pt/pp ~d* daɪd, *pres part* dying 'daɪɪŋ) A. *vi* 1. meghal; *~ by one's own hand* önkezével vet véget életének; *~ by violence* erőszak által leli halálát; *~ from a wound* belehal sebesülésébe; *~ of sg* belehal [betegségbe, bánatba]; *his secret ~d with him* a titkot magával vitte a sírba; *my heart ~d within me* elcsüggedtem, nem volt merszem; *never say ~!* sohase csüggedj! 2. *biz* *be dying to do sg* (v. *for sg*) ég a vágytól, hogy megtegyen vmt, majd meghal vmért B. *vt ~ an early death* fiatalon hal meg ‖→*dying*
die away *vi* elhalkul, elhal
die down *vi* 1. elenyészik; elalszik [tűz]; lecsillapul [izgalom stb.] 2. elfonnyad [növény]
die off *vi* egyenként elhal/lehull
die out *vi* kihal; kialszik [tűz]
die-casting *n* fröccsöntés
die-hard *n* megátalkodott reakciós
dielectric [daɪə'lektrɪk] *a* dielektromos
diesel ['di:zl] *a/n ~ (engine)* Diesel-motor; *~ oil* Diesel-olaj
die-sinker *n* vésnök
diet[1] ['daɪət] I. *n* étrend; diéta; *go on a ~* diétázni kezd II. A. *vt* diétát ír elő (vknek), diétára fog (vkt) B. *vi* diétát tart, diétázik
diet[2] ['daɪət] *n* diéta, országgyűlés
dietary ['daɪət(ə)rɪ] I. *a* étrendi; diétás II. *n* 1. = *diet*[1] *I.* 2. élelemadag
dietetic [daɪə'tetɪk] I. *a* diétás; étrendi;

táplálkozási II. dietetics n táplálkozástudomány; dietetika
dietitian, -cian [daɪə'tɪʃn] n diétaspecialista, diétás nővér/orvos
differ ['dɪfə*] vi 1. különbözik, eltér (from vmtől) 2. ~ (in opinion) from/ with sy nem ért egyet vkvel, más véleményen van mint vk (amiben: about/on/upon)
difference ['dɪfr(ə)ns] n 1. különbség; különbözet; it makes no ~ nem számít; mindegy; that makes all the ~ (ez) teljesen megváltoztatja a helyzetet 2. nézeteltérés
different ['dɪfr(ə)nt] a 1. különböző; eltérő (from/to vmtől); ~ than más mint 2. különféle; in ~ colours különféle/ több színben
differential [dɪfə'renʃl] I. a megkülönböztető II. n 1. differenciálhányados; ~ calculus differenciálszámítás 2. kiegyenlítőmű, differenciál(mű)
differentiate [dɪfə'renʃɪeɪt] vt/vi megkülönböztet (from vktől/vmtől); elválik; elkülönül (from vmtől)
differentiation [dɪfərenʃɪ'eɪʃn] n 1. megkülönböztetés 2. elkülönülés, differenciálódás [fajoké stb.]
difficult ['dɪfɪk(ə)lt] a nehéz; nehézkes; bajos; a ~ person nehéz (egy) ember
difficulty ['dɪfɪk(ə)ltɪ] n nehézség; akadály; with ~ nehezen; have ~ in doing sg problémája/baja van vmvel; make/raise difficulties nehézségeket támaszt
diffidence ['dɪfɪd(ə)ns] n félénkség; szerénység
diffident ['dɪfɪd(ə)nt] a félénk, bátortalan; magában nem bízó
diffract [dɪ'frækt] vt (el)hajlít, eltérít; megtör [fénysugarat]
diffraction [dɪ'frækʃn] n (fény)elhajlás, diffrakció
diffuse I. a [dɪ'fjuːs] terjengős; szétterjedt II. v [dɪ'fjuːz] A. vt áraszt, sugároz; terjeszt B. vi árad; terjed
diffused [dɪ'fjuːzd] a szórt [fény]
diffusion [dɪ'fjuːʒn] n szétterjedés; szétszóródás; diffúzió
dig [dɪg] I. n 1. biz bökés; give sy a ~ in the ribs oldalba bök vkt; that's a ~ at

you! ezt sem nekem mondták 2. ásás; ásatás 3. biz digs pl albérlet(i szoba) II. v (pt/pp dug dʌg; -gg-) A. vt ás, kiás, felás B. vi 1. ás 2. biz albérleti/bútorozott szobában lakik 3. US □ élvez, komál, kedvel
dig for vi ~ f. sg vm után kutat
dig in vt/vi beás(sa magát); beletemetkezik [munkába stb.]; ~ oneself in fedezéket ás, beássa magát; ~ one's toes in megveti a lábát
dig into vt/vi belevág(ódik); belemélyed; ~ spurs i. one's horse megsarkantyúzza lovát
dig out vt (átv is) kiás
dig up vt 1. felás [földet]; kiás [fát stb.] 2. (ásatáskor) felszínre hoz 3. összekapar [pénzt]
digest I. n ['daɪdʒest] kivonat II. vt [dɪ'dʒest] 1. (átv is) megemészt [táplálékot, olvasmányt] 2. kivonatol
digestible [dɪ'dʒestəbl] a emészthető
digestion [dɪ'dʒestʃ(ə)n] n (meg)emésztés
digestive [dɪ'dʒestɪv] I. a 1. emésztő; emésztési; ~ system emésztőrendszer 2. emésztést elősegítő II. n emésztést elősegítő szer
digger ['dɪgə*] n 1. földmunkás 2. aranyásó 3. □ ausztráliai (ember)
digging ['dɪgɪŋ] n ásás; ásatás
diggings ['dɪgɪŋz] n pl 1. aranymező 2. biz = dig I. 3.
digit ['dɪdʒɪt] n 1. ujj [kézen, lábon] 2. (arab) szám(jegy); a number of 5 ~s ötjegyű szám
digital ['dɪdʒɪtl] a digitális [számítógép]
dignified ['dɪgnɪfaɪd] a méltóságteljes, tiszteletet parancsoló; ~ style emelkedett stílus
dignify['dɪgnɪfaɪ]vt† megtisztel; kitüntet
dignitary ['dɪgnɪt(ə)rɪ; US -erɪ] n (magas) méltóság; dignitárius
dignity ['dɪgnətɪ] n 1. méltóság [rang]; beneath one's ~ méltóságán aluli 2. magasztosság
digraph ['daɪgraːf; US -æf] n kétjegyű magán-/mássalhangzó, digramma
digress [daɪ'gres] vi elkalandozik (a tárgytól)
digression [daɪ'greʃn] n eltérés, elkalandozás, kitérés

15

digs [dɪgz] →*dig I. 3.*
dike [daɪk] I. *n* 1. védőgát, töltés 2. árok 3. *átv* gát II. *vt* gáttal véd
dilapidated [dɪ'læpɪdeɪtɪd] *a* rozoga; ütött-kopott
dilapidation [dɪlæpɪ'deɪʃn] *n* 1. rozoga állapot 2. rongálódás
dilatation [daɪleɪ'teɪʃn; *US* dɪlə-] *n* 1. (ki)tágulás, dilatáció; tágulat 2. kitágítás
dilate [daɪ'leɪt] A. *vt* (ki)nyújt, (ki)tágít B. *vi* (ki)tágul; ~ *upon sg* hosszú lére ereszt vmt
dilation [daɪ'leɪʃn] *n* = *dilatation*
dilatory ['dɪlət(ə)rɪ; *US* -ɔ:rɪ] *a* késlekedő; halogató; időt húzó
dilemma [dɪ'lemə] *n* kényszerhelyzet, dilemma
dilettante [dɪlɪ'tæntɪ] *n* (*pl* ~s *-z* v. *-ti* *-ti:)* dilettáns, műkedvelő
diligence[1] ['dɪlɪdʒ(ə)ns] *n* szorgalom
diligence[2] ['dɪlɪdʒ(ə)ns] *n* gyorskocsi
diligent ['dɪlɪdʒ(ə)nt] *a* szorgalmas
dill [dɪl] *n* kapor
dilly-dally ['dɪlɪdælɪ] *vi* 1. habozik, bizonytalankodik 2. elgatyázza az idejét
diluent ['dɪljʊənt] *a/n* hígító
dilute [daɪ'lju:t; *US* dɪ'lu:t] I. *a* hígított, feleresztett II. *vt* hígít, gyengít
dilution [daɪ'lu:ʃn; *US* dɪ-] *n* 1. hígítás 2. híg oldat
diluvial [daɪ'lu:vjəl; *US* dɪ-] *a* diluviális
dim [dɪm] I. *a* (*comp* ~mer 'dɪmə*, *sup* ~mest 'dɪmɪst) 1. homályos; *grow* ~ elhomályosul 2. borús, komor; *take a* ~ *view of sg* sötét színben lát vmt 3. tompa, ködös [értelem] II. *v* -mm- A. *vt* elhomályosít, lesötétít; (le)tompít; ~ *the headlights* tompított fényre vált, leveszi a fényt; ~ *out* részlegesen elsötétít B. *vi* elhomályosul, elhalványodik; megfakul
dime [daɪm] *n* tízcentes [pénzdarab]
dime-novel *n US* olcsó ponyvaregény
dimension [dɪ'menʃn] *n* kiterjedés, dimenzió, méret; *of great* ~s (1) hatalmas méretű (2) nagyszabású
dime-store *n US* filléres áruház
diminish [dɪ'mɪnɪʃ] A. *vt* csökkent, kisebbít B. *vi* fogy; csökken

diminished [dɪ'mɪnɪʃt] *a* 1. csökkentett 2. szűkített [hangköz]
diminution [dɪmɪ'nju:ʃn; *US* -'nu:-] *n* 1. kisebbedés, fogyatkozás, csökkenés 2. kisebbítés, csökkentés
diminutive [dɪ'mɪnjʊtɪv] *a/n* 1. pöttöm, csepp 2. kicsinyítő (képző)
dimmed [dɪmd] *a* ~ *headlights* tompított fényszóró || →*dim II.*
dimmer, dimmest →*dim I.*
dim-out *n* (fokozatos/részleges városi) elsötétítés
dimple ['dɪmpl] *n* gödröcske [arcon]
din [dɪn] I. *n* zaj; lárma II. *v* -nn- A. *vi* lármázik, zajong B. *vt* hasogat, megsüketít [zaj fület]; ~ *sg into sy's ears* (*átv is*) teleharsogja vknek a fülét vmvel
Dinah ['daɪnə] *prop* ⟨női név⟩
dine [daɪn] A. *vi* étkezik, ebédel; vacsorázik; ~ *off sg* eszik vmt; ~ *out* házon kívül ebédel/vacsorázik B. *vt* (meg)ebédeltet, (meg)vacsoráztat; megvendégel
diner ['daɪnə*] *n* étkező(kocsi)
ding-dong [dɪŋ'dɔŋ; *US* 'dɪ-] *n* csengés-bongás, harangszó; *biz* ~ *fight* (váltakozó szerencsével folyó) heves küzdelem
dinghy ['dɪŋgɪ] *n* 1. (felfújható) gumicsónak 2. dingi
dingle ['dɪŋgl] *n* erdős völgy
dingo ['dɪŋgoʊ] *n* ausztráliai vadkutya, dingó
dingy ['dɪndʒɪ] *a* piszkos, rendetlen, kopott, elhanyagolt
dining ['daɪnɪŋ] →*dine*
dining-car *n* étkezőkocsi
dining-room *n* ebédlő, étterem
dining-table *n* ebédlőasztal
dinky ['dɪŋkɪ] *a biz* 1. szép kis..., csinos; cuki 2. *US* jelentéktelen, harmadrangú
dinned [dɪnd] →*din II.*
dinner ['dɪnə*] *n* ⟨a nap főétkezése délben v. este:⟩ ebéd; vacsora; ~ *plate* lapostányér
dinner-can *n* ételhordó
dinner-dance *n* táncos vacsora
dinner-jacket *n GB* szmoking
dinner-party *n* vacsora [meghívott vendégekkel]

dinner-service *n* étkészlet
dinner-time *n* ebédidő; vacsoraidő
dinner-wagon *n* zsúrkocsi
dinosaur ['daɪnɔsɔ:*] *n* dinoszaurusz
dint [dɪnt] *n* 1. erő; erőszak; *by ~ of* vm segítségével, vmnél fogva 2. ütés helye; horpadás
diocesan [daɪ'ɔsɪsn; *US* -ɑ-] I. *a* egyházmegyei II. *n* megyéspüspök
diocese ['daɪəsɪs] *n* egyházmegye
Diogenes [daɪ'ɔdʒɪni:z; *US* -'ɑ-] *prop* Diogenész
diopter [daɪ'ɔptə*; *US* -'ɑ-] *n* dioptria
dip [dɪp] I. *n* 1. bemártás 2. megmártózás; fürdés 3. mártott gyertya 4. horpadás [földben]; dőlés, lejtősség [telére, terepé] 5. elhajlás, inklináció [mágnestűé] 6. (hajó)üdvözlés zászlóval; *at the ~* félárbocra eresztett [zászló] II. *v ˍ-pp- A. vt* 1. bemárt, (meg-)merít *(into* vmbe); *~ the sheep* birkát úsztat/füröszt 2. fest [vásznat]; önt, márt [gyertyát]; csáváz [bőrt] 3. (hirtelen) leereszt; *~ one's flag* zászlóval üdvözöl [hajót]; *~ the headlights* tompított fényre vált, „leveszi" a fényt B. *vi* 1. (el)merül, megmártja magát, (le)süllyed [vízben] 2. leszáll, lebukik [nap]; elhajlik [irántyű]; lejt, ereszkedik [talaj] 3. *(átv is)* merít, vesz (vmből, vhonnan); belelapoz [könyvbe]; *~ into one's purse* be'enyúl a zsebébe [= fizet] 4. *(átv is)* merít, vesz *(out of, from* vmből, vhonnan)
Dip. *Diploma*
diphtheria [dɪf'θɪərɪə] *n* torokgyík, diftéria
diphthong ['dɪfθɔŋ; *US* -ɔ:ŋ] *n* kettőshangzó, diftongus
diploma [dɪ'ploʊmə] *n* diploma, oklevél
diplomacy [dɪ'ploʊməsɪ] *n* diplomácia
diplomat ['dɪpləmæt] *n* diplomata
diplomatic [dɪplə'mætɪk] *a* 1. diplomáciai; *~ corps* diplomáciai testület 2. tapintatos, diplomatikus
diplomatist [dɪ'ploʊmətɪst] *n (átv is)* diplomata
dipped [dɪpt] *a ~ headlights* tompított fényszóró
dipper ['dɪpə*] *n* 1. búvár 2. búvárma-

dár 3. *US* merőkanál 2. *US Big D~* Göncölszekér
dippy ['dɪpɪ] *a* □ bolond, ütődött
dip-rod *n* olajszintjelző, nívópálca
dipsomania [dɪpsə'meɪnjə] *n* iszákosság
dip-stick *n* = *dip-rod*
diptych ['dɪptɪk] *n* diptichon, kétszárnyú festmény/faragvány
dire ['daɪə*] *a* szörnyű, irtózatos; *~ necessity* sanyarú/szorongató szükség
direct [dɪ'rekt] I. *a* 1. egyenes; *~ current* egyenáram; *the ~ opposite of sg* szöges ellentéte vmnek; *~ speech* egyenes beszéd [nyelvtanilag]; *~ tax* egyenes adó 2. közvetlen [kapcsolat]; nyílt [válasz]; haladéktalan [cselekvés]; *~ action* közvetlen cselekvés [munkásmozgalomban, pl. sztrájkkal, erőszakkal]; *~ method* közvetlen/direkt módszer [nyelvtanításban]; *~ object* közvetlen tárgy [igéé a mondatban]; *the ~ road* az egyenes (v. legrövidebb) út II. *adv = directly* III. *vt* 1. irányít [munkát stb.]; visz [ügyeket]; utasít [alárendeltet]; *~ed by ... ~ed* (1) a parancsnak megfelelően (2) utasítás szerint 2. irányít [lépést, figyelmet] 3. irányít, küld *(to* vhova)
direction [dɪ'rekʃn] *n* 1. irány; *~ sign* (út)irányjelző tábla; *in every ~* minden irányban 2. irányítás; vezetés, igazgatás; [színpadi] rendezés; *under the ~ of ...* irányításával, vezetésével 3. címzés [levélen, csomagon] 4. utasítás; *~s for use* használati utasítás 5. (vállalat)vezetőség, igazgatóság
direction-finder *n* (rádió)iránymérő, iránykereső
directive [dɪ'rektɪv] I. *a* irányító, irányadó II. *n* utasítás, direktíva
directly [dɪ'rektlɪ] *adv* 1. mindjárt, azonnal 2. egyenesen, közvetlenül; nyíltan
directness [dɪ'rektnɪs] *n* egyenesség, őszinteség
director [dɪ'rektə*] *n* 1. igazgató; *board of ~s* igazgatóság 2. rendező [filmé, színdarabé stb.]
directorate [dɪ'rekt(ə)rət] *n* igazgatóság [testület]

15*

director-general n főigazgató, vezérigazgató
directorship [dɪ'rektəʃɪp] n igazgatóság [állás]
directory [dɪ'rekt(ə)rɪ] n 1. címtár 2. telefonkönyv 3. igazgatóság
directress [dɪ'rektrɪs] n igazgatónő
direful ['daɪəfʊl] a = dire
dirge [də:dʒ] n gyászének
dirigible ['dɪrɪdʒəbl] n kormányozható léghajó
dirk [də:k] I. n tőr II. vt leszúr (tőrrel)
dirt [də:t] n 1. piszok, szenny, sár; eat ~ szidalmakat kell zsebre vágnia; treat sy like ~ úgy bánik vele, mint egy ronggyal 2. föld; ~ floor földes padló; US ~ road földút 3. salak, ürülék
dirt-cheap a potom olcsó
dirtiness ['də:tɪnɪs] n piszkosság, koszosság
dirt-track n salakpálya
dirty ['də:tɪ] I. a 1. piszkos; szennyes, koszos, sáros; ~ weather pocsék/vacak idő 2. erkölcstelen, mocskos; ~ story malac vicc 3. aljas, silány, hitvány; ~ dog rongy/nyamvadt alak; give sy a ~ look görbén néz vkre II. A. vt bepiszkít; beszennyez B. vi (be)piszkolódik; beszennyeződik
disability [dɪsə'bɪlətɪ] n 1. alkalmatlanság 2. rokkantság; ~ pension rokkantsági nyugdíj
disable [dɪs'eɪbl] vt 1. (átv is) (munka-)képtelenné tesz, megbénít [embert, ipart, fegyvert stb.] 2. elgyengít
disabled [dɪs'eɪbld] a munkaképtelen, nyomorék; ~ soldier hadirokkant
disablement [dɪs'eɪblmənt] n 1. megbénítás 2. rokkantság; munkaképtelenség
disabuse [dɪsə'bju:z] vt kiábrándít [tévedésből, tévhitből]; ~ sy of prejudices előítéleteitől megszabadít vkt
disaccustom [dɪsə'kʌstəm] vt leszoktat (sy to do sg vkt vmről)
disadvantage [dɪsəd'vɑ:ntɪdʒ; US -'væn-] n 1. hátrány; at a ~ hátrányos helyzetben 2. veszteség, kár; to ~ veszteséggel [ad el]
disadvantageous [dɪsædvɑ:n'teɪdʒəs] a hátrányos, előnytelen

disaffected [dɪsə'fektɪd] a 1. elhidegült (towards vkvel szemben); elégedetlen (vkvel, vmvel) 2. hűtlen
disaffection [dɪsə'fekʃn] n 1. elégedetlenség; elhidegülés 2. hűtlenség
disagree [dɪsə'gri:] vi 1. nem egyezik, ellenkezik, ellentétben áll (with vmvel); nem ért egyet (with vkvel); más véleményen van (about/over vmt illetőleg); I am sorry to ~ sajnálom de kénytelen vagyok ellentmondani 2. nem felel meg, árt (with vknek vm); the climate ~s with me nem bírom az éghajlatot; wine ~s with me a bor nem tesz jót nekem
disagreeable [dɪsə'grɪəbl] a kellemetlen; bosszantó [dolog]; ellenszenves [ember]
disagreement [dɪsə'gri:mənt] n 1. nézeteltérés (with sy about sg vkvel vm miatt) 2. különbözés (between között)
disallow [dɪsə'laʊ] vt 1. nem ismer el; nem ad meg [gólt]; elutasít 2. helytelenít
disappear [dɪsə'prə*] vi eltűnik
disappearance [dɪsə'prər(ə)ns] n eltűnés
disappoint [dɪsə'pɔɪnt] vt 1. kiábrándít, csalódást okoz; be ~ed in csalódik (vkben/vmben) 2. meghiúsít 3. cserbenhagy
disappointing [dɪsə'pɔɪntɪŋ] a kellemetlen, bosszantó
disappointment [dɪsə'pɔɪntmənt] n csalódás, kiábrándulás
disapprobation [dɪsæprə'beɪʃn] n rosszallás, helytelenítés
disapproval [dɪsə'pru:vl] n rosszallás, helytelenítés
disapprove [dɪsə'pru:v] vt/vi 1. kifogásol, helytelenít (of vmt) 2. nem hagy jóvá, elvet
disarm [dɪs'ɑ:m] A. vt (átv is) lefegyverez B. vi leszerel
disarmament [dɪs'ɑ:məmənt] n lefegyverzés, leszerelés
disarming [dɪs'ɑ:mɪŋ] a 1. őszinte, nyílt 2. lefegyverező [mosoly]
disarrange [dɪsə'reɪndʒ] vt összezavar; szétzilál

disarray [dɪsə'reɪ] I. *n* rendetlenség, öszszevisszaság, zűrzavar II. *vt* összezavar **disaster** [dɪ'zɑːstə*; US -'zæ-] *n* szerencsétlenség, katasztrófa; súlyos csapás **disastrous** [dɪ'zɑːstrəs; US -'zæ-] *a* végzetes, katasztrofális **disavow** [dɪsə'vaʊ] *vt* 1. nem ismer el, (meg)tagad 2. visszautasít **disavowal** [dɪsə'vaʊ(ə)l] *n* el nem ismerés; megtagadás [hité] **disband** [dɪs'bænd] A. *vt* szélnek ereszt, feloszlat [alakulatot] B. *vi* felbomlik, szétszóródik [hadsereg] **disbar** [dɪs'bɑ:*] *vt* -rr- ügyvédi kamarából kizár **disbelief** [dɪsbɪ'li:f] *n* hitetlenség; hinni nem tudás (vmben) **disbelieve** [dɪsbɪ'li:v] *vt* 1. nem hisz el (vmt), nem ad hitelt (vmnek), nem hisz (vknek) 2. tagad (vmt) **disburden** [dɪs'bə:dn] *vt* 1. könnyít (vk) terhén; ~ *one's mind (of sg)* kiönti a szívét 2. kirak **disburse** [dɪs'bə:s] *vt* kifizet, kiad [pénzt] **disbursement** [dɪs'bə:smənt] *n* kiadás [pénzé] **disc, disk** [dɪsk] *n* 1. korong, tárcsa, lemez; ~ *brake* tárcsás fék; ~ *clutch* tárcsás tengelykapcsoló; ~ *harrow* tárcsás borona; ~ *wheel* telekerék 2. (hang)lemez; ~ *jockey* lemezbemutató, -lovas, diszkós 3. *biz* porckorong; *slipped* ~ porckorongsérv **discard** [dɪs'kɑ:d] *vt* 1. eldob; kiszuperál 2. letesz [kártyát] 3. felhagy (vmvel) 4. elküld, elbocsát **discern** [dɪ'sə:n] *vt* 1. megkülönböztet, különbséget tesz 2. észrevesz; meglát; észlel **discernible** [dɪ'sə:nəbl] *a* látható, észrevehető; felismerhető **discerning** [dɪ'sə:nɪŋ] *a* 1. éles elméjű, jó ítélőképességű 2. biztos, finom [ízlés] **discernment** [dɪ'sə:nmənt] *n* ítélőképesség, judícium; tisztánlátás **discharge** [dɪs'tʃɑ:dʒ] I. *n* 1. kirakás; kirakodás [szállítmányé] 2. (villamos) kisülés; lövés, elsülés [fegyveré] 3. kiöntés; kiömlés [vízé]; ömlés [gázé]; (váladék)kiválasztás; (gennyes)

folyás 4. elbocsátás [állásból, kórházból]; (katonai) leszerelés; szabadlábra helyezés; felmentés 5. teljesítés [kötelességé, feladaté]; megfizetés, kiegyenlítés [adósságé]; *in full* ~ fizetve [számlán, nyugtán] II. A. *vt* 1. kirak [rakományt]; kiürít [tartályt] 2. elsüt [fegyvert]; kilő [nyilat]; kisüt [elemet] 3. elbocsát [állásból; kórházból]; leszerel [katonát]; szabadlábra helyez; felment 4. kibocsát, fejleszt [gázt, gőzt]; kiválaszt [hormont, váladékot stb.] 5. tehermentesít, felold [kötelezettség alól]; teljesít [kötelességet, feladatot]; kifizet, rendez [tartozást, számlát] B. *vi* 1. kirakodik 2. ömlik (*into* vhova) 3. tüzel [puskából, ágyúból] 4. ürül, tisztul [váladék, seb] **disciple** [dɪ'saɪpl] *n* tanítvány **disciplinarian** [dɪsɪplɪ'neərɪən] *n* fegyelmező (személy) **disciplinary** ['dɪsɪplɪn(ə)rɪ; US -erɪ] *a* fegyelmi **discipline** ['dɪsɪplɪn] I. *n* 1. fegyelem 2. fegyelmezés 3. tudományág II. *vt* 1. nevel, fegyelmez 2. büntet, fenyít **disclaim** [dɪs'kleɪm] *vt* 1. nem ismer el; tagad 2. lemond [jogról]; elhárít [felelősséget] **disclaimer** [dɪs'kleɪmə*] *n* 1. lemondás, visszautasítás 2. lemondó (személy) 3. cáfolat **disclose** [dɪs'kləʊz] *vt* 1. kitakar, felfed 2. elárul; leleplez; felfed, feltár 3. közzétesz **disclosure** [dɪs'kləʊʒə*] *n* közzététel; közlés; felfedés, elárulás [gondolaté stb.] **disco** ['dɪskəʊ] *n biz* diszkó **discolor,** *US* **-color** [dɪs'kʌlə*] A. *vt* elszíntelenít B. *vi* elszíntelenedik; elszíneződik **discolo(u)ration** [dɪskʌlə'reɪʃn] *n* elszíntelenedés; elszíneződés **discomfit** [dɪs'kʌmfɪt] *vt* 1. legyőz, megver [csatában] 2. kihoz a sodrából; zavarba hoz **discomfiture** [dɪs'kʌmfɪtʃə*] *n* 1. legyőzetés, kudarc 2. kellemetlenség, boszszúság, zavar(ba ejtés)

discolor → *discolour*

discomfort [dɪs'kʌmfət] n kényelmetlenség; rossz érzés
discompose [dɪskəm'poʊz] vt 1. összezavar 2. felizgat, sodrából kihoz
discomposure [dɪskəm'poʊʒə*] n zavar, nyugtalanság
disconcert [dɪskən'sə:t] vt 1. zavarba hoz; lehangol, nyugtalanít 2. megzavar; meghiúsít [tervet]
disconnect [dɪskə'nekt] vt szétkapcsol, -választ; kikapcsol, megszakít [áramot stb.]
disconnected [dɪskə'nektɪd] a 1. szétválasztott 2. kikapcsolt 3. összefüggéstelen, csapongó [beszéd]
disconsolate [dɪs'kɒns(ə)lət; US -'kɑ-] a bús, vigasztalhatatlan
discontent [dɪskən'tent] I. n elégedetlenség II. vt elégedetlenné tesz, nem elégít ki
discontented [dɪskən'tentɪd] a elégedetlen (with vmvel)
discontinue [dɪskən'tɪnju:] A. vt abbahagy (vmt); felhagy [szokással]; lemond [újságot] B. vi megszakad; nem folytatódik
discontinuous [dɪskən'tɪnjʊəs] a 1. öszszefüggéstelen 2. szakaszos [mozgás]
discord ['dɪskɔ:d] n 1. viszály(kodás) 2. hangzavar 3. disszonancia
discordance [dɪ'skɔ:d(ə)ns] n = discord
discordant [dɪ'skɔ:d(ə)nt] a 1. nem egyező [vélemények] 2. disszonáns
discothèque ['dɪskətek] n diszkó
discount I. n ['dɪskaʊnt] árengedmény; leszámítolás; be at a ~ parin alul van, nem keresett; ~ price kedvezményes ár; ~ rate, rate of ~ leszámítolási kamatláb II. vt ['dɪskaʊnt v. dɪ'skaʊnt] 1. leszámítol, diszkontál 2. (előre) leszámít [túlzásokat]
discountenance [dɪ'skaʊntɪnəns] vt 1. helytelenít, rosszall 2. elriaszt
discourage [dɪ'skʌrɪdʒ; US dɪs'kə:-] vt 1. kedvét szegi, elkedvetlenít; become ~d elkedvetlenedik 2. ellenez, rosszall [tervet]; ~ sy from (doing) sg elveszi a kedvét vknek vmtől
discouragement [dɪ'skʌrɪdʒmənt; US dɪs'kə:-] n 1. elkedvetlenítés 2. helytelenítés, ellenzés

discourse I. n ['dɪskɔ:s] 1. társalgás 2. értekezés, előadás II. vi [dɪ'skɔ:s] 1. beszélget 2. értekezik (on/of vmről)
discourteous [dɪs'kə:tjəs] a udvariatlan
discourtesy [dɪs'kə:tɪsɪ] n udvariatlanság
discover [dɪ'skʌvə*] vt 1. felfedez; feltalál 2. felfed, feltár, elárul (vmt) 3. észrevesz, rájön (vmre)
discoverer [dɪ'skʌv(ə)rə*] n felfedező
discovery [dɪ'skʌv(ə)rɪ] n 1. felfedezés 2. leleplezés
discredit [dɪs'kredɪt] I. n 1. kétely 2. rossz hírnév; bring ~ (up)on (sy/sg) szégyent hoz (vkre/vmre) 3. hitelvesztés II. vt 1. kétségbe von 2. rossz hírbe kever, tekintélyét/hitelét rontja
discreditable [dɪs'kredɪtəbl] a szégyenletes; méltatlan; becstelen
discreet [dɪ'skri:t] a 1. óvatos, megfontolt 2. tapintatos; diszkrét
discrepancy [dɪ'skrep(ə)nsɪ] n különbözőség, ellentmondás; eltérés
discrepant [dɪ'skrep(ə)nt] a különböző, eltérő (from vmtől)
discrete [dɪ'skri:t] a 1. különálló, egyedi 2. diszkrét [matematikában]
discretion [dɪ'skreʃn] n 1. megítélés, belátás; at sy's ~ vknek a belátása/tetszése szerint; leave to sy's ~ tetszésére bíz vknek; use your ~ tégy belátásod szerint 2. megfontoltság; körültekintés; ~ is the better part of valour kb. szégyen a futás de hasznos; age/years of ~ nagykorúság
discretionary [dɪ'skreʃən(ə)rɪ; US -erɪ] a tetszés szerinti, diszkrecionális
discriminate [dɪ'skrɪmɪneɪt] A. vt megkülönböztet (from egymástól) B. vi különbséget tesz (between között); ~ against sy elfogult vkvel szemben
discriminating [dɪ'skrɪmɪneɪtɪŋ] a 1. megkülönböztető [törvény] 2. jó ítélőképességű [ember] 3. ismertető [jel]
discrimination [dɪskrɪmɪ'neɪʃn] n 1. megkülönböztetés; különbségtétel 2. megkülönböztetett bánásmód 3. ítélőképesség, judícium
discriminative [dɪ'skrɪmɪnətɪv; US -neɪ-] a = discriminating 1.
discursive [dɪ'skə:sɪv] a 1. kalandozó;

csapongó; szaggatott [beszéd, stílus]
2. következtető [képesség, okoskodás]
discus ['dɪskəs] n diszkosz; throwing the
~ diszkoszvetés
discuss [dɪ'skʌs] vt 1. megvitat, (meg-)
tárgyal, megbeszél [kérdést]; fejteget
[témát] 2. biz ~ a bottle egy üveg bor
mellett beszélget
discussion [dɪ'skʌʃn] n vita; tárgyalás,
megbeszélés; question under ~ szóban
forgó kérdés; after much ~ hosszú vita
után; come up for ~ megvitatásra ke-
rül
disdain [dɪs'deɪn] I. n lenézés, megvetés
II. vt lenéz, megvet; ~ to . . . méltósá-
gán alulinak tartja, hogy (vmt megte-
gyen)
disdainful [dɪs'deɪnfʊl] a megvető; lenéző
disease [dɪ'ziːz] n betegség, kór, baj
diseased [dɪ'ziːzd] a beteg; kóros
disembark [dɪsɪm'bɑːk] A. vi partra
száll B. vt partra szállít/tesz
disembarkation [dɪsembɑː'keɪʃn] n part-
raszállás; partra szállítás
disembarrass [dɪsɪm'bærəs] vt 1. meg-
szabadít (of vmtől) 2. kiszabadítja
magát (from vmből) 3. átv könnyít
(vkn)
disembodied [dɪsɪm'bɔdɪd; US -'bɑ-] a
testetlen [szellem]
disembowel [dɪsɪm'baʊəl] vt -ll- (US -l-)
kibelez, kizsigerel
disenchant [dɪsɪn'tʃɑːnt; US -ænt] vt
kiábrándít, kijózanít
disendow [dɪsɪn'daʊ] vt megfoszt javai-
tól [egyházat, intézményt]
disengage [dɪsɪn'geɪdʒ] A. vt 1. kiszaba-
dít (from vmből); felold [from ígéret
alól] 2. kikapcsol; szétkapcsol, -vá-
laszt; ~ the clutch kikuplungoz B. vi 1.
kiszabadul; felszabadul 2. kikapcso-
lódik; szétkapcsolódik; elválik
disengaged [dɪsɪn'geɪdʒd] a szabad, nem
elfoglalt
disengagement [dɪsɪn'geɪdʒmənt] n 1.
kiszabadítás; kiszabadulás 2. kikap-
csol(ód)ás
disentangle [dɪsɪn'tæŋgl] vt 1. kibont,
fölfejt [fonalat stb.]; kibogoz [bonyo-
dalmat] 2. kiszabadít, megszabadít
(from vmből/vmtől)

disequilibrium [dɪsekwɪ'lɪbrɪəm]n egyen-
súlyhiány [politikában stb.]
disestablish [dɪsɪ'stæblɪʃ] vt 1. állami
támogatást megvon [egyháztól] 2.
hivatalos jellegétől megfoszt [állami
szervet]
disestablishment [dɪsɪ'stæblɪʃmənt] n 1.
egyház és állam szétválasztása 2. meg-
fosztás hivatalos jellegtől, felfüggesz-
tés [állami szervé]
disfavour, US -vor [dɪs'feɪvə*]n 1. kegy-
vesztettség 2. helytelenítés, rosszallás
disfigure [dɪs'fɪgə*; US -gjə*] vt elrútít;
eltorzít
disfigurement [dɪs'fɪgəmənt; US -gjə-] n
elrútítás; eltorzítás
disfranchise [dɪs'fræntʃaɪz] vt szavazati
jogtól megfoszt
disfranchisement [dɪs'fræntʃɪzmənt] n
szavazati jog megvonása; jogfosztás
disgorge [dɪs'gɔːdʒ] A. vt 1. kiokád, ki-
hány 2. kiad, visszaad [zsákmányt
stb.] B. vi ömlik [folyó vhova]
disgrace [dɪs'greɪs] I. n 1. szégyen; be a
~ to szégyenére válik, szégyenfoltja
[családnak stb.] 2. kegyvesztettség;
fall into ~ (with sy) kegyvesztetté vá-
lik (vknél) II. vt 1. szégyenére van 2.
megvonja kegyeit (vktől)
disgraceful [dɪs'greɪsfʊl] a szégyenletes;
csúfos, botrányos
disgruntled [dɪs'grʌntld] a elégedetlen,
zsémbes
disguise [dɪs'gaɪz] I. n 1. álöltözet, ál-
ruha; throw off ~ leveti az álarcot 2.
tettetés, színlelés II. vt 1. álruhába öl-
töztet 2. palástol, elrejt; leplez [érzel-
met]
disgust [dɪs'gʌst] I. n undor, utálat
(at/for vk/vm iránt) II. vt undort/el-
lenszenvet kelt; be ~ed at/by/with sg
(1) undort kelt benne vm (2) fel van
háborodva vm miatt
disgusting [dɪs'gʌstɪŋ] a undorító, för-
telmes; felháborító
dish [dɪʃ] I. n 1. tál; the ~es asztali edé-
nyek; wash up the ~es elmosogat 2.
étel, fogás; a ~ of vegetables egy tál
főzelék 3. □ she is quite a ~ jó kis csaj
II. vt 1. (átv is) tálal; ~ up feltálal 2.
biz átver, kijátszik (vkt)

dishabille [dɪsæ'bi:l] n in ~ pongyolában, neglizsében

disharmony [dɪs'hɑ:m(ə)nɪ] n diszharmónia

dish-cloth n mosogatórongy

dishearten [dɪs'hɑ:tn] vt elcsüggeszt

dished [dɪʃt] a 1. homorú(ra alakított) 2. □ kimerült, kikészült

dishevelled, US -veled [dɪ'ʃevld] a kócos; borzas; zilált

dishonest [dɪs'ɔnɪst; US -'ɑ-] a nem becsületes; tisztességtelen; becstelen

dishonesty [dɪs'ɔnɪstɪ; US -'ɑ-] n tisztességtelenség, becstelenség

dishonour, US -or [dɪs'ɔnə*; US -'ɑ-] I. n 1. gyalázat, becstelenség 2. becstelen/gyalázatos dolog II. vt 1. megszégyenít; meggyaláz 2. nem fogad el [váltót]; nem vált be [csekket]

dishonourable, US -orable [dɪs'ɔn(ə)rəbl; US -'ɑ-] a tisztességtelen, gyalázatos

dishpan n mosogatódézsa

dish-rack n edényszárító [rács]

dishrag n US = dishcloth

dish-towel n konyharuha

dish-washer n mosogatógép

dish-water n mosogatóvíz

disillusion [dɪsɪ'lu:ʒn] I. n kiábrándulás, csalódás II. vt kiábrándít

disillusioned [dɪsɪ'lu:ʒnd] a kiábrándult

disillusionment [dɪsɪ'lu:ʒnmənt] n kiábrándulás, csalódás

disincentive [dɪsɪn'sentɪv] n [termelékenységet, tőkebefektetést] csökkentő intézkedés

disinclinaton [dɪsɪnklɪ'neɪʃn] n idegenkedés, ellenszenv (for/to vm iránt)

disinclined [dɪsɪn'klaɪnd] a vonakodó; nem hajlandó (to do sg vmt megtenni); nem hajlamos (for vmre)

disinfect [dɪsɪn'fekt] vt fertőtlenít

disinfectant [dɪsɪn'fektənt] n fertőtlenítőszer

disinfection [dɪsɪn'fekʃn] n fertőtlenítés

disingenuous [dɪsɪn'dʒenjʊəs] a hamis, álnok, nem őszinte

disinherit [dɪsɪn'herɪt] vt kitagad, kizár [örökségből]

disintegrate [dɪs'ɪntɪgreɪt] A. vi felbomlik, szétesik [szervezet stb.] B. vt el-

mállaszt; szétporlaszt; felbomlaszt [társadalmat stb.]

disintegration [dɪsɪntɪ'greɪʃn] n szétbomlás, szétesés

disinter [dɪsɪn'tə:*] vt -rr- 1. kiás 2. exhumál

disinterested [dɪs'ɪntrəstɪd] a 1. érdektelen, nem érdekelt, önzetlen 2. pártatlan, elfogulatlan

disinterment [dɪsɪn'tə:mənt] n 1. kiásás 2. exhumálás

disinterred [dɪsɪn'tə:d] →disinter

disjoin [dɪs'dʒɔɪn] vt szétválaszt

disjoint [dɪs'dʒɔɪnt] vt 1. kificamit 2. ízekre szed; feldarabol [szárnyast] 3. taglal, boncol [beszédet]

disjointed [dɪs'dʒɔɪntɪd] a 1. kificamodott 2. összefüggéstelen, csapongó

disjunction [dɪs'dʒʌŋkʃn] n 1. szétválás 2. szétválasztás

disjunctive [dɪs'dʒʌŋktɪv] a (el)választó, szétválasztó

disk [dɪsk] →disc

dislike [dɪs'laɪk] I. n ellenszenv, idegenkedés (of/for/to vmtől); take a ~ to sy megutál vkt II. vt irtózik, idegenkedik (vmtől)

dislocate ['dɪsləkeɪt; US -loʊ-] vt 1. kificamit; be ~ed kificamodik; ~d hip csípőficam 2. elmozdít 3. kizökkent (a kerékvágásból)

dislocation [dɪslə'keɪʃn; US -loʊ-] n 1. kificamodás 2. eltolódás 3. kizökkenés (a kerékvágásból)

dislodge [dɪs'lɔdʒ; US -ɑ-] vt 1. kiűz 2. kimozdít, kiszabadít [beakadt tárgyat]

disloyal [dɪs'lɔɪ(ə)l] a hűtlen, áruló

disloyalty [dɪs'lɔɪ(ə)ltɪ] n hűtlenség

dismal ['dɪzm(ə)l] a komor, szomorú; lehangoló

dismantle [dɪs'mæntl] vt 1. lebont [épületet]; leszerel [erődöt, gyárat] 2. szétszed [gépet]

dismay [dɪs'meɪ] I. n rémület; félelem nagyfokú aggodalom II. vt 1. elcsüggeszt 2. megrémit, megdöbbent

dismember [dɪs'membə*] vt feldarabol [szárnyast]; feloszt, megcsonkít [országot]

dismemberment [dɪs'membəmənt] n feldarabolás

dismiss [dɪs'mɪs] vt 1. elbocsát [alkalmazottat] 2. elenged, távozást engedélyez; feloszlat [gyűlést]; ~! oszolj! 3. elűz, elhesseget [gondolatot]; abbahagy [témát] 4. elutasít [kérelmet]; ~ a case keresetet elutasít
dismissal [dɪs'mɪsl] n 1. elbocsátás 2. elutasítás
dismount [dɪs'maʊnt] A. vi leszáll [lóról] B. vt 1. (nyeregből) kivet 2. leszerel, szétszerel [löveget, gépet]; leszerel [gyárat]
disobedience [dɪsə'biːdjəns] n engedetlenség, szófogadatlanság
disobedient [dɪsə'biːdjənt] a engedetlen
disobey [dɪsə'beɪ] vt 1. megszeg [törvényt, parancsot] 2. nem fogad szót, nem engedelmeskedik (vknek)
disoblige [dɪsə'blaɪdʒ] vt udvariatlanul/sértőn bánik vkvel
disobliging [dɪsə'blaɪdʒɪŋ] a barátságtalan; udvariatlan
disorder [dɪs'ɔːdə*] I. n 1. rendetlenség, (zűr)zavar 2. zavargás 3. rendellenesség, zavar [emberi szervezetben] II. vt 1. összezavar 2. elront [gyomrot]; tönkretesz [egészséget]
disorderly [dɪs'ɔːdəlɪ] a 1. rendetlen; rendzavaró; féktelen; erkölcstelen; ~ conduct rendzavarás; ~ house (1) bordély(ház) (2) kártyabarlang; ~ person rendzavaró személy
disorganization [dɪsɔːgənaɪ'zeɪʃn; US -nɪ'z-] n 1 szétzüllesztés 2. (fel)bomlás
disorganize [dɪs'ɔːgənaɪz] vt bomlaszt, szétzülleszt; become ~d felbomlik, szétesik
disown [dɪs'oʊn] vt megtagad, nem ismer el
disparage [dɪ'spærɪdʒ] vt leszól, becsmérel
disparagement [dɪ'spærɪdʒmənt] n leszólás; lenézés
disparity [dɪ'spærətɪ] n egyenlőtlenség
dispassionate [dɪ'spæʃ(ə)nət] a 1. szenvtelen 2. pártatlan, tárgyilagos
dispatch [dɪ'spætʃ] I. n 1. sietség; with ~ gyorsan 2. sürgöny, értesítés 3. elküldés; feladás; elszállítás; ~ note feladóvevény 4. jelentés; mention in ~es na-

piparancsban elismerően megemlít II. vt 1. elküld [levelet, táviratot]; felad [csomagot]; elindít [csapatot stb.] 2. (gyorsan) elintéz 3. másvilágra küld
dispatch-box/case n irattáska, aktatáska
dispatcher [dɪ'spætʃə*] n forgalomirányító; menetirányító
dispatch-rider n futár, motorkerékpáros küldönc
dispel [dɪ'spel] vt -ll- elűz; eloszlat [felhőt, félelmet]
dispensable [dɪ'spensəbl] a mellőzhető; nélkülözhető
dispensary [dɪ'spens(ə)rɪ] n gyógyszertár
dispensation [dɪspen'seɪʃn] n 1. szétosztás, elosztás [jutalomé, adományé] 2. felmentés, diszpenzáció (from/with vm alól) 3. rendelkezés; döntés
dispense [dɪ'spens] A. vt 1. kioszt, szétoszt 2. igazságot szolgáltat 3. elkészít [gyógyszert] 4. felment (from vm alól) B. vi ~ with nélkülöz/mellőz vmt; eltekint vmtől
dispenser [dɪ'spensə*] n 1. gyógyszerész 2. (adagoló) automata
dispensing [dɪ'spensɪŋ] n 1. szétosztás [alamizsnáé stb.] 2. elkészítés [gyógyszeré]; ~ chemist gyógyszerész; ~ department vénykészítő részleg [gyógyszertárban]
dispersal [dɪ'spɜːsl] n = dispersion
disperse [dɪ'spɜːs] A. vt 1. szétszór; feloszlat [tömeget] 2. elterjeszt [híreket] 3. (szét)szór [fényt] B. vi 1. szétoszlik 2. elterjed 3. (szét)szóródik
dispersion [dɪ'spɜːʃn; US -ʒn] n 1. szétszóródás, szétszórtság; diaszpóra 2. (szét)szórás; diszperzió
dispirit [dɪ'spɪrɪt] vt elcsüggeszt
dispirited [dɪ'spɪrɪtɪd] a csüggedt
displace [dɪs'pleɪs] vt 1. elmozdít [helyéről, állásából] 2. kiszorít [vízmennyiséget]
displaced [dɪs'pleɪst] a elmozdított; ~ person hontalan személy
displacement [dɪs'pleɪsmənt] n 1. elmozdítás 2. vízkiszorítás ‖ →ton 2.
display [dɪ'spleɪ] I. n 1. kirakás; bemutatás [árué stb.]; be on ~ ki van állítva 2. [áru-, divat-] bemutató 3. megnyilatkozás [érzelmeké]; fitogtatás [va-

gyoné, tudásé] 4. kijelző II. *vt* 1. kitesz, kiállít, bemutat [árut] 2. bizonyságot tesz [bátorságról]; elárul [félelmet, tudatlanságot] 3. fitogtat [gazdagságot]; mutogat [bájakat] **displease** [dɪs'pli:z] *vt* nem tetszik, visszatetszik (vknek); *be ~d at/with* elégedetlen vkvel/vmvel
displeasure [dɪs'pleʒə*] *n* 1. visszatetszés, nemtetszés; *incur sy's ~* kihívja vk neheztelését 2. bosszúság
disport [dɪ'spɔ:t] *vi* szórakozik, mulat
disposable [dɪ'spoʊzəbl] *a* 1. rendelkezésre álló 2. eldobható [pelenka stb.]
disposal [dɪ'spoʊzl] *n* 1. megszabadulás (vmtől); *waste ~ (service)* szemét- és hulladékeltakarítás, hulladékhasznosítás 2. elrendezés, elintézés; *~ of a difficulty* nehézség megoldása 3. rendelkezés (*of* vm felett); *be at sy's ~* vknek rendelkezésére áll; *for ~* eladó; *have ~ of sg* (szabadon) rendelkezik vmvel [ingatlannal stb.]
dispose [dɪ'spoʊz] **A.** *vt* 1. (el)rendez; elintéz 2. *be ~d to do sg* hajlandó/kész vmt megtenni 3. elrendel, rendelkezik **B.** *vi ~ of* (1) intézkedik, diszponál (vmről) (2) túlad (vkn, vmn), megszabadul (vktől, vmtől); átad, elidegenít (vmt); *easily ~d of* könnyen eladható/értékesíthető
disposed [dɪ'spoʊzd] *a* hajlamos; szándékú; *if you feel so ~* ha arra van kedved; *be well ~ towards sy* kedvel vkt
disposition [dɪspə'zɪʃn] *n* 1. intézkedés; rendelkezés; *make ~s* előkészületeket tesz 2. elrendezés; beosztás 3. hajlam; természet 4. testalkat, diszpozíció
dispossess [dɪspə'zes] *vt* megfoszt (*of* vmtől) [birtoktól stb.]
dispraise [dɪs'preɪz] *vt* lebecsül, leszól
disproof [dɪs'pru:f] *n* cáfolat
disproportion [dɪsprə'pɔ:ʃn] *n* aránytalanság; egyenlőtlenség (*between* között)
disproportionate [dɪsprə'pɔ:ʃnət] *a* aránytalan (*to* vmhez viszonyítva)
disprove [dɪs'pru:v] *vt* megcáfol, megdönt
disputable [dɪ'spju:təbl] *a* vitatható, vitás; kétségbevonható

disputant [dɪ'spju:t(ə)nt] *n* vitázó
disputation [dɪspju:'teɪʃn; *US* -pjʊ-] *n* vita; megvitatás
disputatious [dɪspju:'teɪʃəs; *US* -pjʊ-] *a* vitázni szerető; bakafántoskodó, kötekedő
dispute [dɪ'spju:t] **I.** *n* 1. vita, vitatkozás; *beyond ~* vitán felül, vitathatatlan; *the matter in ~* (1) a vita tárgya (2) a szóban forgó ügy 2. veszekedés **II. A.** *vt* 1. (meg)vitat [kérdést]; kétségbe von, vitat [állítást]; elvitat [tulajdont] 2. ellenáll [előnyomulásnak]; harcol [a végsőkig] **B.** *vi* 1. vitatkozik 2. veszekszik
disqualification [dɪskwɔlɪfɪ'keɪʃn; *US* -kwɑ-] *n* 1. alkalmatlanság 2. kizárás, diszkvalifikáció
disqualify [dɪs'kwɔlɪfaɪ; *US* -'kwɑ-] *vt* 1. alkalmatlanná/képtelenné tesz/nyilvánít (*for* vmre) 2. kizár, diszkvalifikál
disquiet [dɪs'kwaɪət] **I.** *n* nyugtalanság; aggódás **II.** *vt* nyugtalanít; aggaszt
disquieting [dɪs'kwaɪətɪŋ] *a* aggasztó, nyugtalanító
disquietude [dɪs'kwaɪətju:d; *US* -tu:d] *n* nyugtalanság; aggodalom
disquisition [dɪskwɪ'zɪʃn] *n* értekezés (*on* vmről)
Disraeli [dɪs'reɪlɪ] *prop*
disregard [dɪsrɪ'gɑ:d] **I.** *n* fitymálás, semmibevevés **II.** *vt* nem vesz figyelembe, elhanyagol [tényt]; fitymál [nehézséget]
disrepair [dɪsrɪ'peə*] *n* elhanyagoltság; megrongáltság; *in ~* rozoga állapotban
disreputable [dis'repjʊtəbl; *US* -pjə-] *a* rossz hírű; gyalázatos
disrepute [dɪsrɪ'pju:t] *n* rossz hírnév; szégyen
disrespect [dɪsrɪ'spekt] *n* tiszteletlenség (*for* vk iránt)
disrespectful [dɪsrɪ'spektfʊl] *a* tiszteletlen; udvariatlan
disrobe [dɪs'roʊb] *vt* 1. levet, lesegít [öltözéket, köntöst] 2. megfoszt vmtől
disrupt [dɪs'rʌpt] *vt* szétszakít, -darabol; szétzülleszt
disruption [dɪs'rʌpʃn] *n* szétszakítás; szétszakadás [birodalomé, egyházé]

disruptive [dɪs'rʌptɪv] *a* bomlasztó [erők]

dissatisfaction ['dɪssætɪs'fækʃn] *n* elégedetlenség *(with/at* vmvel)

dissatisfied [dɪs'sætɪsfaɪd] *n* elégedetlen *(with/at* vm miatt)

dissatisfy [dɪs'sætɪsfaɪ] *vt* nem elégít ki; elégedetlenné tesz

dissect [dɪ'sekt] *vt* 1. felboncol 2. *átv* boncolgat, elemez

dissection [dɪ'sekʃn] *n* 1. felboncolás 2. *átv* boncolgatás, elemzés

dissemble [dɪ'sembl] A. *vt* 1. eltitkol, leplez [érzelmet] 2. színlel (vmt); ~ *oneself* tetteti magát B. *vi* nem őszinte

dissembler [dɪ'semblə*] *n* képmutató

disseminate [dɪ'semɪneɪt] *vt* 1. szétszór 2. elterjeszt

dissemination [dɪsemɪ'neɪʃn] *n* elterjesztés

dissension [dɪ'senʃn] *n* véleményeltérés; egyenetlenség; széthúzás

dissent [dɪ'sent] I. *n* eltérő vélemény; véleményeltérés II. *vi* más véleményen van

dissenter [dɪ'sentə*] *n* máshitű, nem anglikán protestáns [Angliában], diszszenter

dissentient [dɪ'senʃɪənt; *US* -ʃənt] *a/n* más véleményen levő (ember)

dissertation [dɪsə'teɪʃn] *n* értekezés, disszertáció *(on/upon* vmről)

disservice [dɪs'sə:vɪs] *n* 1. rossz szolgálat; *do sy a* ~ kárt okoz vknek 2. hátrány, kár *(to* vknek/vmnek)

dissever [dɪs'sevə*] A. *vt* elválaszt B. *vi* szétválik

dissidence ['dɪsɪd(ə)ns] *n* elvi ellentét; nézeteltérés

dissident ['dɪsɪd(ə)nt] I. *a* 1. más véleményű 2. eltérő, külön irányú II. *n* 1. más véleményen levő ember 2. szakadár, disszidens

dissimilar [dɪ'sɪmɪlə*] *a* különböző *(to/from* vktől/vmtől)

dissimilarity [dɪsɪmɪ'lærətɪ] *n* különbözőség *(to* vktől/vmtől)

dissimulate [dɪ'sɪmjüleɪt] *vt/vi* = *dissemble*

dissimulation [dɪsɪmjü'leɪʃn] *n* színlelés, tettetés

dissipate ['dɪsɪpeɪt] A. *vt* 1. szétoszlat [felhőket]; elűz [bánatot] 2. elherdál [vagyont, tehetséget] B. *vi* kicsapong(ó életet folytat)

dissipation [dɪsɪ'peɪʃn] *n* 1. (el)tékozlás 2. kicsapongás

dissociate [dɪ'souʃɪeɪt] *vt* szétválaszt, elkülönít; ~ *oneself from* sg távol tartja magát vmtől

dissociation [dɪsouʃɪ'eɪʃn] *n* 1. elkülönítés 2. (fel)bontás, disszociáció [vegyületé] 3. tudathasadás

dissoluble [dɪ'sɔljübl; *US* -'sɑ-] *a* 1. oldódó, feloldható 2. felbontható [házasság]

dissolute ['dɪsəlu:t] *a* léha, romlott, kicsapongó

dissolution [dɪsə'lu:ʃn] *n* 1. feloldás; feloszlatás [parlamenté]; megsemmisítés [házasságé]; eltörlés [intézményé] 2. (fel)bomlás, pusztulás [élő szervezeté]

dissolve [dɪ'zɔlv; *US* -ɑ-] A. *vi* 1. (fel-)olvad, oldódik (vmben) 2. eloszlik [tömeg, felhő] 3. szertefoszlik [ábránd] 4. [filmben] átúszik, átkopírozódik B. *vt* 1. (fel)olvaszt, felold (vmt) 2. feloszlat [társaságot, parlamentet]; felbont [házasságot] 3. átúsztat [filmben]

dissolvent [dɪ'zɔlvənt; *US*-'zɑ-] *n* oldószer

dissonance ['dɪsənəns] *n* 1. rossz hangzás, disszonancia 2. egyenetlenkedés

dissonant ['dɪsənənt] *a* 1. nem összecsengő, disszonáns 2. eltérő, nem öszszeillő

dissuade [dɪ'sweɪd] *vt* lebeszél vkt *(from* vmről)

dissuasion [dɪ'sweɪʒn] *n* lebeszélés

dist. *district* kerület, ker., körzet

distaff ['dɪsta:f; *US* -æf] *n* guzsaly, rokka; *on the* ~ *side* női ágon

distance ['dɪst(ə)ns] I. *n* 1. táv(olság), messzeség; *at a* ~ *of 5 miles* 5 mérföldnyi távolságra (van); *at this* ~ *of time* ennyi idő távlatából/múltán; *keep sy at a* ~ nem ereszt közel magához; *keep one's* ~ tartja a 3 lépés távolságot 2. táv, útszakasz; *no* ~ *at all* egészen közel (van) II. *vt* 1. eltávolít 2. térelőnybe kerül

distant ['dıst(ə)nt] *a* 1. távol(i), messze; ~ *look* révedező pillantás; ~ *relative* távoli rokon 2. tartózkodó 3. halvány
distaste [dıs'teıst] *n* utálat, ellenszenv (*for* vk iránt)
distasteful [dıs'teıstfʊl] *a* utálatos, viszszataszító
distemper¹ [dı'stempə*] I. *n* 1. állatbetegség [szopornyica, takonykór] 2. lehangoltság, testi/lelki betegség 3. politikai zavar II. *vt* † beteggé tesz; elkedvetlenít
distemper² [dı'stempə*] *n* falfesték; tempera
distend [dı'stend] A. *vt* felfúj [léggömböt, arcot stb.] B. *vi* felfúvódik; feszül [has]
distension [dı'stenʃn] *n* 1. felfúvás kitágítás 2. felfúvódás, felpuffadás; tágulat
distich ['dıstık] *n* párvers, disztichon
distil, *US* -till [dı'stıl] *v* -ll- A. *vt* 1. párol, desztillál 2. csöpögtet 3. *átv* leszűr B. *vi* csöpög; szivárog
distillate ['dıstılət] *n* párlat
distillation [dıstı'leıʃn] *n* 1. lepár(o)lás; desztilláció 2. párlat
distiller [dı'stılə*] *n* pálinkafőző [személy, készülék]
distillery [dı'stılərı] *n* szeszfőzde
distinct [dı'stıŋkt] *a* 1. különböző, eltérő 2. világos, pontosan kivehető/ érthető 3. határozott; ~ *improvement* határozott javulás
distinction [dı'stıŋkʃn] *n* 1. megkülönböztetés; *make/draw a* ~ *between* különbséget tesz (... között); *without* ~ megkülönböztetés nélkül 2. kitüntetés 3. kiválóság; hír(név); *writer of* ~ neves/kitűnő író
distinctive [dı'stıŋktıv] *a* megkülönböztető [jegy]
distinctness [dı'stıŋktnıs] *n* 1. világosság, érthetőség 2. különbözőség
distinguish [dı'stıŋgwıʃ] A. *vt* 1. megkülönböztet (*from* vmtől) 2. kivesz, meglát [homályban, távolból] 3. kiemel, kitüntet; ~ *oneself by* ... kitűnik vmvel B. *vi* különbséget tesz (*between* vkk/vmk között); ~*ing mark* ismertetőjel

distinguishable [dı'stıŋgwıʃəbl] *a* megkülönböztethető
distinguished [dı'stıŋgwıʃt] *a* 1. kiváló; ~ *for sg* híres vmről, hírnevet szerzett vmvel 2. előkelő; disztingvált
distort [dı'stɔ:t] *vt* (*átv is*) eltorzít; elferdít; kiforgat
distorted [dı'stɔ:tıd] *a* eltorzult [arc]; torzított [kép, hang]; elferdített [történet]
distortion ' [dı'stɔ:ʃn] *n* 1. eltorzulás; (meg)vetemedés; torzulás 2. eltorzítás; elferdítés; (kép)torzítás
distract [dı'strækt] *vt* 1. eltérít, elvon [figyelmet stb. *from* vmtől]; szórakoztat 2. megzavar; nyugtalanít; megőrjít
distracted [dı'stræktıd] *a* 1. őrült 2. zavart, háborgó
distraction [dı'strækʃn] *n* 1. elterelés, elvonás [figyelemé]; (meg)zavarás [munkában] 2. szórakozás, kikapcsolódás 3. nyugtalanság, zaklatottság 4. őrület; *drive to* ~ megőrjít; *love sy to* ~ az őrülésig szeret vkt
distrain [dı'streın] *vi* foglal; zár alá vesz
distraint [dı'streınt] *n* (le)foglalás, zálogolás
distraught [dı'strɔ:t] *a* megzavarodott, őrült
distress [dı'stres] I. *n* 1. aggodalom; bánat; gyötrelem 2. nyomor; nélkülözés, ínség 3. baj, szorultság; (vég-) veszély; ~ *landing* kényszerleszállás 4. = *distraint* II. *vt* 1. lehangol; aggaszt; megszomorít 2. kifáraszt 3. (kellemetlen/szorult helyzetbe) kényszerít 4. zálogol, (le)foglal
distressed [dı'strest] *a* 1. szomorú, lehangolt 2. kimerült 3. ínséges; ~ *areas* (gazdasági) válság sújtotta vidék
distribute [dı'strıbju:t] *vt* 1. kioszt, szétoszt, feloszt (*among* között); kihord [leveleket stb.] 2. eloszt, szét-, elszór [felületen]; eloszt, szétoszt [árut] 3. osztályoz
distribution [dıstrı'bju:ʃn] *n* 1. elosztás; kiosztás; szétosztás 2. eloszlás; megoszlás; disztribúció 3. osztályozás
distributor [dı'strıbjʊtə*] *n* 1. szétosztó,

elosztó 2. (gyújtás)elosztó [motorban] 3. *US* nagykereskedő; egyedárusító
district ['dɪstrɪkt] *n* 1. kerület; körzet 2. terület; ~ *court* járásbíróság 3. *US* választókerület
district-heating *n* távfűtés
district-nurse *n* kb. (kerületi) gondozónő
distrust [dɪs'trʌst] I. *n* bizalmatlanság, gyanakvás II. *vt* nem hisz vknek/vmnek, bizalmatlankodik vkvel szemben
distrustful [dɪs'trʌstfʊl] *a* bizalmatlan *(of* vkvel/vmvel szemben)
disturb [dɪ'stɜ:b] *vt* 1. (meg)zavar, háborgat; *don't* ~ *yourself* kérem ne zavartassa magát 2. (fel)izgat, nyugtalanít
disturbance [dɪ'stɜ:b(ə)ns] *n* 1. zavarás; háborgatás 2. zavargás 3. zavar [vm működésében]
disturbing [dɪ'stɜ:bɪŋ] *a* nyugtalanító, zavaró
disunite [dɪsju:'naɪt] A. *vt* 1. elválaszt 2. elidegenít (lélekben) B. *vi* elválik, szétválik
disuse [dɪs'ju:s] *n* használatlanság; *fall into* ~ kimegy a divatból, elavul
disused [dɪs'ju:zd] *a* nem használt; elavult
disyllabic [dɪsɪ'læbɪk] *a* kétszótagú
disyllable [dɪ'sɪləbl] *n* két(szó)tagú szó
ditch [dɪtʃ] I. *n* (vizes)árok; csatorna; *to the last* ~ utolsó leheletéig, a végsőkig [küzd] II. *vt* 1. árkol 2. *US biz* árokba fordít [járművet]; kényszerleszállást végez [repgéppel]; *US* □ *be* ~*ed* otthagyták a slamasztikában
ditch-water *n dull as* ~ unalmas, se íze se búze
dither ['dɪðə*] *biz* I. *n* reszketés, izgalom; *have the* ~*s* reszket, citerázik II. *vi* 1. reszket 2. *biz* habozik
dithyramb ['dɪθɪræm] *n* ditirambus
ditto ['dɪtoʊ] I. *adv* dettó, ugyancsak II. *n* 1. ugyanaz a dolog; *say* ~ hozzájárul 2. ~ *(marks)* 'macskaköröm'
ditty ['dɪtɪ] *n* dalocska
diuretic [daɪjʊ(ə)'retɪk] *a* vizelethajtó
diurnal [daɪ'ɜ:nl] *a* 1. (egy)napi [mozgás bolygóé] 2. nappali [pillangó stb.] 3. naponkénti, mindennapos

div. 1. *divide* osztandó 2. *division*
divagation [daɪvə'geɪʃn] *n* elkalandozás [tárgytól]
divan [dɪ'væn; *US* 'daɪ-] *n* dívány, kerevet
dive [daɪv] I. *n* 1. alámerülés [vízben]; lebukás; fejes(ugrás); műugrás; *high* ~ toronyugrás 2. zuhanórepülés, zuhanás 3. *biz* pincehelyiség [vendéglőé]; *US* □ rossz hírű mulató, lebuj II. *vi* 1. lemerül, alámerül [tengeralattjáró]; leszáll, lebukik [búvár]; fejest ugrik 2. zuhan [repgép]; ~ *down on the enemy* lecsap az ellenségre [repülő] 3. ~ *into* mélyen benyúl [zsebbe]; mélyen behatol; belemerül [vm titok megfejtésébe]
dive-bomb *vt/vi* zuhanóbombázást hajt végre
diver ['daɪvə*] *n* 1. búvár 2. műugró
diverge [daɪ'vɜ:dʒ] *vi* eltér, elágazik *(from* vmtől)
divergence [daɪ'vɜ:dʒ(ə)ns] *n* elágazás; *(atv is)* eltérés, elhajlás
divergent [daɪ'vɜ:dʒ(ə)nt] *n* széttartó [vonalak]; eltérő [vélemények]
divers ['daɪvə:z] *a* † különféle, többféle; ~ *of them* többen közülük; *on* ~ *occasions* több alkalommal
diverse [daɪ'vɜ:s] *a* 1. különböző, eltérő 2. sokféle, változatos
diversify [daɪ'vɜ:sɪfaɪ] *vt* változatossá tesz
diversion [daɪ'vɜ:ʃn; *US* -ʒn] *n* 1. szórakozás, időtöltés 2. elterelés, elvezetés [forgalomé, folyóé]; terelőút 3. eltérítés [figyelemé] 4. elterelő hadmozdulat
diversionist [daɪ'vɜ:ʃnɪst] *a/n* elhajló [politikailag], diverzáns
diversity [daɪ'vɜ:sətɪ] *n* különféleség; változatosság
divert [daɪ'vɜ:t] *vt* 1. eltérít [repgépet, forgalmat]; elvezet [folyót] 2. eltérít, elterel [figyelmet]; mulattat, szórakoztat
diverting [daɪ'vɜ:tɪŋ] *a* szórakoztató
divest [daɪ'vest] *vt* megfoszt [ruhától, hivataltól]; ~ *oneself of sg* megfosztja magát vmtől; megválik vmtől
divide [dɪ'vaɪd] I. *n US* vízválasztó II.

A. *vt* **1.** (fel)oszt; szétoszt (*among/between* között) **2.** kettéoszt, megoszt [közösséget]; *opinions are ~d* megoszlanak a vélemények; *~ the House* szavazást rendel el (parlamentben) **3.** (el)oszt [számot]; *~ by four* néggyel oszt **4.** szétválaszt, elkülönít (*from* vmtől); elválaszt [szót] **B.** *vi* **1.** eloszlik; szétválik (*into* vmre) **2.** szavaz [parlamentben]
divide into *vt* -ra/re oszt; *~ i. pieces* darabokra oszt, feldarabol
divide up *vt* feloszt; (ki)adagol; felparcelláz
divided [dɪ'vaɪdɪd] *a* megosztott; fokokra osztott; *US ~ highway* osztottpályás úttest
dividend ['dɪvɪdend] *n* **1.** osztalék, jutalék **2.** osztandó
dividers [dɪ'vaɪdəz] *n pl* osztókörző
divination [dɪvɪ'neɪʃn] *n* **1.** jövendölés **2.** (meg)sejtés; jövőbe látás
divine¹ [dɪ'vaɪn] **I.** *a* **1.** isteni; *~ right of kings* az Isten kegyelméből való uralkodás (joga); *~ service* istentisztelet **2.** *biz* pompás, isteni **II.** *n* **1.** pap, lelkész **2.** hittudós
divine² [dɪ'vaɪn] *vt* **1.** megjósol **2.** megsejt, divinál
diviner [dɪ'vaɪnə*] *n* **1.** jós **2.** varázsvesszős forráskutató
diving ['daɪvɪŋ] *n* **1.** (mű)ugrás; vízbe ugrás **2.** lebukás **3.** zuhanás, zuhanórepülés
diving-bell *n* búvárharang
diving-board *n* ugródeszka, trambulin
diving-suit *n* búvárruha
divining-rod [dɪ'vaɪnɪŋ-] *n* (forráskutató) varázsvessző
divinity [dɪ'vɪnətɪ] *n* **1.** istenség **2.** hittudomány, teológia **3.** hitoktatás
divisible [dɪ'vɪzəbl] *a* osztható
division [dɪ'vɪʒn] *n* **1.** osztás; *~ sign/mark* osztójel **2.** felosztás (*into* vmre); *~ of labour* munkamegosztás **3.** hadosztály **4.** szavazás [parlamentben] **5.** véleménykülönbség **6.** részleg; osztály; kerület; rész, szakasz **7.** válaszfal
divisor [dɪ'vaɪzə*] *n* osztó [szám]
divorce [dɪ'vɔ:s] **I.** *n* **1.** (el)válás [házas-

feleké] **2.** házassági bontóítélet; *sue for a ~* válópert indít **II.** *vt* **1.** elválik (vktől) **2.** elválaszt [házasfeleket] **3.** *biz* szétválaszt [dolgokat]
divorced [dɪ'vɔ:st] *a* elvált
divorcee [dɪvɔ:'si:] *n* elvált férfi/nő
divulgation [daɪvʌl'geɪʃn] *n* kifecsegés, elárulás [titoké]
divulge [daɪ'vʌldʒ] *vt* **1.** közzétesz **2.** elhíresztel, kifecseg
dixie, dixy ['dɪksɪ] *n* [katonai] csajka
Dixie (Land) ['dɪksɪ] *prop* 〈az USA egykori rabszolgatartó déli államai〉
Dixieland ['dɪksɪlænd] *n US* dixie(landstílus) [egy fajta dzsesszstílus]
dizziness ['dɪzɪnɪs] *n* szédülés
dizzy ['dɪzɪ] *a* **1.** szédülő; *feel ~* szédül **2.** szédítő
DJ [di:'dʒeɪ] **1.** *dinner-jacket* **2.** *disc jockey*
dl *decilitre(s)* deciliter, dl
D.Litt., DLitt [di:'lɪt] *Doctor of Letters* az irodalomtudományok doktora
dm *decimetre(s)* deciméter, dm
D.N.B., DNB [di:en'bi:] *Dictionary of National Biography* angol életrajzi lexikon
do¹ [du:; gyenge ejtésű alakjai: dʊ, də, d] *v* (*pt* **did** did, *pp* **done** dʌn; jelen idő egyes szám **3.** szem. **does** dʌz, gyenge ejtésű alakjai: dəz, dz; *régies alakok:* jelen idő egyes szám **2.** szem **doest** 'du:ɪst (főige), **dost** dʌst (segédige); **3.** szem. **doeth** 'du:ɪθ (főige), **doth** dʌθ (segédige); *pt* **2.** szem. **didst** dɪdst) **I.** *Mint főige:* **A.** *vt* **1.** tesz, megtesz, elvégez; *what are you ~ing?* mit csinál(sz most)?; *~ wrong* rosszat tesz; *it isn't done* nem illik; *the car was ~ing sixty* a kocsi 60 mérföldes sebességgel száguldott; *~ what we would* akármit is tettünk/próbáltunk, minden erőfeszítésünk ellenére; *well done!* bravó!, ez már derék!; *what is to be done?* mi a teendő?; *the day is done* vége a napnak; *what ~ you ~ on Sundays?* mit szoktál vasárnap(onként) csinálni?; *~ one's best* megtesz minden tőle telhetőt; *~ one's duty* megteszi a kötelességét; *~ one's time* katonai szolgálatát teljesíti; *~ one's*

work elvégzi/megcsinálja a munkáját; it does him good (1) jót tesz neki (2) úgy kell neki; it does no good to ... nem érdemes ..., nem használ semmit, ha ...; he did London in two days két nap alatt megtekintette L-t 2. (el)készít, (meg)csinál; ~ a part (vmlyen) szerepet játszik; ~ a sum számtanpéldát megold/megcsinál; ~ a translation fordítást csinál 3. rendbe tesz; ~ a room szobát kitakarít 4. elbánik vkvel; becsap, rászed; biz ~ sy in the eye, ~ sy brown kitol vkvel, átejt vkt 5. be done „kivan"; I am done ki vagyok merülve, alig állok a lábamon 6. kiszolgál/ellát vkt; he does himself well/proud igen jól él [= étkezik] B. vi 1. cselekszik, viselkedik vhogyan; you'd ~ well to ... jól tennéd, ha ...; ~ well and ~ have well jótettért jót várj; ~ as you would be done by amit magadnak akarsz, azt tedd másnak is 2. vmlyen eredményt ér el; vhogyan megy (vknek); be ~ing well (1) jól megy neki (v. a sora) (2) szépen halad [az iskolában], jól megy neki (a tanulás); how ~ you ~? ⟨bemutatkozáskor/találkozáskor használt udvariassági formula, amelyre ugyanezekkel a szavakkal szokás válaszolni⟩, kb. jó napot kívánok 3. megfelel; elegendő; this/that will ~ (1) ez (így) jó lesz (2) elég lesz (3) elég legyen már ebből; make ~ →make II. B. 2.; it doesn't ~ to ... nem okos dolog (vmt tenni) 4. végez vkvel/vmvel; be/have done! hagyd már abba!; ebből elég volt!; done! rendben! megegyeztünk! II. 1. (mint igepótló:) You like her, don't you? ugye szereted?; He likes it, doesn't he? ugye, (ő) szereti?; you don't like it, ~ you? ugye nem szereted/tetszik?; you like her, ~ you? te persze szereted ...; so ~ I én is (úgy teszek) 2. (nyomatékként:) he did go tényleg elment; ~ sit down! tessék leülni!, üljön (már) le! III. v aux ~ you see him? látod őt?; I ~ not know, I don't know nem tudom; she does not (v. doesn't) play tennis ő nem teniszezik; don't go! ne menj(etek)!; don't!

hagyd már abba!; did you see it? látta(d)?; Yes, I did igen(, láttam); No, I didn't nem(, nem láttam) do away vt eltávolít do away with vi 1. megszüntet 2. elpusztít do by vi eljár (vkvel); ~ well by sy vkvel jót tesz; ~ badly by sy vkvel rosszat tesz ||→ do¹ I.B.1. do for A. vt megöl, tönkretesz; I am done f. végem van B. vi 1. megfelel vk/vm helyett 2. gondoskodik vkről/vmről; what can I ~ f. you? (1) mivel szolgálhatok? [boltban] (2) mivel lehetek szolgálatára? do in vt □ megöl (vkt); bead (vknek); kicsinál (vkt) do into vt [más nyelvre] lefordít do on vt/vi megél (vmn), kijön (vmből) do out vt kitakarít [helyiséget] do out of vt kiforgat [vagyonából] do over vt 1. bevon [festékkel]; áttöröl [ruhával] 2. átdolgoz; felújít do up vt 1. elrendez; előkészít; kitálal 2. átalakít [ruhát]; rendbe hoz [házat]; kikészít [arcot]; összecsomagol; becsomagol [árut] 3. begombol; bekapcsol [ruhát] 4. kifáraszt, tönkretesz do with vi 1. elégnek talál, beéri vele 2. elvisel, kibír 3. szüksége van vmre; I could ~ w. a cup of tea de meginnék egy csésze teát 4. have to ~ w. sy/sg kapcsolata van vkvel/vmvel; köze van vkhez/vmhez; have nothing to ~ w. sy/sg semmi köze sincs vkhez/vmhez, semmi kapcsolata sincs vkvel/vmvel; have done w. it! intézd el végleg!, essünk át rajta!, hagyd abba! do without vi megvan vk/vm nélkül do² [du:] n biz 1. felhajtás, cécó, muri 2. csalás 3. ellátás [szállóban stb.] do. ['dɪtoʊ] ditto dobbin ['dɔbɪn; US -ə-] n igásló doc [dɔk; US -ə-] n = doctor docile ['doʊsaɪl; US 'dɑsl] a tanulékony; kezelhető docility [doʊ'sɪlətɪ] n tanulékonyság dock¹ [dɔk; US -ə-] I. n (hajó)dokk; kikötő II. A. vt 1. dokkba állít, dokkol

2. összekapcsol [űrhajókat] **B.** *vi* **1.** kiköt, beáll a dokkba, dokkol **2.** összekapcsolódik [két űrhajó]

dock² [dɔk; *US* -ɑ-] *n* vádlottak padja

dock³ [dɔk; *US* -ɑ-] *vt* **1.** megkurtít [állat farkát] **2.** megnyirbál [fizetést stb.]

dockage ['dɔkɪdʒ; *US* -ɑ-] *n* **1.** dokkdíj **2.** dokkba állás, dokkolás

docker ['dɔkə*; *US* -ɑ-] *n* dokkmunkás

docket ['dɔkɪt; *US* -ɑ-] **I.** *n* **1.** jegyzék, lista **2.** cédula **3.** tartalmi kivonat **4.** rendelőlap **5.** vámnyugta **II.** *vt* **1.** tartalmat ír **2.** feljegyez

dockyard *n* hajógyár

doctor ['dɔktə*; *US* -ɑ-] **I.** *n* **1.** doktor [egyet. fokozat]; ~'*s degree* (bölcsész-) doktori fokozat, doktorátus **2.** orvos, doktor **II. A.** *vt* **1.** orvosol, gyógyít **2.** hamisít [okmányt, adatokat] **B.** *vi* orvosi gyakorlatot folytat

doctorate ['dɔkt(ə)rɪt; *US* 'dɑ-] *n* doktorátus

doctrinaire [dɔktrɪ'neə*; *US* dɑ-] *n* doktriner

doctrine ['dɔktrɪn; *US* -ɑ-] *n* tan(tétel), doktrina; (vallási) dogma

document I. *n* ['dɔkjʊmənt; *US* 'dɑ-] okirat, okmány **II.** *vt* ['dɔkjʊment; *US* 'dɑ-] okmányokkal igazol/bizonyít; dokumentál

documentary [dɔkjʊ'ment(ə)rɪ; *US* dɑ-] **I.** *a* okirati; okmányszerű; hiteles; ~ *film* dokumentumfilm **II.** *n* dokumentumfilm

documentation [dɔkjʊmen'teɪʃn; *US* dɑ-] *n* bizonyítékokkal való alátámasztás, dokumentáció

dodder ['dɔdə*; *US* -ɑ-] *vi* totyog, csoszog; ~ *along* öregesen megy/bandukol

dodderer ['dɔdərə*; *US* -ɑ-] *n* vén trotli

dodge [dɔdʒ; *US* -ɑ-] **I.** *n* **1.** félreugrás, kitérés **2.** (ügyes) szerkezet **3.** fortély, csel **II. A.** *vt* kikerül [ütést, nehézséget]; kihúzza magát [katonai szolgálat stb. alól] **B.** *vi* **1.** félreugrik (vm elől); cselez **2.** ravaszkodik, mesterkedik

dodger ['dɔdʒə*; *US* -ɑ-] *n* svindler

dodo ['dəʊdəʊ] *n* dodó [egy kihalt csendes-óceáni madár]; *dead as the* ~ idejétmúlt dolog

doe [dəʊ] *n* **1.** őzsuta, dámvadtehén **2.** nőstény nyúl/patkány/menyét

doer ['du:ə*] *n* tevő, aki tesz

does → *do¹*

doeskin ['dəʊskɪn] *n* őzbőr

doesn't ['dʌznt; ha utána szó következik: dʌzn] = *does not* →*do¹*

doest, doeth →*do¹*

doff [dɔf; *US* -ɑ-] *vt* † **1.** levet [kalapot, ruhát, modort] **2.** [kalapot] emel

dog [dɔg; *US* -ɔ:- v. -ɑ-] **I.** *n* **1.** kutya, eb; *GB the* ~*s* agárverseny; *go to the* ~*s* tönkremegy, rossz sorsra jut; *a* ~'*s life* kutya rossz sors; *lead a* ~'*s life* rossz sora van; *every* ~ *has his day* a szerencse nem kerül el senkit; ~ *eats* ~ két gazember marakodik; ~ *does not eat* ~ holló a hollónak nem vájja ki a szemét; *let sleeping* ~*s lie* ne ébreszd fel az alvó oroszlánt !, ne játssz a tűzzel !; ~ *in the manger* „irigy kutya"; *US biz put on the* ~ felvág, nagyképűsködik, fontoskodik **2.** fickó; *dirty* ~ piszok fráter; *biz gay/jolly* ~ nőcsábász, mulatós ember; *a lucky* ~ szerencsés fickó **3.** hím [egyes emlősöké]; ~ *fox* kan róka **4.** vaskapocs; kampó **5.** tuskóbak [kandallóban] **II.** *vt* **-gg-** nyomon követ (vkt)

dog-biscuit *n* kutyaeledel

dog-cart *n* **1.** kétkerekű kis lovaskocsi **2.** kutyafogat

dog-collar *n* **1.** nyakörv **2.** □ tiszti/papi pléhgallér

dog-days *n pl* kánikula, hőségnapok

dog-eared *a* szamárfüles [könyv]

dogface *n* □ **1.** regruta, újonc **2.** gyalogos, baka

dog-fancier *n* kutyabarát

dog-fight *n* közelharc [vadászgépek között]

dogged ['dɔgɪd; *US* -ɔ:- v. -ɑ-] *a* kitartó, makacs; *it's* ~ *does it* erős akarat diadalt arat

doggerel ['dɔg(ə)rəl; *US* 'dɔ:- v. 'dɑ-] *n* (páros rímű) fűzfavers, klapancia

doggie ['dɔgɪ; *US* -ɔ:- v. -ɑ-] *a/n* = *doggy*

doggish ['dɔgɪʃ; *US* -ɔ:- v. -ɑ-] *a* **1.** kutyaszerű **2.** barátságtalan **3.** *biz* elegáns, mutatós

doggo ['dɔgou; US 'dɔ:-] a □ lie ~ lapul, halottnak tetteti magát
doggone [dɔg'gɔn; US -ɔ:--ɔ:- v. -a--a-] a biz istenverte
doggy ['dɔgɪ; US -ɔ:- v. -a-] I. a 1. kutyaszerű 2. jampecos II. n kutyus(ka); ~ bag ⟨zacskó ételmaradék hazavitelére étteremből kutyának⟩
doghouse n US biz kutyaól; in the ~ igen megalázó helyzetben
dog-Latin n konyhalatin(ság)
dog-lead [-li:d] n póráz
dogma ['dɔgmə; US -ɔ:- v. -a-] n hittétel, dogma
dogmatic [dɔg'mætɪk; US dɔ:g- v. dag-] a 1. dogmatikus 2. biz ellentmondást nem tűrő, határozott
dogmatics [dɔg'mætɪks; US dɔ:g- v. dag-] n dogmatika
dogmatize ['dɔgmətaɪz; US 'dɔ:- v. da-] vi dogmatikus kijelentés(eke)t tesz
do-gooder [du:'gudə*] n (biz) ⟨naiv kisstilű emberbarát⟩, jótét lélek
dog-rose n vadrózsa
dog's-ear n szamárfül [könyvben]
dog-show n kutyakiállítás
dog-tag n 1. kutyabárca 2. □ dögcédula
dog-tired a holtfáradt
dogtooth n (pl -teeth) farkasfog [dísz]
dogwatch n őrszolgálat [hajón du. 4—6 vagy este 6—8]
dogwood n som
doily ['dɔɪlɪ] n (kis) zsúrterítő, szet
doing ['du:ɪŋ] n 1. tett 2. **doings** pl üzelmek, mesterkedések; vk viselt dolgai; fine ~s these! szép kis ügy!
‖ → do¹
do-it-yourself [du:ɪtjɔ:'self] a összeállítható, -szerelhető [bútor, játék stb]; „csináld magad"
doldrums ['dɔldrəmz; US 'da-] n pl szélcsend; the ~ (1) rossz hangulat (2) biz (gazdasági) pangás
dole [doul] n 1. alamizsna 2. biz munkanélküli-segély; be on the ~ munkanélküli-segélyen él II. vt ~ out (szűkösen) kioszt, szétoszt
doleful ['doulful] a szomorú, gyászos
doll [dɔl; US -a-] I. n 1. (játék)baba; ~'s house babaház 2. babaarcú (de

nem okos) nő II. vt ~ (oneself) up kicsipi magát
dollar ['dɔlə*; US -a-] n 1. dollár [jele: $]; ~ area dollárövezet; US ~ store filléres áruház, olcsó áruk boltja 2. † tallér
dollop ['dɔləp; US -a-] n tömb, massza
dolly¹ ['dɔlɪ; US -a-] I. n 1. babácska 2. targonca; kamerakocsi [tévé v. film] II. vi kocsizik [kamerakocsival]
Dolly² ['dɔlɪ; US -a-] prop Dóri, Dorka
dolmen ['dɔlmən; US -a-] n dolmen, kőasztal
dolomite ['dɔləmaɪt; US 'da-] n dolomit
dolor → dolour
dolorous ['dɔlərəs; US 'da-] a bús, fájdalmas
dolour, US -or ['dɔlə*; US 'dou-] n fájdalom, bú
dolphin ['dɔlfɪn; US -a-] n delfin
dolt [doult] n tökfilkó
doltish ['doultɪʃ] a ostoba, mafla
domain [dou'meɪn] n 1. birtok; vmlyen fennhatóság alatt álló terület; dominium 2. átv (tárgy)kör, tér; [kutatási] terület; it is not in my ~ nem tartozik hatáskörömbe v. érdeklődési körömbe
dome [doum] n kupola
domed [doumd] a domború; boltozatos
Domesday Book ['du:mzdeɪ] ⟨Anglia földbirtokkönyve [1086-ból]⟩
domestic [də'mestɪk] I. a 1. házi; családi; ~ animal háziállat 2. háztartási; ~ coal háztartási szén; ~ science háztartástan; ~ servant háztartási alkalmazott 3. belföldi, hazai; ~ affairs belügyek [vmely ország é]; ~ trade belkereskedelem II. n 1. (házi)cseléd; háztartási alkalmazott 2. **domestics** pl háziipari termékek
domesticate [də'mestɪkeɪt] vt 1. megszelídít [állatot] 2. háziasságra nevel; ~d woman házias nő
domestication [dəmestɪ'keɪʃn] n 1. megszelídítés 2. meghonosítás
domesticity [doume'stɪsətɪ] n 1. családi élet(hez való ragaszkodás) 2. háziasság
domicile ['dɔmɪsaɪl; US 'daməs(ə)l] n állandó lak(ó)hely/lakás; right of ~ letelepedési jog

16

domiciliary [dɔmɪ'sɪljərɪ; US damə'sɪ-lıerı] a házi, ház-; ~ visit házkutatás
dominance ['dɔmɪnəns; US 'dɑ-] n uralkodás, túlsúly; eluralkodás
dominant ['dɔmɪnənt; US 'dɑ-] a 1. uralkodó, túlsúlyban levő, domináns 2. ~ chord domináns (hármas)hangzat; ~ hill a környéket uraló domb
dominate ['dɔmɪneɪt; US 'dɑ-] A. vt uralkodik vkn/vmn B. vi túlsúlyban van
domination [dɔmɪ'neɪʃn; US dɑ-] n uralkodás; uralom (over vm fölött)
domineer [dɔmɪ'nɪə*; US dɑ-] vt/vi zsarnokoskodik (over vkvel)
domineering [dɔmɪ'nɪərɪŋ; US dɑ-] a fennhéjázó; zsarnoki [hang, modor]
Dominican [də'mɪnɪkən] a/n domonkosrendi
dominion [də'mɪnjən] n 1. uralom, uralkodás 2. dominium
domino ['dɔmɪnoʊ; US 'dɑ-] n (pl ~es -z) dominó [játék, jelmez]
don¹ [dɔn; US -ɑ-] n előadó, tanár [angol egyetemeken]
don² [dɔn; US -ɑ-] vt -nn- felvesz, feltesz [ruhát, kalapot]
Donald ['dɔnld; US -ɑ-] prop Donald
donate [doʊ'neɪt] vt adományoz; ajándékoz
donation [doʊ'neɪʃn] n adomány, ajándék
done [dʌn] a 1. kimerült, elfáradt 2. becsapott 3. elkészített; sült; főtt [étel] || →do¹
donjon ['dɔndʒ(ə)n; US -ʌ-] n vártorony
donkey ['dɔŋkɪ; US -ɑ-] n 1. szamár; biz for ~'s years igen hosszú ideig, „ezer éve" 2. US a demokrata párt (jelképe)
donkey-engine n (kisegítő) gőzgép [hajón]
donkey-work n gürcölés, kulimunka, gépies munka
Donne [dʌn v. dɔn] prop
donned [dɔnd; US -ɑ-] →don²
donnish ['dɔnɪʃ; US -ɑ-] a 1. (angol) egyetemi tanárra jellemző 2. tanáros
donor ['doʊnə*] n 1. adományozó 2. donor; ~ of blood véradó, donor
Don Quixote [dɔn'kwɪksət; US dɑnkɪ-'hoʊtɪ] prop Don Quijote

don't [doʊnt; ha utána szó következik: doʊn] == do not →do¹
doodle ['du:dl] vi (szórakozottan) firkál
doom [du:m] I. n 1. balsors, végzet; he met his ~ at . . . halálát lelte vhol 2. † ítélet; the day of ~ a végítélet napja; until the crack of ~ ítéletnapig II. vt (el)ítél (to vmre)
doomed [du:md] a kudarcra/halálra ítélt
doomsday ['du:mzdeɪ] n utolsó ítélet; (átv is) till ~ ítéletnapig
door [dɔ:*] n ajtó; kapu; from ~ to ~ háztól házig; next ~ a szomszéd(ban); next ~ to sg majdnem, szinte határos vmvel; out of ~s a szabadban, kint; within ~s otthon; bent; keep within ~s otthon marad; be denied the ~ zárt ajtóra talál; lay sg at sy's ~ hibáztat vkt vmért, vmt vkre ken; show sy the ~ ajtót mutat vknek, kiutasít vkt; show sy to the ~ kikísér vkt; close/shut the ~ to/on sg megakadályoz vmt, lehetetlenné tesz vmt, beteszi az ajtót vmnek
door-bell n kapucsengő
door-case n ajtótok, ajtókeret
doorjamb n ajtófélfa
door-keeper n kapus
door-knob n kilincsgomb
door-man n (pl -men) kapus, portás
door-mat n lábtörlő
door-nail n ajtó(veret)szeg; dead as a ~ (egészen) halott, már egy szikra élet sincs benne
door-plate n névtábla [ajtón, kapun]
door-post n ajtófélfa
door-scraper n sárlehúzó vas, cipőkaparó [kapu előtt]
door-step n küszöb, lépcső [kapu előtt]
doorway n kapualj; ajtónyílás
dope [doʊp] I. n 1. biz kábítószer; dopping(szer), ajzószer [sportolóknak stb.]; ~ test doppingvizsgálat 2. lakk, firnisz 3. US □ bizalmas értesülés; pass the ~ leadja a drótot 4. □ hülye alak/pacák II. vt kábítószert ad (be) (vknek); doppingol [lovat, versenyzőt]
dope-fiend n □ kábítószer rabja
dop(e)y ['doʊpɪ] a □ 1. lassú agymozgású 2. kábult [kábítószertől]
Dora ['dɔ:rə] prop Dóra

Doric ['dɔrɪk; US -ɔ:-] a dór [stílus];
~ order dór oszloprend
dorm [dɔ:m] n biz = dormitory
dormant ['dɔ:mənt] a 1. alvó, szunnya-
dó 2. rejtett; ~ partner csendestárs
dormer-window ['dɔ:mə-] n manzárdab-
lak, tetőablak
dormitory ['dɔ:mɪtrɪ; US -ɔ:rɪ] n 1.
GB hálóterem 2. US lakópavilon
[főiskolán], diákotthon
dormouse ['dɔ:maʊs] n (pl -mice -maɪs)
pele
Dorothy ['dɔrəθɪ; US -ɔ:-] prop Doroty-
tya
dorsal ['dɔ:sl] a háton levő, háti
Dorset ['dɔ:sɪt] prop
dory ['dɔ:rɪ] n lapos fenekű csónak
dosage ['doʊsɪdʒ] n 1. adagolás 2. adag
dose [doʊs] I. n adag II. vt 1. adagol
[orvosságot]; ~ out kiadagol [gyógy-
szert] 2. ~ oneself (with sg) gyógysze-
reli önmagát (vmvel)
dosser ['dɔsə*; US -ɑ-] n hajléktalan,
éjjeli menedékhely lakója
doss-house ['dɔs-; US -ɑ-] n éjjeli mene-
dékhely
dossier ['dɔsɪeɪ; US -ɑ-] n aktacsomó;
dosszié
dost → do[1]
dot[1] [dɔt; US -ɑ-] I. n pont [írásjel];
~s and dashes pont-vonal, pont-vonás,
morzejelek; biz on the ~ hajszálpon-
tosan; ☐ off one's ~ bolond II. vt
-tt- 1. pontot tesz [betűre]; (ki-)
pontoz; ~ the/one's i's (and cross
the/one's t's) túl pedáns, túl aprólé-
kosan/részletesen ad elő; ~ted line
pontozott vonal 2. tarkit; pettyez;
~ted with (vmvel) tarkított
dot[2] [dɔt; US -ɑ-] n hozomány
dotage ['doʊtɪdʒ] n 1. aggkori gyenge-
ség 2. majomszeretet
dote [doʊt] vi ~ upon sy majomszere-
tettel csüng vkn
doth → do[1]
doting ['doʊtɪŋ] a 1. túlzottan rajongó
2. szenilis
dotted ['dɔtɪd; US -ɑ-] a ~ line ponto-
zott vonal ‖ → dot[1] II.
dotty ['dɔtɪ; US -ɑ-] a 1. (ki)pontozott
2. biz hülye, eszelős

double ['dʌbl] I. a 1. kétszeres, kettős,
dupla; iker; ~ bedroom kétágyas szo-
ba; ~ chin dupla/nagy toka; ~ stan-
dard kétféle nemi erkölcs; ~ the
number kétszer annyi 2. álnok, ha-
mis; ~ game kétszínű játék II. adv
kétszeresen, kétszer annyi(t); ~ as
long (as ...) kétszer annyi ideig
(mint ...); bend ~ meghajlít; bent
~ (with pain) a fájdalomtól meggör-
nyedve III. n 1. kétszerese vmnek,
vmnek a duplája; ~ or quits dupla
vagy semmi; at the ~ futólépésben 2.
hasonmás, alteregó 3. dublőr, dublőz
4. biz kétágyas szoba 5. páros [sport-
ban]; men's ~ férfipáros 6. varga-
betű, kerülő út IV. A. vt 1. megkettőz,
megdupláz; ~ one's income duplájára
emeli jövedelmét 2. összehajt; ~
one's fist kezét ökölbe szorítja; ~
the legs keresztbe teszi a lábát 3.
~ a cape hegyfokot körülhajóz/meg-
kerül B. vi 1. megkettőződik, meg-
duplázódik 2. futólépésben megy 3.
visszakanyarodik [folyó stb.]
double back A. vt visszahajt B. vi
1. visszafut; visszakanyarodik 2.
visszahajlik
double down vt behajt [lapot]
double over vi meggörnyed
double up A. vt 1. összehajt(ogat);
kétrét hajt 2. ~ sy up with sy össze-
rak vkt vkvel [egy szobába] B. vi
1. kétrét görnyed, összekuporodik
2. odafut [futólépésben] 3. ~ up
with sy megoszt vkvel [szobát, ka-
bint]
double-barrelled, US -reled [-bær(ə)ld]
a 1. kétcsövű [puska] 2. kétélű [bók]
double-bass n nagybőgő
double-breasted [-'brestɪd] a kétsoros
[kabát]
double-cross vt US biz becsap, átejt
[cinkostársat]
double-dealer n kétszínű/kétkulacsos em-
ber
double-dealing n kétszínűség, kétkula-
csosság
double-decker [-'dekə*] n ~ (bus) eme-
letes autóbusz
double-dyed a minden hájjal megkent

16*

double-entry bookkeeping kettős könyvvitel
double-faced a kétszínű [ember]
double-lock vt kulcsot zárban kétszer megfordít, duplán bezár, kétszer rázár
double-quick adv futólépésben; nagyon gyorsan
doublet ['dʌblɪt] n 1. (szó)pár 2. másolat 3. † zeke
double-talk n kétértelmű beszéd; halandzsa
double-time n futólépés
double-tongued [-'tʌŋd] a kétszínű, hamis [ember]
double-track a 1. kettős vágányú [vasútvonal] 2. kétsávos [magnó]
doubletree n kisafa
double-width cloth duplaszéles szövet
doubly ['dʌblɪ] adv kétszeresen
doubt [daʊt] I. n kétség; beyond/without ~ kétségkívül; in ~ bizonytalanságban, kétségben; no ~ kétségkívül; there is no ~ about that ehhez nem fér kétség; cast ~s on sg kétségbe von vmt II. A. vt kételkedik (vmben), kétségbe von (vmt); I ~ it kétlem B. vi kételkedik; ~ing Thomas hitetlen Tamás
doubtful ['daʊtfʊl] a 1. kétséges, kétes 2. kétes (hírű); gyanús
doubtfulness ['daʊtfʊlnɪs] n bizonytalanság; kétségesség
doubtless ['daʊtlɪs] I. a kétségtelen II. adv kétségtelenül
douche [duːʃ] I. n zuhany 2. irrigátor II. vi/vt 1. zuhanyoz 2. irrigál, öblit
dough [doʊ] n 1. tészta 2. US □ dohány, guba
doughboy ['doʊbɔɪ] n 1. zsemlegombóc 2. US □ baka, gyalogos (közlegény)
doughnut ['doʊnʌt] n fánk
doughy ['doʊɪ] a 1. tésztás, szalonnás [kenyér]; tésztaszerű 2. fakó [arc]
Douglas ['dʌɡləs] prop ⟨skót férfinév⟩
dour [doʊə*] a sk 1. morcos, savanyú; szigorú 2. makacs
douse [daʊs] vt 1. vízbe márt 2. vizet locsol/önt (vkre) 3. gyorsan bevon [vitorlát] 4. kiolt [fényt]
dove [dʌv] n 1. galamb 2. US háborúellenes (politikus)
dovecote ['dʌvkoʊt] n galambdúc

Dover ['doʊvə*] prop
dovetail ['dʌvteɪl] I. n fecskefark(ú illesztés), fecskefarkkötés II. A. vt fecskefarkkal összeilleszt B. vi jól összeillik/összepasszol [elgondolás, terv]
dowager ['daʊədʒə*] n főrend özvegye
dowdy ['daʊdɪ] a rosszul öltözött, lompos [nő]
dowel ['daʊəl] n (fa)csap; tipli
dower ['daʊə*] I. n 1. † hozomány, móring 2. özvegyi jog 3. biz (természeti) adomány II. vt 1. † hozományt ad 2. özvegyi jogot biztosit
down¹ [daʊn] I. a lefelé irányuló, le-; alsó; ~ payment első (fizetési) részlet, foglaló; ~ train a fővárosból (Londonból) kifelé induló vonat II. adv 1. le, lefelé; ~! feküdj! [kutyához]; ~ with him! le vele!, abcúg! 2. lent; the blind is ~ a redőny le van húzva; ~ below ott lent; ~ here itt (mifelénk); ~ in the country vidéken; ~ under (1) a világ túlsó végén (2) biz Ausztráliában; be ~ (1) lent van (a földön) (2) megjött az egyetemről [diák] (3) nincs már az egyetemen [diák]; he is not ~ yet még nem jött le (a hálószobájából); ~ with a cold megfázással fekszik; bread is ~ olcsóbb lett a kenyér; he is ~ for $5 5 dollárt jegyzett; he is $5 ~ 5 dollár a hiánya; your tyres are ~ leengedtek a(z autó-) gumijai 3. (sorrend, idő:) ~ to recent times a legújabb időkig; ~ from the 16th century a XVI. század óta 4. átv biz lent, leégve; ~ in the mouth elszontyolodva; ~ and out leégett, lecsúszott [ember]; be ~ on sy pikkel vkre; ~ on one's luck pechje van III. prep 1. lent; ~ town (benn) a városban 2. lefelé; irányában; ~ the river a folyón lefelé; a folyás irányában; ~ the wind a szél irányában IV. n the ups and ~s of life az élet viszontagságai; jó és balsors V. vt 1. legyőz; ~ an aeroplane leszállásra kényszerit repülőgépet 2. letesz; ~ a glass of beer lehajt egy pohár sört; ~ tools sztrájkba lép
down² [daʊn] n pihe, pehely

downcast *a* 1. lehangolt, levert 2. lesütött [szem]
downfall *n* 1. (*átv is*) esés, bukás 2. leesés, lehullás [hóé, esőé]
down-grade I. *n* 1. lejtő 2. hanyatlás, romlás; *on the* ~ hanyatlóban II. *vt* leminősít, áthelyez [alacsonyabb munkakörbe]
down-hearted *a* lehangolt; elcsüggedt
downhill *adv* 1. dombról le, völgymenetben 2. *go* ~ *átv biz* romlásnak indul, hanyatlik
Downing Street ['daʊnɪŋ] 1. ⟨utca a mindenkori angol miniszterelnök hivatalos lakásával⟩ 2. *biz* a(z angol) kormány
downmost *a* legalsó
downpour *n* felhőszakadás
downright I. *a* 1. őszinte, egyenes [ember, beszéd] 2. kétségtelen; ~ *lie* arcátlan hazugság II. *adv* 1. egyenesen, őszintén 2. határozottan, kétségtelenül
Downs [daʊnz] *n pl the* ~ ⟨két délangliai dombsor⟩
down-stage *adv* a színpad elején/előterében
downstairs I. *a* a lenti/földszinti [szobák] II. *adv* 1. a földszinten, lent 2. [lépcsőn] lefelé; *go* ~ lemegy [a földszintre] III. *n* földszint; lenti/földszinti szobák/lakók
down-stream *adv* folyás irányában
down-to-earth *a* gyakorlatias, praktikus; reális, kézzelfogható
downtown *US biz* I. *adv* a (bel)városba(n) II. *n* belváros; üzleti negyed
downtrodden *a* elnyomott, leigázott [nép]
downward ['daʊnwəd] I. *a* lefelé irányuló; *a* ~ *path* lefelé menő ösvény II. *adv* = downwards
downwards ['daʊnwədz] *adv* 1. lefelé; *look* ~ lefelé néz 2. óta; *from the 12th century* ~ a XII. század óta
downy[1] ['daʊnɪ] *a* pelyhes, puha
downy[2] ['daʊnɪ] *a* dombos
dowry ['daʊərɪ] *n* hozomány
dowse [daʊz] *vi* varázsvesszővel vizet/ásványt kutat
dowsing-rod ['daʊzɪŋ-] *n* = divining-rod
doz. dozen

doze [doʊz] I. *n* szendergés II. *vi* szundikál, bóbiskol
dozen ['dʌzn] *n* tucat; ~*s and* ~*s of times* számtalanszor
D.P., DP [diː'piː] *Displaced Person*
D.Phil., DPhil [diː'fɪl] *Doctor of Philosophy*
dpt. *department*
Dr., Dr *Doctor* doktor, Dr., dr.
dr *dram(s)*
drab[1] [dræb] *n* † szajha
drab[2] [dræb] *a* 1. szürkésbarna 2. *biz* szürke, örömtelen [élet]
drachm [dræm] *n* = dram
draft [drɑːft; *US* -æ-] I. *n* 1. *US biz* (katonai) összeírás, sorozás; behívás 2. különítmény 3. intézvény, váltó; ~ *at sight* látra szóló váltó 4. vázlat, tervrajz 5. fogalmazvány, tervezet; piszkozat [írásműé, levélé stb.] II. *vt* 1. *US* besoroz, behív [katonának] 2. kikülönít, kiküld [különítményt] 3. megír, (meg)szerkeszt, (meg)fogalmaz; tervezetet készít (vmről); piszkozatot ír (vmről) ‖ →draught
draftboard *n US* sorozóbizottság
draftee [drɑːf'tiː; *US* -æ-] *n US* 1. besorozott 2. újonc
drafting ['drɑːftɪŋ; *US* -æ-] *n* megfogalmazás; vázlatkészítés
draftsman ['drɑːftsmən; *US* 'dræf-] *n* (*pl* -men -mən) 1. fogalmazó 2. műszaki rajzoló
drag [dræg] I. *n* 1. húzás, vonszolás; *walk with a* ~ húzza a lábát 2. postakocsi, batár 3. kotró(gép); kotróháló 4. borona 5. (fék)saru; *put a* ~ *on a wheel* saruféket tesz a kerékre 6. akadály, kolonc, teher; *be a* ~ *on sy* nyűg/teher vk nyakán 7. légellenállás [repülőgépé] 8. □ szippantás, slukk [cigarettából] II. *v* -gg- A. *vt* 1. húz, vonszol; ~ *one's feet* (1) húzza a lábát (2) *átv* immel-ámmal csinál vmt 2. vontat 3. kotor [folyó/tó fenekét]; átkutat (*sg for sg* vmit vmért); ~ *one's brain* töri a fejét B. *vi* 1. vánszorog 2. (el)húzódik; vontatottan folyik [előadás]
    drag along *vt* magával hurcol
    drag away *vt* elhurcol

drag behind *vi* hátramaradozik
drag in *vt* **1.** behúz, becipel **2.** előráncigál [beszédtémát]
drag out *vt* **1.** kikotor [folyót, tavat] **2.** kihúz [ágyból]; ~ *the truth o. of sv* kiszedi vkből az igazságot **3.** elnyújt [történetet, ügyet]
drag up *vt* **1.** felvonszol **2.** vízből kihalász; *átv* felhoz [történetet, kérdést] **3.** *biz* gondatlanul (v. nem valami jól) nevel
dragbar *n* vonórúd
dragged [drægd] → *drag II.*
draggle ['drægl] *vt* **1.** sárban húz [szoknyát] **2.** vánszorog
draggled ['drægld] *a* loncsos, lucskos
drag-net *n* fenékháló, vonóháló
dragoman ['drægoumən] *n* (*pl* ~s -mənz) keleti tolmács, dragomán
dragon ['dræg(ə)n] *n* sárkány
dragonfly *n* szitakötő
dragoon [drə'gu:n] **I.** *n* dragonyos **II.** *vt* *biz* ~ *sy into doing sg* kierőszakolja, hogy vk megtegyen vmt
drain [dreın] **I.** *n* **1.** vízlevezető cső/csatorna; *throw money down the* ~ kidobja a pénzt az ablakon **2.** **drains** csatornahálózat, kanális, alagcsövezés **3.** drén(cső) **4.** (erő)elvonás; igénybevétel **II. A.** *vt* **1.** lecsapol; kiszárít; csatornáz **2.** kiürít [poharat] **3.** kiszipolyoz; elhasznál [erőforrást] **B.** *vi* **1.** elfolyik **2.** kimerül, kiszárad
drainage ['dreınıdʒ] *n* **1.** lecsapolás; csatornázás, alagcsövezés **2.** csatornahálózat **3.** szennyvíz
drainage-basin *n* vizgyűjtő medence/terület
drain-pipe *n* vizlevezető cső, lefolyócső, szennyvízcsatorna, alagcső
drake [dreık] *n* gácsér
dram [dræm] *n* **1.** dram [súlyegység: 1,77 g] **2.** *biz* korty pálinka
dráma ['drɑ:mə] *n* **1.** szindarab, szinmü; dráma (*átv is*) **2.** drámairás; szinmüirodalom **3.** szinmüvészet
dramatic [drə'mætık] **I.** *a* drámai; ~ *art* szinmüvészet; ~ *criticism* szinikritika; ~ *performance* szinielőadás **II.** **dramatics** *n* szinmüvészet; szinjátszás; szinészi tehetség

dramatist ['dræmətıst] *n* drámairó
dramatize ['dræmətaız] *vt* **1.** dramatizál, szinre/szinpadra alkalmaz [regényt stb.] **2.** *átv* nagy felhajtást csinál (vmből)
drank → *drink II.*
drape [dreıp] *vt* szövettel bevon
draper [dreıpə*] *n* szövet(áru-)kereskedö
drapery ['dreıpərı] *n* **1.** szövetbolt **2.** háztartási textiláruk [függönyök stb.]. szövetek
drastic ['dræstık] *a* **1.** hathatós, alapos **2.** erős, drasztikus
drat [dræt] *int* ~ *it!* fene egye meg!
draught [drɑ:ft; *US* -æ-] **I.** *n* **1.** húzás, vonszolás; ~ *animal* igavonó barom **2.** (lég)huzat **3.** korty; *at a* ~ egy kortyra/cúgra **4.** kanalas orvosság **5.** csapolás; *beer on* ~, ~ *beer* csapolt sör **6.** merülési magasság [hajóé] **7. draughts** dáma(játék) **8.** = *draft I.* **II.** *vt* = *draft II.*
draughtboard *n* *GB* dámatábla ‖ → *draftboard*
draught-horse *n* igásló
draught-screen *n* spanyolfal, paraván
draughtsman ['drɑ:ftsmən; *US* 'dræf-] **1.** dámafigura **2.** = *draftsman*
draughty ['drɑ:ftı; *US* -æ-] *a* huzatos, légvonatos
draw [drɔ:] **I.** *n* **1.** húzás, vontatás; *quick on the* ~ gyorsan fegyverhez kap **2.** vonz(ó)erő **3.** döntetlen játék/mérkőzés **4.** sorshúzás; *a good* ~ jó fogás **5.** (kihúzott) nyereménytárgy **II.** *v* (*pt* **drew** dru:, *pp* ~n drɔ:n) **A.** *vt* **1.** (ki)húz [dugót, szöget; kártyát]; von; ~ *sy's teeth* (1) kihúzza vknek a fogát (2) kihúzza vknek a méregfogát; ~ *water* vizet húz [a kútból] **2.** vonz [pillantást, tömeget] **3.** (be)sziv; ~ *breath* (1) lélegzetet vesz (2) *átv* kifújja magát **4.** rajzol; vázol; (meg-)fogalmaz; ~ *in ink* tusrajzot készit **5.** felvesz [pénzt stb.]; vételez [anyagot, felszerelési cikket, katona fejadagot stb.]; merit [erőt, ihletet, információt] **6.** nyer [sorsjátékon]; ~ *lots* sorsot húz **7.** hengerel, nyújt [acélt] **8.** megereszt [acélt] **9.** lecsapol; *átv* ~ *it mild!* lassan a testtel!

~ *tea* leforráz teát 10. intézvényez |váltót]; kiállít [csekket] 11. kibélez [baromfit] B. *vi* 1. húzódik; húz; ~ *to sy* vonzódik vkhez 2. közeledik; ~ *to an end* vége felé jár, végéhez közeledik; ~ *near* közeledik, közelit 3. huzata van, húz, szelel [kémény, pipa] 4. szinesedik [tea állástól] 5. duzzad, fog, húz |vitorla] 6. döntetlenre végződik [mérkőzés], döntetlent ér el 7. rajzol
draw across *vt* összehúz [függönyt ablak előtt]
draw aside *vt* 1. széthúz [függönyt] 2. félrevon (vkt)
draw back A. *vt* visszahúz B. *vi* 1. visszahúzódik; elpártol (vktől) 2. habozik
draw down *vt* 1. lehúz, behúz [kalapot] 2. jár [vmvel, következménynyel stb.]
draw in A. *vt* 1. behúz, bevon; beszív [levegőt] 2. bevált [csekket, váltót] 3. csökkent [kiadásokat] B. *vi* 1. takarékoskodik 2. rövidülnek [napok]
draw into A. *vi* begördül [vonat állomásra] B. *vt* bevon (vkt vmbe)
draw off A. *vt* lehúz [kesztyűt] B. *vi* eltávolodik, visszavonul
draw on *vt/vi* 1. felhúz [kesztyűt] 2. igénybe vesz (vmt); merít (vmből); hozzányúl [megtakarított pénzéhez] 3. csalogat 4. intézvényez [váltót] 5. közeledik [éjszaka]
draw out A. *vt* 1. kihúz (vmt vmből); kivesz [pénzt bankból] 2. beszédre bír (vkt) 3. kinyújt, kihengerel [fémet] 4. kihúz, elnyújt [beszélgetést stb.] B. *vi the days are* ~*ing out* a napok hosszabbodnak
draw up A. *vt* 1. felhúz [redőnyt]; ~ *oneself up* kihúzza magát 2. megfogalmaz, -szövegez; kidolgoz [tervet]; ~ *up minutes* jegyzőkönyvet felvesz; ~ *up an inventory* leltárt készít 3. odahúz [széket asztalhoz] 4. ~ *up (in battle order)* csatarendbe állít [csapatokat] B. *vi* 1. előáll, odaáll [kocsi] 2. megáll [kocsi] 3. felsorakozik [csapat]

drawback *n* 1. hátrány (*to sg* vmé) 2. vámvisszatérítés
drawbridge *n* felvonóhíd
drawee [drɔː'iː] *n* intézvényezett [váltóé]
drawer *n* 1. ['drɔːə*] váltó kibocsátója, intézvényező 2. ['drɔːə*] húzó [személy] 3. ['drɔːə*] rajzoló 4. [drɔː*] fiók 5. **drawers** [drɔːz] *pl* (igy is: *a pair of* ~s) alsónadrág
drawing ['drɔːɪŋ] I. *a* 1. rajzoló 2. vonó 3. vonzó; ~ *card* nagyhatású műsorszám, kaszadarab 4. ~ *account* csekkszámla II. *n* 1. rajz; rajzolás; *out of* ~ elrajzolt 2. húzás
drawing-board *n* rajztábla; *still on the* ~ még csak a tervek készültek el
drawing-knife *n* (*pl* -knives) vonókés
drawing-pin *n* rajzszeg
drawing-room *n* fogadószoba, társalgó, szalon
drawl [drɔːl] I. *n* vontatott beszéd II. *vi/vt* ~ (*out*) vontatottan mond/beszél
drawn [drɔːn] *a* 1. összehúzott |függöny]; kirántott [kard]; megnyúlt, fáradt [arc] 2. (el)döntetlen [mérkőzés] 3. kihúzott [szál]; ~ *work* szálhúzásos/azsúrozott kézimunka 4. tisztított, kibelezett [baromfi] || →*draw II.*
draw-well *n* húzókút
dray [dreɪ] *n* 1. targonca 2. † söröskocsi; stráfkocsi
dray-horse *n* igásló; söröslő
drayman ['dreɪmən] *n* (*pl* -men -mən) fuvaros; söröskocsis
Drayton ['dreɪtn] *prop*
dread [dred] I. *n* félelem, rettegés; *be in* ~ *of sy/sg* fél/retteg vktől/vmtől II. *vt* fél, retteg (vmtől); *I* ~ *to think of it* még a gondolattól is borzadok
dreadful ['dredf(ʊ)l] *a* 1. félelmes, szörnyű 2. *biz* irtó(zatos); borzasztó
dreadnought ['drednɔːt] *n* ⟨egy brit hadihajótípus a XX. század elején⟩
dream [driːm] I. *n* 1. álom; *have a* ~ álmodik, álmot lát 2. ábránd; vágyálom; *live in a* ~ álomvilágban él II. *v* (*pt/pp* ~ed v. ~t dremt) A. *vt* 1. álmodik; *you must have* ~*t it* ezt csak álmodtad 2. ábrándozik (vmről);

~ *away* *one's* *life* álmodozással tölti
az életét **B.** *vi* **1.** álmodik (*about*/*of*
vmről); *I* *shouldn't* ~ *of* *doing* *it*
álmomban se jutna eszembe ilyet
tenni **2.** ábrándozik (*of* vmről)
dreamer ['dri:mə*] *n* álmodozó; fantaszta
dreamland *n* álomország; mesevilág;
ábrándvilág
dreamless ['dri:mlıs] *a* álom nélküli
[alvás]
dream-like *a* álomszerű
dreamy ['dri:mı] *a* álmodozó; álomszerű
drear [drıə*] *a* = *dreary*
dreariness ['drıərınıs] *n* kietlenség; szomorúság
dreary ['drıərı] *a* kietlen [táj]; sivár
[jövő]
dredge¹ [dredʒ] **I.** *n* **1.** kotrógép; kotróhajó **2.** vonóháló **II.** *vt*/*vi* ~ *up*/*out*
(ki)kotor [folyómedret]
dredge² [dredʒ] *vt* (be)hint [cukorral
stb.]
dredger¹ ['dredʒə*] *n* = *dredge¹* *I.* *1.*
dredger² ['dredʒə*] *n* cukorszóró
dregs [dregz] *n* *pl* **1.** üledék, alj; *to* *the*
~ az utolsó cseppig **2.** söpredék
Dreiser ['draısə*] *prop*
drench [drentʃ] **I.** *n* orvosság [állatok
számára] **II.** *vt* **1.** átáztat (*with* vmvel);
completely ~*ed* csuromvíz **2.** orvossággal megitat [állatot]
drencher ['drentʃə*] *n* *biz* felhőszakadás,
zápor
dress [dres] **I.** *n* (női) ruha, öltözet;
~ *clothes* díszruha **II.** **A.** *vt* **1.** (fel-)
öltöztet; ~ *oneself*, *get* ~*ed* öltözködik, felöltözik **2.** rendbe hoz, megigazít; (fel)díszít (*with* vmvel); ~ *one's*
hair megigazítja a haját, megfésülködik; ~ *a* *shopwindow* kirakatot rendez; ~ *a* *ship* hajót fellobogóz **3.** bekötöz [sebet] **4.** kikészít [bőrt, szövetet] **5.** vakar, kefél [lovat] **6.** megmetsz [fát]; ~ *the* *field* megmunkál
[talajt] **7.** tisztít [szárnyast, halat];
~ *a* *salad* salátát elkészít **B.** *vi* **1.** öltözködik; *we* *don't* ~ (*for* *dinner*)
nem öltözünk estélyi ruhába (vacsorához) **2.** igazodik [sorban]; *right*
~*!* jobbra igazodj!

dress down *vt* **1.** lecsutakol [lovat]
2. *biz* lehord, letol (vkt)
dress out *vt* kicicomáz
dress up **A.** *vt* felöltöztet; felcicomáz; ~*ed* *up* *to* *the* *nines* kicsípte magát **B.** *vi* *biz* kiöltözik, kicsípi magát;
felöltözik (vmnek), álruhát ölt
dressage ['dresɑ:ʒ; *US* 'dresıdʒ] *n*
idomítás; ~ *test* díjlovaglás
dress-circle *n* első emeleti páholysor;
erkély első sor
dress-coat *n* frakk
dresser ['dresə*] *n* **1.** tálalóasztal, konyhaszekrény **2.** öltöztető(nő); kirakatrendező **3.** jól öltözni szerető ember
4. sebészeti asszisztens **5.** *US* = *dressing-table*
dressing ['dresıŋ] *n* **1.** öltöz(köd)és **2.**
salátaöntet; töltelék **3.** elkészítés [sütéshez húsé, szárnyasé] **4.** (seb)kötözés; kötszer **5.** trágyázás **6.** *biz* „fejmosás", letolás **7.** appretúra, kikészítés [bőré, textilé]
dressing-case *n* útitáska, neszesszer
dressing-gown *n* hálóköntös
dressing-room *n* öltöző
dressing-station *n* elsősegélyhely
dressing-table *n* toalettasztal, fésülködőasztal
dressmaker *n* varrónő
dress-parade *n* **1.** divatbemutató **2.** díszszemle
dress-shield *n* izzlap
dress-show *n* divatbemutató
dress-stand *n* próbababa
dress-suit *n* frakk
dressy ['dresı] *a* **1.** divatosan öltözködő **2.** előnyösen álló [ruha], sikkes
drew →*draw* *II.*
dribble ['drıbl] **I.** *n* **1.** csepegés, nyáladzás **2.** cselezés [futballban] **II.** **A.**
vi **1.** csöpög, szivárog **2.** nyáladzik
3. cselez [futballban] **B.** *vt* **1.** cseppent **2.** cselezve vezet [labdát futballban]
driblet ['drıblıt] *n* csöpp, kis mennyiség; *by* ~*s* apránként
dried [draıd] *a* szárított, aszalt ||→*dry*
II.
drier ['draıə*] **I.** *a* →*dry* *I.* **II.** *n* szárító
driest ['draııst] *a* →*dry* *I.*

drift [drɪft] I. *n* 1. hajtóerő; hajtás 2. mozgás, áramlás; sodródás; ~ *of labour* munkaerőáramlás 3. hajlam; szándék; irány(zat); tendencia; *the* ~ *of his speech* beszédének értelme/ célja 4. förgeteg; vihar; ~ *of ice* zajló jég; ~ *of snow* hófúvás 5. hordalék 6. vágat [bányában] II. A. *vi* 1. úszik; lebeg [vízben, levegőben]; sodródik; ~ *with the current* úszik az árral; *let oneself* ~ elhagyja magát; *let things* ~ szabad folyást enged a dolgoknak 2. (fel)halmozódik [hó] 3. irányul, halad (vm felé); ~ *into war* háborúba sodródik 4. vándorol [frekvencia] B. *vt* 1. sodor; hajt; kerget; úsztat [fát] 2. (össze)fúj, (össze)terel [felhőket, homokot]

driftage ['drɪftɪdʒ] *n* 1. sodródás 2. sodralék 3. áttol(ód)ás [talajé]

drifter ['drɪftə*] *n* 1. sodródó [ember]; vándormadár [munkásról] 2. húzóhálós halászcsónak

drift-ice *n* zajló jég(táblák)

driftless ['drɪftlɪs] *a* céltalan

drift-net *n* húzóháló

drift-wood *n* 1. vízsodorta fa(anyag) 2. úsztatott fa

drill[1] [drɪl] I. *n* 1. furó(gép) 2. vetőbarázda 3. sorvetőgép 4. [katonai] gyakorlat(ozás); kiképzés; ~ *ground* gyakorlótér II. A. *vt* 1. (át)fúr, kifúr 2. gyakorlatoztat; kiképez; begyakoroltat, besulykol (vmt) 3. sorosan vet [magot] B. *vi* gyakorlatozik [katona]

drill[2] [drɪl] *n* pamutszávoly(szövet)

drill-bit *n* furófej

drilling ['drɪlɪŋ] *n* 1. gyakorlatozás; kiképzés 2. fúrás

drill-sergeant *n* kiképző altiszt

drily ['draɪlɪ] *adv* = *dryly*

drink [drɪŋk] I. *n* 1. ital; *have a* ~ iszik vmt/egyet 2. szeszes ital 3. ivás; *the worse for* ~, *in* ~ részeg II. *v* (*pt* drank dræŋk, *pp* drunk drʌŋk) A. *vt* iszik, vedel; ~ *the waters* ivókúrát tart; ~ *a toast of sy* vknek egészségére iszik B. *vi* iszik, italozik; részegeskedik; ~ *like a fish* iszik mint a kefekötő

drink down *vt* felhajt [italt]

drink in *vt* 1. beszív 2. *biz* issza vk szavait; nem tud eltelni [szépséggel stb.]

drink off *vt* felhajt, lehajt [italt]

drink to *vi* ~ *to sy* vknek az egészségére iszik

drink up *vt* 1. az utolsó cseppig üríti (a poharat) 2. beszív, felszív [nedvességet]

drinkable ['drɪŋkəbl] I. *a* iható II. drinkables *n pl* italféle

drinker ['drɪŋkə*] *n* iszákos/italos ember, alkoholista; *hard/heavy* ~ nagy ivó

drinking ['drɪŋkɪŋ] *n* ivás; részegeskedés

drinking-bout *n* dorbézolás; lumpolás

drinking-fountain *n* (automatikus) ivókút

drinking-song *n* bordal

drinking-trough *n* itatóvályú

drinking-water *n* ivóvíz

drip [drɪp] I. *n* 1. csöpögés 2. csepp, csöpp 3. eresz, csurgó(kő) II. *v* -pp- A. *vi* csöpög; *be* ~*ping with blood* vértől csöpög B. *vt* csöpögtet, cseppent

drip-dry I. *a* csavarás/facsarás nélkül száradó II. *vt/vi* csavarás/facsarás nélkül szárít/ szárad

dripping ['drɪpɪŋ] I. *a* csöpögő; ~ *wet* csuromvizes II. *n* pecsenyelé, szaft; *bread and* ~ zsíros kenyér

dripping-pan *n* serpenyő

dripping-tube *n* csöppszámláló [gyógyszernek]

drive [draɪv] I. *n* 1. kocsikázás, autózás; *go for a* ~ kocsikázik egyet; *an hour's* ~ egy órányi (autó)út 2. (meg)hajtás 3. hajtómű 4. kocsiút, -felhajtó 5. hadjárat; (katonai) támadás 6. (labda)ütés 7. mozgalom; *US* (propaganda)kampány 8. energia; *he has* ~ *and initiative* van benne lendület és kezdeményező kedv 9. hajtóvadászat; hajtás II. *v* (*pt* drove drouv, *pp* driven 'drɪvn) A. *vt* 1. hajt, űz; ~ *to despair* kétségbe ejt 2. vezet [járművet]; működtet [gépet] 3. elsodor, útjából kitérít 4. bever [szeget, cölöpöt]; ~ *sg home* (1) egészen bever/ becsavar vmt (2) bevés vmt (vknek)

az elméjébe 5. ösztönöz; *he was hard
~n* agyonhajszolták 6. üt [labdát]
B. *vi* 1. sodródik [hajó] 2. kocsizik;
vezet, hajt; (autón) megy (vhova);
~ *slow(ly)* lassan hajt
drive along *vt/vi* végighajt, végigko-
csizik
drive at *vi* 1. odaüt (vhova) 2.
céloz vmre; *let ~ at sg* rácéloz vmre;
what are you driving at? hová akarsz
kilyukadni?
drive away A. *vt* elűz **B.** *vi* 1. elhajt
[autóval] 2. ~ *a. at one's work* nagy
hévvel dolgozik
drive into *vt* 1. ~ *sy i. a corner*
sarokba szorít vkt 2. ~ *sg i. sy's
head* vmt a fejébe ver vknek
drive on A. *vt* nógat (vkt) **B.** *vi*
továbbhajt [kocsival]
drive through A. *vi* áthajt [városon]
B. *vt* keresztüldöf [karddal]
drive-in *US* **I.** *a* behajtós, autós-;
~ *movie* behajtós mozi, autósmozi
II. *n* behajtós vendéglő/mozi/stb, au-
tósvendéglő; autósmozi stb.
drivel ['drɪvl] **I.** *n* 1. (szájból folyó)
nyál 2. *biz* ostoba fecsegés; badar
beszéd **II.** *vi* -**ll**- (*US* -**l**-) nyáladzik,
folyik a nyála 2. *biz* ostobaságokat
beszél
drivel(l)er ['drɪvlə*] *n* eszelős ember
driven ['drɪvn] *a* 1. űzött 2. hajtású;
hajtott; *electrically* ~ villamos haj-
tású ∥ →*drive II.*
driver ['draɪvə*] *n* 1. (gépkocsi)vezető,
gépjárművezető; kocsis; *US* ~'*s li-
cence = driving-licence;* ~'*s seat* (1)
vezetői ülés (2) *átv* irányító szerep
2. hajtó; hajcsár 3. gépész 4. golfütő
drive-way *n* 1. (mű)út 2. *US* kocsifel-
hajtó, -behajtó
driving ['draɪvɪŋ] **I.** *a* 1. hajtó; ~ *force*
hajtóerő 2. ~ *rain* felhőszakadás **II.**
n vezetés; ~ *instructor* gyakorlati
oktató [tanuló vezetőé]; *take ~ les-
sons* gépkocsivezetést tanul; ~ *mirror*
visszapillantó tükör; ~ *school* autós-
iskola; ~ *test* gépjárművezetői vizs-
ga ∥ →*drive II.*
driving-belt *n* hajtószíj; gépszíj
driving-chain *n* hajtólánc

driving-gear *n* hajtómű
driving-licence *n* vezetői engedély, (gép-
járművezetői) jogosítvány
driving-wheel *n* hajtókerék
drizzle ['drɪzl] **I.** *n* szitáló eső **II.** *vi*
permetezik, szitál [eső]
droll [droul] *a* bohókás, tréfás; furcsa
drollery ['droulərɪ] *n* bohóság; móka
dromedary ['drɔməd(ə)rɪ; *US* 'drɑmədə-
rɪ] *n* egypúpú teve, dromedár
drone [droun] **I.** *n* 1. here [méh] 2. *biz*
semmittevő 3. döngés, zümmögés 4.
biz távirányított repülőgép **II. A.**
vt monoton hangon elmond **B.** *vi*
1. zúg, búg [gép] 2. zümmög 3. henyél
drool [dru:l] *n/vi = drivel*
droop [dru:p] **I.** *n* 1. lekonyulás [fejé]
2. elernyedés; esés **II. A.** *vt* lehorgaszt
[fejet] **B.** *vi* 1. lekonyul; lehervad,
eltikkad [növény] 2. esik [vízszint,
árfolyam] 3. elernyed
drooping ['dru:pɪŋ] *a* lankadt; ~ *shoul-
ders* csapott váll(ak)
drop [drɔp; *US* -ɑ-] **I.** *n* 1. csepp, csöpp;
~ *by* ~ cseppenként; ~ *in the bucket*
egy csepp a tengerben; *he has had a
~ too much* többet ivott a kelleténél
2. **drops** *pl* cseppek [mint gyógyszer]
3. cukorka; pirula 4. (le)esés; vissza-
esés; hanyatlás; ~ *in prices* áresés
5. csapóajtó; süllyesztő 6. = *drop-
-curtain* **II.** *v* -**pp**- **A.** *vi* 1. csepeg, csö-
pög 2. összeesik, elesik; *he almost
~ped with surprise* majdnem hanyatt
vágódott a meglepetéstől; *ready to ~*
holtfáradt 3. csökken, süllyed [hő-
mérséklet] 4. abbamarad, vége lesz
B. *vt* 1. cseppent 2. (le)ejt, elejt;
(le)dob [bombát]; bedob [levelet];
elejt [megjegyzést, ügyet]; ~ *me
a line* írj pár sort 3. ellik, borjazik
4. letesz; *I shall ~ you at your door*
elviszlek hazáig [autóval] 5. abba-
hagy, felad (vmt), felhagy (vmvel)
drop around *vi biz* (látogatóban)
benéz vhvá
drop away *vi* elmaradozik [látoga-
tó]; egymás után meghal; lemorzsoló-
dik [tagság stb.]
drop behind *vi* lemarad, sor végére
marad; lehagyják

drop|in vi **1.** ~ *in on sy* benéz vkhez (látogatóba) **2.** megérkezik [vonat] **drop into** vi belepottyan vmbe; ~ *i. the habit* rászokik vmre **drop off** vi **1.** leesik, lehull; ~ *o. to sleep* elalszik; ~ *o. like flies* úgy hullanak, mint a legyek **drop out A.** vt elhagy [szótagot] **B.** vi kiesik [versenyből, sorból]; kimarad [iskolából]; lemorzsolódik [tanfolyamból] **drop-curtain** n felvonásvégi függöny **drop-door** n csapóajtó **drop-hammer** n ejtőkalapács **drop-head** a lehajtható [autótető] **drop-kick** n ejtett labda **drop-leaf** a ~ *table* lecsapható lapú asztal **droplet** ['drɔplɪt; US -ɑ-] n cseppecske **dropout** n lemorzsolódás [iskolából stb.]; kimaradt/lemorzsolódott hallgató/stb. **dropped** [drɔpt; US -ɑ-] →*drop II.* **dropper** ['drɔpə*; US -ɑ-] n csöpögtető üveg **dropping** ['drɔpɪŋ; US -ɑ-] n **1.** csepegés, csöpögés **2.** (le)esés **3.** elejtés; kihagyás [betűé] **4.** **droppings** pl állati ürülék; bogyó(k) ‖→*drop II.* **drop-press** n = *drop-hammer* **drop-scene** n = *drop-curtain* **dropsical** ['drɔpsɪkl; US -ɑ-] n vízkóros **dropsy** ['drɔpsɪ; US -ɑ-] n vízkór **dross** [drɔs; US -ɔ:-] n **1.** salak **2.** átv vacak; ponyva(irodalom) **drought** [draʊt] n **1.** szárazság, aszály **2.** † szomj(úság) **drouth** [draʊθ] n US = *drought* **drove¹** [droʊv] n (mozgó) falka, csorda, nyáj; (ember)tömeg **drove²** [droʊv] →*drive II.* **drover** ['droʊvə*] n **1.** (ökör)hajcsár **2.** marhakereskedő **drown** [draʊn] **A.** vi vízbe fullad, megfullad **B.** vt **1.** vízbe fojt; *be ~ed* vízbe fullad; ~ *oneself* vízbe öli magát **2.** eláraszt, elönt [földet] **3.** elfojt [hangot] **drowse** [draʊz] **A.** vt elálmosít **B.** vi szundikál **drowsiness** ['draʊzɪnɪs] n álmosság **drowsy** ['draʊzɪ] a **1.** álmos **2.** álmosító **drub** [drʌb] vt **-bb- 1.** ütlegel, elpáhol

2. átv ~ *sg into sy* belever vknek a fejébe vmt; ~ *sg out of sy* kiver vknek a fejéből vmt **drubbing** ['drʌbɪŋ] n ütlegelés; verés **drudge** [drʌdʒ] **I.** n átv kuli, rabszolga **II.** vi kulizik, robotol; ~ *away at sg* kinlódva/gyötrődve dolgozik vmn **drudgery** ['drʌdʒ(ə)rɪ] n rabszolgamunka, lélekölő munka, robot(olás) **drug** [drʌg] **I.** n **1.** gyógyszer; gyógyáru, drog **2.** kábítószer; *take* ~s kábítószert szed **3.** *biz be a* ~ *in/on the market* eladhatatlan áru **II.** v **-gg-** **A.** vt kábítószert ad be (vknek), (el-)bódít **B.** vi kábítószert szed **drug-addict** n narkomániás, kábítószer rabja, narkós **drugget** ['drʌgɪt] n durva gyapjúszőnyeg **druggist** ['drʌgɪst] n US gyógyszerész **drugstore** n US ⟨gyógyszertárral kapcsolatos vegyesbolt és büfé⟩ **druid** ['druːɪd] n ókelta pap, druida **drum** [drʌm] **I.** n **1.** dob; *with* ~s *beating* dobszóval; *biz bang the big* ~ veri a nagydobot, reklámot csinál **2.** dobolás **3.** tartály **II.** vi/vt **-mm-** dobol; ~ (sg) *into sy* fejébe ver vknek vmt; ~ *up* (1) toboroz [hiveket, vevőket] (2) összedobol, -hív [barátokat]; ~ *up trade* üzletet felhajt, reklámot csinál **drumbeat** n dobpergés **drum-fire** n pergőtűz **drumhead** n **1.** dobbőr; *at* ~ hirtelenjében, azonnal; ~ *court-martial* rögtönzött haditörvényszék [arcvonalban]; ~ *service* tábori istentisztelet **2.** dobhártya [fülé] **drum-major** n ezreddobos **drummed** [drʌmd] →*drum II.* **drummer** ['drʌmə*] n **1.** dobos **2.** US ügynök, üzletszerző **drumming** ['drʌmɪŋ] n **1.** dobolás; dobszó **2.** zümmögés **Drummond** ['drʌmənd] prop **drumstick** n **1.** dobverő **2.** csirkecomb **drunk** [drʌŋk] a ittas, részeg; *dead* ~ tökrészeg; ~ *as a lord/fiddler* részeg mint a csap, tökrészeg; ~ *with joy* örömtől mámoros; ‖→*drink II.* **drunkard** ['drʌŋkəd] n részeges/iszákos ember

drunken ['drʌŋk(ə)n] *a* ittas, részeg
drupe [dru:p] *n* csonthéjas gyümölcs
Drury ['druəri] *prop*
dry [draɪ] **I.** *a (comp* **drier** 'draɪə*, *sup*
driest 'draɪɪst] **1.** száraz; kiszáradt;
~ *dock* szárazdokk; ~ *measure* száraz
űrmérték [gabonaféléknek]; *run* ~
kiszárad **2.** szárított [gyümölcs]; porított [tojás] **3.** *US* ~ *goods* méteráru,
rövidáru **4.** *biz* szomjas; *be/feel* ~
szomjas **5.** *US* ~ *country* szesztilalmas ország; ~ *law* alkoholfogyasztást
eltiltó törvény; *go* ~ (1) bevezetik a
szesztilalmat (2) leszokik az alkoholról **6.** unalmas, száraz [szónok]; fanyar [humor] **II.** *v (pt/pp* **dried** draɪd)
A. *vt* szárít, aszal; ~ *one's eyes* megtörli a szemét **B.** *vi* (meg)szárad; (ki-)
apad, kiszárad
   dry up A. *vt* eltörölget [edényt]
B. *vi* **1.** felszárad; kiszárad **2.** *biz*
elhallgat; belesül [mondókába]; ~
up! fogd be a szád!, szűnj meg!
dryad ['draɪəd] *n* erdei tündér, driád
dryasdust ['draɪəzdʌst] **I.** *a* száraz, unalmas [ember] **II.** *n* szobatudós
dry-clean *vt* vegytisztit
dry-cleaning *n* vegytisztítás
Dryden ['draɪdn] *prop*
dryer ['draɪə*] *n* szárító
dry-ice *n* szárazjég
drying ['draɪŋ] **I.** *a* **1.** száradó **2.** szárító **II.** *n* szárítás
drying-line *n* teregetőkötél
dryly ['draɪlɪ] *adv* szárazon, unalmasan
dry-nurse *n* szárazdada
dry-rot *n* (száraz) korhadás
dry-shod *adv* száraz lábbal
D.Sc., DSc [di:es'si:] *Doctor of Science*
D.S.C., DSC [di:es'si:] *Distinguished
Service Cross* ⟨brit katonai szolgálati
érdemkereszt⟩
D.S.O., DSO [di:es'oʊ] *Distinguished
Service Order* ⟨brit katonai tiszti kitüntetés⟩
D.T.('s), DT's, dt's [di:'ti:(z)] delirium
tremens
dual ['dju:əl; *US* 'du:-] *a* kettős; ~
carriageway osztottpályás úttest; ~
citizenship kettős állampolgárság

dualism ['dju:əlɪzm; *US* 'du:-] *n* dualizmus, kételvűség
dub [dʌb] *vt* -**bb**- **1.** ~ *(sy) knight* lovaggá
üt **2.** *biz* ~ *sy sg* vmnek elnevez vkt **3.**
[cipőt] bezsíroz **4.** szinkronizál [filmet]
dubiety [dju:'baɪətɪ; *US* du:-] *n* bizonytalanság; kétség
dubious ['dju:bjəs; *US* 'du:-] *a* kétes;
bizonytalan; *in* ~ *battle* bizonytalan
kimenetelű csatában
dubitation [dju:bɪ'teɪʃn; *US* 'du:-] *n*
habozás, kételkedés
Dublin ['dʌblɪn] *prop*
ducal ['dju:kl; *US* 'du:-] *a* hercegi
ducat ['dʌkət] *n* dukát; □ ~*s* pénz,
dohány, guba
duchess ['dʌtʃɪs] *n* hercegnő; hercegné;
biz my old ~ bé nejem
duchy ['dʌtʃɪ] *n* hercegi uradalom;
hercegség
duck¹ [dʌk] *n* **1.** kacsa, réce; *like water
off the* ~*'s back* mint falra hányt
borsó; *takes to it like a* ~ *to water*
úgy megy neki, mintha mindig ezt
csinálta volna; *play* ~*s and drakes*
vizen lapos kővel „békát ugrat",
kacsáztat, csesztet; *play* ~*s and
drakes with one's money* az ablakon
szórja ki a pénzét; *she is a perfect* ~
bájos kis nő; *biz* ~*'s egg* nulla [krikettben] **2.** kétéltű csapatszállító bárka
[szárazföldi és vízi használatra]
duck² [dʌk] *n* **1.** lebukás **2.** alámerülés **II. A.** *vt* **1.** behúzza a nyakát [ütés
elől]; lehorgasztja a fejét **2.** lemerít,
lebuktat [vizbe] **B.** *vi* **1.** alábukik,
lemerül **2.** kihúzza magát vm alól,
dekkol
duck³ [dʌk] *n* **1.** csinvat **2.** **ducks** *pl*
fehér vászonnadrág
duck-bill *n* csőrös emlős
duck-boards *n pl* [sárba fektetett] palló
ducking ['dʌkɪŋ] *n* **1.** vízbe merítés
2. átázás
duckling ['dʌklɪŋ] *n* kiskacsa
duck-pond *n* kacsaúsztató
duckweed *n* békalencse
Duckworth ['dʌkwəθ] *prop*
ducky ['dʌkɪ] *n biz* drágicám
duct [dʌkt] *n* **1.** csatorna, járat, vezeték [élő testben] **2.** (cső)vezeték

ductile ['dʌktaıl; *US* -t(ə)l] *a* hajlékony;
alakítható, nyújtható, képlékeny
ductility [dʌk'tılətı] *n* hajlékonyság;
nyújthatóság, alakíthatóság
ductless ['dʌktlıs] *a* kifolyás nélküli;
~ *glands* belső elválasztású mirigyek
dud [dʌd] *biz* I. *a* fel nem robbant
[bomba] 2. tehetségtelen; ügyetlen
[ember]; hamis [bankjegy]; fedezetlen [csekk] II. **duds** *n pl* ócska holmi
dude [dju:d; *US* du:d] *n US biz* 1.
nagyvárosi piperkőc, jampec 2. turista [vadnyugaton]
dude-ranch *n US* ⟨turistáknak berendezett vadnyugati farm USA-ban⟩
dudgeon ['dʌdʒ(ə)n] *n* harag; neheztelés; *in high* ~ rendkívül dühösen
due [dju:; *US* du:] I. *a* 1. lejáró, esedékes; ~ *date* lejárat (napja); *be/become/
fall* ~ esedékessé válik, lejár; *the
train is* ~ *at two* a vonatnak kettőkor
kell megérkeznie 2. *is* ~ *to sy* kijár
(vknek vm) 3. kellő, megfelelő; *in*
~ *course* kellő/megfelelő időben, pontosan; *in* ~ *form* kellő formák között;
in ~ *time* kellő időben; idejekorán
4. *is* ~ *to sg* vmnek köszönhető/tulajdonítható II. *adv* pontosan; ~ *north*
egyenesen északra III. *n* 1. követelés;
járandóság; jutalék; *give him his* ~
(1) megadja neki ami őt illeti (2)
elismeri érdemeit 2. jogcím 3. **dues**
pl illeték; adó; díj; tartozás; tagdíj
[klubban]
duel ['dju:əl; *US* 'du:-] I. *n* párbaj II.
vi -ll- (*US* -l-) párbajozik
duel(l)ist ['dju:əlıst; *US* 'du:-] *n* párbajozó
duenna [dju:'enə; *US* du:-] *n* gardedám;
társalkodónő
duet [dju:'et; *US* du:-] *n* duett, kettős
Duff [dʌf] *prop*
duffel ['dʌfl] *n* 1. molton; bolyhozott
gyapjúszövet; düftin 2. *US* turistafelszerelés
duffel coat ⟨háromnegyedes csuklyás
„duffel" sportkabát⟩
duffer ['dʌfə*] *n* ostoba fuser
dug[1] [dʌg] *n* 1. tőgy, emlő 2. csöcs
dug[2] →*dig II.*
dug-out *n* 1. fedezék 2. fatörzsből vájt
csónak

duke [dju:k; *US* du:k] *n* herceg
dukedom ['dju:kdəm; *US* 'du:-] *n* 1.
hercegi uradalom/birtok 2. hercegség
dulcet ['dʌlsıt] *a* édes, dallamos
dulcify ['dʌlsıfaı] *vt* (meg)édesít
dull [dʌl] I. *a* 1. unalmas, egyhangú;
~ *dog* unalmas fickó 2. lassú észjárású, buta 3. tompa [fájdalom, zaj];
~ *knife* tompa/életlen kés; ~ *of
hearing* nagyothalló 4. tompa, matt;
fakó [szín] 5. lanyha [piac]; ~ *season*
holtszezon II. **A.** *vt* 1. (el)tompít;
(el)butít 2. tompává tesz [szerszámot]
3. tompít [hangot]; kifakít [színt];
enyhít [fájdalmat] **B.** *vi* 1. (el)tompul; elbutul 2. elfakul
dullard ['dʌləd] *n* tökfej; fajankó
Dulles ['dʌlıs] *prop*
dullness ['dʌlnıs] *n* 1. tompaság, unalom 2. pangás, lanyhaság 3. homályosság
dull-witted *a* nehéz felfogású
Duluth [dju:'lu:θ; *US* du-] *prop*
Dulwich ['dʌlıdʒ] *prop*
duly ['dju:lı; *US* 'du:-] *adv* 1. illendően; helyesen, megfelelően 2. pontosan,
kellő időben
dumb [dʌm] *a* 1. néma; ~ *as a fish*
kuka; ~ *animals* az állatvilág; ~
show némajáték; *strike sy* ~ elnémít
vkt; *he was struck* ~ elállt a szava a
meglepetéstől, elképedt 2. hallgatag;
~ *dog* szótlan fickó 3. *US biz* buta
Dumbarton [dʌm'bɑ:tn] *prop*
dumb-bell ['dʌmbel] *n* 1. súlyzó 2. *US*
□ hülye alak
dumbfound [dʌm'faʊnd] *vt* megdöbbent, elnémít
dumbness ['dʌmnıs] *n* némaság; hallgatás
dumb-waiter *n* 1. zsúrkocsi 2. *US* ételszállító lift
dumfound [dʌm'faʊnd] *vt* = *dumbfound*
dummy ['dʌmı] *n* 1. némajáték, statiszta 2. stróman 3. próbababu 4.
„asztal" [bridzsjátékban] 5. makett;
utánzat; ~ *cartridge* vaktöltény; ~
window vakablak 6. báb, fajankó
7. cucli
dump [dʌmp] I. *n* 1. lerakodóhely,
szemétlerak(od)ó (telep); szeméttelep;

(down) in the ~s szomorú, lehangolt
2. katonai raktár II. vt 1. lerak, le-
zúdit, lehány 2. áron alul exportál,
dömpingel
dumpcart n = dumper
dumper ['dʌmpə*] n billenőkocsi, döm-
per
dumping ['dʌmpɪŋ] n 1. dömping 2. le-
rakás, lehányás
dumping-ground = dump I. 1.
dumpling ['dʌmplɪŋ] n 1. gombóc 2. kis
tömzsi ember
dumpy ['dʌmpɪ] a köpcös, tömzsi
dun¹ [dʌn] I. n 1. türelmetlen hitelezö
2. fizetési felszólítás II. vt -nn- pénzt
követel (vktől) [hitelező]
dun² [dʌn] a 1. sötétbarna, szürkésbar-
na 2. sötét, borongós [idő]
Duncan ['dʌŋkən] prop
dunce [dʌns] n nehézfejű/ostoba sze-
mély; fajankó; ~('s) cap ⟨lusta diák
fejére megszégyenitésből tett kúp
alakú papírsüveg⟩
dunderhead ['dʌndə-] n = dunce
dune [dju:n; US du:n] n düne, homok-
domb, homokbucka
dung [dʌŋ] I. n trágya, ganéj II. vt
trágyáz, ganajoz
dungarees [dʌŋgə'ri:z] n pl munkaruha;
overall
dungeon ['dʌndʒ(ə)n] n 1. vártorony,
donzson 2. (föld alatti) (vár)börtön
dung-hill n trágyadomb
dunk [dʌŋk] vt US mártogat [kávéba
kalácsot stb.], tunkol
Dunkirk [dʌn'kə:k] prop Dunkerque
Dunlop ['dʌnlɔp] prop
dunned [dʌnd] →dun¹ II.
dunning (letter) ['dʌnɪŋ] n fizetési fel-
szólítás/meghagyás ‖→dun¹ II.
dunno [dʌ'nou] vulg = I don't know
nem tudom
Dunsinane ['dʌnsɪneɪn] prop
duodecimo [dju:ou'desɪmou; US du:-]
n tizenkettedrét [könyvméret]
duodenal [dju:ou'di:nl; US du:-] a ~
ulcer nyombélfekély
duodenum [dju:ou'di:nəm; US du:-]
n patkóbél, nyombél
duologue ['djuɔlɔg; US 'du:əlɔ:g] n pár-
beszéd

dupe [dju:p; US du:p] I. n balek II.
vt becsap, rászed, palira vesz
dupery ['dju:pərɪ; US 'du:-] n becsapás,
svindli
duplex ['dju:pleks; US 'du:-] a kettős;
dupla; kétszeres; US ~ apartment két-
szintes lakás; US ~ house kétlakásos
ház, ikerház; ~ system duplexrend-
szer [távközlésben]
duplicate I. a ['dju:plɪkət; US 'du:-]
kétszeres; dupla; kettős II. n ['dju:-
plɪkət; US 'du:-] 1. másolat, duplum
2. másodpéldány, másodlat; in ~
két példányban III. vt ['dju:plɪkeɪt;
US 'du:-] 1. megkettőz(tet); duplikál
2. másol (vmt); másolatot készít
(vmről) 3. sokszorosít
duplicating-machine ['dju:plɪkeɪtɪŋ-; US
'du:-] n sokszorosítógép
duplication [dju:plɪ'keɪʃn; US du:-]
n 1. megkettőzés, megduplázás 2. má-
so(d)lat
duplicator ['dju:plɪkeɪtə*; US 'du:-]
n sokszorosítógép
duplicity [dju:'plɪsətɪ; US du:-] n
kétszínűség, hamisság
durability [djuərə'bɪlətɪ; US du:-] n
tartósság
durable ['djuərəbl; US 'du:-] a tartós
durableness ['djuərəblnɪs; US 'du:-]
n = durability
duration [dju(ə)'reɪʃn; US du:-] n (idő)tar-
tam; for the ~ of the war amíg a háború
tart
durative ['djuərətɪv; US 'du:-] a tartós
cselekvést kifejező [ige]
durbar ['də:ba:*] n udvari ünnepség
[Indiában]
duress [dju(ə)'res; US du:-] n 1. (fizi-
kai) kényszer; under ~ erőszak/kény-
szer hatására 2. bebörtönzés
Durham ['dʌr(ə)m] prop
during ['djuərɪŋ; US 'du:-] prep [idő]
alatt; közben; folyamán; ~ that time
ezalatt
durst →dare
dusk [dʌsk] n félhomály; szürkület;
alkony
dusky ['dʌskɪ] a 1. sötét; homályos 2.
barna/fekete bőrü
dust [dʌst] I. n 1. por; bite the ~ fübe

harap; *kick up* ~, *raise* ~ (nagy) port
ver fel; lármát/botrányt csinál; *kiss/
lick the* ~ (1) megalázza magát (vk
előtt) (2) fübe harap; *lay the* ~ öntö-
z(éssel portalanit); *shake the* ~ *from/
off one's feet* (barátságtalan helyről
végleg) eltávozik, fogja magát és
továbbáll 2. *US* □ pénz, steksz 3.
GB (házi) szemét II. *vt* 1. leporol, ki-
porol; *átv* ~ *sy's jacket for him* kipo-
rolja a nadrágját 2. beporoz, behint;
cake ~*ed with sugar* cukorral meghin-
tett sütemény
dust-bin *n* szeméttartó (vödör)
dust-cart *n* szemeteskocsi
dust-coat *n* porköpeny
dust-control *n* portalanítás
dust-cover *n* 1. borítólap, burkoló
[könyvön] 2. védőhuzat [bútoron]
duster ['dʌstə*] *n* 1. poroló 2. portörlő
rongy 3. pongyola [takarításhoz]
4. szóró [só, bors, cukor számára]
dusting ['dʌstɪŋ] *n* 1. behintés [cukor-
ral stb.] 2. porolás; takarítás; por-
törlés 3. sebfertőtlenitő por 4. □
elnadrágolás
dust-jacket *n* = *dust-cover* /.
dustman ['dʌstmən] *n* (*pl* -**men** -mən)
1. szemetes [ember] 2. *biz* álomtündér
[mesében]
dust-pan *n* szemétlapát [takarításhoz]
dust-proof *a* pormentes
dust-storm *n* porfelhő
dust-wrap(per) *n* = *dust-cover* /.
dusty ['dʌstɪ] *a* 1. poros 2. porlepte;
unalmas; □ *it's not so* ~ nem is
olyan rossz 3. porszerű 4. *átv* szürke;
sivár
Dutch [dʌtʃ] I. *a* 1. holland(i); németal-
földi; ~ *clover* fehér lóhere/here; ~
door vizszintesen kettéosztott ajtó 2.
US biz német 3. *biz* furcsa; ál-;
~ *auction* árverés lefelé; ~ *courage*
szeszböl merített bátorság; ~ *treat*
ebéd/vacsora/mulatság ki-ki alapon;
go ~ *with sy* ki-ki alapon ebédel/
vacsorázik (v. megy szórakozni) vkvel;
~ *uncle* erkölcsprédikátor II. *n* 1.
the ~ a hollandok; a németalföldiek
2. holland (nyelv); *double* ~ halandzsa
Dutchman ['dʌtʃmən] *n* (*pl* -**men** -mən)

1. holland férfi 2. *US* □ német (em-
ber)
duteous ['dju:tjəs; *US* 'du:-] *a* 1. enge-
delmes 2. kötelességtudó
dutiable ['dju:tjəbl; *US* 'du:-] *a* vámkö-
teles [áru]
dutiful ['dju:tɪful; *US* 'du:-] *a* 1. kö-
telességtudó 2. engedelmes, szófoga-
dó
duty ['dju:tɪ; *US* 'du:-] *n* 1. kötelesség;
in ~ *bound* kötelességszerűen, becsü-
letbeli kötelességként; *breach of* ~
kötelességszegés; *do one's* ~ teljesíti
a kötelességét 2. engedelmesség 3.
tiszteletadás; *pay one's* ~ *to sy* tiszte-
letét teszi vknél; ~ *call* udvariassági
látogatás 4. vám; adó; illeték; *liable
to* ~ vámköteles; ~ *paid* elvámolva
5. szolgálat; *on* ~ szolgálatban;
officer on ~ ügyeletes tiszt; *off* ~
szolgálaton kívül; *do* ~ *for sg/sy*
helyettesít vmt/vkt; *take up one's
duties* átveszi hivatalát; szolgálatba
lép
duty-free *a* vámmentes
dwarf [dwɔ:f] I. *n* törpe II. *vt* 1. akadá-
lyozza (vmnek a) növését 2. *átv* eltör-
pít; *be* ~*ed by* sg eltörpül vm mellett
dwarfish ['dwɔ:fɪʃ] *a* törpe
dwell [dwel] *vi* (*pt/pp* **dwelt** dwelt)
1. lakik 2. marad; tartózkodik; idő-
zik; ~ (*long*) (*up*)*on sg* (hosszasan)
fejteget vmt v. időzik vmnél; *we will
not* ~ (*up*)*on that* ezt most ne firtassuk
dweller ['dwelə*] *n* lakos
dwelling ['dwelɪŋ] *n* 1. lakóhely, lakás
2. tartózkodás, lakás
dwelling-house *n* lakóház
dwelling-place *n* lakóhely, (állandó)
tartózkodási hely
dwelt →*dwell*
dwindle ['dwɪndl] *vi* ~ (*away*) csökken;
fogy; apad; ~ *to nothing* semmivé lesz
dye [daɪ] I. *n* 1. festék 2. (szín)árnya-
lat; *biz of the deepest* ~ a legrosszabb/
legmegrögzöttebb fajta II. *v pr part*
dyeing ['daɪɪŋ] A. *vt* (meg)fest [ruhát]
B. *vi* festődik
dyed-in-the-wool ['daɪd-] *a* 1. gyapjú-
ban/szálában festett 2. *átv* teljesen
átitatott, százszázalékos

dyeing ['daɪɪŋ] *n* (szövet)festés
dyer ['daɪə*] *n* (ruha)festő, kelmefestő
dye-stuff *n* festőanyag
dye-works *n* kelmefestő üzem/műhely
dying ['daɪɪŋ] I. *a* haldokló [ember]; halódó [intézmény]; *to one's ~ day* holta napjáig; *in a ~ voice* elhaló hangon; *~ words* (az elhunyt) utolsó szavai II. *n* haldoklás; halál; ‖→*die²*
dyke [daɪk] →*dike*
Dylan ['dɪlən] *prop*
dynamic [daɪ'næmɪk] *a* 1. dinamikai, dinamikus 2. *biz* erőteljes, tetterős
dynamics [daɪ'næmɪks] *n* dinamika, erőtan
dynamite ['daɪnəmaɪt] I. *n* dinamit II. *vt* dinamittal (fel)robbant

dynamo ['daɪnəmou] *a* dinamó, egyenáramú generátor
dynamometer [daɪnə'mɔmɪtə*;*US*-'ma-] *n* dinamométer, erőmérő
dynast ['dɪnəst; *US* 'daɪnæst] *n* uralkodó, dinaszta
dynastic [dɪ'næstɪk; *US* daɪ-] *a* uralkodócsaládhoz tartozó, dinasztikus
dynasty ['dɪnəstɪ; *US* 'daɪ-] *n* uralkodóház, dinasztia
dysentery ['dɪsntrɪ; *US* -terɪ] *n* vérhas
dysfunction [dɪs'fʌŋkʃn] *n* működési zavar [emberi szervezetben]
dyspepsia [dɪs'pepsɪə; *US* 'pepʃə is] *n* emésztési zavar
dyspeptic [dɪs'peptɪk] *a*/*n* rossz emésztésű [ember]

E

E,¹ e [i:] *n* **1.** E, e (betű) **2.** e [hang]; *E flat* esz; *E sharp* eisz **3.** *US* elégtelen [osztályzat]

E.,² E 1. *East* kelet, K **2.** *Eastern* keleti, k.

each [i:tʃ] **I.** *a* mindegyik, minden (egyes); ~ *one of us* mindegyikünk; *on* ~ *occasion* minden alkalommal **II.** *pron* **1.** mindenki; ki-ki; ~ *of us* mindegyikünk; *we* ~ mi mindannyian; közülünk mindenki; *they cost a penny* ~ darabonkint egy penny **2.** ~ *other* egymás(t)

eager ['i:gə*] *a* **1.** buzgó, mohó; *biz* ~ *beaver* stréber, túlbuzgó; ~ *to do sg* ég a vágytól, hogy tehessen vmt; *be* ~ *for/about sg* áhítozik vmre **2.** ~ *look* sóvár/mohó pillantás

eagerness ['i:gənıs] *n* vágy; mohóság

eagle ['i:gl] *n* **1.** sas **2.** *US* arany tízdolláros

eagle-eyed *a* sasszemű, éles szemű

eagle-owl *n* fülesbagoly

eaglet ['i:glıt] *n* sasfiók

E. & O.E., E and OE *errors and omissions excepted* →*error*

ear¹ [ıə*] *n* **1.** fül; ~ *specialist* fülgyógyász; *be all* ~*s* csupa fül; *up to the* ~*s, over head and* ~*s* fülig, nyakig; *gain sy's* ~ meghallgatásra talál vknél; *give/lend an* ~ *to sy* meghallgat vkt; *have sy's* ~ módja van vkt tájékoztatni; *keep one's* ~ *open* fülel; *set people by the* ~*s* egymásra uszítja (v. összeveszíti) az embereket; *if it should come to his* ~*s* ha ő ezt megtudná; *were your* ~*s burning?* nem csuklottál? (mert emlegettek) **2.** (zenei) hallás; *have no* ~ nincs hallása **3.** fogó; fül [edényé]

ear² [ıə*] *n* kalász

ear-ache *n* fülfájás

ear-drop *n* fülönfüggő

ear-drum *n* dobhártya

eared [ıəd] -fülű, füles

earflap *n* **1.** fülkagyló **2.** fülvédő [sapkán]

earl [ə:l] *n* ⟨angol grófi rang⟩

earldom ['ə:ldəm] *n* kb. grófság

earliness ['ə:lınıs] *n* koraiság

earlobe *n* fülcimpa

early ['ə:lı] **I.** *a* **1.** korai; ~ *closing (day)* délutáni zárva tartás [üzleteké a hét egy napján]; *biz an* ~ *riser/bird* korán kelő (ember); *the* ~ *bird gets the worm* ki korán kel aranyat lel; *keep* ~ *hours* korán kel és fekszik **2.** régi; *the* ~ *Church* az ősegyház; *the* ~ *masters* a primitívek [a festészet történetében]; *an* ~ *Victorian* korai viktoriánus **3.** közeli; *an* ~ *reply* mielőbbi válasz; *at an* ~ *date* hamarosan; rövid időn belül; *at the earliest possible moment* minél előbb **II.** *adv* **1.** korán; ~ *enough* nagyon is jókor; *as* ~ *as the fifth century* már az V. században is **2.** (túl) korán; *idő előtt; die* ~ fiatalon meghal; *you arrived 5 minutes too* ~ 5 perccel korábban érkeztél **3.** ~ *in sg* vmnek a(z) elején/kezdetén; ~ *in the list* a (név-) sor eleje felé; ~ *in the morning* reggel korán; ~ *in the year* (még) az év elején

earmark I. *n* **1.** fülbélyeg [tenyészállatoknál] **2.** ismertetőjel **3.** szamárfül [könyvben] **II.** *vt* megjelöl; előjegyez; vmlyen célra előirányoz [pénzt]

ear-muff *n US* fülvédő

earn [ə:n] *vt* **1.** (meg)keres [pénzt]; *he* ~*s his livelihood as a painter* festésből él **2.** kiérdemel [dicséretet stb.]

17

earnest[1] ['ə:nıst] I. *a* komoly; határozott II. *n in* ~ komolyan, igazán; *he is very much in* ~ igen komolyan gondolja a dolgot, nem tréfál
earnest[2] ['ə:nıst] *n* 1. ~ (*money*) foglaló, előleg, bánatpénz 2. *átv* zálog; *an* ~ *of his good intentions* jó szándékának záloga
earnestly ['ə:nıstlı] *adv* komolyan
earnestness ['ə:nıstnıs] *n* komolyság
earning ['ə:nıŋ] I. *a* ~ *capacity* keresőképesség II. earnings *n pl* kereset; (üzleti) haszon; jövedelem
ear-phone/piece *n* fejhallgató, fülhallgató
ear-piercing *a* = *ear-splitting*
ear-plug *n* füldugó
ear-ring ['ıərıŋ] *n* fülbevaló, fülönfüggő
earshot *n* hallótávolság
ear-splitting *a* fülsiketítő, fülsértő [zaj]
earth [ə:θ] I. *n* 1. a Föld; ~ *satellite* mesterséges hold, műhold; *nowhere on* ~ sehol a föld kerekségén; *átv come back to* ~ leszáll a felhőkből; *biz where on* ~ *have you been?* hol a csodában voltál?; *why on* ~ ...? mi a csodának ... ? 2. (száraz)föld; talaj 3. (föld alatti) lyuk; odú; *run/go to* ~ bebújik a vackába [róka]; *run sg to* ~ kiszimatol vmt; nyomára jön [hibának] 4. föld(elés) II. *vt* 1. földdel feltölt; ~ *up* feltölt [növényt] 2. földel [vezetéket] 3. lelő [repgépet]
earth-board *n* ekevas
earthborn *a* 1. földi 2. halandó
earth-bound *a* földhözragadt
earth-circuit *n* földvezeték
earthenware ['ə:θn-] *n* agyagedény, kőedény
earthly ['ə:θlı] *a* 1. földi; ~ *possessions* világi/anyagi javak 2. *biz there's no* ~ *reason for* ... az ég-világon semmi értelme ...
earth-nut *n* amerikai mogyoró, földimogyoró
earthquake *n* (*átv is*) földrengés
earth-work *n* földsánc
earthworm *n* földigiliszta
earthy ['ə:θı] *a* 1. földi(es), világi; *of the earth* ~ anyagias 2. földszerű; ~ *smell* földszag
ear-trumpet *n* hallócső

ear-wax *n* fülzsír
earwig *n* fülbemászó [bogár]
ear-witness *n* fültanú
ease [i:z] I. *n* 1. nyugalom; jólét; kényelem; *a life of* ~ kényelmes/gondtalan élet; *be at* ~ (1) nyugodt (2) kényelembe helyezkedett; *set sy at* ~ (1) megnyugtat vkt (2) kényelembe helyez vkt; *be/feel ill at* ~ zavarban van; kényelmetlenül érzi magát; *stand at* ~! pihenj! [vezényszó] 2. ~ *from pain* fájdalom enyhülése/megszűnése 3. könnyedség; egyszerűség [kezelésé]; *with* ~ könnyedén; játszi könnyedséggel II. A. *vt* 1. enyhít [fájdalmat] könnyít [szenvedésen, vk terhén]; ~ *oneself of a burden* terhét leteszi 2. megszabadít (*of/from sg* vmtől); *biz* ~ *the belly* szükségét elvégzi 3. lazít; tágít; kiereszt; ~ *a jacket* kabátot kienged 4. csendesít; csillapít; megnyugtat; ~ *sy's anxiety* eloszlatja vk aggodalmait; ~ *the tension* csökkenti a feszültséget B. *vi* 1. (meg)enyhül, csillapodik 2. megnyugszik
ease down A. *vt* 1. csökkent [sebességet] 2. könnyít B. *vi* csökken [sebesség]; lankad [erőfeszítés]
ease off A. *vt* meglazít; megereszt [kötelet] B. *vi* 1. felenged [feszültség]; esik [árfolyam] 2. *biz* fél gőzzel dolgozik
ease up A. *vt* 1. kiereszt 2. lassit [sofőr] B. *vi* 1. könnyebbül; enyhül 2. csökken [sebesség, erőfeszítés]
easeful ['i:zfʊl] *a* nyugalmas
easel ['i:zl] *n* festőállvány
easement ['i:zmənt] *n* szolgalom, szolgalmi jog
easily ['i:zılı] *adv* könnyen, könnyedén
easiness ['i:zınıs] *n* könnyűség, fesztelenség
east [i:st] I. *a* keleti; ~ *wind* keleti szél; *E~ End* ⟨London keleti (szegény-) negyedei⟩; *the E~ Indies* Kelet-India; *E~ Side* ⟨New York-ban a Manhattan sziget keleti fele⟩ II. *adv* kelet felé; keletre III. *n* kelet
Eastbourne ['i:stbɔ:n] *prop*
Easter ['i:stə*] *n* húsvét; ~ (*Sun*)*day* húsvétvasárnap; ~ *egg* húsvéti tojás;

~ *Monday* húsvéthétfő; ~ *week* nagyhét
easterly ['i:stəlı] I. *a* keleti [szél, áram]
II. *adv* kelet felé/felől
eastern ['i:stən] *a* keleti; *the E~ Church* a görögkeleti egyház
easterner ['i:stənə*] *n* ⟨az USA keleti partvidékének lakosa⟩, keleti partvidéki
easternmost *a* legkeletibb (fekvésű)
Eastertide *n* húsvét (hete)
eastward ['i:stwəd] I. *a* keleti irányú II. *adv* (~s 'i:stwədz is) keletre, kelet felé
east-west *a* kelet-nyugati (irányú)
easy ['i:zı] I. *a* 1. könnyű; kényelmes; *it is* ~ *to say* . . . könnyű (azt) mondani, hogy . . .; *be an* ~ *first* könnyen győz; ~ *life* gondtalan élet; *biz* ~ *mark* könnyen palira vehető ember, pali; *person* ~ *to get on with* könnyű vele kijönni; *travel by* ~ *stages* kényelmesen/lassan utazik; *on* ~ *terms* részlet(fizetés)re; *feel easier* jobban érzi magát 2. könnyed; fesztelen; *an* ~ *master* (1) nem szigorú főnök (2) elnéző tanár; *of* ~ *virtue* laza erkölcsű; *biz* ~ *on the eye* jóképű, szemrevaló 3. kényelmes [ruha]; *coat of an* ~ *fit* kényelmes szabású kabát 4. *an* ~ *market* lanyha piac II. *adv* könnyen; *easier said than done* könnyebb mondani, mint megtenni; *go* ~ *with sg* óvatosan bánik vmvel; *biz take it* ~*!* (1) lassan a testtel! (2) nyugi, nyugi!
easy-chair *n* karosszék, fotel
easy-going *a* kényelmes; dolgokat könnyen vevő
eat [i:t] I. *n US* □ *eats pl* ennivaló, kaja II. *v* (*pt* ate et, *US* eıt, *pp* eaten 'i:tn) A. *vt* 1. eszik; ~ *one's dinner* megebédel; *good to* ~ ehető, jóízű; ~ *one's words* visszaszívja/visszavonja amit mondott 2. kiesz, kimar [sav stb.] B. *vi* 1. eszik; ~ *well* (1) jó étvágya van (2) jó koszton él 2. *US* étkezik
  eat away *vt* 1. kimar [sav] 2. elmos [folyó/tenger földet]
  eat off *vt* ~ *its head o.* (1) többet eszik, mint amennyit jövedelmez [állat] (2) nem fizetődik ki az üzemben tartása [gépnek]

eat out A. *vt* ~ *one's heart o.* bánkódik/emésztődik vm miatt B. *vi* 1. házon kívül étkezik 2. (*átv is*) ~ *o. of sy's hand* „kezes bárány"
  eat up *vt* utolsó falatig mindent megeszik 2. elhasznál; felemészt [készletet] 3. *be* ~*en up with pride* majd felveti a gőg
eatable ['i:təbl] I. *a* ehető II. **eatables** *n pl* étel, ennivaló
eaten →*eat II.*
eater ['i:tə*] *n* evő; *a big* ~ nagyevő
eating ['i:tıŋ] I. *a* éti; étkezési; ~ *table* étkezőasztal II. *n* 1. evés 2. étel, ennivaló
eating-house *n* étkezde
Eaton ['i:tn] *prop*
eau-de-Cologne [oʊdəkə'loʊn] *n* kölni(víz)
eaves [i:vz] *n pl* eresz, csurgó
eavesdrop ['i:vzdrɔp; *US* -ɑp] *vi* -**pp**- hallgató(d)zik
eavesdropper [-drɔpə*; *US* -ɑ-] *n* hallgató(d)zó
ebb [eb] I. *n* 1. apály; ~ *and flow* apály és dagály 2. hanyatlás, esés; *be at a low* ~ hanyatlóban van [üzlet stb.] II. *vi* 1. apad 2. *biz* hanyatlik, visszaesik; ~ *away* megfogyatkozik
ebb-tide *n* apály
ebonite ['ebənaıt] *n* ebonit
ebony ['ebənı] I. *a* 1. ébenfa- 2. ébenfekete II. *n* 1. ébenfa 2. ébenfekete szín
ebullience [ı'bʌljəns] *n* 1. (fel)forrás 2. *átv* forrongás; túlcsordulás [érzelmeké]
ebullient [ı'bʌljənt] *a* 1. forró, forrásban levő 2. túláradó [érzések]; forrongó [ifjúság]
ebullition [ebə'lıʃn] *n* 1. (fel)forrás 2. (érzelem)kitörés
E.C. [i:'si:] *East Central* ⟨London egyik postai kerülete⟩
eccentric [ık'sentrık] I. *a* 1. különc(ködő), szertelen 2. körhagyó, külpontos II. *n* 1. különc 2. excenter, körhagyó tárcsa
eccentricity [eksen'trısətı] *n* 1. különcség; szeszély 2. külpontosság, excentricitás

ecclesiastic [ɪkli:zɪ'æstɪk] I. a egyházi; papi II. n pap

ecclesiastical [ɪkli:zɪ'æstɪkl] a egyházi, papi

ECG [i:si:'dʒi:] electrocardiogram elektrokardiogram, EKG

echelon ['eʃəlɔn; US -ɑn] I. n harclépcső; high ~ első harcvonal; the lower ~s a hátrább/lejjebb levő fokozatok; fly in ~ lépcsősen repül II. vt 1. lépcsőzetesen oszt el [csapatokat] 2. csúsztat [munkaidőt]

echo ['ekoʊ] I. n (pl ~es -z) visszhang II. v (pt/pp ~ed -oʊd) A. vt visszhangoz B. vi visszhangzik

echoic [e'koʊɪk] a hangutánzó, hangfestő

echo-sounder n visszhangos mélységmérő

éclat ['eɪklɑ:; US eɪ'klɑ:] n átütő siker

eclectic [e'klektɪk] I. a válogató, eklektikus II. n válogató/eklektikus személy/filozófus

eclecticism [e'klektɪsɪzm] n eklekticizmus

eclipse [ɪ'klɪps] I. n 1. fogyatkozás [napé, holdé]; total ~ teljes napfogyatkozás 2. átv elhalványulás; be in ~ hanyatlóban van II. vt 1. elhomályosít, elsötétít [égitest másikat] 2. átv felülmúl, túlszárnyal

ecliptic [ɪ'klɪptɪk] n nappálya

eclogue ['eklɔg; US -ɔ:g] n ekloga

ecological [i:kə'lɔdʒɪkl; US -'lɑ-] a ökológiai

ecology [i:'kɔlədʒɪ; US -'kɑ-] n ökológia, környezettan

economic [i:kə'nɔmɪk; US -'nɑ-] a 1. (köz)gazdasági; ~ science = economics 2. = economical 2.

economical [i:kə'nɔmɪkl; US -'nɑ-] a 1. takarékos, beosztó 2. gazdaságos

economically [i:kə'nɔmɪk(ə)lɪ; US -'nɑ-] adv 1. takarékosan, beosztással 2. (köz)gazdaságilag

economics [i:kə'nɔmɪks; US -'nɑ-] n közgazdaságtan, -tudomány

economist [ɪ'kɔnəmɪst; US -'kɑ-] n 1. közgazdász 2. takarékos/beosztó személy

economize [ɪ'kɔnəmaɪz; US -'kɑ-] A. vt takarékosan bánik (vmvel), (jól) be-

oszt [időt, pénzt] B. vi beosztással él; takaréskodik (on/in sg vmvel)

economy [ɪ'kɔnəmɪ; US -'kɑ-] n 1. takarékosság; ~ class turistaosztály [repgépen]; ~ flight kedvezményes árú repülőút; practise ~ takaréskodik; sy's little economies vk kis félretett/spórolt pénze 2. gazdaságtan 3. (köz)gazdaság; gazdasági élet/rendszer

ecstasy ['ekstəsɪ] n elragadtatás, eksztázis; go into ~ over sg fellelkesedik vmn

ecstatic [ɪk'stætɪk] a elragadtatott, eksztatikus

Ecuador ['ekwədɔ:*] prop Ecuador

Ecuadorian [ekwə'dɔ:rɪən] a ecuadori

ecumenical [i:kju:'menɪkl; US ekjʉ-] a ökumenikus

eczema ['eksɪmə] n bőrkiütés, ekcéma

Ed [ed] prop Edus, Duci ⟨Edward becézett formája⟩

ed. 1. edited (by) szerkesztette, szerk. 2. edition kiadás, kiad. 3. editor szerkesztő, szerk., kiadó

edacious [ɪ'deɪʃəs] a falánk

Eddie ['edɪ] prop = Ed

eddy¹ ['edɪ] I. n örvény, forgatag II. vi örvénylik

Eddy² ['edɪ] prop = Ed

edema →oedema

Eden ['i:dn] prop Édenkert, Paradicsom

edentate [i:'denteɪt] a fogatlan [állat]

Edgar ['edgə*] prop Edgár

edge [edʒ] I. n 1. él(e vmnek); set on ~ élére állít [téglát]; set/put an ~ on sg kiélesít/kiköszörül vmt; take off the ~ elveszi az élét (vmnek); take the ~ off one's appetite elveri az éhségét; US biz have an ~ on sy, have the upper ~ előnyben van vkvel szemben 2. biz be on ~ ingerült; ideges; her nerves were all on ~, she was on ~ ideges/izgatott volt 3. szegély, szél, perem; a book with gilt ~s aranyvágású könyv II. vt 1. (ki)élesít 2. szegélyez; beszeg; road ~d with poplars nyárfákkal szegélyezett út 3. ~ one's chair nearer közelebb húzza a székét

edge along vi vm mentén halad

edge away vi elsomfordál (from vhonnan)

edge in A. vi besompolyog; befurakodik B. *vt* ~ *in a word* sikerül pár szót közbevetnie [a társalgásba] edge off A. *vt* leélez [pengét] B. = = *edge away* edge on *vt* ösztökél, noszogat edge out *vt* ~ *sy o. of a job* kitúr vkt az állásából; megfúr vkt; ~ *one's way o. of a crowd* kifurakodik tömegből

edged [edʒd] *a* éles; élezett; -élű; *biz play with* ~ *tools* játszik a tűzzel; *two-*~ *sword* kétélű kard

edge-tool *n* vágószerszám

edgeways ['edʒweiz] *adv* oldalvást; *get in a word* ~ sikerül pár szót közbevetnie [a társalgásba]

edgewise ['edʒwaiz] *adv* = *edgeways*

edging ['edʒiŋ] *n* 1. élezés, élesítés 2. szegély(ezés)

edging-shears *n pl* fűnyíró olló

edgy ['edʒi] *a* 1. éles [kő]; éles vonalú/rajzú 2. ideges, ingerült [ember]

edible ['edibl] I. *a* ehető, ét- II. edibles *n pl* élelmiszer(ek); ennivaló

edict ['i:dikt] *n* (kormány)rendelet; kiáltvány, ediktum

edification [edifi'keiʃn] *n* épülés, tanulság; okulás

edifice ['edifis] *n* épület, építmény

edify ['edifai] *vt* tanít, oktat; *be edified* okul

edifying ['edifaiiŋ] *a* épületes, tanulságos

Edinburgh ['edinb(ə)rə] *prop*

Edison ['edisn] *prop*

edit ['edit] *vt* 1. sajtó alá rendez; kiad [szöveget] 2. szerkeszt [lapot, könyvet stb.]; ~*ed by* ... (1) sajtó alá rendezte ... (2) szerkesztette ... 3. öszszeállít; összevág [filmet, magnószalagot] 4. *US* ~ *out* kihagy, kicenzúráz

edit. = *ed. 1., 2.*

Edith ['i:diθ] *prop* Edit

edition [i'diʃn] *n* kiadás [könyvé]

editor ['editə*] *n* 1. szerkesztő [lapé, könyvsorozaté stb.]; rovatvezető; ~ *in chief* főszerkesztő; *a* (szöveg)kiadó; [szövegben:] sajtó alá rendezte ..

editorial [edi'tɔ:riəl] I. *a* szerkesztői; szerkesztőségi; ~ *board* szerkesztő bizottság; ~ *office* szerkesztőség [helyiség]; *the* ~ *staff* a szerkesztőség (tagjai) II. *n* vezércikk

editorship ['editəʃip] *n* szerkesztői tevékenység; *under the* ~ *of* . . . . . . szerkesztésében

Edmund ['edmənd] *prop* Ödön

educate ['edju:keit; *US* -dʒʊ-] *vt* 1. oktat; iskoláztat; *he was* ~*d in France* tanulmányait Franciaországban végezte 2. kiművel, (ki)fejleszt [izlést stb.]

educated ['edju:keitid; *US* -dʒʊ-] *a* művelt, tanult [ember]

education [edju:'keiʃn; *US* -dʒʊ-] *n* 1. nevelés, neveltség, műveltség; *a man without* ~ tanulatlan ember; *give sy an* ~ taníttat, iskoláztat 2. nevelés(ügy), oktatás(ügy), közoktatás; *E~ Act* kb. tankötelezettségi törvény *[GB-ben]; Board of E~* közoktatásügyi minisztérium *[GB-ben]* 3. neveléstudomány, pedagógia 4. idomítás

educational [edju:'keiʃənl; *US* -dʒʊ-] *a* nevelési, tan-; oktatási [intézmény]; ismeretterjesztő, oktató [film]; ~ *aids* tanszerek

educationalist [edju:'keiʃnəlist; *US* -dʒʊ-] *n* nevelő, pedagógus

educative ['edju:kətiv; *US* 'edʒʊkei-] *a* nevelő (hatású)

educator ['edju:keitə*; *US* -dʒʊ-] *n* nevelő, pedagógus

educe [i'dju:s; *US* i'du:s] *vt* kikövetkeztet, levezet *(from* vmből)

eduction [i'dʌkʃn] *n* 1. (vegyi) kiválasztás 2. következtetés; levezetés 3. váladék

Edward ['edwəd] *prop* Edvárd, Eduárd, Ede

Edwardian [ed'wɔ:djən] *a* VII. Edward korabeli (1901—1910), századeleji

Edwin ['edwin] *prop* Edvin

EEC [i:i:'si:] *European Economic Community* (= *the Common Market)* Európai Gazdasági Közösség, EGK

EEG [i:i:'dʒi:] *electroencephalogram* elektroencefalogram, EEG

eel [i:l] *n* angolna

e'en [i:n] *adv/n* = *even*[1], *even*[2]

e'er [eə*] *adv* = *ever*

eerie, eery ['iəri] *a* hátborzongató

efface [i'feis] *vt* 1. kitöröl, olvashatatlanná tesz [írást]; elfeledtet [emléket]

2. eltöröl a föld színéről 3. háttérbeszorít; ~ *oneself* (szerényen) a háttérben marad
effacement [ɪ'feɪsmənt] *n* kitörlés; megsemmisítés
effect [ɪ'fekt] I. *n* 1. (ki)hatás, következmény, eredmény; *cause and* ~ ok és okozat; *have an* ~ *on* sy/sg hat vkre/ vmre, hatást gyakorol vkre/vmre; *be of no* ~, *have no* ~ hatástalan marad 2. hatály; *bring* (*in*)*to* ~ végrehajt; megvalósít; *carry into* ~ foganatosít; *come into* ~ hatályba lép; *take* ~ (1) hat(ása van) (2) életbe/hatályba lép (3) megered [oltás]; *of no* ~ (1) hatástalan (2) hatálytalan; *to no* ~ hiába, eredménytelenül 3. (össz)hatás; *it has a good* ~ jól mutat; *meant for* ~ hatásvadászó [szavak] 4. értelem; *to the* ~ *that* . . . abban az értelemben, hogy . . .; *to the same* ~ ugyanazon értelemben; *to the* ~ (1) azon célból, azzal a szándékkal (2) azzal az eredménnyel; *in* ~ (1) valóságban, valójában (2) hatályban [van] 5. (*personal*) ~*s* (1) ingóságok (2) értékpapír(ok); "*no* ~*s*" „fedezetlen" [jelzés csekken] II. *vt* 1. okoz, eredményez 2. eszközöl; végrehajt, megvalósít; ~ *an entrance* erőszakkal behatol; ~ *an insurance* biztosítást köt; ~ *an order* megbízást teljesít; ~ *payment* fizetést eszközöl; ~ *one's purpose* eléri célját; *communication was* ~*ed* létrejött az összeköttetés
effective [ɪ'fektɪv] I. *a* 1. hatásos; hathatós; hatékony, eredményes; célravezető; 2. hatásos, találó [kifejezés] 3. tényleges, valóságos, effektív 4. US hatályban levő, érvényes; *become* ~ hatályba/érvénybe/életbe lép II.
effectives *n pl* tényleges katonaság
effectively [ɪ'fektɪvlɪ] *adv* 1. eredményesen; hathatósan; hatásosan 2. ténylegesen
effectiveness [ɪ'fektɪvnɪs] *n* 1. hatásosság 2. hatékonyság; hatóerő
effectual [ɪ'fektʃʊəl] *a* 1. eredményes; hathatós; hatásos 2. érvényes
effectuate [ɪ'fektjʊeɪt; US -tʃʊ-] *vt* megvalósít; létrehoz; végrehajt

effeminacy [ɪ'femɪnəsɪ] *n* elpuhultság, nőiesség
effeminate [ɪ'femɪnɪt] *a* elpuhult, nőies [férfi]
effervesce [efə'ves] *vi* 1. (fel)pezseg, felbuzog [gáz]; gyöngyözik [bor] 2. *átv* pezseg [jókedvtől]
effervescence [efə'vesns] *n* 1. pezsgés, habzás 2. *átv* forrongás
effervescent [efə'vesnt] *a* 1. habzó, (fel-) pezsgő; ~ *bath* pezsgőfürdő 2. forrongó; heveskedő
effete [ɪ'fiːt] *a* 1. † terméketlen, meddő 2. elerőtlenedett, kimerült
efficacious [efɪ'keɪʃəs] *a* hathatós, hatékony; eredményes
efficaciousness [efɪ'keɪʃəsnɪs] *n* = *efficacy*
efficacy ['efɪkəsɪ] *n* hathatósság, hatásosság, hatóerő; hatásfok; teljesítmény [gépé]
efficiency [ɪ'fɪʃ(ə)nsɪ] *n* 1. hathatósság, hatékonyság; eredményesség; hatóerő [orvosságé stb.] 2. hatásfok, teljesítmény; termékenység 3. alkalmasság, rátermettség; eredményes működés
efficient [ɪ'fɪʃ(ə)nt] *a* 1. hathatós, hatékony [módszer]; eredményes [munka]; termelékeny [gép] 2. tevékeny, gyakorlatias, expeditív; *an* ~ *man* kitűnő munkaerő
effigy ['efɪdʒɪ] *n* kép(más); *hang/burn in* ~ jelképesen felakaszt/eléget
efflorescence [eflɔː'resns] *n* 1. virágzás (ideje) 2. (vegyi) kivirágzás, rozsda 3. bőrkiütés
efflorescent [eflɔː'resnt] *a* (ki)virágzó
effluence ['efluəns] *n* kifolyás, kiömlés
effluent ['efluənt] I. *a* kifolyó, kiömlő II. *n* kiömlő folyó(víz)
efflux ['eflʌks] *n* 1. kifolyás, kiáramlás 2. kiáramló folyadék/gáz
effort ['efət] *n* 1. erőkifejtés, erőfeszítés, erőlködés, fáradozás; *bend every* ~ megtesz minden tőle telhetőt; *make an* ~ erőfeszítést tesz, összeszedi minden erejét; *he spares no* ~ nem sajnálja a fáradságot; *use every* ~ minden erejét megfeszíti; minden követ megmozgat; *it was a great* ~ *to* . . . ne

héz volt ... 2. *biz* munka, mű; *it was a good* ~ jól sikerült
effortless ['efətlıs] *a* 1. könnyű, megerőltetés nélküli 2. passzív [ember]
effrontery [ı'frʌntərı] *n* arcátlanság
effulgence [ı'fʌldʒ(ə)ns] *n* sugárzás, fénylés
effulgent [ı'fʌldʒ(ə)nt] *a* ragyogó, fénylő, sugárzó
effuse [ı'fju:z] **A.** *vt* kiönt [folyadékot]; ont [fényt] **B.** *vi* kiömlik, kifolyik, kiáramlik
effusion [ı'fju:ʒn] *n* 1. kiömlés, kifolyás; ontás [véré] 2. ömlengés
effusive [ı'fju:sıv] *a* 1. kiömléses; effúziós [kőzet] 2. ömlengő, dagályos [stílus]; kitörő [öröm]
effusiveness [ı'fju:sıvnıs] *n* 1. kiömlés 2. ömlengősség, túláradó érzés
EFL [i:ef'el] *English as a foreigh language* az angol mint idegen nyelv
eftsoon(s) [eft'su:n(z)] *adv* † 1. azon nyomban 2. újból
e.g., eg [i:'dʒi:; f(ə)rıg'za:mpl] exempli gratia (*for example*) például, pl.
egad [ı'gæd] *int* † ejnye!
egalitarian [ıgælı'teərıən] *n* egyenlőségre törekvő [személy]
egalitarianism [ıgælı'teərıənızm] *n* egyenlősdi
Egbert ['egbə:t] *prop* Egbert
egg¹ [eg] *n* 1. tojás; *put all one's* ~*s into one basket* mindent egy lapra tesz fel; *biz as sure as* ~*s is* ~*s* olyan biztos mint kétszer kettő négy; *in the* ~ kezdeti stádiumban, a kezdet kezdetén 2. pete
egg² [eg] *vt* ~ *on* noszogat, ösztökél
egg-cup *n* tojástartó
egg-flip *n* tojáslikőr
egg-head *n biz* tojásfejű, értelmiségi, entellektüel
egg-nog *n* tojáslikőr
egg-plant *n* tojásgyümölcs, padlizsán
egg-shake *n* kb. turmix
egg-shell *n* tojáshéj; ~ *china* átlátszó porcelán
egg-timer *n* (háromperces) homokóra
egg-whisk *n* habverő
egg-white *n* tojásfehérje
eglantine ['egləntaın] *n* vadrózsa

egocentric [egoʊ'sentrık; *US* i:-] *a* önző, egocentrikus
egoism ['egoʊızm; *US* 'i:-] *n* önzés, egoizmus
egoist ['egoʊıst; *US* 'i:-] *n* önző ember, egoista
egotism ['egətızm; *US* 'i:-] *n* beképzeltség, önzés
egotist ['egətıst; *US* 'i:-] *n* 1. önző 2. önmagával eltelt ember
egregious [ı'gri:dʒəs] *a* minden képzeletet felülmúló; hallatlan; szörnyű [hiba, ostobaság stb.]
egregiousness [ı'gri:dʒəsnıs] *n* példátlanság
egress ['i:gres] *n* 1. kijárat; kivezető út; ~ *and regress* szabad mozgás, ki-be járás 2. kiáramlás; leadás [hőé] 3. *átv* kiút
egret ['i:gret] *n* 1. nemes kócsag 2. kócsagtoll
Egypt ['i:dʒıpt] *prop* Egyiptom
Egyptian [ı'dʒıpʃn] *a/n* egyiptomi
eh [eı] *int* hogy mondod?; ugye?
eider ['aıdə*] *n* ~ (*duck*) dunnalúd
eiderdown *n* 1. (lúd)pehely 2. dunyha; pehelypaplan
eight [eıt] **I.** *a* nyolc **II.** *n* 1. nyolc(as); *a boy of* ~ nyolcéves fiú; *at* ~ nyolckor; *page* ~ nyolcadik oldal; *biz he has had one over the* ~ többet ivott a kelleténél 2. nyolcas, nyolcevezős (hajó)
eighteen [eı'ti:n] *a/n* tizennyolc
eighteenth [eı'ti:nθ] *a/n* tizennyolcadik
eightfold ['eıtfoʊld] *a/adv* nyolcszoros(an)
eighth [eıtθ] **I.** *a* nyolcadik **II.** *n* nyolcad
eight-hour *a* nyolcórás [munkanap]
eightieth ['eıtııθ] *a/n* nyolcvanadik
eighty ['eıtı] *a/n* nyolcvan; *the eighties* a nyolcvanas évek
Eileen ['aıli:n] *prop* Helén
Eire ['eərə] *prop* Írország
Eisenhower ['aıznhaʊə*] *prop*
eisteddfod [aıs'teðvɔd] *n* ⟨walesi irodalmi és dalosverseny⟩
either ['aıðə*; *US* 'i:-] **I.** *a/pron* 1. egyik, valamelyik (a kettő közül); ~ *of them* egyik(et)/valamelyik(et) (a kettő közül); *I don't believe* ~ *of you* egyikteknek se hiszek 2. akármelyik, bárme-

lyik (a kettő közül); ~ of them will do akármelyik megteszi; ~ way akár igy, akár úgy 3. mindkét, mindkettő; on ~ side mindkét oldalon II. conj/adv ~ ... or vagy ... vagy, akár ... akár; nor I ~ én sem; if you don't go I shall not ~ ha te nem mész, én sem megyek; I don't want the money, and I don't want the book, ~ nem kell a pénz és a könyv sem (kell)
ejaculate [ı'dʒækjʋleıt; US -kjɔ-] vt 1. (ki)lövell, ejakulál 2. felkiált
ejaculation [ıdʒækjʋ'leıʃn; US -kjə-] n 1. (ki)lövellés, magömlés, ejakuláció 2. (fel)kiáltás
eject [ı'dʒekt] vt 1. kilövell, szór [lángot]; kivet [idegen anyagot] 2. kidob, elüz (vhonnan); kilakoltat; birtokától megfoszt 3. (hivatalából) elmozdít
ejection [ı'dʒekʃn] n 1. kivetés, kilövellés; ~ seat katapultülés 2. kilakoltatás; birtokfosztás; elmozdítás [hivatalból]
ejector [ı'dʒektə*] n (töltény)kivető [szerkezet]; ~ seat katapultülés
eke[1] [i:k] vt ~ out kiegészit, kipótol (with vmvel); ~ out a livelihood nagy nehezen összekaparja a megélhetéshez szükségeset
eke[2] [i:k] adv † is, szintén
elaborate I. a [ı'læb(ə)rət] 1. gondosan kidolgozott/megmunkált; alapos; választékos 2. bonyolult, körülményes II. vt [ı'læbəreıt] (részleteiben) alaposan/gondosan kidolgoz/kialakit
elaborately [ı'læb(ə)rətlı] adv gondosan kidolgozva; választékosan
elaborateness [ı'læb(ə)rətnıs] n 1. gondosság, alaposság [munkáé] 2. bonyolultság [gépé stb.]
elaboration [ılæbə'reıʃn] n (részletes) kidolgozás
Elaine [e'leın] prop Ilona, Helén
élan [eı'lɑ:ŋ] n lendület, hév, elán
eland ['i:lənd] n jávorszarvas, jávorantilop
elapse [ı'læps] vi (el)múlik, (el)telik [idő]
elastic [ı'læstık] I. a 1. ruganyos, rugalmas; ~ band gumiszalag 2. átv biz rugalmas [gondolkodásmód]; tág [lelkiismeret] II. n gumiszalag, -zsinór

elasticity [elæ'stısətı; US ı-] n (átv is) rugalmasság
elastic-sides n pl biz cúgos cipő
elastoplast [ı'læstəplɑ:st; US -æst] n gyorstapasz
elated [ı'leıtıd] a emelkedett hangulatban (levő), megmámorosodott
elation [ı'leıʃn] n fellelkesedés; emelkedett hangulat; áradó jókedv
elbow ['elboʋ] I. n 1. könyök; be at sy's ~ keze ügyében van; be up to the ~s nyakig ül a munkában; out at the ~s lerongyolódott; ⬚ crook the ~, lift one's ~ üritgeti a poharát 2. kanyar(ulat) [úté, folyóé]; görbület, hajlat II. vt/vi lök(dös), tolakodik, könyököl; ~ sy out of sg kiszorít/kisemmiz vkt vmből; ~ one's way through a crowd átfurakodik a tömegen
elbow-grease n biz megerőltető házimunka; put a bit of ~ into it! no erőltesd meg magad,egy kicsit!
elbow-rest n karfa [széké], kartámasz
elbow-room n működési lehetőség, mozgástér
elder[1] ['eldə*] I. a 1. idősebb [kettő közül]; my ~ brother a bátyám 2. rangidős; ~ statesman tekintélyes idős politikus II. n 1. idősebb/tekintélyes ember 2. presbiter
elder[2] ['eldə*] n bodza(fa)
elder-berry n bodza(bogyó); ~ jam bodzalekvár
elderly ['eldəlı] a koros(odó), öreges, öregedő
eldest ['eldıst] a legidősebb; ~ hand induló, kezdő [kártyajátékos]
El Dorado [eldə'rɑ:doʋ] eldorádó
Eleanor ['elınə*] prop Eleonóra, Leonóra
elect [ı'lekt] I. a 1. (ki)választott 2. válogatott II. n 1. the ~ a (ki)választottak 2. US ⟨megválasztott de még nem hivatalba lépett személy⟩ III. vt 1. (meg)választ; ~ sy a member taggá választ vkt 2. ~ to do sg elhatározza magát vmre; he ~ed to stay a maradás mellett döntött
election [ı'lekʃn] n választás; general ~ általános választás, országos képviselőválasztás; call ~s választásokat kiír

electioneering [ɪlekʃə'nɪərɪŋ] n körteskedés; választási agitáció/kampány
elective [ɪ'lektɪv] a 1. választási; választásra jogosult 2. US szabadon választható [tantárgy], fakultatív
elector [ɪ'lektə*] n 1. választó, szavazó [polgár]; elektor 2. † választófejedelem
electoral [ɪ'lekt(ə)rəl] a választási, választói; elektori; US ~ college elnökválasztó testület/kollégium
electorate [ɪ'lekt(ə)rət] n 1. választók; választókerület 2. választófejedelemség
Electra [ɪ'lektrə] prop Elektra
electric [ɪ'lektrɪk] a villamos, elektromos; ~ blue acélkék; ~ chair villamosszék; ~ current villamos áram; ~ eye fotocella; ~ fence villanypásztor; ~ iron villanyvasaló; ~ light villany-(fény), villanyvilágítás; ~ shock áramütés
electrical [ɪ'lektrɪkl] a villamos, elektromos, elektro-; ~ engineer villamosmérnök, elektromérnök; ~ engineering elektrotechnika; ~ fitter villanyszerelő
electrician [ɪlek'trɪʃn] n villanyszerelő
electricity [ɪlek'trɪsətɪ] n villamosság, elektromosság, villany(áram); ~ supply villamosenergia-szolgáltatás/ellátás; ~ works elektromos művek
electrification [ɪlektrɪfɪ'keɪʃn] n 1. villamosítás 2. átv (fel)villanyozás
electrify [ɪ'lektrɪfaɪ] vt 1. villamossággal feltölt, elektrifikál 2. villamosít 3. átv felvillanyoz
electro- [ɪ'lektrou- v. ɪ'lektrə-] (összetételekben:) elektro-, villamos-
electrocardiogram [-'kɑːdɪəgræm] n elektrokardiogram, EKG
electro-chemistry n elektrokémia
electrocute [ɪ'lektrəkjuːt] vt 1. villamosszékben kivégez 2. be ~d (1) halálos áramütést szenved (2) villamosszékben kivégzik
electrocution [ɪlektrə'kjuːʃn] n 1. kivégzés villamosszékben 2. halálos áramütés
electrode [ɪ'lektroud] n elektróda
lectro-dynamics n elektrodinamika

electroencephalogram n elektroencefalogram, EEG
electrolysis [ɪlek'trɔlɪsɪs; US -ra-] n elektrolízis
electrolyte [ɪ'lektrəlaɪt] n elektrolit
electrolytic [ɪlektrə'lɪtɪk] a elektrolitikus
electro-magnet n elektromágnes
electrometer [ɪlek'trɔmɪtə*; US -a-] n elektrométer
electro-motor n villamos motor, elektromotor
electron [ɪ'lektrɔn; US -an] n elektron; ~ microscope elektronmikroszkóp; ~ tube elektroncső
electronic [ɪlek'trɔnɪk; US -a-] a elektronikus; ~ computer elektronikus számítógép
electronics [ɪlek'trɔnɪks; US -a-] n elektronika
electroplate [ɪ'lektrəpleɪt] vt galvanizál; ~d galvánozott, ezüstözött
electrotype [ɪ'lektrətaɪp] n elektrotípia
eleemosynary [elɪː'mɔsɪnərɪ; US elə-'masɪnerɪ] a 1. jótékonysági 2. jótékonyságból élő
elegance ['elɪgəns] n elegancia, finomság, választékosság
elegant ['elɪgənt] a 1. elegáns, finom, előkelő 2. US biz kitűnő, klassz
elegiac [elɪ'dʒaɪək] a 1. elégikus; ~ couplet disztichon 2. gyászos (hangulatú)
elegy ['elɪdʒɪ] n elégia, gyászdal
element ['elɪmənt] n 1. elem; be in one's ~ elemében van; brave the ~s dacol az elemekkel 2. (alkotó)elem; alkatrész; tényező; ~ of uncertainty bizonytalansági tényező; the personal ~ az emberi tényező 3. elements pl alapfogalmak, elemi ismeretek 4. elemi rész
elemental [elɪ'mentl] a 1. elemi [erő] 2. elsődleges; alapvető; szerves [rész]; ~ truths alapigazságok
elementary [elɪ'ment(ə)rɪ] a 1. elemi, alapvető, alapfokú, alap-; ~ school elemi/általános iskola 2. kezdetleges, alapvető [tudás]
elephant ['elɪfənt] n 1. elefánt; a white ~ (1) fehér elefánt (2) ⟨igen terjedelmes, haszontalan s ezért kényelmetlen tárgy⟩ 2. US ⟨a republikánus párt címerállata⟩

elephantiasis [elɪfən'taɪəsɪs] *n* elefantiázis, elefántkór
elephantine [elɪ'fæntaɪn; *US* -tɪn] *a* elefántszerű, óriási, ormótlan
elevate ['elɪveɪt] *vt* **1.** (*átv is*) (fel)emel **2.** (fel)magasztal **3.** előléptet
elevated ['elɪveɪtɪd] *a* **1.** felemelt, magas; *US* ~ *railroad* magasvasút **2.** emelkedett, magasztos; ~ *personage* előkelőség **3.** *biz* emelkedett [hangulat]; *be slightly* ~ kissé kapatos, spicces
elevating ['elɪveɪtɪŋ] *a* (fel)emelő
elevation [elɪ'veɪʃn] *n* **1.** emelés; ~ *of the Host* úrfelmutatás **2.** emelkedés, domb, magaslat; tengerszint fölötti magasság **3.** homlokrajz; homlokzat **4.** emelkedettség; fennköltség [jellemé]; magasztosság [gondolaté]
elevator ['elɪveɪtə*] *n* **1.** elevátor, emelő(gép) **2.** magassági kormány [repgépen] **3.** *US* lift, felvonó; ~ *attendant* liftes **4.** *US* gabonaraktár
eleven [ɪ'levn] *a/n* **1.** tizenegy **2.** tizenegy [futball- v. krikettcsapat]
elevenses [ɪ'levnzɪz] *n pl GB* tízórai
eleventh [ɪ'levnθ] *a/n* tizenegyedik; *at the* ~ *hour* a tizenkettedik órában, az utolsó percben
elf [elf] *n* (*pl* **elves** elvz) tündér, manó, törpe
elfin ['elfɪn] *a* **1.** tündérszerű, apró **2.** pajkos; incselkedő; ~ *laugh* csúfondáros nevetés
elfish ['elfɪʃ] *a* = *elfin*
Elgar ['elgə*] *prop*
Elgin ['elgɪn] *prop*
Elia ['iːljə] *prop*
Elias [ɪ'laɪəs] *prop* Illés
elicit [ɪ'lɪsɪt] *vt* kicsal, kiszed [titkot] (*from* vkből); kiderít [igazságot]; ~ *an answer* válaszra bír
elide [ɪ'laɪd] *vt* kihagy [hangot]
eligibility [elɪdʒə'bɪlətɪ] *n* **1.** (ki)választhatóság, alkalmasság **2.** partiképesség
eligible ['elɪdʒəbl] *a* **1.** választható (*to* vmvé) **2.** alkalmas; megfelelő; *an* ~ *young man* jó parti, partiképes fiatalember
Elijah [ɪ'laɪdʒə] *prop* Illés
eliminate [ɪ'lɪmɪneɪt] *vt* **1.** kiküszöböl, kirekeszt, eliminál; kihagy [nevet

listáról]; eltávolít **2.** megsemmisít, felszámol **3.** (ki)selejtez [sportban]; *e-liminating heats* selejtezők, előfutamok; *become* ~*d* kiesik [versenyből]
elimination [ɪlɪmɪ'neɪʃn] *n* **1.** kiküszöbölés, kirekesztés, kizárás; elimináció **2.** kiesés [versenyből]; ~ *race/tournament* kieséses verseny
Elinor ['elɪnə*] *prop* Eleonóra
Eliot ['eljət] *prop*
Elisabeth [ɪ'lɪzəbəθ] *prop* Erzsébet
Elisha [ɪ'laɪʃə] *prop* Illés
elision [ɪ'lɪʒn] *n* hangzókihagyás
élite [eɪ'liːt] *n* színe-java, virágja (*of* vmnek); elit
elixir [ɪ'lɪksə*] *n* elixír; varázsital
Eliza [ɪ'laɪzə] *prop* El(i)za
Elizabeth [ɪ'lɪzəbəθ] *prop* Erzsébet
Elizabethan [ɪlɪzə'biːθn] **I.** *a* Erzsébet-kori (1558—1603) **II.** *n* Erzsébet korabeli (személy/dolog)
elk [elk] *n* jávorszarvas
ell [el] *n* rőf [= 45 inch/hüvelyk = = 114,30 cm]
Ella ['elə] *prop* Ella
ellipse [ɪ'lɪps] *n* **1.** ellipszis **2.** = *ellipsis*
ellipsis [ɪ'lɪpsɪs] *n* (*pl* **-ses** -siːz) (szó)kihagyás
elliptic(al) [ɪ'lɪptɪk(l)] *a* **1.** tojásdad, elliptikus **2.** (szó)kihagyásos, elliptikus [szerkezet]
elm [elm] *n* szilfa
Elmer ['elmə*] *prop* Elemér
elocution [elə'kjuːʃn] *n* **1.** ékesszólás, szónoki képesség **2.** előadásmód
elocutionist [elə'kjuːʃ(ə)nɪst] *n* **1.** szónoklattantanár **2.** előadóművész
elongate ['iːlɔŋgeɪt; *US* ɪ'lɔːŋ-] **A.** *vt* (meg)hosszabbít, (ki)nyújt **B.** *vi* (meg-) nyúlik
elongation [iːlɔŋ'geɪʃn; *US* ɪlɔːŋ-] *n* **1.** (meg)hosszabbítás; (meg)hosszabbodás **2.** toldalék **3.** legnagyobb kitérés [bolygópályán]; szögtávolság
elope [ɪ'loʊp] *vi* megszökik (*with*) [szeretőjével]
elopement [ɪ'loʊpmənt] *n* (meg)szökés
eloquence ['eləkw(ə)ns] *n* ékesszólás; szónoki képesség
eloquent ['eləkw(ə)nt] *a* ékesszóló; *an* ~ *look* sokatmondó pillantás

eloquently ['eləkw(ə)ntlı] *adv* ékes-szólóan; kifejezően, sokatmondóan

else [els] *adv* 1. vagy, különben; *or* ~ vagy pedig, (más)különben 2. *(határozatlan* v. *kérdő névnévmással:)* egyéb, más; *anybody* ~ akárki/bárki más; *anything* ~ akármi/bármi más; *anything* ~, *Madam/Sir?* mivel szolgálhatok még asszonyom/uram?; *nothing* ~ semmi más(t); *what* ~ mi más(t), még mi(t); *he drinks little* ~ *than water* alig iszik mást, mint vizet; *anywhere* ~ akárhol/bárhol másutt; *nowhere* ~ sehol (másutt)

elsewhere *adv* 1. másutt, máshol 2. máshová

Elsie ['elsı] *prop* Erzsi

Elsinore [elsı'nɔ:*] *prop* Helsingőr

elucidate [ı'lu:sıdeıt] *vt* megmagyaráz, megvilágít; tisztáz, értelmez

elucidation [ılu:sı'deıʃn] *n* magyarázat, tisztázás, helyes értelmezés

elucidatory [ı'lu:sıdeıt(ə)rı; *US* -dətɔ:rı] *a* megmagyarázó, megvilágító

elude [ı'lu:d] *vt* kitér, megmenekül (vm elől); egérutat nyer; ~ *sy's grasp* kisiklik vk karmai közül

elusive [ı'lu:sıv] *a* nehezen megfogható; meghatározhatatlan; *an* ~ *reply* kitérő válasz

elves [elvz] →*elf*

Ely ['i:lı] *prop*

emaciate [ı'meıʃıeıt] *vt* lesoványit, lefogyaszt [betegség]

emaciation [ımeısı'eıʃn; *US* -ʃı-] *n* (beteges) soványság, girhesség

emanate ['eməneıt] **A.** *vt* kisugároz [fényt]; áraszt [illatot] **B.** *vi* (ki)árad, (ki)ömlik; ered *(from* vhonnan)

emanation [emə'neıʃn] *n* kiáradás, kisugárzás, emanáció

emancipate [ı'mænsıpeıt] *vt* felszabadit, emancipál

emancipation [ımænsı'peıʃn] *n* felszabadítás; emancipáció

emancipator [ı'mænsıpeıtə*] *n* felszabadító

emasculate I. *a* [ı'mæskjölıt] = *emasculated* **II.** *vt* [ı'mæskjöleıt] 1. kiherél 2. *átv* erejétől megfoszt; elpuhít

emasculated [ı'mæskjöleıtıd] *a* 1. herélt 2. *átv* elpuhult; nőies; erőtlen [stílus]

emasculation [ımæskjö'leıʃn] *n* 1. kiherélés 2. elerőtlenedés, elpuhulás 3. elerőtlenítés; megcsonkítás [irodalmi műé]; elszegényítés [nyelvé]

embalm [ım'bɑ:m] *vt* 1. bebalzsamoz 2. illatosít; illatos kenetekkel bedörzsöl

embank [ım'bæŋk] *vt* gáttal körülvesz; töltéssel véd

embankment [ım'bæŋkmənt] *n* 1. (védő)gát; (vasúti) töltés 2. kiépített rakpart

embargo [em'bɑ:goʊ] **I.** *n* (*pl* ~es -oʊz) 1. hajózár, hajózási tilalom 2. kiviteli/behozatali tilalom, embargó 3. lefoglalás, elkobzás **II.** *vt* 1. embargó alá helyez [hajót]; zárol, szállítási tilalom alá von [árut] 2. elkoboz, lefoglal [hajót, árut]

embark [ım'bɑ:k] **A.** *vt* hajóba berak, behajóz **B.** *vi* 1. hajóra száll, behajóz 2. nekilát *(upon/on* vmnek), belefog; ~ *upon a venture* vállalkozásba fog

embarkation [embɑ:'keıʃn] *n* hajóra száll(ít)ás, behajózás

embarras [ım'bærəs] *vt* 1. gátol, akadályoz 2. zavarba hoz; *be* ~*ed* zavarban van

embarrassed [ım'bærəst] *a* 1. zavart, zavarban levő 2. megszorult; ~ *estate* adósságokkal megterhelt birtok

embarrassment [ım'bærəsmənt] *n* 1. zavar 2. kínos/szorult helyzet; pénzzavar

embassy ['embəsı] *n* 1. nagykövetség 2. *on an* ~ diplomáciai (ki)küldetésben

embattled [ım'bætld] *a* csatarendbe felállott

embed [ım'bed] *vt* -**dd**- beágyaz (vmbe); lerak [kábelt]; bevés [emlékezetébe]

embellish [ım'belıʃ] *vt* diszit, szépít; kiszinez [elbeszélést]

embellishment [ım'belıʃmənt] *n* 1. (fel)díszítés 2. ékítmény

ember days ['embə*] *n pl* kántorböjt

embers ['embəz] *n pl* parázs, zsarátnok

embezzle [ım'bezl] *vt* (el)sikkaszt

embezzlement [ım'bezlmənt] *n* (el)sikkasztás

embezzler [ım'bezlə*] *n* sikkasztó

embitter [ım'bıtə*] *vt* el-, megkeserit

embittered [ɪm'bɪtəd] *a* elkeseredett
emblazon [ɪm'bleɪzn] *vt* 1. (fel)magasztal, dicsőít 2. díszít, címerrel ékesít
emblem ['embləm] *n* jelkép(es ábrázolás), embléma
emblematic(al) [emblɪ'mætɪk(l)] *a* jelképes; képletes, szimbolikus
embodiment [ɪm'bɔdɪmənt; *US* -'bɑ-] *n* 1. megtestesítés 2. megtestesülés; *the* ~ *of kindness* (maga) a megtestesült jóság
embody [ɪm'bɔdɪ; *US* -ɑ-] *vt* 1. megtestesít 2. magában foglal
embolden [ɪm'boʊld(ə)n] *vt* (fel)bátorít
embolism ['embəlɪzm] *n* embólia
embonpoint [ɔ:mbɔ:m'pwæŋ] *n* pocakosság, kövérkésség
emboss [ɪm'bɔs; *US* -ɔ:s] *vt* domborművel díszít, trébel, domborít
embossed [ɪm'bɔst; *US* -ɔ:-] *a* domborított, dombornyomásos
embrace [ɪm'breɪs] I. *n* ölelés; *in sy's* ~*s* vknek a karjaiban II. A. *vt* 1. (meg)ölel; átölel, karjaiba zár 2. megragad [alkalmat], magáévá tesz [ügyet]; ~ *Christianity* keresztény hitre tér 3. magába foglal; *átv* felölel; ~ *with a glance* egyetlen pillantással áttekint B. *vi* megölelik egymást
embrasure [ɪm'breɪʒə*] *n* 1. lőrés 2. ablakmélyedés; ajtómélyedés
embrocate ['embrəkeɪt] *vt* bedörzsöl
embrocation [embrə'keɪʃn] *n* 1. bedörzsölés 2. kenet, gyógyír
embroider [ɪm'brɔɪdə*] *vt* 1. (ki)hímez 2. *átv* díszít, szépít, kiszínez [elbeszélést]
embroidery [ɪm'brɔɪd(ə)rɪ] *n* hímzés, kézimunka
embroil [ɪm'brɔɪl] *vt* 1. belekever, -sodor (*in* vmbe); ~ *a country in war* országot háborúba sodor 2. összezavar [ügyet]
embryo ['embrɪoʊ] *n* magzat, embrió; *in* ~ csírá(já)ban
embryonic [embrɪ'ɔnɪk; *US* -'ɑ-] *a* kezdetleges, embrionális
emcee [em'si:] *US* I. *n* konferanszié, műsorvezető II. *vt/vi* (be)konferál
emend [i:'mend] *vt* (ki)javít, helyreigazít [szöveget]

emendation [i:men'deɪʃn] *n* (szöveg)javítás; helyreigazítás
emerald ['emər(ə)ld] *n* smaragd(zöld); *the E*~ *Isle* [rország
emerge [ɪ'mə:dʒ] *vi* 1. felbukkan, kiemelkedik [vízből]; előbukkan (*from* behind vm mögül); felmerül, jelentkezik [probléma] 2. kiderül; nyilvánvalóvá válik (*from* vmből); *from these facts it* ~*s that* ... e tényekből kitűnik, hogy... 3. kikerül [bajból]; kiemelkedik, felemelkedik [nyomorból]
emergence [i:'mə:dʒ(ə)ns] *n* 1. felbukkanás, előbukkanás (*from* vhonnan) 2. *átv* kiemelkedés [nyomorból]; felmerülés, jelentkezés [probléma]; érvényesülés
emergency [ɪ'mə:dʒ(ə)nsɪ] *n* 1. szükségállapot; kényszerhelyzet; véletlen/váratlan esemény; *rise to the* ~ a helyzet magaslatára emelkedik; *in case of* ~ veszély/szükség esetén; *in this* ~ ebben a kritikus/válságos helyzetben 2. szükség-; vész-; ~ *brake* vészfék; ~ *decree* szükségintézkedés; ~ *exit* vészkijárat; ~ *landing* kényszerleszállás; ~ *meeting* rendkívüli ülés; ~ *telephone* segélykérő telefon
emergent [i:'mə:dʒ(ə)nt] *a* 1. keletkező, létrejövő, kialakuló 2. függetlenné váló [ország]
emeritus [ɪ'merɪtəs] *a* 1. kiérdemesült 2. nyugalmazott; ~ *professor, professor* ~ nyugalmazott egyetemi tanár
Emerson ['eməsn] *prop*
emery ['emərɪ] *n* csiszoló(por), korund
emery-cloth *n* csiszolóvászon
emery-paper *n* dörzspapir, csiszolópapír, smirgli(papír)
emery-wheel *n* csiszolókorong
emetic [ɪ'metɪk] *a/n* hánytató(szer)
emigrant ['emɪgr(ə)nt] *n* kivándorló, emigráns
emigrate ['emɪgreɪt] *vi* kivándorol, emigrál (*from to* vhonnan vhová)
emigration [emɪ'greɪʃn] *n* kivándorlás, emigráció
Emilia [ɪ'mɪlɪə] *prop* Emília
Emily ['emɪlɪ] *prop* Emília
eminence ['emɪnəns] *n* 1. magaslat,

hegycsúcs 2. kitűnőség, kiválóság [jellemé]; magas állás/méltóság; *rise to* ~ magas rangra emelkedik 3. *your* ~ eminenciád [bíboros megszólítása] **eminent** ['emɪnənt] *a* kiemelkedő, kiváló **eminently** ['emɪnəntlɪ] *adv* 1. rendkívül(i módon), a legnagyobb mértékben 2. legfőképpen
emir [e'mɪə*] *n* emír
emirate [e'mɪərət] *n* emirátus
emissary ['emɪs(ə)rɪ; *US* -erɪ] *n* (ki)küldött; (titkos) megbízott
emission [ɪ'mɪʃn] *n* 1. kibocsátás, kiáramlás, kisugárzás [hőé, fényé stb.]; emisszió; (rádió)adás, sugárzás 2. kisugárzott fény/hő stb.
emit [ɪ'mɪt] *vt* -tt- 1. kibocsát, kiáraszt, kisugároz [hőt, fényt]; áraszt [szagot]; kiad [hangot]; lead, sugároz [műsort] 2. kibocsát, forgalomba hoz [pénzt]
Emma ['emə] *prop* Emma
Emmanuel [ɪ'mænjʊəl] *prop* Emánuel, Manó
emollient [ɪ'mɔlɪənt; *US* -'ma-] I. *a* lágyító II. *n* bőrápoló krém stb.
emolument [ɪ'mɔljʊmənt; *US* -'ma-] *n* haszon, nyereség; ~s fizetés, illetmény(ek), jövedelem
emotion [ɪ'moʊʃn] *n* érzelem, indulat; *with deep* ~ elérzékenyülve, megindultan
emotional [ɪ'moʊʃənl] *a* 1. érzelmi 2. érzelmes, lobbanékony
emotionless [ɪ'moʊʃnlɪs] *a* érzéketlen; szenvtelen
emotive [ɪ'moʊtɪv] *a* 1. érzelmi 2. érzelemfelidéző, affektív, érzelmileg színezett
empanel [ɪm'pænl] *vt* -ll- (*US* -l-) ~ *a juror* esküdtek jegyzékébe felvesz
empathize ['empəθaɪz] *vi* beleéli magát (vknek a lelkiállapotába)
empathy ['empəθɪ] *n* beleélés, beleérzés, [művészeti] átélés, empátia
emperor ['emp(ə)rə*] *n* császár
emphasis ['emfəsɪs] *n* (*pl* -ses -si:z) nyomaték, hangsúly; *lay/place* ~ *on sg* kihangsúlyoz vmit; (különös) súlyt helyez vmre
emphasize ['emfəsaɪz] *vt* (ki)hangsúlyoz, *átv* aláhúz, kiemel

emphatic [ɪm'fætɪk] *a* nyomatékos, emfatikus [stílus]; határozott [mozdulat stb.]; világos, érthető, kifejező
emphatically [ɪm'fætɪk(ə)lɪ] *adv* nyomatékosan; határozottan; félreérthetetlenül
empire ['empaɪə*] *n* 1. birodalom; *the E*~ (1) a brit birodalom (2) a német--római birodalom 2. uralom, hatalom 3. *E*~ *Day* május 24-e ⟨angol nemzeti ünnep⟩; *US E*~ *State* New York állam 4. (*jelzőként:*) *E*~ empire [bútor, ruha, stílus]
empiric(al) [em'pɪrɪk(l)] *a* tapasztalati, empirikus
empirically [em'pɪrɪk(ə)lɪ] *adv* empirikusan, empirikus/tapasztalati módszerrel
empiricism [em'pɪrɪsɪzm] *n* empirizmus
empiricist [em'pɪrɪsɪst] *n* empirista
emplacament [ɪm'pleɪsmənt] *n* 1. elhelyezés 2. ágyúállás
emplane [ɪm'pleɪn] A. *vi* repülőgépbe száll B. *vt* repülőgépbe rak/ültet
employ [ɪm'plɔɪ] I. *n* alkalmazás, szolgálat; *be in sy's* ~ vk alkalmazásában/szolgálatában áll, dolgozik vknek/ vknél II. *vt* 1. alkalmaz, foglalkoztat, dolgoztat; *be* ~*ed at/in* dolgozik vhol, alkalmazásban van vhol; *be* ~*ed in doing sg* vmivel el van foglalva 2. (fel)használ (vmt), alkalmaz [eszközt]
employable [ɪm'plɔɪəbl] *a* (fel)használható, alkalmazható
employee [emplɔɪ'i:] *n* alkalmazott, tisztviselő, (értelmiségi) dolgozó; munkavállaló
employer [ɪm'plɔɪə*] *n* munkaadó, munkáltató
employment [ɪm'plɔɪmənt] *n* alkalmaz(tat)ás; szolgálat; elfoglaltság, foglalkozás; állás; *full* ~ teljes foglalkoztatottság; *be out of* ~ állástalan, munka nélkül van; ~ *agency/bureau* munkaközvetítő iroda; *E*~ *Exchange* (állami) munkaközvetítő hivatal
emporium [em'pɔ:rɪəm] *n* (*pl* ~s -z *v.* -ria -rɪə) 1. kereskedelmi központ 2. áruház
empower [ɪm'paʊə*] *vt* 1. meghatalmaz;

felhatalmaz, feljogosít 2. képessé tesz (*to do sg* vm megtételére) **empress** ['emprɪs] *n* császárnő; császárné **emptiness** ['emptɪnɪs] *n* üresség, űr **empty** ['emptɪ] I. *a* (*átv is*) üres; *to be taken on an* ~ *stomach* éhgyomorra (veendő be); *biz feel* ~ éhes; *go* ~ *away* üres kézzel távozik II. **empties** *n pl* üres ládák/kosarak, göngyöleg III. A. *vt* (ki)ürít; kifolyat; kiborít [rakományt] B. *vi* 1. (ki)ürül, megüresedik; elnéptelenedik 2. ömlik, torkollik (*into* vmbe) [folyó] **empty-handed** *a* üreskezű; *return* ~ dolgavégezetlenül tér vissza **empty-headed** *a* üresfejű; széllelbélelt **empyrean** [empaɪ'riːən] I. *a* égi, mennyei II. *n* 1. a mennyország legmagasabb köre 2. égbolt **emu** ['iːmjuː] *n* emu [madár] **emulate** ['emjʊleɪt] *vt* versenyez, verseng, vetélkedik (*sy* vkvel), felülmúlni igyekszik (vkt) **emulation** [emjʊ'leɪʃn] *n* 1. versengés, vetélkedés 2. (szocialista) munkaverseny **emulsify** [ɪ'mʌlsɪfaɪ] *vt* emulg(e)ál **emulsion** [ɪ'mʌlʃn] *n* emulzió **enable** [ɪ'neɪbl] *vt* 1. lehetővé tesz; ~ *sy to do sg* (1) lehetővé teszi vknek vm megtételét, módot ad vknek vmre (2) képessé tesz vkt vmre 2. feljogosít; felhatalmaz; *Enabling Bill/Act* ⟨felhatalmazási törvény⟩ **enact** [ɪ'nækt] *vt* 1. elrendel, törvénybe iktat; *as by law* ~*ed* ahogy a törvény előírja/kimondja; ~*ing clause* végrehajtási utasítás [törvényé] 2. eljátszik, előad [szerepet, darabot] 3. *where the murder was* ~*ed* ahol a gyilkosság (meg)történt **enactment** [ɪ'næktmənt] *n* 1. törvény; rendelet 2. törvényerőre emel(ked)és **enamel** [ɪ'næml] I. *n* zománc, máz, lakk; ~ *paint* zománcfesték II. *vt* -ll- (*US* -l-) zománcoz, lakkoz, fényez; ~*led saucepan* zománcedény **enamel(l)ing** [ɪ'næm(ə)lɪŋ] *n* 1. zománcozás, emailírozás 2. zománcfestés, lakkozás **enamel-ware** *n* zománcedény, -áru

enamour, *US* **-mor** [ɪ'næmə*] *vt be* ~*ed of sy* szerelmes vkbe **encamp** [ɪn'kæmp] A. *vi* letáboroz, tábort üt B. *vt be* ~*ed* táboroz **encampment** [ɪn'kæmpmənt] *n* 1. táborozás 2. tábor(hely) **encapsulate** [ɪn'kæpsjʊleɪt; *US* -səl-] A. *vi* betokosodik B. *vt* tokba zár/foglal **encase** [ɪn'keɪs] *vt* tokba zár **encash** [ɪn'kæʃ] *vt* pénzt beszed, inkasszál, behajt **encaustic** [en'kɔːstɪk] *a* beégetett **enceinte** [ɑːŋ'sæŋt] *a* † állapotos, terhes **encephalitis** [enkefə'laɪtɪs; *US* -se-] *n* agyvelőgyulladás **encephalogram** [en'sefələgræm] *n* agyröntgenkép, encefalogram **enchain** [ɪn'tʃeɪn] *vt* 1. megláncol, leláncol 2. *átv* leköt, lebilincsel **enchant** [ɪn'tʃɑːnt; *US* -æ-] *vt* 1. megbabonáz; elvarázsol 2. *átv* elbájol; magával ragad **enchanter** [ɪn'tʃɑːntə*; *US* -æ-] *n* varázsló **enchanting** [ɪn'tʃɑːntɪŋ; *US* -æ-] *a* varázslatos; elbűvölő **enchantment** [ɪn'tʃɑːntmənt; *US* -æ-] *n* 1. varázsolás 2. varázslat 3. *átv* bűvölet, varázs **enchantress** [ɪn'tʃɑːntrɪs; *US* -æ-] *n* igéző nő **encircle** [ɪn'səːkl] *vt* körülkerít, -vesz, -fog; bekerít **encirclement** [ɪn'səːklmənt] *n* bekerítés [katonai, politikai] **encl.** *enclosed* mellékelve, mellékelten, mell. **enclave** ['enkleɪv] *n* (idegen országba) beékelt terület **enclitic** [ɪn'klɪtɪk] *a/n* simuló/enklitikus (szó) **enclose** [ɪn'kloʊz] *vt* 1. bekerít; körülkerit, -zár (*with* vmvel); bezár (*in* vmbe) 2. mellékel, csatol; ~*d herewith please find . . .* mellékelve tisztelettel megküldöm . . . **enclosure** [ɪn'kloʊʒə*] *n* 1. bekerítés, körülkerítés 2. kerítés, sövény 3. bekerített/körülzárt hely; *GB* † bekerítés ⟨közlegelőből való kisajátítás⟩; *prisoner of war* ~ hadifogolytábor 4. melléklet

encode [en'koʊd] *vt* (be)kódol

encomium [en'koʊmɪəm] *n* (*pl* ~s -z v. -mia -mɪə) dicsőítő beszéd/írás

encompass [ɪn'kʌmpəs] *vt* körülfog, -vesz, bekerít

encore [ɔŋ'kɔ:*] I. *n* 1. újrázás 2. megismétlés; ráadás II. *int* hogy volt! III. megismételtet, megújráztat

encounter [ɪn'kaʊntə*] I. *n* 1. (össze)találkozás 2. összeütközés, -csapás; ~ *of wits* szellemi párviadal II. *vt* 1. (össze-)találkozik, összeakad (vkvel) 2. összecsap, megmérkőzik [ellenféllel]

encourage [ɪn'kʌrɪdʒ; US -'kə:-] *vt* 1. (fel)bátorit; ösztökél, serkent, buzdít, biztat 2. támogat; előmozdít [fejlődést]

encouragement [ɪn'kʌrɪdʒmənt; US -'kə:-] *n* 1. bátorítás; buzdítás 2. támogatás

encroach [ɪn'kroʊtʃ] *vi* be(le)avatkozik; betolakodik; ~ *on sy's authority* sérti vk tekintélyét, beavatkozik vk hatáskörébe; ~ (*up)on sy's property* másét bitorolja;~ *on sy's rights* csorbítja/korlátozza vk jogait

encroachment [ɪn'kroʊtʃmənt] *n* beavatkozás, túlkapás; ~ (*up)on sy's rights* jogsérelem

encrust [ɪn'krʌst] A. *vt* 1. kéreggel bevon, beborít 2. kirak [drágakövekkel] B. *vi* kéregként lerakódik

encumber [ɪn'kʌmbə*] *vt* 1. (meg)terhel; ~*ed estate* adósággal megterhelt birtok 2. (meg)akadályoz, meggátol

encumbrance [ɪn'kʌmbr(ə)ns] *n* 1. teher, jelzálog 2. megterhelés; nyűg, kellemetlenség

encyclic(al) [en'sɪklɪk(l)] ~ (*letter*) a/n enciklika, pápai körlevél

encyclop(a)edia [ensaɪklə'pi:djə] *n* lexikon, enciklopédia, ismerettár

encyclop(a)edic [ensaɪklə'pi:dɪk] *a* enciklopédikus

end [end] I. *n* 1. vég, befejezés, végződés, befejező rész; határ, végpont; ~ *use* végső felhasználás; *come to an* ~ véget ér, befejeződik; *make an* ~ *of sg*, *put an* ~ *to sg* véget vet vmnek, megszüntet vmt; *make both* ~*s meet* addig nyújtózik amíg a takarója ér; *be at an*

~ (1) vége van (2) kimerül [készlet]; *begin/start at the wrong* ~ rosszul fog neki vmnek; *in the* ~ a végén, végül is; *on* ~ (1) felállítva; élére állítva (2) egyfolytában; *hours on* ~ órák hoszszat; *2 hours on* ~ 2 óra hosszat egyfolytában; *set one's hair on* ~ égnek áll tőle a(z ember) haja; ~ *on* végével/hátuljával vm felé; ~ *to* ~ szorosan egymás mögött →*end-to-end*; *from* ~ *to* ~ az elejétől a végéig; *no* ~ *of* . . . végtelenül sok, rengeteg sok; *think no* ~ *of sy* rendkívül nagyra tart vkt; *at the* ~*s of the earth* a világ végén; *the* ~ *tries all* végén csattan az ostor 2. vég [halál]; *come to a bad* ~ gyászos/rossz vége lesz; *meet one's* ~ meghal, eléri végzete 3. (vég)cél; *gain one's* ~ eléri célját; *an* ~ *in itself* öncél; *to the* ~ *that* azon célból, hogy; *with this* ~ *in view* mindezt szem előtt tartva . . .; ezen célból; *the* ~ *justifies the means* a cél szentesíti az eszközt 4. maradék; vég [szövété] II. A. *vt* befejez; bevégez; véget vet (vmnek), megszüntet (vmt) B. *vi* befejeződik, véget ér, (be)végződik; megszűnik **end in** *vi* ~ *in sg* vmben végződik; vmre vezet **end up** *vi* ~ *up* (*with*) (be)végez; *we had fruit to* ~ *up with* (és) gyümölccsel fejeztük be [az étkezést]; *he will* ~ *up in prison* börtönben fogja végezni

endanger [ɪn'deɪndʒə*] *vt* veszélyeztet, kockáztat

endear [ɪn'dɪə*] *vt* megkedveltet, megszerettet (*to* vkvel); ~ *oneself to sy* megkedvelteti magát vkvel

endearing [ɪn'dɪərɪŋ] *a* megnyerő [modor]; gyengéd, kedveskedő, nyájas

endearment [ɪn'dɪəmənt] *n* gyengédség; kedveskedés

endeavour, *US* -or [ɪn'devə*] I. *n* törekvés, igyekezet, erőfeszítés II. *vi* ~ *to do sg* igyekszik/törekszik vmre, azon van (hogy) . . .

endemic [en'demɪk] I. *a* helyi (jellegű), endemikus [betegség] II. *n* helyi járvány/betegség; népbetegség

endgame *n* végjáték [sakk stb.]

ending ['endɪŋ] *n* 1. befejezés, vég [darabé, könyvé] 2. befejeződés; végződés 3. halál 4. rag, képző, végződés
endive ['endɪv; *US* -daɪv] *n* endívia(saláta)
endless ['endlɪs] *a* 1. *(térben:)* végtelen (hosszú) 2. *(időben:)* végtelen; szűnni nem akaró
endo- ['endoʊ- v. 'endə-] *(csak összetételekben:)* bel-, belső
endorse [ɪn'dɔ:s] *vt* 1. hátirattal ellát; forgat(mányoz), zsirál [váltót]; *have one's licence* ~*d* [közlekedési szabálysértésért] feljelenti/megbírságolja a rendőr 2. *átv* hozzájárul(ását adja) (vmhez); jóváhagy, helyesel; *I do not* ~ *it* nem azonosítom magam ezzel az állásponttal
endorsee [endɔ:'si:] *n* forgatmányos
endorsement [in'dɔ:smənt] *n* 1. hátirat; forgatmány(ozás), zsiró; *have an* ~ [közlekedési szabálysértésért] feljelenti/megbírságolja a rendőr 2. *átv* jóváhagyás; hozzájárulás
endorser [ɪn'dɔ:sə*] *n* forgató [váltóé]
endow [ɪn'daʊ] *vt* 1. adományoz; alapít, alapítványt tesz 2. kiházasít [leányt]; járadékot biztosít (vknek) 3. felruház [tehetséggel]
endowment [ɪn'daʊmənt] *n* 1. alapítványozás; dotálás; kiházasítás 2. alapítvány; dotáció; ~ *insurance/policy* határidős életbiztosítás 3. tehetség; (természeti) adottság
end-paper *n* előzék(lap) [könyvé]
end-product *n* végtermék; készáru
end-to-end *a* egymáshoz illesztett, csatlakozó végű; tompa [illesztés] → *end I. 1.*
endue [ɪn'dju:; *US* -'du:] *vt* megáld [tehetséggel], vmvel felruház
endurable [ɪn'djʊərəbl; *US* -'dʊ-] *a* elviselhető
endurance [ɪn'djʊərəns; *US* -'dʊ(ə)r-] *n* 1. állóképesség; kitartás; *beyond/past* ~ elviselhetetlen, kibírhatatlan; ~ *test* (1) fárasztópróba, terhelési próba [gépé stb.] (2) megbízhatósági verseny [sportban] 2. üzemképességi időtartam 3. eltűrés, (béke)tűrés 4. maradandóság [műé]

endure [ɪn'djʊə*; *US* -'dʊ(ə)r] A. *vt* kiáll (vmt), elvisel, elszenved, kibír; *I can't* ~ *him* ki nem állhatom B. *vi* 1. fennmarad; *his fame will* ~ *for ever* híre örökké élni fog 2. kitart [bajban]; ~ *to the end* a végsőkig kitart
enduring [ɪn'djʊərɪŋ; *US* -'dʊ(ə)r-] *a* 1. tartós, maradandó 2. kitartó, állhatatos
endways ['endweɪz] *adv* 1. végével előre 2. felállítva 3. hosszában
endwise ['endwaɪz] *adv* = *endways*
E.N.E., **ENE** *east-north-east* kelet-északkelet
enema ['enɪmə] *n* beöntés, allövet
enemy ['enəmɪ] I. *a* ellenséges II. *n* ellenség; ellenfél; *biz how goes the* ~? hány óra?, mennyi az idő?
energetic [enə'dʒetɪk] *a* erélyes, energikus
energetics [enə'dʒetɪks] *n* energetika, energiagazdálkodás
energize ['enədʒaɪz] A. *vt* 1. erőt ad, felvillanyoz, stimulál 2. áram alá helyez [gépet] B. *vi* erélyesen működik
energy ['enədʒɪ] *n* 1. életerő, tetterő, erély 2. energia
energy-supply *n* energiaellátás
enervate I. *a* [ɪ'nə:vɪt] erőtlenedett, enervált II. *vt* ['enə:veɪt] elgyengít, elerőtlenít
enervation [enə:'veɪʃn] *n* 1. elerőtlenítés 2. elerőtlenedés, enerváltság
enfeeble [ɪn'fi:bl] *vt* elgyengít
enfeoff [ɪn'fef] *vt* † hűbérül ad
enfilade [enfɪ'leɪd] I. *n* hosszan tartó tüzelés II. *vt* [géppuskatűzzel] végigpásztáz
enfold [ɪn'fould] *vt* 1. beburkol (*in* vmbe); beborít (*with* vmvel) 2. ~ *sy in one's arms* karjaiba vesz/ölel vkt
enforce [ɪn'fɔ:s] *vt* 1. kierőszakol, kikényszerít; ~ *sg (up)on sy* rákényszerít vkre vmt 2. érvényre juttat [rendelkezést]; végrehajt [törvényt]; ~ *one's rights* érvényesíti jogait
enforceable [ɪn'fɔ:səbl] *a* érvényesíthető [követelés]; alkalmazható [törvény]
enforcement [ɪn'fɔ:smənt] *n* 1. kikényszerítés 2. végrehajtás [törvényé]; ~ *order* végrehajtási végzés

enfranchise [ɪn'fræntʃaɪz] vt 1. felszabadít [rabszolgát] 2. választójogot ad
enfranchisement [ɪn'fræntʃɪzmənt] n 1. felszabaditás [rabszolgáé] 2. felszabadulás [rabszolgáé] 3. választójoggal felruházás
Eng. English
engage [ɪn'geɪdʒ] A. vt 1. lefoglal; be ~d (in) el van foglalva (vmvel), dolgozik (vmn); ~ sy in conversation beszédbe elegyedik vkvel; (line) ~d mással beszél, foglalt (a vonal); ~ a room szobát foglal (le); this seat is ~d ez a hely foglalt 2. kötelez(ettséget vállal); ~ oneself to do sg kötelezi magát vmre 3. felvesz, alkalmaz; szerződtet 4. eljegyez (vkt); Tom and Anne are ~d, Tom is ~d to Anne T. és A. jegyesek, T. eljegyezte magát A.-val 5. ~ the enemy megtámadja az ellenséget 6. ~ the first gear első sebességbe kapcsol; ~ the clutch fölengedi/visszaengedi a kuplungot B. vi 1. ~ for sg kezeskedik vmért 2. ~ in sg vmt (foglalkozásszerűen) elkezd; vmhez kezd, foglalkozik vmvel; ~ in politics politikára adja magát 3. szembeszáll, támad; the orders are(,) ~ at once a parancs: azonnal támadni 4. összekapcsolódnak [fogaskerekek]
engaged [ɪn'geɪdʒd] a 1. (el)foglalt; ~ signal „foglalt" jelzés [telefonban] 2. ~ couple jegyespár 3. harcban álló [csapatok] 4. összekapcsolódott [fogaskerekek]
engagement [ɪn'geɪdʒmənt] n 1. alkalmazás, szerződ(tet)és; állás, elfoglaltság 2. kötelezettség, ígéret; megbeszélés, megbeszélt találkozó; program; have an ~ el van foglalva, programja van; ~ book kb. előjegyzési naptár; meet one's ~s kötelezettségeinek eleget tesz; owing to a previous ~ mivel korábban már elígérkezett vhová 3. eljegyzés; ~ ring jegygyűrű 4. ütközet 5. összekapcsolódás [fogaskerekeké]
engaging [ɪn'geɪdʒɪŋ] a megnyerő; rokonszenves; kellemes
engender [ɪn'dʒendə*] vt 1. nemz 2. előidéz, okoz

engine ['endʒɪn] n 1. motor; gép; szerkezet; ~ failure motorhiba; (steam-)~ gőzgép 2. mozdony 3. † eszköz
-engined [-'endʒɪnd] -motoros; twin-~ kétmotoros
engine-driver n mozdonyvezető; gépész
engineer [endʒɪ'nɪə*] I. n 1. mérnök; mechanical ~ gépészmérnök 2. gépész, gépkezelő; US mozdonyvezető 3. műszaki katona II. vt 1. tervez; épít, konstruál 2. biz mesterkedik (vmben; vmn), forral [tervet]
engineering [endʒɪ'nɪərɪŋ] n 1. mérnöki munka/tudomány(ok), műszaki tudományok, technika; gépészet; ~ college (1) gépipari műszaki főiskola (2) műszaki egyetem; (mechanical) ~ gépészet; ~ industry gépipar; ~ worker gépipari munkás/dolgozó 2. mérnöki pálya, mérnökség 3. (meg)tervezés, (meg)konstruálás
engine-fitter n géplakatos; motorszerelő
engine-house n gépház; gépterem; fűtőház
engine-oil n gépolaj; motorolaj
engine-room n gépterem
engine-shed n gépszín
England ['ɪŋglənd] prop Anglia
English ['ɪŋglɪʃ] I. a angol II. n 1. the ~ az angolok, az angol nép 2. angol (nyelv); speak ~ tud/beszél angolul; in ~ angolul; Old ~ óangol; the King's/Queen's ~ helyes angolság 3. angol (nyelv)tudás; his ~ is poor gyengén tud angolul
Englishman ['ɪŋglɪʃmən] n (pl -men -mən) angol ember/férfi
English-speaking a angol ajkú/anyanyelvű; angolul beszélő; the ~ world az angolszász világ, az angolul beszélő világ
Englishwoman n (pl -women) angol nő
engraft [ɪn'grɑːft; US -'græ-] vt 1. beolt [fát] 2. beültet [bőrt] 3. átv becsepegtet, beolt (in sy vk szívébe)
engrain [ɪn'greɪn] vt 1. színtartóan fest [fonalat] 2. átv (meg)rögzít [szokást], bevés; ~ed habits megrögzött szokások
engrave [ɪn'greɪv] vt 1. bevés, metsz; gravíroz 2. átv ~ upon one's memory emlékezetébe vés

18

engraver [ɪn'greɪvɔ*] n 1. vésnök; rézmetsző 2. véső; gravírozógép
engraving [ɪn'greɪvɪŋ] n 1. metszés; vésés 2. (réz-/fa)metszet; véset 3. maratott klisé
engross [ɪn'groʊs] vt 1. kiállít; lemásol [okiratot], letisztáz 2. leköt, lefoglal [figyelmet]; be ~ed in one's work elmélyed munkájában
engrossment [ɪn'groʊsmənt] n 1. tisztázat; másolat 2. belemerülés, elmélyedés (in vmbe)
engulf [ɪn'gʌlf] vt elnyel, beborít
enhance [ɪn'hɑːns; US -'hæ-] vt növel, emel [árat]; kiemel, kihangsúlyoz [érdemet]; erősít, fokoz [érzést]
Enid ['iːnɪd] prop ⟨walesi női név⟩
enigma [ɪ'nɪgmə] n rejtvény, talány
enigmatic(al) [enɪg'mætɪk(l)] a rejtélyes, titokzatos
enjoin [ɪn'dʒɔɪn] vt 1. (meg)parancsol; lelkére köt; utasít; ~ silence on sy hallgatásra int/bír vkt; ~ that . . . azt parancsolja, hogy . . . 2. US megakadályoz, eltilt (from vmtől)
enjoy [ɪn'dʒɔɪ] vt 1. élvez (vmt); tetszik (vknek vm); szívesen tesz (vmt); ~ oneself jól érzi magát, jól szórakozik 2. élvez, bír [vagyont, bizalmat]; ~ good health jó egészségnek örvend
enjoyable [ɪn'dʒɔɪəbl] a élvezetes, kellemes
enjoyment [ɪn'dʒɔɪmənt] n 1. élvezet, gyönyör(űség); take ~ in sg örömét leli vmben 2. élvezés [jogoké]; haszonélvezet
enkindle [ɪn'kɪndl] vt felszít, felgerjeszt [tüzet, szenvedélyt]
enlarge [ɪn'lɑːdʒ] A. vt (fel)nagyít [fényképet]; (meg)nagyobbít [házat]; kienged, leenged [ruhát]; kiterjeszt, kitágít, növel [ismereteket, hatáskört] B. vi 1. (meg)növekedik, (ki)szélesedik; nagyobbodik, kiterjed; ~ well jól nagyítható [fénykép] 2. ~ (up)on sg hosszasan fejteget vmt
enlarged [ɪn'lɑːdʒd] a (meg)növelt; (ki-) bővített; (fel)nagyított [kép]; ~ edition bővített kiadás; ~ heart szívnagyobbodás
enlargement [ɪn'lɑːdʒmənt] n 1. (meg-)

nagyobbítás; gyarapítás; nagyítás 2. (meg)nagyobbodás; tágulás [szerve] 3. nagyítás, nagyított kép
enlarger [ɪn'lɑːdʒɔ*] n nagyítógép
enlighten [ɪn'laɪtn] vt felvilágosít (sy on sg vkt vmről)
enlightened [ɪn'laɪtnd] a felvilágosult
enlightenment [ɪn'laɪtnmənt] n 1. felvilágosítás 2. felvilágosodás; age of ~ a felvilágosodás kora
enlist [ɪn'lɪst] A. vt 1. besoroz [katonának]; get ~ed besorozzák 2. toboroz, megnyer [híveket]; ~ the services of sy vknek közreműködését igénybe veszi B. vi 1. beáll/felcsap katonának 2. híveül szegődik; zászlaja alá áll
enlisted [ɪn'lɪstɪd] a ~ man (köz)katona, legénységi állományú katona
enlistment [ɪn'lɪstmənt] n (be)sorozás; toborzás
enliven [ɪn'laɪvn] vt (fel)élénkít, felvillanyoz [társaságot]; felderít, felvidít
en masse [ɑː'mæs] adv tömegesen; mind
enmesh [ɪn'meʃ] vt behálóz; kelepcébe csal
enmity ['enmətɪ] n ellenségeskedés, gyűlölködés; be at ~ with sy ellenséges viszonyban van vkvel
ennoble [ɪ'noʊbl] vt 1. nemesi rangra emel (vkt) 2. (meg)nemesít, nemessé tesz [jellemet]
ennui [ɑː'nwiː] n unalom, közöny
Enoch ['iːnɔk] prop Énok
enormity [ɪ'nɔːmətɪ] n szörnyűség; iszonyúság; gazság
enormous [ɪ'nɔːməs] a roppant (nagy); óriási; hatalmas; ~ success szédületes siker
enormously [ɪ'nɔːməslɪ] adv rendkívüli módon; roppantul
enough [ɪ'nʌf] I. a/n elég, elegendő; I've had ~ of it elég volt belőle; more than ~, ~ and to spare bőven elég II. adv eléggé, meglehetősen; be kind/good ~ légy/legyen olyan jó, légy/legyen szíves; well ~ elég jól, meglehetősen; you know well ~ what I mean tudod te nagyon jól, mire gondolok
enplane [ɪn'pleɪn] v = emplane
enquire [ɪn'kwaɪə*] v = inquire
enquiry [ɪn'kwaɪərɪ] n = inquiry

enrage [ɪn'reɪdʒ] vt felbőszít
enrapture [ɪn'ræptʃə*] vt elbájol, elragadtat
enrich [ɪn'rɪtʃ] vt 1. gazdagít, gyarapít [gyűjteményt, ismereteket]; feljavít [ételt, talajt] 2. dúsít, koncentrál
enrichment [ɪn'rɪtʃmənt] n 1. gazdagítás; javítás 2. (meg)gazdagodás 3. dúsítás
enrol, US enroll [ɪn'roʊl] v -ll- A. vt 1. beiktat, bejegyez, beír [hivatalosan] 2. besoroz; felvesz [tanulót, munkást]; have sy ~ed beírat vkt B. vi beiratkozik [iskolába, egyetemre]; beáll [katonának]
enrol(l)ment [ɪn'roʊlmənt] n 1. besorozás [katonáé]; felvétel [tanulóé, munkásé] 2. beiratkozottak (száma)
en route [ɑ:ŋ'ruːt] adv úton, útban (to/for vhova)
ensconce [ɪn'skɔns; US -ɑ-] vt ~ oneself in a corner behúzódik a sarokba; ~ oneself in an armchair betelepszik a karosszékbe
ensemble [ɑ:n'sɑːmbl] n 1. együttes [zenei, tánc- stb.] 2. több részes női ruha, együttes
enshrine [ɪn'ʃraɪn] vt kegyelettel gondoz/őriz
enshroud [ɪn'ʃraʊd] vt (be)borít; (be)burkol; elrejt [szem elől]
ensign ['ensaɪn] n 1. (nemzeti) zászló; white/red ~ ⟨az angol hadi, ill. kereskedelmi tengerészet zászlaja⟩ 2. † zászlótartó (tiszt) 3. ['ensən] US kb. (tengerész)zászlós
ensilage ['ensɪlɪdʒ] I. n 1. silózás 2. silótakarmány II. vt silóz
enslave [ɪn'sleɪv] vt (átv is) rabszolgává tesz; rabul ejt; leigáz
enslavement [ɪn'sleɪvmənt] n rabigába döntés; elnyomás [népé]
ensnare [ɪn'sneə*] vt (átv is) 1. tőrbe csal 2. elcsábít
ensue [ɪn'sjuː; US -'suː] vi következik, származik (on/from vmből); silence ~d csend állt be
ensuing [ɪn'sjuːɪŋ; US -'suː-] a (rá)következő; (vmt) követő; the ~ debate az ezt követő vita
ensure [ɪn'ʃʊə*] vt 1. biztosít (against,

from vm ellen); I can ~ you that ... biztosíthatom (arról), hogy ... 2. biztosít [eredményt]; gondoskodik (vmről)
entablature [ɪn'tæblətʃə*] n koronapárkányzat
entail [ɪn'teɪl] I. n 1. hitbizomány 2. ősiség II. vt 1. ~ en estate on sy kb. hitbizományul hagy vkre 2. vele jár [mint következmény]; maga után von 3. ró, ráró (sg on sy vkre vmt)
entangle [ɪn'tæŋgl] vt (átv is) belekever; összekuszál; összezavar; get ~d in a suspicious business gyanús ügybe keveredik
entanglement [ɪn'tæŋglmənt] n 1. belekeveredés (in vmbe) 2. nehéz/bonyolult ügy 3. (harctéri) drótakadály
entente [ɑ:n'tɑ:ŋt] n megegyezés [államok között]; antant
enter ['entə*] A. vt 1. belép [országba, házba]; bemegy [szobába]; behatol (vm vhova); it never ~ed my mind soha eszembe se jutott 2. beír (vhová), bejegyez, feljegyez; felvesz [névsorba] 3. ~ an action against sy keresetet/pert indít vk ellen; ~ a protest írásban tiltakozik 4. idomítani kezd [kutyát] B. vi 1. belép; bejön; bemegy; ~ Lear L. belép 2. benevez [versenyre] enter for A. vt benevez [lovat versenyre] B. vi benevez [versenyre], indul [versenyen]
enter into vi 1. belekezd, belebocsátkozik (vmbe); ~ i. a contract szerződést köt; ~ i. a debate vitába száll; ~ i. details részletekbe bocsátkozik; ~ i. relations with sy kapcsolatba lép vkvel 2. részt vesz, osztozik (vmben); ~ i. sy's feelings együttérez vkvel
enter on A. vt ~ a name on a list nevet névsorba felvesz B. vi = enter upon enter up vt ~ up an item in the ledger tételt főkönyvbe bejegyez
enter upon vi 1. megkezd [működést]; elindul [életpályán]; (be)lép [életévbe, háborúba]; (bele)bocsátkozik [tárgyalásba]; ~ u. one's duties megkezdi hivatali funkcióját 2. ~ u. an inheritance örökséget birtokba vesz

enteric [en'terɪk] a bél-; ~fever (has)tifusz
enteritis [entə'raɪtɪs] n bélhurut
enterprise ['entəpraɪz] n 1. vállalkozás;
private ~ magánvállalkozás 2. vállal-
kozó szellem/kedv 3. US vállalat
enterprising ['entəpraɪzɪŋ] a vállalkozó
szellemű
entertain [entə'teɪn] A. vt 1. szórakoz-
tat 2. vendégül lát 3. foglalkozik
[gondolattal]; táplál [érzelmeket]; ~
doubts kétségei vannak; ~ a proposal
foglalkozik egy javaslattal B. vi he ~s
a great deal sokszor fogad vendégeket
entertainer [entə'teɪnə*] n 1. szórakoz-
tató 2. vendéglátó, házigazda
entertaining [entə'teɪnɪŋ] a szórakoz-
tató, mulatságos
entertainment [entə'teɪnmənt] n 1. szó-
rakozás, mulatság 2. szórakoztatás;
give an ~ műsoros estét rendez; ~ tax
vigalmi adó 3. megvendégelés, vendég-
látás; extra pay (v. allowance) for ~
purposes reprezentációs költségek
enthral, US enthrall [ɪn'θrɔ:l] vt -ll- el-
bűvöl, átv rabjává tesz
enthralling [ɪn'θrɔ:lɪŋ] a lenyűgöző
enthrone [ɪn'θroʊn] vt trónra emel, meg-
koronáz
enthronement [ɪn'θroʊnmənt] n trónra
emelés, megkoronázás
enthuse [ɪn'θju:z; US -'θu:z] vi biz ~
over sg lelkesedik/rajong vmért
enthusiasm [ɪn'θju:zɪæzm; US -'θu:-] n
lelkesedés, rajongás (for/about vmért)
enthusiast [ɪn'θju:zɪæst; US -'θu:-] n
rajongó(ja vmnek); a sports ~ sport-
rajongó
enthusiastic [ɪnθju:zɪ'æstɪk; US -θu:-]
a lelkes(ült), rajongó; become ~ over
sg fellelkesül vmn
entice [ɪn'taɪs] vt (el)csábít
enticement [ɪn'taɪsmənt] n 1. (el)csábí-
tás 2. csábítás, vonzerő
enticing [ɪn'taɪsɪŋ] a csábító [ajánlat]
entire [ɪn'taɪə*] a 1. teljes, egész 2.
hibátlan, ép; no window was left ~ egy
ablak sem maradt épen
entirely [ɪn'taɪəlɪ] a teljesen; you are ~
mistaken egyáltalán nincs igazad
entirety [ɪn'taɪətɪ] n egésze vmnek, tel-
jesség; in its ~ teljes egészében

entitle [ɪn'taɪtl] vt 1. címez (vkt vmnek)
2. címet ad [könyvnek stb.]; a book
~d ... ... című könyv 3. feljogosít;
be ~d to sg joga van vmhez
entity ['entətɪ] n lényeg; lét, valóság
entomb [ɪn'tu:m] vt 1. eltemet [halot-
tat] 2. befogad [sír halottat]
entombment [ɪn'tu:mmənt] n elföldelés,
eltemetés
entomological [entəmə'lɔdʒɪkl; US -'lɑ-]
a rovartani
entomology [entə'mɔlədʒɪ; US -'mɑ-] n
rovartan
entourage [ɔntʊ'rɑ:ʒ] n kíséret [diplo-
máciai látogatásban]
entr'acte ['ɔntrækt] n 1. szünet 2. köz-
játék
entrails ['entreɪlz] n pl belek, belső részek
entrain [ɪn'treɪn] A. vt vonatba rak, beva-
goníroz [katonaságot] B. vi vonatba
száll
entrance¹ ['entr(ə)ns] n 1. belépés, be-
menetel; ~ examination felvételi vizs-
ga; make one's ~ belép; no ~! belép-
ni/behajtani tilos! 2. bejárat; main
~ főbejárat
entrance² [ɪn'trɑ:ns; US -æ-] vt elbájol,
elragad
entrance-fee n 1. belépti díj 2. beirat-
kozási/belépési díj [klubba stb.]
entrance-money n belépti díj
entrancing [ɪn'trɑ:nsɪŋ; US -'træn-] a
elbűvölő
entrant ['entr(ə)nt] n 1. belépő, (pálya-)
kezdő 2. jelentkező [vizsgára, ver-
senyre]
entrap [ɪn'træp] vt -pp- (átv is) tőrbe
csal/ejt; beugrat (vkt vmbe)
entreat [ɪn'tri:t] vt 1. kér, esedezik,
könyörög; I ~ your indulgence elné-
zéséért esedezem 2. † bánik vkvel
entreaty [ɪn'tri:tɪ] n esedezés, könyör-
gés; folyamodás; look of ~ könyörgő
pillantás
entrée ['ɔntreɪ; US 'ɑ:n-] n 1. belépés
2. előétel 3. US főétel
entrench [ɪn'trentʃ] vt elsáncol; átv ~
oneself behind/in sg beássa magát vm
mögé, beletemetkezik vmbe
entrenchment [ɪn'trentʃmənt] n lövész-
árok, fedezék

entrepôt ['ɔntrəpoʊ; US 'a:n-] n (köz-) raktár

entrepreneur [ɔntrəprə'nə:*; US a:n-] n vállalkozó

entrust [ɪn'trʌst] vt megbíz (sy with sg vkt vmvel); rábíz (sg to sy vmt vkre)

entry ['entrɪ] n 1. belépés, bevonulás; belépő [színésző]; make one's ~ belép; no ~! (1) (idegeneknek) belépni tilos! (2) behajtani tilos! 2. bejárat [barlangé, kikötőé] 3. bejegyzés, feljegyzés, beírás; (szótári) címszó 4. bookkeeping by double ~ kettős könyvvitel; single ~ egyszerű könyvvitel; credit ~ jóváírás; debit ~ megterhelés 5. (be)nevezés [versenyre] 6. birtokbavétel

entry-form n jelentkezési lap

entry-word n (szótári) címszó

entwine [ɪn'twaɪn] vt körülfon; egymásba fon

enumerate [ɪ'nju:məreɪt; US ɪ'nu:-] vt felsorol, elszámlál

enumeration [ɪnju:mə'reɪʃn; US -nu:-] felsorolás

enunciate [ɪ'nʌnsɪeɪt] vt 1. kiejt, artikulál [hangot] 2. kihirdet, kijelent, enunciál

enunciation [ɪnʌnsɪ'eɪʃn] n 1. kiejtés, artikulálás [hangé] 2. kihirdetés, kinyilatkoztatás

envelop [ɪn'veləp] vt beburkol, beborít

envelope ['envəloʊp] n (levél)boríték

envenom [ɪn'venəm] vt 1. megmérgez 2. átv elmérgesít [vitát]; elkeserít [életet]

enviable ['envɪəbl] a irigylésre méltó

envious ['envɪəs] a irigy (of vmre)

environ [ɪn'vaɪərən] vt körülvesz; övez

environment [ɪn'vaɪərənmənt] n környezet, miliő; protection of the ~ környezetvédelem

environmental [ɪnvaɪərən'mentl] a környezeti, környezet-

environmentalist [ɪnvaɪərən'mentəlɪst] n környezetvédelmi szakember

environs [ɪn'vaɪərənz] n pl környék; vidék; külső övezet [városé]

envisage [ɪn'vɪzɪdʒ] vt 1. szembenéz, számol [veszéllyel] 2. elképzel; előre lát; kitűz [célt]

envoy¹ ['envɔɪ] n követ, küldött; ~ extraordinary rendkívüli követ

envoy² ['envɔɪ] n † ajánló vers

envy ['envɪ] I. n 1. irigység (at/of vm felett); green with ~ sárga az irigységtől 2. irigység tárgya II. vt irigyel (sy sg vmt vktől)

enwrap [ɪn'ræp] vt -pp- beborít, beburkol (in vmbe)

enzyme ['enzaɪm] n˙enzim

epaulet(te) ['epəlet] n [katonai] váll-lap, vállpánt

épée [eɪ'peɪ] n párbajtőr

ephemeral [ɪ'femər(ə)l] a tiszavirág életű, múló, röpke, efemer

epic ['epɪk] I. a epikai, epikus; hősies II. n eposz, hősköltemény

epicure ['epɪkjʊə*] n 1. epikureus 2. ínyenc

epidemic [epɪ'demɪk] I. a járványos II. n járvány

epidiascope [epɪ'daɪəskoʊp] n epidiaszkóp

epigram ['epɪgræm] n epigramma

epigrammatic [epɪgrə'mætɪk] a epigrammatikus, rövid, velős

epilepsy ['epɪlepsɪ] n epilepszia

epileptic [epɪ'leptɪk] a epileptikus

epilogue, US -log ['epɪlɔg; US -ɔ:g] n utószó, epilógus

Epiphany [ɪ'pɪfənɪ] n vízkereszt (jan. 6.)

episcopal [ɪ'pɪskəpl] a 1. GB püspöki, episzkopális 2. US anglikán

episcopate [ɪ'pɪskəpət] n püspökség

episode ['epɪsoʊd] n epizód, (mellék)esemény

episodic [epɪ'sɔdɪk; US -'sa-] a epizódszerű; mellék-

epistemology [ɪpɪstɪ'mɔlədʒɪ; US -stə-'ma-] n ismeretelmélet

epistle [ɪ'pɪsl] n 1. biz levél 2. (apostoli) levél; ~ side leckeoldal [oltáré]

epistolary [ɪ'pɪstələrɪ; US -erɪ] a levélbeli; ~ novel levélregény

epitaph ['epɪta:f; US -æf] n sírfelirat

epithet ['epɪθet] n jelző

epitome [ɪ'pɪtəmɪ] n kivonat, rövid foglalat

epitomize [ɪ'pɪtəmaɪz] vt kivonatol, összefoglal

epoch ['i:pɔk; US 'epək] n kor(szak)

epoch-making a korszakalkotó

Epsom ['epsəm] prop

equable ['ekwəbl] a egyenletes, egyforma

equal ['i:kw(ə)l] I. a 1. egyenlő, azonos (to/with vmvel); all other things being ~ ha a többi feltétel megegyezik, ceteris paribus; ~ pay for ~ work egyenlő munkáért egyenlő bér(t); with ~ ease ugyanolyan könnyen; get ~ with sy leszámol vkvel 2. be ~ to (sg) megállja a helyét (vmben), megbirkózik (vmvel) 3. † kiegyensúlyozott, higgadt [vérmérséklet] II. n 1. egyenrangú [ember]; he met his ~ emberére akadt; your ~s a veled egyenrangúak egyívásúak 2. azonos/egyenlő mennyiség; ~(s) sign egyenlőségjel III. vt -ll- (US -l-) 1. egyenlő (vmvel), felér/megegyezik (vkvel/vmvel in vmben); not to be ~led páratlan 2. beállít [csúcsot sportban]

equality [i:'kwɔlətɪ; US -al-] n egyenlőség, egyformaság; egyöntetűség; in case of ~ egyenlő pontszám esetén

equalization [i:kwəlaɪ'zeɪʃn; US -lɪ'z-] n 1. kiegyenlítés 2. kiegyenlítődés

equalize ['i:kwəlaɪz] A. vt kiegyenlít B. vi 1. kiegyenlítődik 2. (ki)egyenlít [sportban]

equalizer ['i:kwəlaɪzə*] n 1. (ki)egyenlítő gól 2. ☐ revolver

equalled ['i:kw(ə)ld] →equal III.

equally ['i:kwəlɪ] adv egyaránt; egyformán

equanimity [ekwə'nɪmətɪ] n 1. nyugalom 2. egykedvűség

equate [ɪ'kweɪt] vt egyenlővé tesz, kiegyenlít (to/with vmvel); ~d account kamatoskamat-számla

equation [ɪ'kweɪʒn] n 1. kiegyenlítés 2. egyenlet; solve an ~ egyenletet megold

equator [ɪ'kweɪtə*] n egyenlítő

equatorial [ekwə'tɔ:rɪəl] a egyenlítői

equerry [ɪ'kwerɪ] n 1. † lovászmester 2. udvaronc

equestrian [ɪ'kwestrɪən] I. a lovas-, lovaglási; ~ events lovaglás [olimpiai szám]; ~ sports lovassport(ok); ~ statue lovasszobor II. n lovas

equidistant [i:kwɪ'dɪst(ə)nt] a egyenlő távolságra levő (from vmtől)

equilateral [i:kwɪ'læt(ə)rəl] a egyenlő oldalú

equilibrist [i:'kwɪlɪbrɪst] n kötéltáncos, egyensúlyozó művész; akrobata

equilibrium [i:kwɪ'lɪbrɪəm] n egyensúly

equine ['ekwaɪn; US 'i:-] a ló-, lovas

equinoctial [i:kwɪ'nɔkʃl; US -'nɑ-] a napéjegyenlőségi

equinox ['i:kwɪnɔks; US -nɑ-] n napéjegyenlőség

equip [ɪ'kwɪp] vt -pp- 1. felszerel, fegyverrel ellát 2. felszerel, berendez [házat stb.]; ~ sy with sg ellát vkt vmvel

equipage ['ekwɪpɪdʒ] n 1. felszerelés(i tárgyak), tartozék(ok) 2. † díszfogat

equipment [ɪ'kwɪpmənt] n felszerelés(i tárgyak), berendezés; szerelvények

equipoise ['ekwɪpɔɪz] n egyensúly(i állapot)

equipped [ɪ'kwɪpt] →equip

equitable ['ekwɪtəbl] a igazságos, méltányos; pártatlan

equity ['ekwɪtɪ] n 1. méltányosság, jogosság 2. ~ stock (törzs)részvény

equivalence [ɪ'kwɪvələns] n egyenérték(űség), ekvivalencia

equivalent [ɪ'kwɪvələnt] I. a egyenértékű, azonos értékű (to vmvel) II. n 1. egyenérték 2. megfelelő, egyenértékes, ekvivalens [szóé]

equivocal [ɪ'kwɪvəkl] a 1. kétértelmű 2. kérdéses, bizonytalan; kétes (értékű)

equivocate [ɪ'kwɪvəkeɪt] vi kétértelműen beszél; mellébeszél; köntörfalaz

E.R. [i:'ɑ:*] 1. Edwardus Rex (= King Edward) Edward király 2. Elizabetha Regina (= Queen Elizabeth) Erzsébet királynő

era ['ɪərə] n kor(szak), éra; mark an ~ korszakot alkot/jelent

eradiation [ɪreɪdɪ'eɪʃn] n (ki)sugárzás

eradicate [ɪ'rædɪkeɪt] vt 1. kipusztít, kiirt, megsemmisít 2. átv gyökerestől kitép

eradication [ɪrædɪ'keɪʃn] n átv kiirtás, megsemmisítés

erase [ɪ'reɪz; US -s] vt 1. kitöröl, kiradíroz, kivakar [írást]; töröl [hangfelvételt] 2. átv kitöröl [emléket]

eraser [ı'reızə; US -sər] n vakaró; radír-(gumi)

erasure [ı'reıʒə*; US -ʃər] n törlés, kivakarás

ere [eə*] adv/prep (mi)előtt; ~ night mielőtt beesteledik; ~ long nemsokára; ~ now eddig, máig

erect [ı'rekt] I. a egyenes, egyenesen álló; függőleges; with head ~ emelt fővel II. vt 1. (fel)állít, emel [épületet, szobrot] 2. összeállít, összeszerel; ~ing shop szerelőműhely 3. létesít, felállít [elméletet, intézményt] erection [ı'rekʃn] n 1. (fel)állítás, emelés [szoboré, épületé], összeszerelés [gépé] 2. épület, építmény 3. felállítás, létesítés [intézményé] 4. erekció

erectness [ı'rektnıs] n egyenes tartás

eremite ['erımaıt] n remete

eremitic(al) [erı'mıtık(l)] a remeteszerű

ergot ['ə:gət] n anyarozs

Eric ['erık] prop Erik

Erie ['ıərı] prop

Erin ['ıərın] prop † Írország

ermine ['ə:mın] n hermelin, hölgymenyét

Ernest ['ə:nıst] prop Ernő

erode [ı'roʊd] vt kimar, szétrág [sav, rozsda]; kimos, elhord [víz], erodál

erosion [ı'roʊʒn] n lepusztulás, kimarás, erózió

erotic [ı'rɔtık; US -'ra-] a erotikus, érzéki

eroticism [ı'rɔtısızm; US -'ra-] n erotika, érzékiség

err [ə:*] vi 1. téved; hibázik; to ~ is human tévedni emberi dolog 2. vétkezik, tévelyeg

errand ['er(ə)nd] n megbízás, küldetés; go on an ~, run ~s megbízásokat bonyolít le, komissiózik; fool's ~ hiábavaló út

errand-boy n kifutó(fiú), küldönc

errant ['er(ə)nt] a 1. kóbor, vándor(ló) 2. tévelygő, megtévedt [ember]

errata → erratum

erratic [ı'rætık] a 1. vándorló [fájdalom]; rendetlen, akadozó [működés]; egyenetlen 2. szeszélyes, kiszámítha tatlan [ember]

erratum [e'ra:təm] n (pl errata e'ra:tə)

1. sajtóhiba 2. errata pl (sajtó)hibajegyzék, errata [könyvben]

erroneous [ı'roʊnjəs] a hibás; téves

error ['erə*] n 1. hiba, tévedés; make, commit an.~ hibát csinál/ejt, hibát követ el, hibázik; be in ~ téved; ~s and omissions excepted kihagyások és tévedések fenntartásával 2. eltévelyedés, erkölcsi botlás

Erse [ə:s] a/n írországi gael/kelta (nyelv)

erstwhile ['ə:stwaıl] adv † ezelőtt, hajdan(ában)

eructation [i:rʌk'teıʃn] n 1. böfögés 2. füstokádás [tűzhányóé]

erudite ['eru:daıt; US -rü-] a tudós; tanult; nagytudású, -műveltségű

erudition [eru:'dıʃn; US -rü-] n műveltség, tudományos képzettség; man of ~ tudós ember

erupt [ı'rʌpt] vi 1. kitör [vulkán] 2. kinő, kibújik [fog]

eruption [ı'rʌpʃn] n 1. kitörés [tűzhányóé, járványé, indulaté stb.] 2. kitörés, erupció [bőrkiütésé] 3. fogzás; fogáttörés

eruptive [ı'rʌptıv] a kitörő, vulkáni eredetű

erysipelas [erı'sıpıləs] n orbánc

escalate ['eskəleıt] A. vt kiterjeszt, fokoz B. vi kiterjed, erősödik

escalation [eskə'leıʃn] n eszkaláció, kiterjesztés [háborúé stb.]

escalator ['eskəleıtə*] n mozgólépcső

escapade [eskə'peıd] n kaland, csíny

escape [ı'skeıp] I. n 1. (meg)szökés, (meg)menekülés; make one's ~ megmenekül, megszökik; 2. átv [szellemi, érzelmi] menekülés; ~ literature szórakoztató/könnyű olvasmány 3. elszivárgás [gázé, folyadéké] 4. = fire--escape 5. ~ velocity szökési (v. második kozmikus) sebesség [űrhajóé] II. A. vt 1. elkerül [veszélyt, figyelmet]; ~ notice elkerüli a figyelmet; ~ pursuit megszökik üldözői elől; his name ~d me nem jutott eszembe a neve 2. an oath ~d him káromkodás szaladt ki a száján B. vi 1. elmenekül, elszökik, megszökik; megmenekül 2. kiömlik, elillan, szökik [gáz]

escapee [eskeı'pi:] n szökevény

escapement [ɪ'skeɪpmənt] *n* gátlómű
[óráé]
escapism [ɪ'skeɪpɪzm] *n* eszképizmus,
légvárépítés
escapist [ɪ'skeɪpɪst] *a/n* a valóságtól
menekülő, eszképista
escarpment [ɪ'skɑːpmənt] *n* 1. (meredek) rézsűzés 2. meredek lejtő [erőd
falánál]
escheat [ɪs'tʃiːt] I. *n* 1. háramlás [államra] 2. (államra) háramlott vagyon II.
vi háramlik, visszaszáll [örökség államra]
eschew [ɪs'tʃuː] *vt* elkerül (vmt), tartózkodik (vmtől)
escort I. *n* ['eskɔːt] 1. (védő)kiséret, fedezet 2. kisérő(k), kiséret II. *vt* [ɪ'skɔːt]
(el)kisér; kisér(get) [leányt]
escritoire [eskri:'twɑː*] *n* kb. szekreter
escutcheon [ɪ'skʌtʃ(ə)n] *n* 1. † cimer-
(pajzs); *a blot on his ~* folt/csorba a
becsületén, családi szégyenfolt 2. kulcs-
lyukpajzs
E.S.E., ESE *east-south-east* kelet-délkelet
Eskimo ['eskɪmoʊ] *a/n* eszkimó [ember,
nyelv]
Esmé ['ezmɪ] *prop* ⟨férfinév⟩
Esmond ['ezmənd] *prop*
esoph... →*oesoph*...
esoteric [esə'terɪk] *a* titkos, rejtett, *átv*
csak beavatottak számára érthető,
ezoterikus
esp. *especially*
especial [ɪ'speʃl] *a* különleges; sajátságos; *of ~ importance* elsőrendű fontosságú; *in ~* legfőként
especially [ɪ'speʃ(ə)lɪ] *adv* főleg, különösen, nagy mértékben; *~ as* annál is
inkább, mert ...
espionage [espɪə'nɑːʒ; *US* 'espɪənɪdʒ] *n*
kémkedés
esplanade [esplə'neɪd] *n* sétány, korzó
espousal [ɪ'spaʊzl] *n* 1. † kézfogó 2. támogatás [ügyé]
espouse [ɪ'spaʊz] *vt* 1. † eljegyez; nőül
vesz 2. támogat, magáévá tesz [ügyet]
espresso [e'spresoʊ] *n* 1. gépkávé 2.
eszpresszógép 3. *~ (bar)* eszpresszó
[helyiség]
espy [ɪ'spaɪ] *vt* észrevesz; meglát

Esq. *esquire*
esquire [ɪ'skwaɪə*; *US* e's-] *n* 1. *GB* úr
(röv. *Esq.*) [levélcímzésben] 2. nemes-
(ember)
essay I. *n* ['eseɪ] 1. kísérlet (*at* vmre) 2.
tanulmány, esszé II. *vt* [e'seɪ] megpróbál, megkisérel, kísérletet tesz vmre
essayist ['eseɪst] *n* tanulmányíró, esszéista
essence ['esns] *n* 1. lényeg; (rövid) foglalat 2. kivonat, eszencia 3. illatszer
essential [ɪ'senʃl] I. *a* 1. lényeges 2.
alapvető, nélkülözhetetlen; *it is ~*
that ... elengedhetetlen, hogy ... II.
essentials *n pl* lényeg; nélkülözhetetlen követelmények
essentially [ɪ'senʃ(ə)lɪ] *adv* lényegében;
elsősorban; alapjában véve
Essex ['esɪks] *prop*
est. *established*
E.S.T. [iːes'tiː] *US* *Eastern Standard
Time*
establish [ɪ'stæblɪʃ] *vt* 1. (meg)alapít,
létesít; felállít; létrehoz, kiépít; meghonosít [szokást]; *~ oneself in busi-
ness* üzletkört épít ki; *~ precedent*
precedenst teremt 2. megállapít; kimutat; *it was ~ed that* ... megállapították, hogy ...
established [ɪ'stæblɪʃt] *a* megalapozott;
E~ Church (anglikán) államegyház; *~
custom* bevett szokás; *~ fact* elfogadott
tény
establishment [ɪ'stæblɪʃmənt] *n* 1. létesítés; alapítás [üzletházé, társaságé] 2.
intézmény; létesítmény; szervezet;
testület; háztartás; *he is on the ~* a
személyzethez tartozik 3. megerősítés
[végrendeleté]; megállapítás [tényé]
4. tényleges (katonai) létszám; *peace ~*
békelétszám 5. *GB the E~* az angol
uralkodó osztály
estate [ɪ'steɪt] *n* 1. (föld)birtok; vagyon; *personal ~* ingó vagyon 2. hagyaték; *~ duty* örökösödési illeték 3.
(társadalmi) rend; *third ~* (a) harmadik rend, polgárság 4. rang; *of low ~*
alacsony/egyszerű származású 5. állapot; kor [emberé]; *reach man's ~* férfivá serdül 6. *~ (car)* kombi [gépkocsi] 7. (lakó/gyár/ipar)telep

estate-agent *n* ingatlanügynök
esteem [ɪ'stiːm] I. *n* 1. tisztelet, (nagyra)becsülés; *hold sy in high ~* nagyra becsül vkt 2. vélemény; *in my ~* nézetem/véleményem szerint II. *vt* 1. tisztel, megbecsül, nagyra tart; *your ~ed favour* nagybecsű sorai 2. értékel, tart (*sg as sg* vmt vmnek); *~ oneself happy* boldognak tartja magát
Esther ['estə*] *prop* Eszter
Est(h)onia [e'stoʊnjə] *prop* Észtország
Est(h)onian [e'stoʊnjən] *a/n* észt
estimable ['estɪməbl] *a* becses, tiszteletre méltó
estimate I. *n* ['estɪmət] 1. becslés; felbecsülés; *in my ~* véleményem/nézetem szerint 2. költségvetés, előirányzat; árvetés; *The E~s* állami költségvetés-előirányzat; *put in an ~* költségvetést benyújt II. *vt* ['estɪmeɪt] 1. felbecsül; értékel; felmér 2. előirányoz [költséget]
estimation [estɪ'meɪjn] *n* 1. becslés, vélemény, megítélés; *in my ~* becslésem/véleményem szerint 2. (nagyra-)becsülés; *hold sy in ~* nagyra becsül/tart vkt
estrange [ɪ'streɪndʒ] *vt* elidegenít; *become ~d from sy* elidegenedik/elhidegül vktől
estrangement [ɪ'streɪndʒmənt] *n* 1. elidegenítés 2. elidegenedés
estrus → *oestrus*
estuary ['estjʊərɪ; *US* -tʃʊerɪ] *n* (folyó-) torkolat, tölcsértorkolat
et al. [et'æl] et alii (= *and others*) és mások
etc. [ɪt'set(ə)rə] et cetera (= *and the rest/others, and so on/forth*) stb.
etch [etʃ] *vt* marat, karcol, graviroz
etcher ['etʃə*] *n* rézkarcoló, -metsző
etching ['etʃɪŋ] *n* 1. maratás, rézkarcolás; gravirozás 2. rézkarc
eternal [iː'tɜːnl] *a* 1. örök(ös), örökkévaló 2. *biz* szüntelen
eternally [iː'tɜːnəlɪ] *adv* folytonosan; örökké
eternity [iː'tɜːnətɪ] *n* örökkévalóság
Ethel ['eθl] *prop* Etelka
Ethelbert ['eθlbəːt] *prop* ⟨férfinév⟩

Ethelberta [eθl'bəːtə] *prop* ⟨női név⟩
ether ['iːθə*] *n* éter
ethereal [iː'θɪərɪəl] *a* éteri, könnyed, légies; tündéri
ethic ['eθɪk] *n* erkölcs, etika
ethical ['eθɪkl] *a* erkölcsi, etikai
ethics ['eθɪks] *n* erkölcstan, etika
Ethiopia [iːθɪ'oʊpjə] *prop* Etiópia, (régebben: Abesszínia)
Ethiopian [iːθɪ'oʊpjən] *a* etióp(iai)
ethnic(al) ['eθnɪk(l)] *a* 1. etnikai, faji; *~ group* népcsoport 2. (összehasonlító) néprajzi, etnológiai
ethnographer [eθ'nɔgrəfə*; *US* -'na-] *n* néprajztudós, etnográfus
ethnography [eθ'nɔgrəfɪ; *US* -'na-] *n* néprajz, etnográfia
ethnologist *n* [eθ'nɔlədʒɪst; *US* -'na-] etnológus
ethnology [eθ'nɔlədʒɪ; *US* -'na-] *n* összehasonlító néprajz, etnológia
ethos ['iːθɔs; *US* -as] *n* étosz, erkölcsi világkép
ethyl ['eθɪl] *n* etil [gyök, csoport]; *~ alcohol* (etil)alkohol
etiolate ['iːtɪəleɪt] *vt* elhervaszt, elsápaszt
etiology [iːtɪ'ɔlədʒɪ; *US* -'a-] *n* kórok- (tan); etiológia
etiquette ['etɪket] *n* etikett
Eton ['iːtn] *prop*
Etonian [iː'toʊnjən] I. *a* etoni II. *a* etoni diák
Etruscan [ɪ'trʌskən] *a/n* etruszk
etymologic(al) [etɪmə'lɔdʒɪk(l)]; *US* -'la-] *a* szófejtő, etimológiai
etymology [etɪ'mɔlədʒɪ; *US* -'ma-] *n* szófejtés, etimológia
eucalyptus [juːkə'lɪptəs] *n* eukaliptusz
Eucharist ['juːkərɪst] *n* 1. oltáriszentség 2. úrvacsora
Euclid ['juːklɪd] *prop* Eukleidész
Euclidean [juː'klɪdɪən] *a* euklideszi [geometria]
Eugene [juː'ʒeɪn, 'juːdʒiːn] *prop* Jenő
Eugénia [juː'dʒiːnjə] *prop* Eugénia
eugenics [juː'dʒenɪks] *n* fajegészségtan, eugenetika
eulogize ['juːlədʒaɪz] *vt* magasztal, dicsőit
eulogy ['juːlədʒɪ] *n* dicsérő beszéd, dicshimnusz

eunuch ['ju:nək] n herélt, eunuch
euphemism ['ju:fɪmɪzm] n eufémizmus,
szépítő kifejezés
euphemistic [ju:fɪ'mɪstɪk] a eufemisz-
tikus, szépített
euphony ['ju:fənɪ] n jóhangzás, eufónia
euphoria [ju:'fɔ:rɪə] n eufória, jóérzés
Euphrates [ju:'freɪti:z] prop Eufrátesz
euphuism ['ju:fju:ɪzm] n barokk próza-
stílus, nyelvi finomkodás
Eurasia [jʊə'reɪʒə v. -ʃə] prop Eurázia v.
Eurázsia
Eurasian [jʊ(ə)'reɪʒn v. -ʃn] a/n euráz-
(s)iai (ember)
eureka [jʊ(ə)'ri:kə] int heuréka!, megvan!
eurhythmics [ju:'rɪðmɪks] n ritmikus
torna, mozdulatművészet
eurhythmy [ju:'rɪðmɪ] n euritmia, kel-
lemes ritmus, (művészi) arányosság
Europe ['jʊərəp] prop Európa
European [jʊərə'pi:ən] a/n európai
Eurovision ['jʊərəvɪʒn] n Eurovízió
Eustace ['ju:stəs] prop ⟨férfinév⟩
Eustachian tube [ju:'steɪʃjən; US -'steɪ-
kɪən v. -ʃən] Eustach-kürt
Euston ['ju:st(ə)n] prop
euthanasia [ju:θə'neɪzjə; US -ʒə] n
fájdalommentes/könyörületi halál
Eva ['i:və] prop Éva
evacuate [ɪ'vækjʊeɪt] vt 1. kiürít, eva-
kuál [várost stb.] 2. kiürít [beleket]
evacuation [ɪvækjʊ'eɪʃn] n 1. kiürítés,
evakuálás [városé stb.] 2. kiürítés
[beleké]
evacuee [ɪvækju:'i:] n kiürítéskor ki-
telepített személy, evakuált
evade [ɪ'veɪd] vt 1. kitér (vm elől); kihúz-
za magát (vm alól); ~ the law kijátssza
a törvényt 2. elkerül [veszélyt]
evaluate [ɪ'væljʊeɪt] vt megbecsül, (ki-)
értékel
evaluation [ɪvælju:'eɪʃn] n becslés; ki-
értékelés; kalkuláció
evanescent [i:və'nesnt] a tűnő, elenyé-
sző, múló
evangelical [i:væn'dʒelɪkl] I. a 1. evan-
géliumi 2. evangélikus; protestáns II.
n evangélikus; protestáns
evangelist [ɪ'vændʒəlɪst] n 1. evangélis-
ta 2. evangelizátor
evangelize [ɪ'vændʒəlaɪz] A. vt hirdeti

az evangéliumot/igét (vknek), (meg-)
térít (vkt) B. vi evangelizál
Evans ['ev(ə)nz] prop
evaporate [ɪ'væpəreɪt] A. vi (átv is)
(el)párolog, elillan B. vt 1. (el)páro-
logtat, elgőzölögtet 2. ~ (down) be-
párol, (be)sűrít; ~d milk sűrített/
kondenzált tej
evaporation [ɪvæpə'reɪʃn] n 1. (el)párol-
gás; kigőzölés 2. elpárologtatás; be-
párlás, besűrítés
evasion [ɪ'veɪʒn] n 1. kikerülés, kitérés
[ütés stb. elől]; kijátszás, megkerülés
[törvényé]; tax ~ adócsalás 2. kifo-
gás; ürügy
evasive [ɪ'veɪsɪv] a kitérő [válasz]
eve¹ [i:v] n előest; Christmas ~ kará-
csonyest(e), szenteste; New Year's
E~ szilveszter(est); átv on the ~ of sg
vm előestéjén/küszöbén
Eve² [i:v] prop Éva
Eveline, Evelyn ['i:vlɪn] prop Evelin
[férfi- és női név]
even¹ ['i:vn] n † este
even² ['i:vn] I. a 1. egyenes, egyenletes,
sík, sima, lapos; biz break ~ útv
egyenesbe jön; get/be ~ with sy le-
számol vkvel, bosszút áll vkn; make
~ elegyenget, elsimít; make ~ with
the ground földdel egyenlővé tesz
2. egyenlő [súly, méret, esély]; ~
bargain jó/méltányos alkú; ~ bet/mon-
ey/chance egyenlő esély; of ~ date
ugyanazon keletű 3. páros [szám];
~ numbers páros számok; odd or ~
páratlan vagy páros 4. egyenletes,
szabályos; ~ temper kiegyensúlyo-
zott/higgadt kedély II. adv 1. (össze-
hasonlításban:) még (tagadásban:
még csak ... sem; ~ if még akkor is
ha; not ~ még akkor sem; ~ more
még inkább; ~ now (1) még most
is/sem (2) éppen most; I never ~
saw it még csak nem is láttam soha;
~ the cleverest még a legokosabb ...
is/sem; ~ so mégis, ennek ellenére
2. éppen, egészen; ~ as éppen úgy
(mint); ~ then éppen akkor III. vt
(ki)egyenesít, kiegyenlít; that'll ~
things up ez majd helyrehozza/ki-
egyenlíti a dolgot

even-handed *a* **1.** elfogulatlan, pártatlan; igazságos, méltányos **2.** pari [fogadás]
evening ['i:vnɪŋ] **I.** *a* esti; ~ *classes* esti tanfolyam/tagozat, dolgozók (esti) iskolája; ~ *gown* estélyi ruha [női]; ~ *paper* esti lap/újság; ~ *primrose* csészekürt [virág]; ~ *train* esti vonat **II.** *n* **1.** est(e); *this* ~ ma este; ~ *falls* beesteledik; ~ *of life* az élet alkonya **2.** este [összejövetel, előadás]
evening-dress *n* estélyi ruha/öltözet
evening-out *n* esti kimaradás
evening-school *n* esti iskola/tagozat
evening-star *n* esthajnalcsillag
evenly ['i:vnlɪ] *adv* **1.** egyformán; egyenletesen **2.** pártatlanul, méltányosan
evenness ['i:vnnɪs] *n* **1.** szabályosság, egyenletesség [mozgásé]; simaság [felületé] **2.** higgadtság, kiegyensúlyozottság [kedélyé]
evensong *n* esti ima/istentisztelet
event [ɪ'vent] *n* **1.** eset; *at all* ~*s* mindenesetre; bármi történjék is; *in the* ~ végül is; *in the* ~ *of his death* halála esetén **2.** esemény; *it is quite an* ~ eseményszámba megy **3.** sportesemény; (verseny)szám
even-tempered *a* kiegyensúlyozott (kedélyű), higgadt
eventful [ɪ'ventfʊl] *a* eseménydús
eventide ['i:vntaɪd] *n* este
eventless [ɪ'ventlɪs] *a* eseménytelen, egyhangú
eventual [ɪ'ventʃʊəl] *a* végső; végleges
eventuality [ɪventʃʊ'ælətɪ] *n* eshetőség
eventually [ɪ'ventʃʊəlɪ] *adv* végül (is), végső fokon
ever ['evə*] *adv* **1.** valaha, valamikor; *now if* ~ *is the time* most vagy soha; *hardly* ~ alig valamikor, szinte soha **2.** mindig, egyre, örökké; ~ *since* ... (a)mióta csak ..., ... óta (mindig); *they lived happy* ~ *after* boldogan éltek míg meg nem haltak; *for* ~ (mind-)örökre; *England for* ~*!* éljen Anglia!; ~ *and again* újra meg újra; *Yours* ~ őszinte barátsággal, baráti szeretettel [levél végén] **3.** *(nyomatékként:) what* ~ *shall we do now?* na most aztán mi

lesz?; *we are the best friends* ~ a lehető legjobb barátok vagyunk; ~ *so* bármennyire is; *be it* ~ *so good* bármilyen jó legyen is; ~ *so many* nagyon sokan; ~ *so much* nagyon, igen, sokkal; *thank you* ~ *so much* igen szépen köszönöm
Everest ['evərɪst] *prop*
evergreen *a/n* örökzöld
everlasting **I.** *a* **1.** örökkévaló, maradandó **2.** *biz* örökös, szünni nem akaró **II.** *n* örökkévalóság; *from* ~ öröktől fogva, mindig
evermore *adv* mindig, örökké
every ['evrɪ] *a* **1.** mind(en); ~ *day* mindennap →*everyday;* ~ *other/ second* minden második; ~ *now and then/again* hébe-hóba, néha; ~ *time* minden alkalommal, kivétel nélkül **2.** ~ *one* mind(enki); mindegyik; valahány; ~ *man for himself!* fusson ki merre lát!; ki-ki (gondoskodjék) magáról!
everybody *pron* mindenki; ~ *else* mindenki más, a többiek (mind)
everyday *a* **1.** mindennapi; ~ *occurrence* mindennapos esemény **2.** megszokott [látvány]; hétköznapi ||→*every*
everyone *pron* mindenki →*every*
everything *pron* minden
everywhere *adv* mindenütt, mindenhol
evict [ɪ'vɪkt] *vt* **1.** kilakoltat *(from* vhonnan) **2.** (birtokot) megszerez
eviction [ɪ'vɪkʃn] *n* kilakoltatás
evidence ['evɪd(ə)ns] **I.** *n* **1.** nyilvánvalóság (vmé); *biz be in* ~ látható **2.** bizonyíték, (tanú)bizonyság; *bear/ give* ~ *of sg* tanúskodik vmről; ~*s of sg* nyomai/bizonyítékai vmnek; *in the face of* ~ a bizonyítékok ellenére **3.** tanú; ~ *for the prosecution* a vád tanúja; ~ *for the defence* a védelem tanúja; *call sy in* ~ vkt tanúként beidéz; *King's/Queen's* ~, *US State's* ~ bűntársai ellen valló vádlott; *turn King's/Queen's* ~ (v. *State's*) ~ rávall bűntársára **II.** *vt* bizonyít; *as* ~*d by sg* ahogy vm bizonyítja/ igazolja
evident ['evɪd(ə)nt] *a* nyilvánvaló, kézzelfogható, evidens

evil ['i:vl] I. a 1. rossz; an ~ day
szerencsetlen/végzetes nap; fall on
~ days rossz sorsra jut 2. gonosz;
the E~ One a Sátán, a gonosz lélek;
~ eye szemmel verés II. n gonoszság,
bűn, rossz; speak ~ of sy rossz hírét
kelti vknek; wish sy ~ rosszat kíván
vknek
evil-doer n gonosztevő
evil-looking a rossz/gonosz külsejű
evil-minded a rosszindulatú
evil-smelling a rossz szagú, büdös
evince [ı'vıns] vt kimutat, tanúsít,
bizonyít
eviscerate [ı'vısəreıt] vt (átv is) kizsige-
rel, kibelez
evocation [evoʊ'keıʃn] n 1. felidézés
[emléké] 2. előidézés
evocative [ı'vɔkətıv; US ı'va-] a felidé-
ző; előidéző
evoke [ı'voʊk] vt 1. megidéz [szellemet];
felelevenít, -idéz [emléket] 2. kivált
[reakciót]; ~ a smile mosolyt kelt
evolution [i:və'lu:ʃn; US evə-] n 1.
(ki)fejlődés, kialakulás, evolúció 2. fel-
fejlődés [csapatoké], helyzetváltoz-
tatás 3. gyökvonás; görbe lefejtése
evolutionary [i:və'lu:ʃnərı; US evə-]
a evolúciós, fejlődési
evolve [ı'vɔlv; US -a-] A. vt 1. kialakít,
kifejleszt 2. kifejt, levezet [tételt]
(from vmből) 3. felszabadít; fejleszt
[hőt] B. vi 1. kialakul, kibontakozik,
(ki)fejlődik 2. felszabadul, szabaddá
válik [gáz, hő]
ewe [ju:] n anyajuh
ewer ['ju:ə*] n vizeskancsó
ex¹ [eks] pref volt; ~-President volt
elnök
ex² [eks] prep ~ interest kamat nélkül;
~ officio [eksə'fıʃıoʊ] hivatalból; ~
ship hajón átvéve
exacerbate [ek'sæsəbeıt] vt 1. elkeserít;
(fel)bőszít 2. súlyosbít, növel
exact [ıg'zækt] I. a pontos, szabatos,
preciz, egzakt; the ~ word a találó
kifejezés, a helyes megjelölés II. vt
1. követel, behajt [adót, pénzt];
kicsikar [ígéretet] 2. (meg)követel,
megkíván [engedelmességet, gondos
munkát]

exacting [ıg'zæktıŋ] a szigorú, sokat
követelő; munkaigényes, nehéz
exaction [ıg'zækʃn] n 1. megerőltető
elfoglaltság 2. kierőszakolás; kierő-
szakolt összeg
exactitude [ıg'zæktıtju:d; US -tu:d]
n hajszálpontosság, precizitás
exactly [ıg'zæktlı] adv 1. pontosan;
not ~ nem egészen; it is ~ five ponto-
san öt óra van 2. ~! úgy van!,
ahogy mondja!
exactness [ıg'zæktnıs] n pontosság, pre-
cizitás
exaggerate [ıg'zædʒəreıt] vt (el)túloz,
(fel)nagyít
exaggeration [ıgzædʒə'reıʃn] n túlzás,
nagyítás
exalt [ıg'zɔ:lt] vt 1. felemel, magas
rangra emel 2. (fel)magasztal, (fel-)
dicsér; ~ sy to the skies egekig magasz-
tal vkt
exaltation [egzɔ:l'teıʃn] n 1. átv feleme-
lés; (fel)magasztalás 2. túlfűtöttség,
egzaltáció
exalted [ıg'zɔ:ltıd] a 1. ~ personage
magas rangú személy(iség) 2. emel-
kedett [érzelem] 3. túlfűtött, egzal-
tált
exam [ıg'zæm] n biz = examination 1.
examination [ıgzæmı'neıʃn] n 1. vizsga;
~ paper (vizsga)dolgozat; ~ question
vizsgakérdés; enter for an ~ vizsgára
jelentkezik; sit for an ~, take an ~
vizsgázik 2. vizsgálat, megvizsgálás;
ellenőrzés; áttanulmányozás [iratoké
stb.]; under ~ kivizsgálás alatt;
undergo a medical ~ orvosi vizsgálat-
ra kerül 3. kihallgatás [tanúé, vádlot-
té]
examine [ıg'zæmın] A. vt 1. (meg)vizs-
gál; felülvizsgál; tanulmányoz; have
oneself ~d megvizsgáltatja magát
[orvossal] 2. vizsgáztat, kikérdez 3.
kihallgat [tanút]; vizsgálatot tart
[egy ügyben] B. vi ~ into sg alaposan
megvizsgál vmt
examinee [ıgzæmı'ni:] n vizsgázó, jelölt
examiner [ıg'zæmınə*] n 1. vizsgáló
2. vizsgáztató
example [ıg'za:mpl; US -'zæ-] n példa;
for ~, by way of ~ például; make an

~ *of* sy példásan megbüntet vkt; *set an* ~ példát mutat
exasperate [ɪg'zæsp(ə)reɪt] *vt* felbőszít, elkeserít
exasperating [ɪg'zæspəreɪtɪŋ] *a* bosszantó, idegesítő
exasperation [ɪgzæspə'reɪʃn] *n* 1. elkeseredés; *drive sy to* ~ a végsőkig felingerel vkt 2. felbosszantás
excavate ['ekskəveɪt] *vt* kiás, kiváj; feltár [romokat]
excavation [ekskə'veɪʃn] *n* 1. kiásás; ásatás, feltárás 2. üreg
excavator ['ekskəveɪtə*] *n* 1. kubikos 2. kotrógép, exkavátor
exceed [ɪk'si:d] **A.** *vt* felülmúl, meghalad, túltesz (sy *in* sg vkn vmben); túllép [jogot stb.]; ~ *the speed-limit* a megengedettnél nagyobb sebességgel halad [gépkocsi] **B.** *vi* kiemelkedik, kimagaslik
exceedingly [ɪk'si:dɪŋlɪ] *adv* rendkívül; nagyon; kiválóan
excel [ɪk'sel] *v* -ll- **A.** *vi* kitűnik, kiemelkedik **B.** *vt* túltesz (vkn, *in* vmben)
excellence ['eks(ə)ləns] *n* 1. kiválóság, kitűnőség (vmé) 2. érdem; felsőbbrendűség (vké, vmé)
excellency ['eks(ə)lənsɪ] *n* 1. = *excellence* 2. *Your E~* Kegyelmes Uram; *His/Her E* ~ Őexcellenciája, Őkegyelmessége
excellent ['eks(ə)lənt] *a* kitűnő, kiváló
excelsior [ek'selsɪɔ:*] *n US* fagyapot
except [ɪk'sept] **I.** *vt* kivesz, kivételt tesz; *present company* ~ed a jelenlévők kivételével **II.** *prep* kivéve; kivételével; ~ *him* kivéve őt, az ő kivételével; ~ *for* kivéve ha **III.** *conj* † hacsak nem; ~ *that* ... kivéve hogy ..
excepting [ɪk'septɪŋ] *prep* kivéve; ~ *him* kivéve öt, az ő kivételével
exception [ɪk'sepʃn] *n* 1. kivétel; *an* ~ *to a rule* kivétel a szabály alól 2. kifogás; *take* ~ *to* sg kifogásol vmt
exceptionable [ɪk'sepʃnəbl] *a* kifogásolható
exceptional [ɪk'sepʃənl] *a* kivételes
exceptionally [ɪk'sepʃnəlɪ] *adv* 1. kivételesen 2. rendkívül, mód felett

excerpt ['eksə:pt] *n* 1. szemelvény 2. kivonat
excess [ɪk'ses] *n* 1. túl sok (*of* vmből); *in* ~ *of* vmt meghaladó; több mint; *drink to* ~ mérték nélkül iszik 2. felesleg, többlet; ~ *weight/baggage* poggyásztúlsúly; ~ *profits tax* jövedelemtöbblet-adó 3. túlzás, mértéktelenség, kicsapongás; *commit* ~es mértéktelenül viselkedik, végletekbe megy; kegyetlenkedik
excessive [ɪk'sesɪv] *a* túlzott, túlságos, szertelen
exchange [ɪks'tʃeɪndʒ] **I.** *n* 1. csere, csereüzlet; (ki)cserélés; ~ *of letters* levélváltás; *in* ~ *for* cserébe (vmért); ~ *transfusion* vércsere 2. pénzváltás 3. (érték)tőzsde; *the Royal E~* ⟨a londoni tőzsde(palota)⟩; *rate of* ~, ~ *rate* (1)(tőzsdei) árfolyam (2) devizaárfolyam; *foreign* ~ deviza; valuta; ~ *law* váltójog 4. (*telephone*) ~ telefonközpont 5. ~ *officer* parancsnokhelyettes **II.** *vt* kicserél; elcserél; vált [szót, levelet]; ~ *sg for* sg vmt vmre cserél; kicserél, becserél
exchangeable [ɪks'tʃeɪndʒəbl] *a* kicserélhető
exchange-value *n* csereérték
exchequer [ɪks'tʃekə*] *n the E~* (1) (állam)kincstár (2) *GB* pénzügyminisztérium; *GB Chancellor of the E~* pénzügyminiszter; *GB* ~ *bill* kincstári jegy
excise[1] ['eksaɪz] **I.** *n* fogyasztási adó **II.** *vt* (meg)adóztat
excise[2] [ek'saɪz] *vt* kivág, kimetsz
exciseman *n* (*pl* -men) pénzügyőr, fináne
excision [ek'sɪʒn] *n* kivágás
excitability [ɪksaɪtə'bɪlətɪ] *n* izgulékonyság; ingerlékenység
excitable [ɪk'saɪtəbl] *a* izgulékony; ingerlékeny
excitation [eksɪ'teɪʃn] *n* 1. (fel)izgatás, ingerlés 2. izgatottság, izgalmi állapot 3. gerjesztés [villamosságban]
excite [ɪk'saɪt] *vt* 1. (fel)izgat, (fel)idegesít; *get* ~*d* felizgul, izgalomba jön; *don't get* ~*d!* ne izgulj! 2. gerjeszt [villamosságban]

excitement [ɪk'saɪtmənt] *n* izgatottság, izgalom; izgalmi állapot; *cause great* ~ nagy izgalmat kelt
exciting [ɪk'saɪtɪŋ] *a* 1. érdekfeszítő, izgalmas; izgató 2. gerjesztő; ~ *current* gerjesztő áram
exclaim [ɪk'skleɪm] *vi/vt* 1. (fel)kiált 2. ~ *against* tiltakozik vm ellen
exclamation [eksklə'meɪʃn] *n* (fel)kiáltás; *US* ~ *mark/point* felkiáltójel
exclamatory [ek'sklæmət(ə)rɪ; *US* -ɔːrɪ] *a* (fel)kiáltó
exclude [ɪk'skluːd] *vt* kizár, kirekeszt, kiűz (*from* vhonnan); *excluding* ... ... kizárásával, ... kivételével
exclusion [ɪk'skluːʒn] *n* kizárás, kirekesztés (*from* vhonnan/vmből); *to the* ~ *of sg* vmnek a kizárásával
exclusive [ɪk'skluːsɪv] *a* 1. kizárólagos [jog]; ~ *sale* egyedáruság 2. zártkörű, exkluzív [társaság, klub stb.]; előkelő, tartózkodó [személy] 3. ~ *of* nem számítva; ... nélkül; *price of dinner* ~ *of wine* a menü ára bor nélkül
exclusiveness [ɪk'skluːsɪvnɪs] *n* zártkörűség; kizárólagosság
excogitate [eks'kɔdʒɪteɪt; *US* -'kɑ-] *vt* kigondol vmt
excommunicate [ekskə'mjuːnɪkeɪt] *vt* kiközösít [egyházból]
excommunication [ekskəmjuːnɪ'keɪʃn] *n* kiközösítés, egyházi átok
excoriate [eks'kɔːrɪeɪt] *vt* 1. feldörzsöl, -horzsol [bőrt] 2. élesen megbírál
excrement ['ekskrɪmənt] *n* ürülék; trágya
excrescence [ɪk'skresns] *n* kinövés
excreta [ɪk'skriːtə] *n pl* kiválasztott anyagok [vizelet, ürülék stb.], salakanyagok
excrete [ɪk'skriːt] *vt* kiválaszt
excretion [ɪk'skriːʃn] *n* 1. kiválasztás 2. kiválasztott anyag; váladék
excruciating [ɪk'skruːʃɪeɪtɪŋ] *a* kínzó, gyötrő; gyötrelmes; ~ *pain* szörnyű fájdalom
exculpate ['ekskʌlpeɪt] *vt* felment; menteget; igazol
exculpation [ekskʌl'peɪʃn] *n* felmentés; igazolás [személyé]
excursion [ɪk'skəːʃn; *US* -ʒ(ə)n] *n* 1. ki-

rándulás; ~ *train* kirándulóvonat, turistavonat; *go on an* ~, *make an* ~ kirándul 2. *biz* elkalandozás [tárgytól]
excursionist [ɪk'skəːʃ(ə)nɪst; *US* -ʒ(ə)n-] *n* turista, kiránduló
excusable [ɪk'skjuːzəbl] *a* megbocsátható, menthető
excuse I. *n* [ɪk'skjuːs] 1. mentség; *in* ~ *of* (vmnek) mentségére/igazolására; *it admits of no* ~ nem ment(eget)hető 2. ürügy, kifogás; *by way of* ~ mentségül II. *vt* [ɪk'skjuːz] 1. megbocsát, elnéz (vknek vmt); ~ *my being late* bocsánat a késésért; *if you will* ~ *the expression* pardon a kifejezésért; ~ *me!* pardon!, bocsánat!; elnézést (kérek)!; ~ *me* (*for not*) *getting up* bocsánat, hogy nem kelek fel 2. felment (*sy from sg* vkt vm alól); elenged [bírságot]
execrable ['eksɪkrəbl] *a* utálatos, pocsék
execrate ['eksɪkreɪt] *vt* 1. utál 2. átkoz
execration [eksɪ'kreɪʃn] *n* 1. utálat (*of* vmé) 2. átkozódás, káromkodás
execute ['eksɪkjuːt] *vt* 1. végrehajt [parancsot]; teljesít, elvégez [munkát, kötelességet]; megvalósít [tervet] 2. eljátszik, előad [zenedarabot] 3. kivégez [elítéltet]
execution [eksɪ'kjuːʃn] *n* 1. végrehajtás, teljesítés [parancsé, tervé]; megvalósítás [szándéké]; ~ *of duty* kötelesség teljesítése; *carry/put sg into* ~ megvalósít/keresztülvisz vmt 2. előadás(mód) [zenedarabé] 3. kivégzés
executioner [eksɪ'kjuːʃnə*] *n* hóhér, ítéletvégrehajtó
executive [ɪg'zekjutɪv; *US* -kjə-] I. *a* végrehajtási, végrehajtó, adminisztratív, közigazgatási; ~ *ability* szervezőképesség; ~ *committee* végrehajtó bizottság; ~ *council* minisztertanács; ~ *decree* kormányrendelet II. *n* 1. végrehajtó hatalom/szerv; *the Chief E*~ az Egyesült Államok elnöke 2. főelőadó; *US* vezető, igazgató
executor [ɪg'zekjutə*; *US* -kjə-] *n* (végrendeleti) végrehajtó
exegesis [eksɪ'dʒiːsɪs] *n* szövegmagyarázat, exegézis

exemplar [ɪg'zemplə*] *n* példa, minta- (példány)
exemplary [ɪg'zempləri] *a* 1. példaadó, példaszerű 2. példát statuáló, elrettentő [büntetés]
exemplification [ɪgzemplɪfɪ'keɪʃn] *n* 1. szemléltetés [példákkal] 2. példa
exemplify [ɪg'zemplɪfaɪ] *vt* 1. példáz, szemléltet 2. másolatot készít; *exemplified copy* hitelesített másolat
exempt [ɪg'zempt] I. *a* mentes, felmentett (*from* vm alól) II. *vt* ~ *sy* (*from sg*) felment/mentesít vkt [adófizetés, katonai szolgálat alól]
exemption [ɪg'zempʃn] *n* 1. felmentés (*from* vm alól) 2. mentesség
exequies ['eksɪkwɪz] *n pl* gyászszertartás
exercise ['eksəsaɪz] I. *n* 1. gyakorlás [tisztségé]; *in the* ~ *of one's duties* hivatalos kötelessége teljesítése közben 2. gyakorlat; gyakorlás; feladat 3. testgyakorlás, (testgyakorlati) testmozgás; *lack of* ~ mozgás hiánya; *take* ~ sétát tesz 4. *US* **exercises** *pl* ünnepély II. A. *vt* 1. gyakorol, űz, folytat [jogot, mesterséget]; ~ *an influence upon sy* befolyásol vkt; ~ *a right* jogot érvényesít 2. gyakorol- (tat), gyakorlatoztat 3. ~ *sy's patience* vk türelmét próbára teszi; *greatly* ~*d about sg* aggódik vm miatt B. *vi* 1. edz(i magát); gyakorlatozik 2. sétál, mozog (kicsit)
exercise-book *n* (iskolai) füzet, irka
exert [ɪg'zə:t] *vt* 1. fáradozik, igyekszik; ~ *oneself* erőlködik 2. gyakorol [hatást, benyomást stb.]
exertion [ɪg'zə:ʃn] *n* 1. erőfeszítés; megerőltetés 2. felhasználás [erőé, képességé]
Exeter ['eksɪtə*] *prop*
exeunt ['eksɪʌnt] *vi* el [színpadi utasítás]
exfoliate [eks'foulɪeɪt] A. *vi* lehámlik, leválik B. *vt* (le)hánt, levet
exhalation [ekshə'leɪʃn] *n* 1. kigőzölgés, kipárolgás 2. kilégzés
exhale [eks'heɪl] A. *vt* kilehel, kibocsát [gőzt, szagot] B. *vi* kigőzölög, elpárolog
exhaust [ɪg'zɔ:st] I. *n* 1. kipufogás

2. ~ (*pipe*) kipufogó(cső) 3. kipufogó gáz II. *vt* 1. kimerít, felhasznál [erőt], kifáraszt [személyt] 2. kimerít [tárgykört, témát] 3. elfogyaszt, felél 4. kiszív, kiürít
exhausted [ɪg'zɔ:stɪd] *a* 1. kimerült 2. üres
exhausting [ɪg'zɔ:stɪŋ] *a* fárasztó, kimerítő
exhaustion [ɪg'zɔ:stʃn] *n* 1. kipufogás, kiürülés 2. kiszivattyúzás, kiürítés 3. kimerítés, elhasználás 4. (*state of*) ~ kimerültség
exhaustive [ɪg'zɔ:stɪv] *a* kimerítő, alapos
exhibit [ɪg'zɪbɪt] I. *n* 1. kiállított tárgy 2. (jogi) bizonyíték, adat; bűnjel 3. kiállítás, bemutatás [árué stb.] II. *vt* 1. bemutat, [szemlére] kiállít 2. bizonyságot tesz [bátorságról stb.], kimutat [tulajdonságot] 3. bead, benyújt [kérvényt]
exhibition [eksɪ'bɪʃn] *n* 1. kiállítás, bemutató [árué stb.]; ~ *case* üvegszekrény, tárló; ~ *room* bemutatóterem 2. mutatvány; *make an* ~ *of oneself* nevetségessé teszi magát 3. bemutatás [filmé stb.] 4. (egyetemi) ösztöndíj
exhibitioner [eksɪ'bɪʃ(ə)nə*] *n* ösztöndíjas
exhibitionism [eksɪ'bɪʃ(ə)nɪzm] *n* magamutogatás, exhibicionizmus
exhibitionist [eksɪ'bɪʃ(ə)nɪst] *n* magamutogató, exhibicionista
exhibitor [ɪg'zɪbɪtə*] *n* kiállító
exhilarate [ɪg'zɪlərəeɪt] *vt* felvidít, felderít, felüdít
exhilaration [ɪgzɪlə'reɪʃn] *n* vidámság, derültség, jókedv; felvidítás
exhort [ɪg'zɔ:t] *vt* 1. figyelmeztet, int 2. buzdít, serkent (*sy to do sg* vkt vm megtételére) 3. lelkére beszél (vknek)
exhortation [egzɔ:'teɪʃn] *n* 1. figyelmeztetés, intés 2. buzdítás
exhortatory [ɪg'zɔ:tət(ə)rɪ; *US* -ɔ:rɪ] *a* 1. intő 2. buzdító
exhumation [ekshju:'meɪʃn] *n* sírfelbontás, exhumálás
exhume [eks'hju:m; *US* eg'zju:m is] *vt* kiás [holttestet], exhumál
exigence ['eksɪdʒ(ə)ns] *n* szükség; szo-

rultság, kényszerhelyzet; *be reduced to* ~ nagy szükségben/nyomorban él
exigency ['eksɪdʒənsɪ] *n* = *exigence*
exigent ['eksɪdʒ(ə)nt] *a* 1. sürgős, égető 2. követelődző, igényes
exiguous [eg'zɪgjʊəs] *a* csekély, jelentéktelen
exile ['eksaɪl; *US* -gz-] I. *n* 1. száműzetés, számkivetés; *go into* ~ száműzetésbe megy; *send sy into* ~ száműz vkt 2. száműzött, számkivetett 3. *the E*~ a babilóniai fogság [zsidóké] II. *vt* száműz, számkivet (*from* vhonnan)
exist [ɪg'zɪst] *vi* 1. létezik, él, van; *such things do not* ~ ilyesmi nem létezik 2. fennáll
existence [ɪg'zɪst(ə)ns] *n* lét(ezés), fennállás; *come into* ~ létrejön
existent [ɪg'zɪst(ə)nt] *a* létező, ma is meglévő
existentialism [egzɪs'tenʃəlɪzm] *n* egzisztencializmus
existentialist [egzɪs'tenʃəlɪst] *a*/*n* egzisztencialista
exit ['eksɪt; *US* -gz-] I. *n* 1. kijárat 2. (el)távozás, lelépés; *make one's* ~ (1) távozik, lelép (2) *biz* távozik az élők sorából 3. kiutazás; ~ *permit* kiutazási engedély II. *vi* 1. (*színpadi utasítás:*) ~ *Lear* L. el (a színről) 2. meghal
exodus ['eksədəs] *n* kivonulás; *E*~ Mózes második könyve
exonerate [ɪg'zɔnəreɪt; *US* 'zɑ-] *vt* felment, tisztáz [vád alól]; megszabadít [tehertől]
exoneration [ɪgzɔnə'reɪʃn; *US* -zɑ-] *n* felmentés, megszabadítás [vád alól]; (teher)mentesítés
exorbitance [ɪg'zɔ:bɪt(ə)ns] *n* túlzottság, mértéktelenség [áré stb.]
exorbitant [ɪg'zɔ:bɪt(ə)nt] *a* túlzó, túlzott; ~ *price* uzsoraár
exorcise ['eksɔ:saɪz] *vt* 1. kiűz, kifüstöl [ördögöt] 2. felidéz [gonosz szellemet]
exorcism ['eksɔ:sɪzm] *n* ördögűzés
exorcist ['eksɔ:sɪst] *n* ördögűző
exotic [ɪg'zɔtɪk; *US* -'zɑ-] *a* idegen, egzotikus
expand [ɪk'spænd] A. *vt* 1. kiterjeszt,

megnövel [határokat] 2. kifejleszt, kibővít, kitágít, kiszélesít [ismereteket, kapcsolatot] 3. felold(va kiír) [rövidítést] B.*vi* 1. (ki)terjed; kibővül, kiszélesedik 2. (ki)feszül, dagad [vitorla] 3. felenged, beszédes lesz
expander [ɪk'spændə*] *n* (*chest*) ~ expander
expanse [ɪk'spæns] *n* 1. kiterjedés, terjedelem 2. nagy terület
expansible [ɪk'spænsəbl] *a* kiterjeszthető, (ki)nyújtható, nyúlékony
expansion [ɪk'spænʃn] *n* 1. kiterjesztés, kitágítás; (meg)növelés 2. (ki)bővítés, növelés; fejlesztés [üzemé] 3. kiterjedés, tágulás, expanzió 4. terjeszkedés
expansionist [ɪk'spænʃ(ə)nɪst] *a* terjeszkedő hajlamú
expansive [ɪk'spænsɪv] *a* 1. terjedő; kiterjedt, széles körű 2. feszülő 3. beszédes, közlékeny
expatiate [ek'speɪʃɪeɪt] *vi* terjengősen ír/beszél (*upon* vmről), nagy feneket kerít vmnek
expatriate [eks'pætrɪeɪt; *US* -'peɪ-] *vt* hazájából száműz; ~ *oneself* (1) kivándorol (2) lemond állampolgárságáról
expatriation [ekspætrɪ'eɪʃn; *US* -peɪ-] *n* 1. száműzés 2. száműzetés 3. kivándorlás 4. állampolgárságról való lemondás
expect [ɪk'spekt] *vt* 1. vár (vkt, vmt); valószínűnek tart (vmt), számít (vmre); *I knew what to* ~ tudtam mit várhatok; *it is hardly to be* ~*ed that* kevés a valószínűsége annak, hogy . . .; *I don't* ~ so nem tartom valószínűnek 2. ~ *sg from sy* elvár vmt vktől; *I* ~ *you to be punctual* elvárom, hogy pontos legyen 3. *biz* gondol, hisz; *I* ~ *so* azt/úgy hiszem (igen) 4. *biz she is* ~*ing* gyermeket vár
expectancy [ɪk'spekt(ə)nsɪ] *n* várakozás, kilátás; remény
expectant [ɪk'spekt(ə)nt] I. *a* várakozó, leendő, jövendőbeli; ~ *mother* állapotos asszony II. *n* várományos [örökségé]
expectation [ekspek'teɪʃn] *n* 1. várako-

zás; remény; ~ of life várható élettartam; live/come up to ~s beváltja a hozzá fűzött reményeket 2. expectations pl (1) várható örökség (2) kilátások; contrary to all ~s minden várakozás ellenére expected [ɪk'spektɪd] a várt; remélt expectorant [ek'spektər(ə)nt] n köptető (szer) expectorate [ek'spektəreɪt] vt köp, kiköhög expectoration [ekspektə'reɪʃn] n 1. köpködés, köpés 2. köpet expedience [ɪk'spi:djəns] n hasznosság, célszerűség expediency [ɪk'spi:djənsɪ] n = expedience expedient [ɪk'spi:djənt] I. a alkalmas, ajánlatos, hasznos, célszerű II. n 1. kisegítő eszköz 2. kiút; (fél)megoldás expedite ['ekspɪdaɪt] I. a 1. gyors, pontos 2. akadálytalan II. vt 1. siettet, sürget 2. előmozdít 3. (el)szállít, (el-)küld expedition [ekspɪ'dɪʃn] n 1. hadjárat; felfedező út, expedíció 2. (az) expedíció (tagjai) 3. gyorsaság, fürgeség; for the sake of ~ a gyors elintézés érdekében expeditionary [ekspɪ'dɪʃnrɪ; US -ʃənerɪ] a ~ force idegen földön állomásozó/harcoló haderő expeditious [ekspɪ'dɪʃəs] a gyors, eredményes, expeditív expel [ɪk'spel] vt -ll- kiűz, kikerget [ellenséget]; kicsap [iskolából] expend [ɪk'spend] vt 1. kiad, költ [pénzt]; ráfordít [pénzt, energiát]; ~ time on sg időt áldoz/fordít vmre 2. (fel)használ expendable [ɪk'spendəbl] a felhasználható, feláldozható; fogyó [eszköz stb.] expenditure [ɪk'spendɪtʃə*] n 1. kiadás, költség 2. fogyasztás, felhasználás; kiadás [pénzé stb.] 3. ráfordítás expense [ɪk'spens] n 1. költség, kiadás; ~ account reprezentációs költség(ek); put sy to ~ költségekbe ver vkt; meet the ~s fedezi/viseli a költségeket;

running ~s üzemelési költség 2. kár, teher; at the ~ of azon az áron (hogy), vk/vm kárára/rovására; at sy's ~ (1) vk költségére (2) vk kárára/kárán/rovására; at no ~ ingyen, díjtalanul expensive [ɪk'spensɪv] a költséges, drága experience [ɪk'spɪərɪəns] I. n 1. tapasztalat, tapasztalás 2. élmény 3. jártasság, ismeret; practical ~ gyakorlat, praxis II. vt 1. átél (vmt), átesik (vmn) 2. (ki)tapasztal (vmt), tapasztalatot szerez (vmben) experienced [ɪk'spɪərɪənst] a tapasztalt; gyakorlott, jártas (in vmben) experiment I. n [ɪk'sperɪmənt] kísérlet, próba; as an ~, by way of ~ kísérletképpen II. vi [ɪk'sperɪment] kísérletezik, próbálgat experimental [eksperɪ'mentl] a kísérleti, próba-; ~ farm kísérleti gazdaság experimentally [eksperɪ'mentəlɪ] adv 1. tapasztalatilag 2. kísérletezés alapján 3. próbaképpen experimentation [eksperɪmen'teɪʃn] n kísérletezés expert I. a ['ekspə:t; US ek'spə:t] ügyes, jártas, szakértő, szakavatott (in/at vmben); ~ opinion szakvélemény II. n ['ekspə:t] szakember, szakértő; ~'s report szakvélemény expertise [ekspə:'ti:z] n 1. szakvélemény 2. szakértelem, szaktudás expertly ['ekspə:tlɪ] adv ügyesen; szakszerűen expertness ['ekspə:tnɪs] n jártasság, szakértelem expiate ['ekspɪeɪt] vt lakol, (meg)bűnhődik; levezekel (vmt) expiation [ekspɪ'eɪʃn] n (meg)bűnhődés, (le)vezeklés expiatory ['ekspɪətərɪ; US -ɔ:rɪ] a vezeklő, (ki)engesztelő expiration [ekspɪ'reɪʃn] n 1. kilehelés, kilégzés; kipárolgás, kigőzölgés 2. lejárat [határidőé]; esedékesség; vége vmnek expire [ɪk'spaɪə*] A. vt (ki)lélegzik, (ki)lehel B. vi 1. letelik, lejár [szerződés, határidő] 2. kialszik [tűz] elenyészik [remény] 3. kimúlik, kileheli a lelkét

19

expiry [ɪk'spaɪərɪ] n lejárat; megszűnés; befejezés
explain [ɪk'spleɪn] vt (meg)magyaráz, kifejt; indokol; ~ oneself világosabban fejti ki nézetét; magyarázkodik; ~ away kimagyaráz (vmt)
explainable [ɪk'spleɪnəbl] a megmagyarázható; indokolható, igazolható [viselkedés]
explanation [eksplə'neɪʃn] magyarázat, megfejtés; értelmezés
explanatory [ɪk'splænət(ə)rɪ; US -ɔːrɪ] a (meg)magyarázó, értelmező
expletive [ek'spliːtɪv; US 'eksplətɪv] I. a kitöltő, kiegészítő [szó] II. n 1. töltelékszó 2. biz káromkodás
explicable [ɪk'splɪkəbl; US 'ek-] a (meg)magyarázható
explicate ['eksplɪkeɪt] vt kifejt, megmagyaráz; fejteget [eszmét stb.]
explication [eksplɪ'keɪʃn] n magyarázat
explicit [ɪk'splɪsɪt] a 1. világos, határozott, kifejezett 2. szókimondó, nyílt(an beszélő)
explicitly [ɪk'splɪsɪtlɪ] adv határozottan, világosan, félreérthetetlenül
explicitness [ɪk'splɪsɪtnɪs] n világosság, szabatosság [nyelvé]; határozottság
explode [ɪk'sploʊd] A. vt 1. felrobbant; levegőbe röpít 2. megdönt [elvet stb.]; ~d notion túlhaladott álláspont B. vi 1. felrobban; levegőbe röpül 2. átv kirobban, kitör [düh, nevetés]
exploit I. n ['eksplɔɪt] tett, hőstett II. vt [ɪk'splɔɪt] 1. kiaknáz, hasznosít, kitermel [természeti kincset] 2. kizsákmányol, kihasznál [személyt]
exploitable [ɪk'splɔɪtəbl] a kiaknázható, hasznosítható
exploitation [eksplɔɪ'teɪʃn] n 1. kiművelés, kiaknázás, kitermelés, hasznosítás 2. kizsákmányolás
exploitative [ɪk'splɔɪtətɪv] a kizsákmányoló jellegű
exploiter [ɪk'splɔɪtə*] n 1. kiaknázó, hasznosító 2. kizsákmányoló
exploration [eksplə'reɪʃn] n 1. (ki)kutatás, felderítés, feltárás 2. felfedező út
exploratory [ek'splɔrət(ə)rɪ; US -ɔːrətɔː-rɪ] a kutató, felderítő; ~ drilling próbafúrás

explore [ɪk'splɔː*] vt 1. kutató/felfedező utat tesz 2. (átv is) (ki)kutat, felderít, megvizsgál; ~ the ground kikémleli a terepet; tájékozódik
explorer [ɪk'splɔːrə*] n felfedező, kutató
explosion [ɪk'sploʊʒn] n 1. (fel)robbanás; ~ stroke munkalöket 2. robbanás, detonáció 3. biz kirobbanás, kitörés [dühé, nevetésé]
explosive [ɪk'sploʊsɪv] I. a robbanó [anyag]; átv heves, lobbanékony [természetű ember] II. n robbanószer, -anyag; high ~ nagy erejű robbanószer
expo ['ekspoʊ] n biz = exposition 3.
exponent [ek'spoʊnənt] n 1. magyarázó, fejtegető 2. képviselő 3. (hatvány)kitevő, exponens
exponential [ekspoʊ'nenʃl] a exponenciális
export I. n ['ekspɔːt] 1. kivitel, export; ~ duty kiviteli vám; ~ trade külkereskedelem 2. exports pl (1) exportcikkek (2) kivitel, export [országé] II. vt [ek'spɔːt] kivisz, exportál
exportable [ek'spɔːtəbl] a exportálható, exportképes
exportation [ekspɔː'teɪʃn] n (áru)kivitel, export(álás)
exporter [ek'spɔːtə*] n exportőr
expose [ɪk'spoʊz] vt 1. kitesz (to vm hatásának); ~ to danger veszélynek tesz ki 2. megvilágít, exponál [filmet] 3. leleplez, felfed [visszaélést stb.] 4. kiállít; közszemlére tesz; mutogat
exposé [ek'spoʊzeɪ; US ekspoʊ'zeɪ] n ismertetés, expozé
exposed [ɪk'spoʊzd] a 1. kitett [természeti erőknek; veszélynek]; szabadon álló, védtelen 2. kiállított [áru] 3. leleplezett, feltárt [visszaélés stb.] 4. exponált [film]
exposition [ekspə'zɪʃn] n 1. megvilágítás, (meg)magyarázás, kifejtés 2. (szöveg)magyarázat; ismertetés [tervé, elméleté] 3. nemzetközi (ipari) vásár
expostulate [ɪk'spɔstjʊleɪt; US -'spɑstʃə-] vi helytelenítően/tiltakozva vitatkozik vkvel (about/(up)on sg vmről); ~ with sy szemrehányást tesz vknek
expostulation [ɪkspɔstjʊ'leɪʃn; US -pɑs-

tʃə-] n tiltakozás; szemrehányás; figyelmeztetés

expostulatory [ɪk'spɔstjʊlət(ə)rɪ; US -'spɑstʃələtɔːrɪ] a tiltakozó; szemrehányó, intő [írás, beszéd]

exposure [ɪk'spoʊʒə*] n 1. kitevés, kitettség [természeti erőknek, veszélynek]; die of ~ (1) halálra fagy (2) szomjan hal 2. megvilágítás(i idő), expozíció [filmé]; ~ meter megvilágításmérő, fénymérő 3. leleplezés, felfedés 4. kiállítás [árué] 5. fekvés [házé]

expound [ɪk'spaʊnd] vt (meg)magyaráz, kifejt [álláspontot]; értelmez

express [ɪk'spres] I. a 1. nyílt, világos; pontos, tüzetes; kifejezett; for this ~ purpose kifejezetten erre a célra 2. gyors; expressz; US ~ company szállítóvállalat; ~ elevator/lift gyorslift; ~ goods gyorsáru; ~ train gyorsvonat, expressz II. adv go ~ sürgősen/ azonnal megy; send ~ gyorsáruként küld [csomagot]; travel ~ gyorsvonattal utazik III. n 1. gyorsvonat, expressz 2. gyorsfutár 3. gyorsküldemény IV. vt 1. kifejez, kimond [véleményt]; kifejezésre juttat [érzelmet, kívánságot]; ~ oneself kifejezi magát 2. kiprésel, kisajtol [olajat stb.] (frcm, out of vmből) 4. US expressz küld/szállít

expressed [ɪk'sprest] a 1. kifejezett; határozott [kívánság] 2. kisajtolt

expressible [ɪk'spresəbl] a kifejezhető

expression [ɪk'spreʃn] n 1. kifejezés, kinyilvánítás [gondolaté, érzésé stb.]; beyond/past ~ kimondhatatlan, leírhatatlan; give ~ to one's gratitude kifejezésre juttatja (v. kimutatja) a háláját; sing with ~ érzéssel énekel 2. kifejezés, szóhasználat 3. arckifejezés

expressionism [ɪk'spreʃ(ə)nɪzm] n expresszionizmus

expressionless [ɪk'spreʃnlɪs] a kifejezéstelen, üres

expressive [ɪk'spresɪv] a kifejező (of vmt), beszédes, kifejezésteljes

expressly [ɪk'spreslɪ] adv határozottan; kifejezetten

expressway n US autópálya

expropriate [eks'proʊprɪeɪt] vt kisajátít, elvesz [birtokot]

expropriation [eksproʊprɪ'eɪʃn] n kisajátítás, eltulajdonítás [birtoké]

expulsion [ɪk'spʌlʃn] n kiűzés; kiutasítás; eltávolítás

expunge [ek'spʌndʒ] vt kitöröl, kihúz [írást]; megsemmisít [csekket stb.]

expurgate ['ekspəːgeɪt] vt megtisztít [könyvet erkölcstelen részektől], cenzúráz

expurgation [ekspə:'geɪʃn] n megtisztítás, cenzúrázás [szövegé]

exquisite ['ekskwɪzɪt v. ek'skwɪ-] a 1. kitűnő; tökéletes, remek(be készült) [mű] 2. maradéktalan [öröm]; éles, átható [fájdalom]; ~ torture válogatott kínzás

exscind [ek'sɪnd] vt † kivág, kiirt

ex-serviceman n (pl -men) volt/leszerelt katona

ext. 1. extension mellék(állomás), m. 2. external külső

extant [ek'stænt; US 'ekstənt] a (még) létező, meglevő, fennálló, fennmaradt

extemporaneous [ekstempə'reɪnjəs] a rögtönzött; alkalmi

extempore [ek'stempərɪ] I. a rögtönzött II. adv rögtönözve

extemporize [ɪk'stempəraɪz] vt/vi rögtönöz

extend [ɪk'stend] A. vt 1. meghosszabbít; megnagyobbít; (átv is) kiterjeszt; növel; ~ shorthand gyorsírást átír/áttesz (folyóírásba) 2. (meg)ad, nyújt [segítséget]; ~ a welcome to sy szívélyesen fogad vkt 3. meghosszabbít, prolongál [határidőt] 4. ~ a horse hajszol (v. vágtára kényszerít) lovat B. vi 1. (ki)terjed, elterül; ~ as far as the river egészen a folyóig (el)húzódik 2. érvényben marad, folytatódik 3. átv nő, terjed [hatáskör]

extended [ɪk'stendɪd] a 1. kiterjedt; átv megnövekedett, kiszélesített [kapcsolatok] 2. kinyújtott [végtag]; kifeszített [kötél]; ~ order csatárlánc 3. hosszan tartó; meghosszabbított, prolongált

extensible [ɪk'stensəbl] a kiterjeszthető, kinyújtható

extension [ɪk'stenʃn] n 1. (ki)nyújtás [karé] 2. (térben és időben:) kiterjesztés, meghosszabbítás; (ki)bővítés; növelés; fejlesztés; ~ bag tágítható bőrönd; ~ cord/wire hosszabbító zsinór; ~ ladder tolólétra; ~ table kihúzható asztal; ~ of time haladéknyújtás 3. kinyúlás; megnyúlás; kiterjedés, terjedelem, tágulás, (ki)bővülés 4. nyúlvány, épülettoldalék, hozzáépítés 5. (university) ~ kb. (egyetemi) levelező oktatás; ~ course továbbképző tanfolyam 6. mellék(állomás) [telefoné]

extensive [ɪk'stensɪv] a 1. kiterjedt, terjedelmes 2. külterjes 3. széles körű, átfogó; alapos [tudás stb.]

extensively [ɪk'stensɪvlɪ] adv alaposan; use sg ~ nagymértékben használ vmt

extent [ɪk'stent] n 1. kiterjedés, terjedelem, nagyság, méret 2. mérték, fok; to a certain ~ egy bizonyos fokig/ mértékig; to such an ~ that ... oly mértékben, hogy ...; to the ~ of ... ... [összeg] erejéig

extenuate [ek'stenjʊeɪt] vt enyhít, szépít [hibát stb.]; extenuating circumstances enyhítő körülmények

extenuation [ekstenjʊ'eɪʃn] n 1. szépítés, enyhítés, mentegetés [hibáé] 2. enyhítő körülmény 3. csökkentés, hígítás

exterior [ek'stɪərɪə*] I. a 1. külső (elhelyezésű) (to vmhez viszonyítva) 2. távoli, idegen; külföldi II. n külső, megjelenés (vmé, vké); külsőség; on the ~ kifelé, a látszat szerint

exterminate [ɪk'stə:mɪneɪt] vt kiirt, kipusztít, megsemmisít

extermination [ɪkstə:mɪ'neɪʃn] n kiirtás, kipusztítás, megsemmisítés

exterminator [ɪk'stə:mɪneɪtə*] n 1. irtószer 2. irtó egyén

extern [ek'stə:n] n bejáró [nem bentlakó]

external [ek'stə:nl] I. a 1. külső(leges); külszíni; for ~ application/use külsőleg [használandó gyógyszer] 2. külföldi, külországi, kül-; ~ trade külkereskedelem II. n 1. külső(ség), külső megjelenés 2. externals pl formaságok;

külsőségek; judge by ~s külszín után ítél

exterritorial ['eksterɪ'tɔ:rɪəl] a területen kívüli, exterritoriális

exterritoriality ['eksterɪtɔ:rɪ'ælətɪ] n területenkívüliség

extinct [ɪk'stɪŋkt] a 1. kialudt, elhamvadt [tűz, szenvedély]; már nem működő [vulkán] 2. kihalt, letűnt [faj] 3. hatályon kívül helyezett [törvény]

extinction [ɪk'stɪŋkʃn] n 1. kialvás [tűzé]; kihalás [fajé] 2. kioltás, eloltás [tűzé, életé]; kiirtás [népé]; eltörlés [törvényé]; semmivé válás [reményé]

extinguish [ɪk'stɪŋgwɪʃ] vt 1. kiolt, elolt [tüzet]; kiöl [érzést, reményt]; kiirt [fajt]; kiolt [életet] 2. megszüntet, eltöröl [törvényt] 3. letörleszt [adósságot]

extinguisher [ɪk'stɪŋgwɪʃə*] n 1. tűzoltó készülék 2. koppantó; put the ~ on sy belefojtja a szót vkbe

extirpate ['ekstə:peɪt] vt (átv is) gyökerestől kiirt

extirpation [ekstə:'peɪʃn] n kiirtás

extirpator ['ekstə:peɪtə*] n (gyom)irtó

extol [ɪk'stoʊl] vt -ll- magasztal, dicsőít

extort [ɪk'stɔ:t] vt kicsikar, kierőszakol, kikényszerít (sg from sy vktől vmt)

extortion [ɪk'stɔ:ʃn] n 1. (ki)zsarolás, kierőszakolás 2. kikényszerítés [vallomásé stb.]

extortionate [ɪk'stɔ:ʃ(ə)nət] a (ki)zsaroló [személy]; uzsora [ár]

extortioner [ɪk'stɔ:ʃ(ə)nə*] n = extortionist

extortionist [ɪk'stɔ:ʃ(ə)nɪst] n zsaroló

extra ['ekstrə] I. a 1. többlet-; külön, mellék-; ~ charge külön díjazás, felár; ~ fare [vasúti] pótdíj; ~ pay fizetéskiegészítés 2. rendkívüli, különleges II. adv külön; rendkívül; ~ fine quality különlegesen jó minőség; wine ~ a bor külön (fizetendő) III. n 1. rendkívüli kiadás [újságé] 2. ráadás, műsoron kívüli szám 3. US (film-) statiszta 4. többletkiadás 5. melléktantárgy

extract I. n ['ekstrækt] 1. kivonat; párlat, eszencia; ~ of beef húskivonat 2. (tartalmi) kivonat; szemelvény

II. *vt* [ɪk'strækt] 1. kitép, kihúz, eltávolít (vmt vmből); ~ *a tooth* fogat (ki)húz 2. kicsikar, kiszed [pénzt, vallomást] 3. kivon, lepárol, extrahál 4. kivonatol [könyvet, számlát] 5. *átv* merít (from vmből); ~ *pleasure from sg* örömét leli vmben 6. ~ *the root of...* gyököt von (vmből)
extraction [ɪk'strækʃn] *n* 1. kihúzás, kitépés, eltávolítás; ~ *of a tooth* foghúzás 2. kivonás, kinyerés, extrahálás; ~ *of stone* kőfejtés 3. kivonat, párlat 4. származás, eredet; *of foreign* ~ idegen eredetű/származású
extracurricular [-kə'rɪkjələ*]` *a* iskolán/tananyagon kívüli
extradite ['ekstrədaɪt] *vt* kiszolgáltat, kiad [bűnöst saját országa hatóságának]
extradition [ekstrə'dɪʃn] *n* kiadatás
extramarital [ekstrə'mærɪtl] *a* házasságon kívüli [viszony]
extramural [extrə'mjʊər(ə)l] *a* 1. a város határán/falain kívüli 2. ~ *department/studies* szabadegyetemi oktatás/tagozat [egyetemen]
extraneous [ek'streɪnjəs] *a* idegen, külső, tárgyhoz nem tartozó
extraordinarily [ɪk'strɔ:dnrəlɪ; *US* -dənerɪlɪ] *adv* rendkívül(i módon)
extraordinary [ɪk'strɔ:dnrɪ; *US* -dənerɪ] *a* rendkívüli; ritka, furcsa, szokatlan
extrapolate [ek'stræpəleɪt] *vt átv* (kikövetkeztetve) kivetít; extrapolál
extrasensory [ekstrə'sensərɪ] *a* (normális) érzékelés körén kívül eső
extra-special *a* egészen rendkívüli
extraterritorial ['ekstrəterɪ'tɔ:rɪəl] *a* = *exterritorial*
extravagance [ɪk'strævəgəns] *n* 1. szertelenség, különcködés 2. tékozlás, pazarlás
extravagant [ɪk'strævəgənt] *a* 1. szertelen; túlzó; tékozló 2. túl magas [ár]
extravaganza [ekstrævə'gænzə] *n* fantasztikusan szertelen zenei/drámai mű
extreme [ɪk'stri:m] I. *a* 1. végső, utolsó; ~ *penalty* halálbüntetés; ~ *unction* utolsó kenet 2. szélsőséges, túlzó, szertelen; ~ *right* szélső jobboldal(i) [politikailag]; *hold* ~ *opinions* szélső-

séges nézeteket vall II. *n* 1. véglet, szélsőség; túlzás; *go from one* ~ *to the other* egyik szélsőségből a másikba esik; *in the* ~ végtelenül 2. *be reduced to* ~*s* kétségbeejtő helyzetben van, *go to* ~*s*, *be driven to* ~*s* végső eszközökhöz nyúl 3. szélső érték
extremely [ɪk'stri:mlɪ] *adv* rendkívül(i módon); nagyon, szerfelett
extremist [ɪk'stri:mɪst] *n* szélsőséges irányzatú/beállítottságú ember
extremity [ɪk'stremətɪ] *n* 1. szélsőség, véglet; vmnek tetőfoka; *be driven to extremities* kénytelen a legszigorúbb eszközökhöz folyamodni 2. **extremities** *pl* végtagok 3. nyomor(úság), szorultság
extricate ['ekstrɪkeɪt] *vt* kiszabadít (*from* vmből)
extrication [ekstrɪ'keɪʃn] *n* kiszabadítás
extrinsic [ek'strɪnsɪk] *a* külső(leges), kívül álló
extrovert ['ekstrəvə:t] *n* extrovertált (v. kifelé forduló) ember
extrude [ek'stru:d] A. *vt* 1. kidug, kitol 2. kihajt, kiűz, kitaszít (*from* vmből/vhonnan) B. *vi* kiáll
extrusion [ek'stru:ʒn] *n* 1. kilökés, kitaszítás 2. (vulkanikus eredetű) kibukkanás
exuberance [ɪg'zju:b(ə)rəns; *US* -'zu:-] *n* bőség; gazdagság [növényzeté]; túláradás [érzelmeké]
exuberant [ɪg'zju:b(ə)rənt; *US* -'zu:-] *a* bő, dús, gazdag [növényzet]; túláradó [érzelem]; kicsattanó [egészség]
exudation [eksju:'deɪʃn] *n* 1. izzadás 2. izzadság, izzadmány
exude [ɪg'zju:d; *US* -'zu:d] A. *vi* kiválik [izzadság, nedv] B. *vt* (ki)izzad, kiválaszt [izzadságot, nedvet]
exult [ɪg'zʌlt] *vi* örvendez, ujjong (*at/in sg* vmn)
exultant [ɪg'zʌlt(ə)nt] *a* örvendő, ujjongó; diadalittas
exultation [egzʌl'teɪʃn] *n* örvendezés, diadalittasság
eye [aɪ] I. *n* 1. szem [emberé, állaté]; *átv* „szem", érzék (vmhez); *biz my* ~*!* no de ilyet!; *have an* ~ *for sg* jó szeme van vmhez; *if you had half*

an ~ csak ne volnál olyan vak(si);
keep one's ~ *skinned/peeled/open* nyitva tartja a szemét; *make* ~*s at sy*
szerelmes pillantásokat vet vkre;
open sy's ~*s to sg* vmt vknek igaz valójában megmutat; *put out sy's* ~
kiszúrja vknek a szemét, megvakít
vkt; *close/shut one's* ~*s to sg* szemet
huny vm fölött/előtt; ~ *to* ~ szemtől
szembe; *up to the* ~*s in sg* fülig/nyakig
ül [munkában, adósságban] 2. tekintet, pillantás; figyelés; *be all* ~*s* csupa
szem; *give an* ~ *to sg* szemmel tart
vmt; *as far as the* ~ *can reach* ameddig csak a szem ellát; *have one's* ~*s
on sy, keep an* ~ *on sy* rajta tartja a
szemét vkn, szemmel tart vkt; *cast/
run one's* ~ *over sg* futó pillantást vet
vmre; gyorsan átfut/átlapoz vmt;
clap/set one's ~*s on sy/sg* megpillant
vkt/vmt; *catch/strike the* ~ magára
vonja a figyelmet; *have an* ~ *to
everything* mindenre kiterjed a figyelme; *before/under one's very* ~*s* az ember szeme láttára; *with an* ~ *to the
future* a jövőre is gondolva 3. vélemény, nézet; *in my* ~ az én véleményem/nézetem szerint; *in the* ~ *of the
law* a törvény előtt; *be very much in
the public* ~ sokat szerepel a nyilvánosság előtt 4. (tű)fok; lyuk; kapocsszem; hurok 5. rügy; csíraszem [burgonyán] 6. ~*s right!* jobbra nézz!
[vezényszó] II. *vt* megnéz; szemmel
tart; ~ *sy up and down* (tetőtől talpig)
végigmér vkt
eye-ball *n* szemgolyó
eyebrow *n* szemöldök; *knit one's* ~*s*
összeráncolja a homlokát

eye-catcher *n* blikkfang, vm amin megakad a szem
eye-catching *a* szembetűnő, blikkfangos
-eyed [-aɪd] -szemű
eyeful ['aɪfʊl] *n biz* szemrevaló nő
eye-glass *n* 1. cvikker 2. **eye-glasses** *pl*
szemüveg
eyehole *n* 1. nézőlyuk, kémlelőnyílás
2. fűzőlyuk [cipőn]
eye-lash *n* szempilla
eyeless ['aɪlɪs] *a* vak, világtalan
eyelet ['aɪlɪt] *n* 1. fűzőlyuk, -karika
2. kémlelőnyílás
eyelid *n* szemhéj; *biz hang on by the*
~*s* csak egy hajszál tartja; *does not
stir an* ~ arcizma sem rándul
eye-lotion *n* szemvíz
eye-opener *n* 1. meglepetés; *that was
an* ~ *(for him)* erre lehullott a szeméről a hályog 2. *US biz* egy pohár
pálinka, szíverősítő [reggel]
eyepiece *n* szemlencse
eye-shade *n* szemellenző
eye-shadow *n* szemhéjfesték
eyeshot *n* szemhatár, látótávolság;
within ~ látótávolságon belül; *out of*
~ látótávolságon kívül
eyesight *n* látóképesség, látás
eyesore *n* szemet sértő [látvány]; *be an*
~ bántja az ember szemét
eye-specialist *n* szemspecialista, szemorvos
eye-strain *n* szemmegerőltetés
eye-tooth *n* (*pl* -teeth) szemfog
eye-wash *n* 1. szemvíz 2. *biz that's all*
~ ez csak olyan porhintés (az ember
szemébe)
eyewitness *n* szemtanú
eyrie, eyry ['aɪərɪ; *US* 'eərɪ] *n* sasfészek

F

F, f [ef] *n* **1.** F, f (betű) **2.** f [hang]; *F sharp* fisz; *F flat* fesz; *F major* F-dúr; *F minor* f-moll

F, F. 1. *Fahrenheit* **2.** *Fellow*

F.A., FA [ef'eɪ] *Football Association* (brit) labdarúgó-szövetség

Faber ['feɪbə*] *prop*

Fabian ['feɪbjən] *a/n* **1.** óvatos, halogató [politika] **2.** *GB the ~ Society* a Fábiánus Társaság

fable ['feɪbl] *n* **1.** [tanító] mese; állatmese **2.** mítosz, mesevilág **3.** mese(beszéd), valótlanság

fabled ['feɪbld] *a* mesebeli; legendás

fabric ['fæbrɪk] *n* **1.** szövet(anyag), anyag **2.** szövedék, textúra **3.** épület, építmény **4.** szerkezet; felépítés; öszszetétel

fabricate ['fæbrɪkeɪt] *vt* **1.** gyárt; készít; összetákol **2.** kitalál, kohol [vádat stb.]

fabrication [fæbrɪ'keɪʃn] *n* **1.** gyártás, készítés **2.** kitalálás; koholmány

fabulist ['fæbjʊlɪst] *n* meseíró

fabulous ['fæbjʊləs] *a* **1.** mesés; *~ wealth* mesébe illő vagyon **2.** legendás [hős]

façade [fə'sɑːd] *n* **1.** (épület)homlokzat **2.** *átv* arculat, külszín

face [feɪs] **I.** *n* **1.** (*átv is*) arc; *~ to ~* szemtől szembe; *biz have the ~ to* van képe/mersze (hogy)...; *lose ~* elveszti a tekintélyét, presztízsveszteséget szenved; *make/pull ~s* (v. *a ~*) arcokat/grimaszokat vág, arcát fintorgatja; *pull a long ~* savanyú képet vág; *put a good/bold ~ on sg* jó képet vág vmhez; *save one's face* megőrzi a tekintélyét; *set one's ~ against sg* szembeszáll vmvel, ellenez vmt; *in (the) ~*

of szembe(n) vmvel, vm ellenére; *in the ~ of danger* veszélyes helyzetben; *to his/her ~* nyíltan a szemébe (mond) ... **2.** arculat, külszín, látszat; *on the ~ of it* ránézésre, első pillantásra; látszólag **3.** fej(oldal) [érméé]; szín(oldal) [szöveté]; számlap [óráé]; *~ up(ward)* lapjával fölfelé; *~ value* névérték **4.** homlokzat **5.** felszín **II. A.** *vt* **1.** szembeszáll, dacol (*sy/sg* vkvel/vmvel); *~ the music* a bírálatot/következményeket bátran vállalja **2.** szembenéz, számol [tényekkel stb.]; *the problem that ~s us* az előttünk álló probléma **3.** néz (vmre, vm felé); *the statue ~s the park* a szobor a parkra néz; *seat facing the engine* menetirányban való ülés; *picture facing page 10* a 11. oldalon levő ábra **4.** burkol, borít; *vakol; coat ~d with silk* selyemhajtókás kabát **B.** *vi* **1.** *the house ~s north* a ház észak felé néz (v. északi fekvésű) **2.** *US ~ right!* jobbra át!

face about *vi ~ a matter o.*, *~ it o.* (vakmerően) kitart nehéz helyzetben; kierőszakol vmt

face down *vt* lehurrog

face out *vt ~ a matter o.*, *~ it o.* (vakmerően) kitart nehéz helyzetben; kierőszakol vmt

face up *vi ~ up to sg* szembeszáll vmvel

face-ache *n* arcidegzsába

face-card *n* figurás kártya

face-cloth *n* mosdókesztyű

-faced [-feɪst] (-)arcú

face-flannel *n* arctörlő

faceless ['feɪslɪs] *a* ismeretlen, névtelen

face-lifting *n* **1.** fiatalító műtét [arcon] **2.** *átv biz* kozmetikázás

facer ['feɪsə*] n 1. hirtelen nehézség 2. biz pofon
face-saving I. a presztízsmentő II. n presztízsmentés
facet ['fæsɪt] n 1. csiszolt felület/lap [drágakövön] 2. átv oldal
facetious [fə'si:ʃəs] a tréfás, bohókás
facial ['feɪʃl] I. a 1. arc- 2. homlok- II. n US biz arcápolás, -masszázs
facile ['fæsaɪl; US -s(ə)l] a 1. könnyű [győzelem stb.] 2. ügyes; gyors (de felületes) [ember, munka] 3. engedékeny, alkalmazkodó
facilitate [fə'sɪlɪteɪt] vt (meg)könnyít, előmozdít, elősegít
facility [fə'sɪlətɪ] n 1. könnyűség, könnyedség 2. képesség, adottság, tehetség 3. facilities pl (megfelelő komfortbeli, szórakozási) lehetőség(ek)/berendezés; szolgáltatás(ok); sports facilities sportolási lehetőségek
facing ['feɪsɪŋ] n 1. borítás, burkolat [falé] 2. facings pl hajtóka; paroli 3. fordulás [jobbra, balra]
facsimile [fæk'sɪmɪlɪ] n hasonmás, fakszimile
fact [fækt] n 1. tény; an accomplished ~ befejezett tény, megtörtént dolog; look ~s in the face számol a tényekkel; owing to the ~ that... annak következtében, hogy...; stick to ~s a tényekhez ragaszkodik; the ~ is... a helyzet az (hogy)..., tény az (hogy)... 2. valóság; ~ and fiction ábránd és valóság; in ~ való(já)ban; sőt; tulajdonképpen
fact-finding a ténymegállapító [bizottság]
faction ['fækʃn] n 1. párt, klikk, frakció 2. (párt)viszály
factious ['fækʃəs] a széthúzó, frakciózó
factitious [fæk'tɪʃəs] a mesterkélt, mesterséges, hamis, tettetett
factor ['fæktə*] n 1. tényező, (alkotó-) elem; the human ~ az emberi elem 2. ügynök, bizományos 3. (szorzó)tényező, együttható; greatest/highest common ~ legnagyobb közös osztó
factory ['fækt(ə)rɪ] n gyár, üzem; ~ worker gyári munkás; F~ Acts ipartörvény

factory-hand n gyári munkás
factotum [fæk'toʊtəm] n mindenes (ember), tótumfaktum
factual ['fæktʃʊəl] a tényeket tartalmazó, tényleges, valóságos
faculty ['fækltɪ] n 1. képesség, tehetség 2. US biz ügyesség, rátermettség 3. (egyetemi) kar, fakultás 4. US tantestület
fad [fæd] n vesszőparipa, (divat)hóbort
faddish ['fædɪʃ] a hóbortos
faddist ['fædɪst] n bogaras ember
fade [feɪd] A. vi 1. (el)hervad, elvirágzik; elenyészik 2. megfakul, (el)halványul [szín]; kifakul [anyag]; guaranteed not to ~ szavatoltan színtartó 3. (el)halkul [hang], (fokozatosan) eltűnik [kép], elhomályosodik B. vt 1. (átv is) elhervaszt 2. kiszívja a színét [anyagnak], elhomályosít
fade away vi 1. eltűnik 2. elenyészik
fade in A. vt fokozatosan előtérbe hoz [képet] B. vi előtűnik, fokozatosan kivilágosodik [kép]
fade into A. vt ~ one scene into another fokozatosan átúsztat egyik képből a másikba B. vi egymásba olvad, beleolvad (vmbe)
fade out A. vt fokozatosan elhalványít [képet] B. vi eltűnik [kép]
fade-in n előtűnés, fokozatos kivilágosodás [képé], képmegjelenés
fadeless ['feɪdlɪs] a színtartó [anyag]
fade-out n (lassú) eltűnés, elsötétedés [képé]
fading ['feɪdɪŋ] n fakulás, elhalkulás, elhalványulás, gyengülés, féding
faeces, US feces ['fi:si:z] n pl ürülék
fag [fæg] I. a ~! n 1. lélekölő munka, robot; what a ~! micsoda kulizás! 2. biz ⟨alsós diák aki felsőst kiszolgál⟩, dárdás, fika 3. □ cigi II. v -gg- A. vi 1. robotol, kulizik; agyondolgozza magát 2. ~ for a senior kiszolgál felsős diákot B. vt kifáraszt (nehéz munkában); be ~ged out, get ~ged kimerül, kifárad
fag-end n 1. vmnek a maradéka 2. biz (cigaretta)csikk
fagged [fægd] →fag II.
fagging ['fægɪŋ] n 1. küszködés, kulizás 2. diákszolgarendszer

faggot ['fægət] *n* **1.** rőzse(nyaláb); veszszőköteg **2.** kötegelt vas(rudak)
Fahrenheit ['fær(ə)nhaıt] *a* Fahrenheit [hőmérőfok, átszámítását →a Függelékben]
fail [feıl] I. *n without* ~ (1) haladéktalanul (2) feltétlenül, minden bizonnyal II. A. *vi* **1.** hiányzik, elmarad; nem üti meg a mértéket; *the potato crop has* ~*ed this year* az idén rossz volt a burgonyatermés **2.** (le)romlik [egészség]; hanyatlik [ember]; *his sight is* ~*ing* romlik/gyengül a látása **3.** elromlik, meghibásodik; *the engine* ~*ed* a motor elromlott **4.** mulasztást követ el, nem tesz eleget (vmnek); ~ *in one's duty* nem teljesíti a kötelezettségét/kötelességét; ~ *to do sg* nem tesz meg vmt; *he* ~*ed to appear* nem jelent meg, elmulasztott megjelenni; *don't* ~ *to let me know* el ne felejtsd velem közölni **5.** nem sikerül, nem válik be; megbukik; kudarcot vall, felsül; *I* ~ *to see why* nem értem, miért (nem); *our hopes* ~*ed* reményeink nem váltak valóra; ~ *in an examination* vizsgán megbukik; *the experiment* ~*ed of success* a kísérlet nem járt sikerrel **6.** csődbe megy/jut; ~ *for a million* csődbe megy egymilliós tartozással B. *vt* **1.** elhagy, cserbenhagy; *his heart* ~*ed him* nem volt mersze, inába szállt a bátorsága; *words* ~ *me* nem találok szavakat **2.** megbuktat [vizsgán]
failing ['feılıŋ] I. *prep* vm nélkül; ~ *which* ellenkező esetben II. *n* gyengeség, gyarlóság; *he has a* ~ *for drink* az ital a gyengéje
failure ['feıljə*] *n* **1.** hiány, elégtelenség; ~ *of crop* rossz termés **2.** kudarc, balsiker, (meg)bukás, csőd; *it was a* ~ nem sikerült; *the play was a (complete)* ~ a darab megbukott; *court* ~ bukást kihív **3.** (el)mulasztás **4.** (le)romlás [egészségé]; (szervi) elégtelenség **5.** hiba, meghibásodás; elromlás **6.** pályatévesztett [ember]
fain [feın] *adv* † örömest; *I would* ~ *do it* szívesen megtenném
faint [feınt] I. *a* **1.** (*átv is*) gyenge, bágyadt, erőtlen; ~ *hope* halvány re-

mény; *I haven't the* ~*est idea* halvány sejtelmem sincs **2.** bátortalan, félénk II. *n* ájulás; eszméletlenség; *fall down in a* ~ elájul III. *vi* elájul
faint-hearted *a* bátortalan, félénk
faintness ['feıntnıs] *n* gyengeség
fair¹ [feə*] *n* vásár; *biz come a day after the* ~ túl későn jön
fair² [feə*] I. *a* **1.** becsületes, tisztességes, korrekt; igazságos, pártatlan; ~ *play* korrekt/tisztességes eljárás/viselkedés; *strict but* ~ szigorú de igazságos; ~ *wages* tisztességes bérek; *as is only* ~ ahogy illik/igazságos/méltányos; ~ *and square* méltányos(an) és igazságos(an); tisztességes(en) **2.** meglehetős, (elég) jó, kedvező; *a* ~ *name* jó hírnév; *a* ~ *number (of)* meglehetős sok(an) **3.** szőke [haj]; világos [arcszín] **4.** szép(séges), tetszetős; *the* ~ *sex* a szépnem **5.** kedvező [szél, kilátás]; ~ *weather* szép/jó idő; *be in a* ~ *way to* a legjobb úton van vmhez **6.** ~ *copy* tisztázat II. *adv* **1.** tisztességesen, korrektül, helyesen; *speak* ~ *of sy* kedvezően beszél vkről **2.** jól; pontosan
Fairfax ['feəfæks] *prop*
fair-haired *a* szőke (hajú)
fairly ['feəlı] *adv* **1.** becsületesen, korrektül; méltányosan **2.** elég(gé), egész(en), meglehetősen [jól stb.]; *she speaks English* ~ *well* elég/meglehetősen jól beszél angolul
fair-minded *a* igazságos; elfogulatlan, pártatlan
fairness ['feənıs] *n* **1.** korrektség, becsületesség; méltányosság; *in all* ~ *to him* hogy méltányosak legyünk vele szemben **2.** tökéletesség; szépség
fair-sized *a* jókora
fair-spoken *a* jó modorú; udvarias
fairway *n* **1.** hajózható csatorna/út **2.** 〈golfpálya akadálymentes része〉
fair-weather *a* ~ *friend* érdekbarát
fairy ['feərı] I. *a* tündéri, tündér- II. *n* tündér
fairyland *n* tündérország
fairy-tale *n* tündérmese
faith [feıθ] *n* **1.** hit, bizalom (*in* vkben); *have/put* ~ *in sy* bízik vkben; *upon*

my ~! szavamra!; *pin one's* ~ *on sy* vkbe veti minden reményét 2. hit(vallás); *the Christian* ~ a keresztény hit/vallás 3. hűség, becsület; *good* ~ jóhiszeműség; *do sg in all good* ~ jóhiszeműen cselekszik 4. ígéret; *keep* ~ *with sy* állja a szavát, megtartja vknek tett ígéretét; *break* ~ *with* szavát szegi
faithful ['feɪθful] I. *a* 1. hű(séges) 2. hű, pontos [másolat] II. *n the* ~ (1) a hívők (2) az igazhitűek [mohamedánok]
faithfully ['feɪθfulɪ] *adv* hűségesen; (*I am*) ~ *yours, yours* ~ őszinte híve(d) [levélzáradékban]
faith-healing *n* gyógyítás imádsággal
faithless ['feɪθlɪs] *a* 1. hitetlen 2. hűtlen, szószegő, csaló
faithlessness ['feɪθlɪsnɪs] *n* 1. hitetlenség 2. hűtlenség, szószegés
fake[1] [feɪk] I. *n* 1. hamisítvány [iraté]; utánzat [műtárgyé]; koholmány 2. csalás; csel II. *vt* (meg)hamisít [szöveget, műtárgyat]; kohol [vádat]
fake[2] [feɪk] *n* kötélgyűrű [összetekert hajókötél]
faker ['feɪkə*] *n* hamisító; szédelgő
faking ['feɪkɪŋ] *n* 1. hamisítás, csalás 2. cselezés
fakir ['feɪkɪə*; *US* fə'kɪr] *n* fakír
falchion ['fɔːltʃ(ə)n] *n* pallos
falcon ['fɔːlkən] *n* sólyom
falconer ['fɔːlkənə*] *n* solymár
falconry ['fɔːlk(ə)nrɪ] *n* solymászat
Falkland Islands ['fɔːlklənd] *prop* Falkland-szigetek
fall [fɔːl] I. *n* 1. (le)esés, (le)hullás; *a* ~ *in prices* áresés; *deal for a* ~ áresésre spekulál; *have a* ~ elesik; *biz try a* ~ *with sy* erejét összeméri vkvel 2. vk veszte; (el)bukás; tönkrejutás; *the F*~ a bűnbeesés; *the* ~ *of Troy* Trója eleste 3. esés [hőmérsékleté], csökkenés 4. **falls** *pl* vízesés 5. csapadék (mennyisége) 6. *US* ősz II. *vi* (*pt* **fell** fel, *pp* ~**en** 'fɔːl(ə)n) 1. (le)esik, lehull; *let* ~ elejt, leejt; *the curtain* ~*s* a függöny legördül; ~ *to the ground* (1) leesik a földre (2) *átv* füstbe megy [terv]; *her eyes fell* lesütötte a szemét;

his face fell leesett az álla 2. elesik; elbukik; ~ *a victim to sg* áldozatául esik vmnek; *the Government has* ~*en* megbukott a kormány 3. esik, süllyed [barométer]; csillapodik [szél]; csökken [ár] 4. beomlik [épület] 5. ⟨vmlyen állapotba kerül⟩; ~ *sick* megbetegszik; ~ *vacant* megüresedik; *night is* ~*ing* alkonyodik
fall among *vi* † *he fell a. thieves* rablók kezébe került/esék
fall away *vi* 1. elpártol 2. lesoványodik, hanyatlik 3. elmarad
fall back *vi* 1. hanyatt esik; visszaesik 2. visszavonul, meghátrál 3. ~ *b.* (*up*)*on sy/sg* vkre/vmre szorul, kénytelen beérni vkvel/vmvel; *you can always* ~ *b. on me* (szükség esetén) rám mindig számíthatsz
fall behind *vi* hátramarad, lemaradozik
fall down *vi* 1. leesik, lezuhan; ~ *d. before sy* térdre hull vk előtt 2. beomlik, bedől [épület]
fall for *vi biz* beleszeret/-esik vkbe
fall in *vi* 1. beomlik 2. sorakozik; ~ *in* (*line*) (fel)sorakozik; ~ *in!* sorakozz! 3. lejár [bérlet] 4. ~ *in with sy* (1) véletlenül találkozik vkvel 2) megegyezik vkvel
fall into *vi* 1. (*átv is*) beleesik vhova/vmbe; kerül [vhova, állapotba stb.]; ~ *i. sy's hands* vk kezébe (v. karmai közé) kerül; ~ *i. a habit* megszokik vmt, szokásává válik vm; ~ *i. a rage* dühbe gurul 2. (fel)oszlik [részekre] 3. ömlik (vhova) [folyó]
fall off *vi* 1. leesik 2. elhagy, cserbenhagy; elmarad, lemorzsolódik 3. csökken, fogy [bevétel, hallgatóság stb.] 4. hanyatlik, romlik, [egészség]
fall on *vi* 1. (rá)esik; *his eyes fell on her* szeme rá esett; *it* ~*s on me* ... rám hárul; ~ *on sy's neck* nyakába borul; ~ *on one's sword* kardjába dől 2. nekiesik, nekitámad; ~ *on the enemy* ellenséget megtámad; ~ *on one's food* nekiesik az ételének 3. (vmre) esik; jut
fall out *vi* 1. kiesik (*of* vhonnan) 2. sorból kilép [katona]; ~ *o.!* oszolj! 3.

~ *o. with sy* összevész vkvel 4. (meg-) történik; *things fell o. badly* a dolgok rosszul ütöttek ki
fall over *vi* 1. felborul, felbukik 2. ráesik, ráhull [haj vállra stb.] 3. ~ *o. oneself* (1) elbukik/elbotlik siettében (2) *átv* kezét-lábát töri igyekezetében; *they are ~ing o. themselves* túltesznek egymáson (és önmagukon)
fall through *vi* kudarcba fúl; *the scheme fell th.* nem lett semmi a tervből
fall to *vi* 1. nekiesik, nekilát (vmnek); *biz* ~ *to!* lássatok hozzá! [evéshez] 2. becsapódik [ajtó] 3. rámarad, (rá)háramlik [kötelesség stb.]
fall under *vi* 1. (vmely csoportba/osztályba) tartozik 2. ~ *u. suspicion* gyanúba kerül
fall upon *vi* = *fall on*
fallacious [fə'leɪʃəs] *a* csaló(ka); megtévesztő, félrevezető
fallacy ['fæləsɪ] *n* 1. megtévesztés 2. téves következtetés; *a popular* ~ széles körökben elterjedt tévezme
fallen ['fɔ:l(ə)n] I. *a* ~ *arch* bokasüllyedés; ~ *leaves* lehullott falevelek; ~ *woman* bukott nő II. *n the* ~ a hősi halottak || →*fall II.*
fallibility [fælə'bɪlətɪ] *n* 1. tévedhetés, tévedhetőség 2. esendőség, gyarlóság
fallible ['fæləbl] *a* esendő, gyarló
falling-sickness ['fɔ:lɪŋ-] *n* eskór, epilepszia
fall-off *n* csökkenés; hanyatlás
fall-out *n* 1. radioaktív pereső/csapadék, atomcsapadék 2. következmény
fallow¹ ['fæloʊ] I. *a* parlagon fekvő II. *n* ugar III. *vt* ugaroltat [földet]
fallow² ['fæloʊ] *a* fakó, kese
fallow-deer *n* dámvad
false [fɔ:ls] I. *a* 1. téves, helytelen, hamis; ál-; ~ *alarm* vaklárma; ~ *rib* álborda; ~ *step* (1) (meg)botlás (2) *átv* ballépés 2. megtévesztő; valótlan, hamis; *sail under* ~ *colours* (1) idegen lobogó alatt fut [hajó jogtalanul] (2) *biz* hamis színben tünteti fel önmagát 3. hűtlen, csalfa, csalárd; *she is* ~ *to her husband* megcsalja a férjét 4. nem valódi/igazi, hamis [haj, fog, ékszer] II. *adv play sy* ~ elárul vkt; becsap vkt

falsehood ['fɔ:lshʊd] *n* 1. hamisság 2. csalás, hazugság
falsely ['fɔ:lslɪ] *adv* 1. tévesen, hamisan 2. csalárdul
falsetto [fɔ:l'setoʊ] *n* fejhang
falsification [fɔ:lsɪfɪ'keɪʃn] *n* hamisítás
falsify ['fɔ:lsɪfaɪ] *vt* 1. hamisít 2. rácáfol
falsity ['fɔ:lsətɪ] *n* 1. hamisság 2. csalárdság
Falstaff ['fɔ:lstɑ:f] *prop*
falter ['fɔ:ltə*] A. *vt* ~ *out sg* kinyög, akadozva elmond vmt B. *vi* 1. botladozik, bizonytalanul mozog 2. habozik, tétovázik
fame [feɪm] *n* hír(név); *of good/ill* ~ jó/rossz hírű; *win* ~ híressé lesz
famed [feɪmd] *a* híres, nevezetes (*for* vmről)
familial [fə'mɪljəl] *a* családi [jelleg, vonás]
familiar [fə'mɪljə*] *a* 1. családi(as), meghitt, bizalmas; intim; *be* ~ *with sy, be on* ~ *terms with sy* bizalmas/meghitt viszonyban van vkvel 2. fesztelenül bizalmaskodó; közvetlen stílusú 3. (jól) ismert, gyakori, megszokott, ismerős; ~ *to sy* ismert vk előtt/által 4. *be* ~ *with sg* otthonos/jártas vmben; (jól) ismer vmt; *make oneself* ~ *with a language* nyelvet megtanul
familiarity [fəmɪlɪ'ærətɪ] *n* 1. bizalmasság, meghittség; bizalmaskodás; ~ *breeds contempt* a bizalmaskodás tiszteletlenséget szül 3. **familiarities** *pl* bizalmaskodás 4. jártasság (*with* vmben)
familiarize [fə'mɪljəraɪz] *vt* hozzászoktat vmhez, megismer(ked)tet vmvel/vkvel, jártassá tesz vmben (*with*)
family ['fæm(ə)lɪ] *n* 1. család; *man of good* ~ jó családból való ember; *be one of the* ~ a családhoz tartozik; *he has a large* ~ sok gyereke van; *it runs in the* ~ családi vonás; *in a* ~ *way* formaságok nélkül, családiasan; *she is in the* ~ *way* másállapotban van, gyereket vár 2. ~ *allowance* családi pótlék; ~ *doctor* háziorvos; ~ *man* (1) családapa (2) otthonülő ember; ~ *planning* családtervezés; ~ *tree* családfa

famine ['fæmɪn] *n* éhség, éhínség; *die of* ~ éhenhal; ~ *prices* uzsoraárak

famish ['fæmɪʃ] **A.** *vt* (ki)éheztet **B.** *vi* **1.** éhezik; *biz be* ~*ing* farkaséhes **2.** *a* ~*ing winter* dermesztően hideg tél

famished ['fæmɪʃt] *a* kiéhezett

famous ['feɪməs] *a* **1.** híres, nevezetes, jól ismert **2.** *biz* nagyszerű, pompás; *that's* ~*!* ez pompás!; *make a* ~ *dinner* remek ebédet készít

famously ['feɪməslɪ] *adv biz* remekül; *get on* ~ *with one's work* kitűnően megy neki a munka

fan¹ [fæn] **I.** *n* **1.** legyező **2.** szellőztető készülék, ventillátor **3.** gabonarosta **II.** *v* -nn- **A.** *vt* **1.** legyez(get); ~ (*up*) *the fire* tüzet szít; ~ *a quarrel* veszekedést szít **2.** (ki)rostál [gabonát] **B.** *vi* ~ *out* legyezőszerűen szétterjed

fan² [æn] *n biz* rajongója vmnek/vknek, szurkoló; ~ *mail* rajongók levelei

fanatic(al) [fə'nætɪk(l)] *a/n* fanatikus, rajongó

fanaticism [fə'nætɪsɪz(ə)m] *n* fanatizmus

fancier ['fænsɪə*] *n* (állat)kedvelő

fanciful ['fænsɪfʊl] *a* **1.** képzeletszőtte, irreális **2.** szeszélyes; különös

fancy ['fænsɪ] **I.** *a* **1.** képzeletbeli; ~ *name* fantázianév; ~ *price* fantasztikus ár **2.** különleges; luxus; díszes; tarka; ~ *dress* jelmez →*fancy-dress;* ~ *goods* (1) díszműáru (2) luxuscikkek; ~ *work* kézimunka, himzés **3.** ~ *man* (1) szívszerelem (2) □ selyemfiú, strici **II.** *n* **1.** képzelet, képzelőerő **2.** elképzelés, ábránd **3.** képzelődés, (alaptalan) feltevés; *I have a* ~ *that . . .* az az érzésem, hogy . . . **4.** kedv; tetszés, vágy; gusztus (vmre); *take a* ~ *to sg* kedvet kap vmhez; *take/catch the* ~ *of . . .* megtetszik neki; *as the* ~ *takes him* ahogy kedve tartja; *that suits my* ~ ez kedvemre való **5.** (múló) szeszély; *passing* ~ pillanatnyi szeszély **6.** *the* ~ vmlyen kedvtelés rajongói **III.** *vt* **1.** elképzel, elgondol; *I can't* ~ *him as a soldier* nem tudom katonának elképzelni; ~ *now!*, ~ (*that*)*!* képzeld csak! **2.** gondol, hisz; képzel; *I* ~ *he is out* azt hiszem nincs otthon **3.** ~

oneself sokra tartja magát **4.** tetszik vm, kedvére van (vm vknek)

fancy-dress ball jelmezbál, álarcosbál

fancy-fair *n* bazár

fancy-free *a be* ~ nem szerelmes

fancy-shop *n* díszműáru-kereskedés, ajándékbolt

fanfare ['fænfeə*] *n* harsonaszó fanfár

fang [fæŋ] *n* **1.** agyar; méregfog; tépőfog **2.** karom

fan-light *n* felülvilágító(s) ablak [félkör alakú]

fanned [fænd] →*fan¹ II.*

fanny¹ ['fænɪ] *n US* □ fenék, popsi

Fanny² ['fænɪ] *prop* Fanni, Fáni

fan-tail *n* **1.** legyező alakú végződés/rész **2.** pávafarkú galamb

fantastic [fæn'tæstɪk] *a* **1.** különös, fantasztikus **2.** különcködő, hóbortos

fantasy ['fæntəsɪ] *n* **1.** képzelet, képzelőerő, fantázia **2.** képzelődés, látomás, agyrém

fan-tracery/vaulting *n* legyezőboltozat

FAO [efeɪ'oʊ] *Food and Agriculture Organization* az ENSZ Élelmezési és Mezőgazdasági Szervezete

far [fɑ:*] (*comp* **farther** 'fɑ:ðə* és **further** 'fɜ:ðə*, *sup* **farthest** 'fɑ:ðɪst és **furthest** 'fɜ:ðɪst) **I.** *a* távoli; messzi; *the F~ East* a Távol-Kelet; *the F~ West* a Távol-Nyugat [az USA-ban]; *at the* ~ *end of the street* az utca túlsó végén/oldalán; *a* ~ *cry* (1) messze (2) nem hasonlítható össze vele **II.** *adv* **1.** messze, távol, messzire; ~ *away/off* messze (kint); *how* ~*?* meddig?, milyen messze?; *how* ~ *is it from X to Y?* milyen messze van X-től Y-ig?; *how* ~ *have you got?* mennyire jutottál?; ~ *into the night* késő éjszakáig; ~ *and wide* széltében-hosszában, mindenütt; ~ *from it!* korántsem!; ~ *from happy* korántsem boldog; ~ *be it from me* távol legyen tőlem a szándék, eszem ágában sincs; ~ *back in the past* igen régen; *as* ~ *back as 1910* már 1910-ben; *go* ~ (1) messze megy (2) sikere van; *he made his money go* ~ jól használta ki a pénzét; *go too* ~, *carry sg too* ~ túl messzire megy, túlzásba visz vmt; *so* ~ a mai napig,

(mind)eddig; *not so* ~ (1) nem olyan messze (2) eddig még nem; *so* ~ *and no farther* eddig és ne tovább; *so* ~ *so good* eddig rendben van/volnánk; *in so* ~ *as* amennyiben; amennyire; *as* ~ *as* (1) (valamedd)ig, egészen . . . ig (2) már amennyire; *as* ~ *as I can tell* már amennyire én meg tudom állapítani/ mondani 2. nagyon, sokkal, jóval; ~ *better* sokkal jobb; ~ *and away the best* kiemelkedően/messze a legjobb III. *n from* ~ messziről; *by* ~ *the best* messze/kiemelkedően a legjobb
farad ['færəd] *n* farad [kapacitás]
Faraday ['færədı] *prop*
far-away *a* távoli, messzi; *a* ~ *look* révedező pillantás
far-between *a* ritka; *his visits were few and* ~ igen ritkán jött el
farce [fɑ:s] *n* komédia
farcical ['fɑ:sıkl] *a* nevetséges; abszurd
fardel ['fɑ:dl] *n* † teher
fare¹ [feə*] *n* 1. viteldíj; útiköltség; ~*s please!* jegyeket kezelésre kérem!; ~ *stage* (vonal)szakasz [buszon stb.] 2. utas [bérkocsiban] 3. ellátás, koszt, étel; *good* ~ jó konyha
fare² [feə*] *vi* 1. † utazik; ~ *forth* elutazik 2. boldogul [ember]; sikerül, halad [dolog]; ~ *well* (1) jól megy sora (2) jól kosztol; ~*ill* (1) rosszul/pórul jár (2) rosszul sikerül, balul végződik (vm); *it* ~*d well with me* jól ment nekem; ~ *thee well!* Isten vele(d)! 3. eszik, étkezik
farewell I. *a* búcsú; ~ *party* búcsúest; ~ *speech* búcsúbeszéd II. *int* Isten vele(d)! III. *n* istenhozzád, búcsú; *bid* ~ *to sy* vknek istenhozzádot mond, elbúcsúzik vktől; *take one's* ~ *of sy* vktől elbúcsúzik
far-famed *a* hírneves
far-fetched [-'fetʃt] *a* erőltetett [példa], túlzott [hasonlat]
far-flung *a* kiterjedt
far-gone *a* 1. előrehaladott (állapotban levő); ~ *with child* előrehaladott terhes 2. nagyon beteg/részeg 3. eladósodott
farinaceous [færı'neıʃəs] *a* lisztes, liszttartalmú

farm [fɑ:m] I. *n* major, tanya, gazdaság, farm, kisbirtok; *state* ~ állami gazdaság II. A. *vi* gazdálkodik B. *vt* 1. (meg)művel [földet] 2. kosztba/tartásra ad/vállal [gyermeket] 3. (ha-szon)bérbe ad/vesz; ~ *out* (1) bérbe ad [földet, munkaerőt] (2) albérletbe kiad [munkát]
farmer ['fɑ:mə*] *n* gazda, farmer; ~*s' cooperative* termelőszövetkezet
farm-hand *n* mezőgazdasági munkás
farm-house *n* tanyaház, lakóház [tanyán]
farming ['fɑ:mıŋ] I. *a* (mező)gazdasági; földművelő; ~ *implements* gazdasági felszerelés II. *n* gazdálkodás
farm-labourer *n* mezőgazdasági munkás
farm-stead *n* tanya(ház) [a hozzátartozó gazdasági épületekkel]
farm-wagon *n* szekér
farm-yard *n* gazdasági udvar, szérűskert
far-off *a* = *far-away*
Farquhar ['fɑ:kwə*] *prop*
farrago [fə'rɑ:goʊ] *n* (*pl* ~(e)s -z) zagyvaság
far-reaching [-'ri:tʃıŋ] *a* messzeható, -menő
farrier ['færıə*] *n* 1. patkolókovács 2. † lódoktor
farriery ['færıərı] *n* 1. kovácsmesterség 2. † lódoktorkodás
farrow ['færoʊ] I. *n* egyhasi malacok II. *vi/vt* malacozik, ellik [disznó]
far-seeing *a* = *far-sighted* 2.
far-sighted *a* 1. távollátó 2. előrelátó, körültekintő
fart [fɑ:t] *vulg* I. *n* fing II. *vi* fingik
farther ['fɑ:ðə*] I. *a* 1. további, távolabbi; *on the* ~ *bank of the river* a folyó túlsó partján 2. későbbi ‖→*far* II. *adv* ~ (*off*) tovább, távolabb, messzebb; ~ *on* távolabb; *wish sy* ~ pokolba kíván vkt; *I can go no* ~ nem tudok tovább menni
farthermost *a* legtávolabbi
farthest ['fɑ:ðıst] I. *a* legmesszebbi, legtávolabbi; *at* (*the*) ~ (1) legtávolabb (2) legkésőbb(en) (3) legfeljebb II. *adv* legmesszebb(re) ‖→*far*
farthing ['fɑ:ðıŋ] *n* ⟨forgalomban nem

levő angol aprópénz, a régi penny egynegyed része⟩, kb. krajcár; *I haven't got a* ~ egy krajcárom/vasam sincs
farthingale ['fɑ:ðɪŋgeɪl] *n* abroncsos szoknya, krinolin
f.a.s., fas [efeɪ'es] *free alongside ship* →*free*
fascia *n* **1.** ['fæʃɪə] orvosi kötés, (seb-)pólya **2.** ['feɪʃə] párkány(lemez); homlokdeszka; cégtábla **3.** ['fæʃɪə] izomburok **4.** ['feɪʃə] *GB* műszertábla, szerelvényfal [gépkocsiban]
fascicle ['fæsɪkl] *n* **1.** nyaláb, köteg **2.** füzet [kiadványé]
fascinate ['fæsɪneɪt] *vt* **1.** megbűvöl; megigéz **2.** *biz* elbájol, elkápráztat
fascinating ['fæsɪneɪtɪŋ] *a* elbűvölő, elragadó, megragadó
fascination [fæsɪ'neɪʃn] *n* **1.** megbűvölés, megigézés **2.** *biz* vonzerő, varázs **3.** elragadtatás
fascism ['fæʃɪzm] *n* fasizmus
fascist ['fæʃɪst] *n/a* fasiszta
fashion ['fæʃn] **I.** *n* **1.** mód, szokás; *after a* ~ úgy-ahogy; *in a strange* ~ különös módon; *as was his* ~ ahogy ő szokta; *go out of* ~ kimegy a szokásból/divatból **2.** divat; *it is (all) the* ~ ez ma a divat; *in* ~ divatos; *come into* ~ divatba jön; *out of* ~ divatjamúlt; *set the* ~ divatot csinál/teremt; *a man of* ~ társaságbeli ember **3.** szabás, fazon [ruháé] **II.** *vt* **1.** készít (*out of* vmből) **2.** alakít, megformál (*sg from sg* vmt vmből), megmunkál
fashionable ['fæʃnəbl] *a* divatos, elegáns; előkelő [társaság]
fashion-book *n* divatlap
fashion-plate *n* divatkép
fashion-show *n* divatbemutató
fast¹ [fɑ:st; *US* -æ-] **I.** *n* böjt; *break one's* ~ (1) † böjtöt megszeg (2) reggelizik **II.** *vi* **1.** böjtöl **2.** koplal; *to be taken* ~*ing* éhgyomorra veendő be
fast² [fɑ:st; *US* -æ-] **I.** *a* **1.** gyors, sebes; ~ *train* gyorsvonat; *my watch is 5 minutes* ~ az órám 5 percet siet **2.** szilárd, rögzített, erős; (be)zárt; *make* ~ (1) (le)rögzít (2) odaköt **3.** *átv* szi-

lárd, megbízható, igaz; ~ *friends* jó barátok **4.** tartós, színtartó [textília] **5.** kicsapongó, könnyűvérű; ~ *woman* ledér nő; *the* ~ *set* a nagy lábon (v. zajosan) élők **6.** ~*er film* nagyobb érzékenységű film **II.** *adv* **1.** gyorsan; *go* ~ gyorsan megy; *it is raining* ~ zuhog az eső **2.** erősen, szilárdan; *hold* ~ szorosan/erősen fog/tart; *stand* ~ nem mozdul, nem hátrál; *stick* ~ jól (meg)ragad; *play* ~ *and loose with sy* bolondít vkt [nő férfit stb.] **3.** *live* ~ könnyelmű/kicsapongó életet folytat
ast-day *n* böjtnap
fasten ['fɑ:sn; *US* -æ-] **A.** *vt* **1.** megerősít, rögzít; megköt, odaköt; ~ (*up*) *a parcel with a string* csomagot zsineggel átköt; ~ *a crime on sy* bűnt másra ken; ~ *one's eyes on sg* szemét rászegezi vmre **2.** bezár, elreteszel [ajtót]; megköt [cipőfűzőt]; bekapcsol, begombol [biztonsági övet, ruhaneműt] **B.** *vi* **1.** ~ (*up*)*on sy/sg* megragad vkt/vmt; *he* ~*ed on me as his prey* lecsapott rám mint áldozatra **2.** zár(ódik); kapcsolódik, gombolódik, csukódik [ruha]
fastener ['fɑ:snə*; *US* -æ-] *n* **1.** retesz; kallantyú, tolózár **2.** kapocs; csat [ruhán, táskán]
fastening ['fɑ:snɪŋ; *US* -æ-] *n* **1.** rögzítés; odaerősítés **2.** kapcsolás, gombolás [ruhán] **3.** (toló)zár; retesz
fastidious [fə'stɪdɪəs; *US* fæ-] *a* finnyás, válogatós, kényes
fasting ['fɑ:stɪŋ; *US* -æ-] *n* **1.** böjt **2.** koplalás
fastness ['fɑ:stnɪs; *US* -æ-] *n* **1.** gyorsaság **2.** szilárdság **3.** színtartóság **4.** erőd, vár **5.** szabadosság, könnyűvérűség
fat [fæt] **I.** *a* (*comp* ~*ter* 'fætə*, *sup* ~*test* 'fætɪst) **1.** kövér, hájas [ember]; kövér, zsíros [hús]; vastag [erszény]; *get/grow* ~ meghízik **2.** termékeny, kövér [föld]; bőséges [készlet]; *biz* zsíros [állás]; *a* ~ *chance you have* arra ugyan várhatsz; *biz a* ~ *lot you care* törődsz is te azzal (hogy) **II.** *n* **1.** háj; zsír, zsiradék; *biz the* ~ *is in the fire* a baj megtörtént!; *put on* ~

(meg)hízik; *run to* ~ elhízik **2.** vmnek a java; *live on the* ~ *of the land* jólétben/bőségben él **III.** *v* -tt- **A.** *vt* hizlal **B.** *vi* hízik; *kill the* ~*ted calf* nagy lakomát csap (vk érkeztének örömére) **fatal** ['feitl] *a* végzetes, halálos, fatális **fatalism** ['feitəlizm] *n* fatalizmus **fatalist** ['feitəlist] *n* fatalista **fatalistic** [feitə'listik] *a* fatalista **fatality** [fə'tæləti] *n* **1.** balsors, balvégzet **2.** halálos végű szerencsétlenség; haláleset; *fatalities* a halálos áldozatok (száma) **fatally** ['feitəli] *adv* halálosan; tragikusan [végződött] **fate** [feit] *n* **1.** sors, végzet; *the F~s* a sors istennői, a Párkák; *leave sy to his* ~ sorsára hagy vkt; *as sure as* ~ holtbiztos **2.** halál, vég; *he met his* ~ *in 1944* 1944-ben halt meg **fated** ['feitid] *a* **1.** végzetes, elkerülhetetlen **2.** vmre szánt/kijelölt; ~ *to fait* bukásra ítélt **fateful** ['feitful] *a* végzetes, életbevágó **fat-head** *n biz* hájfejű, ostoba, tökfilkó **father** ['fɑ:ðə*] **I.** *n* **1.** apa, atya; *Yes,* ~*!* igen, apám!; *from* ~ *to son* apáról fiúra; *the wish is* ~ *to the thought* vágyaink vezérlik gondolatainkat **2.** *our* ~*s* atyáink, őseink **3.** páter; atya [katolikus pap megszólítása]; ~ *confessor* gyóntató, lelkiatya **II.** *vt* **1.** nemz [gyermeket]; *biz* feltalál, kigondol (vmt) **2.** örökbe fogad **3.** apaságot/szerzőséget elismer/vállal **4.** apaságot/szerzőséget tulajdonít (vknek); ~ *a child on sy* egy gyermek apaságát vknek tulajdonítja **fatherhood** ['fɑ:ðəhud] *n* apaság **father-in-law** *n* (*pl* **fathers-in-law**) após **fatherland** *n* haza, szülőföld **fatherless** ['fɑ:ðəlis] *a* apátlan **fatherly** ['fɑ:ðəli] *a* atyai **fathom** ['fæðəm] **I.** *n* öl ⟨hosszmérték: 6 láb = 182,9 cm, tengermélység és famennyiség mérésére⟩ **II.** *vt* **1.** mélységet mér **2.** *átv* mélyére hatol (vmnek) **fathomless** ['fæðəmlis] *a* mérhetetlen, feneketlen; *átv* megfejthetetlen **fatigue** [fə'ti:g] **I.** *n* **1.** fáradtság, kimerültség; *drop with* ~ összeesik a kimerültségtől **2.** fáradság, vesződség **3.** kifáradás [anyagé]; ~ *test* fárasztópróba **4.** = *fatigue-duty* **II.** *vt* (ki)fáraszt **fatigue-duty** *n* soros munka [katonaságnál] **fatigue-party** *n* munkakülönítmény **fatiguing** [fə'ti:giŋ] *a* fárasztó **fatness** ['fætnis] *n* **1.** kövérség, zsírosság **2.** termékenység [földé] **fatted** ['fætid] *a* hizlalt, hizott →*fat III.* **fatten** ['fætn] **A.** *vt* ~ (*up*) (meg)hizlal **B.** *vi* (meg)hízik **fattening** ['fætniŋ] **I.** *a* hizlaló **II.** *n* **1.** hízás **2.** hizlalás **fatter, fattest** →*fat I.* **fatty** ['fæti] **I.** *a* zsíros; (*átv is*) hájas **II.** *n* gömböc, „pufi", „dagi", dagadt **fatuity** [fə'tju:əti; *US* -'tu:-] *n* butaság, ostobaság **fatuous** ['fætjuəs; *US* -tʃ-] *a* buta, ostobán önelégült **faucet** ['fɔ:sit] *n* **1.** (hordó)csap **2.** *US* vízcsap **Faulkner** ['fɔ:knə*] *prop* **fault** [fɔ:lt] *n* **1.** hiba, hiányosság, fogyatékosság; *find* ~ *with* (1) kifogásol, hibásnak talál (vmt) (2) gáncsoskodik (vkvel); bírál (vkt) **2.** hiba, vétség; mulasztás; *be at* ~ (1) hibás, hibázik (2) zavarban van, nem igazodik el; *the* ~ *lies with you* a te hibád, te vagy a hibás; *to a* ~ túlságosan is **3.** (geológiai) vetődés **fault-finder** *n* **1.** szőrszálhasogató [ember] **2.** hibakereső [készülék] **fault-finding** **I.** *a* szőrszálhasogató, kicsinyes **II.** *n* szőrszálhasogatás, kicsinyesség **faultiness** ['fɔ:ltinis] *n* hibásság **faultless** ['fɔ:ltlis] *a* hibátlan **faulty** ['fɔ:lti] *a* hibás **faun** [fɔ:n] *n* faun **fauna** ['fɔ:nə] *n* állatvilág, fauna **favour,** *US* **favor** ['feivə*] **I.** *n* **1.** kegy, jóindulat, pártfogás; *be in* ~ *with sy* vk jóindulatát/pártfogását élvezi; *find* ~ *with sy* vk kegyeit élvezi; *be out of* ~ (1) kegyvesztett (2) nem divatos **2.** szívesség; *ask a* ~ *of sy* szívességet kér vktől; *do sy a* ~ szívességet tesz vknek; *your* ~ *of the 15th* 15-i (becses) sorai; *by your* ~ szíves engedelmével; *by* ~ *of* ... vk jóvoltából 3. kedvezés, részrehajlás, támogatás; *be in* ~ *of sg* vm mellett van, támogat vmt; *in* ~ *of sy* vk javára/érdekében; *has everything in his* ~ minden mellette szól; *under* ~ *of the night* az éj leple alatt 4. jelvény, csokor II. *vt* 1. helyesel, támogat, pártfogol; *I don't* ~ *the idea* nem tetszik nekem a gondolat 2. kitüntet, megtisztel (*with* vmvel) 3. előnyben részesít; *which colour do you* ~ melyik szint választja, melyik szín tetszik (jobban)? 4. kedvez (vmnek); elősegít (vmt); ~*d by fortune* a szerencse/sors jóvoltából 5. *biz* hasonlít (vkre); *the child* ~*s his father* a gyerek az apjára hasonlít

favourable, *US* -vor- ['feɪv(ə)rəbl] *a* 1. kedvező, előnyös; *on* ~ *terms* kedvező feltételek mellett 2. előzékeny [fogadtatás]; jó [hír]

favourably, *US* -vor- ['feɪv(ə)rəblɪ] *adv* kedvezően; szerencsésen; *speak* ~ *of sy* kedvezően nyilatkozik vkről

favoured, *US* favored ['feɪvəd] *a* szerencsés; kiváltságos, előnyös; *most* ~ *nation clause* legnagyobb kedvezmény záradéka

favourite, *US* -vor- ['feɪv(ə)rɪt] I. *a* kedvenc, legkedvesebb II. *n* 1. kedvenc, kegyenc 2. esélyes, favorit

favouritism, *US* -vor- ['feɪv(ə)rɪtɪzm] *n* 1. kivételezés, részrehajlás 2. protekcionizmus

fawn¹ [fɔ:n] I. *a* őzbarna, (világos) sárgásbarna II. *n* fiatal őz; őzborjú, szarvasborjú

fawn² [fɔ:n] *vi* ~ (*up*)*on sy* (1) hízelkedőn farkát csóválja [kutya] (2) hízeleg (vk vknek)

fawn-colour(ed) *a* = *fawn*¹ *I.*

fawning ['fɔ:nɪŋ] *a* hízelgő

fay [feɪ] *n* tündér

F.B.A., FBA [efbi:'eɪ] *Fellow of the British Academy* a Brit Akadémia tagja

F.B.I., FBI [efbi:'aɪ] *Federal Bureau of Investigation* szövetségi (bűnügyi) nyomozóiroda (USA)

fc(a)p. *foolscap*

fealty ['fi:(ə)ltɪ] *n* 1. hűbéreskü 2. *átv* hűség, lojalitás

fear [fɪə*] I. *n* 1. félelem, rettegés; aggodalom; *have no* ~*!* ne félj *!*; *biz no* ~*!* ne félj *!*, attól ugyan nem kell tartani; *there's no* ~ *of rain* nem kell esőtől tartani; *go in* ~ *of sy* fél/tart vktől; *go in* ~ *of one's life* félti az életét; *without* ~ *or favour* részrehajlás nélkül, pártatlanul; *have* ~*s for sy* aggódik vkért; *for* ~ *of* (1) attól félve (hogy) (2) nehogy . . .; *for* ~ *we should forget* nehogy elfelejtsük 2. (törvény-)tisztelet; ~ *of God* istenfélelem; *put the* ~ *of God into sy* megtanít vkt kesztyűbe dudálni II. A. *vt* 1. ~ *sy/sg* fél/tart vktől/vmtől, aggódik vm miatt; ~ *the worst* a legrosszabbtól tart; *† I* ~ *me* (nagyon) félek; *it is to be* ~*ed that* félni/tartani lehet attól, hogy; félő(s), hogy 2. (félve) tisztel B. *vi* fél, aggódik; *never* ~*!* ne aggódjál *!*; ~ *for sy* retteg/aggódik vk életéért, félt vkt

fearful ['fɪəf(ʊ)l] *a* 1. félelmes 2. *biz* szörnyű, borzalmas; *a* ~ *mess* szörnyű rendetlenség 3. félénk, ijedős

fearless ['fɪəlɪs] *a* bátor, rettenthetetlen

fearsome ['fɪəsəm] *a* ijesztő, rémséges

feasibility [fi:zə'bɪlətɪ] *n* 1. megvalósíthatóság, vm lehetséges volta 2. valószínűség

feasible ['fi:zəbl] *a* 1. lehetséges, keresztülvihető, megvalósítható 2. valószínű, lehetséges; alkalmas

feast [fi:st] I. *n* 1. ünnep(nap) 2. ünnepség; (ünnepi) lakoma; vendégség II. A. *vt* 1. megvendégel 2. gyönyörködtet [szemet, fület stb.] B. *vi* vendégségben/lakomán részt vesz, dőzsöl

feat [fi:t] *n* 1. (hős)tett; ~ *of arms* fegyvertény 2. látványos/merész mutatvány

feather ['feðə*] I. *n* 1. (madár)toll; *light as a* ~ pehelykönnyű; *show the white* ~ gyáván viselkedik; *that's a* ~ *in his cap* becsületére válik, erre büszke lehet; *you might have knocked me down with a* ~ leesett az állam a csodálkozástól; *crop sy's* ~*s* megnyírbálja vk szárnyait 2. tollazat; *fine* ~*s* (*do not*)

make fine birds (nem a) ruha teszi az embert 3. *be in high* ~ széles jókedvében van II. A. *vt* 1. (fel)tollaz; *biz* ~ *one's nest* megszedi magát, megtollasodik; *tar and* ~ *sy* vkt szurokkal beken és tollban meghengerget 2. lapjára fordít [evezőt] B. *vi* tollasodik
feather-bed I. *n* derékalj, dunyha II. *vt* -dd- kedvezményekkel elkényeztet, agyontámogat
feather-brained *a* szeleburdi; ostoba
feather-edge *n* finom él, hajszálél
feather-headed *n* = *feather-brained*
feathering ['feðərɪŋ] *n* tollazat
feather-stitch *n* halszálkaöltés
feather-weight I. *a* pehelysúlyú II. *n* pehelysúly
feathery ['feðərɪ] *a* tollas, tollszerű
feature ['fi:tʃə*] I. *n* 1. arcvonás; (jellemző) vonás, jellemvonás; ~s arc(vonások) 2. sajátság, tulajdonság, (külső) jellegzetesség; ~s *of the ground* terepviszonyok, domborzat 3. fő szám/attrakció [műsorban]; ~ (*film*) játékfilm, nagyfilm; *US* ~ *story* színes riport II. *vt* 1. jellemez; felvázol 2. kiemel; fő helyen közöl; (feltűnően) szerepeltet; *featuring N.N.* N.N.-nel a főszerepben
-featured [-'fi:tʃəd] -arcú, -vonású
Feb. *February* február, febr.
febrifuge ['febrɪfju:dʒ] *n* lázcsillapító (szer)
febrile ['fi:braɪl; *US* 'fi:brəl] *a* lázas
February ['februərɪ; *US* -erɪ] *n* február
feces →*faeces*
feckless ['feklɪs] *a* 1. gondatlan, felelőtlen 2. gyenge, tehetetlen
fecund ['fi:kənd] *a* termékeny
fecundate ['fi:kəndeɪt] *vt* termékennyé tesz, megtermékenyít
fecundation [fi:kən'deɪʃn] *n* megtermékenyítés
fecundity [fɪ'kʌndətɪ] *n* termékenység
fed →*feed*[1] *II.*
Fed. 1. *Federal* 2. *Federated* 3. *Federation*
federal ['fed(ə)rəl] *a* 1. szövetségi [állam, kormány stb.] 2. *US* államszövetségi, központi
federalism ['fed(ə)rəlɪzm] *n* föderalizmus, szövetségi államrendszer

federalist ['fed(ə)rəlɪst] *US* I. *a* föderalista, Észak-párti *US* II. *n* föderalista, Észak-párti [az 1861—65. polgárháború idején]
federate ['fedəreɪt] *vt/vi* államszövetséget alkot; államszövetségben egyesít
federation [fedə'reɪʃn] *n* (állam)szövetség, föderáció, szövetségi állam
fee [fi:] I. *n* 1. díj, tiszteletdíj, honorárium; illeték; *school* ~s tandíj; *examination* ~ vizsgadíj; *draw one's* ~s tiszteletdíjban részesül 2. hűbér(birtok) II. *vt* (*pt/pp* ~d fi:d) díjaz vkt
feeble ['fi:bl] *a* gyenge, erőtlen; gyarló
feeble-minded *a* gyengeelméjű
feebleness ['fi:blnɪs] *n* gyöngeség
feebly ['fi:blɪ] *adv* gyöngén; erőtlenül
feed[1] [fi:d] I. *n* 1. etetés, táplálás; *be out at* ~ kihajtották legelni 2. táplálék, eleség, takarmány, abrak; ~ *of oats* zababrakadag 3. *biz* evés, táplálkozás; *have a good* ~ jól beeszik; *I'm off my* ~ nincs étvágyam 4. tölt(öget)és, adagolás, etetés, táplálás [gépé] II. *v* (*pt/pp* fed fed) A. *vt* 1. táplál, etet; élelmez, takarmányoz (*with* vmvel); *biz* ~ *the fishes* (1) tengeribeteg (2) vízbe fúl 2. tápot ad (vmnek) 3. tölt, adagol, [anyagot gépbe], etet [gépet stb.] B. *vi* táplálkozik, eszik (*on* vmt); ~ *out of sy's hand* tenyeréből eszik
feed into *vt* betáplál [számítógépbe]
feed (up)on *vi* él (vmn), táplálkozik (vmvel)
feed up *vt* (fel)hizlal; □ *I'm fed up with this* torkig vagyok vele ?
feed[2] [fi:d] *a* díjazott →*fee II.*
feedback *n* visszacsatolás
feed-bag *n* abrakos tarisznya
feeder ['fi:də*] *n* 1. evő 2. etető [mint gép is], tápláló, adagoló, töltögető 3. előke, partedli 4. cuclisüveg 5. mellékfolyó 6. szárnyvonal; tápvezeték; ~ *line/railway* szárnyvasút; ~ *road* betorkolló út
feeding ['fi:dɪŋ] I. *a* ~ *mechanism* etető/adagoló szerkezet II. *n* 1. táplálás, etetés; élelmezés, takarmányozás 2. táplálkozás; evés, zabálás
feeding-bottle *n* cuclisüveg
feed-pipe *n* tápvezeték, tápcső

feel [fi:l] I. *n* 1. tapintás, fogás (vmé); *rough to the ~* érdes tapintású 2. érzék(elés), érzet; *the ~ of the meeting* a gyűlés hangulata II. *v (pt/pp* felt felt) A. *vt* 1. érez, érzékel; megérez; *begins to ~ his feet* kezdi kiismerni magát, kezd önbizalmat nyerni; *~ it necessary to . . .* szükségesnek tartja, hogy . . .; *I felt it in my bones that . . .* valami azt súgta nekem, hogy . . . 2. (meg)tapint, érint, kitapogat; *~ sy's pulse* kitapintja vk érverését; *~ one's way* (1) tapogatózva halad (2) óvatosan jár el 3. *make sg felt* éreztet vmt B. *vi* 1. érez, érzi magát (vhogy); *~ well/happy* jól/kitűnően érzi magát; *~ all the better for it* jobban érzi magát (vm hatására) 2. vél; *~ as if/though* úgy véli/gondolja, mintha; *biz ~ like doing sg* kedve van vmhez, kedve támad vmre; *I don't ~ like . . .* nincs kedvem . . .; *how/what does it ~ like (doing sg)?* milyen érzés (vmt csinálni)? 3. érzik (vmlyennek); *~ hard* kemény tapintású; *how cold your hands ~* milyen hideg a kezed 4. (tapogatva) keres, kotorász; *~ in one's pockets* zsebében keres(gél)
    feel about *vi* tapogatózva keres; *he felt a. in the dark* a sötétben tapogatózva kereste az utat
    feel for *vi* 1. *~ f. sg* (tapogatva) keresgél vmt 2. *~ f. sy in his sorrow* együttérez vkvel bánatában
    feel out *vt/vi* kitapogat, kipuhatol [lehetőséget stb.]
    feel up *vi ~ up to (doing)* sg alkalmasnak érzi magát vmre
    feel with *vi* együttérez (vkvel)
feeler ['fi:lə*] *n* 1. tapogató, csáp [rovaré] 2. tapogató(d)zás; *throw out a ~* kipuhatolja a helyzetet
feeling ['fi:lıŋ] I. *a* érző; *a ~ heart* érző kebel II. *n* 1. *(sense of) ~* tapintóérzék, tapintás 2. érzet, érzékelés; *a ~ of cold* hidegérzet; *have no ~ in one's arm* elzsibbadt a karja; *a ~ of danger* a veszély (elő)érzete 3. érzés, érzelem; *I had a ~ that . . .* az volt az érzésem, hogy . . .; *good ~* jóindulat; *a man of ~* érző (szívű) ember; *have you no ~s?*

hát nincs lelke? 4. hangulat; *the ~ of the meeting* a gyűlés hangulata
fee-simple *n* szabad tulajdon
feet →*foot I.*
fee-tail *n* † elidegeníthetetlen birtok
feign [feın] *vt/vi* 1. színlel, tettet(i magát); *~ death* halottnak tetteti magát 2. † kitalál, kohol
feigned [feınd] *a* 1. kitalált; *~ name* álnév 2. színlelt, tettetett
feint [feınt] I. *n* 1. csel(fogás); tettetés; *biz make a ~ of doing sg* úgy tesz, mintha csinálna vmt 2. színlelt támadás II. *vi* színlelt támadást indít
feldspar ['feldspɑ:*] *n* földpát
Felicia [fə'lısıə] *prop* Felícia
felicitate [fə'lısıteıt] *vt ~ sy (up)on sg* szerencsét kíván vknek (vmhez)
felicitation [fəlısı'teıʃn] *n* jókívánság, szerencsekívánat, gratuláció; *offer sy one's ~s* gratulál vknek
felicitous [fə'lısıtəs] *a* 1. † szerencsés, boldog 2. alkalmas, találó, helyénvaló [kifejezés]
felicity [fə'lısətı] *n* 1. boldogság; szerencse 2. szerencsés/találó kifejezés; *express oneself with ~* ügyesen/jól fejezi ki magát
feline ['fi:laın] *a* 1. macskaféle, macska- 2. *átv* macskaszerű, macskatermészetű
Felix ['fi:lıks] *prop* Bódog, Félix
fell¹ [fel] *n* (nyers)bőr, szőrme
fell² [fel] *n* kopár hegyoldal
fell³ [fel] *a* 1. kegyetlen, vad 2. könyörtelen
fell⁴ [fel] *vt* 1. ledönt [fát]; leüt [embert]; letaglóz [marhát] 2. beszeg [ruhát]
fell⁵ →*fall II.*
feller ['felə*] *n biz* = *fellow 2.*
felloe ['feloʊ] *n* keréktalp
fellow ['feloʊ] *n* 1. társ; *~s in crime* bűntársak; *we were ~s at school* iskolatársak voltunk 2. *biz* pajtás, fickó, pasas; *decent ~* rendes ember; *a good ~* jó pajtás/cimbora; *my dear ~!, old ~!* édes öregem!; *poor ~!* szegény ördög!, szegény feje!; *why can't you let a ~ alone!* miért nem hagyod békén az embert?!; *a ~ can't work all day*

long az ember nem tud egész nap dolgozni 3. vmnek a párja; *he has no* ~ (*in sg*) párját ritkítja (vmben); *the* ~ *of this shoe* ennek a cipőnek a párja 4. kb. kutató ösztöndíjas ⟨angol egyetem/főiskola kiválóan végzett tagja⟩ 5. tag [angol tudományos társaságé, egyetemi tantestületé]
fellow-being *n* embertárs
fellow-citizen *n* polgártárs
fellow-countryman *n* (*pl* -men) honfitárs, földi
fellow-creature *n* embertárs
fellow-feeling *n* együttérzés, rokonszenv
fellow-passenger *n* (*átv is*) útitárs
fellowship ['feloʊʃɪp] *n* 1. (*good*) ~ (jó) barátság 2. szövetség, egyesület, (baráti) társaság; közösség; *the* ~ *of men* az emberi közösség 3. tagság [tudományos társaságban] 4. diákság, hallgatóság [főiskoláé, egyetemé] 5. (egyetemi) ösztöndíj [végzett hallgatóknak]
fellow-soldier *n* bajtárs
fellow-student *n* tanulótárs
fellow-traveller *n* (*átv is*) útitárs; szimpatizáns [politikai mozgalomé]
fellow-worker *n* munkatárs, szaktárs
felon ['felən] *n* bűnös, gonosztevő
felonious [fə'loʊnjəs] *a* bűnös; büntetendő; gonosz
felony ['felənɪ] *n* (főbenjáró) bűn, bűntett, bűncselekmény
felspar ['felspɑ:*] *n* földpát
felt[1] [felt] I. *n* nemez, filc II. *vi* 1. összefilcesedik [pulóver stb.] 2. összetapad [haj stb.]
felt[2] →*feel II.*
felt-tip(ped) pen filctoll
fem. [fem] *feminine*
female ['fi:meɪl] I. *a* női (nemhez tartozó); nőstény [állat]; bibés [virág]; ~ *sex* női nem II. *n* 1. nő, asszony 2. nőstény (állat); bibés (növény) 3. *biz* nőszemély, némber
feminine ['femɪnɪn] *a* 1. nőnemű; ~ *ending* az utolsó előtti szótag hangsúlya [verstanban]; ~ *gender* nőnem [nyelvtanban]; ~ *rhyme* nőrím 2. női(es)
feminism ['femɪnɪzm] *n* feminizmus
feminist ['femɪnɪst] *n* feminista

femur ['fi:mə*] *n* (*pl* ~s -z v. **femora** 'femərə) combcsont
fen [fen] *n* mocsár, láp; *the F*~*s* keletangliai mocsaras vidék
fen-berry *n* vörös áfonya
fence [fens] I. *n* 1. kerítés, sövény; *sit on the* ~ várakozó álláspontot foglal el, nem foglal állást 2. kardforgatás, (kard)vívás 3. orgazda II. A. *vt* bekerít, körülvesz (*in*); elkerít (*off*) B. *vi* 1. vív 2. kertel; ~ *with a question* kitér a kérdés elől
fencer ['fensə*] *n* vívó
fencing ['fensɪŋ] *n* 1. vívás; ~ *with swords* kardvívás 2. ~ (*in*) elkerítés [területé] 3. kerítés
fencing-bout *n* csörte, asszó
fencing-master *n* vívómester
fencing-school *n* vívóterem
fend [fend] A. *vt* ~ *off* (*a blow*) elhárít [ütést] B. *vi* ~ *for sy* gondoskodik vkről; ~ *for himself* gondoskodik önmagáról, megáll a saját lábán
fender ['fendə*] *n* 1. lökhárító; *US* sárhányó, -védő; *US* ~ *bender* koccanás [autóval] 2. kandallórács, kályhaellenző
Fenimore ['fenɪmɔ:*] *prop*
fennel ['fenl] *n* édeskömény
feoff [fef] *n* = *fief*
Ferdinand ['fə:dɪnənd; *US* -nænd] *prop* Nándor, Ferdinánd
Fergus ['fə:gəs] *prop* ⟨skót férfinév⟩
Ferguson ['fə:gəsn] *prop*
ferment I. *n* ['fə:ment] 1. erjesztő (anyag), kovász 2. erjedés [folyadéké] 3. *biz* forrongás [népé], zavargás II. *v* [fə'ment] A. *vt* 1. (meg)erjeszt [folyadékot] 2. felizgat [tömeget] B. *vi* (meg)erjed [folyadék]
fermentation [fə:men'teɪʃn] *n* 1. erjedés 2. erjesztés [folyadéké]; forrás [boré] 3. (fel)izgatás 4. *biz* forrongás, izgalom; zavar(gás)
fern [fə:n] *n* páfrány
ferocious [fə'roʊʃəs] *a* vad; kegyetlen; vérengző
ferocity [fə'rɔsətɪ; *US* -'rɑ-] *n* vadság, kegyetlenség
ferret ['ferɪt] I. *n* vadászmenyét; ~ *eyes* (*átv is*) hiúz szemek II. A. *vi*

menyéttel vadászik B. *vt ~ out* kifürkész
Ferris-wheel ['ferɪs-] *n* óriáskerék [vurstliban]
ferroconcrete [feroʊ'kɔŋkriːt; *US* -'kɑ-] *n* vasbeton
ferrous ['ferəs] *a* vastartalmú
ferruginous [fe'ruːdʒɪnəs] *a* 1. vastartalmú 2. rozsdavörös
ferrule ['feruːl] *n* vaskarika, szorítópánt [boton, nyélen]
ferry ['ferɪ] I. *n* komp; rév; *cross the ~* átkel a réven II. A. *vt ~ sy/sg (across)* átszállít (vkt/vmt) hajón/kompon B. *vi ~ across/over* átkel kompon
ferry-boat *n* komp(hajó)
ferryman ['ferɪmən] *n* (*pl* -men -mən) révész
fertile ['fəːtaɪl; *US* -t(ə)l] *a* 1. termékeny, bőven termő; *~ imagination* élénk fantázia 2. szapora; szaporodásra képes 3. gazdag (*in* vmben)
fertility [fəː'tɪlətɪ] *n* termékenység
fertilization [fəːtɪlaɪ'zeɪʃn; *US* -lɪ'z-] *n* 1. (meg)termékenyítés 2. trágyázás
fertilize ['fəːtɪlaɪz] *vt* 1. (meg)termékenyít 2. trágyáz
fertilizer ['fəːtɪlaɪzə*] *n* (*artificial*) ~ (mű)trágya
ferule ['feruːl] *n* nádpálca
fervent ['fəːv(ə)nt] *a* (*átv is*) forró, heves; buzgó
fervid ['fəːvɪd] *a* = *fervent*
fervour, *US* -**vor** ['fəːvə*] *n* 1. forróság 2. buzgalom; szenvedély
festal ['festl] *a* 1. ünnepi 2. ünneplő [közönség]
fester ['festə*] I. *n* kelés, fekély, gennyedés II. *vi* 1. gennyed, meggyűlik 2. gerjed, gyűlik [harag stb.]
festival ['festəvl] *n* 1. ünnep(ség) 2. ünnepi játékok, fesztivál
festive ['festɪv] *a* 1. ünnepi(es); *~ board* ünnepi asztal; *the ~ season* karácsony; *in a ~ mood* ünnepi hangulatban 2. vidám
festivity [fe'stɪvətɪ] *n* 1. ünnep(ség) 2. vidámság
festoon [fe'stuːn] I. *n* girland, füzérdíszítés II. *vt* füzérrel díszít
etch [fetʃ] I. *n* 1. csel, trükk 2. (meg-

teendő) út, távolság; *it is still a far ~ to London* még jó darab út L-ig II. A. *vt* 1. érte megy és elhoz; *go and ~ a doctor!* eredj (és) keríts (elő) egy orvost!; *~ it here!* hozd ide! [kutyához]; *~ and carry for sy* (apróbb) szolgálatokat végez vk számára; *~ up* (1) felhoz (2) kiokád [ételt] 2. *~ a high price* jó árat ér el 3. *biz* elragadtat, elbájol; *that'll ~ him!* ez el fogja bűvölni! 4. *biz ~ sy a blow* leken/odasóz egyet vknek B. *vi* megérkezik (vhova), kikötőbe ér [hajó]
fetching ['fetʃɪŋ] *a biz* elragadó, elbájoló
fête [feɪt] I. *n* ünnep(ség) II. *vt* ünnepel
fête-day *n* 1. névnap 2. ünnepnap
fetid ['fetɪd] *a* büdös
fetish ['fiːtɪʃ] *n* fetis, bálvány
fetlock ['fetlɔk; *US* -ɑk] *n* csüdszőrzet [ló lábán]
fetter ['fetə*] I. *n* béklyó, lábbilincs; *in ~s* (*átv is*) bilincsbe verve II. *vt* béklyóz, (meg)bilincsel
fettle ['fetl] *n* állapot; *in fine/good ~* jó/pompás formában
fetus →*foetus*
feud¹ [fjuːd] *n* ellenségeskedés, (családi) viszály; *at ~ with sy* harcban/ellenségeskedésben vkvel
feud² [fjuːd] *n* hűbérbirtok
feudal ['fjuːdl] *a* feudális, hűbéri; *~ tenure* hűbér
feudalism ['fjuːdəlɪzm] *n* hűbériség, feudalizmus
feudalist ['fjuːdəlɪst] *n* feudális rendszer híve
feudalistic [fjuːdə'lɪstɪk] *a* feudális, hűbéri
fever ['fiːvə*] *n* 1. láz; *~ heat* erős/magas láz; *she has not much ~* nincs magas láza 2. hév, izgatottság; *throw sy into a ~* lázba hoz vkt; *in a ~ of excitement* lázas izgalomban; *at/to ~ pitch* robbanásig feszült (hangulatban)
fevered ['fiːvəd] *a* (*átv is*) lázas
feverfew *n* kerti székfű
feverish ['fiːvərɪʃ] *a* (*átv is*) lázas; heves
few [fjuː] *a/n* 1. kevés, nem sok; *one of the ~ people who* egyike azon kevesek-

nek, akik...; *in ~ words* kevés szóval, röviden; *our days are ~* napjaink meg vannak számlálva; *with ~ exceptions* kevés kivétellel **2.** *a ~* (egy)néhány; *some ~, a good ~, quite a ~* jó egynéhány(an), szép számmal; *during the next ~ days* a következő pár nap folyamán; *every ~ days* 2—3 naponként **3.** *the ~* a kisebbség, a kevesek **fewer** ['fju:ə*] *a* kevesebb; *no ~ than* nem kevesebb(en), mint
fewest ['fju:ɪst] *a* legkevesebb
fewness ['fju:nɪs] *n* kis/csekély szám (vmé)
fey [feɪ] *a* **1.** halálraszánt, a vég közeledtét (meg)érző **2.** eufóriás **3.** *biz* kótyagos
fez [fez] *n* fez
ff. *following pages* és a következő lapokon, kk.
fiancé [fɪ'ɑ:nseɪ; US -'seɪ] *n* vőlegény
fiancée [fɪ'ɑ:nseɪ; US -'seɪ] *n* menyasszony
fiasco [fɪ'æskoʊ] *n* (*pl ~s* -z) kudarc, fiaskó
fiat ['faɪæt] *n* parancs; rendelet
fib [fɪb] **I.** *n biz* füllentés, lódítás **II.** *vi* -bb- *biz* füllent, hazudik
fibre, US -ber ['faɪbə*] *n* **1.** rost(szál), rostanyag, (elemi) szál; *~ pen* rosttoll; *~ plant* rostnövény **2.** (ideg)rost, (izom)rost; *man of coarse ~* nyers (modorú) ember; *our moral ~* erkölcsi természetünk
fibreboard, US fiber- *n* farostlemez
fibreglass, US fiber- *n* üvegszál
fibrositis [faɪbroʊ'saɪtɪs] *n* kötőszövetgyulladás, izomreuma
fibrous ['faɪbrəs] *a* szálas, rostos
fibula ['fɪbjʊlə] *n* (*pl ~s* -z *v. ~e* -li:) **1.** szárkapocscsont **2.** ókori dísztű/melltű
fickle ['fɪkl] *a* ingatag; állhatatlan
fickleness ['fɪklnɪs] *n* ingatagság; állhatatlanság
fiction ['fɪkʃn] *n* **1.** képzelgés, kitalálás; *~ of law* jogi feltevés **2.** (*works of*) *~* regényirodalom; *light* *~* szórakoztató regény, könnyű olvasmány
fictitious [fɪk'tɪʃəs] *a* **1.** képzelt, kitalált, költött **2.** alaptalan, koholt
fid [fɪd] *n* **1.** (kereszt)rúd [hajón] **2.**

(tartó)pecek, rögzítőék, kötélbontó tövis
Fid. Def. *Fidei Defensor* (= *Defender of the Faith*) a hit védelmezője ⟨angol uralkodói cím⟩
fiddle ['fɪdl] **I.** *n biz* hegedű, „szárazfa"; *play second ~* (*to sy*) alárendelt helyzetben van (vkvel szemben); *fit as a ~* makkegészséges; *have a face as long as a ~* savanyú képet vág **II.** *vi/vt* **1.** *biz* hegedül **2.** *biz* játszadozik, babrál vmvel; *~ away one's time* idejét elfecsérli
fiddle-bow [-boʊ] *n* (hegedű)vonó
fiddle-case *n* hegedűtok
fiddle-de-dee [fɪdldɪ'di:] *int* buta beszéd!, ostobaság!
fiddle-faddle [-fædl] *biz* **I.** *n* jelentéktelen apróság **II.** *int* butaság!, buta beszéd! **III.** *vi* piszmog, szöszmötöl
fiddler ['fɪdlə*] *n* hegedűs
fiddlestick *n* (hegedű)vonó
fiddlesticks *int* szamárság!, buta/ostoba beszéd!
fiddling ['fɪdlɪŋ] *a* haszontalan, hiábavaló [munka]
fidelity [fɪ'delətɪ] *n* **1.** hűség (vk/vm iránt) **2.** hűség, pontosság [fordításé]; valószerűség [ábrázolásé]; hanghűség
fidget ['fɪdʒɪt] **I.** *n* **1.** *the ~s* nyugtalanság, izgés-mozgás **2.** nyugtalan ember **II. A.** *vi* nyugtalanul jön-megy; izeg-mozog, idegesen babrál **B.** *vt* idegesít, nyugtalanít (vkt)
fidgety ['fɪdʒɪtɪ] *a* nyugtalan, ideges
fiduciary [fɪ'dju:ʃjərɪ; US -'du:-] **I.** *a* bizalmas, bizalmi; *~ loan* biztosíték nélküli kölcsön **II.** *n* megbízott
fie [faɪ] *int* pfuj!
fief [fi:f] *n* hűbérbirtok
field [fi:ld] *n* **1.** mező, szántóföld **2.** tér, terület **3.** *~ (of battle)* csatatér; *take the ~* harcba száll; *in the ~* (1) háborúban, hadiszolgálatban; harctéren (2) a helyszínen, terepen *hold the ~* tartja magát, állja a sarat **4.** pálya, mezőny [sportban]; *~ events* dobó- és ugrószámok; *~ sports* terepsportok [vadászat, halászat] **5.** *átv* tér, terület; *~ of activity* működési kör/terület; *~ of interest* érdeklődési

kör; ~ *of vision* látótér, látómező 6. (erő)tér, mező [villamosságban, fizikában]; ~ *of force* erőtér 7. háttér [képé]; képmező [tévében] II. *vt/vi* 1. ~ (*a team*) összeállít (csapatot) 2. megfog és visszadob [labdát krikettben/baseballban] 3. mezőnyben játszik
field-allowance *n* hadipótdíj
field-artillery *n* tábori tüzérség
field-bed *n* tábori ágy
field-day *n* 1. katonai gyakorlónap 2. nagy nap; *have a* ~ (1) igen elfoglalt (2) nagy napja van, ő a nap hőse
fielder ['fi:ldə*] *n* 1. mezőnyjátékos 2. pályaszéli játékos [baseball, krikett]
fieldfare *n* fenyvesmadár
field-glasses *n pl* látcső, messzelátó
field-gun *n* tábori ágyú
field-hospital *n* tábori kórház
field-marshal *n* tábornagy
field-officer *n* (fő)tiszt, [azelőtt:] törzstiszt
field-piece *n* = *field-gun*
fieldsman ['fi:ldzmən] *n* (*pl* -men -mən) = *fielder*
field-work *n* 1. külső munka, terepmunka 2. kiszállás [a helyszínre] 3. (iskolai) gyakorlat [gyárban, gazdaságban]
fiend [fi:nd] *n* 1. ördög, gonosz lélek 2. *biz* vmnek a megszállottja/rabja
fiendish ['fi:ndɪʃ] *a* pokoli; ördögien gonosz
fierce [fɪəs] *a* heves, tüzes; vad, ádáz
fieriness ['faɪərɪnɪs] *a átv* tüzesség; hév
fiery ['faɪərɪ] *a* 1. tüzes (*átv is*); ~ *red* tűzvörös 2. heves, szenvedélyes 3. gyúlékony
fiesta [fɪ'estə] *n* ünnep; (templom)búcsú
fife [faɪf] *n* síp, kisfuvola
fifteen [fɪf'ti:n] *a/n* tizenöt
fifteenth [fɪf'ti:nθ] *a* tizenötödik
fifth [fɪfθ] I. *a* ötödik; ~ *column* ötödik hadoszlop; ~ *wheel* (1) pótkerék (2) *átv* ötödik kerék, felesleges vm/vk II. *n* ötöd
fifthly ['fɪfθlɪ] *adv* ötödször, ötödsorban
fiftieth ['fɪftɪɪθ] *a/n* ötvenedik
fifty ['fɪftɪ] *a/n* ötven; *the fifties* az ötvenes évek

fifty-fifty *a/adv* fele-fele arányban; *biz go* ~ *with sy* felez/mutyizik vkvel; *a* ~ *chance* 50 százalékos esély
fig¹ [fɪg] *n* 1. füge(fa); *green* ~*s* friss füge; *pulled* ~*s* aszalt füge 2. *biz* füge, csipisz; *I don't care a* ~ *for it* fütyülök rá
fig² [fɪg] *biz n in full* ~ teljes díszben
fig. 1. *figurative* 2. *figure*
fight [faɪt] I. *n* 1. küzdelem, harc; ütközet; verekedés 2. harcképesség; küzdeniakarás; *show* ~ harci kedvet mutat 3. bokszmérkőzés II. *v* (*pt/pp* **fought** fɔ:t) A. *vi* (*átv is*) harcol, küzd, verekszik; ~ *for one's own hand* saját érdekeit védi; *they began to* ~ verekedni kezdtek; ~ *shy of sg* kitér vm elől, húzódozik vmtől B. *vt* 1. ~ *sy* vk ellen küzd; ~ *a battle* csatát vív; ~ *a duel* párbajozik; ~ *a fire* tüzet olt; ~ *one's way* küzdelmesen boldogul 2. ~ *an action* (*at law*) perben védekezik
fight back *vt* leküzd (vmt)
fight down *vt* leküzd [szenvedélyt, érzést]
fight out *vt* ~ *it o.* végigküzd/kiharcol vmt
fighter ['faɪtə*] *n* 1. harcos 2. bokszoló; verekedő 3. vadász(repülő)gép
fighting ['faɪtɪŋ] *I. a* harcos, harcoló; küzdő; *a* ~ *chance* csöppnyi lehetőség/remény még van (ha erejét megfeszíti); ~ *forces* hadrakelt sereg; ~ *line* arcvonal; ~ *men* harcosok; ~ *service* fegyvernem II. *n* 1. harc, csata 2. (boksz)mérkőzés
fighting-top *n* hadihajó páncéltornya
fig-leaf *n* (*pl* -leaves) (*átv is*) fügefalevél
figment ['fɪgmənt] *n* koholmány; képzelt dolog
fig-tree *n* fügefa
figurative ['fɪgjʊrətɪv; *US* -gjə-] *a* képletes, jelképes, átvitt; *in a* ~ *sense* átvitt/képes értelemben
figure ['fɪgə*; *US* -gjər] I. *n* 1. szám(jegy); *in round* ~*s* kerek számban; *fetch a high* ~ drágán kel el; *reach three* ~*s* három számjegyre rúg; *biz what's the* ~? mennyibe jön?, mennyi lesz? 2. **figures** *pl* számolás, számtan; *a poor hand at* ~*s* gyönge szá-

moló 3. alak, megjelenés, termet; alakzat; *have a fine ~* jó megjelenésű/alakú; *cut a poor/sorry ~* (1) siralmas látványt nyújt (2) siralmasan/ gyengén szerepel 4. ábra, illusztráció; diagramm 5. ~ *(of speech)* szókép, metafora II. A. *vt* 1. elképzel; képet alkot magának 2. *US biz* becsül, vél B. *vi* 1. gondol, vél, *átv* számol (vmvel) 2. szerepel; *his name ~s in the paper* neve szerepel/látható az újságban **figure on** *vi US* számít (vmre); kalkulál (vmvel) **figure out** *vt* kiszámít, kigondol, kiókumlál (vmt) **figure up** *vt* = *figure out* **figure-head** *n* 1. orrszobor [hajón] 2. névleges vezető **figure-skating** *n* műkorcsolyázás **figurine** ['fɪgjuriːn; *US* -gjə-] *n* szobrocska **Fiji** [fiːˈdʒiː] *prop* Fidzsi-szigetek **filament** ['fɪləmənt] *n* 1. rost; (elemi) szál 2. izzószál **filbert** ['fɪlbət] *n* mogyoró **filch** [fɪltʃ] *vt* (el)csen, (el)lop **file¹** [faɪl] I. *n* reszelő, ráspoly II. *vt* reszel, ráspolyoz **file²** [faɪl] I. *n* 1. akta, iratcsomó 2. kartoték; iratgyűjtő; ~ *copy* másolati házipéldány; *on ~* lerakva, írásban le van fektetve 3. aktafűző zsinór 4. sor [emberekből stb.]; oszlop; *in single ~* libasorban 5. adatállomány [számítógépnél] II. A. *vt* 1. iktat; irattároz, irattárba helyez, lerak 2. ~ *a petition* kérelmet nyújt be B. *vi* menetel [egyesével]; ~ *in* bevonul [sorban]; ~ *off* egyes sorban elvonul **file-closer** [-klouzə*] *n* sereghajtó **filial** ['fɪljəl] *a* gyermeki [kötelesség] **filibuster** ['fɪlɪbʌstə*] *US* I. *n* 1. obstrukcionista 2. obstrukció II. *vi* obstruál [parlamentben] **filigree** ['fɪlɪgriː] *n* finom fémmunka, áttört ötvösmunka **filing¹** ['faɪlɪŋ] *n* 1. reszelés 2. **filings** *pl* reszelék **filing²** ['faɪlɪŋ] *n* 1. iktatás, irattározás [iratoké] 2. beadás [kérvényé stb.] →*file² II.*

filing-cabinet *n* irattár; iratgyűjtő [szekrény] **filing-case** *n* iratborító, iratgyűjtő **filing-clerk** *n* segédhivatali tisztviselő; iktató; irattáros **Filipino** [fɪlɪˈpiːnou] *a/n* Fülöp-szigeteki, filippíno **fill** [fɪl] I. *n* bőség/elég vmből; *biz have one's ~ of sg* (1) jól teleette magát vmvel (2) elege van belőle II. A. *vt* 1. tölt, betölt; megtölt (*with* vmvel); *átv* betölt [állást, szerepet]; ~ (*up*) *a vacancy* állást/üresedést betölt; ~ *a part* szerepet betölt/játszik 2. (be)töm [fogat] 3. teljesít [rendelést]; eleget tesz [kívánalomnak]; elkészít [receptet]; ~ *every requirement* minden kívánalomnak eleget tesz B. *vi* 1. (meg-) telik 2. dagad [vitorla] **fill in** *vt* 1. betölt [hiányt stb.] 2. betemet, betöm 3. kitölt, kiállít [űrlapot stb.]; ~ *in the date* kitölti a dátumot **fill out** A. *vt US* = *fill in 3.* B. *vi* kitelik; meghízik; *her cheeks are ~ing o.* arca kigömbölyödik **fill up** A. *vt* 1. teletölt, megtölt; ~ *her up, please* tele kérem [tankoláskor] 2. = *fill in 3.* 3. *átv* betölt [állást, szerepet] B. *vi* megtelik; feltöltődik **filler** ['fɪlə*] *n* 1. tölcsér 2. töltőanyag **fillet** ['fɪlɪt] *n* 1. (hajlekötő) szalag/pánt 2. szelet [húsból, halból], filé **filling** ['fɪlɪŋ] I. *a* laktató [étel] II. *n* 1. (be)töltés, feltöltés 2. (fog)tömés 3. töltelék [ételfélében] 4. vetülékfonal **filling-station** *n* töltőállomás, benzinkút **fillip** ['fɪlɪp] I. *n* 1. pattintás [ujjal]; fricska 2. *biz* ösztönzés; serkentés 3. (enyhe) izgatószer II. *vt* 1. fricskát ad 2. serkent **filly** ['fɪlɪ] *n* 1. kancacsikó 2. *biz* fruska **film** [fɪlm] I. *n* 1. hártya, vékony réteg 2. film; ~ *rights* filmre alkalmazás joga; *shoot a ~* filmez, filmet forgat II. A. *vt* 1. bevon [réteggel, hártyával stb.] 2. filmez; filmre alkalmaz B. *vi* 1. hártyásodik (*over* vm) 2. *she ~s well* jól mutat filmen **film-fan** *n* mozirajongó **film-star** *n* filmcsillag, filmsztár

filmstrip *n* diafilm
filmy ['fılmı] *a* hártyás; fátyolszerű
filter ['fıltə*] I. *n* szűrő; ~ *cigarette* füstszűrős cigaretta II. A. *vt* (át)szűr, filtrál B. *vi* (be)szivárog [új eszme stb.]; ~ *through* (*átv is*) átszűrődik; kiszivárog
filter-tip(ped) *a* füstszűrős [cigaretta]
filth [fılθ] *n* 1. piszok, szenny 2. erkölcstelenség
filthiness ['fılθınıs] *n* szennyesség
filthy ['fılθı] *a* 1. (*átv is*) piszkos, szennyes, mocskos 2. erkölcstelen
filtrate ['fıltreıt] I. *n* szűrlet, szűredék II. *v* = *filter II.*
filtration [fıl'treıʃn] *n* 1. (át)szűrés 2. átszivárgás
fin [fın] *n* 1. uszony 2. függőleges vezérsík [repülőgépen] 3. ventillátorszárny 4. □ *tip us your* ~ nyújtsd ide a praclidat
final ['faınl] I. *a* 1. végső, befejező; ~ *examination* záróvizsga; ~ *goal* végcél; *put the* ~ *touches to sg* utolsó simításokat végzi vmn 2. döntő; ~ *judgment* megfellebbezhetetlen/jogerős ítélet II. *n rendsz pl* 1. döntő (mérkőzések) 2. záróvizsga, államvizsga
finale [fı'nɑ:lı] *n* befejezés, finálé [zenében]
finality [faı'nælıtı] *n* véglegesség, visszavonhatatlanság
finalize ['faınəlaız] *vt* végső formát ad (vmnek), végső formába önt
finally ['faınəlı] *adv* 1. végül is 2. véglegesen
finance [faı'næns; *US* fı-] I. *n* 1. pénzügy; *Ministry of F*~ pénzügyminisztérium; ~ *office* gazdasági hivatal 2. **finances** *pl* államháztartás; pénzügyek; *his* ~*s are low* rosszul áll pénzügyileg II. *vt* pénzel, finanszíroz
financial [faı'nænʃl; *US* fı-] *a* pénzügyi; ~ *standing* hitelképesség; ~ *year* költségvetési év
financier [faı'nænsıə*; *US* fınən'sır] *n* pénzember; bankár; tőkés társ
finch [fıntʃ] *n* pinty(őke)
find [faınd] I. *n* 1. felfedezés 2. talált tárgy; (értékes) lelet II. *v* (*pt/pp* **found** faʊnd) A. *vt* 1. (meg)talál, (meg)lel;

not to ~ *it in one's heart to do sg* nincs szíve megtenni vmt; ~ *oneself* (1) vhol/vhogyan találja/érzi magát (2) magára talál, felismeri célját; ~ *time* (*for sg*) időt szakít (vmre); ~ *one's way home* hazatalál; ~ *one's way about* kiismeri magát; (*not*) *to be found* (nem) található 2. megállapít; vmlyennek talál; *this letter, I* ~, *arrived yesterday* úgy látom, ez a levél tegnap érkezett; *it has been found that* . . . megállapították, hogy . . . 3. ellát, felszerel; *the ship is well found* a hajó jól fel van szerelve minden szükségessel; *wages $80, all found* a fizetés 80 dollár és teljes ellátás B. *vi* ~ *for sy* vk javára dönt
find out **vt** 1. megtud(akol), megérdeklődik 2. rajtakap [tolvajt]; megállapít [hibát]; felfedez, kiderít [rejtélyt, titkot stb.]; ~ *sy o.* kiismer vkt
finder ['faındə*] *n* kereső [fényképezőgépen]
finding ['faındıŋ] *n* 1. (meg)találás, felfedezés 2. lelet, talált tárgy 3. **findings** *pl* (1) (tény)megállapítás (2) hozzávalók
fine[1] [faın] I. *n* 1. bírság; *impose a* ~ *on sy* megbírságol vkt 2. † vég; *in* ~ végül, egyszóval II. *vt* megbírságol, pénzbüntetéssel sújt
fine[2] [faın] I. *a* 1. finom, szép; kitűnő (minőségű) 2. derült, szép [idő]; *one* ~ *day* egy szép napon 3. jó, nagyszerű; *we had a* ~ *time* kitűnően éreztük magunkat; *that's* ~*!* nagyszerű!; *that's all very* ~ *but* . . . ez mind nagyon szép, de . . . 4. tiszta, finom(ított), szennyeződésektől mentes; ~ *gold* színarany 5. divatos, elegáns 6. éles, hegyes; ~ *edge* éles szél (vmé); *a* ~ *pencil* kemény ceruza; *not to put too* ~ *a point on it* kertelés nélkül 7. finom, előkelő; *a* ~ *gentleman* előkelő úr(iember); *appeal to sy's* ~*r feelings* vk nemeslelkűségéhez apellál II. *adv* 1. finomra, apróra; *chop meat* ~ húst apróra vagdal; *cut/run it* (*rather*) ~ hajszálra kiszámítva tesz meg vmt, a maximális kockázatot vállalja 2. *I am* ~ kitűnően/jól érzem magam III.

A. vt ~ (*down*) derít, tisztít [bort, sört]; finomít, dúsít [ércet] **B.** vi **1.** kitisztúl, leülepszik [folyadék] **2.** kiderül [idő]

fine-darning n mű(be)szövés

fine-draw vt (*pt* -drew, *pp* -drawn) **1.** vékonyra kihúz [sodronyt] **2.** mű(be-)szövést végez (vmn)

fine-drawn a **1.** kifinomított, elvékonyított **2.** finoman formált

finely ['faınlı] adv **1.** jól, remekül, kitűnően, nagyszerűen **2.** apróra, finomra

fineness ['faınnıs] n **1.** finomság, tisztaság **2.** kitűnőség **3.** szépség

finery ['faınərı] n pipere, cicoma, pompa; *decked out in all her* ~ teljes pompában kiöltözve, teljes díszben

finesse [fı'nes] I. n **1.** ravaszság, fortély **2.** impassz [bridzsben] II. vi **1.** ravaszkodik, fortélyt alkalmaz **2.** impasszol

Fingal ['fıng(ə)l] prop

finger ['fıngə*] I. n **1.** ujj; *first* ~ mutatóujj; *third* ~ gyűrűsujj; *have a* ~ *in every pie* mindenbe beleüti az orrát, minden lében kanál; *he wouldn't lift/stir a* ~ a kisujját se mozdítaná; *I forbid you to lay a* ~ *on her* megtiltom, hogy kezet emelj rá!; *put the* ~ *on sg* rátapint a baj gyökerére, felismeri a dolog lényegét; *they are* ~ *and thumb* egy húron pendülnek; *excuse my* ~s bocsánat, hogy gyalog adom [kenyeret asztalnál]; *his* ~s *are all thumbs* kétbalkezes; *have sg at one's* ~s' *ends* kisujjában van; *look through one's* ~s *at sy* elnéz vk feje fölött; *my* ~s *itch* alig várom, hogy (megtehessem) **2.** retesz, tolóka, kallantyú **3.** (óra)mutató **4.** index, nyíl **5.** rudacska, stangli II. A. vt hozzányúl, megtapogat; kézbe vesz; ~ *the piano* zongorán kalimpál/klimpíroz B. vi tapogat, fogdos

finger-alphabet n süketnéma-ábécé

finger-board n billentyűzet [zongorán]; fogólap [hegedűn]

finger-bowl n (asztali) kézöblítő csésze

fingered ['fıngəd] a ujjú; ujjas

fingering ['fıngərıŋ] n **1.** (meg)tapogatás, kézbevétel **2.** ujjrend [zenében]

finger-mark n ujjnyom

finger-nail n köröm; *to the* ~s teljesen, tökéletesen

finger-plate n ajtóvédő lap

finger-post n útirányjelző tábla

finger-print n ujjlenyomat; ~ *identification* daktiloszkópia

finger-stall n ujjvédő kötés

fingertip n ujjhegy; *to the* ~s ízig-vérig, egészen, teljesen; *have at one's* ~s kisujjában van

finical ['fınıkl] a kényes, válogatós, szőrszálhasogató

finicking ['fınıkıŋ] a = *finical*

finicky ['fınıkı] a = *finical*

finish ['fınıʃ] I. n **1.** vég, befejezés; *the* ~ hajrá [verseny finise]; *be in at the* ~ a végső pillanatokban jelen van; *fight it to a* ~ harcol a döntésig **2.** felület, simaság [papíré, szöveté] **3.** jó kidolgozás, kivitelezés; kikészítés II. A. vt **1.** befejez, bevégez; *have you* ~ed *it?* befejezted?, elkészült?, készen van? **2.** tökéletesít; elsimít, kidolgoz [felületet]; kikészít [anyagot]; eldolgoz [ruhadarabot] B. vi **1.** befejeződik, bevégződik **2.** végez; *I've* ~ed *with you!* végeztem veled!; ~ *fourth* negyediknek végez

finish off vt **1.** ~ *sy o.* elintéz vkt **2.** befejez (vmt), végez [munkával] **3.** megesz(ik) (vmt)

finished ['fınıʃt] a **1.** befejezett; kikészített; kidolgozott; ~ *goods* készáru **2.** tökéletes, kiváló

finisher ['fınıʃə*] n **1.** kikészítő [munkás, eszköz]; útegyengető gép **2.** biz kegyelemdöfés

finishing ['fınıʃıŋ] I. a **1.** befejező, végső; ~ *touches* utolsó simítások **2.** kikészítő II. n **1.** befejezés, bevégzés **2.** kikészítés, kidolgozás

finishing-school n ⟨társasági életre nevelő leányiskola jómódú szülők gyermekei számára⟩

finite ['faınaıt] a **1.** befejezett; elhatárolt; véges **2.** ~ *verb* verbum finitum, ragozott ige; ~ *forms of a verb* ragozott igealakok

Finland ['fınlənd] prop Finnország

Finlander ['fınləndə*] n finn (ember)

Finn [fın] n = *Finlander*

Finnish ['fɪnɪʃ] I. *a* finn II. *n* finn (nyelv) **Finno-Ugrian** [fɪnoʊ'juːgrɪən] *a/n* finn-ugor **Fiona** [fɪ'oʊnə] *prop* ⟨ír férfinév⟩ **fir** [fəː*] *n* (erdei)fenyő; *silver* ~ ezüstfenyő; *Scotch* ~ erdeifenyő; ~ *wood* fenyőfa [anyag] **fir-apple/cone** *n* fenyőtoboz **fire** ['faɪə*] I. *n* 1. tűz; *US* ~ *department* tűzoltóság; *be on* ~ ég, lángokban áll; *get on like a house on* ~ megy, mint a karikacsapás; *catch/take* ~ meggyullad; *lay/light/make a* ~ tüzet rak; *play with* ~ a tűzzel játszik; *set* ~ *to sg, set sg to* ~, *set sg on* ~ meg-/felgyújt vmt; *he won't set the Thames on* ~ nem ő találta fel a puskaport; *no smoke without* ~ nem zörög a haraszt, ha a szél nem fújja; *through* ~ *and water* tűzön-vízen át 2. tűzvész; tűzeset, tűz(kár); *insure against* ~ tűz(kár) ellen (be)biztosít 3. tűz, tüzelés [ágyúból, puskából]; *open* ~ tüzet nyit; *(be) under* ~ tűz alatt áll; *with* ~ *and sword* tűzzel-vassal 4. hév, szenvedély II. **A.** *vt* 1. (meg)gyújt, felgyújt 2. éget [téglát] 3. fűt [mozdonyt] 4. elsüt, kilő [ágyút, puskát]; robbant; *without firing a shot* puskalövés nélkül; ~ *a gun* elsüt puskát; ~ *a gun at sg* rálő vmre; ~ *a question at sy* hirtelen kérdést tesz fel vknek 5. lelkesít, hevít 6. *biz* elbocsát [állásból] **B.** *vi* 1. meggyullad, kigyullad, tüzet fog 2. kipirul, hevül 3. elsül [puska, ágyú]; gyújt, robban [motor]; *the pistol failed to* ~ nem sült el a pisztoly; *the engine* ~*s evenly* a motor egyenletesen gyújt 4. tüzel, lő **fire at** *vt/vi* rálő (vkre) **fire away** *vt* 1. ellövöldöz [lövedéket] 2. *biz* ~ *a.!* ki vele!, mondd ki ami a bögyödben van! **fire into** *vi* belelő [tömegbe stb.] **fire off** *vt* elsüt [puskát]; ~ *o. a question at sy* váratlan kérdést szegez vknek **fire on** *vt/vi* rálő vkre/vmre **fire up** *vi* indulatba jön; felfortyan **fire upon** *vi* = *fire on* **fire-alarm** *n* tűzjelző [készülék] **fire-arm** *n* lőfegyver

fire-ball *n* 1. meteor 2. tűzgolyó [atomrobbantásnál] **fire-bird** *n* amerikai sárgarigó **fire-bomb** *n* gyújtóbomba **fire-box** *n* tűzszekrény **fire-brand** *n* 1. zsarátnok 2. lázító, izgató **fire-break** *n* 1. védősáv [erdőtűz ellen] 2. tűzgát **fire-brick** *n* tűzálló tégla, samott **fire-brigade** *n* tűzoltóság **fireclay** *n* tűzálló agyag, samott **fire-damp** *n* bányalég **fire-dog** *n* tűzbak [kandallóban] **fire-drill** *n* tűzoltási gyakorlat **fire-eater** *n* 1. tűzevő 2. izgága ember **fire-engine** *n* tűzoltóautó **fire-escape** *n* 1. vészkijárati vaslépcső 2. mentőlétra **fire-extinguisher** *n* kézi tűzfecskendő, poroltó **fire-fighting** *n* tűzoltás **fire-fly** *n* szentjánosbogár **fire-guard** *n* védőrostély [kandallónál] **fire-hose** *n* tűzoltócső, -tömlő **fire-insurance** *n* tűzbiztosítás **fire-irons** *n pl* kandallószerszámok [csípővas, piszkavas, lapát] **fire-lighter** *a* (alá)gyújtós **fireman** ['faɪəmən] *n* (*pl* firemen -mən) 1. tűzoltó 2. kazánfűtő **fireplace** *n* kandalló **fireplug** *n* *US* tűzcsap **fire-power** *n* (katonai) tűzerő **fireproof** *a* tűzálló, tűzbiztos **fire-raising** *n* gyújtogatás **fire-resisting** *a* tűzálló **fire-service** *n* tűzoltóság **fireside** 1. kandallósarok 2. *átv* az otthon **fire-station** *n* tűzoltóállomás **fire-stone** *n* kemencekő **fire-tongs** *n pl* csípővas, szénfogó **fire-trap** *n* *US* tűzveszélyes épület **fire-walker** *n* mezítláb parázson járó fakír **fire-watcher** *n* tűzőr **firewood** *n* tűzifa **firework** *n* 1. tűzijáték 2. **fireworks** *pl átv* sziporkázás [szellemé] **fire-worship** *n* tűzimádás

firing ['faɪərɪŋ] *n* **1.** tüzelés; fűtés **2.** (ki)égetés [tégláé] **3.** gyújtás; robbantás [bányában stb.]; gyújtás [motorban]; *order of* ~ gyújtási ütem/sorrend; **4.** lövés; tűz, elsütés [fegyveré]; ~ *pin* gyúszeg **5.** tüzelőanyag, fűtőanyag
firing-line *n* tűzvonal
firing-party/squad *n* **1.** kivégző osztag **2.** díszlövést leadó szakasz
firkin ['fə:kɪn] *n* kis hordó, bödön
firm¹ [fə:m] *n* cég; üzletház
firm² [fə:m] **I.** *a* szilárd; kemény; erős; biztos; határozott; ~ *belief* szilárd meggyőződés; ~ *chin* kemény áll; ~ *ground* (1) szárazföld (2) szilárd talaj; *be on* ~ *ground* biztos talajt érez a lába alatt; ~ *offer* fix ajánlat; ~ *as a rock* sziklaszilárd; *rule with* ~ *hand* vaskézzel kormányoz **II.** *adv* határozottan; szilárdan; *hold sg* ~ *erősen* tart vmt; *hold* ~ *to sg* szilárdan kitart vm mellett **III. A.** *vt* (meg)szilárdít, (meg)erősít **B.** *vi* megszilárdul, megerősödik
firmament ['fə:məmənt] *n* égbolt
firmly ['fə:mlɪ] *adv* határozottan, szilárdan
firmness ['fə:mnɪs] *n* keménység, határozottság; szilárdság
first [fə:st] **I.** *a* első; ~ *aid* elsősegély; ~ *base* kiindulópont [baseball-játékban]; *átv get to* ~ *base* jól startol/indul; ~ *class* első osztály [vonaton stb.]; ~ *cost* önköltségi ár; *at* ~ *hand* első kézből; ~ *lady* ⟨az USA elnökének felesége⟩; ~ *name* keresztnév, utónév; ~ *night* színházi bemutató; ~ *offender* büntetlen előéletű letartóztatott; *in the* ~ *place* először is; *at* ~ *sight* első látásra; *I don't know the* ~ *thing about it* nem is konyítok a dologhoz; *I'll do it* ~ *thing tomorrow* első dolgom lesz holnap (reggel); ~ *things* ~ *mindent a maga idejében, kezdjük a lényeggel* **II.** *adv* **1.** először; ~ *of all* (leg)először is, mindenekelőtt, elsősorban; ~ *and foremost* mindenekelőtt; ~ *and last* egészben véve; ~, *last and all the time* a leghatározottabban, egyszer s mindenkorra; ~ *come* ~ *served* aki

előbb jön, előbb eszik **2.** inkább; *I'd die* ~*!* inkább meghalok! **III.** *n* **1.** *the* ~ (*of the month*) (a hónap) elseje **2.** ötös [osztályzat] **3.** kezdet; *at* ~ először, kezdetben; *from the* ~ kezdettől fogva; *from* ~ *to last* elejétől végig
first-born *a/n* elsőszülött
first-class *a* első osztályú, elsőrendű
first-degree *a* **1.** első fokú [égési seb] **2.** *US* ~ *murder* előre megfontolt szándékkal elkövetett emberölés, gyilkosság
firstling ['fə:stlɪŋ] *n* **1.** firstlings (*pl*) zsenge, első termék/termés, primőrök **2.** elsőszülött
firstly ['fə:stlɪ] *adv* először
first-rate *a* = *first-class*
firth [fə:θ] *n* (folyó)torkolat
fir-tree *n* (erdei)fenyő
fiscal ['fɪskl] **I.** *a* kincstári; ~ *year* költségvetési év **II.** *n* **1.** jogtanácsos **2.** *sk* főállamügyész
fish¹ [fɪʃ] **I.** *n* (*pl* ~ v. ~**es** -ɪz) hal; ~ *and chips* ⟨zsírban sült halszeletek zsírban sült burgonyaszeletekkel, angol népeledel⟩, sült hal hasábburgonyával; ~ *fingers* (*US* sticks) kirántott halszeletek; *I've other* ~ *to fry* más dolgom is van, más jár az eszemben; *like a* ~ *out of water* mint a hal szárazon; *neither* ~ *nor flesh* se hideg se meleg; *there's as good* ~ *in the sea as ever came out of it* senki/semmi sem pótolhatatlan **II. A.** *vi* halászik, horgászik (*for* vmre); *in troubled waters* zavarosban halászik **B.** *vt* ~ *up/out* kifog [halat], kihalász (vmt)
fish² [fɪʃ] *n* **1.** kötőlap; csatlakozó lemez; sínheveder **2.** árboctámasztó
fishball *n* halropogós
fishbone *n* halszálka
fishcake *n* halropogós, -pogácsa
fish-carver *n* halszeletelő kés
fisher ['fɪʃə*] *n †* halász
fishermen ['fɪʃəmən] *n* (*pl* -**men** -mən) halász
fishery ['fɪʃərɪ] *n* **1.** halászat **2.** halászati jog **3.** halászterület
fish-glue *n* halenyv
fish-hook *n* (horgász)horog
fishing ['fɪʃɪŋ] *n* halászat

fishing-line *n* horgászzsinór
fishing-rod *n* horgászbot
fishing-tackle *n* halászfelszerelés; horgászfelszerelés
fish-knife *n* (*pl* -knives) halkés
fishmonger *n* halkereskedő
fishplate *n* = *fish²* 1.
fishpond *n* halastó
fish-slice *n* halkés [evőeszköz]
fishwife *n* (*pl* -wives) halaskofa
fishy ['fıʃı] *a* 1. halszerű, hal- 2. *biz* gyanús, kétes
fissile ['fısaıl; US -s(ə)l] *a* hasítható, hasadó; ~ *material* hasadóanyag
fission ['fıʃn] *n* 1. osztódás [sejté] 2. (mag)hasadás; (mag)hasítás; ~ *bomb* atombomba; ~ *product* (mag)hasadási termék; ~ *reaction* hasadási reakció
fissionable ['fıʃ(ə)nəbl] *a* hasadó; hasítható; hasadásra képes
fissiparous [fı'sıpərəs] *a* osztódással szaporodó
fissure ['fıʃə*] I. *n* repedés, hasadás; hasadék, rés II. *vt* repeszt; hasít
fist [fıst] *n* 1. ököl; *shake one's* ~ *at sy* ököllel fenyeget vkt; *biz give us your* ~ add a praclidat 2. *biz* kézírás; *write an ugly* ~ csúnya írása van
fisted ['fıstıd] *a* ökölbe szorított [kéz]
fistful ['fıstfʊl] *a* maréknyi
fisticuffs ['fıstıkʌfs] *n pl biz* ökölharc; bunyó
fistula ['fıstjʊlə; US -tʃ-] *n* fekély, gennyedés
fit¹ [fıt] *n* 1. roham, görcs; ~ *of anger* dühroham; ~ *of laughter* nevetőgörcs; *biz have a* ~ dühbe gurul; *fall into a* ~ rohamot kap 2. szeszély; *by* ~*s and starts* ötletszerűen, rapszodikusan
fit² [fıt] *a* (*comp* ~ter -tə*, *sup* ~test -tıst) 1. megfelelő, alkalmas, használható, jó (*for* vmre); ~ *for service* (katonai) szolgálatra alkalmas; ~ *for nothing* hasznavehetetlen; ~ *to eat* ehető 2. helyes, illendő, illő; célszerű; *think/see* ~ (*to do sg*) (1) célszerűnek tart vmt (2) elhatároz vmt; *do as you think* ~ tégy ahogy legjobbnak látod 3. egészséges, „fitt"; *be/feel* ~ jó erőnlétben/kondícióban van, „fitt";

keep ~ jó kondícióban tartja magát; *I am* ~ *to drop* teljesen ki vagyok merülve; □ *laughed* ~ *to burst* majdnem megpukkadt a nevetéstől
fit³ [fıt] I. *n a perfect* ~ tökéletesen szabott/áll [ruha] II. *v* -tt- A. *vt* 1. megfelel, alkalmas, jó (*sg* vmre) illik vkre/vmre/vmhez, jól áll [ruha]; *key that* ~ *s the lock* a zárba illő kulcs; *this coat* ~ *s me* ez a ruha jó(l áll) nekem; ~ *like a glove* tökéletesen passzol 2. illeszt; *go to the tailor's to be* ~*ted* próbára megy a szabóhoz B. *vi* 1. ~ (*together*) összeillik, beleillik, odaillik, hozzáillik 2. elfér; belefér
fit for *vt* ~ *sy f. sg* előkészít/kiképez vkt vmre
fit in A. *vt* 1. összeilleszt, beilleszt, egymásba illeszt 2. összeegyeztet [vallomásokat] B. *vi* megfelel vmnek, odaillik; ~ *in with sg* megegyezik vmvel, összhangban van vmvel; *biz he didn't* ~ *in* (*well*) nem tudott beilleszkedni (a társaságba)
fit on *vt* 1. (fel)próbál, rápróbál [ruhát] 2. ráilleszt, rászerel (*to* vmre)
fit out *vt* felszerel, ellát
fit up *vt* berendez, felszerel, ellát fit with *vt* ellát, felszerel (vmvel)
fitch [fıtʃ] *n* görény
fitful ['fıtfʊl] *a* 1. görcsös 2. szeszélyes, rapszodikus
fitment ['fıtmənt] *n* 1. berendezés, beépíthető (bútor)darab 2. szerelék
fitness ['fıtnıs] *n* 1. alkalmasság, megfelelés (*fcr* vmre) 2. helyesség 3. (*physical*) ~ (1) jó egészség/kondíció/ erőnlét (2) állcképesség; ~ *camp* edzőtábor
fitted ['fıtıd] *a* ~ *carpet* szőnyegpadló ‖→*fit³ II.*
fitter¹ ['fıtə*] *n* szerelő; géplakatos
fitter², fittest →*fit²*
fitting ['fıtıŋ] I. *a* 1. illő, alkalmas, megfelelő; ~ *answer* talpraesett válasz 2. testhezálló [ruha] II. *n* 1. felszerelés, illesztés 2. ~ (*on*) próba [ruháé]; ~ *room* próbaterem 3. felszerelés, berendezés; szerelvény 4. **fittings** *pl* alkatrészek, felszerelési cikkek, szerelvények, kellékek

Fitzgerald [fɪts'dʒer(ə)ld] *prop*
five [faɪv] I. *a* öt II. *n* 1. ötös (szám)
2. **fives** ⟨labdajáték⟩
fivefold ['faɪvfoüld] *a* ötszörös
fiver ['faɪvə*] *n biz* ötdolláros/ötfontos bankjegy, (egy) ötös
five-year *a ~ plan* ötéves terv
fix [fɪks] I. *n biz* 1. szorultság, nehéz helyzet; *in a (bad) ~* nehéz/kellemetlen helyzetben, pácban, csávában; *get oneself into a ~* belemászott a csávába 2. helyzetpont-meghatározás 3. □ kábítószer-injekció II. A. *vt* 1. (meg)erősít; felerősít; rögzít 2. *US* kijavít, megjavít, rendbe hoz; megcsinál; *~ sy a drink* italt készít/kever vknek 3. megszab; rögzít [árat]; megállapít, kitűz [időpontot]; *~ sg in one's mind* (jól) emlékezetébe vés vmt 4. fixál [vegyi úton] 5. *biz* elintéz, ártalmatlanná tesz (vkt); *I'll ~ him* majd ellátom a baját B. *vi* 1. megalszik, megalvad 2. (vhol) megmarad; letelepszik
fix on A. *vt* felerősít, ráerősít; *they ~ed the blame on him* rákenték a hibát B. *vi* elhatároz; kijelöl; megállapodik (vmnél)
fix out *vt* felszerel, ellát (vmt vmvel)
fix up A. *vt biz* 1. elhelyez (vkt vhol); elkészít [szállást]; *I'll ~ you up* majd elhelyezlek 2. *= fix II. A. 2.* 3. megszervez [találkozót]; kijelöl [időpontot]; elrendez; *I ~ed him up with a job* szereztem neki munkát; *~ up a quarrel* nézeteltérést elsimít 4. *biz = fix II. A. 5.* B. *vi US* kiöltözködik
fixation [fɪk'seɪʃn] *n* 1. rögzítés; tartósítás 2. megállapítás 3. (lelki) fixáció, komplexus
fixative ['fɪksətɪv] *n* rögzítőszer, fixáló
fixed [fɪkst] *a* állandó; rögzített; szilárd; mozdulatlan, változatlan, fix; *~ assets* (1) állóeszközök (2) befektetett tőke; *~ idea* kényszerképzet; *~ prices* szabott árak; *~ star* állócsillag
fixer ['fɪksə*] *n* 1. ezermester 2. rögzítőszer, fixáló 3. *US* □ (rendőrségi) kijáró [bűnözőké] 4. *US* □ kábítószerárus

fixing ['fɪksɪŋ] I. *a* rögzítő, fixáló II. *n* 1. rögzítés, fixálás 2. elintézés 3.
fixings *pl US* kellékek; hozzávalók
fixity ['fɪksətɪ] *n* szilárdság
fixture ['fɪkstʃə*] *n* 1. tartozék; alkatrész, hozzávaló, kellék 2. **fixtures** *pl* (beépített) felszerelési/berendezési tárgyak 3. verseny, mérkőzés [kitűzött időpontja] 4. *átv biz* régi bútordarab [emberről]
fizz [fɪz] I. *n* 1. sistergés 2. pezsgő II. *vi* sistereg, pezseg
fizzle ['fɪzl] I. *n* 1. sistergés, pezsgés 2. *biz* kudarc II. *vi* 1. sistereg, pezseg 2. *~ out* gyengén végződik
fizzy ['fɪzɪ] *a* szénsavas, pezsegő [víz]
fl. 1. *floor* emelet, e. 2. *floruit* (*= flourished*) virágzott, működött 3. *fluid*
Fla. *Florida*
flabbergast ['flæbəgɑːst; *US* -gæst] *vt biz* megdöbbent, meghökken
flabby ['flæbɪ] *a* 1. petyhüdt, ernyedt 2. *átv* elpuhult, gyenge
flaccid ['flæksɪd] *a = flabby*
flag[1] [flæg] I. *n* 1. zászló, lobogó; *US F~ Day* ⟨Jún. 14., az amerikai nemzeti lobogó 1777-es törvénybe iktatásának emléknapja⟩ *→flag-day;* *~ of truce, white ~* fehér zászló, békezászló; *lower/strike the ~* megadja magát; *fly a ~* (1) zászlót kitűz (2) lobogó alatt hajózik; *with ~s flying* (1) lobogó zászlókkal (2) *átv* diadalmasan 2. hosszúszőrű angol vizsla farka II. *vt* **-gg-** 1. fellobogóz 2. zászlójel(eke)t ad (le); *~ (down) a train* vonatot megállít
flag[2] [flæg] *n* nőszirom, írisz
flag[3] [flæg] I. *n = flagstone* II. *vt* **-gg-** kikövez
flag[4] [flæg] *vi* **-gg-** 1. (ernyedten) lelóg, lekonyul; csapkod [vitorla] 2. *átv* (el)lankad, elbágyad, elgyengül
flag-boat *n* jelzőcsónak
flag-captain *n* vezérhajó parancsnoka
flag-day *n* (jótékony célú) utcai gyűjtési nap ‖ *→flag*[1]
flagellate ['flædʒəleɪt] *vt* ostoroz, korbácsol
flagellation [flædʒə'leɪʃn] *n* ostorozás, korbácsolás

flageolet [flædʒə'let] *n* csőrfuvola
flagged [flægd] →*flag*¹ és *flag*³ *II.*, *flag*⁴
flagitious [flə'dʒiʃəs] *a* gonosz, gyalázatos, undok
flag-lieutenant *n* tengernagy segédtisztje
flag-officer *n* admirális, tengernagy
flagon ['flægən] *n* (fedeles) kancsó
flagpole *n* zászlórúd
flagrancy ['fleɪgr(ə)nsɪ] *n* botrányos volta vmnek
flagrant ['fleɪgr(ə)nt] *a* botrányos, kirívó, égbekiáltó; hírhedt(en bűnös)
flagship *n* parancsnoki hajó
flagstaff *n* zászlórúd
flag-station *n* feltételes megálló
flagstone *n* kőlap; járdakő, tipegőkő
flail [fleɪl] **I.** *n* csép(hadaró) **II. A.** *vt* csépel **B.** *vi* csapkod, hadonászik
flair [fleə*] *n* **1.** (*átv is*) szimat; *have ~ for sg* jó „orra" van, jól megérez vmt **2.** hajlam, érzék (*for* vmhez)
flake [fleɪk] **I.** *n* pehely, pihe; (vékony) réteg; lemez, pikkely **II.** *vi* rétegesen leválik (*off* vmről)
flaky ['fleɪkɪ] *a* **1.** pelyhes **2.** réteges; *~ pastry* leveles tészta
flamboyant [flæm'bɔɪənt] *a* **1.** lángszerű **2.** késői gót [stílus] **3.** színpompás, rikító
flame [fleɪm] **I.** *n* **1.** láng; *be in ~s* láng(ok)ban áll, lángol; *burst into ~s* kigyullad; *commit to the ~s* eléget vmt **2.** fényesség, ragyogás **3.** (szerelmi) lángolás, szenvedély; *fan the ~* szítja/ felkorbácsolja vk szenvedélyét **4.** *biz* (vknek a) szerelme(se) **II.** *vi* (fel)lángol; *átv* ég, lobog [szenvedély]
   flame up *vi* **1.** meggyullad, lángra lobban **2.** dühbe gurul **3.** elpirul
flame-thrower *n* lángszóró
flamingo [flə'mɪŋgou] *n* flamingó
flammable ['flæməbl] *a* gyúlékony, tűzveszélyes
flan [flæn] *n* kb. gyümölcskosárka
Flanders ['flɑːndəz; *US* -æn-] *prop* Flandria
flange [flændʒ] *n* karima, perem
flank [flæŋk] **I.** *n* **1.** lágyék [emberé]; horpasz [állaté] **2.** szárny, oldalszárny [épületé] **3.** szárny [hadseregé] **II. A.** *vt* **1.** szegélyez (*with* vmvel) **2.**

oldalról megkerül **B.** *vi* szomszédos (*on* vmvel)
flannel ['flænl] *n* **1.** flanell **2.** **flannels** *pl* kasanadrág; flanellnadrág **3.** (törlő)ruha
flap [flæp] **I.** *n* **1.** zsebfedő, -hajtóka; fül [sapkáé, könyvborítóé stb.]; karima [kalapé] **2.** (szárny)csapkodás **3.** *biz* izgalom; *get into* (v. *be in*) *a ~* begyullad **4.** csapódeszka [asztalé stb.] **II.** *v* -*pp*- **A.** *vt* **1.** lebegtet **2.** megcsap **B.** *vi* lebeg, csapkod; *~ away* elhessent [legyeket stb.]
flapjack *n* **1.** palacsinta **2.** pudrié
flapped [flæpt] →*flap* *II.*
flapper ['flæpə*] *n* **1.** légycsapó; cséphadaró; kereplő **2.** uszony **3.** *biz* bakfis, csitri
flare [fleə*] **I.** *n* **1.** fellobbanás, lobogó láng **2.** jelzőfény, (világító)rakéta **3.** felfortyanás, dühkitörés **4.** kihasasodás, kiöblösödés; kiszélesedés [szoknyáé, nadrágé]; *~s* trapéznadrág **II. A.** *vt* kiszélesít; kiöblösít **B.** *vi* **1.** lobog(va ég) **2.** öblösödik; (harang alakban) bővül, kiszélesedik
   flare up *vi* **1.** lángra lobban; felvillan **2.** *átv* felfortyan [ember]; kitör [indulat]
flared [fleəd] *a* kiszélesedő; *~ skirt* harangszabású szoknya, harangszoknya; *~ trousers* trapéznadrág
flare-up *n* **1.** fellobbanás, felvillanás [tűzé, fényé] **2.** felfortyanás, felzúdulás
flash¹ [flæʃ] **I.** *n* **1.** (fel)villanás, fellobbanás, felvillanó fény; *a ~ in the pan* „szalmaláng"; *~ of lightning* villám; *a ~ of wit* szellemi sziporka; ötletes bemondás **2.** pillanat; *it happened in a ~* egy pillanat alatt történt **3.** = *flashlight* **4.** (*news*) *~* gyorshír **5.** hadosztályjelvény [egyenruhán] **II. A.** *vt* **1.** (fel)villant, fellobbant; villogtat **2.** (hirtelen) megvilágít; rávilágít **3.** lead [hírt távírón, rádión] **B.** *vi* **1.** (fel)villan, fellobban; csillog; felragyog **2.** (el)surran, száguld, átcikázik; *it ~ed upon me, it ~ed across my mind* átvillant az agyamon

flash² [flæʃ] *a biz* = *flashy*
flashback *n* visszaugrás, visszapillantás [korábbi cselekményrészletre v. eseményre filmben/regényben]
flashbulb *n* villanólámpa [égő]
flashgun *n* villanó(fény)lámpa, vaku
flash-house *n biz* borbély
flashlight *n* 1. jelzőfény, fény(jelzés) [világítótoronyé stb.] 2. villanófény, vaku [fényképezéshez] 3. *US* (villamos) zseblámpa
flash-point *n* gyulladáspont
flashy ['flæʃɪ] *a* mutatós, feltűnő, csiricsáré, rikító
flask [flɑːsk; *US* -æ-] *n* 1. (lapos) palack, flaska 2. † lőportülök 3. lombik 4. öntőformakeret
flat¹ [flæt] **I.** *a* 1. lapos; sík; sima, egyenletes; ~ *country* sík vidék; ~ *race* síkfutás; *as* ~ *as a pancake* tükörsima; *fall* ~ dugába dől, kudarcba fullad [terv, vállalkozás]; megbukik [színdarab]; nincs hatása/sikere [viccnek stb.]; *go* ~ (1) leenged [autógumi] (2) kimerül [elem]; *a* ~ *tyre* gumidefekt 2. kifejezett, határozott; egyenes, nyílt; *and that is* ~ ez (pedig) az utolsó szavam; ~ *refusal* kerek visszautasítás/el- 3. sekélyes [elme], szürke, egyhangú, unalmas [élet]; ~ *market* lanyha/üzlettelen piac; ~ *rate* átalánydíj(tétel), átalányár, egységes díjszabás 4. tompa, fakó [szín, hang]; állott [íz, ital] 5. félhanggal leszállított [hang]; *A* ~ asz; *the piano is* ~ a zongora lehangolódott **II.** *adv* 1. laposan; lapjával 2. *biz* nyíltan, kereken, határozottan; *go* ~ *against orders* nyíltan ellene szegül a parancsnak; *I told him* ~ kereken megmondtam neki **III.** *n* 1. lap(os felület); *the* ~ *of the hand* tenyér 2. síkság; lapály, alföld 3. homokzátony; sziklazátony 4. gumidefekt 5. állódíszlet, színfal 6. b, bé [módosító jel zenében]
flat² [flæt] *n GB* (főbérleti) lakás
flat-boat *n* lapos fenekű csónak/hajó
flatcar *n US* pőrekocsi
flat-fish *n* lepényhal
flat-foot *n* 1. lúdtalp 2. *US* □ zsaru, hekus

flat-footed *a* lúdtalpú, lúdtalpas
flat-iron *n* 1. vasaló 2. pántvas, laposvas
flatly ['flætlɪ] *adv* 1. laposan 2. kereken, határozottan [elutasít]
flatness ['flætnɪs] *n* 1. laposság 2. egyhangúság
flatten ['flætn] **A.** *vt* 1. (le)lapít, laposra formál; kikalapál; ~ *oneself against a wall* a fal mellé lapul; ~ *out* (1) kisimít [papírt] (2) *átv* kikészít (vkt) 2. ellaposít, unalmassá tesz 3. félhanggal leszállít [zenében] **B.** *vi* lelapul, kisimul; leereszt [autógumi]
flatter ['flætə*] *vt* 1. hízeleg; hízelgő (vm vkre nézve); ~ *sy's vanity* legyezgeti vk hiúságát; *the picture* ~*s her* a kép nagyon előnyös színben tünteti fel; ~ *oneself on sg* büszke vmre 2. kecsegtet, áltat; *he* ~*s himself that he will win* abban a hitben ringatja magát, hogy győzni fog
flatterer ['flætərə*] *n* hízelgő
flattering ['flætərɪŋ] *a* hízelgő
flattery ['flætərɪ] *n* hízelgés
flattop *n US biz* repülőgép-anyahajó
flatulence ['flætjʊləns; *US* -tʃə-] *n* 1. felfúvódás; szélszorulás 2. dagályosság
flatulent ['flætjʊlənt; *US* -tʃə-] *a* 1. felfúvódott 2. dagályos
flaunt [flɔːnt] **A.** *vt* fitogtat **B.** *vi* 1. büszkélkedik, hivalkodik 2. [büszkén] leng
flautist ['flɔːtɪst] *n* fuvolás
flavour, *US* -vor ['fleɪvə*] **I.** *n* 1. íz, zamat; illat, aroma 2. ízesítő/illatosító anyag 3. *átv* különleges/jellemző tulajdonság; sajátosság; légkör **II.** **A.** *vt* (meg)ízesít, fűszerez **B.** *vi* ~ *of sg* (1) vmlyen íze/zamata/illata van (2) vk/vm stílusára emlékeztet
flavouring, *US* -voring ['fleɪv(ə)rɪŋ] *n* 1. ízesítés 2. ízesítő anyag
flavourless, *US* -vorless ['fleɪvəlɪs] *a* ízetlen
flaw [flɔː] **I.** *n* 1. hiba [áruban]; repedés, hasadás 2. folt [jellemen]; hiba, hiányosság, tévedés **II.** **A.** *vt* 1. (meg-)repeszt 2. elront **B.** *vi* (meg)reped, (el)hasad

flawless ['flɔ:lɪs] a hibátlan
flax [flæks] n len
flaxen ['flæksn] a 1. lenből való, len-
2. biz lenszőke
flaxen-haired a lenhajú, szöszke
flax-seed n lenmag
flay [fleɪ] vt 1. (meg)nyúz [állatot]
2. leránt, erősen megbírál
flayer ['fleɪə*] n 1. nyúzó 2.
sintér
flea [fli:] n bolha; send sy away with a
~ in his ear jól odamond vknek
flea-bite n bolhacsípés
flea-bitten a 1. bolhacsípett 2. pettyes,
foltos [ló szőre]
fleck [flek] I. n 1. petty, pötty; szeplő
2. darabka II. vt pettyez, tarkít
fled →flee
fledged ['fledʒd] a kinőtt tollú, repülni
tudó [madár]
fledg(e)ling ['fledʒlɪŋ] n 1. fiatal madár
2. zöldfülű, kezdő
flee [fli:] vt/vi (pt/pp fled fled) (el)mene-
kül, elszökik, megfutamodik (from
vhonnan, before vk/vm elől); ~ one's
creditors menekül a hitelezői elől
fleece [fli:s] I. n gyapjú [állaton] II.
vt 1. (meg)nyír [birkát stb.] 2. biz
kifoszt, „megvág" (vkt)
fleecy ['fli:sɪ] a gyapjas [haj]; pelyhes
[gyapjú]; fodros [felhő]
fleet¹ [fli:t] n 1. flotta, hajóhad, -raj;
~ of motor cars autóállomány, -park
fleet² [fli:t] I. a gyors, fürge, szapora;
~ of foot gyors lábú II. vi gyorsan el-
röppen/elszalad [idő]
fleet-footed a gyors lábú
fleeting ['fli:tɪŋ] a múló, elröppenő;
mulandó; a ~ visit rövid látogatás
Fleet Street [fli:t] ⟨az angol újságírás/
sajtó (londoni központja)⟩
Fleming ['flemɪŋ] n flamand (ember)
Flemish ['flemɪʃ] I. a flamand II. n
flamand (nyelv)
flesh [fleʃ] I. n hús [emberé, állaté,
gyümölcsé]; ~ and blood (1) az emberi
test (2) az emberi természet; one's
own ~ and blood vérrokon, vk saját
vére; go the way of all ~ elmegy a
minden élők útján, meghal; in the ~
életnagyságban; testi mivoltában;
appear in the ~ személyesen megjele-

nik; lose ~ (le)fogy; it makes one's
~ creep borsódzik tőle az ember háta;
biz have/demand one's pound of ~
adóstól a teljes összeget könyörtele-
nül követeli; after the ~ gyarló ember
módjára; the pleasures of the ~ testi
gyönyörök; the spirit is willing but
the ~ is weak a lélek kész, de a test
erőtelen II. vt 1. vérszomjassá tesz
[kutyát stb.] 2. hizlal [állatot] 3.
[húsba kardot] be(le)döf 4. lehúsol, le-
vakar [bőrt]
flesh-brush n frottírkefe
flesh-colour(ed) a testszín(ű)
fleshings ['fleʃɪŋz] n pl feszes testszínű
trikó, balett-trikó
fleshly ['fleʃlɪ] a 1. érzéki, testi; világias
2. = fleshy
flesh-pot n húsosfazék (átv is)
flesh-tights n pl = fleshings
fleshy ['fleʃɪ] a húsos, kövér, jó húsban
levő
Fletcher ['fletʃə*] prop
fleur-de-lis [flə:də'li:] n 1. nőszirom 2.
Bourbon liliom [címeren]
flew →fly² II.
flex [fleks] n I. (szigetelt) huzal, villany-
zsinór II. vt feszít, hajlít [izmot]
flexibility [fleksə'bɪlətɪ] n átv is hajlé-
konyság, hajlíthatóság
flexible ['fleksəbl] a (átv is) hajlékony,
hajlítható; rugalmas
flexion ['flekʃn] n 1. hajlítás 2. hajlás
3. ragozás
flick [flɪk] I. n 1. pöccintés, fricska;
(meg)legyintés 2. csettintés, pattintás
3. □ the ~s mozi II. vt megpöccint,
megcsap [lovat]; ~ sg away/off le-
fricskáz/elhessent vmt
flicker ['flɪkə*] I. n lebegés; lobbanás;
a ~ of light (kis). reszkető fény II.
vi 1. lebeg; rezeg; vibrál [fény];
villog [tv-kép]; pislákol [tűz] 2. (fel-)
lobban; lobog
flick-knife n (pl -knives) rugós tőr/kés
flier ['flaɪə*] n = flyer
flies [flaɪz] →fly¹, fly²
flight¹ [flaɪt] n 1. repülés = költözés,
húzás [madaraké]; in ~ repülés
közben, a levegőben; take/wing its ~
szárnyra kap 2. átv szárnyalás, csa-

pongás [képzeleté] 3. berepült távolság; röppálya 4. [légi] járat; légi vonal; ~ number repülőjárat száma, járatszám 5. repülőút 6. (madár)sereg; a ~ of arrows nyílzápor; be in the first ~ a legmagasabb/legjobb osztályban van 7. US repülőraj 8. a ~ of stairs egy lépcsősor, lépcsőforduló; two ~s up két emelettel/lépcsősorral feljebb

flight² [flaɪt] n menekülés, megfutamodás; take to ~ megfutamodik; put to ~ megfutamít; in full ~ hanyatt-homlok menekülve

flight-deck n felszállófedélzet [repülőgép-anyahajón]

flightiness ['flaɪtɪnɪs] n szelesség, felületesség; léhaság

flight-lieutenant n repülőszázados

flighty ['flaɪtɪ] a könnyelmű, léha, felületes; állhatatlan, ingatag

flimsiness ['flɪmzɪnɪs] n 1. könnyűség [szöveté stb.] 2. gyengeség

flimsy ['flɪmzɪ] I. a 1. könnyű, laza, vékony [szövet] 2. átv gyenge, gyarló II. n másolópapír; selyempapír

flinch [flɪntʃ] vi 1. (meg)hátrál, visszavonul 2. megrándul [arc]; without ~ing szemrebbenés nélkül

fling [flɪŋ] I. n 1. dobás, hajítás; vetés, lendítés; have a ~ at sg megpróbál vmt; in full ~ teljes üzemben/lendületben 2. kirúgás [lóé]; hirtelen heves mozdulat 3. have one's ~ kimulatja/kitombolja magát 4. ⟨skót tánc⟩ II. v (pt/pp flung flʌŋ) A. vt hajít, dob [követ]; levet [lovast]; leterít, földhöz vág; ~ open hirtelen kitár/kivág [ajtót, ablakot] B. vi rúgkapál; csapkod [karral]
    fling about A. vt szétdobál, széthajigál; ~ one's arms a. hevesen gesztikulál B. vi dobálja magát; rugdalódzik
    fling at vt hozzávág
    fling into vt beledob; ~ oneself i. sg beleveti magát vmbe
    fling on vt ~ on one's clothes magára kapkodja ruháit
    fling out A. vt kihajít, kidob; ~ one's money o. of the window szórja a

pénzt B. vi 1. kirúg [ló] 2. kirohan, elszáguld
    fling round vt ~ one's arms r. sy's neck nyakába borul vknek
    fling up vt 1. feldob, felhajít, levegőbe dob/hajít; ~ up the heels kirúg [ló] 2. biz ~ up one's job otthagyja az állását

flint [flɪnt] n kova(kő), kvarckavics; tűzkő; biz have a heart of ~ kőszívű

flint-lock n kovás puska

flinty ['flɪntɪ] a 1. kovás 2. kemény [szívű]

flip¹ [flɪp] I. n 1. fricska, pattintás 2. legyintés; feldobás; the ~ side hátoldal [hanglemezé] II. vt -pp- 1. megfricskáz, elfricskáz; feldob [pénzdarabot] 2. hirtelen megránt; pattogtat, pattint [ostort]

flip² [flɪp] n flip [ital]

flippancy ['flɪpənsɪ] n komolytalanság; nyegleség

flippant ['flɪpənt] a komolytalan; nyegle; nyelves

flipped [flɪpt] →flip¹ II.

flipper ['flɪpə*] n 1. uszony, úszó [halaké stb.]; (láb)uszony [békaemberé] 2. □ kéz

flirt [fləːt] I. n kacér nő II. A. vt lobogtat; csapkod [madár] B. vi kacérkodik, flörtöl (with vkvel)

flirtation [fləːˈteɪʃn] n kacérkodás, flört

flit [flɪt] vi -tt- 1. ~ away elhurcolkodik [titokban] 2. röpköd, száldos [madár] 3. suhan [idő]; (át)villan [gondolat]

flitch [flɪtʃ] n (sertés)oldalas

flitted ['flɪtɪd] →flit

flitter-mouse n (pl -mice) denevér

flitting ['flɪtɪŋ] I. a röpke II. n 1. lebbenés 2. gyors elköltözés [titokban]

flivver ['flɪvə*] n US □ ócska autó, tragacs

float [fləʊt] I. n tutaj, kikötőhíd 2. (parafa)úszó [horogzsinóron]; úszógömb [víztartályban] 3. stráfkocsi; kerekeken vontatott dobogó [felvonulási menetben] 4. rivaldafény II. A. vi úszik, lebeg; felszínen marad; [vízen] sodródik; száll(dos) [levegőben] B. vt 1. úsztat [fát] 2. felszínen tart [víz hajót]; sodor [szél] **3.** vízre bocsát [hajót] **4.** forgalomba hoz; ~ *a company* vállalatot alapít; ~ *a loan* kölcsönt kibocsát; ~ *a rumour* hírt terjeszt

floatation [flou'teɪʃn] *n* = *flotation*
float-board *n* keréklapát [vízikeréké]
floater ['floutə*] *n* **1.** úszó fatörzs **2.** alapító [kereskedelmi társaságé] **3.** *US* választási csaló **4.** ,,vándormadár"
floating ['floutɪŋ] I. *a* **1.** úszó, lebegő; ~ *bridge* pontonhíd; ~ *dock* úszódokk **2.** változékony, változó, mobil; ~ *capital* forgótőke, mozgótőke; ~ *debt* függő adósság; ~ *kidney* vándorvese; ~ *policy* átalánybiztosítás; ~ *population* változó számú népesség; ~ *rib* álborda II. *n* **1.** úszás, lebegés [víz felszínén] **2.** úsztatás **3.** vízre bocsátás [hajóé] **4.** elárasztás [vízzel] **5.** alapítás [kereskedelmi társaságé]; kölcsönkibocsátás **6.** munkásvándorlás
float-needle *n* úszótű [porlasztóban]
flock¹ [flɔk; *US* -ɑ-] *n* **1.** gyapjú(hulladék) **2.** pihe, pehely, pamat
flock² [flɔk; *US* -ɑ-] I. *n* **1.** nyáj; falka; raj; sereg, csapat; ~ *of sheep* juhnyáj **2.** (ember)tömeg; *flower of the* ~ *a* csoport büszkesége II. *vi* ~ *(together)* összesereglik, -csődül; csoportosul, gyülekezik
floe [flou] *n* úszó jégtábla
flog [flɔg; *US* -ɑ-] *vt* **-gg-** korbácsol; ostoroz; ~ *a dead horse* kb. falra borsót hány
flogging ['flɔgɪŋ; *US* -ɑ-] *n* **1.** korbácsolás; fenyítés **2.** flóderozás
flood [flʌd] I. *n* **1.** ár, dagály; *átv at the* ~ kedvező pillanatban **2.** ár(adás), árvíz; *the F~* a vízözön, az özönvíz II. A. *vi* (ki)árad, kiönt [folyó] B. *vt* eláraszt, elönt
flood-basin *n* ártér
flooded ['flʌdɪd] *a* elárasztott, elöntött
flood-gate *n* zsilip
floodlight I. *n* reflektorfény; díszkivilágítás II. *vt* (*pt/pp* ~ed v. -lit -lɪt) kivilágít
floodlit *a* kivilágított
flood-tide *n* dagály
floor [flɔ:*] I. *n* **1.** padló **2.** emelet;

first ~ (1) *GB* első emelet (2) *US* földszint **3.** (tenger)fenék; (hajó)fenék; talp, szint [bányában] **4.** dobogó; ~ *show* kb. esztrádműsor **5.** ülésterem; *have/take the* ~ felszólal, hozzászól; *US* ~ *leader* a képviselőházi pártcsoport vezetője **6.** ~ (*price*) (legalacsonyabb) ár(szint), ,,padló" II. *vt* **1.** burkol [padlót]; parkettáz **2.** földhöz vág, leteper; legyőz; *he was completely* ~ed szóhoz sem tudott jutni, zavarban volt **3.** *biz* megbuktat [vizsgázót]; leültet [iskolást]
floor-board *n* padlódeszka
floor-cloth *n* felmosórongy
flooring ['flɔ:rɪŋ] *n* **1.** padlózás **2.** padló(zat); padlóburkolat **3.** földhöz vágás, leterítés
floor-polish *n* padlófénymáz
floor-tile *n* padlóburkoló (mozaik)lap
floor-walker *n* = *shopwalker*
floozy ['flu:zɪ] *n* □ ócska kurva
flop [flɔp; *US* -ɑ-] I. *adv fall* ~ zsupsz leesik/lepottyan; *go* ~ megbukik [pl. színdarab] II. *n* **1.** pottyanás, esés **2.** (tompa) puffanás [hangja] **3.** □ bukás III. *vt* **-pp-** A. *vt* (le)csap, lepottyant, leejt B. *vi* **1.** (le)pottyan, lezöttyen; ~ (*down*) leroskad, lerogy **2.** □ kudarcot vall, megbukik; rosszul megy [üzlet] IV. *int* zsupsz!
flop-house *n US* népszálló
flopped [flɔpt; *US* -ɑ-] →*flop III.*
floppy ['flɔpɪ; *US* -ɑ-] *a* lógó; laza
flora ['flɔ:rə] *n* növényvilág, flóra
floral ['flɔ:r(ə)l] *a* virágos, virág-
Florence ['flɔr(ə)ns; *US* -ɔ:-] *prop* **1.** Firenze **2.** Flóra, Florencia
florescence [flɔ:'resns] *n* virágzás
floriculture ['flɔ:rɪkʌltʃə*] *n* virágkertészet
florid ['flɔrɪd; *US* -ɔ:-] *a* **1.** virágdíszes, túl díszes **2.** pirospozsgás
Florida ['flɔrɪdə; *US* -ɔ:r-] *prop*
florin ['flɔrɪn; *US* -ɔ:-] *n* **1.** kétshillinges [ezüst érme GB-ben, 1971 óta nem használatos] **2.** forint
florist ['flɔrɪst; *US* -ɔ:-] *n* **1.** virágárus **2.** virágkertész
floss [flɔs; *US* -ɔ:-] *n* **1.** hernyóselyem **2.** pihe, pehely; kukoricahaj

flotation [floʊ'teɪʃn] n 1. kibocsátás
[kölcsöné] 2. alapítás [kereskedelmi
vállalaté] 3. lebegtetés [devizáé]
flotilla [fla'tɪlə] n kis hajóraj, flottilla
flotsam ['flɔtsəm; US -ɑt-] n ~ and
jetsam víz színén hányódó törmelék
flounce[1] [flaʊns] I. n 1. hirtelen gyors
mozdulat 2. ficánkolás II. vi 1. hány-
kolódik, dobálja magát 2. türelmet-
len mozdulatot tesz
flounce out vi kirohan; ~ o. of the
room kipenderül a szobából
flounce[2] [flaʊns] n fodor [ruhán]
flounder[1] ['flaʊndə*] n lepényhal
flounder[2] ['flaʊndə*] vi 1. evickél, buk-
dácsol 2. ügyetlenül intéz dolgokat;
belezavarodik [beszédbe]
flour ['flaʊə*] I. n liszt II. vt belisztez,
liszttel behint
flourish ['flʌrɪʃ; US 'flə:-] I. n 1. cikor-
nya; cifrázat; szóvirág 2. széles moz-
dulat; hadonászás [karddal, bottal]
3. (zenei) ékítés; harsonaszó II. A. vi
1. virágzik, virul; virágkorát éli 2.
tevékenykedik 3. hadonászik, geszti-
kulál 4. szóvirágokkal beszél 5. har-
sog, szól [trombita] B. vt lenget, lobog-
tat [zászlót]; ~ a sword karddal hado-
nászik
flourishing ['flʌrɪʃɪŋ; US 'flə:-] a 1.
pompás kondícióban levő 2. virágzó,
jól menő
flour-mill n malom
flour-paste n csiriz, kovász
flout [flaʊt] A. vt (ki)gúnyol, (ki)csúfol;
~ sy's advice semmibe veszi vk jó ta-
nácsait B. vi gúnyolódik, csúfolódik
(at sy vkvel)
flow [floʊ] I. n 1. folyás, ömlés, áram-
lás; ~ of spirits jókedv; ~ of words
szóáradat 2. dagály, ár, áradat II. vi
1. folyik, ömlik, hömpölyög, áramlik
[levegő]; kering [vér]; ~ like water
bőven ömlik 2. származik, ered (from
vmből)
flower ['flaʊə*] I. n 1. virág; ~ garden
virágoskert; ~s of speech szóvirágok
2. virágzás; in ~ virágzó; burst into
~ virágba borul 3. (vmnek a) legja-
va; the ~ of the nation a nemzet dísze-
-virága II. vi (ki)virul

flower-bed n virágágy
flowered ['flaʊəd] a virágos; virágú;
~ material virágmintás anyag
flower-girl n virágáruslány
flowering ['flaʊərɪŋ] I. a virágzó, virá-
gos II. n 1. virágzás 2. virágminta
flower-piece n virágcsendélet
flower-pot n virágcserép
flower-show n virágkiállítás
flowery ['flaʊərɪ] a (átv is) virágos
flowing ['floʊɪŋ] a 1. folyó, ömlő; folyé-
kony 2. (le)omló; lengő 3. folyékony,
folyamatos
flown [floʊn] →fly[2] II.
fl. oz. fluid ounce
flu [flu:] n biz influenza
fluctuate ['flʌktjʊeɪt; US -tʃ-] vi inga-
dozik; változik, hullámzik
fluctuating ['flʌktjʊeɪtɪŋ; US -tʃ-] a
ingadozó; változó, hullámzó
fluctuation [flʌktjʊ'eɪʃn; US -tʃ-] n
ingadozás; változás, hullámzás
flue[1] [flu:] n kémény, kürtő, füstcső
flue[2] [flu:] n pihe, pehely
fluency ['flu:ənsɪ] n folyékonyság, köny-
nyedség, gördülékenység [beszédé
stb.]; tárgyalóképesség [vmely ide-
gen nyelven]
fluent ['flu:ənt] a 1. folyékony, köny-
nyed, gördülékeny [beszéd, stílus
stb.]; speak ~ English folyékonyan
beszél angolul 2. kecses [vonalak]
fluff [flʌf] I. n 1. pehely, pihe; bolyh
2. do a ~ belesül a szerepébe II. vt
1. felborzol, bolyhoz, bolyhosít 2. ~
one's part belesül a szerepébe [színész]
fluffy ['flʌfɪ] a pihés, vattaszerű; boly-
hos; pelyhes
fluid ['flu:ɪd] I. a 1. folyékony, cseppfo-
lyós; gáznemű 2. átv cseppfolyós álla-
potban levő, ki nem alakult 3. köny-
nyed, gördülékeny [stílus] II. n folya-
dék; ~ ounce <= 28,4 m³>
fluidity [flu:'ɪdətɪ] n 1. folyékony hal-
mazállapot; folyékonyság, cseppfo-
lyósság 2. változékonyság, ingatag-
ság 3. gördülékenység [stílusé]
fluke[1] [flu:k] n 1. lepényhal 2. mé-
tely
fluke[2] [flu:k] n 1. horgonyhegy, horog-
karom 2. fark(uszony) [bálnáé]

fluke³ [flu:k] *n biz* (véletlen) szerencse, „mázli"

flummery ['flʌmərɪ] *n* **1.** tojáskrém, tejkrém **2.** zabkása **3.** *biz* halandzsa, sületlenség

flummox ['flʌməks] *vt biz* meghökkent, zavarba hoz

flung →*fling II*.

flunk [flʌŋk] *US biz* **A.** *vi* megbukik, elhasal [iskolában] **B.** *vt* megbuktat, elhúz

flunkey ['flʌŋkɪ] *n* lakáj

fluorescence [fluə'resns] *n* fluoreszkálás, fluoreszcencia

fluorescent [fluə'resnt] *a* fluoreszkáló; ~ *lamp* fénycső

flurry ['flʌrɪ; *US* 'flə:-] **I.** *n* **1.** szélroham, -lökés; ~ *of snow* hózápor **2.** izgalom, izgatottság; *all in a* ~ izgatottan **II.** *vt* (fel)izgat, (fel)idegesít; *get flurried* elveszti a fejét, zavarba jön

flush¹ [flʌʃ] **I.** *n* **1.** áradás, áradat **2.** tisztítás [vízsugárral]; ~ *toilet* vízöblítéses vécé **3.** (ki)pirulás, elvörösödés; felhevülés, fellobbanás; ~ *of victory* győzelmi mámor; *in the* ~ *of youth* ifjúi hévvel **II. A.** *vt* **1.** (el)áraszt, (el)önt; öblít [vécét]; vízsugárral kitisztít **2.** pirulásra késztet **3.** hevít, lelekesít **B.** *vi* **1.** felszökik, feltör; sugárban ömlik **2.** elpirul, elvörösödik; (fel)hevül; *her face* ~*ed* elpirult

flush out *vt* kiöblít, kimos

flush² [flʌʃ] **I.** *a* **1.** csordultig telt, kicsorduló; túláradó **2.** egy síkban/vonalban/szinten levő/fekvő (*with* vmvel) **3.** bővelkedő, bőséges; *be* ~ *with money* felveti a pénz **II.** *vt* egy szintre hoz; síkba állít

flush³ [flʌʃ] *n* flöss, szín [kártyában]

flush⁴ [flʌʃ] **I.** *n* felriasztott/felvert madárcsapat **II. A.** *vi* felrebben, -száll, -repül **B.** *vt* felriaszt, -ver, -hajt [szárnyas vadat]

Flushing ['flʌʃɪŋ] *prop* Vlissingen

fluster ['flʌstə*] **I.** *n* **1.** izgalom, nyugtalanság **II. A.** *vt* **1.** (fel)izgat, (fel)idegesít **2.** (meg)zavar **B.** *vi* **1.** idegeskedik, nyugtalankodik **2.** megzavarodik, kapkod

flute [flu:t] **I.** *n* **1.** fuvola; furulya **2.** rovátka, barázda, vájat, horony **II. A.** *vi* fuvolázik **B.** *vt* **1.** fuvolán (el-)játszik (vmt) **2.** rovátkol, barázdál; (ki)hornyol

fluted ['flu:tɪd] *a* hornyolt [oszlop]

fluting ['flu:tɪŋ] *n* **1.** fuvolázás **2.** hornyolás, barázdálás

flutist ['flu:tɪst] *n* fuvolás, flótás

flutter ['flʌtə*] **I.** *n* **1.** szárnycsapkodás, -verdesés **2.** lebegés; (szem)rebbenés **3.** (gyors/szabálytalan) szívdobogás; nyugtalanság, szorongás, remegés; *be (all) in a* ~ (lázas) izgalomban van **II. A.** *vt* **1.** csapkod [szárnyat] **2.** lebegtet [zászlót] **3.** *biz* (fel)izgat, (fel)idegesít, nyugtalanít, izgalomba hoz; ~ *the dovecotes* megrémíti a félénk embereket **B.** *vi* **1.** (szárnyaival) csapkod **2.** lebeg, lobog [zászló] **3.** gyorsan/szabálytalanul dobog/ver [szív] **4.** remeg, reszket

fluvial ['flu:vjəl] *a* folyami, folyóflux [flʌks] *n* **1.** folyás [véré, gennyé stb.] **2.** áram(lás), körfolyás, keringés; folyadékmozgás; ~ *and reflux* ár és apály **3.** (*átv is*) áradat, özön **4.** állandó mozgás/változás; *in a state of* ~ állandóan változva, cseppfolyós állapotban **5.** folyósító szer, salakosító adalék(anyag)

fly¹ [flaɪ] *n* légy; ~ *in the ointment* üröm az örömben; ~ *on the wheel* fontoskodó/nagyképű fráter; *rise to the* ~ bekapja a csalétket/legyet, lépre megy; *he would not hurt a* ~ még a légynek sem árt(ana); *catch flies* (szájtátva) bámészkodik; *biz they died like flies* tömegesen hullottak el; □ *there are no flies on him* nem esett a feje lágyára

fly² [flaɪ] **I.** *n* **1.** † egylovas kocsi, konflis **2.** (rejtett) hasíték, slicc, gombolás [nadrágon]; gomblyukfedő lebeny **3.** sátorlap(fedő) ~ *the flies* zsinórpadlás **4.** billegő [óráé], szabályozó kar, himba(kar) **II.** *v* (*pt* **flew** flu:, *pp* **flown** floʊn) **A.** *vi* **1.** repül, száll(dos) ~ *high* (1) magasan repül (2) nagyra/magasra tör; ~ *low* meglapul, óvatosan jár el; *let* ~ (1) kiröppent, kirö-

pít, kilő; vet, dob (2) elsüt [viccet]; megereszt [gorombaságot]; *make the feathers/fur* ~ botrányt csap, kellemetlen jelenetet rendez; *make the money* ~ szórja a pénzt; *biz send sy* ~*ing* földhöz vág vkt; *send things* ~*ing* szétdobálja a dolgokat; *the door flew open* felpattant/kivágódott az ajtó 2. siet, rohan; (el)fut, elmenekül, (meg)szökik; ~ *for one's life* futással menekül; *biz the bird has/is flown* meglépett a jómadár; *biz my watch has flown* ugrott az órám 3. lebeg, lobog [haj, zászló stb.] B. *vt* 1. ereszt, felröpít [sólymot] 2. vezet [repgépet]; repülőgépen/fedélzetén visz/szállít; ~ *the Atlantic* átrepüli az A.-óceánt 3. elmenekül, megszökik [országból]
fly about *vi* ide-oda röpdös; szálldos
fly at *vi* ~ *at sy* (1) ráveti magát, rátámad (vkre) (2) ráförmed, kirohan (vk ellen); ~ *at sy's throat* a torkának ugrik
fly in *vi* 1. repülőgépen (meg)érkezik vhová 2. ~ *in pieces* széttörik, összetörik 3. ~ *in the face of* (1) nekitámad (vknek), rátámad (vkre) (2) szöges ellentétben áll (vmvel), szembeszáll, dacol (vmvel)
fly into *vi* ~ *i. a rage/passion/temper* dühbe gurul
fly off *vi* 1. elrepül, elszáll [madár] 2. szélsebesen elrohan [személy] 3. leszakad, lepattan [gomb]
fly to *vi* ~ *to arms* fegyverhez kap; ~ *to sy's assistance* segítségére siet
fly³ [flaɪ] *a* □ fortélyos, agyafúrt
fly-away *a* könnyelmű, meggondolatlan
fly-bill *n* 1. röplap, röpcédula 2. reklámcédula [falon]
fly-blown *a* légypiszkos
fly-by-night I. *a* US bizonytalan (anyagi alapozású), nem komoly, gyanús [anyagilag] II. *n* ⟨lakásból lakbérfizetés nélkül titokban kihurcolkodó személy⟩
fly-catcher *n* légyfogó
flyer ['flaɪə*] *n* 1. repülő, pilóta 2. *biz* gyors lábú ember/állat 3. ugrás neki-

futásból; repülőrajt 4. röplap, prospektus
fly-fish I. *n* műlégy [horgászatban] II. *vi* műléggyel horgászik
fly-flap *n* légycsapó
flying ['flaɪɪŋ] I. *a* repülő [madár]; levegőben úszó [szál stb.]; gyors, rohanó; rövid, röpke, futó; ~ *bomb* repülőbomba; ~ *corps* repülőhadosztály; ~ *deck* repülőfedélzet [repülőgép-anyahajón]; *the F*~ *Dutchman* a bolygó hollandi; ~ *field* (katonai) repülőtér; ~ *fortress* repülőerőd; ~ *jump* ugrás nekifutással; ~ *saucer* repülő csészealj; *the F*~ *Scotsman* a london—edinburghi expressz(vonat); *take a* ~ *shot at sg* kapásból lő rá vmre; ~ *sickness* légibetegség; ~ *squad* rendőrségi gyorsjárőr, (országúti) járőrkocsi; ~ *start* repülőrajt; *átv* kitűnő start; ~ *visit* villámlátogatás II. *n* 1. repülés 2. menekülés, szökés
flying-boat *n* vízi repülőgép, hidroplán
flying-buttress *n* külső támív
flying-fish *n* repülőhal
fly-leaf *n* (*pl* -leaves) előzéklap [könyvé]
fly-over *n* felüljáró
fly-paper *n* légypapír
fly-past *n* légi szemle, repülőfelvonulás [díszszemlén]
fly-sheet *n* röpcédula, röplap
fly-speck *n* légypiszok, -köpés
flyweight *n* légsúly; *light* ~ papírsúly
fly-wheel *n* lend(ítő)kerék
F.M., FM [ef'em] 1. *Field-Marshal* 2. *Frequency Modulation*
F.O., FO [ef'oʊ] *Foreign Office*
foal [foʊl] I. *n* csikó; *mare in/with* ~ hasas kanca II. *vt* csikózik, ellik [csikót]
foam [foʊm] I. *n* hab, tajték; ~ *rubber* habgumi II. *vi* habzik, tajtékzik; ~ *at the mouth* (*átv is*) habzik a szája; ~ *with rage* dühöng, tajtékzik a dühtől
fob [fɔb; US -ɑ-] I. *n* † órazseb [nadrágon] II. *vi* -bb- ~ *sy (off)* megcsal/ megtéveszt vkt; ~ *sg off on sy* rásóz/ rátukmál vkre vmt
f.o.b., fob [foʊ'biː] *free on board* →*free*

focal ['foʊkl] a gyújtóponti; ~ distance/
length gyújtótávolság; ~ point gyúj-
tópont
fo'c'sle ['foʊksl] n = forecastle
focus ['foʊkəs] I. n (pl foci 'foʊsaɪ v.
~es -sɪz) 1. gyújtópont, fókusz; out
of ~ nem éles [kép]; bring into ~ (1)
élesre állít [lencsét] (2) átv éles meg-
világításba helyez 2. köz(ép)pont, góc-
(pont) II. v -ss- (US -ʃ-) A. vt 1.
összpontosít, koncentrál; all eyes were
~sed on him minden szem rászegező-
dött 2. gyújtópontba/fókuszba/élesre
állít [lencsét, képet stb.], fókuszol
B. vi összefut, konvergál, összponto-
sul (on vmre)
fodder ['fɔdə*; US -ɑ-] I. n takarmány,
abrak II. vt takarmányoz, abrakol-
(tat), etet
foe [foʊ] n ellenség, ellenfél
foeman ['foʊmən] n (pl -men -mən) †
ellenség, ellenfél
foetal, US fetal ['fiːtl] a magzati
foetus, US fetus ['fiːtəs] n magzat
fog [fɔg; US -ɑ-] I. n 1. köd; átv in a
~ sötétben (van/tapogatódzik) 2. ho-
mály, fátyol [negatívon] II. v -gg-
A. vt (átv is) ködbe borít, elködösít,
elhomályosít B. vi ködbe borul, (el)kö-
dösül, elhomályosul
fogbank n ködréteg
fogbound a ködben veszteglő [hajó]
fogey ['foʊgɪ] n = fogy
foggy ['fɔgɪ; US -ɑ-] a ködös, homályos,
elmosódott; I haven't the foggiest
idea halvány sejtelmem sincs
fog-horn n ködsziréna, ködkürt
foglamp n ködlámpa
fog-signal n robbanójelző [vasúti sínen],
durrantyú
fogy ['foʊgɪ] n biz (old) ~ régimódi/
maradi ember
foible ['fɔɪbl] n gyarlóság, gyengeség
foil¹ [fɔɪl] n 1. vékony fémlap/fémle-
mez; fólia 2. kontraszt; ellentét
foil² [fɔɪl] I. n vadcsapás, nyom II.
vt meghiúsít, megbuktat [támadást]
foil³ [fɔɪl] n (vívó)tőr; ~ fencing tőr-
vívás
foison ['fɔɪzn] n † bőség, gazdagság
foist [fɔɪst] vt ~ (off) rásóz (sg on sy

vmt vkre); ~ oneself on sy rátukmálja
magát vkre, nyakába varrja magát
vknek
fol. folio
fold¹ [foʊld] I. n 1. (átv is) karám, akol
2. nyáj [juhoké, hivőké] II. vt karám-
ba zár/terel
fold² [foʊld] I. n 1. ránc, gyűrődés;
redő, berakás [ruhán] 2. gyűrődés,
talajegyenetlenség II. A. vt (össze-)
hajt(ogat); behajt; betakar; ~ one's
arms karját összefonja; ~ one's
hands kezét összekulcsolja B. vi
behajlik; meghajlik; összehajlik; össze-
csukódik
fold back A. vt behajt, visszahajt
B. vi visszahajlik; the shutters ~ b.
a spaletta összecsukódik/összecsukható
fold in vt 1. becsomagol, begöngyöl
(vmbe) 2. belekever (könnyedén)
fold up A. vt összecsuk; összehajto-
gat B. vi 1. összeomlik [ellenállás
stb.] 2. véget ér; tönkremegy, bezár,
felszámol [üzlet] 3. it ~s up össze-
csukható [ernyő]
-fold [-foʊld] suff -szoros(an), -sze-
res(en); repay sy tenfold tízszeresen
visszafizet
folder [foʊldə*] n 1. hajtogató 2. prosz-
pektus; leporelló 3. iratgyűjtő, dosszié
folding ['foʊldɪŋ] I. a összecsukható,
-hajtható; lehajtható; felhajtható; ~
bed összecsukható/tábori ágy; ~ door
több szárnyú tolóajtó; ~ rule össze-
hajtható mérővessző, colstok; ~
screen spanyolfal; ~ shutters spaletta;
~ table összecsukható asztal, csapó-
asztal II. n 1. összehajtás; hajtogatás
2. begöngyölés 3. gyűrődés [talajé]
foliage ['foʊlɪdʒ] n lomb(ozat)
folio ['foʊlɪoʊ] n 1. ívrét alakú könyv;
fóliáns 2. ívrét, fólió
folk [foʊk] n 1. nép, emberek 2. biz
folks pl hozzátartozók, szülők; csa-
lád; my ~s családom, enyéim
folk-dance n népi tánc
Folkestone ['foʊkstən] prop
folklore ['foʊklɔ:*] n folklór; folklorisz-
tika
folk-music n népzene
folk-song n népdal

folksy ['foʊksɪ] *a biz* 1. népies(kedő) 2. közvetlen modorú

follow ['fɔloʊ; *US* 'fɑ-] A. *vt* követ [sorrendben, térben időben], folytat, űz [vmlyen foglalkozást]; ~ *sy's advice* vk tanácsát megfogadja/megszívleli 2. ~ *a conversation* figyelemmel kíséri a beszélgetést; ~ *the fashion* a divatnak hódol; ~ *one's nose* orra után (előre) megy; ~ *the plough* (1) szánt (2) mezőgazdasági munkát végez, földműves ~ *the sea* tengerészkedik; ~ *suit* követ, utánoz (vkt vmben); ~ *a trade* vm pályán/szakmában működik; *I don't quite* ~ *you* nem egészen értem (v. tudom követni) amit mond B. *vi* következik; utána jön; utána megy; *as* ~*s* a következő(képpen), így; *it* ~*s that* ... ebből következik az, hogy ...; *it does not* ~ *that* ... ebből nem következik az, hogy ...
follow about *vt* ~ *sy a.* mindenhová követ vkt
follow after *vi* vk/vm után következik
follow from *vi* vmből következik (vm); *it* ~*s f. this* ebből következik (hogy)
follow in *vi* → *footstep*
follow out/through *vt* végigcsinál (vmt), megvalósít
follow up *vt* 1. nyomon követ; ellenőriz 2. kihasznál [előnyt, győzelmet stb.] 3. végigcsinál vmt
follower ['fɔloʊə*; *US* 'fɑ-] *n* 1. kísérő, követő, hű/bizalmas embere vknek 2. tanítvány, tisztelő
following ['fɔloʊɪŋ; *US* 'fɑ-] I. *a* (utána) következő; *(on) the* ~ *day* a következő napon, másnap; *two days* ~ (1) két egymást követő napon (2) két nap múlva II. *n* 1. üldözés, követés (vké) 2. követők, (párt)hívek; kíséret
follow-up I. *a* 1. második, vmt követő; ~ *letter* emlékeztető levél; ~ *order* utánrendelés 2. utólagos; ~ *care* utókezelés II. *n* 1. követés 2. második reklámlevél/prospektus 3. utókezelés
folly ['fɔlɪ; *US* -ɑ-] *n* 1. ostobaság, butaság 2. könnyelműség

foment [fə'ment] *vt* 1. borogat, melegít 2. elősegít, ösztökél, szít [egyenetlenséget, gyűlöletet stb.]
fomentation [foʊmen'təɪʃn] *n* 1. (meleg) borogatás 2. elősegítés, ösztönzés, szítás [gyűlöleté stb.]
fond [fɔnd; *US* -ɑ-] *a* 1. † szerető, gyöngéd; (túl) engedékeny; *a* ~ *mother* szerető/gyöngéd édesanya 2. kedvenc, dédelgetett [elképzelés]; ~ *belief* kedvenc rögeszme 3. *be* ~ *of sg/sy* szeret/kedvel vmt/vkt
fondle ['fɔndl; *US* -ɑ-] *vt* dédelget, cirógat, (meg)simogat
fondly ['fɔndlɪ; *US* -ɑ-] *adv* 1. szeretően, szeretettel 2. hiszékenyen, naivan
fondness ['fɔndnɪs; *US* -ɑ-] *n* 1. (kényeztető) szeretet, gyengédség 2. előszeretet (*for* vm iránt); elfogultság
font¹ [fɔnt; *US* -ɑ-] *n* keresztelőkút, -medence; szenteltvíztartó
font² [fɔnt; *US* -ɑ-] *n US = fount²*
food [fu:d] *n* 1. táplálék, eleség, élelem; ennivaló; ~ *product* élelmicikk; ~ *value* tápérték; *articles of* ~ élelmiszer(ek); *be off one's* ~ nincs étvágya; *it gave me* ~ *for thought* gondolkodóba ejtett 2. abrak, takarmány, eleség
food-poisoning *n* ételmérgezés
food-rationing *n* élelmiszerjegy-rendszer, élelmiszer-adagolás
food-stuff *n* élelmiszer
food-supply *n* 1. élelmiszerkészlet 2. élelmiszer-ellátás
fool¹ [fu:l] I. *n* 1. bolond, együgyű (ember); *he is no* ~ nem esett a feje lágyára; ~*'s paradise* (1) eldorádó, csodaország (2) boldog tudatlanság; *All F*~*'s Day* április elseje; *play the* ~ bolondozik, ostoba tréfákat űz; *play the* ~ *with sy* becsap, rászed vkt; *make a* ~ *of oneself* nevetségessé teszi magát; *make a* ~ *of sy* bolonddá tesz vkt, becsap vkt 2. (udvari) bohóc; ~*'s cap* csörgősipka, bohócsapka II. A. *vt* a bolondját járatja (vkvel), becsap, lóvá tesz (vkt) B. *vi* bolondozik
fool about *vi* 1. elbolondozza az időt; csatangol, kószál 2. hülyéskedik
fool around *vi US = fool about*
fool away *vt* elpocsékol [pénzt, időt]

fool into *vt* ~ *sy* i. *doing sg* „behúz" vkt vmbe

fool out *vt* ~ *sy* o. *of sg* kiforgat vkt vmjéből

fool with *vi* bolondozik/játszadozik vkvel/vmvel

fool² [fu:l] *n* gyümölcskrém

foolery ['fu:ları] *n* 1. bolondozás, bohóckodás 2.

fooleries *pl* bolondság(ok)

fool-hardy *a* vakmerő, merész

foolish ['fu:lıʃ] *a* bolond, buta; nevetséges

foolproof *a* üzembiztos

foolscap ['fu:lskæp; *US* -zk-] *n* ⟨kb. 43×34 cm méretű írópapír⟩

foot [fʊt] I. *n* (*pl* **feet** fi:t) 1. láb(fej); *on* ~ (1) gyalog (2) állva, talpon (3) folyamatban; *be on one's feet* (1) talpon van (2) szólásra emelkedik (3) *átv* (ismét) talpon/jól van [betegség után]; *fall on one's feet biz* (1) talpra esik (2) feltalálja magát; *find one's feet átv* talpra áll, egyenesbe jön; *get cold feet* meghátrál; *put one's best* ~ *foremost* megtesz minden tőle telhetőt; *biz put one's* ~ *down* sarkára áll; *biz put one's* ~ *in* beleavatkozik; *put one's* ~ *in it* szamárságot csinál/mond; *set sg on* ~ elindít [mozgalmat stb.]; *sweep/carry sy off his feet* leveszi a lábáról, ámulatba ejt; *under* ~ a földön, az ember lába alatt 2. láb(azat), talp(azat) [poháré, oszlopé]; láb [hegyé]; alsó rész; *at the* ~ *of the page* a lap alján 3. láb ⟨mint hosszmérték = 30,48 cm⟩; *three feet six inches* három láb és hat hüvelyk; *he is six* ~ *two* 188 cm magas 4. gyalogság; ~ *and horse* gyalogság és lovasság 5. versláb 6. (*pl* ~s) iszap, lerakódás II. *vt* ~ *it* gyalogol, kutyagol; ~ *the floor* táncol; ~ *up* (1) összesen kitesz (2) összegez, összead

footage ['fʊtıdʒ] *n* hosszúság, terjedelem [lábakban]

foot-and-mouth disease száj- és körömfájás

football ['fʊtbɔ:l] *n* 1. futball-labda 2. labdarúgás, futball; ~ *ground* futballpálya; ~ *pool* totó

footballer ['fʊtbɔ:lə*] *n* labdarúgó, futballista, játékos

footboard *n* 1. lábtámasz, lábtartó 2. lépcsődeszka, hágcsó

foot-brake *n* lábfék

foot-bridge *n* gyaloghíd, palló

foot-candle *n* gyertyaláb

footed ['fʊtıd] *a* 1. lábú, patájú [állat] 2. járású; *light-*~ könnyű léptű

footer ['fʊtə*] *n* 1. *biz* foci 2. *biz* *a six-*~ hat láb magas (v. jól megtermett) ember, colos fickó

footfall *n* lépés [hangja]

foot-fault *n* lábhiba [teniszben]

foot-gear *n* lábbeli, cipő

foot-hills *n pl* előhegység

foothold *n* talpalatnyi hely; *get/gain a* ~ megveti a lábát; *lose one's* ~ elveszti a talajt a lába alól

footing ['fʊtıŋ] *n* 1. lábtartás 2. talpalatnyi hely; *gain/get a* ~ megveti a lábát 3. helyzet, állapot; körülmények, viszonyok; *on an equal* ~ *with sy* egyenlő elbánásban vkvel; *on a good* ~ jó módban 4. belépés, felvétel [társaságba] 5. alap(zat), lábazat

footle ['fu:tl] *vi biz* ~ *about* ostobaságokkal tölti idejét

footlights *n pl* rivaldafény

footlocker *n US* katonaláda

footloose *a* helyhez nem kötött, szabad

footman ['fʊtmən] *n* (*pl* -men -mən) (urasági) inas, lakáj, szolga

foot-mark *n* lábnyom

foot-note *n* lapalji jegyzet, lábjegyzet

foot-pace *n* gyalogtempó; poroszkálás; *at a* ~ lépésben

footpad *n* † útonálló

foot-passenger *n* gyalogos

foot-path *n* gyalogösvény, gyalogút

foot-plate *n* dobogó [mozdonyon]; ~ *men* mozdonyszemélyzet

foot-pound *n* láb-font ⟨energiamennyiség, mely 1 fontnyi súlyt 1 láb magasságra emel = 0,138 méterkilogramm⟩

foot-print *n* lábnyom

foot-race *n* futóverseny, síkfutás

foot-rule *n* ⟨láb és hüvelyk beosztású⟩ mérőléc

foot-soldier *n* gyalogos (katona)

footsore *a* fájós lábú, lábfájós

footstep *n* 1. lépés 2. *átv* nyomdok; *follow in sy's ~s* vknek a nyomdokába lép, vknek a nyomdokait követi
foot-stone *n* 1. alapkő 2. sírkőlap
footstool *n* zsámoly
foot-wear *n* lábbeli, cipő
footwork *n* lábmunka [sportban]
fop [fɔp; *US* -a-] *n* piperkőc, jampec
foppish ['fɔpɪʃ; *US* -a-] *a* hiú, jampecos
for [fɔ:*; gyenge ejtésű alakja: fə*] I. *prep* 1. miatt, -ért, helyett, végett, kedvéért, okáért, okából, céljából, -ra, -re, érdekében, mellett, vk/vm részéről, esetén; *sold it ~ much* sok pénzért adta el; *~ sale* eladó; *he is writing ~ me* helyettem ír; *he took me ~ my brother* összetévesztett a bátyámmal; *Member of Parliament ~ Liverpool* L. képviselője; *he is ~ free trade* a szabad kereskedelem mellett van; *desire ~ peace* békevágy; *what ~?* mi célból?, miért?, minek?; *what is this ~?* minek ez?; *jump ~ joy* örömében felpattan; *as ~ me* ami engem illet; *as ~ that* ami ezt/ azt illeti 2. részére, számára, -nak, -nek, célra, -ul, -ül, -ként; *~ you to protest is a shame* nem szép tőled, hogy tiltakozol; *~ example* például; *it is not ~ you to . . .* neked nem illik . . ., nem a te dolgod; *game ~ Hungary!* a játszmát Magyarország nyerte; *was sold ~ a slave* rabszolgának adták el 3. -ra, -re, -ig [időben], (időn) át; *~ three days* három napja/ napig/napra; *~ years* évek óta, évekig; *he was away ~ a year* egy évig volt távol 4. felé, irányában, iránt; *train ~ London* L-ba menő vonat 5. képest; *he is tall ~ his age* korához képest magas 6. Kifejezésekben: *were it not ~ Judy . . .* ha Jutka nem lett volna (akkor . . .), ha nem Jutkáról volna szó . . .; *but ~ her, I should have died* őnéküle meg is halhattam volna; *I ~ one* én például II. *conj* mert, mivel, minthogy
f.o.r. [efoʊ'a:*] *free on rail* →*free*
forage ['fɔrɪdʒ; *US* -ɔ:-] I. *n* 1. takarmány, abrak 2. takarmányozás II. A. *vt* 1. takarmánnyal ellát 2. fosz-

togat, feldúl [országot] B. *vi* 1. takarmányoz, takarmányt gyűjt 2. *biz ~ for sg* kutat vm után
forage-cap *n* gyakorlósapka
forasmuch [f(ə)rəz'mʌtʃ] *adv ~ as* mivelhogy; tekintettel arra, hogy; amennyiben
foray ['fɔreɪ; *US* -ɔ:-] I. *n* (fosztogató) behatolás II. A. *vt* fosztogat, kifoszt B. *vt* betör, behatol [országba]
forbade →*forbid*
forbear¹ ['fɔ:beə*] *n* ős, előd; *our ~s* őseink
forbear² [fɔ:'beə*] *v* (*pt* -bore -'bɔ:*, *pp* -borne -'bɔ:n) A. *vt* tartózkodik (vmtől); kerül, nem vesz igénybe (vmt) B. *vi* 1. tartózkodik (*from* vmtől) 2. tűr; *~ with sy* türelmes/ elnéző vkvel szemben, eltűr vkt; *he cannot ~ to* nem állhatja meg, hogy ne . . .
forbearance [fɔ:'beər(ə)ns] *n* 1. *~ of/ from sg, ~ from doing sg* tartózkodás vmtől 2. türelem; béketűrés; elnézés vmtől
forbearing [fɔ:'beərɪŋ] *a* türelmes, béketűrő; elnéző
forbid [fə'bɪd] *vt* (*pt* -bade -'bæd, *pp* ~den -'bɪdn; -dd-) 1. (meg)tilt, eltilt, kitilt; *~ sy to do sg* megtiltja vknek vm megtételét; *God ~ (that)* Isten őrizz(en attól, hogy); *I am ~den tobacco* eltiltottak a dohányzástól 2. *biz* megakadályoz (vmt)
forbidden [fə'bɪdn] *a* tiltott; *~ fruit* tiltott gyümölcs ‖ →*forbid*
forbidding [fə'bɪdɪŋ] I. *a* félelmes, fenyegető; vésztjósló; visszataszító II. *n* el-, meg-, be-, letiltás
forbore →*forbear²*
forborne →*forbear²*
force [fɔ:s] I. *n* 1. erő(szak), kényszer, kényszerítés; *by (main) ~* erőszakkal; *of ~* szükségszerűen; *resort to ~* erőszakhoz folyamodik, erőszakot alkalmaz; *yield to ~* enged az erőszaknak; *join ~s with* erejét egyesíti vkvel 2. erő(kifejtés), erőfeszítés; erősség; energia; *the ~ of the blow* az ütés ereje; *the ~s of nature* a természet erői 3. [katonai, tengeri, légi] hatalom, erő; *join the F~s* bevonul katonának;

in ~ nagy erővel/számban; *in full* ~ teljes létszámban; *turn out in* ~ nagy számban jelennek meg **4.** érvény(esség); *be in* ~ érvényben/hatályban van; *come into* ~ érvénybe/hatályba lép; *put into* ~ (1) hatályba léptet (2) alkalmaz [törvényt] **II.** *vt* **1.** erőltet; (ki)kényszerít, (ki)erőszakol; megerőszakol [nőt]; ~ *a door* (*open*) feltör ajtót; ~ *sy's hand* (1) akaratát ráerőszakolja/rákényszeríti vkre (2) siettet/sürget vkt; ~ *a pupil* tanulót serkent/túlterhel; *I'm* ~*d to do so* kénytelen 'vagyok így tenni; ~ *one's way* utat tör magának **2.** üvegházban termeszt/nevel/hajtat **force back** *vt* visszakényszerít; ~ *b. one's tears* visszafojtja könnyeit **force down** *vt* lenyom, leszorít [árat] **force from** *vt* ~ *sg f. sy* kicsikar vmt vktől; *they* ~*d a confession f.* him beismerő vallomást csikartak ki tőle **force into** *vt* **1.** ~ *sy i. doing sg* vkt vmnek a megtételére kényszerít **2.** ~ *sg i. sg* beleerőszakol vmt vmbe **force out** *vt* **1.** kinyom, kiprésel **2.** kikényszerít **force upon** *vt* ~ *sg u. sy* rákényszerít vkre vmt **forced** [fɔːst] *a* **1.** kikényszerített, kierőltetett, kényszerből megtett; ~ *labour* kényszermunka; ~ *landing* kényszerleszállás; ~ *loan* kényszerkölcsön; ~ *march* erőltetett menet **2.** hajtatott [növény]; ~ *fruit* melegházi gyümölcs **forceful** ['fɔːsfʊl] *a* erős, erőteljes; erélyes, energikus **force-meat** *n* vagdalthús [mint töltelék] **forceps** ['fɔːseps] *n* fogó, csipesz; ~ *delivery* fogós szülés **force-pump** *n* nyomószivattyú **forcible** ['fɔːsəbl] *a* **1.** kierőszakolt **2.** erőteljes, energikus, hathatós **forcing** ['fɔːsɪŋ] *n* **1.** felfeszítés [záré stb.] **2.** erőszak [elkövetése] **3.** hajtatás [növényé] **4.** serkentés [diáké] **forcing-bed** *n* melegágy **forcing-house** *n* üvegház **ford** [fɔːd] **I.** *n* gázló, sekély **II.** *vt* átgázol [folyón]

fordable ['fɔːdəbl] *a* átgázolható **Fordham** ['fɔːdəm] *prop* **fore** [fɔː*] **I.** *a* elöl levő, elülső, első **II.** *adv* **1.** előre; elöl; ~ *and aft* (a hajó) teljes hosszában; elejétől végig [hajón] →*fore-and-aft* **III.** *n* **1.** hajó orra/eleje; *at the* ~ a hajó orrán, az előárbocnál **2.** *to the* ~ szem előtt, előtérben, feltűnő helyen,erőteljesen **IV.** *int* vigyázat elöl! **fore-and-aft** *a* hosszanti, hosszirányú; ~ *sail* hosszvitorla →*fore II*. **forearm¹** ['fɔːrɑːm] *n* alsókar, alkar **forearm²** [fɔːr'ɑːm] *vt* **1.** előre felfegyverez **2.** támadást/védekezést előkészít **forebode** [fɔː'boʊd] *vt* **1.** megjósol, előre jelez [bajt] **2.** előre megsejt/megérez **foreboding** [fɔː'boʊdɪŋ] *n* **1.** rossz előjel/előérzet **2.** előre megsejtés; *have* ~*s* balsejtelmek gyötrik **forecast** ['fɔːkɑːst; *US* -kæ-] **I.** *n* **1.** előrelátás; megsejtés **2.** jóslás, jóslat, előrejelzés; prognózis **II.** *vt* (*pt/pp* ~ v. ~*ed* -ɪd) **1.** előre lát, becsül, megjósol **2.** előre jelez (vmt) **forecastle** ['foʊksl] *n* **1.** előfedélzet felépítménye, hajó előrésze **2.** személyzeti szállás [kereskedelmi hajón] **foreclose** [fɔː'kloʊz] *vt* **1.** kizár **2.** ~ *the mortgage* zálogjogot érvényesít ingatlanon **foreclosure** [fɔː'kloʊʒə*] *n* zálogjog érvényesítése **forecourt** ['fɔːkɔːt] *n* előudvar **foredoom** [fɔː'duːm] *vt* **1.** előre elítél **2.** előre elrendeli [vk sorsát]; ~*ed to failure* eleve kudarcra ítélt, eleve elhibázott **3.** előre megmond, megjövendöl **forefather** ['fɔːfɑːðə*] *n* ős(apa), előd **forefinger** ['fɔːfɪŋgə*] *n* mutatóujj **forefoot** ['fɔːfʊt] *n* (*pl* -feet -fiːt) mellső/ első láb [állaté] **forefront** ['fɔːfrʌnt] *n* **1.** † (vmnek az) eleje **2.** *biz* előtér; *in the* ~ az előtérben, legelöl **forego¹** [fɔː'goʊ] *vt* (*pt* -went -'went, *pp* -gone -'gɔn, *US* -'gɔːn) vm előtt megy, előtte jár/halad, megelőz

forego² [fɔ:'goʊ] vt = forgo
foregoing [fɔ:'goʊɪŋ] a megelőző, előbb
említett; from the ~ it is clear (that)
a mondottakból/megelőzőkből világos (hogy)
foregone [fɔ:'gɔn; US -'gɔ:n] a a ~
conclusion előre eldöntött ügy ‖→
forego¹
foreground ['fɔ:graʊnd] n előtér
forehand ['fɔ:hænd] n 1. tenyeres [ütés]
2. ⟨ló elülső része⟩
forehead ['fɔrɪd; US -ɔ:-] n homlok
foreign ['fɔrən; US -ɔ:-] a 1. idegen,
külföldi; ~ affairs külügy(ek); ~ bill
(1) deviza (2) külföldi váltó; ~ currency külföldi pénznem, valuta; GB
F~ Office (az angol) külügyminisztérium; ~ parts külföld; ~ policy
külpolitika; GB F~ Secretary külügyminiszter; ~ trade külkereskedelem
2. átv ~ to/from sg vmtől távol álló;
it is ~ to me nem ismerem 3. idegen
[test]
foreigner ['fɔrənə*; US -ɔ:-] n külföldi,
idegen (ember)
foreknowledge [fɔ:'nɔlɪdʒ; US -'nɑ-]
n előre tudás, sejtés
foreland ['fɔ:lənd] n 1. hegyfok 2. előhegység
foreleg ['fɔ:leg] n mellső láb
forelock ['fɔ:lɔk; US -ɑk] n üstök;
take time by the ~ él az alkalommal,
üstökön ragadja a szerencsét
foreman ['fɔ:mən] n (pl -men -mən)
1. előmunkás, pallér; művezető; csoportvezető, brigádvezető 2. esküdtszék elnöke
foremast ['fɔ:mɑ:st; US -æst] n előárboc
foremost ['fɔ:moʊst] I. a legelső, legelülső II. adv elsőnek, elsőként
forename ['fɔ:neɪm] n keresztnév, utónév
forenoon ['fɔ:nu:n] n délelőtt
forensic [fə'rensɪk] a bírósági, törvényszéki; ~ medicine törvényszéki orvostan
foreordain [fɔ:rɔ:'deɪn] vt előre elrendel/
meghatároz
forepart ['fɔ:pɑ:t] n vmnek az eleje,
elülső rész

forerunner ['fɔ:rʌnə*] n 1. előfutár,
(elő)hírnök 2. előjel [betegségé stb.]
foresail ['fɔ:seɪl] n (elő)törzsvitorla
foresee [fɔ:'si:] vt (pt -saw -'sɔ:, pp -seen
-'si:n) előre lát; (meg)sejt; megjósol
foreshadow [fɔ:'ʃædoʊ] vt előreveti (vm)
árnyékát; előre jelez, sejtet
foreshore ['fɔ:ʃɔ:*] n parti sáv, partszegély
foreshorten [fɔ:'ʃɔ:tn] vt rövidülésben/
skurcban fest/rajzol/ábrázol
foresight ['fɔ:saɪt] n 1. jövőbe látás
2. előrelátás, gondoskodás; körültekintés; due ~ kellő körültekintés
3. célgömb [puskán]
foreskin ['fɔ:skɪn] n fityma, előbőr
forest ['fɔrɪst; US -ɔ:-] I. n 1. erdő(ség);
a ~ of masts árbocerdő 2. ~ fire
erdőtűz II. vt erdősít, fásít
forestall [fɔ:'stɔ:l] vt 1. megelőz; gátat
vet, elébe vág (vmnek) 2. (spekulációra) felvásárol [földet, árut]
forestation [fɔrɪ'steɪʃn; US fɔ:-] n =
afforestation
forester ['fɔrɪstə*; US -ɔ:-] n 1. erdőőr,
-kerülő, erdész 2. erdei munkás 3.
erdőlakó [ember]
forestry ['fɔrɪstrɪ; US -ɔ:-] n 1. erdészet 2. erdőség
foreswear [fɔ:'sweə*] vt = forswear
foretaste ['fɔ:teɪst] n ízelítő (of vmből)
foretell [fɔ:'tel] vt (pt/pp -told -'toʊld)
előre megmond/jelez, megjósol
forethought ['fɔ:θɔ:t] n 1. előre megfontolt szándék 2. előrelátás, gondoskodás
foretold →foretell
foretop ['fɔ:tɔp; US -ɑp] n előárbockosár
forever [fə'revə*] adv örökre
forewarn [fɔ:'wɔ:n] vt (előre) figyelmeztet, óva int
forewent →forego
foreword ['fɔ:wə:d] n előszó
forfeit ['fɔ:fɪt] I. a † elkobzott [vagyon]; eljátszott [jog] II. n 1. bánatpénz, pönálé; ~ clause bánatpénzkikötés 2. (pénz)bírság; büntetés 3. zálog
[játékban]; game of ~s zálogosdi
[játék] 4. = forfeiture III. vt eljátszik; elveszít [jogot, becsületet]; become ~ed elévül, lejár

forfeiture ['fɔːfɪtʃə*] *n* **1.** elkobzás [vagyoné] **2.** elvesztés, eljátszás [jogé stb.]

forgather [fɔː'gæðə*] *vi* összejön, -gyűlik; ~ *with sy* összejár vkvel

forgave →*forgive*

forge¹ [fɔːdʒ] I. *n* **1.** kovácsműhely **2.** kovácstűzhely **3.** † kohó, vasgyár II. A. *vt* **1.** kovácsol; kalapál **2.** kitalál, kohol [kifogást, rágalmat] **3.** hamisít [aláírást stb.] B. *vi* ~ *well* jól kovácsolható

forge² [fɔːdʒ] *vi* ~ *ahead* előretör, teljes gőzzel halad [hajó]

forged [fɔːdʒd] *a* **1.** kovácsolt [vas] **2.** hamisított [aláírás stb.]

forger ['fɔːdʒə*] *n* **1.** kovács(oló) **2.** (bankjegy)hamisító

forgery ['fɔːdʒ(ə)rɪ] *n* **1.** hamisítás **2.** hamisítvány; hamis okirat **3.** koholmány

forget [fə'get] *v* (*pt* -got -'gɔt, *US* -'gɑt, *pp* -gotten -'gɔtn, *US* -'gɑtn; -tt-) A. *vt* **1.** elfelejt, nem emlékszik vmre, nem jut eszébe; ~ (*about*) *it!* (1) eszébe ne jusson! (2) ne törődj(ön) vele!; hagyjuk ezt!; *biz and don't you* ~ *it!* aztán el ne felejtsd!; *never to be forgotten* felejthetetlen **2.** megfeledkezik (vmről, vkről); ~ *all about sg* teljesen megfeledkezik vmről; ~ *to do sg* megfeledkezik vmről, elfelejt/ elmulaszt vmt megtenni **3.** ottfelejt, elhagy [ernyőt stb.] **4.** ~ *oneself* (1) megfeledkezik magáról, elragadtatja magát (2) nem törődik a saját érdekével B. *vi* elfeledkezik (*about* vmről); *I* ~ nem jut eszembe

forgetful [fə'getful] *a* **1.** feledékeny **2.** hanyag, figyelmetlen

forgetfulness [fə'getfulnɪs] *n* **1.** feledékenység **2.** hanyagság

forget-me-not [fə'getmɪnɔt; *US* -ɑt] *n* nefelejcs

forgivable [fə'gɪvəbl] *a* megbocsátható; bocsánatos [bűn]

forgive [fə'gɪv] *vt*/vi (*pt* -gave -'geɪv, *pp* -given -'gɪvn) **1.** ~ *sy* (*for doing sg*) megbocsát vknek (vmért); ~ *and forget!* felejtsük el!, borítsunk fátylat a múltra! **2.** elenged [adósságot]

forgiveness [fə'gɪvnɪs] *n* **1.** megbocsátás, bocsánat; elnéző jóindulat; *ask sy's* ~ bocsánatot kér vktől **2.** elengedés [adósságé]

forgiving [fə'gɪvɪŋ] *a* megbocsátó; elnéző, engedékeny

forgo [fɔː'goʊ] *vt* (*pt* -went -'went, *pp* -gone -'gɔn, *US* -'gɔːn) lemond (vmről), tartózkodik (vmtől), nem vesz igénybe (vmt)

forgot, forgotten →*forget*

fork [fɔːk] I. *n* **1.** villa; vasvilla **2.** elágazás [úté, folyóé stb.] II. A. *vt* vasvillával hány B. *vi* szétágazik, elágazik; ~ *right for York* az útelágazásnál fordulj jobbra Y. felé **fork out/up** *vt biz* kiguberál, előkotor [pénzt]

forked [fɔːkt] *a* villa alakú, villás; kétágú, elágazó

fork-lift *n* emelővilla; ~ *truck* emelővillás targonca

forlorn [fə'lɔːn] *a* **1.** elhagyatott, elhanyagolt; szánalmas **2.** *biz* kétségbeesett; ~ *hope* reménytelen vállalkozás

form [fɔːm] I. *n* **1.** alak, forma; *take* ~ alakot ölt; kialakul; ~ *of government* kormányforma **2.** alakiság, formaság, formalitás; *as a matter of* ~ *a* forma kedvéért; *defect of* ~ alaki hiba **3.** viselkedés, modor; *the rules of good* ~ illemszabályok; *it is good* ~ úgy illik (hogy); *it is bad* ~ nem illik, neveletlenség **4.** űrlap, blanketta; *fill in/up a* ~ űrlapot kitölt **5.** erőnlét, forma, kondíció; *be in capital* ~ kitűnő kondícióban van; *he was in great* ~ formában volt **6.** osztály [iskolában]; *sixth* ~ érettségiző osztály [angol középiskola legmagasabb osztálya]; ~ *master* osztályfőnök [iskolában] **7.** (támla nélküli) pad, lóca, iskolapad II. A. *vt* **1.** (ki)alakít formál, készít; ~ *sg out of sg* vmt vmből csinál/formál/készít **2.** alakít, szervez; ~ *a government* kormányt alakít; *they* ~*ed themselves into a committee* bizottsággá alakultak **3.** alkot, képez; ~ *part of sg* vmnek részét képezi **4.** létrehoz [kapcsolatot]; képez [szót, nyelvtani alakot]; kialakít, formál [véleményt] **5.** ~ *fours* négyes sorokba fejlődik **B.** *vi* alakul; ~ *into line* felsorakozik; ~ *up* alakzatban feláll **formal** ['fɔ:ml] *a* **1.** alaki, formai, formális; előrásos, hivatalos; *make a* ~ *speech* rövid (hivatalos) beszédet mond **2.** szertartásos, udvariassági; ~ *bow* mély meghajlás; ~ *call* udvariassági látogatás; ~ *dinner* estélyi ruhás vacsora; ~ *garden* franciakert, díszkert

formalism ['fɔ:məlɪzm] *n* formalizmus

formality [fɔ:'mælətɪ] *n* **1.** külsőség; alakiság, formaság **2.** szertartásosság, ceremónia

formally ['fɔ:məlɪ] *adv* hivatalosan, előírásosan, formailag

format ['fɔ:mæt] *n* alak, ívnagyság, formátum [könyvé]; *of great* ~ nagy kaliberű [ember]

formation [fɔ:'meɪʃn] *n* **1.** (ki)alakulás, képződés, keletkezés **2.** (meg)alakítás, létrehozás, alapítás **3.** alakulat, harcrend **4.** képződmény

formative ['fɔ:mətɪv] *a* (ki)alakító, formáló; *in his* ~ *years* a fejlődés éveiben

former ['fɔ:mə*] *a* **1.** előbbi, korábbi, (meg)előző; régi, azelőtti, egykori, hajdani; ~ *times* a múlt **2.** előbbi, előbb említett

formerly ['fɔ:məlɪ] *adv* azelőtt, régebben, hajdanában, valamikor, egykor

formic ['fɔ:mɪk] *a* ~ *acid* hangyasav

formidable ['fɔ:mɪdəbl] *a* **1.** félelme(te)s **2.** nagyarányú, nehéz

formless ['fɔ:mlɪs] *a* alaktalan, formátlan

formula ['fɔ:mjʊlə] *n* (*pl* ~e 'fɔ:mjʊli: v. ~s -əz) **1.** minta, formula, szabály **2.** recept, előírás **3.** képlet **4.** *US* folyékony csecsemőtápszer

formulate ['fɔ:mjʊleɪt] *vt* **1.** megfogalmaz, megszövegez, szabályba foglal **2.** kifejezésre juttat

formulation [fɔ:mjʊ'leɪʃn] *n* **1.** megszövegezés, szabályokba foglalás **2.** kifejezésre juttatás

fornicate ['fɔ:nɪkeɪt] *vi* bujálkodik, paráználkodik

fornication [fɔ:nɪ'keɪʃn] *n* paráználkodás, fajtalankodás

forsake [fə'seɪk] *vt* (*pt* -sook -'sʊk, *pp* ~n -'seɪk(ə)n) **1.** elhagy, cserbenhagy; **2.** lemond (vmről), elpártol [ügytől]

forsaken [fə'seɪk(ə)n] *a* elhagy(at)ott; ~ *by all* mindenkitől elhagyatva

forsooth [fə'su:θ] *adv* † valóban, igazán, csakugyan

forswear [fɔ:'sweə*] *vt* (*pt* -swore -'swɔ:*, *pp* -sworn -'swɔ:n) **1.** esküvel (le-) tagad, vmről ünnepélyesen lemond **2.** ~ *oneself* hamisan esküszik

Forsyte ['fɔ:saɪt] *prop*

forsythia [fɔ:'saɪθjə; *US* -'sɪ-] *n* aranyvirág, forzécia

fort [fɔ:t] *n* erőd(ítmény)

forte[1] ['fɔ:teɪ] *n* vknek az erős oldala (v. fő erőssége)

forte[2] ['fɔ:tɪ] *a*/*adv*/*n* forte [zenében]

forth [fɔ:θ] *adv* **1.** előre, ki; *back and* ~ oda-vissza **2.** tovább; *from this time* ~ mostantól kezdve; *and so* ~ és így tovább

forthcoming [fɔ:θ'kʌmɪŋ] *a* **1.** közeledő, közelgő, (el)következő; ~ *books* rövidesen megjelenő könyvek **2.** (rövidesen) rendelkezésre álló **3.** *biz* készséges

forthright ['fɔ:θraɪt] **I.** *a* egyenes, őszinte, nyílt **II.** *adv* kereken, nyíltan, őszintén

forthwith [fɔ:θ'wɪθ] *adv* azonnal, haladéktalanul

fortieth ['fɔ:tɪθ] *a*/*n* negyvenedik

fortification [fɔ:tɪfɪ'keɪʃn] *n* **1.** megerősítés, megszilárdítás **2.** erőd(ítmény), sánc

fortify ['fɔ:tɪfaɪ] *vt* (*átv is*) megerősít

fortitude ['fɔ:tɪtju:d; *US* -tu:d] *n* állhatatosság, bátorság, (lelki)erő

fortnight ['fɔ:tnaɪt] *n* két hét; *this day* ~, *a* ~ *today* mához két hétre

fortnightly ['fɔ:tnaɪtlɪ] **I.** *a* kéthetenkénti, ketheti **II.** *adv* kéthetenként [megjelenő]

fortress ['fɔ:trɪs] *n* erőd(ítmény)

fortuitous [fɔ:'tju:ɪtəs; *US* -'tu:-] *a* véletlen, váratlan

fortuity [fɔ:'tju:ɪtɪ; *US* -'tu:-] *n* véletlenség, vakeset

fortunate [fɔ:'tʃnət] *a* szerencsés, kedvező; *be* ~ *in sg* szerencsés vmben fortunately ['fɔ:tʃnətlɪ] adv 1. szerencsére 2. szerencsésen

fortune ['fɔ:tʃu:n; US -tʃən] n 1. szerencse, véletlen; by good ~ szerencsére; try one's ~ szerencsét próbál; the ~s of war hadiszerencse 2. sors, végzet; tell ~s jövendőt mond [kártyából], jósol 3. jólét, gazdagság; vagyon; man of ~ gazdag ember; a small ~ ~ tekintélyes összeg; come into a ~ nagy vagyont örököl; make a ~ meggazdagszik; marry a ~ gazdagon nősül 4. siker

fortune-hunter n hozományvadász

fortune-teller n jövendőmondó, jós(nő)

forty ['fɔ:tɪ] I. a negyven; biz ~ winks ebéd utáni alvás/szundítás II. n the forties a negyvenes évek

forty-niner [-'naɪnə*] n US ⟨az 1849-es aranyláz részvevője⟩

forum ['fɔ:rəm] n (átv is) fórum

forward ['fɔ:wəd] I. a 1. elülső, előre irányuló/haladó; ~ and backward movement előre és hátra mozgás; ~ planning (előre) tervezés 2. korai; idő előtti; koraérett 3. haladó (szellemű) 4. készséges, buzgó 5. arcátlan, pimasz 6. határidős [szállítás] II. adv 1. előre; elöl 2. tovább; from that day ~ attól a naptól fogva III. n csatár [futballban stb.] IV. vt 1. továbbít, (el)küld, szállít(mányoz), expediál; "to be ~ed", "~ please" továbbítandó, kérem utána küldeni 2. előmozdít, -segít; hajtat [gyümölcsöt], gyorsít [beérést]

forwarder ['fɔ:wədə*] n szállítmányozó

forwarding ['fɔ:wədɪŋ] n 1. szállítmányozás, szállítás; ~ agent szállítmányozó; ~ instructions szállítási utasítás 2. továbbítás, utána küldés [levélé, csomagé]

forwardness ['fɔ:wədnɪs] n 1. haladás, előrehaladottság 2. koraérettség [gyermeké]; korai beérés [gyümölcsé] 3. pimaszság 4. serénység, buzgóság

forwards ['fɔ:wədz] adv = forward II.

forwent →forgo

fosse [fɔs; US -ɑ-] n sáncárok

fossil ['fɔsl; US -ɑ-] n 1. kövület; őskori lelet 2. biz régimódi/maradi ember

foster ['fɔstə*; US -ɔ:-] vt 1. felnevel; táplál 2. átv elősegít, -mozdít; táplál [érzelmet, hitet stb.]

foster-brother n 1. tejtestvér [fiú] 2. fogadott fivér

foster-child n (pl -children) fogadott/ nevelt gyermek

foster-father n nevelőapa

foster-mother n nevelőanya

foster-sister n 1. tejtestvér [leány] 2. fogadott nővér

fought →fight II.

foul [faʊl] I. a 1. rossz szagú, undorító, visszataszító; ~ breath kellemetlen szájszag; ~ taste rossz íz 2. ocsmány [beszéd] 3. aljas, alávaló [tett]; tisztességtelen, tiltott; ~ blow övön aluli ütés [bokszban]; ~ deed becstelenség, aljasság, gaztett; ~ play (1) tisztességtelen játék/eljárás; csalás (2) árulás (3) gazság, becstelenség; ~ weather rossz időjárás 4. piszkos, koszos; piszoktól eldugult; ~ linen szennyes fehérnemű; ~ sparking-plug elkormozódott gyújtógyertya; ~ water zavaros/szennyes víz II. adv fall ~ of (1) nekimegy [hajó egy másiknak] (2) összevész (vkvel); fall ~ of the law összeütközésbe kerül a törvénnyel III. n 1. szabálysértés, szabálytalanság [sportban] 2. through ~ and fair tűzön-vízen át, jóban-rosszban (egyaránt) IV. A. vt 1. (átv is) bemocskol, bepiszkít; beszennyez 2. eldugaszol; elzár, összegubancol [kötelet] 3. összeütközik [másik hajóval] 4. szabálytalanságot követ el [vk ellen, sportban] B. vi 1. eldugul [cső stb.], beakad [horgony stb.], összegabalyodik [kötél] 2. összeütközik [két hajó]

foully ['faʊllɪ] adv piszkosan, aljasul

foul-mouthed a mocskos szájú

foulness ['faʊlnɪs] n 1. tisztátalanság, szennyezettség [levegőé] 2. ocsmányság, durvaság, trágárság 3. alávalóság

found¹ [faʊnd] vt 1. alapít, létesít [intézményt stb.] 2. (átv is) alapoz (on vmre); be ~ed on facts tényeken alapul

found² [faʊnd] vt olvaszt, önt [ércet]

found[3] →*find* I.
foundation [faʊn'deɪʃn] *n* 1. alapítás; ~ *member* alapító tag 2. alapítvány 3. alap(zat), alapozás; *without* ~ alaptalan 4. ~ (*garment*) fűző (és melltartó); ~ *cream* alapozókrém
foundation-scholar *n* alapítványi ösztöndíjas
foundation-school *n* alapítványi iskola
foundation-stone *n* alapkő
founder[1] ['faʊndə*] *n* alapító, adományozó; ~'s *day* alapító évi emlékünnepe; ~ *member* alapító tag; ~'s *shares* törzsrészvény
founder[2] ['faʊndə*] *n* olvasztár, öntő-(munkás)
founder[3] ['faʊndə*] *vi* 1. lesántul [ló] 2. elsüllyed, elmerül, megfeneklik [hajó]
Founding Fathers ['faʊndɪŋ] *US* Honszerző Atyák [az 1776-os Függetlenségi Nyilatkozat aláírói].
foundling ['faʊndlɪŋ] *n* lelenc, talált gyermek; ~ *hospital* lelencház
foundress ['faʊndrɪs] *n* alapítónő
foundry ['faʊndrɪ] *n* (fém)öntöde
fount[1] [faʊnt] *n* (*átv is*) forrás, kút(fő)
fount[2] [faʊnt, nyomdászok nyelvén: fɔnt] *n* (nyomdai) betűkészlet
fountain ['faʊntɪn] *n* forrás, kút; szökőkút; ivókút
fountain-head *n* forrás, eredet [folyóé, tudásé]
fountain-pen *n* töltőtoll
four [fɔ:*] I. *a* négy; *she is* ~ négyéves; *to the* ~ *winds* a szélrózsa minden irányába II. *n* 1. négyes (szám); *a coach and* ~ négyes fogat; *on all* ~s négykézláb; *it does not go on all* ~s sántít a dolog, nincs egészen rendjén 2. négyes [sportban, kártyában]
four-flusher [-flʌʃə*] *n* □ *US* nagyhangú (ígérgető)
fourfold *a/adv* négyszeres(en)
four-footed *a* négylábú (állat)
four-in-hand *n* négyes fogat
four-letter *a* ~ *word* illetlen szó
four-part *a* négyszólamú (dallam)
fourpenny ['fɔ:pənɪ] *a* négypennys; *biz I'll give you a* ~ *one* kapsz egy frászt

four-poster *n* mennyezetes ágy
fourscore *a* nyolcvan
four-seater *n* négyüléses gépkocsi
foursome ['fɔ:səm] *n* páros/négyszemélyes játszma [főleg golfban]
four-square *a* 1. négyszögletes, négyszögű 2. becsületes, tisztességes, egyenes
fourteen [fɔ:'ti:n] *a/n* tizennégy
fourteenth [fɔ:'ti:nθ] *a* tizennegyedik
fourth [fɔ:θ] I. *a* negyedik II. *n* 1. negyedik(e); *US F*~ *of July* július negyedike ⟨az 1776-os Függetlenségi Nyilatkozat kiadásának napja, nemzeti ünnep⟩ 2. negyed(rész) 3. negyed (hangköz), kvart
fourthly ['fɔ:θlɪ] *adv* negyedszer(re), negyedsorban
four-wheel *a* négykerekű; ~ *brake* négykerékfék
four-wheeler *n* négykerekű kocsi, hintó
fowl [faʊl] I. *n* 1. † szárnyas, madár 2. baromfi II. *vi* szárnyasra vadászik
fowler ['faʊlə*] *n* madarász
fowl-house *n* baromfiól; tyúkól
fowling ['faʊlɪŋ] *n* szárnyasvadászat
fowling-piece *n* (könnyű) vadászpuska
fowl-run *n* baromfiudvar, -kifutó
fox [fɔks; *US* -ɑ-] I. *n* 1. róka; *set the* ~ *to watch the geese* kecskére bízza a káposztát; ~ *and geese* farkas és bárány (játék) 2. *biz* ravasz ember; csaló II. A. *vt biz* becsap, kitol, kibabrál (vkvel) B. *vi* 1. ravaszkodik, fortélyoskodik 2. megfoltosodik, megsárgul [papír]
fox-brush *n* rókafarok
fox-earth *n* rókalyuk
fox-glove *n* gyűszűvirág
foxhole *n biz* rókalyuk, egyszemélyes fedezék
foxhound *n* kopó
fox-hunt(ing) *n* rókavadászat, falkavadászat
foxing ['fɔksɪŋ; *US* -ɑ-] *n* 1. *biz* ravaszkodás 2. megsárgulás [papírosé]
fox-tail *n* 1. rókafarok 2. ecsetpázsit
fox-terrier *n* foxterrier, foxi
foxtrot *n* 1. rövid ügetés [lóé] 2. foxtrott [tánc]
foxy ['fɔksɪ; *US* -ɑ-] *a* 1. ravasz, fortélyos, furfangos 2. rőt, vöröses(barna)

foyer ['fɔɪeɪ; US -ər] n 1. előcsarnok, foyer [színházban] 2. társalgó, hall [szállóban]

Fr. 1. *Father* páter, atya 2. *France* Franciaország, F 3. *French* francia, fr.

fr. franc(s)

fracas ['frækɑ:; US 'freɪkəs] n (pl ~ 'frækɑ:z, US ~es 'freɪkəsɪz) lármás civakodás, perpatvar

fraction ['frækʃn] n 1. törés 2. töredék, törtrész; hányad 3. tört(szám) 4. frakció

fractional ['frækʃənl] a 1. töredékes; szakaszos 2. törtszerű, törtalakú, tört-

fractious ['frækʃəs] a 1. ingerlékeny, civakodó; akaratos; durcás 2. csökönyös [szamár]; könnyen megbokrosodó [ló]

fracture ['fræktʃə*] I. n 1. (csont)törés; set a ~ (csont)törést helyretesz 2. törés, vetődés [földrétegeké] II. A. vt eltör [csontot]; roncsol; be ~d eltörik B. vi (el)törik; betörik; összetörik

fragile ['frædʒaɪl; US -dʒ(ə)l] a 1. törékeny 2. gyenge [egészségű], beteges [személy]

fragility [frə'dʒɪlətɪ] n 1. törékenység 2. gyengeség

fragment I. n ['frægmənt] töredék; rész(let), levált darab, tört rész II. vi [fræg'ment] darabokra hullik, szétreped

fragmentary ['frægmənt(ə)rɪ; US -erɪ] a töredékes, foszlányos

fragmentation [frægmen'teɪʃn] n 1. szilánkosodás; repeszhatás; ~ bomb repeszbomba, -gránát 2. szétrepedés, -zúzódás

fragrance ['freɪgr(ə)ns] n kellemes illat/szag

fragrant ['freɪgr(ə)nt] a illatos, jó szagú/illatú

frail¹ [freɪl] a 1. törékeny, gyenge (egészségű) 2. gyarló, esendő

frail² [freɪl] n gyékénykosár, fonott gyümölcskosár

frailty ['freɪltɪ] n 1. törékenység; mulandóság 2. gyarlóság, esendőség

frame [freɪm] I. n 1. (átv is) keret; ráma; ~ aerial keretantenna 2. (tartó)szerkezet, váz; alváz [járműé]; váz [ernyőé, motoré]; gerendázat [épületé]; (gép)állvány, (hajó)bordázat; US ~ house favázas épület 3. szerkezet, rendszer, forma; ~ of reference koordinátarendszer; ~ of society társadalmi rendszer, a társadalom felépítése/szerkezete; ~ of mind kedélyállapot, hangulat 4. (test)alkat, szervezet; he has a strong ~ erős testalkatú 5. filmkocka; képmező II. A. vt 1. összeállít, (meg)szerkeszt, (meg-)alkot; formál [véleményt]; képez [hangot] 2. tervez, készít [vmt vm célra] 3. (be)keretez, keretbe foglal 4. biz ~ (up) hamisan megvádol/meggyanúsít B. vi ~ well jól fejlődik frame into vt ~ sg i. sg alakít/idomít illeszt vmt vmhez frame up vt US = frame II. A. 4.

frameless ['freɪmlɪs] a keret nélküli

framer ['freɪmə*] n 1. tervező, alkotó; szerkesztő 2. (kép)keretező

frame-saw n keretfűrész

frame-up n biz 1. koholt/hamis vád; előre kitervelt gonosztett 2. megrendezett ügy/komédia

framework n 1. (átv is) szerkezet, váz, keret 2. ácsolat, gerendázat

framing ['freɪmɪŋ] n 1. alakítás, szerkesztés; formálás, megfogalmazás 2. bekeretezés [képé] 3. koholás [vádé]; kitalálás [rágalomé]

franc [fræŋk] n frank (pénznem)

France [frɑ:ns; US -æ-] prop Franciaország

Frances ['frɑ:nsɪs; US -æ-] prop Franciska

franchise ['fræntʃaɪz] n 1. választójog; polgárjog; szabadság(jog) 2. US kiváltság; koncesszió

Francis ['frɑ:nsɪs; US -æ-] prop Ferenc

Franco- ['fræŋkoʊ-] a francia-

frangible ['frændʒɪbl] a törékeny

frank¹ [fræŋk] a őszinte, nyílt; egyenes, becsületes; to be quite ~ őszintén szólva

frank² [fræŋk] I. n bérmentesítő jelzés [levélen] II. vt bérmentesít [levelet]

Frank [fræŋk] prop Ferenc, Feri

frankfurter ['fræŋkfə:tə*] n kb. debreceni

frankincense ['fræŋkɪnsens] *n* tömjén
franking-machine ['fræŋkɪŋ-] *n* bérmentesítő gép
franklin ['fræŋklɪn] *n* kisbirtokos [Angliában a középkorban]
frankly ['fræŋklɪ] *adv* őszintén, nyíltan
frankness ['fræŋknɪs] *n* őszinteség, nyíltság; egyenesség, becsületesség
frantic ['fræntɪk] *a* 1. őrjöngő; eszeveszett; ~ *efforts* kétségbeesett erőfeszítés(ek); *be* ~ *with anger* magánkívül van a dühtől; *drive sy* ~ megőrjít vkt 2. tomboló, viharos, frenetikus [siker]
fraternal [frə'tə:nl] *a* testvéri, felebaráti
fraternity [frə'tə:nətɪ] *n* 1. testvéri(es)ség, testvéri együttérzés 2. baráti társaság, egyesülés, szövetség; *US* diákszövetség
fraternization [frætənaɪ'zeɪʃn; *US* -nɪ'z-] *n* összebarátkozás, bratyizás (*with* vkvel)
fraternize ['frætənaɪz] *vi* barátkozik, pajtáskodik, bratyizik (*with* vkvel)
fratricide ['frætrɪsaɪd] *n* 1. testvérgyilkos 2. testvérgyilkosság
fraud [frɔ:d] *n* 1. csalás; rászedés; fondorlat 2. csaló; szélhámos, szédelgő 3. becsapás, svindli [dologról]
fraudulence ['frɔ:djʊləns; *US* -dʒə-] *n* csalás; csalárdság
fraudulent ['frɔ:djʊlənt; *US* -dʒə-] *a* 1. csaló, csalárd 2. tisztességtelen, csalással szerzett
fraudulently ['frɔ:djʊləntlɪ; *US* -dʒə-] *adv* csalárd módon, fondorlatosan
fraught [frɔ:t] *a* teli, telve; ~ *with danger* vészterhes, veszéllyel járó; ~ *with risks* kockázatos
fray[1] [freɪ] *n* összetűzés; *be ready/eager for the* ~ kész a küzdelemre
fray[2] [freɪ] **A.** *vi* kirojtosodik, elkopik, kikopik **B.** *vt* lekoptat; elnyű; *biz my nerves are* ~*ed out* tönkrementek az idegeim; ~ *sy's nerves* idegeire megy vknek
frazzle ['fræzl] *n* 1. (ki)rojtosodás, (ki-)rongyosodás 2. □ *beat to a* ~ félholtra/laposra ver
freak [fri:k] **I.** *n* 1. szeszély(es ötlet); csíny, tréfa 2. furcsaság; ~ (*of nature*)

szörnyszülött, torzszülött; *he is a* ~ furcsa szerzet, csodabogár **II.** *ví* □ ~ (*out*) kiborul [megrázó kábítószeres élmény következtében]
freakish ['fri:kɪʃ] *a* 1. szeszélyes; bogaras; furcsa, bizarr, groteszk 2. rémes, borzalmas, torz
freckle ['frekl] **I.** *n* szeplő; petty, folt **II. A.** *vt* pettyez, szeplőssé tesz **B.** *vi* tele lesz szeplőkkel, megszeplősödik
freckled ['frekld] *a* szeplős; foltos, pettyes
Fred(dy) ['fred(ɪ)] *prop* Frédi, Frici
Frederick ['fredrɪk] *prop* Frigyes
free [fri:] **I.** *a* (*comp* **freer** 'fri:ə*, *sup* **freest** 'fri:ɪst) 1. szabad, független, korlátlan; *F~ Church* (1) szabadegyház (2) nonkonformista egyház; ~ *fall* szabadesés; ~ *fight* általános verekedés; ~ *kick* szabadrúgás; ~ *labour* szervezetlen munkaerő/munkások; ~ *pass* szabadjegy [vasúton stb.]; ~ *port* szabadkikötő; ~ *speech* szólásszabadság; ~ *will* szabad akarat →*free-will*; *of one's own* ~ *will* önszántából, önként; *get* ~ kiszabadul; *give sy a* ~ *hand* szabad kezet ad vknek; *you are* ~ *to do so* jogod van ezt tenni; *make/set* ~ (1) szabadlábra helyez, kiszabadít (2) felold ígéret/ kötelezettség alól, szabaddá tesz; *make* ~ *with sg* szabadon/korlátlanul használ vmt; *make* ~ *with sy* bizalmaskodik vkvel, sok mindent megenged magának vkvel szemben; *make sy* ~ *of one's house* szabad bejárást biztosít házába vknek; ~ *and easy* kedvesen közvetlen, fesztelen, könnyed; *lead a* ~ *and easy life* könnyen él, bohéméletet él 2. ingyenes; ment(es); ~ (*of charge*) ingyen(es); költségmentes(en); *delivery* ~ ingyenes házhoz szállítás; ~ *copy* tiszteletpéldány [könyvből]; *biz* (*get sg*) *for* ~ (ingyen) kap vmt; ~ *from sg* ment vmtől; ~ *of sg* (1) távol vmtől, túl vmn (2) ment vmtől; ~ *of duty*, *duty/custom* ~ vámmentes(en); ~ *alongside ship* (*f.a.s.*) költségmentesen a hajó oldala mellé szállítva; ~ *on board* (*f.o.b.*) költségmentesen

22

hajóba rakva; ~ *on rail* (*f.o.r.*) költségmentesen vagonba rakva 3. nem (el)foglalt, szabad; *is this table* ~? szabad ez az asztal?; ~ *time* szabad idő 4. bőkezű; ~ *with one's money* szórja a pénzt 5. nyílt, akadálytalan II. *vt* megszabadít, szabaddá tesz, felszabadít (*from*/*of* vmtől)
freebooter [-buːtə*] *n* martalóc, kalóz
freeborn *a* szabadnak született
freedman ['friːdmæn] *n* (*pl* -men -men) felszabadított rabszolga
freedom ['friːdəm] *n* 1. szabadság, függetlenség; ~ *of speech* szólásszabadság 2. ~ *from sg* vmtől való mentesség; ~ *from fear* félelem nélküli élet 3. könnyedség, közvetlenség, nyíltság, fesztelenség; *speak with* ~ szabadon beszél; *take* ~*s with sy* tiszteletlenül viselkedik vkvel 4. (elő)jog; ~ *of the city* díszpolgárság; ~ *of association* társulási jog
free-for-all *n* általános verekedés
freehand *a* ~ *drawing* szabadkézi rajz
free-handed *a* bőkezű, nagylelkű
freehold *n* szabad tulajdon/birtok
freeholder *n* (örök tulajdont élvező) földbirtokos
freelance *n* szabadúszó
free-liver *n* eszem-iszom ember
freeman ['friːmən] *n* (*pl* -men -mən) 1. szabad ember/polgár; ~ *of a city* díszpolgár 2. céhtag, céhmester
freemason *n* szabadkőműves
freemasonry *n* szabadkőművesség
freer ['friːə*] I. *a* szabadabb II. *n* szabadító ‖ →*free I. 1.*
free-spoken *a* szókimondó, őszinte (beszédű)
freest ['friːɪst] *a* legszabadabb ‖ →*free I. 1.*
freestone *n* 1. terméskő, épületkő 2. magvaváló gyümölcs
freestyle *a*/*n* ~ (*swimming*) gyorsúszás; ~ *wrestling* szabadfogású birkózás
free-thinker *n* szabadgondolkodó
free-trade *n* szabad kereskedelem
free-trader *n a* szabad kereskedelem híve
freeway *n US* autópálya
free-wheel I. *n* szabadonfutó kerék II. *vi* szabadon fut

free-will *a* önkéntes; ~ *offering* önkéntes adomány ‖ →*free I. 1.*
freeze [friːz] I. *n* 1. fagy(ás) 2. befagyasztás [követeléseké]; rögzítés [béreké stb.] II. *v* (*pt* froze frouz, *pp* frozen 'frouzn) A. *vi* (meg)fagy, megdermed; *it* ~*s* fagy (van); ~ *to death* megfagy [személy]; *I'm freezing* majd megfagyok; *his face froze* hideg arckifejezést öltött magára B. *vt* 1. (be)fagyaszt; mélyhűt(őbe tesz) [élelmiszert]; *make one's blood* ~ (*in one's veins*), ~ *one's blood* a vért megfagyasztja (az erekben) 2. befagyaszt [követelést]; rögzít [árat, bért]; *frozen assets* behajthatatlan követelések
freeze in A. *vt* befagyaszt B. *vi* befagy
freeze on A. *vt* ráfagyaszt B. *vi* 1. ráfagy 2. □ ~ *on to sy* hozzátapad vkhez, vk nyakán lóg; □ ~ *on to sg* makacsul ragaszkodik vmhez
freeze out *vt* □ 1. kiüldöz, elmar (vkt vhonnan) 2. kiszorít, kiüt a nyeregből [versenytársat]
freeze over *vi the pond froze o.* befagyott a tó; *when hell* ~*s o.* majd ha fagy!
freeze-dried *a* liofilizált
freezer ['friːzə*] [háztartási] fagyasztószekrény, mélyhűtő (rész); ~ *bag* hűtőtáska
freezing-mixture ['friːzɪŋ-] *n* hűtőkeverék
freezing-point ['friːzɪŋ-] *n* fagypont
freight [freɪt] I. *n* 1. teher(áru), fuvar, szállítmány; *US* ~ *car* tehervagon; *US* ~ *train* tehervonat; *bill of* ~ fuvarlevél 2. teherszállítás 3. fuvardíj; ~ *paid* fuvar fizetve II. *vt* 1. fuvaroz, szállít 2. megrak, megterhel [hajót] ‖ →*ton 2.*
freightage ['freɪtɪdʒ] *n* 1. (áru)szállítás, (hajó)fuvar 2. fuvardíj
freighter ['freɪtə*] *n* 1. teherhajó 2. teherszállító repülőgép 3. fuvarozó, szállítmányozó
French [frentʃ] I. *a* francia; ~ *bean* zöldbab, vajbab; ~ *chalk* szabókréta; ~ *cuff* visszahajtott kettős kézelő; ~ *dressing* salátaöntet; *US* ~ *fried potatoes*, ~ *fries* rósejbni, sült burgo-

nyaszeletek, hasábburgonya; ~ horn vadászkürt; ~ ice-cream ⟨tojássárgájával és tejszínnel készített fagylalt⟩; take ~ leave angolosan távozik; biz ~ letter (gumi) óvszer, koton; ~ window üvegezett erkélyajtó II. n 1. francia (nyelv) 2. the ~ pl a franciák 3. francia nyelvtudás

Frenchify ['frentʃɪfaɪ] vt (el)franciásít

Frenchman ['frentʃmən] n (pl -men -mən) francia (férfi)

Frenchwoman n (pl -women) francia nő

frenetic [frə'netɪk] a = frantic

frenzied ['frenzɪd] a dühöngő, őrjöngő; ~ efforts kétségbeesett erőfeszítés(ek)

frenzy ['frenzɪ] n őrjöngés, dühöngés; in a ~ of despair félőrülten a kétségbeeséstől

frequency ['fri:kwənsɪ] n 1. gyakoriság 2. frekvencia, rezgésszám; high ~ nagyfrekvencia; low ~ kisfrekvencia; ~ modulation frekvenciamoduláció

frequent I. a ['fri:kwənt] gyakori, ismétlődő; ~ pulse gyors érverés II. vt [frɪ'kwent] gyakran ellátogat, jár (vhová)

frequentative [frɪ'kwentətɪv] a/n gyakorító (ige)

frequenter [frɪ'kwentə*] n gyakori látogató, törzsvendég

frequently ['fri:kwəntlɪ] adv gyakran, sűrűn

fresco ['freskoʊ] n (pl ~(e)s -z) falfestmény, freskó

fresh [freʃ] I. a 1. friss, új; frissen szedett/készült 2. friss, üde; élénk; any ~ news? van vm újabb/friss hír?; it is still ~ in my memory még igen jól emlékszem rá; ~ as a daisy üde; put ~ courage into sy bátorságot önt vkbe; in the ~ air jó/szabad levegőn; ~ water (1) friss víz (2) édesvíz →freshwater 3. tapasztalatlan, kezdő 4. US szemtelen 5. biz spicces, makszos II. adv frissen; újonnan; it blows ~ élénken fúj a szél III. n 1. hűvösség, frisseség; in the ~ of the morning a friss hajnali/reggeli levegőben 2. vízáradat

fresh-coloured a élénk/üde arcszínű

freshen ['freʃn] A. vt felfrissít, -üdít, -vidít B. vi felfrissül, lehűl

freshet ['freʃɪt] n 1. tengerbe ömlő patak 2. árvíz, áradat (átv is)

freshman ['freʃmən] n (pl -men -mən) újonc, elsőéves (egyetemista), gólya

freshness ['freʃnɪs] n 1. vm új volta, frisseség; üdeség 2. naivitás, tapasztalatlanság 3. US szemtelenség

freshwater a 1. édesvízi 2. tapasztalatlan, ügyetlen; ~ sailor (1) belvízi hajós (2) tapasztalatlan hajós 3. US biz ~ college kis (kaliberű) vidéki egyetem

fret¹ [fret] vt -tt- faragással/berakással díszít

fret² [fret] I. n izgatottság, nyugtalanság, ingerültség; be in a ~ mérgelődik, bosszankodik II. v -tt- A. vt 1. dörzsöl, koptat, kimar, szétmar, rág [rozsda]; the horse ~s its bit ló a zablát rágja 2. izgat, bosszant, nyugtalanít 3. fodrosít, felzavar [vizet] B. vi ~ (oneself) bosszankodik, rágódik (vmn), izgul, idegeskedik; she ~s and fumes dúl-fúl

fret³ [fret] n érintő [húros hangszeren]

fretful ['fretfʊl] a bosszús, mérges; ingerlékeny; nyűgös

fret-saw n lombfűrész

fretted ['fretɪd] →fret,¹ fret² II.

fretwork n 1. faragott/berakott díszítés 2. lombfűrészmunka

Freudian ['frɔɪdjən] a freudi; ~ slip elszólás

Fri. Friday

friability [fraɪə'bɪlətɪ] n omlósság, porlékonyság

friable ['fraɪəbl] a omlós, morzsálódó

friar ['fraɪə*] n szerzetes, barát

friary ['fraɪərɪ] n klastrom, rendház

fricassee [frɪkəsi:] n becsinált, frikasszé

fricative ['frɪkətɪv] a/n réshang, frikatíva

friction ['frɪkʃn] n 1. (átv is) súrlódás 2. (be)dörzsölés, széjjeldörzsölés; ~ gloves frottírkesztyű, dörzskesztyű

friction-gear(ing) n 1. dörzshajtómű 2. dörzshajtás

Friday ['fraɪdɪ v. -deɪ] n péntek; Man ~ (1) Péntek [Robinson Crusoe szolgája] (2) biz elválhatatlan/hűséges segítőtárs/kísérő, jobbkeze vknek

fridge [frɪdʒ] *n biz* frizsider
fried [fraɪd] *a* sült; ~ *eggs* tükörtojás; ~ *potatoes* zsirban sült burgonyaszeletek, rósejbni
friend [frend] *n* 1. barát; *a* ~ *of mine* egy barátom; *be/keep* ~*s with sy* barátja vknek, jóban van vkvel; *make* ~*s with sy* összebarátkozik vkvel; *make* ~*s again* kibékül vkvel; *a* ~ *in need is a* ~ *indeed* a bajban mutatkozik meg, ki az igazi barát 2. barátja/pártolója vmnek; pártfogó, jóakaró; *he is no* ~ *of mine* nem jóakaróm/barátom 3. *F*~ kvéker; *Society of F*~*s* a kvékerek
friendless ['frendlɪs] *a* elhagyatott, társtalan
friendliness ['frendlɪnɪs] *n* jóakarat; nyájasság
friendly ['frendlɪ] *a* 1. barátságos, kedves, nyájas, baráti, jóindulatú; *be on* ~ *terms with sy* jó/baráti viszonyban van vkvel; ~ *society* segélyegylet 2. kedvező, alkalmas; ~ *winds* kedvező szelek
friendship ['frendʃɪp] *n* barátság
frier ['fraɪə*] *n* = *fryer*
frieze¹ [friːz] *n* 1. szegélydísz, szegélyléc [tapétán] 2. párkánymező, fríz [épületen]
frieze² [friːz] *n* csomós daróc
frigate ['frɪgɪt] *n* fregatt
fright [fraɪt] I. *n* 1. ijed(t)ség; ijedelem, rémület; riadalom; *be in a* ~ fél, meg van ijedve; *die of* ~ szörnyethal ijedtében; *give sy a* ~ ráijeszt; *take a* ~ *(at sg)* megrémül (vmtől) 2. *biz* rút alak, madárijesztő [nőről] II. *vt* = *frighten*
frighten ['fraɪtn] *vt* megijeszt, megrémít; *be/feel* ~*ed* fél, meg van ijedve/rémülve
frighten away/off *vt* elriaszt, elijeszt
frighten out *vt* ~ *sy o. of his wits* halálra rémít vkt
frightened ['fraɪtnd] *a* ijedt, rémült; *easily* ~ ijedős
frightening ['fraɪtnɪŋ] *a* ijesztő, rémítő; félelmetes
frightful ['fraɪtf(ʊ)l] *a* 1. szörnyű, borzasztó 2. *biz* rémes, pokoli
frightfully ['fraɪtflɪ] *adv* 1. ijesztően 2.

biz szörnyen, borzasztóan, rettenetesen; *I am* ~ *sorry* borzasztóan sajnálom
frigid ['frɪdʒɪd] *a* 1. fagyos, hideg, jeges 2. *átv biz* rideg, kimért, jeges 3. frigid
frigidity [frɪ'dʒɪdətɪ] *n* 1. hidegség 2. közöny, ridegség 3. frigiditás
frill [frɪl] *n* 1. fodor [ruhán] 2. **frills** *pl* modorosság, póz, affektálás; *put on* ~*s* pózol; nagyképűsködik
frilled [frɪld] *a* fodros
fringe [frɪndʒ] I. *n* 1. rojt, bojt 2. szegély, perem; *the outer* ~(*s*) *of London* London külvárosai/peremvidéke 3. ~ *benefits* járulékos juttatás(ok)/kedvezmények 4. frufru; *Newgate* ~ körszakáll, Kossuth-szakáll II. *vt* 1. rojttal beszeg, rojtoz 2. szegélyez (*with* vmvel)
frippery ['frɪpərɪ] *n* cicoma, mütyürke, sallang, üres cifraság
Frisco ['frɪskoʊ] *prop biz* San Francisco
frisk [frɪsk] A. *vi* ugrándozik, szökdécsel B. *vt* 1. csóvál [farkat kutya] 2. megmotoz [fegyvert keresve]
frisky ['frɪskɪ] *a* vidám, játékos kedvű
fritter¹ ['frɪtə*] *n apple* ~ bundás alma, alma pongyolában
fritter² ['frɪtə*] *vt* 1. apróra darabol/vág/tör 2. ~ *away* elapróz, elfecsérel, elpazarol [időt, pénzt, energiát]
frivol ['frɪvl] *v* -ll- (*US* -l-) A. *vt* ~ *away* elfecsérel, elherdál, elpazarol [időt, pénzt stb.] B. *vi* haszontalanságokkal tölti az idejét, léháskodik
frivolity [frɪ'vɔlətɪ; *US* -'vɑ-] *n* 1. könnyelműség, komolytalanság, frivolság 2. haszontalanság
frivolous ['frɪvələs] *a* léha, könnyelmű, komolytalan; frivol
frizz [frɪz] *vt/vi* = *frizzle*
frizzle ['frɪzl] A. *vt* fodorít, göndörít, bodorít [hajat] B. *vi* göndörödik, kunkorodik [haj]
frizzy ['frɪzɪ] *a* göndör, bodros [haj]
fro [froʊ] *adv to and* ~ ide-oda
frock [frɔk; *US* -ɑ-] *n* 1. (női) ruha 2. barátcsuha 3. (munka)köpeny
frock-coat *n* Ferenc József-kabát, szalonkabát
frog¹ [frɔg; *US* -ɑ-] *n* 1. béka; *have a* ~

in the throat rekedt **2.** □ francia (ember) [megvető értelemben]
frog² [frɔg; *US* -ɑ-] *n* **1.** mentezsinór; sujtás **2.** markolatszíj, szuronypapucs
frog³ [frɔg; *US* -ɑ-] *n* (vasúti) sínkeresztezés
frogman ['frɔgmən; *US* -ɑ-] *n (pl* **-men** -mən) békaember
frolic ['frɔlɪk; *US* -ɑ-] I. *n* pajkoskodás; bolondozás, mókázás II. *vi (pt/pp* **~ked** -kt) bolondozik, mókázik; csintalankodik
frolicking ['frɔlɪkɪŋ; *US* -ɑ-] *n* szórakozás, mulatás; csintalankodás
frolicsome ['frɔlɪksəm; *US* -ɑ-] *a* bolondos kedvű, mókás; pajkos
from [frɔm; *US* -ɑ-; gyenge ejtésű alakja: frəm] *prep* **1.** *(térbeli, időbeli kiindulópont jelzésére:)* -ból, -ből, -tól, -től, -ról, -ről; óta, fogva, kezdődőleg; *a letter* ~ *my mother* levél anyámtól; ~ :... Feladó:..., Küldi:...; *tell him that* ~ *me* azt üzenem neki, hogy ...; *as* ~ *Tuesday* keddtől fogva; ~ *a child* gyerekkora óta; ~ *henceforth* mától fogva; *five years* ~ *now* mához öt évre; ~ *time to time* időről időre **2.** *(forrás, eredet, származás; kiindulás, ok jelzésére:)* -ból, -ből; -tól, -től; -ról, -ről; miatt, következtében, alapján, szerint, után; ~ *conviction* meggyőződésből; *absence* ~ *illness* távollét betegség miatt; *die* ~ *hunger* éhenhal; *painted* ~ *nature* természet után (ábrázolva); *a quotation* ~ *Shakespeare* idézet Sh-ből; ~ *what I heard* értesülésem szerint; *where do you come* ~? honnan jössz?, hová való (vagy)?; *he is* ~ *Kansas* k-i (származású) **3.** *(más elöljárókkal:)* ~ *above* felülről, fentről; ~ *afar* messziről; ~ *behind* hátulról, mögül; ~ *beneath* alulról, alól; ~ *of old* régóta, ősidők óta; ~ *outside* kívülről
frond [frɔnd; *US* -ɑ-] *n* **1.** pálmalevél **2.** páfránylevél
front [frʌnt] I. *a* el(ül)ső, mellső; ~ *garden* előkert; ~ *line* arcvonal, front; ~ *page* első oldal, címoldal; címlap →*front-page* II. *n* **1.** homlok; arc; ~ *to* ~ szemtől szembe **2.** előrész, elülső

rész, eleje vmnek, homlokzat; *shirt* ~ ingmell; *in* ~ (1) elöl (2) előre; *in* ~ *of* előtt, szemben, átellenben; *come to the* ~ előtérbe/felszínre kerül, híressé lesz, közismertté válik **3.** (h)arcvonal, első vonal, front; *átv* mozgalom, front; *at the* ~, *up* ~ elöl az arcvonalban **4.** [időjárási] front **5.** fedőszerv, -név **6.** parti sétány **7.** viselkedés, magatartás, kiállás; *present an unbroken* ~ töretlen harci kedvet mutat, bátran kiáll; *put on a bold* ~ határozottságot mutat; *he likes to put up a* ~ szeret nagyzolni/hencegni; *have the* ~ *to do sg* van mersze/képe vmt tenni III. **A.** *vt* **1.** vmre néz [ház stb.]; *windows that* ~ *the street* utcára néző ablakok **2.** szembeszáll, -néz, szembenáll [ellenséggel, veszéllyel] **3.** ~ *sy with sy* szembesít vkt vkvel **4.** homlokzatot kiképez; *house* ~*ed with stone* kővel burkolt (homlokzatú) ház **B.** *vi* **1.** ~ *(up)on/towards sg* vmre néz [ház stb.] **2.** arcvonalba fejlődik/sorakozik
frontage ['frʌntɪdʒ] *n* **1.** homlokzat [épületé]; kirakat, portál [üzleté] **2.** útmenti/folyóparti telek(rész)
frontal ['frʌntl] *a* **1.** homlok- [csont] **2.** homlokzati, homloknézeti **3.** frontális; arcvonalbeli
front-design *n* homlokkiképzés
front-door *n* bejárati ajtó, főbejárat, utcai kapu
front-drive *n* elsőkerék-meghajtás
frontier ['frʌntɪə*; *US* -'tɪr] *n* **1.** (ország)határ **2.** *(átv is)* határterület
frontiersman ['frʌntɪəzmən; *US* -'tɪrz-] *n (pl* **-men** -mən) határszéli lakos
frontispiece ['frʌntɪspi:s] *n* **1.** címlapkép, címkép [könyvben] **2.** homlokzat, orom(zat)
frontlet ['frʌntlɪt] *n* homlokszalag
front-page *a* ~ *news* nagy jelentőségű (v. fontos) hír, szenzáció(s hír)
front-rank *a* élvonalbeli
front-row *n* első/elülső sor
front-view *n* elölnézet, homloknézet
frost [frɔst; *US* -ɔ:-] I. *n* **1.** fagy; *ten degrees of* ~ tíz fok hideg; *white* ~ dér, zúzmara **2.** hidegség, fagyosság **3.** *biz* bukás, kudarc; *the play was a (dead)* ~

a darab (csúnyán) megbukott II. *vt* 1.
lefagyaszt; dermeszt; zúzmarával/jég-
virággal von be [ablakot] 2.
cukorral behint; cukormázzal bevon
frost-bite *n* fagyás [testen]
frost-bitten *a* megfagyott [testrész]; *be-
come* ~ elfagy(ott)
frosted glass ['frɔstɪd; *US* -ɔ:-] tejüveg
frostiness ['frɔstɪnɪs; *US* -ɔ:-] *n* fagyos-
ság, fagyos modor
frosting ['frɔstɪŋ; *US* -ɔ:-] *n* cukormáz
frost-proof *a* fagyálló
frost-shoe *n* jégpatkó
frost-work *n* jégvirág [ablakon]
frosty ['frɔstɪ; *US* -ɔ:-] *a* 1. (*átv is*) fa-
gyos, hideg, hűvös, jeges 2. zúzmarás,
jégvirágos
froth [frɔθ; *US* -ɔ:-] I. *n* 1. hab, tajték
2. *biz* üres fecsegés II. *vi* habzik, taj-
tékzik, gyöngyözik; ~ *at the mouth*
habzik a szája
froth-blower *n* *biz* sörivó
frothy ['frɔθɪ; *US* -ɔ:-] *a* habos; habzó
froward ['frovəd] *a* makacs, konok
frown [fraʊn] I. *n* 1. szemöldökráncolás 2.
rosszalló/helytelenítő arckifejezés/te-
kintet II. *vi* 1. szemöldököt ráncol/ösz-
szehúz 2. rosszall, helytelenít, elítél
(*at/upon sg* vmt)
frowning ['fraʊnɪŋ] *a* rosszalló, fenye-
gető [tekintet]
frowsty ['fraʊstɪ] *a* *GB* *biz* áporodott,
fülledt, büdös [szobalevegő]
frowzy ['fraʊzɪ] *a* 1. áporodott, fülledt
2. mosdatlan, elhanyagolt, ápolatlan
frozen ['frovzn] *a* fagyasztott, mélyhű-
tött, mirelit ‖ →*freeze II.*
F.R.S., FRS [efɑ:r'es] *Fellow of the
Royal Society* a Királyi Természettu-
dományi Akadémia tagja
fructiferous [frʌk'tɪfərəs] *a* gyümölcs-
termő, gyümölcsöző
fructification [frʌktɪfɪ'keɪʃn] *n* 1. meg-
termékenyítés 2. megtermékenyülés
3. gyümölcsözés
fructify ['frʌktɪfaɪ] A. *vt* megtermékenyít
B. *vi* 1. gyümölcsöt terem 2. gyümöl-
csözik, jövedelmez
frugal ['fru:gl] *a* 1. mértékletes; igény-
telen, takarékos, beosztó [személy] 2.
egyszerű, frugális [étkezés]

frugality [fru:'gælətɪ] *n* 1. takarékos-
ság; mértékletesség; igénytelenség
[személyé] 2. egyszerűség, frugalitás
[étkezésé]
fruit [fru:t] I. *n* 1. gyümölcs, termény;
dried ~ aszalt/szárított gyümölcs;
bear ~ (1) gyümölcsöt terem (2) meg-
hozza gyümölcsét; eredménye van 2.
eredmény, következmény II. *vi* gyü-
mölcsözik, gyümölcsöt terem
fruit-cake *n* gyümölcskenyér
fruiterer ['fru:tərə*] *n* gyümölcsárus,
gyümölcskereskedő
fruit-fly *n* gyümölcslégy; musli(n)ca
fruitful ['fru:tfʊl] *a* 1. termékeny [föld,
fa, állat stb.] 2. gyümölcsöző; ered-
ményes; produktív [munka]
fruitfulness ['fru:tfʊlnɪs] *n* 1. termé-
kenység 2. produktivitás
fruition [fru:'ɪʃn] *n* teljesülés, megvaló-
sulás [vágyaké]; *bring to* ~ valóra vált,
megvalósít; *come to* ~ valóra válik,
megvalósul
fruit-knife *n* (*pl* -knives) gyümölcskés
fruitless ['fru:tlɪs] *a* 1. terméketlen,
meddő 2. eredménytelen; hiábavaló
fruit-sugar *n* gyümölcscukor, levulóz
fruit-tree *n* gyümölcsfa
fruity ['fru:tɪ] *a* 1. gyümölcs ízű, zama-
tos (*átv is*) 2. *biz* vaskos, nyers [hu-
mor stb.]
frump [frʌmp] *n* madárijesztő [nőről]
frustrate [frʌ'streɪt; *US* 'frʌs-] *vt* 1.
meghiúsít [tervet], útját állja (vmnek)
2. ~ *sy* csalódást okoz vknek
frustration [frʌ'streɪʃn] *n* 1. meghiúsu-
lás [tervé]; bukás [vállalkozásé] 2.
csalódás; csalódottság; kielégületlenség
frustum ['frʌstəm] *n* (*pl* ~s -z v. -ta -tə)
~ *of a cone* csonka kúp
fry¹ [fraɪ] A. *vt* (olajban/zsírban) süt B.
vi (olajban/zsírban) sül; *biz* ~ *in one's
own grease* saját zsírjában sül, mege-
szi amit főzött
fry² [fraɪ] *n* 1. halivadék, apróhal 2. *biz*
small ~ (1) kisemberek (2) apróságok,
gyerekek
fryer ['fraɪə*] *n* *US* sütni való csirke
frying-pan ['fraɪɪŋ-] *n* tepsi, serpenyő;
out of the ~ *into the fire* csöbörből vö-
dörbe

ft., ft *foot, feet*
fuchsia ['fju:ʃə] *n* fukszia
fuck [fʌk] *vulg* I. *int* a fene (egye meg)!,
bassza meg a...! II. *vt/vi* (meg-)
basz(ik); ~ *off!* menj az anyád...!
fucker ['fʌkə*] *n vulg* balfácán
fucking ['fʌkɪŋ] *a vulg* szaros, kurva
fuddle ['fʌdl] *vt* megrészegít [ital]; *get*
~*d* berúg
fuddy-duddy ['fʌdɪdʌdɪ] *n biz* régimódi
szőrszálhasogató ember
fudge [fʌdʒ] I. *int* mesebeszéd!, ostoba-
ság! II. *n* 1. mesebeszéd, ostobaság 2.
lapzárta utáni hír [újságban] 3. kb.
tejkaramella
fuel [fjʊəl; *US* -ju:-] I. *n* üzemanyag,
fűtőanyag, tüzelő(anyag); *add* ~ *to the
fire/flames* olajat önt a tűzre II. *v* -ll-
(*US* -l-) A. *vt* fűtőanyaggal/üzema-
nyaggal ellát/táplál B. *vi* ~ (*up*) tan-
kol
fuelling-station ['fjʊəlɪŋ-; *US* -ju:-] *n*
üzemanyagtöltő állomás, benzinkút
fug [fʌg] I. *n biz* rossz levegő, áporodott
szag [szobában] II. *vi* -gg- □ *sit* ~*ging
in the house* mindig a szobában ül és
nem megy ki a szabad levegőre
fuggy ['fʌgɪ] *a biz* áporodott [levegő];
szellőzetlen, levegőtlen [szoba]
fugitive ['fju:dʒɪtɪv] I. *a* 1. menekülő 2.
múló, múlékony, rövid életű II. *n* 1.
menekülő 2. számkivetett, hontalan,
menekült 3. (katona)szökevény
fugue [fju:g] *n* fúga
fulcrum ['fʌlkrəm] *n* (*pl* ~s -z v. -cra
-krə) 1. támaszpont, alátámasztási
pont, forgáspont 2. alátámasztás
fulfil, *US* -fill [fʊl'fɪl] *vt* -ll- teljesít, vég-
rehajt [parancsot]; elvégez [felada-
tot]; bevált [reményt]; eleget tesz
[kívánságnak stb.]
fulfilment, *US* -fill- [fʊl'fɪlmənt] *n* 1.
beteljesülés, megvalósulás 2. teljesí-
tés
full [fʊl] I. *a* 1. tele, teli, telt (*of* vmvel);
it is ~ *up* teljesen megtelt; ~ *up!*
megtelt!; ~ *day* elfoglalt nap; ~
house telt ház [színházban]; ~ *moon*
telihold; *be* ~ *of sg* (1) tele/teli van
vmvel (*átv is*) (2) el van telve vmvel,
áthatja vm; *be* ~ *of his own impor-*

tance el van telve a saját fontosságá-
val; *eat till one is* ~ teleeszi magát 2.
telt; kövér(kés); ~ *lips* telt ajak; ~
voice erőteljes/telt/öblös hang 3. tel-
jes, hiánytalan; bőséges, kiadós; ~
brother/sister édestestvér; *in* ~ *cry* tel-
jes erőből üldözve; ~ *dress* estélyi ru-
ha, díszruha, -öltözet →*full-dress;* ~
employment teljes foglalkoztatottság;
~ *fare* egész jegy [vasúton]; ~ *meal* bő-
séges/kiadós étkezés; ~ *member* teljes
jogú (v. rendes) tag [egyesületben]; ~
pay teljes fizetés; ~ *session* teljes ülés;
at ~ *speed* teljes sebességgel/gőzzel; ~
text teljes/csorbítatlan szöveg; *in* ~
uniform teljes (katonai) díszben; ~
wine testes bor 4. bő [ruha], buggyos
[ujj] II. *adv* 1. † teljesen, nagyon,
egészen; ~ *many a time* jó (egy)né-
hányszor, nagyon sokszor; *I know it*
~ *well* nagyon/igen jól tudom 2. pon-
t(osan), éppen; ~ *in the middle* pont a
közepén III. *n* teljesség; *the moon is at
the* ~ holdtölte van; *to the* ~ teljesen,
a legnagyobb mértékben; *in* ~ teljes
terjedelemben/terjedelmében/egészé-
ben; *name in* ~ teljes név; *payment in*
~ teljes összegben való kifizetés, tel-
jes kiegyenlítés
full-back *n* hátvéd [futballban]
full-blooded *a* 1. telivér 2. erőteljes, élet-
erős, vérmes
full-blown *a* ~ *rose* teljesen kinyílt rózsa
full-bodied *a* testes, zamatos [bor]
full-bred *a* telivér, faj(ta)tiszta
full-chested *a* nagy/telt keblű, széles
mellkasú
full-dress *a* ~ *rehearsal* (jelmezes) fő-
próba; ~ *debate* megrendezett/nagysza-
bású vita || →*full I.*
fuller ['fʊlə*] *n* kallós, ványoló, neme-
zelő
full-fledged *a* = *fully-fledged*
full-grown *a* teljesen kifejlett
full-length *a* 1. teljes nagyságú; élet-
nagyságú [kép]; normál/teljes terje-
delmű [regény stb.] 2. szabvány mé-
retű [bútor stb.]
ful(l)ness ['fʊlnɪs] *n* 1. teltség, telített-
ség; *out of the* ~ *of his heart he told
us*... túláradó szívvel így szólt... 2.

teljesség, bőség; *in the ~ of time* az
idők végeztével
full-page *a ~ illustration* egész oldalas
illusztráció
full-rigged [-'rɪgd] *a* teljes vitorlázatú
[hajó]
full-scale *a* eredeti méretű/nagyságú;
teljes fokú
full-size *a* teljes nagyságú/méretű; teljesen kifejlett
full-time *a* 1. teljes munkaidejű [dolgozó] 2. egész napi, állandó [munka]
fully ['fʊlɪ] *adv* teljesen, teljes mértékben/terjedelemben, részletesen, kimerítően; *~ paid* teljesen kifizetve; *it takes ~ 2 hours* 2 teljes óráig/órát eltart
fully-fledged *a* 1. teljes tollazatú, röpős [madár] 2. *átv* kész [orvos stb.]
fulminate ['fʌlmɪneɪt] *vi* 1. durran, robban 2. (menny)dörög 3. (hevesen) kifakad, kikel (*against* ellen)
fulness →*fullness*
fulsome ['fʊlsəm] *a* édeskés, mézes-mázos; émelyítő, túlzó
Fulton ['fʊlt(ə)n] *prop*
fumble ['fʌmbl] **A.** *vi* motoszkál, kotorászik, turkál (*for* vmért); *~ with sg* ügyetlenkedik vmvel **B.** *vt* 1. ügyetlenül kezel, összevissza turkál (vmt) 2. *~ one's way* tapogatja/keresi az útját, botorkál
fumbler ['fʌmblə*] *n* kétbalkezes/ügyefogyott ember, balfácán
fume [fju:m] **I.** *n* 1. füst; gőz; pára; *petrol ~s* benzingőz 2. *biz* izgalom; dühroham, felindulás **II. A.** *vt* 1. füstöl, gőzöl(ögtet), párologtat 2. pácol [gőzzel fát] **B.** *vi* 1. füstöl, füstöt/gőzt bocsát ki 2. *biz* bosszankodik, füstölög magában, eszi a méreg, dúl-fúl
fumigate ['fju:mɪgeɪt] *vt* (meg)füstöl
fumigation [fju:mɪ'geɪʃn] *n* (ki)füstölés, fertőtlenítés
fun [fʌn] *n* tréfa, móka, mulatság; *have ~* szórakozik, mulat; *it was great ~* remek mulatság/szórakozás volt; *for ~, for the ~ of it* a tréfa/hecc kedvéért; *make ~ of sy, poke ~ at sy* tréfát űz vkből, kigúnyol/megtréfál vkt; *he is great ~* vicces/mókás ember, remek pofa

function ['fʌŋkʃn] **I.** *n* 1. hivatás, rendeltetés, feladat, szerep, funkció 2. működés, funkció; tisztség, kötelesség; *discharge one's ~s* hivatalos kötelességét teljesíti/végzi 3. összejövetel, gyűlés, estély; *a social ~* társadalmi esemény/alkalom [fogadás, estély] 4. függvény **II.** *vi* 1. működik; ténykedik, ellátja hivatalát [személy] 2. jár, üzemben van, működik [gép]
functional ['fʌŋkʃənl] *a* 1. működési, működéshez tartozó, funkcionális; *~ disorder* működészavar [szervé] 2. gyakorlati 3. hivatalos
functionary ['fʌŋkʃ(ə)nərɪ; *US* -erɪ] *n* közhivatalnok, tisztviselő; hivatalos személy; funkcionárius
fund [fʌnd] **I.** *n* 1. anyagi alap; (pénz-) alap; tőke; *a relief ~* segélyezési alap 2. **funds** *pl* (1) aktíva, anyagi eszközök (2) állampapírok; *biz be out of ~s* nincs egy vasa se; *raise ~s* anyagi alapot teremt; *put in ~s* fedezettel ellát; *~s in hand* mobil tőke 3. *átv* forrás, készlet **II.** *vt* tőkésít; konszolidál [államadósságot], befektet állampapírokba
fundamental [fʌndə'mentl] **I.** *a* alapvető, sarkalatos, alap- **II.** *n* 1. alaphang 2. **fundamentals** *pl* alapelemek, -ismeretek, -tételek
fundamentally [fʌndə'mentəlɪ] *adv* alapvetően; alapjában (véve)
funded ['fʌndɪd] *a* 1. *~ capital* befektetett tőke 2. *~ property* kötvényvagyon
fund-holder *n* tőkés, tőkepénzes
funeral ['fju:n(ə)rəl] *n* 1. temetés; *biz that's your ~!* ez a te ügyed! 2. gyászkíséret, halottas menet
funereal [fju:'nɪərɪəl] *a* 1. halottas, temetési 2. gyászos, komor, sötét, síri
fun-fair *n* vidám park, vurstli
fungous ['fʌŋgəs] *a* gombaszerű; gombás; szivacsos
fungus ['fʌŋgəs] *n* (*pl ~es* -ɪz v. **fungi** 'fʌŋgaɪ) 1. gomba(féle) 2. tapló
funicular [fju:'nɪkjʊlə*] *a ~ railway* drótkötélpálya, sikló
funk [fʌŋk] *biz* **I.** *n* 1. félelem, rémület, drukk 2. gyáva/beszari alak **II. A.** *vi*

fél, be van gyulladva B. *vt* ~ *sg/sy* fél/tart vmtől/vktől

funnel ['fʌnl] I. *n* 1. tölcsér 2. kémény [mozdonyé, hajóé] 3. szellőztetőcső, -kürtő II. *vt/vi* -ll- *(US* -l-) tölcsérrel önt/tölt

funnily ['fʌnɪlɪ] *adv* 1. tréfásan, viccesen, komikusan 2. különösen, furcsán; ~ *enough* furcsa módon, az a furcsa/különös, hogy . . .

funny ['fʌnɪ] I. *a* 1. mulatságos, tréfás, vicces, komikus; ~ *man* bohóc, komikus (színész) 2. különös, furcsa, nem mindennapi, bizarr; *there's something* ~ *about it* nem egészen egyenes ügy ez; *I feel* ~ különösen (v. nem jól) érzem magam

funny-bone *n* villanyozó in [könyöknél]

fur [fə:*] I. *n* 1. szőrme, prém; szőr- (zet), bunda [állaté]; ~ *coat* bunda, szőrmekabát; ~ *and feather* négylábúak és madarak; *make the* ~ *fly* verekednek 2. seprő, üledék; kazánkő, vízkő 3. lepedék [nyelven] II. *v* -rr- A. *vt* 1. prémez, prémmel bélel/díszít 2. kazánkővel von be 3. lepedékessé tesz [nyelvet] B. *vi* 1. vízkővel/kazánkővel bevonódik 2. lepedékessé válik [nyelv]

furbelow ['fə:bɪloʊ] *n* 1. fodor [női ruhán] 2. furbelows *pl* cicoma, cifraság

furbish ['fə:bɪʃ] *vt* 1. kifényesít, csiszol 2. rendbe hoz; újjáalakít; felújít

fur-cap *n* kucsma, prémsapka

furious ['fjʊərɪəs] *a* dühös, mérges, haragvó; tomboló [szél]; ádáz [harc]; *be* ~ *with sy* dühöng vkre; *at a* ~ *pace* vad iramban

furiously ['fjʊərɪəslɪ] *adv* dühösen, mérgesen, őrjöngve; vadul, ádázul

furl [fə:l] A. *vt* összecsuk [sátrat]; összesodor, felgöngyöl [zászlót stb.], felteker, bevon [vitorlát] B. *vi* ~ *(up)* öszszegöngyölödik, felgöngyölödik, felcsavarodik

fur-lined *a* prémbélésű

furlong ['fə:lɔŋ; *US* -ɔ:ŋ] *n* ⟨távolságmérték: 220 yard = 201,16 méter⟩

furlough ['fə:loʊ] I. *n* GB [katonai] távozási engedély, szabadság; *on* ~ sza-

badságon, szabadságra II. *vt* szabadságot ad (vknek)

furnace ['fə:nɪs] *n* 1. kemence, kohó 2. kazán

furnish ['fə:nɪʃ] *vt* 1. ellát, felszerel *(with* vmvel), juttat, ad *(sy with sg* vknek vmt); ~ *an answer* választ ad, válaszol; ~ *information to sy* felvilágosítással szolgál vknek 2. berendez, bebútoroz

furnished ['fə:nɪʃt] *a* bútorozott [lakás]

furnisher ['fə:nɪʃə*] *n* 1. bútorkereskedő 2. lakberendező (cég)

furnishings ['fə:nɪʃɪŋz] *n pl* lakberendezés

furniture ['fə:nɪtʃə*] *n* 1. bútor(zat); *piece of* ~ bútor(darab); ~ *van* bútorszállító kocsi 2. felszerelés, berendezés; tartozék

furor ['fjuːrɔːr] *n US* = *furore*

furore [fjʊ(ə)'rɔːrɪ; *US* 'fjuːrɔːr] *n* izgalom, rajongó bámulat; óriási izgalom; túlzott lelkesedés

furred [fə:d] *a* 1. prémes [kabát] 2. ~ *tongue* lepedékes nyelv ‖ →*fur II.*

furrier ['fʌrɪə*; *US* 'fə:-] *n* szűcs; szőrmekereskedő

furriery ['fʌrɪərɪ; *US* 'fə:-] *n* 1. prémáru, szőrmeáru 2. szőrmeüzlet

furrow ['fʌroʊ; *US* 'fə:-] I. *n* 1. barázda 2. vájat, hornyolás 3. ránc [arcon] II. *vt* szánt, barázdát húz, barázdál, (ki)hornyol

furry ['fə:rɪ] *a* 1. bolyhos; szőrös 2. vízköves 3. lepedékes

further ['fə:ðə*] I. *a* 1. távolabbi, messzebbi 2. újabb, további, más; *without* ~ *ado* minden további nélkül; *upon* ~ *consideration* újabb megfontolás/mérlegelés után; *awaiting your* ~ *orders* várva további intézkedéseit/rendeléseit II. *adv* 1. ~ *(off)* tovább, messzebb, távolabb; *until you hear* ~ további értesítésig; *go* ~ *into sg* jobban belemélyed vmbe; ~ *back* (1) régebben (2) hátrább; ~ *on* később, a továbbiakban, a későbbiekben 2. különben, továbbá III. *vt* elősegít, előmozdít; támogat

furtherance ['fə:ð(ə)rəns] *n* támogatás, előmozdítás, elősegítés

furtherer ['fə:ðərə*] *n* támogató; előmozdító

furthermore [fə:ðə'mɔ:*] *adv* azonkívül, továbbá; ráadásul

furthermost ['fə:ðəmoʊst] *a* legtávolabbi, legmesszebb fekvő

furthest ['fə:ðɪst] I. *a* legtávolabbi, legmesszebb eső II. *adv* legtávolabb(ra), legmesszebb(re) ‖ →*farthest*

furtive ['fə:tɪv] *a* titkos, lopott, lopva ejtett [pillantás]

fury ['fjʊərɪ] *n* 1. düh, dühöngés, tombolás, őrjöngés; szenvedély; *get into a ~* dühbe jön/gurul 2. fúria; *work like a ~* dolgozik mint egy megszállott 3. **the Furies** *pl* a Fúriák [római mitológiában]

furze [fə:z] *n* rekettye

fuse [fju:z] I. *n* 1. *(US* **fuze)** gyutacs, gyújtó(zsinór), kanóc 2. *(safety) ~* (olvadó)biztosító; *the ~ went* kiégett a biztosíték; *~ wire* olvadóbiztosító-drót II. A. *vt* 1. *(US* **fuze)** gyújtókészülékkel ellát [lövedéket] 2. (össze)olvaszt [fémet] B. *vi* 1. megolvad, összeolvad [fém]; kiég [biztosíték]; *the light has ~d* kiégett a biztosíték 2. egyesül, egybeolvad, fuzionál

fuselage ['fju:zɪlɑ:ʒ] *n* repülőgéptörzs

fusible ['fju:zəbl] *a* olvasztható, olvadékony

fusilier [fju:zɪ'lɪə*] *n* gyalogos (katona), puskás, lövész

fusillade [fju:zɪ'leɪd] *n* † puskatűz, sortűz; tűzharc, tűzüzelés

fusion ['fju:ʒn] *n* 1. beolvadás, összeolvadás [fémeké stb.]; *~ point* olvadáspont 2. (mag)fúzió; *~ bomb* hidrogénbomba; *~ power* fúziós energia; *~ reactor* fúziós/termonukleáris reaktor 3. egyesülés, szövetkezés, fúzió, fuzionálás [intézményeké]

fuss [fʌs] I. *n* 1. zaj, zsivaj, lárma 2. hűhó, fontoskodás, faksznizás; *make (a) ~, kick up (a) ~* nagy hűhót csap, fontoskodik; *don't make a ~!* ne izgulj/vacakolj/fontoskodjál; *US ~ and feathers* sok hűhó semmiért II. *vi* kicsinyeskedik, akadékoskodik, okvetetlenkedik, fontoskodik; *~ about/ round* tesz-vesz, sűrgölődik, fontoskodik

fussiness ['fʌsɪnɪs] *n* kicsinyesség, aprólékosság

fussy ['fʌsɪ] *a* 1. kicsinyeskedő, aggodalmas(kodó); nyűgös; fontoskodó [személy] 2. túl díszes, csicsás [ruha]; keresett, cikornyás [stílus]

fustian ['fʌstɪən; *US* -tʃən] *n* 1. barhent, parget 2. dagályosság, fellengzősség [stílusé]

fustiness ['fʌstɪnɪs] *n* dohos/penészes/áporodott szag, penészesség

fusty ['fʌstɪ] *a* 1. dohos, penészes, áporodott [szag] 2. régimódi, idejétmúlt [nézet stb.]

futile ['fju:taɪl; *US* -t(ə)l] *a* 1. felületes, jelentéktelen, haszontalan [személy] 2. eredménytelen, hatástalan, hiábavaló [dolog]

futility [fju:'tɪlətɪ] *n* 1. értelmetlenség, jelentéktelenség 2. hiábavalóság; dőreség

future ['fju:tʃə*] I. *a* jövő(beli); *my ~ wife* leendő feleségem, jövendőbelim; *~ tense* jövő idő II. *n* 1. jövő, jövendő; *in the ~* a jövőben, ezután 2. jövő idő [nyelvtanban]; *~ perfect* befejezett jövő (idő) 3. **futures** *pl* határidőüzlet, határidőügylet

futurity [fju:'tjʊərətɪ; *US* -'tuə-] *n* 1. a jövendő, jövő 2. jövőidejűség

futurology [fju:tʃə'rɒlədʒɪ; *US* -'rɑ-] *n* jövőkutatás, futurológia

fuze [fju:z] →*fuse*

fuzz [fʌz] *n* 1. bolyh, pihe, pehely; sűrű bodros haj 2. □ zsaruk, jard

fuzzy ['fʌzɪ] *a* 1. borzas; göndör; bolyhos, rojtos 2. homályos, életlen [körvonal, kép] 3. spicces, pityókos

fwd. *forward*

fylfot ['fɪlfɔt; *US* -ɑt] *n* horogkereszt

G

G¹, g [dʒi:] *n* 1. G, g (betű) 2. g [hang]; *G flat* gesz; *C clef* g-kulcs, violinkulcs
g² *gram(me)*(s) gramm, g
Ga. *Georgia* (USA)
gab [gæb] *biz* I. *n* fecsegés; *have the gift of the ~* jó beszélőkéje/dumája van; □ *stop your ~!* fogd be a szád! II. *v* -bb- *vt/vi* = *gabble II.*
gabardine ['gæbədi:n] *n* gabardin
gabble ['gæbl] I. *n* locsogás, fecsegés II. A. *vt* elhadar, ledarál [leckét, imát] B. *vi* 1. hadar 2. fecseg, locsog
gabbler ['gæblə*] *n* fecsegő/szószátyár ember
gaberdine ['gæbədi:n] *n* 1. = *gabardine* 2. kaftán
gabion ['geɪbjən] *n* sánckas, -kosár; rőzsehenger, -kosár
gable ['geɪbl] *n* orom(zat), oromfal
gabled ['geɪbld] *a* nyeregtetejű
Gabriel ['geɪbrɪəl] *prop* Gábor
gad [gæd] *vi* -dd- csavarog, kódorog
gadabout ['gædəbaʊt] *n* csavargó, naplopó
gadfly *n* 1. bögöly 2. kellemetlen ember
gadget ['gædʒɪt] *biz* (ügyes kis) eszköz; szerkentyű
gadgetry ['gædʒɪtrɪ] *n* újfajta szerelékek/készülékek/bigyók
Gael [geɪl] *n* gael, skót kelta [ember]
Gaelic ['geɪlɪk] *n* gael, skót kelta
gaff¹ [gæf] *n* szigony, halászkampó
gaff² [gæf] □ *blow the ~* eljár a szája, köp
gaffe [gæf] *n* ügyetlenség, baklövés; *commit a ~* tapintatlanságot követ el
gaffer ['gæfə*] *n* biz † 1. (öreg)apó, öreg 2. munkavezető, előmunkás
gag [gæg] I. *n* 1. szájpecek 2. (parlamenti) klotűr 3. (színpadi) bemondás,

rögtönzés, gag II. *v* -gg- A. *vt* 1. betöm, felpeckel [szájat] 2. *átv* elnémít, elhallgattat B. *vi* bemondást rögtönöz [színpadon]
gaga ['gɑ:gɑ:] *a* □ (vén) hülye, szenilis
gage¹ [geɪdʒ] I. *n* 1. zálog 2. *throw down the ~ to sy* kesztyűt dob vk lába elé [kihívásként] II. *vt* elzálogosít
gage² [geɪdʒ] →*gauge*
gage³ [geɪdʒ] *n* ringló
gagged [gægd] →*gag II.*
gaggle ['gægl] I. *n* 1. libafalka 2. *biz* fecsegő lányok/asszonyok II. *vi* gágog, hápog
gagman *n* (*pl* -men) hivatásos bemondáskészítő [kabaré stb. számára]
gaiety ['geɪətɪ] *n* 1. vidámság, jókedv 2. **gaieties** *pl* vigalom, mulatozás
gaily ['geɪlɪ] *adv* vidáman, boldogan
gain [geɪn] I. *n* 1. nyereség, haszon; előny 2. **gains** *pl* nyereség, haszon, profit 3. gyarapodás [összegé] II. A. *vt* 1. nyer [időt]; elnyer, megnyer [tetszést]; szerez [tapasztalatot]; keres [pénzt]; *~ the day* felülkerekedik, győz; *~ strength* megerősödik 2. siet [óra] 3. hízik; *he ~ed two pounds* (*in weight*) két fontot hízott 4. elér [célt stb.]; megérkezik vhová B. *vi* 1. előnyére/hasznára van, hasznot húz (*by* vmből) 2. nyer, gyarapszik; *~ in prestige* növekszik a tekintélye
  gain over *vt ~ sy o.* meggyőz/-nyer vkt [magának, ügynek]
  gain (up)on *vi* 1. (*átv is*) tért hódít; *the sea ~s u. the land* a tenger egyre többet hódít el a szárazföldből 2. *it ~s on one* erőt vesz az emberen 3. utolér [versenytárs]

gainer ['geɪnə*] n nyerő
gainful ['geɪnfʊl] a jövedelmező, hasznos;
~ occupation kereső foglalkozás
gainfully ['geɪnfʊlɪ] adv ~ employed kereső
gainings ['geɪnɪŋz] n pl = gain I. 2.
gainsay [geɪn'seɪ] vt (pt/pp -sayed v.
-said -'seɪd) tagad; it cannot be gainsaid
nem lehet letagadni; there is no ~ing it
mi tagadás, ez így van
Gainsborough ['geɪnzb(ə)rə] prop
'gainst [genst] prep = against
gait [geɪt] n járásmód, testtartás
gaiter ['geɪtə*] n lábszárvédő; kamásni
Gaitskell ['geɪtskəl] prop
gal [gæl] n biz = girl
gal. gallon(s)
gala ['gɑːlə; US 'geɪ-] I. a dísz-, ünnepi;
gála-; in ~ dress (ünnepi) díszben;
II. n díszünnepély
galactic [gə'læktɪk] a tejúti, galaktikai
Galahad ['gæləhæd] prop
galantine ['gæləntiːn] n galantin, kocsonya
galaxy ['gæləksɪ] n 1. tejút(rendszer),
galaktika; the G~ a Tejút 2. biz ragyogó/fényes gyülekezet
gale [geɪl] n erős szél; it blows a ~ viharos szél fúj
Galilee ['gælɪliː] prop Galilea
galipot ['gælɪpɔt; US -ɑt] n fenyőgyanta
gall¹ [gɔːl] n 1. epe; ~ bladder epehólyag 2. keserűség, rosszindulat, malícia; vent one's ~ on sy mérgét kitölti
vkn 3. biz have the ~ to... van pofája...
gall² [gɔːl] I. n törés, horzsolás II.
vt 1. felhorzsol, feltör [bőrt] 2. biz
bosszant, (meg)sért
gall³ [gɔːl] n gubacs
gall. gallon(s)
gallant ['gælənt] I. a 1. bátor, hősies;
lovagias 2. pompás 3. [US gə'lænt]
udvarias, gáláns II. n 1. aranyifjú;
elegáns/finom ember/úr 2. udvarló,
gavallér
gallantry ['gæləntrɪ] n 1. bátorság, hősiesség 2. udvariasság, lovagiasság
[nőkkel szemben] 3. † szerelmi ügy,
nőügy
galleon ['gælɪən] n gálya

gallery ['gælərɪ] n 1. karzat, erkély;
play to the ~ a karzatnak játszik
2. fedett folyosó, tornác 3. képtár,
műcsarnok, galéria 4. aknafolyosó
[bányában]
galley ['gælɪ] n 1. gálya 2. hajókonyha
galley-proof n kefelevonat, hasáblevonat
galley-slave n gályarab
gall-fly n gubacsdarázs
Gallic ['gælɪk] a gall, francia
Gallicism ['gælɪsɪzm] n gallicizmus
galling ['gɔːlɪŋ] a bosszantó, sértő,
nyugtalanító; ~ fire heves (ágyú)tűz
gallivant [gælɪ'vænt] vi nők után fut
gallon ['gælən] n gallon ⟨űrmérték Angliában: 4,54 1.; Amerikában: 3,78 1.⟩
gallop ['gæləp] I. n vágta, galopp; at a
~ vágtában; full ~ teljes vágta;
go for a ~ kivágtat II. vi 1. vágtat, vágtázik; ~ing consumption heveny tüdővész 2. ~ through sg gyorsan elolvas/elhadar vmt
gallows ['gæloʊz] n akasztófa, bitó;
have a ~ look betörőpofája van
gallows-bird n biz akasztófavirág
gallows-tree n akasztófa
gallstone n epekő
Gallup poll ['gæləp] közvélemény-kutatás
gall-wasp n gubacsdarázs
galore [gə'lɔː*] adv bőven; fruit and
flowers ~ rengeteg gyümölcs és virág
galoshes, go- [gə'lɔʃɪz; US -'lɑ-] n pl sárcipő, kalocsni
Galsworthy ['gɔːlzwəːðɪ] prop
galumph [gə'lʌmf] vi peckesen feszít
galvanic [gæl'vænɪk] a galvános
galvanism ['gælvənɪzm] n galvánosság
galvanization [gælvənaɪ'zeɪʃn; US -nɪ-]
n 1. galvanizálás 2. felvillanyozás,
-élénkítés
galvanize ['gælvənaɪz] vt 1. galvanizál,
fémmel bevon 2. felvillanyoz; ~ into
action (hirtelen) tevékenységre serkent
galvanometer [gælvə'nɔmɪtə*; US -'nɑ-]
n galvanométer
gambit ['gæmbɪt] n 1. gyalogáldozattal
történő nyitás [sakkban] 2. átv lépés,
„húzás"
gamble ['gæmbl] I. n 1. szerencsejáték,

hazárdjáték 2. kockázatos vállalkozás/ügy II. **A.** *vt ~ away/off* eljátszik [vagyont], elkártyáz **B.** *vi* (pénzben) játszik, kártyázik; *~ on the Stock Exchange* a tőzsdén játszik, tőzsdézik; *biz you may ~ on that* biztosra veheted **gambler** ['gæmblə*] *n* kártyás, játékos **gambling** ['gæmblıŋ] *n* (szerencse)játék, hazárdjáték; *~ den* játékbarlang **gamboge** [gæm'bu:ʒ; *US* -'boʊdʒ] *n* gumigutti [sárga festék] **gambol** ['gæmbl] **I.** *n* ugrándozás **II.** *vi* -ll- (*US* -l-) szökell, ugrál **game¹** [geɪm] **I.** *a* **1.** bátor, határozott; *a ~ fellow* kemény legény; *~ for anything* semmi jónak nem elrontója; *die ~* bátran küzdve hal meg **2.** vadászati, vadász-; *~ bag* vadásztáska; *~ laws* vadászati törvények **II.** *n* **1.** mulatság; játék; tréfa; *have a ~ with sy* bolonddá tesz vkt; *make ~ of sy* gúnyt űz vkből **2.** játék, gém [teniszben]; [egyéb:] játszma; *the ~ is four all* 4:4 a játékállás; *~s master* sportvezető, testnevelési tanár; *the ~ is on* a játék/játszma folyik; *the ~ is up* a játéknak vége, a játszma elveszett; *be off one's ~* rossz (játék)formában van; *play the ~* megtartja a játékszabályokat, korrektül játszik (*átv is*); *play a good ~* jó játékos **3.** vállalkozás, terv, *átv* játszma; *play sy's ~* (akaratlanul) vk szekerét tolja; *spoil sy's ~* meghiúsítja vknek a tervét; *none of your little ~s!* elég volt kisded játékaidból!; *see through sy's ~s* átlát vk ravaszkodásain **4.** vad [állat]; *big ~* nagyvad; *fair ~* vadászható/lőhető vad; *small ~* apróvad; *~ (p)reserve* vadaskert; vadrezervátum **5.** vadpecsenye; *~ pie* vadpástétom; *eat ~* vadpecsenyét eszik **III.** *vi* = *gamble II. B.*
game² [geɪm] *n a ~ leg* béna láb
game-bird *n* szárnyas vad
gamecock *n* vívókakas
gamekeeper *n* vadőr
game-licence *n* vadászati engedély
gameness ['geɪmnɪs] *n* bátorság
gamesmanship ['geɪmzmənʃıp] *n* ⟨nye-

rés a pszichológiai eszközök kihasználásával⟩
gamesome ['geɪmsəm] *a* víg, játékos
gamester ['geɪmstə*] *n* kártyás (ember)
gaming-debt ['geɪmıŋ-] *n* játékadósság
gaming-room *n* játékterem
gaming-table *n* játékasztal
gamma ['gæmə] *n* gamma [görög betű]; *~ rays* gamma-sugarak/sugárzás
gammer ['gæmə*] *n* † jó öreganyó
gammon¹ ['gæmən] **I.** *n* füstölt sonka **II.** *vt* füstöl [sonkát]
gammon² ['gæmən] † *n* humbug; becsapás; *that's all ~ and spinach* ez csak mese habbal
gamp [gæmp] *n biz* régimódi nagy esernyő
gamut ['gæmət] *n* **1.** hangskála, -terjedelem **2.** *átv the whole ~ of feeling* az érzelmek teljes skálája
gamy ['geɪmɪ] *a* vadas ízű, vadízű
gander ['gændə*] *n* gúnár
Gandhi ['gændi:] *prop*
gang [gæŋ] **I.** *n* **1.** csoport, (munkás-) brigád **2.** (gengszter)banda **3.** szerszámkészlet **II.** *vi ~ up* bandába verődik, összeáll (vkikkel)
gang-board *n* kikötőhíd, stég
ganger ['gæŋə*] *n* csoportvezető, brigádvezető, előmunkás
Ganges ['gændʒi:z] *prop* Gangesz
gangling ['gæŋglıŋ] *a* nyakigláb
ganglion ['gæŋglıən] *n* (*pl* **-glia** -glıə v. **~s** -z) **1.** idegdúc, ganglion **2.** *átv* (tevékenységi) központ
gang-plank *n* kikötőhíd, stég
gangrene ['gæŋgri:n] **I.** *n* üszkösödés, gangréna **II.** *vi* (el)üszkösödik
gangrenous ['gæŋgrınəs] *a* üszkös, gangrénás
gangster ['gæŋstə*] *n* gengszter, bandita
gangway *n* **1.** folyosó [ülések között] **2.** kikötőhíd
gannet ['gænɪt] *n* (tengeri) szula
gantry ['gæntrı] *n* **1.** állványzat; (*signal*) ~ szemaforhíd **2.** portáldaru felső része **3.** hordóállvány
Ganymede ['gænımi:d] *prop*
gaol [dʒeıl] **I.** *n* börtön, fegyház **II.** *vt* bebörtönöz

gaol-bird *n* börtöntöltelék
gaoler ['dʒeɪlə*] *n* börtönőr
gaol-fever *n* tífusz
gap [gæp] *n* 1. rés, hasadék, nyílás
2. *átv* hézag, kiesés [emlékezetben];
hiány [műveltségben]; szakadék, űr;
fill/stop a ~ (1) rést betöm, hiányt
pótol (2) pótolja a mulasztottakat;
stand in the ~ helytáll vk helyett,
helyettesít vkt 3. *US* (hegy)szoros
gape [geɪp] I. *n* 1. ásítás 2. szájtátás
3. *the* ~*s* (1) légcsőférgesség [baromfi-
nál] (2) ásítási roham II. *vi* 1. tátja
a száját 2. tátott szájjal bámul (*at*
vmt), bámészkodik; *make people* ~
elkápráztatja az embereket 3. ásít,
ásítozik 4. tátong
gaper ['geɪpə*] *n* 1. bámészkodó 2.
ásítozó
gaping ['geɪpɪŋ] *a* 1. tátongó 2. táto-
gató, szájtáti
gap-toothed *a* foghíjas
garage ['gærɑ:dʒ; *US* gə'rɑ:ʒ] I. *n*
garázs II. *vt* garázsban elhelyez, ga-
razsíroz
garb [gɑ:b] I. *n* öltözet, viselet II. *vt*
öltöztet; ~ *oneself* öltözik; ~*ed in*
black fekete öltözetben
garbage ['gɑ:bɪdʒ] *n* (konyhai) hulladék;
(házi) szemét; *US* ~ *can* szemétvödör;
US ~ *truck* kuka
garbageman [-mən] *n* (*pl* -men -mən)
US szemetes
garble ['gɑ:bl] *vt* elferdít [hírt, szöveget];
meghamisít; ~*d account* meghamisí-
tott beszámoló
garden ['gɑ:dn] I. *n* 1. kert; ~ *city/*
suburb kertváros; *biz lead sy up the*
~ *path* becsap/félrevezet vkt 2. *gar-*
dens pl park II. *vi* kertészkedik
gardener ['gɑ:dnə*] *n* kertész
garden-frame *n* melegágy(i ablakkeret)
garden-gate *n* kertkapu
gardening ['gɑ:dnɪŋ] *n* kertészkedés;
~ *tools* kerti szerszámok
garden-party *n* kerti fogadás/ünnepély
garden-plot *n* kb. zártkert
garden-produce *n* kerti termény
garden-seat *n* kerti pad
gargantuan [gɑ:'gæntjʊən; *US* -tʃʊ-]
a óriási, rettentő nagy

gargle ['gɑ:gl] I. *n* toroköblítő (víz)
II. *vt/vi* gargarizál, torkot öblít
gargoyle ['gɑ:gɔɪl] *n* vízköpő
garish ['geərɪʃ] *a* feltűnő, rikító
garishness ['geərɪʃnɪs] *n* feltűnőség,
rikítóság
garland ['gɑ:lənd] I. *n* 1. virágfüzér,
girland 2. versfüzér, antológia II.
vt megkoszorúz, füzérrel díszít
garlic ['gɑ:lɪk] *n* fokhagyma; *clove of*
~ fokhagymagerezd
garment ['gɑ:mənt] *n* ruha; öltözet;
the ~ *trade* konfekcióipar
garner ['gɑ:nə*] I. *n* 1. csűr, hombár
2. (*átv is*) tárház II. *vt* ~ (*in/up*)
összegyűjt, betakarít [gabonát]
garnet ['gɑ:nɪt] *n* gránát(kő)
garnish ['gɑ:nɪʃ] I. *n* 1. körítés, köret,
garnírung 2. stílusbeli cifraság, szóvi-
rág II. *vt* 1. díszít, körít (*with* vmvel)
2. letilt [fizetést]
garnishee ['gɑ:nɪʃi:] *n* ~ *proceedings*
fizetésletiltási eljárás; *put a* ~ *on*
sy's pay letilt(at)ja vk fizetését
garret ['gærət] *n* padlásszoba, man-
zárd
garret-window *n* manzárdablak
Garrick ['gærɪk] *prop*
garrison ['gærɪsn] I. *n* helyőrség II.
vt 1. helyőrséget helyez el (vhol)
2. beszállásol
garrote, *US* garrote [gə'rɔt; *US*
-ɑt] I. *n* 1. kivégzés nyakszorító
vassal 2. csavarófa [kötél megszo-
rítására] II. *vt* nyakszorító vassal ki-
végez; megfojt
garrulity [gæ'ru:lətɪ] *n* locsogás, bőbe-
szédűség, szószátyárság
garrulous ['gærʊləs] *a* bőbeszédű
garter ['gɑ:tə*] *n* harisnyakötő; *knight*
of the (*Order of*) *the G*~ a térdszalag-
rend lovagja
garth [gɑ:θ] *n* kolostorkert
gas [gæs] I. *n* 1. gáz; *the* ~ *is laid on*
be van vezetve a gáz; *turn on the* ~
meggyújtja a gázt; ~ *natural* ~ föld-
gáz; ~ *attack* gáztámadás; ~ *chamber*
gázkamra; ~ *fire* gázkályha, -kandal-
ló 2. *US biz* benzin; *step on the* ~
teljes gázt ad 3. *biz* halandzsa, duma
II. *v* -ss- A. *vt* 1. gázzal ellát/tölt/vi-

lágít 2. elgázosít, megmérgez (gázzal)
B. *vi biz* fecseg, halandzsázik
gas-bag *n* 1. gáztartály 2. *biz* nagyszájú, szószátyár
gas-burner *n* gázégő
gascon(n)ade [gæskə'neɪd] *n* (nagyszájú) hencegés, háryjánoskodás
gas-cooker *n* gáztűzhely, (gáz)resó
gas-drum *n US* benzineshordó
gas-engine *n* gázmotor
gaseous ['gæsjəs] *a* gáz halmazállapotú, gáznemű
gas-fitter *n* gázszerelő
gas-fittings *n pl* gázberendezés [lakásban]
gash [gæʃ] **I.** *n* mély vágás, seb **II.** *vt* megvág, bevág, összeszabdal
gas-helmet *n* gázálarc
gas-holder *n* = gasometer
gasification [gæsɪfɪ'keɪʃn] *n* 1. gázképződés, elgázosodás 2. elgázosítás
gasify ['gæsɪfaɪ] **A.** *vt* elgázosít, gázt fejleszt **B.** *vi* elgázosodik
gas-jet *n* gázláng
gasket ['gæskɪt] *n* 1. tömítés 2. vitorlafűző kötél
gas-light *n* gázlámpa
gas-lighter *n* 1. gázgyújtó 2. gázöngyújtó
gas-main *n* gázfővezeték
gas-man *n* (*pl* -men) 1. gázszerelő 2. gázleolvasó
gas-mantle *n* gázharisnya
gas-mask *n* gázálarc
gas-meter *n* gázóra
gasoline, gasolene ['gæsəliːn] *n* 1. gazolin 2. *US* benzin
gasometer [gæ'sɔmɪtə*; *US* -'sɑ-] *n* (gyári) gáztartály, gazométer
gas-oven *n* gáztűzhely, -sütő; *put one's head in the ~* gázzal lesz öngyilkos
gasp [gɑːsp; *US* -æ-] **I.** *n* zihálás, kapkodás levegőért; *be at one's last ~* az utolsókat leheli, a végét járja **II. A.** *vt* ~ *out sg* zihálva elmond vmt **B.** *vi* 1. ~ *for breath* levegő után kapkod, zihál 2. eláll a lélegzete [meglepetéstől stb.]
gasping ['gɑːspɪŋ; *US* -æ-] **I.** *a* levegő után kapkodó **II.** *n* zihálás
gas-pipe *n* gázcső

gas-proof *a* gázbiztos, gázhatlan
gas-range *n* gáztűzhely
gas-ring *n* gázresó
gassed [gæst] *a* elgázosított, gázzal mérgezett ‖→*gas II.*
gas-station *n US* benzinkút; ~ *attendant* benzinkutas, benzinkútkezelő
gas-stove *n* 1. gázkályha 2. gáztűzhely
gassy ['gæsɪ] *a* 1. gáznemű 2. *biz* bőbeszédű, dumás
gas-tight *a* gázbiztos, gázt át nem eresztő
gastric ['gæstrɪk] *a* gyomor-; ~ *juice* gyomornedv; ~ *ulcer* gyomorfekély
gastritis [gæ'straɪtɪs] *n* gyomorhurut, gasztritisz
gastronomic [gæstrə'nɔmɪk; *US* -'nɑ-] *a* konyhaművészeti, gasztronómiai
gastronomy [gæ'strɔnəmɪ; *US* -ɑn-] *n* konyhaművészet, gasztronómia
gasworks *n* v. *n pl* gázgyár, gázművek
gat [gæt] *n US* □ stukker
gate [geɪt] **I.** *n* 1. kapu, bejárat; kijárat [reptéren]; □ *US give sy the ~* kiteszi vk szűrét 2. látogatók/nézők száma [meccsen] 3. ~ (*money*) bevétel [meccsen] 4. zsilipkapu **II.** *vt GB* kimeneteli tilalommal sújt [főiskolai diákot]
gatecrash *vt* betolakodik [hívatlan vendégként vhova]
gatecrasher [-kræʃə*] *n* hívatlan vendég
gate-house *n* kapuslakás
gate-keeper *n* kapus
gate-legged table lehajtható lapú asztal, csapóasztal
gate-post *n* kapufélfa; *between you and me and the ~* magunk között szólva
gateway *n* kapualj, -bejárat, -szín
gather ['gæðə*] **A.** *vt* 1. (össze)szed, (össze)gyűjt; ~ *dust* porosodik; ~ *ground* tért nyer; ~ *speed* (fel)gyorsul; *be ~ed to one's fathers* megtér őseihez; ~ *all one's strength* minden erejét összeszedi 2. begyújt, betakarít [termést], leszed [virágot]; ~ *information* értesüléseket szerez 3. összehúz, behúz [szövetet stb.]; ~ *one's brow* összehúzza a szemöldökét 4. követ-

keztet, kivesz (*from* vmből); *I* ~ *from the papers* úgy látom/értesülök az újságból... **B.** *ví* **1.** gyülekezik, csoportosul; *a crowd* ~*ed* egész tömeg verődött össze **2.** összegyűlik, felgyülemlik; *a storm is* ~*ing* vihar készül **3.** növekszik, erősödik, fokozódik [szél, sötétség stb.] **4.** meggyűlik [ujj]; ~ *to a head* megérik [kelevény; *átv* helyzet, ügy] **gather round** *vi* ~ *r.* köré gyűlik

gather up *vt* ~ *up sg* felszed/összeszed vmt; ~ *up the skirt* szoknyát felfog; ~ *up the hair in a knot* kontyot csinál

gathered ['gæðəd] *a* **1.** húzott [szoknya]; puffos [ruhaujj] **2.** meggyűlt [ujj]

gatherer ['gæðərə*] *n* gyűjtő; gyümölcsszedő

gathering ['gæð(ə)rɪŋ] *n* **1.** összejövetel **2.** gennyedés **3.** ~ (*in*) *of the crop* termésbetakarítás

G.A.T.T., GATT [gæt] *General Agreement on Tariffs and Trade* Általános Tarifaés Kereskedelmi Egyezmény

gauche [gouʃ] *a* esetlen, félszeg

gaucherie ['gouʃəri:; *US* -'ri:] *n* esetlenség; tapintatlanság

gaucho ['gautʃou] *n* **1.** ⟨dél-amerikai félvér tehénpásztor/cowboy⟩ **2.** csizmanadrág

gaudily ['gɔ:dɪlɪ] *adv* **1.** cifrán, tarkán **2.** ünnepiesen

gaudiness ['gɔ:dɪnɪs] *n* díszesség, cifraság

gaudy¹ ['gɔ:dɪ] *a* tarka, cifra, rikító

gaudy² ['gɔ:dɪ] *n* ⟨öregdiákok évi összejövetele⟩

gauge, *US* **gage** [geɪdʒ] **I.** *n* **1.** mérték; méret; űrtartalom; *take the* ~ *of sg* felbecsül vmt; *biz take sy's* ~ leméri vk képességeit **2.** nyomtáv **3.** idomszer, kaliber, sablon **4.** mérőeszköz, mérce **II.** *vt* **1.** megmér [folyadékszintet, szélsebességet]; akóz [hordót]; kalibrál [idomszerrel] **2.** *átv* ~ *sy's capacities* felméri vk képességeit

gauging, *US* **gaging** ['geɪdʒɪŋ] *n* **1.** mérés; szabványosítás; hitelesítés **2.** adagolás

Gaul [gɔ:l] *prop* Gallia

gaunt [gɔ:nt] *a* **1.** ösztövér, sovány [ember] **2.** sivár, kísérteties; komor [táj]

gauntlet¹ ['gɔ:ntlɪt] *n* hosszú szárú kesztyű; *throw down the* ~ *to sy* kesztyűt dob vk lába elé [kihívásként]; *take up the* ~ fölveszi a(z odadobott) kesztyűt

gauntlet² ['gɔ:ntlɪt] *n* (*átv is*) *run the* ~ vesszőt fut

gauze [gɔ:z] *n* fátyolszövet, géz

gauzy ['gɔ:zɪ] *a* fátyolszerű, átlátszó

gave →*give*

gavel ['gævl] *n* elnöki/árverezői kalapács

Gawain ['gɑ:weɪn] *prop*

gawk [gɔ:k] *n* ügyefogyott/esetlen ember

gawkiness ['gɔ:kɪnɪs] *n* esetlenség, ügyefogyottság

gawky ['gɔ:kɪ] *a* ügyetlen, esetlen

gay [geɪ] *a* **1.** vidám, jókedvű **2.** élénk [színű], tarka **3.** élvhajhászó [életmód]; rossz erkölcsű [nő] **4.** *biz* homoszexuális, ,,homokos''

gayly ['geɪlɪ] *adv* = *gaily*

gayness ['geɪnɪs] *n* = *gaiety*

Gaza ['gɑ:zə] *prop* Gáza

gaze [geɪz] **I.** *n* nézés, bámulás **II.** *vi* hosszasan/mereven néz, bámul (*at/on/upon* vmre)

gazebo [gə'zi:bou] *n US* kilátóerkély, filagória [szép kilátású helyen]

gazelle [gə'zel] *n* gazella

gazette [gə'zet] **I.** *n* hivatalos lap **II.** *vt* hivatalos lapban közzétesz

gazetteer [gæzə'tɪə*] *n* **1.** földrajzi lexikon **2.** helységnévtár

gazing ['geɪzɪŋ] *a* kíváncsi, bámész

G.B., GB [dʒi:'bi:] *Great Britain* Nagy-Britannia

G.B.S. [dʒi:bi:'es] *George Bernard Shaw*

GCE [dʒi:si:'i:] *General Certificate of Education* →*certificate*

G.C.V.O. [dʒi:si:vi:'ou] *Knight Grand Cross of the Royal Victorian Order* ⟨brit kitüntetés⟩

Gdn(s). *Garden(s)*

GDR [dʒi:di:'ɑ:*] *German Democratic Republic* Német Demokratikus Köztársaság, NDK

gear [gɪə*] I. *n* 1. felszerelés, szerelvény; holmi 2. *biz* szerelés 3. fogaskerék 4. készülék; szerkezet 5. működés, üzem; *be out of ~* (1) ki van kapcsolva [motor stb.] (2) felmondta a szolgálatot [gép, szerkezet] 6. sebesség; *bottom/ first/low ~* első sebesség; *top* (v. *US high*) *~* negyedik sebesség, direkt; *go into second ~* második sebességbe kapcsol; *change/shift ~* (1) sebességet vált (2) *átv* átnyergel, pártot változtat II. *vt* 1. bekapcsol [fogaskereket, hajtóművet]; *~ down* csökkent [fordulatszámot, *átv* tempót stb.]; *~ up* (1) növel [fordulatszámot] (2) *átv* fokoz [tempót stb.] 2. *~ to sg* függővé tesz vmtől; igazít/arányosít vmhez; vm függvényévé tesz

gear-box/case *n* 1. sebességváltó(mű), sebváltó 2. fogaskerékház

gearing [ˈgɪərɪŋ] *n* fogaskerékmű

gear-lever *n* sebességváltó kar

gear-ratio *n* áttételi arány

gearshift *n US = gear-lever*

gear-wheel *n* fogaskerék, hajtókerék

gee[1] [dʒiː] *int* gyí! [ló biztatására]

gee[2] [dʒiː] *int US biz* jé!; *~ your pants look great!* hű de klassz nadrágod van!

gee-gee [ˈdʒiːdʒiː] *n* paci

geese →*goose*

gee-up *int* gyí te!

geezer [ˈgiːzə*] *n* □ *old ~* „öreg szivar"

Geiger-counter [ˈgaɪgə-] *n* GM-számláló

geisha [ˈgeɪʃə] *n* gésa

gel [dʒel] I. *n* gél II. *vi* -ll- megkocsonyásodik

gelatine [dʒeləˈtiːn], *US* -tin [ˈdʒelətɪn] *n* zselatin

gelatinous [dʒəˈlætɪnəs] *a* kocsonyás

geld [geld] *vt* (ki)herél

gelding [ˈgeldɪŋ] *n* herélt ló

gem [dʒem] I. *n* 1. drágakő, ékkő 2. *átv* gyöngyszem; *the ~ of the collection* a gyűjtemény legszebb darabja II. *vt* -mm- drágakövekkel kirak/díszít

geminate [ˈdʒemɪneɪt] *a* páros, iker

gemmed [dʒemd] *a* drágakövekkel kirakott ‖ →*gem II.*

gen [dʒen] *n* eligazítás

Gen. *General* tábornok

gendarme [ˈʒɑːndɑːm] *n* csendőr

gendarmerie [ʒɑːnˈdɑːməri:] *n* csendőrség

gender [ˈdʒendə*] I. *n* nem [nyelvtani értelemben] II. *vt* nemz, szül

gene [dʒiːn] *n* gén

genealogical [dʒiːnjəˈlɒdʒɪkl; *US* -ˈlɑ-] *a* nemzedékrendi, leszármazási; *~ tree* családfa

genealogist [dʒiːnɪˈælədʒɪst] *n* genealógus

genealogy [dʒiːnɪˈælədʒɪ] *n* 1. nemzedékrend, leszármazás(i rend) 2. származástan, genealógia

genera →*genus*

general [ˈdʒen(ə)rəl] I. *a* 1. általános; közös, köz-; *~ election* képviselőválasztás; *~ opinion* általános vélemény, közvélemény; *~ pardon* közkegyelem, amnesztia; *the ~ public* a nagyközönség; *as a ~ rule, in ~ terms* általánosságban, általában véve 2. általános, nem specializált; *US ~ delivery* postán maradó küldemény; *GB ~ practitioner* általános orvos, med. univ.; *~ servant* mindenes; *~ store* vegyeskereskedés 3. fő; *~ headquarters* főhadiszállás; *~ staff* vezérkar II. *n* 1. *in ~* általánosságban, általában véve 2. tábornok

generalissimo [dʒen(ə)rəˈlɪsɪmoʊ] *n* fővezér, generalisszimusz

generality [dʒenəˈrælətɪ] *n* 1. általánosság 2. nagy/túlnyomó többség

generalization [dʒen(ə)rəlaɪˈzeɪʃn; *US* -lɪˈz-] *n* általánosítás

generalize [ˈdʒen(ə)rəlaɪz] *vt/vi* 1. általánosít 2. elterjeszt [szokást]; kiterjeszt [törvényt, eljárást]

generally [ˈdʒen(ə)rəlɪ] *adv* 1. általában (véve), rendszerint; *~ speaking* általánosságban szólva 2. általánosan; *he is ~ esteemed* közmegbecsülésnek örvend

general-purpose *a* univerzális [gép stb.]

generalship [ˈdʒen(ə)rəlʃɪp] *n* 1. tábornoki állás, tábornokság 2. hadvezetés, hadászat

generate [ˈdʒenəreɪt] *vt* 1. létrehoz, előállít; fejleszt, termel [áramot, gőzt] 2. okoz; előidéz, kivált

23

generation [dʒenə'reɪʃn] *n* 1. nemzedék, generáció; *the rising* ~ az ifjú nemzedék; *the* ~ *gap* generációs ellentét, nemzedékek közötti nézetkülönbség 2. (*átv is*) létrehozás, alkotás 3. fejlesztés [hőé, áramé stb.]
generative ['dʒenərətɪv; *US* -reɪ-] *a* 1. nemző, alkotó; létrehozó 2. termelő; fejlesztő 3. ~ *grammar* generatív nyelvtan
generator ['dʒenəreɪtə*] *n* 1. áramfejlesztő (gép), generátor 2. alkotó, létrehozó
generic [dʒɪ'nerɪk] *a* 1. nemi, nem-, genus-, generikus 2. általános
generosity [dʒenə'rɔsətɪ; *US* -'ra-] *n* 1. bőkezűség 2. nagylelkűség; *fit of* ~ nagylelkűségi roham
generous ['dʒen(ə)rəs] *a* 1. nagylelkű; ~ *to a fault* túlságosan jószívű 2. bőkezű 3. bőséges, kiadós [étkezés stb.]
generousness ['dʒen(ə)rəsnɪs] *n* 1. nagylelkűség 2. bőkezűség
genesis ['dʒenɪsɪs] *n* keletkezés, eredet, származás; (*Book of*) *G*~ Mózes első könyve
genetic [dʒɪ'netɪk] *a* genetikai, örökléstani
genetics [dʒɪ'netɪks] *n* örökléstan, genetika
Geneva [dʒɪ'niːvə] *prop* Genf; ~ *cross* vöröskereszt; ~ *gown* palást [ref. lelkészé]
Genghis Khan [dʒéŋgɪs'kɑːn] *prop* Dzsingisz kán
genial ['dʒiːnjəl] *a* 1. enyhe, kellemes [éghajlat] 2. derűs, barátságos, szívélyes [egyéniség] 3. közvetlen [modor], természetes, mesterkéletlen [viselkedés]
geniality [dʒiːnɪ'ælətɪ] *n* 1. enyheség [éghajlaté] 2. barátságosság, szívélyesség
genie ['dʒiːnɪ] *n* dzsinn, tündér
genital ['dʒenɪtl] I. *a* nemző; nemi, ivar- II. genitals *n pl* nemi szervek, ivarszervek
genitive ['dʒenɪtɪv] *a/n* ~ (*case*) birtokos eset, genitivus
genius ['dʒiːnjəs] *n* (*pl* ~es -ɪz v. genii

'dʒiːnɪaɪ) 1. őrszellem, nemtő; *sy's evil* ~ vk rossz szelleme 2. (vmnek a) szelleme [koré, helyé, nyelvé] 3. tehetség, rendkívüli képesség; *man of* ~ zseniális ember; ~ *for mathematics* nagy matematikai tehetség 4. lángelme, zseni
genocide ['dʒenəsaɪd] *n* fajirtás
genre ['ʒɑːŋr(ə)] *n* 1. zsáner 2. ~ (*painting*) életkép
gent [dʒent] *n* 1. *vulg* (= *gentleman*) úr, úriember 2. ~s'... férfi- [üzletekben] 3. *GB biz* gents férfiak [nyilvános illemhely felirata]
genteel [dʒen'tiːl] *a* 1. finomkodó, előkelősködő 2. † finom, úri; ~ *poverty* cifra nyomorúság
gentian ['dʒenʃɪən] *n* tárnics, gencián
gentile ['dʒentaɪl] *n* nem zsidó; (idegen) nép [bibliában]
gentilitial [dʒentɪ'lɪʃl] *a* nemzetiségi
gentility [dʒen'tɪlətɪ] *n* 1. nemesi származás 2. (felső) középosztály 3. előkelőség, finomság
gentle ['dʒentl] *a* 1. nemes; *of* ~ *birth* nemesi/előkelő származású 2. szelíd, finom [ember]; udvarias, nyájas [modor]; enyhe [éghajlat]; gyengéd [pillantás, érintés]; ~ *reader* nyájas olvasó; *the* ~(*r*) *sex* a gyengébb nem
gentlefolk(s) *n pl* úriemberek; előkelő emberek
gentleman ['dʒentlmən] *n* (*pl* -men -mən) 1. úr, úriember; ~ *commoner* nemes diák [Oxf.-ban és Cambr.-ben egykor]; ~ *farmer* gazdálkodó úr; ~ *of leisure* magánzó; *gentlemen's agreement* becsületbeli megegyezés 2. úr, férfi; *a* ~ *has called* egy úr kereste (önt); *Gentlemen* (1) *US* Tisztelt Uraim! [levélmegszólítás] (2) *GB* férfiak [illemhely felirata]; *gentlemen's*... férfi- [üzletben] 3. nemes úr; ~ *in waiting* szolgálattevő kamarás [királyi udvarnál]
gentleman-at-arms *n* (*pl* -men-) *GB* † udvaronc, nemesi díszőrség tagja
gentlemanlike ['dʒentlmənlaɪk] *n* úri; úriemberhez méltó
gentlemanly ['dʒentlmənlɪ] *a* = *gentlemanlike*

gentleness ['dʒentlnɪs] n finomság, kedvesség

gentlewoman n (pl -women) 1. úrinő 2. † udvarhölgy

gently ['dʒentlɪ] adv finoman, gyengéden; nyájasan; óvatosan; ~ does it! csak óvatosan/finoman!

gentry ['dʒentrɪ] n köznemesség; dzsentri

genuflect ['dʒenju:flekt] vi térdet hajt

genuflection [dʒenju:'flekʃn] n térdhajtás

genuine ['dʒenjʊɪn] a 1. eredeti, valódi; hiteles 2. őszinte, nyílt

genuineness ['dʒenjʊɪnnɪs] n 1. hitelesség, eredetiség, valódiság 2. őszinteség, nyíltság

genus ['dʒi:nəs] n (pl genera 'dʒenərə) 1. [állati, növényi] nem, nemzetség, genus 2. biz faj(ta)

Geo. George György

geocentric [dʒi:oʊ'sentrɪk] a geocentrikus, földközponti

geodesic(al) [dʒi:oʊ'desɪk(l)] a = geodetic(al)

geodesy [dʒi:'ɔdɪsɪ; US -'ɑ-] n földméréstan, geodézia

geodetic(al) [dʒi:oʊ'detɪk(l)] a földméréstani, geodéziai

Geoffrey ['dʒefrɪ] prop Gotfrid

geographer [dʒɪ'ɔgrəfə*; US -'ɑ-] n földrajztudós

geographical [dʒɪə'græfɪkl] a földrajzi; ~ latitude földrajzi szélesség

geography [dʒɪ'ɔgrəfɪ; US -'ɑ-] n földrajz

geological [dʒɪə'lɔdʒɪkl; US -'lɑ-] a földtani, geológiai

geologist [dʒɪ'ɔlədʒɪst; US -'ɑ-] n geológus

geology [dʒɪ'ɔlədʒɪ; US -'ɑ-] n földtan, geológia

geometric(al) [dʒɪə'metrɪk(l)] a mértani, geometriai; ~ progression mértani haladvány

geometry [dʒɪ'ɔmətrɪ; US -'ɑ-] n mértan, geometria

geophysical [dʒi:oʊ'fɪzɪkl] a geofizikai

geophysics [dʒi:oʊ'fɪzɪks] n geofizika

George [dʒɔ:dʒ] prop György; by ~! a kutyafáját!

georgette [dʒɔ:'dʒet] n zsorzsett

Georgia ['dʒɔ:dʒjə; US -dʒə] prop

Georgian ['dʒɔ:dʒjən] a 1. ⟨a Hannoveri Házból származó I., II., III. és IV. György királyok uralkodásának idejéből való (1715—1830)⟩ 2. XVIII. századi 3. [US 'dʒɔ:dʒən] georgiai

Georgiana [dʒɔ:dʒɪ'ɑ:nə] prop Györgyike

Gerald ['dʒer(ə)ld] prop Gellért

Geraldine ['dʒer(ə)ldi:n] prop Zseraldina

geranium [dʒɪ'reɪnjəm] n muskátli

Gerard ['dʒerɑ:d] prop Gellért

gerfalcon ['dʒə:fɔ:lkən] n vadászsólyom

geriatric [dʒerɪ'ætrɪk] a geriátriai

geriatrics [dʒerɪ'ætrɪks] n geriátria

germ [dʒə:m] n 1. (átv is) csíra 2. baktérium; ~ warfare baktériumháború

german¹ ['dʒə:mən] a első fokú [rokon]; cousin ~ első fokú unokatestvér

German² ['dʒə:mən] I. a német; ~ Democratic Republic Német Demokratikus Köztársaság; ~ Federal Republic Német Szövetségi Köztársaság II. n 1. német (ember) 2. német (nyelv) 3. német (nyelv)tudás

germane [dʒə:'meɪn] a vonatkozó (to vmre); tárgyhoz tartozó

Germanic [dʒə:'mænɪk] a germán

Germany ['dʒə:m(ə)nɪ] prop Németország; biz West ~ Nyugat-Németország

germ-carrier n bacilusgazda

germicide ['dʒə:mɪsaɪd] n fertőtlenítő(szer)

germinal ['dʒə:mɪnl] a 1. csíra- 2. kezdeti, csírájában levő

germinate ['dʒə:mɪneɪt] A. vt csíráztat [magot] B. vi (átv is) csírázik, sarjad

germination [dʒə:mɪ'neɪʃn] n (ki)csírázás

germ-killer n fertőtlenítő(szer)

gerontology [dʒeronˈtɔlədʒɪ; US -'tɑ-] n gerontológia

gerrymander ['dʒerɪmændə*] US n 1. ⟨választási kerületek önkényes megváltoztatása [politikai célokból]⟩ 2. választási csalás

Gertrude ['gə:tru:d] prop Gertrúd

Gerty ['gə:tɪ] prop Trudi

gerund ['dʒer(ə)nd] *n* gerundium
Gervase ['dʒəːvəs] *prop* ⟨angol férfinév⟩
gestation [dʒe'steɪʃn] *n* viselősség, terhesség
gesticulate [dʒe'stɪkjʊleɪt] *vi* gesztikulál, taglejtésekkel beszél
gesticulation [dʒestɪkjʊ'leɪʃn] *n* gesztikulálás; taglejtés
gesture ['dʒestʃə*] I. *n* 1. taglejtés, gesztus 2. *átv* gesztus II. A. *vt* taglejtésekkel kifejez/jelez B. *vi* gesztikulál; int
get [get] *v* (*pt* got gɔt, *US* -ɑ-, *pp* got, *US* és † gotten 'gɔtn, *US* -ɑ-; **-tt-**) A. *vt* 1. kap; nyer, szerez; *I got your letter* megkaptam levelét; *the bullet got him* a golyó eltalálta; *where did you ~ that book?* hol szerezted ezt a könyvet?; ~ *the measles* kanyarót kap; *he got five years* öt évet kapott; □ ~ *it* (*hot*) megkapja a magáét; ~ *sg to eat* kap vm ennivalót 2. vesz, vásárol; beszerez; (meg)szerez; szert tesz (vmre); ~ *sg for sy*, ~ *sy sg* (meg)szerez vknek vmt; *I got it cheap* olcsón kaptam; *how much did you ~ for it* mennyit kaptál érte; *not to be got* nem kapható [üzletben]; ~ *one's living* megkeresi a kenyerét; ~ *me a cup of tea!* csinálj/ hozz nekem egy csésze teát! 3. elejt [vadat]; elfog, elkap (vkt); ~ *a station* fog egy állomást [rádión]; *biz we'll ~ them yet!* még elcsípjük őket!; *what's got him?* mi baja van?, mi ütött belé? 4. *biz have got* van neki; *I haven't got any* nekem egy sincs; *have you got a match?* van gyufája? 5. *biz have got to . . .* kell, muszáj; *you've got to do it* (feltétlenül) meg kell tenned 6. rávesz, rábír (vkt vmre); elvégeztet (vmt vkvel); ~ *him to read it* olvastasd el vele; ~ *sg done* megcsinál(tat) vmt; ~ *one's hand burnt* megégeti a kezét; ~ *thee gone* takarodj!, mars!, kotródj! 7. *biz* (meg)ért; felfog; *I don't ~ you!* nem értem (mit akar mondani)!; *got it?* érti?, megértette?; ~ *by heart* könyv nélkül megtanul; *you've got it wrong* (ön) félreértette a dolgot 8. (vmlyen állapotba v.

vhova) (el)juttat; ~ *breakfast ready* elkészíti a reggelit; ~ *sy home* hazavisz vkt; ~ *a woman with child* teherbe ejt [nőt] B. *vi* 1. (el)jut, kerül vhova; ~ *abroad* elterjed [hír]; *biz* ~ *there* sikert ér el, beérkezik; *shall we* ~ *there in time?* odaérünk idejében?; *he is ~ting nowhere* nem megy semmire; *where has that book got to?* hova került az a könyv?, hova tették azt a könyvet? 2. lesz, válik (vmvé, vmlyenné); ~ *old* megöregszik; ~ *ready* el(ő)készül; ~ *tired* elfárad; ~ *used to sg* hozzászokik vmhez, megszokik vmt; ~ *well* helyrejön, meggyógyul 3. hozzáfog (vmhez); ~ *to know sy/sg* megismer vkt/ vmt, megtud vmt; *you will* ~ *to like it in time* idővel megszereted; ~ *to work* munkának nekifog, dolgozni kezd
get about *vi* 1. terjed [hír] 2. ~ *a. again* lábadozik, talpra áll [beteg]
get across A. *vt* keresztülvisz; sikerre visz; *biz* ~ *sg a. to sy* elfogadtat/ megértet vmt vkvel B. *vi* 1. átkel, átjut (vmn) 2. sikere van [szindarabnak] 3. ~ *a. sy* összevész vkvel
get ahead *vi biz* boldogul; ~ *a. of sy* lehagy vkt; túltesz vkn
get along *vi* 1. előrejut 2. boldogul; ~ *a. with sy* összefér, „kijön" vkvel
get around *vi US* = **get round**
get at *vi* 1. hozzáfér (vmhez); *biz what are you ~ting at?* mit akarsz ezzel mondani? 2. kifakad (vk ellen)
get away A. *vi* eltávozik; ~ *a. with sg* (1) elszökik vmvel (2) „megúszik" vmt; *there's no ~ting a. from it* nem lehet figyelmen kívül hagyni B. *vt* eltávolít (*from* vhonnan)
get back A. *vt* visszakap, -szerez; *biz* ~ *b. one's own* bosszút áll B. *vi* visszatér, -ér
get by *vi* 1. elhalad (vk/vm mellett) 2. *átv* elmegy, elcsúszik (vm); *it* ~*s somehow by* valahogy csak elcsúszik 3. megél (vhogyan, vmből)
get down A. *vt* 1. levesz 2. ~ *sg d. (on paper)* feljegyez (vmt) 3. le-

nyel [ételt stb.] **4.** *biz* ~ *sy* *d.* lehangol/elkedvetlenít vkt **B.** *vi* **1.** leszáll, lejön; ~ *d. on one's knees* letérdel **2.** ~ *d. to sg* rátér vmre; foglalkozni kezd vmvel; ~ *d. to facts* a tárgyra tér, a dolog érdemi részére tér; ~ *d. to work* munkához lát **get in A.** *vt* **1.** hív(at); hozat [mesterembert] **2.** betakarít [termést]; behajt [adót, kinnlevőséget] **3.** bevisz; beszerez **4.** *biz* ~ *a blow in* behúz egyet (vknek) **B.** *vi* **1.** bejut (vhova); beszáll [járműbe] **2.** beérkezik, befut [vonat] **3.** megválasztják, bejut [képviselőként a parlamentbe]; *the Labour Party got in* a Munkáspárt győzött (a választáson) **get into A.** *vt* ~ *sg i. sg* beletesz/ -gyömöszöl vmt vmbe **B.** *vi* **1.** bejut, bekerül (vhova); beszáll [járműbe]; ~ *i. bad company* rossz társaságba keveredik **2.** jut, kerül [vmlyen állapotba]; ~ *i. a rage* dühbe gurul **3.** felvesz [ruhát]; belebújik [kabátba, cipőbe]; ~ *i. a bad habit* (vmlyen) rossz szokást vesz fel **get off A.** *vt* **1.** levesz; letesz; ~ *o. one's clothes* leveti ruháit **2.** elküld [levelet, csomagot]; túlad vmn [árun]; ~ *sg o. one's hand* megszabadul vmtől; ~ *one's daughter o.* (*one's hands*) férjhez adja a lányát; ~ *the baby o.* (*to sleep*) elaltatja a kisbabát **3.** megment; felment [vádlottat]; *her youth got her o.* fiatalsága szolgált mentségéül **B.** *vi* **1.** leszáll, kiszáll [járműből]; leszáll, lelép (vmről) **2.** elindul **3.** elmegy, elmenekül; *he got o. cheaply/light(ly)* (jó) olcsón megúszta;*he got o. with a fine* pénzbüntetéssel megúszta **4.** ~ *o. to sleep* elalszik **5.** *biz I told him where he got o.* megmondtam neki a magamét **6.** *biz* ~ *o. with sy* (1) véletlenül megismerkedik vkvel (2) viszonyt kezd vkvel **get on A.** *vt* felvesz [ruhát] **B.** *vi* **1.** felszáll [járműre]; felül [lóra, kerékpárra]; ~ *on one's feet* (1) feláll (2) *átv* lábra áll; ~ *on sy's nerves* vk idegeire megy **2.** továbbmegy; *she*

is ~*ting on in years* öregszik; *she is* ~*ting on for 70* 70 felé jár **3.** ~ *on* (*in life*) boldogul (az életben); *how are you* ~*ting on?* hogy vagy?, hogy megy a sorod?; ~ *o. with sg* halad/ boldogul vmvel; ~ *on* (*well*) *with sy* (jól) megvan/megfér vkvel **4.** ~ *on to sy* (1) érintkezésbe lép vkvel (2) *biz* kiismer vkt **get out A.** *vt* **1.** kihúz [fogat, szöget stb.]; kivesz [foltot]; kihoz, kivesz; ~ *a secret o. of sy* vkből titkot kicsal; *I cannot* ~ *it o. my mind* nem tudom elfelejteni **2.** *he could hardly* ~ *o. a word* alig tudott egy szót is kinyögni **B.** *vi* kiszáll (*of* vmből); kiszabadul, kijut, kimegy; ~ *o.* (*of*) *one's car* kiszáll a kocsijából; ~ *o.* (*of here*)*!* mars ki!; ~ *o. of sg* (v. *of doing sg*) (1) kibújik vm (megtétele) alól (2) felhagy (vmvel), abbahagy (vmt) **get over A.** *vt* **1.** befejez [nehéz feladatot]; ~ *sg o.* végez vmvel; *let's* ~ *it o.!* essünk túl rajta! **2.** megnyer (vkt) **B.** *vi* **1.** legyőz [nehézséget]; túlteszi magát (vmn), kihever (vmt); ~ *o. an illness* meggyógyul betegségből; *he can't* ~ *o. it* nem tudja elfelejteni/leküzdeni **2.** *the play didn't* ~ *o.* a darabnak nem volt sikere **get round** *vi* **1.** befordul [utcasarkon]; megkerül [akadályt] **2.** ~ *r. the law* kijátssza a törvényt; ~ *r. sy* (1) megkerül/kijátszik vkt (2) levesz vkt a lábáról, leszerel vkt **3.** híre jár; *the story got r.* a dolognak híre futott **4.** ~ *r. to sg* (v. *to doing sg*) sort kerít vmre (v. vm elvégzésére); *I'll* ~ *r. to everybody* mindenkire sort kerítek **get through A.** *vt* átjuttat; *get sy t.* (*an exam*) átsegít vkt (vizsgán); ~ *a bill t.* Parliament törvényjavaslatot megszavaz(tat) **B.** *vi* **1.** átjut, átvergődik (vmn); eljut (vhova); *the news got t .to them* a hír eljutott hozzájuk; ~ *t. an examination* vizsgát letesz, átmegy a vizsgán; ~ *t. an illness* kilábal betegségből **2.** *I couldn't* ~ *t. to him* nem tudtam vele összeköttetést létesíteni, nem tudtam őt elérni (telefonon) **3.** végére jut (vmnek),

befejez (vmt); végez (vmvel); *he has got t.* his money minden pénzét elköltötte/elverte
get to *vi* eljut/elér vhova
get together A. *vt* összeszed, -hív **B.** *vi* összejön, gyülekezik
get under *vt* elfojt, megfékez [lázadást, tüzet]
get up A. *vt* **1.** feljuttat, felvisz, felsegít (vhova) **2.** felkelt, felébreszt **3.** összeállít; szervez; rendez [ünnepélyt, összejövetelt] **4.** tetszetős külsőt/formát ad vmnek; **~** *oneself up* kiöltözik, kicicomázza magát; *he got himself up as a woman* nőnek öltözött **5.** adjusztál [árut]; **~** *up a shirt* inget kimos és kivasal **B.** *vi* **1.** felmegy, felmászik (vhova); **~** *up the ladder* létrára felmászik **2.** felkel [ágyból] **3.** feláll; talpra áll **4.** **~** *up to sg* (1) elér (vhova); eljut (vmeddig) (2) vmben töri a fejét; **~** *up to sy* utolér vkt **5.** feltámad [szél]; elharapódzik [tűz]
get-at-able [get'ætəbl] *a biz* hozzáférhető
getaway ['getəweɪ] *n* (el)menekülés [bűnözőé]; *he made his* **~** meglépett
Gethsemane [geθ'semənɪ] *prop* [katolikusoknál:] Getszemáni [major], [protestánsoknál:] Gecsemáné [kert]
getter ['getə*] *n* **1.** szerző **2.** rendező
getting ['getɪŋ] →*get*
get-together *n* baráti összejövetel
Gettysburg ['getɪzbɔ:g] *prop*
get-up *n* **1.** ruha, öltözék; álruha **2.** kikészítés; kivitel; kiállítás [könyvé]; adjusztálás [árué]
gewgaw ['gju:gɔ:] *n* limlom, mütyürke
geyser *n* **1.** ['gaɪzə*] gejzír **2.** ['gi:zə*] vízmelegítő, autogejzír
GFR [dʒi:ef'a:] *German Federal Republic* Német Szövetségi Köztársaság, NSZK
Ghana ['ga:nə] *prop* Ghána
Ghanaian [ga:'neɪən] *a/n* ghánai
ghastliness ['ga:stlɪnɪs] *US* 'gæ-] *n* kísértetiesség, halálsápadtság
ghastly ['ga:stlɪ] *US* 'gæ-] *a/adv* **1.** rettenetes, szörnyű, rémes **2.** holtsápadt, kísérteties

gherkin ['gə:kɪn] *n* apró uborka [savanyításra]; *pickled* **~***s* ecetes uborka [az apró fajtából]
ghetto ['getoʊ] *n* **1.** gettó, zsidónegyed **2.** *átv* gettó, külön városrész [színes bőrűeknek]
ghost [goʊst] **I.** *n* **1.** lélek; *give up the* **~** kileheli lelkét; *the Holy G***~** Szentlélek **2.** szellem, kísértet; **~** *town* teljesen elnéptelenedett/kihalt város **3.** vm nyoma; *not the* **~** *of a chance* a leghalványabb remény sem **4.** = *ghost-writer* **5.** **~** *(image)* szellemkép [tvképernyőn] **II.** *vt/vi* négerez *(for* vknek); *his memoirs were ably* **~***ed* emlékiratait nagyon ügyesen írták meg (számára)
ghostly ['goʊstlɪ] *a* **1.** kísérteties **2.** papi, lelki
ghost-story *n* kísértethistória
ghost-write *vt/vi* (*pt* -wrote, *pp* -written) négerez
ghost-writer *n* (irodalmi) néger
ghoul [gu:l] *n* vámpír; hullarabló szellem
ghoulish ['gu:lɪʃ] *a* hátborzongató
GHQ [dʒi:eɪtʃ'kju:] *General Headquarters* főhadiszállás
G.I., GI [dʒi:'aɪ] *a/n US* (= *government issue*) (*pl* **GI's**) **1.** kincstári (holmi), „kincstári komisz" **2.** (amerikai) közlegény, kiskatona
giant ['dʒaɪənt] **I.** *a* óriási **II.** *n* óriás
giantess ['dʒaɪəntes] *n* óriásnő
gibber ['dʒɪbə*] *vi* badarul/összevissza beszél
gibberish ['dʒɪbərɪʃ] *n* érthetetlen/összevissza beszéd
gibbet ['dʒɪbɪt] **I.** *n* **1.** akasztófa **2.** (fel)akasztás **II.** *vt* **1.** felakaszt (vkt) **2.** kipellengérez
gibbon ['dʒɪbən] *n* gibbon [majom]
gibbous ['dʒɪbəs] *a* púpos; telő [hold]
gibe [dʒaɪb] *n* = *jibe*
giblets ['dʒɪblɪts] *n pl* szárnyasaprólék
Gibraltar [dʒɪ'brɔ:ltə*] *prop* Gibraltár
Gibraltarian [dʒɪbrɔ:l'teərɪən] *a/n* gibraltári
Gibson ['gɪbsn] *prop*
giddiness ['gɪdɪnɪs] *n* **1.** szédülés **2.** könnyelműség; hebehurgyaság
giddy ['gɪdɪ] *a* **1.** szédülő; *be/feel/turn* **~**

(el)szédül; *átv be* ~ *with success* fejébe szállt a dicsőség 2. szédítő [mélység stb.] 3. szeles; könnyelmű; *a* ~ *young thing* könnyelmű fiatal teremtés

Gideon ['gɪdɪən] *prop* Gedeon

Gielgud ['giːlgʊd] *prop*

Gifford ['gɪfəd] *prop*

gift [gɪft] *n* 1. ajándék; adomány; *make a* ~ *of sg to sy* vknek vmt adományoz, vknek ajándékba ad vmt; ~ *coupon* ajándékutalvány; ~ *parcel* ajándékcsomag, szeretetcsomag 2. adományozás/kinevezés joga; kegyúri jog; *have in one's* ~ joga van vmt adományozni; kegyúri jogot gyakorol vm fölött; *the post is in the* ~ *of the Minister* az állásról a miniszter dönt 3. tehetség; *a* ~ *for languages* nyelvtehetség

gifted ['gɪftɪd] *a* tehetséges

gift-horse *n never look a* ~ *in the mouth* ajándék lónak ne nézd a (csikó)fogát

gig¹ [gɪg] *n* 1. kétkerekű lovaskocsi 2. ⟨egy fajta evezős csónak⟩

gig² [gɪg] *n* több ágú szigony

gigantic [dʒaɪˈgæntɪk] *a* óriási, gigantikus

giggle ['gɪgl] I. *n* vihogás, kuncogás II. *vi* vihog, kacarászik

gigolo ['ʒɪgəloʊ; *US* 'dʒ-] *n* 1. parkettáncos 2. selyemfiú

gila ['hiːlə] *n US* mérges óriásgyík

Gilbert ['gɪlbət] *prop* ⟨angol férfinév⟩

gild [gɪld] *vt* (*pt/pp* ~**ed** -ɪd, néha **gilt** gɪlt] 1. bearanyoz, díszít; ~*ed youth* aranyifjúság 2. *átv* bearanyoz, szépít; ~ *the lily* agyondíszít vmt; ~ *the pill* megédesíti a keserű pirulát

gilder ['gɪldə*] *n* aranyozó (munkás)

gilding ['gɪldɪŋ] *n* 1. aranyozás 2. szépítés

Giles [dʒaɪlz] *prop* Egyed

gill¹ [gɪl] *n* kopoltyú; *look green about the* ~*s* sápadt, rossz színben van [ember]

gill² [dʒɪl] *n* ⟨űrmérték: 1/4 pint⟩

Gill³ [dʒɪl] *prop* Juli, Julcsa

gilled [gɪld] *a* kopoltyús

Gillette [dʒɪ'let] *prop*

gillie ['gɪlɪ] *n sk* vadászinas

gillyflower ['dʒɪlɪ-] *n* gránátszegfű

gilt [gɪlt] I. *a* aranyozott II. *n* aranyozás ‖→**gild**

gilt-edge(d) *a* 1. aranymetszésű [könyv] 2. ~ *stocks/securities* elsőrangú/értékálló értékpapírok

gimcrack ['dʒɪmkræk] *a* csiricsáré; ~ *ornaments* csecsebecse, mütyürke

gimlet ['gɪmlɪt] *n* kézi fúró, csaplyukfúró; ~ *eyes* szúrós/kutató szemek

gimmick ['gɪmɪk] *n biz* 1. készülék, masinéria, szerkentyű 2. ötlet, ravasz trükk, csel, átejtés 3. propaganda(fogás) [figyelem felkeltésére]

gimp [gɪmp] *n* paszomány, zsinór

gin¹ [dʒɪn] *n* borókapálinka, gin

gin² [dʒɪn] *n* 1. csapda, kelepce [vadnak] 2. csörlő, emelő 3. gyapotmagtalanító gép

ginger ['dʒɪndʒə*] I. *a* vörösessárga; vörös(esszőke) [szín] II. *n* 1. gyömbér 2. *biz* lendület, élénkség III. *vt* doppingo'; ~ *sy up* felélénkít/-villanyoz vkt

ginger-ale/beer *n* gyömbérsör

gingerbread *n* 1. (mézeskalácsszerű) gyömbérkenyér 2. csiricsáré (díszítés)

ginger-haired *a* vörös hajú

gingerly ['dʒɪndʒəlɪ] *a/adv* csínján, óvatos(an)

gingham ['gɪŋəm] *n* tarka mintás pamutszövet

gin-palace *n* fényűző(en berendezett) kocsma/italbolt

ginseng ['dʒɪnseŋ] *n* ginszeng

gipsy ['dʒɪpsɪ] *a/n* cigány

giraffe [dʒɪ'rɑːf; *US* -'ræf] *n* zsiráf

gird¹ [gəːd] *vt* (*pt/pp* ~**ed** (**ed** -ɪd v. **girt** gəːt) 1. (fel)övez; ~ *on one's sword* kardot köt; ~ *up one's loins* összeszedi magát, nekigyürkőzik 2. *átv* övez, körülvesz (*with* vmvel)

gird² [gəːd] *vi* ~ *at sy* csúfolódik/gúnyolódik vkvel

girder ['gəːdə*] *n* mestergerenda, kötőgerenda(-tartó), T-gerenda

girdle¹ ['gəːdl] I. *n* 1. öv 2. csípőszorító; fűző 3. *átv* koszorú; övezet II. *vt* ~ (*about/around/with*) övez, körülvesz (vmvel)

girdle² ['gəːdl] *n sk* sütőlap

girl [gəːl] *n* 1. l(e)ány; kislány; *when I was a* ~ (kis)l(e)ány koromban 2.

G~ *Guide* cserkészl(e)ány **3.** szolgáló(lány); elárusítónő
girl-friend *n* barátnő
girlhood ['gə:lhʊd] *n* leánykor
girlish ['gə:lɪʃ] *a* l(e)ányos
girt →*gird*
girth [gə:θ] I. *n* **1.** kerület, körméret **2.** heveder [lószerszámon] **3.** övgerenda II. *vt* övez
Girton ['gə:tn] *prop*
Gissing ['gɪsɪŋ] *prop*
gist [dʒɪst] *n* vmnek a veleje/magja/lényege
give [gɪv] I. *n* rugalmasság II. *v* (*pt* gave geiv, *pp* given 'gɪvn) A. *vt* **1.** ad; odaad; ajándékoz; *it was ~n to me* ajándékba kaptam; *~ me one, ~ one to me!* adj nekem egyet, adj egyet nekem!; *~ a dinner* vacsorát rendez/ad; *~ sy a kick* megrúg vkt; *~ sg a* (*queer/dirty*) *look* (furcsa/gonosz) pillantást vet vmre; *~ a sigh* sóhajt egyet; *I'll ~ you that* ezt elismerem; *~ me Keats every time!* legjobban K. költőt szeretem; *I ~ you our host!* a házigazda egészségére ürítem poharam!; *I ~ you joy of it!* minden jót kívánok hozzá; *~ or take a few hundreds* plusz mínusz pár száz; *I would ~ anything* (*to*) sokért nem adnám (ha); *I'll ~ it to you!,* □ *I'll ~ you what for* majd adok én neked!; *~ as good as one gets* hasonlót hasonlóval viszonoz **2.** átad [üdvözletet stb.]; *~ her my love* szeretettel üdvözlöm **3.** okoz [bajt, fájdalmat, problémát] **4.** közöl, (meg)mond, értésére ad; *~ judg(e)ment* ítéletet mond; *~ the time of the day* jó napot/reggelt/stb. kíván; *~ sy to understand* értésére ad vknek (vmt); *~ sy to believe* (*that*) azt hiteti el vkvel (hogy) B. *vi* **1.** enged, hajlik; *to ~ but not to break* hajolni de nem törni **2.** felenged [fagy]; *the weather ~s* az idő megenyhül **3.** nyúlik **4.** megvetemedik ‖ →*given*
give away *vt* **1.** odaad, elajándékoz; *~ a. the bride* a menyasszonyt az oltárhoz vezeti és ott átadja a vőlegénynek **2.** elárul; *his accent gave him a.* kiejtése elárulta

give back *vt* visszaad
give forth *vt* **1.** kibocsát [szagot, hangot] **2.** közöl, közzétesz, nyilvánít
give in A. *vt* bead; *~ in one's name* nevét bemondja B. *vi* enged; meghátrál; megadja magát
give off *vt* kibocsát [szagot, hőt]
give on *vi* vhová nyílik [ajtó, ablak]; *the window ~s on the garden* az ablak a kertre néz
give out A. *vt* **1.** kiad, kioszt [élelmet]; kibocsát [hőt, fényt] **2.** *~ oneself o. for sg* kiadja magát vmnek **3.** kihirdet; közhírré tesz B. *vi* elfogy, kimerül [készlet stb.]
give over A. *vt* **1.** *~ sg o. to sy* átad/átenged vmt vknek; *~ sy o. to sy* kiszolgáltat vkt vknek **2.** abbahagy **3.** *be ~n o. to sg* (1) vmnek van szentelve (2) átadja magát vm szenvedélynek B. *vi* abbamarad; *the rain is giving o.* eláll az eső
give up A. *vt* **1.** átad, átenged; *~ up one's seat to sy* átadja ülőhelyét vknek **2.** abbahagy (vmt); lemond (vmről); felad (vmt); *~ up smoking* abbahagyja a dohányzást; *I ~ it up* feladom; *~ sy up for lost* elveszettnek tekint vkt; *I have ~n you up* már azt hittem nem is jössz! **3.** kiszolgáltat [bűnözőt stb.]; *~ oneself up* feljelenti önmagát B. *vi* alábbhagy, megszűnik
give-and-take [gɪv(ə)n'teɪk] *n* kölcsönös engedmény(ek), kompromisszum
give-away *n* **1.** kikottyantás, (akaratlan) elárulás; áruló jel/nyom **2.** potya/könnyű dolog/feladat **3.** ráadás [vásárláshoz reklámként]; *at ~ prices* szinte ingyen
given ['gɪvn] I. *a* **1.** (meg)adott; *~ any 2 points* felvéve tetszés szerinti 2 pontot; *at a ~ time and place* a megadott/megállapodott időben és helyen; *US ~ name* keresztnév, utónév **2.** hajlamos (*to* vmre); *I am not ~ that way* ez nekem nem szokásom II. *n the ~s* az adottságok, az adott helyzet/dolgok ‖ →*give II.*
giver ['gɪvə*] *n* **1.** adakozó, adományozó **2.** váltókibocsátó

giving ['gɪvɪŋ] →*give*

gizzard ['gɪzəd] *n* zúza; *biz it sticks in my* ~ ezt nem veszi be a gyomrom

glacial ['gleɪsjəl; *US* -ʃəl] *a* 1. jeges, megfagyott; *átv* fagyos [modor] 2. jégkori; *the* ~ *epoch* jégkorszak

glacier ['glæsjə*; *US* 'gleɪʃər] *n* gleccser, jégmező, jégár

glad [glæd] *a* 1. boldog, örvendező, vidám; *I am very* ~ *of it* igen örülök neki; □ *give sy the* ~ *eye* kihívóan/bátorítóan néz [nő férfira]; □ *give sy the* ~ *hand* szívélyesen (v. tárt karokkal) fogad vkt 2. kellemes, örvendetes [hír, esemény stb.]; ~ *tidings* jó hírek 3. □ ~ *rags* ünneplő/ estélyi ruha

gladden ['glædn] *vt* megörvendeztet, felvidít

glade [gleɪd] *n* tisztás [erdőben]

gladiator ['glædɪeɪtə*]*n*gladiátor, bajvívó

gladiolus [glædɪ'oʊləs] *n* (*pl* -**li** -laɪ v. ~**es** -sɪz) kardvirág, gladiólusz

gladly ['glædlɪ] *adv* örömmel; szívesen

gladness ['glædnɪs] *n* öröm; boldogság

gladsome ['glædsəm] *a* vidám, örömteli

Gladstone ['glædstən] *prop* † ~ (*bag*) kézitáska, könnyű útitáska

Gladys ['glædɪs] *prop* ⟨angol női név⟩

Glamis [glɑːmz] *prop*

glamor →*glamour*

glamorous ['glæmərəs] *a* elbűvölő

glamour, *US* **-or** ['glæmə*] *n* 1. varázslat, bűbáj; *cast a* ~ *over sg* bűbájossá tesz 2. varázslatos szépség/báj; ~ *girl* ragyogó nő

glance [glɑːns; *US* -æ-] I. *n* 1. hirtelen felcsillanás/felvillanás, csillámlás, ragyogás 2. gyors/futó pillantás; *at a* ~ egyetlen pillantásra II. *vi* 1. csillog, ragyog; felvillan 2. pillant(ást vet)
    glance at *vi* 1. rápillant (vkre, vmre) 2. belekukkant (vmbe) 3. gúnyos célzást tesz (vmre)
    glance down *vt* = *glance over*
    glance off *vi* félrecsúszik [kard]; lepattan [golyó]
    glance over *vt* futólag végigpillant/ átnéz
    glance round *vi* (futólag) körülnéz [szobában stb.]

glance through *vt* = *glance over*

gland [glænd] *n* 1. mirigy 2. (torok-) mandula

glanders ['glændəz] *n pl* takonykór

glandular ['glændjʊlə*; *US* -dʒə-] *a* mirigy- [-daganat, -duzzanat stb.]

glare [gleə*] I. *n* 1. vakító fény, ragyogás; *in the full* ~ *of the sun* a tűző napsütésben 2. átható pillantás, merev nézés, fixírozás II. *vi* 1. fénylik, ragyog; tűz [nap] 2. rikít [szín] 3. ~ *at/upon sy* (1) mereven bámul vkt (2) ellenséges tekintettel méreget vkt

glaring ['gleərɪŋ] *a* 1. vakító, ragyogó [fény] 2. rikító [szín]; kirívó, szembeszökő; ~ *injustice* (égbe)kiáltó igazságtalanság

Glasgow ['glɑːsgoʊ] *prop*

glass [glɑːs; *US* -æ-] I. *n* 1. üveg; ~ *eye* üvegszem; ~ *fibre* (v. *US fiber*) üvegszál; ~ *shade* üvegbura; ~ *wool* üveggyapot 2. pohár; (*table*) ~ pohárkészlet; *a* ~ *of water* egy pohár víz; *he had a* ~ *too many* felöntött a garatra 3. (*looking-*)~ tükör 4. (*weather-*)~ barométer; *the* ~ *is falling* esik a barométer 5. **glasses** *pl* szemüveg; csíptető II. *vt* ~ *in* beüvegez

glass-blower *n* üvegfújó

glass-case *n* üvegszekrény, vitrin

glassed-in ['glɑːst-; *US* -æ-] *a* beüvegezett

glassful ['glɑːsfʊl; *US* -æ-] *a* pohárnyi

glasshouse *n* üvegház; *people who live in* ~*s should not throw stones* akinek vaj van a fején ne menjen a napra

glassman ['glɑːsmən; *US* 'glæ-] *n* (*pl* -**men** -mən) üvegkereskedő, üveges

glass-paper *n* dörzspapír, üvegpapír

glassware *n* üvegáru

glass-works *n* üveghuta

glasswort ['glɑːswəːt; *US* 'glæ-] *n* ballagófű

glassy ['glɑːsɪ; *US* -æ-] *a* 1. üveges, üvegszerű 2. kifejezéstelen; élettelen [tekintet stb.]

Glastonbury ['glæst(ə)nb(ə)rɪ] *prop*

Glaswegian [glæs'wiːdʒən] *a/n* glasgow-i (lakos)

glaucoma [glɔ:'koʊmə] *n* zöld hályog, glaukóma

glaucous ['glɔ:kəs] *a* 1. szürkészöld, kékesszürke 2. hamvas [levél, szőlő stb.]

glaze [gleɪz] I. *n* (üveg)máz, zománc II. A. *vt* 1. (be)üvegez 2. fényesít, fényez 3. mázzal bevon, zománcoz; ~d earthenware (1) fajanszáru (2) mázas kőedény; ~d tile csempe B. *vi* ~ (over) megüvegesedik [szem]

glazer ['gleɪzə*] *n* fényező

glazier ['gleɪzjə*; US -ʒər] *n* üvegező, üveges

gleam [gli:m] I. *n* 1. felcsillanás [fényé] 2. *átv* megvillanás [képességé, gondolaté stb.]; *a* ~ *of hope* reménysugár II. *vi* 1. felvillan [fény] 2. fénylik

gleaming ['gli:mɪŋ] *a* csillogó, ragyogó

glean [gli:n] *vt* 1. (kalászt) szed 2. szorgalmasan gyűjt, tallóz, böngész(ik)

gleaner ['gli:nə*] *n* gyűjtő, tallózó

gleanings ['gli:nɪŋz] *n pl* 1. böngészet, tallózás 2. összeszedett adatok

glebe [gli:b] *n* 1. † rög, hant 2. (termő-) föld, talaj

glee [gli:] *n* 1. vidámság; *in high* ~ széles jókedvben 2. ⟨három v. több szólamú dal férfihangra⟩

glee-club *n* ⟨dalegylet a *glee* ápolására⟩, kb. dalárda

gleeful ['gli:fʊl] *a* jókedvű, vidám

gleeman ['gli:mən] *n* † (*pl* -men -mən) trubadúr, vándor dalos

glen [glen] *n* völgy, szurdok

glengarry [glen'gærɪ] *n* skót katonasapka

glib [glɪb] *a* folyékony beszédű, sekélyesen bőbeszédű; *have a* ~ *tongue* jól fel van vágva a nyelve

glide [glaɪd] I. *n* 1. csúszás; csúszó lépés [táncnál] 2. siklás 3. surranás II. *vi* 1. (el)suhan; (el)surran; *the years* ~ *past/by* az évek tovasuhannak 2. siklik [madár]; sikló repüléssel repül [repgép]

glider ['glaɪdə*] *n* vitorlázó repülőgép

gliding ['glaɪdɪŋ] *n* 1. siklás 2. sikló repülés

glimmer ['glɪmə*] I. *n* 1. halvány fény, pislákolás; fel-felvillanás [fényé stb.]

2. *átv* felcsillanás; ~ *of hope* reménysugár II. *vi* pislákol, halványan fénylik

glimpse [glɪmps] I. *n* futó pillantás; futó kép; *catch a* ~ *of sg* megpillant vmt II. *vt* megpillant; fé lszemmel (meg)lát

glint [glɪnt] I. *n* villanás, csillogás, csillogó fény II. A. *vi* 1. (fel)csillan, villog 2. tükröződik, visszaverődik [fény] B. *vt* tükröz, visszaver [fényt]

glisten ['glɪsn] I. *n* csillogás, ragyogás II. *vi* csillog, ragyog, fénylik

glistening ['glɪsnɪŋ] *a* csillogó; fénylő

glitter ['glɪtə*] I. *n* szikrázó/csillogó fény, csillogás, ragyogás II. *vi* fénylik, csillog, ragyog; *all is not gold that* ~*s* nem mind arany, ami fénylik

gloaming ['gloʊmɪŋ] *n* szürkület, alkonyat

gloat [gloʊt] *vi* ~ *upon/over* (1) kárörvendő tekintettel néz, kárörömmel gondol (vmre) (2) mohó/kéjsóvár tekintettel bámul

global ['gloʊbl] *a* 1. világ-; az egész világra kiterjedő 2. teljes, globális

globe [gloʊb] *n* 1. golyó, gömb 2. (*terrestrial*) ~ földgömb; (*celestial*) ~ éggömb 3. lámpabura

globe-trotter *n* világjáró

globular ['glɔbjʊlə*; US 'glɑ-] *a* 1. gömb/golyó alakú 2. gömböcskékből álló

globule ['glɔbju:l; US 'glɑ-] *n* 1. gömböcske 2. pirula 3. csöpp

gloom [glu:m] *n* 1. homály, sötétség 2. lehangoltság, szomorúság, mélabú; komor/gyászos hangulat; *cast a* ~ *over sy* rossz kedvre hangol vkt

gloominess ['glu:mɪnɪs] *n* 1. sötétség, homály 2. komorság, lehangoltság

gloomy ['glu:mɪ] *a* 1. sötét, homályos 2. (méla)bús, komor; nyomasztó [légkör]

glorification [glɔ:rɪfɪ'keɪʃn] *n* dicsőítés, felmagasztalás

glorify ['glɔ:rɪfaɪ] *vt* 1. dicsőít; *the glorified spirits* a megdicsőült lelkek 2. *biz* (fel)dicsér; (meg)szépít

glorious ['glɔ:rɪəs] *a* 1. dicső(séges), fényes [győzelem stb.] 2. ragyogó, tündöklő [nap, kilátás stb.] 3. *biz*

pompás, remek; *we had a ~ time* remekül éreztük magunkat; *~ mess* szép kis zűrzavar/kalamajka
glory ['glɔ:rɪ] I. *n* 1. dicsőség; *~ to God in the highest* dicsőség a magasságban Istennek 2. ragyogás, tündöklés 3. dicsfény, glória II. *vi ~ in sg* örül vmnek, büszkélkedik vmvel
glory-hole *n biz* lomtár
Glos. [glɔs; *US* -ɑ-] *Gloucestershire*
gloss[1] [glɔs; *US* -ɔ:-] I. *n* 1. máz, felületi fény 2. *átv* máz, (megtévesztő) látszat; *put a ~ on the truth* szépítgeti a valóságot, elkendőzi az igazságot II. *vt* 1. simít, fényesít 2. *átv ~ over sg* elkendőz, szépítget
gloss[2] [glɔs; *US* -ɔ:-] I. *n* 1. széljegyzet, glossza 2. magyarázat, kommentár II. *vt* 1. magyarázó jegyzetekkel ellát, glosszál [szöveget] 2. magyaráz, kommentál [beszédet]
glossary ['glɔsərɪ; *US* -ɑ-] *n* glosszárium, (magyarázatos) szójegyzék
glossy ['glɔsɪ; *US* -ɔ:-] *a* sima, fényes (felületű); *~ magazine* (divatos) szórakoztató képes folyóirat
glottal ['glɔtl; *US* -ɑ-] *a* hangrés-; *~ stop* hangszalag-zárhang
glottis ['glɔtɪs; *US* -ɑ-] *n* hangrés [gégében]
Gloucester ['glɔstə*] *prop*
Gloucestershire ['glɔstəʃə*] *prop*
glove [glʌv] I. *n* kesztyű; *be hand in ~ with sy* igen jó viszonyban van vkvel; *handle sy without ~s, take off the ~s to sy* durván/keményen bánik vkvel II. *vt* kesztyűvel ellát; kesztyűt felhúz (vkre)
glove-compartment *n* kesztyűtartó
glove-maker *n* kesztyűs; kesztyűkészítő
glover ['glʌvə*] *n = glove-maker*
glove-stretcher *n* kesztyűtágító
glow [gloʊ] I. *n* 1. izzás, parázslás 2. kihevülés, felhevülés; *(all) in a ~* felhevülten; kipirultan II. *vi* 1. izzik, parázslik; *átv* sugárzik, ragyog; *~ing with health* majd kicsattan az egészségtől 2. *átv* izzik, lángol *(with* vmtől)
glower ['glaʊə*] *vi* haragosan néz *(at* vkre)

glowing ['gloʊɪŋ] *a (átv is)* izzó, ragyogó; *paint in ~ colours* lelkes szavakkal ecsetel; *speak in ~ terms of sy* magasztaló hangon beszél vkről
glow-worm *n* szentjánosbogár
glucose ['glu:koʊs] *n* szőlőcukor, glükóz
glue [glu:] I. *n* enyv, ragasztószer II. *vt* 1. ragaszt, enyvez; *~ together* összeragaszt 2. *biz her face was ~d to the window* arca rátapadt az ablaküvegre
gluey ['glu:ɪ] *a* ragacsos, enyves
glug-glug ['glʌglʌg] *n* kotyogás [folyadéké palackban]
glum [glʌm] *a (comp ~mer* 'glʌmə*, *sup ~mest* 'glʌmɪst) rosszkedvű; komor; *look ~* savanyú/morcos arcot vág
glume [glu:m] *n* toklász, pelyva
glummer, glummest →*glum*
glumness ['glʌmnɪs] *n* komorság
glut [glʌt] I. *n* 1. bőség 2. jóllakottság 3. árubőség II. *vt* -tt- 1. (fel)fal, megzabál 2. kielégít [étvágyat, vágyat]; *~ one's revenge* bosszúját kitölti 3. eláraszt, túltelít [piacot]
gluten ['glu:tən] *n* sikér, glutin
glutinous ['glu:tɪnəs] *a* ragadós, nyúlós
glutton ['glʌtn] *n* 1. falánk/nagybélű nagyevő ember 2. *he's a ~ for work* csak úgy ég a munka a keze alatt; *he is a ~ for punishment* jól bírja/ állja a csapásokat 3. rozsomák
gluttonous ['glʌt(ə)nəs] *a* nagybélű, falánk, torkos
gluttony ['glʌt(ə)nɪ] *n* torkosság, falánkság; zabálás
glycerin ['glɪsərɪn] *n US = glycerine*
glycerine ['glɪsəri:n; *US* -ɪn] *n* glicerin
G.M., GM [dʒi:'em] *General Motors* ⟨az egyik legnagyobb amerikai autógyár⟩
gm., gm *gram(me)(s)* gramm, g
G-man *n (pl -men) biz (= Government man) US* ⟨az FBI nyomozója⟩
G.M.T., GMT [dʒi:em'ti:] *Greenwich Mean Time* greenwichi középidő
gnarl [nɑ:l] *n* bütyök, csomó, gö(r)cs
gnarled [nɑ:ld] *a* 1. bütykös, csomós 2. bütykös, elformátlanodott [kéz]
gnash [næʃ] *vt ~ one's teeth* fogát csikorgatja

gnat [næt] *n* 1. szúnyog 2. *biz strain at a ~* semmiségeken lovagol
gnaw [nɔ:] *v* (*pt ~ed* nɔ:d, *pp ~ed* v. **~n** nɔ:n) **A.** *vt* 1. rág(csál); *~ away/off* lerág 2. gyötör, emészt [éhség, kín stb.] **B.** *vi ~ at* rág, rágcsál; *~ing pains of hunger* gyötrő éhség
gnome [noʊm] *n* manó, törpe, gnóm
GNP [dʒi:en'pi:] *Gross National Product → gross*
gnu [nu:] *n* gnú [antilopfajta]
go [goʊ] **I.** *n* (*pl* **goes** goʊz) *biz* 1. menés; mozgás; *be on the ~* úton van; tevékenykedik, sürög-forog 2. próbálkozás, kísérlet; *at one ~* egy csapásra; *have a ~ at sg* megpróbál/elkezd vmt; *no ~!* kár a benzinért/gőzért!; *make a ~* sikert arat; *that was a near ~* egy hajszálon múlt 3. tetterő, lendület; *full of ~* csupa tűz/tetterő 4. divat; *it's all the ~* ezért bolondul mindenki, ez most a divat 5. vizsga; *great ~* szigorlat [cambridge-i egyetemen]; *little ~* alapvizsga [cambridge-i egyetemen] 6. üzlet, alku; *is it a ~?* áll az alku? **II.** *v* (*pt* **went** went, *pp* **gone** gɔn, *US* -ɔ:-; egyes szám 3. szem.: **goes** goʊz) **A.** *vi* 1. megy; halad; *come and ~* jön-megy; *get ~ing* lendületbe jön, megindul; *let us ~, let's get ~ing* menjünk!, (na) gyerünk!; *he has gone to London* L.-ba utazott; *who goes there?* állj! ki vagy?; *how goes it?* hogy megy (a darab)?; *it goes hard with him* rosszul megy neki; *~ (very) far* (1) nagyon soká elég/tart [készlet, pénz] (2) sokra viszi [vk az életben]; *that is ~ing too far* ez már több a soknál; *~ as/so far as to* . . . odáig megy, hogy (azt mondja/javasolja . . .) 2. elmegy, elindul; *one(,) two(,) three(,) ~!* egy, kettő, három, rajt!; *be gone!* hordd el magad!; *he is gone* (1) elment hazulról, nincs otthon (2) meghalt; *let me ~!* engedjen el(menni)!; *let oneself ~* elengedi/elhagyja magát; *biz where do we ~ from here?* na és most mi lesz?; *~ walking, ~ for a walk* sétálni megy 3. működik [gép]; jár [óra stb.]; *keep sg ~ing* mozgásban tart vmt; *set sg ~ing* elindít, mozgásba/működésbe

hoz vmt 4. vmvé válik; *~ bad* megromlik; *~ blind* megvakul; *~ slow* lassítja a munkatempót, amerikázik; *~ wrong* (1) téved (vm dologban) (2) elromlik, felmondja a szolgálatot (3) balul üt ki; *her face went red* elvörösödött, elpirult 5. múlik, telik [idő]; *another three weeks to ~* még három hét (van hátra); *biz how goes the time/enemy?* hány óra van?; *it is/has gone four* (éppen) négy óra múlt; *she is gone fifty* túl van az ötvenen 6. érvényes; *that goes without saying* ez magától értetődő; *what I say goes* az történik, amit én mondok 7. elkel; *~ing like hot cakes* igen kapós, úgy veszik mintha ingyen adnák; *~ing! ~ing! gone!* először, másodszor, senki többet harmadszor! 8. eltűnik; elvész; *my hat has/is gone* elveszett a kalapom; *her sight is ~ing* látása egyre romlik; *his teeth are gone* egy foga sincs már 9. szól [történet, mondás stb.]; *I forget how the words ~* a dal szövegére már nem emlékszem; *the story goes that* . . . az a hír járja, hogy . . .; *~ bang* (nagyot) szól, durran 10. *be ~ing to do sg* fog/szándékozik vmt csinálni; *is ~ing to write* készül írni 11. halad, folyik; *~ (well)* sikerül, jól megy; *as things/times ~* ahogy a dolgok manapság állnak, amilyen világot élünk; *biz how goes it?, how goes the world with you?* hát neked hogy megy dolgod?; (*I found it*) *tough ~ing* nehéz ügy(nek találtam) 12. belemegy (vhova, vmbe); való (vhova); *where does this book ~?* hova való ez a könyv? 13. *biz don't ~ and make a fool of yourself* aztán nehogy vm szamárságot csinálj; □ *he has gone and done it* (na és aztán) jól eltolta a dolgot **B.** *vt* 1. megy; *~ halves/shares with sy* felez/mutyizik vkvel 2. *biz I can't ~ such talk* nem tűröm az ilyen beszédet 3. kockáztat (vmt); fogad (vmbe); *he is ~ing it* megkockáztatja 4. bemond, licitál [bridzsben]; *he went three clubs* három treffet mondott (be) ǁ →gone

go about *vi* 1. járkál; *there's a rumour ~ing a. that* . . . az a hír járja, hogy ... 2. hozzáfog (vmhez), nekilát (vmnek); ~ *a. one's work/task* végzi a munkáját/dolgát; *if you ~ a. it the right way* ha megfelelő módon fogsz hozzá 3. megfordul [hajó] **go across** *vi* átmegy [hídon stb.] **go after** *vi* 1. követ 2. utánajár **go against** *vi* 1. ellenkezik (vmvel) 2. ellene fordul [szerencse stb.] **go ahead** *vi* előremegy, folytat; ~ *a.!* (1) indulj!, kezdd el! (2) folytasd csak!, ne zavartasd magad! **go along** *vi* 1. ~ *a. sg* végigmegy vmn (v. vm mentén); *he found it easier as he went a.* (de) azután egyre könnyebbnek találta 2. ~ *a. with sy* (1) elkísér vkt (vmeddig) (2) *átv* egyetért vkvel **go at** *vi* 1. nekimegy, rátámad 2. hozzálát, nekilát (vmnek); ~ *at it hard* belead apait-anyait (a dologba) **go back** *vi* 1. visszamegy 2. visszanyúlik [időben] 3. ~ *b.* (*up*)*on* visszavon [ígéretet]; *there is no ~ing b. on it* ezen nem lehet visszacsinálni; *he went b. on his word* megszegte a szavát; *she won't ~ b. on her friends* nem fogja barátait cserbenhagyni; *my eyes are ~ing b. on me* romlik a látásom **go before** *vi* 1. ~ *b. sy* vk előtt megy 2. megelőz (vkt vmt) **go behind** *vi* 1. behatóan megvizsgál 2. megcsal, becsap **go beyond** *vi* túlmegy [célon stb.]; *that is ~ing b. a joke* ez már nem tréfa **go by** *vi* 1. elmegy, elhalad vm mellett 2. (el)múlik; *the years have gone by* elmúltak az évek 3. igazodik, tartja magát (vmhez); *I have nothing to ~ by* nincs ami irányíthatna 4. ítél (vm után); *if that is anything to ~ by* ha ebből következtetni lehet vmre 5. ~ *by the name of* ... (vmlyen) névre hallgat [állat] 6. ~ *by car* autón/kocsival megy; ~ *by train* vonaton/vonattal megy/utazik **go down** *vi* 1. lemegy; ~ *d. on the knees* letérdel 2. ~ *d. from Oxford* oxfordi egyetemi tanulmányok befejeztével távozik; egyetemről szabadságra megy; *he has gone d. in the world*

jobb napokat látott; *he will ~ d.* (*posterity*) *a traitor* az utókor mint árulóról fog megemlékezni róla 3. elsüllyed [hajó] 4. lenyugszik [nap]; lemegy [hold] 5. *that won't ~ d. with me* ezt nem vagyok hajlandó elfogadni/elhinni/lenyelni **go for** *vi* 1. elmegy (vkért, vmért) 2. (szóban, írásban) megtámad 3. [pénzösszegért] elkel 4. (vm pályára) lép 5. vm számba megy, tartják (vmnek); *this goes f. you too* ez rád is vonatkozik **go forward** *vi* előremegy; halad **go in** *vi* 1. be(le)megy 2. ~ *in for sg* vm pályára megy/lép, vmvel foglalkozik, vm iránt érdeklődik; ~ *in for sports* sportol **go into** *vi* 1. bemegy (vhova, vmbe); *6 i. 12 goes twice* 6 a 12-ben megvan kétszer; ~ *i. the army* katonai pályára lép 2. belemerül, -bocsátkozik (vmbe); *I don't want to ~ i. that* erről most nem kívánok részletesen szólni **go off** *vi* 1. elmegy; *Macbeth goes o.* M. el(távozik) [színről] 2. letér, eltér (vmtől); ~ *o. the rails* kisiklik [vonat] 3. felrobban, elsül 4. végbemegy; *the performance went o. well* az előadás jól sikerült 5. elkel [áru] 6. megromlik [élelmiszer, bor] 7. elveszti eszméletét; ~ *o.* (*to sleep*) elalszik, álomba merül; *he went o. his head* bedilizett 8. felhagy [dohányzással stb.] 9. ~ *o. with sy/sg* meglép/megszökik vkvel/vmvel **go on** *vi* 1. továbbmegy; folytat(ódik); ~ *on to the next item* áttér a következő pontra; *he went on to say that* ... azzal folytatta, hogy ...; ~ *on with sg,* ~ *on doing sg* tovább csinál vmt, folytat vmt; ~ *on* (*with it*)*!* folytasd csak!, rajta!, gyerünk!; *if you ~ on like this* ... ha így folytatod ... 2. ~ *on!* no ne mondd! 3. folyik, tart; *what is ~ing on here?* hát itt meg mi történik/megy?; *this has gone on for years* már évek óta így megy 4. *biz* viselkedik; *you must not ~ on like this* nem szabad így viselked-

ned; *I don't like the way she goes on* nem tetszik a viselkedése **5.** színre lép; (ő) következik **6.** ~ *on foot* gyalog megy; ~ *on horseback* lóháton megy **7.** rámegy (vm vmre); *these shoes won't* ~ *on my feet* ez a cipő nem megy a lábamra **8.** *he is* ~*ing on (for) 50* 50 felé jár **9.** elkezd (vmt); elkezdődik (vm); *the lights* ~ *on* kigyúlnak a lámpák
go out *vi* **1.** kimegy; ~ *o. of fashion* kimegy a divatból; ~ *o. of one's way to* ... nem restelli a fáradságot csak hogy ...; *my heart goes o. to sy* szeretettel/részvéttel vagyok iránta **3.** sztrájkba lép **4.** társaságba jár
go over *vi* **1.** átmegy, átkel [folyón stb.] **2.** átpártol **3.** átgondol; átolvas; átvizsgál; ~ *o. the ground* átvizsgálja a terepet; *he went o. his lesson* átismételte a leckéjét **4.** *biz it will* ~ *o: big* nagy sikere lesz; *how does it* ~ *o.?* hogyan fogadják?
go round *vi* **1.** kerülő úton megy (vhova); megkerül (vmt) **2.** *biz* ~ *r. to see sy* benéz vkhez **3.** forog; *my head is* ~*ing r.* szédülök **4.** körben jár, kézről kézre jár; *not enough to* ~ *r.* nem jut/futja mindenkinek
go through *vi* **1.** átmegy, keresztülmegy; *the bill has gone t.* a törvényjavaslatot elfogadták/megszavazták; *you don't know what I had to* ~ *t.* te nem tudod, min mentem keresztül **2.** átvizsgál, átkutat **3.** átismétel, átvesz; *let's* ~ *t. the plan again* menjünk végig még egyszer az egész terven **4.** elver [pénzt] **5.** létrejön; *the deal did not* ~ *t.* az alku nem jött létre **6.** ~ *t. (with)* elvégez, véghezvisz, végigcsinál (vmt)
go to *vi* **1.** megy (vkhez, vhová); ~ *to the bar* ügyvédi pályára megy; ~ *to prison* bebörtönzik; ~ *to school* iskolába jár **2.** ~ *to!* ugyan kérlek!, menj a fenébe! **3.** *4 quarts* ~ *to a gallon* egy gallonban négy quart van **4.** jut (vknek); *the estates will* ~ *to my eldest son* birtokaimat legidősebb fiam örökli
go together *vi* összeillik; ~ *well t.* jól összeillenek

go under *vi* **1.** elmerül **2.** *átv* megbukik [vállalkozás]; tönkremegy, elpusztul
go up *vi* **1.** felmegy [hegyre, létrára stb.]; ~ *up to sy* vkhez odalép **2.** emelkedik [ár, hőmérséklet] **3.** épül; *new houses are* ~*ing up everywhere* mindenfelé új házak épülnek/emelkednek **4.** a levegőbe repül; ~ *up in flames* kigyullad **5.** felszáll; *a cry went up from the crowd* a tömeg felkiáltott **6.** ~ *up to town* bemegy a városba; ~ *up to the university* egyetemre megy; ~ *up for an exam* vizsgázni megy
go with *vi* **1.** elmegy (vkvel, vmvel); elkísér (vkt, vmt); ~ *w. a girl* jár egy lánnyal **2.** (vele, vmvel) jár, együtt jár (vmvel) **3.** *I can't* ~ *w. you in everything* nem értek egyet veled mindenben **4.** ~ *(well) w. sg* illik vmhez; *this hat does not* ~ *w. your hair* ez a kalap nem illik a hajadhoz
go without *vi* megvan vm nélkül; vmt nélkülöz; ~ *w. food* koplal
goad [goʊd] **I.** *n* ösztöke **II.** *vt* ösztökél, noszogat (*on* vmre)
go-ahead ['goʊəhed] **I.** *a biz* erélyes; vállalkozó szellemű; rámenős **II.** *n* **1.** rámenősség; erély **2.** *biz* engedély, jóváhagyás [vm elindítására/megkezdésére]
goal [goʊl] *n* **1.** cél; *his* ~ *in life* élete célja **2.** kapu [sportban] **3.** gól; *score/ kick a* ~ gólt rúg/lő
goalie ['goʊlɪ] *n biz* = goalkeeper
goalkeeper *n* kapuvédő, kapus [sportban]
goal-line *n* alapvonal
goal-post *n* kapufa [sportban]
goat [goʊt] *n* **1.** kecske; *separate the sheep from the* ~*s* szétválasztja a jókat a gonoszoktól **2.** □ *get sy's* ~ boszszant/ingerel vkt
goatee [goʊ'tiː] *n* kecskeszakáll
goat-herd *n* kecskepásztor
goatish ['goʊtɪʃ] *a* **1.** kecskeszerű **2.** buja, kéjvágyó
goatskin *n* kecskebőr
goatsucker *n* kecskefejő [madár], lappantyú

gob¹ [gɔb; US -ɑ-] n vulg **1.** nyál, köpet **2.** pofa, száj; shut/stop your ~ fogd be a szád!

gob² [gɔb; US -ɑ-] n □ US tengerész
gobbet ['gɔbɪt; US -ɑ-] n nagy darab/falat (hús)
gobble¹ ['gɔbl; US -ɑ-] vt/vi ~ (up) (fel)fal, (be)zabál
gobble² ['gɔbl; US -ɑ-] I. n hurukkolás [pulykakakasé] II. vi hurukkol
gobbledygook ['gɔbldɪgʊk; US 'gɑ-] n nagyképű halandzsa, bürokrata/hivatalos nyelv(ezet)
gobbler¹ ['gɔblə*; US -ɑ-] n falánk/zabálós ember
gobbler² ['gɔblə*; US -ɑ-] n US (fiatal) pulykakakas
go-between n közvetítő, közbenjáró
goblet ['gɔblɪt; US -ɑ-] n **1.** talpas pohár **2.** † serleg
goblin ['gɔblɪn; US -ɑ-] n gonosz szellem, manó, kobold
go-by n biz he gave me the ~ köszönés nélkül ment el mellettem
go-cart n **1.** kézikocsi **2.** (összecsukható) gyer(m)ekkocsi **3.** † járóka ‖ →go-kart
god [gɔd; US -ɑ-] n **1.** isten; thank G~ hála Isten(nek)!; would to G~ ... bár adná az Isten ...; G~ Almighty Mindenható Isten; biz ye ~s (and little fishes)! Jesszus-Mária! [csodálkozáskor]; G~ willing ha Isten is úgy akarja; G~ forbid! Isten őrizz! **2.** isten; bálvány; feast (fit) for the ~s isteni lakoma; make a ~ of money isteníti a pénzt **3.** biz the ~s kakasülő, karzat [színházban]
god-child n (pl -children) keresztgyermek
god-dam(n) ['gɔddæm; US 'gɑ-] a istenverte, feneette, átkozott
goddaughter n keresztl(e)ány
goddess ['gɔdɪs; US -ɑ-] n istennő
godfather n keresztapa
godfearing [-fɪərɪŋ] a istenfélő
godforsaken a **1.** istenverte, nyomorult **2.** isten háta mögötti [hely]
godhead n istenség
godless ['gɔdlɪs; US -ɑ-] a istentelen
godlessness ['gɔdlɪsnɪs; US -ɑ-] n istentelenség

godlike a istenhez hasonló; isteni
godly ['gɔdlɪ; US -ɑ-] a istenes, jámbor, istenfélő
godmother n keresztanya
godparent n keresztszülő
godsend n váratlan szerencse, vm ami kapóra jön
godson n keresztfiú
godspeed † bid/wish sy ~ szerencsés utat kíván vknek
goer ['gɔʊə*] n menő, (gyalog)járó
goes →go II.
goffer ['gɔʊfə*] vt ráncol, guvríroz, pliszíroz
go-getter n biz erőszakos/rámenős ember
goggle ['gɔgl; US -ɑ-] I. n **1.** kidülledt szem **2. goggles** pl motorszemüveg, védőszemüveg II. A. vi **1.** kidülled a szeme **2.** majd kiesik a szeme (úgy bámul) B. vt ~ one's eyes szemét mereszti
goggle-eyed a kidülledt szemű
Goidelic [gɔɪ'delɪk] a/n gael
going ['gɔʊɪŋ] I. a menő, haladó (átv is); it is a ~ concern jól menő vállalkozás/dolog II. n **1.** rough ~ rossz út(test); átv tough ~ nehéz ügy/eset **2.** menés, haladás; while the ~ is good amíg a helyzet kedvező; fine/nice ~! bravó!, kitűnő! ‖ →go II.
going-over n biz (alapos) átnézés, átvizsgálás; vizsgálat
goings-on ['gɔʊɪŋz-] n pl biz ügy(let)ek; I heard of your ~ hallottam viselt dolgaidról
goitre, US -ter ['gɔɪtə*] n golyva
goitrous ['gɔɪtrəs] a golyvás
go-kart ['gɔʊkɑːt] n go-kart
gold [gɔʊld] I. a arany-; ~ lace aranyrojt, -paszomány, (arany)sujtás; ~ watch arany karóra II. n **1.** arany; heart of ~ aranyszívű **2.** aranypénz **3.** arany(sárga) szín
goldbrick n □ US **1.** hamisítvány; sell sy a ~ elsóz vknek [értéktelen dolgot] **2.** szimuláns, lógós [katonaságnál]
gold-digger n **1.** aranyásó **2.** US biz ⟨gazdag férfiak pénzén élő nő⟩
gold-dust n aranypor
golden ['gɔʊld(ə)n] a **1.** aranyból való, arany-; the ~ calf az aranyborjú **2.**

aranytartalmú 3. aranysárga, -fényű
4. ~ *age* aranykor; ~ *fleece* aranygyapjú; *the* ~ *mean* az arany középút; *a* ~ *opportunity* kitűnő/ritka alkalom; ~ *rule* aranyszabály; ~ *wedding* aranylakodalom
golden-rod *n* aranyvessző
gold-fever *n* aranyláz
gold-field *n* aranymező
goldfinch *n* sármány, tengelice
goldfish *n* aranyhal
gold-foil *n* aranyfüst, -fólia, -lemez
goldilocks ['gouldɪlɔks; *US* -laks-] *n* aranyfürtös lány/fiú
gold-leaf *n* (*pl* **-leaves**) = *gold-foil*
goldmine *n* (*átv is*) aranybánya
gold-plate *n* 1. arany evőkészlet 2. aranyveret
gold-rimmed *a* aranykeretes [szemüveg]
gold-rush *n* aranyláz
goldsmith *n* aranyműves
gold-tipped *a* aranyhegyű, -végű
golf [gɔlf; *US* -a-] I. *n* golf [játék] II. *vi* golfozik
golf-club *n* 1. golfütő 2. golfklub
golf-course *n* golfpálya
golfer ['gɔlfə*; *US* -a-] *n* golfjátékos
golfing ['gɔlfɪŋ; *US* -a-] *n* golfozás
golf-links *n* v. *n pl* golfpálya
Golgotha ['gɔlgəθə; *US* 'ga-] *prop* Golgota
Goliath [gə'laɪəθ] *prop* Góliát
golly ['gɔlɪ; *US* -a-] *int biz US* a kutyafáját!
goloshes → *galoshes*
gonad ['gounæd] *n* ivarmirigy, gonád
gondola ['gɔndələ; *US* 'ga-] *n* 1. gondola 2. kabin [drótkötélpályán] 3. † léghajókosár 4. gondola [árupolc üzletben]
gondolier [gɔndə'lɪə*; *US* ga-] *n* gondolás
gone [gɔn; *US* -ɔ:-] *a* 1. elveszett; reménytelen; □ *a* ~ *coon* tönkrement ember; *he's a* ~ *man* elveszett ember 2. *he won't be* ~ *long* nem marad el soká 3. (*far*) ~ előrehaladott → *fargone*; *she is seven months* ~ (*with child*) a nyolcadik hónapban van 4. halott 5. *biz* ~ *on sy* nagyon bele van habarodva/esve vkbe ‖ → *go II*.

goner ['gɔnə*; *US* -ɔ:-] *n* □ tönkrement/elveszett ember
Goneril ['gɔnərɪl] *prop*
gong [gɔŋ; *US* -ɔ:-] I. *n* gong II. *vt biz* megállít autóst [rendőrség gongjelzéssel]
gonna ['gɔnə; *US* -ɔ:-] = *going to* fog/készül vmt tenni → *go II. 10*.
gonorrh(o)ea [gɔnə'rɪə; *US* ga-] *n* gonorrea, tripper
goo [gu:] *n* □ 1. ragacs(os anyag) 2. érzelgősség
good [gud] (*comp* **better** 'betə*, *sup* **best** best) I. *a* 1. jó; *do a* ~ *turn* jót tesz; ~ *humour* (1) jókedv (2) jó természet; ~ *morning* (1) jó reggelt! (2) jó napot (kívánok)!; ~ *afternoon* jó napot (kívánok)!; ~ *evening* jó estét!; ~ *night* jó éjszakát; *have a* ~ *time* jól mulat, jól érzi magát; *it is very* ~ *of you* nagyon kedves öntől; *be* ~ *enough to* ..., *be so* ~ *as to* ... *luck!* sok szerencsét! 2. tetszetős, szép; *look* ~ jónak látszik; *biz that's a* ~ *one!* (ez) nem rossz! [történet stb.]; *too* ~ *to be true* túl szép ahhoz, hogy igaz lehessen 3. jó, kedves; derék; *that's a* ~ *boy/dog!* jó kis fiú/kutya! [elismerés kifejezésére]; *her* ~ *man* a férje; *his* ~ *lady* a neje; *my* ~ *sir!* (nagy) jó uram 4. *be* ~ *at sg* jó vmben, jól ért vmhez; *be* ~ *at English* jól tud angolul 5. alkalmas, megfelelő; ~ *to eat* ehető; *keep* ~ eláll [étel] 6. jó, örvendetes; ~ *news* jó hír(ek); ~ *for you!* jó neked! 7. *be* ~ *for sg* jó/szolgál vmre; *drink more than is* ~ *for one* többet iszik a kelleténél; ~ *for nothing* semmire sem jó, semmit sem ér → *good-for-nothing* 8. (*nyomatékosítóan:*) *a* ~ *deal* (1) jó sok (2) sokkal, jóval; *a* ~ *many* sok(an); *I shall need a* ~ *hour* egy jó/bő óra kell nekem ahhoz, hogy ... 9. érvényes; *for 2 months* 2 hónapig érvényes; *it still holds* ~ még érvényes/áll 10. *as* ~ *as* szinte, jóformán; *it is as* ~ *as done* majdnem kész; *as* ~ *as new* majdnem új; *be as* ~ *as one's word* szavát tartja, állja a szavát, megbízható; *so far so* ~ ennyire már volnánk 11.

make ~ (1) boldogul (az életben); jól keres (2) jóvátesz, orvosol [hibát, igazságtalanságot stb.]; pótol [hiányt] (3) igazol [állítást]; bevált [reményt]; teljesít [ígéretet] (4) érvényesít [jogot]; *not* ~ rossz, nem jó **12.** *G*~ *Friday* nagypéntek; ~ *God!* te jó isten! **II.** *n* **1.** *do* ~ jót tesz; *it will do you* ~ használni fog (neked), jót fog tenni, nem fog megártani; *much* ~ *may it do you!* váljék egészségre [gúnyosan]; ebből sem lesz sok hasznod; *no* ~ hasznavehetetlen; *no* ~ *talking about it* kár a szót vesztegetni rá; *he is up to no* ~ vm rosszban töri a fejét, vm rosszra készül; *it will come to no* ~ nem lesz jó vége **2.** előny, haszon, vknek a java; *for the* ~ *of sy* vknek a javára, vk érdekében; *the common* ~ a közjó; *for the* ~ *of the country* a haza/nemzet javára; *what's the* ~ *of it?* ugyan mi értelme van? **3.** *it's all to the* ~ tiszta haszon!; *he came off 10 dollars to the* ~ 10 dollárt keresett rajta **4.** **goods** *pl* javak, ingóságok; *his* ~*s and chattels* minden ingósága **5.** **goods** *pl* áru(cikkek); ~*s on hand* árukészlet; *deliver the* ~*s* (1) árut leszállít (2) teljesíti kötelezettségét; ~*s lift* teherlift; ~*s train* tehervonat; *send by* ~*s train* teheráruként küld; ~*s waggon* (vasúti) teherkocsi; □ *US have the* ~*s on sy* (1) vkvel szemben előnyben van (2) vkvel kapcsolatban terhelő adatok birtokában van **6.** *for* ~ *(and all)* végleg(esen), egyszer s mindenkorra, örökre

goodby(e) [gʊd'baɪ] **I.** *int* Isten vele(d)/veletek!; ~ *for the present!* viszontlátásra! **II.** *n* istenhozzád; *say* ~ elbúcsúzik

good-fellowship *n* **1.** kollegialitás, bajtársiasság **2.** társaságkedvelés

good-for-nothing ['gʊdfənʌθɪŋ] **I.** *a* értéktelen, haszontalan **II.** *n* mihaszna, semmirekellő ember

good-humoured [-'hju:məd] *a* **1.** jókedvű **2.** jóindulatú; kedélyes

goodish ['gʊdɪʃ] *a* **1.** elég jó, tűrhető **2.** elég sok; jókora

good-looking *a* csinos, jóképű

goodly ['gʊdlɪ] *a* **1.** csinos; jó megjelenésű/növésű **2.** terjedelmes; kiadós, jókora

good-natured *a* jószivű, jóindulatú

goodness ['gʊdnɪs] *n* **1.** (szív)jóság; *have the* ~ *to step in* szíveskedjék befáradni **2.** jóság, jó minőség **3.** *my* ~*!* te jó isten!; *thank* ~ hála Isten(nek)!; ~ *only knows* a jó isten tudja

goods [gʊdz] *n pl* →*good II. 4., 5.*

good-sized *a* jókora, jó nagy

good-tempered *a* jó természetű/kedélyű

goodwife *n (pl* -**wives**) háziasszony

goodwill *n* **1.** jóakarat **2.** vevőkör; klientéla **3.** *a* ~ *delegation* jószolgálati küldöttség

goody[1] ['gʊdɪ] *n biz* édesség, nyalánkság

goody[2] ['gʊdɪ] *a/n* szenteskedő (ember)

Goodyear ['gʊdjə:*] *prop*

goody-goody [gʊdɪ'gʊdɪ] *a/n* = *goody*[2]

gooey ['gu:ɪ] *a biz* **1.** ragacsos **2.** érzelgős

goof [gu:f] **I.** *n* □ **1.** fajankó, tökfilkó **2.** baklövés **II. A.** *vi* ~ *off* ellógja az időt **B.** *vt* ~ *up* eltolja/elszarja a kalapácsnyelet

goon [gu:n] *n* □ tökfilkó, fajankó

goose [gu:s] *n (pl* **geese** gi:s) **1.** liba, lúd; *green* ~ fiatal liba; ~ *grease* libazsír; *all his geese are swans* ami az övé azt mind tökéletesnek tartja; *can't say boo to a* ~ még a légynek sem tud(na) ártani; *cook sy's* ~ keresztülhúzza vk számítását; *kill the* ~ *that lays the golden eggs* kb. eladja az örökségét egy tál lencséért **2.** buta liba **3.** szabóvasaló

gooseberry ['gʊzb(ə)rɪ; *US* 'gu:sberɪ] *n* **1.** egres **2.** *biz* gardedám, „elefánt"

gooseflesh *n* libabőr(özés)

goose-foot *n (pl* ~**s**) libatop

goose-herd *n* libapásztor

goose-step *n* (katonai) díszlépés

G.O.P., GOP [dʒi:oʊ'pi:] *US biz Grand Old Party* ⟨a köztársasági párt⟩

gopher ['goʊfə*] *n US* hörcsög, pocok

Gordian knot ['gɔ:djən] gordiuszi csomó

Gordon ['gɔ:dn] *prop*

gore[1] [gɔ:*] **I.** *n* alvadt vér **II.** *vt* megsebesít [szarvval, agyarral]

gore[2] [gɔ:*] *n* cvikli

gorge [gɔ:dʒ] **I.** *n* **1.** torok, gége **2.** *my*

~ *rises at sg* émelyeg (vm láttán) 3. völgytorok, szurdok II. *vt/vi* ~ *(one-self)* lakmározik, bezabál
gorgeous ['gɔ:dʒəs] *a* nagyszerű, ragyogó, pompás
gorgeousness ['gɔ:dʒəsnɪs] *n* nagyszerűség
gorilla [gə'rɪlə] *n* gorilla
gormandize ['gɔ:məndaɪz] *vi* zabál, fal
gormless ['gɔ:mlɪs] *a GB biz* hülye, ütődött, marha
gorse [gɔ:s] *n* tövises rekettye
gory ['gɔ:rɪ] *a* véres, alvadt vérrel borított
gosh [gɔʃ; *US* -ɑ-] *int (by)* ~ a mindenit!, a kutyafáját!
gosling ['gɔzlɪŋ; *US* -ɑ-] *n* 1. *(átv is)* kisliba 2. barka [fűzfán]
go-slow *n* munkalassítás
gospel ['gɔspl; *US* -ɑ-] *n* evangélium; *take sg for* ~ szentírásnak tekint vmt
gossamer ['gɔsəmə*; *US* -ɑ-] *n* 1. ökörnyál 2. finom fátyolszövet
gossip ['gɔsɪp; *US* -ɑ-] I. *n* 1. pletyka 2. pletykafészek 3. *biz* csevegés, kroki [újságban]; ~ *column* (társasági) pletykarovat II. *vi* pletykál, tereferél
gossipy ['gɔsɪpɪ; *US* -ɑ-] *a* pletykás
got →get
Goth [gɔθ; *US* -ɑ-] *n* 1. gót 2. barbár, vandál
Gotham *prop* 1. ['goʊtəm] kb. Rátót 2. ['goʊθəm; *US* 'gɑ-] *biz* New York City
Gothic ['gɔθɪk; *US* -ɑ-] I. *a* gót [nép stb.]; gótikus; ~ *novel* rémregény [a XVIII. században] II. *n* 1. gót (nyelv) 2. gót(ikus) stílus, gótika 3. gót [betűtípus]
gotten →get
got-up *a* 1. *a well/nicely* ~ *book* szép kiállítású könyv 2. *US* □ *it's a* ~ *job* megrendezett dolog
gouache [gʊ'ɑ:ʃ] *n* áttetsző vízfesték, gouache
gouge [gaʊdʒ] I. *n* homorú véső, vájóvéső II. *vt* 1. ~ *(out)* (ki)vés, kiváj 2. kiszúr, kinyom [szemet]
goulash ['gu:læʃ] *n* gulyás [étel]
gourd [gʊəd] *n* 1. (dísz)tök 2. tökhéjpalack
gourmand ['gʊəmənd] *n* ínyenc

gourmet ['gʊəmeɪ] *n* ínyenc
gout [gaʊt] *n* 1. köszvény 2. (vér)csepp
gouty ['gaʊtɪ] *a* köszvényes
Gov. 1. *Government* 2. *Governor*
govern ['gʌvn] *vt* 1. kormányoz, vezet, irányít, igazgat; uralkodik (vmn) 2. vonz [nyelvtani esetet]
governance ['gʌvnəns] *n* † kormányzás, vezetés, irányítás
governess ['gʌvnɪs] *n* nevelőnő
governing ['gʌvnɪŋ] *a* kormányzó; vezető; irányító; ~ *body* kormányzó testület, igazgató tanács [intézményé stb.]; ~ *principle* irányelv
government ['gʌvnmənt] *n* 1. irányítás, vezetés 2. kormány(zat), végrehajtó hatalom; *the G*~ a kormány/kabinet; *form of* ~ kormányforma; *form a* ~ kormányt alakít; *a* ~ *of laws* jogállam 3. közigazgatás 4. kormányzati, kormány-, állami; ~ *agency* állami szerv; ~ *offices* kormányhivatalok; minisztériumok 5. ~ *securities* állampapírok
governmental [gʌvn'mentl] *a* kormányzati, kormány-; állami; hivatalos
governor ['gʌvənə*] *n* 1. kormányzó, vezető 2. kormányzó [tartományé, gyarmaté stb.]; helytartó 3. (börtön-) igazgató 4. igazgató tanács (v. intéző testület) tagja, választmányi tag 5. (sebesség)szabályozó [szelep] 6. *biz (the) G*~ (1) főnök, góré (2) az öreg, a „fater" (3) [megszólításban] uram!
Governor-General *n* főkormányzó; alkirály
governorship ['gʌvənəʃɪp] *n* kormányzóság [állás]
Govt. *government*
Gower ['gaʊə*] *prop*
gown [gaʊn] *n* 1. talár [bírói, egyetemi, papi] 2. (hosszú) női ruha 3. köntös, köpönyeg
gowned ['gaʊnd] *a* talárt viselő
gownsman ['gaʊnzmən] *n (pl* -men -mən) egyetem tagja
G.P., GP [dʒi:'pi:] *general practitioner*
GPO [dʒi:pi:'oʊ] *General Post Office* főposta
gr. 1. *grain(s)* szemer [súlymérték] 2. *gram(me)(s)* gramm, g 3. *gross* tizenkét tucat (144 db)

G.R. Georgius Rex (= *King George*)
György király
grab [græb] **I.** *n* **1.** (hirtelen) megragadás; *make a ~ at sg* odakap vmhez, vm után kap **2.** markoló(gép) **II.** *vt* **-bb-** *~ at/for sg* megragad/megmarkol/fog vmt; *~ a job* megkaparint állást
grabber ['græbə*] *n* **1.** (áru)halmozó **2.** haszonleső/pénzéhes ember
grab-crane *n* markolós daru
grace [greɪs] **I.** *n* **1.** báj, kellem, kecsesség, grácia; *do sg with ~* szépen/elegánsan csinál vmt; *do sg with a good ~* szívesen tesz vmt; *he had the ~ to apologize* volt benne annyi jóérzés/tisztesség, hogy bocsánatot kérjen **2.** *the three G~s* a három grácia [mitológiában] **3.** kegy, jóindulat; *an act of ~* szívesség; *get into sy's good ~s* vknek a kegyeibe kerül **4.** [isteni] kegyelem, malaszt; *in the year of ~ 1526* az Úr 1526. évében **5.** kegyelem, megkegyelmezés; *days of ~* (fizetési) haladék **6.** *His G~* ökegyelmessége, őfőméltósága; *Your G~* főméltóságod, főmagasságod **7.** asztali ima/áldás; *say ~* asztali imát mond **II.** *vt* **1.** díszít, felékesít **2.** megtisztel, kitüntet
graceful ['greɪsfʊl] *a* **1.** kecses, elegáns, könnyed **2.** méltóságteljes
gracefully ['greɪsfʊlɪ] *adv* bájosan, kecsesen, elegánsan
gracefulness ['greɪsfʊlnɪs] *n* kecsesség; kellem, elegancia
graceless ['greɪslɪs] *a* **1.** bájtalan, esetlen **2.** udvariatlan
Gracie ['greɪsɪ] *prop* ⟨női név⟩
gracile ['græsɪl] *a* karcsú, törékeny, graciőz
gracious ['greɪʃəs] *a* **1.** kegyes, szíves, barátságos; leereszkedő; *our ~ Queen* kegyes királynőnk **2.** könyörületes, irgalmas **3.** *good/goodness/my ~!*, *~ me!* te jó isten!
grad [græd] *n biz* = *graduate I.*
gradate [grə'deɪt] *vt* **1.** fokokra oszt **2.** fokozatosan egymásba árnyal[színeket]
gradation [grə'deɪʃn] *n* **1.** fokozódás **2.** fokozat, fokozatosság **3.** árnyalat **4.** osztályozás, rangsor **5.** hangzóváltozás, ablaut

grade [greɪd] **I.** *n* **1.** fokozat, rang, kategória **2.** minőség **3.** *US* (elemi/általános iskolai) osztály; *~ school* elemi/általános iskola **4.** [iskolai] osztályzat; *biz make the ~* megüti a mértéket sikerül neki [vm teljesítmény], boldogul **5.** *US* lejtő; emelkedő [úté, vasúté]; *~ crossing = level crossing* **II.** *vt* **1.** osztályoz, minősít; kiválogat, különválaszt; *US ~ papers* dolgozato(ka)t (ki)javít **2.** fokonként nehezebbé tesz; *~d tax* progresszív adó(zás) **3.** planíroz, elegyenget **4.** *~ up* feljavít, keresztez [állattenyésztő]
grader ['greɪdə*] *n* útgyalu, talajgyalu
gradient ['greɪdjənt] *n* lejtősség(i szög)
grading ['greɪdɪŋ] *n* **1.** osztályozás **2.** planírozás, (talaj)egyengetés
gradual ['grædʒʊəl] *a* fokozatos
gradually ['grædʒʊəlɪ] *adv* fokozatosan
graduate I. *a/n* ['grædʒʊət] (egyetemet) végzett, diplomás (ember) **II.** *v* ['grædʒʊeɪt; *US* -dʒ-] **A.** *vt* **1.** fokbeosztással ellát, fokokra oszt **2.** fokozatossá tesz, fokonként nehezebbé tesz [gyakorlatokat stb.] **3.** *US* diplomát/végbizonyítványt ad **B.** *vi* **1.** *~ into (sg)* fokozatosan átmegy (vmbe) **2.** (el)végez [egyetemet, középiskolát], végbizonyítványt/diplomát szerez [egyetemen, főiskolán]; *he ~d from Oxford* tanulmányait Oxfordban végezte; *he ~d in law* jogot végzett
graduation [grædjʊ'eɪʃn; *US* -dʒ-] *n* **1.** fokozatokra osztás **2.** egyetemi avatás [tanulmányok befejezésével]; *US (high-school) ~* kb. érettségi; *US ~ (ceremony)* bizonyítványkiosztási/diplomaosztó ünnepség
graft¹ [gra:ft; *US* -æ-] **I.** *n* **1.** oltóág; oltvány **2.** oltás **3.** átültetés [bőré, testszövete stb.] **4.** átültetett (test-)szövet **II.** *vt* **1.** szemez, olt **2.** átültet [testszövetet]
graft² [gra:ft; *US* -æ-] *n US biz* korrupció, vesztegetés
Graham ['greɪəm] *prop* ⟨férfinév⟩
grail [greɪl] *prop the Holy G~* a (Szent) Grál
grain [greɪn] **I.** *n* **1.** szem [por, homok, gabona, cukor]; szem(cse); szemcsés-

ség; ~ *crop* szemtermés, gabona; ~ *imports* gabonabehozatal; *small/close* ~ finom szemcséjű 2. egy szemernyi; *take with a* ~ *of salt* fenntartással fogad 3. szemer ⟨súlyegység: 0,0648 g⟩ 4. erezet iránya, szálirány [fáé]; *átv against the* ~ kedve ellenére (van vm), nem szívesen; *man of coarse* ~ faragatlan ember II. *vt* 1. szemcséz 2. barkáz [bőrt]

grained [greɪnd] *a* 1. erezett 2. -szemcsés, szemcséjű

grainline *n* szálirány [szöveté]

grainy ['greɪnɪ] *a* szemcsés

gram [græm] *n = gramme*

grammar ['græmə*] *n* nyelvtan; *bad* ~ nyelvtani hiba; *write/speak bad* ~ nyelvtanilag hibásan ír/beszél; *good* ~ nyelvileg/nyelvtanilag helyes

grammarian [grə'meərɪən] *n* nyelvész, nyelvtaníró

grammar-school *n GB* kb. gimnázium

grammatical [grə'mætɪkl] *a* nyelvtani

gramme [græm] *n* gramm

gramophone ['græməfoʊn] *n* gramofon; ~ *record* hanglemez

granary ['grænərɪ] *n* magtár, hombár

grand [grænd] I. *a* 1. nagy, fő; *G~ Hotel* nagyszálló; ~ *jury* esküdtszék; ~ *tour* (1) nagy túra (2) tanulmányút 2. ~ *piano* hangversenyzongora 3. nemes, előkelő; ~ *duchess* nagyhercegnő, főhercegnő; ~ *duke* nagyherceg, főherceg; ~ *old man* a nagy Öreg 4. *biz* nagyszerű, remek; *a* ~ *fellow* remek fickó II. *n* 1. *biz* hangversenyzongora 2. *US* □ ezer dollár, egy „lepedő"

grandam ['grændæm] *n* nagyanyó

grand-aunt *n* nagynéni [szülő nagynénje]

grandchild ['græn-] *n* (*pl* -children) unoka

grand-dad ['græn-] *n* nagyapó

granddaughter ['græn-] *n* (leány)unoka

grandee [græn'diː] *n* (spanyol) grand

grandeur ['grændʒə*] *n* nagyszerűség, kiválóság

grandfather *n* nagyapa; ~'s *clock* padlón álló ingaóra

grandiloquence [græn'dɪləkwəns] *n* fellengzősség

grandiloquent [græn'dɪləkwənt] *a* fellengzős, dagályos

grandiose ['grændɪoʊs] *a* nagyszerű, grandiózus

grandma ['grænmɑː] *n* nagymama

grandmother ['græn-] *n* nagyanya

grandnephew ['græn-] *n* unokaöcs/unokahúg fia

grandness ['grændnɪs] *n* nagyszerűség

grandniece ['græn-] *n* unokaöcs/unokahúg leánya

grandpa ['grænpɑː] *n* nagypapa

grandparent ['græn-] *n* nagyszülő

grandsire ['grænsaɪə*] *n* 1. ős 2. nagyapa

grandson ['græn-] *n* (fiú)unoka

grand-stand *n* tribün, lelátó

grand-uncle *n* nagybácsi [szülő nagybátyja]

grange [greɪndʒ] *n* udvarház, majorság

granite ['grænɪt] *n* gránit

granny, grannie ['grænɪ] *n* nagymama, „nagyi"; *granny's knot* vénasszonybog

grant [grɑːnt; *US* -æ-] I. *n* 1. megadás [engedélyé stb.], engedélyezés 2. adományozás, átruházás; *a post in sy's* ~ vk által adományozható állás 3. átruházási/engedményezési okirat 4. pénzsegély; szubvenció; *state* ~ államsegély II. *vt* 1. engedélyez, megenged, megad [engedélyt]; ~ *permission* engedélyt ad 2. meghallgat [imát]; teljesít [kérést], eleget tesz (vmnek); ~ *a request* kérést teljesít 3. adományoz, átruház, engedményez 4. folyósít, nyújt [kölcsönt]; kiutal [segélyt]; ~ *a loan* kölcsönt nyújt 5. elfogad, elismer; *I* ~ *that* ... megengedem, hogy ... 6. *take sg for* ~ed természetesnek vesz vmt, biztosan számít vmre

grantee [grɑːn'tiː; *US* græn-] *n* 1. kedvezményezett 2. megajándékozott

granular ['grænjʊlə*] *a* szemcsés

granulate ['grænjʊleɪt] *vt* szemcséz

granulated ['grænjʊleɪtɪd] *a* szemcsés; ~ *sugar* kristálycukor

granulation [grænjʊ'leɪʃn] *n* szemcsézés, (meg)darálás

granule ['grænjuːl] *n* szemcse

granulous ['grænjʊləs] *a* szemcsés

grape [greɪp] *n* szőlő; *bunch/cluster of* ~s szőlőfürt
grapefruit *n* citrancs, grépfrút
grape-shot *n* † kartács
grape-stone *n* szőlőmag
grape-sugar *n* szőlőcukor
grapevine *n* 1. szőlőtő(ke) 2. szájról szájra terjedő hír; suttogó hírközlés; „drót"
graph [græf] *n* grafikon, diagram; ~ *paper* milliméterpapír
graphic ['græfɪk] I. *a* 1. élénk, festői [leírás] 2. grafikus [ábrázolás]; ~ *arts* képzőművészet; ~ *artist* grafikus II. *n* 1. grafika [a mű] 2. ábra, illusztráció 3. **graphics** grafika
graphically ['græfɪk(ə)lɪ] *adv* 1. grafikusan, szemléletesen [ábrázol] 2. élénken [ecsetel]
graphite ['græfaɪt] *n* grafit
graphologist [græ'fɔlədʒɪst; US -'fɑ-] *n* grafológus
graphology [græ'fɔlədʒɪ; US -'fɑ-] *n* grafológia
grapnel ['græpnl] *n* kis (kutató)horgony
grapple ['græpl] *vi* 1. ~ *with sy* dulakodik/viaskodik vkvel; ~ *with sg* küszködik/birkózik vmvel
grappling-iron ['græplɪŋ-] *n* = grapnel
Grasmere ['grɑːsmɪə*] *prop*
grasp [grɑːsp; US -æ-] I. *n* 1. (erős) fogás, megragadás; *be in sy's* ~ vk hatalmában/markában van; *escape from sy's* ~ kisiklik vk markából/hatalmából 2. felfogóképesség; *has a good/thorough* ~ *(of sg)* (1) jó felfogású, könnyen és gyorsan megért/felfog (vmt) (2) alaposan/jól ismer (vmt), jól tájékozott (vm tárgykörben); *be beyond one's* ~ meghaladja vk képességeit, „magas" neki II. A. *vt* 1. megfog, megragad; ~ *sy's hand* megragadja vk kezét; ~ *all lose all* aki sokat markol keveset fog 2. megért, felfog B. *vi* ~ *at sg* (1) kap vm után (2) *átv* kap vmn [alkalmon stb.]; ~ *at a straw* szalmaszálba kapaszkodik
grasping ['grɑːspɪŋ; US -æ-] *a* kapzsi, telhetetlen, mohó
grass [grɑːs; US -æ-] I. *n* 1. fű; ~es pázsitfűfélék; *blade of* ~ fűszál; *go to* ~ (le)pihen, szabadságra megy; *not*

let the ~ *grow under one's feet* nem késlekedik (megtenni vmt); *put under* ~ befüvesít 2. legelő; *be at* ~ (1) kicsapták a legelőre (2) *biz* munka nélkül lézeng; *turn out to* ~ kienged legelni 3. gyep, pázsit 4. ☐ marihuána, „fű" II. *vt* 1. (be)füvesít 2. ☐ beköp [bűntársat]
grass-green *a* fűzöld
grass-grown *a* fűvel benőtt, füves
grasshopper *n* szöcske
grassland *n* füves terület/táj
grassplot *n* gyepes terület
grassroots [-'ruːts] *n pl biz* 1. kb. a széles néprétegek, a választók 2. *átv* gyökerek, fundamentum
grass-snake *n* vízisikló
grass-widow *n* szalmaözvegy [nő]
grass-widower *n* szalmaözvegy [férfi]
grassy ['grɑːsɪ; US -æ-] *a* füves, gyepes
grate¹ [greɪt] *n* 1. (tűz)rostély 2. (ablak)rács
grate² [greɪt] A. *vt* 1. reszel [sajtot] 2. ~ *one's teeth* fogát csikorgatja 3. ráspolyoz B. *vi* csikorog, nyikorog; ~ *on the ear* bántja/hasogatja a fület [zaj]; ~ *on sy's nerves* idegeire megy vknek
grateful ['greɪtfʊl] *a* 1. hálás *(to sy for sg* vknek vmért) 2. kellemes
gratefulness ['greɪtfʊlnɪs] *n* hála
grater ['greɪtə*] *n* (konyhai) reszelő
gratification [grætɪfɪ'keɪʃn] *n* 1. kielégítés 2. kielégülés, elégtétel 3. öröm, kedvtelés; *for one's own* ~ saját passziójára, kedvtelésként (tesz vmt) 4. jutalom
gratify ['grætɪfaɪ] *vt* 1. kielégít; eleget tesz (vmnek); ~ *one's passions* kiéli szenvedélyeit 2. örömet okoz; elégtételül szolgál (vknek)
grating ['greɪtɪŋ] *n* rács(ozat)
gratis ['greɪtɪs] *a/adv* ingyen, grátisz
gratitude ['grætɪtjuːd; US -tuːd] *n* hála
gratuitous [grə'tjuːɪtəs; US -'tuː-] *a* 1. ingyenes, díjtalan; ~ *service* díjtalan szolgáltatás 2. alaptalan, indokolatlan; *a* ~ *lie* fölösleges hazugság
gratuity [grə'tjuːətɪ; US -'tuː-] *n* 1. pénzjutalom; prémium 2. borravaló
grave¹ [greɪv] I. *n* sír; *from beyond the* ~

a másvilágról II. vt (pt ~d greɪvd, pp ~d és ~n 'greɪvn) 1. kiváj, kifarag 2. (átv is) (be)vés grave² [greɪv] a 1. súlyos [vád]; nehéz [helyzet stb.] 2. komoly, megfontolt; ünnepélyes; look ~ szigorú/komoly képet ölt 3. [grɑ:v; US greɪv] ~ (accent) tompa ékezet

grave-clothes n pl halotti ruha
grave-digger n sírásó
gravel ['grævl] I. n 1. kavics(hordalék); föveny, durva homok; ~ road kavicsolt út 2. vesehomok II. vt -ll- (US -l-) 1. kavicsoz, fövenyez 2. biz zavarba hoz
gravelly ['græv(ə)lɪ] a 1. fövenyes, fövenyszerű 2. veseköves 3. recsegő/érdes hangú
gravel-pit n kavicsbánya
gravely ['greɪvlɪ] adv komolyan; ünnepélyesen
graven ['greɪvn] a vésett; ~ image „faragott kép"
graver ['greɪvə*] n 1. = engraver 2. gravírozószerszám
gravestone n sírkő
graveyard n temető
gravid ['grævɪd] a terhes [nő]
graving-dock ['greɪvɪŋ-] n szárazdokk
gravitate ['græviteɪt] vi 1. nehézségi erő hatására elmozdul/mozog 2. átv vonzódik (towards vmhez), húz, gravitál (to vm felé)
gravitation [grævi'teɪʃn] n 1. = gravity 2. 2. átv vonzódás (towards vmhez)
gravity ['grævətɪ] n 1. súly; centre of ~ súlypont 2. (force of) ~ nehézségi erő, gravitáció 3. súlyosság [váde stb.]; komolyság 4. megfontoltság
gravure [grə'vjʊə*] n = photogravure
gravy ['greɪvɪ] n 1. pecsenyelé, szaft; mártás, szósz 2. □ könnyű kereset; get on the ~ train jól fizető melót csíp el, a húsosfazék közelébe férkőzik
gravy-boat n mártásoscsésze
gray [greɪ] a US = grey
graze¹ [greɪz] A. vt legeltet B. vi legel
graze² [greɪz] I. n horzsolás II. vt horzsol, súrol [golyó]
grazier ['greɪzjə*; US -ʒər] n tehénpásztor, gulyás

grazing ['greɪzɪŋ] n legel(tet)és
grazing-ground/land n legelő
grease I. n [gri:s] 1. (olvasztott) zsír, zsiradék 2. (kenő)zsír, kenőanyag II. vt [gri:z] 1. zsíroz, olajoz (meg)ken [gépet] 2. bezsíroz; kiken [edényt] 3. biz megveszteget, megken (vkt)
grease-box n zsírzószelence
grease-cock n kenőcsap
grease-cup n zsírzó(fej)
grease-gun n zsírzóprés
grease-paint n [színpadi] (arc)festék
grease-proof a zsírhatlan; ~ paper zsírpapír
greaser ['gri:zə*] n kenő, olajozó, zsírzó (munkás)
greasiness ['gri:zɪnɪs] n zsírosság
greasy ['gri:zɪ] a 1. zsíros 2. olajfoltos, (zsír)pecsétes 3. síkos, csúszós [út] 4. kenetteljes [modor]
great [greɪt] I. a 1. nagy, terjedelmes, jókora; a ~ big man jól megtermett ember; G~ Bear Göncölszekér, Nagymedve; G~ Britain Nagy-Britannia 2. † ~ with child várandós (asszony) 3. nagy, jelentékeny, számottevő; ~ majority nagy/túlnyomó többség; a ~ while ago nagyon/jó régen; the ~ thing is that ... a lényeg az, hogy ...; to a ~ extent nagymértékben; a ~ deal/many jó sok 4. nagy, kiváló, kimagasló, nagyszerű; Alexander the G~ Nagy Sándor; the G~ Powers a nagyhatalmak; GB the G~ War az első világháború 5. előkelő, magasztos [lélek stb.] 6. be ~ at sg kiváló/nagyszerű vmben; be ~ on sg nagyon (jól) ért vmhez 7. biz nagyszerű, remek; wouldn't it be ~? hát nem lenne nagyszerű?; it was a ~ joke remek vicc volt II. n 1. nagy dolog 2. the ~ a(z) előkelőségek/nagyfejűek 3. Greats pl (1) irodalmi tagozat [oxfordi egyetemen] (2) betejező vizsgák [oxfordi egyetem nyelvszakán]
great-aunt n = grand-aunt
great-coat n télikabát
great-grand a déd-; ~ child dédunoka
greatly ['greɪtlɪ] adv nagyon, igen, nagymértékben; it is ~ to be feared that ... attól kell tartani, hogy ...

greatnephew *n* = *grandnephew*
greatness ['greɪtnɪs] *n* nagyság
greatniece *n* = *grandniece*
great-uncle *n* = *grand-uncle*
greaves [gri:vz] *n pl* töpörtyű, pörc
grebe [gri:b] *n* búbos vöcsök
Grecian ['gri:ʃn] *a* görög(ös), hellén; ~ *nose* görög(ös) orr; ~ *urn* görög váza
Greece [gri:s] *prop* Görögország
greed [gri:d] *n* 1. kapzsiság 2. mohóság
greediness ['gri:dɪnɪs] *n* = *greed*
greedy ['gri:dɪ] *a* 1. kapzsi 2. mohó, falánk (*of/for* vmre)
Greek [gri:k] I. *a* görög; ~ *Church* görögkeleti egyház II. *n* 1. görög (férfi/nő) 2. görög (nyelv); *modern* ~ újgörög; *biz it's* ~ *to me* ebből egy szót se értek 3. görög nyelvtudás
green [gri:n] I. *a* 1. zöld; *grow* ~ kizöldül; ~ *bacon* kövesztett szalonna; ~ *belt* zöldövezet [város körül] ~ *light* (1) zöld fény (2) *átv* zöld út; ~ *Christmas* fekete karácsony; *have* ~ *fingers* (v. *a* ~ *thumb*) ért a növényekhez, szeret kertészkedni 2. zöld; éretlen; ~ *fruit* éretlen gyümölcs; ~ *manure* zöld trágya; ~ *pepper* zöldpaprika 3. tapasztalatlan, éretlen, zöld(fülű) 4. friss, életerős; ~ *old age* öreg de nem vén ember; *keep sy's memory* ~ emlékét ápolja/őrzi 5. sápadt zöldes [arcszín]; ~ *with envy* sárga az irigységtől; ~ *eye* irigy/féltékeny pillantás II. *n* 1. zöld [szín]; *biz is there any* ~ *in my eye?* hülyének nézel engem?; *biz they are still in the* ~ még nagyon zöldek/éretlenek/fiatalok 2. **greens** *pl* zöldfőzelék; zöldség(félék) 3. pázsit, gyep 4. rét, legelő 5. golfpálya
greenback *n US biz* ⟨dollárbankjegy⟩
greenbottle *n* húslégy
greenery ['gri:nərɪ] *n* 1. növényzet, lomb 2. = *greenhouse*
green-eyed *a* 1. zöld szemű 2. irigy, féltékeny
greengage ['gri:ngeɪdʒ] *n* ringló
greengrocer *n* zöldség- és gyümölcsárus
greenhorn *n biz* zöldfülű
greenhouse *n* üvegház, melegház
greenish ['gri:nɪʃ] *a* zöldes
Greenland ['gri:nlənd] *prop* Grönland

greenness ['gri:nnɪs] *n* 1. zöldellés 2. frisseség, életerő 3. éretlenség, tapasztalatlanság
green-room *n* [színházi] művészszoba, társalgó
green-sickness *n* sápkór
greensward ['gri:nswɔ:d] *n* gyep(szőnyeg), pázsit
Greenwich ['grɪnɪdʒ] *prop* →*G.M.T.*
greenwood *n* zöld erdő, liget
greet [gri:t] *vt* 1. üdvözöl, köszönt 2. fogad
greeting ['gri:tɪŋ] *n* üdvözlet, köszöntés
gregarious [grɪ'geərɪəs] *a* 1. nyájban élő [állat] 2. társaságot kedvelő
Gregorian [grɪ'gɔ:rɪən] *a* 1. gregorián [zene]; ~ *chant* gregorián ének 2. ~ *calendar* Gergely-naptár [1582-től]
Gregory ['gregərɪ] *prop* Gergely
gremlin ['gremlɪn] *n* gonosz szellem [pilóta ellensége a II. világháborúban]
grenade [grɪ'neɪd] *n* (kézi)gránát
grenadier [grenə'dɪə*] *n* 1. † gránátos [katona] 2. *G~ Guards* ⟨egy angol gyalogezred⟩
grenadine [grenə'di:n] *n* grenadin
Gresham ['greʃəm] *prop*
Gretna Green ['gretnə'gri:n] *prop*
grew →*grow*
grey [greɪ] I. *a* 1. szürke; *G~ Friars* ferencesek; ~ *matter* szürkeállomány [agyban]; *go/turn* ~ (1) megőszül (2) elsápad; *grow* ~ *in harness* munkában megőszül 2. borongós [idő]; sötét, gyászos [hangulat] II. *n* szürke [szín] III. A. *vt* megőszít B. *vi* megőszül, -szürkül
greybeard *n* öreg ember
grey-haired *a* ősz hajú
greyhound *n* agár; ~ *racing* agárverseny
greyish ['greɪɪʃ] *a* szürkés
greyness ['greɪnɪs] *n* szürkeség
grid [grɪd] *n* 1. rács(ozat); rácskerítés 2. (országos) áramhálózat 3. (térkép-) hálózat 4. = *gridiron*
gridded ['grɪdɪd] *a* kockás, hálózatos [térkép]
griddle ['grɪdl] *n* 1. serpenyő 2. rosta
griddle-cake *n* palacsinta
gridiron ['grɪdaɪən] *n* 1. sütőrostély 2. *US* futballpálya; rögbipálya

grief [gri:f] *n* szomorúság, bánat, fájdalom; baj, szerencsétlenség; *bring sy to* ~ bajba sodor vkt; *bring sg to* ~ meghiúsít vmt; *come to* ~ bajba kerül; balul végződik

grief-stricken *a* bánatos

grievance ['gri:vns] *n* sérelem, panasz

grieve [gri:v] **A.** *vt* elszomorít, bánt, fájdalmat okoz (vknek); *we are ~d to learn* sajnálattal értesülünk, hogy ... **B.** *vi* búsul, bánkódik, szomorkodik *(at/about* miatt; *for* után; *over* vmn)

grievous ['gri:vəs] *a* **1.** fájdalmas, szomorú [hír stb.] **2.** súlyos [tévedés, baleset stb.]

griff n ['grɪfɪn] *n* griffmadár

Griffith ['grɪfɪθ] *prop*

griffon ['grɪfən] *n* drótszőrű vadászkutya

grig [grɪg] *n* **1.** tücsök **2.** *merry as a* ~ vidám

grill [grɪl] **I.** *n* **1.** rács, rostély; grill **2.** roston sült hús/étel; rostonsült **3.** = = *grill-room* **II.** *vt* **1.** roston süt **2.** (erőszakosan) vallat [rendőrség stb.]

grille [grɪl] *n* védőrács; rostély

grilled [grɪld] *a* **1.** rácsos **2.** roston sült; grill-

grill-room *n* roston sült húsokat felszolgáló vendéglő

grim [grɪm] *a (comp* ~**mer** 'grɪmə*, *sup* ~**mest** 'grɪmɪst) zord, félelmetes; *hold on like* ~ *death* elkeseredetten/görcsösen kapaszkodik

grimace [grɪ'meɪs] **I.** *n* fintor, grimasz **II.** *vi* fintorokat/grimaszokat vág

grimalkin [grɪ'mælkɪn] *n* vén macska

grime [graɪm] *n* szenny, korom, mocsok [főleg testen]

Grimes [graɪmz] *prop*

grimmer, grimmest → *grim*

grimly ['grɪmlɪ] *adv* ádázul, elkeseredetten; zordul

grimness ['grɪmnɪs] *n* marconaság, félelme(te)sség

Grimsby ['grɪmzbɪ] *prop*

grimy ['graɪmɪ] *a* koszos, maszatos

grin [grɪn] **I.** *n* vigyorgás **II.** *vi* -nn- vigyorog; ~ *and bear it* fájdalmat mosolyogva tűr

grind [graɪnd] **I.** *n* **1.** csikorgás **2.** őrlés, darálás **3.** *biz* nehéz/lélekölő munka;

the daily ~ a mindennapi robot **4.** *biz* magolás, biflázás **II.** *v (pt/pp* **ground** graund) **A.** *vt* **1.** őröl, darál, porrá tör; ~ *(down)* to dust apróra őröl; ~ *sg under one's heel* (1) sarkával széttapos vmt (2) *átv* elnyom **2.** elnyom, sanyargat; ~ *down* (v. *the faces of) the poor* elnyomja és kizsákmányolja a szegényeket **3.** köszörül, élesít; ~ *a lens* lencsét köszörül **4.** ~ *one's teeth* fogát csikorgatja **5.** keményen megdolgoztat (vkt); (be)paukol [tanítványt] **B.** *vi* **1.** csikorog; ~ *to a halt* csikorogva megáll **2.** *biz* gürcöl, melózik; ~ *for an exam* vizsgára magol; ~ *away at Latin* latint magol

grinder ['graɪndə*] *n* **1.** őrlőkészülék; daráló **2.** őrlőfog, zápfog **3.** köszörűs

grinding ['graɪndɪŋ] *a* **1.** ~ *sound* csikorgó hang **2.** (fel)őrlő, nyomasztó [gondok]

grindstone *n* malomkő; csiszolókő, köszörűkő; *hold/keep sy's nose to the* ~ keményen megdolgoztat vkt, agyonhajt vkt

grinned [grɪnd] → *grin II.*

grinning ['grɪnɪŋ] **I.** *a* vigyorgó **II.** *n* vigyorgás

grip [grɪp] **I.** *n* **1.** (meg)fogás, megragadás; (meg)markolás; *be at* ~*s with sy* dulakodik vkvel; *come to* ~*s (with sy)* ölre megy vkvel; *átv come/get to* ~*s with sg* küszködik/birkózik vmvel; *átv have a* ~ *on an audience* magával ragadja a hallgatóságot; *let go one's* ~ ereszt (vmt) **2.** markolat **3.** befogópofa, -fej **4.** felfogóképesség; *have a good* ~ *of a subject* egy tárgyat/kérdést jól ismer **5.** *US biz* = *gripsack* **II.** *vt* -**pp-** **1.** megmarkol, -ragad, (meg-) fog; *the brake did not* ~ a fék nem fogott **2.** *átv* elfog, megragad; magával ragad; *fear* ~*ped him* elfogta a félelem; ~ *the audience* magával ragadja a hallgatóságot **3.** befog [szerszámot stb.]

gripe [graɪp] *n* **1.** *the* ~*s* kólika, hascsikarás **2.** *US biz* zúgolódás

griping ['graɪpɪŋ] **I.** *a* ~ *pains* hascsikarás **II.** *n US biz* zúgolódás, morgolódás

grippe [grɪp] *n* influenza
gripped [grɪpt] →*grip II.*
gripping ['grɪpɪŋ] *a átv* izgalmas, megkapó; *a ~ story* megragadó történet ‖→*grip II.*
gripsack *n US* utazótáska, kézitáska
grisly ['grɪzlɪ] *a* hátborzongató, szörnyű, rémes
grist [grɪst] *n* 1. őrlendő gabona; *it brings ~ to the mill* jövedelmet hoz; *all is ~ that comes to his mill* mindent a maga hasznára tud fordítani 2. őrlemény, (árpa)dara
gristle ['grɪsl] *n* porcogó
gristly ['grɪslɪ] *a* porcos, porcogós
grit [grɪt] **I.** *n* 1. föveny 2. kőpor; homokkő; *put ~ in the bearings* homokot szór a fogaskerekek közé [= fékezi/ akadályozza a munkát], szabotál 3. határozottság, jellemszilárdság; *man of ~* karakán legény **II.** *v* -tt- **A.** *vi* csikorog **B.** *vt* 1. csikorgat; *~ the teeth* fogat csikorgat 2. homokkal/kaviccsal beszór
grits [grɪts] *n pl* búzadara, zabdara; derce
gritstone *n* éles szemcséjű homokkő
gritted ['grɪtɪd] →*grit II.*
gritty ['grɪtɪ] *a* 1. kavicsos [talaj]; daraszerű 2. *biz* karakán
grizzle ['grɪzl] *biz* **I.** *n* nyafogás **II.** *vi* nyűgösködik, nyafog
grizzled ['grɪzld] *a* ősz(es), őszülő [haj]
grizzly ['grɪzlɪ] *n ~ (bear)* (amerikai) szürkemedve
groan [groʊn] **I.** *n* nyögés, sóhajtás **II.** *vi* nyög, sóhajt; *the table ~ed with food* az asztal roskadozott a sok ennivaló alatt
groat [groʊt] *n* 1. garas, fitying 2. ⟨4 penny értékű angol ezüstpénz 1662 előtt⟩
groats [groʊts] *n pl* dara
grocer ['groʊsə*] *n* fűszeres
groceries ['groʊs(ə)rɪz] *n pl* fűszeráru, élelmiszeráru
grocery ['groʊs(ə)rɪ] *n* (*US ~ store* is) fűszerüzlet, élelmiszerbolt
groceteria [groʊsə'tɪərɪə] *n US* önkiszolgáló élelmiszerüzlet, önki
grog [grɒg; *US* -ɑ-] *n* grog

groggy ['grɒgɪ; *US* -ɑ-] *a* lábán bizonytalanul álló, tántorgó
groin [grɔɪn] **I.** *n* 1. ágyék 2. keresztboltozatok metszésvonala **II.** *vt* boltoz; *~ed vault* bordás boltozat
grommet ['grɒmɪt; *US* -ɑ-] *n* fűzőkarika, fűzőlyuk, ringli [cipőn, sátron]
groom [gru:m] **I.** *n* 1. lovász; inas 2. *GB* (királyi) kamarás 3. vőlegény **II.** *vt* 1. ellát, ápol [lovat] 2. ápol [testet] 3. *biz ~ sy for sg* előkészít vkt vmre [állásra, hivatásra stb.]
groomsman ['gru:mzmən] *n* (*pl* -men -mən) 1. vőfély 2. násznagy
groove [gru:v] **I.** *n* 1. rovátka, barázda; vájat; árok, horony 2. *biz* rutin, megszokás; *get out of the ~* kizökken a kerékvágásból; *get into a ~* (1) sablonossá/gépiessé válik (2) munkakörbe beleszokik **II.** *vt* kiváj, barázdál, hornyol; vájatot készít ‖→*tongue-and--groove joint*
grooved [gru:vd] *a* rovátkolt, hornyolt, barázdált
groovy ['gru:vɪ] *a* □ klassz; menő
grope [groʊp] *vi/vt ~ for/after* (*sg*) tapogatózva keres (vmt); *~ one's way* (a sötétben) tapogatózva keresi az utat
gross [groʊs] **I.** *a* 1. vaskos, goromba, durva; *~ error* vaskos tévedés; *~ mistake* öreg hiba; *~ negligence* vétkes gondatlanság 2. trágár 3. kövér, hájas [ember]; zsíros, nehéz [étel] 4. burjánzó, buja [növényzet] 5. bruttó, teljes, összes; *~ national product* (*GNP*) társadalmi/nemzeti összertermék, bruttó nemzeti termék; *~ proceeds* bruttó hozam; *~ receipts* bruttó bevétel; *~ weight* bruttó súly, elegysúly ‖→*ton 1.* **II.** *n* (*pl ~*) 1. vmnek a zöme; *in ~, by the ~* egyben, nagyban, tömegében 2. tizenkét tucat (144); *great ~* 12 nagytucat (1728) **III.** *vt* (bruttó bevételként) hoz
grossness ['groʊsnɪs] *n* 1. vaskosság 2. (*átv is*) durvaság
Grosvenor ['groʊvnə*] *prop*
grot [grɒt; *US* -ɑ-] *n* grotta, barlang
grotesque [groʊ'tesk] **I.** *a* furcsa, groteszk **II.** *n* furcsa/groteszk dolog/ tárgy

grotesqueness [groʊ'tesknɪs] *n* furcsaság, groteszkség
grotto ['grɔtoʊ; *US* -ɑ-] *n* (*pl* ~(e)s -z) (díszes) barlang, grotta
grouch [graʊtʃ] I. *n* 1. morgás, mogorvaság, rosszkedv 2. mogorva ember II. *vi biz* zsémbel, morog
grouchy ['graʊtʃɪ] *a biz* morgó, zsörtölődő [ember]
ground¹ [graʊnd] I. *n* 1. talaj, föld; *above* ~ (1) a föld színén (2) még életben; *to the* ~ földre, földhöz; *on the* ~ földön; *break fresh/new* ~ szűz talajt tör fel, úttörő munkát végez (*átv is*); *clear the* ~ *for sg* előkészíti a talajt vm számára (*átv is*); *cover* (*much*) ~ (1) nagy utat/távolságot tesz meg (2) *átv* sok kérdést/témát ölel fel; *cut the* ~ *from under sy's feet* kihúzza a talajt vk lába alól; *fall to the* ~ összeomlik, szertefoszlik [terv, remény stb.]; *down to the* ~ tökéletesen; teljesen 2. terület, terep, tér; ~ *crew/staff* repülőtéri személyzet; *gain* ~ tért hódít; *lose/give* ~ hátrál, visszavonul; *hold/keep/stand one's* ~ állja a sarat, nem enged/tágít 3. (tenger)fenék; *touch* ~ megfeneklik [hajó] 4. alap; ok; indíték; *on good* ~*s* indokoltan; *on the* ~(*s*) *of*...... alapján;... okán; *upon what* ~*s?* milyen alapon/jogcímen?; *give* ~*s for complaint* panaszra ad okot; *shift one's* ~ taktikát változtat 5. alap(ozás) [festménye, vakolaté] 6. **grounds** *pl* üledék, zacc 7. **grounds** *pl* sportpálya 8. **grounds** *pl* liget, berek; kert; belsőség [a ház körül] 9. föld(elés) II. A. *vt* 1. földre tesz/fektet/dob; ~ *arms!* fegyvert lábhoz! 2. megfenekeltet [hajót] 3. felszállást lehetetlenné tesz (v. letilt) [repgépét] 4. alapoz (*on sg* vmre) 5. ~ *sy in sg* vmnek alapelemeire megtanít vkt 6. földel [vezetéket] B. *vi* megfeneklik, zátonyra fut
ground² [graʊnd] *a* őrölt [kávé stb.]; ~ *glass* homályos üveg, tejüveg ‖→*grind II.*
ground-bait *n* csalétek [víz fenekén]
ground-clearance *n* talajelőkészítés
ground-colour *n* 1. alapszín 2. alapozás [festékkel]

ground-connection *n* földelés
grounded ['graʊndɪd] *a* megalapozott; alapos [gyanú]
ground-floor *n* földszint; *biz get in on the* ~ az elsők között kapcsolódik be vmbe
ground-game *n* nem repülő apróvad
ground-hog day *US* gyertyaszentelő (február 2.)
grounding ['graʊndɪŋ] *n* 1. alap(ozás) 2. *have a good* ~ *in sg* jó előképzettséggel rendelkezik vmben 3. földelés
groundless ['graʊndlɪs] *a* 1. alaptalan 2. feneketlen
ground-lights *n pl* repülőtéri jelzőfény
groundling ['graʊndlɪŋ] *n* 1. földszinti néző 2. közönséges ízlésű ember
groundnut *n* amerikai mogyoró, földimogyoró
ground-plan *n* alaprajz
ground-plot *n* telek
ground-rent *n* telekbér, földbér
groundsel ['graʊnsl] *n* aggófű
ground-sheet *n* sátorfenék; ponyvaalja
groundsman ['graʊndzmən] *n* (*pl* -men -mən) pályamester [sportpályán]
ground-swell *n* hosszú guruló hullámok [vihar után]
ground-to-air *a* föld-levegő [rakéta]
ground-to-ground *a* föld-föld [rakéta]
ground-water *n* talajvíz
ground-work *n* (*átv is*) alap(ozás)
group [gru:p] I. *n* csoport(ozat); *in* ~*s* csoportonként; ~ *therapy* csoportterápia II. A. *vt* csoportosít B. *vi* csoportosul
group-captain *n GB* ezredes [légierőnél]
grouping ['gru:pɪŋ] *n* 1. csoportosítás 2. csoportozat
grouse¹ [graʊs] *n* (*pl* ~) nyírfajd
grouse² [graʊs] *biz* I. *n* zúgolódás II. *vi* dörmög, zúgolódik
grout [graʊt] *n* 1. darált étel 2. cementhabarcs
grove [groʊv] *n* liget, berek, erdőcske; *orange* ~ narancsliget, -ültetvény
grovel ['grɔvl; *US* -ʌ-] *vi* -ll- (*US* -l-) 1. arccal a porban/földön fekszik, hason csúszik 2. megalázkodik (*before/to* vk előtt)
grovel(l)ing ['grɔvlɪŋ; *US* -ʌ-] *a* 1. talp-

nyaló, csúszó-mászó [ember] 2. hitvány, aljas
grow [grou] v (pt grew gru:, pp grown groun) A. vi 1. nő, növekszik; terem; stop ~ing már nem nő (tovább) 2. nő, fejlődik; ~ in wisdom bölcsességben gyarapszik 3. válik (vmvé); ~ angry megharagszik, dühös lesz; it is ~ing dark sötétedik; ~ hot felmelegszik; ~ old megöregszik; ~ tall nagyra nő; I've ~n to think that ... kezdem azt hinni, hogy ...; ~ weary of sg megun vmt B. vt 1. termeszt, termel 2. növeszt [szakállt stb.]
grow down vi összezsugorodik, kisebbedik
grow on vi a habit ~s on sy vm szokás rabjává válik; that picture ~s on me egyre jobban tetszik nekem ez a kép
grow out of vi 1. kinő [ruhát, szokást] 2. ered vmből
grow up vi 1. felnő 2. (ki)fejlődik, kialakul [barátság stb.]
grow upon vi = grow on
grower ['grouə*] n termelő, termesztő
growing ['grouɪŋ] a 1. növekvő; ~ pains (1) végtagfájás [gyerekeké], növekedési fájdalmak (2) kezdeti nehézségek 2. termő; ~ crops lábon álló termés 3. termelő; ~ weather (gyümölcsöt, gabonát) érlelő időjárás
growl [graul] I. n morgás, dörmögés II. vt/vi dörmög, morog
grown [groun] a megnőtt, növekedett; a ~ man felnőtt férfi ‖ →grow
grown-up a/n felnőtt; the ~s a felnőttek, a nagyok
growth [grouθ] n 1. növ(eked)és, (ki)fejlődés; attain full ~ teljesen kifejlődik 2. gyarapodás; növekedés; szaporulat 3. hajtás; termés 4. termelés 5. daganat, tumor
groyne [grɔin] n hullámtörő gát
grub [grʌb] I. n 1. hernyó, lárva 2. □ kaja II. v -bb- A. vt 1. (fel)ás, feltúr 2. (gyökerestől) kiirt; gyökerektől megtisztít [talajt] 3. (átv is) kiás; felkutat, kikutat B. vi 1. ás 2. biz gürcöl, melózik (for vmért) 3. biz biflázik, magol

grubbing-hoe ['grʌbɪŋ-] n irtókapa
grubby ['grʌbɪ] a 1. piszkos; mosdatlan 2. kukacos, férges
Grub-Street ['grʌb-] prop/n irodalmi napszámosok, firkászok
grudge [grʌdʒ] I. n 1. neheztelés, harag; ellenszenv; bear/owe sy a ~ neheztel vkre; haragot táplál vkvel szemben; pay off a ~ bosszút áll 2. irigység II. vt irigyel/sajnál vktől vmt; ~ oneself sg megtagad magától vmt
grudgingly ['grʌdʒɪŋlɪ] adv vonakodva, kelletlenül; irigykedve
gruel [gruəl; US -u:-] I. n zabkása(leves); biz † have/get one's ~ megkapja a magáét II. vt -ll- (US -l-) kifáraszt, kidögleszt [ellenfelet]
gruel(l)ing ['gruəlɪŋ; US -u:-] a kimerítő, nehéz; fárasztó
gruesome ['gru:səm] a hátborzongató, rémítő; szörnyű
gruff [grʌf] a 1. mogorva, nyers, barátságtalan 2. rekedtes, mély hangú
gruffly ['grʌflɪ] adv mogorván, nyersen
gruffness ['grʌfnɪs] n 1. mogorvaság 2. nyers modor, nyerseség
grumble ['grʌmbl] I. n morgás, zúgolódás; without a ~ mukkanás nélkül II. vi 1. korog [gyomor] 2. morog, zúgolódik (at/about/over sg vm miatt); I mustn't ~ nincs okom panaszra 3. dörög [ég]
grumbling ['grʌmblɪŋ] I. a zsémbes, morgó II. n 1. dörmögés, morgás, zsémbelés 2. elégedetlenkedés, zúgolódás
grummet ['grʌmɪt] n = grommet
grumpy ['grʌmpɪ] a ingerlékeny, rosszkedvű, zsémbes
Grundy ['grʌndɪ] prop what will Mrs. ~ say? mit fognak hozzá szólni az emberek?
grunt [grʌnt] I. n 1. röfögés 2. morgás [emberé] II. A. vi 1. röfög, röffen 2. morog, felmordul B. vt ~ out sg morog vmt
grunter ['grʌntə*] n disznó, coca
gr. wt. gross weight →gross I. 5.
gryphon ['grɪfn] n = griffin
gs. guineas
G-string n g-húr

G-suit n űrruha, szkafander
Gt. *Great*
guano ['gwɑ:noʊ] n madártrágya, guanó
guarantee [gær(ə)n'ti:] **I.** n **1.** kezes; jótálló; *go ~ for sy* jótáll vk helyett **2.** kezesség; szavatolás, jótállás, garancia(levél) (*against* vmért/vkért); *a year's ~* egy évi jótállás(i idő) **3.** biztosíték, óvadék **II.** *vt* **1.** szavatol, kezeskedik, jótáll, garanciát vállal (vmért) **2.** biztosít; megígér, garantál
guaranteed [gær(ə)n'ti:d] a szavatolt, garantált
guarantor [gær(ə)n'tɔ:*] n = *guarantee I. 1.*
guaranty ['gær(ə)ntɪ] n = *guarantee I. 2., 3.*
guard [gɑ:d] **I.** n **1.** védekező (test)állás [sportban] **2.** (elő)vigyázat, elővigyázatosság, éberség; *be/stand on ~* résen van/áll; *be off one's ~* nem vigyáz, elővigyázatlan; *throw sy off his ~* vknek az éberségét elaltatja **3.** őr, őrség; *change ~* leváltja az őrséget; *keep/stand ~* őrt áll; *on ~* őrség(b)en **4.** *GB The G~s* gárdaezred, (királyi) testőrség; *one of the old ~* régi vágású ember **5.** *GB* vonatvezető; főkalauz; vonatkísérő **6.** foghátór **7.** védő(szerkezet), biztosító berendezés; védőrács; kandallórács **8.** markolatkosár [kardé] **II. A.** *vt* **1.** őriz, óv, védelmez **2.** kordában tart [nyelvét, gondolatait stb.]; *~ one's tongue* ügyel a nyelvére **B.** *vi ~ against sg* védekezik vm ellen
guard-boat n őrhajó
guard-chain n óralánc, biztonsági lánc(ocska)
guarded ['gɑ:dɪd] a óvatos (beszédű), megfontolt, tartózkodó
guardedly ['gɑ:dɪdlɪ] adv tartózkodóan, óvatosan
guard-house n **1.** őrház(ikó) **2.** őrszoba **3.** katonai fogda
guardian ['gɑ:djən] n gyám, gondnok; *~ angel* őrangyal; *Board of G~s* árvaszék, gyámhatóság
guardianship ['gɑ:djənʃɪp] n gyámság, gondnokság
guard-rail n karfa, védőkorlát
guardroom n = *guardhouse*

guard-ship n őrhajó
guardsman ['gɑ:dzmən]n (*pl* -men -mən) testőr(ség tagja)
Guatemala [gwætɪ'mɑ:lə] *prop* Guatemala
Guatemalan [gwætɪ'mɑ:lən] a guatemalai
guava ['gwɑ:və] n guajáva(fa)
gudgeon¹ ['gʌdʒ(ə)n] n **1.** (fenékjáró) küllő; (tengeri) géb **2.** *biz* balek, pali
gudgeon² ['gʌdʒ(ə)n] n **1.** csapszeg, tengelycsap **2.** forgópánt
guelder-rose [geldə'roʊz-] n labdarózsa
guer(r)illa [gə'rɪlə] n gerilla(harcos)
guess [ges] **I.** n **1.** találgatás; *it's anybody's ~* szabadon lehet találgatni **2.** feltételezés; becslés; *at a ~, by ~* találomra, becslés szerint; *it's pure ~* csak feltevés, merő találgatás **II.** *vt/vi* **1.** *~ at sg* találgat, igyekszik kitalálni (vmt); *~ed right!* kitaláltad!; *eltaláltad!; ~ a riddle* rejtvényt megfejt **2.** *US* hisz; *I ~ you are right* azt hiszem, igazad van
guess-work n feltevés; becslés
guest [gest] n **1.** vendég, látogató **2.** vendég [szállodában stb.]
guest-house n panzió, vendégház
guest-room n vendégszoba
guffaw [gʌ'fɔ:] **I.** n röhögés, hahotázás **II.** *vi* röhög, hahotázik
guidance ['gaɪdns] n **1.** irányítás, vezetés; vezérlés **2.** tanács(adás); útmutatás; *for your ~* tájékoztatására
guide [gaɪd] **I.** n **1.** vezető; idegenvezető; kalauz **2.** útikönyv **3.** útmutató, ismertető; *railway ~* vasúti menetrend **4.** (*girl*) *~* leánycserkész **5.** példa(mutatás), vezérfonal **6.** (vezeték-) sín **II.** *vt* vezet, irányít; kalauzol; *~ the way for sy* utat mutat vknek
guidebook n útikönyv, -kalauz
guided ['gaɪdɪd] a **1.** vezetett; *~ tour* csoportos utazás, társasutazás **2.** *~ missile* irányított (rakéta)lövedék
guide-dog n, vakvezető kutya
guide-line(s) n (*pl*) irányelv(ek), vezérfonal, program
guide-post n (út)irányjelző tábla
guiding ['gaɪdɪŋ] a vezető; *~ principle* vezérelv; *~ star* vezércsillag

Guido ['gwi:doʊ] *prop* Gujdó
guild [gɪld] *n* céh, ipartestület; egyesület, szövetség
Guildenstern ['gɪldənstə:n] *prop*
guilder ['gɪldə*] *n* (holland) forint
guildhall *n* városháza, tanácsháza
guildsman ['gɪldzmən] *n* (*pl* -men -mən) céhtag
guile [gaɪl] *n* 1. ravaszság, fortély 2. csalárdság, árulás
guileful ['gaɪfʊl] *a* ravasz, fondorlatos
guileless ['gaɪllɪs] *a* 1. jámbor 2. nyílt, őszinte 3. gyanútlan, naiv
guillotine [gɪlə'ti:n] *I. n* 1. nyaktiló 2. papírvágó gép [könyvkötészetben] 3. mandulakacs 4. klotűr [országgyűlésben] *II. vt* lenyakaz [nyaktilóval]
guilt [gɪlt] *n* 1. bűnösség, vétkesség 2. bűncselekmény 3. bűntudat
guiltless ['gɪltlɪs] *a* ártatlan (*of* vmben), bűntelen
guilty ['gɪltɪ] *a* 1. bűnös, vétkes (*of* vmben); *find sy* ~ vk bűnösségét megállapítja, vkt bűnösnek talál; *find sy not* ~ vk ártatlanságát megállapítja; *plead* ~ bűnösségét beismeri; *plead not* ~ nem ismeri be bűnösségét, nem érzi magát bűnösnek 2. büntetendő 3. bűntudatos, bűnbánó; *a* ~ *conscience* rossz lelkiismeret
guinea[1] ['gɪnɪ] *n* 1. ⟨régi angol aranypénz, 1813 óta nincs forgalomban⟩ 2. 105 (új) penny
Guinea[2] ['gɪnɪ] *prop* Guinea
guinea-fowl *n* gyöngytyúk
Guinean ['gɪnɪən] *a/n* guineai
guinea-pig *n* 1. tengerimalac 2. *átv* kísérleti alany/nyúl
Guinevere ['gwɪnɪvɪə*] *prop* ⟨angol női név⟩
Guinness ['gɪnɪs] *n* keserű barna sör
guise [gaɪz] *n* 1. † (külső) megjelenés 2. látszat; *in/under the* ~ *of friendship* barátságot színlelve 3. álruha, álöltözet
guitar [gɪ'tɑ:*] *n* gitár
gulch [gʌlʃ] *n US* szakadék, szurdok
gulf [gʌlf] *n* 1. öböl 2. (*átv is*) szakadék 3. örvény 4. *the G*~ *Stream* a Golfáram
gull[1] [gʌl] *n* sirály

gull[2] [gʌl] *I. n* balek, pali *II. vt* rászed, becsap, bepaliz
gullet ['gʌlɪt] *n* garat—nyelőcső
gullibility [gʌlə'bɪlətɪ] *n* hiszékenység, rászedhetőség
gullible ['gʌləbl] *a* (könnyen) becsapható, hiszékeny, naiv
Gulliver ['gʌlɪvə*] *prop*
gully ['gʌlɪ] *n* 1. (kis) vízmosás 2. víznyelő akna
gully-hole *n* (utcai) víznyelő akna nyílása
gulp [gʌlp] *I. n* 1. nyelés, korty, „slukk" 2. nagy falat *II. vt* 1. mohón elnyel/lenyel 2. *biz she* ~*ed back/down her tears* visszafojtotta könnyeit
gum[1] [gʌm] *n* íny, foghús
gum[2] [gʌm] *I. n* 1. (ragasztó)gumi, mézga; ragasztó(szer); ~ *arabic* arab mézga; ~ *elastic* gumi, ruggyanta 2. (*chewing*) ~ rágógumi 3. gumicukor 4. csipa [szemben] 5. *US* gums *pl* gumicsizma, hócsizma 6. = *gum-tree* **II.** *v* -mm- A. *vt* 1. gumiz 2. (meg)ragaszt B. *vi* ~ (*up*) eldugul, besül [dugattyú stb.]
gum[3] [gʌm] *int by* ~ *!* tyűha!
gumboil *n* foginytályog
gum-boots *n pl* gumicsizma, hócsizma
gummed [gʌmd] *a* 1. ragasztószerrel bevont; enyvezett hátú 2. gumizott →*gum*[2] *II.*
gummy ['gʌmɪ] *a* 1. ragadós, nyúlós 2. mézgás [fa] 3. csipás [szem] 4. dagadt, puffadt [boka]
gumption ['gʌmpʃn] *n biz* józan ész; leleményesség, életrevalóság
gum-shoes *n pl US* 1. hócipő, sárcipő 2. □ detektív
gum-tree *n* gumifa; □ *be up a* ~ kutyaszorítóban van
gun [gʌn] *I. n* 1. löveg; ágyú; *biz big/great* ~ nagyágyú, tekintélyes személy; *it blows great* ~*s* dühöng a szél, vihar tombol; *biz son of a* ~ haszontalan fráter; *stick to one's* ~*s* nem enged a negyvennyolcból 2. puska; lőfegyver 3. *US* revolver, pisztoly 4. vadász; *party of 6* ~*s* hat vadászból/puskásból álló (vadász)társaság 5. ágyúlövés 6. szórópisztoly **II.** *vt* -nn- ~ *sy* (*down*) lelő vkt

gun-barrel n puskacső, ágyúcső
gun-boat n ágyúnaszád
gun-carriage n ágyútalp
gun-cotton n lőgyapot
gun-dog n vadászkutya, vizsla
gun-fire n ágyúzás
gun-lock n závárzat
gunman ['gʌnmən] n (pl -men -mən) fegyveres bandita
gun-metal n ágyúbronz
gunner ['gʌnə*] n tüzér
gunnery ['gʌnərɪ] n 1. ballisztika 2. lőgyakorlat 3. tüzérség
gunny ['gʌnɪ] n juta, zsákvászon
gunpowder n lőpor, puskapor; G~ Plot lőporos összeesküvés (1605)
gun-room n 1. fegyverterem 2. tiszti étkezde [hadihajón]
gun-runner n fegyvercsempész
gun-running n fegyvercsempészés
gun-shot n 1. ágyúlövés 2. puskalövés; ~ wound lőtt seb; within ~ lőtávolon belül
gun-smith n puskaműves, fegyverkovács
gun-stock n puskatus, -agy
gunwale ['gʌnl] n hajóperem, -korlát
gurgle ['gə:gl] I. n 1. csobogás 2. bugyogás II. vi 1. csörgedezik, csobog 2. gagyog [kisbaba]; ~ with laughter bugyborékolva kacag
Gurkha ['gə:kə] prop
Gus [gʌs] prop Guszti
gush [gʌʃ] I. n 1. felbugyogás [forrásé]; kilövellés; (átv is) áradat 2. ömlengés, áradozás II. vi 1. (vastag sugárban) ömlik, dűl [folyadék vmből]; ~ forth kibuggyan, feltör [víz] 2. ömleng, áradozik (over vmről)
gusher ['gʌʃə*] n 1. US (gazdagon ömlő természetes) kőolajforrás 2. ömlengő/áradozó személy
gushy ['gʌʃɪ] a ömlengős, áradozós
gusset ['gʌsɪt] n 1. bekötőlemez, saroklemez 2. ereszték, pálha [kesztyűn stb.]
gusset-plate n = gusset 1.
gust [gʌst] n 1. ~ (of wind) szélroham; ~ (of rain) futó zápor 2. (átv is) (hirtelen) kitörés [indulaté stb.]
gustatory ['gʌstət(ə)rɪ] a ízlelő [ideg stb.]

Gustavus [gʊ'sta:vəs] prop Gusztáv
gusto ['gʌstoʊ] n (pl ~es -z) 1. ízlés, gusztus 2. élvezet; do sg with ~ élvezettel/örömmel csinál vmt
gusty ['gʌstɪ] a szeles, viharos
gut [gʌt] I. n 1. bél 2. guts pl belek; zsigerek; □ hate sy's ~s szívből utál vkt 3. guts pl biz vmnek a veleje/lényege 4. guts pl biz energia, rámenősség; mersz 5. bélhúr 6. utcaszűkület, folyószűkület II. vt -tt- 1. kibelez, kizsigerel [állatot] 2. houses ~ted by fire kiégett házak
gutless ['gʌtlɪs] a biz pipogya
gutstring n bélhúr
gutter ['gʌtə*] I. n 1. (esővíz)csatorna, csorgó [ereszen]; csatorna, kanális, vízlevezető árok 2. átv kültelki szegénynegyed; born in the ~ nyomorban született; the ~ press zugsajtó; szennylapok II. vi csöpögve ég [gyertya]
guttersnipe n utcagyerek
guttural ['gʌt(ə)rəl] I. a gutturális, torok- II. n torokhang, gutturális
guv(nor) ['gʌv(nə*)] n GB □ főnök, tulaj; tata, fater, az öreg(em)
guy[1] [gaɪ] n feszítőkötél; merevítőtartó
guy[2] [gaɪ] I. n 1. (nevetséges) bábu; madárijesztő; she looks a regular ~ olyan mintegy madárijesztő 2. □ pasas, hapsi, krapek II. vt biz kigúnyol, kifiguráz; ugrat, húz (vkt)
Guy[3] [gaɪ] prop Vid, Vitus
Guyana [gaɪ'ænə] prop Guyana
Guy Fawkes [gaɪ'fɔ:ks] prop
guzzle ['gʌzl] vt/vi biz 1. zabál; vedel 2. részegeskedik
guzzler ['gʌzlə*] n iszákos/hasparti ember
Gwendolyn ['gwendəlɪn] prop ⟨angol női név⟩
gym [dʒɪm] n biz 1. = gymnasium 2. = gymnastics
gymkhana [dʒɪm'ka:nə; US -'kænə] n sportünnepély
gymnasium [dʒɪm'neɪzjəm] n (pl ~s -z v. -sia -zjə) tornaterem, -csarnok
gymnastic [dʒɪm'næstɪk] I. a torna-, testedző, gimnasztikai II. gymnastics n torna; do ~s torná(s)zik
gym-shoes n pl tornacipő

gym-slip *n* tornatrikó, -ruha
gym-suit *n* tornaruha
gyn(a)ecological [gaɪnɪkə'lɔdʒɪkl]; *US* -'lɑ-] *a* nőgyógyászati
gyn(a)ecologist [gaɪnɪ'kɔlədʒɪst; *US* -'kɑ-] *n* nőgyógyász
gyn(a)ecology [gaɪnɪ'kɔlədʒɪ; *US* -'kɑ-] *n* nőgyógyászat
gyp [dʒɪp] *n* □ *give sy* ~ leszid/lehord vkt
gypsum ['dʒɪpsəm] *n* gipsz

gypsy ['dʒɪpsɪ] *a/n* cigány
gyrate [dʒaɪ(ə)'reɪt; *US* 'dʒaɪə-] *vi* forog, pörög
gyration [dʒaɪ(ə)'reɪʃn] *n* (kör)forgás, pörgés
gyratory ['dʒaɪ(ə)rət(ə)rɪ] *a* forgó, pörgő; ~ *traffic system* körforgalom
gyro ['dʒaɪəroʊ] *n* biz = *gyroscope*
gyroscope ['dʒaɪərəskoʊp] *n* pörgettyű, giroszkóp
gyves [dʒaɪvz] *n pl* † bilincs, béklyó

H

H¹, h [eɪtʃ] *n* H, h (betű); *drop one's h's* ⟨a szó eleji h-hangot nem ejti ki és ezzel elárulja hiányos műveltségét⟩, kb. suk-sük nyelven beszél
H² *hydrogen* hidrogén
h.³, h *hour(s)* óra, ó
ha [hɑ:] *int* ah!, ha(h)!
ha. *hectare(s)* hektár, ha
habeas corpus [heɪbjəs'kɔ:pəs] *n* (*writ of*) ~ ⟨törvénytelenül őrizetben tartott személy szabadon bocsátására vonatkozó bírósági határozat⟩
haberdasher ['hæbədæʃə*] *n* 1. rőfös, rövidáru-kereskedő 2. *US* férfidivatárus
haberdashery ['hæbədæʃərɪ] *n* 1. rövidáru 2. *US* férfidivatáru
habiliments [hə'bɪlɪmənts] *n pl* 1. díszes öltözet 2. [tréfásan] ruha, ruházat
habit ['hæbɪt] *n* 1. szokás; *by* ~ megszokásból; *fall/get into the* ~ (*of sg*) rászokik vmre; *get out of the* ~ leszokik vmről; *force of* ~ a szokás hatalma 2. (külső) megjelenés, (test)alkat; habitus 3. magatartás, viselkedés; ~ *of mind* észjárás, gondolkodásmód 4. ruha
habitable ['hæbɪtəbl] *a* lakható
habitat ['hæbɪtæt] *n* előfordulási hely [növényé, állaté]
habitation [hæbɪ'teɪʃn] *n* 1. lakás 2. lakóhely, tartózkodási hely
habit-forming *a* addiktív, ⟨használóját rabjává tevő⟩ [szer, anyag]
habitual [hə'bɪtjʊəl; *US* -tʃʊ-] *a* 1. szokásos, megszokott 2. megrögzött [hazudozó stb.]
habitually [hə'bɪtjʊəlɪ; *US* -tʃʊ-] *adv* szokásszerűen; *he is* ~ *late* állandóan (el)késik

habituate [hə'bɪtjʊeɪt; *US* -tʃʊ-] *vt* szoktat (*to* vmhez)
hack¹ [hæk] I. *n* 1. csákány, kapa 2. vágott seb 3. száraz köhögés II. A. *vt* 1. csapkod, vagdal; összevág; ~ *one's way through* utat tör magának [tömegben, erdőben] 2. sípcsonton rúg [labdarúgót] B. *vi* köhög, köhécsel
hack² [hæk] I. *n* 1. bérelhető hátasló 2. *US* bérkocsi 3. zugíró, bértollnok; kuli; *publisher's* ~ kiadói alkalmazott/kuli II. A. *vt* agyoncsépel [szót, érvet] B. *vi* lovagol; poroszkál
hacking ['hækɪŋ] *a* ~ *cough* erős (száraz) köhögés
hackle ['hækl] I. *n* 1. gereben 2. nyaktoll [baromfié]; *when his* ~*s are up* amikor mérges II. *vt* gerebenez
hackman ['hækmən] *n* (*pl* -men -mən) *US* bérkocsis
hackney ['hæknɪ] *n* 1. hátasló 2. ~ (*carriage*) bérkocsi
hackneyed ['hæknɪd] *a átv* elcsépelt
hack-saw *n* fémfűrész
hack-work *n* irodalmi/szellemi napszámosmunka
had →*have II.*
haddock ['hædək] *n* tőkehal
hadn't ['hædnt] = *had not* → *have II.*
Hadrian ['heɪdrɪən] *prop* 1. Hadrianus 2. Adorján
hadst →*have II.*
hae [heɪ] *sk* = *have*
h(a)emoglobin [hi:mə'gloʊbɪn] *n* vörös vérfesték, hemoglobin
h(a)emophilia [hi:mə'fɪlɪə] *n* vérzékenység
h(a)emophilic [hi:mə'fɪlɪk] *a* vérzékeny
h(a)emorrhage ['hemərɪdʒ] *n* vérzés

h(a)emorrhoids ['hemərɔɪdz]*n pl* aranyér
haft [hɑ:ft; *US* -æ-] *n* nyél, fogantyú
hag [hæg] *n* (*átv is*) boszorkány
haggard ['hægəd] *a* 1. szikár, ösztövér,
sovány 2. elkínzott, elgyötört [arc]
haggis ['hægɪs] *n* ⟨skót nemzeti étel
birka belsőségeiből⟩
haggle ['hægl] *vi* ~ *with sy over sg*
alkudozik vkvel vmn
hagiography [hægɪ'ɔgrəfɪ; *US* -'ɑ-] *n*
szentek élete
Hague, the [ðə'heɪg] *prop* Hága
ha-ha¹ [hɑ:'hɑ:] I. *int* ha-ha-ha! II. *n*
hahotázás
ha-ha² ['hɑ:hɑ:] *n* süllyesztett kerítés
hail¹ [heɪl] I. *n* 1. jégeső 2. *átv* zápor
[ütésekből stb.] II. A. *vt* zúdít [köve-
ket, átkokat] B. *vi* 1. *it is* ~*ing* jég-
(eső) esik 2. *bullets were* ~*ing on us*
golyók záporoztak ránk
hail² [heɪl] I. *n* köszöntés, üdvözlés; *H*~
Mary az Üdvözlégy; *within* ~ hallótá-
volságon belül II. A. *vt* 1. üdvözöl
he was ~*ed as a hero* hősként üdvözöl-
ték/fogadták 2. (oda)kiált (vknek);
rákiált (vkre); ~ *a taxi* taxit hív B.
vi biz where do you ~ *from?* hát te
hova való(si) vagy?
hail-fellow-well-met *a be* ~ *with sy*
szívélyes jó viszonyban van vkvel,
pajtáskodik vkvel
hailstone *n* jég(eső)szem
hailstorm *n* jégesős zivatar
hair [heə*] *n* 1. haj; *do one's* ~ megfésül-
ködik, frizurát csinál; *have/get one's*
~ *cut* megnyiratkozik; *head of* ~
hajzat; *lose one's* ~ (1) megkopaszodik
(2) *biz* dühbe gurul; *make one's* ~
stand on end égnek áll tőle az ember
haja; □ *keep your* ~ *on* őrizd meg
nyugalmadat!, nyugi!; *to a* ~ hajszál-
nyira; *without turning a* ~ szemreb-
benés nélkül; *by a* ~*'s breadth* egy
hajszálon (függ, múlik); *take/let one's*
~ *down* (1) haját kibontja (2) *biz*
őszintén nyilatkozik; felenged 2. szőr-
(szál), ~*s* szőrök, szőrzet
hairbreadth I. *a* hajszálnyi; *ha had a*
~ *escape* csak egy hajszálon múlt,
hogy ép bőrrel megúszta II. *n* = *hair's
breadth* →*hair 1.*

hairbrush *n* hajkefe
haircloth *n* lószőrvászon, szitavászon
hair-curler *n* hajcsavaró
hair-cut *n* 1. nyiratkozás, hajvágás 2.
frizura [férfié]
hair-do *n biz* frizura [nőé]
hair-dresser *n* fodrász
hair-dressing *n* 1. frizura 2. fésülés
3. fodrászat [szakma]
hair-dye *n* hajfesték
-haired [-heəd] -hajú; -szőrű
hairless ['heəlɪs] *a* kopasz, szőrtelen,
sima
hairline *a* hajszálvonal
hairnet *n* hajháló
hairpin *n* hajtű; ~ *bend* hajtűkanyar
hairpiece *n* hajpótlás, tupé
hair-raising *a* hajmeresztő
hair-remover *n* szőrtelenítő
hair-restorer *n* hajnövesztő
hair-shirt *n* szőrcsuha, cilicium
hair-slide *n* hajcsat
hair-splitting I. *a* szőrszálhasogató II.
n szőrszálhasogatás
hair-spray *n* hajlakk
hair-spring *n* hajszálrugó
hair-style *n* frizura, hajviselet
hair-trigger *n* érzékeny ravasz [fegyve-
ré]; *US biz* ~ *mind* (borotva)éles ész
hairy ['heərɪ] *a* szőrös
Haiti ['heɪtɪ] *prop* Haiti
Haitian ['heɪʃjən; *US* -tɪən] *a/n* haiti
hake [heɪk] *n* tőkehal
Hal [hæl] *prop* ⟨Henrik beceformája⟩
halation [hə'leɪʃn] *n* fényudvar [filmen]
halberd ['hælbə:d] *n* alabárd
halberdier [hælbə'dɪə*] *n* alabárdos
halcyon days ['hælsɪən] békés jólét,
szép idők
hale¹ [heɪl] *a* egészséges; ~ *and hearty*
erős és egészséges
hale² [heɪl] *vt* húz, vonszol, hurcol
half [hɑ:f; *US* -æ-] I. *a* fél; *US* ~ *note*
félhang [zenei]; II. *adv* félig; *biz* ~
dead félholt; ~ *full* félig tele; ~ *as
big again* másfélszer akkora; □ *not*
~ nagyon is!, mi az hogy! III. *n*
(*pl* halves hɑ:vz, *US* -æ-) 1. fél,
vmnek a fele; ~ *a dozen* fél tucat;
~ *an hour* (egy) fél óra; ~ *past four*,
US ~ *after four* fél öt; ~ *a pound* fél

font; *at* ~ *the price* féláron; *in* ~ ketté, két részre; *go halves with sy* felez vkvei; *do things by halves* félmunkát végez; *too clever by* ~ nagyon is ravasz 2. félidő 3. fedezet [játékos] **half-and-half** [hɑ:f(ə)nd'hɑ:f; *US* -æ-
-æ-] I. *a* 1. fele(s) arányú 2. középutas II. *n* (*pl* ~**s**) kevert sör
half-back *n* fedezet [futballban]
half-baked *a biz* 1. sületlen 2. kezdetleges, tökéletlen, éretlen
half-blood *a/n* félvér
half-boot *n* rövid csizma
half-bred *a* félvér, korcs
half-breed *n* 1. félvér 2. keresztezett fajta [állaté, növényé]
half-brother *n* féltestvér [férfi]
half-caste *a/n* félvér
half-cloth I. *a* félvászon II. *n* félvászon-
-kötés
half-cock *n at* ~ biztosított [puska]; *biz átv go off at* ~ hebehurgyán cselekszik
half-crown *n* = *crown I. 3.*
half-hearted *a* 1. kishitű, bátortalan 2. lagymatag
half-holiday *n* (délutáni) félnapos szünet/ünnep
half-hourly I. *a* félórás, félórai, félóránkénti II. *adv* félóránként
half-length *n* mellkép
half-life *n* felezési idő
half-light *n* szürkület
half-mast I. *n* félárboc II. *adv* félárbocra eresztve
half-pay *n* fél zsold/fizetés [szolgálaton kívüli nyugdíjas katonatiszté]
halfpenny, ha'penny ['heɪpnɪ] *n* (*pl* **halfpence, ha'pence** 'heɪp(ə)ns; **halfpennies** 'heɪpnɪz) fél penny [1971 előtt: ¹/₂d, ma: ¹/₂p, ejtése: hɑ:fə'pi: v. ə'hɑ:f'pi:]
halfpennyworth ['heɪpnɪwə:θ] *n/a* fél penny érték(ű)
half-price *n* félár; ~ *ticket* félárú jegy, féljegy; *at* ~ féláron
half-seas-over *a biz* félig részeg
half-sister *n* féltestvér [nő]
half-size *n* félnagyság, félszám [cipőben stb.]
half-timbered house *a* favázas ház

half-time *n* 1. *work* ~ félállásban dolgozik, félnapos elfoglaltsága van 2. félidő, szünet [sportban]
half-tone *a/n* ~ (*engraving*) autotípia
half-track *a* félhernyótalp
half-truth *n* féligazság
half-way I. *a* félúton levő; ~ *measures* félmegoldások II. *adv* középen, félúton
half-wit *a* féleszű, hülye
half-witted *a* gyengeelméjű, hülye
half-yearly I. *a* félév(enként)i, félévenként esedékes II. *adv* félévenként
halibut ['hælɪbət] *n* óriási laposhal
Halifax ['hælɪfæks] *prop*
halitosis [hælɪ'toʊsɪs] *n* rossz szájszag
hall [hɔ:l] *n* 1. (nagy)terem; csarnok 2. [vidéki] kastély 3. előcsarnok, hall [szállodáé]; osztószoba [lakásé] 4. (*dining-*)~ közös ebédlő [kollégiumban] 5. ~ (*of residence*) kollégium [egyetemé]
hallelujah [hælɪ'lu:jə] *int/n* halleluja
hallmark *n* fémjelzés, (finomsági) próba
hallo(a) [hə'loʊ] I. *int* 1. hé!; halló! 2. szervusz(tok)!, szia!; ~ *everybody!* szervusztok! II. *n* „halló" kiáltás
halloo [hə'lu:] I. *n* „halló" (kiáltás); hujjogatás [vadászkutyák serkentésére] II. *int* hé!, halló! III. *vi/vt* hallózik, „halló"-t kiált; kiáltással biztat [vadászkutyát]
hallow ['hæloʊ] I. *n All H*~*s* mindenszentek napja II. *vt* megszentel
hallowed ['hæloʊd] *a* megszentelt; ~ *be thy name* szenteltessék meg a te neved; ~ *ground* megszentelt föld, temető
Hallowe'en [hæloʊ'i:n] *n US* v. *sk* mindenszentek napjának előestéje (okt. 31.)
Hallowmas ['hæloʊmæs] *n* mindenszentek napja
hall-stand *n* ruhafogas [előszobában]
hallucinate [hə'lu:sɪneɪt] *vi* hallucinál
hallucination [həlu:sɪ'neɪʃn] *n* érzékcsalódás, hallucináció
hallucinatory [hə'lu:sɪnət(ə)rɪ; *US* -ɔ:rɪ] *a* hallucinációs
hallucinogenic [həlu:sɪnə'dʒenɪk] *a* hallucinogén, hallucinációt előidéző [anyag]

hallway n US 1. folyosó 2. előcsarnok, hall
halo ['heɪloʊ] n (pl ~(e)s -z) 1. napgyűrű; holdudvar 2. dicsfény, glória
halt¹ [hɔ:lt] I. n 1. megállás; rövid pihenő; szünet; come to a ~ megáll, megakad; call a ~ pihenőt ad 2. megálló(hely) [vasúté, villamosé] II. A. vt megállít B. vi megáll; ~! állj!
halt² [hɔ:lt] I. a † sánta, béna II. vi tétovázik, habozik
halter ['hɔ:ltə*] n 1. kötőfék 2. akasztófakötél
halting ['hɔ:ltɪŋ] a 1. nehézkes, vontatott 2. † béna, sánta
halve [hɑ:v; US -æ-] vt 1. megfelez 2. felére csökkent [költséget stb.]
halves →half III.
halyard ['hæljəd] n felhúzó kötél [hajón]
ham [hæm] I. n 1. sonka; ~ and eggs sonka tojással; ~ roll sonkás zsemle 2. comb (hátsó része); the ~s alfél, tompor, fenék 3. □ ripacs 4. biz rádióamatőr II. vi/vt -mm- biz ripacskodik; túljátszik [szerepet]
hamburger ['hæmbə:gə*] n US ⟨zsírban sült vagdalthúspogácsa zsemlében⟩, hamburger
ham-fisted a 1. lapátkezű 2. kétbalkezes
Hamilton ['hæmlt(ə)n] prop
Hamish ['heɪmɪʃ] prop sk Jakab
hamlet ['hæmlɪt] n falucska
hammer ['hæmə*] I. n 1. kalapács; pöröly; ütő; biz go at it ~ and tongs (1) teljes erőből nekifog (2) nagy garral/zajjal vitázik/küzd; come under the ~ kalapács alá (v. árverésre) kerül; throwing the ~ kalapácsvetés 2. kakas [puskán] 3. kalapács(csont) [fülben] II. A. vt 1. (ki)kalapál; kovácsol 2. biz tönkrever, tönkrezúz B. vi kalapál, kopácsol
hammer at vi biz ~ at sg dörömböl [ajtón stb.]
hammer away at vi (1) vmt püföl/dönget (2) megfeszített erővel dolgozik vmn
hammer in vt 1. bever [szöget] 2. besulykol [tudnivalót]

hammer into vt 1. be(le)ver [szöget fába/stb.] 2. átv ~ sg i. sy's head vmt belever vk fejébe
hammer on vi biz ~ on a door ajtón dörömböl
hammer out vt 1. kikalapál 2. átv kieszel [tervet stb.]
hammer-smith n kovács
hammer-toe n kalapácsujj
hammock ['hæmək] n függőágy
Hampden ['hæmpdən] prop
hamper¹ ['hæmpə*] n 1. fedeles kosár 2. get a ~ from home hazait kap [diák]
hamper² ['hæmpə*] vt akadályoz, gátol
Hampshire ['hæmpʃə*] prop
Hampstead ['hæmpstɪd] prop
hamster ['hæmstə*] n hörcsög
hamstring vt (pt/pp ~ed v. -strung) 1. térdínt átvág 2. átv megbénít; lehetetlenné tesz
hand [hænd] I. n 1. kéz; at ~ kéznél, (a) közelben; by ~ (1) kézzel [készült] (2) kézbesített [levél]; bring up by ~ mesterségesen táplál/nevel [gyermeket, állatot]; from ~ to ~ kézről kézre [ad]; from ~ to mouth máról holnapra [tengődik]; fight ~ to ~ közelharcot vív; in ~ (1) készenlétben, tartalékban (2) munkában (van); have in ~ dolgozik vmn; the matter in ~ a szóban forgó dolog; ~ in ~ kéz a kézben, kézen fogva; átv go ~ in ~ with sg együtt jár vmvel; have a ~ in sg benne van a keze a dologban, része van benne; my ~ is in jó formában vagyok, gyakorlatban vagyok; take sy/sg in ~ kézbe/kezelésbe vesz vkt/vmt; off ~ rögtön, kapásból; on ~ kapható, raktáron van; out of ~ (1) készpénzben (2) azonnal; get out of ~ (1) elvadul [gyermek stb.] (2) elszabadul [jármű]; ~ over fist játszva, könnyedén; ~ over head meggondolatlanul; ~ over ~ kúszva, kapaszkodva; come to ~ megérkezik [levél]; just to ~ éppen most érkezett meg; ask for sy's ~ megkéri vk kezét; (átv is) bind sy ~ and foot kezét-lábát megköti vknek; serve sy ~ and foot buzgón (ki)szolgál vkt; átv eat/feed

out of sy's ~ vk tenyeréből eszik; *give one's* ~ *on sg* kezet ad vmre; *give/bear/lend a* ~ *(with sg)* segítséget nyújt, segít (vmben); *átv have a free* ~ szabad keze van (vmben); *(átv is) not lift a* ~, *not do a* ~*'s turn* a kisujját sem mozdítja; *lift/raise one's* ~ *against sy* kezet emel vkre; *take a* ~ *in sg* részt vállal vmben; *win sy's* ~ elnyeri vk kezét [kérő] 2. **hands** *pl* kéz, vk kezei; *(átv is) be in good* ~*s* jó kezekben van; *change* ~*s* gazdát cserél; ~*s off!* el a kezekkel!; ~*s up!* fel a kezekkel!; *have one's* ~*s full* tele van a keze (munkával), nagyon el van foglalva; *have off one's* ~*s* megszabadul vmtől, letud vmt; *have sg on one's* ~*s* felelősséggel tartozik vmért, rá (v. a gondjaira) van bízva vm; *lay* ~*s on sg* (1) vmt megfog/ megragad (2) eltulajdonít vmt; *play into sy's* ~*s* vknek a kezére játszik; *shake* ~*s* kezet fog; *átv wash one's* ~*s of sg* mossa a kezét (vmtől); *win* ~*s down* játszva győz 3. *be a great* ~ *at sg* igen ügyes vmben; *he's an old* ~ *at it* tapasztalt vén róka ő ebben; *get one's* ~ *in sg* beledolgozza magát vmbe; *keep one's* ~ *in* vmben való jártasságát megőrzi; *set/turn one's hand to doing sg* nekikezd vmnek; *try one's* ~ *at sg* megpróbálkozik vmvel 4. kézírás; *he writes a good* ~ szép (kéz-) írása van 5. aláírás; *set one's* ~ *to sg* aláírásával ellát vmt 6. (segéd)munkás; napszámos; *all* ~*s on deck!* mindenki a fedélzetre!; *take on* ~*s* munkásokat vesz fel 7. (kártya)leosztás; játszma; *hold one's* ~ (1) (jó lappal) kivár (2) tartózkodóan viselkedik; *átv throw in one's* ~ feladja a játszmát 8. játékos [kártyában] 9. mutató [órái, jelzőkészüléké]; útjelző (tábla) 10. *on every/either* ~, *on all* ~*s* mindenütt, mindenfelé; *on the one* ~ egyrészt; *on the other* ~ másrészt 11. taps; *get/give sy a big/good* ~ jól megtapsol vkt II. *vt* 1. (át)ad, átnyújt *(to* vknek) 2. kézbesít
hand about *vt* kézről kézre ad
hand down *vt* 1. lead 2. lesegít

3. az utókorra hagy 4. ~ *d. an opinion* jogi szakvéleményt ad [írásban]
hand in *vt* bead, benyújt
hand on *vt* továbbad [hírt, hagyományt]
hand out *vt* 1. kioszt 2. kisegít [kocsiból]
hand over *vt* átruház, átad
hand round *vt* körbe ad, köröz
hand to *vt* 1. ~ *sg to sy* vmt vknek átad 2. *biz* ~ *it to sy* vk fölényét elismeri
hand up *vt* feladogat
hand-bag *n* kézitáska, retikül
handball *n* kézilabda
handbell *n* kézicsengő
handbill *n* röplap
handbook *n* kézikönyv
handbrake *n* kézifék
h. & c., **h and c** *hot and cold water* hideg és meleg víz
handcart *n* kézikocsi
handcuff I. *n* bilincs II. *vt* megbilincsel
-handed [-hændɪd] -kezű, -kezes
hand-fed *a* cuclisüvegen felnevelt, cuclisüveggel táplált [gyerek]
handful ['hændfʊl] *n* 1. (tele) maréknyi 2. *biz that child is a* ~ nehezen kezelhető ez a gyerek
hand-gallop *n* könnyű/rövid vágta
hand-glass *n* 1. kézitükör 2. (kézi) nagyító(üveg)
hand-grenade *n* kézigránát
handgrip *n* 1. kézszorítás 2. fogantyú 3. **handgrips** *pl* közelharc
hand-gun *n* kézifegyver, marokfegyver
hand-hold *n* fogódzó
handicap ['hændɪkæp] I. *n* 1. ~ *(race)* előnyverseny 2. *átv* akadály, hátrány, hendikep II. *vt* **-pp-** hátrányos helyzetbe hoz; *physically* ~*ped children* testileg fogyatékos gyermekek
handicraft ['hændɪkrɑ:ft; *US* -æft] *n* kézművesség; kisipar, kézműipar
handily ['hændɪlɪ] *adv* 1. könnyen, ügyesen 2. kényelmesen
handiwork ['hændɪwɔ:k] *n sy's* ~ vknek a keze munkája
handkerchief ['hæŋkətʃɪf] *n* 1. zsebkendő 2. kendő, keszkenő

handle ['hændl] **I.** *n* **1.** fogantyú, fül [táskáé]; nyél [szerszámé]; *biz fly/go off the* ~ dühbe gurul **2.** kilincs **3.** alkalom, ürügy; *give a* ~ *to* alkalmat/ürügyet szolgáltat/ad vmre **II.** *vt* **1.** hozzányúl (vmhez) **2.** kezel; irányít; intéz **3.** bánik (vkvel, vmvel); kezel (vkt); *he is hard to* ~ nehezen kezelhető **4.** foglalkozik (vmvel) **5.** kereskedik (vmvel) **6.** kezez [labdát]

handlebar *n* kormány [kerékpáré]

handling ['hændlıŋ] *n* kezelés; ~ *charges* kezelési költségek

hand-luggage *n* kézipoggyász

hand-made *a* kézzel gyártott, kézi

handmaid *n* † szolgáló(leány)

hand-me-down *n US biz* **1.** használt ruha **2.** készruha, konfekció

hand-operated *a* kézzel hajtott, kézi működésű/kapcsolású

hand-organ *n* kintorna, verkli

hand-out *n* **1.** *US* ételadomány, pénzadomány, alamizsna **2.** (sokszorosított) sajtótájékoztatás; [konferencián stb. kiosztott] anyag **3.** röplap

hand-picked *a* gondosan (ki)válogatott

hand-rail *n* karfa, korlát

handset *n* kézibeszélő

hand-set *a* kézi szedésű [nyomdai anyag]

handshake *n* kézfogás, kézszorítás

handsome ['hænsəm] *a* **1.** csinos, jóképű **2.** bőkezű, gavallér; ~ *is as* ~ *does* kb. nem a származás, hanem a viselkedés teszi az embert **3.** tekintélyes, jelentékeny [összeg, vagyon]

handsomely ['hænsəmlı] *adv* **1.** szépen, elegánsan [öltözik] **2.** nagyvonalúan, gavallérosan [ad stb.]

handspike *n* feszítővas, emelővas

handstand *n* kéz(en)állás

hand-to-hand *a* közvetlen közeli; ~ *fight* kézitusa

hand-to-mouth *a* máról holnapra (élő), bizonytalan [életmód]

handwork *n* vknek a keze munkája; kézi munka [nem gépi]

handwriting *n* kézírás

handy ['hændı] *a* **1.** kéznél levő **2.** alkalmas, könnyen kezelhető [dolog] **3.** ügyes, jártas [ember]

handy-man *n* (*pl* -men) ezermester

hang [hæŋ] **I.** *n* **1.** állás [ruháé]; esés **2.** lejtés **3.** *biz get the* ~ *of it* kitanulja a csínját-bínját, beletanul vmbe **4.** *biz I don't care a* ~ fütyülök rá **II.** *v* (*pt/pp* **hung** hʌŋ) **A.** *vt* **1.** (fel)akaszt, (fel)függeszt [függönyt, ajtót]; felakaszt [húst]; ~ *wallpaper* tapétáz **2.** (*pt/pp* ~**ed** hæŋd) felakaszt [bűnöst]; ~ *it!* vigye el az ördög!; ~*ed if I know* halvány gőzöm sincs róla **3.** *biz* lógat, lehorgaszt; ~ *the head* fejét lehorgasztja **B.** *vi* **1.** függ, lóg; ~ *by a hair* hajszálon függ **2.** *biz let things go* ~ nem törődik a dolgokkal; ~ *fire* (1) csütörtököt mond [puska] (2) függőben marad

hang about *vi* **1.** kószál, cselleng, ólálkodik **2.** csoportosul

hang around *vi* = *hang about*

hang back *vi* **1.** hátramarad **2.** *biz* habozik

hang down *vi* lelóg

hang on *vi* **1.** (bele)kapaszkodik (*to* vmbe); megfogódzik (*to* vmben); *biz* ~ *on* (*a minute*)! kérem tartsa a vonalat! **2.** függ vmtől; *everything* ~*s on his answer* minden a válaszán múlik **3.** ragaszkodik (*to* vmhez), kitart (*to* vm mellett)

hang out A. *vt* kiakaszt [zászlót], kitereget [ruhát] **B.** *vi* **1.** kilóg **2.** □ *where do you* ~ *o.?* hol lakol?

hang over *vi* kinyúlik, kiugrik [szikla stb. vm fölé]

hang together *vi* **1.** összefügg; egybevág; összhangban van [adatok stb.] **2.** *they* ~ *t.* összetartanak

hang up *vt* **1.** felakaszt; ~ *up the receiver* leteszi a telefonkagylót; *be hung up* csalódott, gátlása van; vmbe bele van gabalyodva **2.** függőben tart; feltartóztat; *the car was hung up in transit* a kocsi elakadt a forgalomban

hangar ['hæŋə*] *n* hangár

hangdog *a* sunyi, alattomos, bűnbánó [pofa]

hanger ['hæŋə*] *n* **1.** akasztó **2.** horog **3.** vállfa **4.** tengerészkard **5.** † hóhér

hanger-on *n* (*pl* **hangers-on**) lógós, élősdi

hanging ['hæŋɪŋ] I. a 1. ~ matter főbenjáró dolog 2. ~ garden függőkert II. n 1. akasztás [bűnösé] 2. hangings pl függöny, drapéria
hangman ['hæŋmən] n (pl -men -mən) hóhér
hangnail n körömház bőre, körömszálka
hangout n biz szokásos tartózkodási hely
hang-over n 1. maradvány, csökevény [babonáé stb.] 2. biz macskajaj, másnaposság
hang-up n biz bosszantó akadály; csalódás (érzése)
hank [hæŋk] n 1. motring [fonalból] 2. vasgyűrű [vitorlakötélen]
hanker ['hæŋkə*] vi ~ after/for sg vágyódik vmre, sóvárog vm után
hankering ['hæŋkərɪŋ] n vágyódás, sóvárgás
hankie, hanky ['hæŋkɪ] n biz zsebkendő
hanky-panky [hæŋkɪ'pæŋkɪ] n biz hókuszpókusz, gyanús trükk
Hannah ['hænə] prop Hanna
Hanover ['hænouvə*] prop Hannover
Hansard ['hænsɑ:d] n GB parlamenti napló
hansel ['hænsl] n = handsel
hansom ['hænsəm] n ~ (cab) egyfogatú kétkerekű kocsi
Hants. [hænts] Hampshire
hap [hæp] I. n † véletlen, vakeset II. vi -pp- megesik, történik
ha'pence, ha'penny → halfpenny
haphazard [hæp'hæzəd] I. a véletlen, esetleges II. adv véletlenül III. n at/by ~ vaktában, találomra
hapless ['hæplɪs] a szerencsétlen, boldogtalan
haply ['hæplɪ] adv † 1. véletlenül, esetleg 2. talán
ha'p'orth ['heɪpəθ] a biz fél penny értékű
happed |hæpt| → hap II.
happen ['hæp(ə)n] vi 1. (meg)történik, megesik; adódik; what has ~ed to him? mi történt/lett vele?; such things will ~ megesik az ilyesmi 2. ~ upon sy véletlenül találkozik vkvel; ~ upon sg vmre akad/bukkan; ~ to do sg véletlenül (éppen) csinál vmt; he ~ed to be at home .then ö akkor éppen/történe-

tesen/véletlenül otthon volt; as it ~s éppen, történetesen
happening ['hæp(ə)nɪŋ] n 1. történés; esemény 2. „happening", rendhagyó rendezvény
happily ['hæpɪlɪ] adv 1. szerencsére 2. boldogan; and they lived ~ ever after és még most is élnek, ha meg nem haltak
happiness ['hæpɪnɪs] n 1. boldogság 2. szerencse
happy ['hæpɪ] a 1. boldog, megelégedett; I was ~ in a son a sors egy fiúval áldott meg; be ~ to do sg szívesen/örömmel tesz meg vmt 2. ügyes, szerencsés, találó [kifejezés stb.]; a ~ thought jó gondolat/ötlet
happy-go-lucky a nemtörődöm, valahogyan-majd-csak-lesz
Hapsburg ['hæpsbə:g] prop Habsburg
harangue [hə'ræŋ] I. n nagyhangú szónoklat II. vt/vi nagy beszédet mond [tömegnek]
harass ['hærəs] vt 1. molesztál, bosszant, zaklat 2. ismétlődő támadásokkal nyugtalanít [ellenséget]
harassment ['hærəsmənt] n zaklatás; bosszantás
harbinger ['hɑ:bɪndʒə*] n előhírnök; előjel
harbour, US -bor ['hɑ:bə*] I. n 1. kikötő 2. szállás, menedék II. vt 1. szállást/menedéket ad; rejteget 2. táplál [gyanút]; ~ revenge bosszút forral
harbourage, US -bor- ['hɑ:bərɪdʒ] n szállás, menedék
harbour-dues n pl kikötődíjak
hard [hɑ:d] I. a 1. kemény; ~ court salakos teniszpálya; as ~ as nails acélizmú, keménykötésű 2. nehéz, fáradságos; kemény; ~ labour kényszermunka [mint büntetés]; ~ work (1) kemény munka (2) hálátlan feladat; ~ of hearing nagyothalló; it is ~ to beat alig múlható felül; ~ to come at nehéz hozzájutni; ~ to please nehéz a kedvére tenni; ~ to understand nehéz megérteni ...; try one's ~est megkísérel minden tőle telhetőt 3. átv kemény; éles [hang]; ~ drink/liquor

rövid/tömény ital; ~ *drugs* (erős) kábítószerek 4. szigorú, rideg; kegyetlen; ~ *fact* rideg tény; *no* ~ *feelings!* szent a béke!, nincs harag!; ~ *master* szigorú tanár/mester; ~ *words* haragos beszéd; *be* ~ *on sy* szigorú/igazságtalan vkvel szemben 5. kedvezőtlen, nehéz, rossz [idők stb.]; ~ *bargain* rossz vásár; *have a* ~ *time of it* nehéz dolgokon megy át; *the* ~ *way* keservesen, a saját kárán [okul] 6. zord, kemény [tél]; erős [csapás]; ~ *frost* erős fagy 7. szilárd [árfolyam, piac]; ~ *currency* kemény valuta **II.** *adv* **1.** erősen, keményen; keményre; *boil an egg* ~ keményre főz tojást; *work* ~ keményen/szorgalmasan dolgozik **2.** nehezen [él, alkot]; *die* ~ (1) nehezen hal meg (2) *átv* sokáig tartja magát [nézet]; *be* ~ *up* (anyagi) nehézségekkel küzd; ~ *earned* nehezen megkeresett; jól kiérdemelt **3.** erősen [havazik]; gyorsan [fut] **4.** ~ *by* közvetlen közel(é)ben

hard-and-fast [hɑ:d(ə)n'fɑ:st; *US* -'fæ-] *a* szigorú, merev [szabály]

hardback *a/n* kemény kötésű [könyv]

hard-bitten *a* **1.** makacs **2.** keménykötésű, szívós

hard-boiled *a* **1.** keményre főtt; ~ *egg* kemény tojás **2.** viharedzett, szívós

hardbound *a* = *hardback*

hardcore *a US* megrögzött, makacs

hardcover *a/n* = *hardback*

harden ['hɑ:dn] **A.** *vt* **1.** (meg)keményít, megedz [acélt stb.] **2.** megedz, hozzászoktat; ~ *oneself against sg* hozzászoktatja magát vmhez **3.** hajthatatlanná/rideggé tesz; *be* ~*ed to* (*sg*) érzéketlen (vmvel szemben) **B.** *vi* **1.** (meg)keményedik, megköt [cement stb.] **2.** megedződik (vmvel szemben), hozzászokik (vmhez)

hard-featured *a* durva arcvonású

hard-fisted *a* fukar

hard-handed *a* **1.** (munkától) kérges kezű **2.** *átv* erős kezű

hard-hat *n* **1.** *US biz* építőmunkás **2.** reakciós

hard-headed *a* **1.** keményfejű, konok **2.** gyakorlatias, nem érzelgős

hard-hearted *a* kemény szívű

hardihood ['hɑ:dɪhʊd] *n* bátorság, merészség

hardiness ['hɑ:dɪnɪs] *n* = *hardihood*

hard-liner *n* merev/kemény álláspontot képviselő, az erőpolitika híve

hardly ['hɑ:dlɪ] *adv* **1.** alig, aligha; nemigen; *I need* ~ *say* mondanom sem kell **2.** nehezen, fáradságosan

hard-mouthed *a* **1.** kemény szájú [ló] **2.** nehezen kezelhető, akaratos [ember]

hardness ['hɑ:dnɪs] *n* **1.** keménység **2.** nehézség [kérdésé] **3.** szigorúság [szabályé]

hard-pan *n* kemény altalaj

hard-set *a* **1.** kemény, merev, szilárd [talaj]; megmerevedett **2.** makacs, hajthatatlan [ember] **3.** *biz* farkaséhes

hardship ['hɑ:dʃɪp] *n* **1.** nehézség, viszontagság **2.** nélkülözés, baj

hardtop *n* keménytetős (személy)autó

hardware *n* **1.** vasáru, fémáru; acéláru **2.** hardware [számítástechnikában]

hard-wearing *a* tartós [szövet]

hardwood *n* keményfa

hardy ['hɑ:dɪ] *a* **1.** bátor, merész **2.** szívós, edzett; ~ *annual* évelő sza badföldi növény

hare [heə*] **I.** *n* (mezei) nyúl; ~ *and hounds* ⟨egy fajta fogócska⟩; *first catch your* ~ ne igyál előre a medve bőrére; *run with the* ~ *and hunt with the hounds* kétkulacsoskodik; *átv biz start a* ~ vitát mellékvágányra visz **II.** *vi* lélekszakadva rohan

harebell *n* harangvirág

hare-brained *a* kelekótya, bolondos

hare-lip *n* nyúlszáj

harem ['hɑ:ri:m; *US* 'heərəm] *n* hárem

haricot ['hærɪkoʊ] *n* **1.** ~ (*bean*) karóbab, paszuly **2.** birkagulyás (babbal és répával)

hark [hɑ:k] *vi* **1.** hallgat(ódzik); *biz* ~ *to/at him!* no hallgasd csak miket mond! **2.** ~ *back to sg* visszatér vmhez/vmre [társalgás közben]

harken ['hɑ:k(ə)n] *vi* = *hearken*

Harlem ['hɑ:ləm] *prop*

harlequin ['hɑ:lɪkwɪn] *n* **1.** paprikajancsi, harlekin **2.** tréfacsináló

harlequinade [hɑːlɪkwɪ'neɪd] *n* bohóckodás

Harley Street ['hɑːlɪ] *prop* ⟨londoni utca, ahol a leghíresebb szakorvosok rendelője van⟩

harlot ['hɑːlət] *n* † szajha, kurva

harlotry ['hɑːlətrɪ] *n* szajhaság, kurválkodás

harm [hɑːm] I. *n* kár; sérelem, bántalom, ártalom; *do sy* ~, *do* ~ *to sy* árt vknek; *it will do you no* ~ nem fog megártani neked; *I meant no* ~ semmi rosszat nem akartam, senkit nem akartam megbántani; ~ *watch* ~ *catch* aki másnak vermet ás, maga esik bele; *there's no* ~ *in* ... nincs abban semmi rossz, ha ...; *out of* ~*s way* biztonságban II. *vt* árt, bajt okoz (vknek); sért [érdeket]

harmful ['hɑːmfʊl] *a* ártalmas (*to* vknek/vmnek)

harmless ['hɑːmlɪs] *a* 1. ártalmatlan (*to* vkre/vmre) 2. ártatlan [szórakozás]

harmonic [hɑːˈmɔnɪk; *US* -'mɑ-] I. *a* összehangzó, egybehangzó, harmonikus; arányos; ~ *motion* harmonikus mozgás II. *n* 1. (harmonikus) felhang [zenében] 2. ~*(s)* üveghang

harmonica [hɑːˈmɔnɪkə; *US* -'mɑ-] *n* harmonika

harmonious [hɑːˈmoʊnjəs] *a* 1. össz(e)hangzó, harmonikus; egyező 2. egyetértő, harmonikus [család] 3. kellemes/jó hangzású

harmonium [hɑːˈmoʊnjəm] *n* harmónium

harmonize ['hɑːmənaɪz] A. *vi* összhangban van, harmonizál [szín, hang]; egyetért, jól megfér [egymással] B. *vt* 1. összehangol, egyeztet [véleményeket] 2. (zenei) kíséretet szerez [dallamhoz], hangszerel

harmony ['hɑːmənɪ] *n* 1. összhang, egyetértés, harmónia [személyek között]; *in* ~ *with* ... -val/-vel összhangban/megegyezően/egyetértésben 2. [zenei] összhang, harmónia

harness ['hɑːnɪs] I. *n* lószerszám, hám; *die in* ~ munka közben hal meg II. *vt* 1. felszerszámoz, befog [lovat] 2. (ipari célra) hasznosít [energiát]

Harold ['hær(ə)ld] *prop* ⟨férfinév⟩

harp [hɑːp] I. *n* hárfa II. *vi* 1. hárfázik 2. *biz* ~ *on sg* folyton ugyanazon (a témán) lovagol

harpist ['hɑːpɪst] *n* hárfás, hárfaművész

harpoon [hɑːˈpuːn] I. *n* szigony II. *vt* megszigonyoz

harpsichord ['hɑːpsɪkɔːd] *n* csembaló

harpy ['hɑːpɪ] *n* 1. hárpia 2. kapzsi

harridan ['hærɪd(ə)n] *n* vén boszorkány

harrier ['hærɪə*] *n* 1. kopó [nyúlvadászaton] 2. mezei futó

Harriet ['hærɪət] *prop* Henrietta

Harriman ['hærɪmən] *prop*

Harris ['hærɪs] *prop*

Harrovian [həˈroʊvjən] *n* harrow-i diák

harrow ['hæroʊ] I. *n* borona; *be under the* ~ rájár a rúd II. *vt* 1. boronál 2. ~ *sy's feelings* vknek az érzelmeibe gázol, szívét szaggatja vknek

harrowing ['hæroʊɪŋ] *a* szívszaggató [történet]; szívettépő [kiáltás]

Harry[1] ['hærɪ] *prop* Harri; *old* ~ az ördög, a sátán

harry[2] ['hærɪ] *vt* 1. elpusztít, kirabol [országot] 2. zaklat, nyugtalanít [ellenséget]; kínoz, zaklat [adóst]

harsh [hɑːʃ] *a* 1. érdes [tapintású]; fanyar [íz]; éles, rikácsoló [hang] 2. nyers, szigorú, kemény [bánásmód, ítélet, büntetés]

hart [hɑːt] *n* szarvasbika

Harte [hɑːt] *prop*

harum-scarum [heərəmˈskeərəm] *a/n biz* hebehurgya, szeles

Harvard ['hɑːvəd] *prop*

harvest ['hɑːvɪst] I. *n* 1. aratás, betakarítás [gabonáé]; szüret [almáé stb.]; ~ *home* aratási ünnep; ~ *moon* holdtölte [szeptember végén] 2. *(átv is)* termés, gyümölcs; *the* ~ *is in* a termés be van takarítva; *reap the* ~ *of his work* élvezi/learatja munkája gyümölcsét II. *vt* arat, betakarít [gabonát]; (le)szüretel, leszed [almát stb.]

harvester ['hɑːvɪstə*] *n* 1. arató 2. aratógép

harvestman *n* (*pl* -men) arató

Harvey ['hɑːvɪ] *prop*

Harwich ['hærɪdʒ] *prop*

has →*have II.*

has-been n biz 1. lecsúszott/levitézlett ember 2. divatjamúlt dolog
hash [hæʃ] I. n 1. vagdalék, vagdalthús, hasé 2. felmelegített dolog 3. zagyvalék; biz make a ~ of sg elront/eltol vmt; biz settle sy's ~ ellátja vk baját, elintéz vkt 4. biz hasis [kábítószer] II. vt ~ (up) (össze)vagdal, fasíroz [húst]
hashish ['hæʃi:ʃ] n hasis [kábítószer]
hasn't ['hæznt] = has not →have II.
hasp [hɑ:sp; US -æ-] n hevederpánt [lakathoz], retesz
hassle ['hæsl] n US biz szóváltás, vita, veszekedés
hassock ['hæsək] n térdeplőpárna [templomban]
hast →have II.
haste [heist] n sietség; make ~ siess!; igyekezz!; be in great ~ nagyon siet; more ~ less speed lassan járj, tovább érsz
hasten ['heisn] A. vi siet; igyekszik; ~ to do sg siet vmt megtenni B. vt siettet; sürget; előmozdít
hastily ['heistili] adv gyorsan, sietve
hastiness ['heistinis] n 1. sietség 2. elhamarkodottság [elhatározásé stb.] 3. hevesség
Hastings ['heistiŋz] prop
hasty ['heisti] a 1. sietős, gyors [távozás]; futó [pillantás] 2. meggondolatlan, elhamarkodott 3. hirtelen [természet]
hat [hæt] n kalap; ~ trick mesterhármas [sportban]; ~ in hand levett kalappal, alázatosan; pass round the ~ tányéroz, gyűjtést rendez; raise one's ~ to sy kalapot emel vk előtt; biz take off one's ~ to sy elismeri vk felsőbbrendűségét; ~s off! le a kalappal!; □ my ~! ni csak!, no nézd!; □ talk through one's ~ halandzsázik, hetet-havat összehord
hat-band n kalapszalag
hat-box n kalapskatulya
hatch¹ [hætʃ] I. n (ki)költés, tyúkalja II. A. vt 1. (ki)költ [tojást, csirkét] 2. kieszel, forral [tervet] B. vi kikel
hatch² [hætʃ] I. n 1. fedélzeti nyílás, lejáró [hajón]; (fal)nyílás; under ~es

(1) fedélzet alatt, hajófenéken (2) elnyomva, félretéve 2. ⟨vízszintesen osztott ajtó alsó fele⟩, félajtó 3. tolóajtó, -ablak II. vt ráccsal lezár
hatch³ [hætʃ] vt vonalkáz, sraff(ír)oz
hatchery ['hætʃəri] n halkeltető (hely)
hatchet ['hætʃit] n fejsze, bárd; bury the ~ elássa a csatabárdot; dig/take up the ~ (újra) kiássa a csatabárdot
hatchet-faced a markáns profilú (és keskeny fejű)
hatching ['hætʃiŋ] v vonalkázás [rajzon]
hatchway n = hatch² I. 1.
hate [heit] I. n gyűlölet II. vt 1. gyűlöl, utál 2. I should ~ to be late nem szeretnék elkésni
hateable ['heitəbl] a gyűlöletes
hateful ['heitful] a gyűlöletes, förtelmes, utálatos
hath → have II.
Hathaway ['hæθəwei] prop
hatless ['hætlis] a fedetlen fejű
hat-pin n kalaptű
hat-rack n kalaptartó
hatred ['heitrid] n gyűlölet, utálat
hat-stand n kalapfogas
hatted ['hætid] a kalapos
hatter ['hætə*] n kalapos
haughtiness ['hɔ:tinis] n gőg, fennhéjázás
haughty ['hɔ:ti] a gőgös, dölyfös, fennhéjázó
haul [hɔ:l] I. n 1. húzás, vontatás 2. távolság 3. (hal)fogás; at one ~ egyetlen fogásra; (átv is) make a good ~ jó fogást csinál 4. US szállítás 5. nye. reség II. A. 1. vt húz, hurcol, von(tat) 2. szállít(mányoz), fuvaroz B. vi 1. húz 2. irányt változtat [szél, hajó] **haul down** vt levon; leenged; ~ d. the colours (1) zászlót levon (2) megadja magát **haul in** vt behúz; bevontat **haul up** vt felvon, -húz [zászlót]; odavontat; biz ~ sy up for (doing) sg kérdőre von vk vmért
haulage ['hɔ:lidʒ] n 1. húzás, vontatás 2. szállítás [tengelyen], szállítmányozás; ~ contractor szállítmányozó 3. szállítási költségek
hauler ['hɔ:lə*] n = haulier

haulier ['hɔ:ljə*] *n* fuvaros, fuvarozó, szállító
haulm [hɔ:m] *n* GB **1.** fűszál, növény szára **2.** szalma
haunch [hɔ:ntʃ] *n* **1.** csípő; hátsó rész [emberé, állaté]; comb [mint húsétel] **2.** ívváll
haunt [hɔ:nt] I. *n* **1.** törzshely, tartózkodási hely **2.** tanya, odú [állaté] II. *vt* **1.** gyakran látogat, frekventál [helyet] **2.** kísért [szellem, gondolat]; *the place is ~ed* itt kísértetek járnak
haunting ['hɔ:ntɪŋ] *a* gyakran visszatérő, kísérő [emlék stb.]
hautboy ['oʊbɔɪ; US 'hoʊ-] *n* oboa
have [hæv] I. *n biz the ~s and the ~-nots* a gazdagok és a szegények II. *v* [hæv; gyenge ejtésű alakjai: həv, əv, v] (jelen idő egyes szám 3. szem. **has** hæz, gyenge ejtésű alakjai: həz, əz, z; *pt/pp* **had** hæd, gyenge ejtésű alakjai: həd, əd, d; *régies alakok:* 2. szem. **hast** hæst; 3. szem. **hath** hæθ; *pt* 2. szem. **hadst** hædst) **1.** van (vknek vmje), bír (vmt); rendelkezik (vmvel); *she has (got) brown eyes* barna szeme van; *she hasn't a good memory* nincs jó emlékezőtehetsége **2.** kap, szerez; *~ a child* gyereket szül; *~ a cold* meghűlt, náthás; *I ~ little French* (csak) keveset tudok franciául; *~ news from sy* vktől hírt kap; *let me ~ your keys* add ide a kulcsaidat; *what will you ~?* mit parancsol [ebédre stb.]?; *it is to be had in this shop* ebben az üzletben kapható **3.** elfogyaszt, elkölt [ételt]; *~ breakfast* reggelizik; *~ supper* vacsorázik; *~ tea with sy* vkvel teázik **4.** *~ a walk* sétálni megy; *~ a wash* megmosakodik **5.** mond, állít; *as Shakespeare has it* amint Sh. mondja; *he will ~ it that* azt állítja, hogy ... **6.** (el)tűr, (meg-)enged; *I won't ~ it* erről hallani sem akarok; *I will not ~ my son do such things* nem fogom tűrni, hogy a fiam ilyen dolgokat tegyen **7.** *~ to do sg* vmt meg kell (v. muszáj) tennie; *I've (got) to go* mennem kell; *I don't ~ to go* nem kell elmennem; *you ~n't (got) to go to school* nem kell iskolába

menned **8.** *~ sg done* vmt (meg-) csináltat/elvégeztet; *~ one's hair cut* (meg)nyiratkozik; *I had my watch stolen* ellopták az órámat **9.** *~ sy to do sg* elvégeztet vmt vkvel; *I would ~ you know* kívánom, hogy vedd tudomásul; *what would you ~ me do?* mit óhajtasz hogy csináljak?; *~ it your own way* tégy ahogy akarsz **10.** *biz* túljár az eszén (vknek), kitol (vkvel); *you've been had!* téged becsaptak/átejtettek!; *you ~ me there!* itt most megfogtál engem! **11.** *biz you ~* (v. *you've) had it* megkaptad a magadét!; kellett ez neked!; ezt jól kifogtad! **12.** *I had better say nothing* jobb ha nem mondok semmit; *I had as soon stay here* jobb(an) szeretnék itt maradni **13.** *I ~ lived in London for three years* három éve élek Londonban **14.** *had I known (= if I had known)* ha tudtam volna; *as ill luck would ~ it* a balszerencse úgy akarta
have down *vt* lehív(at), lehozat
have in *vt* **1.** *~ sy in* (1) behív vkt, meghív vkt [ebédre stb.] (2) hívat [orvost, szerelőt stb.] **2.** *~ sg in* (1) beszerez vmt [előre] (2) vmvel el van látva
have off *vt* **1.** levet [ruhát] **2.** *~ the afternoon o.* szabad a délutánja
have on *vt* **1.** *~ sg on* (1) hord/visel vmt (2) vm dolga/elfoglaltsága van; *~ nothing on* meztelen **2.** *~ another one on me* igyék még egy pohárral a költségemre/egészségemre
have out *vt* **1.** *~ sg o.* vmt eltávolíttat; *~ a tooth o.* fogat húzat **2.** *~ it o. with sy* vmt megvitat és tisztáz vkvel
have up *vt* **1.** (fel)hívat, magához rendel **2.** *biz ~ sy up* törvény elé idéz(tet) vkt; beperel vkt
haven ['heɪvn] *n* **1.** kikötő **2.** menedékhely
have-not *n* nincstelen, koldus
haven't ['hævnt] = *have not* →*have II.*
haversack ['hævəsæk] *n* tarisznya, oldalzsák
having ['hævɪŋ] *n* **1.** birtok(lás) **2.** vagyon ‖ →*have II.*

havoc ['hævək] *n* pusztulás; pusztítás, rombolás; *cry* ~ szabad rablást enged(élyez); *play* ~ *with sg* tönkretesz vmt

haw[1] [hɔ:] *n* galagonya(bogyó)

haw[2] [hɔ:] I. *int* hm! II. *n* hümmögés

III. *vi* hümmög, hebeg

Hawaii [hə'waii:] *prop* Hawaii

Hawaiian [hə'waiiən] *a/n* hawaii

haw-haw ['hɔ:hɔ:] *n* 1. hahota 2. finomkodó kiejtés/beszédmód

hawk[1] [hɔ:k] I. *n* 1. héja, karvaly; *know a* ~ *from a handsaw* különbséget tud tenni dolgok között, józan itélőképessége van 2. „héja", háború(s)párti (ember) II. *vi* solymászik

hawk[2] [hɔ:k] *vi* krákog

hawk[3] [hɔ:k] *vt* 1. [áruval] házal, ügynökösködik 2. *átv* terjeszt [hírt, pletykát]

hawk[4] [hɔ:k] *n* simítólap [kőművesé]

hawker ['hɔ:kə*] *n* (vándorló) utcai árus; *no* ~*s* a házalás tilos

hawk-eyed *a* sasszemű

hawk-nosed *a* sasorrú, karvalyorrú

hawser ['hɔ:zə*] *n* hajókötél

hawthorn ['hɔ:θɔ:n] *n* galagonya(bokor)

Hawthorne ['hɔ:θɔ:n] *prop*

hay[1] [hei] *n* széna; ~ *fever* szénánátha; *make* ~ szénát kaszál/forgat; *make* ~ *of sg* összezavar vmt; *make* ~ *while the sun shines* addig üsd a vasat, amíg meleg; □ *hit the* ~ lefekszik (aludni), ledöglik

hay[2] [hei] *n* körtánc

haycock *n* szénaboglya

hay-fork *n* szénaforgató villa

hayloft *n* szénapadlás

haymaker *n* 1. szénakaszáló 2. □ jól irányzott (boksz)ütés

haymaking *n* szénakaszálás, -gyűjtés

hay-seed *n* 1. fűmag: szénapor 2. *US biz* parasztos/faragatlan ember, falusi (ember)

haystack *n* szénaboglya

haywire I. *a biz* zavaros, összekuszált; *go* ~ becsavarodik, bedilizik [személy]; félresikerül, összezavarodik [terv] II. *n* szénakötöző huzal

hazard ['hæzəd] I. *n* 1. kockajáték 2. lehetőség, eshetőség, sansz 3. koc-

kázat, rizikó, veszély; *at all* ~*s* bármely/minden áron; *run the* ~ (meg-) kockáztat 4. véletlen, vakeset II. *vt* kockáztat; kockára tesz; merészel megtenni [megjegyzést]

hazardous ['hæzədəs] *a* kockázatos, veszélyes

haze[1] [heiz] *n* 1. köd, pára 2. *átv* homály; (szellemi) zűrzavar

haze[2] [heiz] *vt* 1. túldolgoztat, kimerít 2. *US* (durván) megtréfál, lehúz [diákot]

hazel ['heizl] *n* 1. mogyoró(bokor) 2. mogyoróbarna [szín]

hazel-nut *n* mogyoró

haziness ['heizinis] *n* ködösség, homályosság

hazing ['heiziŋ] *n US* lehúzás [diáké]

Hazlitt ['heizlit; *the Gallery:* 'hæzlit] *prop*

hazy ['heizi] *a* 1. ködös, párás 2. *átv* homályos, bizonytalan

H.B.M., HBM [eitʃbi:'em] *His/Her Britannic Majesty* →*majesty*

H-bomb ['eitʃbɔm; *US* -am] *n* hidrogénbomba

H.C., HC [eitʃ'si:] *House of Commons*

H.C.F., h.c.f. *highest common factor* →*common*

he [hi:; *gyenge ejtésű alakjai:* hi, i] I. *pron* ő [himnemű]; az illető, az; ~ *that/who* (az) aki II. *n* 1. férfi, himnemű személy; ~ *man* férfias férfi 2. hím (állat); ~ *bear* hím medve

H.E., HE *His/Her Excellency*

head [hed] I. *n* 1. (*átv is*) fej; ~ *and shoulders above sy* messze felülmúl vkt; *US be out of one's* ~ bedilizett, megőrült; *come into one's* ~ eszébe jut; *fall* ~ *first* fejjel lefelé/előre esik; *get sg into one's* ~ fejébe vesz vmt; *get sg into sy's* ~ vk fejébe ver vmt; *give sy his* ~ enged vknek, szabad kezet ad vknek; *go off one's* ~ megbolondul; *go to one's* ~ fejébe száll [ital, dicsőség stb.]; *have a good* ~ (*on one's shoulders*) jó feje van, helyén van az esze; *keep one's* ~ nem veszti el a fejét; *lose one's* ~ elveszti a fejét; *put/lay their* ~*s together* összedugják a fejüket; *put sg out of sy's* ~ kiver vmt vk fejéből; *stand on one's* ~ fejen áll; *take it into one's* ~ fejébe vesz vmt; *talk sy's* ~ *off* lyukat beszél vk hasába; *talk over sy's* ~ vk számára érthetetlenül beszél; *turn sy's* ~ elcsavarja vk fejét; *sg has turned his* ~ vm a fejébe szállt, vm elkapatta; *weak in the* ~ kicsit ütődött; *work one's* ~ *off* agyondolgozza magát; ~ *over ears* fülig, nyakig; ~ *over heels* hanyatt-homlok; *be* ~ *over heels in love with sy* fülig szerelmes vkbe 2. fő, darab [emberről, állatról]; *per* ~ fejenként; *six* ~ *of cattle* hat (darab) szarvasmarha 3. fej [káposztáé, salátáé]; kalász [búzáé]; fejrész [szegé, szerszámé] 4. fej(rész) [érmén]; ~*s or tails* fej vagy írás; *I can't make* ~ *or tail of this* ebből nem tudok kiokoskodni 5. vezető [vállalaté, osztályé stb.]; igazgató [iskoláé]; feje [családnak, vállalkozásnak stb.]; *jelzői haszn* fő-; ~ *of department* osztályvezető; ~ *office* központi iroda 6. elülső rész; vmnek az eleje/éle; *at the* ~ *of the list* a lista élén 7. vmnek felső része/vége 8. kiindulópont 9. tetőpont, csúcspont; kifejlés; *bring a matter to a* ~ dűlőre viszi a dolgot; *come/gather to a* ~ (1) tetőpontjára ér, válságossá válik (2) (el)gennyed; *make* ~ halad 10. rovat, rubrika; fejezet; *under separate* ~*s* külön rovatokban, külön tételek alatt II. A. *vt* 1. vezet, élén áll vmnek; ~ *the list* a névsor élén van 2. fejjel ellát 3. felirattal ellát 4. fejel [labdát] B. *vi* megy, halad; igyekszik, útban van (*for* vhová); ~ *for a place* vhova igyekszik; ~ *East* kelet felé indul/halad

head off *vt* 1. eltérít [irányból, szándéktól]; lebeszél (*from* vmről) 2. elhárít [veszélyt, vitát]

headache *n* (*átv is*) fejfájás

headachy [-eɪkɪ] *a* 1. fejfájós 2. fejfájást okozó

headband *n* 1. homokszalag, hajlekötő szalag 2. fejléc [könyvben]

headboard *n* fejrész, fejdeszka [ágyé]

head-dress *n* 1. frizura, hajviselet 2. fejdísz, fejfedő; fityula

headed ['hedɪd] *a* 1. fejű, fejes 2. megérett 3. felirattal ellátott; ~ *notepaper* cégjelzéses levélpapír

header ['hedə*] *n* 1. *biz* fejes(ugrás) 2. kötőtégla 3. (labda)fejelés; fejes

headgear *n* 1. fejfedő, -dísz 2. kantár

head-hunter *n* fejvadász

headiness ['hedɪnɪs] *n* 1. meggondolatlanság, hevesség 2. részegítő volta [bornak]

heading ['hedɪŋ] *n* 1. felzet, címsor; fejszöveg 2. rovat; (könyvelési) tétel 3. (haladási) irány 4. (labda)fejelés 5. kötőtégla

headlamp *n* = **headlight**

headland ['hedlənd] *n* 1. hegyfok 2. előhegység

headless ['hedlɪs] *a* 1. fejetlen, fej nélküli 2. vezető nélküli

headlight *n* fényszóró [autón]; jelzőlámpa [mozdonyon], orrlámpa [repgépen] ǁ →*dim(med)*, *dip(ped)*

headline *n* címfej, főcím; alcím [újságban, könyvben]; *here are the* ~*s* főbb híreink [rádióban]

headlong I. *a* heves, hirtelen; meggondolatlan II. *adv* 1. gyorsan, hanyatt-homlok 2. fejjel előre; *fall* ~ fejjel előre esik

headman *n* (*pl* -**men**) 1. törzsfőnök 2. előmunkás, munkavezető

headmaster *n* igazgató [iskolában]

headmistress *n* igazgatónő [iskolában]

head-money *n* 1. fejadó 2. vérdíj

headmost *a* élen haladó, legelső [hajó]

head-on *a* frontális [ütközés] II. *adv* fejjel előre/neki; frontálisan

headphone *n* fejhallgató

headpiece *n* 1. sisak 2. fejléc; fejezetdísz 3. *biz* fej; ész, értelem

headquarters *n* *pl* főhadiszállás; központ; ~ *staff* törzskar, vezérkar

headrest *n* fejtámasz

headroom *n* belvilág, belső magasság

headset *n* fejhallgató

headship ['hedʃɪp] *n* vezető állás/szerep; vezérszerep

headsman ['hedzmən] *n* (*pl* -**men** -mən) hóhér

headspring *n* (*átv is*) (fő) forrás

headstone *n* **1.** sírkő [fejnél levő része] **2.** zárókő [boltozaté]
headstrong *a* makacs, nyakas, önfejű
headwaiter *n* főpincér
headwaters *n pl US* forrásvidék [folyóé], felső folyás
headway *n* **1.** (*átv is*) (előre)haladás; *make* ~ halad, boldogul, fejlődik **2.** térköz
headwind *n* ellenszél
headword *n* címszó
head-work *n* **1.** szellemi munka **2.** (labda)fejelés
heady ['hedɪ] *a* **1.** heves; meggondolatlan; szenvedélyes **2.** részegítő, erős [bor]; mámorító [siker]
heal [hi:l] **A.** *vt* (meg)gyógyit (*of* vmt) **B.** *vi* (meg)gyógyul, (be)gyógyul [seb]
healer ['hi:lə*] *n* gyógyító
healing ['hi:lɪŋ] **I.** *a* gyógyító; ~ *ointment* sebkenőcs **II.** *n* **1.** gyógyítás **2.** gyógyulás
health [helθ] *n* **1.** egészség; *have/enjoy* ~, *be in good* ~ egészséges, jó egészségnek örvend; *drink the* ~ *of sy* vknek az egészségére iszik **2.** egészségügy; ~ *centre* orvosi rendelő(intézet); *GB National H*~ *Service* (*NHS*) kb. társadalombiztosítás, SZTK; ~ *certificate* orvosi bizonyítvány; ~ *insurance* betegségi biztosítás; ~ *officer* tisztiorvos; ~ *resort* üdülőhely, fürdőhely
healthful ['helθfʊl] *a* egészséges, gyógyhatású, jó hatású, *átv* üdvös
health-giving *a* gyógyító hatású, éltető [levegő]
healthily ['helθɪlɪ] *adv* egészségesen
healthy ['helθɪ] *a* egészséges
heap [hi:p] **I.** *n* **1.** halom, rakás; *knock/ strike sy all of a* ~ megdöbbent/meghökkent/elképeszt vkt **2.** tömeg, nagy mennyiség; *a* ~ *of sg* nagyon sok vmből; ~*s of times* számtalanszor **II.** *vt* **1.** ~ (*up*) felhalmoz, halomba rak/ hord **2.** elhalmoz (*with* vmvel) **3.** megrak, telerak (*with* vmvel)
heaped [hi:pt] *a* felhalmozott; ~ *measure* púpozott mérték
hear [hɪə*] *v* (*pt/pp* ~**d** hə:d) **A.** *vt* **1.** (meg)hall; *I have* ~*d it said, biz*

I have ~*d tell* hallottam, hogy ..., azt/úgy beszélik, hogy ...; *I could hardly make myself* ~*d* (a nagy zajban) alig tudtam magam megértetni; ~*!* ~*!* (1) halljuk!, halljuk! (2) úgy van, úgy van! **2.** (meg)hallgat; ~ *sy out* vkt végighallgat; ~ *a child his lesson* kikérdezi a leckét (a gyerektől) **3.** (le)tárgyal [bíróság ügyet]; ~ *the witnesses* kihallgatja a tanúkat **4.** megtud (vmt); értesül (vmről); *from what I* ~ *a* hírek (v. értesülésem) szerint, úgy értesülök **B.** *vi* **1.** hall **2.** hall, értesül (*of/about sy/sg* vkről/ vmről); *he won't* ~ *of it* hallani sem akar róla; ~ *from sy* levelet/hírt/üzenetet kap vktől; *hoping to* ~ *from you* (szíves) válaszát várva; *you will* ~ *from me* majd írok neked, majd értesítelek
heard [hə:d] *a* hallott; →*hear*
hearer ['hɪərə*] *n* hallgató
hearing ['hɪərɪŋ] *n* **1.** hallás; ~ *aid* hallásjavító készülék **2.** meghallgatás; *gain a* ~ meghallgatást nyer; *give me a* ~ hallgasson meg **3.** kihallgatás (vknél) **4.** (bírósági) tárgyalás **5.** hallótávolság; *in my* ~ fülem hallatára; *within* ~ hallótávolságon belül
hearken ['hɑ:k(ə)n] *vi* **1.** hallgat, hallgató(d)zik **2.** figyel (*to* vmre)
hearsay ['hɪəseɪ] *n* hallomás, mendemonda; *I have it only from* ~ csak hallomásból tudom
hearse [hə:s] *n* halottaskocsi
hearse-cloth *n* gyászlepel
Hearst [hə:st] *prop*
heart [hɑ:t] **I.** *n* **1.** szív; *artificial/mechanical* ~ műszív; ~ *attack* szívroham; *at* ~ szíve mélyén; *at* ~ *he is not bad* alapjában véve nem rossz ember; *sy after one's own* ~ kedvére való ember; *by* ~ könyv nélkül, kívülről; *get sg off by* ~ könyv nélkül megtanul vmt, szóról szóra bevág vmt; *break sy's* ~ összetöri vk szívét; *die of a broken* ~ bánatában hal meg, megszakad a szíve; *to the* (v. *one's*) ~*s content* kedvére, szíve szerint; *do one's* ~ *good* örömet okoz vknek; *not find it in one's* ~ *to* nincs kedve/bátorsága

megtenni (vmt); *have one's ~ in sg* szívvel-lélekkel csinál vmt; *in my ~ of ~s* szívem mélyén; *lose one's ~ to sy* beleszeret vkbe; *open one's ~ to sy* kiönti a szívét vknek; *search the ~* lelkiismeret-vizsgálatot tart; *set one's ~ at rest* megnyugszik; *set one's ~ on sg* vmre vágyakozik; *speak one's ~* őszintén/magyarán beszél; *take sg to ~* szívére/lelkére vesz vmt; *talk with sy ~ to ~* nyíltan/őszintén beszél vkvel; *wear one's ~ on one's sleeve* ami a szívén az a száján; *win sy's ~* megnyeri vk szívét; *with ~ and hand* szívvel-lélekkel 2. belső rész, mag; ér [kábelé]; szív [salátáé]; *in the ~ of sg* vm kellős közepén; *the ~ of the matter* a dolog lényege/veleje; *biz ~ of oak* derék/egyenes ember 3. bátorság; lelkiállapot; *have one's ~ in one's boots* inába száll(t) a bátorsága; *lose ~* elcsügged; *in good ~* jó (egészségi, kedély)állapotban; *put ~ into sy* lelket ver vkbe; *take ~* felbátorodik 4. *rendsz pl* kőr [szín kártyajátékban]; *queen of ~s* kőr dáma II. *vi ~ (up)* fejbe borul, fejesedik [káposzta, saláta]

heart-ache *n átv* szívfájdalom
heartbeat *n* szívverés, -dobogás
heart-break *n* nagy szomorúság
heart-breaking *a* szívettépő, szívfacsaró
heart-broken *a* megtört szívű
heartburn *n* gyomorégés
heart-burning *n* irigység; féltékenység
heart-disease *n* szívbaj
-hearted ['hɑːtɪd] -szívű
hearten ['hɑːtn] **A.** *vt* **1.** (fel)bátorít **2.** buzdít, új erőt ad **B.** *vi ~ (up)* felbátorodik
heart-failure *n* szívbénulás, -szélhűdés
heartfelt *a* őszinte, szívből jövő
heart-free *a* nem szerelmes, szabad a szíve
hearth [hɑːθ] *n* **1.** kandalló, tűzhely **2.** *átv* család(i tűzhely), otthon
hearth-rug *n* kandalló előtti szőnyeg
hearthstone *n* **1.** kandalló lapja **2.** súrolókő
heartily ['hɑːtɪlɪ] *adv* **1.** szívélyesen **2.** bőségesen, jó étvággyal [eszik] **3.** *biz* alaposan

heartiness ['hɑːtɪnɪs] *n* **1.** szívélyesség, melegség [fogadtatásé] **2.** erőteljesség [étvágyé, munkakedvé]
heartless ['hɑːtlɪs] *a* szívtelen
heartlessness ['hɑːtlɪsnɪs] *n* szívtelenség
heart-rending [-rendɪŋ] *a* szívszaggató, szívet tépő
heart's-blood *n* **1.** élet **2.** legdrágább kincs
heart's-ease *n* vadárvácska
heart-sick *a* lelkibeteg, kedélybeteg
heart-strings *n pl* legmélyebb érzések
heart-to-heart *a* bizalmas, őszinte
heart-transplant *n* szívátültetés
heart-whole *a* nem szerelmes
heart-wood *n* (fa)geszt
hearty ['hɑːtɪ] **I.** *a* **1.** szívélyes, szivből jövő, őszinte **2.** erős, erőteljes, jó erőben lévő **3.** tápláló, bőséges; *a ~ meal* bőséges étkezés **II.** *n* **1.** *my hearties!* cimborák! [tengerészek megszólításaként] **2.** derék/bátor ember
heat [hiːt] **I.** *n* **1.** hő(ség), forróság, izzás; *the ~ of the sun* a nap heve; *US ~ lightning* villódzás [az ég alján] **2.** láz **3.** felindulás, hév; *get into a ~* indulatba jön; *in the ~ of the moment* a pillanat hevében; *biz put the ~ on sg* rákapcsol vmre **4.** verseny; (elő)futam **5.** sárlás [kanca], folyatás [tehén], tüzelés [szuka], búgás [koca]; *be in/on/at ~* [általában:] üzekedik [nőstény]; sárlik [kanca], folyat [tehén], tüzel [szuka], búg [koca] **II. A.** *vt* **1.** (be)fűt [szobát]; (meg)melegít [ételt]; hevít [fémet] **2.** felizgat, tűzbe hoz (vkt) **B.** *vi* **1.** fűlik; melegszik **2.** felgerjed [érzelem]
heated ['hiːtɪd] *a* **1.** forró, tüzes **2.** heves; *~ debate* heves vita
heater ['hiːtə*] *n* **1.** fűtőkészülék **2.** fűtőtest; hősugárzó **3.** (étel)melegítő, reső **4.** vízmelegítő, bojler
heath [hiːθ] *n* **1.** pusztaság **2.** hanga, erika
heath-cock *n* (nyír)fajdkakas
heathen ['hiːðn] *a/n* pogány; *the ~* a pogányok
heathenish ['hiːðənɪʃ] *a* pogány, barbár
heathenism ['hiːðənɪzm] *n* pogányság
heather ['heðə*] *n* hanga, erika, csarab

heating ['hi:tɪŋ] I. *a* fűtő II. *n* fűtés
heat-proof *a* hőálló, tűzálló
heat-rash *n* lázkiütés, hőpörsenés
heat-shield *n* hőpajzs [űrrepülésben]
heat-stroke *n* hőguta
heat-wave *n* hőhullám
heave [hi:v] I. *n* 1. (fel)emelés, (felfelé) lökés 2. emelkedés, dagadás [kebelé] 3. dobás; lökés [sportban] II. *v* (*pt/pp* ~**d** hi:vd v. **hove** hoʊv) A. *vt* 1. (fel)emel; húz; ~ (*up*) *the anchor* felhúzza a horgonyt 2. dob, hajít; ~ *the lead* mélységet mér [hajóról]; ~ *sg overboard* hajóról a vízbe dob 3. ~ *a deep sigh* nagyot sóhajt B. *vi* 1. dagad, emelkedik 2. háborog [tenger] 3. zihál, liheg 4. öklendezik
heave at *vi* ~ *at a rope* (hajó)kötelet megfeszít
heave down *vt* oldalára dönt [hajót]
heave in A. *vt* bevon [kötelet] B. *vi* ~ *in sight* (a láthatáron) feltűnik
heave to *vt/vi* ⟨a vitorlát úgy rendezi, hogy a hajó egy helyen marad⟩; lavíroz; *be hove to* vesztegel [hajó]
heave up *vt* →*heave II. A. 1.*
heave(-)ho *int* hórukk!
heaven ['hevn] *n* 1. menny, ég; *for H~'s sake* az isten szerelmére!, az istenért!; *Good H~s!* jóságos ég!; *would to* ~ bár adná az ég 2. *the* ~*s* az égbolt
heavenly ['hevnlɪ] *a* 1. mennyei; égi; ~ *body* égitest 2. *biz* pompás, csodás
heaven-sent *a* égből pottyant
heavenward(s) ['hevnwəd(z)] *adv* az ég felé
heavier-than-air craft [hevɪə-] levegőnél nehezebb [repülőgép]
heavily ['hevɪlɪ] *adv* 1. súlyosan; nagyon; *lose* ~ sokat veszít [kártyán stb.]; ~ *underlined* vastagon aláhúzva 2. lassan, nehézkesen
heaviness ['hevɪnɪs] *n* 1. súly(osság) [teheré]; nehézség, vmnek nehéz volta; nehezen emészthetőség [ételé] 2. levertség, rosszkedv 3. nehézkesség, (szellemi) renyheség
Heaviside layer ['hevɪsaɪd] *n* Heaviside-réteg
heavy ['hevɪ] *a* 1. *(átv is)* nehéz, súlyos;

a ~ *blow* (1) erős ütés (2) súlyos csapás; ~ *food* nehéz étel; *lie* ~ *on sg* ránehezedik vmre; ~ *oil* gázolaj 2. nehéz, kemény, terhes [munka]; ~ *day* nehéz/zsúfolt/fárasztó/mozgalmas nap; *find sg* ~ *going* nehezen halad vmvel 3. fáradt, kimerült, álmos [szem] 4. heves [vihar]; viharos [tenger]; sötét, beborult [égbolt] 5. erős; nagy; jelentős; ~ *artillery* nehéztüzérség; ~ *crops* bő termés; ~ *traffic* (1) nagy forgalom (2) teherforgalom; ~ *type* vastag/kövér betű 6. buta, unalmas
heavy-armed *a* nehéz fegyverzetű
heavy-duty *a* nagy teherbírású/teljesítményű [gép]; strapabíró [ruhadarab stb.]
heavy-handed *a* 1. vaskezű, zsarnoki 2. ügyetlen, esetlen
heavy-hearted *a* szomorú, búslakodó
heavy-laden *a* 1. (erősen) megterhelt, megrakott 2. *átv* gondterhes
heavyweight I. *a* nehézsúlyú II. *n* nehézsúly; *light* ~ félnehézsúly
hebdomadal [heb'dɔmədl; *US* -'dɑ-] *a* heti
he-bear *n* hím medve
Hebraic [hi:'breɪɪk] *a* héber
Hebrew ['hi:bru:] I. *a* héber, izraelita, zsidó II. *n* 1. héber/izraelita/zsidó ember 2. héber (nyelv)
Hebrides ['hebrɪdi:z] *prop* Hebridák
heck [hek] *n* □ fene
heckle ['hekl] *vt* 1. gerebenez 2. kellemetlen kérdéseket intéz [szónokhoz közbeszólásként]
heckler ['heklə*] *n* a zavart keltő (személy) [aki közbeszólásokkal megzavarja az előadót]
hectare ['hektɑ:*; *US* -eər] *n* hektár
hectic ['hektɪk] *a* *biz* izgatott, lázas, nyugtalan [ember]; mozgalmas [napok]
hector ['hektə*] A. *vi* henceg, szájhősködik B. *vt* megfélemlít, terrorizál
Hecuba ['hekjubə] *prop*
he'd [hi:d] = *he had, he would/should*
hedge [hedʒ] I. *n* 1. élősövény, sövénykerítés; *be on the* ~ nem dönt, határozatlan; *over* ~ *and ditch* árkon-bok-

ron túl 2. sorfal [rendőröké, katonaságé], kordon II. A. *vt* 1. sövénnyel bekerít, beültet; ~ *in* (1) bekerít, körülkerít (2) *átv* korlátoz, behatárol [hatáskört stb.] 2. nyír [sövényt] 3. bebiztosít, lefedez [fogadást, spekulációt] B. *vi biz* nem vall színt
hedgehog ['hedʒ(h)ɔg; *US* -hag] *n* 1. sündisznó 2. [katonai] sündisznóállás
hedge-hopping [-hɔpɪŋ; *US* -ha-] *n* mélyrepülés
hedger ['hedʒə*] *n* 1. sövénynyeső, -ültető [kertész] 2. *biz* habozó, „óvatos duhaj"
hedgerow *n* élősövény
hedonist ['hi:dənɪst] *n* hedonista
heebie-jeebies ['hi:bɪ'dʒi:bɪz] *n pl* □ izgatott várakozás
heed [hi:d] I. *n* figyelem, óvatosság; *give/pay* ~ *to* figyelmet szentel vmnek, megszívlel vmt; *take* ~ *of sg* vigyáz vmre, őrizkedik vmtől II. *vt* gondosan figyel vmre, vigyáz vmre, törődik vmvel
heedful ['hi:dfʊl] *a* gondos, óvatos
heedless ['hi:dlɪs] *a* figyelmetlen, elővigyázatlan, meggondolatlan
hee-haw [hi:'hɔ:] I. *n* 1. iázás, szamárordítás 2. röhögés II. *vi* iázik
heel[1] [hi:l] I. *n* 1. sarok [lábé, cipőé]; *kick/cool one's* ~*s* megvárakoztatják; *come on the* ~*s* nyomon követ; *come to* ~ meghunyászkodik; *down at the* ~ elhanyagolt/kopottas külsejű; *to pis; kick up the* ~*s* kirúg a hámból; *take to one's* ~*s, show a clean pair of* ~*s* kereket old, elinal; *under the* ~ elnyomva 2. pata 3. *US biz* undok fráter II. *vt* 1. megsarkal [cipőt] 2. nyomon követ, sarkában van (vknek) 3. táncol [sarokkal kopogva] 4. *US biz* felfegyverez
heel[2] [hi:l] A. *vi* ~ (*over*) oldalára dől/hajol (hajó) B. *vt* oldalára dönt/állít [hajót]
heel-ball *n* cipészszurok
heeled [hi:ld] *a* 1. -sarkú 2. *US* revolveres 3. *US biz* (*well-*)~ gazdag, pénzes
heel-tap *n* italmaradék [pohárban]; *no* ~*s!* ex! [iváskor]

heft [heft] *US* I. *n* súly II. *vt* megemeléssel súlyt becsül
hefty ['heftɪ] *a biz* 1. izmos, tagbaszakadt, erős 2. meglehetősen nehéz
hegemony [hɪ'gemənɪ] *n* vezető szerep, fensőbbség, hegemónia
Hegira ['hedʒɪrə] *n* hedzsra ⟨Mohamed futása 622-ben⟩
he-goat *n* bakkecske
heifer ['hefə*] *n* üsző
heigh [heɪ] *int* hé!
heigh-ho [heɪ'hoʊ] *int* 1. jaj!, ah! 2. rajta!, hej! 3. ejha!
height [haɪt] *n* 1. magasság; *5 feet in* ~ 5 láb magas 2. magaslat, hegy 3. tetőpont, csúcspont; *vm* netovábbja; *in the* ~ *of fashion* legutolsó divat szerint; *in the* ~ *of summer* nyár derekán
heighten ['haɪtn] A. *vt* 1. magasra emel, felemel 2. fokoz, növel [örömet]; súlyosbít [bajt]; kiemel, kihangsúlyoz [szépséget, ellentéteket]; ~*ed colour* élénk szín, pirulás B. *vi* fokozódik, növekszik, emelkedik, nő
heinous ['heɪnəs] *a* szörnyű, förtelmes [bűn]
heir [eə*] *n* örökös; ~ *apparent* törvényes örökös; ~ *apparent to the throne* a trón várományosa, trónörökös; ~ *presumptive* prezumptív/feltételezett (trón)örökös; *be* ~ *to sy* örököl vktől
heiress ['eərɪs] *n* örökösnő
heirloom ['eəlu:m] *n* családi ékszer/bútor
held →*hold*[1] *II.*
Helen ['helɪn] *prop* Helén
Helena ['helɪnə] *prop* Heléna, Ilona
helical ['helɪkl] *a* csigavonalú
helicopter ['helɪkɔptə*; *US* -ka-] *n* helikopter
heliotrope ['heljətroʊp; *US* 'hi:l-] *n* 1. napraforgó 2. lilás rózsaszín
heliport ['helɪpɔ:t] *n* helikopter-repülőtér
helium ['hi:ljəm] *n* hélium
helix ['hi:lɪks] *n* (*pl* ~*es* -sɪz v. **helices** 'helɪsi:z) 1. csavarvonal, csigavonal, spirálvonal 2. (fül)karima
hell [hel] *n* 1. pokol; *GB biz* ~*'s angel* őrült módra rohangáló fiatal motor-

kerékpáros; *between* ~ *and high-water* két tűz között, nehéz helyzetben; *go to* ~! menj a fenébe!; *give sy* ~ vkt „jól megtáncoltat", vkt jól letol; ~ *breaks loose* elszabadul(t) a pokol 2. *biz* fene; *what the* ~ *are you doing?* mi a fenét csinálsz?; *for the* ~ *of it* csak úgy mulatságból/heccből; ~ *of a noise* szörnyű lárma, pokoli zsivaj; *like* ~ kétségbeesetten, nagyon, fenemód; *ride* ~ *for leather* teljes erőből vágtat 3. játékbarlang; kártyabarlang

he'll [hi:l] = *he will/shall*

hell-bent I. *a US biz* elszánt, kíméletlen, gátlástalan; *be* ~ *for sg* teljes erővel (v. gátlás nélkül) tör vmre II. *adv* elszántan

hell-cat *n* boszorkány

hellebore ['helɪbɔ:*] *n* hunyor [növény]

Hellene ['heli:n] *n* görög/hellén ember

Hellenic [he'li:nɪk] *a* görög, hellén

hellenist ['helɪnɪst] *n* 1. görögül beszélő nem görög (ember) 2. görög kultúra tudósa, hellenista

hell-fire *n* pokol tüze/kínja

hell-hound *n* sátán kutyája, pokolfajzat

hellion ['heljən] *n biz* komisz kölyök

hellish ['helɪʃ] *a* pokoli, ördögi

hello [hə'loʊ] *int/n* = *hallo(a)*

helluva ['heləvə] *a US* □ 1. pokoli 2. remek 3. óriási

helm¹ [helm] *n* 1. kormányrúd; *the man at the* ~ kormányos 2. kormányzás, vezetés, irányítás [államé stb.]

helm² [helm] *n* † sisak

helmet ['helmɪt] *n* sisak; bukósisak

helmeted ['helmɪtɪd] *a* sisakos

helmsman ['helmzmən] *n (pl* -men -mən) kormányos

helot ['helət] *n* 1. helóta [ókori Spártában] 2. *biz* rabszolga

help [help] I. *n* 1. segítség, segély, támogatás; *by the* ~ *of sg* vm által/ segítségével; *be past* ~ menthetetlen, nem lehet rajta segíteni 2. *US* (háztartási) alkalmazott; bejárónő II. A. *vt* 1. segít; ~!, ~! segítség!; ~ *sy to do sg* segít vknek vmben; *may I* ~ *you?* szabad segítenem?; *biz go* ~

wash up segíts elmosogatni; *can't be* ~*ed* menthetetlen, elkerülhetetlen; *so* ~ *me God!* Isten engem úgy segéljen! 2. elősegít; *that doesn't* ~ *much* ez nem sokat használ 3. orvosol 4. *can't* ~ *doing sg* kénytelen vmt megtenni; nem tudja megállni, hogy ne tegyen vmt; *I can't* ~ *it* (1) nem tehetek róla (2) meg nem állhatom, hogy ne...; *I can't* ~ *thinking* akaratlanul is az jár az eszemben; *don't be away longer than you can* ~ *it* ne maradj tovább mint okvetlenül muszáj 5. kiszolgál; felszolgál [étkezésnél]; ~ *to sg* (1) vmhez juttat (2) vmvel kínál/kiszolgál [étkezésnél]; ~ *sy to soup* vknek levest ad/mer; ~ *yourself* tessék hozzálátni!, tessék venni [a tálból]!; ne kínáltasd magad!; *can I* ~ *you?* mit parancsol? [üzletben] B. *vi* segít

help down *vt* lesegít [vkt járműről]

help in *vt* felsegít [járműre], besegít [kocsiba]

help out *vt* 1. kisegít (vkt vmvel) 2. segít vknek kijutni vhonnan

helper ['helpə*] *n* segítő; pártfogó

helpful ['helpfʊl] *a* 1. segíteni kész, szolgálatkész [személy] 2. hasznos [tanács]

helping ['helpɪŋ] *n* (étel)adag; *have a second* ~ kétszer vesz, repetál

helpless ['helplɪs] *a* 1. gyámoltalan, tehetetlen, ügyefogyott; támasz/gyámol nélküli [árva stb.] 2. haszontalan

helpmate, helpmeet *n* segítőtárs, hitvestárs

helter-skelter [heltə'skeltə*] I. *adv* öszszevissza, rendetlenül II. *n* csúszka [Vidám Parkban]

helve [helv] *n* (szerszám)nyél; *throw the* ~ *after the hatchet* ami kevés megmaradt, azt is veszni hagyja

Helvetia [hel'vi:ʃjə] *prop* Svájc

Helvetian [hel'vi:ʃjən] *a/n* helvét, svájci

hem¹ [hem] *n* 1. szegés, szegély, felhajtás [szoknyavégé], korc II. *vt* -mm- 1. (be)szeg, felhajt [ruhadarab végét varrással] 2. ~ *in* körülzár, bekerít; ~*med about/round by small houses* kis házak veszik körül

hem² [hem] I. *int* hm! II. *vi* -mm- hümmög; ~ *and haw* hümmög, hímez-hámoz
he-man ['hi:mæn] *n* (*pl* -men -men) *US* férfias férfi
Hemingway ['hemɪŋweɪ] *prop*
hemiplegia [hemɪ'pli:dʒɪə] *n* féloldali bénulás, hemiplegia
hemisphere ['hemɪsfɪə*] *n* félgömb, félteke; *the northern* ~ az északi félteke
hemline *n* ruha széle/szegélye/hossza
hemlock ['hemlɔk; *US* -ɑk] *n* bürök
hemmed [hemd] →*hem*¹ és *hem*² *II*
hemo- [hi:mə-] →*haemo-*
hemp [hemp] *n* kender; (*Indian*) ~ hasis
hempen ['hempən] *a* kenderből való
hempseed *n* kendermag
hemstitch *n* azsúrozás, szálhúzás
hen [hen] *n* 1. tyúk, tojó 2. nőstény [madáré]
henbane *n* beléndek
hen-bird *n* tojó
hence [hens] *adv* 1. ezentúl, mától fogva; *a week* ~ mához egy hétre 2. ennélfogva, ezért 3. † innen
henceforth, henceforward *adv* ezentúl, mától fogva; a továbbiakban
henchman ['hentʃmən] *n* (*pl* -men -mən) 1. csatlós, szolga 2. vknek (politikai) híve/bérence
hen-coop *n* tyúkketrec
hen-house *n* tyúkól
Henley ['henlɪ] *prop*
henna ['henə] *vt* (*pt/pp* ~ed 'henəd) hennáz [hajat]
hen-party *n* asszonyzsúr
henpecked ['henpekt] *a* papucs [férj]
Henrietta [henrɪ'etə] *prop* Henrietta
hen-roost *n* tyúkülő
Henry ['henrɪ] *prop* Henrik
hepatic [hɪ'pætɪk] *a* 1. máj- 2. egészséges a májnak 3. májszínű
hepatica [hɪ'pætɪkə] *n* májkökörcsin; májfű
hepatitis [hepə'taɪtɪs] *n* májgyulladás
Hephzibah ['hefsɪbə] *prop* ⟨női név⟩
heptagon ['heptəgən; *US* -gɑn] *n* hétszög
heptagonal [hep'tægənl] *a* hétszögű
her [hə:*; gyenge ejtésű alakjai: ə:*, hə*] *pron* 1. őt [nőnemben]; *to* ~ neki

2. (az ő)... (j)a,... (j)e,... (j)ai,... (j)ei; ~ *husband* (az ő) férje ‖ →*hers*
Heracles ['herəkli:z] *prop* Héraklész, (latinosan: Herkules)
herald ['her(ə)ld] I. *n* 1. hírnök, herold 2. híradó [mint újságcím] 3. *the H*~*s' College* a Címerügyi Testület [Londonban] 4. *biz* előfutár, hírnök II. *vt* előre jelez/bejelent, beharangoz
heraldic [he'rældɪk] *a* címertani
heraldry ['her(ə)ldrɪ] *n* címertan
herb [hə:b; *US* ə:rb] *n* 1. fű(féle) 2. (gyógy)növény
herbaceous [hə:'beɪʃəs] *a* fűszerű, lágy szárú [növények]
herbage ['hə:bɪdʒ; *US* 'ə:r-] *n* 1. fűnövényzet; legelő 2. legeltetési jog
herbal ['hə:bl] I. *a* füvekből álló/készített [ital] II. *n* füvészkönyv
herbalist ['hə:bəlɪst] *n* 1. gyógyfűkereskedő 2. növénygyűjtő
herbarium [hə:'beərɪəm] *n* (*pl* -s -z v. herbaria hə:'beərɪə) növénygyűjtemény
Herbert ['hə:bət] *prop* Herbert
herbicide ['hə:bɪsaɪd] *n* vegyszeres gyomirtó(szer)
herbivorous [hə:'bɪvərəs] *a* növényevő [állat]
Herculean [hə:kjʊ'li:ən] *a* herkulesi [erőfeszítés stb.]
Hercules ['hə:kjʊli:z] *prop* Herkules (görögösen: Héraklész)
herd [hə:d] I. *n* 1. csorda, gulya, nyáj, falka; *the* ~ *instinct* nyájösztön 2. nagy embertömeg 3. csordás, gulyás, pásztor II. A. *vt* 1. összeterel, -gyűjt 2. őriz, legeltet [nyájat] B. *vi* 1. pásztorkodik 2. ~ *together* falkába verődik, gulyában/csordában él 3. ~ *with* csatlakozik, sereglik, társul [párthoz stb.]
herdsman ['hə:dzmən] *n* (*pl* -men -mən) csordás, gulyás
here [hɪə*] *adv* 1. itt; ide; *come* ~! gyere ide!; ~ *you are*! (1) no végre hogy itt vagy! (2) *biz* tessék! 2. ~ *goes!* nos hát!, na gyerünk!; ~*'s to you* kedves egészségedre! [iváskor] 3. *my friend* ~ *will tell you* majd ez a barátom

megmondja 4. ~ *and there* itt-ott, hébe-hóba; ~, *there and everywhere* itt is, ott is és mindenütt; *biz that's neither* ~ *nor there* nem tartozik a dologra, ez nem fontos

hereabout(s) ['hɪərəbaʊt(s)] *adv* errefelé, ezen a tájon

hereafter [hɪər'ɑ:ftə*] I. *adv* ezentúl, a jövőben; a továbbiakban II. *n* a másvilág

hereat [hɪər'æt] *adv* † 1. emiatt, ezen 2. erre (fel)

hereby [hɪə'baɪ] *adv* ezáltal; ezennel

hereditament [herɪ'dɪtəmənt] *n* örökség, örökölhető vagyon/tárgy/dolog

hereditary [hɪ'redɪt(ə)rɪ; *US* -erɪ] *a* 1. örökletes, örökös 2. öröklött

heredity [hɪ'redətɪ] *n* (át)öröklés, öröklékenység

Hereford ['herɪfəd] *prop*

herein [hɪər'ɪn] *adv* ebben, itt; *enclosed* ~ mellékelten

hereinafter [hɪərɪn'ɑ:ftə*] *adv* lejjebb, az alábbiakban, a következőkben [okmányban stb.]

hereof [hɪər'ɔv; *US* -ʌv] *adv* † ebből, ettől

hereon [hɪər'ɔn; *US* -'ɑn] *adv* = *hereupon*

heresy ['herəsɪ] *n* eretnekség

heretic ['herətɪk] *n* eretnek

heretical [hɪ'retɪkl] *a* eretnek

hereto [hɪə'tu:] *adv attached* ~ idecsatolva, mellékelve

heretofore [hɪətʊ'fɔ:*] *adv* ez ideig

hereunder [hɪər'ʌndə*] *adv* 1. a(z) alábbiakban/továbbiakban 2. jelen törvény/rendelet/okmány értelmében/szerint

hereupon [hɪərə'pɔn; *US* -ɑn] *adv* erre, ezután, ennek következtében

herewith [hɪə'wɪð] *adv* ezzel, ezennel; ezúttal; *I am sending you* ~ mellékelve küldök Önnek

heritable ['herɪtəbl] *a* 1. öröklődő, örökölhető [hajlam, betegség] 2. öröklőképes; örökölhető [vagyon]

heritage ['herɪtɪdʒ] *n* örökség; örökrész

heritor ['herɪtə*] *n* örökös

hermaphrodite [hə:'mæfrədaɪt] *a/n* kétnemű, hímnős, hermafrodita

hermetic [hə:'metɪk] *a* 1. légzáró, her-

metikus(an/szorosan záródó) 2. titokzatos; ~ *philosophy* titkos tan

hermit ['hə:mɪt] *n* remete

hermitage ['hə:mɪtɪdʒ] *n* remetelak

hernia ['hə:njə] *n* sérv

hero ['hɪəroʊ] *n* (*pl* ~ *es* -z) hős, dalia

Herod ['herəd] *prop* Heródes

heroic [hɪ'roʊɪk] I. *a* hősi, hősies, emberfölötti; ~ *remedy* drasztikus gyógyszer; ~ *poem* hősi eposz; ~ *verse* ötlábas jambus II. **heroics** *n pl* 1. hősi versek 2. nagyhangú/hősködő viselkedés és beszéd

heroical [hɪ'roʊɪkl] *a* = *heroic I.*

heroically [hɪ'roʊɪk(ə)lɪ] *adv* hősiesen

heroin ['heroʊɪn] *n* heroin

heroine ['heroʊɪn] *n* hősnő

heroism ['heroʊɪzm] *n* hősiesség, bátorság, vitézség

heron ['her(ə)n] *n* gém

heronry ['her(ə)nrɪ] *n* gémtanya

hero-worship *n* hőskultusz

herpes ['hə:pi:z] *n* sömör, herpesz

herpetic [hə:'petɪk] *a* sömörös

herring ['herɪŋ] *n* hering; *red* ~ (1) füstölt hering (2) *biz* elterelő kísérlet/manőver; *draw a red* ~ *across the path* a társalgást más irányba téríti, a figyelmet eltereli a lényegről/tárgyról

herring-bone *n* halszálkaminta

hers ['hə:z] *pron* az övé, az övéi [nőnemű lényről]; *a friend of* ~ egyik barátja

herself [hə:'self] *pron* 1. (ön)maga, saját maga [nő]; (*all*) *by* ~ (1) (teljesen) egyedül [van, él] (2) saját maga, egymaga; *beside* ~ magánkívül; *she cut* ~ megvágta magát 2. ő maga; *she told me* ~, *she* ~ *told me* ő maga mondta nekem

Hertfordshire ['hɑ:fədʃə*] *prop* **Herts.** [hɑ:ts] *Hertfordshire*

he's [hi:z; gyenge ejtésű alakjai: hɪz, ɪz] *he is, he has* →*be, have*

hesitancy ['hezɪt(ə)nsɪ] *n* habozás

hesitant ['hezɪt(ə)nt] *a* habozó; tétovázó

hesitate ['hezɪteɪt] *vi* habozik, tétovázik; vonakodik

hesitation [hezɪ'teɪʃn] *n* határozatlanság, tétovázás, habozás; *without* (*the slightest*) ~ (minden) tétovázás nélkül

het [het] *a* □ ~ *up* izgatott, ideges
heterodox ['het(ə)rədɔks; *US* -aks] *a* **1.**
tévhitű; eretnek **2.** elhajló [nézetű]
heterodoxy ['het(ə)rədɔksɪ; *US* -ak-] *n*
1. tévhit, eretnekség **2.** eltévelyedés,
elhajlás
heterogeneous [hetərə'dʒi:njəs] *a* különböző (eredetű/fajú), heterogén
heterosexual [hetərə'seksjʊəl; *US* -ʃʊ-] *a*
a másik nemhez vonzódó; másnemű,
heteroszexuális
Hetty ['hetɪ] *prop* ⟨*Henrietta* becézve⟩
hew [hju:] *vt* (*pt* ~**ed** hju:d, *pp* ~**ed** v.
~**n** hju:n) **1.** (ki)vág; dönt, vagdal
[fát]; levág [fejszével]; *biz* ~ *the*
enemy to pieces tönkreveri az ellenséget **2.** kinagyol [követ, tuskót] **3.** *átv*
kialakít
hew down *vt* levág, lenyes [ágakat]
hew out *vt* kivág [lyukat]; kinagyol
[szobrot]
hewer ['hju:ə*] *n* **1.** favágó; ~*s of wood*
and drawers of water nehéz testi munkát végzők **2.** kőfaragó **3.** (réselő) vájár
hewn [hju:n] → *hew*
hexagon ['heksəgən; *US* -gɑn] *n* hatszög
hexagram ['heksəgræm] *n* hatágú csillag
hexahedron [heksə'hedr(ə)n; *US* -'hi:-]
n hatlap, hexaéder, kocka
hexameter [hek'sæmɪtə*] *n* hexameter,
hatlábú verssor
hexametrical [heksə'metrɪkl] *a* hexameteres
hey [heɪ] *int* **1.** hé!, halló! **2.** rajta!; ~
for sg éljen (vm)!; ~ *presto!* hókuszpókusz!
heyday¹ ['heɪdeɪ] *n* csúcspont,tetőfok
[dicsőségé, mulatságé]; virágkor [fiatalságé, vidámságé, hatalomé stb.]
hey-day² *int* tyuhaj! sose halunk meg!
HF [eɪtʃ'ef] *high frequency*
H.G., HG *His/Her Grace* Őfőméltósága
H.H., HH **1.** *His/Her Highness* **2.** *His*
Holiness
hhd. *hogshead*
hi [haɪ] *int* **1.** hé!, halló! **2.** *US* szia!
hiatus [haɪ'eɪtəs] *n* (*pl* ~**es** -ɪz) **1.** hézag,
folytonossági hiány; kihagyás **2.**hangrés, hiátus

Hiawatha [haɪə'wɔθə; *US* -'wɑ-] *prop*
hibernate ['haɪbəneɪt] *vi* téli álmot alszik, áttelel
hibernation [haɪbə'neɪʃn] *n* téli álom/alvás; áttelelés, hibernálás
Hibernia [haɪ'bə:njə] *prop* † Írország
Hibernian [haɪ'bə:njən] *a/n* ír
hiccough, hiccup ['hɪkʌp] **I.** *n* csuklás
II. *vi* csuklik
hick [hɪk] *n US biz* bugris, bunkó
hickory ['hɪkərɪ] *n* hikorifa
hid → *hide²* *II.*
hidden ['hɪdn] *a* rejtett → *hide²* *II.*
hide¹ [haɪd] **I.** *n* (*átv is*) bőr, irha; *save*
one's ~ menti az irháját **II.** *vt biz* elver,
elpáhol
hide² [haɪd] **I.** *n* leshely **II.** *v* (*pt* **hid** hɪd,
pp **hid** v. **hidden** 'hɪdn) **A.** *vt* **1.** (el-)
rejt, eldug; eltakar, beburkol; ~ *sg*
from sy elrejt/eltitkol vmt vk elől; ~
yourself! bújj el! **2.** (el)takar, (el)rejt;
the future is hidden from us a jövő rejtve van előttünk **B.** *vi* (el)rejtőzik,
(el)bújik
hide-and-seek *n* bújócska
hide-away *n biz* búvóhely, rejtekhely
hide-bound *a* maradi, konvenciókhoz ragaszkodó
hideous ['hɪdɪəs] *a* **1.** csúnya, visszataszító **2.** undok; rettenetes, förtelmes
hide-out *n* = *hide-away*
hiding¹ ['haɪdɪŋ] *n biz* elverés, elpáholás
hiding² ['haɪdɪŋ] *n* **1.** rejtőzés; *be in* ~,
go into ~ elrejtőzik **2.** rejtek(hely)
hiding-place *n* rejtekhely, búvóhely
hierarchic(al) [haɪə'rɑ:kɪk(l)] *a* **1.** rangsor szerinti **2.** főpapi, hierarchikus
hierarchy ['haɪərɑ:kɪ] *n* hierarchia
hieroglyph ['haɪərəglɪf] *n* **1.** képírás jele, hieroglifa **2.** *átv* nehezen olvasható
írás, hieroglifa
hieroglyphic [haɪərə'glɪfɪk] **I.** *a* **1.** képírású, képírásos, hieroglif(ikus) **2.** titokzatos **II. hieroglyphics** *n pl* hieroglifák
Hieronymus [haɪə'rɔnɪməs; *US* -'rɑ-]
prop Jeromos
hi-fi [haɪ'faɪ] **I.** *a* (= *high-fidelity*) Hi-Fi
II. *n* Hi-Fi berendezés
higgledy-piggledy [hɪgldɪ'pɪgldɪ] *a/adv*
rendetlen(ül), összevissza

high [haɪ] I. a 1. magas; felső; six feet ~ hat láb magas; ~ comedy kitűnő jellemvígjáték; ~ dive toronyugrás; ~ jump magasugrás; ~ latitude sarki övezet; főleg US ~ school középiskola; ~ water ár, dagály 2. magasztos; felemelő; H~ Church ⟨az anglikán egyháznak a róm. kat. egyházhoz legközelebb álló szárnya⟩; ~ ideals magasztos eszmék 3. fő-; leg-; of the ~est importance rendkívül fontos; ~ priest főpap; ~ season főszezon; H~ Street Fő utca 4. gőgös, dölyfös; önkényeskedő; ~ and mighty gőgös, dölyfös; átv be/get on one's ~ horse felül a magas lóra; with a ~ hand önkényesen 5. erős, heves [szavak]; nagy(fokú) [megbecsülés stb.]; ~ respect mély tisztelet; set a ~ value on sg nagyra értékel vmt; ~ wind szélvész, orkán 6. vezető, fő; előkelő; ~ life az előkelő világ 7. előrehaladott [idő]; ~ noon dél; ~ tea uzsonna-vacsora, ucsora; it's ~ time legfőbb ideje, ideje már 8. szélsőséges, túlzott [nézet, beállítottság]; ~ jinks dorbézolás, mulatozás 9. erős, világos; élénk; rikító [szín]; hangos, éles [lárma, hang], magas [hang]; magas [árak]; ~ temperature magas hőmérséklet/láz 10. romlásnak induló [hús] 11. ~ and dry (1) megfeneklett, zátonyra futott [hajó] (2) elmaradott; leave sy ~ and dry cserbenhagy vkt 12. biz kapatos; □ (kábítószertől) kábult II. adv 1. magasan, magasra; fent; ~ and low mindenütt; play ~ nagy tétben játszik 2. nagyon, erősen, nagymértékben III. n 1. előkelő személy 2. magasan fekvő hely, magaslat 3. US magas szint/szám, rekordszám

highball n US whisky jeges szódával (magas pohárban)
high-blown a biz fennhéjázó, beképzelt
high-born a előkelő származású
highboy n ⟨magas lábú fiókos szekrény⟩
high-bred a 1. előkelő származású/születésű 2. jó nevelésű
highbrow I. a kifinomult ízlésű, nagy kultúrájú II. n 1. entellektüel 2. kultúrsznob

highchair n etetőszék
high-class a elsőrendű minőségű, első osztályú [áru]
high-coloured a 1. élénk színű [festmény stb.] 2. pirospozsgás, piros arcú 3. túlzott, kiszínezett [elbeszélés]
higher ['haɪə*] I. a magasabb, felsőbb; the ~ animals a felsőbbrendű állatok; ~ education felsőfokú/főiskolai/egyetemi oktatás; ~ posts vezető szolgálati beosztások II. adv ~ up the river a feljebb levő folyásszakaszon
higher-ups n pl biz nagyfejűek
highfalutin [haɪfə'luːtɪn] a biz dagályos, fellengzős
high-fidelity a Hi-Fi, nagyfokú hang- ili. képhűségű, torzításmentes (hangviszszaadású)
high-flown a 1. szertelen, hóbortos [ember] 2. dagályos, fellengzős
high-flyer n magasra törő személy
high-flying a biz nagyra törő, ambiciózus [ember]
high-frequency a nagyfrekvenciás
high-grade a kiváló minőségű
high-handed a önkényes, erőszakos
high-hat I. a/n előkelősködő, fölényeskedő (ember) II. vt -tt- magas lóról beszél (vkvel), lekezel (vkt)
highjack vt = hijack
highland ['haɪlənd] n felvidék; The H~s a skót felvidék, Felső-Skócia
highlander ['haɪləndə*] n 1. hegyi lakos; felvidéki 2. felső-skóciai ember
high-level a magas színvonalú, magas szintű [tárgyalások stb.]
highlight I. n 1. világos rész [festményen, fényképen] 2. vmnek fontos (jellem)vonása, kiemelkedő mozzanat/részlet; the ~(s) of the performance az előadás fénypontja(i); the ~s of the day's events a nap legfontosabb eseményei [hírösszefoglalóban] II. vt éles megvilágításba helyez, (ki)hangsúlyoz
highly ['haɪlɪ] adv 1. nagyon, nagymértékben; ~ amusing igen mulatságos 2. magasan; ~ descended előkelő származású; ~ paid jól fizetett [állás] 3. kedvezően; think ~ of sy nagyra becsül vkt
highly-strung a = high-strung

high-minded a 1. emelkedett gondolkodású, fennkölt 2. † büszke, gőgös
highness ['haɪnɪs] n 1. magasság 2. fenségesség, magasztosság, kiválóság 3. hevesség, erősség [szélé] 4. *His/Her H~* őfelsége [megszólításként]
high-octane a nagy oktánszámú
high-pitched a 1. éles, magas [hang] 2. meredek, magas [tetőszerkezet]
high-power(ed) a 1. nagy teljesítményű [motor stb.] 2. *átv* nagy munkabírású, dinamikus [ember]
high-pressure a 1. nagyfeszültségű, nagynyomású 2. *átv* rámenős [ember]
high-priced a drága, borsos árú
high-principled a fennkölt gondolkodású, magasztos elvű
high-ranking a magas rangú/állású
high-rise a sokemeletes [épület]; ~ *building* toronyház, magasház
highroad n 1. főút(vonal) 2. *átv* egyenes út [vm eléréséhez]
high-sounding a hangzatos
high-speed a nagy sebességű; gyors
high-spirited a 1. fennkölt 2. bátor, rettenthetetlen 3. tüzesvérű [ló]
high-strung a ideges, túlfeszített (idegzetű); egzaltált
high-tension a nagyfeszültségű
high-toned a 1. magas nívójú/színvonalú; magasztos 2. *US* elegáns
high-up n *biz* magas állásban levő személy, nagyfejű
high-water mark 1. legmagasabb vízállás szintje 2. tetőfok, -pont [pályafutásé stb.]
highway n 1. országút, közút; főútvonal; *H~ Code* KRESZ 2. *átv* egyenes/legrövidebb út
highwayman ['haɪweɪmən] n (pl -men -mən) útonálló
hijack ['haɪdʒæk] vt 1. (feltartóztat és) kirabol [teherautót] 2. elrabol [járművet szállítmányával együtt] 3. eltérít [repgépet]
hijacker ['haɪdʒækə*] n 1. útonálló, gengszter 2. géprabló, repülőgép-eltérítő, légi kalóz
hijacking ['haɪdʒækɪŋ] n 1. útonállás 2. géprablás, repülőgép-eltérítés
hike [haɪk] *biz* I. n (gyalog)túra, kirándulás; természetjárás II. *vi* gyalogol, turistáskodik, (gyalog)túrázik
hiker ['haɪkə*] n turista, természetjáró
hiking ['haɪkɪŋ] n túrázás → *hike I.*
hilarious [hɪ'leərɪəs] a túláradóan vidám
hilarity [hɪ'lærətɪ] n vidámság, jókedv
Hilary ['hɪlərɪ] prop 1. Vidor 2. ~ *term* januári ülésszak/évnegyed [bíróságon, egyetemen]
Hilda ['hɪldə] prop Hilda
hill [hɪl] I. n 1. domb, (kis) hegy; *go down the* ~ (1) dombról lemegy (2) hanyatlik, gyengül 2. halom [kőé stb.] 3. emelkedő, kaptató 4. *US the H~* ⟨a Capitolium Washingtonban, az amerikai törvényhozás/kongresszus⟩ II. vt [burgonyát stb.] feltöltöget
hillbilly a/n *US biz* bugris, mucsai
hilliness ['hɪlɪnɪs] n dombosság
hillock ['hɪlək] n halmocska, dombocska
hilly ['hɪlɪ] a dombos
hilt [hɪlt] n (kard)markolat, nyél; *up to the* ~ tövig, teljesen
him [hɪm; gyenge ejtésű alakja: ɪm] pron őt [hímnemben]; *to* ~ neki; *that's* ~ ez ő!
Himalayas [hɪmə'leɪəz] prop Himalája
himself [hɪm'self] pron 1. (ön)maga, saját maga [férfi]; *(all) by* ~ (1) (teljesen) egyedül [van, él] (2) saját maga, egymaga; *beside* ~ magánkívül; *he cut* ~ megvágta magát 2. ő maga; *he told me* ~, *he* ~ *told me* ő maga mondta nekem
hind¹ [haɪnd] n szarvastehén
hind² [haɪnd] a hátsó, hátulsó; ~ *legs* hátsó lábak; ~ *quarters* hátsó fertály [állaté]
hinder¹ ['haɪndə*] a hátsó, hátulsó
hinder² ['hɪndə*] vt 1. feltart, akadályoz (*in* vmben) 2. megakadályoz, meggátol (vmben); visszatart (*from* vmtől)
Hindi ['hɪndi:] a/n hindi (nyelv)
hindmost ['haɪndmoʊst] a leghátulsó; *everybody for himself and the devil take the* ~ meneküljön ki ahogy tud
hindrance ['hɪndr(ə)ns] n 1. gát, akadály; gátló körülmény 2. (meg)akadályozás, (meg)gátlás
hindsight n utólagos előrelátás/bölcsesség

Hindu [hɪn'du:] a/n hindu
Hinduism ['hɪndu:ɪzm] n hinduizmus
Hindustan [hɪndu'stɑ:n] prop Hindusztán
Hindustani [hɪndu'stɑ:nɪ] n hindusztáni (nyelv)
hinge [hɪndʒ] n 1. csuklóspánt, forgópánt, zsanér; sarokvas; be off the ~s kifordult sarkából 2. átv sarkalatos pont II. A. vt 1. sarkaiba beakaszt [ajtót] 2. zsanérokat tesz (vmre) B. vi 1. forog, fordul (on vm körül) 2. átv függ, múlik (on, upon vmtől, vmn)
hint [hɪnt] I. n 1. célzás, utalás; nyom; give/drop sy a ~ célzást tesz vmre 2. útmutatás, útbaigazítás; (hasznos) tudnivalók II. A. vt ~ to sy that . . . vknek értésére adja, hogy . . . B. vi ~ at sg céloz(gat) vmre
hinterland ['hɪntələænd] n hátország, mögöttes terület
hip¹ [hɪp] n 1. csípő; smite ~ and thigh tönkrever vkt 2. tetőél, élszarufa
hip² [hɪp] n csipkebogyó
hip³ [hɪp] biz I. n rosszkedv; have the ~ lehangolt II. vt -pp- elszomorít, lehangol
hip⁴ [hɪp] int ~, ~, hurrah! éljen!, hip! hip! hurrá!
hip-bath n ülőfürdő
hip-bone n csípőcsont
hip-flask n lapos pálinkásüveg
hipped [hɪpt] a rosszkedvű, lehangolt, deprimált; →hip³ II.
hippie, hippy ['hɪpɪ] n biz hippi
hippish ['hɪpɪʃ] a = hipped
hippo ['hɪpoʊ] n biz víziló
hip-pocket n farzseb
hippodrome ['hɪpədroʊm] n cirkusz, aréna
hippopotamus [hɪpə'pɔtəməs; US -'pɑ-] n (pl ~es -ɪz v. -mi -maɪ) víziló
hippy →hippie
hip-roof n kontytető
hip-shot a csípőficamos
hipster ['hɪpstə*] n US biz 1. ⟨újdonságokért rajongó, a legmodernebb dolgokban jártas személy⟩ 2. dzsesszrajongó 3. csípőnadrág
Hiram ['haɪərəm] prop ⟨férfinév⟩
hire ['haɪə*] I. n 1. szerződtetés; alkal-

mazás 2. (ki)bérelés, bérbevétel; bérlet; for ~ bérbead(and)ó; „szabad" [taxi]; boats on ~ csónakok bérelhetők 3. fizetés, díjazás; bér(összeg) II. vt 1. (ki)bérel, bérbe vesz 2. szerződtet, alkalmaz; ~ oneself out elszegődik; US ~d man állandó napszámos 3. ~ out bérbe ad
hireling ['haɪəlɪŋ] n bérenc, zsoldos
hire-purchase system részletfizetés(i rendszer); buy on the ~ részletre vásárol
hirer ['haɪərə*] n bérlő
Hiroshima [hɪ'rɔʃɪmə; US -'rɑ-] prop Hirosima
hirsute ['hə:sju:t; US -su:t] a szőrös, bozontos
his [hɪz; gyenge ejtésű alakja: ɪz] pron 1. (az ő) . . . (j)a, . . . (j)e, . . . (j)ai, . . . (j)ei [férfiról]; ~ hat (az ő) kalapja 2. az övé, az övéi [hímnemben]; a friend of ~ egyik barátja
hiss [hɪs] I. n 1. sziszegés [kígyóé stb.] 2. pisszegés [színházban stb.] II. A. vi 1. sziszeg 2. (ki)pisszeg (at vkt) B. vt 1. lepisszeg, kifütyül [színészt]; ~ sy off the stage kifütyül a színpadról 2. sziszegve mond
hist [s:t] int † pszt!, csitt!
histology [hɪ'stɔlədʒɪ; US -tɑ-] n szövettan
historian [hɪ'stɔ:rɪən] n történész
historic [hɪ'stɔrɪk; US -ɔ:-] a 1. történelmi, sorsdöntő [esemény]; ~ landmark történelmi nevezetességű hely; ~ times történelmi/nagy idők 2. the ~ present elbeszélő jelen (igeidő)
historical [hɪ'stɔrɪkl; US -ɔ:-] a 1. történelmi, történeti; ~ materialism történelmi materializmus 2. történelmi [regény, festmény stb.]
history ['hɪst(ə)rɪ] n 1. történelem; recorded ~ írott történelem 2. történet 3. múlt; nation with a ~ nagy múltú nemzet 4. történettudomány; történetírás
histrionic(al) [hɪstrɪ'ɔnɪk(l); US -'ɑ-] a 1. színészi 2. színpadias, mesterkélt
histrionics [hɪstrɪ'ɔnɪks; US -'ɑ-] n pl 1. színművészet 2. komédiázás, színészkedés
hit [hɪt] I. n 1. célba találó ütés/csapás;

találat 2. találó kifejezés; telitalálat 3. gúnyos/éles megjegyzés; *that's a ~ at you* ez magának szólt, ezt (jól) megkapta 4. siker; sláger; *it's a great ~ nagy* sikere van; *~ parade* slágerparádé II. *v (pt/pp ~; -tt-)* A. *vt* 1. (meg)üt; (el)talál;nekiütődik (vmnek); elüt (vkt); *be ~ (by a bullet)* találat érte; *(átv is) ~ the mark/target* célba talál, eléri a (kitűzött) célt 2. (el)talál; (ki)talál [megoldást]; rátalál, ráakad (vmre); *you've ~ it!* eltaláltad!; *it ~s my fancy* tetszik nekem 3. érint (vm vhogyan), sújt; *be hard ~* (1) érzékenyen érint [veszteség stb.] (2) nagy csapás számára 4. elér [eredményt]; (oda)ér (vhova); *biz ~ the road* útra kel [csavargó/stb. gyalog] B. *vi* üt, lök; *~ or miss* vagy sikerül vagy nem **hit against** *vt/vi ~ a. sg* nekiüt(ődik) vmnek **hit off** *vi ~ it o. with sy* jól megfér/kijőn vkvel; *biz ~ o. a likeness* jól eltalál hasonlatosságot **hit out** *vi (átv is) ~ o. (against)* erőteljesen támad **hit (up)on** *vi* rátalál/rálel vmre **hit-and-run** *a ~ accident* cserbenhagyásos baleset; *~ raid* rajtaütésszerű támadás (és gyors menekülés) **hitch** [hɪtʃ] I. *n* 1. (meg)rántás, húzás 2. horog, hurok 3. hirtelen megállás (menés közben) 4. (váratlan) akadály, nehézség; *without a ~* simán, nehézség nélkül II. A. *vt* 1. ránt, húz 2. odaköt *(to* vmhez); ráerősít, ráhurkol (vmre); *~ a team (of horses)* (lovakat) befog; *~ one's wagon to a star* nagy célokat tűz maga elé 3. *biz ~ a ride* stoppot kér, autóstoppal utazik B. *vi* 1. beleakad *(on/to* vmbe); összeakad 2. *(biz)* egyezik, összevág **hitch up** *vt* 1. felránt, felhúz [nadrágot stb.] 2. felerősít, ráerősít **hitch-hike** ['hɪtʃhaɪk] I. *n* autóstop(pal utazás) II. *vi* autóstoppal utazik **hitch-hiker** ['hɪtʃhaɪkə*] *n* autóstoppal utazó, (autó)stopos **hitch-hiking** *n = hitch-hike I.* **hither** ['hɪðə*] *adv* † ide, erre; *~ and thither* ide-oda, erre-arra

hitherto [hɪðə'tu:] *adv* eddig, (mind) ez ideig **hive** [haɪv] I. *n* 1. kaptár, (méh)kas 2. méhraj 3. *átv* nyüzsgés, hangyaboly; rajzó tömeg II. A. *vt* 1. [méheket] bekaptároz 2. kényelmesen elhelyez (vkt) 3. (fel)halmoz, (össze)gyűjt [élelmet stb.] B. *vi* 1. elfoglal kaptárt [méhraj] 2. közösségben él/lakik **hives** [haɪvz] *n pl* csalánkiütés **hl** *hectolitre(s)* hektoliter, hl **H.M., HM** *His/Her Majesty* **H.M.S.** *His/Her Majesty's Ship* Őfelsége hadihajója **H.M.S.O., HMSO** [eɪtʃemes'oʊ] *His/Her Majesty's Stationery Office → stationery* **ho** [hoʊ] *int* 1. hé!, állj! 2. *westward ~* nyugatra, nyugat felé **hoar** [hɔ:*] I. *a = hoary* II. *n* dér **hoard** [hɔ:d] I. *n* (titkos) készlet; kincs II. *vt/vi (up)* felhalmoz; összehord **hoarder** ['hɔ:də*] *n* (áru)halmozó **hoarding** ['hɔ:dɪŋ] *n* 1. deszkafal, -kerítés, védőpalánk 2. falragasztábla **hoar-frost** *n* dér, zúzmara **hoarse** [hɔ:s] *a* rekedt [hang] **hoary** ['hɔ:rɪ] *a* 1. fehér, ősz, deres [haj] 2. (ős)régi; *of ~ antiquity* igen régi **hoax** [hoʊks] I. *n* megtévesztés; tréfa, beugratás; kacsa [újságban] II. *vt* becsap, rászed, megtréfál **hob¹** [hɔb; *US* -ɑ-] *n* fajankó **hob²** [hɔb; *US* -ɑ-] *n* kandallóállvány [melegítésre] **Hobbes** [hɔbz] *prop* **hobble** ['hɔbl; *US* -ɑ-] I. *n* 1. bicegés 2. béklyó [lónak] II. A. *vi* biceg B. *vt* 1. megbéklyóz [lovat] 2. zavarba hoz **hobbledehoy** [hɔbldɪ'hɔɪ; *US* hɑ-] *n biz* esetlen kamasz **hobble-skirt** *n* bukjelszoknya **hobby** ['hɔbɪ; *US* -ɑ-] *n* hobbi, szenvedély, kedvenc foglalkozás/időtöltés **hobby-horse** *n* 1. vesszőparipa 2. faló, hintaló **hobgoblin** ['hɔbgɔblɪn; *US* -ɑ- -ɑ-] *n* manó **hobnail** *n* bakancsszeg, jancsiszeg **hobnob** ['hɔbnɔb; *US* -ɑ- -ɑ-] *vi* **-bb-** bratyizik *(with* sy vkvel)

hobo ['houbou] n (pl ~(e)s -z) US biz csavargó

Hobson's choice ['hɔbsnz; US -ɑ-] n nincs más választás, eszi nem eszi nem kap mást

hock¹ [hɔk; US -ɑ-] n csánk, térdízület [lóé, marháé]

hock² [hɔk; US -ɑ-] n rajnai fehér bor

hock³ [hɔk; US -ɑ-] I. n □ zálog; in ~ zaciban II. vt zaciba csap

hockey ['hɔkɪ; US -ɑ-] n hoki [gyeplabda v. jégkorong]; US field ~ gyeplabda [játék]; ice ~ jéghoki, jégkorong; ~ stick hokiütő

hocus-pocus [houkəs'poukəs] n hókuszpókusz; szemfényvesztés

hod [hɔd; US -ɑ-] n 1. habarcstartó/téglahordó saroglya 2. szenesláda

hodge-podge ['hɔdʒpɔdʒ; US -ɑ- -ɑ-] n = hotchpotch

hoe [hou] I. n kapa; Dutch ~ saraboló II. vt kapál, sarabol

hog [hɔg; US -ɑ-] I. n 1. disznó, sertés; biz go the whole ~ apait-anyait belead 2. önző/kapzsi disznó (ember)

Hogarth ['houɡɑ:θ] prop

hoggish ['hɔgɪʃ; US -ɑ-] a 1. mocskos, disznó 2. falánk, kapzsi 3. önző

hogmanay ['hɔgmənei; US -ɑ-] n sk szilveszter (este)

hogshead ['hɔgzhed; US 'hɑ-] n 1. ⟨űrmérték: 52 ½ gallon = 238.5 l; US 63 gallon = 234,5 l⟩ 2. nagy hordó

hogwash n 1. moslék 2. átv szamárság, sületlenség

hoist [hɔɪst] I. n 1. felvonás, felhúzás, emelés; give sy a ~ segít vknek a felkapaszkodásban 2. emelő(gép); felvonógép II. vt ~ (up) felvon, felhúz [csónakot, vitorlát]

hoity-toity [hɔɪtɪ'tɔɪtɪ] I. int ugyanugyan! II. a biz nagyképű, fontoskodó

hokum ['houkəm] n US □ 1. giccses film/színdarab 2. halandzsa

Holborn ['houbən] prop

held¹ [hould] I. n 1. fogás; get/lay/catch/take ~ of sg (1) megragad/megfog vmt (2) elkap, megkaparint vmt; let go (v. lose) one's ~ of sg elenged/ereszt vmt 2. befolyás, hatalom; have a ~ on/over sy a markában/hatalmában tart vkt

3. fogás [birkózásban] II. v (pt/pp held held) A. vt 1. tart, (meg)fog [kézzel, kézben] 2. tart, hord; (meg-)tart 3. (vissza)tart; ~ one's breath viszszafojtja a lélegzetét; ~ one's hand visszatartja magát, uralkodik magán; ~ one's peace/tongue csendben marad, hallgat; there was no ~ing him nem lehetett visszatartani 4. tartalmaz [edény]; (átv is) (magában) rejt; what does the future ~ for us? mit tartogat a jövő számunkra? 5. birtokol; van (vmje); ~ shares in a company részvényese egy vállalatnak 6. ~ the road well jó az úttartása [gépjárműnek]; ~ the line! (kérem) tartsa a vonalat! 7. leköt [figyelmet stb.] 8. tart, becsül; ~ sg cheap kevésre becsül; ~ sy in high esteem nagyra becsül vkt 9. (birtokában) tart; megvéd; (átv is) ~ one's ground/own állja a sarat, nem hátrál 10. tart, rendez [gyűlést stb.]; (meg)ül [ünnepet] B. vi 1. (ki)tart, tartósnak bizonyul; ~ firm/tight erősen fog/tart 2. igaznak bizonyul, érvényes, vonatkozik; the argument still ~s (good/true) a(z) érvelés/bizonyítás még áll/érvényes (v. fennáll)

held against vt ~ sg a. sy felró vknek vmt

held aloof vi távol marad, tartózkodóan viselkedik

hold back A. vt 1. visszatart, -fojt [érzelmeket] 2. eltitkol [igazságot stb.] B. vi 1. habozik 2. tartózkodik, visszahúzódik

hold by vi ragaszkodik vmhez; kitart vm mellett

hold down vt 1. lefog 2. elnyom [népet]; féken tart; ~ prices d. leszorítja az árakat 3. biz ~ d. a job állást betölt

hold forth A. vi szónokol, előad (vmről) B. vt = hold out A. 2.

hold in A. vt visszafog; mérsékel B. vi uralkodik magán

hold off A. vt távol tart; elhárít B. vi táv)l marad; elmarad; kés(leked)ik

hold on vi 1. kitart, helytáll 2. ~ on! (1) (m:ɡ)állj! (2) várj(on) (csak)! (3) kérem tartsa a vonalat! 3. ~ on to

sg (1) megkapaszkodik vmben (2) ragaszkodik vmhez
hold out A. *vt* 1. kinyújt, (oda)tart 2. kecsegtet vmvel B. *vi* kitart [harcban]; *I can't ~ o. much longer* már nem sokáig bírom
hold over *vt* 1. (el)halaszt, elnapol 2. ~ *sg o. sy* sakkban tart vkt
hold to A. *vt* ~ *sy to sg* kényszerít vkt vm megtartására/betartására B. *vi* 1. ragaszkodik (vmhez); kitart (vm mellett) 2. irányt tart [hajó]
hold together A. *vt* összetart B. *vi* együtt marad; *the story doesn't ~ t.* nem stimmel a dolog
hold up A. *vt* 1. (fel)emel, feltart [a magasba] 2. fenntart, támogat 3. feltart(óztat), akadályoz; megállít 4. *átv* vmnek kitesz; ~ *(sy) up as a model* példának állít (vkt) 5. feltartóztat és kirabol [személyt, járművet, bankot] B. *vi* 1. nem csügged, tartja magát 2. tartós [az időjárás]
hold with *vi* egy véleményen van (vkvel), helyesel (vmt)
hold² [hoʊld] *n* hajóűr, raktárhelyiség [hajón]
hold-all *n* (nagy) útitáska
holdback *n* akadály
holder ['hoʊldə*] *n* 1. tartó, fogantyú 2. birtokos, tulajdonos; viselő [címé]; ~ *of (a) scholarship* ösztöndíjas
holdfast *n* kapocs, csíptető; rögzítőkampó
holding ['hoʊldɪŋ] *n* 1. megfogás, alátámasztás 2. birtok(olt készlet), tulajdon 3. rész(esedés), vagyon(rész), tőkerészesedés 4. ~ *company* holding-társaság
holdover *n US* maradvány
hold-up *n* 1. forgalmi akadály 2. fegyveres rablótámadás; útonállás
hole [hoʊl] I. *n* 1. gödör; *biz be in a ~* csávában/kutyaszorítóban van 2. lyuk, szakadás; üreg, mélyedés; *make a ~ in sg* (1) kilyukaszt vmt (2) *biz* jócskán (fel)használ vmt; *pick ~s in sg* hibát keres/talál vmben 3. vacok, odú [állaté]; *biz* nyomorúságos odú [emberé] 4. lyuk [golfban] II. A. *vt* 1. (ki)lyukaszt, kiváj; ~ *a ship* léket üt a hajón

2. lyukba üt [golflabdát] B. *vi* kilyukad [harisnya]
hole-and-corner *a biz* titokzatos, sötét [üzelmek]
holiday ['hɔlədɪ; *US* 'halədeɪ] *n* 1. ünnep, munkaszüneti nap 2. ~*(s)* szünidő, szabadság, vakáció; ~ *camp* vakációs telep, üdülőtábor, kemping; ~ *home* üdülő; ~ *resort* üdülőhely; *be on ~, be on one's ~s* szabadságon van; *take a ~, go on a ~* szabadságra megy
holiday-maker *n* 1. turista, kiránduló 2. üdülő, nyaraló
holiness ['hoʊlɪnɪs] *n* 1. szentség 2. *His H~* őszentsége
Holinshed ['hɔlɪnʃed] *prop*
Holland¹ ['hɔlənd; *US* 'ha-] *prop* Hollandia
holland² ['hɔlənd; *US* 'ha-] *n* 1. nyersvászon 2. Hollands borókapálinka
holler ['hɔlə*; *US* -ɑ-] *vi* kiabál, ordítozik
hollo(a) ['hɔloʊ; *US* he'loʊ] I. *int* † = hallo(a) II. *vt/vi* halihózik [vadászaton]
hollow ['hɔloʊ; *US* 'ha-] I. *a* 1. üre(ge)s; lyukas; ~ *tooth* odvas fog 2. homorú, beesett [orca]; ~ *eyes* mélyen ülő szemek 3. tompa [hang]; *in a ~ voice* síri hangon 4. üres, hamis [szavak] 5. éhes, üres [gyomor]; *feel ~* éhes II. *adv beat sy ~* laposra ver vkt III. *n* 1. üreg, mélyedés; vájat 2. medence, völgy 3. ~ *of the hand* tenyér IV. *vt* ~ *(out)* (ki)váj, üregessé tesz
hollow-cheeked [-'tʃiːkt] *a* beesett arcú
hollow-eyed *a* mélyen ülő szemű
hollow-ware *n* üreges fém v. porcelán (háztartási) edényáru
holly ['hɔlɪ; *US* 'ha-] *n* magyal, krisztustövis
hollyhock *n* mályvarózsa
Hollywood ['hɔlɪwʊd; *US* 'ha-] *prop*
holm [hoʊm] *n* 1. kis sziget [folyón] 2. síkság
Holmes [hoʊmz] *prop*
holocaust ['hɔləkɔːst; *US* 'ha-] *n* (tűz-) áldozat
holograph ['hɔləgrɑːf; *US* 'haləgræf] *a/n* saját kezűleg írt (okmány)
hols [hɔlz; *US* -ɑ-] *n pl biz* = holidays
holster ['hoʊlstə*] *n* pisztolytáska

holy ['hoʊlɪ] I. *a* 1. szent(séges); megszentelt; *holier than thou* erkölcsi gőgtől áthatott; *the H~ Land* a Szentföld; *H~ Week* nagyhét 2. jámbor

Holyrood ['hɔlɪruːd] *prop*

homage ['hɔmɪdʒ; *US* 'hɑ-] *n* 1. hódolat, mély tisztelet; *do/pay ~ to sy* hódolattal adózik vknek 2. hűbéri eskü

Homburg hat ['hɔmbəːg; *US* 'hɑ-] *n* (férfi) puhakalap (felhajló karimával)

home [hoʊm] I. *a* 1. hazai, belföldi, bel-; *~ affairs* belügyek; *~ forces* anyaországbeli hadsereg; *GB H~ Guard* polgárőrség; *~ market* belföldi piac; *GB H~ Office* (az angol) belügyminisztérium; *~ products* hazai termék; *H~ Rule* önkormányzat, autonómia; *GB H~ Secretary* belügyminiszter; *~ trade* belkereskedelem 2. családi [élet stb.]; otthoni, ház(tartásbel)i; hazai, saját; *~ address* lakáscím; *the H~ Counties* a London környéki hat megye; *~ economics* háztartástan; *~ lessons* házi feladat; *~ match* mérkőzés hazai pályán; *US ~ run* hazafutás [baseballban]; *~ side* a helyi csapat; *~ stretch/straight* célegyenes; *~ town* szülőváros 3. találó [vágás stb.]; az eleven(j)ére tapintó [kérdés]; *tell sy a few ~ truths* jól beolvas vknek II. *adv* 1. haza; *on his way ~* (útban) hazafelé; *go ~* hazamegy; *see sy ~* hazakísér vkt 2. a célba, az eleven(j)ére; *bring sg ~ to sy* megértet vmt vkvel; *come ~ to sy* (1) érzékenyen érint vkt (2) rájön/ráeszmél vmre; *drive sg ~* (1) egészen bever/becsavar vmt (2) megértet vmt (vkvel); *hit/strike ~* az eleven(j)ére tapint; *the thrust got ~* a megjegyzés talált; a szúrás ült III. *n* 1. otthon, lakás; ház; *at ~* (1) otthon (2) saját/hazai pályán [sportban]; *be at ~ on Thursday* csütörtökön fogad [vendégeket, látogatókat]; *be 'not at ~' to sy* nem fogad vkt; *make/feel oneself at ~* otthonosan viselkedik; *feel/be at ~ in sg* otthonos/jártas vmben 2. (*átv is*) haza 3. lakhely; lelőhely [állaté, növényé]

home-baked *a* házi sütésű

homebody *n US biz* otthonülő ember

home-bred *a* 1. hazai termésű, házi készítésű 2. egyszerű, szimpla

home-coming *n* hazatérés

home-grown *a* hazai/belföldi termésű

home-keeping *a* otthonülő

homeland *n* szülőföld; anyaország

homeless ['hoʊmlɪs] *a* (ott)hontalan

homelike ['hoʊmlaɪk] *a* otthonias, meghitt

homely ['hoʊmlɪ] *a* 1. otthonias 2. egyszerű, mesterkéletlen 3. *US* nem szép, bájtalan

home-made *a* 1. otthon készült, házi(lag készült) 2. hazai, belföldön készült

homemaker *n US* háztartásbeli

homeo... →*homoeo*...

homer[1] ['hoʊmə*] *n* postagalamb

Homer[2] ['hoʊmə*] *prop* Homérosz

Homeric [hə'merɪk] *a* homéroszi

homesick *a* hazavágyódó; *be ~* honvágya van

homesickness *n* honvágy

homespun I. *a* 1. otthon/belföldön/házilag szőtt, házi szövésű 2. *biz* egyszerű, keresetlen, mesterkéletlen II. *n* háziszőttes

homestead ['hoʊmsted] *n* 1. tanya 2. *US* (letelepülőknek) juttatott föld

homesteader ['hoʊmstedə*] *n US* telepes

homeward ['hoʊmwəd] *a* hazafelé menő/vezető; *~ bent* hazafelé igyekvő; *~ bound* útban hazafelé; *~ journey* hazautazás, hazaút

homewards ['hoʊmwədz] *adv* hazafelé

homework *n* 1. házi munka 2. [iskolai] házi feladat

homey ['hoʊmɪ] *a US biz* otthonias

homicidal [hɔmɪ'saɪdl; *US* hɑ-] *a* emberölő, gyilkos

homicide ['hɔmɪsaɪd; *US* 'hɑ-] *n* 1. gyilkos 2. emberölés

homily ['hɔmɪlɪ; *US* 'hɑ-] *n* szentbeszéd

homing ['hoʊmɪŋ] I. *a* önvezérléses [irányított lövedék]; *~ beacon* iránysávadó, leszállásjelző; *~ device* önvezérlő szerkezet II. *n* önvezérlés

hominy ['hɔmɪnɪ; *US* 'hɑ-] *n US* kukoricamálé

homoeopath, *US* homeo- ['hoʊmjəpæθ] *n* homeopata orvos

homoeopathic, US **homeo-** [houmjə-
'pæθɪk] a hasonszenvi, homeopatíkus
homoeopathy, US **homeo-** [houmɪ'ɔpəθɪ;
US -'ɑ-] n hasonszenvi gyógymód,
homeopátia
homogeneity [hɔmədʒe'niːətɪ; US hou-]
n egyneműség, hasonneműség
homogeneous [hɔmə'dʒiːnjəs; US hou-]
a egynemű, hasonnemű, homogén
homogenize [hə'mɔdʒənaɪz; US -'mɑ-]
vt homogenizál [tejet stb.]
homonym ['hɔmənɪm; US 'hɑ-] n homo-
níma
homosexual [hɔmə'seksjuəl; US houmə-
'sekʃu-] a homoszexuális
homosexuality [hɔməseksju'ælətɪ; US
houməsekʃu-] n homoszexualitás
homy ['houmɪ] a = homey
Hon., hon. 1. Honourable 2. honorary
Honduran [hɔn'djuərən; US han'dur-] a
hondurasi
Honduras [hɔn'djuərəs; US han'dur-]
prop Honduras
hone [houn] I. n fenőkő II. vt fen, élesít
[borotvát kövön]
honest ['ɔnɪst; US 'ɑ-] I. a 1. becsületes,
tisztességes 2. őszinte, nyílt; an ~
face nyílt arc(kifejezés) 3. igazi, való-
di; hamisítatlan 4. derék, rendes II.
adv igazán, becsületemre
honestly ['ɔnɪstlɪ; US 'ɑ-] adv 1. becsü-
letesen 2. nyíltan, őszintén 3. ~!
isten bizony!, becsületszavamra!
honest-to-goodness a valódi, hiteles
honesty ['ɔnɪstɪ; US 'ɑ-] n 1. becsület(es-
ség), tisztesség 2. egyenesség, őszin-
teség; in all ~ teljesen őszintén
honey ['hʌnɪ] n 1. méz 2. átv nyájasság
3. édesem!, drágám! [megszólítás-
ként]
honeybee n mézelő méh
honey-cake n mézeskalács
honeycomb ['hʌnɪkoum] I. n 1. lép,
méhsejt 2. lyuggatott díszítés, sejtdí-
szítés II. vt átlyuggat
honeycombed ['hʌnɪkoumd] a átlyug-
gatott; vmvel át- meg átszőtt
honeydew n 1. mézharmat 2. édesített
dohány
honeyed ['hʌnɪd] a 1. mézes 2. biz édes-
kés, mézesmázos

honeymoon I. n mézeshetek; ~ (trip)
nászút II. vi nászutazik
honeysuckle n lonc, szulák
Hong Kong [hɔŋ'kɔŋ; US -ɑ- -ɑ-] prop
Hongkong
honk ['hɔŋk; US -ɑ-] I. n 1. vadlibagá-
gogás 2. autóduda [hangja] II. vi 1.
gágog 2. dudál (egyet)
honky-tonk ['hɔŋkɪtɔŋk; US -ɑ- -ɑ-] n
US □ lebuj
honor(...) → honour(...)
honorarium [ɔnə'reərɪəm; US ɑ-] n (pl
~s -z v. -ria -rɪə) tiszteletdíj, honorá-
rium
honorary ['ɔn(ə)rərɪ; US 'ɑnərerɪ] a
tiszteletbeli, dísz- [elnök, doktor stb.];
~ degree tiszteletbeli tudományos
fokozat [díszdoktorság stb.]
honorific [ɔnə'rɪfɪk; US ɑ-] a díszítő
[jelző]; megtisztelő [cím]
honour, US **honor** ['ɔnə*; US 'ɑ-] I. n
1. becsület, becsületesség; be in ~
bound to ... becsületbeli kötelessége,
hogy...; on/upon my ~ becsületsza-
vamra; point of ~ becsületbeli kérdés
2. megbecsülés, tisztelet; in ~ of sy vk
tiszteletére 3. méltóság; (magas) rang;
Your H~ bíró/elnök úr! 4. dísz, büsz-
keség; be an ~ to one's country hazájá-
nak becsületére válik 5. megtisztelte-
tés; I have the ~ to ... van szeren-
csém...; Mr. X requests the ~ of the
company of Mr. Y. X úr tisztelettel
meghívja Y urat 6. honours pl kitün-
tetés; érdemjel 7. honours pl tisztelet-
adás; pay last ~s to sy megadja a
végtisztességet vknek; do the ~s (of
the house) a háziasszony/házigazda
szerepét tölti be 8. honours pl kitün-
tetés [egyetemi vizsgán]; ~s degree
⟨megnehezített vizsgán kitüntetéssel
szerzett egyetemi fokozat⟩; take an
~s degree, pass with ~s kitüntetéssel
végez [egyetemen] 9. figura, honőr
[kártyajátékban] II. vt 1. tisztel,
(meg)becsül 2. kitüntet 3. elfogad
[váltót]; kifizet, bevált [csekket]
honourable, US **-or-** ['ɔn(ə)rəbl; US 'ɑ-]
a 1. tiszteletre méltó; my H~ friend
(tisztelt) képviselőtársam 2. tisztessé-
ges, becsületes

hood¹ [hʊd] *n* **1.** csuklya, kámzsa; kapucni **2.** ⟨tóga vállrésze egyetemi fokozat jelzésével angol egyetemeken⟩ **3.** autótető **4.** *US* motorháztető; motorburkolat

hood² [hʊd] *n US* □ = *hoodlum*

hooded ['hʊdɪd] *a* **1.** csuklyás **2.** fedett

hoodlum ['hu:dləm] *n* □ gengszter

hoodoo ['hu:du:] *US* I. *n* balszerencsét hozó dolog II. *vt* balszerencsét hoz (vkre)

hoodwink ['hʊdwɪŋk] *vt biz* rászed, becsap

hooey ['hu:ɪ] *n* □ *US* svindli, halandzsa

hoof [hu:f] I. *n* (*pl* ~s -s v. **hooves** hu:vz) pata; ~ *and mouth disease* száj- és körömfájás; *on the* ~ élősúlyban II. A. *vt* **1.** patával/lábbal megrúg **2.** □ ~ *out* kirúg vkt B. *vi biz* ~ (*it*) gyalogol

hook [hʊk] I. *n* **1.** kampó, horog; ~ *nail* kampósszeg; *biz be on the* ~ szorult helyzetben van; *biz by* ~ *or by crook* mindenáron, ha törik ha szakad **2.** (horgas) kapocs [ruhán, cipőn]; ~s *and eyes* horog és kapocs [ruhán] **3.** halászhorog; *átv* ~, *line and sinker* mindenestől, szőröstül-bőröstül [bevesz történetet stb.] **4.** sarló **5.** éles kanyar [folyóé] **6.** horog(ütés) II. A. *vt* **1.** begörbít [ujjat] **2.** kampóval megfog/odahúz;horoggal (meg)fog [halat] **3.** felakaszt; ráakaszt (*to* vmre) **4.** bekapcsol [ruhát] **5.** *biz* elemel, megcsap [tolvaj] **6.** *biz* megfog [férfit férjnek] **7.** behúz [horogütést] B. *vi* **1.** meggörbül **2.** ~ *on sy* belekarol vkbe; csatlakozik vkhez **3.** □ ~ *it* meglép **hook up** *vt* **1.** felakaszt, ráakaszt (*to* vmre) **2.** bekapcsol [ruhát] **3.** *biz* bekapcsol, beköt [telefont, gázt stb.]

hookah ['hʊkə] *n* vízipipa, nargilé

hooked [hʊkt] *a* **1.** kampós; görbe **2.** □ *be* ~ *on sg* rabja vmnek [kábítószernek, szenvedélynek]

hook-nose *n* horgas orr

hook-up *n* **1.** kapcsolat(létesítés) **2.** *nation-wide* ~ ⟨a műsort minden adóállomás közvetíti⟩

hooky ['hʊkɪ] *n US* □ *play* ~ iskolát kerül, lóg (az iskolából)

hooligan ['hu:lɪgən] *n* huligán

hooliganism ['hu:lɪgənɪzm] *n* huliganizmus; huligánkodás

hoop¹ [hu:p] I. *n* **1.** abroncs; gyűrű; karika; ~ *skirt* krinolin **2.** kapu [krokettjátékban] II. *vt* abroncsoz [hordót]

hoop² [hu:p] *n/v* = *whoop*

hooper ['hu:pə*] *n* kádár, bodnár

hoop-la ['hu:plɑ:] *n* karikadobás [játék]

hoopoe ['hu:pu:] *n* búbos banka

hooray [hʊ'reɪ] *int* hurrá!

hoosegow ['hu:sgoʊ] *n US* □ börtön, sitt

Hoosier ['hu:ʒər] *n US* Indiana állambeli lakos

hoot [hu:t] I. *n* **1.** huhogás [bagolyé] **2.** tülkölés [autóé]; sipolás [mozdonyé]; bőgés [szirénáé] **3.** kiabálás, pisszegés; □ *not care a* ~ fütyül rá II. A. *vi* **1.** huhog [bagoly] **2.** kiabál, pisszeg **3.** dudál, tülköl [autó]; sípol [mozdony]; szirénázik B. *vt* kifütyül, abcúgol

hooter ['hu:tə*] *n* **1.** gyári kürt/sziréna **2.** autóduda

hoots [hu:ts] *int* ugyan!, szamárság!

hoove [hu:v] *n* felfúvódás [marháé]

Hoover ['hu:və*] I. *n* [egy fajta] porszívó II. *vt/vi* (ki)porszívóz

hooves [hu:vz] → *hoof I.*

hop¹ [hɔp] *US* -ɑ-] I. *n* komló II. *vi* -pp- komlót szed

hop² [hɔp] *US* -ɑ-] I. *n* **1.** szökdelés, szökdécselés, ugrálás; ~, *skip* (v. *step*) *and jump* hármasugrás; *biz on the* ~ nyüzsg(őlőd)ő, nyughatatlan; *catch sy on the* ~ készületlenül ér vkt **2.** *biz* táncmulatság **3.** szakasz [hosszú repülőúté] II. *v* -pp- A. *vi* **1.** szökdécsel, ugrál **2.** □ ~ *it* meglóg **3.** *biz* táncol B. *vt* **1.** átugrik **2.** □ ~ *(the twig/stick)* (1) meglóg (2) elpatkol

hope [hoʊp] I. *n* remény; *US* ~ *chest* kelengyeláda; *hold out little* ~ (*of sg*) kevés reménnyel kecsegtet (vm); *past/beyond* ~ (1) menthetetlen [beteg] (2) reménytelen [dolog]; *in the* ~ *of*... abban a reményben (,hogy...) II. A. *vt* remél B. *vi* reménykedik, bízik (*for* vmben); ~ *against* ~ reménytelen helyzetben is remél; *let's* ~ *for the best* reméljük a legjobbat; *I* ~ *to*

see you soon remélem, hogy hamarosan viszontlátom; *I* ~ *so* remélem (,úgy lesz); *I* ~ *not* remélem, nem (következik be)
hopeful ['hoʊpfʊl] I. *a* 1. reménykedő, bizakodó 2. reményteljes; sokat ígérő II. *n young* ~ nagy reményekre jogosító ifjú
hopefully ['hoʊpfʊlɪ] *adv* remélhetőleg
hopeless ['hoʊplɪs] *a* reménytelen
hop-garden *n* komlóföld
Hopkins ['hɔpkɪnz; *US* -ap-] *prop*
Hop-o'-my-thumb [hɔpəmɪ'θʌm] *n* Hüvelyk Matyi, törpe
hopped [hɔpt; *US* -ɑ-]→*hop¹* és *hop² II.*
hopper¹ ['hɔpə*; *US* -ɑ-] *n* 1. ugráló/ szökdécselő (személy) 2. bolha 3. fenékürítő kocsi 4. (töltő)garat
hopper² ['hɔpə*; *US* -ɑ-] *n* komlószedő
hop-picker *n* komlószedő
hop-pole *n* komlókaró
hop-scotch *n* ugróiskola [játék]
Horace ['hɔrəs] *prop* Horatius
Horatian [hə'reɪʃjən; *US* -ʃən] *a* horatiusi
Horatio [hə'reɪʃɪoʊ] *prop*
horde [hɔ:d] *n* horda, csorda
horehound ['hɔ:haʊnd] *n* orvosi pemetefű, pöszérce
horizon [hə'raɪzn] *n* 1. látóhatár, szemhatár, horizont 2. *átv* látókör
horizontal [hɔrɪ'zɔntl; *US* hɔ:rɪ'zɑ-] I. *a* vízszintes, horizontális; ~ *bar* nyújtó [tornaszer] II. *n* vízszintes
hormone ['hɔ:moʊn] *n* hormon
horn [hɔ:n] I. *n* 1. szarv, agancs; *draw in one's* ~*s* behúzza a farkát 2. csáp, tapogató [rovaré] 3. szaru; ~ *comb* szarufésű 4. szarv alakú tartó/serleg; ~ *of plenty* bőségszaru 5. *átv on the* ~*s of a dilemma* válaszúton, dilemmában 6. kürt [zenei] 7. kürt, (autó)duda II. A. *vt* 1. felszarvaz [házastársat] 2. szarvával felnyársal B. *vi US* □ ~ *in (on)* befurakodik
hornbeam *n* gyertyánfa
horned [hɔ:nd] *a* szarvas; szarvú
horner ['hɔ:nə*] *n* szaruműves
hornet ['hɔ:nɪt] *n* lódarázs; ~'*s nest* (1) darázsfészek (2) kellemetlen ügy
horn-mad *n US biz* felbőszült, dühöngő

hornpipe *n* ⟨angol hajóstánc⟩
horn-rimmed *a* szarukeretes
hornswoggle ['hɔ:nzwɔgl; *US* -wɑ-] *vt US* □ átver
horny ['hɔ:nɪ] *a* 1. szarus, szaru- 2. kemény, bőrkeményedéses; ~ *handed* kérges tenyerű
horology [hɔ'rɔlədʒɪ; *US* -'rɑ-] *n* 1. időmérés 2. órakészítés
horoscope ['hɔrəskoʊp; *US* 'hɔ:-] *n* horoszkóp; *cast the* ~ horoszkópot készít
horrendous [hə'rendəs] *a* iszonyú, borzasztó, rettentő
horrible ['hɔrəbl; *US* 'hɔ:-] *a* 1. iszonyú, rettenetes 2. *biz* szörnyű, borzasztó; ~ *weather* szörnyű/borzasztó idő
horribly ['hɔrəblɪ; *US* 'hɔ:-] *adv biz* borzasztóan, szörnyen; *I'm* ~ *sorry* nagyon sajnálom
horrid ['hɔrɪd; *US* 'hɔ:-] *a* 1. = *horrible* 2. *biz* ronda, utálatos [idő stb.]
horrific [hɔ'rɪfɪk; *US* hɔ:-] *a biz* ijesztő, rettentő
horrify ['hɔrɪfaɪ; *US* 'hɔ:-] *vt* megdöbbent, (el)rettent; megborzaszt
horror ['hɔrə*; *US* 'hɔ:-] *n* 1. rémület, rettegés; *to my* ~ (legnagyobb) rémületemre 2. irtózás, iszonyat (*of* vmtől) 3. rémség, borzalom [háborúé stb.] 4. rém- [történet, dráma stb.]
horror-stricken/struck *a* rémült, halálra ijedt
hors-d'oeuvre [ɔ:'də:vr(ə)] *n* előétel
horse [hɔ:s] I. *n* 1. ló; *the (Royal) H*~ *Guards* lovas testőrség; *a* ~ *of another colour* egészen más ügy; *biz (straight) from the* ~'*s mouth* első kézből [tud meg vmt]; *take* ~ lóra ül 2. lovasság; *light* ~ könnyű lovasság 3. bak, ló [tornaszer] 4. tartó, állvány 5. *biz* ló [sakkban] II. A. *vt* 1. lóval/lovakkal ellát 2. lóra ültet 3. a hátán visz vkt, hátára vesz vkt B. *vi* lóra ül, lovagol
horseback *n on* ~ lóháton; *beggar on* ~ felkapaszkodott ember
horsecar *n* 1. lóvasút 2. lószállító teherkocsi
horse-chestnut *n* vadgesztenye
horse-drawn *a* lóvontatású, lófogatú

horse-flesh *n* 1. lóhús 2. *biz* lovak
horse-fly *n* bögöly
horsehair *n* lószőr
horse-laugh *n* röhögés
horseman ['hɔ:smən] *n* (*pl* -men -mən) lovas
horsemanship ['hɔ:smənʃɪp] *n* lovaglás mestersége/művészete
horse-play *n* durva tréfa/játék
horse-pond *n* lóitató
horsepower *n* lóerő
horse-race *n* lóverseny
horse-radish *n* torma
horse-sense *n biz* (természetes) józan ész
horseshoe ['hɔ:ʃʃu: *US* 'hɔ:rs-] *n* patkó
horse-show ['hɔ:ʃʃoʊ; *US* 'hɔ:rs-] *n* 1. lókiállítás, lóbemutató 2. lovasbemutató
horse-towel *n* végtelen törülköző
horsewhip I. *n* lovaglóostor II. *vt* -pp- megkorbácsol
horsewoman *n* (*pl* -women) lovasnő; lovarnő
Horsham ['hɔ:ʃ(ə)m] *prop*
horsy ['hɔ:sɪ] *a* 1. lókedvelő; lóversenyre járó 2. lovas módra öltöző/viselkedő
hortative ['hɔ:tətɪv] *a* = hortatory
hortatory ['hɔ:tət(ə)rɪ] *a* buzdító, intő
horticultural [hɔ:tɪ'kʌltʃ(ə)rəl] *a* kertészeti; ~ show kertészeti kiállítás
horticulture ['hɔ:tɪkʌltʃə*] *n* kertművelés, kertészet
horticulturist [hɔ:tɪ'kʌltʃ(ə)rɪst] *n* műkertész; kertészeti szakértő
Horton ['hɔ:tn] *prop*
hosanna [hə'zænə] *int/n* hozsánna
hose [hoʊz] I. *n* 1. *pl* hosszú harisnya 2. (gumi)tömlő, (kerti) öntözőcső 3. † testhez álló (térd)nadrág II. *vt* ~ (*down*) (tömlővel) megöntöz [kertet]; (tömlővel) lemos [autót stb.]
hose-pipe *n* = hose *I. 2.*
hosier ['hoʊzɪə*; *US* -ʒər] *n* harisnya- és kötöttáru-kereskedő
hosiery ['hoʊzɪərɪ; *US* -ʒərɪ] *n* 1. harisnyaáru, kötöttáru 2. harisnyabolt, kötöttáru-kereskedés
hospice ['hɔspɪs; *US* 'hɑ-] *n* 1. menedékház 2. (szociális) otthon

hospitable ['hɔspɪtəbl; *US* 'hɑ-] *a* vendégszerető
hospital ['hɔspɪtl; *US* 'hɑ-] *n* 1. kórház 2. *Christ's H~* ⟨egy régi angol középiskola Horshamben⟩
hospitality [hɔspɪ'tælətɪ; *US* hɑ-] *n* vendégszeretet; vendéglátás
hospitalization [hɔspɪtəlaɪ'zeɪʃn; *US* hɑspɪtəlɪ'z-] *n* 1. kórházba utalás/felvétel 2. kórházi ápolás
hospitalize ['hɔspɪtəlaɪz; *US* 'hɑ-] *vt* 1. kórházba szállít 2. kórházba beutal/felvesz
hospitaller ['hɔspɪt(ə)lə*; *US* 'hɑ-] *n* máltai lovag
hoss [hɔ:s] *n biz* ló
host[1] [hoʊst] *n* 1. vendéglátó, házigazda, háziúr 2. vendéglős, (vendég)fogadós; *reckon without one's ~* gazda nélkül csinálja (meg) a számítását
host[2] [hoʊst] *n* 1. sereg, tömeg, sokaság; ~*s of*, *a ~ of* sok, temérdek 2. † (had)sereg; *The Lord God of H~s* a seregek Ura
hostage ['hɔstɪdʒ; *US* 'hɑ-] *n* 1. túsz; kezes; *take sy ~* túszként fogva tart vkt 2. zálog, biztosíték
hostel ['hɔstl; *US* -ɑ-] *n* 1. otthon; szálló 2. turistaház 3. (vendég)fogadó
hostelry ['hɔstlrɪ; *US* 'hɑ-] *n* † vendégfogadó
hostess ['hoʊstɪs] *n* 1. háziasszony 2. vendéglősné, kocsmárosné 3. → *air I. 2.*
hostile ['hɔstaɪl; *US* 'hɑst(ə)l] *a* 1. ellenséges 2. rosszindulatú 3. *be ~ to sg* ellenez vmt
hostility [hɔ'stɪlətɪ; *US* hɑ-] *n* 1. ellenséges érzelem; rosszindulat (*to/toward* vk iránt) 2. ellenséges viszony; viszály 3. **hostilities** *pl* ellenségeskedések; háborús cselekmények
hostler ['ɔslə*; *US* 'ɑ-] *n* lovász
hot [hɔt; *US* -ɑ-] I. *a* (*comp* ~*ter* 'hɔtə*, *sup* ~*test* 'hɔtɪst) 1. forró; *be very* ~ (1) nagyon forró/meleg (vm) (2) nagyon melege van (vknek) (3) nagyon meleg (idő) van; *I'm* ~ melegem van; ~ *air* üres beszéd; ~ *dog* ⟨forró virsli zsemlében⟩, hot dog; ~ *water* (1) meleg víz (2) *átv* kellemetlenség, kutya-

szorító; get into ~ water bajba jut; run ~ hőn fut 2. heves, szenvedélyes; indulatos; get ~ indulatba jön; give it (to) sy ~ alaposan lehord vkt 3. csípős, erős [paprika, stb.] 4. felgerjedt [nemileg] 5. friss, legújabb [hír]; news ~ off the press legfrissebb kiadás [újságé], legújabb [hírek]; ~ line forró drót; ~ scent/trail friss nyom 6. veszélyes, kellemetlen [hely]; □ ~ goods (1) csempészáru (2) lopott holmi; make things/it too ~ for sy jól befűt vknek 7. élénk, rikító [szín] 8. „hot" [dzsessz] II. adv 1. forrón 2. hevesen; mérgesen; alaposan III. vt/vi -tt- ~ (up) (1) felmelegít; felhevít (2) forróvá válik [dolog, helyzet]

hotbed n biz (átv is) melegágy

hot-blooded a forróvérű, tüzes

hotchpotch ['hɔtʃpɔtʃ; US -a- -a-] n összevisszaság, zagyvaság

hotel [hoʊ'tel] n szálloda, szálló, hotel; ~ accommodation szállodai elhelyezés

hotelier [hoʊ'telɪeɪ] n = hotel-keeper

hotel-keeper n szállodás, fogadós

hotfoot adv lóhalálában

hothead n meggondolatlan/hirtelen ember

hot-headed a lobbanékony, heves

hothouse n üvegház, melegház

hotly ['hɔtlɪ; US 'hɑ-] adv 1. szenvedélyesen [vitat] 2. ingerülten, indulatosan

hotness ['hɔtnɪs; US 'hɑ-] n 1. forróság 2. hevesség

hotplate n 1. tányérmelegítő; meleg(ítő)pult [étteremben] 2. (villamos) főzőlap

hot-pot n rakott burgonya sok hússal

hot-seat n 1. US □ villamosszék [kivégzéshez] 2. átv kritikus/válságos helyzet

hotspur ['hɔtspə:*; US 'hɑ-] n meggondolatlan/hirtelen ember

hotter, hottest →hot I.

hot-tempered a indulatos; ingerlékeny

hot-water bottle ágymelegítő, termofor

hough [hɔk; US -a-] n = hock[1]

hound [haʊnd] I. n 1. vadászkutya, kopó; ride to ~s, follow the ~s falkavadászatra megy 2. hitvány ember II. vt 1. vadászkutyával vadászik 2. ~ sy (down/out) (ki)üldöz vkt (vhonnan)

hour ['aʊə*] n 1. óra [idő]; keep good ~s korán fekszik (és korán kel); keep late ~s későn fekszik/kel; after ~s zárás/munkavégzés után; at all ~s a nap minden órájában; by the ~ óránként [fizet]; on the ~ (minden) órakor [indul] 2. book of ~s breviárium

hour-glass n homokóra

hour-hand n kismutató [az órán]

hourly ['aʊəlɪ] I. a 1. óránkénti 2. gyakori; szüntelen II. adv 1. óránként, minden órában 2. folytonosan; szünet nélkül

house I. n [haʊs] (pl ~s 'haʊzɪz) 1. (lakó)ház; épület; move ~ költöz(kö)d)ik, hurcolkodik 2. the H~ a Ház [= képviselőház]; GB H~ of Commons képviselőház, alsóház; GB H~ of Lords felsőház, főrendiház; US H~ of Representatives képviselőház, az amerikai parlament alsóháza 3. háztartás; keep ~ háztartást vezet 4. család; dinasztia 5. üzlet(ház); biz on the ~ a tulaj fizet(i az italokat) 6. színház; hallgatóság II. v [haʊz] A. vt elszállásol, elhelyez; befogad B. vi lakik

house-agent n GB lakásügynök

houseboat n folyami lakóhajó

housebound a átv házhoz kötött

housebreak vt (pt -broke, pp -broken) szobatisztaságra nevel [állatot]

housebreaker n 1. betörő 2. bontási vállalkozó

housebroken a szobatiszta [állat]

housecleaning n nagytakarítás

house-craft n GB háztartás(tan)

housedog n házőrző kutya

houseflag n hajótársaság zászlaja

housefly n (házi)légy

houseful ['haʊsfʊl] a háznyi, házra való

household ['haʊshoʊld] n 1. háztartás; háznép; család(hoz tartozók); ~ expenses háztartási kiadások; ~ word általánosan elterjedt szó, jól ismert fogalom 2. udvartartás; H~ troops a királyi testőrség

householder n 1. családapa 2. házbérlő, -tulajdonos

housekeeper n 1. házvezető(nő), gazdasszony 2. háziasszony

housekeeping n házvezetés; háztartás

housemaid n szobalány; ~'s knee apácatérd
housemaster n GB internátusi felügyelő tanár
house-mother n gondnoknő [nevelőintézetben]
house-party n (több napra) meghívott vendégek [vidéki kastélyban]
house-physician n (bennlakó) kórházi (fő)orvos
house-proud a otthonát szerető, otthonára büszke
house-search n házkutatás
house-sparrow n háziveréb
house-surgeon n (bennlakó) kórházi sebész (főorvos)
housetop n háztető; cry/proclaim from the ~s elhíresztel, világgá kürtöl
house-trained a szobatiszta [állat]
house-warming n házszentelés
housewife n 1. ['haʊswaɪf] (pl -wives -waɪvz) háziasszony 2. † ['hʌzɪf] (pl ~s 'hʌzɪfs v. -wives 'hʌzɪvs) varrókészlet
housework n házi/háztartási munka
housing ['haʊzɪŋ] n 1. ház; lakás; menedék, szállás 2. lakásépítés, lakásügy; ~ estate/project lakótelep; ~ problem lakáskérdés 3. ház, burkolat [motoré stb.]
Housman ['haʊsmən] prop
Houston ['hu:stən; US város: 'hju:stən] prop
Houyhnhnm ['hʊɪhn(ə)m] n [Gulliverben] ⟨a yahoo-embereken uralkodó bölcs lovak⟩, Nyihaha
hove →heave II.
hovel ['hɔvl; US -ʌ-] n kunyhó, kalyiba
hover ['hɔvə*; US -ʌ-] vi 1. lebeg 2. ~ about álldogál, lézeng 3. habozik
hovercraft ['hɔvəkrɑːft; US 'hʌvərkræft] n légpárnás hajó/jármű
how [haʊ] I. adv 1. hogy(an), mi módon, miképp(en)?; ~ are you? hogy van/vagy?, hogy szolgál az egészsége(d)?; ~ do you do? [haʊdjʊˈduː] kb. jó napot (kívánok)! [köszönés, melyre ugyanúgy válaszolnak]; ~ else hogyan másképp; ~ is it that . . . hogyan lehetséges az, hogy . . .; biz ~ come hogyan van/lehet az (hogy . . .); ~

so?, ~'s that? hogyhogy; mi az?; ~ to do sg hogyan lehet vmt tenni; he forgot ~ to swim elfelejtett úszni; □ all you know ~ ahogyan csak tőled telik. 2. mennyire, milyen mértékben; ~ old is she? hány éves?, milyen idős (ő)? 3. [felkiáltásban] milyen, mennyire; ~ kind of you! milyen/igazán kedves (öntől/tőled)! II. n mód, módozat, cselekvés mikéntje
Howard ['haʊəd] prop
howbeit [haʊˈbiːɪt] conj † bár, noha, jóllehet
howdah ['haʊdə] n (fedett) ülés [elefánt hátán]
how-d'ye-do [haʊdjəˈduː] n biz here's a pretty ~ szép kis kalamajka
however [haʊˈevə*] adv 1. bármennyire, akárhogyan 2. azonban, mégis, mindamellett, viszont, ám
howitzer ['haʊɪtsə*] n mozsárágyú, tarack
howl [haʊl] I. n 1. üvöltés, vonítás [állaté]; bömbölés, ordítás; a ~ of laughter harsogó nevetés 2. mellékzörej(ek), fütyülés [rádióban, stb.] II. vi/vt 1. vonít/üvölt [állat]; ordít, bömböl 2. harsogva nevet, hahotázik; ~ down lehurrog [szónokot]
howler ['haʊlə*] n 1. üvöltő (személy) 2. biz nevetséges baklövés; vaskos tévedés, leiterjakab
howling ['haʊlɪŋ] a □ ordító, roppant [hiba stb.]; ~ injustice égbekiáltó igazságtalanság
howsoever [haʊsoʊˈevə*] adv bármennyire (is), akárhogyan (is)
hoyden ['hɔɪdn] n neveletlenül pajkos lány; fiús lány
H.P., HP [eɪtʃ'piː] 1. half-pay 2. (h.p., hp is) hire-purchase 3. (h.p., hp is) horsepower lóerő, LE
h.p., hp [eɪtʃ'piː] high-pressure
HQ [eɪtʃ'kjuː] headquarters
hr. hour óra, ó
H.R. [eɪtʃ'ɑː*] House of Representatives →house 1. 2.
H.R.H., HRH His/Her Royal Highness Ő királyi felsége/fensége
hrs. hours
hub [hʌb] n 1. kerékagy 2. középpont; biz the ~ of the universe a világ közepe

Hubbard ['hʌbəd] *prop*
hubble-bubble ['hʌblbʌbl] *n* 1. nargilé, vízipipa 2. bugyborékoló hang
hubbub ['hʌbʌb] *n* lárma, zaj, zűrzavar
hubby ['hʌbɪ] *n GB biz* férj
hubcap *n* keréksapka, dísztárcsa, keréktárcsa [gépkocsin]
Hubert ['hju:bət] *prop* Hubertus
hubris ['hju:brɪs] *n* önhittség, arrogancia
huckleberry ['hʌklb(ə)rɪ; *US* -berɪ] *n* áfonya
huckster ['hʌkstə*] *n* 1. vásári árus; házaló (árus) 2. (*átv is*) kufár
huddle ['hʌdl] I. *n* 1. zűrzavar, összevisszaság 2. *biz go into a* ~ bizalmas értekezletet tart(anak) II. A. *vt* 1. ~ *things up/together* (1) halomba hány, összedobál, -zsúfol (dolgokat) (2) öszszecsap [munkát stb.] 2. ~ (*oneself*) *up* összekuporodik 3. gyorsan és felületesen csinál B. *vi* 1. ~ *together* öszszecsődül 2. ~ *up against sy* összebújik/-simul vkvel
Hudibras ['hju:dɪbræs] *prop*
Hudson ['hʌdsn] *prop*
hue[1] [hju:] *n* (szín)árnyalat
hue[2] [hju:] *n* ~ *and cry* (1) lármás üldözés (2) kiabálás (3) körözőlevél
hued [hju:d] *a* (vmlyen) színű
huff [hʌf] I. *n* hirtelen harag; *be in a* ~ megheztel, -sértődik (*about sg* vm miatt) II. *vi* 1. dúl-fúl, dühöng 2. liheg, fúj(tat)
huffiness ['hʌfɪnɪs] *n* 1. érzékenykedés; sértődöttség 2. hirtelen harag
huffish ['hʌfɪʃ] *a* = *huffy*
huffy ['hʌfɪ] *a* (meg)sértődött; rosszkedvű; érzékenykedő
hug [hʌg] I. *n* átkarolás; megölelés II. *vt* **-gg-** 1. átkarol, megölel, kebléhez szorít 2. ölelget, dédelget; ~ *oneself* meg van elégedve magával 3. ragaszkodik vmhez 4. ~ *the shore* közel marad a parthoz [hajó]
huge [hju:dʒ] *a* hatalmas, óriási, igen nagy/sok; temérdek
hugely ['hju:dʒlɪ] *adv* roppantul, mérhetetlenül, határtalanul
hugeness ['hju:dʒnɪs] *n* vmnek óriás volta, roppant nagyság; mérhetetlenség

hugger-mugger ['hʌgəmʌgə*] I. *a* 1. titkos, rejtett 2. zavaros, összevissza II. *adv* 1. titokban, lopva 2. rendetlenül; zavarosan; kapkodva III. *n* 1. titokzatosság 2. zűrzavar, rendetlenség; *in* ~ (1) titkon (2) fejetlenül
Hugh [hju:] *prop* Hugó
Hughes [hju:z] *prop*
Hugo ['hju:goʊ] *prop* Hugó
Huguenot ['hju:gənɔt; *US* -at] *a/n* hugenotta
hulk [hʌlk] *n* 1. [leszerelt] hajótest 2. † hajóbörtön 3. nagy darab/melák ember
hulking ['hʌlkɪŋ] *a* nehézkes, esetlen; *big* ~ *creature* nagy behemót alak
hull [hʌl] I. *n* 1. héj, hüvely [borsóé, babé stb.] 2. (hajó)test; törzs [repülőgépé]; ~ *down* hajótest láthatár alatt II. *vt* (ki)fejt, (le)hámoz, hüvelyez, hántol
hullabaloo [hʌləbə'lu:] *n* hűhó; zsivaj
hullo [hə'loʊ] *int* = *hallo(a)*
hum [hʌm] I. *n* 1. zümmögés, döngicsélés 2. zúgás, moraj, mormogás [motoré, társalgásé stb.] II. *v* -mm- A. *vi* 1. zümmög, bong, döngicsél 2. zúg, morog, moraljlik 3. hümmög; ~ *and haw* (1) hümmög (2) tétovázik, hímez-hámoz 4. *biz* serénykedik, sürög-forog; *make things* ~ fellendíti/felpezsdíti a dolgokat 5. □ megbüdösödik [hús stb.] B. *vt* 1. zümmög, dúdol [dalt] 2. mormol (vmt)
human ['hju:mən] I. *a* emberi; ~ *nature* az emberi természet; *to err is* ~ tévedni emberi dolog II. *n* ember
humane [hju:'meɪn] *a* 1. emberséges; emberszerető, humánus 2. humán
humanely [hju:'meɪnlɪ] *adv* emberségesen, emberien; humánusan
humaneness [hju:'meɪnnɪs] *n* emberségesség, emberszeretet
humanism ['hju:mənɪzm] *n* humanizmus
humanist ['hju:mənɪst] *n* humanista
humanitarian [hju:mænɪ'teərɪən] *a* emberbaráti
humanity [hju:'mænətɪ] *n* 1. az emberiség, az emberi nem 2. emberi természet 3. emberiesség 4. (*the*) **humanities** *pl* humán tárgyak

humanize ['hju:mənaɪz] vt/vi emberivé/emberségessé tesz/válik, erkölcsösít
humankind [hju:mən'kaɪnd] n az emberiség
humanly ['hju:mənlɪ] adv 1. emberileg 2. emberhez méltóan, emberségesen
Humber ['hʌmbə*] prop
humble ['hʌmbl] I. a 1. alázatos; átv biz eat ~ pie megalázkodik, visszaszívja kijelentését 2. szerény, egyszerű; alacsony [származás]; my ~ self csekélységem II. vt megaláz; megszégyenít; lealacsonyít; ~ oneself megalázkodik (before sy vk előtt)
humble-bee n poszméh
humbleness ['hʌmblnɪs] n alázatosság
humbly ['hʌmblɪ] adv 1. alázatosan 2. szerényen; ~ born egyszerű származású
humbug ['hʌmbʌg] I. int (that's all) ~! ez (mind csak) szemfényvesztés/humbug II. n 1. szélhámosság, csalás, humbug 2. szélhámos, csaló 3. nagyzoló III. vt -gg- becsap, rászed, megtéveszt
humdrum ['hʌmdrʌm] a unalmas, egyhangú, sivár [élet, munka]
Hume [hju:m] prop
humerus ['hju:mərəs] n (pl -ri -raɪ) felkarcsont
humid ['hju:mɪd] a nyirkos, nedves
humidity [hju:'mɪdətɪ] n nyirkosság, nedvesség; páratartalom
humiliate [hju:'mɪlɪeɪt] vt megaláz, lealacsonyít
humiliation [hju:mɪlɪ'eɪʃn] n megalázás, lealacsonyítás; sértés
humility [hju:'mɪlətɪ] n 1. alázatosság 2. szerény helyzet/körülmények
hummed [hʌmd] →hum II.
humming ['hʌmɪŋ] → hum II.
humming-bird n kolibri
humming-top n búgócsiga [játék]
hummock ['hʌmək] n dombocska, magaslat
humor →humour
humorist ['hju:mərɪst] n 1. humorista 2. mulatságos/tréfás ember
humorous ['hju:m(ə)rəs] a tréfás, mulatságos, humoros
humour, US humor ['hju:mə*] I. n 1.

hangulat, kedv, kedély(állapot); be in good ~ jókedvében van; out of ~ rosszkedvű, kedvetlen; be in the ~ to do sg kedve van vmt tenni 2. humor; komikum; vicc; for the ~ of it tréfából, a hecc kedvéért 3. † comedy of ~s ⟨különcöket/jellemzélsőségeket szerepeltető vígjáték⟩ 4. † testnedv II. vt ~ sy vknek kedvére tesz, alkalmazkodik vkhez
hump [hʌmp] I. n 1. púp; have a ~ púpos 2. (kis) dombocska; (vasúti) gurítódomb 3. □ have the ~ lehangolt II. vt 1. púpossá/görbévé/domborúvá tesz; ~ (up) the shoulders behúzza fejét a vállai közé 2. □ lehangol, deprimál
humpback n púpos ember
humpbacked a púpos
humped [hʌmpt] a púpos; go ~ görnyedten jár
humph [(h)mm, hmf, hʌmf] I. int hmm! II. vi hümmög
Humphr(e)y ['hʌmfrɪ] prop ⟨angol férfinév⟩
humpy ['hʌmpɪ] a 1. púpos 2. dombos
humus ['hju:məs] n televényföld, humusz
Hun [hʌn] n 1. hun 2. barbár pusztító
hunch [hʌntʃ] I. n 1. púp; kinövés, dudor 2. nagy darab [kenyér, sajt] 3. US biz gyanú, előérzet, ösztön; I have a ~ that ... az a gyanúm/érzésem, hogy ... II. vt púpossá/görbévé/domborúvá tesz; sit ~ed up összegörnyedve ül
hunchback n 1. púp 2. púpos ember
hundred ['hʌndrəd] I. a száz II. n 1. száz(as szám); by the ~(s) százával 2. † járás [angol megyéé]
hundredfold I. a százszoros II. adv százszorosan
hundred-per-center [-sentər] n US amerikai soviniszta
hundredth ['hʌndrədθ] I. a századik II. n száz(ad(rész)
hundredweight n ⟨súlymérték: GB 112 font = 50,802 kg; US 100 font = = 45,359 kg⟩
hung →hang II.
Hungarian [hʌŋ'geərɪən] I. a magyar; ~ People's Republic Magyar Népköz-

társaság II. *n* 1. magyar (ember) 2. magyar (nyelv) 3. magyar nyelvtudás

Hungaro- ['hʌŋgərə-] magyar-

Hungary ['hʌŋgərı] *prop* Magyarország

hunger ['hʌŋgə*] I. *n* 1. éhség; ~ *is the best sauce* legjobb szakács az éhség; *die of* ~ éhen hal 2. vágyódás (*for/after* vm után) II. *vi* 1. éhezik, koplal 2. vágyódik, sóvárog (*for/after* vm után)

hunger-strike *n* éhségsztrájk

hungry ['hʌŋgrı] *a* 1. éhes, éhező; *go* ~ koplal, éhesen marad; éhezik 2. éhséget okozó/előidéző 3. *átv* éhes, szomjas (vmre); vágyódó; *be* ~ *for knowledge* szomjúhozza a tudást 4. terméketlen, sovány [föld] 5. szegény(es)

hunk [hʌŋk] *n* 1. nagy darab [kenyér] 2. púp

hunkers ['hʌŋkəz] *n pl biz on one's* ~ guggolva, kuporogva

hunks [hʌŋks] *n* zsugori/fösvény ember

hunky ['hʌŋkı] *n US* □ cseh/szlovák/magyar származású segédmunkás

hunky-dory [-'dɔːrı] *a US* □ klassz, oltári (jó), frankó

hunt [hʌnt] I. *n* 1. vadászat 2. (*átv is*) üldözés; keresés; hajtóvadászat, hajsza 3. vadászterület 4. vadásztársaság II. A. *vt* 1. űz, üldöz [vadat]; vadászik (*átv is*); ~ *a thief* tolvajt üldöz/kerget 2. átkutat, felkutat [helyet] 3. ~ *a horse* lóháton vadászik B. *vi* 1. vadászik 2. keres, kutat
  hunt after *vt* keres, kutat
  hunt down *vt* 1. fáradhatatlanul üldöz [vadat, tettest] 2. kézre kerít [bűnözőt]
  hunt for *vi* keres, kutat (vkt vmt)
  hunt out *vt* felkutat, kinyomoz, kiszimatol
  hunt up *vt* felhajszol; sok fáradsággal előkeres/előteremt

hunter ['hʌntə*] *n* 1. vadász [ember, kutya, ló] 2. [régimódi] fedeles zsebóra

hunting ['hʌntıŋ] I. *a* vadász-, vadászó II. *n* 1. vadászat; falkavadászat 2. *átv* vadászat (vm után); keresés

hunting-box *n* vadászlak

hunting-ground *n* vadászterület

hunting-horn *n* vadászkürt

huntress ['hʌntrıs] *n* vadásznő

huntsman ['hʌntsmən] *n* (*pl* -men -mən) 1. vadász 2. vadászlegény

hurdle ['həːdl] I. *n* 1. gát, akadály; ~*s* gátfutás, akadályverseny 2. karám, cserény II. A. *vt* 1. karámot készít, karámmal elkerít 2. átugrik [gáton, akadályon] B. *vi* gátfutásban vesz részt; akadályversenyen ugrat

hurdler ['həːdlə*] *n* gátfutó

hurdle-race *n* gátfutás; akadályverseny

hurdy-gurdy ['həːdɪgəːdɪ] *n* kintorna, verkli

hurl [həːl] I. *n* hajítás, heves/erőteljes ellökés/dobás II. *vt* (oda)hajít, odalök; ~ *oneself at sy* ráveti magát vkre; *biz* ~ *abuse at sy* sértéseket vág vk fejéhez

hurling ['həːlıŋ] *n* 1. hajítás 2. hokizás [Írországban]

hurly-burly ['həːlɪbəːlɪ] *n* zűrzavar, zenebona, felfordulás

Huron ['hjʊər(ə)n] *prop*

hurrah [hʊ'rɑː; *US* hə-] I. *int* éljen!, hurrá! II. *n* éljenzés III. *vi/vt* (meg)éljenez

hurray [hʊ'reı; *US* hə-] *int/n/v* = *hurrah*

hurricane ['hʌrıkən; *US* 'həːrıkeın] *n* forgószél, orkán, hurrikán; ~ *lamp* viharlámpa

hurried ['hʌrıd; *US* 'həː-] *a* (el)sietett, kutyafuttában végzett [dolog]; sietős

hurry ['hʌrı; *US* 'həː-] I. *n* 1. sietség; *be in a* ~ siet, sürgős dolga van; *there is no* ~ nem kell (vele) sietni, nem sürgős 2. sürgés-forgás II. A. *vt* siettet, hajszol; sürget; ~ *up sy* siettet vkt B. *vi* 1. siet, igyekszik (vmvel); ~ *off* elsiet, elrohan, sietve elmegy/(el)távozik 2. siet(ve megy); ~ *up* (fel)siet, sietve felmegy; ~ *up!* siess!, csak gyorsan!

hurt [həːt] I. *n* 1. felsértés, seb(esülés), sérülés 2. kár, ártalom II. *v* (*pt/pp* ~) A. *vt* 1. megsért, -sebesít; *get* ~ (1) megsérül (2) megsértődik; *did you* ~ *yourself* megsérültél?, megütötted magad? 2. *átv* megsért, megbánt (vkt), fájdalmat okoz (vknek); ~ *sy's feelings* megbánt vkt 3. árt, megkárosít, kárt okoz B. *vi biz* fáj

hurtful ['hə:tfʊl] a 1. sértő, bántó 2. ártalmas, káros; hátrányos (to vmre)
hurtle ['hə:tl] vi 1. ~ into sg összeütközik vmvel, nekicsapódik/-ütközik vmnek 2. ~ down (le)zuhan 3. ~ along zörögve/csörömpölve tovaszáguld
husband ['hʌzbənd] I. n férj II. vt (jól) gazdálkodik (vmvel), takarékoskodik (vmvel); ~ one's resources takarékoskodik erejével
husbandman ['hʌzbəndmən] n (pl -men -mən) † gazdaember, földműves
husbandry ['hʌzbəndrɪ] n 1. mezőgazdaság; animal ~ állattenyésztés 2. gazdálkodás (vmvel vhogy)
hush [hʌʃ] I. int [ʃ:] pszt, csitt II. n csend, hallgatás III. A. vt 1. lecsendesít, elhallgattat 2. megnyugtat 3. ~ up agyonhallgat, eltussol B. vi hallgat, csendben van
hush-hush [hʌʃ'hʌʃ] a biz titkos; szigorúan bizalmas
hush-money n hallgatási pénz/díj
husk [hʌsk] I. n hüvely; burok; héj; tok 2. átv burkolat, külső II. vt lehámoz; lehántol; hüvelyez
huskiness ['hʌskɪnɪs] n rekedtség
husking bee ['hʌskɪŋ] kukoricafosztás
husky¹ ['hʌskɪ] I. a 1. héjas, tokos, hüvelyes; csupa hüvely 2. rekedt [hang] 3. biz tagbaszakadt, vállas, erős, izmos II. n biz tagbaszakadt/erős ember
husky² ['hʌskɪ] n eszkimó kutya
hussar [hʊ'zɑ:*] n huszár
hussy ['hʌsɪ] n 1. ringyó 2. szemtelen nő(személy)
hustings ['hʌstɪŋz] n 1. választási hadjárat/kampány 2. szónoki emelvény
hustle ['hʌsl] I. n 1. lökdösődés, taszigálás 2. sietség; sürgés-forgás 3. biz erélyesség, rámenősség II. A. vi 1. tolakodik, lökdösődik 2. furakodik, utat tör 3. US sürgölődik, tevékenykedik B. vt 1. lökdös, taszigál; ~ out kituszkol (vhonnan) 2. belevisz (into vkt vmbe)
hustler ['hʌslə*] n 1. lökdösődő (ember) 2. US rámenős (üzlet)ember 3. US □ csaló, szélhámos 4. US □ strichelő kurva

hut [hʌt] n kunyhó, bódé; (katonai) barakk
hutch [hʌtʃ] n ketrec, láda, ól [nyulaknak]
hutments ['hʌtmənts] n pl (katonai) barakktábor
Huxley ['hʌkslɪ] prop
huzza [hʊ'zɑ:] int éljen!
H.W.M., HWM high-water mark
hyacinth ['haɪəsɪnθ] n jácint
hyaena [haɪ'i:nə] n = hyena
hybrid ['haɪbrɪd] I. a 1. hibrid, keresztezett [növény, állat], korcs [állat] 2. keverék [szó, nyelv] II. n korcs, keverék, hibrid
hybridize ['haɪbrɪdaɪz] A. vt keresztez, hibridizál B. vi kereszteződik; korcs/hibrid alakot hoz létre
Hyde Park [haɪd'pɑ:k] prop
Hyderabad ['haɪd(ə)rəbæd] prop
hydra ['haɪdrə] n 1. sokfejű mitológiai kígyó, hidra 2. vízikígyó
hydrangea [haɪ'dreɪndʒə] n hortenzia
hydrant ['haɪdr(ə)nt] n (utcai) tűzcsap
hydrate ['haɪdreɪt] I. n hidrát II. A. vt hidratál B. vi hidratálódik
hydraulic [haɪ'drɔ:lɪk] a 1. folyadéknyomásos, hidraulikus 2. víz alatt kötő [cement] 3. vízműtani
hydraulics [haɪ'drɔ:lɪks] n vízerőtan, vízműtan, hidraulika
hydro ['haɪdroʊ] n biz gyógyszálló
hydrocephalic [haɪdrəse'fælɪk] a vízfejű
hydroelectric [haɪdrɔɪ'lektrɪk] a ~ power plant vízerőmű
hydrofoil ['haɪdrəfɔɪl] n szárnyashajó
hydrogen ['haɪdrədʒ(ə)n] n hidrogén; ~ bomb hidrogénbomba; ~ peroxide hidrogén-peroxid
hydrographer [haɪ'drɔgrəfə*; US -rɑ-] n vízépítési mérnök
hydrography [haɪ'drɔgrəfɪ; US -rɑ-] n vízrajz
hydro-hotel n gyógyszálló
hydrolysis [haɪ'drɔlɪsɪs; US -rɑ-] n vízbontás, hidrolízis
hydrometer [haɪ'drɔmɪtə*; US -rɑ-] n hidrométer
hydropathic [haɪdrə'pæθɪk] a vízgyógyászati; ~ establishment vízgyógyintézet

hydrophobia [haɪdrə'foʊbjə] *n* víziszony; veszettség

hydroplane ['haɪdrəpleɪn] *n* 1. vízi repülőgép, hidroplán 2. ~ *(motor boat)* siklócsónak

hydroponics [haɪdrə'pɔnɪks; *US* -'pɑ-] *n* hidropon(ikus) növénytermesztés

hydrotherapy [haɪdrə'θerəpɪ] *n* vízgyógyászat, hidroterápia

hyena [haɪ'iːnə] *n* hiéna

hygiene ['haɪdʒiːn] *n* higiénia, egészségügy, egészségtan

hygienic [haɪ'dʒiːnɪk; *US* haɪdʒɪ'enɪk] *a* egészségügyi; higiénikus

hygrometer [haɪ'grɔmɪtə*; *US* -rɑ-] *n* légnedvességmérő, higrométer

hygroscope ['haɪgrəskoʊp] *n* = *hygrometer*

hygroscopic [haɪgrə'skɔpɪk; *US* -kɑ-] *a* nedvszívó, higroszkópos, -kopikus

hymen ['haɪmen] *n* 1. szűzhártya, hímen 2. házasság, nász

hymn [hɪm] I. *n* (egyházi) ének; zsolozsma II. *vt* énekszóval dicsőít

hymnal ['hɪmn(ə)l] *n* (egyházi) énekeskönyv

hymn-book *n* = *hymnal*

hypacidity [haɪpə'sɪdətɪ] *n* savhiány

hyperacidity [haɪpərə'sɪdətɪ] *n* gyomorsavtúltengés

hyperbola [haɪ'pɜːbələ] *n* hiperbola

hyperbole [haɪ'pɜːbəlɪ] *n* túlzás, nagyítás

hypercritical [haɪpə'krɪtɪkl] *a* túl szigorúan bíráló, hiperkritikus

hypermarket ['haɪpəmɑːkɪt] *n* (nagy) bevásárlóközpont [külvárosban]

hypersonic [haɪpə'sɔnɪk; *US* -'sɑ-] *a* hangsebességen felüli, hiperszonikus

hypertension [haɪpə'tenʃn] *n* magas vérnyomás, hipertónia

hyphen ['haɪfn] I. *n* kötőjel II. *vt* = = *hyphenate*

hyphenate ['haɪfəneɪt] *vt* kötőjellel összekapcsol/ír, kötőjelez

hypnosis [hɪp'noʊsɪs] *n* (*pl* -ses -siːz) 1. hipnózis 2. hipnotikus állapot

hypnotic [hɪp'nɔtɪk; *US* -'nɑ-] *a* hipnotikus

hypnotism ['hɪpnətɪzm] *n* hipnotizálás, hipnotizmus

hypnotist ['hɪpnətɪst] *n* hipnotizőr

hypnotize ['hɪpnətaɪz] *vt* hipnotizál; megigéz

hypochondria [haɪpə'kɔndrɪə; *US* -'kɑ-] *n* képzelt betegség, képzelődés, hipochondria

hypochondriac [haɪpə'kɔndrɪæk; *US* -'kɑ-] I. *a* képzelődő, hipochondriás II. *n* képzelt beteg, hipochonder

hypocrisy [hɪ'pɔkrəsɪ; *US* -'pɑ-] *n* képmutatás, álszenteskedés, hipokrízis

hypocrite ['hɪpəkrɪt] *n* képmutató, álszent, hipokrita

hypocritical [hɪpə'krɪtɪkl] *a* képmutató, álszent(eskedő), hipokrita

hypodermic [haɪpə'dɜːmɪk] I. *a* bőr alatti, bőr alá fecskendezett; ~ *injection* bőr alá adott injekció; ~ *syringe* injekciós fecskendő II. *n* bőr alá adott injekció

hypophysis [haɪ'pɔfɪsɪs; *US* -'pɑ-] *n* hipofízis, agyalapi mirigy

hypotension [haɪpə'tenʃn] *n* alacsony vérnyomás

hypotenuse [haɪ'pɔtənjuːz; *US* -'pɑtənuːs] *n* átfogó [derékszögű háromszögé]

hypothesis [haɪ'pɔθɪsɪs; *US* -'pɑ-] *n* (*pl* -ses -siːz) feltevés, vélelem, hipotézis

hypothetical [haɪpə'θetɪkl] *a* feltételes, feltételezett, hipotetikus

hyssop ['hɪsəp] *n* (kerti) izsóp

hysteria [hɪ'stɪərɪə] *n* hisztéria

hysteric(al) [hɪ'sterɪk(l)] *a* hisztérikus

hysterics [hɪ'sterɪks] *n pl* hisztériás roham/kitörés; *go/fall into* ~ idegrohamot kap

I

I¹, i [aɪ] *n* I, i (betű)
I² [aɪ] *pron* én; *it is I* én vagyok (az);
I for one ... ami engem illet
Ia. *Iowa*
Iago [ɪ'ɑ:goʊ] Jágó
iamb ['aɪæmb] *n* = *iambu*
iambic [aɪ'æmbɪk] **I.** *a* jambikus, jam-
busos **II.** *n* jambikus/jambusi költe-
mény; jambus
iambus [aɪ'æmbəs] *n* jambus [versláb]
Ian [ɪən] *prop sk* János
ib. = *ibid.*
Iberia [aɪ'bɪərɪə] *prop* Ibéria(i-félszi-
get)
Iberian [aɪ'bɪərɪən] *a/n* ibériai
ibex ['aɪbeks] *n* kőszáli kecske
ibid. ['ɪbɪd] ibidem (= *in the same place*)
ugyanott, uo.
ibidem [ɪ'baɪdem] *adv* →*ibid.*
ibis ['aɪbɪs] *n* ibisz [madár]
IBM [aɪbi:'em] *International Business
Machines* ⟨iroda- és számítógépeket
gyártó nemzetközi konszern⟩
ICBM [aɪsi:bi:'em] *intercontinental
ballistic missile* →*intercontinental*
ice [aɪs] **I.** *n* **1.** jég; *átv break the* ~
megtöri a jeget; *cut no* ~ nincs jelen-
tősége; *átv skate on thin* ~ veszélyes
területen mozog **2.** fagylalt **II.** *vt*
1. *be* ~*d over/up* (1) befagy (2) be-
zúzmarásodik **2.** (jégben) hűt **3.** cu-
kormázzal bevon
ice-age *n* jégkorszak
ice-axe *n* jégcsákány
iceberg [-bə:g] *n* úszó jéghegy
ice-boat *n* jégvitorlás
ice-bound *a* befagyott [hajó, kikötő]
icebox *n* **1.** jégszekrény **2.** *US* hűtő-
szekrény

icebreaker *n* jégtörő
icecap *n* jégtakaró
ice-cream *n* fagyialt
ice-cube *n* jégkocka
iced [aɪst] *a* **1.** jégbe hűtött **2.** cukor-
mázzal bevont
icefield *n* jégmező
ice-float/floe *n* úszó jégtábla
Iceland ['aɪslənd] *prop* Izland
Icelander ['aɪsləndə*] *a/n* izlandi (em-
ber)
Icelandic [aɪs'lændɪk] *a/n* izlandi (nyelv)
ice-lolly [-lɔlɪ; *US* -ɑ-] *n* jégkrém
[nyalóka]
iceman *n (pl* -**men**) jegesember
icepack *n* **1.** jégtorlasz **2.** jégtömlő
icepick *n* jégcsákány
icerink *n* (mű)jégpálya
ice-show *n* jégrevü
ice-skate **I.** *n* korcsolya **II.** *vi* korcsolyá-
zik
ICI [aɪsi:'aɪ] *Imperial Chemical Indus-
tries* ⟨a legnagyobb brit vegyipari
vállalat⟩
icicle ['aɪsɪkl] *n* jégcsap
iciness ['aɪsɪnɪs] *n* jegesség, hűvösség
icing ['aɪsɪŋ] *n* **1.** cukorbevonat, -máz;
~ *sugar* (finom) porcukor **2.** jégkép-
ződés, zúzmaraképződés
icon, ikon ['aɪkɔn; *US* -ɑn] *n* ikon
iconoclasm [aɪ'kɔnəklæzm; *US* -'kɑ-]
n képrombolás
iconoclast [aɪ'kɔnəklæst; *US* -'kɑ-]
1. képromboló **2.** *átv* tekintélyromboló
icy ['aɪsɪ] *a (átv is)* jeges, hideg
I'd [aɪd] = *I should/would/had*
Ida ['aɪdə] *prop* Ida
Ida. *Idaho*
Idaho ['aɪdəhoʊ] *prop*

idea [aɪ'dɪə] *n* **1.** eszme, ötlet, gondolat, idea; *get ~s into one's head* mindenféle elképzelései vannak; *the ~! mi* jut eszedbe!; *what's the big ~?* hát ez meg mi?, hátrább az agarakkal! **2.** elgondolás, elképzelés; *I haven't the faintest ~* halvány sejtelmem sincs; *I had no ~ that . . .* sejtelmem/fogalmam sem volt róla, hogy . . . **3.** fogalom, kép(zet); *general ~* átfogó kép **4.** terv; *he is full of ~s* tele van tervekkel **5.** *the young ~* a gyermeki értelem

ideal [aɪ'dɪəl] **I.** *a* **1.** eszményi, ideális **2.** képzeletbeli; elméleti **II.** *n* ideál; példakép, eszménykép

idealism [aɪ'dɪəlɪzm] *n* idealizmus

idealist [aɪ'dɪəlɪst] *n* idealista

idealistic [aɪdɪə'lɪstɪk] *a* idealista

idealize [aɪ'dɪəlaɪz] *vt* idealizál, eszményít

idem ['aɪdem] *a/n* ugyanaz; ugyanott

identical [aɪ'dentɪkl] *a* **1.** azonos; ugyanaz **2.** megegyező; ugyanolyan (mint) **3.** *~ twins* egypetéjű ikrek

identification [aɪdentɪfɪ'keɪʃn] *n* **1.** azonosítás **2.** személyazonosság megállapítása; *~ disk/tag* azonossági jegy, „dögcédula" [katonáé]

identify [aɪ'dentɪfaɪ] *vt* **1.** azonosságot megállapít; felismer (vkt, vmt) **2.** azonosít (*with* vkvel, vmvel); *~ oneself with sg* azonosságot/szolidaritást vállal vmvel

identikit [aɪ'dentɪkɪt] *n* mozaikkép [körözött személyről]

identity [aɪ'dentətɪ] *n* **1.** azonosság **2.** személyazonosság; *~ card* személyi/személyazonossági igazolvány; *~ check* (rendőri) igazoltatás; *prove one's ~* igazolja magát

ideogram ['ɪdɪəgræm] *n* képírásjel, ideogramma

ideograph ['ɪdɪəɡrɑːf; *US* -æf] *n = ideogram*

ideological [aɪdɪə'lɔdʒɪkl; *US* -'lɑ-] *a* ideológiai

ideologist [aɪdɪ'ɔlədʒɪst; *US* -'ɑ-] *n* ideológus

ideology [aɪdɪ'ɔlədʒɪ; *US* -'ɑ-] *n* világnézet, ideológia

ides [aɪdz] *n pl* idus; *the I~ of March* március 15/idusa

idiocy ['ɪdɪəsɪ] *n* hülyeség, butaság

idiom ['ɪdɪəm] *n* **1.** (sajátos) kifejezés-(mód), szólás(mód), idiomatizmus, idióma **2.** (nép)nyelv **3.** nyelvezet, stílus

idiomatic(al) [ɪdɪə'mætɪk(l)] *a* egy bizonyos nyelvre jellemző, idiomatikus; *speak ~ English* zamatos/tőrőlmetszett angolsággal beszél; *~ expression = idiom* 1.

idiosyncrasy [ɪdɪə'sɪŋkrəsɪ] *n* **1.** egyéni/jellemző sajátosság **2.** idioszinkrázia

idiot ['ɪdɪət] *n biz* idióta, hülye, ostoba

idiotic [ɪdɪ'ɔtɪk; *US* -'ɑ-] *a* hülye, ostoba

idle ['aɪdl] **I.** *a* **1.** henye, lusta **2.** elfoglaltság/munka nélküli, tétlen **3.** nem működő [üzem]; üres [járat]; holt [tér] **4.** haszontalan, üres **II. A.** *vt ~ one's time away* semmittevéssel tölti az idejét **B.** *vi* **1.** henyél, lopja a napot **2.** üresen jár [gép]

idleness ['aɪdlnɪs] *n* **1.** semmittevés, tétlenség **2.** hiábavalóság, haszontalanság (vmé)

idler ['aɪdlə*] *n* naplopó, semmittevő

idol ['aɪdl] *n* bálvány

idolater [aɪ'dɔlətə*; *US* -'dɑ-] *n* **1.** bálványimádó **2.** tisztelő, imádó (vké)

idolatrous [aɪ'dɔlətrəs; *US* -'dɑ-] *a* bálványimádó, bálványozó

idolatry [aɪ'dɔlətrɪ; *US* -'dɑ-] *n* **1.** bálványimádás **2.** *átv* bálványozás

idolize ['aɪdəlaɪz] *vt* bálványoz

idyl(l) ['ɪdɪl; *US* 'aɪ-] *n* **1.** *átv* idill **2.** pásztorköltemény

idyllic [aɪ'dɪlɪk] *a* idillikus

i.e. [aɪ'iː; ðæt'ɪz] id est (= *that is*) azaz, úgymint, úm.

if [ɪf] *conj* **1.** ha; feltéve hogy; *as ~* mintha; *even ~* még ha; *~ only* (1) ha másért nem is (2) óh bár, bárcsak; *he is 50 ~ a day* legalább 50 éves; *~ I were you* (én) a te helyedben; *it was hot ~ anything* nagyon is meleg volt **2.** vajon; *do you know ~ Jack is at home?* nem tudja, (hogy) itthon van-e J.?

igloo ['ɪɡluː] *n* [eszkimó] jégkunyhó

Ignatius [ɪɡ'neɪʃjəs] *prop* Ignác

igneous ['ıgnıəs] *a* vulkáni eredetű
ignis-fatuus [ıgnıs'fætjuəs; *US* -tʃü-]
n lidércfény
ignite [ıg'naıt] **A.** *vt* meggyújt **B.** *vi*
meggyullad, tüzet fog
igniter [ıg'naıtə*] *n* gyújtószerkezet
ignition [ıg'nıʃn] *n* **1.** gyújtás **2.** rob-
banás, terjeszkedés(i ütem) [motor-
hengerben] **3.** gyújtószerkezet; ~ *key*
indítókulcs, slusszkulcs; *switch on the*
~ bekapcsolja/ráadja a gyújtást
ignoble [ıg'noubl] *a* **1.** nemtelen, aljas
2. † alantas származású
ignominious [ıgnə'mınıəs] *a* meg(gy)a-
lázó; megszégyenítő; becstelen, aljas
ignominy ['ıgnəmını] *n* **1.** szégyen,
gyalázat **2.** becstelenség, aljasság
ignoramus [ıgnə'reıməs] *n* tudatlan
ember
ignorance ['ıgnərəns] *n* tudatlanság
ignorant ['ıgnərənt] *a* tudatlan; *be* ~
of sg nincs vmről tudomása, járatlan
vmben
ignore [ıg'nɔ:*] *vt* nem vesz tudomásul,
semmibe vesz, mellőz
ikon →*icon*
ilex ['aıleks] *n* téli magyalfa
Iliad ['ılıəd] *prop* Iliász
ilk [ılk] *a sk* fajta; *of that* ~ (1) ugyan-
azon helyről való (2) *biz* hasonszőrű
I'll [aıl] = *I shall/will*
ill [ıl] **I.** *a* (*comp* **worse** wə:s, *sup* **worst**
wə:st) **1.** beteg; ~ *health* gyenge
egészség, gyengélkedés; *fall* ~, *be
taken* ~ megbetegszik **2.** rossz; *átv*
~ *blood* rossz vér, viszálykodás;
~ *breeding* modortalanság, rossz mo-
dor; ~ *feeling* neheztelés; ~ *fortune/
luck* balszerencse, balsors; *do sy an*
~ *turn* rossz szolgálatot tesz vknek
3. kellemetlen **4.** káros; ~ *will* rossz-
akarat, -indulat **II.** *adv* rosszul; nem
jól/kielégítően; *it* ~ *becomes you to . . .*
nem illik hozzád (,hogy . . .); *take sg*
~ megsértődik vmn **III.** *n* **1.** rossz;
speak ~ *of sy* rosszat mond vkről
2. ills *pl* baj, csapás, szerencsétlenség
Ill. *Illinois*
ill-advised [-əd'vaızd] *a* meggondolat-
lan
ill-bred *a* nevetlen(ül viselkedő)

ill-considered [-kən'sıdəd] *a* meggondo-
latlan
ill-disposed *a* rosszindulatú
illegal [ı'li:gl] *a* törvénytelen, jogtalan,
illegális
illegality [ıli:'gælətı] *n* **1.** jogtalanság,
törvénytelenség **2.** illegalitás
illegibility [ıledʒı'bılətı] *n* olvashatat-
lanság
illegible [ı'ledʒəbl] *a* olvashatatlan
illegitimacy [ılı'dʒıtıməsı] *n* törvényte-
lenség, jogtalanság
illegitimate [ılı'dʒıtımət] *a* **1.** törvény-
telen, jogtalan **2.** házasságon kívül
született
ill-fated *a* balvégzetű, szerencsétlen
ill-favoured, *US* **-favored** *a* **1.** nem csi-
nos **2.** visszatetsző
ill-gotten *a* ebül szerzett; ~ *gains sel-
dom prosper* ebül szerzett jószág ebül
vész el
ill-humoured, *US* **-humored** [-'hju:məd]
a ingerlékeny, rosszkedvű
illiberal [ı'lıb(ə)rəl] ő **1.** szűk látókörű,
korlátolt **2.** † szűkmarkú, kicsinyes
3. közönséges, neveletlen
illicit [ı'lısıt] *a* **1.** tiltott, meg nem en-
gedett **2.** jogtalan
illimitable [ı'lımıtəbl] *a* határtalan, kor-
látlan
ill-informed [-ın'fɔ:md] *a* rosszul tájé-
kozott, tájékozatlan
illiteracy [ı'lıt(ə)rəsı] *n* **1.** írni-olvasni
nem tudás, analfabetizmus **2.** tanu-
latlanság
illiterate [ı'lıt(ə)rət] *a/n* **1.** írástudatlan,
analfabéta **2.** tanulatlan
ill-mannered *a* modortalan, rossz modo-
rú
ill-matched [-'mætʃt] *a* össze nem illő
ill-natured *a* barátságtalan, harapós
(modorú); komisz
illness ['ılnıs] *n* betegség
illogical [ı'lɔdʒıkl; *US* -'lɑ-] *a* ész-
szerű, illogikus, logikátlan
ill-omened [-'oumend] *a* baljós(latú)
ill-starred *a* rossz csillagzat alatt szü-
letett, szerencsétlen
ill-tempered *a* ingerlékeny, mogorva
ill-timed *a* rosszkor történő, időszerűtlen
ill-treat *vt* rosszul/durván bánik (vkvel)

ill-treatment *n* rossz/embertelen bánásmód; bántalmazás
illuminate [ɪ'lju:mɪneɪt; *US* -'lu:-] *vt* 1. megvilágít, kivilágít 2. megvilágít, megmagyaráz 3. színes iniciálékkal/kezdőbetűkkel díszít
illumination [ɪlju:mɪ'neɪʃn; *US* -lu:-] *n* 1. (meg)világítás; kivilágítás 2. ~s *of a manuscript* kézirat díszes iniciáléi 3. felvilágosultság
illuminator [ɪ'lju:mɪneɪtə*; *US* -'lu:-] *n* 1. kivilágító 2. kiszínező, festő
ill-use *vt* = *ill-treat*
illusion [ɪ'lu:ʒn] *n* 1. (érzék)csalódás, káprázat 2. illúzió, ábránd; *be under an* ~ tévhitben leledzik
illusionist [ɪ'lu:ʒənɪst] *n* bűvész
illusive [ɪ'lu:sɪv] *a* csalóka, látszólagos, hiú (vm)
illusory [ɪ'lu:s(ə)rɪ] *a* = *illusive*
illustrate ['ɪləstreɪt] *vt* 1. ábrázol, illusztrál, szemléltet 2. megvilágít, megmagyaráz
illustrated ['ɪləstreɪtɪd] *a* képes, illusztrált; ~ *paper* képes újság
illustration [ɪlə'streɪʃn] *n* 1. szemléltetés; illusztrálás; *by way of* ~ például, magyarázatképpen 2. illusztráció, ábra, kép
illustrative ['ɪləstrətɪv; *US* ɪ'lʌ-] *a* magyarázó, szemléltető, illusztráló
illustrator ['ɪləstreɪtə*] *n* rajzoló, illusztrátor
illustrious [ɪ'lʌstrɪəs] *a* jeles, kiváló, híres; előkelő
I'm [aɪm] = *I am* →*be*
image ['ɪmɪdʒ] I. *n* 1. (faragott) kép, szobor; kép(más); hasonmás; *the child is the very/spitting* ~ *of his father* ez a gyerek egészen/szakasztott az apja 2. arcmás; tükörkép 3. összkép, kép, elképzelés; képzet 4. hasonlat, (költői) kép, szókép II. *vt* 1. visszatükröz 2. ábrázol, lefest
imagery ['ɪmɪdʒ(ə)rɪ] *n* 1. ábrázolás 2. szobrok, képek 3. szóképek, hasonlatok
imaginable [ɪ'mædʒɪnəbl] *a* elképzelhető
imaginary [ɪ'mædʒɪn(ə)rɪ; *US* -erɪ] *a* 1. képzeletbeli 2. imaginárius [szám]
imagination [ɪmædʒɪ'neɪʃn] *n* 1. képzelet, képzelőtehetség, fantázia 2. képzelődés, kitalálás
imaginative [ɪ'mædʒɪnətɪv] *a* 1. nagy képzelőtehetségű 2. képzeletből eredő, (el)képzelt
imagine [ɪ'mædʒɪn] *vt* 1. (el)képzel, (el)gondol; *just* ~ képzeld csak; *as may be* ~*d* ahogy gondolható is volt 2. vél, hisz
imbalance [ɪm'bæləns] *n* kiegyensúlyozatlanság, egyensúlyhiány
imbecile ['ɪmbɪsi:l; *US* -bəs(ə)l] *a/n* gyengeelméjű, hülye
imbecility [ɪmbɪ'sɪlətɪ] *n* gyengeelméjűség, hülyeség
imbibe [ɪm'baɪb] *vt* 1. magába szív, felszív 2. iszik
imbroglio [ɪm'broʊlɪoʊ] *n* bonyolultság, zavar; bonyodalom
imbue [ɪm'bju:] *vt* (vmlyen érzés) eltölt, hevít; ~ *with hatred* gyűlölettel tölt el
IMF [aɪem'ef] *International Monetary Fund* Nemzetközi Valuta Alap (ENSZ)
imitate ['ɪmɪteɪt] *vt* utánoz, másol, majmol
imitation [ɪmɪ'teɪʃn] *n* 1. utánzás; követés; *in* ~ *of sg* vm utánzásaként; *in* ~ *of sy* vk példáját követve 2. utánzat, hamisítvány 3. mesterséges, mű-; ~ *leather* műbőr
imitative ['ɪmɪtətɪv; *US* -teɪ-] *a* 1. utánzó; ~ *word* hangutánzó szó 2. utánzott (*of* vmről)
imitator ['ɪmɪteɪtə*] *n* utánzó
immaculate [ɪ'mækjʊlət] *a* 1. szeplőtlen 2. hibátlan; makulátlan
immanent ['ɪmənənt] *a* benne rejlő, immanens
Immanuel [ɪ'mænjʊəl] *prop* Emánuel, Manó
immaterial [ɪmə'tɪərɪəl] *a* 1. testetlen 2. lényegtelen
immature [ɪmə'tjʊə*; *US* -'tʃʊr] *a* éretlen; kiforratlan [jellem stb.]; fejletlen
immaturity [ɪmə'tjʊərətɪ; *US* -'tʃʊ-] *n* éretlenség; fejletlenség, tökéletlenség
immeasurable [ɪ'meʒ(ə)rəbl] *a* mérhetetlen, határtalan, óriási

immediacy [ɪ'mi:djəsɪ] n 1. közvetlenség 2. azonnaliság, sürgősség
immediate [ɪ'mi:djət] a 1. közvetlen 2. azonnali, sürgős
immediately [ɪ'mi:djətlɪ] I. adv 1. azonnal; ~ after rögtön utána 2. közvetlenül II. conj amint, mihelyt
immemorial [ɪmɪ'mɔ:rɪəl] a időtlen, ősrégi; from time ~ időtlen idők óta, ősidőktől fogva
immense [ɪ'mens] a óriási, mérhetetlen, roppant, tömérdek
immensely [ɪ'menslɪ] adv nagyon, roppantul
immensity [ɪ'mensətɪ] n (vmnek) óriási volta, roppant terjedelem
immerse [ɪ'mə:s] vt be(le)márt, bemerít, alámerít; ~ oneself in sg belemélyed/elmerül vmben
immersion [ɪ'mə:ʃn; US -ʒn] n 1. be(le)-merítés, be(le)mártás, alámerítés; ~ heater merülőforraló 2. elmerülés, elmélyedés (in vmben)
immigrant ['ɪmɪgr(ə)nt] a/n bevándorló
immigrate ['ɪmɪgreɪt] vi bevándorol
immigration [ɪmɪ'greɪʃn] n bevándorlás; GB ~ officer útlevélkezelő
imminence ['ɪmɪnəns] n fenyegető közelség/veszély
imminent ['ɪmɪnənt] a küszöbön álló, közelgő, közelítő; fenyegető
immobile [ɪ'moʊbaɪl; US -b(ə)l] a 1. mozdulatlan 2. megmozdíthatatlan, rögzített
immobility [ɪmə'bɪlətɪ] n 1. mozdulatlanság 2. állhatatosság, szilárdság
immobilization [ɪmoʊbɪlaɪ'zeɪʃn; US -ɪ'z-] n 1. rögzítés [befeké]; megbénítás 2. immobilizálás, befektetés[tőkéé]
immobilize [ɪ'moʊbɪlaɪz] vt 1. mozdulatlanságra kárhoztat; rögzít [törést] 2. leköt [ellenséget, tőkét]; befagyaszt [követelést]
immoderate [ɪ'mɔd(ə)rət; US -'ma-] a mértéktelen, túlzott; szertelen
immodest [ɪ'mɔdɪst; US -a-] a 1. szerénytelen; elbizakodott; szemtelen 2. szemérmetlen [viselkedés stb.]
immodesty [ɪ'mɔdɪstɪ; US -a-] n 1. szerénytelenség; elbizakodottság; szemtelenség 2. szemérmetlenség

immolate ['ɪmələɪt] vt feláldoz
immoral [ɪ'mɔr(ə)l; US -ɔ:-] a erkölcstelen
immorality [ɪmə'rælətɪ] n erkölcstelenség
immortal [ɪ'mɔ:tl] a halhatatlan
immortality [ɪmɔ:'tælətɪ] n halhatatlanság
immortalize [ɪ'mɔ:təlaɪz] vt halhatatlanná tesz, megörökít
immovable [ɪ'mu:vəbl] I. a 1. mozdíthatatlan; szilárd, rendíthetetlen; ~ feast állandó ünnep 2. ~ property/estate ingatlan vagyon II. n ingatlan
immune [ɪ'mju:n] a 1. ment(es) (vmtől) 2. nem fogékony, immúnis [betegséggel szemben]
immunity [ɪ'mju:nətɪ] n 1. mentesség (from vm alól) 2. mentelmi jog, immunitás 3. immunitás, védettség [betegséggel szemben]
immunization [ɪmju:naɪ'zeɪʃn; US -nɪ'z-] n 1. védőoltás, immunizálás 2. mentesítés
immunize ['ɪmju:naɪz] vt immúnissá/ellenállóvá tesz [betegséggel szemben]
immunology [ɪmju:n'ɔlədʒɪ; US -'a-] n immunológia
immure [ɪ'mjʊə*] vt 1. (fallal) körülkerít 2. bezár, elzár; ~ oneself elzárkózik
immutability [ɪmju:tə'bɪlətɪ] n (meg-)változhatatlanság, állandóság
immutable [ɪ'mju:təbl] a (meg)változhatatlan, állandó
imp [ɪmp] n 1. kis ördög, manó 2. huncut kölyök
impact ['ɪmpækt] n 1. ütközés, nekiütődés 2. hatás; kihatás, behatás, befolyás (on vmre)
impair [ɪm'peə*] vt elront, megrongál; ~ed health megrendült egészség
impairment [ɪm'peəmənt] n 1. megromlás, gyengülés, kár(osodás) 2. (meg-) rongálás; megrontás
impale [ɪm'peɪl] vt karóba húz
impalpable [ɪm'pælpəbl] a 1. (ki)tapinthatatlan 2. megfoghatatlan
impanel [ɪm'pænl] vt -ll- (US -l-) = empanel
impart [ɪm'pɑ:t] vt 1. részesít, juttat

2. közöl, tudat (*to* vkvel), tudomására hoz (*to* vknek vmt)
impartial [ɪm'pɑ:ʃl] *a* pártatlan, részrehajlás nélküli, elfogulatlan
impartiality ['ɪmpɑ:ʃɪ'ælətɪ] *n* pártatlanság, elfogulatlanság
impassable [ɪm'pɑ:səbl; US -'pæ-] *a* járhatatlan
impasse [æm'pɑ:s; US ɪm'pæs] *n* átv zsákutca, holtpont
impassioned [ɪm'pæʃnd] *a* szenvedélyes, tüzes, lelkes
impassive [ɪm'pæsɪv] *a* 1. közömbös, egykedvű 2. érzéketlen
impassivity [ɪmpæ'sɪvətɪ] *n* 1. közömbösség 2. érzéketlenség
impatience [ɪm'peɪʃns] *n* türelmetlenség
impatient [ɪm'peɪʃnt] *a* türelmetlen
impeach [ɪm'pi:tʃ] *vt* (be)vádol, felelősségre von
impeachment [ɪm'pi:tʃmənt] *n* (alkotmányjogi) felelősségre vonás, vádemelés
impeccability [ɪmpekə'bɪlətɪ] *n* 1. feddhetetlenség 2. kifogástalanság
impeccable [ɪm'pekəbl] *a* 1. feddhetetlen 2. kifogástalan
impecunious [ɪmpɪ'kju:njəs] *a* pénztelen, kispénzű
impede [ɪm'pi:d] *vt* (meg)akadályoz, (meg)gátol; feltartóztat
impediment [ɪm'pedɪmənt] *n* akadály, gát; ~ *in speech* beszédhiba, dadogás
impedimenta [ɪmpedɪ'mentə] *n pl* málha, poggyász, felszerelés
impel [ɪm'pel] *vt* -ll- 1. ösztökél, hajt, űz 2. rávisz [bűnre stb.]
impending [ɪm'pendɪŋ] *a* küszöbön álló, közelgő, közelítő; fenyegető [veszély]
impenetrable [ɪm'penɪtrəbl] *a* 1. áthatolhatatlan 2. átláthatatlan, felderíthetetlen
impenitence [ɪm'penɪt(ə)ns] *n* megátalkodottság, bűnbánat hiánya
impenitent [ɪm'penɪt(ə)nt] *a* megátalkodott, bűnbánat nélküli
imperative [ɪm'perətɪv] I. *a* 1. ~ *mood* parancsoló/felszólító mód 2. parancsoló, ellentmondást nem tűrő 3. sürgető, kényszerítő; *it is ~ for us all to . . .* mindnyájunk kötelessége,

hogy . . . II. *n* parancsoló/felszólító mód, imperativus
imperceptible [ɪmpə'septəbl] *a* nem/alig észlelhető; nem érzékelhető; fokozatos
imperfect [ɪm'pə:fɪkt] I. *a* 1. tökéletlen; befejezetlen; hiányos, hézagos 2. ~ *tense* = II. *n* II. *n* elbeszélő/folyamatos múlt idő, imperfectum
imperfection [ɪmpə'fekʃn] *n* 1. tökéletlenség 2. befejezetlenség; hiány(osság)
imperial [ɪm'pɪərɪəl] I. *a* 1. császári; birodalmi; *His/Her I~ Majesty* ő császári felsége 2. az Egyesült Királyságban használt [súlyok, mértékek] 3. fenséges, nagyszerű II. *n* kecskeszakáll
imperialism [ɪm'pɪərɪəlɪzm] *n* imperializmus
imperialist [ɪm'pɪərɪəlɪst] *a/n* imperialista
imperialistic [ɪmpɪərɪə'lɪstɪk] *a* imperialista
imperil [ɪm'per(ə)l] *vt* -ll- (*US* -l-) veszélyeztet
imperious [ɪm'pɪərɪəs] *a* 1. parancsoló, zsarnoki; dölyfös 2. sürgős, kényszerítő
imperishable [ɪm'perɪʃəbl] *a* (el)múlhatatlan, hervadhatatlan; maradandó
impermanent [ɪm'pə:mənənt] *a* nem állandó/tartós
impermeability [ɪmpə:mjə'bɪlətɪ] *n* 1. áthatolhatatlanság 2. vízhatlanság
impermeable [ɪm'pə:mjəbl] *a* 1. áthatolhatatlan 2. vízhatlan
impersonal [ɪm'pə:sn(ə)l] *a* 1. személytelen 2. egyéniség nélküli
impersonate [ɪm'pə:səneɪt] *vt* megszemélyesít (vkt); (vmlyen) szerepet alakít
impersonation [ɪmpə:sə'neɪʃn] *n* megszemélyesítés; (színészi) alakítás
impertinence [ɪm'pə:tɪnəns] *n* arcátlanság, szemtelenség, pimaszság
impertinent [ɪm'pə:tɪnənt] *a* 1. arcátlan, szemtelen, pimasz 2. nem a tárgyhoz tartozó
imperturbability ['ɪmpətə:bə'bɪlətɪ] *n* rendíthetetlenség; higgadtság

imperturbable [ɪmpə'tə:bəbl] *a* 1. rendíthetetlen 2. higgadt; nyugodt
impervious [ɪm'pə:vjəs] *a* 1. áthatolhatatlan; ~ *to water* vízhatlan 2. érzéketlen
impetigo [ɪmpɪ'taɪgoʊ] *n* var(asodás), csecsemőótvar
impetousity [ɪmpetjʊ'ɔsətɪ; *US* -tʃʊ'a-] *n* hevesség
impetuous [ɪm'petjʊəs; *US* -tʃ-] *a* heves, indulatos; rámenős; elhamarkodott
impetus ['ɪmpɪtəs] *n* 1. lendítőerő, ösztönzés 2. lendület
impiety [ɪm'paɪətɪ] *n* 1. istentelenség 2. kegyelettelenség
impinge [ɪm'pɪndʒ] *vi* 1. ~ *(up)on (sg)* összeütközik (vmvel), nekiütközik (vmnek); hatást gyakorol (vmre) 2. túlkapást követ el
impious ['ɪmpɪəs] *a* 1. istentelen 2. kegyelet nélküli
impish ['ɪmpɪʃ] *a* huncut(kodó)
implacability [ɪmplækə'bɪlətɪ] *n* engesztelhetetlenség, kérlelhetetlenség
implacable [ɪm'plækəbl] *a* engesztelhetetlen, kérlelhetetlen
implant [ɪm'plɑ:nt; *US* -æ-] *vt (átv is)* beolt; beültet
implausible [ɪm'plɔ:zəbl] *a* valószínűtlen
implement I. *n* ['ɪmplɪmənt] 1. eszköz, szerszám 2. felszerelés II. *vt* ['ɪmplɪment] végrehajt, keresztülvisz, teljesít
implementation [ɪmplɪmen'teɪʃn] *n* végrehajtás, kivitelezés, teljesítés
implicate ['ɪmplɪkeɪt] *vt* belebonyolít, belekever *(in* vmbe)
implication [ɪmplɪ'keɪʃn] *n* 1. belevonás; belekeveredés 2. beleértés; burkolt célzás; *by* ~ (1) közvetve (2) hallgatólagosan
implicit [ɪm'plɪsɪt] *a* 1. beleértett; magától értetődő, hallgatólagos 2. fenntartás nélküli
implicitly [ɪm'plɪsɪtlɪ] *adv* beleértődően; értelemszerűen; *trust sy* ~ fenntartás nélkül bízik vkben
implore [ɪm'plɔ:*] *vt* könyörög, kér, esedezik
imply [ɪm'plaɪ] *vt* 1. beleért, magában foglal, értelmileg tartalmaz 2. burkoltan céloz, utal (vmre)
impolite [ɪmpə'laɪt] *a* udvariatlan
impolitic [ɪm'pɔlətɪk; *US* -'pa-] *a* nem politikus, nem célravezető, célszerűtlen
imponderable [ɪm'pɔnd(ə)rəbl; *US* -an-] I. *a* 1. kiszámíthatatlan, le nem mérhető 2. súlytalan II. **imponderables** *n pl* imponderábiliák
import I. *n* ['ɪmpɔ:t] 1. árubehozatal, import; ~ *duty* behozatali vám 2. **imports** *pl* importáruk, behozott/külföldi áruk 3. értelem 4. fontosság, horderő II. *vt* [ɪm'pɔ:t] behoz, importál [árut]
importance [ɪm'pɔ:tns] *n* fontosság, jelentőség; *of great* ~ nagy jelentőségű
important [ɪm'pɔ:tnt] *a* fontos, jelentős
importation [ɪmpɔ:'teɪʃn] *n* behozatal, import(álás)
importer [ɪm'pɔ:tə*] *n* importőr
importunate [ɪm'pɔ:tjʊnət; *US* -tʃə-] *a* 1. tolakodó, okvetetlenkedő 2. sürgető, sürgős
importune [ɪm'pɔ:tju:n; *US* -'tu:n] *vt* zaklat; nyakára jár, (erőszakosan) könyörög
importunity [ɪmpɔ:'tju:nətɪ; *US* -'tu:-] *n* alkalmatlankodás, háborgatás; sürgető kérés
impose [ɪm'poʊz] A. *vt* 1. ~ *(tax/duty) (up)on sg* (adót/vámot) vet ki vmre; ~ *sg (up)on sy* (1) előír vknek vmt (2) rásóz vkre vmt; ~ *oneself on sy* vk nyakába varrja magát 2. [szedést] tördel B. *vi* ~ *(up)on sy* (1) becsap, rászed vkt (2) visszaél vk bizalmával/jóságával
imposing [ɪm'poʊzɪŋ] *a* impozáns, hatásos; tiszteletet parancsoló
imposition [ɪmpə'zɪʃn] *n* 1. kivetés, kiszabás [büntetésé, adóé] 2. megterhelés; teher(tétel) 3. büntetés(i feladat) 4. csalás; visszaélés
impossibility [ɪmpɔsə'bɪlətɪ; *US* -pa-] *n* lehetetlenség; képtelenség
impossible [ɪm'pɔsəbl; *US* -'pa-] *a* lehetetlen; képtelen
impostor [ɪm'pɔstə*; *US* -'pa-] *n* csaló, szélhámos, imposztor

imposture [ɪm'pɔstʃə*; US -'pɑ-] n
csalás, szédelgés
impotence ['ɪmpət(ə)ns] n 1. tehetetlenség, gyengeség 2. impotencia
impotent ['ɪmpət(ə)nt] a 1. tehetetlen, gyenge 2. impotens
impound [ɪm'paʊnd] vt lefoglal, zár alá vesz
impoverish [ɪm'pɔv(ə)rɪʃ; US -'pɑ-] vt 1. elszegényít 2. kimerít [talajt stb.]
impoverishment [ɪm'pɔv(ə)rɪʃmənt; US -'pɑ-] n 1. elszegényítés 2. elszegényedés
impracticability [ɪmpræktɪkə'bɪlətɪ] n 1. megvalósíthatatlanság, kivihetetlenség 2. járhatatlanság
impracticable [ɪm'præktɪkəbl] a 1. kivihetetlen, teljesíthetetlen 2. járhatatlan [út]; nem célravezető [módszer stb.]
impractical [ɪm'præktɪkl] a 1. = unpractical 2. = impracticable
imprecate ['ɪmprɪkeɪt] vt ~ curses on sy átkokat szór vkre
imprecation [ɪmprɪ'keɪʃn] n 1. átkozódás; elátkozás 2. átok, szitok(szó)
imprecise [ɪmprɪ'saɪs] a nem pontos
impregnable [ɪm'pregnəbl] a legyőzhetetlen, bevehetetlen [erőd stb.]
impregnate ['ɪmpregneɪt; US ɪm'pr-] vt 1. telít, átitat (with vmvel) 2. (átv is) megtermékenyít
impregnation [ɪmpreg'neɪʃn] n 1. telítés, átitatás 2. telítődés, átitatódás 3. megtermékenyítés 4. megtermékenyülés
impresario [ɪmprɪ'sɑːrɪoʊ] n hangversenyrendező; impresszárió
impress I. n ['ɪmpres] 1. bélyeg(ző), impresszum, ismertetőjel 2. átv nyom, bélyeg II. vt [ɪm'pres] 1. ~ sg upon sg rányom/rábélyegez vmt vmre; ~ sg upon the mind elmébe/emlékezetbe vés vmt 2. be ~ed by sg nagy hatással van rá vm; I am not ~ed hidegen hagy, nem hat meg
impression [ɪm'preʃn] n 1. benyomás, hatás; I am under the ~ that az a benyomásom, hogy; make an ~ nagy hatással van, mély benyomást kelt

2. (nyomdai) levonat, lenyomat 3. (változatlan) utánnyomás; példányszám 4. nyom(tat)ás
impressionable [ɪm'preʃ(ə)nəbl] a fogékony; befolyásolható
impressionism [ɪm'preʃ(ə)nɪzm] n impresszionizmus
impressionist [ɪm'preʃ(ə)nɪst] a/n impresszionista
impressive [ɪm'presɪv] a hatásos
imprint I. n ['ɪmprɪnt] 1. lenyomat; nyom [bélyegzőé stb.] 2. cégjelzés, könyvkiadó neve, impresszum II. vt [ɪm'prɪnt] ~ sg on sg (bele)nyom/ (bele)vés vmt vmbe (átv is)
imprison [ɪm'prɪzn] vt bebörtönöz
imprisonment [ɪm'prɪznmənt] n 1. bebörtönzés 2. börtönbüntetés
improbability [ɪmprɔbə'bɪlətɪ; US -ab-] n valószínűtlenség
improbable [ɪm'prɔbəbl; US -ab-] a valószínűtlen
impromptu [ɪm'prɔmptjuː; US -'pramptuː] I. a rögtönzött II. adv rögtönözve III. n rögtönzés, improvizáció
improper [ɪm'prɔpə*; US -ap-] a 1. helytelen; nem odavaló 2. téves 3. ízléstelen; illetlen 4. ~ fraction áltört
impropriety [ɪmprə'praɪətɪ] n 1. illetlenség 2. helytelenség
improve [ɪm'pruːv] A. vt 1. megjavít, tökéletesít; (tovább)fejleszt 2. kihasznál [alkalmat] B. vi javul; átv halad, fejlődik; ~ (up)on sg megjavít/ tökéletesít vmt; (tovább)fejleszt; ~ (up)on sy túlszárnyal vkt
improvement [ɪm'pruːvmənt] n 1. javítás, tökéletesítés; fejlesztés 2. javulás; haladás; fejlődés; be an ~ on felülmúl vkt/vmt, tökéletesebb vmnél 3. improvements pl hasznos változtatások; beruházási munkálatok
improvidence [ɪm'prɔvɪd(ə)ns; US -av-] n vigyázatlanság; előrelátás hiánya; könnyelműség
improvident [ɪm'prɔvɪd(ə)nt; US -av-] a vigyázatlan, nem előrelátó; könnyelmű, előre nem gondoskodó
improvisation [ɪmprəvaɪ'zeɪʃn; US -prɑvɪ'z-] n rögtönzés, improvizáció

improvise ['ımprǝvaız] *vt* rögtönöz; hevenyészve összeüt
imprudence [ım'pru:d(ǝ)ns] *n* meggondolatlanság
imprudent [ım'pru:d(ǝ)nt] *a* meggondolatlan
impudence ['ımpjʊd(ǝ)ns] *n* szemtelenség, arcátlanság
impudent ['ımpjʊd(ǝ)nt] *a* szemtelen, arcátlan, pimasz
impugn [ım'pju:n] *vt* (meg)támad, kétségbe von, vitat
impulse ['ımpʌls] *n* 1. lökés, indítás, impulzus 2. ösztönzés, indíték 3. ihlet, sugallat; *man of ~* impulzív ember
impulsive [ım'pʌlsıv] *a* 1. ösztönző, ösztökélő 2. lobbanékony, impulzív 3. ~ *force* hajtóerő
impunity [ım'pju:nǝtı] *n* büntetlenség; *with ~* szabadon, büntetlenül
impure [ım'pjʊǝ*] *a* 1. tisztát(a)lan, szennyes 2. kevert, nem tiszta
impurity [ım'pjʊǝrǝtı] *n* 1. tisztát(a)lanság, erkölcstelenség 2. **impurities** *pl* szennyeződés, szennyező anyagok
imputable [ım'pju:tǝbl] *a* felróható, tulajdonítható (*to* vknek/vmnek)
imputation [ımpju:'teıʃn] *n* 1. tulajdonítás (*to* vmnek) 2. gyanúsítás
impute [ım'pju:t] *vt* tulajdonít, felró (*to* vmnek/vknek)
in [ın] I. *prep* 1. -ban, -ben; -on, -en, -ön; -ba, -be; ~ *Europe* Európában; ~ *the country* vidéken; ~ *the picture* a képen; ~ *the street* az utcán 2. -képpen, módon; szerint; ~ *my opinion* véleményem szerint; ~ *reply* válaszképpen; ~ *writing* írásban; *paint ~ oil* olajjal fest; *write ~ ink* tintával ír 3. -ban, -ben; alatt, idején; ~ *1980* 1980-ban; ~ *the future* a jövőben; ~ *summer* nyáron; ~ *the reign of Queen Elizabeth* Erzsébet királynő uralkodása idején 4. alatt, folyamán miközben, mialatt; *working ~ the field* míg a mezőn dolgozott . . .; ~ *three hours* (1) három óra alatt; három órán belül (2) három óra múlva; ~ *a little while* hamarosan; ~ *crossing the river* mikö̈zben a folyón

átkelt(ünk) 5. közül; -ként; *one ~ ten* minden tizedik, tíz közül egy; *blind ~ one eye* fél szemére vak II. *adv* 1. benn, bent, belül; *be ~* (1) otthon van (2) befutott, megérkezett [vonat, hajó stb.] (3) divatban van; *the Tories were ~* a konzervatívok voltak kormányon/uralmon; *the harvest is ~* a termés be van takarítva; *strawberries are ~* most van az eperszezon ‖ → *be in* 2. ~ *and out* (1) ki-be (járkál) (2) kívül-belül (ismer); *I know him ~ and out* tökéletesen ismerem; *day ~ day out* nap nap után III. *n the ~s and outs of sg* vmnek a csínja-bínja
in. *inch(es)*
inability [ınǝ'bılǝtı] *n* ~ (*tɔ do sg*) képtelenség, tehetetlenség (vmre)
inaccessibility ['ınæksesǝ'bılǝtı] *n* hozzáférhetetlenség
inaccessible [ınæk'sesǝbl] *a* hozzáférhetetlen, megközelíthetetlen
inaccuracy [ın'ækjʊrǝsı] *n* 1. pontatlanság 2. tévedés; hiba
inaccurate [ın'ækjʊrǝt] *a* 1. pontatlan 2. hibás, téves; helytelen
inaction [ın'ækʃn] *n* tétlenség
inactive [ın'æktıv] *a* tétlen
inactivity [ınæk'tıvǝtı] *n* tétlenség
inadequacy [ın'ædıkwǝsı] *n* 1. alkalmatlanság 2. elégtelenség, meg nem felelő volta (vmnek)
inadequate [ın'ædıkwǝt] *a* 1. elégtelen, nem kielégítő 2. alkalmatlan, meg nem felelő, inadekvát
inadmissible [ınǝd'mısǝbl] *a* meg nem engedhető; el nem fogadható
inadvertence [ınǝd'vǝ:t(ǝ)ns] *n* 1. figyelmetlenség, gondatlanság 2. elnézés
inadvertent [ınǝd'vǝ:t(ǝ)nt] *a* 1. figyelmetlen, gondatlan 2. nem szándékos
inadvertently [ınǝd'vǝ:t(ǝ)ntlı] *adv* véletlenül, elnézésből
inadvisable [ınǝd'vaızǝbl] *a* nem tanácsos/célszerű; célszerűtlen
inalienable [ın'eılıǝnǝbl] *a* elidegeníthetetlen
inane [ı'neın] *a* 1. ostoba 2. üres
inanimate [ın'ænımǝt] *a* élettelen

inanition [ɪnə'nɪʃn] n éhségtől való kimerültség, kiéhezettség
inanity [ɪ'nænətɪ] n 1. ostobaság 2. semmiség, haszontalanság
inapplicable [ɪn'æplɪkəbl] a nem alkalmazható/használható (to vmre)
inappreciable [ɪnə'pri:ʃəbl] a alig észrevehető, jelentéktelen
inappropriate [ɪnə'proʊprɪət] a alkalmatlan (to vmre); nem helyénvaló
inapt [ɪn'æpt] a alkalmatlan, nem megfelelő (to vmre)
inaptitude [ɪn'æptɪtju:d; US -tu:d] a 1. alkalmatlanság 2. oda nem illőség
inarticulate [ɪnɑ:'tɪkjʊlət] a 1. tagolatlan, tökéletlenül kiejtett 2. összefüggéstelen [beszéd] 3. ízület nélküli
inartistic [ɪnɑ:'tɪstɪk] a művészietlen
inasmuch as [ɪnəz'mʌtʃæz]conj 1. amennyiben 2. mivel, minthogy
inattention [ɪnə'tenʃn] n 1. figyelmetlenség 2. hanyagság
inattentive [ɪnə'tentɪv] a 1. hanyag 2. figyelmetlen
inaudible[ɪn'ɔ:də:bl]a nem hallható, halk
inaugural [ɪ'nɔ:gjʊr(ə)l] I. a beköszöntő, székfoglaló [beszéd]; fölavató [ünnepség] II. n megnyitó/ünnepi beszéd
inaugurate [ɪ'nɔ:gjʊreɪt] vt 1. felavat; beiktat; leleplez [szobrot stb.] 2. bevezet, kezdeményez [új rendszert/korszakot]
inauguration [ɪnɔ:gjʊ'reɪʃn] n 1. felavatás 2. beiktatás 3. bevezetés
inauspicious [ɪnɔ:'spɪʃəs]a kedvezőtlen, baljós(latú)
inborn [ɪn'bɔ:n] a vele született
inbred [ɪn'bred] a 1. vele született 2. beltenyésztésű
Inc. incorporated →incorporate II. 3.
Inca ['ɪŋkə] a/n inka
incalculable [ɪn'kælkjʊləbl] a kiszámíthatatlan; felmérhetetlen
incandescent [ɪnkæn'desnt] a ~ lamp izzó(lámpa)
incantation [ɪnkæn'teɪʃn] n 1. varázsige 2. varázslat
incapability [ɪnkeɪpə'bɪlətɪ] n képtelenség, alkalmatlanság (of vmre)
incapable [ɪn'keɪpəbl] a 1. tehetetlen; képtelen (of vmre) 2. cselekvőképtelen

incapacitate [ɪnkə'pæsɪteɪt] vt képtelenné/alkalmatlanná tesz (for vmre)
incapacity [ɪnkə'pæsətɪ] n 1. tehetetlenség, (cselekvő)képtelenség 2. alkalmatlanság (for vmre)
incarcerate [ɪn'kɑ:səreɪt] vt bebörtönöz
incarnadine [ɪn'kɑ:nədaɪn] vt vörösre fest
incarnate I. a [ɪn'kɑ:neɪt; US -ɪt] megtestesült II. vt ['ɪnkɑ:neɪt; US -'kɑ:-] megtestesít
incarnation [ɪnkɑ:'neɪʃn] n megtestesülés; testté válás
incautious [ɪn'kɔ:ʃəs] a (elő)vigyázatlan
incendiary [ɪn'sendjərɪ; US -erɪ] I. a 1. gyújtó [bomba] 2. bujtogató, lázító II. n 1. gyújtogató, piromániás 2. bujtogató, lázító 3. gyújtóbomba
incense I. n ['ɪnsens] 1. tömjén, füstölő 2. átv tömjénezés II. vt [ɪn'sens] dühbe hoz, felháborít
incentive [ɪn'sentɪv] I. a ösztönző II. n ösztönzés; indíték; material ~ anyagi ösztönző
inception [ɪn'sepʃn] n kezdet
incertitude [ɪn'sə:tɪtju:d; US -tu:d] n bizonytalanság
incessant [ɪn'sesnt] a folytonos, szakadatlan, szüntelen
incest ['ɪnsest] n vérfertőzés
incestuous [ɪn'sestjʊəs; US -tʃ-] a vérfertőző
inch [ɪntʃ] I. n hüvelyk ⟨mértékegység: 2,54 cm⟩; ~ by ~, by ~es apránként; every ~ teljesen, minden ízében, tetőtől talpig; thrash sy within an ~ of his life félholtra ver; at an ~ hajszálnyira II. vt/vi ~ (along) lassan mászik/halad
inchoate ['ɪnkoʊeɪt; US ɪn'koʊɪt] a 1. megkezdett; kezdeti 2. kezdetleges
inchoative ['ɪnkoʊeɪtɪv; US -'koʊətɪv] a kezdeti [stádium]; ~ verb kezdő ige
incidence ['ɪnsɪd(ə)ns] n 1. elterjedtség, előfordulás 2. (véletlen) esemény
incident ['ɪnsɪd(ə)nt] I. a ~ to vmvel járó, vmt kísérő II. n 1. váratlan/közbejött esemény 2. kellemetlen/zavaró eset, incidens

incidental [ɪnsɪ'dentl] a 1. esetleges, mellékes; ~ expenses előre nem látott kiadások 2. ~ to vmvel járó, vmt kísérő; ~ music kísérőzene; színpadi zene incidentally [ɪnsɪ'dent(ə)lɪ] adv 1. mellékesen (megjegyezve) 2. esetleg incinerate [ɪn'sɪnəreɪt] vt eléget, elhamvaszt incineration [ɪnsɪnə'reɪʃn] n elhamvasztás incinerator [ɪn'sɪnəreɪtə*] n 1. szeméthamvasztó gép 2. US krematórium incipient [ɪn'sɪpɪənt] a kezdő, kezdeti incise [ɪn'saɪz] vt bemetsz, bevág; bevés incision [ɪn'sɪʒn] n (be)metszés, bevágás incisive [ɪn'saɪsɪv] a (átv is) metsző, éles incisor [ɪn'saɪzə*] n metszőfog incite [ɪn'saɪt] vt 1. ösztönöz, bátorít (to vmre) 2. felbújt (to vmre) incitement [ɪn'saɪtmənt] n 1. bátorítás, ösztönzés 2. izgatás, felbujtás 3. ösztönzés, indíték incivility [ɪnsɪ'vɪlətɪ] n udvariatlanság incl. including, inclusive inclemency [ɪn'klemənsɪ] n zord(on)ság, barátságtalanság [időjárásé] inclement [ɪn'klemənt] a szigorú [tél], zord; ~ weather csúnya időjárás inclination [ɪnklɪ'neɪʃn] n 1. hajlam, hajlamosság, hajlandóság (to vmre) 2. meghajtás; ~ of the head fejbólintás 3. lejtő, lejtés incline I. n [ɪn'klaɪn; US 'ɪn-] lejtő; ~ railway sikló II. v [ɪn'klaɪn] A. vi 1. lejtősödik, lejt 2. hajlik, hajlandóságot érez (to vmre) B. vt 1. (le)hajt 2. elhajlít 3. késztet, indít; ~ one's steps to a place vmerre irányítja lépteit inclined [ɪn'klaɪnd] a 1. lejtős; ~ plane ferde sík 2. hajlamos (to vmre); I am ~ to think that... azt hiszem, hogy..., úgy vélem... include [ɪn'kluːd] vt 1. tartalmaz, magába(n) foglal 2. beleért, -vesz, -számít including [ɪn'kluːdɪŋ] prop beleértve, ... vel együtt inclusion [ɪn'kluːʒn] n belefoglalás inclusive [ɪn'kluːsɪv] a 1. beleértett, -számított; ~ of... ... beleértve, ... beleszámítva; ~ terms minden költséget magába foglaló ár 3. ... bezárólag

incog. incognito incognito [ɪn'kɔgnɪtoʊ; US -'kɑ-] I. a rangrejtett II. adv rangrejtve, álnéven, inkognitóban incoherence [ɪnkə'hɪər(ə)ns] n összefüggéstelenség incoherent [ɪnkə'hɪər(ə)nt] a összefüggéstelen, zavaros incombustible [ɪnkəm'bʌstəbl] a éghetetlen, nem égő/gyulladó income ['ɪŋkʌm] n jövedelem; ~ bracket jövedelemkategória income-tax n jövedelemadó; ~ return jövedelemadó-bevallás; ~ brackets jövedelemadó-kategória incoming ['ɪnkʌmɪŋ] a bejövő, beérkező; ~ tide dagály incommensurate [ɪnkə'menʃ(ə)rət] a 1. egyenlőtlen, aránytalan (with/to vmvel) 2. összemérhetetlen incommode [ɪnkə'moʊd] vt háborgat, zavar; alkalmatlanságot okoz incommunicado [ɪnkəmjuː'nɪ'kɑːdoʊ] a érintkezési lehetőségtől elzárt incomparable [ɪn'kɔmp(ə)rəbl; US -əm-] a össze nem hasonlítható (to/with vmvel); hasonlíthatatlan, egyedülálló incompatibility ['ɪnkəmpætə'bɪlətɪ] n összeférhetetlenség incompatible [ɪnkəm'pætəbl] a összeférhetetlen, -egyeztethetetlen incompetence [ɪn'kɔmpɪt(ə)ns; US -əm-] n 1. illetéktelenség 2. (szakmai) hozzá nem értés incompetency [ɪn'kɔmpɪt(ə)nsɪ; US -əm-] n = incompetence incompetent [ɪn'kɔmpɪt(ə)nt; US -əm-] a 1. illetéktelen 2. (szakmailag) nem hozzáértő incomplete [ɪnkəm'pliːt] a nem teljes, befejezetlen, hiányos incomprehensibility [ɪnkɔmprɪhensə'bɪlətɪ; US -əm-] n érthetetlenség, megfoghatatlanság incomprehensible [ɪnkɔmprɪ'hensəbl; US -əm-] a érthetetlen, megfoghatatlan incompressible [ɪnkəm'presəbl] a összenyomhatatlan inconceivable [ɪnkən'siːvəbl] a 1. elkép-

zelhetetlen 2. *biz* alig hihető; hihetetlen
inconclusive [ɪnkən'klu:sɪv] *a* nem döntő/meggyőző; hatástalan
incongruity [ɪnkɔŋ'gru:ətɪ] *n* össze nem illőség, meg nem felelés (*with* vmvel)
incongruous [ɪn'kɔŋgrʊəs; *US* -əŋ-] *a* össze nem illő, összhangban nem álló (*with* vmvel)
inconsequence [ɪn'kɔnsɪkwəns; *US* -ən-] *n* 1. következetlenség 2. lényegtelenség
inconsequent [ɪn'kɔnsɪkwənt; *US* -ən-] *a* 1. következetlen, logikátlan 2. nem összefüggő
inconsequential [ɪnkɔnsɪ'kwenʃl; *US* -ən-] *a* 1. = inconsequent 1., 2. 2. lényegtelen, jelentéktelen
inconsiderable [ɪnkən'sɪd(ə)rəbl] *a* jelentéktelen, figyelemre nem méltó; csekély
inconsiderate [ɪnkən'sɪd(ə)rət] *a* 1. tapintatlan 2. meggondolatlan, elhamarkodott
inconsistency [ɪnkən'sɪst(ə)nsɪ] *n* következetlenség, (belső) ellentmondás
inconsistent [ɪnkən'sɪst(ə)nt] *a* 1. nem következetes/összeillő 2. összeegyeztethetetlen; ellentmondó (*with* vmvel)
inconsolable [ɪnkən'soʊləbl] *a* vigasztal(hatatl)an
inconspicuous [ɪnkən'spɪkjʊəs] *a* nem feltűnő, alig észrevehető
inconstancy [ɪn'kɔnst(ə)nsɪ; *US* -ən-] *n* 1. állhatatlanság 2. változékonyság
inconstant [ɪn'kɔnst(ə)nt; *US* -ən-] *a* 1. állhatatlan 2. változékony
incontestable [ɪnkən'testəbl] *a* (el)vitathatatlan; megdönthetetlen
incontinence [ɪn'kɔntɪnəns; *US* -ən-] *n* 1. mértéktelenség; bujaság 2. önkéntelen vizelés
incontinent [ɪn'kɔntɪnənt; *US* -ən-] *a* 1. mértéktelen; buja 2. vizeletét visszatartani nem tudó
incontrovertible [ɪnkɔntrə'və:təbl; *US* -ən-] *a* (el)vitathatatlan; megdönthetetlen
inconvenience [ɪnkən'vi:njəns] I. *n* alkalmatlanság; kellemetlenség; kényelmetlenség; hátrány II. *vt* zavar

(vkt), alkalmatlankodik, terhére van (vknek)
inconvenient [ɪnkən'vi:njənt] *a* 1. nem megfelelő; alkalmatlan 2. kellemetlen, terhes
inconvertible [ɪnkən'və:təbl] *a* át nem váltható, inkonvertibilis
incorporate I. *a* [ɪn'kɔ:p(ə)rət] egyesült II. *v* [ɪn'kɔ:pəreɪt] A. *vt* 1. egyesít (*with* vmvel) 2. megtestesít 3. bekebelez, cégjegyzékbe bejegyez; ~*d company* (1) *GB* bejegyzett cég (2) *US* részvénytársaság 4. felölel, magába foglal B. *vi* egyesül, fuzionál
incorporation [ɪnkɔ:pə'reɪʃn] *n* 1. egyesítés, fuzionálás (*with* vmvel) 2. bekebelezés (*in/into* vmbe)
incorporeal [ɪnkɔ:'pɔ:rɪəl] *a* testetlen, anyagtalan
incorrect [ɪnkə'rekt] *a* nem helyes/pontos/tisztességes; hibás, helytelen
incorrigible [ɪn'kɔrɪdʒəbl; *US* -'kɔ:-] *a* javíthatatlan; megrögzött
incorruptible [ɪnkə'rʌptəbl] *a* 1. meg nem ronthato; megvesztegethetetlen 2. nem rothadó; elpusztíthatatlan
increase I. *n* ['ɪnkri:s] 1. növelés, fokozás; szaporítás 2. növekedés; fokozódás; szaporodás; ~ *in price* áremelkedés 3. szaporulat 4. többlet, haszon II. *v* [ɪn'kri:s] A. *vt* növel, fokoz, emel; szaporít B. *vi* növekedik, szaporodik; fokozódik; emelkedik
increasingly [ɪn'kri:sɪŋlɪ] *adv* egyre inkább, mindinkább
incredible [ɪn'kredəbl] *a* hihetetlen
incredulity [ɪnkrɪ'dju:lətɪ; *US* -'du:-] *n* kétkedés, hitetlenség
incredulous [ɪn'kredjʊləs; *US* -dʒə-] *a* hitetlen, kétkedő
increment ['ɪnkrɪmənt] *n* 1. növedék, szaporulat, hozadék 2. haszon, nyereség, profit
incriminate [ɪn'krɪmɪneɪt] *vt* 1. gyanúba kever 2. hibáztat; vádol
incriminating [ɪn'krɪmɪneɪtɪŋ] *a* ~ *evidence* terhelő bizonyíték; bűnjel
incrustation [ɪnkrʌs'teɪʃn] *n* 1. kéreggel való bevonás 2. lerakódás; kazánkő(képződés) 3. kéreg, héj 4. *átv biz* megcsontosodás

incubate ['ıŋkjʊbeɪt] A. vi 1. kotlik 2. lappang [betegség] B. vt (ki)költ
incubation [ıŋkjʊ'beɪʃn] n 1. kotlás, (ki)költés 2. (ki)keltetés 3. lappangás, inkubáció; period of ~ lappangási idő [betegségé]
incubator ['ıŋkjʊbeɪtə*] n 1. keltetőgép 2. inkubátor [koraszülötteknek]
incubus ['ıŋkjʊbəs] n (átv is) lidércnyomás
inculcate ['ıŋkʌlkeɪt; US -'kʌl-] vt ~ sg in sy eszébe/lelkébe vés vknek vmt; belenevel vkbe vmt
inculpate ['ıŋkʌlpeɪt; US -'kʌl-] vt vádol, gáncsol; hibáztat
incumbency [ın'kʌmbənsı] n 1. egyházi javadalom élvezése 2. kötelesség
incumbent [ın'kʌmbənt] I. a háruló, tartozó; be ~ (up)on sy vkre hárul [kötelesség] II. n 1. egyházi javadalom élvezője; plébános 2. hivatal betöltője
incur [ın'kə:*] vt -rr- magára von [haragot]; kiteszi magát [veszélynek]; ~ debts adósságba veri magát
incurable [ın'kjʊərəbl] a/n gyógyíthatatlan (beteg)
incurious [ın'kjʊərıəs] a közömbös, nem érdeklődő
incursion [ın'kə:ʃn; US -ʒn] n portyázás; betörés, (hirtelen) behatolás
incurved [ın'kə:vd] a befelé hajló
Ind. 1. independent 2. India(n) 3. Indiana
indebted [ın'detıd] a 1. eladósodott 2. lekötelezett (to sy for sg vknek vmért)
indebtedness [ın'detıdnıs] n 1. eladósodottság 2. lekötelezettség
indecency [ın'di:snsı] n 1. illetlenség 2. trágárság
indecent [ın'di:snt] a 1. trágár 2. nem illő, illetlen
indecipherable [ındı'saıf(ə)rəbl] a kibetűzhetetlen
indecision [ındı'sıʒn] n határozatlanság
indecisive [ındı'saısıv] a 1. határozatlan, bizonytalan, tétovázó 2. dönteni nemtudó
indecorous [ın'dekərəs] a nem ildomos, illetlen

indeed [ın'di:d] adv valóban, tényleg, csakugyan; if ~ ha ugyan; yes ~! (1) hogyne! (2) de bizony!, igenis!
indefatigable [ındı'fætıgəbl] a fáradhatatlan
indefensible [ındı'fensəbl] a tarthatatlan, nem védhető/igazolható
indefinable [ındı'faınəbl] a meghatározhatatlan
indefinite [ın'defınət] a 1. határozatlan, bizonytalan 2. korlátlan 3. ~ article határozatlan névelő
indelible [ın'deləbl] a (átv is) kitörölhetetlen; ~ pencil tintaceruza; ~ ink vegytinta
indelicacy [ın'delıkəsı] n 1. illetlenség, neveletlenség 2. tapintatlanság
indelicate [ın'delıkət] a 1. neveletlen, illetlen 2. tapintatlan
indemnification [ındemnıfı'keıʃn] n 1. kártalanítás; jóvátétel (for vmért) 2. kártérítés(i összeg)
indemnify [ın'demnıfaı] vt 1. kárpótol, kártalanít (for vmért) 2. biztosít (from/against ellen)
indemnity [ın'demnətı] n 1. jótállás, biztosíték 2. kártérítés(i összeg), jóvátétel 3. hadisarc
indent I. n ['ındent] 1. rovátka, bevágás 2. GB tengerentúli árurendelés 3. hatósági igénybevétel 4. szerződés II. v [ın'dent] A. vt 1. rovátkol; mélyen belevág [víz partba] 2. bekezdéssel ír/szed 3. tengerentúlról rendel [árut] 4. szerződtet [tanoncot] 5. rekvirál 6. perforál B. vi 1. behorpad 2. ~ on sy for sg rendelést ad fel vknek vmre
indentation [ınden'teıʃn] n 1. rovátkolás, bemetszés 2. horpadás 3. = indention 1.
indention [ın'denʃn] n 1. bekezdés [írásban, szedésben] 2. horpadás 3. = indentation 1.
indenture [ın'dentʃə*] I. n 1. tanoncszerződés(i okirat); take up one's ~s megkapja a segédlevelét 2. bemetszés; bemélyedés II. vt tanulónak/tanoncnak szerződtet
independence [ındı'pendəns] n 1. függetlenség (from vmtől/vktől), szabad-

ság; *US I~ Day* július negyedike
⟨amerikai nemzeti ünnep⟩
independent [ɪndɪ'pendənt] I. *a* 1. független (*of* vmtől/vktől); önálló; *man of ~ means* anyagilag független ember 2. független, szabad [ország]; párton kívüli II. *n* pártonkívüli
in-depth *a* elmélyedő, részletekbe menő, nagyon alapos
indescribable [ɪndɪ'skraɪbəbl] *a* leírhatatlan
indestructible [ɪndɪ'strʌktəbl] *a* elpusztíthatatlan
indeterminable [ɪndɪ'tə:mɪnəbl] *a* 1. meghatározhatatlan 2. eldönthetetlen [vita]
indeterminacy [ɪndɪ'tə:mɪnəsɪ] *n* meghatároz(hat)atlanság
indeterminate [ɪndɪ'tə:mɪnət] *a* 1. határozatlan, bizonytalan 2. eldöntetlen [vita]
index ['ɪndeks] I. *n* (*pl ~es -ɪz*; a 4. és 5. jelentésben: **indices** 'ɪndɪsi:z) 1. ~ (*finger*) mutatóujj 2. mutató [műszeré]; irányjelző, index [autón] 3. [betűrendes] névmutató, tárgymutató; *put on the I~* indexre tesz [könyvet] 4. ~ (*number*) jelzőszám, mutatószám, index(szám) 5. (hatvány)kitevő II. *vt* 1. tárgymutatóval/névmutatóval ellát 2. tartalomjegyzékbe iktat/felvesz
India ['ɪndjə] *prop* India; ~ *paper* biblianyomó papír, bibliapapír; ~ *Office* (volt) India-ügyi Minisztérium
Indiaman ['ɪndjəmæn] *n* (*pl -men -men*) † indiai vizeken járó kereskedelmi hajó
Indian ['ɪndjən] *a* 1. indiai; hindu; ~ *ink* tus 2. (*American/Red*) ~ indián; *US* ~ *corn* kukorica; *in ~ file* libasorban; ~ *summer* vénasszonyok nyara, nyárutó
Indiana [ɪndɪ'ænə] *prop* Indiana (állam)
India-rubber *n* radír(gumi)
indicate ['ɪndɪkeɪt] *vt* 1. jelez, mutat, feltüntet 2. javall; indokolttá tesz
indication [ɪndɪ'keɪʃn] *n* 1. feltüntetés; utalás 2. (elő)jel, (vmre utaló) jel; *by every ~, according to all ~s* minden jel szerint 3. javallat

indicative [ɪn'dɪkətɪv] I. *a* 1. *be ~ of* azt jelzi, arra utal (hogy) 2. jelentő [mód] II. *n* jelentő mód
indicator ['ɪndɪkeɪtə*] *n* 1. mutató; jelzőtábla 2. jelzőkészülék
indices →*index I.*
indict [ɪn'daɪt] *vt* vádol (*on/for* vmvel)
indictable [ɪn'daɪtəbl] *a* vádolható; büntethető; ~ *offence* büntetendő cselekmény
indictment [ɪn'daɪtmənt] *n* vád(irat)
Indies ['ɪndɪz] *prop pl* India
indifference [ɪn'dɪfr(ə)ns] *n* közöny, közömbösség
indifferent [ɪn'dɪfr(ə)nt] *a* 1. közömbös, érzéketlen (*to/towards* szemben); *it is quite ~ to me whether* . . . teljesen közömbös/érdektelen számomra (az), hogy . . . 2. középszerű; elég gyenge [minőségű] 3. nem fontos/lényeges 4. nem részrehajló, elfogulatlan
indigence ['ɪndɪdʒ(ə)ns] *n* szegénység, szűkölködés, ínség
indigenous [ɪn'dɪdʒɪnəs] *a* 1. bennszülött, hazai 2. vele született
indigent ['ɪndɪdʒ(ə)nt] *a* nélkülöző, szegény, ínséges
indigestible [ɪndɪ'dʒestəbl] *a* (meg-) emészthetetlen, nehezen emészthető
indigestion [ɪndɪ'dʒestʃ(ə)n] *n* emésztési zavar; *have ~* rossz a gyomra
indignant [ɪn'dɪgnənt] *a* méltatlankodó, felháborodott
indignation [ɪndɪg'neɪʃn] *n* felháborodás; méltatlankodás; megbotránkozás
indignity [ɪn'dɪgnətɪ] *n* méltatlanság; megaláz(tat)ás
indigo ['ɪndɪgoʊ] *n* indigó
indirect [ɪndɪ'rekt] *a* nem egyenes, közvetett; ~ *object* részeshatározó
indirection [ɪndɪ'rekʃn] *n* kerülő út
indirectly [ɪndɪ'rektlɪ] *adv* közvetve
indiscernible [ɪndɪ'sə:nəbl] *a* 1. felismerhetetlen, meg nem különböztethető 2. szabad szemmel nem/alig látható
indiscipline [ɪn'dɪsɪplɪn] *n* fegyelmezetlenség
indiscreet [ɪndɪ'skri:t] *a* tapintatlan, tolakodó
indiscretion [ɪndɪ'skreʃn] *n* tapintatlanság, neveletlenség; tolakodás

indiscriminate [ɪndɪ'skrɪmɪnət] a válogatás nélküli, összevissza

indispensability ['ɪndɪspensə'bɪlətɪ] n nélkülözhetetlenség

indispensable [ɪndɪ'spensəbl] a nélkülözhetetlen, elengedhetetlen (to vmhez)

indisposed [ɪndɪ'spouzd] a be|feel ~ gyengélkedik

indisposition [ɪndɪspə'zɪʃn] n 1. idegenkedés; have an ~ for sg idegenkedik vmtől 2. gyengélkedés

indisputable [ɪndɪ'spju:təbl] a vitathatatlan; kétségtelen

indissoluble [ɪndɪ'sɔljubl; US -al-] a 1. oldhatatlan [anyag] 2. felbonthatatlan [kötelék]

indistinct [ɪndɪ'stɪŋkt] a nem világos/kivehető, homályos

indistinguishable [ɪndɪ'stɪŋgwɪʃəbl] a megkülönböztethetetlen

indite [ɪn'daɪt] vt fogalmaz, szerkeszt [írást]

individual [ɪndɪ'vɪdjuəl; US -dʒ-] I. a 1. egyéni, individuális 2. sajátos; egyes; egyedi II. n 1. egyén, egyed 2. biz alak [személyről]

individuality ['ɪndɪvɪdju'ælətɪ; US -dʒ-] n egyéniség

individualize [ɪndɪ'vɪdjuəlaɪz; US -dʒ-] vt egyénít

individually [ɪndɪ'vɪdjuəlɪ; US -dʒ-] adv 1. egyénileg 2. egyénenként, egyedenként

indivisible [ɪndɪ'vɪzəbl] a oszthatatlan

indocile [ɪn'dousaɪl; US-'das(ə)l] a 1. nem tanulékony/irányítható 2. csökönyös

indocility [ɪndou'sɪlətɪ] n 1. tanulékonyság/irányíthatóság hiánya 2. csökönyösség

indoctrinate [ɪn'dɔktrɪneɪt; US -ak-] vt ~ sy with belenevel, -sulykol vkbe [felfogást stb.]

indoctrination [ɪndɔktrɪ'neɪʃn; US -ak-] n belenevelés, -sulykolás

Indo-European ['ɪndou-] a/n indoeurópai

indolence ['ɪndələns] n nemtörődömség, hanyagság

indolent ['ɪndələnt] a hanyag, nemtörődöm; lusta, tétlen

indomitable [ɪn'dɔmɪtəbl; US -am-] a rettenthetetlen, hajthatatlan

Indonesia [ɪndə'ni:zjə; US -ʒə] prop Indonézia

Indonesian [ɪndə'ni:zjən; US -ʒn] a/n indonéz(iai)

indoor ['ɪndɔ:*] a szobai, szoba-, házi; ~ games (1) teremsport (2) társasjáték(ok); ~ plant szobanövény

indoors [ɪn'dɔ:z] adv 1. otthon; keep ~ otthon marad 2. a házban, benn; go ~ bemegy (a házba)

indorse [ɪn'dɔ:s] vt = endorse

indubitable [ɪn'dju:bɪtəbl; US -'du:-] a kétségtelen, elvitathatatlan

induce [ɪn'dju:s; US -'du:s] vt 1. ~ sy to do sg rábír/rávesz vkt vmre 2. előidéz, okoz 3. gerjeszt, indukál [áramot]

inducement [ɪn'dju:smənt; US -'du:-] n 1. indítás, inger 2. mozgatóerő, indíték

induct [ɪn'dʌkt] vt 1. beiktat [állásba] 2. (ünnepélyesen) bevezet (to vkt vmbe/vhova) 3. US besoroz, behív [katonának]

induction [ɪn'dʌkʃn] n 1. beiktatás 2. bevezetés 3. rávezetés, következtetés, indukció 4. adatelemzés 5. (elektromos) áramgerjesztés, indukció; ~ coil indukciós tekercs

inductive [ɪn'dʌktɪv] a 1. induktív [következtetés] 2. áramgerjesztő, indukciós

inductor [ɪn'dʌktə*] n áramfejlesztő készülék, induktor

indulge [ɪn'dʌldʒ] A. vt 1. elkényeztet [gyermeket stb.]; kedvébe jár (vknek); ~ oneself (1) megenged magának vmt (2) belemerül vmbe 2. kielégít B. vi ~ in sg (1) megenged magának [élvezetet] szórakozást] (2) átadja magát vmnek, belemerül vmbe

indulgence [ɪn'dʌldʒ(ə)ns] n 1. elnézés, engedékenység 2. belemerülés, élvezet 3. búcsú [bűnbocsánati]

indulgent [ɪn'dʌldʒ(ə)nt] a elnéző; engedékeny

industrial [ɪn'dʌstrɪəl] a ipari; ~ revolution ipari forradalom

industrialism [ɪn'dʌstrɪəlɪzm] n indusztrializmus

industrialist [ɪn'dʌstrɪəlɪst] n 1. (nagy-)iparos, gyáros 2. indusztrializmus híve

industrialize [ɪn'dʌstrɪəlaɪz] *vt* iparosít
industrious [ɪn'dʌstrɪəs] *a* szorgalmas,
iparkodó
industry ['ɪndəstrɪ] *n* 1. ipar(ág) 2.
szorgalom
inebriate I. *a/n* [ɪ'ni:brɪət] részeg, iszá-
kos II. *vt* [ɪ'ni:brɪeɪt] megrészegít
inebriety [ɪni:'braɪətɪ] *n* részegség
inedible [ɪn'edɪbl] *a* ehetetlen
ineffable [ɪn'efəbl] *a* kimondhatatlan
ineffective [ɪnɪ'fektɪv] *a* 1. hatástalan,
hiábavaló 2. tehetetlen; erőtlen
inefficiency [ɪnɪ'fɪʃnsɪ] *n* 1. eredménytele-
lenség, elégtelenség, hatástalanság 2.
szakszerűtlenség
inefficient [ɪnɪ'fɪʃnt] *a* 1. hatástalan,
eredménytelen 2. szakszerűtlen; hasz-
nálhatatlan, nem megfelelő
inelastic [ɪnɪ'læstɪk] *a* (*átv is*) nem rugal-
mas
inelegant [ɪn'elɪgənt] *a* nem elegáns/
választékos; csiszolatlan
ineligible [ɪn'elɪdʒəbl] *a* 1. megválasz-
tásra nem számbajöhető 2. szolgálat-
ra/állásra alkalmatlan
inept [ɪ'nept] *a* 1. alkalmatlan; nem
helyénvaló 2. ostoba
ineptitude [ɪ'neptɪtju:d; *US* -tu:d] *n*
1. alkalmatlanság (*for* vmre) 2. osto-
baság, együgyűség
inequality [ɪnɪ'kwɔlətɪ; *US* -ɑl-] *n* 1.
egyenlőtlenség 2. változékonyság
inequitable [ɪn'ekwɪtəbl] *a* méltánytalan
ineradicable [ɪnɪ'rædɪkəbl] *a* kiirthatat-
lan
inert [ɪ'nə:t] *a* 1. tunya, tétlen 2. te-
hetetlen; élettelen [anyag stb.] 3.
(vegyileg) közömbös; ~ *gas* semleges
gáz
inertia [ɪ'nə:ʃ(j)ə] *n* 1. tehetetlenség;
moment of ~ tehetetlenségi nyomaték
2. tunyaság, tétlenség 3. élettelenség
inertness [ɪ'nə:tnɪs] *n* = *inertia*
inescapable [ɪnɪ'skeɪpəbl] *a* elkerülhetet-
len
inestimable [ɪn'estɪməbl] *a* felbecsülhe-
tetlen
inevitable [ɪn'evɪtəbl] *a* 1. elkerülhetet-
len 2. *biz* elmaradhatatlan
inexact [ɪnɪg'zækt] *a* pontatlan, nem
helyes/pontos/szabatos

inexactitude [ɪnɪg'zæktɪtju:d; *US* -tu:d]
n pontatlanság; megbízhatatlanság
inexcusable [ɪnɪk'skju:zəbl] *a* megbo-
csáthatatlan
inexhaustible [ɪnɪg'zɔ:stəbl] *a* 1. kime-
ríthetetlen 2. fáradhatatlan
inexorable [ɪn'eks(ə)rəbl] *a* kérlelhetet-
len; hajthatatlan; engesztelhetetlen
inexpediency [ɪnɪk'spi:djənsɪ] *a* alkal-
matlanság; célszerűtlenség
inexpedient [ɪnɪk'spi:djənt] *a* alkalmat-
lan; nem célszerű/politikus
inexpensive [ɪnɪk'spensɪv] *a* olcsó, nem
drága/költséges
inexperienced [ɪnɪk'spɪərɪənst] *a* tapasz-
talatlan, járatlan
inexpert [ɪn'ekspə:t] *a* nem hozzáértő,
járatlan
inexpiable [ɪnɪk'spɪəbl] *a* 1. jóvá nem
tehető 2. engesztelhetetlen
inexplicable [ɪnɪk'splɪkəbl] *a* megma-
gyarázhatatlan; érthetetlen
inexpressible [ɪnɪk'spresəbl] *a* kimond-
hatatlan, leírhatatlan
inextinguishable [ɪnɪk'stɪŋgwɪʃəbl] *a*
(*átv is*) (ki)olthatatlan
inextricable [ɪn'ekstrɪkəbl] *a* kibogozha-
tatlan, megoldhatatlan; ~ *difficulties*
legyőzhetetlen akadályok
infallibility [ɪnfælə'bɪlətɪ] *n* csalhatat-
lanság, tévedhetetlenség
infallible [ɪn'fæləbl] *a* csalhatatlan;
biztos (hatású)
infamous ['ɪnfəməs] *a* becstelen, aljas,
gyalázatos; rossz hírű
infamy ['ɪnfəmɪ] *n* becstelenség, aljas-
ság
infancy ['ɪnfənsɪ] *n* 1. csecsemőkor,
(kis)gyermekkor 2. vmnek a kezdeti
szakasza 3. kiskorúság
infant ['ɪnfənt] *n* 1. csecsemő, kisgyer-
mek; ~ *mortality* csecsemőhalandóság;
~ *school* kb. óvoda [5—7 éves gyer-
mekek számára] 2. új(onc), kezdő;
kiskorú
infanticide [ɪn'fæntɪsaɪd] *n* 1. gyermek-
gyilkosság 2. gyermekgyilkos
infantile ['ɪnfəntaɪl] *n* 1. gyermekes,
gyermeki 2. fejlődésben visszama-
radt, infantilis
infantry ['ɪnf(ə)ntrɪ] *n* gyalogság

infantryman ['ɪnf(ə)ntrɪmən] n (pl -men -mən) gyalogos (katona)
infatuate [ɪn'fætjʊeɪt; US -tʃ-] vt elbolondít; become ~d with sy belehabarodik/beleszeret vkbe
infatuation [ɪnfætjʊ'eɪʃn; US -tʃ-] n belebolondulás (vkbe, vmbe)
infect [ɪn'fekt] vt (átv is) (meg)fertőz, megmételyez
infection [ɪn'fekʃn] n 1. fertőzés 2. ragály 3. káros befolyás
infectious [ɪn'fekʃəs] a (átv is) ragályos; fertőző; ragadós
infer [ɪn'fə:*] vt -rr- 1. következtet (sg from sg vmből vmre) 2. bizonyít 3. magával von
inference ['ɪnf(ə)rəns] n 1. következtetés; draw the ~ következtetést levon 2. következmény
inferential [ɪnfə'renʃl] a feltételezhető; (ki)következtetett
inferior [ɪn'fɪərɪə*] I. a 1. alábbvaló, alsóbbrendű, rosszabb minőségű (to vmnél); in no way ~ to sg semmivel sem rosszabb vmnél; ~ to sy alárendeltje vknek 2. alacsonyabban/lejjebb fekvő/levő II. n alárendelt; beosztott
inferiority [ɪnfɪərɪ'ɔrətɪ; US -'ɔ:-] n 1. alsóbbrendűség; ~ complex kisebb(rendű)ségi érzés 2. rossz minőség
infernal [ɪn'fə:nl] a pokoli
inferno [ɪn'fə:noʊ] n pokol
inferred [ɪn'fə:d] →infer
infertile [ɪn'fə:taɪl; US -t(ə)l] a terméketlen
infertility [ɪnfə:'tɪlətɪ] n terméketlenség
infest [ɪn'fəst] vt eláraszt, ellep, megrohan; ~ed with... ellepték/elárasztották a... [poloskák stb.]
infidel ['ɪnfɪd(ə)l] a/n hitetlen
infidelity [ɪnfɪ'delətɪ] n 1. hitetlenség 2. hűtlenség [házastársé]
infighting ['ɪnfaɪtɪŋ] n belharc [ökölvívásban]
infiltrate ['ɪnfɪltreɪt] A. vi 1. beszivárog, beszűrődik (into vmbe) 2. átv beszivárog [eszme stb.]; beépül [szervezetbe] B. vt beszivárogtat [folyadékot]; átv átitat
infiltration [ɪnfɪl'treɪʃn] n (átv is) beszivárgás

infinite ['ɪnfɪnət] a 1. végtelen, határtalan; verb ~ az ige névszói alakjai 2. óriási
infinitesimal [ɪnfɪnɪ'tesɪml] a végtelenül kicsi, elenyésző
infinitive [ɪn'fɪnətɪv] n főnévi igenév
infinitude [ɪn'fɪnɪtju:d; US -tu:d] n végtelen(ség)
infinity [ɪn'fɪnətɪ] n = infinitude
infirm [ɪn'fə:m] a 1. gyenge, beteges 2. ~ (of purpose) határozatlan
infirmary [ɪn'fə:mərɪ] n 1. kórház 2. betegszoba
infirmity [ɪn'fə:mətɪ] n 1. (alkati) gyengeség, fogyatékosság 2. határozatlanság
infix ['ɪnfɪks] n szóbelseji rag, infixum
inflame [ɪn'fleɪm] A. vt 1. meggyújt, lángra lobbant 2. fellelkesít; feldühösít 3. gyulladást okoz; ~d gyulladt, gyulladásos B. vi 1. meggyullad, lángra lobban 2. izgalomba/dühbe jön; fellobban 3. gyulladásba jön, elmérgesedik
inflammable [ɪn'flæməbl] a 1. gyúlékony 2. lobbanékony, ingerlékeny
inflammation [ɪnflə'meɪʃn] n gyulladás [szervé, sebé]
inflammatory [ɪn'flæmət(ə)rɪ; US -ɔ:rɪ] a 1. átv gyújtó (hatású) 2. gyulladást okozó
inflatable [ɪn'fleɪtəbl] a felfújható
inflate [ɪn'fleɪt] vt 1. felfúj; (fel)puffaszt 2. elbizakodottá/beképzeltté tesz (vkt) 3. ~ the currency inflációt okoz
inflated [ɪn'fleɪtɪd] a 1. felfújt [léggömb stb.] 2. pöffeszkedő 3. terjengős, dagályos 4. inflációs [ár]
inflater [ɪn'fleɪtə*] n biciklipumpa
inflation [ɪn'fleɪʃn] n 1. felfújás 2. felpuffadás 3. infláció
inflationary [ɪn'fleɪʃnərɪ; US -erɪ] a inflációs; ~ spiral inflációs spirális
inflect [ɪn'flekt] A. vt 1. befelé hajlít 2. ragoz; ~ed language hajlító/ragozó/flektáló nyelv B. vi ragozódik
inflection [ɪn'flekʃn] n = inflexion
inflectional [ɪn'flekʃənl] a = inflexional
inflexibility [ɪnfleksə'bɪlətɪ] n 1. hajlíthatatlanság 2. átv hajthatatlanság, nyakasság

inflexible [ɪn'fleksəbl] a 1. nem hajlékony 2. átv hajthatatlan, makacs
inflexion [ɪn'flekʃn] n 1. (meg)hajlítás, görbítés 2. ragozás 3. rag(ozott alak)
inflexional [ɪn'flekʃənl] a ragozó
inflict [ɪn'flɪkt] vt 1. kiró [büntetést on vkre] 2. [fájdalmat] okoz (on vknek); ~ a blow (up)on sy ütést mér vkre 3. ~ oneself upon sy ráerőszakolja magát vkre
infliction [ɪn'flɪkʃn] n 1. kiszabás [büntetésé] 2. okozás [fájdalomé]
inflorescence [ɪnflə'resns] n 1. virágzás 2. virágzat
inflow ['ɪnfloʊ] n (átv is) befolyás, beáramlás
influence ['ɪnflʊəns] I. n 1. hatás 2. befolyás; bring every ~ to bear minden követ megmozgat; have ~ (1) protekciója van (2) tekintélye/befolyása van II. vt 1. befolyásol; rábír (vkt vmre) 2. (ki)hat (vmre/vkre)
influential [ɪnflʊ'enʃl] a 1. befolyásos 2. befolyásoló, (vmre) ható
influenza [ɪnflʊ'enzə] n influenza
influx ['ɪnflʌks] n 1. beömlés, beáramlás 2. beözönlés
info ['ɪnfoʊ] n biz = information
inform [ɪn'fɔ:m] A. vt 1. ~ sy (of sg, that ...) értesít, tudósít, tájékoztat (vkt/vmről), közöl (vmt vkvel) 2. ~ sy on/about sg felvilágosítást nyújt vknek vmről; keep sy ~ed (of v. as to) folyamatosan tájékoztat vkt (vmről) B. vi ~ against/on sy feljelent/besúg vkt
informal [ɪn'fɔ:ml] a 1. nem előírásos/hivatalos 2. keresetlen, kötetlen, fesztelen, közvetlen; hétköznapi
informality [ɪnfə:'mælətɪ] n 1. formaszerűség hiánya 2. keresetlenség, fesztelenség
informant [ɪn'fɔ:mənt] n 1. tudósító, tájékoztató 2. [nyelvi] adatközlő
information [ɪnfə'meɪʃn] n 1. felvilágosítás, értesítés, tájékoztatás, információ; ~ bureau tájékoztató iroda/hivatal, tudakozó 2. értesülés, hír; közlemény; piece of ~ (egy) hír; 3. feljelentés
informative [ɪn'fɔ:mətɪv] a tájékoztató, felvilágosító, informatív

informer [ɪn'fɔ:mə*] n feljelentő; (rendőrségi) besúgó, spicli; turn ~ árulóvá válik
infra ['ɪnfrə] adv lejjebb, alább
infraction [ɪn'frækʃn] n megszegés, áthágás
infra dig. [ɪnfrə'dɪg] infra dignitatem (= beneath one's dignity) méltóságán aluli
infra-red a infravörös, vörösön inneni
infrastructure n infrastruktúra, közlétesítmény-hálózat
infrequent [ɪn'fri:kwənt] a ritka, nem gyakori
infringe [ɪn'frɪndʒ] vt (és vi ~ on) megszeg, áthág, sért [jogot stb.]
infringement [ɪn'frɪndʒmənt] n megszegés, áthágás [törvényé stb.]
infuriate [ɪn'fjʊərɪeɪt] vt dühbe hoz
infuse [ɪn'fju:z] vt 1. (átv is) beletölt, beleönt 2. leforráz [teát]
infusion [ɪn'fju:ʒn] n 1. leforrázás [teáé stb.] 2. forrázat, főzet 3. infúzió, beömlesztés
ingenious [ɪn'dʒi:njəs] a ügyes; találékony; szellemes
ingenuity [ɪndʒɪ'nju:ətɪ; US -'nu:-] n leleményesség; ügyesség
ingenuous [ɪn'dʒenjʊəs] a nyílt, mesterkéletlen, őszinte, egyenes
ingest [ɪn'dʒest] vt magához vesz, elfogyaszt; lenyel
ingle-nook ['ɪŋgl-] n kandallósarok, kemencepadka
inglorious [ɪn'glɔ:rɪəs] a dicstelen
ingoing ['ɪngoʊɪŋ] a befelé menő, beköltöző
ingot ['ɪŋgət] n öntecs, buga
ingrain [ɪn'greɪn] vt = engrain
ingrained [ɪn'greɪnd] a 1. beleivódott 2. megrögzött, meggyökeresedett [szokás]
ingratiate [ɪn'greɪʃɪeɪt] vt ~ oneself with sy megkedvelteti magát vkvel
ingratitude [ɪn'grætɪtju:d; US -tu:d] n hálátlanság
ingredient [ɪn'gri:djənt] n alkotórész; tartozék, kellék; hozzávaló
ingress ['ɪngres] n bejárás, bemenetel
ingrown ['ɪngroʊn] a 1. benőtt 2. megrögzött

inhabit [ɪn'hæbɪt] *vt* (benn) lakik, tartózkodik [házban stb.]
inhabitable [ɪn'hæbɪtəbl] *a* lakható
inhabitant [ɪn'hæbɪt(ə)nt] *n* lakó, lakos
inhalation [ɪnhə'leɪʃn] *n* belélegzés, belehelés
inhale [ɪn'heɪl] *vt* belehel, belélegzik
inhaler [ɪn'heɪlə*] *n* inhalálókészülék
inharmonious [ɪnhɑ:'moʊnjəs] *a* 1. nem összhangzó 2. viszálykodó
inherent [ɪn'hɪər(ə)nt] *a* benne rejlő; vele járó; *be ~ in sg* rejlik vmben
inherit [ɪn'herɪt] *vt* (meg)örököl
inheritable [ɪn'herɪtəbl] *a* 1. örökölhető 2. örökletes
inheritance [ɪn'herɪt(ə)ns] *n* 1. örökség, hagyaték 2. öröklés
inheritor [ɪn'herɪtə*] *n* örökös
inhibit [ɪn'hɪbɪt] *vt ~ sy from sg* meggátol/(meg)akadályoz vkt vmben
inhibited [ɪn'hɪbɪtɪd] *a* gátlásokkal küzdő, gátlásos
inhibition [ɪnhɪ'bɪʃn] *n* 1. tilalom 2. gátlás
inhospitable [ɪn'hɔspɪtəbl] *US* -ɑs-] *a* nem vendégszerető; barátságtalan, zord
inhuman [ɪn'hju:mən] *a* embertelen, kegyetlen
inhumanity [ɪnhju:'mænətɪ] *n* embertelenség, kegyetlenség
inimical [ɪ'nɪmɪkl] *a* ellenséges; kedvezőtlen
inimitable [ɪ'nɪmɪtəbl] *a* utánozhatatlan; utolérhetetlen
iniquitous [ɪ'nɪkwɪtəs] *a* gonosz
iniquity [ɪ'nɪkwɪtɪ] *n* romlottság, gonoszság, bűn
initial [ɪ'nɪʃl] I. *a* kezdő, kezdeti II. *n* kezdőbetű, iniciálé III. *vt* -ll- (*US* -l-) kézjeggyel ellát
initiate I. *a/n* [ɪ'nɪʃɪət] beavatott (személy) II. *vt* [ɪ'nɪʃɪeɪt] 1. elindít; kezdeményez 2. beavat (*sy in sg* vkt vmbe)
initiation [ɪnɪʃɪ'eɪʃn] *n* 1. bevezetés 2. beavatás; felavatás 3. kezdet, kezdeményezés
initiative [ɪ'nɪʃɪətɪv] I. *a* bevezető, kezdeményező; kezdő, kezdeti II. *n* kezdeményezés, iniciatíva

initiatory [ɪ'nɪʃɪət(ə)rɪ; *US* -ɔ:rɪ] *a* 1. = *initiative I.* 2. beavatási
inject [ɪn'dʒekt] *vt* befecskendez
injection [ɪn'dʒekʃn] *n* befecskendezés, injekció; ~ *moulding* fröccsöntés
injudicious [ɪndʒu:'dɪʃəs] *a* meggondolatlan
injunction [ɪn'dʒʌŋkʃn] *n* 1. parancs, meghagyás 2. (bírói tiltó) végzés
injure ['ɪndʒə*] *vt* 1. árt, kárt okoz (vknek, vmnek) 2. megsebesít, megsért (vkt); bánt(almaz) (vkt); *be/get ~d* megsérül, sérülést szenved 3. kárt tesz (vmben), megrongál (vmt)
injured ['ɪndʒəd] *n* 1. (meg)sértett, megkárosított 2. (meg)sebesült; (meg-) sérült; *fatally ~* halálosan megsebesült; halálos végű balesetet szenvedett; *the ~* a sérültek 3. (meg)romlott; megrongálódott [áru stb.]
injurious [ɪn'dʒʊərɪəs] *a* 1. ártalmas, káros 2. sértő
injury ['ɪndʒ(ə)rɪ] *n* 1. kár(osodás); sérelem; hátrány 2. (meg)sértés 3. sérülés, sebesülés 4. kártétel, (meg-) rongálás
injustice [ɪn'dʒʌstɪs] *n* igazságtalanság
ink [ɪŋk] I. *n* tinta; *in ~* tintával II. *vt* tintával megjelöl/(be)piszkít 2. nyomdafestékkel beken; festékez 3. ~ *in/over* tussal kihúz
inkling ['ɪŋklɪŋ] *n* 1. sejtelem, gyanú 2. célzás
ink-pad *n* festékpárna
inkstand, ink-well *n* tintatartó
inky ['ɪŋkɪ] *a* 1. tintás 2. (tinta)fekete, koromsötét
inlaid [ɪn'leɪd; *jelzőként rendsz.:* 'ɪnleɪd] *a* berakásos, intarziás →*inlay II.*
inland I. *a* ['ɪnlənd] 1. belső, (az ország) belsejéből való; ~ *navigation* belvízi hajózás; ~ *waters* belvizek 2. belföldi, hazai; ~ *produce* hazai termék; ~ *revenue* állami adók, adóbevételek; *the I~ Revenue biz* az államkincstár; ~ *trade* belkereskedelem II. *adv* [ɪn'lænd] az ország belsejébe/szívébe III. *n* ['ɪnlənd] az ország belseje
in-laws ['ɪnlɔ:z] *n pl biz my ~* a férjem/feleségem családja
inlay I. *n* ['ɪnleɪ] (fa)berakás, intarzia

II. *vt* [ɪn'leɪ] (*pt/pp* -laid -'leɪd) berak [díszítést]
inlet ['ɪnlet] *n* 1. bejárat(i nyílás) 2. keskeny öböl
inmate ['ɪnmeɪt] *n* bennlakó; ~s *of the prison* a börtönlakók
inmost ['ɪnmoʊst] *a* legbelső
inn [ɪn] *n* vendéglő; *the I~s of Court GB* ⟨londoni jogászkollégiumok⟩
innards ['ɪnədz] →*inward III.*
innate [ɪ'neɪt] *a* vele született
innavigable [ɪ'nævɪgəbl] *a* hajózhatatlan
inner ['ɪnə*] *a* 1. belső; *the ~ man* a lelkiismeret; ~ *tube* tömlő, belső [kerékabroncsé] 2. titkos
innermost ['ɪnəmoʊst] *a* legbelső
innings ['ɪnɪŋz] *n* (*pl* ~) 1. az egyik fél ütési joga [krikettben, baseballban] 2. hivatal/tisztség időtartama
innkeeper *n* fogadós, vendéglős
innocence ['ɪnəs(ə)ns] *n* ártatlanság
innocent ['ɪnəsnt] I. *a* 1. ártatlan; ártalmatlan 2. naiv, tudatlan 3. *biz* ~ *of Latin* egy árva szót sem tud latinul II. *n* ártatlan/jámbor ember; *Holy I~s* aprószentek
innocuous [ɪ'nɒkjʊəs; *US* -ɑk-] *a* ártalmatlan
innovate ['ɪnəveɪt] *vt* újít
innovation [ɪnə'veɪʃn] *n* újítás; új szokás
innovative ['ɪnəveɪtɪv] *a* újító (szándékú/jellegű)
innovator ['ɪnəveɪtə*] *n* újító
innuendo [ɪnju:'endoʊ] *n* (*pl* ~(e)s -z) (rosszindulatú) célozgatás, burkolt gyanúsítás
innumerable [ɪ'nju:m(ə)rəbl; *US* -'nu:-] *a* számtalan
inoculate [ɪ'nɒkjʊleɪt; *US* -ɑk-] *vt* 1. beolt (*against* ellen) 2. szemez [növényt]
inoculation [ɪnɒkjʊ'leɪʃn; *US* -ɑk-] *n* oltás
inoffensive [ɪnə'fensɪv] *a* ártalmatlan; nem bántó/kellemetlen
inoperable [ɪn'ɒp(ə)rəbl; *US* -'ɑ-] *a* nem operálható [beteg(ség)]
inoperative [ɪn'ɒp(ə)rətɪv; *US* -'ɑpəreɪ-] *a* 1. tétlen 2. hatástalan; üzemképtelen 3. érvénytelen

inopportune [ɪn'ɒpətju:n; *US* -ɑpə'tu:n] *a* nem időszerű, időszerűtlen, alkalmatlan
inordinate [ɪ'nɔ:dɪnət] *a* 1. szertelen, mértéktelen 2. rendezetlen
inorganic [ɪnɔ:'gænɪk] *a* 1. szervetlen 2. szervezetlen
in-patient ['ɪnpeɪʃnt] *n* (benn) fekvő beteg [kórházban]
input ['ɪnpʊt] *n* 1. anyagfelhasználás [gépé] 2. ráfordítás 3. bemenet; bemenő jel; betáplált információ/adat
inquest ['ɪnkwest] *n* vizsgálat, nyomozás; *coroner's* ~ halottkémi szemle
inquire [ɪn'kwaɪə*] *vt/vi* kérdez(ősködik), érdeklődik, tudakozódik (*of sy after/about/concerning sg/sy* vktől vm/vk iránt); ~ *for sg* kérdezősködik vm miatt, keres vmt; ~ *into sg* megvizsgál vm ügyet, vizsgálatot folytat, nyomoz [egy ügyben]; ~ *within* tessék bent érdeklődni
inquiry [ɪn'kwaɪərɪ] *n* 1. érdeklődés, tudakozódás, kérdezősködés; ~ *office* információs iroda, felvilágosítás, tudakozó(hely); *make inquiries about/after sy/sg* érdeklődik/tudakozódik vk/vm után 2. vizsgálat, nyomozás (*into* vm ügyben)
inquisition [ɪnkwɪ'zɪʃn] *n* 1. alapos vizsgálat 2. *the I~* az inkvizíció
inquisitive [ɪn'kwɪzətɪv] *a* (tolakodóan) kérdezősködő, kíváncsi
inquisitor [ɪn'kwɪzɪtə*] *n* 1. vizsgáló(bíró) 2. inkvizitor
inquisitorial [ɪnkwɪzɪ'tɔ:rɪəl] *a* 1. vizsgálóbírói 2. tolakodóan kíváncsi
inroad ['ɪnroʊd] *n* 1. támadás, roham 2. erős igénybevétel
inrush ['ɪnrʌʃ] *n* berohanás, berontás
insalubrious [ɪnsə'lu:brɪəs] *a* egészségtelen [klíma, hely]
insane [ɪn'seɪn] *a* őrült; elmebeteg, elmebajos
insanitary [ɪn'sænɪt(ə)rɪ; *US* -erɪ] *a* egészségtelen
insanity [ɪn'sænətɪ] *n* őrület, őrültség; elmebaj, elmezavar
insatiable [ɪn'seɪʃjəbl; *US* -ʃə-] *a* kielégíthetetlen; telhetetlen
inscribe [ɪn'skraɪb] *vt* 1. ráír, bevés

2. (be)ír, felír; előjegyez **3.** berajzol
4. ajánl, dedikál [könyvet]
inscription [ɪn'skrɪpʃn] *n* **1.** felírás, felirat **2.** ajánlás, dedikáció
inscrutable [ɪn'skru:təbl] *a* kifürkészhetetlen; rejtélyes
inseam ['ɪnsi:m] *n* belső varrás
insect ['ɪnsekt] *n* rovar, féreg
insecticide [ɪn'sektɪsaɪd] *n* rovarirtó
insectivorous [ɪnsek'tɪvərəs] *a* rovarevő
insect-powder *n* rovarirtó (por)
insecure [ɪnsɪ'kjʊə*] *a* **1.** nem biztos, bizonytalan **2.** veszélyes; megbízhatatlan
insecurity [ɪnsɪ'kjʊərətɪ] *n* bizonytalanság
insemination [ɪnsemɪ'neɪʃn] *n* megtermékenyítés
insensate [ɪn'senseɪt] *a* **1.** érzéketlen, érzéstelen **2.** esztelen [düh stb.]
insensibility [ɪnsensə'bɪlətɪ] *n* érzéketlenség
insensible [ɪn'sensəbl] *a* **1.** öntudatlan, eszméletlen **2.** érzéketlen *(to* vm iránt), közömbös **3.** alig észrevehető
insensitive [ɪn'sensətɪv] *a* érzéketlen; fásult, közönyös
inseparable [ɪn'sep(ə)rəbl] *a* elválaszthatatlan
insert I. *n* ['ɪnsə:t] beillesztés; melléklet [könyvben, folyóiratban] II. *vt* [ɪn'sə:t] **1.** behelyez, beilleszt **2.** közzétesz [újsághirdetést]
insertion [ɪn'sə:ʃn] *n* **1.** beszúrás **2.** közzététel **3.** betét [ruhában]
inset I. *n* ['ɪnset] **1.** betétlap(ok) **2.** melléktérkép; szövegközi ábra **3.** betét, beállítás [női ruhán] II. *vt* [ɪn'set] *(pt/pp ~)* beékel, beiktat, beszúr
inshore [ɪn'ʃɔ:*] *a/adv* part menti; a part mentén/felé
inside [ɪn'saɪd] I. *a* belső, benn levő; *~ information* bizalmas értesülés; *~ left/right* bal-, ill. jobbösszekötő; *biz the ~ track* (1) belső kör [sportban] (2) *átv* előnyös helyzet II. *n* **1.** vmnek belseje; *turn ~ out* teljesen kifordít; *know sg ~ out* tövéről hegyire ismer **2.** *biz* emésztőszervek III. *adv* **1.** benn; *biz walk ~!* tessék besétálni! **2.** vmn belül; *biz ~ of three*

days három napon belül **3.** *GB* ☐ *be ~* hűvösön/sitten van, ül IV. *prep* belül, benn, belsejében
insider [ɪn'saɪdə*] *n* beavatott
insidious [ɪn'sɪdɪəs] *a* alattomos; ármányos
insight ['ɪnsaɪt] *n* **1.** bepillantás **2.** éleselméjűség, éleslátás
insignia [ɪn'sɪgnɪə] *n pl* **1.** jelvény(ek), kitüntetés(ek) **2.** ismertetőjel(ek)
insignificance [ɪnsɪg'nɪfɪkəns] *n* jelentéktelenség
insignificant [ɪnsɪg'nɪfɪkənt] *a* jelentéktelen
insincere [ɪnsɪn'sɪə*] *a* nem őszinte; őszintétlen, kétszínű
insincerity [ɪnsɪn'serətɪ] *n* kétszínűség, hamisság
insinuate [ɪn'sɪnjʊeɪt] *vt* **1.** befurakszik; *~ oneself into sy's favour* beférkőzik vk kegyeibe **2.** célozgat (vmre); (burkoltan) állít (vmt)
insinuating [ɪn'sɪnjʊeɪtɪŋ] *a* **1.** behízelgő **2.** célzatos, burkolt(an célzó)
insinuation [ɪnsɪnjʊ'eɪʃn] *n* **1.** gyanúsító célzás **2.** behízelgés
insipid [ɪn'sɪpɪd] *a* **1.** ízetlen **2.** unalmas
insist [ɪn'sɪst] *vi ~ (on/upon/that)* ragaszkodik (vmhez); kitart (vm mellett), súlyt helyez (vmre)
insistence [ɪn'sɪst(ə)ns] *n* ragaszkodás vmhez, kitartás vm mellett
insistent [ɪn'sɪst(ə)nt] *a* vmhez ragaszkodó, rendíthetetlen; kitartó
in situ [ɪn'sɪtju:] eredeti helyzetben/helyén
insofar [ɪnsoʊ'fɑ:*] *adv ~ as US* amennyiben; amennyire
insole ['ɪnsoʊl] *n* **1.** talpbélés **2.** talpbetét
insolence ['ɪnsələns] *n* szemtelenség, arcátlanság
insolent ['ɪnsələnt] *a* arcátlan, szemtelen; sértő
insoluble [ɪn'sɔljʊbl; *US* -ɑl-] *a* **1.** oldhatatlan **2.** megoldhatatlan
insolvable [ɪn'sɔlvəbl; *US* -ɑl-] *a =* insoluble 2.
insolvency [ɪn'sɔlv(ə)nsɪ; *US* -ɑl-] *n* **1.** fizetésképtelenség **2.** csőd
insolvent [ɪn'sɔlv(ə)nt; *US* -ɑl-] *a* fizetésképtelen

insomnia [ın'sɔmnıə; US -ɑm-] n
álmatlanság
insomuch [ınsoʊ'mʌtʃ] adv 1. olyannyi-
ra (that/as hogy) 2. mivelhogy
inspect [ın'spekt] vt 1. megszemlél 2.
(hivatalosan) megvizsgál; ellenőriz
inspection [ın'spekʃn] n 1. szemle, meg-
tekintés 2. megvizsgálás; vizsgálat
inspector [ın'spektə*] n felügyelő; el-
lenőr; ~ general főfelügyelő
inspectorate [ın'spekt(ə)rət] n felügye-
lőség
inspectorship [ın'spektəʃıp] n = inspec-
torate
inspectress [ın'spektrıs] n felügyelőnő
inspiration [ınspə'reıʃn] n 1. belélegzés
2. ihlet; sugalmazás, inspiráció
inspire [ın'spaıə*] vt 1. belélegez 2.
eltölt (with vmvel) 3. megihlet 4. su-
galmaz, inspirál 5. ösztönöz, lelkesít
inst. [ınst v. 'ınstənt] instant folyó
hó, f. hó; on the 5th ~ f. hó 5-én
instability [ınstə'bılətı] n (átv is) inga-
tagság; változékonyság
install [ın'stɔːl] vt 1. beiktat 2. elhe-
lyez 3. bevezet [villanyt stb.]
installation [ınstə'leıʃn] n 1. beiktatás
2. bevezetés; berendezés; felszerelés
instalment, US -stall- [ın'stɔːlmənt]
n 1. részlet(fizetés) 2. folytatás [re-
gényé]
instance ['ınstəns] I. n 1. kérelem, folya-
modás; court of first ~ első fokú bíró-
ság; in the first ~ először is 2. eset;
példa; for ~ például II. vt példaként
felhoz; hivatkozik, utal (vmre)
instant ['ınstənt] I. a 1. sürgős; azonna-
li; ~ coffee oldható (v. azonnal oldódó)
kávé, neszkávé 2. fenyegető; sürgető
3. folyó hó →inst. II. n pillanat
instantaneous [ınst(ə)n'teınjəs] a azon-
nali; pillanatnyi
instead [ın'sted] I. prep ~ of sg vm he-
lyett II. adv helyette; inkább
instep ['ınstep] n lábfej felső része, rüszt;
~ raiser (lúd)talpbetét
instigate ['ınstıgeıt] vt uszít; felbujt
(to do sg vmre); szít [lázadást]
instigation [ınstı'geıʃn] n uszítás; fel-
bujtás
instigator ['ınstıgeıtə*] n felbujtó

instil, US instill [ın'stıl] vt 1. † belecse-
pegtet 2. belenevel [érzést stb.] (into
vkbe)
instinct I. a [ın'stıŋkt] ~ with sg áthatva
vmtől II. n ['ınstıŋkt] 1. ösztön 2.
hajlam
instinctive [ın'stıŋktıv] a ösztönös
institute ['ınstıtjuːt; US -tuːt] I. n 1.
intézet 2. intézmény II. vt 1. alapít;
szervez 2. megindít [eljárást stb.]
institution [ınstı'tjuːʃn; US -'tuː-] n
1. intézmény 2. alapítás; megalakítás
3. folyamatba tétel, megindítás 4.
szokás 5. intézeť, létesítmény
instruct [ın'strʌkt] vt 1. oktat, tanít
2. utasít 3. útbaigazít, tájékoztat
instruction [ın'strʌkʃn] n 1. oktatás,
tanítás 2. utasítás; parancs; ~ sheet,
book of ~ használati/kezelési utasítás
instructive [ın'strʌktıv] a tanulságos,
tanító
instructor [ın'strʌktə*] n 1. tanító, ok-
tató 2. US egyetemi előadó
instrument ['ınstrʊmənt] n 1. (átv is)
eszköz 2. szerszám, műszer; ~ board/
panel kapcsolótábla, műszerfal 3.
hangszer 4. okirat; negotiable ~ for-
gatható okirat/értékpapír
instrumental [ınstrʊ'mentl] a 1. közre-
működő; hozzájáruló (vmhez); be ~
in sg közreműködik vmben, (jelentős)
szerepe van vmben 2. műszeres [vizs-
gálat stb.] 3. hangszeres
instrumentalist [ınstrʊ'mentəlıst] n ze-
nész, zenekari tag
instrumentality [ınstrʊmen'tælətı] n
közbenjárás, segítség; közreműködés
insubordination ['ınsəbɔːdı'neıʃn] n
engedetlenség; fegyelemsértés
insubstantial [ınsəb'stænʃl] a 1. lényeg
nélküli 2. testetlen
insufferable [ın'sʌf(ə)rəbl] a kibírha-
tatlan
insufficiency [ınsə'fıʃnsı] n elégtelenség
insufficient [ınsə'fıʃnt] a elégtelen
insular ['ınsjʊlə*; US -səl-] a 1. szigeti,
sziget- 2. szűk látókörű
insularism ['ınsjʊlərız(ə)m; US -səl-]
n szűklátókörűség
insularity [ınsjʊ'lærətı; US -sə'l-] n
= insularism

insulate ['ɪnsjʊleɪt; US -sə-] vt 1. elszigetel, elkülönít (from vmtől) 2. szigetel
insulation [ɪnsjʊ'leɪʃn; US -sə-] n 1. (el)szigetelés 2. szigetelő(anyag)
insulator ['ɪnsjʊleɪtə*; US -sə-] n szigetelő(anyag)
insulin ['ɪnsjʊlɪn; US -sə-] n inzulin
insult I. n ['ɪnsʌlt] sértés; add ~ to injury igazságtalanságot sértéssel tetéz, sértést sértésre halmoz II. vt [ɪn-'sʌlt] megsért, sérteget
insuperable [ɪn'sju:p(ə)rəbl; US -'su:-] a legyőzhetetlen, leküzdhetetlen
insupportable [ɪnsə'pɔ:təbl] a kibírhatatlan; tűrhetetlen
insurance [ɪn'ʃʊər(ə)ns] n biztosítás; ~ agent/broker biztosítási ügynök; ~ assessor kárbecslő; ~ company biztosítótársaság; ~ policy biztosítási kötvény; state ~ társadalombiztosítás
insurant [ɪn'ʃʊər(ə)nt] n a biztosító (fél)
insure [ɪn'ʃʊə*] vt biztosít (against ellen)
insured [ɪn'ʃʊəd] I. a (be)biztosított [vagyontárgy stb.] II. n the ~ a biztosított/kedvezményezett
insurer [ɪn'ʃʊərə*] n the ~ a biztosító (fél)
insurgent [ɪn'sə:dʒ(ə)nt] a/n felkelő, lázadó
insurmountable [ɪnsə'maʊntəbl] a leküzdhetetlen
insurrection [ɪnsə'rekʃn] n felkelés, lázadás
insurrectionist [ɪnsə'rekʃ(ə)nɪst] n felkelő, lázadó
intact [ɪn'tækt] a 1. érintetlen 2. ép, sértetlen
intake ['ɪnteɪk] n 1. szellőzőjárat [bányában] 2. felvétel [anyagé, táplálaléké] 3. felvett létszám
intangibility [ɪntændʒə'bɪlətɪ] n felfoghatatlanság
intangible [ɪn'tændʒəbl] a 1. felfoghatatlan 2. nem tapintható, nem érzékelhető
integer ['ɪntɪdʒə*] n 1. egész szám 2. csorbítatlan egész
integral ['ɪntɪgr(ə)l] I. a 1. ép, egész 2. szerves(en hozzátartozó), lényeges, nélkülözhetetlen 3. egész számú II. n integrál

integrate ['ɪntɪgreɪt] vt 1. kiegészít 2. egységbe rendez, koordinál (with vmvel) 3. integrál
integrated ['ɪntɪgreɪtɪd] a 1. egységbe rendezett; ~ personality harmonikus egyéniség 2. teljes (faji) egyenjogúságot biztosító 3. integrált [áramkör]
integration [ɪntɪ'greɪʃn] n 1. egységbe. rendezés; teljessé tevés 2. egyesülés; (társadalmi) beilleszkedés; integráció, integrálás; racial ~ teljes faji egyenjogúság (biztosítása)
integrationist [ɪntɪ'greɪʃnɪst] n faji egyenjogúságért küzdő
integrity [ɪn'tegrətɪ] n 1. sértetlenség 2. becsületesség, tisztesség
intellect ['ɪntəlekt] n ész, értelem
intellectual [ɪntə'lektjʊəl; US -tʃ-] I. a szellemi, észbeli, intellektuális II. n értelmiségi
intelligence [ɪn'telɪdʒ(ə)ns] n 1. értelem, felfogás, ész 2. értelmesség, intelligencia; ~ quotient intelligenciahányados 3. hír, értesülés, információ; ~ service hírszerző szolgálat
intelligent [ɪn'telɪdʒ(ə)nt] a értelmes, intelligens
intelligentsia [ɪntelɪ'dʒentsɪə] n értelmiség
intelligibility [ɪntelɪdʒə'bɪlətɪ] n érthetőség
intelligible [ɪn'telɪdʒəbl] a érthető
intemperance [ɪn'temp(ə)rəns] n 1. mértéktelenség 2. részegeskedés
intemperate [ɪn'temp(ə)rət] a 1. mértéktelen 2. részeges
intend [ɪn'tend] vt 1. szándékozik; tervez; my ~ed jövendőbelim 2. szán (vmt vknek)
intense [ɪn'tens] a 1. nagyfokú 2. erős, heves
intensify [ɪn'tensɪfaɪ] A. vt (fel)erősit, fokoz B. vi erősödik, fokozódik
intensity [ɪn'tensətɪ] n erősség, intenzitás
intensive [ɪn'tensɪv] a 1. erősítő, nyomatékosító [szó] 2. beható, alapos, intenzív [kutatás]; belterjes [gazdálkodás]; ~ care unit intenzív szoba/osztály [kórházban]
intent [ɪn'tent] I. a 1. megfeszített 2. be ~ on (doing sg) (feltett) szándéka,

hogy..., vmre törekszik **II.** *n* szándék, cél; *to all ~s and purposes* (1) minden tekintetben (teljesen) (2) szemmel láthatólag
intention [ɪn'tenʃn] *n* **1.** (feltett) szándék, törekvés **2.** cél(zat)
intentional [ɪn'tenʃənl] *a* szándékos
intentness [ɪn'tentnɪs] *n* figyelmesség, megfeszítettség
inter [ɪn'tə:*] *vt* **-rr-** eltemet, elhantol, elás
interact [ɪntər'ækt] *vi* egymásra hat
interaction [ɪntər'ækʃn] *n* kölcsönhatás
inter alia [ɪntər'eɪlɪə] többek között
interbreed [ɪntə'bri:d] *v* (*pt/pp* **-bred** -'bred) **A.** *vt* keresztez [fajokat] **B.** *vi* kereszteződik
intercalary [ɪn'tə:kələrɪ; *US* -erɪ] *a* **1.** közbeékelt **2.** szökő [nap]
intercede [ɪntə'si:d] *vi* közbenjár (*with sy for sy* vknél vkért)
intercept [ɪntə'sept] *vt* **1.** feltartóztat **2.** elfog [levelet] **3.** elkoboz
interceptor [ɪntə'septə*] *n* elfogó vadászrepülőgép
intercession [ɪntə'seʃn] *n* **1.** közbenjárás **2.** könyörgő ima
interchange I. *n* ['ɪntətʃeɪndʒ] **1.** kicserélés; csere **2.** váltakozás **3.** (különszintű) csomópont **4.** ~ (*station*) átszállóhely **II.** *v* [ɪntə'tʃeɪndʒ] **A.** *vt* **1.** (ki)cserél **2.** felcserél **B.** *vi* váltakozik
interchangeable [ɪntə'tʃeɪndʒəbl] *a* felcserélhető
intercollegiate [ɪntəkə'li:dʒɪət] *a* kollégiumok közötti
intercom ['ɪntəkɔm; *US* -am] *n biz* **1.** duplex távbeszélőrendszer **2.** házi telefon
intercommunicate [ɪntəkə'mju:nɪkeɪt] *vi* **1.** egymással érintkezik **2.** egymásba nyílik
intercommunication ['ɪntəkəmju:nɪ'keɪʃn] *n* összeköttetés; kapcsolat, kölcsönös érintkezés
interconnected [ɪntəkə'nektɪd] *a* kölcsönösen összekapcsolt
intercontinental ['ɪntəkɔntɪ'nentl; *US* -kan-] *a* interkontinentális, világrészek közötti; ~ *ballistic missile* interkontinentális ballisztikus rakéta

intercourse ['ɪntəkɔ:s] *n* **1.** érintkezés **2.** (*sexual*) ~ közösülés
interdependence [ɪntədɪ'pendəns] *n* egymásrautaltság
interdependent [ɪntədɪ'pendənt] *a* kölcsönösen egymástól függő
interdict I. *n* ['ɪntədɪkt] **1.** tilalom **2.** egyházi kiközösítés **II.** *vt* [ɪntə'dɪkt] **1.** eltilt **2.** kiközösít
interest ['ɪntrɪst] **I.** *n* **1.** érdekeltség, részesedés **2.** érdek; *in sy's* ~ vk érdekében; *of general* ~ közérdekű; *public* ~ a közérdek **3.** érdeklődés; *take* ~ *in sy/sg* érdeklődik vk/vm iránt; *lose* ~ *in sg* kiábrándul vmből **4.** érdekesség; jelentőség; *be of* ~ *to sy* jelentősége/fontossága van vk számára **5.** kamat; ~ *on* ~ kamatos kamat; *bear/carry* ~ kamatozik; *átv repay with* ~ kamatostul/busásan megfizet **II.** *vt* **1.** érdekeltté tesz (vkt); *be* ~*ed in sg* (1) érdekelve van vmben (2) érdeklődik vm iránt, érdekli vm **2.** felkelt/leköt érdeklődést; érdekel vkt
interested ['ɪntrɪstɪd] *a* **1.** érdekelt [felek] **2.** érdeklődő
interesting ['ɪntrɪstɪŋ] *a* érdekes
interfere [ɪntə'fɪə*] *vi* **1.** beavatkozik (*in sg* vmbe) **2.** ~ *with* (1) gátol, megbolygat (vmt); keresztezi [vknek a terveit] (2) erőszakoskodik [nővel] **3.** megakadályoz [ügyek menetét]; ütközik (vmvel)
interference [ɪntə'fɪər(ə)ns] *n* **1.** beavatkozás **2.** interferencia, [rádió- stb.] vételi zavar
interim ['ɪntərɪm] **I.** *a* ideiglenes, átmeneti; ~ *report* évközi/előzetes jelentés **II.** *n* időköz; *in the* ~ egyelőre, ideiglenesen, addig is
interior [ɪn'tɪərɪə*] **I.** *a* **1.** belső; ~ *decoration* belsőépítészet; ~ *decorator* belsőépítész, lakberendező **2.** belföldi; ~ *trade* belkereskedelem **II.** *n* **1.** vmnek a belseje **2.** belföld, ország belső része; *US Department of the I*~ belügyminisztérium
interject [ɪntə'dʒekt] *vt* közbevet
interjection [ɪntə'dʒekʃn] *n* **1.** közbevetés **2.** indulatszó
interlace [ɪntə'leɪs] **A.** *vt* **1.** összefűz

egybeköt 2. átsző B. *vi* összefűződik, -szövődik
interlard [ıntə'lɑ:d] *vt (átv is)* megspékel, (meg)tűzdel
interleave [ıntə'li:v] *vt* [könyv lapjai közé] üres lapokat köt/illeszt; ~*d copy* belőtt példány
interlinear [ıntə'lınıə*] *a* sorközi
interlink [ıntə'lıŋk] A. *vt* összefűz, (össze)kapcsol B. *vi* összefűződik, -kapcsolódik
interlock [ıntə'lɔk; *US* -ak] A. *vt* egymásba illeszt; összekapcsol B. *vi* egymásba kapcsolódik; összekapcsolódik
interlocutor [ıntə'lɔkjʊtə*; *US* -'lɑ-] *n* párbeszédben részt vevő, beszélő
interloper ['ıntəloʊpə*] *n* 1. betolakodó, beavatkozó 2. csempész; zugárus
interlude ['ıntəlu:d] *n* közjáték; felvonásköz
intermarriage [ıntə'mærıdʒ] *n* összeházasodás [különböző fajbelieké v. rokonoké]
intermarry [ıntə'mærı] *vi* összeházasodik [más fajúval v. rokonnal]
intermediary [ıntə'mi:djərı; *US* -erı] I. *a* 1. közvetítő 2. közbenső II. *n* közvetítő
intermediate [ıntə'mi:djət] *a/n* 1. közbeeső; közbenső 2. közvetítő (közeg) 3. középfokú [oktatás stb.]
interment [ın'tə:mənt] *n* temetés
intermezzo [ıntə'metsoʊ] *n* intermezzo, közjáték
interminable [ın'tə:mınəbl] *a* végeérhetetlen
intermingle [ıntə'mıŋgl] A. *vt* összevegyít, -kever B. *vi* vegyül, (össze)keveredik
intermission [ıntə'mıʃn] *n* 1. félbeszakítás, szünet 2. felvonásköz
intermittent [ıntə'mıt(ə)nt] *a* 1. megszakított 2. váltakozó; ~ *fever* váltóláz
intern I. *n* ['ıntə:n] 1. *US* [kórházban] bentlakó (segéd)orvos 2. internált II. *vt* [ın'tə:n] internál, fogva tart
internal [ın'tə:nl] *a* 1. belső 2. belföldi, bel-
internal-combustion engine belsőégésű motor, robbanómotor

international [ıntə'næʃənl] I. *a* nemzetközi, internacionális; ~ *law* nemzetközi jog II. *n* I~ internacionálé
Internationale [ıntənæʃə'nɑ:l] *n the* ~ az Internacionálé
internationalism [ıntə'næʃ(ə)nəlızm] *n* nemzetköziség, internacionalizmus
internecine [ıntə'ni:saın; *US* -sən] *a* 1. † gyilkos 2. egymást pusztító
internee [ıntə:'ni:] *n* internált
internist [ın'tə:nıst] *n US* 1. belgyógyász 2. általános orvos
internment [ın'tə:nmənt] *n* internálás
interpellate [ın'tə:peleıt]*vt* interpellál
interplanetary [ıntə'plænıt(ə)rı] *a* bolygóközi
interplay ['ıntəpleı] *n* kölcsönös hatás
Interpol ['ıntəpɔl; *US* -al] *International Criminal Police Commission* Bűnügyi Rendőrség Nemzetközi Szervezete, INTERPOL
interpolate [ın'tə:pəleıt] *vt* 1. beszúr [szót stb.] 2. interpolál
interpolation [ıntə:pə'leıʃn] *n* 1. beszúrás, betoldás [szóé stb.] 2. interpoláció
interpose [ıntə'poʊz] A. *vt* 1. közbevet; ~ *one's veto* tiltakozik (vm ellen), vétójogot gyakorol 2. közbeszól [beszélgetésbe] B. *vi* közbelép, közbeveti magát
interposition [ıntə:pə'zıʃn] *n* 1. közvetítés 2. közbeékelés 3. közbelépés, -jövetel
interpret [ın'tə:prıt] *vt* 1. értelmez, interpretál, magyaráz 2. előad, interpretál [szerepet, zenedarabot] 3. tolmácsol, fordít [beszédet stb.]
interpretation [ıntə:prı'teıʃn] *n* 1. értelmezés, magyarázat 2. előadás [zenedarabé]; interpretáció [színészé] 3. tolmácsolás, fordítás
interpreter [ın'tə:prıtə*] *n* tolmács
interracial [ıntə'reıʃəl; *US* -ʃl] *a* különböző fajok közötti [házasság stb.]
interred [ın'tə:d] →*inter*
interregnum [ıntə'regnəm] *n* trónüresedés, interregnum
interrelation [ıntərı'leıʃn] *n* kölcsönös vonatkozás/kapcsolat
interrogate [ın'terəgeıt] *vt* (ki)kérdez; kihallgat; vallat

interrogation [ɪntərə'geɪʃn] n 1. (ki)kérdezés, vizsgáztatás; kihallgatás, vallatás 2. note/mark of ~ kérdőjel
interrogative [ɪntə'rɔgətɪv; US -'rɑ-] I. a kérdő [hang stb.] II. n kérdőszó
interrupt [ɪntə'rʌpt] vt 1. félbeszakít 2. megakaszt
interruption [ɪntə'rʌpʃn] n 1. félbeszakítás, szétkapcsolás 2. közbevágás 3. szünetelés; without ~ szakadatlanul
intersect [ɪntə'sekt] A. vt átvág, (át-) metsz B. vi kereszteződik
intersection [ɪntə'sekʃn] n 1. metszőpont 2. átvágás 3. útkereszteződés; csomópont
intersperse [ɪntə'spə:s] vt belevegyít, tarkít (with vmvel)
interstate [ɪntə'steɪt] a US államok közötti
interstellar [ɪntə'stelə*] a bolygóközi
interstice [ɪn'tə:stɪs] n köz, rés, hézag
intertwine [ɪntə'twaɪn] A. vt egybefon B. vi egybefonódik
interurban [ɪntər'ə:bən] a városok közötti; helyi(érdekű) [vasút]
interval ['ɪntəvl] n 1. időköz; at ~s időnként; hellyel-közzel; bright ~s átmeneti derült idő 2. GB szünet [színházban stb.], tízperc [iskolai]; ~ signal szünetjel 3. [zenei] hangköz, intervallum
intervene [ɪntə'vi:n] vi 1. közbejön, -esik 2. közbenjár (on behalf of sy vkért) 3. közbelép (in vmbe)
intervention [ɪntə'venʃn] n 1. beavatkozás, intervenció; közbejötte (vmnek) 2. közbelépés; közbenjárás
interview ['ɪntəvju:] I. n 1. megbeszélés, tárgyalás 2. beszélgetés, interjú II. vt 1. megbeszélést folytat, értekezik (vkvel) 2. meginterjúvol (vkt); kikéri (vk) véleményét
interwar ['ɪntəwɔ:*] a két (világ)háború közötti
interweave [ɪntə'wi:v] v (pt -wove -'woʊv, pp -woven -'woʊvn) A. vt összefon, egybefűz B. vi összefonódik, egybefűződik
interzonal [ɪntə'zoʊnl] a zónaközi
intestate [ɪn'testeɪt] a végrendelet nélkül(i)

intestinal [ɪn'testɪnl] a béllel kapcsolatos, bél-
intestine [ɪn'testɪn] I. a bel(ső) II. n bél; large ~ vastagbél; small ~ vékonybél
intimacy ['ɪntɪməsɪ] n 1. meghittség, bizalmasság 2. nemi kapcsolat [házasságon kívül]; ~ took place közösültek
intimate I. a ['ɪntɪmət] meghitt, bizalmas II. n ['ɪntɪmət] benső barát, kebelbarát III. vt ['ɪntɪmeɪt] 1. közöl, tudtul ad 2. sejtet, célozgat
intimation [ɪntɪ'meɪʃn] n 1. értesítés, tudtul adás, közlés 2. (burkolt) célzás
intimidate [ɪn'tɪmɪdeɪt] vt megfélemlít
intimidation [ɪntɪmɪ'deɪʃn] n megfélemlítés
into ['ɪntʊ; mássalhangzó előtt: 'ɪntə] prep -ba, -be, bele 1. (mozgást v. irányt jelzően:) fall ~ sy's hands vknek kezébe/fogságába jut 2. (változásra v. eredményre vonatkozóan:) grow ~ a man felnő, férfivá nő; change sg ~ sg vmit vmvé változtat 3. 4 ~ 20 goes 5 times négy a húszban megvan ötször
intolerable [ɪn'tɔl(ə)rəbl; US -ɑl-] a tűrhetetlen
intolerance [ɪn'tɔlər(ə)ns; US -ɑl-] n türelmetlenség (of vkvel/vmvel szemben)
intolerant [ɪn'tɔlər(ə)nt; US -ɑl-] a 1. türelmetlen 2. be ~ of nem tűr [vmlyen gyógyszert stb.]
intonation [ɪntə'neɪʃn] n hangvétel; hanglejtés, intonáció
intone [ɪn'toʊn] vt/vi 1. énekelni kezd; megadja a hangot 2. zsolozsmáz
in toto [ɪn'toʊtoʊ] teljes egészében
intoxicant [ɪn'tɔksɪkənt; US -ɑk-] a mámorító [ital]
intoxicate [ɪn'tɔksɪkeɪt; US -ɑk-] vt (átv is) (meg)részegít, mámorossá tesz
intoxication [ɪntɔksɪ'keɪʃn; US -ɑk-] n részegség; mámor
intractable [ɪn'træktəbl] a 1. makacs, hajthatatlan, konok 2. engedetlen
intramural [ɪntrə'mjʊər(ə)l] a 1. városon/falakon belüi levő 2. egyetemen/kollégiumon belüli; ~ competition házi verseny

intramuscular [ɪntrə'mʌskjʊlə*] a izomba adott [injekció]
intransigence [ɪn'trænsɪdʒ(ə)ns] n meg nem alkuvás
intransigent [ɪn'trænsɪdʒ(ə)nt] a/n meg nem alkuvó
intransitive [ɪn'trænsɪtɪv] a tárgyatlan
intra-uterine [ɪntrə'ju:təraɪn] a méhen belüli; ~ (contraceptive) device méhen belüli fogamzásgátló eszköz
intravenous [ɪntrə'vi:nəs] a intravénás
intrepid [ɪn'trepɪd] a rettenthetetlen, merész
intrepidity [ɪntrɪ'pɪdətɪ] n merészség
intricacy ['ɪntrɪkəsɪ] n bonyolultság
intricate ['ɪntrɪkət] a bonyolult, komplikált; tekervényes; zavaros
intrigue [ɪn'tri:g] I. n 1. cselszövés, intrika 2. szerelmi viszony II. A. vi 1. intrikál, áskálódik (against vk ellen); ~ with sy cselt sző vkvel 2. (szerelmi) viszonyt folytat B. vt érdekel, kíváncsivá tesz; izgat (vkt)
intriguing [ɪn'tri:gɪŋ] a 1. ármánykodó 2. érdekes
intrinsic [ɪn'trɪnsɪk] a benső; valódi, lényeges
introduce [ɪntrə'dju:s; US -'du:s] vt 1. bevezet 2. betesz, beilleszt 3. bevezet, meghonosít; divatba hoz 4. bemutat (to vknek)
introduction [ɪntrə'dʌkʃn] n 1. bevezetés; bemutatás; letter of ~ ajánlólevél 2. előszó, bevezetés 3. [elemi] kézikönyv, bevezetés [tantárgyba] 4. betevés, behelyezés; behozatal [árué]
introductory [ɪntrə'dʌkt(ə)rɪ] a bevezető
introspection [ɪntrə'spekʃn] n 1. betekintés 2. szemlélődés, önelemzés
introspective [ɪntrə'spektɪv] a önelemző, befelé néző
introvert ['ɪntrəvə:t] n befelé forduló egyén
introverted [ɪntrə'və:tɪd] a befelé forduló
intrude [ɪn'tru:d] A. vt ráerőszakol (sg on/upon sg/sy vmt vmre/vkre) B. vi 1. tolakodik 2. behatol, befurakodik (vhova); ~ upon sy alkalmatlankodik vknek, zaklat vkt
intruder [ɪn'tru:də*] n (be)tolakodó

intrusion [ɪn'tru:ʒn] n 1. betolakodás, benyomulás 2. ráerőszakolás
intrusive [ɪn'tru:sɪv] a 1. tolakodó, alkalmatlankodó 2. hiátustöltő [hang]
intuit [ɪn'tju:ɪt; US -'tu:-] vt ösztönösen megérez/megért (vmt)
intuition [ɪntju:'ɪʃn; US -tʊ-] n intuíció, ösztönös megérzés; előérzet
intuitive [ɪn'tju:ɪtɪv; US -'tu:-] a intuitív
intumescence [ɪntju:'mesns; US -tu:-] n (meg)nagyobbodás; daganat, duzzanat
inundate ['ɪnʌndeɪt] vt eláraszt, elönt
inundation [ɪnʌn'deɪʃn] n árvíz, elárasztás
inure [ɪ'njʊə*] vt hozzáedz (to vmhez), megedz (to vmvel szemben)
invade [ɪn'veɪd] vt 1. betör, beront [ellenség vmely országba], megrohan, elözönöl [országot stb.] 2. bitorol [jogot]
invader [ɪn'veɪdə*] n támadó, erőszakkal betolakodó; jogbitorló
invalid[1] [ɪn'vælɪd] a érvénytelen; semmis
invalid[2] I. a ['ɪnvəlɪd] beteg; rokkant; ~ chair tolószék II. n ['ɪnvəlɪd] rokkant, munkaképtelen III. vt ['ɪnvəli:d] ~ sy out (of the army) rokkantság miatt leszerel/kiszuperál (vkt)
invalidate [ɪn'vælɪdeɪt] vt érvénytelenít, hatálytalanít
invalidation [ɪnvælɪ'deɪʃn] n érvénytelenítés, hatálytalanítás
invalidism ['ɪnvəlɪdɪzm] n (hosszas) betegeskedés; rokkantság
invalidity [ɪnvə'lɪdətɪ] n érvénytelenség
invaluable [ɪn'væljʊəbl] a felbecsülhetetlen(ül értékes)
invariable [ɪn'veərɪəbl] a változhatatlan, állandó, változatlan
invariably [ɪn'veərɪəblɪ] adv mindig; változatlanul
invasion [ɪn'veɪʒn] n betörés, invázió, megrohanás, (erőszakos) betolakodás
invective [ɪn'vektɪv] n förmedvény, kirohanás (vk ellen)
inveigh [ɪn'veɪ] vi kirohan (against vk ellen)
inveigle [ɪn'veɪgl; US -'vi:-] vt (fondorlatosan) rábír (into vmre)

29

invent [ɪn'vent] *vt* feltalál; kigondol; kitalál

invention [ɪn'venʃn] *n* 1. feltalálás; kiagyalás 2. találékonyság, invenció 3. találmány 4. álhír, koholmány

inventive [ɪn'ventɪv] *a* leleményes, találékony, invenciózus

inventor [ɪn'ventə*] *n* feltaláló

inventory ['ɪnvəntrɪ; *US* -ɔ:rɪ] I. *n* leltár II. *vt* leltároz

Inverness [ɪnvə'nes] *prop*

inverse [ɪn'və:s] I. *a* ellenkező, megfordított; *in* ~ *ratio/proportion to sg* vmvel fordított arányban II. *n* vmnek fordítottja/ellenkezője

inversion [ɪn'və:ʃn; *US* -ʒn] *n* 1. megfordítás 2. (meg)fordítottság 3. fordított szórend

invert I. *n* ['ɪnvə:t] homoszexuális II. *vt* [ɪn'və:t] megfordít; felcserél; ~*ed commas* idézőjel(ek)

invertebrate [ɪn'və:tɪbrət] I. *a* 1. gerinctelen [állat] 2. *átv* gerinctelen, pipogya [ember] II. *n* gerinctelen állat

invest [ɪn'vest] *vt* 1. (*átv is*) felruház (*with* vmvel); ~ *sy with an office* hivatali állásba beiktat vkt 2. beruház, befektet [pénzt stb.] (*in* vmbe) 3. bekerít, körülzár [erődöt stb.]

investigate [ɪn'vestɪgeɪt] *vt* (meg)vizsgál; kivizsgál, tanulmányoz, nyomoz, kutat

investigation [ɪnvestɪ'geɪʃn] *n* vizsgálat, nyomozás, kutatás

investigator [ɪn'vestɪgeɪtə*] *n* nyomozó; kutató

investiture [ɪn'vestɪtʃə*; *US* -tʃʊr] *n átv* felruházás, beiktatás

investment [ɪn'vestmənt] *n* 1. befektetés, beruházás 2. *átv* beiktatás, felruházás

investor [ɪn'vestə*] *n* tőkés, invesztáló

inveterate [ɪn'vet(ə)rət] *a* megrögzött, meggyökeredzett

invidious [ɪn'vɪdɪəs] *a* bántó, bosszantó

invigilate [ɪn'vɪdʒɪleɪt] *vi GB* őrködik, felügyel [írásbeli vizsgán]

invigorate [ɪn'vɪgəreɪt] *vt* erősít, élénkít, felpezsdít; erőt ad, éltet

invincibility [ɪnvɪnsɪ'bɪlətɪ] *n* (le)győzhetetlenség

invincible [ɪn'vɪnsəbl] *a* (le)győzhetetlen, leküzdhetetlen

inviolable [ɪn'vaɪələbl] *a* sérthetetlen

inviolate [ɪn'vaɪələt] *a* sértetlen; érintetlen

invisibility [ɪnvɪzə'bɪlətɪ] *n* láthatatlanság

invisible [ɪn'vɪzəbl] *a* láthatatlan; ~ *exports* szellemi export; ~ *mending* műbeszövés

invitation [ɪnvɪ'teɪʃn] *n* 1. meghívás 2. felszólítás, felhívás (vmre)

invite [ɪn'vaɪt] *vt* 1. meghív 2. felszólít, felhív; ~ *entries for a competition* pályázatot ir ki; *questions are* ~*d* tessék/lehet hozzászólni 3. kihív, provokál

inviting [ɪn'vaɪtɪŋ] *a* hívogató, csábító, vonzó

invocation [ɪnvə'keɪʃn] *n* könyörgés, segítségül hívás, invokáció

invoice ['ɪnvɔɪs] I. *n* [kereskedelmi] számla; árujegyzék; *settle an* ~ számlát kiegyenlit II. *vt* számláz

invoke [ɪn'voʊk] *vt* 1. segítségül hív; esdekel 2. (meg)idéz [szellemet]

involuntary [ɪn'vɒlənt(ə)rɪ; *US* -'vɑlənterɪ] *a* akaratlan, önkéntelen

involute ['ɪnvəluːt] *a* 1. befelé csavarodó [levél stb.] 2. bonyolult

involution [ɪnvə'luːʃn] *n* 1. bonyolultság 2. bonyolult/kuszált dolog

involve [ɪn'vɒlv; *US* -ɑ-] *vt* 1. begöngyöl, becsavar 2. (bele)bonyolít, belekever; *get* ~*d in sg* belekeveredik vmbe 3. magába(n) foglal, magával hoz, maga után von 4. hatványoz

involved [ɪn'vɒlvd; *US* -ɑ-] *a* 1. bonyolult 2. eladósodott

invulnerable [ɪn'vʌln(ə)rəbl] *a* sebezhetetlen, sérthetetlen

inward ['ɪnwəd] I. *a* 1. benső, belső 2. lelki 3. bensőséges II. *adv* befelé III.

inwards ['ɪnədz] *n pl* belek, zsigerek

inwardly ['ɪnwədlɪ] *adv* belsőleg; benn

inwardness ['ɪnwədnɪs] *n* 1. igazi/belső mivolta (vmnek), szellemiség 2. bensőségesség

inwards ['ɪnwədz] *adv* befelé; belsőleg ‖ →*inward III.*

inwrought [ɪn'rɔːt] *a* 1. beleszőtt, mintával átszőtt 2. *átv* szorosan összefüggő

IOC [aɪoʊ'siː] *International Olympic Committee* Nemzetközi Olimpiai Bizottság, NOB

iodine ['aɪədiːn] *n* jód

ion ['aɪən] *n* ion

Iona [aɪ'oʊnə] *prop*

Ionic [aɪ'ɒnɪk; *US* -'ɑ-] *a* jón; ~ *order* jón oszloprend

ionize ['aɪənaɪz] *vt* ionizál

ionosphere [aɪ'ɒnəsfɪə*; *US* -'ɑ-] *n* ionoszféra

iota [aɪ'oʊtə] *n* **1.** ióta [görög „i" betű] **2.** jottányi, szemernyi; *not an* ~ jottányit/tapodtat sem

IOU [aɪoʊ'juː] (= *I owe you*) adós(ság)-levél, elismervény [adósságról]

Iowa ['aɪoʊə; *US* 'aɪəwə] *prop*

IPA [aɪpiː'eɪ] *International Phonetic Association* (v. *Alphabet*) Nemzetközi Fonetikai Társaság (ill. jelrendszere)

Ipswich ['ɪpswɪtʃ] *prop*

I.Q., IQ [aɪ'kjuː] *intelligence quotient*

IRA [aɪɑ:r'eɪ] *Irish Republican Army* Ír Köztársasági Hadsereg

Iran [ɪ'rɑːn; *US rendsz.* aɪ'ræn] *prop* Irán [korábban: Perzsia]

Iranian [ɪ'reɪnjən; *US* aɪ- *is*] *a/n* iráni

Iraq [ɪ'rɑːk] *prop* Irak

Iraqi [ɪ'rɑːkɪ] *a/n* iraki

irascible [ɪ'ræsəbl] *a* hirtelen haragú, ingerlékeny

irate [aɪ'reɪt] *a* haragos, dühös

ire ['aɪə*] *n* harag, düh

Ireland ['aɪələnd] *prop* Írország

Irene [aɪ'riːnɪ v. 'aɪriːn] *prop* Irén

iridescence [ɪrɪ'desns] *n* színjátszás, irizálás

iridescent [ɪrɪ'desnt] *a* szivárványszínekben játszó, irizáló

iridium [aɪ'rɪdɪəm] *n* iridium

iris ['aɪərɪs] *n* **1.** szivárványhártya **2.** nőszirom, írisz

Irish ['aɪ(ə)rɪʃ] **I.** *a* ír; ~ *Republic* Ír Köztársaság; ~ *setter* ír szetter; ~ *stew* ürügulyás **II.** *n* **1.** ír (nyelv) **2.** *the* ~ az írek, az ír nép

Irishman ['aɪ(ə)rɪʃmən] *n* (*pl* **-men** -mən) ír ember

Irishry ['aɪ(ə)rɪʃrɪ] *n* ír nép/bennszülöttek/tulajdonság

Irishwoman *n* (*pl* **-women**) ír nő

irk [ə:k] *vt* bosszant, fáraszt; *it* ~*s me to* . . . kellemetlen számomra, hogy . . ., nehezemre esik . . .

irksome ['ə:ksəm] *a* bosszantó, fárasztó, kellemetlen

iron ['aɪən; *US* -rn] **I.** *n* **1.** vas; *I*~ *Age* vaskor(szak); ~ *curtain* vasfüggöny; ~ *lung* vastüdő; ~ *ration* vastartalék; *have* (*too*) *many* ~*s in the fire* több vasat tart a tűzben; *strike while the* ~ *is hot* addig üsd a vasat, amíg meleg **2.** *irons pl* bilincs **3.** vasaló **4.** kard **II.** *vt* **1.** vasal [ruhát]; ~ *out* (1) kivasal (2) elsimít [nehézséget] **2.** megvasal [ajtót stb.]

ironbound *a* **1.** megvasalt **2.** sziklás **3.** hajthatatlan

ironclad **I.** *a* páncélos, páncéllal borított **II.** *n* páncélos (hajó)

ironic(al) [aɪ'rɒnɪk(l); *US* -ɑn-] *a* ironikus, gúnyos

ironically [aɪ'rɒnɪk(ə)lɪ; *US* -'rɑ-] *adv* ironikusan, gúnyosan; ~ . . . a sors iróniája, hogy . . .

ironing ['aɪənɪŋ] *n* **1.** vasalás [ruháé] **2.** (meg)vasalás

ironing-board *n* vasalódeszka

ironmonger *n* vaskereskedő

ironmongery [-mʌŋg(ə)rɪ] *n* **1.** vaskereskedés **2.** vasáru

iron-mould, *US* **-mold** *n* rozsdafolt

ironshod *a* megpatkolt; megvasalt [lábbeli]

ironsides [-saɪdz] *n pl* **1.** vasakaratú ember **2.** *I*~ Cromwell katonái

ironwork *n* vasszerkezet; vasalás; lakatosáru

ironworker *n* vasmunkás

ironworks *n* vasmű

irony ['aɪərənɪ] *n* irónia, gúny

Iroquois ['ɪrəkwɔɪ, *pl* -z] *a/n* irokéz

irradiate [ɪ'reɪdɪeɪt] *vt* **1.** megvilágít, beragyog **2.** érthetővé tesz **3.** sugárzóvá tesz [arcot] **4.** sugárral kezel, besugároz

irrational [ɪ'ræʃənl] *n* **1.** irracionális, okszerűtlen **2.** oktalan, alaptalan

irreconcilable [ɪ'rekənsaɪləbl] *a* **1.** összeegyeztethetetlen **2.** (ki)engesztelhetetlen

irrecoverable [ɪrɪ'kʌv(ə)rəbl] *a* pótolhatatlan; jóvátehetetlen; behajthatatlan

irredeemable [ɪrɪ'di:məbl] *a* 1. jóvátehetetlen; behajthatatlan; beválthatatlan [pénz] 2. javíthatatlan [gazfickó]

irreducible [ɪrɪ'dju:səbl; *US* -'du:-] *a* 1. nem csökkenthető 2. nem egyszerűsíthető [tört stb.]; helyre nem igazítható

irrefutable [ɪ'refjʊtəbl] *a* megdönthetetlen, megcáfolhatatlan

irregular [ɪ'regjʊlə*] I. *a* 1. szabálytalan; nem rendes, rendellenes; rendhagyó 2. egyenetlen II. **irregulars** *n pl* irreguláris csapatok, partizáncsapatok

irregularity [ɪregjʊ'lærətɪ] *n* 1. szabálytalanság, rendellenesség 2. egyenetlenség

irrelevance [ɪ'reləvəns] *n* 1. lényegtelenség, jelentéktelenség 2. nem a tárgyhoz tartozóság

irrelevant [ɪ'reləvənt] *a* 1. lényegtelen, jelentéktelen 2. nem helytálló; nem a tárgyhoz tartozó, irreleváns

irreligious [ɪrɪ'lɪdʒəs] *a* 1. vallástalan 2. vallásellenes

irremediable [ɪrɪ'mi:djəbl] *a* jóvátehetetlen, orvosolhatatlan

irremovable [ɪrɪ'mu:vəbl] *a* elmozdíthatatlan

irreparable [ɪ'rep(ə)rəbl] *a* helyrehozhatatlan, jóvátehetetlen; pótolhatatlan

irreplaceable [ɪrɪ'pleɪsəbl] *a* pótolhatatlan

irrepressible [ɪrɪ'presəbl] *a* elfojthatatlan, el nem nyomható, fegyelmezetlen

irreproachable [ɪrɪ'proʊtʃəbl] *a* feddhetetlen, hibátlan

irresistible [ɪrɪ'zɪstəbl] *a* ellenállhatatlan

irresolute [ɪ'rezəlu:t] *a* határozatlan, tétovázó, bizonytalan

irresolution [ˌɪrezə'lu:ʃn] *n* határozatlanság, habozás, tétovázás

irrespective [ɪrɪ'spektɪv] *a* független, (vmt) tekintetbe nem vevő; ~ *of sg* tekintet nélkül vmre

irresponsibility ['ɪrɪspɔnsə'bɪlətɪ; *US* -ɑn-] *n* felelőtlenség; meggondolatlanság

irresponsible [ɪrɪ'spɔnsəbl; *US* -ɑn-] *a* felelőtlen, felelőssé nem tehető, meggondolatlan

irresponsive [ɪrɪ'spɔnsɪv; *US* -ɑn-] *a* 1. flegmatikus, érzéketlen, zárkózott 2. nem válaszoló/reagáló

irretrievable [ɪrɪ'tri:vəbl] *a* jóvátehetetlen, visszaszerezhetetlen; pótolhatatlan

irreverence [ɪ'rev(ə)rəns] *n* tiszteletlenség; *be held in* ~ nem tisztelik

irreverent [ɪ'rev(ə)rənt] *a* tiszteletlen

irreversible [ɪrɪ'və:səbl] *a* 1. megmásíthatatlan, visszavonhatatlan 2. meg/vissza nem forgatható 3. irreverzibilis, maradandó

irrevocable [ɪ'revəkəbl] *a* megmásíthatatlan, visszavonhatatlan

irrigate ['ɪrɪgeɪt] *vt* 1. (meg)öntöz 2. (ki)öblít [sebet]

irrigation [ɪrɪ'geɪʃn] *n* 1. öntözés [földeké] 2. öblítés; beöntés; irrigálás

irritability [ɪrɪtə'bɪlətɪ] *n* ingerlékenység; érzékenység

irritable ['ɪrɪtəbl] *a* ingerlékeny; érzékeny

irritableness ['ɪrɪtəblnɪs] *n* = *irritability*

irritant ['ɪrɪt(ə)nt] *a/n* izgató, ingerlő (szer)

irritate ['ɪrɪteɪt] *vt* 1. felingerel, felbosszant 2. izgat, ingerel [szemet stb.]

irritating ['ɪrɪteɪtɪŋ] *a* 1. bosszantó, idegesítő 2. izgató (hatású)

irritation [ɪrɪ'teɪʃn] *n* 1. ingerültség; bosszúság 2. izgalmi állapot 3. ingerlés, izgatás, irritálás

irruption [ɪ'rʌpʃn] *n* berontás, betörés

Irving ['ə:vɪŋ] *prop*

is [ɪz; gyenge ejtésű alakjai: z, s] →*be*

Isaac ['aɪzək] *prop* Izsák

Isabel ['ɪzəbel] *prop* Izabella

Isaiah [aɪ'zaɪə] *prop* Ézsaiás, Izsaiás

Iscariot [ɪ'skærɪət] *prop* Iskáriótes

Isherwood ['ɪʃəwʊd] *prop*

Isidore ['ɪzɪdɔ:*] *prop* Izidor

isinglass ['aɪzɪŋglɑ:s; *US* -æs] *n* 1. halenyv, zselatin 2. csillám, máriaüveg

Isis ['aɪsɪs] *prop* Ízisz

Islam ['ɪzlɑ:m; *US* 'ɪsləm] *n* iszlám

Islamic [ɪz'læmɪk; *US* ɪs-] *a* iszlám, mohamedán

island ['aɪlənd] I. *n* sziget; (*safety/traffic*) ~ járdasziget II. *vt* elszigetel, izolál

islander ['aıləndə*] n szigetlakó
isle [aıl] n sziget
islet ['aılıt] n szigetecske
ism ['ızm] n izmus
isn't ['ıznt] = is not →be
isobar ['aısəba:*] n izobár
isolate ['aısəleıt] vt elszigetel, izolál, elkülönít
isolation [aısə'leıʃn] n 1. elszigetelés, izoláció, elkülönítés 2. magány, elvonultság; ~ hospital járványkórház; ~ ward elkülönítő
isolationism [aısə'leıʃ(ə)nızm] n elszigetelődési politika
isolationist [aısə'leıʃ(ə)nıst] n/a az elszigetelődési politika híve
isosceles [aı'sɔsıli:z; US -'sɑ-] a egyenlő szárú
isotherm ['aısəθə:m] n izoterma
isotope ['aısətoʊp] n izotóp
Israel ['ızreı(ə)l; US 'ızrıəl] prop Izrael
Israeli [ız'reılı] a/n izraeli
Israelite ['ızrıəlaıt] a izraelita
issue ['ıʃu:] I. n 1. kiadás; megjelenés [könyvé]; kibocsátás; forgalomba hozatal [bankjegyé, bélyegé stb.]; government ~ kincstári tulajdon 2. kiadvány, példány(szám) [folyóiraté] 3. kifolyás; (folyó)torkolat 4. kimenet, kijárat 5. utód, ivadék 6. (vég)eredmény, következmény, kimenet(el) 7. vitapont, kérdés, téma; question at ~ szőnyegen levő kérdés; face the ~ szembenéz a tényekkel; raise an ~ gondolatot/kérdést felvet; join/take ~ with sy on sg vitába száll vkvel vmt illetően 8. kiosztás, kiutalás [élelmiszereké stb.] II. A. vt 1. kiad, megjelentet [újságot, könyvet]; kibocsát, forgalomba hoz 2. kioszt [élelmiszert]; kiad [útlevelet, jegyet] 3. ellát, felszerel (with sg vmvel) B. vi 1. ~ (out) kifolyik, kiömlik 2. keletkezik, származik, ered (from vhonnan/vmből) 3. ~ in sg vmt eredményez, vmre vezet 4. nyílik (vhová)
issueless ['ıʃu:lıs] a gyermektelen, utód nélküli
Istanbul [ıstæn'bu:l; US ıstɑ:n-] prop Isztambul
isthmus ['ısməs] n földszoros

it [ıt] pron az, azt; ~ is I én vagyok (az); how is ~ with him? hogy van ő?; that's ~! ez az!; who is ~? ki az?; I haven't got ~ in me nem vagyok rá képes; there's nothing for ~ but to run nem lehet mást tenni mint meglépni; I had a bad time of ~ kellemetlen volt; the worst of ~ is that az benne a legrosszabb, hogy; how is ~ that hogy(an) lehet az, hogy; ~ is said that azt mondják, hogy; far from ~ egyáltalán nem, távolról sem
ITA [aıti:'eı] Independent Television Authority ⟨brit magántelevíziós társaság⟩
ital. italics
Italian [ı'tæljən] I. a olasz II. n 1. olasz (ember) 2. olasz (nyelv) 3. olasz nyelvtudás
italic [ı'tælık] I. a dőlt (betű), kurzív (szedés) II. italics n pl dőlt/kurzív betű/szedés; my ~s, ~s mine kiemelés tőlem
italicize [ı'tælısaız] vt dőlt betűvel szed, kurzivál
Italy ['ıtəlı] n Olaszország, Itália
itch [ıtʃ] I. n 1. viszketés, viszketegség 2. rüh(össég), ótvar 3. vágyódás vmre II. vi 1. viszket 2. biz ~ for sg türelmetlenül/nyugtalanul vágyódik vmre; have an ~ing palm kapzsi
itchy ['ıtʃı] a 1. viszketős 2. rühes
it'd ['ıtəd] = it had/would
item ['aıtəm] I. adv hasonlóképpen, dettó; ugyancsak, továbbá II. n 1. tétel, adat 2. (áru)cikk 3. hír [újságban]
itemize ['aıtəmaız] vt tételenként részletez [számlát]
iterate ['ıtəreıt] vt ismétel(get), hajtogat
iteration [ıtə'reıʃn] n ismételgetés, hajtogatás [mondókáé]
iterative ['ıtərətıv; US -reı-] a ismétlődő
itinerant [ı'tınərənt; US aı-] a kóborló, vándor(ló) [színész, zenész]
itinerary [aı'tın(ə)rərı; US -erı] I. a utazási, úti II. n 1. útikönyv 2. útiterv, úti program 3. útvonal
it'll ['ıtl] = it shall/will
its [ıts] pron/a (annak a) . . . -a, . . . -e . . . -ja, . . . -je

it's [ɪts] = *it is* →*be*

itself [ɪt'self] *pron* (ő) maga, az maga; őt/azt magát; *all by* ~ (teljesen) egyedül; *in* ~ önmagában véve

ITV [aɪti:'vi:] *Independent Television* ⟨brit magántelevízió⟩

I.U.(C.)D., **IU(C)D** [aɪju:(si:)'di:] *intra--uterine (contraceptive) device* →*intra--uterine*

Ivan ['aɪv(ə)n] *prop* Iván

Ivanhoe ['aɪv(ə)nhoʊ] *prop*

I've [aɪv] = *I have* →*have*

ivied ['aɪvɪd] *a* repkénnyel/borostyánnal borított

Ivor ['aɪvə*] *prop* ⟨férfinév⟩

ivory ['aɪv(ə)rɪ] **I.** *a* elefántcsontszínű **II.** *n* elefántcsont; *I~ Coast* Elefántcsontpart; *black* ~ néger rabszolga; ~ *tower* elefántcsonttorony

ivy ['aɪvɪ] *n* repkény, borostyán; *poison* ~ szömörce

J

J, j [dʒeɪ] *n* J, j (betű)
jab [dʒæb] I. *n* 1. döfés; ütés 2. *biz* injekció II. *vt* -bb- döf, lök, üt
jabber ['dʒæbə*] I. *n* fecsegés, csacsogás; hadarás II. *vt/vi* fecseg, csacsog; hadar
Jack¹ [dʒæk] *prop* Jancsi, Jankó; ~ *Frost* kb. Télapó; *before you could say* ~ *Robinson* egy pillanat alatt, ~ *of all trades* ezermester; ~ *Ketch* hóhér; † ~ *Tar* matróz, tengerész; ~ *in office* nagyképű bürokrata; *every man* ~ mindenki kivétel nélkül
jack² [dʒæk] I. *n* 1. alsó, filkó; búb, bubi [kártyában] 2. hím (állat) 3. kocsiemelő 4. orrárboczászló II. *vt* ~ *up* felemel
jackal ['dʒækɔ:l] *n* sakál
jackanapes ['dʒækəneɪps] *n* 1. kis csibész/kópé 2. *biz* szemtelen fráter
jackass *n* 1. ['dʒækæs] hím szamár 2. ['dʒækɑ:s] szamár [emberről]
jack-boots *n pl* térden felül érő csizma
jackdaw *n* csóka
jacket ['dʒækɪt] *n* 1. kabát, zakó; zubbony, ujjas 2. (gyümölcs)héj; *potatoes cooked in their* ~ héjában főtt burgonya 3. borító(lap) [könyvé] 4. burok, köpeny [hűtőé, melegvíztárolóé]
jack-in-the-box *n* krampusz a dobozban
jackknife I. *n* (*pl* -knives) zsebkés, bicska II. *vi* összecsukódik
jack-o'lantern ['dʒækələntən] *n* 1. lidércfény 2. ⟨kivájt tökből készült emberfej-lámpás⟩
jackplane *n* nagyoló gyalu
jackpot *n* *hit the* ~ megüti a főnyereményt, öttalálatosa van
jack-screw *n* emelőcsavar, törpe emelő

Jackson ['dʒæksn] *prop*
jack-straw *n* 1. ~(*s*) marokkó [játék] 2. szalmabáb
Jacob ['dʒeɪkəb] *prop* Jákob; Jakab
Jacobean [dʒækə'bi:ən] *a* I. Jakab korabeli (1603—1625)
Jacobin ['dʒækəbɪn] *a/n* jakobinus
Jacobite ['dʒækəbaɪt] *a/n* Stuart-párti, jakobita
†**ade¹** [dʒeɪd] I. *n* 1. gebe 2. szajha II. *vt* kimerít, agyonhajszol
jade² [dʒeɪd] *n* zöld nefrit, jade
jaded ['dʒeɪdɪd] *a* 1. holtfáradt, elcsigázott 2. eltompult, megcsömörlött
jag [dʒæg] I. *n* rovátka, fog; (szabálytalan) csipkézet II. *vt* -gg- rovátkol, fogaz; (meg)szaggat
jagged ['dʒægɪd] *a* csipkézett, szaggatott [szél, vonal]
jaguar ['dʒægjʊə*] *n* jaguár
jail [dʒeɪl] *n/v US* = *gaol*
jailbird *n US* = *gaol-bird*
jailer ['dʒeɪlə*] *n US* = *gaoler*
jakes [dʒeɪks] *n* (*pl* ~) árnyékszék
jalopy [dʒə'lɔpɪ; *US* -'la-] *n US* □ tragacs [autóról, repgépről]
jam¹ [dʒæm] I. *n* 1. gyümölcsíz, lekvár 2. ~ *session* ⟨alkalomszerűen összegyűlő zenészek rögtönzött dzsesszmuzsikálása⟩
jam² [dʒæm] I. *n* 1. tolongás, (forgalmi) torlódás 2. beszorulás [gépalkatrészé stb.] 3. □ kellemetlen helyzet; *be in a* ~ benne van a pácban II. *v* -mm- A. *vt* 1. zsúfol, présel; ~ *on the brakes* hirtelen befékez 2. beékel, megakaszt [szerkezetet, forgalmat] 3. (össze)zúz 4. zavar [rádióadást] B. *vi* akadozik, (el)akad

Jamaica [dʒə'meɪkə] *prop* Jamaica
Jamaican [dʒə'meɪkən] *a* jamaicai
jamb [dʒæm] *n* ajtófélfa, ablakfélfa, ajtódúc, ablakdúc
jamboree [dʒæmbə'ri:] *n* dzsembori
James [dʒeɪmz] *prop* Jakab
jammed [dʒæmd] → *jam²* *II.*
jamming ['dʒæmɪŋ] *n* zavarás [rádió-adásé] ‖→ *jam²* *II.*
jampacked *a* zsúfolásig tele
jam-pot *n* lekvárosüveg
Jan. *January* január, jan.
Jane¹ [dʒeɪn] *prop* Janka, Zsanett
jane² [dʒeɪn] *n* □ nőcske, csaj
Janet ['dʒænɪt] *prop* Janka, Zsanett
jangle ['dʒæŋgl] *I.* *n* 1. csörömpölés 2. civódás, pörlekedés *II.* *A.* *vi* csörög, zörög *B.* *vt* csörget, zörget; ~*d nerves* idegesség
janitor ['dʒænɪtə*] *n* portás, kapus; ház-felügyelő
January ['dʒænjʊərɪ; *US* -erɪ] *n* január
Jap [dʒæp] *a/n biz* japán
Japan¹ [dʒə'pæn] *prop* Japán
japan² [dʒə'pæn] *n* 1. (japáni) lakk-munka 2. (japán)lakk
Japanese [dʒæpə'ni:z] *I.* *a* japán(i) *II.* *n* 1. japán (ember) 2. japán (nyelv)
japanned [dʒə'pænd] *n* lakkozott
jar¹ [dʒɑ:*] *n* korsó, bögre; lekvárosüveg
jar² [dʒɑ:*] *v* -rr- *A.* *vi* 1. csikorog, nyi-korog, fülsértő hangot ad; sért [*on* érzékeket stb.]; ~ *on the nerves* ide-gekre megy 2. ~ *against/on* csöröm-pöl, csörögve nekiütődik 3. rezeg, vibrál 4. veszekszik, összezördül, ci-vódik; *colours that* ~ egymást ütő színek; ~ *with sg* élesen elüt vmtől *B.* *vt* 1. sért [fület] 2. meglök, megtaszít
jar³ [dʒɑ:*] *n on the* ~ félig nyitva
jargon ['dʒɑ:gən] *n* 1. zsargon, szakmai nyelv 2. értelmetlen beszéd
jarred [dʒɑ:d] → *jar²*
Jas. [dʒeɪmz] *James*
jasmine ['dʒæsmɪn] *n* jázmin
Jasper¹ ['dʒæspə*] *prop* Gáspár
jasper² [dʒæspə*] *n* jáspiskő
jaundice ['dʒɔ:ndɪs] *n* 1. sárgaság 2. irigység, kajánság
jaundiced ['dʒɔ:ndɪst] *a* 1. sárgaságban megbetegedett 2. irigy, kaján

jaunt [dʒɔ:nt] *I.* *n* kirándulás, séta *II.* *vi* kirándulást tesz
jauntiness ['dʒɔ:ntɪnɪs] *n* vidámság, könnyedség
jaunting-car ['dʒɔ:ntɪŋ-] *n* ⟨egy fajta írországi bricska⟩
jaunty ['dʒɔ:ntɪ] *a* 1. könnyed, vidám 2. hetyke
Java ['dʒɑ:və] *I.* *prop* Jáva *II.* *n,* (*US*) □ (fekete)kávé
Javanese [dʒɑ:və'ni:z; *US* dʒæ-] *a/n* jávai (ember, nyelv)
javelin ['dʒævlɪn] *n* gerely, dárda; *throwing the* ~ gerelyvetés
jaw [dʒɔ:] *I.* *n* 1. állkapocs 2. jaws *pl* (völgy)torkolat; tátongó nyílás 3. (be-fogó)pofa [féké, satué] 4. □ szövege-lés, duma; *hold your* ~ fogd be a pofá-dat *II.* *vt/vi* □ pofázik, szöveg
jaw-bone *n* állkapocscsont
jaw-breaker *n* nyelvtörő (szó)
jawed [dʒɔ:d] *a* állkapcsú
jay [dʒeɪ] *n* 1. szajkó [madár] 2. fecse-gő (ember)
jay-walker *n US biz* vigyázatlanul köz-lekedő gyalogos
jazz [dʒæz] *I.* *n* 1. dzsessz(zene) 2. zajos zenebona *II.* *A.* *vt* 1. dzsessz-stílus-ban játszik (vmt) 2. *átv* ~ *up* (fel-)élénkít, derűsebbé tesz; tarkabarkává tesz; kicsicsáz *B.* *vi* dzsesszt játszik
jazz-band *n* dzsesszzenekar
jazzy ['dʒæzɪ] *a biz* 1. dzsessz-szerű 2. vadul élénk; rikító
jealous ['dʒeləs] *a* 1. féltékeny (*of* vkre) 2. irigy 3. gyanakvó
jealousy ['dʒeləsɪ] *n* 1. féltékenység 2. féltékenykedés
jean [dʒi:n v. dʒeɪn] *n* sávolykötésű pamutszövet
jeans [dʒi:nz] *n pl* 1. szerelőruha, -nad-rág 2. farmer(nadrág)
jeep [dʒi:p] *n US* dzsip, terepjáró gép-kocsi
jeer [dʒɪə*] *I.* *n* gúnyolódás, sértő hang-(nem) *II.* *A.* *vi* ~ *at sy* (1) kigúnyol vkt (2) lehurrog [szónokot stb.] *B.* *vt* kigú-nyol
Jefferson ['dʒefəsn] *prop*
Jeffrey ['dʒefrɪ] *prop* = *Geoffrey*
Jehovah [dʒɪ'hoʊvə] *prop* Jehova

jejune [dʒɪ'dʒuːn] 1. unalmas, érdektelen 2. terméketlen, meddő

Jekyll ['dʒiːkɪl; *J. and Hyde:* 'dʒekɪl] *prop*

jell [dʒel] *vi biz* kocsonyásodik, megalvad; *átv* (ki)alakul

jelly ['dʒelɪ] I. *n* zselé, kocsonya II. A. *vi* (meg)kocsonyásodik B. *vt* (meg)kocsonyásít

jelly-fish *n* medúza

Jemima [dʒɪ'maɪmə] *prop* ⟨női név⟩

jemmy ['dʒemɪ] *n* (rövid) feszítővas

Jenner ['dʒenə*] *prop*

Jenny¹ ['dʒenɪ] *prop* Janka, Zsanett

jenny² ['dʒenɪ] *n* 1. nőstény (állat); ~ *wren* ökörszem [madár] 2. mozgókocsis fonógép

jeopardize ['dʒepədaɪz] *vt* veszélyeztet, kockáztat

jeopardy ['dʒepədɪ] *n* veszély, kockázat

jeremiad [dʒerɪ'maɪəd] *n* panaszkodás, siralmak

Jeremiah [dʒerɪ'maɪə] *prop* Jeremiás

Jeremy ['dʒerɪmɪ] *prop* Jeremiás

Jericho ['dʒerɪkoʊ] *prop* Jerikó

jerk [dʒəːk] I. *n* 1. (hirtelen) rántás, lódítás, lökés, taszítás 2. (hirtelen) rándulás, (meg)rázkódás; zökkenés 3. rángatódzás, (meg)rándulás; *physical* ~*s* csuklógyakorlat II. A. *vt* 1. (meg)ránt, (meg)lök, lódít, taszít 2. kilök magából [szavakat] B. *vi* ráng(atódzik)

jerkin ['dʒəːkɪn] *n* † zeke, ujjatlan mellény

jerky ['dʒəːkɪ] *a* rázkódó, döcögős; szaggatott, egyenetlen

Jerome [dʒə'roʊm] *prop* Jeromos

Jerry ['dʒerɪ] 1. ⟨*Gerald* becézett alakja⟩ 2. *biz* német (katona) 3. *biz* bili

jerry-building *n* silány építkezés

jerry-can *n* marmonkanna

jersey ['dʒəːzɪ] *n* 1. ~ (*wool*) finom gyapjúfonal 2. ujjas gyapjúmellény 3. jersey [szövet] 4. mez [sportolóé]

Jerusalem [dʒə'ruːs(ə)ləm] *prop* Jeruzsálem

Jesse ['dʒesɪ] *n* ⟨férfinév⟩

Jessie ['dʒesɪ] *n* ⟨skót női név⟩

jest [dʒest] I. *n* 1. tréfa, móka; viccelődés; *in* ~ tréfából 2. nevetség tárgya II. *vi* mókázik; gúnyol(ódik)

jester ['dʒestə*] *n* udvari bolond

jesting ['dʒestɪŋ] *a* tréfás, vicces

Jesuit ['dʒezjʊɪt; *US* -ʒʊ-] *a/n* jezsuita

Jesus ['dʒiːzəs] *n* Jézus

jet¹ [dʒet] *n* szurokszén, gagát

jet² [dʒet] I. *n* 1. (víz-/gőz-/gáz)sugár 2. fúvóka, kiáramlónyilás 3. ~ (*engine*) (gáz)sugárhajtómű; ~ *propulsion* sugárhajtás 4. ~ (*aircraft/plane*) sugárhajtású (repülő)gép; ~ *set* divatos üdülőhelyeket látogató gazdagok 5. gázégő II. *v* -tt- A. *vt* kilövell; kibocsát [sugárban] B. *vi* 1. kilövell, kiszökken [sugárban] 2. sugárhajtású (repülő-) géppel repül

jet-black *a* koromfekete

jet-propelled *a* sugárhajtású, lökhajtásos

jetsam ['dʒetsəm] *n* tengerbe dobott rakomány [hajóterhelés csökkentésére]

jettison ['dʒetɪsn] *vt* 1. (hajóból) könnyítésül kidob 2. vmtől megszabadul

jetty ['dʒetɪ] *n* móló, kikötőgát

Jew [dʒuː] *n* zsidó

Jew-baiting [-beɪtɪŋ] *n* pogrom

jewel ['dʒuːəl] I. *n* 1. ékszer; ékkő; *a* ~ *of a secretary* a titkárnők gyöngye 2. kő [órában] II. *vt* -ll- (*US* -l-) ékszerrel/ékkővel díszít

jewel(l)ed ['dʒuːəld] *a* 1. ékesített, felékszerezett 2. köves [óraszerkezet]

jeweller, *US* **jeweler** ['dʒuːələ*] *n* ékszerész

jewellery ['dʒuːəlrɪ] *n* 1. ékszerek 2. ékszer(ész)bolt

jewelry ['dʒuːəlrɪ] *n US* = *jewellery*

Jewess ['dʒuːɪs] *n* zsidónő

Jewish ['dʒuːɪʃ] *a* zsidó(s)

Jewry ['dʒʊərɪ] *n* 1. zsidóság 2. gettó

Jew's-harp *n* doromb

Jezebel ['dʒezəbl] *n* ledér nő

jib¹ [dʒɪb] *n* 1. orrvitorla; *boom/standing* ~ orrvitorla; *flying* ~ külső orrvitorla; *biz the cut of his* ~ képe/külseje vknek 2. darukar, darugém

jib² [dʒɪb] *vi* -bb- 1. csökönyösködik, nyugtalankodik 2. habozik, megmakacsolja magát

jib-boom *n* orrányrúd, orrvitorlarúd

jibe [dʒaɪb] A. *vt* (ki)gúnyol, semmibe vesz B. *vi* gúnyolódik (*at* vkn)

jiff(y) ['dʒɪf(ɪ)] *n biz* pillanat; *in a* ~ egy szempillantás alatt
jig [dʒɪg] I. *n* 1. dzsigg [tánc]; *biz the* ~ *is up* vége a komédiának 2. rázás II. *v* -gg- A. *vi* 1. dzsiggel 2. rázkódik B. *vt* ráz; szitál
jigger¹ ['dʒɪgə*] *n* 1. dzsiggtáncos 2. rosta 3. □ bigyó 4. tatvitorla 5. tatvitorlás halászbárka
jigger² ['dʒɪgə*] *n* 1. homoki bolha 2. adagolópohár [italkeveréshez]
jiggered ['dʒɪgəd] *vt* 1. *biz I'll be* ~! a kutyafáját! 2. kimerült
jiggle ['dʒɪgl] *vi* ugrál, ingadozik, himbálódzik
jigsaw *n* 1. homorítófűrész, lombfűrész 2. ~ *puzzle* mozaikrejtvény, mozaikjáték [lombfűrésszel kivágott részekből]
Jill [dʒɪl] *prop* Juli, Julcsa
jilt [dʒɪlt] I. *n* kacér nő II. *vt* elhagy, dob, faképnél hagy [szerelmest]
Jim [dʒɪm] *prop* ⟨*James* férfinév becézett formája⟩; *US* ~ *Crow* néger [elítélően]
Jimmy¹ ['dʒɪmɪ] *prop* = *Jim*
jimmy² ['dʒɪmɪ] *n US* = *jemmy*
jingle ['dʒɪŋgl] I. *n* 1. csilingelés, csörgés 2. összecsengés [rímeké, hangzóké] II. A. *vi* 1. csilingel, csörög 2. rímel; alliterál B. *vt* csörget
jingo ['dʒɪŋgoʊ] I. *n* soviniszta II. *int by* ~! a kutyafáját/teremtésit!
jingoism ['dʒɪŋgoʊɪzm] *n* sovinizmus, harcias hazafiaskodás
jingoist ['dʒɪŋgoʊɪst] *n* soviniszta
jinks [dʒɪŋks] *n pl biz high* ~ (1) tivornya, kirúgás a hámból (2) vidám szórakozás, mókázás
jinnee [dʒɪ'ni:] *n* szellem, dzsinn
jinri(c)ksha [dʒɪn'rɪkʃə] *n* [japán] riksa
jinx [dʒɪŋks] *n* □ balszerencsét hozó dolog/személy, átok
jism ['dʒɪzm] *n vulg* geci
jitney ['dʒɪtnɪ] *n US biz* 1. † ötcentes (pénzdarab) 2. filléres autóbusz(járat), munkásjárat 3. olcsó áru
jitters ['dʒɪtəz] *n pl US biz* cidrizés, trémázás; *have the* ~ be van gyulladva, frásza van
jittery ['dʒɪtərɪ] *a US biz* ideges, ijedős; izgulós

jiu-jitsu [dʒju:'dʒɪtsu:] *n* dzsiu-dzsicu, cselgáncs
Joan [dʒoʊn] *prop* Johanna, janka
job¹ [dʒɔb; *US* -ɑ-] I. *n* 1. munka, dolog, tennivaló; *biz be on the* ~ dolgozik, el van foglalva; *by the* ~ darabszámra; *make a* ~ *of it* jól megcsinál vmt, jó munkát végez; *I had a* ~ *to do it* nehéz munka volt; *it is a good* ~ *that* szerencse, hogy 2. *biz* állás, foglalkozás; *be out of* ~ nincs állása/munkája II. *v* -bb- A. *vt* 1. akkordba/órabérbe vállal [munkát] 2. akkordba/órabérbe kiad [munkát] 3. ~ *sy into a post* állást szerez vknek B. *vi* 1. alkalmi munkákat végez 2. spekulál [tőzsdén] 3. üzérkedik
Job² [dʒoʊb] *prop* Jób
jobber ['dʒɔbə*; *US* -ɑ-] *n* 1. tőzsdeügynök 2. darabbérben dolgozó munkás
jobless ['dʒɔblɪs; *US* -ɑ-] *a/n* munkanélküli
job-lot *n* vegyes árutétel
job-printer *n* akcidensszedő, -nyomda
job-work *n* akkordmunka, darabmunka
Jock [dʒɔk] *prop*
jockey ['dʒɔkɪ; *US* -ɑ-] I. *n* zsoké, lovas II. *vt/vi* 1. csal 2. *átv* helyezkedik; ~ *for sg* vm megszerzésén mesterkedik
jockstrap *n* szuszpenzor
jocose [dʒə'koʊs] *a* vidám, tréfás
jocosity [dʒə'kɔsətɪ; *US* -'kɑ-] *n* vidámság, tréfa, tréfás kedv
jocular ['dʒɔkjʊlə*; *US* -ɑk-] *a* vidám, víg, tréfás
jocularity [dʒɔkjʊ'lærətɪ; *US* -ɑk-] *n* vidámság, tréfa, tréfás kedv
jocund ['dʒɔkənd; *US* -ɑ-] *a* vidám, jókedvű, derűs
jodhpurs ['dʒɔdpəz; *US* -ɑ-] *n pl* lovaglónadrág
Joe [dʒoʊ] *prop* Józsi, Jóska
jog [dʒɔg; *US* -ɑ-] I. *n* 1. lökés, rázás 2. lassú séta/ügetés; kocogás II. *v* -gg- A. *vt* 1. meglök, megtaszít; ~ *sy's memory* felfrissíti vk emlékezetét 2. felráz, összetöpköl B. *vi* 1. elmegy, továbbmegy; *we must be* ~*ging along/on* tovább kell ballagnunk 2. kocog
joggle¹ ['dʒɔgl; *US* -ɑ-] *vt* könnyedén (meg)ráz

joggle² ['dʒɔgl; US -ɑ-] **I.** *n* csapolás, illesztés **II.** *vt* összecsapol

jog-trot *n* **1.** lassú ügetés **2.** monoton munka(menet)

John¹ [dʒɔn; US -ɑ-] *prop* János; ~ Bull (1) az angolok (mint nemzet) (2) tipikus angol (ember)

john² [dʒɔn; US -ɑ-] *n US biz* árnyékszék, vécé

Johnny ['dʒɔnı; US -ɑ-] **I.** *prop* Jancsi **II.** *n biz j*~ fickó, krapek

Johnson ['dʒɔnsn; US -ɑ-] *prop*

join [dʒɔın] **I.** *n* illesztés(i pont) **II. A.** *vt* **1.** (össze)kapcsol; (össze)illeszt; egyesít, egybeköt **2.** csatlakozik vmhez/vkhez; belép [klubba, pártba stb.]; ~ the colours felcsap katonának **3.** beletorkollik; találkozik [ösvény úttal] **B.** *vi* (össze)kapcsolódik, csatlakozik; összeforr
join in *vi* részt vesz (vmben); csatlakozik [társasághoz]
join together *vt* összerak; egyesít
join up **A.** *vt* (össze)illeszt; összeköt **B.** *vi biz* katonának megy
join with *vi* összefog, egyesül [*in* vm elvégzésére]

joiner ['dʒɔınə*] *n* asztalos

joinery ['dʒɔınərı] *n* **1.** asztalosmunka **2.** asztalosmesterség

joint [dʒɔınt] **I.** *a* közös, együttes; társ-; ~ account közös számla; ~ and several egyetemleges **II.** *n* **1.** csukló, ereszték **2.** ízület; out of ~ kificamodott [végtag] **3.** (roast) ~ egybesült hús, pecsenye; ~ of beef bélszín [nyers állapotban] **4.** □ lebuj **5.** □ kábítószeres/marihuánás cigaretta **III.** *vt* **1.** összeköt, összeilleszt [csöveket stb.] **2.** felvág; ízekre bont

jointed ['dʒɔıntıd] *a* csuklós

jointly ['dʒɔıntlı] *adv* együttesen, egyetemlegesen [felelős stb.]

joint-stock company részvénytársaság

jointure ['dʒɔıntʃə*] *n* özvegyi eltartás

joist [dʒɔıst] *n* (födém)gerenda

joke [dʒoʊk] **I.** *n* tréfa, móka; no ~! tréfán kívül; the ~ was on him az ő kárára mulattak; crack a ~ tréfálkozik, megereszt egy viccet; make a ~ of/about sg tréfának vesz vmt **II.** *vi*

tréfál, mókázik; joking apart tréfán kívül

joker ['dʒoʊkə*] *n* **1.** mókás ember **2.** dzsóker [kártya] **3.** □ pasas

jollification [dʒɔlıfı'keıʃn; US -ɑl-] *n* vigalom, mulatozás

jollity ['dʒɔlətı; US -ɑl-] *n* vidámság, móka

jolly¹ ['dʒɔlı; US -ɑ-] **I.** *a* **1.** vidám, jókedvű; J~ Roger kalózlobogó **2.** spicces **3.** biz kedves, rendes **II.** *adv GB biz* nagyon; ~ good nagyon jó, ragyogó; ~ well (1) igen, nagyon (2) bizony; it serves him ~ well right úgy kellett!, megérdemelte!

jolly², **jolly-boat** ['dʒɔlı(-); US -ɑ-] *n* [hajóhoz tartozó] kis csónak

jolt [dʒoʊlt] **I.** *n* zökkenés, lökés **II. A.** *vt* zökkent; lökdös **B.** *vi* zökken, döcög

jolt-head *n* buta ember

Jonah ['dʒoʊnə] *prop* **1.** Jónás **2.** bajt hozó ember

Jonathan ['dʒɔnəθ(ə)n; US -ɑ-] *n* **1.** Jonatán **2.** jonatánalma **3.** GB biz Brother ~ amerikai ember

Jones [dʒoʊnz] *prop*

Jonson ['dʒɔnsn; US -ɑ-] *prop*

Jordan ['dʒɔ:dn] *prop* **1.** Jordánia **2.** Jordán [folyó]

Joseph ['dʒoʊzıf] *prop* József

Josephine ['dʒoʊzıfi:n] *prop* Jozefina, Jozefa, Józsa

Josephus [dʒoʊ'si:fəs] *prop* József

Joshua ['dʒɔʃwə; US -ɑ-] *prop* Józsua, Józsué

Josiah [dʒə'saıə] *prop* Jósiás

josser ['dʒɔsə*; US -ɑ-] *n GB* □ pasas, pofa

joss-stick ['dʒɔs-; US -ɑ-] *n* füstölő rudacska

jostle ['dʒɔsl; US -ɑ-] **A.** *vt* tol, lök(dös) **B.** *vi* **1.** tolakodik, lökdösődik **2.** öszszeütközik

jot [dʒɔt; US -ɑ-] **I.** *n* jottányi; not a ~ semmi(t) sem **II.** *vt* -tt- firkál, jegyez; ~ down lefirkant, lejegyez

jottings ['dʒɔtıŋz; US -ɑ-] *n pl* jegyzet(ek), feljegyzés(ek)

joule [dʒu:l] *n* joule [egység fizikában]

journal ['dʒə:nl] *n* **1.** napló **2.** folyóirat; (napi)lap

journalese [dʒə:nə'li:z] n újságíróstílus
journalism ['dʒə:nəlɪzm] n újságírás
journalist ['dʒə:nəlɪst] n újságíró
journalistic [dʒə:nə'lɪstɪk] a újságírói; hírlapi
journey ['dʒə:nɪ] I. n utazás, út II. vi utazik
journeyman ['dʒə:nɪmən] n (pl -men -mən) 1. iparossegéd 2. napszámos
joust [dʒaʊst] I. n lovagi torna, bajvívás II. vi lovagi tornán vesz részt
Jove [dʒoʊv] prop Jupiter; GB by ~! a kutyafáját!
jovial ['dʒoʊvjəl] a kedélyes, vidám, joviális
joviality [dʒoʊvɪ'ælətɪ] n kedélyesség, vidámság
jowl [dʒaʊl] n 1. (alsó) állkapocs 2. orca, pofa
joy [dʒɔɪ] n öröm, vidámság
joyful ['dʒɔɪfʊl] a örömteli, vidám; örvendetes
joyless ['dʒɔɪlɪs] a szomorú, örömtelen
joyous ['dʒɔɪəs] a vidám, örömteli
joy-ride n biz sétakocsikázás [lopott kocsival]
joy-stick n biz botkormány
J.P., JP [dʒeɪ'pi:] Justice of the Peace békebíró
Jr. junior ifjabb, ifj.
jubilant ['dʒu:bɪlənt] a örvendező, ujjongó
jubilate ['dʒu:bɪleɪt] vi örvendezik, ujjong
jubilation [dʒu:bɪ'leɪʃn] n örvendezés; mulatozás
jubilee ['dʒu:bɪli:] n évforduló, jubileum; silver ~ huszonöt éves évforduló; golden ~ ötvenéves évforduló; diamond ~ hatvanéves évforduló
Judas ['dʒu:dəs] n 1. Júdás 2. j~ áruló
Jude [dʒu:d] prop
judge [dʒʌdʒ] I. n 1. bíró 2. szakértő II. A. vt 1. (el)ítél, ítéletet mond [ügyben] 2. felbecsül, ítél, gondol; véleményt alkot B. vi 1. ítélkezik 2. következtet (by sg vmből); ~ for yourself győződjék meg saját maga
judg(e)ment ['dʒʌdʒmənt] n 1. ítélet, döntés; ~ day ítéletnap, végítélet; pass ~ ítéletet mond; sit in ~ on sy

vk fölött ítélkezik 2. ítélőképesség, judícium 3. vélemény, nézet, megítélés; in my ~ véleményem szerint
judicature ['dʒu:dɪkətʃə*] n 1. igazságszolgáltatás; court of ~ bíróság, törvényszék 2. bírói testület
judicial [dʒu:'dɪʃl] a 1. bírósági, bírói 2. jó ítélőképességű 3. pártatlan
judiciary [dʒu:'dɪʃɪərɪ; US -erɪ] I. a bírói, jogi II. n bíróság; bírói testület
judicious [dʒu:'dɪʃəs] a józan eszű/ítéletű, megfontolt, judíciummal rendelkező
judo ['dʒu:doʊ] n cselgáncs
Judy ['dʒu:dɪ] prop Jutka, Juditka
jug [dʒʌg] I. n 1. kancsó, korsó 2. □ börtön II. vt -gg- 1. párol [húst] 2. □ bedutyiz, bekasztliz
juggernaut ['dʒʌgənɔ:t] n 1. könyörtelen pusztító erő 2. biz kamion
juggle ['dʒʌgl] A. vi szemfényvesztést űz, bűvészkedik (with vmvel) B. vt manipulál [számokat stb.], kicsal, kiügyeskedik (sg out of sy vktől vmt)
juggler ['dʒʌglə*] n 1. bűvész; zsonglőr 2. csaló, kalandor
jugglery ['dʒʌglərɪ] n szemfényvesztés; bűvészkedés
Jugoslav [ju:goʊ'slɑ:v] a/n jugoszláv
Jugoslavia [ju:goʊ'slɑ:vjə] prop Jugoszlávia
jugular ['dʒʌgjʊlə*] a nyaki, toroki
juice [dʒu:s] n 1. lé; nedv; gyümölcslé 2. biz (villany)áram, „szaft" 3. □ benzin
juiciness ['dʒu:sɪnɪs] n lédússág, levesség
juicy ['dʒu:sɪ] 1. lédús, leves 2. biz érdekes, pikáns
ju-jitsu [dʒu:'dʒɪtsu:] n = jiu-jitsu
ju-ju [dʒu:dʒu:] n 1. amulett, fetis; zsuzsu 2. tabu, tiltó varázslat
jujube ['dʒu:dʒu:b] n gumicukorka
juke-box ['dʒu:k-] n wurlitzer
Jul. July július, júl.
julep ['dʒu:lep] n 1. szirup(os orvosság) 2. szirupos/fodormentás üdítő ital
Julia ['dʒu:ljə] prop Júlia
Julian ['dʒu:ljən] I. a Julius Caesar-féle; Julianus-; ~ calender Julián-naptár II. prop Gyula

Juliet ['dʒuːljət] *prop* Júlia
Julius ['dʒuːljəs] *prop* 1. Gyula 2. ~
Caesar ['siːzə*]
July [dʒuː'laɪ] *n* július
jumble ['dʒʌmbl] I. *n* zagyvalék, összevisszaság II. A. *vt* ~ (*up*) összezagyvál, -kever B. *vi* összekeveredik, -kuszálódik
jumble-sale *n* használt tárgyak vására/boltja [jótékony célra]
jumbo ['dʒʌmboʊ] *a* óriás(i méretű); *biz* ~ *jet* óriás-jet, óriásgép
jump [dʒʌmp] I. *n* 1. ugrás; ~ *in prices* hirtelen áremelkedés 2. felpattanás; megriadás; *that gave me a* ~ erre hirtelen összerezzentem; *biz* have the ~s idegesen mocorog, töri a frász 3. ugróakadály, ugrató II. A. *vt* átugrik (vmt, vmm); ~ *the gun* (1) jeladás előtt rajtol (2) *átv* elhamarkodja a dolgot; *biz* ~ *a claim* más bányakutatási jogát bitorolja; ~ *the rail/tracks* kisiklik [vonat] B. *vi* 1. ugrik; ~ *clear* félreugrik 2. felugrik; *her heart* ~*ed* szíve repesett [örömében]
  jump at *vi* két kézzel kap vmn
  jump for *vi* ~ *f. joy* örömében majd kiugrik a bőréből
  jump out *vi* ~ *o. of the skin* halálra rémül
  jump to *vi* ~ *to a conclusion* (túl gyorsan) levonja a következtetést
  jump upon *vi* megrohan, lehord
jumper ['dʒʌmpə*] *n* 1. ugró 2. tengerészzubbony, matrózblúz; *GB* (női kötött) blúz, dzsömper 3. *US* kötényruha
jumpiness ['dʒʌmpɪnɪs] *n* idegesség, izgatottság
jumping-off ['dʒʌmpɪŋ-] *a* ~ *place* (1) kiindulópont (2) *US biz* isten háta mögötti hely
jumping-pole ['dʒʌmpɪŋ-] *n* ugrórúd
jumpy ['dʒʌmpɪ] *a* ideges, izgatott; izgulékony
Jun. 1. *June* június, jún. 2. *Junior* = *Jr.*
junction ['dʒʌŋkʃn] *n* 1. összekapcsolás, -illesztés 2. útkeresztezés; csomópont; (vasúti) elágazás
juncture ['dʒʌŋktʃə*] *n* 1. egyesülés (helye); ereszték, csukló 2. összetalálkozás, egybeesés 3. fordulat, helyzet,

krízis; *at this* ~ ebben a (kritikus) helyzetben, a dolgok ilyen állása mellett
June [dʒuːn] *n* június
jungle ['dʒʌŋgl] *n* dzsungel, őserdő; ~ *fever* mocsárláz, malária; ~ *gym* mászóka [játszótéren]
junior ['dʒuːnjə*] *a/n* 1. ifjabb, fiatalabb; fiatal, ifjú; ifjúsági; *he is my* ~ *by two years* két évvel fiatalabb nálam; ~ *event* ifjúsági versenyszám 2. alacsonyabb beosztású; kezdő; ~ *clerk* fiatal/kezdő tisztviselő/alkalmazott [vállalaté, üzemé], gyakornok 3. *US* harmadéves (hallgató) [főiskolán]
juniper ['dʒuːnɪpə*] *n* boróka
Junius ['dʒuːnjəs] *prop*
junk[1] [dʒʌŋk] *n* 1. limlom, hulladék, ócskaság 2. □ heroin
junk[2] [dʒʌŋk] *n* kínai vitorlás(hajó), dzsunka
junket ['dʒʌŋkɪt] I. *n* 1. kb. gyümölcsjoghurt 2. *US* társas kirándulás 3. *US* szórakozás államköltségen II. *vi* mulat, szórakozik
junkie ['dʒʌŋkɪ] *n* □ kábítószerélvező, narkós
junkman ['dʒʌŋkmən] *n* (*pl* -men -mən) ócskás, őszeres
junky ['dʒʌŋkɪ] *n* = *junkie*
junta ['dʒʌntə] *n* junta
Jupiter ['dʒuːpɪtə*] *prop*
juridical [dʒʊə'rɪdɪkl] *a* bírói, törvénykezési, törvényes [forma, eljárás]; ~ *days* törvénykezési napok
jurisdiction [dʒʊərɪs'dɪkʃn] *n* 1. törvénykezés, igazságszolgáltatás 2. hatáskör, illetékesség
jurisprudence [dʒʊərɪs'pruːd(ə)ns] *n* jogtudomány
jurist ['dʒʊərɪst] *n* jogász, jogtudós
juror ['dʒʊərə*] *n* [esküdtszéki] esküdt
jury ['dʒʊərɪ] *n* 1. esküdtszék 2. versenybíróság, zsüri
jury-box *n* esküdtek padja
juryman ['dʒʊərɪmən] *n* (*pl* -men -mən) esküdt(széki tag)
just [dʒʌst] I. *a* 1. igazságos, jogos 2. igaz, becsületes [ember]; *sleep the sleep of the* ~ az igazak álmát alussza 3. ésszerű II. *adv* 1. épp(en), egészen,

pont(osan); *not ready* ~ *yet* még nincs készen, azonnal kész lesz; ~ *the same* (1) ugyanaz (2) mindegy; ~ *now* (1) éppen most (2) pár perce; ~ *so* pontosan így; *it's* ~ *about it* körülbelül így van; ~ *as you please* ahogy parancsolja; ~ *sit down, please* tessék csak helyet foglalni 2. csaknem, majdnem, alig 3. éppen most, nem régen; ~ *out* éppen most jelent meg [könyv]
justice ['dʒʌstɪs] *n* 1. igazság, igazságosság, pártatlanság, méltányosság; *in* ~ *to sy* igazság szerint, hogy igazságosak legyünk, ha méltányosak akarunk lenni vkvel szemben; *administer* ~ igazságot szolgáltat; *bring to* ~ bíróság elé állít; *do* ~ *to sg* eleget tesz vmnek; *do* ~ *to sy* igazságot szolgáltat vknek 2. (törvényszéki) bíró; *GB* ~ *of the peace* békebíró; *the Chief J*~ a legfelsőbb bíróság elnöke; *Lord Chief J*~ ⟨legmagasabb angol bírói méltóság⟩, kb. lordfőbíró
justiciary [dʒʌ'stɪʃɪərɪ; *US* -erɪ] I. *a* bíráskodó II. *n Court of J*~ legfelsőbb büntetőtörvényszék [Skóciában]

justifiable ['dʒʌstɪfaɪəbl] *a* igazolható, indokolható; jogos
justification [dʒʌstɪfɪ'keɪʃn] *n* 1. megokolás, indokolás, igazolás; mentség 2. (nyomdai) sorkizárás
justificatory ['dʒʌstɪfɪkeɪtərɪ] *a* igazoló, bizonyító; mentő [tanúvallomás]
justify ['dʒʌstɪfaɪ] *vt* 1. igazol; indokol; megokol, véd [magatartást stb.] 2. felold(oz), felment 3. kizár [sortnyomdában]; egyenget [betűket]
justness ['dʒʌstnɪs] *n* 1. vmnek igaz(ságos) volta 2. helyesség, jogosság
jut [dʒʌt] *vi* -tt- ~ *(out)* kiáll, kiugrik, kiszögellik
jute¹ [dʒuːt] *n* juta
Jute² [dʒuːt] *n/a* jüt (nép)
juvenile ['dʒuːvənaɪl; *US* -nəl] I. ifjúsági, fiatalkori, fiatal(os); ~ *delinquency* fiatalkori bűnözés; ~ *offender* fiatalkorú bűnöző II. *n* ifjú
juvenilia [dʒuːvɪ'niːljə] *n pl* ifjúkori írások/írásművek, zsengék
juxtapose [dʒʌkstə'poʊz] *vt* egymás mellé helyez
juxtaposition [dʒʌkstəpə'zɪʃn] *n* 1. egymás mellé helyezés 2. határosság

K

K, k [keɪ] *n* K, k (betű)
Kaffir [ˈkæfə*] *a/n* **1.** kaffer **2.** (színes bőrű) afrikai [megvetően]
kail [keɪl] *n* = *kale*
kailyard *n sk* konyhakert
kale [keɪl] *n* **1.** kel(káposzta); *curly ~* fodorkel **2.** *US* □ pénz, dohány
kaleidoscope [kəˈlaɪdəskoʊp]*n* kaleidoszkóp
kaleidoscopic [kəlaɪdəˈskɔpɪk; *US* -ɑp-] *a* gyorsan változó, tarkabarka
Kampuchea [kæmˈpuːtʃɪə] *prop* Kambodzsa
Kampuchean [kæmˈpuːtʃɪən] *a/n* kambodzsai
kangaroo [kæŋgəˈruː] *n* kenguru
Kans. *Kansas*
Kansan [ˈkænzən] *a/n* kansasi
Kansas [ˈkænzəs] *prop*
karat [ˈkærət] *n* karát
Kashmir [kæʃˈmɪə*] *prop* Kasmir
Kate [keɪt] *prop* Kata, Kati
Katharine [ˈkæθ(ə)rɪn] *prop* Katalin
Kathleen [ˈkæθliːn] *prop* Katalin [írül]
Katie [ˈkeɪtɪ] *prop* Kata, Kati
Katrine [ˈkætrɪn] *prop sk* Katalin
kayak [ˈkaɪæk] *n* kajak
kayo [ˈkeɪoʊ] *n biz* kiütés [bokszkban]
K.B., KB [keɪˈbiː] *King's Bench* →*bench*
K.C. [keɪˈsiː] *King's Counsel* →*counsel*
Keats [kiːts] *prop*
keck [kek] *vi* öklendezik
keel [kiːl] **I.** *n* (hajó)gerinc; tőkesúly; *lay down a ~* hajót kezd építeni; *on an even ~* nyugodtan, egyenletesen **II. A.** *vt* oldalára fektet/fordít [hajót] **B.** *vi ~ over* felborul [hajó]
keelboat *n US* ⟨folyami lapos fedett teherszállító bárka⟩

keelson [ˈkelsn] *n* (belső) gerinc [hajóé]
keen [kiːn] *a* **1.** éles (*átv is*), metsző, hegyes, szúró, csípős **2.** buzgó, lelkes; *be ~ on sg* (1) nagyon szeretne . . . (v. szeretné ha . . .), azon van, hogy . . . (2) lelkesedik (v. él-hal) vmért; *be ~ on sy* (nagyon) szeret/kedvei vkt **3.** élénk, heves, intenzív
keen-edged *a* metsző élű, éles
keenness [ˈkiːnnɪs] *n* **1.** élesség **2.** heves vágy, hevesség
keen-sighted *a* éles szemű/látású
keen-witted *a* éles elméjű
keep [kiːp] **I.** *n* **1.** eltartás, létfenntartáshoz szükséges élelem; *earn one's ~* a létfenntartáshoz szükségeset megkeresi, megkeresi a rezsijét **2.** *biz for ~s* örökbe, örökre **3.** vártorony **II.** *v* (*pt/pp* kept) **A.** *vt* **1.** (meg)tart; *~ it to yourself* (1) tartsa meg magának! (2) köztünk maradjon!; *don't let me ~ you* nem akarom feltartani önt **2.** őriz; *~ one's bed* ágyban marad [beteg]; *~ the goal* (ő a) kapus, véd [futballban] **3.** ápol, gondoz **4.** vezet [könyvet, háztartást] **5.** megtart [törvényt, ünnepet stb.], teljesít [ígéretet] **6.** eltart [családot] **7.** tart [raktáron] **B.** *vi* **1.** tartózkodik; marad; van; *~ quiet* csendben/nyugton van/ marad, hallgat; *be ~ing well* jól van **2.** ⟨*~ +-ing* végű igei alak = vmt folyton/folyamatosan tesz⟩; *~ going* folytat(ódik), tovább csinál; nem hagyja/marad abba; *~ smiling* mindig mosolyog(j) **3.** eláll, nem romlik meg [ennivaló]; *butter that will ~* tartós(i-tott) vaj **4.** (vmerre) tart, halad; *~ left* balra tart/hajt

keep at A. *vt* ~ *sy at it* rászorít vkt (vmre) **B.** *vi* vmnél marad, vmt folytat; ~ *at it* megállás nélkül csinál, nem hagy abba (vmt)
keep away A. *vt* távol tart **B.** *vi* távol marad
keep back A. *vt* 1. távol tart; viszszatart 2. elhallgat (vmt) **B.** *vi* távol marad, háttérben marad
keep down *vt* 1. hatalmában tart, elnyom 2. lefog 3. leszorít [mennyiséget, árakat]
keep from A. *vt* 1. visszatart (vmtől), (meg)akadályoz (vmben vkt) 2. eltitkol, elhallgat (vmt vk elől) **B.** *vi* tartózkodik vmtől; *I couldn't* ~ *f. laughing* nem álltam meg nevetés nélkül
keep in A. *vt* 1. benn tart, visszatart vhol; bezár [gyereket iskolában] 2. fékez 3. ~ *the fire in* nem hagyja kialudni a tüzet **B.** *vi* 1. ~ *in with sy* jó viszonyban marad vkvel 2. *the fire* ~*s in* a tűz nem alszik ki
keep off A. *vt* távol tart; elhárít **B.** *vi* 1. távol marad; félrehúzódik (vk); elhúzódik [eső]; ~ *o. the grass!* fűre lépni tilos! 2. elkerül [témát]
keep on A. *vt* 1. magán tart, nem vet le [ruhaneműt] 2. megtart [alkalmazottat] **B.** *vi* 1. folytat (vmt); ~ *on doing sg* tovább csinál vmt; *it kept on raining* tovább esett 2. továbbhalad, folytatja útját
keep out A. *vt* kizár; távol tart; nem enged be **B.** *vi* távol marad, kinn marad
keep to *vi* 1. ragaszkodik (vmhez), tartja magát (vmhez); nem tér el [tárgytól] 2. ~ *(oneself) to oneself* nem érintkezik senkivel 3. ~ *to the left* balra tart(s)/hajt(s)
keep together A. *vt* együtt tart **B.** *vi* együtt marad
keep under *vt* féken tart, megfékez, elfojt; elnyom
keep up A. *vt* 1. fenntart; ~ *up your courage* fel a fejjel! 2. nem hagy (este) lefeküdni 3. folytat; ~ *it up!* csak úgy tovább! **B.** *vi* 1. fennmarad, nem fekszik le (este) 2. ~ *up with sy* lépést

tart vkvel, nem akar elmaradni másoktól
keeper ['ki:pə*] *n* 1. őr, őrző, felügyelő 2. tartós holmi, nem romlandó dolog
keeping ['ki:pɪŋ] *n* 1. tartás, élelmezés, táplálás 2. őrzés 3. *be in* ~ *with sg* összhangban van vmvel
keepsake ['ki:pseɪk] *n* emlék(tárgy)
keg [keg] *n* kis hordó [5—10 gallonos]
Keith [ki:θ] *prop* ⟨skót férfinév⟩
kelp [kelp] *n* tengeri moszat/hínár
Kelvin ['kelvɪn] *prop*
ken [ken] I. *n* látókör, látóhatár; ismeretkör II. *vt sk* ismer, tud, lát
Kenilworth ['ken(ə)lwə:θ] *prop*
Kennedy ['kenədɪ] *prop*
kennel ['kenl] *n* 1. kutyaól 2. (kutya-) falka; kutyatenyészet 3. viskó
Kenneth ['kenɪθ] *prop* ⟨férfinév⟩
Kensington ['kenzɪŋtən] *prop*
Kent [kent] *prop*
Kentucky [ken'tʌkɪ] *prop*
Kenya ['kenjə v. 'ki:n-] *prop* Kenya
Kenyan ['kenjən v. 'ki:n-] *a/n* kenyai
kept [kept] *a* ~ *woman* kitartott nő ‖→*keep II.*
keratitis [kerə'taɪtɪs] *n* szaruhártyagyulladás
kerb [kə:b] *n* járdaszegély
kerbstone *n* járdaszegély(kő)
kerchief ['kə:tʃɪf] *n* kendő, fejkendő
kernel ['kə:nl] *n* 1. belső rész, bél [csonthéjasé] 2. mag 3. lényeg, magva/veleje vmnek
kerosene ['kerəsi:n] *n US* petróleum, kerozin
kestrel ['kestr(ə)l] *n* vörös vércse
ketch [ketʃ] *n* ⟨kis kétárbocos vitorláshajó⟩
ketchup ['ketʃəp] *n* ketchup ⟨asztali ételízesítő⟩
kettle ['ketl] *n* 1. üst, katlan; *a pretty* ~ *of fish* szép kis ügy/história 2. (teavízforraló) kanna
kettledrum *n* üstdob
Kew [kju:] *prop*
key[1] [ki:] I. *n* 1. kulcs; ~ *cutting* kulcskészítés, -másolás; ~ *industry* kulcsipar; ~ *man* kulcspozícióban levő ember; kulcsember; ~ *position* kulcspozíció 2. *átv the* ~ *to sg* vmnek a nyit-

ja/kulcsa 3. megoldás(ok),kulcs [nyelv-
könyvben stb.] 4. jelmagyarázat 5.
billentyű 6. kapocs; pecek; csap [fá-
ban] 7. hangnem; kulcs; *out of ~ with
sg* nincs összhangban vmvel; *off ~* ha-
misan (énekel); *touch the right ~* he-
lyes hangot üt meg **II.** *vt* 1. ~ *(up)*
(fel)hangol [hangszert] 2. ~ *up* feliz-
gat, felajz, felcsigáz; *he is ~ed up* izga-
tott 3. kulccsal bezár 4. rögzít, kiékel
5. *átv* rögzít *(to* vmhez), (vmvel) kap-
csolatba hoz (vmt)
key² [ki:] *n* korallsziget
keyboard *n* 1. billentyűzet, klaviatúra 2.
kulcstábla
keyhole *n* kulcslyuk
keyless ['ki:lɪs] *a* nem kulcsra járó
key-money *n GB* lelépés(i díj) [lakásért]
Keynes [keɪnz] *prop*
keynote *n* 1. *(átv is)* alaphang, hang-
nem; ~ *speech* kb. vitaindító előadás
2. alapeszme, -elgondolás
key-ring *n* kulcskarika
keystone *n* 1. zárókő 2. *átv* talpkő,
alappillér
key-word *n* kulcsszó
K.G., KG [keɪ'dʒi:] *Knight of the (Order
of the)* Garter →*garter*
kg *kilogram*(s) kilogramm, kg
khaki ['kɑ:kɪ; *US* -æ- v. -ɑ:-]**I.** *a* khakiszí-
nű **II.** *n* 1. khaki(szövet) 2. katonaruha
khan [kɑ:n] *n* kán [keleti népeknél]
Khyber ['kaɪbə*] *prop*
kibosh ['kaɪbɔʃ; *US* -aʃ] *n* □ *put the ~
on sg* (1) véget vet vmnek (2) kikészít,
fejbe ver
kick [kɪk] **I.** *n* 1. rúgás; *biz get the ~*
kirúgják [állásából] 2. lökés, rúgás
[puskáé stb.] 3. erő, energia, ellen-
állás (vkben); erő [italban] 4. *biz get
a ~ out of sg* élvezetet talál vmben; *do
sg for ~s* csak heccből tesz vmt **II. A.**
vt 1. (meg)rúg; *biz ~ sy upstairs* fel-
felé buktat vkt 2. *US* kritizál **B.** *vi*
1. rúg, rugdalódzik, rúgkapál 2. (visz-
sza)rúg, üt [puska stb.]
    kick against *vi* kapálódzik/rugda-
lódzik vm ellen
    kick back *vt/vi* visszarúg, visszaüt
    kick off A. *vt* lerúg [cipőt] **B.** *vi*
kezd(őrúgást tesz) [futballban]

kick over *vt* felrúg (vmt)
kick up *vt* felrúg [levegőbe]; felver
[port]
kickback *n* 1. visszarúgás 2. hátulütő 3.
US □ sáp, jutalék
kicking ['kɪkɪŋ] **I.** *a* rúgó; *alive and ~*
nagyon is eleven **II.** *n* (vissza)rúgás
[puskáé]
kickoff *n* kezdőrúgás [futballban]
kickshaw *n* 1. fantasztikus holmi 2. kü-
lönleges/furcsa étel
kick-start(er) *n* berúgó [motoron]
kid¹ [kɪd] *n* 1. gödölye 2. kecskebőr; ~
gloves glaszékesztyű 3. *biz* kölyök, srác
kid² [kɪd] *vt* **-dd-** ugrat, heccel, húz
(vkt); *no ~ing!* nem viccelek!; vicc
nélkül!
kiddy ['kɪdɪ] *n* gyerek, kölyök
kidnap ['kɪdnæp] *vt* **-pp-** *(US* **-p-**) elrabol
[gyermeket, embert]; elhurcol
kidnap(p)er ['kɪdnæpə*] *n* gyermek-
rabló, emberrabló
kidney ['kɪdnɪ] *n* vese; ~ *machine* mű-
vese; *biz people of the same ~* hason-
szőrű emberek
kidney-bean *n* veteménybab; spanyolbab
kidney-potato *n* kiflikrumpli
kike [kaɪk] *n US* □ zsidó [megvető ér-
telemben]
Kilimanjaro [kɪlɪmən'dʒɑ:roʊ] *prop* Kili-
mandzsáró
kili [kɪl] **I.** *n* 1. elejtés [vadé] 2. elejtett
vad **II.** *vt* 1. (meg)öl, (meg)gyilkol; *be
~ed* életét veszti [balesetben]; elesik
[háborúban]; ~ *with kindness* kedves-
kedéssel agyonhalmoz; ~ *off* kiirt, el-
pusztít; ~ *time* agyonüti az időt 2.
megbuktat, leszavaz [törvényjavasla-
tot] 3. hatástalanít; (agyon)üt [szín
másik színt]; semlegesít
killer ['kɪlə*] *n* 1. gyilkos 2. vágó(le-
gény)
killing ['kɪlɪŋ] **I.** *a* 1. gyilkos, ölő 2. *biz*
elbűvölő, elragadó 3. *US biz* halá-
los(an mulatságos/nevetséges) **II.** *n* ölés,
gyilkolás; *biz he made a ~* jól beütött
neki
kill-joy *n* ünneprontó
kiln [kɪln] *n* égetőkemence, szárítóke-
mence
kilo ['ki:loʊ] *n biz* kiló

30

kilo- ['kɪlə-] kilo-
kilocycle ['kɪləsaɪkl] n kilociklus
kilogramme ['kɪləgræm] n kilogramm
kilometre, US -meter ['kɪləmi:tə*] n kilométer
kilowatt ['kɪləwɔt] n kilowatt
kilt [kɪlt] n skót szoknya [férfié]
kilted ['kɪltɪd] a skótszoknyás; ~ regiment skót gyalogezred [szoknyában]
kimono [kɪ'mounou; US -nə] n kimonó
kin [kɪn] a/n rokon(ság); no ~ to me nem rokonom; near ~ közeli rokon; next of ~ legközelebbi hozzátartozó
kind [kaɪnd] I. a kedves, szíves; very ~ of you igen kedves öntől; give him my ~ regards adja át neki szívélyes üdvözletemet, szeretettel üdvözlöm; be so ~ as to legyen olyan szíves . . . II. n 1. faj(ta), válfaj; all ~s of, of all ~s sokféle, mindenféle; what ~ of miféle, milyen; nothing of the ~ semmi ilyesféle; sg of the ~ ilyesmi; of a ~ valamiféle, afféle, vm . . . féle; he felt a ~ of compunction bizonyos fokú lelkiismeretfurdalást érzett; biz ~ of (olyas-) valahogy; I ~ of expected it mintha megéreztem volna 2. in ~ természetben(i) 3. jelleg; in both ~s két szín alatt [úrvacsorázik]
kindergarten ['kɪndəga:tn] n óvoda
kind-hearted a jószívű, jólelkű
kindle ['kɪndl] A. vt 1. meggyújt 2. (fel-)gerjeszt, fellelkesít; felkelt [érdeklődést] B. vi 1. meggyullad, fellángol 2. átv fellelkesedik, fellángol; her eyes ~d felcsillant a szeme
kindliness ['kaɪndlɪnɪs] n jóság, kedvesség, jóindulat, szívesség; do a ~ to sy szívességet tesz vknek
kindling ['kɪndlɪŋ] n 1. meggyújtás 2. meggyulladás, fellángolás 3. (pl ~) gyújtós, aprófa
kindly ['kaɪndlɪ] I. a kedves, barátságos, jóindulatú II. adv 1. kedvesen, szívélyesen; please will you ~ tell me the time legyen olyan szíves megmondani hány óra van
kindness ['kaɪndnɪs] n 1. kedvesség 2. szívesség
kindred ['kɪndrɪd] I. a rokon II. n 1. rokonság 2. rokon jelleg; hasonlóság

kine [kaɪn] n pl † tehenek
kinetic [kaɪ'netɪk; US kɪ-] a mozgási, mozgástani, kinetikus
kinetics [kaɪ'netɪks; US kɪ-] n kinetika
king [kɪŋ] n király; K~ Charles's head rögeszme, fixa idea; † ~'s evil skrofula, görvélykór; K~'s speech trónbeszéd
king-bolt n forgócsap, királycsap
king-cup n boglárka
kingdom ['kɪŋdəm] n 1. királyság, birodalom; biz ~ come másvilág 2. -világ [pl. növényvilág]
kingfisher n jégmadár
kinghood ['kɪŋhud] n királyság
kinglike ['kɪŋlaɪk] a királyi, fenséges
King-of-Arms [kɪŋəv'a:mz] n címerkirály
king-pin n 1. = king-bolt 2. biz vezérférfiú
king-post n királyoszlop, székoszlop, császárfa
kingship ['kɪŋʃɪp] n királyi rang, királyság
king-size(d) a extra méretű/nagy
kink [kɪŋk] I. n 1. hurok, csomó, görcs, bog 2. szeszély, rögeszme II. A. vt összecsomóz, -bogoz B. vi összegubancolódik
kinky ['kɪŋkɪ] a 1. csomós 2. göndör 3. biz szeszélyes, bogaras; perverz
kinsfolk ['kɪnzfouk] n pl (összes) rokonság, rokonok
kinship ['kɪnʃɪp] n atyafiság, rokonság
kinsman ['kɪnzmən] n (pl -men -mən) férfirokon
kinswoman n (pl -women) nőrokon
kiosk ['ki:ɔsk; US -'ɑsk] n 1. kerti ház; pavilon 2. újságosbódé 3. telefonfülke
Kipling ['kɪplɪŋ] prop
kipper ['kɪpə*] n 1. (sózott és) füstölt hering 2. lazac
kirk [kə:k] n sp 1. templom 2. egyház
Kirkpatrick [kə:k'pætrɪk] prop
kismet ['kɪsmet] n végzet
kiss [kɪs] I. n csók; ~ of life szájonlélegeztetés [élesztési mód] II. vt/vi csókol(ódzik); ~ and be friends kibékül; ~ it better bibit megpuszilja; ~ the book esküt alatt vall; ~ one's hand to sy csókot int vknek

kissproof a csókálló
kit[1] [kɪt] n 1. katonai felszerelés, (egyéni) szerelvény 2. felszerelés; (szerszám)készlet 3. utazózsák, málhazsák 4. (fa) bödön
Kit[2] [kɪt] prop ⟨Kristóf becézett alakja⟩
kit-bag n (katonai) szerelvényzsák, málhazsák, utazózsák
kitchen ['kɪtʃɪn] n konyha; ~ cabinet (1) US ⟨az államfő nem hivatalos tanácsadói⟩ (2) konyhakredenc; ~ garden konyhakert; ~ unit beépített konyha(bútor), konyhafal; ~ utensils konyhaedények
kitchener ['kɪtʃɪnə*] n 1. (nagy konyhai) tűzhely 2[1]. konyhafőnök
kitchenette [kɪtʃɪnet] n teakonyha, főzőfülke
kitchen-maid n konyhalány
kitchen-range n takaréktűzhely
kitchenware n konyhaedények, konyhai felszerelés
kite [kaɪt] n 1. héja 2. (papír)sárkány; fly a ~ (1) sárkányt ereget (2) „kísérleti léggömböt" ereszt fel 3. biz uzsorás 4. □ fedezetlen csekk
kith [kɪθ] n rokonság; ~ and kin az összes rokonok és barátok
kit-inspection n szerelvényvizsgálat
kitten ['kɪtn] I. n kismacska, cica II. vt/vi (meg)kölykezik [macska]
kittenish ['kɪt(ə)nɪʃ] a játékos
kitty[1] ['kɪtɪ] n kiscica, cicus
kitty[2] ['kɪtɪ] n pinka, kassza, talon [kártyában]
Kitty[3] ['kɪtɪ] prop Kati, Katinka
kiwi ['ki:wi:] n kiwi(madár)
KKK [keɪkeɪ'keɪ] Ku-Klux-Klan
klaxon ['klæksn] n autókürt
kleenex ['kli:neks] n papírzsebkendő; arctörlő
kleptomania [kleptə'meɪnjə] n kleptománia
kleptomaniac [kleptə'meɪnɪæk] a kleptomániás
klieg light [kli:g] n jupiterlámpa
km kilometre(s) kilométer, km
knack [næk] n fortély, ügyesség, (mű)fogás, trükk; get the ~ of it rájön a nyitjára
knacker ['nækə*] n 1. dögnyúzó [kivén-

hedt lovak mészárosa] 2. bontási vállalkozó
knag [næg] n görcs, csomó, ágcsonk [fán]
knapsack ['næpsæk] n hátizsák
knar [nɑ:*] n csomó, görcs [fában]
knave [neɪv] n 1. gazfickó, csibész, kópé 2. = jack[2] I.1.
knavery ['neɪvərɪ] n 1. gazság 2. kópéság
knavish ['neɪvɪʃ] a aljas, becstelen
knead [ni:d] vt 1. dagaszt, gyúr [tésztát] 2. gyúr, masszíroz
kneading-trough ['ni:dɪŋ-] n dagasztóteknő
knee [ni:] n 1. térd; be on one's ~s térdel; go down on one's ~s letérdel; on bended ~s térden állva; give a ~ to sy segít vknek; ~ jerk térdreflex 2. könyökcső
knee-breeches n pl bricsesz
knee-cap n 1. térdkalács 2. térdvédő
-kneed [-ni:d] -térdű
knee-deep/high a térdig érő; be ~ térdig ér
knee-joint n térdízület
kneel [ni:l] vt (pt/pp knelt nelt) térdel; ~ down letérdel
knee-pad n térdvédő, térdpárna
knell [nel] n lélekharang (szava); toll the ~ megkondítja a lélekharangot
knelt →kneel
knew →know I.
knickerbockers ['nɪkəbɔkəz; US -bɑ-] n pl buggyos térdnadrág, golfnadrág
knickers ['nɪkəz] n pl 1. bugyi 2. = knickerbockers
knick-knack ['nɪknæk] n csecsebecse, mütyürke; nipp; semmiség, apróság
knife [naɪf] I. n (pl knives naɪvz) kés; tőr; war to the ~ késhegyig menő harc; biz get one's ~ into sy élesen bírál vkt, ledöf vkt II. vt 1. megkésel 2. US megfúr (vkt)
knife-board n késtisztító smirglideszka
knife-edge n késél
knife-rest n asztali evőeszköztámasz, késtartó
knight [naɪt] I. n 1. lovag 2. ló [sakkfigura] II. vt lovaggá üt
knight-errant n kóbor lovag

knighthood ['naɪthʊd]*n* lovagi rang/rend; *confer ~ on sy* lovaggá üt, lovagi rangra emel vkt
knightly ['naɪtlɪ] *a* lovaghoz illő/méltó, lovagias
knit [nɪt] I. *a* kötött II. *v* (*pt*/*pp* ~ v. ~ted 'nɪtɪd; -tt-) A. *vt* 1. köt [kötőtűvel]; ~ *up* (1) megköt (2) kötéssel kijavít; ~*ted goods* kötöttáru 2. összefűz, összehúz, tömörít, (szorosan) egyesít; ~ *the brows* összevonja a szemöldökét B. *vi* összefűződik, összehúzódik, tömörül, (szorosan) egyesül
knitter ['nɪtə*] *n* 1. kötő(nő) 2. kötőgép
knitting ['nɪtɪŋ] *n* kötés [kötőtűvel]
knitting-machine *n* kötőgép
knitwear *n* kötöttáru, kötszövött áru
knives →*knife I.*
knob [nɔb; *US* -ɑ-] *n* 1. gomb 2. fogantyú 3. daganat; dudor, csomó, bütyök 4. □ fej, „kókusz" 5. darabka [szén stb.]
knobkerrie ['nɔbkerɪ; *US* -ɑ-] *n* bunkósbot
knobly ['nɔblɪ; *US* -ɑ-] *a* göcsös, bütykös
knobstick *n* bunkósbot
knock [nɔk; *US* -ɑ-] I. *n* 1. ütés; koccanás [autóké] 2. kopogás; *there was a ~* kopogtak 3. kopogás [motorban] 4. □ ledorongolás II. A. *vt* 1. (meg)üt, (meg)lök; (meg)kopogtat, (meg)zörget; ~ *to pieces* szétzúz 2. *US* □ leszól, ócsárol B. *vi* 1. kopog(tat) [*at* ajtón] 2. kopog [motor]
knock about A. *vi* kóborol, csavarog B. *vt* összever
knock against *vt/vi* 1. nekiüt(ődik), beleütődik 2. összetalálkozik (vkvel)
knock down *vt* 1. leüt, kiüt, földhöz vág; *be ~ed d. by sg* elüti, elütötte [jármű] 2. lerombol, lebont; szétszed, szétszerel 3. [árverésen] odaítél (*to sy* vknek) 4. leszorít [árat]
knock in *vt* bever
knock into A. *vt* be(le)ver B. *vi* nekiütődik, nekikoccan
knock off *vt* 1. leüt 2. abbahagy, befejez 3. enged [vmt árból] 4. *biz* összecsap (vmt); levág [egy cikket]

knock on *vt* ~ *on the head* (1) agyonüt (2) véget vet vmnek
knock out *vt* kiüt; kiver
knock over *vt* feldönt
knock up A. *vt* 1. felver (álmából) 2. összecsap, -tákol, -üt; ~ *up a century* 100 pontot csinál [krikettben] 3. *biz* kifáraszt; *be ~ed up* (teljesen) kivan [kimerült] 4. *vulg* felcsinál [lányt] B. *vi* 1. kifárad 2. ~ *up against* (1) beleütközik (vkbe) (2) nekiütközik (vmnek)
knock-about *a* 1. ~ *comedian* ⟨aki a bohózatban az ütéseket kapja⟩ 2. strapa-
knock-down *a* 1. kiütő, leütő; ~ *blow* erőteljes kiütő ütés; ~ *price* reklámár, végső ár 2. szétszedhető
knocker ['nɔkə*; *US* -ɑ-] *n* (ajtó)kopogtató
knock-kneed *a* iksz-lábú
knockout *n* 1. kiütés, leütés; ~ *blow* kiütés [bokszban] 2. *US* □ feltűnő dolog/személy
knoll [nəʊl] *n* domb(tető)
knot [nɔt; *US* -ɑ-] I. *n* 1. csomó, göb, bog; bütyök, görcs; ~ *of hair* konty 2. bonyodalom, nehézség; *tie oneself up into ~s* nehéz helyzetbe kerül 3. csoport 4. csomó [óránként 1 tengeri mérföld = 1852 m/óra] II. *v* -tt- A. *vt* (össze)csomóz, összeköt B. *vi* összegubancolódik
knotty ['nɔtɪ; *US* -ɑ-] *a* 1. csomós, bütykös 2. *biz* nehéz, bonyolult
knout [naʊt] *n* kancsuka
know [nəʊ] I. *n biz be in the ~* jól értesült, beavatott II. *vt*/*vi* (*pt* knew nju:, *US* nu:; *pp* known nəʊn) 1. tud; ismer (vmt, vkt); ~ *about*/*of sg* tud vmről, tudomása van vmről; *get*/*come to ~* (1) megtud (vmt) (2) megismer (vkt); *for all I ~, as far as I ~* amennyire én tudom; *you ought to ~ better than* okosabbat is tehetnél, mint; *I would have you ~* vedd tudomásul, hogy; *I have ~n it happen* tudok ilyesmi előfordulásáról; *please let me ~* kérem értesítsen; *there is no ~ing* mit lehet tudni; *become ~n* (1) ismertté válik (2) tudomására jut (*to sy* vknek);

~*n* as ...... néven ismert, ... hívják/nevezik; ~*n to sy* vk által ismert
2. ért vmhez, járatos vmben
knowable ['noʊəbl] *a* megtudható, megismerhető
know-how *n* hozzáértés, szakértelem, mit-hogyan, technikai tudás; know-how; gyártási eljárás
knowing ['noʊɪŋ] *a* 1. tájékozott, értelmes 2. ravasz, ügyes; *a* ~ *look* sokatmondó pillantás
knowledge ['nɒlɪdʒ; *US* -a-] *n* 1. tudomás; *come to one's* ~ tudomására jut; *to my* ~ tudomásom szerint, tudtommal; *without my* ~ tudtom nélkül; *to the best of my* ~ legjobb értesülésem/tudomásom szerint; *matter of common* ~ tudott dolog, köztudomású (,hogy ...) 2. tudás; tudomány, ismeret(ek); ~ *of French* francia nyelvtudás
knowledgeable ['nɒlɪdʒəbl; *US* 'na-] *a* értelmes, jól informált/tájékozott
known [noʊn] *a* (köz)ismert, tudott, ismeretes || →*know II.*
Knox [nɒks] *prop*
knuckle ['nʌkl] I. *n* ujjízület, ujjper(e)c II. *vi* ~ *down to* alaposan nekilát, nekigyürkőzik (vmnek); ~ *under* beadja a derekát, megadja magát
knuckle-bone *n* 1. ujjízület csontja 2. játszócsontocska [birka lábából kockajátékhoz]
knuckle-duster *n* bokszer
knurl [nə:l] *n* bütyök, görcs [fában]
K.O., KO [keɪ'oʊ] I. *n* (= *knockout*)

kiütés [ökölvívásban] II. *vt* (*pt/pp* **KO'd**) kiüt (vkt)
koala [koʊ'ɑ:lə] *n* ~ (*bear*) (ausztráliai) macskamedve, koala
kodak ['koʊdæk] *n* Kodak-gép
Koh-i-noor ['koʊɪnʊə*] *prop*
kohlrabi [koʊl'rɑ:bɪ] *n* kalarábé
kola ['koʊlə] *n* kóladió
Kongo ['kɒŋgoʊ; *US* -aŋ-] *prop* Kongó
kooky ['kʊkɪ] *a US* □ furcsa, fantasztikus
Koran [kɔ'rɑ:n; *US* kɔ:-] *prop* Korán
Korea [kə'rɪə] *prop*
Korean [kə'rɪən] *a/n* koreai
kosher ['koʊʃə*] *a* kóser
kowtow [kaʊ'taʊ], **kotow** [koʊ'taʊ] *vi* megalázkodik, mélyen meghajol
k.p.h. *kilometres per hour* óránként ... km, km/óra
kraft [krɑ:ft; *US* -æ-] *n* csomagolópapír
Krishna ['krɪʃnə] *prop*
Kt. *Knight*
kudos ['kju:dɔs; *US* -as] *n* dicsőség, hírnév
Ku-Klux-Klan [kju:klʌks'klæn] *n* ⟨amerikai titkos társaság zsidók, katolikusok, négerek és idegenek ellen⟩
Kuwait [kʊ'weɪt] *prop* Kuvait
Kuwaiti [kʊ'weɪtɪ] *a* kuvaiti
kW, kw *kilowatt(s)* kilowatt, kW
kWh, kwhr. *kilowatt-hour(s)* kilowattóra, kWó
Ky. *Kentucky*
kyle [kaɪl] *n sk* tengerszoros, keskeny öböl

L

L¹, l [el] *n* L, l (betű)
L² [el] **1.** *US biz elevated railway* magasvasút **2.** *learner(-driver)* tanuló vezető, T
l³., l **1.** *left* bal(ra) **2.** *line* **3.** *litre(s)* liter, l.
£ *libra* (= *pound*) font (sterling)
la [lɑ:] *n* la [a diatonikus skála hatodik hangja]
La. *Louisiana*
lab [læb] *n biz* labor
Lab., Lab [læb] *Labour party*
label ['leɪbl] I. *n* címke, árujegy, cédula; felirat II. *vt* -ll- (*US* -l-) **1.** címkével ellát, címkéz; megjelöl **2.** osztályoz, besorol; minősít; *átv* vmnek elnevez/kikiált
labial ['leɪbjəl] I. *a* ajakhangú, ajak-, labiális II. *n* ajakhang
labor → *labour*
laboratory [lə'bɔrət(ə)rɪ; *US* 'læbərətɔ:rɪ] *n* laboratórium
laborious [lə'bɔ:rɪəs] *a* **1.** fáradságos, nehéz **2.** nehézkes **3.** szorgalmas
labour, *US* labor ['leɪbə*] I. *n* **1.** munka, dolog; ~ *camp* munkatábor; ~ *service* munkaszolgálat; ~ *of love* szívesen végzett munka **2.** munkaerő, munkás; munkásosztály, munkások; munkás-; *L*~ *Day* a munka ünnepe [az USA-ban szeptember első hétfőjén]; *GB L*~ *Exchange* munkaközvetítő hivatal; ~ *force* munkaerő, munkáslétszám; *GB L*~ *leaders* (1) munkáspárti vezetők (2) szakszervezeti vezetők; ~ *market* munka(erő)piac; *GB L*~ *party* munkáspárt; ~ *piracy* munkaerő-csábítás; ~ *relations* munkaviszony; ~ *supply* munkaerő-kínálat;

~ *troubles* munkások és munkaadók közötti ellentétek; *US* ~ *union* (munkás)szakszervezet **3.** szülés(i fájdalmak), vajúdás II. A. *vi* **1.** dolgozik, munkálkodik, fáradozik (*at* vmn) **2.** nehezen mozog/működik (v. halad előre) (vk, vm); bukdácsol, küszködik a hullámokkal [hajó] **3.** kínlódik, szenved; vajúdik; ~ *under a delusion* tévedésben leledzik, tévhitben él; ~ *under a difficulty* nehézséggel küzd B. *vt* kidolgoz; megmunkál; *not* ~ *the point* nem foglalkozik részletesen a kérdéssel, nem erőlteti a kérdést
laboured, *US* -bored ['leɪbəd] *a* nehéz(kes), erőltetett
labourer, *US* -borer ['leɪbərə*] *n* (kétkezi) munkás; (fizikai) dolgozó
labouring, *US* -bor- ['leɪb(ə)rɪŋ] *a* **1.** (*the*) ~ *class* a munkásosztály **2.** ~ *breath* nehéz légzés
labour-intensive *a* munkaigényes
labourite ['leɪbəraɪt] *n GB* munkáspárti (politikus)
labour-saving *a* emberi munkát megtakarító [gép stb.]; ~ *devices* háztartási gépek
Labrador ['læbrədɔ:*] *prop*
laburnum [lə'bə:nəm] *n* aranyeső
labyrinth ['læbərɪnθ] *n* útvesztő, labirintus
labyrinthine [læbə'rɪnθaɪn] *a* bonyolult, szövevényes, labirintszerű
lac [læk] *n* (nyers) sellak, lakkmézga
lace [leɪs] I. *n* **1.** csipke; zsinór, paszomány; ~ *collar* csipkegallér **2.** (cipő-)fűző; ~ *boots* fűzős cipő II. A. *vt* **1.** ~ (*up*) befűz [cipőt, derékfűzőt] **2.** csipkéz **3.** *biz* elnáspángol, elver

4. *biz* ízesít [italt szesszel] **B.** *vi*
1. összefűződik 2. fűzőt visel
laced [leɪst] 1. befűzött 2. csipkés 3.
~ *coffee* rumos fekete
lace-maker *n* csipkeverő
lacerate ['læsəreɪt] *vt* 1. széttép, -szaggat, -marcangol 2. kínoz, gyötör
laceration [læsə'reɪʃn] *n* 1. (szét)szakítás, letépés; kínzás, gyötrés 2. felszakadás [sebé]; zúzott seb
lace-work *n* csipke(áru)
lachrymal ['lækrɪml] *a* könny-; ~ *gland* könnymirigy
lachrymose ['lækrɪmoʊs] *a* 1. könnyes, sírós 2. könnyfakasztó, érzelgős
lacing ['leɪsɪŋ] *n* 1. csipke, zsinór, paszomány 2. (be)fűzés 3. *biz* verés
lack [læk] I. *n* hiány; *for* ~ *of sg* vm hiányában II. A. *vt* hiányol (vmt), hiányzik (vmje) B. *vi be* ~*ing* hiányzik, nincs (meg); *be* ~*ing in courage* nincs bátorsága; ~ *for sg* híján van vmnek, nélkülöz vmt
lackadaisical [lækə'deɪzɪkl] *a* affektáltan érzelgős, ábrándos
lackey ['lækɪ] *n* lakáj
lacking ['lækɪŋ] *a* hiányzó [dolog]
Lackland ['læklænd] *prop John* ~ Földnélküli János
lack-lustre *a* fakó, fénytelen, tompa, matt
laconic [lə'kɒnɪk; *US* -'kɑ-] *a* lakonikus, szűkszavú, tömör, velős
lacquer ['lækə*] I. *n* lakk, fénymáz, politúr II. *vt* (be)lakkoz, politúroz
lacrosse [lə'krɒs; *US* -'krɔ:s] *n* ⟨kanadai labdajáték⟩
lactic ['læktɪk] *a* tej-; ~ *acid* tejsav
lactiferous [læk'tɪfərəs] *a* 1. tejben gazdag 2. tejelő, tejtermő
lacuna [lə'kju:nə] *n* (*pl* ~**e** -ni:) hézag, hiány, üres tér, űr
lacy ['leɪsɪ] *a* csipkés, csipkézett, csipkeszerű
lad [læd] *n* fiú, ifjú, legény
ladder ['lædə*] I. *n* 1. létra; ~ *of success* a siker lépcsőfokai 2. lefutó szem [a harisnyán] II. *vi* leszalad a szem [harisnyán]
ladderproof *a* szembiztos [harisnya]
laddie ['lædɪ] *n sk* fiúcska, legényke

lade [leɪd] *vt* (*pt* ~**d** 'leɪdɪd, *pp* ~**n** 'leɪdn) megrak, megterhel; *trees* ~*n with fruit* gyümölcstől roskadó fák
laden ['leɪdn] *a* megrakott, megterhelt
la-di-da [lɑ:dɪ'dɑ:] *a biz* affektáló, szenvelgő
lading ['leɪdɪŋ] *n* teher, rakomány; *bill of* ~ hajóraklevél, (vasúti) fuvarlevél
ladle ['leɪdl] I. *n* mer(ít)őkanál II. *vt* ~ *out* kimer, kioszt
ladleful ['leɪdlfʊl] *n* mer(ít)őkanálnyi
lady ['leɪdɪ] *n* 1. úrnő; hölgy; *ladies and gentlemen!* hölgyeim és uraim! 2. *Our L*~ Miasszonyunk; *L*~ *Day* Gyümölcsoltó Boldogasszony (márc. 25.); *L*~ *chapel* Mária-kápolna 3. *L*~ ⟨arisztokrata felesége v. leánya, arisztokráciához tartozó (nő) címe⟩ 4. asszony, nő; -nő; "*Ladies*" (1) nők [felirat] (2) női vécé; ~ *doctor* doktornő; *ladies' wear* női divat(áru) 5. *biz* feleség
lady-bird *n* katicabogár
lady-in-waiting *n* udvarhölgy
lady-killer *n biz* nőcsábász
ladylike *a* nőies; előkelő hölgyhöz illő
ladyship ['leɪdɪʃɪp] *n your* ~ kb. méltóságos asszonyom; *her* ~ kb. őméltósága [nőről]
lady's-maid *n* komorna
Laertes [leɪ'ə:ti:z] *prop*
lag¹ [læg] I. *n* késés, késedelem, lemaradás II. *vi* -**gg**- késlekedik; ~ *behind* elmarad(ozik), lemarad, hátramarad
lag² [læg] *n* □ rab, börtöntöltelék
lager ['lɑ:gə*] *n* világos sör
laggard ['lægəd] *a/n* lusta, tunya, késedelmes (ember), elmarad(oz)ó
lagoon [lə'gu:n] *n* lagúna
Lahore [lə'hɔ:*] *prop*
laic ['leɪɪk] *a/n* világi, laikus (személy)
laicize ['leɪɪsaɪz] *vt* elvilágiasít, laicizál
laid →*lay³*
lain →*lie² II.*
lair [leə*] *n* odú, vacok, búvóhely [vadállaté]
laird [leəd] *n sk* földesúr
laity ['leɪɪtɪ] *n* a világiak/laikusok
lake [leɪk] *n* tó
lake-dwelling *n* cölöpház, cölöpépítmény

lam [læm] v -mm- A. vt elagyabugyál, elpáhol B. vi 1. ~ into sy jól elver vkt 2. meglóg, olajra lép
lama ['lɑ:mə] n láma [buddhista pap]
lamb [læm] I. n bárány II. vt bárányt ellik
lambaste [læm'beɪst] vt biz alaposan elver
lambent ['læmbənt] a 1. kis lánggal égő, nyaldosó [láng] 2. csillogó, ragyogó [szem]; könnyed [stílus]
lambkin ['læmkɪn] n kisbárány, bari
lamb-like ['læmlaɪk] a szelíd
lambskin ['læmskɪn] n báránybőr
lame [leɪm] I. a 1. béna, sánta; be ~ in one leg egyik lábára sántít; biz ~ duck (1) ügyefogyott ember (2) US hatalmát vesztett politikus 2. gyenge, gyatra; ~ excuse átlátszó/gyenge kifogás II. vt megbénít, rokkanttá tesz
lameness ['leɪmnɪs] n bénaság, sántaság
lament [lə'ment] I. n panasz, sirám, lamentáció II. A. vt (meg)sirat, nagyon sajnál, fájlal B. vi panaszkodik, lamentál, siránkozik (for/over miatt/felett)
lamentable ['læməntəbl] a 1. siralmas, szánalmas 2. sírós, panaszos
lamentation [læmen'teɪʃn] n siránkozás, jajveszékelés, lamentáció
laminate ['læmɪneɪt] A. vt lemezekre választ/hengerel, lemezel B. vi lemezekre/rétegekre válik
laminated ['læmɪneɪtɪd] a rétegelt, réteges; lemezelt
Lammas ['læməs] n augusztus elseje [mint egyházi/aratási ünnep]
lammed [læmd] →lam
lamp [læmp] n lámpa
lamp-black n korom
lamp-chimney n lámpaüveg, cilinder
lamplight n lámpafény
lamplighter n lámpagyújt(ogat)ó
lampoon [læm'pu:n] I. n gúnyirat II. vt (ki)gúnyol [írásban]
lamp-post n lámpaoszlop
lamprey ['læmprɪ] n orsóhal, ingola
lamp-shade n lámpaernyő
lamp-stand n állólámpa
Lancashire ['læŋkəʃə*] prop

Lancaster ['læŋkəstə*] prop
Lancastrian [læŋ'kæstrɪən] a lancasteri, Lancaster-párti
lance [lɑ:ns; US -æ-] I. n lándzsa, dárda 2. = lancet II. vt 1. lándzsával/dárdával átszúr 2. (sebészkéssel) felvág
lance-corporal n GB őrvezető
Lancelot ['lɑ:nslət; US 'læn-] n ⟨férfinév⟩
lanceolate ['lɑ:nsɪəlɪt; US 'læn-] a lándzsa alakú
lancer ['lɑ:nsə*; US 'læn-] n lándzsás, pikás
lancet ['lɑ:nsɪt; US -æ-] n 1. sebészkés, szike; gerely 2. ~ arch keskeny csúcsív; ~ window csúcsíves ablak
lancinating ['lɑ:nsɪneɪtɪŋ; US 'læn-] a szúró, szaggató, hasogató [fájdalom]
Lancs. [læŋks] Lancashire
land [lænd] I. n 1. föld, szárazföld, talaj; ~ forces szárazföldi hadsereg; ~ rover terepjáró gépkocsi; by ~ szárazföldön; by ~ and sea szárazon és vízen, szárazföldön és tengeren; see how the ~ lies terepszemlét tart, kitapasztalja a helyzetet; make ~ partot ér 2. föld(birtok); ~ certificate kb. telekkönyvi kivonat; the ~ question az agrárkérdés; go on the ~ földművelésre adja magát 3. ország, vidék, táj II. A. vt 1. partra szállít/tesz; hajóból kirak 2. „letesz" [repgépet] 3. biz vmlyen helyzetbe hoz/juttat vkt; ~ sy in prison börtönbe juttat; ~ sy in difficulty vkt nehéz helyzetbe hoz 4. kihúz, kifog [halat vízből]; biz ~ a job állást szerez 5. oszt, ad [ütést]; ~ a blow on sy's nose orron üt B. vi 1. partra száll, kiszáll [utas]; kiköt [hajó]; leszáll, földet ér [repgép] 2. biz ~ on one's feet talpra esik; ~ up vhol találja magát
land-agent n 1. ingatlanügynök 2. GB jószágigazgató
landau ['lændɔ:] n négyüléses hintó, landauer
landed ['lændɪd] a földbirtokos, földbirtok-; ~ interest földbirtokosi érdekeltség, földbirtokosság; ~ property földbirtok; ~ proprietor földbirtokos; ~ security jelzálogi értékpapírok

landfall *n* szárazföld megpillantása [hajóról]; partraérés
landholder *n* földbirtokos
landing ['lændıŋ] **I.** *a* partra szálló; leszálló **II.** *n* **1.** partraszállás; kikötés; leszállás, földreszállás [repülőé]; ~ *card* kiszállókártya [reptéren]; *happy* ~! szerencsés (repülő)utat! **2.** rak(odó)part **3.** (lépcső)pihenő
landing-craft *n* **1.** partra szálló jármű **2.** leszálló egység
landing-field *n* = *landing-strip*
landing-gear *n* futószerkezet, futómű
landing-place *n* kikötő(hely)
landing-stage *n* kikötőhíd; kikötő(hely)
landing-strip *n* leszállópálya
landlady ['lænleıdı] *n* **1.** háziasszony; szállásadó **2.** vendéglősné
land-locked [-lɔkt; *US* -ɑ-] *a* szárazfölddel körülvett; szárazföldi, kontinentális [aminek nincs tengerpartja]
landlord ['lænlɔːd] *n* **1.** háziúr, házigazda **2.** vendéglős **3.** földbirtokos
land-lubber *n biz* „szárazföldi patkány"
landmark *n* határkő *(átv is)*; feltűnő tereptárgy; iránypont
land-mine *n* szárazföldi akna
land-office business *US biz* bombaüzlet
Landor ['lændɔː*] *prop*
landowner *n* földbirtokos
landrail *n* haris
land-register *n* telekkönyv
landscape ['læn(d)skeıp] *n* tájkép; (festői) táj; ~ *architecture/gardening* tájkertészet; ~ *painter* tájképfestő
landscaping ['læn(d)skeıpıŋ] *n* tereprendezés, parkosítás
landslide ['læn(d)slaıd] *n (átv is)* földcsuszamlás
landslip *n* földcsuszamlás, -omlás
land-tax *n* földadó
landward ['lændwəd] *adv* szárazföld felé
lane [leın] *n* **1.** keskeny út; köz, átjáró; sikátor; *it is a long* ~ *that has no turning* lesz még szőlő lágy kenyérrel, jönnek majd még jobb napok is **2.** *(traffic)* ~ (forgalmi) sáv; *inside/nearside* ~ külső sáv; *outside/offside* ~ belső sáv; *change* ~*s* sávot változtat [úttesten]; *four-*~ *traffic* közlekedés

négy forgalmi sávon **3.** pálya [futóé, úszóé]
language ['læŋgwıdʒ] *n* **1.** nyelv; ~ *laboratory* nyelvi labor(atórium) **2.** nyelvezet; beszéd(mód); *strong* ~ erős/durva szavak, káromkodás
languid ['læŋgwıd] *a* bágyadt, lanyha, erőtlen, ernyedt, vontatott
languish ['læŋgwıʃ] *vi* (el)lankad, (el-)bágyad; hervadozik; ~ *for sg* epekedik/sóvárog vm után
languor ['læŋgə*] *n* lankadtság, bágyadtság; epekedés
languorous ['læŋgərəs] *a* lankadt, bágyadt; epekedő, sóvárgó
lank [læŋk] *a* karcsú, hosszú, vékony(-dongájú); ~ *hair* sima/egyenes haj
lanky ['læŋkı] *a* nyurga, hórihorgas
lanoline ['lænəliːn] *n* lanolin
lantern ['læntən] *n* **1.** lámpás; ~ *lecture* vetítettképes előadás **2.** bevilágító, ablakos kupola
lantern-jawed *a* beesett arcú (és hosszú vékony állcsontú)
lantern-slide *n* diapozitív
lanyard ['lænjəd] *n* **1.** feszítőkötél [vitorláson] **2.** elsütőzsinór [ágyúé] **3.** nyakbavető (késtartó) zsinór [matrózokon]
Laos ['lɑːɔs] *prop* Laosz
Laotian ['laʊʃıən] *a/n* laoszi
lap¹ [læp] **I.** *n* **1.** lebernyeg, szárny [ruháé]; szegély **2.** (fül)cimpa **3.** öl; *átv* kebel; *in the* ~ *of luxury* jólétben **4.** (át)fedés; takarás **5.** kör, futam [sportban]; ~ *of honour* tiszteletkör **II.** *v* **-pp- A.** *vt* **1.** átlapol, átfed, betakar, beborít, fölléje tesz **2.** körülvesz, felcsavar, felteker **B.** *vi* **1.** feltekeredik, felcsavarodik **2.** fekszik (vm alatt v. vm mellett)
lap over A. *vt* átlapol, átfed (vmt), túlnyúlik (vmn) **B.** *vi* fedik egymást
lap² [læp] **I.** *n* **1.** nyalakodás **2.** hullámverés **II.** *v* **-pp- A.** *vt* **1.** nyal, nyaldos, szürcsöl; lefetyel; ~ *up* (1) felnyal (2) kéjt kézzel kap rajta **2.** csapkod, csapdos, verdes **B.** *vi* verődik, csapódik (vmhez)
lap-dog *n* öleb
lapel [lə'pel] *n* hajtóka [kabáté]

lapful ['læpfʊl] *a* egy ölre/kötényre való, jó csomó

lapidary ['læpɪdərɪ; *US* -erɪ] I. *a* 1. kőbe vésett 2. kőfaragói 3. rövid és velős [fogalmazás] II. *n* drágakőcsiszoló

lap-joint *n* átfedő/lapolt illesztés, egybelapolás, lapkötés

Lapland ['læplænd] *prop* Lappföld

Laplander ['læplændə*] *n* lapp

Lapp [læp] *a/n* lapp (ember, nyelv)

lapped [læpt] →*lap*[1] és *lap*[2] *II.*

lappet ['læpɪt] *n* 1. legombolható/lehajtható ruharész; hajtóka; (lógó) szárny [ruháé] 2. (fül)cimpa

lapping ['læpɪŋ] I. *a* nyaló II. *n* 1. nyal-(dos)ás 2. fedés, borítás 3. csapkodás [hullámoké]

lapse [læps] I. *n* 1. (el)csúszás; botlás, hiba; kihagyás [emlékezeté]; ~ *of the pen* íráshiba; ~ *of the tongue* nyelvbotlás; ~ *from duty* kötelességszegés 2. múlás [időé], időköz 3. megszűnés, elévülés [jogé]; lejárat [határidőé] II. *vi* 1. hibázik, botlik, téved; ~ *into* visszasüllyed (vmbe) 2. (el)múlik [idő] 3. elévül, érvényét veszti [jog]; lejár [határidő]

Laputa [lə'pjuːtə] *prop*

lapwing *n* bíbic

larboard ['lɑːbəd] *n* bal oldal [hajóé]

larceny ['lɑːsənɪ] *n* lopás, tolvajlás; *compound* ~ minősített lopás; *petty* ~ kis lopás

larch [lɑːtʃ] *n* vörösfenyő

lard [lɑːd] I. *n* (disznó)zsír II. *vt* 1. megzsíroz; (szalonnával) megtűzdel, (meg-)spékel 2. *átv* teletűzdel [idézetekkel stb.]

larder ['lɑːdə*] *n* (élés)kamra

large [lɑːdʒ] I. *a* 1. nagy (méretű), terjedelmes; *as* ~ *as life* életnagyságú; *in a* ~ *measure* nagymértékben; *on a* ~ *scale* nagy arányokban, nagyban, nagyszabásúan; *on the* ~ *side* elég/meglehetősen/túl nagy 2. széles körű, átfogó; nagyvonalú; ~ *powers* széles körű hatalom 3. bőkezű, kegyes, nagylelkű; ~ *views* liberális felfogás II. *adv by and* ~ nagyjából III. *n at* ~ (1) szabadlábon, szabadlábra

(2) részletesen, hosszadalmasan (3) általában (4) vaktában; *the people at* ~ a nagyközönség; *talk at* ~ hetet-havat összehord, hasal

large-hearted *a* nagylelkű, jószívű, megértő

largely ['lɑːdʒlɪ] *adv* 1. nagy részben, jórészt, túlnyomóan, főként 2. nagy arányokban/méretekben

large-minded *a* liberális, nagylelkű

largeness ['lɑːdʒnɪs] *a* 1. nagyság, nagy terjedelem, terjedelmesség 2. széles látókör, liberális/megértő felfogás; megértés; nagyvonalúság

large-scale *a* 1. nagyarányú, nagyméretű, nagymérvű, nagyszabású 2. nagy méretarányú

large-sized *a* nagyméretű

largess(e) [lɑː'dʒes; *US* [lɑːdʒɪs] *n* † 1. bőkezű adomány 2. bőkezűség

largish ['lɑːdʒɪʃ] *a* meglehetősen nagy

lariat ['lærɪət] *n* lasszó

lark[1] [lɑːk] *n* pacsirta; *rise with the* ~ a tyúkokkal kel

lark[2] [lɑːk] I. *n* tréfa II. *vi* mókázik, bolondozik

larkspur ['lɑːkspə:*] *n* szarkaláb [növény]

larky ['lɑːkɪ] *a* mókázó, tréfáló, tréfás

larva ['lɑːvə] *n* (*pl* ~e 'lɑːviː) lárva

laryngeal [lærɪn'dʒiːəl] *a* gége-

laryngitis [lærɪn'dʒaɪtɪs] *n* gégegyulladás

laryngoscope [lə'rɪŋɡəskoʊp] *n* gégetükör

larynx ['lærɪŋks] *n* gége(fő)

Lascelles ['læslz] *prop*

lascivious [lə'sɪvɪəs] *a* buja

laser ['leɪzə*] *n* lézer

lash [læʃ] I. *n* 1. ostor, korbács 2. ostorcsapás; *the* ~ megkorbácsolás 3. szempilla II. **A.** *vt* 1. (meg)korbácsol, üt, ver, csap, csapkod; ~ (*against*) *the windows* veri az ablakot [eső]; ~ *out* (1) kirúg [ló] (2) kirobban [dühtől], kirohan (*at* vk ellen) 2. hevesen megtámad, szid 3. (fel)izgat, hajszol 4. megerősít; megköt; ~ *down* leköt, leszíjaz **B.** *vi* csapódik (vmnek), zuhog, csattan, nekivágódik; csapkod

lashing ['læʃɪŋ] I. *a* maró [kritika], ostorozó (*átv is*) II. *n* 1. ostorozás, korbácsolás 2. *biz* ~s *of sg* nagy bőség vmből, rengeteg . . .

lass [læs],**lassie** ['læsɪ] *n sk* **1.** lány(ka) **2.** barátnő, kedvese (vknek)

lasso [læ'su:; *US* 'læsoʊ] **I.** *n* lasszó, pányva **II.** *vt* (*pt/pp* ~ed læ'su:d; *US* 'læsoʊd) (meg)lasszóz

last[1] [lɑ:st; *US* -æ-] **I.** *a* **1.** (leg)utolsó; végső; *US* ~ *name* vezetéknév; *next to* ~, ~ *but one* utolsó előtti; ~ *but not least* utoljára de nem utolsósorban **2.** múlt, legutóbbi; ~ *week* múlt hét(en); ~ *Tuesday* múlt kedden; *this day* ~ *year* ma egy éve **3.** legújabb, legfrissebb **4.** döntő, végleges; *of the* ~ *importance* rendkívül fontos **II.** *adv* utoljára, utolsónak; vég(ezet)ül **III.** *n* az utolsó; utója, vége (vmnek); *in my* ~ utolsó levelemben; *near one's* ~ végét járja; *at* (*long*) ~ végre; *to/till the* ~ mindvégig

last[2] [lɑ:st; *US* -æ-] *vi/vt* **1.** tart, fennáll, fennmarad, megmarad; ~ *sy out* túlél vkt; *he won't* ~ *long* már nem sokáig él **2.** ~ (*out*) kitart, elég, eltart

last[3] [lɑ:st; *US* -æ-] *n* kaptafa; *stick to one's* ~ marad a kaptafánál

last-ditcher ['dɪtʃə*] *n* körömszakadtáig ellenálló

lasting ['lɑ:stɪŋ; *US* -æ-] *a* tartós, maradandó

lat. *latitude*

latch [lætʃ] **I.** *n* kilincs; zár(nyelv); tolózár, retesz; *be on the* ~ kilincsre van csukva, nincs bezárva [kívülről kulccsal nyitható] **II. A.** *vt* kilincsre (be)csuk/zár, elreteszel [ajtót] **B.** *vi* ~ *on to sg* (1) csatlakozik vmhez, bekapcsolódik vmbe (2) tudatára ébred vmnek

latchkey *n* kapukulcs; lakáskulcs

late [leɪt] **I.** *a* (*comp* **later** 'leɪtə*, **latter** 'lætə*, *sup* **latest** 'leɪtɪst, **last** lɑ:st, *US* -æ-) **1.** késő; *it is* ~ késő van; *it is getting* ~ későre jár; *be* ~ (el)késik; *be* ~ *for sg* lekésik vmt/vmről **2.** kései, késői; *in the* ~ *eighties* a nyolcvanas évek vége felé **3.** egykori, volt; néhai **4.** legutóbbi, (leg)újabb; *of* ~ (*years*) újabban, az utóbbi időben/években **II.** *adv* (*comp* **later** 'leɪtə*, *sup* **last** lɑ:st, *US* -æ-) **1.** későn; elkésve; ~ *in the day* elég/túl későn (a nap folyamán); ~ *in life* előrehaladott korban; ~ *of London* utoljára/azelőtt londoni lakos **2.** későig; *sit/stay up* ~ sokáig/későig fennmarad **3.** nemrég, legutóbb

late-comer *n* későn jövő

lately ['leɪtlɪ] *adv* az utóbbi időben, nemrég, mostanában, újabban

latency ['leɪt(ə)nsɪ] *n* ~ (*period*) lappangás(i idő)

lateness ['leɪtnɪs] *n* elkésettség

latent ['leɪt(ə)nt] *a* lappangó, rejtett, látens, szunnyadó

later ['leɪtə*] **I.** *a* későbbi **II.** *adv* később, utóbb; ~ *on* később, a későbbiek folyamán; *see you* ~! viszontlátásra!; *no* ~ *than yesterday* csak tegnap ‖ →*late*

lateral ['læt(ə)rəl] *a* oldalsó, oldal-

laterally ['læt(ə)rəlɪ] *adv* oldalról, oldalt

latest ['leɪtɪst] **I.** *a* legutolsó, legutóbbi; *at* (*the*) ~ legkésőbb; *the* ~ *news* a legfrisseb hírek; *the* ~ *thing* a legutolsó/legfrissebb divat/szenzáció; *have you heard his* ~? hallottad, hogy újabban meg mit művelt/mondott? **II.** *adv* legutoljára, legutóbb ‖ →*late*

latex ['leɪteks] *n* gumitej, latex

lath [lɑ:θ; *US* -æ-] **I.** *n* léc **II.** *vt* lécel, (meg)lécez

lathe [leɪð] *n* eszterga(pad)

lather ['lɑ:ðə*; *US* -æ-] **I.** *n* szappanhab **II. A.** *vt* **1.** beszappanoz **2.** *biz* megruház, elpáhol **B.** *vi* habzik, habos lesz

lathe-turned *a* esztergályozott

lath-nail *n* drótszeg

Latin ['lætɪn; *US* 'lætn] **I.** *a* latin; ~ *America* Latin-Amerika **II.** *n* **1.** latin (nyelv); *Low* ~ késői/vulgáris latin (nyelv); *Late* ~ ezüstkori latinság **2.** latin nyelvtudás; *he has no* ~ nem tud latinul

latish ['leɪtɪʃ] *a* kissé késő(i)

latitude ['lætɪtju:d; *US* -tu:d] *n* **1.** (földrajzi) szélesség; szélességi fok **2.** terjedelem, kiterjedés (*átv is*), mozgási tér

latitudinal [lætɪ'tju:dɪnl; *US* -'tu:-] *a* (földrajzi) szélességi

latitudinarian [lætɪtju:dɪ'neərɪən; *US* -tu:-] *a* liberális (vallási elveket valló)

latrine [lə'tri:n] *n* latrina, illemhely

latter ['lætə*] a 1. későbbi 2. [kettő közül] az utóbbi; második
latter-day a mai, korunkbeli, új, modern; L~ Saint mormon
lattice ['lætɪs] I. n rács, rostély; ~ frame rácskeret; ~ window rácsos ablak II. vt rácsoz, rostélyoz
lattice-work n rácsozat, rácsmű
Latvia [*lætvɪə] prop Lettország
Latvian ['lætvɪən] a/n lett (ember, nyelv)
laud [lɔ:d] vt dicsér, magasztal
laudable ['lɔ:dəbl] a dicséretre méltó
laudanum ['lɔdnəm; US 'lɔ:-] n ópiumoldat
laudatory ['lɔ:dət(ə)rɪ; US -ɔ:rɪ] a dicsőítő
laugh [lɑ:f; US -æ-] I. n nevetés, kacagás; raise a ~ megnevettet; derültséget kelt; have/get the ~ of/on sy nevetségessé tesz vkt; have the ~ on one's side győz, felülkerekedik II. A. vi 1. nevet, kacag; ~ to oneself kuncog, befelé/magában nevet; ~ up one's sleeve markába nevet; ~ on the other/ wrong side of his mouth csalódott/ keserű képet vág, kényszeredetten nevet; he ~s best who ~s last az nevet legjobban, aki utoljára nevet 2. csillog, ragyog [víztükör] B. vt nevetve mond/tesz
laugh at vi 1. nevet (vmn) 2. kinevet (vkt); get ~ed at kinevetik
laugh away vt nevetéssel elintéz/elűz
laugh down vt nevetségessé tesz
laugh off vt tréfának vesz
laugh out vt ~ o. of sg nevetéssel lebeszél vmről, tréfálkozással jókedvre hangol
laughable ['lɑ:fəbl; US -æ-] a nevetséges
laughing ['lɑ:fɪŋ; US -æ-] I. a 1. nevető, kacagó; ~ jackass óriás kacagó, nevető jégmadár 2. nevetős II. n nevetés; it's no ~ matter ez nem nevetnivaló/tréfadolog
laughing-gas n kéjgáz
laughing-stock n nevetség tárgya
laughter ['lɑ:ftə*; US -æ-] n nevetés, kacagás; hahota; burst into ~ harsogó nevetésbe tör ki

Launcelot ['lɑ:nslət] prop
launch¹ [lɔ:ntʃ] n (kisebb) motoros hajó
launch² [lɔ:ntʃ] I. n vízre bocsátás II. A. vt 1. dob, hajít 2. vízre bocsát [hajót]; kilő, indít, felbocsát [rakétát, űrhajót] 3. elindít, kezdeményez [vállalkozást stb.] B. vi 1. tengerre száll, vízre ereszkedik 2. ~ out on an enterprise vállalkozásba kezd
launching ['lɔ:ntʃɪŋ] n 1. vízre bocsátás 2. indítás, kilövés [rakétáé, űrhajóé]
launching-pad/site n kilövőpálya, -hely, indítóállás
launder ['lɔ:ndə*] A. vt (ki)mos és vasal [fehérneműt] B. vi it ~s well jól mosható
launderette [lɔ:ndə'ret] n (önkiszolgáló) mosószalon, gyorstisztító szalon
laundress ['lɔ:ndrɪs] n mosónő
laundromat ['lɔ:ndrəmæt] n US = launderette
laundry ['lɔ:ndrɪ] n 1. mosoda 2. szennyes 3. kimosott fehérnemű
Laura ['lɔ:rə] prop Laura
laureate ['lɔ:rɪət] a (babér)koszorús; GB poet ~ koszorús/udvari költő
laurel ['lɔr(ə)l; US -ɔ:-] n babér; win/ reap ~s dicsőséget szerez; look to one's ~s félti a babérait
Laurence ['lɔr(ə)ns; US -ɔ:-] prop Lőrinc
lava ['lɑ:və] n láva
lavage ['læ'vɑ:ʒ; US 'lævɪdʒ] n mosás, öblítés [szervé]
lavatory ['lævət(ə)rɪ; US -ɔ:rɪ] n mosdó, vécé
lave [leɪv] vt mos(ogat), fürdet; áztat
lavender ['lævəndə*] n levendula
lavish ['lævɪʃ] I. a 1. pazarló, bőkezű; be ~ in/of sg bőkezűen ad vmt 2. pazar; bőséges II. vt pazarol, tékozol, túlzóan ad (on vmre), elhalmoz (sg on sy vmvel vkt)
law [lɔ:] n 1. törvény; jogszabály; lay down the ~ véleményt diktatórikusan kimond; be above the ~ felette áll a törvénynek 2. jog; ~ agent ügyvéd [perben]; ~ costs/expenses perköltségek; ~ student joghallgató; read ~ jogot tanul; go to ~ jogorvoslatot keres, a bírósághoz fordul; be at ~ perben

áll (vkvel); *have the ~ on sy* beþöröl vkt; *take the ~ into one's own hands* önhatalmúan cselekszik **3.** *~s of a game* játékszabályok
law-abiding *a* törvénytisztelő
law-breaker *n* törvényszegő
law-court *n* bíróság, törvényszék
lawful ['lɔ:fʊl] *a* törvényes, törvényszerű; jogos, jogszerű
law-giver *n* törvényhozó
lawless ['lɔ:lɪs] *a* **1.** törvényellenes, jogtalan **2.** féktelen, vad, a törvénnyel szembehelyezkedő **3.** törvény nélküli
law-lord *n GB* felsőház jogtanácsosa és tagja
law-maker *n* törvényhozó
lawn¹ [lɔ:n] *n* [nyírott] gyep, pázsit; *~ tennis* tenisz [gyeppályán]
lawn² [lɔ:n] *n* (len)batiszt, patyolat
lawn-mower *n* fűnyíró gép
Lawrence ['lɔr(ə)ns; *US* -ɔ:-] *prop* Lőrinc
lawsuit *n* per; kereset; *bring a ~ against sy* pert indít vk ellen
lawyer ['lɔ:jə*] *n* jogász, ügyvéd
lax [læks] *a* **1.** laza, ernyedt, petyhüdt **2.** *átv* laza, fegyelmezetlen, hanyag **3.** feslett, laza erkölcsű
laxative ['læksətɪv] *n* hashajtó
laxity ['læksətɪ] *n* **1.** lazaság, ernyedtség, petyhüdtség **2.** *átv* lazaság, fegyelmezetlenség, hanyagság **3.** feslettség
lay¹ [leɪ] *n* dal, ballada
lay² [leɪ] *a* laikus, nem hivatásos
lay³ [leɪ] **I.** *n* **1.** fekvés; helyzet **2.** *vulg* partner [közösüléshez] **II.** *v* (*pt/pp* laid leɪd) **A.** *vt* **1.** (le)fektet, helyez, (fel)tesz; (fel)terít; *~ the fire* tüzet rak; *~ the cloth/table* terít, megterít(i az asztalt); *~ flat/low* tönkretesz, lealacsonyít; *~ open* (1) leleplez (2) lemeztelenít; *~ oneself open to* kiteszi magát vmnek; *~ waste* elpusztít; letarol; *~ siege to* megostromol **2.** csillapít, nyugtat, elcsendesít; *~ a ghost/spirit* kísértetet elűz **3.** tervez, kitervel, elrendez **4.** kivet, kiró, kiszab **5.** előad, előterjeszt [javaslatot] **6.** tojik [tojást] **7.** [fogadást] tesz; *I'll ~ you £10* 10 fontba fogadok veled ...

8. *vulg* lefekszik [nővel] **B.** *vi* **1.** fogad [pénzben] **2.** tojik [tyúk] **3.** fekszik
lay about *vi* vagdalkozik, üt-vág
lay aside *vt* **1.** félretesz, megtakarít [pénzt] **2.** abbahagy, felhagy (vmvel); letesz [könyvet]
lay by *vt = lay aside*
lay down *vt* **1.** letesz; lefektet; *~ oneself d.* lefekszik; *~ d. a ship* hajót kezd építeni **2.** lemond vmről, felhagy vmvel; *~ d. one's life* életét feláldozza **3.** lefektet; leszögez; megállapít
lay in *vt* beszerez, felhalmoz [készletet]
lay off A. *vt* **1.** elkormányoz vhonnan [hajót] **2.** elbocsát, elküld [munkást] **B.** *vi* leáll, nem dolgozik; abbahagyja a munkát
lay on *vt/vi* **1.** bevezet [gázt stb. lakásba]; *with water laid on* folyóvízzel **2.** felrak, felhord [festéket]; *biz ~ it on thick* (v. *with a trowel*) (1) nyal vknek (2) erősen túloz; *biz ~ it on* nem éppen kesztyűs kézzel bánik vkvel **3.** kivet, kiró [adót]
lay out *vt* **1.** elrendez; megtervez; kijelöl **2.** kiterít, felravataloz [halottat] **3.** kiad, befektet [pénzt] **4.** *biz* leterít, kiüt; harcképtelenné tesz **5.** □ kinyír **6.** *~ oneself out to ...* törekszik vmre, felkészül vmre
lay to *vi* szél irányába(n) áll [hajó]
lay up *vt* **1.** felhalmoz, beszerez, félretesz **2.** ágyhoz köt; *be laid up (with)* nyomja az ágyat (vmvel)
lay⁴ [leɪ] →*lie²* II.
layabout *n* naplopó, csavargó
lay-by *n GB* kitérő, pihenő(hely), parkoló(hely) [autópálya mellett]; leállósáv
lay-days *n pl* (hajóki)rakodási idő
layer ['leɪə*] *n* **1.** réteg; *~ cake* (réteges) torta **2.** csőfektető/sínfektető munkás **3.** tojó **4.** bujtás, bujtvány **5.** fogadó
layette [leɪ'et] *n* babakelengye
lay-figure *n* **1.** próbababa **2.** báb, jelentéktelen figura
laying ['leɪɪŋ] *n* **1.** (le)fektetés, lerakás **2.** tojásrakás
layman ['leɪmən] *n* (*pl* -**men** -mən) laikus, nem szakember; nem egyházi ember

lay-off *n* **1.** létszámcsökkentés, elbocsátás **2.** uborkaszezon
layout *n* **1.** elrendezés, (tér)beosztás; terv(ezet), tervrajz, alaprajz; kitűzés **2.** szedéstükör; beosztás **3.** szerkezet; felszerelés
laze [leɪz] *vi* **1.** lustálkodik, henyél, tétlenkedik **2.** cselleng, lófrál
laziness ['leɪzɪnɪs] *n* lustaság
lazy ['leɪzɪ] *a* lusta, henyélő, tunya
lazy-bones *n pl* lusta ember
lazy-tongs *n pl* távfogó, távcsipesz
lb., lbs *pound(s)* font [súlyegység]
l.c., L/C *letter of credit* hitellevél
L.C.J. [elsi:'dʒeɪ] *Lord Chief Justice* →*justice*
LCM [elsi:'em] *least common multiple* →*multiple*
Ld. *Lord*
L-driver *n* tanuló vezető
L.E., LE [el'i:] *Labo(u)r Exchange*
lea [li:] *n* legelő, rét
leach [li:tʃ] **A.** *vt* **1.** kilúgoz; ~ *out/away* lúgozással kivon **2.** átáztat; átszűr; átmos, öblít **B.** *vi* **1.** átszűrődik **2.** átázik **3.** kilúgozódik
Leacock ['li:kɔk] *prop*
lead¹ [led] **I.** *n* **1.** ólom; ~ *poisoning* ólommérgezés; ~ *shot* sörét; *GB* □ *swing the* ~ „lóg" **2.** mélységmérő ón, mérőón **3.** grafit, ceruzabél; ~ *pencil* grafitceruza **4.** ólomzár, plomba **5.** *GB* ólomcsík [üvegezésnél] **6.** sorköz [szedésben] **II.** *vt* **1.** ólmoz, ólommal fed/tölt/zár **2.** ritkít(va szed), sorközt tágít
lead² [li:d] **I.** *n* **1.** vezetés; *take (over) the* ~ (1) átveszi a vezetést (2) kezdeményez; *follow sy's* ~ követ vkt; követi vk útmutatását **2.** elsőség, főszerep, vezető szerep **3.** mesterséges folyómeder, tápcsatorna **4.** (kábel-) vezeték **5.** hívás (joga) [kártyában] **6.** póráz **II.** *v* (*pt/pp* led led) **A.** *vt* **1.** vezet; irányít; ~ *captive* foglyul ejt; ~ *the way* előre/elöl megy (és mutatja az utat); ~ *the field* vezeti a mezőnyt [versenyen] **2.** rábír, rávesz; késztet; *I was led to the conclusion that* arra a következtetésre jutottam, hogy... **3.** ~ *a life*... vmlyen éle-

tet él, vmlyen sora van **4.** vezényel [zenekart] **5.** kezd, hív [kártyában] **B.** *vi* **1.** elöl megy/van, uralkodik, vezető szerepe van **2.** vhová visz/ vezet [út]; vezet (*to* vm vmre); *one word led to another* szó szót követett **3.** [kártyában] (elsőnek) hív
lead away *vt* elvezet
lead off **A.** *vt* elvezet **B.** *vi* (meg-) kezd, (meg)nyit vmt
lead on *vt* **1.** előremegy, vezet, utat mutat (vknek) **2.** *biz* ~ *sy on* beleloval/belevisz vkt vmbe
lead up to **A.** *vt* vhová elvezet **B.** *vi* vhová kilyukad
leaded ['ledɪd] *a* ólmozott, ólmos
leaden ['ledn] *a* **1.** ólom(ból való), ólomszínű, ólom- **2.** nyomasztó; nehéz(kes), tompa
leader ['li:də*] *n* **1.** vezető; vezér **2.** karvezető, karmester; hangversenymester **3.** vezércikk **4.** vezérhajtás, vezérág **5.** befűzővég [filmé] **6.** ostorhegyes
leadership ['li:dəʃɪp] *n* **1.** vezetés, vezérlet **2.** vezetői képesség [emberé]
leading ['li:dɪŋ] *a* vezető; vezérlő; fő-; *GB* ~ *case* döntvény, elvi jelentőségű (bírói) határozat; ~ *lady* női főszereplő, primadonna; *biz* ~ *light* kiválóság [személy]; ~ *man* (1) fő ember, kiválóság (2) főszereplő; ~ *part* vezérszerep, főszerep; ~ *question* rávezető/ irányító kérdés
leading-strings *n pl* póráz, járószalag (*átv is*)
lead-off ['li:d-] *n* kezdés, kezdet
lead-ore ['led-] *n* ólomérc
leaf [li:f] **I.** *n* (*pl* leaves li:vz) **1.** levél [növényen]; *in* ~ lombos, kilombosodott; *come into* ~ kilombosodik, kizöldül **2.** lap [könyvé]; *turn over a new* ~ új életet kezd, megjavul; *take a* ~ *out of sy's book* követi vknek a példáját **3.** szárny [ablaké, ajtóé]; (lehajtható) asztallap, asztaltoldat **4.** fémfüst, fólia **II.** *vi* **1.** (ki)lombosodik, kilevelesedik **2.** lapoz [könyvben]; ~ *through a book* átlapoz könyvet
leaf-bud *n* levélrügy
leafless ['li:flɪs] *a* kopár, lombtalan

leaflet ['li:flɪt] *n* **1.** falevelecske, levélke **2.** röplap, röpirat; reklámcédula
leaf-mould *n* növényi trágya, komposzt
leaf-stalk *n* levélnyél, -szár
leafy ['li:fɪ] *a* leveles, lombos
league¹ [li:g] I. *n* szövetség, liga; *the L~ of Nations* a Népszövetség (1919— 1946) II. *vi* szövetkezik, szövetséget köt
league² [li:g] *n* ⟨angol hosszmérték: kb. 3 mérföld, 4,8 km⟩
Leah [lɪə] *prop* Lea
leak [li:k] I. *n* **1.** lék, hasadék, hézag; *spring a~* léket kap [hajó]; *stop a~* léket betöm **2.** (el)szivárgás, kiszivárgás (*átv is*); kicsepegés; [elektromos] vezetékhiba **3.** *biz do/take a ~* pisil II. A. *vi* **1.** szivárog, (ki)folyik, átereszt; *~ out* kiszivárog [hír] **2.** léket kap B. *vt átv* kiszivárogtat
leakage ['li:kɪdʒ] *n* **1.** (el)szivárgás, kiszivárgás (*átv is*), kifolyás, kicsurgás **2.** lyuk, tömítetlenség, áteresztés **3.** súlyveszteség
leaky ['li:kɪ] *a* lyukas, léket kapott, áteresztő, folyató
lean¹ [li:n] I. *a* **1.** sovány, ösztövér, vézna, szikár **2.** száraz, aszott, terméketlen; *~ year* szűkös/sovány esztendő **3.** üres, tartalmatlan, unalmas II. *n* a hús soványa
lean² [li:n] I. *n* (el)hajlás; lejtő; esés II. *v* (*pt/pp* ~t lent v. ~ed lent v. li:nd) A. *vi* **1.** hajol, hajlik; nekidől, támaszkodik (*átv is*) **2.** hajlama van; alkalmazkodik, hajlik (*to* vmre) **3.** ferdén/ rézsútosan áll B. *vt* (neki)támaszt
lean against A. *vt* nekitámaszt (vmt vmnek) B. *vi* támaszkodik (vmre), nekidől (vmnek)
lean forward *vi* előrehajol, -dől
lean (up)on *vi* támaszkodik (vmre, *átv* vkre), (vkre) bízza magát
lean out (of) *vi* kihajol [ablakon]
lean over *vi* áthajlik, áthajol (vmn); *biz ~ o. backwards* kezét-lábát töri, hogy . . .
leaning ['li:nɪŋ] I. *a* **1.** hajló, ferde **2.** támaszkodó II. *n* hajlam, vonzalom
leanness ['li:nnɪs] *n* soványság
leant →*lean*² *II.*

lean-to *n* **1.** fészer, szín, toldaléképület **2.** fél(nyereg)tető
leap [li:p] I. *n* ugrás; *átv a great ~ forward* nagy előrelépés/haladás; *by ~s and bounds* rohamosan, ugrásszerűen; *take a ~* ugrik (egyet); *a ~ in the dark* sötétbe ugrás; *his heart gave a ~* megdobbant a szíve II. *v* (*pt/pp* ~t lept és ~ed lept) A. *vi* ugrik, szökell; *~ at sg* kap vmn [ajánlaton stb.]; *~ for joy* majd kiugrik a bőréből örömében B. *vt* ugrat; átugrik (vmt)
leap-frog *n* bakugrás
leapt →*leap II.*
leap-year *n* szökőév
Lear [lɪə*] *prop*
learn [lə:n] *vt* (*pt/pp* ~t lə:nt és ~ed lə:nt) **1.** (meg)tanul **2.** értesül (vmről), megtud
learned ['lə:nɪd] *a* tanult, művelt, alaposan jártas (vmben), tudós; tudományos; *~ journal* tudományos (szak-) folyóirat; *~ profession* tudós pálya; *my ~ friend* kb. (igen) tisztelt kollégám [bírósági tárgyaláson]
learner ['lə:nə*] *n* **1.** tanuló **2.** ~ (*-driver*) tanuló vezető
learning ['lə:nɪŋ] *n* **1.** tudás; tudomány; *man of great ~* nagy tudású ember; *seat of ~, institution of higher ~* tudományos intézmény/központ **2.** tanulás
lease [li:s] I. *n* **1.** (haszon)bérlet; *take by/on ~* bérbe vesz; *take a new ~ of (US: on) life* megifjul, újjászületik **2.** (haszonbérleti) szerződés **3.** (haszon)bérlet időtartama II. *vt* **1.** ~ *out* bérbe ad **2.** bérbe vesz, kibérel
leasehold ['li:shoʊld] *n* (haszon)bérlet
leaseholder ['li:shoʊldə*] *n* (haszon)bérlő
leash [li:ʃ] I. *n* **1.** póráz **2.** *a ~ of* . . . három [kutya stb.] II. *vt* pórázon vezet, pórázra köt
least [li:st] *a* a legkisebb, legkevesebb, legcsekélyebb, legjelentéktelenebb; *at ~ legalább; ~ of all* legkevésbé (mindenek közül); *not in the ~* egyáltalán nem; *the ~ said the better* jobb erről nem beszélni; *~ said soonest mended* ne szólj szám, nem fáj fejem; beszélni ezüst, hallgatni arany; *to say the*

~ *of it* nem akarok túlozni; enyhén szólva; *that's the* ~ *of my cares* legkisebb gondom is nagyobb annál **leastways** ['li:stweɪz] *adv biz* legalábbis, mindenesetre **leastwise** ['li:stwaɪz] *adv* = *leastways* **leather** ['leðə*] **I.** *n* [kikészített] bőr; *American* ~ viaszosvászon; *upper* ~ cipőfelsőrész; ~ *goods* bőrdíszműáru; *biz nothing like* ~ (1) a mi holmink a legjobb! (2) maga hazabeszél! **II.** *vt* **1.** bőröz **2.** (szíjjal, korbáccsal) elver, megkorbácsol **leatherette** [leðə'ret] *n* bőrutánzat, műbőr **leatherneck** *n US* □ tengerész **leather-work** *n* **1.** bőripar **2.** bőrkárpitozás **leathery** ['leðərɪ] *a* **1.** bőrszerű **2.** rágós **leave** [li:v] **I.** *n* engedély; eltávozás(i engedély), szabadság; búcsú; *by your* ~ (szíves) engedelmével; *take* ~ *of sy* elbúcsúzik vktől; *beg* ~ *to do sg* engedélyt kér vmre; *thirty days'* ~ egyhavi szabadság; *be on* ~ szabadságon van; ~ *of absence* szabadság; eltávozás **II.** *v* (*pt/pp* **left** left) **A.** *vt* **1.** (el)hagy; hátrahagy, visszahagy; otthagy; ~ *hold of sg* elereszt vmt; *biz* ~ *go* elereszt; ~ *sy to himself* magára hagy vkt; *let us* ~ *it at that* hagyjuk ennyiben a dolgot **2.** *be left* (meg)marad; *only two are left* már csak kettő van/maradt; *it was left unfinished* befejezetlen maradt; *nothing was left to me but* nem tehettem mást, mint **3.** rábíz, átad; ráhagy, örökül hagy; *I* ~ *it to you* rád bízom **4.** hagy, enged [tenni vmt] **5.** elmegy, elutazik (vhonnan); ~ *the table* felkel az asztaltól; ~ *one's bed* felkel; ~ *London* elutazik L.-ból **B.** *vi* elmegy, elutazik; (el)indul

leave about *vt* elszórva/rendezetlenül hagy
leave behind *vt* elhagy, hátrahagy, otthagy, ottfelejt
leave for *vi* elutazik/elmegy vhová
leave off A. *vt* abbahagy; felhagy [szokással]; letesz, nem hord többet [ruhát] **B.** *vi* abbamarad, megszűnik; eláll [eső]

leave out *vt* kihagy, kifelejt
leave over *vt* elhalaszt, későbbre halaszt
leaved [li:vd] *a* -levelű, leveles
leaven ['levn] **I.** *n* élesztő, kovász (*átv is*) **II.** *vt* **1.** (meg)keleszt, erjeszt **2.** *biz* átformál; befolyásol
leaves →*leaf*
leave-taking *n* elbúcsúzás, búcsú
leaving ['li:vɪŋ] **I.** *a* távozó **II.** *n* **1.** távozás; ~ *certificate* középiskolai végbizonyítvány, kb. érettségi bizonyítvány **2. leavings** *pl* maradék(ok), maradvány, meghagyott dolgok
leaving-off time üzemzárási idő
Lebanese [lebə'ni:z] *a* libanoni
Lebanon ['lebənən] *prop* Libanon
lecher ['letʃə*] *n* buja ember, kéjenc
lecherous ['letʃ(ə)rəs] *a* buja, kéjvágyó
lechery ['letʃərɪ] *n* bujálkodás, kéjelgés
lectern ['lektə:n] *n* pulpitus, olvasópolc
lecture ['lektʃə*] **I.** *n* **1.** előadás (*on* vmről), felolvasás **2.** feddés, intés; *read sy a* ~ vkt megpirongat, megleckéztet **II. A.** *vi* előad (*on* vmről), előadás(oka)t tart **B.** *vt* **1.** tanít, oktat **2.** *biz* (meg)int, (meg)leckéztet
lecture-hall *n* előadóterem
lecturer ['lektʃ(ə)rə*] *n* **1.** előadó **2.** kb. adjunktus; *senior* ~ kb. (tanszékvezető) docens; *assistant* ~ kb. tanársegéd
lectureship ['lektʃəʃɪp] *n* (egyetemi) előadói állás, docentúra
led [led] *a* ~ *horse* vezetékló ‖ →*lead²* *II.*
ledge [ledʒ] *n* **1.** párkány; lépcsőzet; polc **2.** él, szél, szegély **3.** szirt
ledger ['ledʒə*] *n* **1.** főkönyv **2.** keresztgerenda(-kötés) **3.** lapjára fektetett kőtábla, sírkő(lap) **4.** álló/állandó dolog
lee [li:] *n* széltől mentes hely, szélárnyék; ~ *shore* szél alatti irányban fekvő part; ~ *side* szél alatti (v. szélmentes) oldal; ~ *tide* szélirányba folyó árapály
leech [li:tʃ] *n* (*átv is*) pióca; *stick like a* ~ olyan mint a pióca, nem lehet lerázni
Leeds [li:dz] *prop*
leek [li:k] *n* póréhagyma; *biz eat the* ~ lenyeli a sértéseket/békát

leer [lɪə*] I. *n* 1. kacsintás 2. ravasz/
vágyódó/rosszindulatú rábámulás, fixí-
rozás II. *vi* ~ *at sy* (1) kacsint
vkre (2) rábámul vkre, fixíroz vkt
lees [liːz] *n pl* üledék, vmnek az alja,
zacc, seprő; *drink to the* ~ fenékig
üríti a poharat
leeward ['liːwəd; hajósok nyelvén: 'luː-
əd] I. *a* szél alatti, szélárnyékos
II. *adv* széltől védett helyre/oldalra
III. *n* széltől védett (v. szél alatti)
oldal/hely
leeway *n* 1. eltérés szélirányba 2. késés,
elmaradás; *make up* ~ a hátrányt
behozza, bepótol mulasztást
left¹ [left] I. *a* bal, bal oldali, bal kézre
eső; ~ *hand* bal kéz →*left-hand;*
L~ *Wing* balszárny [politikai ért.]
II. *adv* balra, bal felé III. *n* 1. bal
kéz/oldal 2. baloldal, ellenzék
left² [left] →*leave II.*
left-hand *a* 1. bal oldali, bal kéz felőli;
balkezes; ~ *side* bal oldal 2. balme-
netes [csavar stb.]
left-handed *a* balkezes (*átv is*), ügyet-
len, suta; ~ *compliment* kétes értékű
bók
left-hander [-'hændə*] *n* balkezes em-
ber/ütés
leftist ['leftɪst] *a/n* baloldali (érzelmű),
baloldali (politikai párthoz tartozó);
balos; ~ *deviation* baloldali elhajlás
left-luggage *a* ~ *locker* poggyászmegőrző
automata/rekesz; ~ *office* (pályaud-
vari) ruhatár, poggyászmegőrző
left-off *a* ~ *clothing* levetett (ócska)
ruhák
left-over *n* maradék, maradvány
leftward ['leftwəd] *a/adv* bal felé, balra
(tartó)
left-wing *a* baloldali, haladó, progresz-
szív
leg [leg] I. *n* 1. láb(szár); comb; *be
carried off one's* ~*s* leveszik a lábáról;
~ *of mutton* ürücomb →*leg-of-mut-
ton; feel/find one's* ~*s* megáll a lábán,
magára talál, talpra áll; *take to one's*
~*s* elinal; *on one's last* ~*s* a végét
járja; *alig áll a lábán; give sy a* ~ *up*
vknek a hóna alá nyúl, kisegít vkt
[nehézségből]; *pull sy's* ~ ugrat/húz/

heccel vkt; *biz shake a* ~ táncol,
„ráz"; *biz get a* ~ *in* behízelgi magát
2. szár [nadrágé, harisnyáé] 3. (út-)
szakasz 4. □ csaló, hazardőr II.
vt -gg- ~ *it* gyalogol, kutyagol
legacy ['legəsɪ] *n* örökség, hagyaték,
ingó hagyomány; *come into a* ~
örököl
legal ['liːgl] *a* 1. törvényes, jogos, jog-
szerű 2. jogi; ~ *adviser* jogtanácsos,
jogi tanácsadó; ~ *aid* (ingyenes)
jogsegély; ~ *entity* jogi személy;
~ *fiction* jogi feltevés/fikció; ~ *force*
joghatály, jogerő
legalism ['liːgəlɪzm] *n* ragaszkodás a
törvény betűjéhez
legalistic [liːgə'lɪstɪk] *a* jogászias
legality [liː'gælətɪ] *n* törvényesség, jog-
szerűség
legalize ['liːgəlaɪz] *vt* 1. hitelesít; ok-
iratilag igazol/bizonyít 2. törvényesít
legally ['liːgəlɪ] *adv* törvényesen, jogo-
san, legálisan
legate ['legɪt] *n* pápai nuncius
legatee [legə'tiː] *n* végrendeleti örökös,
hagyományos
legation [lɪ'geɪʃn] *n* követség
legator [lɪ'geɪtə*] *n* örökhagyó
legend ['ledʒ(ə)nd] *n* 1. legenda, monda,
rege 2. felirat [érmén, címeren, em-
lékműn], (kép)szöveg; jelmagyará-
zat [térképen]
legendary ['ledʒ(ə)nd(ə)rɪ; *US* -erɪ]
I. *a* mesebeli, monda(bel)i, legendás
II. *n* legendagyűjtemény
legerdemain [ledʒədə'meɪn] *n* bűvész-
kedés; bűvészmutatvány; szemfény-
vesztés (*átv is*)
-legged [-legd] lábú; →*leg II.*
leggings ['legɪŋz] *n pl* lábszárvédő
leggy ['legɪ] *a* hosszú lábú
Leghorn I. *prop* [leg'hɔːn] Livorno
II. *n* l~ 1. ['leghɔːn] szalmakalap
2. [le'gɔːn; *US* 'leghɔːn] leghorn
[baromfifajta]
legibility [ledʒɪ'bɪlətɪ] *n* olvashatóság
legible ['ledʒəbl] *a* olvasható, kibetűz-
hető, világos, tiszta
legion ['liːdʒ(ə)n] *n* 1. légió, csapat,
hadtest; *Foreign L*~ idegenlégió;
L~ *of Honour* a Becsületrend 2.

sokaság, tömérdek ember; *their number is* ~ rengetegen vannak
legionary ['li:dʒənərı; *US* -erı] **I.** *a* légió-; légiós **II.** *n* légió tagja, legionárius
legislate ['ledʒısleıt] *vi* törvényt hoz/ alkot
legislation [ledʒıs'leıʃn] *n* törvényhozás
legislative ['ledʒıslətıv; *US* -leı-] *a* törvényhozó(i)
legislator ['ledʒısleıtə*] *n* törvényhozó
legislature ['ledʒısleıtʃə*] *n* törvényhozás; törvényhozó testület
legitimacy [lı'dʒıtıməsı] *n* törvényesség; jogosultság, legitimitás; legalitás
legitimate I. *a* [lı'dʒıtımət] törvényes, szabályszerű, legitim, jogos **II.** *vt* [lı'dʒıtımeıt] törvényesít, legalizál, igazol
legitimation [lıdʒıtı'meıʃn] *n* törvényesítés, legalizálás, igazolás, hitelesítés
legitimatize [lı'dʒıtımətaız] *vt* törvényesít
legless ['leglıs] *a* lábatlan
leg-of-mutton *a* ~ *sail* háromszögvitorla; ~ *sleeve* sonkaujj [ruhán]
leg-pull(ing) *n biz* ugratás
leguminous [le'gju:mınəs] *a* hüvelyes [növény]
lei ['leıi:] *n* hawaii virágfüzér
Leicester ['lestə*] *prop*
Leicestershire, Leics. ['lestəʃə*] *prop*
Leigh [li:] *prop*
leisure ['leʒə*; *US* 'li:-] **I.** *a* szabad, pihenő, ráérő; ~ *hours* üres órák/ idő; pihenőórák, -idő; ~ *time* szabadv. ráérő idő **II.** *n* szabadidő, ráérő idő; *be at* ~ szabad ideje van, ráér; *at one's* ~ vknek a kedve szerint, ha ideje/kedve van; *people of* ~ magánzók, munka nélkül vagyonukból élők
leisured ['leʒəd; *US* 'li:-] *a* kényelmes, henyélő, tétlen, munka nélkül jól élő; *the* ~ *classes* a vagyonos osztályok
leisurely ['leʒəlı; *US* 'li:-] **I.** *a* ráérő, kényelmes, lassú, komótos, nyugodt, megfontolt **II.** *adv* kényelmesen, nyugodtan, lassan, megfontoltan
Leman ['lemən] *prop Lake* ~ Genfi-tó
lemon ['lemən] *n* **1.** citrom; □ *hand sy*

a ~ becsap vkt [üzletkötésnél] **2.** *GB* □ csúnya és csacsi lány
lemonade [lemə'neıd] *n* limonádé
lemon-drop *n* (citromízű) savanyú cukor
lemon-juice *n* citromlé
lemon-sole *n* lepényhal
lemon-squash *n GB* limonádé [szódavízzel]
lemon-squeezer *n* citromnyomó
Lemuel ['lemjʊəl] *prop* ⟨angol férfinév⟩
lemur ['li:mə*] *n* maki(majom)
lend [lend] *vt* (*pt/pp* lent lent) **1.** kölcsönöz, kölcsönad **2.** *átv* ad, nyújt, kölcsönöz; ~ *a hand* segít; ~ *an ear* meghallgat (*to sy* vkt); ~ *itself for sg* alkalmas vmre; ~ *oneself to sg* belemegy vmbe
lender ['lendə*] *n* kölcsönadó, kölcsönző
lending ['lendıŋ] *n* kölcsönadás, kölcsönzés; ~(-)*library* kölcsönkönyvtár
lend-lease *n* kölcsönbérlet
length [leŋθ] *n* **1.** hosszúság, vmnek hossza; *full* ~ életnagyságú, teljes hosszúságú; *at full* ~ (1) egész hosszában/terjedelmében (2) hosszadalmasan; *5 feet in* ~ 5 láb hosszú; *go to any* ~(*s*) mindent elkövet, nem kímél fáradságot, semmitől sem riad vissza **2.** (idő)tartam; *at* ~ (1) végre, végül is (2) alaposan, hossza(sa)n, részletesen, hosszadalmasan; *for some* ~ elég sokáig/hosszasan
lengthen ['leŋθ(ə)n] **A.** *vt* (meg)hosszabbít, (ki)nyújt; elnyújt **B.** *vi* hosszabbodik, nyúlik, kiterjed
lengthways ['leŋθweız] **I.** *a* hosszirányú **II.** *adv* hosszában, hosszant
lengthwise ['leŋθwaız] *adv* = *lengthways*
lengthy ['leŋθı] *a* **1.** hosszadalmas, terjengős, szószátyár **2.** (eléggé) hosszú, hosszúkás
leniency ['li:njənsı] *n* elnézés, enyheség, szelídség
lenient ['li:njənt] *a* elnéző, enyhe, szelíd, nem szigorú
Leningrad ['lenıŋgræd] *prop* Leningrád
Leninism ['lenınızm] *n* leninizmus
Leninist ['lenınıst] *a/n* lenini, leninista
lenitive ['lenıtıv] **I.** *a* enyhítő, csillapító **II.** *n* fájdalomcsillapító (szer), enyhe nyugtató/hashajtó

lenity ['lenətɪ] n kegyelem; elnézés
Lenore [lə'nɔ:*] prop Eleonóra
lens [lenz] n [optikai] lencse
Lent¹ [lent] n nagyböjt; ~ term harmadik szemeszter [tanévé]
lent² →lend
Lenten ['lentən] a (nagy)böjti
lenticular [len'tɪkjölə*] a lencse alakú
lentil ['lentɪl] n lencse [növényi termés]
Leo ['li:oö] prop Leó
Leonard ['lenəd] prop Lénárd
leonine ['li:ənaɪn] a oroszlánszerű
Leonora [li:ə'nɔ:rə] prop Eleonóra, Leonóra
leopard ['lepəd] n leopárd, párduc; American ~ jaguár
Leopold ['lɪəpoöld] prop Lipót
leotard ['li:ətɑ:d] n balett-trikó
leper ['lepə*] n leprás, bélpoklos
lepidopter [lepɪ'dɔptə*; US -'dɑ-] n (pl ~a lepɪ'dɔptərə v. ~s -z) lepkefélék
leprechaun ['leprəkɔ:n] n manó [ír néphitben], kobold
leprosy ['leprəsɪ] n lepra
leprous ['leprəs] n leprás, bélpoklos
Lesbian ['lezbɪən] I. a leszboszi II. n homoszexuális/,,meleg" nő, leszbia
lesion ['li:ʒn] n 1. sérülés, horzsolás, seb; kóros elváltozás 2. sértés; sérelem
Leslie ['lezlɪ; US -s-] prop kb. László
less [les] I. a 1. kisebb, csekélyebb, kevesebb; grow ~ kisebbedik; ~ than six months hat hónapnál rövidebb ideig 2. alantasabb; no ~ person than the President nem kisebb személy, mint az elnök II. adv kevésbé, kisebb mértékben, nem annyira; even/still ~ (1) még kevesebb (2) még kevésbé; ~ and ~ egyre kevésbé; any the ~ annak ellenére (sem); none the ~ (1) mindazonáltal (2) annak ellenére(, hogy); the ~ annál kevésbé...
III. prep mínusz; levonva; 5 pounds ~ 3 pence 3 penny híján 5 font
IV. n kevesebb; in ~ than an hour nem egészen egy óra alatt
lessee [le'si:] n (haszon)bérlő
lessen ['lesn] A. vi kisebbedik, csökken, fogy B. vt kisebbít, csökkent, redukál, leszállít

lesser ['lesə*] a kisebb(ik), csekélyebb, kevesebb
lesser-known a kevéssé ismert
lesson ['lesn] n 1. lecke, feladat; hear the ~ kikérdezi a leckét, feleltet 2. tanítás, (tanítási) óra; take ~s in English angolórákat vesz 3. tanulság; let that be a ~ to you szolgáljon ez neked tanulságul; read sy a ~ vkt megleckéztet; draw a ~ from sg levonja a tanulságot vmből 4. szentlecke
lessor [le'sɔ:*] n bérbeadó
lest [lest] conj nehogy, hogy ... ne; ~ we forget hogy el ne felejtsük
let¹ [let] I. n bérbeadás, bérlet II. v (pt/pp ~; -tt-) A. vt 1. hagy, enged; ~ fall elejt; ~ go ereszt; ~ sy know sg tudat, tudtul ad, értesít vkt (vmről); please ~ me know legyen szíves értesíteni/tudatni (,hogy ...); ~ oneself go átadja magát egy érzelemnek, nekivadul; ~ pass elszalaszt [alkalmat] 2. bérbe ad, kiad; house to ~ kiadó ház B. vi GB bérbe adják; the rooms ~ well a szobákat könnyű bérbe adni III. v aux ⟨a felszólító mód 1. és 2. személy kifejezésére⟩; ~ us (v. let's) go! menjünk!, induljunk (el)!, gyerünk!; ~ there be light legyen világosság; ~ me see! (1) hadd lássam csak!, mutasd! (2) várjunk csak!; ~ AB be equal to CD tegyük fel, hogy AB egyenlő CD-vel || →alone
let by vt elenged maga mellett
let down vt 1. leenged, leereszt 2. becsap, felültet, átejt; cserbenhagy
let in vt 1. beereszt, beenged; ~ sy in on a secret vkt beavat titokba; ~ oneself in for sg vmre adja magát, vmbe hagyja magát berántani/beugratni 2. becsap, beránt (vkt bajba/ vmbe); be ~ in for sg berántják/beugratják vmbe
let into vt 1. = let in 2. beavat [titokba] 3. betold [ruhába]; [ajtót] vág/illeszt a falba
let off vt 1. elfolyat, kienged [folyadékot] 2. elsüt [lőfegyvert]; kilő, felröpít [rakétát] 3. megbocsát, el-

31*

enged, elereszt; *be* ~ *off with a fine* pénzbírsággal megússza
let on *vt* továbbmond, elárul, bevall
let out A. *vt* **1.** kiereszt, kienged (vkt) **2.** kifecseg [titkot], elárul **3.** elenged, kienged, megszöktet **4.** kienged, (ki)bővít [ruhát] **5.** bérbe ad **B.** *vi* ~ *o.* *at sy* (1) nekiesik vknek (és veri) (2) *átv* nekimegy vknek, kirohan vk ellen
let through *vt* átenged, átereszt
let up *vi US* csökken, enyhül
let² [let] *n* **1.** akadály; *without* ~ *or hindrance* (minden) akadály nélkül, teljesen szabadon **2.** semmis ütés [teniszadogatásban]
let-down *n* **1.** csökkenés, visszaesés **2.** csalódás **3.** (megalázó) cserbenhagyás, átejtés
lethal ['li:θl] *a* halálos; ~ *dose* halálos adag
lethargic(al) [le'θɑ:dʒɪk(l)] *a* letargikus, tespedt, fásult, apatikus
lethargy ['leθədʒɪ] *n* letargia, közöny
Lethe ['li:θi:] *prop* Léthé
Letitia [lɪ'tɪʃɪə] *prop* Letícia
let's [lets] →*let¹ II.*
Lett [let] *n* lett (ember/nyelv)
letter ['letə*] **I.** *n* **1.** betű; *to the* ~ betűhíven, szó szerint **2.** levél; irat; ~ *of advice* feladási értesítés, avizó, értesítő levél; ~ *of credence* megbízólevél; ~ *of credit* hitellevél **3. letters** *pl* irodalom(tudomány); *man of* ~*s* író(ember); irodalmár; tudós **II.** *vt* betűt rajzol
letter-balance *n* levélmérleg
letter-box *n* levélszekrény
letter-card *n* zárt levelezőlap
letter-carrier *n US* postás, (levél)kézbesítő
lettered ['letəd] *a* **1.** művelt, irodalmilag képzett **2.** felirattal ellátott
letter-file *n* levélrendező, irattartó
letterhead *n* cégjelzés, fejléc [levélpapíron]
lettering ['letərɪŋ] *n* **1.** felirat; szöveg **2.** betűtípus **3.** betűvetés
letter-lock *n* kombinációs zár
letter-pad *n* (levélpapír)blokk, írótömb

letter-perfect *a* **1.** betűhű **2.** szerepét/leckéjét szó szerint tudó
letter-press *n* **1.** szöveg(rész), (magyarázó) szöveg [képeké] **2.** ~ *(printing)* magasnyomás
letter-weight *n* levélnehezék
letting ['letɪŋ] *n* bérbeadás; bérlet; *furnished* ~ bútorozva bérbe adott lakás/ház ‖ →*let¹ II.*
Lettish ['letɪʃ] *a/n* lett (nyelv)
lettuce ['letɪs] *n* (fejes) saláta
let-up *n* abbahagyás, szünet, megállás, enyhülés
leucocyte ['lju:kəsaɪt] *n* fehér vérsejt
leuk(a)emia [lju:'ki:mɪə] *n* fehérvérűség
levee¹ ['levɪ] *n* a király délutáni fogadása [férfiak számára]
levee² ['levɪ] *n US* védőgát
level ['levl] **I.** *a* **1.** sík, egyszintű, vízszintes; ~ *with sg* (1) azonos magasságú/színvonalú vmvel (2) egy szinten/magasságban vmvel; *GB* ~ *crossing* szintbeni vasúti átjáró (v. útkereszteződés) **2.** egyenlő, egyforma, azonos szinten levő; *do one's* ~ *best* megtesz minden tőle telhetőt; ~ *tone* egyenletes hang **3.** kiegyensúlyozott, nyugodt **II.** *n* **1.** szint; vízszintes felület; felszín; *on a* ~ *with sg* vmvel egy szinten (*átv* színvonalon); *out of* ~ egyenetlen **2.** *átv* szint; színvonal; *of his own* ~ egyenrangú, magaféle; *rise to the* ~ *of sy* vknek a színvonalára emelkedik; *biz on the* ~ becsületes(en), egyenes(en); *biz I tell you this on the* ~ igazán mondom . . . **3.** (víz)szintező **III.** *vt* -**ll**- (*US* -**l**-) **1.** szintez, vízszintessé tesz, elegyenget **2.** egy szintre hoz, kiegyenlít (*átv is*) **3.** lerombol, földdel egyenlővé tesz **4.** ráirányít; rászegez [fegyvert] (*at* vkre); ~ *accusations against sy* vk ellen vádat emel; ~ *a blow at sy* ütést mér vkre
level down *vt* **1.** lesimít **2.** alacsonyabb színvonalra leszállít
level off A. *vt* kiegyenlít **B.** *vi* kiegyenlítődik, egyenletesse válik
level up *vt* magasabb színvonalra emel
leveler →*leveller*

level-headed *a* higgadt, kiegyensúlyozott, megfontolt, nyugodt
leveling →*levelling*
leveller, *US* **-eler** ['lev(ə)lə*] *n* a társadalmi egyenlőség híve, egyenlőségpárti
levelling, *US* **-eling** ['lev(ə)lıŋ] I. *a* szintező II. *n* szintezés, planírozás
level(l)ing-rod *n* szintezőléc
lever ['li:və*; *US* 'le-] I. *n* 1. emelő(rúd), emeltyű, emelőkar; kar; fogantyú 2. = *leverage* II. *vt/vi* ~ *(up)* emelővel (meg)emel
leverage ['li:v(ə)rıdʒ; *US* 'le-] *n* 1. emelőerő, emelőhatás 2. eszköz [cél elérésére], befolyás, hatalom
leveret ['levrıt] *n* ı yulacska, fiatal nyúl
Levi ['li:vaı] *prop* [bibliai] Lévi
leviathan [lı'vaıəθn] *n* 1. vízi szörnyeteg 2. óriáshajó; szörnyű nagy dolog
Levi's, Levis ['li:vaız] *n pl* farmernadrág, -ruha, farmer
levitate ['levıteıt] *vi* lebeg
levitation [levı'teıʃn] *n* lebegés
Leviticus [lı'vıtıkəs] *n* Mózes harmadik könyve
levity ['levətı] *n* 1. könnyűség 2. léhaság, komolytalanság
l evy¹ ['levı] I. *n* 1. adószedés, (le)foglalás, zálogolás, rekvirálás 2. sorozás; besorozott katonák 3. befizetett/behajtott adó II. *vt* 1. beszed, behajt [adót stb.]; lefoglal, elkoboz 2. kiró, kivet, kiszab [bírságot stb.] 3. soroz 4. ~ *war on* háborút indít (vk/vm ellen)
Levy² ['li:vı; *US* város: 'li:vaı] *prop*
lewd [lu:d] *a* buja, léha, züllött, feslett, fajtalan
Lewis ['lu:ıs] *prop* 1. Lajos 2. ~ *gun* géppuska, golyószóró
lexical ['leksıkl] *a* lexikális, szókészleti; szótári; ~ *unit* lexikai egység
lexicographer [leksı'kɔgrəfə*; *US* -'ka-] *n* 1. szótáríró, szótárszerkesztő, lexikográfus 2. lexikonszerkesztő
lexicography [leksı'kɔgrəfı; *US* -'ka-] *n* szótárírás; szótártan; lexikográfia
lexicology [leksı'kɔlədʒı; *US* -'ka-] *n* szó(készlet)tan, lexikológia
lexicon ['leksıkən] *n* 1. [latin, görög, héber] szótár 2. szókészlet; szókincs

Lexington ['leksıŋtən] *prop*
lexis ['leksıs] *n* = *lexicon 2.*
LF [el'ef] *low frequency*
L.I. *Long Island* (USA)
liability [laıə'bılıtı] *n* 1. felelősség, kötelezettség; ~ *insurance* szavatossági biztosítás; (gépjármű-)felelősségbiztosítás; *Employers' L~ Act* munkásbiztosítási törvény; ~ *for military service* hadkötelezettség 2.
liabilities *pl* tartozások, teher, paszszívák; *meet one's liabilities* fizetési kötelezettségeinek eleget tesz 3. *átv biz* teher(tétel) 4. hajlam
liable ['laıəbl] *a* 1. felelős (*for* vmért), köteles (*for* vmre); ~ *to duty* vámköteles 2. hajlamos (*to* vmre) 3. *be* ~ *to sg* ki van téve vmnek; *difficulties are* ~ *to occur* nehézségek felmerülhetnek
liaison [li:'eızɔ:ŋ; *US* -'zɑn] *n* 1. összeköttetés, kapcsolat; ~ *officer* [li:'eız(ə)n] összekötő tiszt 2. (szerelmi) viszony
liar ['laıə*] *n* hazug, hazudozó (ember)
Lib. [lıb] *Liberal party*
libation [laı'beıʃn] *n* 1. italáldozat 2. *biz* ivás, ivászat
libel ['laıbl] I. *n* 1. rágalmazás, becsületsértés; *action for* ~ rágalmazási per 2. förmedvény, gúnyirat II. *vt* **-ll-** (*US* **-l-**) (meg)rágalmaz
libel(l)er ['laıb(ə)lə*] *n* rágalmazó, becsületsértő
libel(l)ous ['laıb(ə)ləs] *a* rágalmazó, becsületsértő
liberal ['lıb(ə)rəl] I. *a* 1. bőséges; bőkezű, nagylelkű, nagyvonalú 2. szabadelvű, liberális; *L~ party* liberális párt 3. megértő, őszinte, elfogulatlan 4. *the* ~ *arts* kb. bölcsészettudomány II. *n* liberális (párt tagja)
liberalism ['lıb(ə)rəlızm] *n* szabadelvűség, liberalizmus
liberality [lıbə'rælətı] *n* 1. bőkezűség, nagylelkűség, nagyvonalúság 2. nagylelkű ajándék 3. pártatlanság; széles látókör
liberate ['lıbəreıt] *vt* felszabadít, megszabadít, felment
liberation [lıbə'reıʃn] *n* felszabadítás; felszabadulás; megszabadítás

liberator ['lɪbəreɪtə*] *n* felszabadító
Liberia [laɪ'bɪərɪə] *prop* Libéria
Liberian [laɪ'bɪərɪən] *a/n* libériai
libertine ['lɪbəti:n] *a/n* feslett (erkölcsű), kicsapongó; excentrikus, különc
liberty ['lɪbətɪ] *n* 1. szabadság; *be at ~ (to do sg)* szabadságában/jogában áll (vmt tenni); *set at ~* kiszabadít, kienged [börtönből]; *~ of the press* sajtószabadság; *~ of speech* szólásszabadság; *take the ~ to do sg* bátorkodik tenni vmt; *take liberties with sy* megenged magának vmt vkvel szemben, szemtelenkedik; *biz this is L~ Hall* érezze otthonosan magát 2.
liberties *pl* előjogok, kiváltságok
libidinous [lɪ'bɪdɪnəs] *a* érzéki, buja
libido [lɪ'bi:doʊ] *n* libidó
Lib-Lab ['lɪb'læb] *a/n* a liberális párttal kapcsolatot tartó munkáspárt(i)
libra ['laɪbrə] *n* font [súly]
librarian [laɪ'breərɪən] *n* könyvtáros
librarianship [laɪ'breərɪənʃɪp] *n* könyvtárosság
library ['laɪbrərɪ; *US* -erɪ] *n* könyvtár; *public ~* nyilvános könyvtár, közkönyvtár
librettist [lɪ'bretɪst] *n* szöveg(könyv)író
libretto [lɪ'bretoʊ] *n* szövegkönyv, librettó [operáé stb.]
Libya ['lɪbɪə] *prop* Líbia
Libyan ['lɪbɪən] *a/n* líbiai
lice [laɪs] →*louse*
licence, *US* **-se** ['laɪs(ə)ns] *n* 1. [hatósági] engedély, felhatalmazás, iparengedély; jogosítvány, vezetői engedély; *~ holder* előfizető [tv, rádió] 2. licenc; koncesszió 3. szabadosság
license ['laɪs(ə)ns] I. *n US = licence; US ~ plate* rendszámtábla II. *vt* (licence is) engedélyez (vmt), engedélyt/jogosítványt ad (vknek)
licensed ['laɪs(ə)nst] *a* 1. engedélyezett; engedéllyel rendelkező; *~ house* hatóságilag engedélyezett italmérés; *~ victualler* italmérési engedéllyel rendelkező vendéglős 2. okleveles, képesített
licensee [laɪs(ə)n'si:] *n* (ipar)engedélyes; italmérési engedély birtokosa
licentiate [laɪ'senʃɪət] *n* ⟨a licenciátusi fokozatot elnyert személy⟩, licenciátus
licentious [laɪ'senʃəs] *a* kicsapongó, szabados, féktelen, buja
lichen ['laɪkən] *n* 1. zuzmó 2. sömör
Lichfield ['lɪtʃfi:ld] *prop*
lich-gate ['lɪtʃ-] *n* temetőkapu [fedett]
licit ['lɪsɪt] *a* megengedett, törvényes
lick [lɪk] I. *n* 1. nyalás; *biz a ~ and a promise* (1) cicamosdás (2) tesséklássék munka 2. □ *at full ~* teljes gőzzel II. *vt* 1. (meg)nyal; nyaldos 2. *biz* elver, eldönget; legyőz; *that ~s me* ez nekem magas
lick into *vt ~ i. shape* (1) kipofoz, helyrepofoz (vmt) (2) embert farag (vkből)
lick off *vt* lenyal (vmt)
lick up *vt* felnyal (vmt)
licking ['lɪkɪŋ] *n* 1. nyalás 2. *biz* vereség; (el)verés
lickspittle *n* tányérnyaló
licorice ['lɪkərɪs] *n = liquorice*
lid [lɪd] *n* 1. fedő, fedél; □ *that puts the ~ on it!* még csak ez hiányzott!, ez mindennek a teteje! 2. szemhéj
lido ['li:doʊ] *n* strand(fürdő)
lie[1] [laɪ] I. *n* hazugság; *tell a ~* hazudik; *give the ~ to* (1) hazugsággal vádol (2) meghazudtol; *white ~* ártatlan hazugság II. *vi* (*pt/pp ~d* laɪd, *pres part* lying 'laɪɪŋ) hazudik
lie[2] [laɪ] I. *n* 1. fekvés, helyzet; *the ~ of the land* (1) terepviszonyok (2) *átv* a dolgok állása, a (pillanatnyi) helyzet 2. tanya, vacok [állaté] II. *vi* (*pt lay* leɪ, *pp lain* leɪn, *pres part lying* 'laɪɪŋ) 1. fekszik, hever; *here lies . . .* itt nyugszik; *~ at the mercy of sy* ki van szolgáltatva vk kényének; *~ at sy's door* vknek a lelkén szárad; *as far as in me ~s* amennyire tőlem függ; *sg ~s heavy on sg* (1) vm megfekszi (a gyomrát) (2) vm nyomja (a lelkiismeretét); *time ~s heavy on his hands* unatkozik, nem tud idejével mit kezdeni 2. fekszik, elterül [város stb.] 3. horgonyoz, vesztegel [hajó] 4. [kereset, fellebbezés stb.] fenntartható, elfogadható; *an appeal ~s* fellebbezésnek helye

van; *the appeal does not* ~ nincs helye
a fellebbezésnek
lie about *vi* szanaszét hever
lie back *vi* hátradől
lie by *vi* **1.** pihen, nyugszik, hasz-
nálatlanul hever **2.** kéznél van
lie down *vi* **1.** lefekszik [ágyra],
leheveredik **2.** ~ *d.* (*under*), *take* (*sg*)
lying d. lenyel, zsebre vág, (zok)szó
nélkül eltűr [sértést]
lie in *vi* **1.** gyermekágyban fekszik
[asszony], vajúdik **2.** ágyban marad
[lustálkodásból]
lie off *vi* **1.** munkát abbahagy;
vmtől távol marad **2.** a parttól távol
horgonyoz
lie over *vi* elhalasztódik [későbbi
döntésre]; *let sg* ~ *o.* elhalaszt vmt
lie to *vi* vesztegel [hajó]
lie under *vi* vm alatt fekszik/seny-
ved, vmnek ki van téve
lie up *vi* **1.** ágyban marad [betegen]
2. leáll, dokkba megy [hajó]
lie with *vi* **1.** *it* ~*s w. you* (1) tőled
függ, te döntesz (2) a te hibád **2.** †
hál (vkvel)
lie-abed ['laɪəbed] *a*/*n* lustálkodó, hét-
alvó, későn kelő
lie-detector *n* US hazugságmérő készü-
lék
lief [li:f] *adv* † szíves(ebb)en; *I had*/
would as ~ én inkább . . .
liege [li:dʒ] *a* ~ *lord* hűbérúr
liegeman *n* (*pl* -men) hűbéres, vazallus
lien [lɪən] *n* visszatartási jog, zálogjog
lieu [lju: v. lu:] *n in* ~ *of sg* vm helyett
Lieut. *Lieutenant*
lieutenancy [*GB* hadseregben lef'ten-
ənsɪ, *GB* tengerészetnél lə't- v.
le't-; *US* lu:'t-] *n GB* főhadnagyi rang
lieutenant [*GB* hadseregben lef'tenənt,
GB tengerészetnél lə't- v. le't-; *US*
lu:'t-] *n* **1.** *GB* főhadnagy; *US* had-
nagy; *US first* ~ főhadnagy; *GB US
second* ~ hadnagy **2.** helyettes; *Lord
L*~ főispán
lieutenant-colonel *n* alezredes
lieutenant-general *n* altábornagy
life [laɪf] *n* (*pl* **lives** laɪvz) **1.** élet;
true to ~ élethű; *such is* ~ ilyen az
élet; *bring to* ~ feléleszt; *come to* ~

magához tér; *draw from* ~ természet
után ábrázol/rajzol; *drawn to the* ~
élethűen ábrázolva; *run for* (*dear*) ~
(futva) menti az irháját; *seek the* ~
of sy vknek az életére tör; *take one's
own* ~ öngyilkosságot követ el;
tired of ~ életunt; *upon my* ~*!* becsü-
letszavamra**!**; *not on your* ~ semmi
esetre sem; *not for the* ~ *of me* a vi-
lágért sem, ha agyonütnek sem . . .
2. élet(tartam), élethossz; ~ *annuity*/
rent életjáradék; ~ *assurance*/*insur-
ance* életbiztosítás; ~ *estate* élet-
fogytig tartó haszonélvezet; ~ *expec-
tancy* valószínű élettartam; ~ *member*
örökös tag [egyesületben]; *for* ~
életfogytiglan **3.** életerő, éltető erő,
energia **4.** ~ (*story*) élettörténet, élet-
rajz **5.** az élet, a nagyvilág; *see* ~
világot lát
life-belt *n* mentőöv
life-blood *n* **1.** az élet fenntartásához
szükséges vér **2.** erőforrás, életerő;
éltető elem
life-boat *n* mentőcsónak
life-bouy *n* = *life-belt*
life-giving *a* életadó, éltető, erősítő
life-guard *n* **1.** testőr **2.** US strandőr,
mentő [tengerparton]
life-interest *n* életfogytiglani haszonél-
vezet; életjáradék
life-jacket *n* mentőmellény
lifeless ['laɪflɪs] *a* élettelen
life-like *a* élethű
life-line *n* **1.** mentőkötél **2.** búvárkötél
3. biztosítókötél [hajó peremén] **4.**
létfontosságú utánpótlási vonal
lifelong *a* egész életen át tartó, életre
szóló
life-preserver *n* **1.** mentőkészülék, -mel-
lény **2.** *GB* ólmosbot, gumibot
lifer ['laɪfə*] *n biz* életfogytiglanra ítélt
(rab)
life-saver *n* **1.** (élet)mentő **2.** mentőöv
life-sized *a* életnagyságú
life-style *n* életvitel
life-table *n* élettartam-táblázat [bizto-
sítóé]
lifetime *n* élet(tartam); *in our* ~ a mi
életünk tartama alatt, a mi időnkben,
korunkban

life-work n életmű
Liffey ['lɪfɪ] prop
lift [lɪft] I. n 1. (fel)emelés 2. (fel)emelkedés 3. GB lift, felvonó 4. biz segítség; give sy a ~ (1) felvesz vkt a kocsijára, elvisz vkt (egy darabon) (2) „feldob" vkt [vm örömteli dolog] II. A. vt 1. (fel)emel; ~ up one's eyes felnéz (vmből v. vhova); ~ up one's head (1) felemeli a fejét (2) összeszedi magát; ~ potatoes krumplit szed [földből]; ~ the receiver felveszi a kagylót/telefont 2. have one's face ~ed felvarratja a ráncait [nő], fiatalító műtétet végeztet 3. felold, megszüntet; ~ controls korlátozást megszüntet 4. biz elemel, ellop B. vi (fel)emelkedik, kiemelkedik; felszáll; ~ off felemelkedik, felszáll [űrhajó]
lift-attendant/boy n liftkezelő, liftes
lifting ['lɪftɪŋ] n emelés
lift-man n (pl -men) = lift-attendant
lift-off n felszállás, felemelkedés [űrhajóé]
ligament ['lɪgəmənt] n 1. kötelék (átv is); kötözőszalag 2. (ín)szalag
ligature ['lɪgətʃʊə*] n 1. kötés; érlekötő fonal 2. elkötés, lekötés [éré] 3. ikerbetű, ligatúra 4. kötőív [zenében]
light¹ [laɪt] I. a 1. világos, jól megvilágított 2. ragyogó, csillogó, tiszta 3. sápadt, halvány (színű) 4. szőke II. n 1. fény, világosság; megvilágítás (átv is); the ~ of day napfény, nappali világosság; come to ~ napvilágra kerül; bring to ~ kiderít; biz he was beginning to see ~ kezdett derengeni előtte a dolog; elővette jobbik eszét; in the ~ of sg vmnek fényében/figyelembevételével; sit in one's own ~ fénynek háttal ül; according to one's ~s belátása/ismeretei szerint; throw new ~ upon sg vmt új megvilágításba helyez; I do not look upon it in that ~ én nem így látom (a dolgot) 2. fény(forrás); lámpa; the ~s világítás; turn the ~s on meggyújtja a villanyt; bekapcsolja a világítást; ~s out lámpaoltás 3. tűz; láng; give a ~ tüzet ad; strike a ~ gyufát gyújt; set ~ to sg meggyújt vmt 4. ablak-

(nyílás) III. v (pt/pp ~ed 'laɪtɪd v. lit lɪt) A. vt 1. (meg)gyújt [tüzet, lámpát]; begyújt [gázt]; ~ a cigarette rágyújt (egy cigarettára) 2. (meg-) világít; ~ed/lit by electricity villanyvilágítású B. vi 1. meggyullad [tűz, lámpa] 2. kiderül, kivilágosodik light up A. vt 1. kivilágít [szobát, utcát stb.]; bevilágít [térséget]; be lit up (1) ki van világítva (2) □ részeg 2. derűssé tesz B. vi 1. villanyt/lámpát gyújt; bekapcsolja a világítást 2. kigyullad; kivilágosodik 3. biz rágyújt [dohányos] 4. felderül, felragyog [arc]
light² [laɪt] I. a 1. (átv is) könnyű; ~ horse könnyűlovasság; ~ sleeper éberen alvó; ~ reading könnyű olvasmány; biz make ~ of sg nem csinál nagy dolgot vmből, könnyen vesz vmt 2. könnyed, elegáns 3. szelíd, finom, tapintatos 4. jelentéktelen; gyenge [szellő, fagy]; enyhe [betegség, büntetés]; nem hangsúlyos [szótag] 5. léha, könnyelmű; ~ woman könnyű fajsúlyú (v. feslett) nő II. adv 1. könnyen; sleep ~ éberen alszik; travel ~ kevés csomaggal utazik 2. könnyedén; biz get off ~ enyhe büntetéssel megússza 3. üresen [jár motor] III. vi 1. leszáll [lóról, kocsiról]; ~ on one's feet talpra esik 2. rászáll, felszáll (on/upon vmre) 3. ~ (up)on sg rátalál/rábukkan/(rá-)akad vmre ‖ →lights
light-coloured a világos (színű), halvány
lighten¹ ['laɪtn] A. vt megvilágít, kivilágít B. vi 1. villámlik, szikrázik 2. megvilágosodik, kivilágosodik, kiderül
lighten² ['laɪtn] A. vt 1. könnyebbít, csökkenti a terhelését 2. felvidít B. vi 1. könnyebbedik 2. megkönnyebbül; felvidul
lighter¹ ['laɪtə*] n 1. (lámpa)gyújtó 2. öngyújtó
lighter² ['laɪtə*] n kirakó-, átrakóhajó, uszály
lighterage ['laɪtərɪdʒ] n átrakodási díj
lighter-than-air craft léghajó, léggömb (a repülőgéppel ellentétben)

light-fingered *a* 1. könnyű kezű 2. *biz the ~ gentry* a zsebtolvajok, a zsebesek
light-footed *a* fürge, gyors lábú
light-handed *a* könnyű kezű
light-headed *a* 1. könnyelmű, feledékeny, szórakozott 2. bolond, gyengeelméjű, dilinós
light-hearted *a* vidám, gondtalan
light-house *n* világítótorony
lighting ['laɪtɪŋ] *n* 1. (meg)gyújtás 2. (meg)világítás; ~ *effects* fényhatások
lighting-up time lámpagyújtás ideje
lightish¹ ['laɪtɪʃ] *a* meglehetősen világos
lightish² ['laɪtɪʃ] *a* meglehetősen könnyű
lightly ['laɪtlɪ] *adv* 1. könnyen, könnyedén; ~ *come* ~ *go* könnyen szerzett jószág könnyen is vész el 2. fürgén, könnyedén 3. felszínesen, könnyelműen
light-meter *n* fénymérő
light-minded *a* könnyelmű
lightning ['laɪtnɪŋ] *n* villám(lás); *summer/corn* ~ száraz villám, villódzás az ég alján; *US* ~ *bug* szentjánosbogár; *with* ~ *speed, like greased* ~ villámgyorsan
lightning-conductor/rod *n* villámhárító
lights [laɪts] *n pl* tüdő, pejsli [hentesáru]
lightship ['laɪt-ʃɪp] *n* világító-/fényjelző hajó [világítótoronyként]
lightsome ['laɪtsəm] *a* 1. fürge, könynyed, kecses 2. vidám, derűs
lightweight *a/n* könnyűsúly(ú)
lightwood *n US* gyújtós
light-year *n* fényév
ligneous ['lɪɡnɪəs] *a* fás, faszerű
lignite ['lɪɡnaɪt] *n* lignit, barnaszén
likable ['laɪkəbl] *a* = *likeable*
like¹ [laɪk] I. *a* 1. hasonló; *what is he* ~? hogy néz ki?, milyen (forma) ember ő?; *what is it* ~? milyen?, hogy néz ki?; *whom is he* ~? kihez hasonlít?; *biz ah, that's something* ~! ez már teszi!, ezt már nevezem!; *something* ~ *ten pounds* körülbelül/ úgy tíz font; *there is nothing* ~ *sg* nincs párja, mindennél többet ér 2. ugyanolyan, jellemző, (vkre/vmre) valló; *just* ~ *you!* ez jellemző rád!; ~ *master* ~ *man* amilyen az úr olyan a szolga; ~ *father* ~ *son* az alma nem esik messze a fájától 3. hajlandó/hajlamos vmre, hangulata/kedve van (vmt csinálni); *I feel* ~ *working* kedvem van dolgozni II. *adv/prep/ conj* 1. hasonlóan vmhez, mint, úgy amint; *do not talk* ~ *that* ne beszélj így 2. valószínűleg; ~ *enough,* ~ *as not* igen valószínű(en) III. *n* hasonmás, hasonló; *biz for the* ~*s of me* magamfajta (szegény) embernek; *and the* ~ és még hasonlók; és így tovább
like² [laɪk] I. *n* ~*s and dislikes* rokonszenvek és ellenszenvek II. *vt* 1. szeret, kedvel; tetszik; *as you* ~ ahogy tetszik/parancsolja; *how do you* ~ *it?* hogy tetszik?; *biz I* ~ *that!* ez aztán a teteje mindennek!, ejha! 2. akar, óhajt, kíván; *if you* ~ ha akarja, ha úgy tetszik; *I should* ~ *to …* szeretnék…; szeretném [tudni]; *I would* ~ *a cup of tea* szeretnék/kérek egy csésze teát
-like³ [-laɪk] -szerű
likeable ['laɪkəbl] *a* szeretetre méltó, rokonszenves, kedves
likelihood ['laɪklɪhʊd] *n* valószínűség
likely ['laɪklɪ] I. *a* 1. valószínű, hihető; *it is* ~ *to rain* valószínűleg esni fog, eső várható; *it is* ~ *to happen* könynyen megeshetik, számítani lehet rá, várható 2. megfelelő, sokat ígérő; *a* ~ *young fellow, a* ~ *lad* belevaló gyerek II. *adv* (*most/very*) ~ valószínűleg; *as* ~ *as not* meglehet, amennyire tudom/ gondolom, alighanem
like-minded *a* hasonló gondolkodású
liken ['laɪk(ə)n] *vt* összehasonlít (*to*-val)
likeness ['laɪknɪs] *n* 1. hasonlóság 2. arckép, képmás
likewise ['laɪkwaɪz] *adv* hasonlóképpen, éppúgy, ugyanúgy, szintén
liking ['laɪkɪŋ] *n* szeretet, tetszés; *to one's* ~ kedve szerint; *have a* ~ *for sy/sg* szeret/kedvel vkt/vmt; *take a* ~ *for/to sy* megszeret/megkedvel vkt
lilac ['laɪlək] *n* 1. orgona [virág] 2. lila szín
Lilian ['lɪlɪən] *prop* Lili(ána)
Lilliput ['lɪlɪpʌt] *prop* Liliput
Lilliputian [lɪlɪ'pju:ʃən; *US* -ʃən] *a* liliputi, törpe, apró

lilt [lɪlt] I. n 1. ritmus; lendület 2. élénk/ vidám dal II. vt/vi dallamosan/lendületesen énekel

lily ['lɪlɪ] n liliom; ~ hand hófehér kéz; ~ of the valley gyöngyvirág

lily-livered [-'lɪvəd] n gyáva, nyúlszívű

lily-white n liliomfehér

limb [lɪm] n 1. (vég)tag; ~ of the law rendőr; jogász 2. (vastag) faág, főág; biz out on a ~ hátrányos/kockázatos helyzetbe(n) 3. rossz kölyök; ~ of Satan pokolfajzat

-limbed [-lɪmd] végtagú, -kezű, -lábú

limber¹ ['lɪmbə*] I. n 1. ágyútaliga, (löveg)mozdony 2. kocsirúd II. vt ~ (up) taligához köt, felmozdonyoz [löveget]

limber² ['lɪmbə*] I. a hajlékony, rugalmas; ruganyos, fürge II. vi/vt ~ up bemelegít, lazít

limbo ['lɪmboʊ] n 1. a pokol tornáca 2. börtön 3. elfeledettség

lime¹ [laɪm] I. n mész II. vt 1. meszez [talajt] 2. léppel fog [madarat]

lime² [laɪm] n lime ⟨apró zöld citromfajta⟩

lime³ [laɪm] n hársfa

lime-burner n mészégető

lime-juice n limonádé, citromlé

lime-kiln n mészégető kemence

lime-light n rivaldafény, reflektorfény; in the ~ az érdeklődés középpontjában/homloktérében, a nyilvánosság rivaldafényében

limen ['laɪmen] n [lélektani] küszöb

lime-pit n 1. mészkőbánya 2. meszesgödör

limerick ['lɪmərɪk] n ⟨ötsoros vidám abszurd vers „aabba" rímképlettel⟩

limestone n mészkő

lime-tree n hársfa

lime-twig n lép(es)vessző

lime-wash I. n meszelés II. vt (be)meszel

limit ['lɪmɪt] I. n határ, korlát; US off ~s (1) megengedett területen kívüli (2) tilos terület; set a ~ to sg határt szab vmnek; within ~s bizonyos fokig, bizonyos határok között; biz that's the ~! ez aztán már sok a jóból! II. vt korlátoz, megszorít

limitation [lɪmɪ'teɪʃn] n 1. korlátozás,

(el)határolás; have one's ~s megvannak a maga korlátai 2. elévülés; term of ~ elévülési határidő

limited ['lɪmɪtɪd] n meghatározott, korlátolt, korlátozott; ~ edition számozott példányszámú kiadás; GB ~ (liability) company (Ltd.) korlátolt felelősségű társaság (Kft.); ~ monarchy alkotmányos királyság

limitless ['lɪmɪtlɪs] a határtalan, korlátlan, végtelen

limn [lɪm] vt † (le)rajzol, ábrázol, lefest

limousine ['lɪmu:zi:n] n zárt karosszériájú autó, limuzin

limp¹ [lɪmp] I. n bicegés, sántítás, sántikálás; walk with a ~ = limp¹ II. II. vi biceg, sántít, sántikál

limp² [lɪmp] a 1. puha; hajlékony 2. erőtlen, gyenge, petyhüdt

limpet ['lɪmpɪt] n tapadó tengeri csiga; stick like a ~ olyan mint a pióca/kullancs

limpid ['lɪmpɪd] a tiszta, átlátszó

limpidity [lɪm'pɪdətɪ] n tisztaság [vízé, stílusé]

limpness ['lɪmpnɪs] n 1. puhaság; hajlékonyság 2. erőtlenség, gyengeség, petyhüdtség

limy ['laɪmɪ] a 1. enyves, ragadós 2. meszes

linage ['laɪnɪdʒ] n sorok száma (szerinti díjazás)

linaria [laɪ'neərɪə] n gyújtoványfű, oroszlánszáj

linchpin ['lɪntʃpɪn] n 1. tengelyszög 2. átv összetartó kapocs

Lincoln ['lɪŋkən] prop

Lincolnshire ['lɪŋkənʃə*] prop

Lincs. [lɪŋks] Lincolnshire

linden (tree) ['lɪndən] n hársfa

Lindisfarne ['lɪndɪsfɑ:n] prop

line [laɪn] I. n 1. vonal, egyenes; ~ diagram/drawing vonalas rajz, vázlat; ~ of danger veszélyzóna; ~ of houses házsor; in ~ with sg (1) párhuzamosan/kapcsolatban vmvel (2) US vmvel összhangban; keep in ~ with sy lépést tart vkvel 2. vezeték [villamos]; zsinór; vonal [telefon] 3. (vasút)vonal, útvonal, járat; pálya; down the ~ lefelé [fővárosból]; up the ~ felfelé [főváros

felé] **4.** körvonal; vonal [ruháé stb.]
5. határ(vonal); *draw the ~ at sg* vhol
megvonja a határt, vmt már nem
tűr/néz el **6.** (irány)vonal [politikai-
lag]; *take a strong ~* erélyesen lép fel
7. sor; *~ of cars* kocsisor; *stand in ~*
sorban áll; *fall into ~ with* (1) beáll a
sorba (2) csatlakozik (vkhez), felzár-
kózik (vkhez) **8.** csatasor, arcvonal;
go up the ~ előremegy az arcvonalba,
kimegy a frontra **9.** sor [írott, nyom-
tatott]; *biz it's hard ~s!* ez nagy pech!;
~s pl (1) írásbeli büntetés [iskolában]
(2) szerep [színészé] **10.** *biz* tájékoz-
tatás; *give sy a ~ on sg* tájékoztat vkt
vmről **11.** (származási) ág, leszárma-
zás; *in direct ~* egyenes ágon; *come
from a long ~ of teachers* régi tanítói
családból származik **12.** foglalko-
zás(i ág), szakma; *what's your ~?* mi
a szakmája/foglalkozása?, mivel fog-
lalkozik?; *that's not in my ~* ehhez
nem értek, ez nem az én szakmám **13.**
~ (of goods) árufajta, árucikk **14.** vo-
nás [egy *inch* 12-ed része] **II.** *vt* **1.**
(meg)vonalaz, vonala(ka)t húz, vonal-
káz **2.** (fel)sorakoztat, sorba állít **3.**
(ki)bélel; megtöm, (meg)tölt; *have
one's pockets well ~d* tele van a
zsebe (pénzzel) **4.** szegélyez
line off/out *vt* vonalakkal elvá-
laszt/megjelöl
line through *vt* áthúz, kihúz [egy
vonással]
line up A. *vt* sorba állít/rak, felsora-
koztat **B.** *vi* **1.** felsorakozik; sorba áll
(*for* vmért) **2.** *~ up with sy* egyetért
vkvel, közös állásponton van vkvel;
US vk mellé áll
lineage ['lɪnɪɪdʒ] *n* (le)származás, felme-
nő/lemenő ág, családfa
lineal ['lɪnɪəl] *a* **1.** vonalas, egyenes **2.**
egyenes ági
lineament ['lɪnɪəmənt] *n* arcvonás, is-
mertető/megkülönböztető vonások
linear ['lɪnɪə*] *a* vonalas, lineáris, egye-
nes irányú, hosszirányú; *~ dimension*
hosszméret; *~ equation* elsőfokú egyen-
let; *~ measure* hosszmérték
lined [laɪnd] *a* **1.** vonalas, (meg)vonala-
zott **2.** barázdás [arc] **3.** bélelt

line-engraving *n* **1.** rézmetszés **2.** réz-
metszet
line-fishing *n* horgászat
lineman ['laɪnmən] *n* (*pl* *-men -mən*) **1.**
(vasúti) pályaőr, vonalvizsgáló [pl.
telefonvezetéké] **2.** (gyalogos) közka-
tona **3.** = *linesman*
linen ['lɪnɪn] *n* vászon, fehérnemű
linen-draper *n* fehérnemű-kereskedő
liner ['laɪnə*] *n* **1.** (óceán)járó, (me-
netrendszerű) személyszállító hajó **2.**
(*air-*)*~* utasszálító (repülő)gép
linesman ['laɪnzmən] *n* (*pl* *-men -mən*)
1. vonalbíró, pontjelző [sportban] **2.**
= *lineman 1.*
line-up *n* **1.** feláll(ít)ás [futballcsapaté]
2. műsor [rádióban, tévében]
ling[1] [lɪŋ] *n* gadóchal
ling[2] [lɪŋ] *n* hanga, erika
linger ['lɪŋgə*] *vi* **1.** időzik, kés(leked)ik;
habozik; *~ about/around* őgyeleg **2.** el-
nyúlik [időben]; *~ on* tovább él [szo-
kás]
lingerie ['læɲʒəri:; *US* -'ri:] *n* női fehér-
nemű
lingering ['lɪŋgərɪŋ] *a* **1.** hosszadalmas;
lassú lefolyású **2.** késlekedő, habozó
3. sóvár, epedő
lingo ['lɪŋgoʊ] *n* (*pl* *~es -z*) **1.** nyelvjá-
rás; (szak)zsargon **2.** (idegen) nyelv
3. halandzsa, zagyva beszédmód
lingual ['lɪŋgw(ə)l] *a* nyelvi-, nyelv-
linguist ['lɪŋgwɪst] *n* **1.** nyelvész **2.**
nyelveket tudó
linguistic [lɪŋ'gwɪstɪk] *a* nyelvi; nyelvé-
szeti, nyelvtudományi
linguistics [lɪŋ'gwɪstɪks] *n* nyelvészet,
nyelvtudomány
liniment ['lɪnɪmənt] *n* híg kenőcs
lining ['laɪnɪŋ] *n* bélés, szigetelés; *every
cloud has a silver ~* minden rosszban
van vm jó is, borúra derű
link[1] [lɪŋk] **I.** *n* **1.** láncszem, (lánc)tag;
összekötő rész/kapocs; *missing ~*
hiányzó láncszem **2.** ⟨hosszmérték:
20,1 cm⟩ **3.** kézelőgomb **4.** csukló,
ízület **II. A.** *vt* összeláncol; összeköt,
-kapcsol, -fűz; *they ~ed arms* karon
fogták egymást **B.** *vi* *~ up* összekap-
csolódik (vmvel); társul (vkvel)‖ → *links*
link[2] [lɪŋk] *n* fáklya

linkage ['lɪŋkɪdʒ] n 1. (erőátviteli) kapcsolószerkezet 2. kapcsolat, kapcsolódás
linkboy n † fáklyavivő
linkman ['lɪŋkmən] n (pl -men -mən) 1. küldönc, kifutó 2. = linkboy
links [lɪŋks] n golfpálya
link-up n 1. összeköttetés, csatlakozás 2. összekapcsolódás
linnet ['lɪnɪt] n kenderike
lino ['laɪnoʊ] n linóleum
lino-cut n linóleummetszet
linoleum [lɪ'noʊljəm] n linóleum
linotype ['laɪnətaɪp] n sorszedőgép
linseed ['lɪnsi:d] n lenmag; ~ cake lenmagpogácsa; ~(-)oil lenolaj
lint [lɪnt] n tépés [sebkötéshez]
lintel ['lɪntl] n szemöldökfa
lion ['laɪən] n 1. oroszlán; ~'s share oroszlánrész; beard the ~ in his den bemerészkedik az oroszlánbarlangba 2. híres ember; make a ~ of sy ünnepel vkt
Lionel ['laɪənl] prop ⟨férfinév⟩
lioness ['laɪənɪs] n nőstény oroszlán
lion-hearted a oroszlánszívű, bátor
lion-hunter n 1. oroszlánvadász 2. biz híres emberekkel kapcsolatot kereső (személy)
lionize ['laɪənaɪz] vt (mint híres embert) ünnepel (vkt)
lip [lɪp] n 1. ajak; bite one's ~s ajkát harapdálja; keep a stiff upper ~ arcizma sem rezdül; shave the upper ~ (le)borotválja a bajuszát 2. szegély, szél, perem; száj, ajak, csőr [kancsóé stb.] 3. □ fecsegés, szemtelenség, pofázás; none of your ~! pofa be!
lip-deep a nem mély/őszinte [érzelem]
-lipped [lɪpt] ajkú
lip-read vt/vi (pt/pp -read) szájról olvas
lip-reading n szájról olvasás
liprounding n ajakkerekítés
lip-service n álhűség, nem őszinte tiszteletadás
lipstick n ajakrúzs
liquefaction [lɪkwɪ'fækʃn] n 1. cseppfolyósítás, megolvasztás 2. cseppfolyósodás, (meg)olvadás 3. olvadt/cseppfolyós állapot
liquefy ['lɪkwɪfaɪ] A. vt cseppfolyósít, elfolyósít B. vi cseppfolyóssá válik

liquescent [lɪ'kwesnt] a cseppfolyósodó, olvadó
liqueur [lɪ'kjʊə*; US -'kə:r] n likőr
liquid ['lɪkwɪd] I. a 1. folyékony, cseppfolyós; híg; ~ air folyékony levegő; ~ eyes csillogó szemek; ~ glass vízüveg 2. tiszta, sima, átlátszó 3. kellemes, tiszta [hang] 4. átv cseppfolyós állapotban levő; változékony 5. likvid, folyósítható; ~ assets likvid tőke II. n folyadék; ~ measure űrmérték
liquidate ['lɪkwɪdeɪt] A. vt 1. felszámol, likvidál 2. kiegyenlít [tartozást] 3. eltesz az útból, kivégez, likvidál B. vi felszámol
liquidation [lɪkwɪ'deɪʃn] n 1. felszámolás, csőd; go into ~ csődbe jut 2. elszámolás, kiegyenlítés
liquidator ['lɪkwɪdeɪtə*] n felszámoló
liquidizer ['lɪkwɪdaɪzə*] n (kézi) keverőgép, turmixgép
liquor ['lɪkə*] n 1. szeszes ital; US égetett szeszes ital; be in ~, the worse for ~ részeg 2. folyadék, lé 3. (gyógyszer)oldat
liquorice, US licorice ['lɪkərɪs] n édesgyökér, medvecukor
Lisbeth ['lɪzbəθ] prop Erzsi
Lisbon ['lɪzbən] prop Lisszabon
lisp [lɪsp] I. n selypítés II. vt/vi selypít
lissom(e) ['lɪs(ə)m] a hajlékony, rugalmas; fürge, mozgékony
list¹ [lɪst] I. n 1. jegyzék, névsor, lista, lajstrom; be on the active ~ tényleges szolgálatban van; ~ price árjegyzéki ár; make a ~ of sg jegyzéket készít vmről 2. lists pl küzdőtér; enter the ~s felveszi a küzdelmet, sorompóba lép 3. GB szegély, posztószél II. A. vt 1. jegyzékbe vesz, besorol; † besoroz 2. bevarr, bevon (posztóval) B. vi † katonának áll
list² [lɪst] vt † tetszik, kedvére van; ye who ~ to hear ti akik meg akarjátok hallgatni
list³ [lɪst] I. n oldalra dőlés [hajóé] II. vi oldal(á)ra dől
listen ['lɪsn] vi 1. ~ (to) (meg)hallgat (vmt); figyel (vmre); ~ to music zenét hallgat; ~ in (to) (1) rádiót hallgat, (meg)hallgat (vmt) a rádióban (2) le-

hallgat, kihallgat [telefonbeszélgetést stb.]; *biz* ~ *!* ide figyelj !, hallgass ide ! 2. ~ *to sy* hallgat vkre
listener ['lɪsnə*] *n* 1. hallgatózó 2. (rádió)hallgató
listless ['lɪstlɪs] *a* kedvetlen, közömbös
lit [lɪt] →*light¹ III.*
lit. 1. *literal*(*ly*) 2. *literary* 3. *literature* 4. *litre* liter, l.
litany ['lɪtənɪ] *n* litánia, vecsernye
liter →*litre*
literacy ['lɪt(ə)rəsɪ] 1. írni-olvasni tudás 2. műveltség, olvasottság
literal ['lɪt(ə)rəl] *a* 1. betű/szó szerinti; ~ *error* sajtóhiba, gépelési hiba, íráshiba; *in the* ~ *sense of the word* szó szerint, a szó szoros értelmében 2. prózai(as)
literally ['lɪt(ə)rəlɪ] *adv* szó/betű szerint
literary ['lɪt(ə)rərɪ; *US* -erɪ] *a* irodalmi; ~ *history* irodalomtörténet; ~ *language* irodalmi nyelv; ~ *man* irodalmár; ~ *property* szerzői jog
literate ['lɪtərət] *a* 1. írni-olvasni tudó 2. tanult, olvasott
literature ['lɪt(ə)rətʃə*; *US* -tʃʊr] *n* irodalom
lithe [laɪð] *a* ruganyos, hajlékony, karcsú
lithograph ['lɪθəɡrɑ:f; *US* -æf] *n* kőnyomat
lithography [lɪ'θɔɡrəfɪ; *US* -ɑɡ-] *n* kőnyom(tat)ás, kőrajz, litográfia
Lithuania [lɪθju:'eɪnjə] *n* Litvánia
Lithuanian [lɪθju:'eɪnjən] *a*/*n* litván
litigant ['lɪtɪɡənt] *n* pereskedő
litigate ['lɪtɪɡeɪt] **A.** *vi* pereskedik, perel **B.** *vt* pert folytat (vmért), perel (vmt)
litigation [lɪtɪ'ɡeɪʃn] *n* per(eskedés)
litigious [lɪ'tɪdʒəs] *a* 1. peres, vitás 2. pereskedő, pörlekedő, zsémbes
litmus paper ['lɪtməs] lakmuszpapír
litre, *US* **-ter** ['li:tə*] *n* liter
litter ['lɪtə*] **I.** *n* 1. hordszék 2. hordágy 3. alom(szalma) 4. szemét, hulladék 5. rendetlenség 6. egyszerre szült kölykök, alom **II.** *vt* 1. széjjelhány; teleszór [szobát limlommal stb.] 2. ~ (*down*) almoz, almot készít [állatnak] 3. kölykezik
little ['lɪtl] **I.** *a* (*comp* **less** les, *sup* **least** li:st) 1. kis, kicsi(ny); kevés, csekély;

the ~ *ones* a gyerekek; *the* ~ *people*/*folk* a tündérek; ~ *money* kevés pénz; *a* ~ *money* egy kis pénz; ~ *or nothing* szinte semmi; *be it ever so* ~ bármily kicsi/kevés legyen is; *for a* ~ *time*/*while* egy kis ideig 2. jelentéktelen **II.** *n* kevés, nem sok, kicsi (mennyiség); kicsiség; *in* ~ kicsiben; ~ *by* ~ apránként, lassanként; *I had* ~ *to do with it* kevés köröm volt hozzá, kevés dolgom volt vele; *for a* ~ *time*/*while* egy kis ideig; *come to* ~ nem sok eredményre vezet **III.** *adv* kevéssé; *a* ~ (*bit*) egy kissé/kicsit; *not a* ~ nem kevéssé, nagyon; *he* ~ *knows* alig(ha) tudja, nem (is) sejti
littleness ['lɪtlnɪs] *n* 1. kicsi(ny)ség 2. jelentéktelenség
littoral ['lɪtər(ə)l] *a* parti, littorális
liturgical [lɪ'tə:dʒɪkl] *a* liturgikus
liturgy ['lɪtədʒɪ] *n* liturgia
live I. *a* [laɪv] 1. élő; eleven; élénk 2. tüzes, izzó; ~ *coals* izzó parázs 3. működő; valódi; ~ *cartridge* éles lövedék; ~ *weight* élősúly [állaté]; ~ *wire* (1) áram/feszültség alatt levő huzal/vezeték (2) *átv biz* mozgékony/nyughatatlan ember 4. egyenes, élő [adás, közvetítés] **II.** *adv* [laɪv] egyenes/élő adásban, élőben, egyenesben [közvetít] **III.** *v* [lɪv] **A.** *vi* 1. él, létezik; *long* ~ *the king!* éljen a király !; ~ *and learn* a jó pap holtig tanul (2) mindig tanul az ember ! 2. lakik, tartózkodik; *where do you* ~? hol lakik/lakol?; *house not fit to* ~ *in* lakhatatlan ház **B.** *vt* 1. él (vmlyen életet); ~ *a happy life* boldogan él 2. megél/megér vmt; *we shan't* ~ *to see it* nem fogjuk megérni
live by *vi* 1. közel lakik 2. vmből él
live down *vt* 1. [lelkileg] túlél/kihever vmt (botrányt stb.] 2. idővel elfeledtet vmt (életmódjával], kiköszörüli a csorbát
live in *vi* bent lakik [szolgálati helyén], bennlakó
live off *vi* ~ *o. the country* helyszíni beszerzésből él
live on *vi* 1. tovább él 2. vmből/vmn él; ~ *on others* mások nyakán él

live out A. *vt* túlél B. *vi* nem lakik bent, nem bennlakó, bejáró
live through *vt* átél, túlél; *he cannot ~ t. the winter* nem éri meg a tavaszt
live together *vi* együtt él (vkvel)
live up to *vi* 1. vmnek megfelelően él, vmhez alkalmazkodik 2. megfelel [várakozásnak]; méltó vmre, felér vkhez
live-bait ['laɪv-] *n* élő csalétek [halnak]
livebearer ['laɪv-] *a* elevenszülő
live-birth ['laɪv-] *n* élveszületés
-lived [-lɪvd] -életű
livelihood ['laɪvlɪhʊd] *n* megélhetés
liveliness ['laɪvlɪnɪs] *n* élénkség
livelong ['lɪvlɔŋ; *US* -lɔ:ŋ] *a* hosszadalmas; *the ~ day* (az) egész áldott nap
lively ['laɪvlɪ] *a* élénk, fürge, eleven, vidám; *step ~!* tessék igyekezni!, szedd a lábad!; *biz make things ~ for sy* „megtáncoltat" vkt
liven ['laɪvn] A. *vt ~ (up)* felélénkít, felvidít, megélénkít B. *vi ~ up* felélénkül, megélénkül
liver¹ ['lɪvə*] *n* máj; *biz have a ~* (1) májbajos (2) rosszkedvű
liver² ['lɪvə*] *n* 1. aki él; *loose/fast ~* dorbézoló ember 2. lakos
liveried ['lɪvərɪd] *a* egyenruhás, libériás
liverish ['lɪvərɪʃ] *a biz* 1. májbajos 2. epebajos, „epés" 3. rosszkedvű
Liverpool ['lɪvəpu:l] *prop*
liverwurst ['lɪvəwɜ:st] *n US* májashurka; kenőmájas
livery ['lɪvərɪ] *n* 1. egyenruha, libéria 2. átruházás, átadás 3. istállózás [lovaké]; *~ stable* béristálló 4. *~ company* londoni céh
liveryman ['lɪvərɪmən] *n* (*pl* -men -mən) 1. libériás inas 2. béristálló tulajdonosa; istállószolga 3. londoni céhtag
lives →*life* és *live III.*
live-stock ['laɪv-] *n* állatállomány, lábasjószág, haszonállatok
Livia ['lɪvɪə] *prop* Lívia
livid ['lɪvɪd] *a* 1. hamuszínű, ólomszínű, kékes 2. *~ with anger* dühtől elsápadt/elkékült
living ['lɪvɪŋ] I. *a* élő; eleven; *the ~ image of sy* vknek az élethű mása; *within ~ memory* (még) eleven emlékezetben

(élő) II. *n* 1. élet(mód); megélhetés; *earn one's ~* megkeresi a megélhetéshez szükségeset, (meg)keresi a kenyerét; *earn/make a good ~* jó megélhetése van, jól keres; *make one's ~ as* ... ... *-ként keresi kenyerét*, ... *-ból él meg; ~ expenses, cost of ~* létfenntartási költségek; *~ wage* létminimum; *standard of ~, ~ standard* életszínvonal 2. egyházi javadalom, plébánia (javadalma) 3. *the ~* az élők
living-room *n* nappali (szoba)
Livingstone ['lɪvɪŋstən] *prop*
Livy ['lɪvɪ] *prop* (Titus) Livius
lizard ['lɪzəd] *n* gyík
Lizzie ['lɪzɪ] *prop* Erzsi
'll [-l] = *shall, will*
L.L. [el'el] *Lord Lieutenant*
L.L.B., LLB [elel'bi:] *Bachelor of Laws* a jogtudományok baccalaureusa
LL.D., LLD [elel'di:] *Doctor of Laws* a jogtudományok doktora
Llewel(l)yn [lu:'elɪn] *prop*
Lloyd's [lɔɪdz] *n* Lloyd ⟨londoni hajóbiztosító-társaság⟩; *~ Register* Lloyd-hajólajstrom
lo [loʊ] *int* íme!, lám!
load [loʊd] I. *n* 1. teher, rakomány; *a ~ off my mind* nagy kő (esett le) a szívemről; *biz ~s of* ... rengeteg, igen sok 2. nyomás; súly; terhelés; *~ test* terhelési próba 3. (fegyver)töltet II. A. *vt* 1. megterhel, (meg)rak; *~ up* megrak [járművet] 2. megtölt [fegyvert]; betölt [filmet fényképezőgépbe] 3. nyom, nehezebbé tesz 4. elhalmoz, eláraszt (vkt vmvel) 5. (meg)hamisít [bort, játékkockát stb.] B. *vi ~ up* rakodik [jármű]
loaded ['loʊdɪd] *a* 1. (meg)terhelt, megrakott; *~ cane* ólmos végű bot 2. hamis(itott); *~ dice* cinkelt játékkocka; *~ question* beugrató kérdés 3. *GB* □ pénzes 4. *US* □ részeg
loading ['loʊdɪŋ] *n* 1. berakás, rakodás 2. (meg)terhelés 3. megtöltés
load-line *n* merülési szintvonaljelzés [hajó oldalán]
loadstar *n* vezércsillag; sarkcsillag
loadstone *n* (természetes) mágnes, mágnesvasérc

loaf¹ [loʊf] *n* (*pl* loaves loʊvz) cipó, egész kenyér; *half a ~ is better than no bread* ha ló nincs szamár is jó

loaf² [loʊf] **A.** *vi ~* (*about*) csavarog, cselleng, őgyeleg, lézeng, lóg **B.** *vt ~ away one's time* ellógja az idejét

loafer ['loʊfə*] *n* **1.** léhűtő, lézengő, őgyelgő **2.** *US* papucscipő

loafing ['loʊfɪŋ] *n* lézengés, őgyelgés

loaf-sugar *n* süvegcukor

loam [loʊm] *n* **1.** agyag(os föld); vályog(talaj) **2.** termőtalaj

loan [loʊn] **I.** *n* kölcsön(adás); *~ translation* tükörfordítás, tükörszó **II.** *vt* kölcsönad, kölcsönöz

loan-word *n* jövevényszó, kölcsönszó

loath [loʊθ] *a be ~ to do sg* nem szívesen (v. vonakodva v. kelletlenül) tesz meg vmt; *nothing ~* szívesen, önként, habozás nélkül

loathe [loʊð] *vt* utál, gyűlöl, undorodik (vmtől), ki nem állhat

loathing ['loʊðɪŋ] *n* utálat, undor

loathsome ['loʊðsəm] *a* utálatos, gyűlöletes, undorító

loaves →*loaf*¹

lob [lɔb; *US* -ɑ-] **I.** *n* **1.** fajankó **2.** magas labda, átemelés [teniszben] **II.** *vi/vt* **-bb-** **1.** átemel [labdát teniszben] **2.** beível [futballban]

lobby ['lɔbɪ; *US* -ɑ-] **I.** *n* **1.** előcsarnok, hall **2.** (parlamenti) folyosó **3.** *US* ⟨befolyást gyakorló érdekcsoport⟩ **II.** *vi/vt* **1.** előszobázik, protekciót keres **2.** protekciót/nyomást gyakorol [parlamenti képviselőkre], befolyásol(ni igyekszik) [törvényhozókat]

lobe [loʊb] *n* lebernyeg, fülcimpa

lobster ['lɔbstə*; *US* -ɑ-] *n* tengeri rák, homár

lobster-pot *n* homárfogó kosár

local ['loʊkl] **I.** *a* hely(bel)i; *~ anaesthetic* helyi érzéstelenítő; *~ colour* sajátos helyi jellegzetesség/színezet; *~ doctor* körzeti orvos; *GB ~ government* (törvényhatósági) önkormányzat; *~ railway/train* helyiérdekű vasút/vonat **II.** *n* **1.** helyi hír **2.** *US* helyi fiók [szakszervezeté] **3.** *GB biz* a legközelebbi kocsma

locale [lə'kɒːl] *n* színhely, helyszín, terep

localism ['loʊkəlɪzm] *n* **1.** helyi jelleg/szokás **2.** lokálpatriotizmus

locality [lə'kælətɪ] *n* **1.** hely(ség); helyszín, terep; *sense of ~* tájékozódási képesség **2.** fekvés **3.** lelőhely

localization [loʊkəlaɪ'zeɪʃn; *US* -lɪ'z-] *n* helyhez kötés, helymeghatározás, lokalizálás, lokalizáció

localize ['loʊkəlaɪz] *vt* korlátoz, helyhez köt, lokalizál; elszigetel

locally ['loʊkəlɪ] *adv* helyileg

locate [loʊ'keɪt] *vt* **1.** elhelyez, telepít; *be ~d somewhere* fekszik/elterül/található vhol **2.** helyét megállapítja/meghatározza (vmnek)

location [loʊ'keɪʃn] *n* **1.** elhelyezés, fekvés, helyzet **2.** hely; helyszín; terület; *on ~* külső (film)felvétel **3.** (hely-)meghatározás

loc. cit. [lɔk'sɪt] loco citato (= *in the place mentioned/cited*) idézett helyen, i. h.

loch [lɔk, *sk* lɔx; *US* -ɑ-] *n sk* tó

loci →*locus*

lock¹ [lɔk; *US* -ɑ-] *n* **1.** hajfürt **2.** gyapjúpihe

lock² [lɔk; *US* -ɑ-] **I.** *n* **1.** zár; lakat; *under ~ and key* jól elzárva; *~ stock and barrel* mindenestül, cakompakk; *GB ~ hospital* nemibetegkórház **2.** torlasz, elakadás **3.** hajózsilip(szakasz) **4.** závárzat [fegyveré] **5.** kormányozhatósági szög [autóé] **II. A.** *vt* **1.** bezár, (kulccsal) becsuk; elreteszel; *~ in one's arms* karjaiba zár **2.** zsilippel elzár **3.** (be)zsilipel, átzsilipel [hajót] **B.** *vi* **1.** (be)zárul, záródik, (kulccsal) csukódik; *~ into each other* összekapcsolódik **2.** zsilipen áthalad

lock away *vt* elzár

lock in *vt* bezár; *~ oneself in* bezárkózik

lock out *vt* **1.** kicsuk, kizár [szobából] **2.** kizár [sztrájkolókat üzemből]

lock up *vt* **1.** (kulccsal) becsuk, bezár; *~ oneself up* bezárkózik **2.** *biz* becsuk, lecsuk (vkt)

lockage ['lɔkɪdʒ; *US* -ɑ-] *n* **1.** zsilipmagasság; zsilipsorozat **2.** zsilipdíj

locker ['lɔkə*; *US* -ɑ-] *n* **1.** (kulcsra)

zárható szekrény/láda; (öltöző)szekrény [uszodában]; ~ room szekrényes öltöző 2. raktár [hajón]
locket ['lɔkɪt; US -ɑ-] n medalion, (nyitható-csukható) nyakérem
lock-gate n zsilipkapu
lock-jaw n 1. rágóizomgörcs, szájzár 2. biz tetanusz
lock-keeper n zsilipkezelő
lock-out n munkáskizárás [üzemből]
locksmith n (zár)lakatos
lock-up I. a bezárható, (el)zárható II. n 1. fogda, dutyi 2. bezárás
locomotion [loʊkə'moʊʃn] n helyváltoztatás
locomotive ['loʊkəmoʊtɪv] n mozdony
locum ['loʊkəm] n biz helyettes; helytartó
locus ['loʊkəs] n (pl loci 'loʊsaɪ) hely; ~ sigilli pecsét helye
locust ['loʊkəst] n sáska
locust-tree n 1. fehér akác 2. szentjánoskenyérfa
locution [lə'kjuːʃn] n 1. (állandósult) szókapcsolat, szólás(mód) 2. beszédmód, kifejezésmód
lode [loʊd] n ércér, telér
lodestar n = loadstar
lodestone n = loadstone
lodge [lɔdʒ; US -ɑ-] I. n 1. házikó, kunyhó; lak 2. portásfülke, kapusfülke; portáslakás 3. szabadkőműves-páholy II. A. vt 1. elszállásol, elhelyez, szállást ad (vknek) 2. benyújt [vmt írásban]; ~ a complaint panaszt emel; ~ the estimate költségvetést benyújt; ~ information against sy feljelent vkt 3. letesz, elhelyez (in vhol with vknél); ~ money pénzt letétbe helyez; ~ credit hitelt nyit 4. beledöf [lándzsát]; beleereszt [golyót] 5. megakaszt, megköt, odaragaszt, -tapaszt B. vi 1. lakik, megszáll, tartózkodik 2. behatol; megakad; belefúródik [golyó]
lodg(e)ment ['lɔdʒmənt; US 'lɑ-] n 1. szállás 2. beszállásolás 3. lerakódás 4. letétbe helyezés 5. kérvénybenyújtás
lodger ['lɔdʒə*; US -ɑ-] n albérlő; take in ~s albérlőket tart, szoba(ka)t ad ki

lodging ['lɔdʒɪŋ; US -ɑ-] n 1. szállás 2. lodgings pl (1) bútorozott szoba, lakás (2) = lodging-house
lodging-house n 〈ház, melyben bútorozott szobák kaphatók〉
loess ['loʊɪs] n lösz [talaj]
loft [lɔft; US -ɔː-] n 1. padlás(szoba); padlástér 2. [templomi] karzat 3. galambdúc 4. emelőütés [golfban]
loftiness ['lɔftɪnɪs; US -ɔː-] n 1. fennköltség, emelkedettség, szárnyalás 2. gőg, fensőbbség 3. magas volta vmnek
lofty ['lɔftɪ; US -ɔː-] a 1. fennkölt, emelkedett, szárnyaló 2. gőgös, fensőbbséges, büszke, fennhéjázó 3. magas
log[1] [lɔg; US -ɔː-] I. n 1. tuskó, fatörzs, szálfa; hasábfa; King L~ bábkirály 2. sebességmérő orsó [hajóé]; patent ~ sebességmérő 3. = log-book 1. 4. biz = log-book 2. II. vt -gg- 1. szálfát vág 2. hajónaplóba beír
log[2] [lɔg; US -ɔː-] n logaritmus
loganberry ['loʊgənb(ə)rɪ; US -berɪ] n US 〈szeder és málna keresztezése〉
logarithm ['lɔgərɪð(ə)m; US 'lɔː-] n logaritmus
logarithmic [lɔgə'rɪðmɪk; US lɔː-] a logaritmikus, logaritmus-; ~ table logaritmustábla
log-book n 1. hajónapló, menetnapló 2. GB forgalmi engedély [gépkocsié]
log-cabin n fakunyhó, blokkház
logger ['lɔgə*; US -ɔː-] n favágó, rönkölő
loggerhead n be at ~s with sy civakodik vkvel
logging ['lɔgɪŋ; US -ɔː-] n rönkölés, fakitermelés
logic ['lɔdʒɪk; US -ɑ-] n logika
logical ['lɔdʒɪkl; US 'lɑ-] n logikus, ésszerű
logic-chopper n szőrszálhasogató, akadékoskodó
logician [lə'dʒɪʃn] n 1. logikatanár 2. logikusan érvelő személy
logistic [lə'dʒɪstɪk] a munkaszervezési
logistics [lə'dʒɪstɪks] n szállásmesteri/anyagutánpótlási munkakör
log-jam n szálfatorlódás [folyón]
log-rolling n US 1. kölcsönös dicsé-

ret/reklámozás [irodalmi körökben] 2. „kéz kezet mos" [politikában]
logwood n börzsönyfa, kampisfa, kékfa
loin [lɔɪn] n 1. ágyék, lágyék 2. bélszín; ~ *of mutton* ürü eleje
loin-chop n vesepecsenye-szelet
loin-cloth n ágyékkötő
loiter [ˈlɔɪtə*] vi/vt álldogál, lézeng, ténfereg, lebzsel; időz
loll [lɔl; US -ɑ-] vi/vt 1. ~ *about* ácsorog; lebzsel, henyél, lustálkodik 2. ~ *out* (1) kilóg [a nyelve] (2) kilógat [nyelvet]
Lollard [ˈlɔləd; US -ɑ-] n Wycliffe követője
lollipop [ˈlɔlɪpɔp; US -ɑ- -ɑ-] n nyalóka
Lombardy [ˈlɔmbədɪ; US ˈlɑ-] prop Lombardia; ~ *poplar* jegenyenyárfa
London [ˈlʌndən] prop
Londoner [ˈlʌndənə*] n londoni (ember)
lone [loʊn] a magányos, egyedüli, elhagy(at)ott; *play a* ~ *hand* senkivel sem közösködik, saját szakállára csinál vmt
loneliness [ˈloʊnlɪnɪs] n magányosság, egyedüllét, elhagy(at)ottság
lonely [ˈloʊnlɪ] a magányos, egyedülálló, elhagy(at)ott; *feel* ~ egyedül érzi magát
lonesome [ˈloʊns(ə)m] a magányos
long¹ [lɔŋ; US -ɔ:-] I. a 1. hosszú [térben]; *have a* ~ *arm* messzire elér a keze; a ~ *dozen* tizenhárom; a ~ *drink* ⟨magas pohárban sör vagy bor⟩; ~ *family* nagy/népes család; a ~ *figure* borsos ár; ~ *hundred* tíz tucat; ~ *jump* távolugrás; ~ *measure* hosszmérték; *have a* ~ *tongue* sokat beszél, jól fel van vágva a nyelve; ~ *wave* hosszúhullám; a ~ *way about* nagy kerülő; *have a* ~ *wind* bírja tüdővel ‖ →*ton 1.* 2. hosszú [időben]; hosszan tartó, tartós; *the* ~ *home* a sír; *in the* ~ *run* (1) végtére, végül/végre is (2) hosszú távon/távra; *to make a* ~ *story short* rövidre fogva a dolgot, hogy rövid legyek; a ~ *time ago* (jó) régen; *for a* ~ *time* hosszú ideig, sokáig; *be* ~ *in doing sg* sokáig/lassan csinál meg vmt; *don't be* ~! ne maradj sokáig!, hamar végezz! II. adv hosszú ide-

je/ideig, hosszú időn át, hosszasan, sokáig; ~ *ago* régen; *as/so* ~ *as* (1) ameddig (2) mindaddig amíg, (a)míg (3) feltéve, hogy ...; amennyiben; ~ *before* jóval ... előtt; már régen; *not* ~ *before* kevéssel azelőtt; *all day* ~ egész napon át; *how* ~? mennyi ideig?, meddig?; *biz so* ~! viszontlátásra!, viszlát!, szia!; ~ *since* régóta, hosszú idő óta, régen; *no* ~*er* már/ többé/tovább nem; *I can't wait any* ~*er* tovább nem várhatok III. n 1. hosszú idő(köz), sok idő; *for* ~ sokáig, hosszú ideig; *I had only* ~ *enough to* csak annyi időm volt, hogy; *before/ere* ~ nemsokára, hamarosan; *at (the)* ~*est* legfeljebb 2. hossz(a vmnek); *the* ~ *and short of it is* egy szó mint száz, egyszóval
long² [lɔŋ; US -ɔ:-] vi vágyódik (*for/after* vm után), szeretne, akarna; *I* ~ *to see her* bárcsak láthatnám őt
long. *longitude*
long-boat n nagy csónak [hajón]
longbow [-boʊ] n *draw the* ~ nagyokat mond, elveti a sulykot
long-dated a hosszú lejáratú
long-distance a 1. hosszú távú [futó] 2. távolsági [beszélgetés, autóbuszjárat]
long-drawn a hosszadalmas, hosszúra nyújtott
longer [ˈlɔŋgə*; US -ɔ:-] I. a hosszabb II. adv hosszzabbra; hosszabban ‖ → *long¹*
longest [ˈlɔŋgɪst; US -ɔ:-] a/adv leghosszabb(an) ‖ →*long¹*
longevity [lɔnˈdʒevətɪ] n hosszú élet
Longfellow [ˈlɔŋfeloʊ] prop
long-haired a hosszú hajú
longhand n folyóírás, kézírás
long-headed a 1. keskeny fejű 2. éles eszű; számító
longing [ˈlɔŋɪŋ; US -ɔ:-] I. a vágyódó, vágyakozó, sóvárgó II. n vágyódás, sóvárgás
longish [ˈlɔŋɪʃ; US -ɔ:-] a hosszúkás, meglehetősen hosszú
longitude [ˈlɔndʒɪtjuːd; US ˈlɑndʒɪtuːd] n (földrajzi) hosszúság
longitudinal [lɔndʒɪˈtjuːdɪnl; US lɑndʒɪˈtuː-] a hosszanti, hosszirányú; hosszúsági

32

long-lived *a* hosszú életű; hosszan tartó; állandó(sult)

long-play cassette 90 perces (magnó)kazetta

long-playing record mikrolemez, nagylemez

long-range *a* hosszú távú/lejáratú, távlati [terv stb.]; távolsági; nagy hatósugarú;~ *weather forecast* távprognózis

longshoreman ['lɔŋʃɔːmən; *US* 'lɔ:-] *n* (*pl* -men -mən) kikötőmunkás

long-short (story) *n* kisregény, nagynovella

long-sighted *a* 1. távollátó, messzelátó 2. *átv* előrelátó

long-standing *a* régóta fennálló

long-term *a* hosszú lejáratú/távú, hoszszú időre szóló

longways ['lɔŋweɪz; *US* -ɔ:ŋ-] *adv* hosszában, hosszirányban

long-winded *a* 1. hosszadalmas; nem kifulladó 2. szószátyár, bőbeszédű

longwise ['lɔŋwaɪz; *US* 'lɔ:-] *adv* = *longways*

loo [lu:] *n GB biz* vécé

loofah ['lu:fə] *n* luffaszivacs

look [lʊk] I. *n* 1. tekintet; pillantás; *have a* ~ *at sg* megnéz/megvizsgál vmt; *take a good* ~ *at sy* alaposan megnéz vkt; *angry* ~ dühös pillantás 2. arckifejezés 3. külső; *good* ~*s* csinos arc/külső; *judge by* ~*s* külső alapján ítél; *new* ~ (1) az új vonal [divatban] (2) modern külső II. A. *vi* 1. néz, tekint; ~ (*here*)*!* ide figyelj(en)!; ~ *the other way* másfelé néz; ~ *before you leap* ne ugorj a vaksötétbe, előszőr gondolkodj, aztán cselekedj 2. látszik, tűnik (vmnek); *how did he* ~*?* milyennek látszott/tűnt?; ~ *like sg* olyan mint vm, vmlyennek látszik/tűnik/,,kinéz"; *he* ~*s as if* . . . úgy néz ki, mintha . . .; *it* ~*s like rain* esőre áll, alighanem eső lesz; *it* ~*s to me* (*like* v. *as if*) . . . úgy tűnik nekem (mintha) . . .; ~ *well* jó színben van, ,,jól néz ki" B. *vt* 1. (meg)néz; ~ *sy in the face* szemébe néz vknek 2. tekintetével kifejez (vmt); *she* ~*ed her best* legelőnyösebben ,,nézett ki"; *she* ~*s her age* annyinak látszik, mint amennyi

look about *vi* 1. ~ *a. one* körülnéz 2. ~ *a. for sg* keres vmt

look after *vi* 1. vk/vm után néz, utánanéz (vknek, vmnek) 2. gondoz (vkt, vmt), gondoskodik (vkről)

look ahead *vi* 1. előrenéz 2. gondol a jövőre

look at *vi* (meg)néz, megvizsgál, megszemlél; *not much to* ~ *at* nem sok látnivaló, semmi különös; *good to* ~ *at* jó ránézni; *she will not* ~ *at him* hallani se akar róla

look away *vi* elfordul, másfelé néz

look back *vi* visszanéz, visszatekint; *never* ~ *b.* állandó fejlődést mutat

look down *vi* 1. lefelé néz; ~ *d. a list* átnézi a névsort 2. ~ *d. on sy* lenéz vkt

look for *vi* 1. keres; ~ *f. trouble* keresi a bajt, bajt kever 2. vár

look forward *to vi* előre örül vmnek, alig/örömmel vár vmt

look in *vi* benéz; ~ *in on sy* vkhez benéz/bekukkant

look into *vi* 1. belenéz 2. megvizsgál; kivizsgál; tanulmányoz

look on *vi* 1. végignéz [vmt mint néző] 2. = *look upon* 3. ~ *on to* vhová/vmerre néz [épület, szoba stb.]

look out A. *vi* 1. kinéz; ~ *o. of the window* kinéz az ablakon 2. ~ *o. on* vhová/vmerre néz [szoba stb.] 3. ~ *o. for sg* (1) vár vmre (2) keres vmt 4. óvakodik, vigyáz; ~ *o.!* vigyázz! B. *vt* kikeres [magának vmt]

look over *vt* 1. átnéz, átvizsgál, megvizsgál 2. elnéz, nem vesz észre

look round *vi* körülnéz; hátranéz

look through *vt* átnéz, átvizsgál

look to *vi* 1. vigyáz/ügyel vmre; ~ *to it that* . . . ügyeljen arra, hogy . . . 2. ~ *to sy for sg* vktől vár vmt 3. vhová/vmerre néz [ház stb.]

look towards *vi* 1. vm felé néz 2. *biz* vknek egészségére iszik

look up A. *vi* 1. felnéz; ~ *up old chap!* fel a fejjel öreg fiú! 2. ~ *up to sy* tisztelettel néz fel vkre 3. *business is* ~*ing up* javul az üzletmenet B. *vt* 1. utánanéz (vmnek); ~ *it up in the dictionary* megnézi a szótárban 2. fel-

keres, meglátogat (vkt); *I'll ~ you up meg foglak látogatni* 3. *~ sy up and down végigmér vkt* **look upon** *vi* vmlyennek tekint/tart (vkt, vmt)
looker-on [lʊkər'ɔn; *US* -'ɑn] *n (pl* **lookers-on** lʊkəz'ɔn) néző
look-in *n* rövid látogatás
looking ['lʊkɪŋ] *a* vmlyennek látszó
looking-glass *n* tükör
lookout *n* 1. figyelés, őrködés; *be on the ~, keep a ~* figyel; őrségen van; lesben áll; *~ post* figyelőhely; *~ service* figyelőszolgálat 2. (meg)figyelő (személy) 3. őrhely, őrtorony 4. kilátás(ok)
look-say method globális módszer [iskolában]
loom¹ [lu:m] *n* 1. szövőszék 2. evezőnyél
loom² [lu:m] *vi* 1. homályosan láthatóvá válik, dereng 2. kiemelkedik; nagyobbnak látszik, mint amilyen
loon¹ [lu:n] *n* † fajankó; senkiházi
loon² [lu:n] *n* búvármadár, jeges búvár
loony ['lu:nɪ] *a* □ bolond, félcédulás; *~ bin* bolondokháza
loop [lu:p] I. *n* 1. hurok, csomó, kötés [kötélen stb.]; (kabát)akasztó 2. hurok(vágány) 3. fül [edényé]; karika, kampó, fogantyú 4. bukfenc [műrepülésben]; hurok [műkorcsolyában] 5. *biz* méhhurok [fogamzásgátló] II. *vt* (össze)hurkol, hurokkal megerősít; *~(ing) the ~* bukfencet csinál, hurokrepülést végez
loophole *n* 1. kém(le)lőnyílás; lőrés 2. menekülési lehetőség, kiút vmből; kibúvó *(átv is)*
loop-line *n* hurokvágány
loopy ['lu:pɪ] *a* 1. hurkos 2. □ ütődött
loose [lu:s] I. *a* 1. laza, tág, bő, szabad(on lógó/álló), lötyögő; ömlesztett [rakomány]; *~ bowels* könnyű székelés; *~ cash* aprópénz; *~ cough* slejmos köhögés; *~ end* vmnek meg nem erősített vége; *be at a ~ end* elfoglaltság nélkül van, bizonytalan helyzetben van; *~ milk* kannatej; *~ part¹* pótalkatrész; *come/get ~* meglazul, kibomlik; *let the dog ~* szabadjára ereszti a kutyát; *go on the ~* sétál,

kószál; *work ~* meglazul 2. zavaros, szabados, összefüggéstelen, pontatlan, laza 3. feslett, erkölcstelen, könnyelmű, kicsapongó; *~ life/living* feslett életmód; *biz be on the ~* csavarog; nők után szalad; laza életmódot folytat II. *vt* 1. felold, elold, kiold, megold(oz), kibont; *~ hold of sg* elereszt vmt 2. elsüt [fegyvert]
loose-box *n* boksz [istállóban]
loose-fitting *a* bő (szabású), laza
loose-leaf *a* kivehető/cserélhető lapokból álló [album, könyv stb.]
loosen ['lu:sn] A. *vt* 1. kibont; meglazít 2. (meg)hajt [hasat]; *old* [köhögést] B. *vi* felbomlik, kibomlik; kitágul; meglazul; oldódik [pl. köhögés]
loosen up *vi/vt* bemelegít, lazít
looseness ['lu:snɪs] *n* 1. lazaság; (meg)lazulás 2. petyhüdtség 3. pontatlanság
loot [lu:t] I. *n* 1. fosztogatás 2. zsákmány II. *vt/vi* 1. fosztogat, zabrál 2. zsákmányol; kifoszt
looter ['lu:tə*] *n* fosztogató, zabráló
looting ['lu:tɪŋ] *n* fosztogatás, zabrálás
lop [lɔp; *US* -ɑ-] *vt* **-pp-** lenyes, levág; *off* lenyisszant
lope [loʊp] *vi* üget, szökell
lop-eared *a* lelógó fülű
loppings ['lɔpɪŋz; *US* -ɑ-] *n pl* lenyesett gallyak, nyesedék
lop-sided *a* féloldalra dűlő, aszimmetrikus
loquacious [lə'kweɪʃəs] *a* fecsegő, bőbeszédű
loquacity [lə'kwæsətɪ] *n* fecsegés, szószátyárság, bőbeszédűség
loquat ['loʊkwæt] *n* japán naspolya
lord [lɔ:d] I. *n* 1. úr, fejedelem; *live like a ~* főúri módon él 2. lord ⟨főnemesi cím, felsőház tagjainak és egyes főméltóságoknak a címe⟩; *my ~* [mɪ-'lɔ:d] ⟨főnemesek, püspökök, főbírák, a felsőházi tagok és egyes főméltóságok megszólítása⟩; *L~ Chancellor* lordkancellár; *L~ Mayor* (fő)polgármester 3. *the L~* az Úr [Isten; Krisztus]; *in the year of our L~* Urunk/időszámíᴵ tásunk ... évében; *Good L~* Uram Isten !; *L~'s Prayer* miatyánk, az Úr imája; *L~'s supper* úrvacsora 4. mágnás, földesúr II. *vt ~ it over sy* hatal-

maskodik/fölényeskedik vkvel, parancsolgat vknek
lord-in-waiting *n* szolgálattevő kamarás
lordly ['lɔːdlɪ] *a* **1.** nagyúri, méltóságteljes, fennkölt **2.** gőgös, kevély
lordship ['lɔːdʃɪp] *n* **1.** uralom, hatalom, felsőbbség **2.** (föld)birtok, uradalom **3.** *your* ~ méltóságod, lord uram; *his* ~ őlordsága
lore [lɔː*] *n* tudomány, tan
lorgnette [lɔːˈnjet] *n* lornyon
lorn [lɔːn] *a* elveszett; elhagyott
Lorraine [lɔˈreɪn] *prop* Lotaringia
lorry ['lɔrɪ; *US* -ɔː-] *n GB* tehergépkocsi, teherautó
lory ['lɔːrɪ] *n* lóri (papagáj)
Los Angeles [lɔsˈændʒɪliːz; *US* lɔːsˈæŋgələs] v. -ˈændʒələs] *prop*
lose [luːz] *v* (*pt/pp* lost, *US* -ɔː-] **A.** *vt* **1.** elveszt(i)t; ~ *strength* gyengül; ~ *value* elértéktelenedik; ~ *money by sg* ráfizet vmre; ~ *weight* lefogy; ~ *one's way, get lost* eltéved; ~ *oneself in sg, be lost in sg* elmerül vmben, belemélyed vmbe; ~ *one's Latin* kijön a latinból **2.** (el)veszteget, elpocsékol [időt stb.]; *be lost upon sy* nincs hatással vkre; *the joke was lost* (*up*)*on him* nem értette meg a viccet **3.** lekésik/lemarad vmről; ~ *count* eltéveszti a számolást; ~ *one's train* lekésik a vonatról **4.** elveszít [mérkőzést, pert stb.]; *the motion was lost* az indítványt elutasították **5.** késik [óra]; *my watch* ~*s two minutes* két percet késik az órám **6.** *that lost him the match* ezen múlt, hogy elvesztette a mérkőzést **B.** *vi* **1.** veszít, vereséget szenved, kikap **2.** ~ *by/on sg* ráfizet vmre, veszít vmn **3.** *be losing* késik [óra]
loser ['luːzə*] *n* vesztes; *be a bad* ~ nehezen viseli el a vereséget
losing ['luːzɪŋ] *a* vesztésre álló [játszma]
loss [lɔs; *US* -ɔː-] *n* **1.** elveszítés; ~ *of sight* megvakulás **2.** veszteség, kár; *meet with heavy* ~*es* súlyos veszteséget szenved; *sell at a* ~ veszteséggel ad el **3.** *be at a* ~ zavarban van, tanácstalan; *be at a* ~ *to understand* képtelen megérteni; *at a* ~ *for words* nem talál szavakat

lost [lɔst; *US* -ɔː-] *a* elveszett; elvesz(í)tett; ~ *cause* elveszett/reménytelen ügy; ~ *property office* talált tárgyak osztálya ‖→lose
lot [lɔt; *US* -ɑ-] *n* **1.** sorshúzás; sors; osztályrész, juss; *draw/cast* ~*s* sorsot húz; *cast/throw in one's* ~ *with sy* sorsát hozzáköti vkhez, sorsközösséget vállal vkvel; *fall to sy's* ~ vknek osztályrészül jut **2.** telek, parcella **3.** (áru-)tétel **4.** *biz the* ~ az egész; *that's the* ~ ez minden **5.** *biz* nagy mennyiség; *a* ~ *of*, ~*s of* sok, rengeteg; *quite a* ~ elég sok(at) **6.** *biz* ~*s* (v. *a* ~) *better* sokkal jobban; *a* (*fat*) ~ *you care!* sokat törődsz is vele!
loth [loʊθ] *a* = loath
Lothario [loʊˈθɑːrɪoʊ] *n a gay* ~ vidám nőcsábász
lotion ['loʊʃn] *n* arclemosó víz; arcvíz
lottery ['lɔtərɪ; *US* 'lɑ-] *n* **1.** sorsjáték, lottó; ~ *ticket* sorsjegy; lottószelvény **2.** *átv* lutri
lotus ['loʊtəs] *n* lótusz
lotus-eater [-iːtə*] *n* ábrándozó semmittevő
loud [laʊd] **I.** *a* **1.** hangos, lármás **2.** feltűnő, rikító színű **II.** *adv* hangosan; ~*er* hangosabban
loud-mouth *n* hangoskodó
loudness ['laʊdnɪs] *n* **1.** hangosság **2.** feltűnőség
loud-speaker *n* hangszóró
lough [lɔk v. lɔx; *US* -ɑ-] *n ír* **1.** tó **2.** keskeny tengeröböl, fjord
Louis ['luːɪ v. 'luːɪs] *prop* Lajos
Louisa [luːˈiːzə] *prop* Lujza
Louisiana [luːiːzɪˈænə] *prop*
lounge [laʊndʒ] **I.** *n* **1.** lebzselés, henyélés; őgyelgés, kószálás **2.** hall; előcsarnok; társalgó [helyiség]; *US* ~ *car* szalonkocsi [vasúti] **II.** *vi* lebzsel, henyél; őgyeleg, kószál
lounge-chair *n* klubfotel
lounge-lizard *n* ⬜ jampec, bártöltelék, zsúrfiú, gigoló
lounger ['laʊndʒə*] *n* naplopó, henyélő
lounge-suit *n* utcai ruha [férfié]
louring ['laʊərɪŋ] *a* fenyegető, borús, komor
louse [laʊs] *n* (*pl* lice laɪs) tetű

lousy ['lauzı] a 1. tetves 2. biz pocsék, vacak, nyamvadt 3. □ ~ with sg tele/dugig vmvel
lout [laut] n faragatlan fickó, fajankó
loutish ['lautıʃ] a esetlen, faragatlan
louver, louvre ['lu:və*] n zsalu
louver-boards n pl zsalu
lovable ['lʌvəbl] a szeretetre méltó, kedves
love [lʌv] I. n 1. szeretet; for the ~ of God! az Isten szerelmére!; for the ~ of it kedvtelésből [tesz vmt]; send one's ~ to sy szívélyes üdvözletét küldi vknek; there is not much ~ lost between them nem szívlelik egymást; it cannot be had for ~ or money semmi áron nem eladó 2. szerelem; be in ~ with sy szerelmes vkbe; fall in ~ with sy beleszeret vkbe; make ~ to sy (1) udvarol vknek (2) szeretkezik vkvel; marry for ~ szerelemből nősül; ~ in a cottage szerelmi házasság [anyagi megalapozottság nélkül]; "L~'s Labour's Lost" „Felsült szerelmesek" [Shakespeare vígjátéka], [újabban:] „Lóvá tett lovagok" 3. semmi [teniszben]; ~ game sima játék II. vt szeret (vkt); szerelmes (vkbe); élvezetet talál (vmben); will you come with me? I should ~ to elkísérsz? ezer örömmel!
loveable ['lʌvəbl] a = lovable
love-affair n (szerelmi) viszony, szerelmi kapcsolat/ügy
love-apple n † paradicsom
love-bird n afrikai törpepapagáj
love-child n (pl ~ren) szerelemgyer-(m)ek
love-feast n szeretetvendégség
love-in-idleness n vad árvácska
Lovelace ['lʌvleıs] n nőcsábász
loveless ['lʌvlıs] a szeretetlen, szeretet/szerelem nélküli
love-letter n szerelmeslevél
love-lies-bleeding n csüngő amarant [virág]
loveliness ['lʌvlınıs] n szeretetreméltóság, kedvesség
lovelock n huncutka, csáb(ász)fürt
lovelorn a reménytelenül szerelmes, szerelmében csalódott
lovely ['lʌvlı] I. a 1. csinos, bájos, szép;

kedves, szeretetre méltó 2. biz nagyszerű, pompás, remek, finom II. n biz csinos nő, szép lány
love-making n 1. udvarlás 2. szeretkezés
love-match n szerelmi házasság
love-philtre/potion n szerelmi bájital
lover ['lʌvə*] n 1. szerető, kedves 2. lovers pl szerelmespár, szerelmesek 3. ~ of sg kedvelője vmnek, -kedvelő
lovesick a 1. fülig szerelmes 2. szerelme miatt szenvedő, epekedő
love-song n szerelmes/szerelmi dal
love-story n szerelmi történet
love-token n szerelmi zálog
loving ['lʌvıŋ] a szerető; kedves
loving-cup n bujdosó pohár
loving-kindness n nyájasság, szeretet
low¹ [lou] I. a 1. alacsony; mély; kis; csekély; alsó [helyzetben levő]; the L~ Countries Németalföld; ~ dress (mélyen) kivágott ruha; ~ gear első sebesség [gépkocsié]; ~ German alnémet; ~ latitudes az egyenlítő tájéka; ~ pressure kis nyomás; ~ price alacsony ár; at a ~ price olcsón; ~ speed kis sebesség; ~ temperature alacsony hőmérséklet; ~ tide/water apály; alacsony vízállás; biz be in ~ water szűken áll pénz dolgában 2. alacsony [származású, rangú]; alacsonyrendű; ~ birth alacsony származás; ~ comedy bohózat; bring sy ~ megaláz vkt 3. alsóbbrendű, alantas, közönséges; aljas; ~ blow átv övön aluli ütés; ~ company rossz társaság; ~ fellow hitvány/züllött alak; ~ language közönséges/durva beszéd; ~ woman közönséges nő 4. gyenge, erőtlen, rossz [állapot]; lehangolt, rosszkedvű; ~ pulse gyenge érverés; feel ~ gyengén (v. nem jól) érzi magát; lehangolt; be laid ~ betegen fekszik 5. halk, csendes, mély [hang]; in a ~ key visszafogottan, halkra hangszerelve 6. L~ Church ⟨az anglikán egyháznak a református egyházhoz közelebb álló ága⟩ II. adv 1. alacsonyan, mélyen; lie ~ lapul, rejtőz(köd)ik; run ~ fogytán van, kifogy [készlet stb.] 2. buy ~ olcsón vásárol; play ~ kicsiben játszik 3. halkan,

mély hangon 4. gyengén; *feed* ~ sovány koszton él
low² [loʊ] I. *n* tehénbőgés II. *vi* bőg [tehén]
low-born *a* alacsony/egyszerű származású
lowboy *n* alacsony sokfiókos asztalka, díner
low-bred *a* modortalan, nyers modorú
lowbrow *biz* I. *a* nyárspolgári, nem intelligens, nem kifinomult ízlésű II. *n* nyárspolgár, filiszter
low-down *biz* I. *a* aljas, alantas, becstelen II. *n* bizalmas közlés
Lowell ['loʊəl] *prop*
lower¹ ['loʊə*] I. *a* alacsonyabb; alsó; *the* ~ *classes* az alsó társadalmi osztályok, a munkásosztály; *L~ House* [parlamenti] alsóház, képviselőház; *the* ~ *world* az alvilág II. A. *vt* 1. leenged, leereszt, lebocsát; lesüllyeszt, mélyít 2. kisebbít, leszállít, csökkent 3. lehalkít, tompít [hangot] 4. megaláz, lealáz; ~ *oneself* (le)alacsonyodik, arra vetemedik (‚hogy . . .) B. *vi* sülylyed; csökken, leszáll
lower² ['laʊə*] *vi* beborul
lowering ['laʊərɪŋ] *a* = *louring*
lowermost ['loʊəmoʊst] *a* (leges)legalsó
lowest ['loʊɪst] *a* legalsó
low-grade *a* rossz minőségű, silány
lowing ['loʊɪŋ] *n* tehénbőgés
low-key *a* halkra fogott, visszafogott
Lowlander ['loʊləndə*] *n* 1. alföldi ember 2. dél-skóciai ember
lowlands ['loʊləndz] *n pl* alföld; *the L~ of Scotland* a skót síkság, Dél-Skócia
lowliness ['loʊlɪnɪs] *n* alázatosság, szerénység
lowly ['loʊlɪ] I. *a* 1. alacsony, mély(en fekvő) 2. egyszerű, szerény, alázatos II. *adv* egyszerűen, szerényen, alázatosan
low-minded *a* alantas gondolkodású
low-necked *a* mély kivágású [ruha]
lowness ['loʊnɪs] *n* alacsonyság; aljasság
low-pressure *a* kisnyomású
low-priced *a* olcsó
low-relief *n* síkdombormű, féldombormű
low-spirited *a* lehangolt, bátortalan
low-tension *a* kisfeszültségű

low-water mark legalacsonyabb vízállás; apályszint
loyal ['lɔɪ(ə)l] *a* hű, kitartó, lojális
loyalist ['lɔɪəlɪst] *n* kormányhű, királyhű, lojalista
loyalty ['lɔɪ(ə)ltɪ] *n* hűség, lojalitás
lozenge ['lɔzɪndʒ; *US* 'lɑ-] *n* 1. rombusz, ferde négyszög 2. szögletes pasztilla/cukorka
LP [el'pi:] *long-playing record*
L-plate *n* T (betű) [= tanuló vezető jelzése]
Lsd, £sd [eles'di:] librae, solidi, denarii (= *pounds, shillings, pence*) font, shilling és penny
LSD [eles'di:] hallucinogén anyag [erős kábítószer], LSD
Lt. *Lieutenant*
Ltd. ['lɪmɪtɪd] *limited*
lubber ['lʌbə*] *n* esetlen fickó
lubberly ['lʌbəlɪ] *a* esetlen, ügyetlen
lubricant ['lu:brɪkənt] *n* kenőanyag
lubricate ['lu:brɪkeɪt] *vt* ken, olajoz, zsíroz
lubrication [lu:brɪ'keɪʃn] *n* kenés, olajozás, zsír(o)zás
lubricator ['lu:brɪkeɪtə*] *n* olajozó, kenőberendezés
lubricity [lu:'brɪsətɪ] *n* 1. síkosság, kenhetőség 2. sikamlósság, bujaság
Lucas ['lu:kəs] *prop* Lukács
lucerne [lu:'sə:n] *n GB* lucerna
Lucia ['lu:sjə] *prop*, Lúcia, Luca
lucid ['lu:sɪd] *a* 1. világos; tiszta 2. érthető, értelmes
lucidity [lu:'sɪdətɪ] *n* 1. világosság; tisztaság 2. érthetőség
luck [lʌk] *n* véletlen, szerencse; *try one's* ~ szerencsét próbál; *down on one's* ~ peches, bajban van, rosszul áll; *hard* ~ pech, balszerencse; *have hard* ~ nincs szerencséje, pechje van; *by* ~ véletlenül; *as* ~ *would have it* a sors úgy akarta; *be in* ~ szerencséje van; *bit of* ~ mázli
luckily ['lʌkɪlɪ] *adv* szerencsére
luckless ['lʌklɪs] *a* peches, szerencsétlen
Lucknow ['lʌknaʊ] *prop*
luck-penny *n GB* szerencsepénz
lucky ['lʌkɪ] *a* szerencsés, mázlis; ~ *bag*

kucséberzacskó; ~ *strike* szerencsés lelet [arany, olaj]

lucrative ['lu:krətɪv] *a* hasznot hajtó, lukratív

lucre ['lu:kə*]** *n* haszon; nyerészkedés

Lucrece [lu:'kri:s] *prop*

Lucretia [lu:'kri:ʃə; *US* -ʃə] *prop* Lukrécia

Lucy ['lu:sɪ] *prop* Lúcia, Luca

Luddite ['lʌdaɪt] *n* géprombolo [Angliában a XIX. század elején]

Ludgate ['lʌdgɪt] *prop*

ludicrous ['lu:dɪkrəs] *a* nevetséges

luff [lʌf] I. *n* széloldal II. A. *vt* szél irányába fordít [hajót] B. *vi* szél irányába fordul [hajó], szélnek vitorlázik

lug¹ [lʌg] *n* 1. fül, fogó, fogantyú [edényen] 2. tűfok

lug² [lʌg] I. *n* rángatás, rántás, teher II. *vt* -gg- húz, hurcol; vonszol, cipel; *átv* ~ *in* hajánál fogva előráncigál [érvet]

luggage ['lʌgɪdʒ] *n* poggyász, csomag; *personal* ~ kézipoggyász

luggage-label *n* poggyászcímke

luggage-locker *n* = *left-luggage locker*

luggage-porter *n* hordár

luggage-rack *n* csomagtartó, poggyásztartó

luggage-van *n* poggyászkocsi, (vasúti) málhakocsi

lugged [lʌgd] → *lug²* *II*.

lugsail ['lʌgseɪl; hajósok nyelvén: 'lʌgsl] *n* négyszögletes vitorla, lugvitorla

lugubrious [lu:'gu:brɪəs] *a* gyászos, siránkozó, panaszos, siralmas, komor

Luke [lu:k] *prop* Lukács

lukewarm ['lu:kwɔ:m] *a* 1. langyos 2. *átv* langymeleg, se hideg se meleg, közömbös

lull [lʌl] I. *n* szélcsend, átmeneti nyugalom II. A. *vt* (dúdolással) elaltat; lecsendesít, megnyugtat B. *vi* eláll, elül [szél], lecsillapodik, lecsendesedik [vihar]

lullaby ['lʌləbaɪ] *n* altatódal

lumbago [lʌm'beɪgoʊ] *n* lumbágó

lumbar ['lʌmbə*] *a* ágyék(táj)i, ágyék-

lumber¹ ['lʌmbə*] I. *n* 1. ócska bútor, felesleges holmi, limlom 2. *US* = *timber 1*. II. A. *vt* felhalmoz; összehány;

limlommal telerak B. *vi US* 1. erdőt kitermel, fát dönt 2. gömbfát feldolgoz

lumber² ['lʌmbə*] *vi* 1. nehézkesen csoszog, baktat, vánszorog 2. zörögve/zúgva/dörömbölve halad, dübörög

lumberjack *n* favágó; fatelepi dolgozó/munkás

lumberman ['lʌmbəmən] *n* (*pl* -men -mən) = *lumberjack*

lumbermill *n* fűrésztelep

lumber-room *n* kacattár, lomtár

lumber-yard *n* fatelep

luminary ['lu:mɪnərɪ; *US* -erɪ] *n* 1. (világító) égitest 2. nagy elme, szellemi nagyság

luminescent [lu:mɪ'nesnt] *a* foszforeszkáló, ragyogó, fénylő

luminosity [lu:mɪ'nɔsətɪ; *US* -'nɑ-] *n* fényesség, fényerősség

luminous ['lu:mɪnəs] *a* 1. ragyogó, fénylő, világító, kivilágított; ~ *clock* világító számlapú óra; ~ *paint* világító festék 2. világos, érthető

luminousness ['lu:mɪnəsnɪs] *n* világosság (*átv is*), fényesség

lump¹ [lʌmp] I. *n* 1. göröngy, rög, darab; (idomtalan) tömeg, rakás, egy csomó; ~ *of sugar* egy kocka cukor; ~ *sugar* kockacukor; *have a* ~ *in one's throat* gombóc van a torkában 2. kidudorodás, kinövés, púp, daganat 3. ~ *sum* (1) átalány(összeg) (2) kerek összeg; *in a* ~ egy tételben, egyben, egészben 4. *biz* nagydarab ember II. A. *vt* 1. összehalmoz, -hord, -dobál 2. ~ *together* egészben vesz, egy kalap alá vesz; összevon [tételeket] B. *vi* 1. darabosan összeáll; csomós lesz 2. ~ *along* nehézkesen baktat; ~ *down* letottyan, lezuppan

lump² [lʌmp] *vt biz if you don't like it you can* ~ *it* eszi nem eszi nem kap mást

lumpish ['lʌmpɪʃ] *a* 1. idomtalan, nehézkes, ügyetlen, darabos 2. nehézfejű

lumpy ['lʌmpɪ] *a* 1. darabos, göröngyös, csomós 2. fodros, hullámos [víz]

lunacy ['lu:nəsɪ] *n* 1. elmebaj 2. *biz* őrültség, bolondság

lunar ['lu:nə*] *a* hold-; ~ *flight* holdre-

pülés; ~ *module* holdkomp; ~ *month* holdhónap; ~ *orbit* hold körüli pálya
lunatic ['lu:nətɪk] *n* 1. elmebajos, elmebeteg; őrült; bolond; ~ *asylum* elmegyógyintézet; ~ *fringe* ⟨mozgalomnak/pártnak nevetségesen/eszelősen szélsőséges elemei⟩ 2. holdkóros
lunch [lʌntʃ] I. *n* ebéd; löncs; ~ *break* ebédszünet; *be at* ~, *have* ~ ebédel II. *vt/vi* ebédel; löncsöl
luncheon ['lʌntʃ(ə)n] *n* = *lunch I.*; ~ *meat* löncshús; ~ *voucher* [üzemi] ebédjegy
luncheonette [lʌntʃə'net] *n* 1. US könnyű étkezés [időn kívül] 2. falatozó(hely)
lunch-room *n* étkezde, kisvendéglő
lunette [lu:'net] *n* lunetta
lung [lʌŋ] *n* tüdő; ~ *trouble* tüdőbaj; *inflammation of the* ~*s* tüdőgyulladás
lunge[1] [lʌndʒ] I. *n* vezetőszár, futószár II. *vt* vezetőszárral futtat, lonzsol [lovat]
lunge[2] [lʌndʒ] I. *n* hirtelen szúrás; kitörés, támadás [vívásban] II. *vi* 1. kitöréssel támad, hirtelen szúr 2. előrelendül
lungwort *n* orvosi tüdőfű
luniform ['lu:nɪfɔ:m] *a* hold alakú
lunule ['lu:nju:l] *n* holdacska [köröm tövén]
lupin ['lu:pɪn] *n* farkasbab
lurch[1] [lə:tʃ] I. *n* megingás, megdőlés; megtántorodás II. *vi* hirtelen oldalirányba lódul/billen; tántorog, megtántorodik; dülöngél
lurch[2] [lə:tʃ] *n leave in the* ~ cserbenhagy, benne hagy a szószban/pácban
lurcher ['lə:tʃə*] *n* 1. orvvadász; tolvaj, szélhámos 2. *GB* orvvadász kutyája
lure [ljʊə*; *US* lʊər] I. *n* csalétek (*átv is*), csáb(ítás), vonzerő II. *vt* csábít, csalogat, odacsal
lurid ['ljʊərɪd; *US* 'lu-] *a* 1. ragyogó, égő színű, rikító (színű) 2. rémes, szörnyű(séges); szenzációs
lurk [lə:k] *vi* 1. leselkedik, lesben áll 2. bujkál, ólálkodik, lappang
lurking-place ['lə:kɪŋ-] *n* les(hely), rejtekhely
luscious ['lʌʃəs] *a* 1. ízes, zamatos; fű-

szeres; (méz)édes 2. édeskés, émelygős [stílus stb.] 3. érzéki, buja
lush [lʌʃ] *a* nedves, friss, buja [növényzet]
lust [lʌst] I. *n* 1. testi/nemi vágy; bujaság, kéjelgés 2. ~ *for power* hatalomszomj, hatalomvágy II. *vi* epekedik, testi vágyat érez (*for/after* után)
luster →*lustre*
lustful ['lʌstfʊl] *a* kéjvágyó, buja
lustily ['lʌstɪlɪ] *adv* erősen, tele tüdőből
lustiness ['lʌstɪnɪs] *n* erő, frisseség, ragyogó egészség
lustre, *US* -**ter** ['lʌstə*] I. *n* 1. fény(lés), zománcos/fémes csillogás 2. lüsztermáz [üveg- és agyagárukon] 3. hírnév 4. csillár 5. *GB* lüszter [szövet] II. *vt* fényt ad [szövetnek], mercerizál, fényez
lustreless ['lʌstəlɪs] *a* fénytelen, fakó
lustrous ['lʌstrəs] *a* fénylő, fényes, csillogó, ragyogó
lusty ['lʌstɪ] *a* erős, izmos, életerős, egészségtől/élettől duzzadó
lutanist ['lu:tənɪst] *n* lantos
lute[1] [lu:t] *n* lant
lute[2] [lu:t] I. *n* 1. ragasztószer, tömítőanyag, kitt 2. tömítés II. *vt* összetapaszt, betöm, beragaszt, kittel
Luther ['lu:θə*] *prop*
Lutheran ['lu:θ(ə)rən] *a/n* lutheránus, evangélikus
lutist ['lu:tɪst] *n* lantos
Lutyens ['lʌtʃ(ə)nz] *prop*
luxation [lʌk'seɪʃn] *n* kificamodás, ficam
Luxemb(o)urg ['lʌks(ə)mbə:g] *prop* Luxemburg
luxuriance [lʌg'zjʊərɪəns; *US* -'ʒʊ-] *n* bőség, termékenység (*átv is*), bujaság, gazdagság, szertelenség
luxuriant [lʌg'zjʊərɪənt; *US* -'ʒʊ-] *a* bőséges, termékeny (*átv is*), túláradó, gazdag, buja, szertelen
luxuriate [lʌg'zjʊərɪeɪt; *US* -'ʒʊ-] *vi* 1. buján nő, burjánzik 2. élvez, odaadja magát (vmnek), kéjeleg vmben, pazarul él; ~ *in sg* tobzódik vmben
luxurious [lʌg'zjʊərɪəs; *US* -'ʒʊ-] *a* fényűző, pazar, luxus-
luxury ['lʌkʃ(ə)rɪ] *n* 1. fényűzés, luxus 2. fényűzési cikk, luxuscikk 3. (*összetételekben:*) luxus-; ~ *flat* luxuslakás

lych-gate ['lɪtʃgeɪt] *n* = *lich-gate*
lychnis ['lɪknɪs] *n* mécsvirág
Lycidas ['lɪsɪdæs] *prop*
Lydia ['lɪdɪə] *prop* Lídia, Lidi
lye [laɪ] *n* lúg
lying[1] ['laɪɪŋ] I. *a* hazudó(s) II. *n* hazugság ‖→*lie*[1] *II*.
lying[2] ['laɪɪŋ] I. *a* fekvő II. *n* 1. fekvés 2. fekvőhely ‖→*lie*[2] *II*.
lying-in *n* szülés, vajúdás; ∼ *hospital* szülőotthon
lymph [lɪmf] *n* 1. nyirok, limfa 2. kristálytiszta folyadék/víz
lymphatic [lɪm'fætɪk] I. *a* 1. limfatikus, lymphaticus, nyirok-, nyirokkiválasztó; ∼ *gland* nyirokmirigy; ∼ *vessel* nyirokér 2. halvány, vértelen, petyhüdt, ernyedt, lomha II. *n* nyirokedény

lymphocyte ['lɪmfəsaɪt] *n* nyiroksejt lymphocita
lynch [lɪntʃ] *vt* (meg)lincsel
lynch-law *n* lincselés
lynx [lɪŋks] *n* hiúz
lynx-eyed *a* éles szemű, sasszemű
lyre ['laɪə*] *n* líra, lant
lyre-bird *n* lantmadár
lyric ['lɪrɪk] I. *a* lírai II. *n* 1. lírai költemény 2. lyrics *pl* (dal)szöveg
lyrical ['lɪrɪkl] *a* 1. lírai 2. *biz* érzelgős (hangon elmondott/megírt)
lyricism ['lɪrɪsɪzm] *n* líraiság; érzelmesség, érzelgősség
lyricist ['lɪrɪsɪst] *n* 1. (dal)szövegíró 2. lírai költő, lírikus
Lysander [laɪ'sændə*] *prop*
lysol ['laɪsɔl; *US* -soʊl] *n* lizol [fertőtlenítőszer]
Lytton ['lɪtn] *prop*

M

M, m [em] *n* M, m (betű)
m. 1. *married* 2. *metre(s)* méter, m 3.
mile(s) 4. *million* 5. *minute(s)* perc, p
'm = *am*
ma [mɑ:] *n biz* mama, anyu
M.A., MA [em'eɪ] Magister Artium
(= *Master of Arts*) →*master*
ma'am [mæm] *n biz* 1. asszonyom,
madame 2. *US* tanárnő
Mab [mæb] *prop*
Mabel ['meɪbl] *prop* Mabella
Mac¹ [mæk; nevek elején rendsz.
súlytalan; mək-] *prop* ⟨skót eredetű
nevek elején: -fi⟩
mac² [mæk] *n biz* = *mackintosh*
macabre [mə'kɑ:br(ə)] *a* hátborzongató
macadam [mə'kædəm] *n* ~ *road* makadámút
macadamize [mə'kædəmaɪz] *vt* makadámoz, makadámmal burkol
macaroni [mækə'roʊnɪ] *n* csőtészta,
makaróni
macaronic [mækə'rɔnɪk; *US* -'rɑ-] *a* idegen [latin] szavakkal megtűzdelt [tréfás vers], makaróni stílusú
macaroon [mækə'ru:n] *n kb.* mandulás
csók
MacArthur [mə'kɑ:θə*] *prop*
Macartney [mə'kɑ:tnɪ] *prop*
Macaulay [mə'kɔ:lɪ] *prop*
macaw [mə'kɔ:] *n* arapapagáj
Macbeth [mək'beθ] *prop*
MacCarthy [mə'kɑ:θɪ] *prop*
MacCoy [mə'kɔɪ] *n* □ *that's the real* ~ ez
a(z) igazi/hamisítatlan
MacDonald, Macdonald [mək'dɔn(ə)ld]
prop
Macduff [mək'dʌf] *prop*

mace¹ [meɪs] *n* 1. buzogány 2. jogar,
kormánypálca
mace² [meɪs] *n* szerecsendió
mace-bearer *n* pálcamester; jogarvivő
Macedonia [mæsɪ'doʊnjə] *prop* Macedónia
Macedonian [mæsɪ'doʊnjən] *a* macedón(iai)
macerate ['mæsəreɪt] *vt* 1. (be)áztat,
puhít, foszlat [vegyileg] 2. *átv* lesoványít
Mach [mɑ:k] *prop* ~ *number* Mach-szám
machete [mə'tʃetɪ; *US* -'ʃe-] *n* széles pengéjű kés
machicolation [mætʃɪkə'leɪʃn] *n* lőréses
gyilokjáró
machiavellian [mækɪə'velɪən] *a* machiavellisztikus
machination [mækɪ'neɪʃn] *n* machináció,
intrika, fondorlat
machine [mə'ʃi:n] I. *n* 1. gép, gépezet,
munkagép; *(összetételekben:)* gépi, gép-;
~ *minder* gépkezelő; ~ *shop* gépterem;
~ *tool* szerszámgép; ~ *translation* gépi
fordítás 2. *(party)* ~ pártapparátus
II. *vt* géppel készít/varr; gépen megmunkál
machine-gun *n* géppuska, -fegyver; *light*
~ golyószóró
machine-made *a* géppel készített/gyártott, gépi, gép-
machine-operator *n* gépkezelő
machinery [mə'ʃi:nərɪ] *n* 1. gépezet,
szerkezet, gépi felszerelés 2. *átv* szervezet, gépezet, mechanizmus
machinist [mə'ʃi:nɪst] *n* gépész, gépkezelő; gépszerelő
mack [mæk] *n* = *mackintosh*
Mackenzie [mə'kenzɪ] *prop*

mackerel ['mækr(ə)l] *n* (*pl* ~) makréla
mackerel-sky *n* bárányfelhős ég
mackintosh ['mækɪntɔʃ; *US* -aʃ] *n GB* esőkabát
Macleod [mə'klaʊd] *prop*
Macmillan [mək'mɪlən] *prop*
Macpherson [mək'fə:sn] *prop*
macrobiotic [mækroʊbaɪ'ɔtɪk; *US* -'a-] *a* életmeghosszabbító
macrocosm ['mækrəkɔzm; *US* -azm] *n* világegyetem, makrokozmosz
macula ['mækjʊlə] *n* (*pl* ~e -li:) 1. folt [bőrön stb.] 2. napfolt
mad [mæd] *a* (*comp* ~der 'mædə*, *sup* ~dest 'mædɪst) 1. őrült; ~ *dog* veszett kutya; *as* ~ *as a March hare* (v. *a hatter*) sült bolond, őrült spanyol, dilis; *drive sy* ~ megőrjít vkt; *go* ~ (1) megőrül (2) *biz* begerjed [mérgében]; *biz like* ~ eszeveszetten, mint az őrült 2. *biz be* ~ *about*/*after*/*on sg* bolondul/ megőrül vmért; *be* ~ *about sy* bele van esve vkbe; *be* ~ *with pain* majd megőrül a fájdalomtól 3. dühös, haragszik (*with* vkre; *at*/*about* vm miatt)
madam ['mædəm] *n* 1. (*mint megszólítás:*) asszonyom; tanárnő (kérem), néni (kérem) 2. úrhölgy
madcap *a*/*n* féktelen, vad(óc)
madden ['mædn] **A.** *vt* megőrjít **B.** *vi* megőrül, megbolondul
maddening ['mædnɪŋ] *a* őrjítő, dühítő
madder¹ ['mædə*] *n* 1. festőbuzér 2. buzérvörös
madder², maddest →*mad*
madding ['mædɪŋ] *a* 1. lármás, őrjöngő 2. őrjítő
made [meɪd] *a* 1. megcsinált, (el)készített, kész, (el)készült; ~ *in England* angol áru 2. *átv* befutott; *a* ~ *man* beérkezett ember; || →*make II.*
Madeleine ['mædlɪn] *prop* Magda(léna)
made-to-measure *a* mérték után készült
made-up *a* 1. kitalált, kiagyalt 2. összeállított, elkészített 3. kifestett, kikészített, sminkelt [arc]
Madge [mædʒ] *prop* Margitka
mad-house *n* bolondokháza (*átv is*)
Madison ['mædɪsn] *prop*
madly ['mædlɪ] *adv* őrülten, vadul

madman ['mædmən] *n* (*pl* -men -mən) bolond, elmebajos, őrült
madness ['mædnɪs] *n* őrület, őrültség (*átv is*)
madonna [mə'dɔnə; *US* -'da-] *n* madonna
Madras [mə'dra:s; *US* -æs] *prop*
madrigal ['mædrɪgl] *n* madrigál
madwoman *n* (*pl* -women) bolond/elmebajos/őrült nő
madwort *n* ternyefű
Mae [meɪ] *prop* ⟨női név⟩
Maecenas [mi:'si:næs; *US* -əs] *n* mecénás, (gazdag) műpártoló
maelstrom ['meɪlstrɔm; *US* -əm] *n* (*átv is*) örvény, vad forgatag
maenad ['mi:næd] *n* bacchánsnő
maf(f)ia ['mæfɪə; *US* 'ma:fɪa:] *n* maffia
mag [mæg] *n biz* = *magazine 4.*
magazine [mægə'zi:n] *n* 1. (fegyver)raktár; lőszerraktár 2. tölténytár 3. (film-) kazetta 4. (képes) folyóirat, képeslap, magazin
Magdalen(e) *prop* 1. ['mægdəlɪn] Magdolna 2. ['mɔ:dlɪn] ⟨*Magdalen* egy oxfordi és *Magdalene* egy cambridge-i kollégium neve⟩
magenta [mə'dʒentə]*n* bíborvörös (szín), fukszin, magenta (festék)
Maggie ['mægɪ] *prop* Margitka
maggot ['mægət] *n* 1. kukac, bogár, féreg, nyű 2. *biz* szeszély
maggoty ['mægətɪ] *a* 1. kukacos, nyüves 2. *biz* szeszélyes, bogaras, kukacos
magi →*magus*
magic ['mædʒɪk] **I.** *a* varázslatos, bűvös, mágikus; ~ *eye* varázsszem [elektronikában]; ~ *lantern* állóképes vetítőgép, laterna magica **II.** *n* bűvészet, varázslat, mágia; *black* ~ ördöngösség, fekete mágia; *act like* ~ varázshatású
magical ['mædʒɪkl] *a* = *magic I.*
magician [mə'dʒɪʃn] *n* bűvész, varázsló
magisterial [mædʒɪ'stɪərɪəl] *a* 1. hatósági, hivatali 2. mesteri, magisztrális 3. parancsoló, ellentmondást nem tűrő
magistracy ['mædʒɪstrəsɪ] *n* elöljárói rang/hivatal; bírósági/közigazgatási hivatal
magistrate ['mædʒɪstreɪt] *n* elöljáró, rendőrbíró

Magna C(h)arta [mægnə'ka:tə] *n* Magna Charta ⟨Földnélküli János 1215-ben kiadott alkotmánylevele⟩
magnanimity [mægnə'nımətı] *n* nagylelkűség
magnanimous [mæg'nænıməs] *a* nagylelkű, nemes gondolkodású, önzetlen
magnate ['mægneıt] *n* mágnás, főúr
magnesia [mæg'ni:ʃə] *n* magnéziumoxid
magnesium [mæg'ni:zjəm; *US* -ʃıəm] *n* magnézium
magnet ['mægnıt] *n* mágnes
magnetic [mæg'netık] *a* 1. mágneses; ~ *field* mágneses mező; ~ *needle* mágnestű; ~ *tape* magnószalag 2. vonzó, elragadó
magnetism ['mægnıtızm] *n* 1. mágnesesség; mágneses erő 2. vonz(ó)erő; *personal* ~ egyéni varázs
magnetize ['mægnıtaız] *vt* 1. mágnesez 2. hipnotizál 3. vonz(ó)erőt gyakorol (vkre), megbűvöl, vonz (vkt)
magneto [mæg'ni:toʊ] *n* elektromágnes, gyújtómágnes
magnification [mægnıfı'keıʃn] *n* nagyítás, nagyobbítás
magnificence [mæg'nıfısns] *n* nagyszerűség, pompa, ragyogás
magnificent [mæg'nıfısnt] *a* nagyszerű, pazar, fönséges, pompás
magnifier ['mægnıfaıə*] *n* nagyítóüveg
magnify ['mægnıfaı] *vt* 1. (fel)nagyít, kinagyít 2. (el)túloz, felfúj
magnifying glass ['mægnıfaıın] nagyítóüveg
magniloquence [mæg'nıləkwəns] *n* fellengzősség; nagyzolás, kérkedés
magniloquent [mæg'nıləkwənt] *a* fellengzős; kérkedő
magnitude ['mægnıtju:d; *US* -tu:d] *n* 1. nagyság, terjedelem 2. fontosság, jelentőség 3. (csillag)fényesség, fényrend
magnolia [mæg'noʊljə] *n* magnólia
magnum ['mægnəm] *n* nagy palack [kb. 2 1/2 literes]
magpie ['mægpaı] *n* 1. szarka 2. fecsegő
magus ['meıgəs] *n* (*pl magi* 'meıdʒaı) mágus, varázsló; *the Three Magi* a három királyok
Magyar ['mægja:*] *a/n* magyar

maharaja(h) [ma:hə'ra:dʒə] *n* maharadzsa
maharanee [ma:hə'ra:ni:] *n* maharadzsa felesége
mahjong(g) [ma:'dʒɔŋ] *n* kínai dominójáték, madzsong
mahogany [mə'hɔgənı; *US* -'ha-] *n* mahagóni
Mahomet [mə'hɔmıt; *US* -'ha-] *prop* Mohamed
Mahometan [mə'hɔmıt(ə)n; *US* -'ha-] *a/n* mohamedán
mahout [mə'haʊt] *n* elefánthajcsár
maid [meıd] *n* 1. fiatal lány, hajadon; † szűz; *old* ~ vénkisasszony 2. szolgáló, (cseléd)lány; ~ *of all work* mindenes 3. ~ *of honour* udvarhölgy
maiden ['meıdn] I. *a* 1. hajadon; szűzi(es); ~ *name* leánykori név 2. első; ~ *speech* szűzbeszéd; ~ *trip/voyage* első út [hajóé] 3. nyeretlen [ló] II. *n* leány, hajadon
maidenhair *n* vénuszhaj [növény]
maidenhead *n* 1. szüzesség 2. szűzhártya
maidenhood ['meıdnhʊd] *n* hajadon állapot, szüzesség
maidenlike ['meıdnlaık] *a* leányos, szűzi(es)
maidenly ['meıdnlı] *a* = *maidenlike*
maidservant *n* szolgálólány
mail¹ [meıl] I. *n* posta; ~ *order* postai árurendelés →*mail-order* II. *vt US* postára ad, bedob [levelet stb.]
mail² [meıl] I. *n* vértezet, páncél(ing) II. *vt* páncéloz
mailbag *n* postazsák
mail-boat *n* postahajó
mailbox *n US* postaláda, levélszekrény
mail-carrier *n US* levélhordó
mail-clad *a* páncélos
mail-coach *n* postakocsi
mailed [meıld] *a* ~ *fist* az erős kéz (politikája), erőszak
mailing-list ['meılıŋ-] *n* címjegyzék [akinek rendszeresen küldenek árjegyzéket stb.]
mail-man *n* (*pl* -men) *US* levélkézbesítő, postás
mail-order *a* ~ *business/house* ⟨árjegyzék alapján postán rendelt árut elküldő áruház⟩, csomagküldő áruház

mail-van *n* (vasúti) postakocsi
maim [meɪm] *vt* megcsonkít, megbénít
main [meɪn] I. *a* fő-, legfőbb, legfontosabb; ~ *clause* főmondat; ~ *deck* felső fedélzet, főfedélzet; *by* ~ *force* erőszakkal; teljes erővel; *the* ~ *point* a lényeg(es kérdés) II. *n* 1. fővezeték; főcsatorna; fővonal 2. **mains** *pl* hálózat; ~*s set* hálózati készülék 3. *in the* ~ általában, nagyrészt
main-brace *n* főkeresztvitorla fordítókötele; *splice the* ~ (1) iszik egyet, berúg (2) extra rumadagot oszt
Maine [meɪn] *prop*
mainland ['meɪnlənd] *n* szárazföld
mainly ['meɪnlɪ] *adv* főleg, többnyire
mainmast ['meɪnmɑ:st; hajósok nyelvén: 'meɪnməst] *n* főárboc
mainsail ['meɪnseɪl; hajósok nyelvén: 'meɪnsl] *n* fő(árboc-)törzsvitorla
mainspring *n* 1. főrugó 2. *biz* hajtóerő, fő indíték
mainstay *n* 1. főárboctarcs 2. *átv* támasz, fő erősség, oszlop
mainstream *n* főáram, az ár(amlat) közepe
maintain [meɪn'teɪn] *vt* 1. fenntart; karbantart 2. (el)tart, ellát 3. fenntart [álláspontot] 4. támogat; megvéd [jogait stb.]
maintainable [meɪn'teɪnəbl] *a* fenntartható, védhető
maintenance ['meɪntənəns] *n* 1. fenntartás; karbantartás, kezelés, szervíz; ~ *man* karbantartó munkás 2. (el)tartás, ellátás; ~ *order* tartási kötelezettség
Maisie ['meɪzɪ] *prop sk, US* Margitka
maison(n)ette [meɪzə'net] *n* kislakás
maize [meɪz] *n* kukorica, tengeri
Maj. *Major* őrnagy, őrgy.
majestic(al) [mə'dʒestɪk(l)] *a* fenséges, magasztos, méltóságteljes
majesty ['mædʒəstɪ] *n* 1. felség; *Your M*~ Felség! [megszólításban]; *His/Her M*~ Őfelsége, Őfensége; *His/Her Britannic M*~ ő brit felsége; *On His/Her M*~*'s Service* (1) Őfelsége szolgálatában (2) hivatalból portómentes/díjátalányozva 2. fenség, magasztosság

majolica [mə'jɔlɪkə; *US* -'jɑ-] *n* majolika
major[1] ['meɪdʒə*] *n* őrnagy
major[2] ['meɪdʒə*] I. *a* 1. nagyobb, fontosabb; fő-; ~ *premise* főtétel [logikában]; ~ *road* főútvonal 2. idősebb, nagykorú; *Smith* ~ az idősebb Smith [a két Smith fivér közül] 3. dúr [hangnem]; ~ *scale* dúr skála II. *n US* főtantárgy, szaktárgy III. *vi US* ~ *in sg* főtantárgynak/szaktárgynak választ vmt, specializálja magát vmre
major-general *n* kb. vezérőrnagy
majority [mə'dʒɔrətɪ; *US* -'dʒɔ:-] *n* 1. többség; szótöbbség; szavazattöbbség; *biz join the* ~ meghal 2. nagykorúság 3. őrnagyi rang
majuscule ['mædʒəskju:l; *US* mə'dʒʌskju:l] *n* nagy kezdőbetű
make [meɪk] I. *n* 1. gyártmány, márka, készítmény; kivitel; *our own* ~ házi gyártmány 2. *be on the* ~ mindig a hasznon/üzletelésen jár az esze 3. zárás [áramköré] II. *v* (*pt/pp* **made** meɪd) 1. csinál, készít; gyárt; *be made of sg* vmből készült/való/van 2. (meg-)teremt, létrehoz 3. tesz vkt/vmt vmvé; ~ *sy rich* gazdaggá tesz vkt; ~ *oneself useful* hasznosítja magát; *it will* ~ *you* or *break you* vagy sikerül vagy rajtavesztesz; *it made me angry* dühbe hozott 4. rábír, kényszerít, késztet (vmre); okoz; -tat, -tet; ~ *sy laugh* megnevettet vkt; ~ *sy do sg* kényszerít vkt, hogy megtegyen vmt; *what* ~*s him do it?* mi készteti őt erre?; ~ *the engine start* megindítja a motort; ~ *sg known* tudat vmt, közhírré tesz vmt; ~ *himself heard* eléri, hogy meghallják/meghallgassák; ~ *oneself understood* megérteti magát 5. keres [pénzt]; ~ *. . . pounds a week* heti . . . fontot keres 6. megtesz [távolságot]; elér [helységet, vonatot]; jut (vhová); ~ *the train* eléri a vonatot; ~ *a price* jó árat ér el; ~ *the team* bekerül a (válogatott) csapatba; *the ship made bad weather* a hajó viharba került 7. becsül, tesz (vmt vmre); *he* ~*s the distance 10 miles* tíz mérföldre teszi/becsüli a távolságot 8. kitesz

(vmennyit); *2 and 2 ~ 4* kettő meg kettő az négy **9.** lesz, válik belőle; *he will ~ a good doctor* jó orvos lesz belőle; *will you ~ one of us?* akar(sz) hozzánk csatlakozni?, velünk tart(asz)? **B.** *vi* **1.** ~ *as if/though* úgy tesz mintha **2.** ~ *do with sg* beéri/megelégszik vmvel; ~ *do on sg* megél/kijön vmből **make after** *vi* vk után ered (v. veti magát) **make at** *vi* nekiront, nekimegy **make away with** *vi* **1.** magával visz, elhurcol, meglép (vmvel) **2.** fölemészt; eltékozol [vagyont stb.] **3.** eltesz láb alól; ~ *a. w. oneself* végez magával **make for** *vi* **1.** vhová igyekszik/tart **2.** nekitámad, nekiront (vknek) **3.** hasznára van, szolgál vmre, hozzájárul vmhez **make of** *vt* **1.** vmből készít vmt; *it is made of iron* vasból van **2.** vhogyan ért, magyaráz, gondol; *what do you ~ of it?* te mit veszel ki belőle?; *he can ~ nothing of it* nem ért belőle semmit **make off** *vi* elszalad, elmenekül, elillan; meglép (vmvel) **make out A.** *vt* **1.** [szemével] kivesz, megkülönböztet **2.** megért; *I can't ~ it o.* nem tudok rajta eligazodni **3.** felismer, kiismer (vkt) **4.** értelmez, kibetűz **5.** elkészít [okmányt]; kiállít [csekket] **6.** állít; *how do you ~ that o.?* milyen alapon állítod ezt?; *he is not such a fool as people ~ o.* nem olyan bolond amilyennek tartják **B.** *vi* halad, boldogul; *how are things making o.?* hogy mennek/alakulnak a dolgok? **make over** *vt* **1.** átruház **2.** átalakít **make up A.** *vt* **1.** kiegészít, kikerekít [összeget]; (ki)pótol [hiányt]; kárpótol (vkt); ~ *it up to sy for sg* kárpótol/kártalanít vkt vmért; ~ *it up (with sy)* kibékül (vkvel), elintézi (a dologt) (vkvel) **2.** összeállít [ruhát]; összecsomagol [árut]; elkészít [orvosságot] **3.** (be)tördel [oldalt] **4.** kitalál **5.** rendbe rak/tesz, kitakarít [szobát]; ~ *up a bed* beágyaz, tiszta ágyat húz; ~ *up the fire* (rá)rak a tűzre **6.** alkot, képez; *be made up of . . .* áll vmből **7.** kikészít, kifest [arcot, magát] **B.** *vi* **1.** ~

up for sg pótol/behoz vmt **2.** ~ *up on sy* utolér vkt **3.** ~ *up to sy* (1) közeledik vkhez (2) „udvarol"/hízeleg vknek **4.** tördel [nyomda] **5.** sminkel, kifesti magát **make-believe I.** *a* színlelt, hamis **II.** *n* színlelés, látszat(keltés) **make-do I.** *a* ideiglenes [megoldás] **II.** *n* szükségmegoldás **makepeace** *n* békéltető **maker** ['meɪkə*] *n* **1.** alkotó, teremtő **2.** gyáros, készítő **makeshift** *n* ideiglenes tákolmány, kisegítő megoldás **make-up** *n* **1.** összeállítás, elrendezés **2.** kikészítés, smink **3.** alkotóelemek; alkat, lelki konstitúció **4.** kárpótlás; kiegészítés **5.** tördelés **make-weight** *n* pótlék, ráadás, súlykiegészítés **making** ['meɪkɪŋ] *n* **1.** gyártás, (el)készítés; *he in the ~* készülőben/munkában van; *it was the ~ of him* ez tette naggyá, ennek köszönhette szerencséjét/sikerét **2.** **makings** *pl* (1) adottság(ok) (2) kellék(ek), hozzávaló **malachite** ['mæləkaɪt] *n* malachit **maladjusted** [mælə'dʒʌstɪd] *a* **1.** hibásan beállított **2.** rosszul alkalmazkodó **maladjustment** [mælə'dʒʌstmənt] *n* **1.** hibás beállítás **2.** összhangtalanság; (környezettől való) meghasonlottság; rossz viszonyulás **3.** rossz megoldás **maladministration** ['mælədmɪnɪ'streɪʃn] *n* rossz kormányzás/igazgatás **maladroit** [mælə'drɔɪt] *a* ügyetlen, tapintatlan **malady** ['mælədɪ] *n* betegség, baj **malapropism** ['mæləprɒpɪzm; *US* -ap-] *n* ⟨hasonló hangzású v. hangzatos szavak téves használata⟩; *make ~ s* összekeveri az allegóriát a filagóriával **malaria** [mə'leərɪə] *n* malária **malarial** [mə'leərɪəl] *n* maláriás **Malawi** [mə'lɑːwɪ] *prop* Malawi **Malawian** [mə'lɑːwɪən] *a/n* malawi **Malay** [mə'leɪ] *a/n* maláj **Malaya** [mə'leɪə] *n* Malájföld **Malaysia** [mə'leɪzɪə; *US* -ʒə] *prop* Malaysia **Malaysian** [mə'leɪzɪən; *US* -ʒən] *a/n* malaysiai; maláj

Malcolm ['mælkəm] *prop* ⟨skót férfinév⟩

malcontent ['mælkəntent] *a/n* elégedetlen, zúgolódó

male [meɪl] I. *a* hímnemű; ~ *choir* férfikar II. *n* hím

malediction [mælɪ'dɪkʃn] *n* átok

maledictory [mælɪ'dɪkt(ə)rɪ] *a* (meg)átkozó; átkozódó

malefactor ['mælɪfæktə*] *n* gonosztevő

maleficent [mə'lefɪsnt] *a* 1. ártalmas, káros 2. gonosz, rossz

malevolence [mə'levələns] *n* rosszakarat

malevolent [mə'levələnt] *a* rosszindulatú, rosszakaratú; kaján, kárörvendő

malfeasance [mæl'fiːzns] *n* jogellenes cselekmény, hivatali visszaélés

malformation [mælfɔː'meɪʃn] *n* idomtalanság, hiba, deformáltság

Mali ['mɑːlɪ] *prop* Mali

malice ['mælɪs] *n* rosszakarat, -indulat, -hiszeműség; *with ~ aforethought* előre megfontolt (rossz) szándékkal; *bear ~ to sy, bear sy ~* rosszindulattal viseltetik vk iránt, vknek a rosszakarója

malicious [mə'lɪʃəs] *a* 1. kaján, rosszhiszemű, -indulatú, gonosz, fondorlatos 2. szándékos; vétkes, bűnös

malign [mə'laɪn] I. *a* rosszindulatú, veszedelmes, ártalmas II. *vt* megrágalmaz, befeketít, becsmérel

malignancy [mə'lɪgnənsɪ] *n* 1. rosszakarat, rosszindulat, ellenségesség 2. rosszindulatúság [betegségé]

malignant [mə'lɪgnənt] *a* 1. rosszakaratú, -indulatú, gyűlölködő, ellenséges; veszélyes 2. rosszindulatú [daganat stb.]

maligner [mə'laɪnə*] *n* rágalmazó

malignity [mə'lɪgnətɪ] *n* = *malignancy*

malinger [mə'lɪŋgə*] *vt* szimulál, betegnek tetteti magát

malingerer [mə'lɪŋgərə*] *n* szimuláns; lógós

mall¹ [mɔːl v. mæl] *n* árnyas sétány; sétálóutca

Mall² [mæl] *prop*

mallard ['mælɑːd] *n* vadkacsa

malleability [mælɪə'bɪlətɪ] *n* kovácsolhatóság, nyújthatóság, hajlíthatóság

malleable ['mælɪəbl] *a* 1. kovácsolható,

nyújtható, hajlítható, képlékeny 2. fogékony, alakítható [jellem]

mallet ['mælɪt] *n* 1. (fa)kalapács, sulyok, döngölő 2. ütő [krokett, póló]

malleus ['mælɪəs] *n* kalapács(csont) [fülben]

mallow ['mæloʊ] *n* mályva

malnutrition [mælnju:'trɪʃn; *US* -nu:-] *n* 1. hiányos/rosszul tápláltság 2. hiányos táplálkozás

malodorous [mæl'oʊdərəs] *a* rossz szagú, büdös

Malone [mə'loʊn] *prop*

Malory ['mælərɪ] *prop*

malpractice [mæl'præktɪs] *n* szabálytalanság; (vétkes) gondatlanság, mulasztás, hűtlen kezelés; *medical ~* orvosi műhiba

malt [mɔːlt] I. *n* maláta; ~ *liquor* sör II. *vt* malátáz, csíráztat [árpát]; ~*ed milk* malátával kevert tej

Malta ['mɔːltə] *prop* Málta

Maltese [mɔː'tiːz] *a* máltai

malt-house *n* malátacsíráztató (helyiség)

Malthus ['mælθəs] *prop*

Malthusian [mæl'θjuːzjən; *US* -'θuːʒn] *a* malthusi(ánus)

malting ['mɔːltɪŋ] *n* malátázás

maltreat [mæl'triːt] *vt* rosszul bánik vkvel, gyötör, bánt(almaz)

maltreatment [mæl'triːtmənt] *n* rossz bánásmód, kínzás, bántalmazás

maltster ['mɔːlstə*] *n* malátakészítő, malátázó (személy)

Malvern ['mɔːlvən] *prop*

Malvolio [mæl'voʊljoʊ] *prop*

mama →*mamma*

mamillary ['mæmɪlərɪ] *a* 1. emlőszerű, emlő- 2. emlős

mamma [mə'mɑː:; *US* 'mɑːmə] *n* mama

mammal ['mæml] *n* emlős(állat)

mammalia [mæ'meɪljə] *n pl* emlősök

mammary ['mæmərɪ] *a* ~ *gland* tejmirigy

mammon ['mæmən] *n* mammon, gazdagság

mammoth ['mæməθ] I. *a* óriási, igen nagy, óriás-, mammut- II. *n* mammut

mammy ['mæmɪ] *n* 1. anyuka, mama 2. *US* néger dajka

man [mæn; összetétel második tagja-

ként rendsz.: -mən] I. *n* (*pl* men men)
1. ember; az ember; *every* ~ mindenki;
no ~ senki; *any* ~ bárki; *no* ~'*s land*
senki földje; *men say that* ... azt
mondják, hogy ...; *the* ~ *in the street*
az átlagember 2. férfi; *a* ~'*s* ~ talpig
férfi; *men's* férfi ... [ruha, mosdó
stb.]; ~ *and boy* gyermekkorától fog-
va; *to a* ~, *to the last* ~ az utolsó szálig,
egytől egyig; *it takes a* ~ *to* (*do it*) eh-
hez férfi kell; *be one's own* ~ a maga
ura; *he is not the* ~ *to* ... nem az a
fajta ember aki; ~ *of the world* világfi;
he's an Oxford ~ Oxfordban végzett
ember, oxfordi diák 3. fő; £*5 per* ~
5 font fejenként 4. férj 5. inas; hűbé-
res 6. (köz)katona; [sportban] játé-
kos, ember 7. (sakk)figura, báb 8.
összet hajó II. *vt* -nn- 1. legénységgel
ellát 2. ~ *oneself* megembereli magát,
nekibátorodik
manacle ['mænəkl] I. *n* (kéz)bilincs II.
vt bilincsbe ver, megbilincsel
manage ['mænɪdʒ] A. *vt* 1. kezel; irá-
nyít, igazgat, vezet; intéz, ellát [ügye-
ket] 2. sikerül [vmt csinálni], megbir-
kózik, boldogul (vmvel); ~ *to do sg*
sikerül vmt megtenni; *I shall* ~ *it*
majd valahogy elintézem/megcsiná-
lom; *I can't* ~ *it* nem boldogulok vele;
can you ~ *it?* megy a dolog?; £*10 is
the most I can* ~ 10 fontnál többet nem
bírok összehozni/rászánni B. *vi* (vho-
gyan) gazdálkodik; boldogul; *we'll* ~
somehow valahogy majd csak megle-
szünk; *perhaps we can* ~ *with that*
ebből talán ki tudunk jönni
manageable ['mænɪdʒəbl] *a* kezelhető,
engedékeny, vezethető
management ['mænɪdʒmənt] *n* 1. keze-
lés, bánásmód 2. vezetés, igazgatás,
ügyvitel 3. vezetőség, igazgatóság
manager ['mænɪdʒə*] *n* 1. igazgató,
(ügy)vezető; *deputy* ~ helyettes igaz-
gató, igazgatóhelyettes; *general* ~
vezérigazgató; *joint* ~ társigazgató 2.
menedzser 3. (fő)edző [sportcsapaté]
manageress [mænɪdʒə'res] *n* üzletveze-
tőnő, igazgatónő, direktrisz
managerial [mænə'dʒɪərɪəl] *a* vezető,
vezetési, igazgatói, igazgatási

managership ['mænɪdʒəʃɪp] *n* igazgatói
állás, igazgatóság
managing ['mænɪdʒɪŋ] *a* 1. vezető,
igazgató; ~ *clerk* cégvezető, osztály-
vezető; ~ *director* ügyvezető igazgató
2. erélyes; ~ *man* erélyes ember, jó
adminisztrátor
man-at-arms [mænət'ɑːmz] *n* (*pl* men-
-at-arms men-) [középkori] felfegyver-
zett (lovas) katona
manatee [mænə'tiː] *n* lamantin
Manchester ['mæntʃɪstə*] *prop*
man-child *n* (*pl* -children) fiúgyermek
Manchu ['mæn'tʃuː] *a*/*n* mandzsu
Manchuria [mæn'tʃʊərɪə] *prop* Man-
dzsúria
Manchurian [mæn'tʃʊərɪən] *a* mandzsu
Mancunian [mæŋ'kjuːnjən] *a*/*n* man-
chesteri
mandarin ['mændərɪn] *n* 1. [kínai] man-
darin 2. kínai nyelv 3. ~ (*orange*)
mandarin
mandatary ['mændət(ə)rɪ] *n* megbízott,
meghatalmazott
mandate ['mændeɪt] I. *n* 1. megbízás,
mandátum; meghatalmazás, felhatal-
mazás 2. (bírói) utasítás II. *vt* megbíz,
mandátum alá helyez; ~*d territory*
nemzetközi megbízás (v. mandátum)
alapján kormányzott területek
mandatory ['mændət(ə)rɪ] I. *a* elrendelő,
kötelező; ~ *sign* utasítást adó jelző-
tábla; ~ *writ* végzés II. *n* = *manda-
tary*
mandible ['mændɪbl] *n* 1. (alsó) állka-
pocs 2. csőrkáva
mandibular [mæn'dɪbjʊlə*] *a* (alsó) áll-
kapcsi, állkapcsos
mandolin ['mændəlɪn] *n* mandolin
mandragora [mæn'drægərə] *n* mandra-
góra
mandrake ['mændreɪk] *n* = *mandragora*
mandrel ['mændrɪl] *n* tövis, (eszterga-)
tüske, fúrótengely [esztergapadon]
mandrill ['mændrɪl] *n* mandrill [pávián-
féle]
mane [meɪn] *n* sörény
man-eater *n* 1. emberevő állat 2. ember-
evő, kannibál
manège [mæ'neɪʒ] *n* 1. lóidomítás; a
lovaglás művészete 2. lovaglóiskola

manes ['mɑːneɪz] n pl az ősök szellemei
maneuver →manoeuvre
Manfred ['mænfred] prop Manfréd
manful ['mænfʊl] a férfias, bátor, határozott
manganese ['mæŋgəniːz] n mangán; ~ steel mangánacél
mange [meɪndʒ] n rüh, kosz [kutyabőrbaj]
mangel-wurzel ['mæŋglwəːzl] n takarmányrépa
manger ['meɪndʒə*] n jászol
manginess ['meɪndʒɪnɪs] n rühösség, koszosság
mangle¹ ['mæŋgl] I. n mángorló II. vt mángorol
mangle² ['mæŋgl] vt 1. széttép, -roncsol, szétmarcangol; megcsonkít 2. elferdít [szöveget], (rossz kiejtéssel) eltorzít [szavakat]
mango ['mæŋgoʊ] n (pl ~es -z) mangófa; mangó(gyümölcs)
mangrove ['mæŋgroʊv] n mangrove
mangy ['meɪndʒɪ] a 1. koszos, rühes 2. vacak, pocsék, lompos, ócska
manhandle ['mænhændl] vt 1. kézi erővel mozgat/szállít 2. biz durván bánik (vkvel), bántalmaz
Manhattan [mæn'hætn] I. prop ⟨New York város magva/belvárosa⟩ II. n ⟨vermutból és whiskyből készült koktél⟩
man-hole n búvólyuk, -nyílás, kábelakna
manhood ['mænhʊd] n 1. férfikor 2. férfiasság; bátorság 3. férfiak (összessége)
man-hour n munkaóra
man-hunter n fejvadász
mania ['meɪnjə] n 1. mániás elmezavar, őrjöngés 2. biz szenvedély, mánia
maniac ['meɪnɪæk] n 1. dühöngő őrült 1. biz bolondja (vmnek)
maniacal [mə'naɪəkl] a őrült, őrjöngő; mániákus (átv is)
manicure ['mænɪkjʊə*] I. n körömápolás, kézápolás, manikűr II. vt manikűröz
manicurist ['mænɪkjʊərɪst] n manikűrös, kéz-, körömápoló
manifest ['mænɪfest] I. a nyilvánvaló, szemmel látható, leplezetlen II. n rako-

mányjegyzék [hajóé] III. vt 1. világosan megmutat, kimutat; elárul; ~ itself megnyilvánul, nyilvánvalóvá válik, (meg)mutatkozik 2. bizonyít, tanúsít
manifestation [mænɪfe'steɪʃn] n 1. megnyilatkozás, manifesztálódás 2. kinyilvánítás
manifesto [mænɪ'festoʊ] n kiáltvány, manifesztum, nyilatkozat
manifold ['mænɪfoʊld] I. a sokféle, sokfajta, változatos, különféle, sokrétű; ~ paper vékony átütőpapír II. n 1. sokszorosított irat 2. elosztócső; többcsonkos csőidom III. vt sokszorosít, sokszoroz
manifoldness ['mænɪfoʊldnɪs] n változatosság, sokféleség
manikin ['mænɪkɪn] n 1. emberke, törpe 2. kirakati öltöztetőbaba, próbababa 3. tanbábu [képzőműv. ill. anatómiai célokra]
manipulate [mə'nɪpjʊleɪt] vt 1. kezel (vkt, vmt), bánik (vkvel, vmvel); irányít; ~ the market alakítja a piacot 2. biz manipulál, mesterkedik (vmvel)
manipulation [mənɪpjʊ'leɪʃn] n 1. kezelés 2. manipulálás, manipuláció; ~ of prices árfolyamok mesterséges befolyásolása
manipulator [mə'nɪpjʊleɪtə*] n 1. kezelő 2. befolyásoló 3. manipulátor
Manitoba [mænɪ'toʊbə] prop
mankind [mæn'kaɪnd] n 1. ['mænkaɪnd] férfinem, férfiak 2. [mæn'kaɪnd] emberiség, emberi nem
manlike ['mænlaɪk] a 1. férfias 2. emberhez hasonló
manliness ['mænlɪnɪs] n férfiasság
manly ['mænlɪ] a férfias, határozott
man-made a mesterséges, műman-month n egy ember havi munkaideje/elfoglaltsága; (egy) személy per hó(nap)
manna ['mænə] n manna
manned [mænd] a ember vezette; ~ flight pilótás repülés ‖ →man II.
mannequin ['mænɪkɪn] n 1. manöken 2. próbababa
manner ['mænə*] n 1. mód, módszer; in this ~ ilyen módon, így; in a ~

33

bizonyos fokig/értelemben; *by no* ~ *of means* semmi esetre sem 2. **manners** *pl* modor; *good* ~*s* jó modor, jólneveltség; *bad* ~*s* rossz modor, modortalanság; *it is bad* ~*s to* ... nem illik ... 3. viselkedés, magatartás 4. **manners** *pl* erkölcs(ök); szokások; életmód; *comedy of* ~*s* társadalmi vígjáték 5. stílus [irodalomban, művészetben] 6. fajta, féle; *all* ~ *of people* minden rendű és rangú ember; *what* ~ *of a man is he?* miféle ember ő?; *no* ~ *of doubt* semmiféle kétség
mannered ['mænəd] *a* 1. modorú 2. illedelmes 3. mesterkélt, modoros
mannerism ['mænərɪzm] *n* 1. mesterkéltség, modorosság 2. manierizmus [művészetben]
mannerless ['mænəlɪs] *a* modortalan
mannerly ['mænəlɪ] *a* udvarias, jó modorú
mannish ['mænɪʃ] *a* férfias
manoeuvre, *US* **maneuver** [mə'nu:və*] I. *n* hadmozdulat, hadművelet, manőver (*átv is*) II. A. *vt* 1. mozgat [csapatokat]; ~ *one's car into (a parking space)* ügyesen beáll kocsijával (parkolóhelyre); *biz* ~ *oneself into a good job* jó állásba ügyeskedi be magát 2. működtet, kezel, irányít, intéz B. *vi* manőverez; mesterkedik, ravaszkodik; *biz* ~ *for position* helyezkedik
man-of-war [mænəv'wɔ:*] *n* (*pl* **men-of--war** men-) hadihajó
manometer [mə'nɔmɪtə*; *US* -'nɑ-] *n* nyomásmérő, feszmérő, manométer
manor ['mænə*] *n* uradalom, nemesi földbirtok
manor-house *n* udvarház, vidéki/nemesi kastély
manorial [mə'nɔ:rɪəl] *a* földesúri
man-power *n* 1. emberi/kézi erő 2. munkaerő; munkáslétszám; munkásanyag; [katonai] élőerő; ~ *management* munkaerő-gazdálkodás
mansard ['mænsɑ:d] *n* 1. ~ (*roof*) manzárdtető 2. manzárd(szoba), padlásszoba
manse [mæns] *n sk* parókia
man-servant *n* (*pl* **men-servants**) szolga, inas

mansion ['mænʃn] *n* 1. nemesi kúria; urasági kastély; palota 2. **mansions** *pl* bérpalota, lakóháztömb
mansion-house *n* 1. = *mansion 1.* 2. *the* M~ ⟨a londoni polgármester palotája⟩
man-sized *a* 1. egész embert igénylő 2. ember nagyságú
manslaughter *n* [gondatlanságból v. erős felindulásban elkövetett] emberölés
mantel ['mæntl] *n* 1. kandallóburkolat 2. kandallópárkány
mantelpiece *n* = *mantel 2.*
mantissa [mæn'tɪsə] *n* mantissza
mantle ['mæntl] I. *n* 1. (ujjatlan bő) köpeny, köpönyeg 2. *átv* takaró, lepel, palást 3. gázharisnya II. A. *vt* beburkol, eltakar, elborít B. *vi* 1. habzik 2. (el)pirul; ég, lángol (pírtól) [arc]
man-trap *n* csapda
manual ['mænjʊəl] I. *a* kézi, kézzel történő, manuális; ~ *exercises* puskafogások; ~ *labour* fizikai munka; ~ *training* gyakorlati foglalkozás; ~ *worker* fizikai munkás II. *n* 1. kézikönyv 2. billentyűzet, manuál
manufactory [mænjʊ'fækt(ə)rɪ] *n* 1. gyár(telep), üzem 2. manufaktúra
manufacture [mænjʊ'fæktʃə*] I. *n* 1. gyártás, előállítás 2. gyártmány, készítmény; ~*s* gyári/ipari áruk 3. gyáripar II. *vt* gyárt, készít, előállít
manufactured [mænjʊ'fæktʃəd] *a* gyárilag előállított; ~ *goods* készáruk, iparcikkek
manufacturer [mænjʊ'fæktʃ(ə)rə*] *n* gyáros, gyártó
manufacturing [mænjʊ'fæktʃ(ə)rɪŋ] I. *a* 1. gyári, ipari; ~ *industry* gyáripar; feldolgozó ipar; ~ *town* gyárváros 2. gyártó, készítő, előállító II. *n* gyártás, előállítás
manumission [mænjʊ'mɪʃn] *n* szabadon bocsátás [rabszolgáé]
manure [mə'njʊə*; *US* -'nʊr] I. *n* trágya, ganéj; *chemical/artificial* ~ műtrágya; ~ *heap* trágyadomb II. *vt* trágyáz
manuscript ['mænjʊskrɪpt] *n* kézirat
man-week *n* (egy) személy per hét

Manx [mæŋks] I. *a* Man-szigeti II. *n* manx [Man-szigeti nyelv] **Manxman** ['mæŋksmən] *n* (*pl* -men -mən) Man-szigeti ember **many** ['menɪ] I. *a* (*comp* **more** mɔ:*, *sup* **most** moʊst) sok, számos; *how* ~? hány?, mennyi?; ~ *a man* sok ember; ~'s *the time I've heard that* jó néhányszor hallottam ezt; ~ *of us* sokan közülünk; *one too* ~ eggyel több a kelleténél; *he was one too* ~ *for me* nem bírtam vele, túljárt az eszemen; *twice as* ~ kétszer annyi; *in so* ~ *words* ... szóról szóra, részletesen; ~ *a time*, ~ *times* sokszor; ~ *a one* sok ember; *as* ~ ugyanannyi; *as* ~ *as 10 people saw it* tízen is látták; *too* ~ *by half* jóval több a szükségesnél/kelleténél II. *n* *n* nagy mennyiség (vmé); *the* ~ a tömeg/sokaság; *a great/good* ~ sok(an) **manyheaded** *a* sokfejű, ezerfejű **manyplies** ['menɪplaɪz] *n* *pl* százrétű gyomor [kérődzőké] **many-sided** *a* sokoldalú **Maori** ['maʊrɪ] I. *a* maori II. *n* 1. új-zélandi v. maori bennszülött 2. maori (nyelv) **map** [mæp] I. *n* térkép; *put on the* ~ ismertté/híressé tesz; *biz off the* ~ isten háta mögött(i) II. *vt* -pp- (fel)térképez, térképet készít (vmről); ~ *out* kitervez, kidolgoz; beoszt [időt] **maple** ['meɪpl] *n* juhar(fa); jávor(fa); ~ *syrup* juharszörp **map-maker** *n* térképész, kartográfus **map-making** *n* térképkészítés **mar** [mɑ:*] *vt* -rr- megrongál, elront, tönkretesz **Mar.** *March* március, márc. **marabou** ['mærəbu:] *n* marabu(toll) **marathon** ['mærəθn; *US* -ɑn] *n* 1. maratoni futás 2. verseny a végkimerülésig **maraud** [mə'rɔ:d] *vi* fosztogat, (zsákmányolva) portyázik, zabrál **marauder** [mə'rɔ:də*] *n* martalóc **marble** ['mɑ:bl] I. *n* 1. márvány 2. **marbles** *pl* márványszobrok 3. színes játékgolyó; *play* ~s golyózik 4. *vulg* **marbles** *pl* herék, golyók II. *vt* márványoz **marbled** ['mɑ:bld] *a* márványozott

marble-edged *a* márványos metszésű [könyv] **marbling** ['mɑ:blɪŋ] *n* márványozás **marc** [mɑ:k] *n* törköly **marcasite** ['mɑ:kəsaɪt] *n* markazit **March**[1] [mɑ:tʃ] *n* március **march**[2] [mɑ:tʃ] I. *n* 1. menet(elés), gyaloglás; *on the* ~ menet közben, menetelve; ~ *past* díszszemle 2. gyalogtávolság 3. haladás; *the* ~ *of time* az idők múlása 4. induló II. A. *vt* menetel, megy, gyalogol, masíroz; ~ *in* bemasíroz, bevonul; ~ *off* elvonul, elmegy; ~ *by/past* elvonul/elléptet vk előtt; ~ *at attention!* lépést tarts!; ~! in-dulj! B. *vt* meneteltet, masíroztat; ~ *sy off* elvezet vkt **march**[3] [mɑ:tʃ] I. *n* határ(vidék); *the* M~es ⟨Anglia és Wales/Skócia határvidéke a középkorban⟩ II. *vi* határos (*on, upon* vmvel) **marcher**[1] ['mɑ:tʃə*] *n* menetelő **marcher**[2] ['mɑ:tʃə*] *n* határvidéki lakos **marching** ['mɑ:tʃɪŋ] *n* menetelés; ~ *orders* menetparancs; *in* ~ *order* menetöltözetben, menetkészen **marchioness** ['mɑ:ʃ(ə)nɪs] *n* márkinő; márkiné **marchpane** ['mɑ:tʃpeɪn] *n* marcipán **Mardi gras** ['mɑ:dɪ'grɑ:] húshagyókedd (karneválja) **mare** [meə*] *n* kanca; ~'s *nest* (1) vaklárma; zűrzavar; hírlapi kacsa (2) alapos tévedés **Margaret** ['mɑ:g(ə)rɪt] *prop* Margit **margarine** [mɑ:dʒə'ri:n; *US* 'mɑ:dʒərɪn] *n* margarin **marge** [mɑ:dʒ] *n* *biz* margarin **Margery** ['mɑ:dʒ(ə)rɪ] *prop* Margit **margin** ['mɑ:dʒɪn] I. *n* 1. szegély, (lap)szél, margó, perem; *on the* ~ (1) lapszélen, margón (2) mellesleg 2. eltérés, különbözet; határ [teljesítőkéｐességé]; tűrés, tolerancia, mozgástér; *allow sy some* ~ némi mozgási szabadságot engedélyez vknek; ~ *of error* (megengedett) hibahatár; ~ *for safety, safety* ~ biztonsági ráhagyás 3. árkülönbözet, árrés II. *vt* 1. szegélyez, szegéllyel ellát 2. széljegyzetel, széljegyzetekkel ellát

33*

marginal ['mɑːdʒɪnl] a 1. lapszéli; ~ note széljegyzet 2. csekély jelentőségű, mellékes
margrave ['mɑːgreɪv] n őrgróf
marguerite [mɑːgə'riːt] n margaréta
Maria [mə'raɪə, mə'rɪə] prop Mária
Marie ['mɑːrɪ, mə'riː] prop Mária
marigold ['mærɪgoʊld] n 1. körömvirág 2. bársonyvirág, büdöske 3. gólyahír
marihuana, marijuana [mærɪ'hwɑːnə] n marihuána [kábítószer]
marina [mə'riːnə] n US kishajó-kikötőmedence
marinade [mærɪ'neɪd] vt mariníroz
marine [mə'riːn] I. a 1. tengeri; ~ insurance hajókár-biztosítás; ~ stores hajófelszerelési cikkek 2. tengerészeti II. n 1. tengerész(gyalogos); Royal M~s brit tengerészgyalogság; tell that to the (horse) ~s nekem ezt ne akarja bemesélni, meséld ezt az öreganyádnak 2. tengerészet
mariner ['mærɪnə*] n tengerész
marionette [mærɪə'net] n (átv is) marionett, (zsinóron rángatott) báb(u)
marital ['mærɪtl] a házastársi, házassági; ~ status családi állapot
maritime ['mærɪtaɪm] a 1. tengeri; ~ law tengeri jog, tengerjog 2. tengerparti, tengermelléki
marjoram ['mɑːdʒ(ə)rəm] n majoránna
Marjory ['mɑːdʒ(ə)rɪ] prop Margitka
mark¹ [mɑːk] I. n 1. jel, nyom, jegy; vonás; as a ~ of my esteem tiszteletem jeléül 2. cél(tábla), célpont; (that's) beside the ~ nem érinti a lényeget, nem tartozik a tárgyhoz; melléfogás; be wide of the ~ (1) célt téveszt, elhibáz, melléfog (2) messze jár a valóságtól; biz be an easy ~ könnyen bepalizható, balek; hit the ~ (célba) talál; miss the ~ célt téveszt 3. márka, (gyári) jel, (megkülönböztető) jelzés; bélyeg 4. kézjegy 5. osztályzat, jegy; bad ~ rossz osztályzat, „fa" 6. fontosság; make one's ~ hírnévre tesz szert; man of ~ tekintélyes/híres ember 7. mérték, szint; be up to the ~ (1) megüti a mértéket (2) jó kondícióban van; not feel up to the ~ nem érzi magát vm jól 8. rajtvonal, start-; on

your ~s, get set, go! elkészülni, vigyázz, rajt! II. vt 1. megjelöl, jelzéssel lát el, nyomot hagy (vmn); bélyegez; ~ the price árcédulával ellát, áraz [cikket] 2. osztályoz [dolgozatokat] 3. jelez, jellemez [vonás, tulajdonság]; jelent; ~ an era (új) korszakot nyit, korszakalkotó; ~ time (1) helyben jár (2) átv egy helyben topog, húzza az időt 4. észrevesz, (meg)figyel; megjegyez [intelmet]; ~ my words! figyelj(en) szavamra!
mark down vt 1. leszállít [árat]; lepontoz [sportolót] 2. beír, felvesz [jegyzékbe]
mark off vt kijelöl; elhatárol
mark out vt 1. kijelöl [útvonalat, pályát, határt] 2. ~ sy o. for sg vkt vmre szán/kijelöl/kiszemel
mark up vt felemel [árat]
mark² [mɑːk] n márka
Mark³ [mɑːk] prop Márk(us)
mark-down n árleszállítás
marked [mɑːkt] a 1. megjelölt 2. észrevehető, feltűnő; kifejezett
markedly ['mɑːkɪdlɪ] adv feltűnően, szemmel láthatóan, határozottan
marker ['mɑːkə*] n 1. markőr, pontjelző, találatjelző [játékban, sportban] 2. játékpénz, zseton 3. jelzőtáblácska, -zászló 4. olvasójel, könyvjelző
market ['mɑːkɪt] I. n piac; vásár; piactér; vásártér; flat/slack/dull ~ lanyha/üzletelten piac; ~ hall vásárcsarnok; ~ value piaci érték/ár; be in the ~ for sg vmre vevőnek jelentkezik; put on the ~ piacra dob; be on the ~ kapható; the ~ has risen az árfolyamok emelkednek; play the ~ tőzsdézik II. A. vt piacra/vásárra visz, elad, értékesít B. vi 1. piacon vásárol 2. piacon árul; vásároz
marketable ['mɑːkɪtəbl] a eladható, értékesíthető, piacképes
market-cross n piactér közepén álló kereszt
market-day n 1. piacnap, vásárnap 2. tőzsdei nap
market-garden n piacra termelő kertészet
marketing ['mɑːkɪtɪŋ] n 1. értékesítés,

piacra vitel 2. piacszervezés, marketing; ~ *research* piackutatás
market-place *n* piactér, vásártér
market-price *n* piaci/napi/forgalmi ár
market-town *n* mezőváros (vásártartási joggal)
marking ['mɑ:kɪŋ] *n* 1. (meg)jelölés; jelzés; ~ *ink* fehérneműjelző vegytinta 2. **markings** *pl* csíkozás, mintázat [állat szőréé]
marksman ['mɑ:ksmən] *n* (*pl* -men -mən) (mester)lövész
marksmanship ['mɑ:ksmənʃɪp] *n* lövészet, jó céllövő képesség
mark-up *n* 1. haszonkulcs, árrés 2. áremelés [százaléka]
marl [mɑ:l] I. *n* márga II. *vt* [talajt] márgáz
Marlborough ['mɔ:lb(ə)rə; *US* 'mɑ:rl-] *prop*
marline-spike ['mɑ:lɪn-] *n* bújtatófa, kötélbontó vas
Marlowe ['mɑ:loʊ] *prop*
marl-pit *n* márgabánya
marly ['mɑ:lɪ] *a* márgás
marmalade ['mɑ:məleɪd] *n* narancsdzsem, -lekvár
marmoreal [mɑ:'mɔ:rɪəl] *a* márvány-, márványszerű
marmoset ['mɑ:məzet] *n* selyemmajom
marmot ['mɑ:mət] *n* mormota
maroon¹ [mə'ru:n] I. *a* gesztenyebarna II. *n* petárda
maroon² [mə'ru:n] I. *n* nyugat-indiai szökevény rabszolga (leszármazottja) II. A. *vt* lakatlan/elhagyott szigetre kitesz B. *vi* lődörög, ődöng
marquee [mɑ:'ki:] *n* 1. nagy sátor, lacikonyha (stb.) sátra 2. = *marquise* 2.
marquess ['mɑ:kwɪs] *n* márki, őrgróf
marquetry ['mɑ:kɪtrɪ] *n* berakás, intarzia
marquis ['mɑ:kwɪs] *n* = *marquess*
marquise [mɑ:'ki:z] *n* 1. márkinő; márkiné 2. eresztető [épületbejárat felett]
marred [mɑ:d] → *mar*
marriage ['mærɪdʒ] *n* 1. házasság; ~ *broker* házasságközvetítő; ~ *certificate*, *biz* ~ *lines* házassági anyakönyvi kivonat; ~ *portion* hozomány; ~ *settlement* házassági szerződés; *give sy in* ~ (*to sy*) férjhez ad (vkhez); *contract a* ~

with sy házasságot köt vkvel; ~ *to sy* vkvel kötött házasság 2. házasságkötés, lakodalom 3. egyesülés, szoros kapcsolat
marriageable ['mærɪdʒəbl] *a* házasulandó korú, eladó [leány]; partiképes
married ['mærɪd] *a* házas, nős, férjezett; ~ *couple* házaspár; ~ *life* házasélet ‖ → *marry¹*
marron ['mærən] *n* 1. gesztenye, maróni 2. gesztenyeszín
marrow ['mæroʊ] *n* 1. velő 2. átv (vmnek a) veleje 3. (*vegetable*) ~ tök
marrowbone *n* velőscsont; *biz on your* ~ s! térdelj le!
marrowfat *n* 1. velőborsó 2. *US* velő
marrowy ['mæroʊɪ] *a* velős (*átv is*)
marry¹ ['mærɪ] A. *vt* 1. feleségül vesz, elvesz (vkt); férjhez megy (vkhez); *get married* (1) megnősül, megházasodik (2) férjhez megy 2. férjhez ad, hozzáad (*to* vkhez); ~ *off* férjhez ad 3. összead, (össze)esket 4. összekapcsol B. *vi* egybekel, házasságot köt, megházasodik
marry² ['mærɪ] *int* † a kutyafáját!; ~ *come up!* mi a fene?!
Marseilles [mɑ:'seɪlz] *prop* Marseille
marsh [mɑ:ʃ] *n* mocsár
marshal ['mɑ:ʃl] I. *n* 1. tábornagy, marsall 2. udvarmester 3. *US* bírósági tisztviselő; rendőrbíró II. *vt* -ll- (*US* -l-) 1. (el)rendez; rendbe szed 2. vezet; ~ *sy in* szertartásosan bevezet
marshal(l)ing-yard ['mɑ:ʃ(ə)lɪŋ-] *n* rendező pályaudvar
marsh-fever *n* mocsárláz
marsh-gas *n* mocsárgáz
marsh-hen *n* vízityúk
marshland ['mɑ:ʃlənd] *n* mocsaras terület, mocsár(vidék), láp
marsh-mallow *n* 1. orvosi ziliz, fehérmályva 2. mályvacukor
marsh-marigold *n* mocsári gólyahír
marshy ['mɑ:ʃɪ] *a* 1. mocsaras, posványos 2. mocsári
marsupial [mɑ:'sju:pjəl; *US* -'su:-] *a/n* erszényes (állat)
mart [mɑ:t] *n* 1. vásárközpont, árverési csarnok 2. piactér
marten ['mɑ:tɪn] *n* nyuszt, nyest

Martha ['mɑ:θə] *prop* Márta
martial ['mɑ:ʃl] *a* **1.** harcias, katonás **2.** hadi, harci; ~ *law* hadijog, rögtönítélő bíráskodás, statárium; ~ *music* katonazene
Martian ['mɑ:ʃjən] I. *a* mars-, mars(bel)i II. *n* Mars-lakó
martin[1] ['mɑ:tɪn; *US* -ən] *n* házifecske
Martin[2] ['mɑ:tɪn; *US* -ən] *prop* Márton
martinet [mɑ:tɪ'net] *n* tú' szigorú fegyelmező, paragrafusrágó (személy)
martingale ['mɑ:tɪŋgeɪl] *n* orrszegőszár [lóé]
martini [mɑ:'ti:nɪ] *n* martini [ital]
Martinmas ['mɑ:tɪnməs] *n* Márton-nap [november 11.]
martyr ['mɑ:tə*] I. *n* vértanú, mártír; *be a ~ to sg* vmnek szenvedő áldozata II. *vt* (vértanúhalállal) megöl, halálra kínoz
martyrdom ['mɑ:tədəm] *n* vértanúság, mártíromság, vértanúhalál
martyrize ['mɑ:təraɪz] *vt* **1.** vértanúhalállal megöl, vértanút csinál (vkből) **2.** agyonkínoz
marvel ['mɑ:vl] I. *n* **1.** csoda; csodálatos dolog **2.** csodálat, csodálkozás; *no ~ then if* . . . nem lehet tehát csodálkozni azon, ha . . . II. *vi* -**ll**- (*US* -**l**-) csodálkozik, bámul
marvel(l)ous ['mɑ:v(ə)ləs] *a* csodálatos, bámulatos, hihetetlen
Marxian ['mɑ:ksjən] *a/n* marxi, marxista
Marxism ['mɑ:ksɪzm] *n* marxizmus
Marxist ['mɑ:ksɪst] *a/n* marxista
Mary ['meərɪ] *prop* Mária; □ *little ~* has, gyomor
Maryland ['meərɪlænd; *US* -lənd] *prop*
Marylebone ['mær(ə)ləbən] *prop*
marzipan [mɑ:zɪ'pæn] *n* = *marchpane*
mascot ['mæskət] *n* **1.** talizmán, szerencsetárgy, kabala **2.** üdvöske
masculine ['mæskjʊlɪn] *a* **1.** férfias **2.** hímnemű [névszó] **3.** ~ *rhyme* egyszótagos rím, hímrím
Masefield ['meɪsfi:ld] *prop*
mash [mæʃ] I. *n* **1.** pép; nedves darakeverék [mint takarmány] **2.** keverék **3.** *biz* krumplipüré II. *vt* **1.** (össze)zúz, áttör **2.** összekever [korpát vízzel]

mashed [mæʃt] *a* **1.** (össze)tört; pépes, -pép; ~ *potatoes* burgonyapüré **2.** □ *be ~ on sy* bele van esve vkbe
masher ['mæʃə*] *n* nőcsábász
mashie ['mæʃɪ] *n* fémfejű golfütő
mask [mɑ:sk; *US* -æ-] I. *n* **1.** álarc, maszk; *throw off the ~* átv leveti az álarcát **2.** (védő)álarc; (védő)maszk **3.** maszk [fotomunkában] **4.** álarcos személy, maszka **5.** ürügy, kibúvó, kifogás **6.** pofa, fej [rókáé] II. *vt* **1.** álarcoz, maszkíroz **2.** álcáz, leplez
masked [mɑ:skt; *US* -æ-] *a* álarcos; ~ *ball* álarcobál
masker ['mɑ:skə*; *US* -æ-] *n* álarcos
masochism ['mæsəkɪzm] *n* mazochizmus
mason ['meɪsn] **1.** kőműves **2.** szabadkőműves
Mason-Dixon line ['meɪsn'dɪksn] Pennsylvania és Maryland határvonala [az egykori határvonal az USA szabad és rabszolgatartó államai között]
masonic [mə'sɔnɪk; *US* -'sɑ-] *a* szabadkőműves
masonry ['meɪsnrɪ] *n* **1.** kőművesmesterség; kőművesmunka; falazás **2.** falazat **3.** szabadkőművesség
masque [mɑ:sk; *US* -æ-] *n* † látványos zenés játék; álarcjáték
masquerade [mæskə'reɪd] I. *n* **1.** álarcos/jelmezes mulatság, álarcosbál **2.** maskara, álöltözet **3.** átv komédia, képmutatás II. *vi* **1.** maskarán/álarcosbálon vesz részt **2.** szerepet színlel/játszik
mass[1] [mæs] I. *n* **1.** tömeg; ~ *media* (*of communication*) tömegkommunikációs/-hírközlő eszközök; ~ *meeting* tömeggyűlés; ~ *production* tömegtermelés; *the ~es* a széles (nép)tömegek **2.** tömeg, halom, (nagy) csomó, rakás **3.** *the great ~* fő rész, zöm, többség II. **A.** *vt* (össze)halmoz, összegyűjt, összehord **B.** *vi* **1.** összecsődül, tömegbe verődik, összegyűl **2.** tornyosul [felhő]
mass[2] [mæs] *n* mise; *low ~* csendes mise; *high ~* nagymise; *attend/hear ~* misét hallgat; *go to (hear)* ~ misére megy; *say* ~ misét mond
Mass. *Massachusetts*
Massachusetts [mæsə'tʃu:sɪts] *prop*

massacre ['mæsəkə*] I. n mészárlás, öldöklés, vérfürdő II. vt (le)mészárol. halomra öl

massage ['mæsɑ:ʒ; US mə'sɑ:ʒ] I. n masszázs, masszírozás, gyúrás II. vt masszíroz, gyúr

masseur [mæ'sə:*] n masszőr, gyúró

Massinger ['mæsɪndʒə*] prop

massive ['mæsɪv] a nagy, masszív

massiveness ['mæsɪvnɪs] n tömörség, súlyosság, masszívság

mass-produce vt tömegesen/szériában gyárt; ~d article tömegcikk

massy ['mæsɪ] a masszív

mast¹ [mɑ:st; US -æ-] I. n 1. árboc sail/serve before the ~ tengerészközlegény(ként szolgál) 2. antennatorony II. vt árboccal ellát; three ~ed ship háromárbocos hajó

mast² [mɑ:st; US -æ-] I. n (bükk)makk [sertéstakarmány] II. vt makkoltat

master ['mɑ:stə*; US -æ-] I. n 1. úr [vm fölött]; be one's own ~ a maga ura; be ~ of oneself uralkodik önmagán; make oneself ~ of sg vm fölött úrrá lesz, vmt elsajátít; be ~ of the situation a helyzet ura (marad); remain ~ of the field veretlen marad; meet one's ~ emberére talál 2. főnök; mester; kapitány [hajóé]; ~ of the house házigazda; an old ~ régi nagy festő (műve); ~ hand mesterkéz; szakértő; ~ builder építőmester; ~ carpenter ácsmester; ~ mason kőművesmester; ~ mechanic főművezető; ~ mariner kereskedelmi hajó kapitánya 3. tanár; tanító 4. igazgató [egyes brit kollégiumokban] 5. M~ of Ceremonies (1) szertartásmester (2) konferanszié; M~ of foxhounds falkamester 6. M~ of Arts a bölcsészettudományok magisztere, kb. bölcsészdoktor(átus); M~ of Science a természettudományok magisztere 7. (megszólításban:) fiatalúr; ~ John Jani fiatalúr II. vt 1. felülkerekedik (vmn), megfékez, úr (vm felett), úrrá válik (vm felett) 2. alaposan/tökéletesen megtanul/elsajátít vmt, jól tud, mester(e vmnek)

master-copy n alappéldány, eredeti példány

masterful ['mɑ:stəfʊl; US 'mæ-] a 1. hatalmaskodó, parancsoló, zsarnoki 2. mesteri, remek

masterhood ['mɑ:stəhʊd; US 'mæ-] n uralkodás

master-key n tolvajkulcs, álkulcs

masterly ['mɑ:stəlɪ; US 'mæ-] a mesteri, ügyes

mastermind I. n vezető elme II. vt US a háttérből irányít

masterpiece n mestermű, remekmű

master-sergeant n US törzsőrmester

mastership ['mɑ:stəʃɪp; US 'mæ-] n 1. tanári állás 2. uralkodás, fölény

master-stroke n mesterfogás

mastery ['mɑ:stə(ə)rɪ; US 'mæ-] n 1. uralom, hatalom, fölény; get the ~ over sg hatalmába kerít vmt, felülkerekedik vmn 2. kiválóság, ügyesség; alapos/beható ismerete (vmnek)

mast-head n árboctető, -csúcs; be at the ~ éjszakai őrségen van [hajón]

mastic ['mæstɪk] n ragasztómézga; masztix

masticate ['mæstɪkeɪt] vt 1. (meg)rág 2. pépesít; megdarál

mastication [mæstɪ'keɪʃn] n 1. rágás 2. (takarmány)pépesítés, (meg)darálás

masticator ['mæstɪkeɪtə*] n (hús)darálógép

mastiff ['mæstɪf] n szelindek

mastitis [mæ'staɪtɪs] n emlőgyulladás

mastodon ['mæstədɔn] n masztodon

mastoid ['mæstɔɪd] n csecsnyúlvány [a sziklacsonton]

masturbate ['mæstəbeɪt] vi nemi önkielégítést végez, onanizál, maszturbál

masturbation [mæstə'beɪʃn] n nemi önkielégítés, maszturbáció

mat¹ [mæt] I. n 1. gyékényfonat; lábtörlő; gyékényszőnyeg; birkózószőnyeg 2. = table-mat 3. összetapadt hajcsomó II. v -tt- A. vt összegabalyít, -gubancol; ~ted hair csapzott haj B. vi összecsomósodik, -gubancolódik

mat², matt [mæt] I. a tompa, fénytelen, matt II. n US paszpartu

match¹ [mætʃ] I. n 1. párja vknek/ vmnek [értékben, nagyságban, minő-

ségben]; *be a ~ for sy* (1) méltó ellenfele vknek (2) kiáll vele, legyőz vkt; *be more than a ~ for sy* különb vknél, felülmúl vkt; *find/meet one's ~* emberére talál; *be no ~ for sy* nem versenyezhet vkvel, könnyen el tud bánni vele; *has no ~* nincsen párja 2. mérkőzés, meccs 3. házasság; parti; *make a ~ (of it)* házasságot köt; *make a good ~* jó partit csinál; *he is an excellent ~* remek parti **II. A.** *vt* 1. összemér, szembeállít; *~ sy against sy* vkt szembeállít (küzdelemben) vkvel 2. felér, vetekszik (vkvel, vmvel) 3. férjhez ad (*with* vkhez), összehasonlít 4. összeilleszt, összepasszít; vmhez illőt/passzolót talál; *can you ~ me this silk* tudna ehhez a selyemhez illőt/passzolót találni? 5. (össze-) illik, összepasszol, megy (vmhez); *the carpets ~ the wall-paper* a szőnyegek illenek a tapétához **B.** *vi* 1. megfelelő/méltó vetélytársnak/ellenfélnek bizonyul 2. összeillik, -passzol, megfelel (egymásnak); *colours to ~* összeillő színek; *these ribbons do not ~* ezek a szalagok nem illenek egymáshoz
match² [mætʃ] *n* gyufa; *strike a ~* gyufát gyújt
match-board(ing) *n* hornyolt padló
match-box *n* gyufaskatulya
matching ['mætʃɪŋ] **I.** *a* hozzáillő, -való **II.** *n* (össze)illesztés, összepasszítás
matchless ['mætʃlɪs] *a* páratlan, egyedülálló
matchlock *n* † kovás puska
match-maker¹ *n* házasságszerző
match-maker² *n* gyufagyáros
matchplay *n* döntő játszma/mérkőzés
match-point *n* a mérkőzést eldöntő pont, meccslabda
match-stick *n* gyufaszál
matchwood *n* 1. gyufafa 2. aprófa, szilánk
mate¹ [meɪt] **I.** *n* 1. pajtás, társ; (*workman's*) *~* szaktárs, szaki 2. *biz* élettárs, élete párja, házastárs 3. pár [madaraké] 4. segéd, legény; kisegítő; *driver's ~* kocsikísérő; *surgeon's ~* asszisztens, műtős 5. másodkapitány; első tiszt [kereskedelmi hajón]

6. tiszthelyettes [hadihajón] **A.** *vt* párosít; összeházasít; pároztat, fedeztet **B.** *vi* párosodik, párzik
mate² [meɪt] **I.** *n* matt [sakkban] **II.** *vt* megmattol, mattot ad (vknek)
mater ['meɪtə*] *n* □ *the ~* a mutterom
material [mə'tɪərɪəl] **I.** *a* 1. anyagi; tárgyi, dologi; testi, fizikai; érzéki; *the ~ world* az anyagi világ; *~ expenditure* dologi kiadás; *~ needs* az anyagi javak, a létfenntartás szükségletei 2. anyagias 3. lényeges, fontos; lényegbevágó **II.** *n* 1. (*átv is*) anyag 2. **materials** *pl* hozzávaló, felszerelés, eszközök; *writing ~s* írószerek
materialism [mə'tɪərɪəlɪzm] *n* materializmus, anyagelvűség
materialist [mə'tɪərɪəlɪst] *n* materialista
materialistic [mətɪərɪə'lɪstɪk] *a* materialista, materiális
materialization [mətɪərɪəlaɪ'zeɪʃn; *US* -lɪ'z-] *n* megvalósulás
materialize [mə'tɪərɪəlaɪz] **A.** *vt* megvalósít **B.** *vi* 1. testet ölt, érzékelhetővé válik 2. megvalósul
maternal [mə'tɜ:nl] *a* anyai
maternity [mə'tɜ:nətɪ] *n* anyaság; *~ hospital* szülőotthon; *~ leave* szülési szabadság; *~ nurse* szülésznő; *~ ward* szülészet(i osztály)
matey ['meɪtɪ] *a* biz barátkozó(s), barátságos, cimboráló, bizalmaskodó
math [mæθ] *n US biz = maths*
mathematical [mæθ(ə)'mætɪkl] *a* mennyiségtani, matematikai
mathematician [mæθ(ə)mə'tɪʃn] *n* matematikus
mathematics [mæθ(ə)'mætɪks] *n* matematika, mennyiségtan
Mathias [mə'θaɪəs] *prop* Mátyás
maths [mæθs] *n biz* matek
Matilda [mə'tɪldə] *prop* Matild
matin ['mætɪn; *US* -ən] *→matins*
matinée ['mætɪneɪ; *US* mætə'neɪ] *n* délutáni előadás; *~ idol* nők bálványa [színész]
mating ['meɪtɪŋ] *n* párosodás, párzás; *~ season* párzási időszak
matins ['mætɪnz; *US* -ənz] *n pl* hajnali zsolozsma

matriarch ['meɪtrɪɑ:k] *n* matriarcha
matriarchal [meɪtrɪ'ɑ:kl] *a* matriarchális, anyajogi
matriarchy ['meɪtrɪɑ:kɪ] *n* matriarchátus, anyajogú társadalom/rendszer
matric [mə'trɪk] *n biz* = *matriculation*
matrices →*matrix*
matricide ['meɪtrɪsaɪd] *n* 1. anyagyilkosság 2. anyagyilkos
matriculate [mə'trɪkjʊleɪt] **A.** *vt* egyetemre felvesz/beír(at) [diákot] **B.** *vi* felvételizik; beiratkozik [egyetemre]
matriculation [mətrɪkjʊ'leɪʃn] *n* 1. egyetemi beiratkozás/felvétel; egyetem anyakönyvébe bejegyzés 2. felvételi (vizsga)
matrimonial [mætrɪ'moʊnjəl] *a* házassági; ~ *causes* házassági perek
matrimony ['mætrɪmənɪ; *US* -moʊnɪ] *n* házasság
matrix ['meɪtrɪks] *n (pl* ~**es** -ɪz v. **matrices** 'meɪtrɪsi:z) 1. (anya)méh 2. sejtközi állomány 3. anyaérc, -kőzet 4. anyaminta, matrica 5. mátrix
matron ['meɪtr(ə)n] *n* 1. férjes asszony, családanya 2. házvezetőnő; felügyelőnő, gondnoknő 3. főnővér
matronly ['meɪtr(ə)nlɪ] *a* 1. idősebb asszonyhoz méltó/illő 2. házvezetőnői, gondnoknői
matt →*mat²*
matted ['mætɪd] →*mat¹ II.*
matter ['mætə*] **I.** *n* 1. anyag 2. tárgy, téma, tartalom 3. ügy, dolog; kérdés; *a* ~ *of course* magától értetődő dolog →*matter-of-course*; ~ *of fact* tényálladék, ténykérdés →*matter-of-fact*; *as a* ~ *of fact* tényleg, valóban, tulajdonképpen, valójában, ami azt illeti, voltaképpen; ~ *of taste* ízlés dolga/kérdése; *a* ~ *of time* (csak) idő kérdése; *for that* ~ ami azt illeti, egyébként; *in the* ~ *of sg* vmire vonatkozóan, vmnek a kérdésében/dolgában; *it's no(t) great* ~ nem nagy ügy/dolog; *as* ~*s stand* a dolgok jelenlegi állása mellett 4. fontos dolog, lényeg; *no* ~ *...* nem számít (milyen), mindegy (hogy) *...*; *no* ~ *how* bármilyen is, mindegy, hogyan; mindegy, (hogy) milyen 5. baj; *what's the* ~*?* mi a

baj*?*, mi történt*?*; *what's the* ~ *with you?* mi bajod*?*, mi van veled*?* 6. *a* ~ *of...* összesen, körülbelül 7. kézirat; szedendő anyag, szedés 8. genny, váladék **II.** *vi* 1. fontos, lényeges, számít; *what does it* ~*?* mit számít*?*; *it doesn't* ~ nem számít; *it* ~*s a lot* nagyon fontos 2. gennyezik
matter-of-course *a* természetes, magától értetődő
matter-of-fact *a* 1. gyakorlati(as); tárgyilagos; prózai, száraz, unalmas 2. tényleges, tárgyi
Matthew ['mæθju:] *prop* Máté
Matthias [mə'θaɪəs] *prop* Mátyás
matting ['mætɪŋ] *n* 1. gyékényfonat; nádfonat; gyékényszőnyeg 2. gubanc
mattock ['mætək] *n* bontócsákány, (széles) bányászcsákány
mattress ['mætrɪs] *n* 1. ágybetét, matrac 2. rőzsegát
maturation [mætjʊ'reɪʃn; *US* -tʃ-] *n* 1. megérlelés 2. megérés
mature [mə'tjʊə*; *US* -tʃʊr] **I.** *a* 1. érett 2. megfontolt, meggondolt, átgondolt; *after* ~ *deliberation* alapos megfontolás után 3. esedékes, lejárt **II. A.** *vt* megérlel **B.** *vi* 1. megérik 2. esedékessé válik, lejár
maturity [mə'tjʊərətɪ; *US* -tʃʊr-] *n* 1. érettség, kifejlettség 2. esedékesség, lejárat
matutinal [mætju:'taɪnl; *US* mə'tu:tənəl] *a* hajnali
Maud [mɔ:d] *prop* Magda
maudlin ['mɔ:dlɪn] *a* 1. érzelgős, siránkozó 2. érzelgősen részeg
Maugham [mɔ:m] *prop*
maul [mɔ:l] *vt* (szét)marcangol; durván bánik vmvel/vkvel; ~ *sy about* ide-oda rángat vkt
maulstick ['mɔ:lstɪk] *n* festőpálca
maunder ['mɔ:ndə*] *vi* 1. összevissza fecseg, szórakozottan beszél 2. kószál, kóborol
Maundy Thursday ['mɔ:ndɪ] nagycsütörtök
Maureen ['mɔ:ri:n] *prop* ⟨ír női név⟩
Maurice ['mɔrɪs; *US* -ɔ:-] *prop* Mór(ic)
Mauritania [mɔrɪ'teɪnjə] *prop* Mauritánia

Mauritanian [mɔrɪ'teɪnjən] *a* mauritániai

Mauritius [mə'rɪʃəs] *prop*

mausoleum [mɔ:sə'lɪəm] *n* síremlék, mauzóleum

mauve [moʊv] *a* mályvaszínű

maverick ['mæv(ə)rɪk] *n US* 1. fiatal marha [tulajdonos besütött jegye nélkül] 2. párton kívüli (v. ellenzéki) képviselő 3. maga útján járó ember, szabadúszó

mavis ['meɪvɪs] *n* énekes rigó

maw [mɔ:] *n* gyomor, bendő, begy

mawkish ['mɔ:kɪʃ] *a* émelyítő, édeskés, érzelgős, ömlengő, szenvelgő

Max [mæks] *prop* Miksa

max. *maximum*

maxi ['mæksɪ] *n biz* maxi (szoknya stb.)

maxim ['mæksɪm] *n* életelv, alapelv; aforizma, velős mondás

maximal ['mæksɪml] *a* legnagyobb, maximális; maximum-

Maxim gun ['mæksɪm] maxim (géppuska)

maximize ['mæksɪmaɪz] *n* maximálisan kihasznál [lehetőségeket]; maximalizál

maximum ['mæksɪməm] I. *a = maximal* II. *n* legfelső fok/határ, csúcsérték, maximum

may¹ [meɪ] *v aux* (*pt* might maɪt) szabad, lehet, -hat, -het; *he ~ not be hungry* talán nem is éhes; *~ I come in?* bejöhetek?; *~ I?* szabad (lesz)?; *if I ~ say so* ha szabad megjegyeznem, ha szabad így mondanom; *be that as it ~* akármi legyen is a helyzet, bárhogy álljon is (ez) a dolog; *it ~/might be that* ... lehet(séges), hogy; *you might as well* ... legjobb lesz, ha ..., nem marad más hátra, mint hogy; *run as he might* akárhogyan futott is; *~ he rest in peace* nyugodjék békében

may² [meɪ] *n* galagonya

May³ [meɪ] *n* május; *~ Day* május elseje

maybe ['meɪbi:] *adv* talán, lehet(séges), esetleg

maybeetle, maybug *n* cserebogár

Mayfair ['meɪfeə*] *prop* ⟨a londoni West End előkelő negyede⟩

mayflower *n* 1. havasi kankalin 2. galagonya 3. kakukktorma

may-fly *n* 1. kérész, tiszavirág 2. műlégy [horgászáshoz]

mayhap ['meɪhæp] *adv* talán

mayhem ['meɪhem] *n* 1. *US* (meg-) csonkítás, súlyos testi sértés 2. *commit a ~ on sy* összever vkt

mayonnaise [meɪə'neɪz] *n* majonéz- (mártás)

mayor [meə*; *US* 'meɪər] *n* polgármester

mayoralty ['meər(ə)ltɪ; *US* 'meɪərəltɪ] *n* polgármesteri tisztség

mayoress ['meərɪs; *US* 'meɪ-] 1. polgármesterné 2. polgármesternő

maypole *n* májusfa

maze [meɪz] *n* 1. útvesztő, labirintus 2. (zűr)zavar, zavarodottság

mazy ['meɪzɪ] *a* zűrzavaros, bonyolult

M.C., MC [em'si:] 1. *Master of Ceremonies →master* 2. *Member of Congress →member* 3. *Military Cross* hadiérdemkereszt

Mc... →Mac...

MCC [emsi:'si:] *Marylebone Cricket Club* ⟨a legismertebb londoni krikettklub⟩

McCarthy [mə'kɑ:θɪ] *prop*

McDonald [mək'dɔn(ə)ld] *prop*

McGill [mə'gɪl] *prop*

McIntosh ['mækɪntɔʃ] *prop*

McKinley [mə'kɪnlɪ] *prop*

McLeod [mə'klaʊd] *prop*

M.D., MD [em'di:] Medicinae Doctor (= *Doctor of Medicine*) orvosdoktor

Md. *Maryland*

me [mi:; gyenge ejtésű alakja: mɪ] *pron* 1. engem; (*to*) *~* nekem; *I'll lay ~ down* lefekszem 2. *biz* én; *it's ~* én vagyok az

Me. *Maine*

mead¹ [mi:d] *n* mézsör

mead² [mi:d] *n* † rét, mező

meadow ['medoʊ] *n* rét, mező, legelő

meadow-grass *n* réti perje

meadow-saffron *n* őszi kikerics

meadow-sweet *n* gyöngyvessző, bakszakáll

meagre, *US* -ger ['mi:gə*] *a* 1. vézna, sovány 2. *átv* sovány, csekély

meal¹ [mi:l] *n* 1. étkezés; *main* ~ fő étkezés 2. étel

meal² [mi:l] *n* 1. korpa; (durva) liszt [rozs, kukorica, zab] 2. [csont- stb.] liszt

mealies ['mi:lız] *n pl* kukorica

meal-time *n* étkezés szokásos ideje, étkezési idő, ebédidő

mealy ['mi:lı] *a* korpaszerű, lisztszerű

mealy-mouthed *a* mézesmázos, finomkodó

mean¹ [mi:n] I. *a* középértékű, közepes, közép-; átlagos; ~ *price* átlagár; ~ *time* középidő II. *n* 1. középút 2. átlag, középérték 3. (számtani) középarányos 4. **means** *pl* (v. *sing*) eszköz(ök); ~*s of transportation* szállítóeszköz(ök); *find a* ~*s to* ... szerét/módját ejti, hogy ...; *by all* ~*s* feltétlenül, mindenesetre; *by no* ~*s* semmi esetre; *by* ~*s of sg* vm segítségével, vm által/révén; *by some* ~*s or other* valahogyan csak; *by any* ~*s*, *by fair* ~*s or foul* mindenáron, ha törik ha szakad 5. **means** *pl* anyagi eszközök; vagyon; *a man of* ~*s* vagyonos ember; *live beyond one's* ~*s* tovább nyújtózkodik, mint ameddig a takarója ér; ~*s test* az anyagi helyzet felmérése [segélyhez]

mean² [mi:n] *a* 1. egyszerű, szegény sorsú; szegényes [külsejű]; *of* ~ *birth* egyszerű családból való, alacsony származású 2. hitvány, silány, vacak; aljas; *he is no* ~ *scholar* komoly tudós; *a* ~ *trick* aljas csel 3. fukar, szűkmarkú

mean³ [mi:n] *v* (*pt/pp* ~*t* ment) A. *vt* 1. jelent [vm értelme van]; *what does it* ~*?*, *what is* ~*t by*... mit jelent ...?; ~ *sg to sy* jelent(ősége van) vk számára; *what is this to* ~*?* ez (meg) mit jelentsen? 2. (vhogyan) gondol, ért (vmt); céloz (vmre); *what do you* ~ *by* (*saying*) *that?* mit akar(sz) ezzel mondani?, hogy érti ezt?; *you know what I* ~*?* (ugye) tudja/tudod, mire gondolok (v. mit akarok mondani)?; *do you really* ~ *it?* komolyan gondolod/mondod?; *I* ~ *it* komolyan gondolom/mondom 3.

szándékozik, akar; *what do you* ~ *to do?* mit szándékozik/akar csinálni?; *he didn't* ~ *it* (v. ~ *to*) nem akarta; nem komolyan gondolta; *I* ~ *to be obeyed* elvárom az engedelmességet 4. szán (*for* vmre/vknek); *thè remark was* ~*t for you* a megjegyzés önnek/ neked szólt B. *vi* ~ *well* jót akar; javát akarja (*by sy* vknek)

meander [mı'ændə*] *vi* 1. kanyarog, kígyózik 2. kóborol, bolyong

meandering [mı'ændərıŋ] *a* 1. kanyargó 2. elkalandozó, összefüggéstelen [beszéd]

meaning ['mi:nıŋ] I. *a* 1. jelentő, kifejező 2. szándékú; *well* ~ jó szándékú II. *n* 1. jelentés, értelem [szóé] 2. szándék; *what's the* ~ *of this?* mit jelentsen ez? 3. *look full of* ~ sokatmondó pillantás

meaningful ['mi:nıŋfʊl] *a* értelmes, sokatmondó; jelentéssel bíró

meaningless ['mi:nıŋlıs] *a* értelmetlen, semmitmondó

meanness¹ ['mi:nnıs] *n* közepesség, átlagosság

meanness² ['mi:nnıs] *n* 1. aljasság, hitványság 2. fukarság, szűkmarkúság

means [mi:nz] →*mean¹*, *mean³*

meant →*mean³*

meantime [mi:n'taım] *adv* (idő)közben; *in the* ~ időközben, ezalatt

meanwhile [mi:n'waıl; *US* -'hw-] *adv* = meantime

measles ['mi:zlz] *n* 1. kanyaró; *German* ~ rubeola 2. sertésborsókakór

measly ['mi:zlı] *a biz* vacak, ócska

measurable ['meʒ(ə)rəbl] *a* (le)mérhető

measure ['meʒə*] I. *n* 1. méret, nagyság; *made to* ~ rendelés szerint, mérték után; *take sy's* ~ (1) mértéket vesz vkről (2) *átv* (*get the* ~ *of sy* változatban is) felmér/végigmér vkt, tisztába akar jönni vkvel 2. mérték-(egység); *liquid* ~ űrmérték; *give full* ~ jól megméri; *for good* ~ ráadásul; ~ *for* ~ szemet szemért 3. mérő-(edény), mérőüveg; mérőrúd, mérőszalag 4. osztó; *greatest common* ~ legnagyobb közös osztó 5. *átv* mérték, fok, határ; *in some* ~ bizonyos mér-

tékben/fokig; *beyond* ~ végtelenül; *a* ~ *of* némi **6.** ütem, versmérték **7.** intézkedés, rendszabály; lépés; *take* ~*s* lépéseket tesz, intézkedik [vm ügyben] **II. A.** *vt* **1.** (meg)mér, kimér, lemér, felmér; ~ *one's length* elvágódik, elesik; ~ *swords with sy* megküzd vkvel; ~ *sy with one's eye* végigmér vkt **2.** mértéket vesz (vkről) **3.** *átv* felbecsül **B.** *vi* vmlyen méretű; *the room* ~*s 4 metres by 4* a szoba négyszer négyméteres
measure off *vt* lemér [szövetet]
measure out *vt* kimér, kiporcióz
measure up to *vi US* megfelel [várakozásnak]; ~ *up to one's task* hivatása magaslatán áll, felnő a feladatához
measured ['meʒəd] *a* **1.** megmért, lemért **2.** ütemes, ritmikus, egyenletes mozgású/járású **3.** kimért, megfontolt
measureless ['meʒəlɪs] *a* mérhetetlen
measurement ['meʒəmənt] *n* **1.** mérték **2.** felmérés, megmérés **3.** méret; *take sy's* ~*s* mértéket vesz vkről
meat [mi:t] *n* **1.** hús; *GB* ~ *tea* tea húsétellel; *biz make (cold)* ~ *of sy* vkt eltesz láb alól, „hidegre" tesz vkt **2.** étel, élelem; *átv biz this was* ~ *and drink to them* ez volt éltető elemük, ez nagy gyönyörűséget okozott nekik **3.** *átv* velő, lényeg; *full of* ~ tartalmas
meatball *n* húsgombóc, fasírozott
meatless ['mi:tlɪs] *a* hústalan
meatman ['mi:tmən] *n (pl -men -mən)* mészáros, hentes
meat-pie *n* húspástétom
meat-safe *n* ételszekrény [szellőztetővel]
meaty ['mi:tɪ] *a* **1.** húsos **2.** *átv* velős, tartalmas
Mecca ['mekə] *prop* Mekka
mechanic [mɪ'kænɪk] *n* szerelő, műszerész, mechanikus; *motor* ~ autószerelő
mechanical [mɪ'kænɪkl] *a* **1.** mechanikai; gépi, mechanikus; ~ *engineer* gépészmérnök; ~ *engineering* gépészet; ~ *power* gépi erő; ~ *transport* gépi szállítás **2.** *átv* gépies, mechanikus; önkéntelen
mechanics [mɪ'kænɪks] *n* mechanika

mechanism ['mekənɪzm] *n* szerkezet; gépezet, mechanizmus
mechanization [mekənaɪ'zeɪʃn; *US* -nɪ'z-] *n* gépesítés
mechanize ['mekənaɪz] *vt* **1.** gépesít **2.** elgépiesít, gépiessé tesz
medal ['medl] *n* érem; *the reverse of the* ~ az érem másik oldala
medallion [mɪ'dæljən] *n* **1.** emlékérem, nagyobb érem **2.** kerek dombormű
medallist ['med(ə)lɪst] *n* **1.** éremkészítő **2.** éremnyertes, éremtulajdonos
meddle ['medl] *vi* **1.** be(le)avatkozik, beleártja magát (*in, with* vmbe) **2.** ~ *with sg* babrál vmvel, piszkál vmt
meddler ['medlə*] *n* mindenbe beleavatkozó személy
meddlesome ['medlsəm] *a* beavatkozó, tolakodó, minden lében kanál
meddling ['medlɪŋ] *n* beavatkozás
Medea [mɪ'dɪə] *prop* Médeia
media ['mi:djə]*n plthe* ~ tömegkommunikációs/-hírközlő eszközök || →*medium*
mediaeval →*medieval*
medial ['mi:djəl] *a* **1.** középső **2.** közepes, átlagos (nagyságú/kiterjedésű)
median ['mi:djən] **I.** *a* középső; ~ *strip* középső elválasztó sáv [autópályán] **II.** *n* **1.** centrális érték, medián **2.** oldalfelező, középvonal
mediate ['mi:dɪeɪt] *vi* **1.** közvetít, közbelép, közbenjár **2.** összekapcsol
mediation [mi:dɪ'eɪʃn] *n* közvetítés, közbelépés, közbenjárás
mediator ['mi:dɪeɪtə*] *n* közvetítő, közbenjáró
medic ['medɪk] *n biz* **1.** orvostanhallgató, medikus **2.** doki **3.** egészségügyi (katona)
medical ['medɪkl] **I.** *a* **1.** orvostudományi, orvosi; egészségügyi; ~ *board* egészségügyi tanács; ~ *corps* egészségügyi csapat/alakulat/szolgálat; ~ *examination* orvosi vizsgálat; ~ *jurisprudence* törvényszéki orvostan; ~ *man* orvos; ~ *officer* (1) tisztiorvos (2) katonaorvos; ~ *school* orvosi egyetem; ~ *student* orvostanhallgató **2.** belgyógyászati **II.** *n* = *medic 1.*
medicament [me'dɪkəmənt] *n* orvosság, gyógyszer

Medicare ['medɪkeə*] n US ⟨öregkori állami betegbiztosítás⟩
medicate ['medɪkeɪt] vt 1. gyógyít, gyógykezel 2. gyógyszerel 3. gyógyanyaggal telít
medication [medɪ'keɪʃn] n 1. gyógyszeres kezelés, gyógyszerelés; gyógykezelés 2. gyógyszerbevétel, gyógyszeralkalmazás 3. gyógyszer
medicinal [me'dɪsɪnl] a gyógyító, gyógyhatású, gyógy-
medicine ['medsɪn; US -dəs(ə)n] n 1. orvostudomány, orvostan 2. orvosság, gyógyszer; ~ cabinet házipatika; ~ chest orvosszeres láda, mentőláda 3. belgyógyászat 4. varázs(lat), boszorkányság [vad népeknél]
medicine-man n (pl -men) kuruzsló, vajákos (ember)
medick ['medɪk] 'n lucerna
medico ['medɪkoʊ] n biz 1. orvos, doki 2. medikus
medieval (mediaeval is) [medɪ'i:vl] a középkori
mediocre [mi:dɪ'oʊkə*] a középszerű, közepes
mediocrity [mi:dɪ'ɔkrətɪ; US -'ɑk-] n középszer, középszerűség
meditate ['medɪteɪt] A. vt 1. tervez, szándékol 2. fontolgat, latolgat B. vi elmélkedik, meditál
meditation [medɪ'teɪʃn] n elmélkedés
meditative ['medɪtətɪv; US -teɪ-] a elmélkedő
Mediterranean [medɪtə'reɪnjən] a/prop földközi-tengeri; ~ (Sea) Földközi--tenger
medium ['mi:djəm] I. a közepes, közép-; átlagos; ~ wave középhullám II. n (pl ~s -z v. media 'mi:djə) 1. közép(út) 2. közeg (átv is); közvetítő eszköz; through the ~ of sg vmnek a közvetítésével; through the ~ of the press a sajtó útján 3. médium [hipnózisban, szellemidézésben] ‖ →media
medium-sized a középnagyságú, közepes méretű/nagyságú
medlar ['medlə*] n naspolya, lasponya
medley ['medlɪ] n 1. keverék 2. egyveleg, „vegyes felvágott"

meed [mi:d] n 1. jutalom 2. érdem
meek [mi:k] a 1. szelíd, szende 2. nyájas 3. szerény 4. alázatos, béketűrő
meekness ['mi:knɪs] n 1. szelídség 2. megadás, beletörődés
meerschaum ['mɪəʃəm] n 1. tajték, habkő 2. tajtékpipa
meet¹ [mi:t] I. n 1. vadászati összejövetel 2. verseny, találkozó II. v (pt/pp met met) A. vt 1. találkozik (vkvel); go to ~ sy elébe megy vknek; ~ sy at the station kimegy vk elé az állomásra; the bus ~s all trains az autóbusz minden vonathoz kimegy; ~ sy halfway engedékeny vkvel 2. vkre/vmre talál/akad; he met his death halálát lelte, meghalt; what a scene met my eyes micsoda látvány tárult fel szemeim előtt; there is more in it than ~s the eye több van itt, mint ami szemmel látható 3. megismerkedik (vkvel); US ~ Mr. Smith bemutatom Smith urat; US pleased to ~ you örülök/örvendek a szerencsének 4. összecsap (vkvel), összeméri az erejét (vkvel) 5. eleget tesz (vmnek), megfelel [követelményeknek]; fedez, visel [költséget] B. vi 1. találkozik; happen to ~ összetalálkozik; our eyes met összenéztünk 2. összejár/összejön vkvel [társadalmilag érintkeznek] 3. összeül, ülésezik 4. ~ with (rá)akad, (rá)bukkan (vmre, vkre); ~ with an accident baleset éri 5. összeér [két vége vmnek]; egyesül [több tulajdonság]
meet² [mi:t] a illő, alkalmas; as was ~ ahogy illett
meeting ['mi:tɪŋ] n 1. találkozás 2. összejövetel, gyűlés; ülés; értekezlet; public ~ népgyűlés 3. verseny, találkozó
meeting-house n (kvéker) imaház
meeting-place n találkozóhely
Meg [meg] prop Margitka, Manci
megacycle ['megəsaɪkl] n megaciklus
megalith ['megəlɪθ] n megalit
megalithic [megə'lɪθɪk] a megalitikus
megalomania [megələ'meɪnjə] n nagyzási hóbort

megaphone ['megəfoʊn] *n* hangszóró, megafon

megaton ['megətʌn] *n* megatonna

megrim ['miːgrɪm] *n* † 1. migrén, ideges fejfájás 2. *the* ~*s* búskomorság

melancholic [melən'kɔlɪk; *US* -'ka-] *a* búskomor

melancholy ['melənkəlɪ; *US* -ka-] I. *a* 1. búskomor 2. szomorú II. *n* búskomorság

Melanesia [melə'niːzjə; *US* -ʒə] *prop* Melanézia

melba ['melbə] *n* fagylalt Melba módra

Melbourne ['melbən] *prop*

meliorate ['miːljəreɪt] A. *vt* megjavít B. *vi* (meg)javul

melioration [miːljə'reɪʃn] *n* 1. javítás 2. javulás

mellifluous [me'lɪflʊəs] *a* mézes, mézédes

mellow ['meloʊ] I. *a* 1. érett, puha [gyümölcs] 2. dús, telt, gazdag 3. ó [bor] 4. meleg, lágy, finom [szín] 5. kedélyes, vidám 6. *biz* spicces II. A. *vt* 1. (meg)érlel 2. fellazít [talajt stb.] 3. (meg)lágyít, tompít [színt] B. *vi* 1. megérik 2. (meg)lágyul

mellowness ['meloʊnɪs] *n* 1. érettség, teltség, lágyság, puhaság 2. kiérleltség [boré]

melodic [mɪ'lɔdɪk; *US* -'la-] *a* dallamos, melodikus

melodious [mɪ'loʊdjəs] *a* dallamos, jól hangzó, fülbemászó

melodrama ['melədrɑːmə] *n* melodráma; rémdráma

melodramatic [melədrə'mætɪk] *a* melodrámai

melody ['melədɪ] *n* 1. dal, ének 2. dallam, melódia

melon ['melən] *n* dinnye; □ *cut up the* ~ osztozik (a nyereségen), osztalékot kioszt

melt [melt] *v* (*pt* ~*ed* 'meltɪd, *pp* ~*ed* v. molten 'moʊlt(ə)n) A. *vt* 1. (meg-) olvaszt; elolvaszt 2. meghat, elérzékenyít B. *vi* 1. (meg)olvad, elolvad; *be* ~*ing* majd elolvad (a hőségtől); *biz money* ~*s in his hands* minden pénz kifolyik a kezéből 2. *átv* ellágyul, elérzékenyül 3. *átv* elpárolog [bátorság]

melt away *vi* 1. elolvad 2. eloszlik [felhő]; szétszéled [tömeg]

melt down A. *vt* beolvaszt, megolvaszt B. *vi* szétfolyik

melt into A. *vt* beolvaszt B. *vi* be(le)olvad (vmbe), egybeolvad (vmvel), fokozatosan átmegy (vmbe); ~ *i. tears* könnyekben tör ki, sírva fakad

melting ['meltɪŋ] I. *a* 1. olvadó, olvadékony 2. megindító, megható 3. lágy II. *n* 1. olvasztás 2. olvadás

melting-point *n* olvadáspont

melting-pot *n* olvasztótégely; *go into the* ~ teljesen átalakul/megváltozik

Melville ['melvɪl] *prop*

member ['membə*] *n* 1. testrész, (vég-) tag 2. tag [egyesületé stb.] 3. *M*~ *of Parliament, US M*~ *of Congress* országgyűlési képviselő

membership ['membəʃɪp] *n* tagság; ~ *card* tagsági igazolvány

membrane ['membreɪn] *n* hártya, membrán

membraneous [mem'breɪnjəs] *a* hártyás, hártyaszerű, hártyavékony

memento [mɪ'mentoʊ] *n* emlékeztető

memo ['memoʊ] *n biz* (= *memorandum*) (emlékeztető) feljegyzés, jegyzet

memoir ['memwɑː*] *n* 1. (rövid) életrajz 2. tanulmány 3. memoirs *pl* emlékiratok

memo-pad *n* (feljegyzési) blokk, jegyzettömb

memorable ['mem(ə)rəbl] *a* emlékezetes, híres

memorandum [memə'rændəm] *n* (*pl* -da -də v. ~*s* -z) jegyzet, feljegyzés; memorandum, emlékirat; diplomáciai jegyzék; jelentés; ~ *book* előjegyzési naptár, notesz; ~ *pad* jegyzettömb, blokk

memorial [mɪ'mɔːrɪəl] I. *a* emlékeztető; *US M*~ *Day* háborús hősök emléknapja [május 30.]; ~ *service* búcsúztatás [temetőben]; ~ *tablet* emléktábla II. *n* 1. emlékmű 2. feljegyzés; (diplomáciai) jegyzék 3. beadvány, előterjesztés 4. ⟨peranyag összefoglalása perbeli képviselők részére⟩ 5. memorials *pl* emlékiratok, emlékezések

memorize ['meməraɪz] *vt* 1. betanul,

könyv nélkül megtanul, memorizál 2.
feljegyez 3. tárol [számítógép]
memory ['memərı] n 1. emlékezet, emlékezőtehetség; loss of ~ emlékezetkiesés; to the best of my ~ legjobb emlékezetem szerint 2. emlék; emlékezés; to the ~ of emlékére 3. ~ (unit) memóriaegység [számítógépé]
memsahib ['memsɑ:(hı)b] n úrnő ⟨európai hölgy megszólítása Indiában bennszülött részéről⟩
men [men] →man I.
menace ['menəs] I. n fenyegetés; veszély
II. vt fenyeget; veszélyeztet
menacingly ['menəsıŋlı] adv fenyegetően
ménage [me'nɑ:ʒ] n háztartás
menagerie [mı'nædʒərı] n állatsereglet
mend [mend] I. n 1. megjavítás, kijavítás 2. javítás helye, folt 3. on the ~ javulóban II. A. vt 1. (meg)javít; kijavít; ~ one's ways megjavul, jó útra tér; ~ matters helyrehozza a dolgokat/helyzetet; ~ the fire felszítja a tüzet; ~ one's pace meggyorsítja lépteit 2. megfoltoz B. vi (meg)javul; be ~ing javul(óban van), gyógyul(ófélben van)
mendacious [men'deıʃəs] a hazug, hazudozó
mendacity [men'dæsətı] n hazudozás; hazugság
mender ['mendə*] n javító, foltozó
mendicancy ['mendıkənsı] n kéregetés
mendicant ['mendıkənt] I. a kolduló II. n koldus
mending ['mendıŋ] I. a javuló II. n foltozás, stoppolás
menfolk n pl biz a férfiak [a családban], férfinép
menial ['mi:njəl] I. a szolgai, alantas [munka] II. n szolga, cseléd
meningitis [menın'dʒaıtıs] n agyhártyagyulladás
meniscus [me'nıskəs] n (pl -sci -saı) meniszkusz [folyadék felszíngörbülete]
menopause ['menəpɔ:z] n klimax, a változás kora [nőknél]
menses ['mensi:z] n pl havi vérzés, havibaj, menstruáció
menstruate ['menstrʋeıt] vi menstruál

menstruation [menstrʋ'eıʃn] n havi vérzés, menstruáció
mensurable ['menʃʋrəbl; US -ʃər-] a mérhető
mensuration [mensjʋə'reıʃn; US -ʃə'r-] n mérés
mental ['mentl] a észbeli, elmebeli, szellemi, gondolati; agy-, elme-; ~ age szellemi fok; ~ arithmetic fejszámolás; ~ case elmebeteg, -bajos; ~ deficiency elmegyengeség; szellemi fogyatékosság; ~ home/hospital elmegyógyintézet; ~ hygiene mentálhigiénia; ~ patient elmebeteg; ~ reservation hátsó/elhallgatott gondolat; ~ specialist elmegyógyász; ~ test képességvizsgálat
mentality [men'tælətı] n lelki alkat, gondolkodásmód, mentalitás
menthol ['menθɔl] n mentoı
mentholated ['menθəleıtıd] a mentolos
mention ['menʃn] I. n (meg)említés; ~ must be made meg kell említeni; honourable ~ elismerés, dicséret II. vt (meg)említ, idéz, szóvá tesz; don't ~ it! szóra sem érdemes !; ,,köszönömre'' válaszolva:] kérem !, szívesen!; not to ~ nem is említve/beszélve . . .
mentor ['mentɔ:*] n tanácsadó, mentor
menu ['menju:] n étlap, étrend
mephitic [me'fıtık] a bűzhödt, dögletes
mercantile ['mɔ:k(ə)ntaıl; US -tıl] a kereskedelmi; ~ marine kereskedelmi hajózás/flotta
mercenary ['mɔ:sın(ə)rı; US -erı] I. a kalmárszellemű, pénzsóvár II. n zsoldos (katona)
mercer ['mɔ:sə*] n selyemáru-kereskedő
mercerize ['mɔ:səraız] vt fényesít, mercerizál [pamutfonalat]
merchandise ['mɔ:tʃ(ə)ndaız] I. n áru II. A. vi kereskedik B. vt elad
merchant ['mɔ:tʃ(ə)nt] I. a kereskedelmi; ~ marine kereskedelmi hajózás/flotta; ~ service kereskedelmi hajózás; ~ tailor szabó (aki szövetet is tart) II. n 1. GB (nagy)kereskedő 2. US (kis)kereskedő, boltos
merchantable ['mɔ:tʃ(ə)ntəbl] a kelendő, értékesíthető, eladható, piacképes
merchantman ['mɔ:tʃ(ə)ntmən] n (pl

-men -mən) **1.** kereskedő **2.** kereskedeimi hajó
merchant-seaman n (pl -men) kereskedelmi tengerész/matróz
merchant-ship n kereskedelmi hajó
merciful ['mə:sıfʊl] a irgalmas
mercifulness ['mə:sıfʊlnıs] n irgalmasság, könyörületesség
merciless ['mə:sılıs] a irgalmatlan
mercurial [mə:'kjʊərıəl] a **1.** élénk, fürge, mozgékony **2.** higanytartalmú
mercury ['mə:kjʊrı] n **1.** higany **2.** higanyoszlop [hőmérőé] **3.** hírnök
Mercutio [mə:'kju:ʃjoʊ] prop
mercy ['mə:sı] n **1.** irgalom, kegyelem, könyörületesség; ~ killing könyörületi halál, euthanasia; have ~ on sy megkönyörül vkn; at the ~ of (vknek) hatalmában, (vk/vm) szeszélyének/kényének kiszolgáltatva/kitéve; be left to the tender mercies of sy ki van szolgáltatva vk kénye-kedvének; works of ~ karitatív cselekedetek **2.** jótétemény, áldás, szerencse; it's a ~ that ... szerencse, hogy ...
mere[1] [mıə*] n tó
mere[2] [mıə*] a puszta, merő, egyszerű; a ~ boy (még) csak egy fiú; the ~ thought (már) maga a gondolat
Meredith ['merədıθ] prop
merely ['mıəlı] adv csupán, pusztán
meretricious [merı'trıʃəs] a hamis, talmi, mesterkélt, giccses
merge [mə:dʒ] **A.** vt **1.** bemerít, lemerít **2.** egybeolvaszt, egyesít; be ~d into beolvad [más vállalatba] **B.** vi **1.** elsüllyed, elmerül **2.** egyesül, fuzionál; ~ into be(le)olvad (vmbe)
merger ['mə:dʒə*] n egyesülés, fúzió [vállalatoké]
meridian [mə'rıdıən] **I.** a **1.** déli **2.** átv tetőpontján levő **II.** n **1.** délkör, meridián **2.** dél **3.** delelő **4.** átv csúcspont, tetőpont
meridional [mə'rıdıənl] a **1.** déli [időben] **2.** déli, délköri
meringue [mə'ræŋ] n (sült) cukros tojáshab [süteményen]
merino [mə'ri:noʊ] n **1.** (~-sheep is) merinó(i) juh **2.** merinógyapjú
merit ['merıt] **I.** n érdem; certificate of ~

kb. elismerő oklevél [díjkiosztásnál]; the ~s of a case az ügy érdemi része; decide (the case) on the ~s érdemben határoz **II.** vt (ki)érdemel, megérdemel
meritocracy [merı'tɔkrəsı; US -'tɑ-] n ⟨érdem/előmenetel alapján való alkalmazás/előléptetés rendszere⟩
meritorious [merı'tɔ:rıəs] a érdemes, érdemdús, dicséretes, jó szándékú
mermaid ['mə:meıd] n hableány, sellő
merman ['mə:mæn] n (pl -men -men) férfisellő
merrily ['merılı] adv vidáman
merriment ['merımənt] n vidámság, mulatság
merriness ['merınıs] n vidámság, jókedv
merry ['merı] a vidám, jókedvű; make ~ mulat, jó kedve van; make ~ over/with sg mulat vmn; ~ Christmas! boldog karácsonyi ünnepeket!; ~ England a régi jó idők Angliája: ~ monarch II. Károly (angol király)
merry-go-round n körhinta, ringlispíl
merry-making n mulatás, mulatság, vidámság, vigalom
merrythought n mellcsont, húzócsont [szárnyasé]
Mersey ['mə:zı] prop
Merton ['mə:tn] prop
mescaline ['meskəlın] n meszkalin [kábítószer]
meseems [mı'si:mz] vi † azt hiszem, nekem úgy tűnik
mesh [meʃ] **I.** n **1.** (háló)szem **2.** háló **3.** lyukbőség **4.** meshes pl hálózat **5.** fogaskerekek egymásba kapcsolódása; in ~ bekapcsolva, üzemben; be out of ~ nincs szinkronban **II. A.** vt **1.** hálóval fog [halat] **2.** behálóz, tőrbe ejt **B.** vi összekapcsolódnak [fogaskerekek]
meshed [meʃt] a hálószerű, szitaszerű
mesmerism ['mezmərızm] n hipnózis
mesmerize ['mezməraız] vt megigéz, hipnotizál, delejez
meson ['mi:zɔn; US 'mesɑn] n mezon
Mesopotamia [mes(ə)pə'teımjə] prop Mezopotámia
Mesozoic [mesə'zoʊık] a földközépkori
mess[1] [mes] **I.** n **1.** (egy tál/adag) étel, fogás **2.** étkezde, kantin **II.** vi ~ (together) együtt étkezik

mess² [mes] I. *n* 1. rendetlenség, összevisszaság; szemét, piszok; *make a ~ of sg* (1) elront/eltol/elfuserál vmt (2) bepiszkít/összemaszatol vmt 2. *biz*kellemetlenség; *be in a (bad) ~* bajban van, (nyakig) benne van a pácban II. *vt* 1. bepiszkít, összemaszatol 2. összekuszál, elront
mess about *vi* 1. babrál, tesz-vesz, piszmog 2. durván bánik (vkvel)
mess up *vt* eltol, elfuserál, elront
message ['mesɪdʒ] *n* 1. üzenet, közlés, értesítés; *go on a ~* üzenetet visz; *run ~s* megbízásokat elintéz/teljesít 2. tanítás, mondanivaló [íróé, műé]
messenger ['mesɪndʒə*] *n* hírnök
Messiah [mɪ'saɪə] *prop* Messiás
Messianic [mesɪ'ænɪk] *a* messiási
messing ['mesɪŋ] *n* közös étkezés; *~ allowance* étkezési pótlék
messmate *n* asztaltárs
mess-room *n* = *mess¹ I. 2.*
Messrs., Messrs ['mesəz] (= *Messieurs*) urak [cégmegjelölésben]
mess-tin *n* csajka
messuage ['meswɪdʒ] *n* házas ingatlan
mess-up *n biz* 1. zűr(zavar), összevisszaság 2. maszat
messy ['mesɪ] *a* rendetlen; mocskos
mestizo [mes'ti:zoʊ] *a/n* mesztic
met¹ →*meet¹ II.*
Met² [met] *n biz* 1. (= *meteorological*) ~ *Office* meteorológiai intézet 2. (= *Metropolitan*) a New York-i Metropolitan Opera(ház)
metabolism [me'tæbəlɪzm] *n* anyagcsere; *basal ~ test* alapanyagcsere-vizsgálat
metacarpal [metə'ka:pl] *a* kézközépi
metacarpus [metə'ka:pəs] *n* (*pl -pi* -paɪ) kézközép
metal ['metl] I. *n* 1. fém 2. érc 3. (*road*) ~ zúzott kő 4. **metals** *pl* (vasúti) sínek, pálya; *leave/jump the ~s* kisiklik [vonat] II. *vt -ll-* (*US -l-*) 1. fémmel bevon 2. makadámoz
metal-bearing *a* fémtartalmú
metalled ['metld] *a ~ road* kövezett út, makadámút
metallic [mɪ'tælɪk] *a* 1. fémes, fémből való, fém- 2. érces (*átv is*), ércből való, érc- 3. fémesen csillogó

metallurgic(al) [metə'lɜ:dʒɪk(l)] *a* 1. kohászati 2. fémipari
metallurgist [me'tælədʒɪst; *US* 'metələ:dʒɪst] *n* kohász; fémmunkás
metallurgy [me'tælədʒɪ; *US* 'metələ:dʒɪ] *n* 1. kohászat, fémgyártás 2. fémipar
metal-work *n* fémmunka
metal-worker *n* fémmunkás
metamorphose [metə'mɔ:foʊz] *vt* átváltoztat, átvarázsol (*into* vmvé)
metamorphosis [metə'mɔ:fəsɪs] *n* (*pl -ses* -si:z) átalakulás, metamorfózis
metaphor ['metəfə*] *n* szókép, metafora
metaphorical [metə'fɔrɪkl; *US* -'fa-] *a* átvitt/képes értelmű, képletes, metaforikus
metaphysical [metə'fɪzɪkl] *a* metafizikai
metaphysics [metə'fɪzɪks] *n* metafizika
metatarsus [metə'ta:səs] *n* (*pl -si* -saɪ) lábközép(csont)
metathesis [me'tæθəsɪs] *n* (*pl -ses* -si:z) hangátvetés, metatézis
mete [mi:t] *vt ~ out* kioszt, kimér [jutalmat]; kiszab [büntetést]; szolgáltat [igazságot]
meteor ['mi:tjə*] *n* meteor
meteoric [mi:tɪ'ɔrɪk; *US* -'ɔ:-] *a* 1. meteorikus, meteor- 2. meteorszerű, tüneményes 3. légköri
meteorite ['mi:tjəraɪt] *n* meteorkő
meteorological [mi:tjərə'lɔdʒɪkl; *US* -la-] *a* meteorológiai; *M~ Office* meteorológiai intézet
meteorologist [mi:tjə'rɔlədʒɪst; *US* -'ra-] *n* meteorológus
meteorology [mi:tjə'rɔlədʒɪ; *US* -'ra-] *n* meteorológia, időjárástan
meter ['mi:tə*] *n* 1. [gázmérő, villanystb.] óra, mérőóra; *~ cancellation* gépi (postai) bérmentesítés 2. *US* = *metre*
methane ['mi:θeɪn] *n* metán
methinks [mɪ'θɪŋks] *vi* (*pt* **methought** mɪ'θɔ:t) † azt hiszem, úgy gondolom/rémlik
method ['meθəd] *n* 1. módszer, eljárás; mód(ozat) 2. rendszer(esség)
methodical [mɪ'θɔdɪkl; *US* -'θa-] *a* módszeres; rendszeres; tervszerű
Methodism ['meθədɪzm] *n* metodizmus
Methodist ['meθədɪst] *n/a* metodista

34

methodology [meθə'dɔlədʒɪ; US -'da-] n módszertan

methought →methinks

meths [meθs] n pl biz spiritusz

Methuen ['meθjʊɪn; US város: mɪ'θjʊɪn] prop

Methuselah [mɪ'θjuːz(ə)lə; US -'θuː] prop Matuzsálem

methyl ['meθɪl] n metil; ~ alcohol faszesz

methylate ['meθɪleɪt] vt metilez;~d spirit denaturált szesz

meticulosity [mɪtɪkjʊ'lɔsɪtɪ; US -'la-] n aprólékosság, túlzott gondosság

meticulous [mɪ'tɪkjʊləs] a aprólékos-(kodó), (kínosan) pedáns

metonymy [mɪ'tɔnɪmɪ; US -'tɒ-] n metonímia, fogalomcsere

metre, US meter ['miːtə*] n 1. versmérték, ütem 2. méter [= 39,37 inch]

metric ['metrɪk] a méter rendszerű; ~ system méterrendszer ‖→ton 1.

metrical ['metrɪkl] a időmértékes

metrication [metrɪ'keɪʃn] n áttérés méterrendszerre

metrics ['metrɪks] n verstan, metrika

metronome ['metrənoʊm] n metronóm

metropolis [mɪ'trɔpəlɪs; US -ap-] n 1. főváros, világváros 2. érseki székhely

metropolitan [metrə'pɔlɪt(ə)n; US -'pɑ-] I. a fővárosi II. n 1. érsek 2. fővárosi lakos

mettle ['metl] n vérmérséklet, bátorság; man of ~ bátor fickó; be on one's ~ (1) kitesz magáért (2) próbára van téve

mettlesome ['metlsəm] a tüzes, heves, lelkes, bátor

mew¹ [mjuː] n sirály

mew² [mjuː] I. n sólyomkalitka II. vt ~ (up) elzár, bezár [kalitkába, dutyiba]

mew³ [mjuː] I. n nyávogás II. vi nyávog, miaukol

mewl [mjuːl] vi nyivákol, nyafog, sír-rí

mews [mjuːz] n 1. istállósor 2. sikátor, köz

Mexican ['meksɪk(ə)n] a/n mexikói

Mexico ['meksɪkoʊ] prop Mexikó

mezzanine ['metsəniːn; US -z-] n félemelet

mezzo-soprano [medzoʊsə'prɑːnoʊ] n mezzoszoprán

mezzotint ['medzoʊtɪnt; US -ts-] n borzolás, mezzotinto

mg milligram(s) milligramm, mg

M.I. [em'aɪ] military intelligence

Miami [maɪ'æmɪ] prop

miaow [miː'aʊ] I. n nyávogás II. vi nyávog

miasma [mɪ'æzmə] n ártalmas kigőzölgés

mica ['maɪkə] n csillám(pala), máriaüveg

Micawber [mɪ'kɔːbə*] prop

mice →mouse

Mich. Michigan

Michael ['maɪkl] prop Mihály

Michaelmas ['mɪklməs] n Szent Mihály-nap (szept. 29.); ~ daisy őszirózsa; ~ term első harmad [iskolaévé]

Michigan ['mɪʃɪgən] prop

mickle ['mɪkl] I. a sok, nagy II. n nagy mennyiség; many a little makes a ~ sok kicsi sokra megy

microbe ['maɪkroʊb] n mikroba

microbiology [maɪkroʊbaɪ'ɔlədʒɪ; US -'ɑ-] n mikrobiológia

micro-card ['maɪkroʊ-] n mikrokártya [szöveg tárolására]

microcosm ['maɪkrəʊkɔzm; US -kɑ-] n mikrokozmosz, kis világ

microfilm ['maɪkroʊ-] I. n mikrofilm II. vt mikrofilmez

micrometer [maɪ'krɔmɪtə*; US -'krɑ-] n mikrométer

micron ['maɪkrɔn] n mikron

micro-organism [maɪkroʊ-] n mikroorganizmus

microphone ['maɪkrəfoʊn] n mikrofon

microphotograph ['maɪkroʊ-] n mikrofénykép

microscope ['maɪkrəskoʊp] n mikroszkóp

microscopic(al) [maɪkrə'skɔpɪk(l); US -ap-] a mikroszkopikus, parányi

microwave ['maɪkrə-] n mikrohullám, ultrarövid hullám

micturate ['mɪktjʊ(ə)reɪt; US -tʃə-] vi vizel

mid [mɪd] a közép(ső), középen levő, közötti; in ~ air a levegőben, ég és föld között; in ~ Atlantic az Atlanti-óceán közepén

midbrain n középagy

midday I. a déli; ~ meal ebéd II. n dél-(idő)

midden ['mɪdn] n trágyadomb; szemét-
domb
middle ['mɪdl] I. a középső, közép-; the
M~ Ages a középkor; ~ class közép-
osztály →middle-class; take a ~ course
középutat (v. közbenső megoldást)
választ; the M~ East Közel-Kelet
[Egyiptomtól Iránig]; ~ school kb.
középiskola; ~ watch kutyaőrség [0—4
óra között hajón]; M~ West Közép-
-Nyugat [USA-ban a Sziklás-hegység
és az Alleghany között] 2. közvetítő
3. középszerű II. n 1. a közép, vmnek
a közepe 2. biz derék [a testrész] III.
vt 1. középre tesz/helyez 2. megfelez;
középen összehajt(ogat)
middle-age(d) a középkorú [ember]
middle-class a középosztálybeli
middleman n (pl -men) közvetítő, alkusz,
ügynök
middlemost a leginkább (a) középen
levő, kellős középen levő
middle-of-the roader ['mɪdləvðə'roudə*]
n középutas, harmadikutas
Middlesex ['mɪdlseks] prop
Middleton ['mɪdltən] prop
middleweight n középsúly; light ~ nagy-
váltósúly
middling ['mɪdlɪŋ] I. a közepes II. adv
közepesen III. middlings n pl középfi-
nom áru [pl. liszt]
Middx. Middlesex
middy ['mɪdɪ] biz = midshipman
midfield player középpályás (játékos)
midge [mɪdʒ] n muslica; szúnyog
midget ['mɪdʒɪt] I. a apró, törpe II. n 1.
törpe [apró termetű személy] 2. apró
dolog
midland ['mɪdlənd] I. a az ország kö-
zépső részéből való, belországi II. n az
ország középső része (v. belterülete);
the M~s Közép-Anglia
midmost I. a = middlemost II. adv pont a
középen
midnight n éjfél; burn the ~ oil a késő
éjszakai órákig tanul/dolgozik
midriff n rekeszizom
midship n hajó közepe
midshipman ['mɪdʃɪpmən] n (pl -men
-mən] tengerészkadét
midships ['mɪdʃɪps] adv a hajó közepén

midst [mɪdst] n közép(pont); in the ~ of
közepette, közepén, közben; in our ~
közöttünk, nálunk
midstream n in ~ a folyó közepén/árjá-
ban
midsummer n 1. nyárközép 2. M~('s)
Day Szent Iván napja (június 24-e); A
M~ Night's Dream Szentivánéji álom
mid-Victorian a a viktoriánus korszak
(1837—1901) középső szakaszabeli
midway adv feleúton, félúton
Midwest n'= Middle West
midwife n (pl -wives) bába, szülésznő
midwifery ['mɪdwɪf(ə)rɪ] n szülészet
midwinter n 1. télközép, a tél dereka 2.
téli napforduló [dec. 21.]
mien [mi:n] n arckifejezés, arc; maga-
tartás
miff [mɪf] biz I. n összezördülés II. vt/vi
be ~ed at sg, ~ at sg megsértődik vm
miatt
might¹ [maɪt] n erő, hatalom; with ~
and main minden/teljes erővel
might² →may¹
mightiness ['maɪtɪnɪs] n erősség, hatal-
masság
mighty ['maɪtɪ] I. a erős, hatalmas II.
adv biz igen, nagyon
mignonette [mɪnjə'net] n rezeda
migraine ['mi:greɪn] n migrén
migrant ['maɪgr(ə)nt] I. a vándorló II. n
1. (átv is) vándormadár 2. vándor
migrate [maɪ'greɪt; US 'maɪ-] vi (el-)
vándorol, költözik; kivándorol
migration [maɪ'greɪʃn] n (el)költözés,
(ki)vándorlás
migratory ['maɪgrət(ə)rɪ; US -ɔ:rɪ] a
vándorló; nomád [nép]; költöző, ván-
dor [madár]
mike¹ [maɪk] n biz mikrofon
Mike² [maɪk] prop Misi, Miska; biz for
the love of ~ az isten szerelmére
milady [mɪ'leɪdɪ] n † hölgy
Milan prop 1. [mɪ'læn] Milánó 2. US
város: ['maɪlən]
milch-cow ['mɪltʃ-] n (átv is) fejőstehén
mild [maɪld] a 1. enyhe; ~ ale nem
keserű sör 2. szelíd, mérsékelt; biz
draw it ~! ne hencegj!, lassan a test-
tel! 3. kedves, jóindulatú 4. könnyű,
gyenge [cigaretta] 5. ~ steel lágyacél

mild-and-bitter *a* ⟨édeskés és keserű sörök keveréke⟩
mildew ['mɪldju:; *US* -du:] I. *n* 1. penész 2. rozsda, üszög [növényeken] II. A. *vt* (meg)penészít; rozsdát/üszögöt okoz [növényen] B. *vi* megpenészedik
mildewy ['mɪldju:ɪ; *US* -du:ɪ] *a* penészes; üszögös [növény]
mildly ['maɪldlɪ] *adv* 1. enyhén; *to put it* ~ enyhén szólva 2. szelíden
mildness ['maɪldnɪs] *n* 1. szelídség 2. enyheség
Mildred ['mɪldrɪd] *prop* ⟨angol női név⟩
mile [maɪl] *n* mérföld; *statute/British* ~ angol mérföld (= 1760 yard = 1609,33 m); *nautical/sea* ~ tengeri mérföld (= 2025 yard = 1852 m); *square* ~ négyzetmérföld (= 259 ha = 2,59 km²)
mileage ['maɪlɪdʒ] *n* 1. mérföldek száma; mérföldtávolság, -teljesítmény 2. mérföldpénz, kilométerpénz
mileometer [maɪ'lɔmɪtə*; *US* -'lɑ-] *n* kilométeróra
mile-post *n* távolságjelző tábla
miler ['maɪlə*] *n biz* egymérföldes futó
Miles [maɪlz] *prop* ⟨angol férfinév⟩
milestone *n* mérföldkő, határkő (*átv is*)
milfoil ['mɪlfɔɪl] *n* cickafark(kóró)
miliary fever ['mɪlɪərɪ] köleshimlő
militancy ['mɪlɪt(ə)nsɪ] *n* harciasság
militant ['mɪlɪt(ə)nt] I. *a* harcos, harcoló II. *n* aktivista, aktíva
militarism ['mɪlɪtərɪzm] *n* militarizmus
militarist ['mɪlɪtərɪst] *n* militarista
militarization [mɪlɪtəraɪ'zeɪʃn; *US* -rɪ'z-] *n* militarizálás
militarize ['mɪlɪtəraɪz] *n* militarizál
military ['mɪlɪt(ə)rɪ; *US* -erɪ] I. *a* katonai, hadi; *of* ~ *age* hadköteles/katonaköteles korú; ~ *intelligence* katonai hírszerzés; ~ *police* tábori csendőrség II. *n the* ~ a hadsereg/katonaság
militate ['mɪlɪteɪt] *vi* 1. harcol, küzd (*átv is*) 2. ~ *against sg* ellene szól vmnek, ellentmond vmnek
militia [mɪ'lɪʃə] *n* polgárőrség, nemzetőrség, milícia
militiaman [mɪ'lɪʃəmən]*n* (*pl* -men -mən) nemzetőr, polgárőr, milicista

milk [mɪlk] I. *n* tej; *it's no use crying over spilt* ~ késő bánat ebgondolat; ~ *of magnesia* magnéziatej [gyomorégés elleni szer és hashajtó]; *turn the* ~ (1) tejet megsavanyít (2) *biz* hamisan énekel II. A. *vt* 1. fej 2. „megfej" (vkt) 3. □ lehallgat [telefonbeszélgetést] B. *vi* tejel
milk-and-water ['mɪlkən'wɔ:tə*] *a* unalmas, üres, lapos [előadás stb.]
milk-bar *n* tejcsárda, tejbüfé
milk-can *n* tejeskanna
milker ['mɪlkə*] *n* 1. fejő 2. [jól, roszszul] tejelő [tehén]
milking ['mɪlkɪŋ] *n* fejés
milking-machine *n* fejőgép
milk-loaf *n* (*pl* -loaves) kb. kalács
milkmaid *n* fejőlány
milkman ['mɪlkmən] *n* (*pl* -men -mən) tejesember; tejárus
milkpail *n* fejődézsa, zséter, (fejő)sajtár
milk-powder *n* tejpor
milk-pudding *n* rizsfelfújt
milk-shake *n* kb. (vanília)turmix
milksop *n* anyámasszony katonája
milk-tooth *n* (*pl* -teeth) tejfog
milkweed *n* csorbóka
milky ['mɪlkɪ] *a* 1. tejes, tejszerű; *M~ Way* tejút 2. szelíd, jóságos
mill [mɪl] I. *n* 1. malom; *go through the* ~ (1) kálváriát jár (2) kiállja a próbát 2. őrlő, daráló 3. gyár, üzem 4. *biz* bunyó, hirig II. A. *vt* 1. őröl, darál; zúz 2. kalló 3. recéz; ~*ed edge* gyöngyös/recés szél [érmén] 4. [hengerrel] nyújt, hengerel 5. mar 6. *biz* elver, elpáhol B. *vi* kavarog [tömeg, csorda]
millboard *n* kéregpapír, dekli
mill-dam *n* malomgát
millenary [mɪ'lenərɪ] I. *a* ezredéves II. *n* ezredév
millennial [mɪ'lenɪəl] *a* ezredéves
millennium [mɪ'lenɪəm] *n* (*pl* -nia -nɪə) 1. ezredév, millennium 2. eljövendő boldog kor
millepede ['mɪlɪpi:d] *n* százlábú
miller ['mɪlə*] *n* 1. molnár 2. őrlőgép 3. marós
millet ['mɪlɪt] *n* köles
mill-girl *n* (fonodai) munkáslány

mill-hand *n* 1. gyári munkás 2. molnárlegény
milliard ['mɪljɑːd] *n GB* milliárd
Millicent ['mɪlɪsnt] *prop* ⟨angol női név⟩
milligram(me) ['mɪlɪgræm] *n* milligramm
millilitre, *US* -liter ['mɪlɪliːtə*] *n* milliliter
millimetre, *US* -meter ['mɪlɪmiːtə*] *n* milliméter
milliner ['mɪlɪnə*] *n* női kalapos, kalaposnő; divatárusnő
millinery ['mɪlɪn(ə)rɪ] *n* 1. (női) kalapszalon 2. női divatáru(-kereskedés)
milling ['mɪlɪŋ] *n* 1. őrlés 2. recézés 3. kallózás 4. hengerlés 5. marás
million ['mɪljən] *n* millió
millionaire [mɪljə'neə*] *n* milliomos
millionth ['mɪljənθ] *a* milliomodik
millipede ['mɪlɪpiːd] *n* = millepede
mill-owner *n* 1. molnár, malomtulajdonos 2. gyáros
mill-pond *n* malomtó; *like a* ~ tükörsima
mill-race *n* malomárok; zúgó [malomnál]
millstone *n* malamkő
mill-wheel *n* malomkerék
millwright *n* malomépítő, -tervező
milometer [maɪ'lɔmɪtə*; *US* -'lɑ-] *n* = mileometer
milord [mɪ'lɔːd] *n* 1. angol úr 2. [megszólításként kb.] uram
milt [mɪlt] *n* 1. lép [szerv] 2. halikra
Milton ['mɪlt(ə)n] *prop*
Milwaukee [mɪl'wɔːkiː; *US* -kɪ] *prop*
mime [maɪm] I. *n* 1. némajáték, pantomim 2. pantomimszínész, mímes II. *vt* némajátékkal ábrázol, mímel
mimeograph ['mɪmɪəgrɑːf] I. *n* (stenciles) sokszorosítógép II. *vt* (stenciles géppel) sokszorosít, stencilez
mimetic [mɪ'metɪk] *a* utánzó, mimikris
mimic ['mɪmɪk] I. *a* 1. utánzó; ~ *warfare* hadgyakorlat 2. mesterkélt, megjátszott II. *n* utánzó (személy) III. *vt* (*pt/pp* ~ked 'mɪmɪkt) utánoz, majmol
mimicry ['mɪmɪkrɪ] *n* 1. utánzás; arcjáték, mimika 2. alakutánzás, mimikri

min. 1. *minimum* 2. *minute(s)* perc, p
minaret ['mɪnəret] *n* minaret
minatory ['mɪnət(ə)rɪ; *US* -ɔːrɪ] *a* fenyegető
mince [mɪns] I. *n* vagdalék, vagdalt hús; hasé II. A. *vt* 1. apróra vagdal, darál [húst] 2. szépítget; *not to* ~ *matters* (v. *one's words*) nyiltan kimond, nem kertel; ~ *one's words* finomkodva beszél, megválasztja a szavait B. *vi* finomkodik, finomkodva beszél/lépked
mincemeat *n* 1. ⟨mazsolás, befőttes, rumos töltelék *mince-pie-*ba⟩ 2. *GB* † apróra vagdalt hús; *biz make* ~ *of* ízekreszed, tönkre zúz
mince-pie *n* ⟨*mincemeat-*et tartalmazó pite/kosárka⟩, kb. gyümölcskosár
mincer ['mɪnsə*] *n* 1. húsdaráló 2. finomkodó/pipiskedő személy 3. vmt szépítgető személy
mincing ['mɪnsɪŋ] I. *a* 1. vagdaló, őrlő; ~ *machine* húsdaráló 2. finomkodó, affektált II. *n* 1. vagdalás 2. szépítgetés; finomkodás, affektálás
mind [maɪnd] I. *n* 1. értelem, elme, ész; (*be*) *sound of* ~ épelméjű; *be in one's right* ~ helyén az esze, józan; *be out of one's* ~ elvesztette józan eszét, nincs eszénél; *come (in)to one's* ~ eszébe jut; *have sg in* ~ vmre gondol, vmt forgat a fejében; *keep one's* ~ *on sg* vmre összpontosítja figyelmét; *lose the/one's* ~, *go out of one's* ~ megőrül; *put it out of your* ~ ne törődj vele, ne gondolj rá 2. emlékezet; *bear/keep sg in* ~ gondol vmre, nem feledkezik meg vmről; *call sg to* ~ emlékezetébe idéz vmt; *go/pass out of* ~ feledésbe merül; *put sy in* ~ *of sg* vkt vmre emlékeztet 3. érzület; gondolkodásmód; lélek; szellem; *frame of* ~ hangulat; életfelfogás; *state of* ~ lelkiállapot; *absence of* ~ szórakozottság; *in his* ~*'s eye* lelki szemei előtt; *have sg on one's* ~ vm nyomja a lelkét 4. kedv; akarat, szándék; elhatározás; *much to my* ~ nagyon kedvemre való; *have a good/great* ~ *to . . .* (nagy) kedve volna vmhez; *have half a* ~ *to . . .* hajlandó volna vmre; *be in two* ~*s about sg* nem tud dönteni

vm felől; *change one's* ~ meggondolja
magát, másként dönt; *know one's own*
~ tudja hogy mit akar; *make up one's*
~ elhatározza magát; *set one's* ~ *on sg*
vmt igen határozottan akar 5.; véle-
mény; *to my* ~ véleményem szerint,
szerintem; *be of a* ~, *be of the same* ~
egy véleményen van (vkvel); *give sy*
a bit/piece of one's ~ megmondja
vknek a magáét, jól beolvas vknek;
keep an open ~ nem foglal véglegesen
állást II. *vt* 1. törődik (vmvel); figyel
(vmre, vkre); figyelembe vesz (vmt);
vigyáz (vmre); *never* ~! ne törődj(ék)
vele!, nem számít/fontos!, sebaj!; ~
what I say figyeljen a szavaimra; ~
the step! vigyázat, lépcső!; ~ *one's*
p's and q's igen megfontolja, mit
mond/cselekszik, igen óvatos; ~ *you!*
jegyezze meg!, el ne felejtse!, vigyáz-
zon arra! 2. kifogásol, ellenez; *I don't*
~ nem bánom, nekem mindegy; *i . i*
don't ~ *if I do* hát jó, nem bánom,
lehet róla szó; *I don't* ~ *telling you*
igenis nyíltan megmondom neked; *I*
shouldn't ~ *a cup of tea* szívesen (meg-)
innék egy csésze teát; *if you don't* ~
ha nincs kifogása ellene; *do/would you*
~ *(if)* .. megengedné kérem, hogy
én...; lenne olyan szíves...; *would*
you ~ *my opening the window* megen-
gedi, hogy kinyissam az ablakot? 3.
felügyel, vigyáz [gyerekre]
minded ['maɪndɪd] *a* 1. hajlandó; *if you*
are so ~ ha úgy óhajtja 2. *(összetéte-*
lekben:) hajlamú, gondolkodású; ér-
deklődésű; beállítottságú
minder ['maɪndə*] *n* őr(ző), kezelő, felü-
gyelő
mindful ['maɪndfʊl] *a* figyelmes, gon-
dos; *be* ~ *of sg* törődik vmvel, tekin-
tetbe vesz vmt
mindless ['maɪndlɪs] *a* 1. figyelmetlen,
gondatlan; *be* ~ *of sg* nem törődik
vmvel 2. buta, esztelen, értelmetlen
mind-reader *n* gondolatolvasó
mine¹ [maɪn] I. *n* 1. bánya; *biz a* ~ *of*
information az adatok tárháza/kin-
csestára 2. akna; *lay a* ~ aknát (le)rak
II. A. *vt* 1. bányászik, fejt [ércet];
[bányát] művel 2. aláaknáz *(átv is)*;

elaknásít B. *vi* 1. bányászik *(for*
vmt) 2. aknát rak, aknásít
mine² [maɪn] *pron* enyém; *a friend of* ~
egy barátom
mine-detector *n* aknakereső
minefield *n* aknamező
mine-layer *n* aknarakó (hajó)
miner ['maɪnə*] *n* 1. bányász, bánya-
munkás 2. aknász
mineral ['mɪn(ə)rəl] I. *a* ásványi, ásvá-
nyos; ásvány; *the* ~ *kingdom* az ás-
ványvilág; ~ *oil* ásványolaj; ~ *water*
ásványvíz II. *n* 1. ásvány 2. minerals
pl ásványvíz
mineralogist [mɪnə'rælədʒɪst] *n* ásvány-
tudós, minerálógus
mineralogy [mɪnə'rælədʒɪ] *n* ásványtan
mine-shaft *n* (bánya)akna, tárna
mine-sweeper *n* aknaszedő (hajó)
mingle ['mɪŋgl] A. *vt* (össze)kever, vegyít
B. *vi* 1. (össze)keveredik, vegyül 2. ~
with the crowd elvegyül a tömegben
mingled ['mɪŋgld] *a* kevert, vegyes; *with*
~ *feelings* vegyes érzelmekkel
mini- ['mɪnɪ-] *pref* mini-
miniature ['mɪnətʃə*; *US* -nɪə-] I. *a* kis
méretű, miniatűr; ~ *camera* kisfilmes
fényképezőgép; ~ *film* kisfilm, nor-
málfilm [35 mm-es] II. *n* miniatúra,
miniatűr; *sg in* ~ vm kicsinyített
mása
miniaturist ['mɪnətjʊərɪst; *US* 'mɪnɪə-
tʃərɪst] *n* miniatűrfestő, miniaturista
minibus *n* minibusz
minicab *n* kistaxi, minitaxi
minicar *n* kisautó
minim ['mɪnɪm] *n* 1. csepp/parányi do-
log 2. fél hangjegy
minimal ['mɪnɪml] *a* elenyésző, minimá-
lis
minimize ['mɪnɪmaɪz] *vt* 1. a lehetséges
legkisebbre (v. minimálisra) csökkent
2. lekicsinyel
minimum ['mɪnɪməm] I. *a* minimális, (a
lehető) legkisebb; minimum-; ~ *wage*
bérminimum II. *n* (*pl* **minima** 'mɪnɪmə)
a legkisebb/legalacsonyabb/legkeve-
sebb, minimum
mining ['maɪnɪŋ] *n* 1. bányászat; ~
engineer bányamérnök 2. fejtés, bá-
nyászás 3. aláaknázás; (el)aknásítás

minion ['mɪnjən] n 1. kegyenc 2. tányérnyaló, talpnyaló; ~s of the law poroszló(k), végrehajtó közeg
miniskirt n miniszoknya
minister ['mɪnɪstə*] I. n 1. miniszter 2. követ; the British M~ in Budapest a budapesti brit/angol követ 3. lelkész, lelkipásztor, pap II. vi 1. szolgál 2. segít (to vkn, vmn) 3. szertartást végez
ministerial [mɪnɪ'stɪərɪəl] a 1. miniszteri; ~ benches (1) kormánypárt oldala [parlamentben] (2) miniszteri padsor [angol parlamentben] 2. végrehajtó; szolgálati 3. segítő, segélyt nyújtó 4. lelkészi, lelkipásztori, papi
ministration [mɪnɪ'streɪʃn] n 1. szolgálat, közreműködés, segédkezés 2. lelkészkedés
ministry ['mɪnɪstrɪ] n 1. minisztérium 2. minisztérség 3. kormány 4. lelkészi/ papi pálya/hivatás, lelkészség
miniver ['mɪnɪvə*] n hermelin
mink [mɪŋk] n 1. nyérc; American ~ vidramenyét 2. nercszőrme, -prém
Minn. Minnesota
Minneapolis [mɪnɪ'æpəlɪs] prop
Minnesota [mɪnɪ'soʊtə] prop
Minnie ['mɪnɪ] prop ⟨angol női név, gyakran a Mária beceneve⟩
minnow ['mɪnoʊ] n fürge cselle [hal]
minor ['maɪnə*] I. a 1. kisebb, csekélyebb; Asia M~ Kisázsia 2. kicsi, jelentéktelen, alárendelt; ~ injury könnyű sérülés; ~ orders alsóbb rendek; ~ road mellékútvonal, alsóbbrendű út 3. kiskorú; fiatalabbik; Jones ~ ifjabb Jones [a két Jones fivér közül] 4. moll [hangnem]; átv in a ~ key lehangoltan, szomorúan II. n 1. kiskorú gyermek 2. moll (hangnem) 3. US melléktantárgy
minority [maɪ'nɒrətɪ; US -'nɔ:-] n 1. kisebbség; (összetételekben:) kisebbségi; ~ report különvélemény 2. kiskorúság
minster ['mɪnstə*] n 1. apátsági templom 2. székesegyház, katedrális, dóm
minstrel ['mɪnstr(ə)l] n lantos, kobzos, regős, vándorénekes
minstrelsy ['mɪnstr(ə)lsɪ] n 1. (nép)dal-

gyűjtemény; (népdal)költészet 2. dalnokság
mint¹ [mɪnt] I. n 1. pénzverde, pénzverő; in ~ condition verdefényű, vadonatúj(an) 2. átv forrás, eredet 3. biz a ~ of money rengeteg pénz II. vt 1. [pénzt] ver 2. kieszel, kiagyal, alkot, gyárt [szót stb.]
mint² [mɪnt] n menta
minuet [mɪnjʊ'et] n menüett
minus ['maɪnəs] I. a kevesebb, mínusz; negatív; ~ sign mínusz(jel) II. prep 1. mínusz 2. biz nélkül; he came back ~ his arm egyik karját elvesztette [a háborúban]
minuscule ['mɪnəskju:l; US mɪ'nʌs-] I. a apró, pici II. n kis/apró betű
minute¹ ['mɪnɪt] I. n 1. perc; on/to the ~ percnyi pontossággal, pontban 2. pillanat; wait a ~ várj egy percig, egy pillanat türelmet; the ~ he arrives amint megérkezik; ~ steak gyorsan kisüthető vékony hússzelet 3. szögperc, ívperc 4. jegyzet, feljegyzés, memorandum; make a ~ of sg jegyzeteket készít vmről 5. minutes pl jegyzőkönyv II. vt 1. percnyi pontossággal mér, stoppol [időt] 2. feljegyez, lejegyez (vmt) 3. jegyzőkönyvet vesz fel (v. vezet) (vmről)
minute² [maɪ'nju:t; US -'nu:t] a 1. parányi, apró 2. pontos, aprólékos
minute-book ['mɪnɪt-] n jegyzőkönyv
minute-glass ['mɪnɪt-] n (percrendszerű) homokóra
minute-guns ['mɪnɪt-] n pl ágyúlövések egyperces közökkel
minute-hand ['mɪnɪt-] n percmutató
minuteman ['mɪnɪtmən] n pl -men (-mən) US polgárőr [amerikai szabadságharcban]
minuteness [maɪ'nju:tnɪs; US -'nu:t-] n 1. parányiság 2. aprólékos pontosság
minutiae [maɪ'nju:ʃiɪ:; US mɪ'nu:-] n pl aprólékos részletek
minx [mɪŋks] n dévaj/kokett leány
miracle ['mɪrəkl] n csoda; ~ play mirákulum ⟨középkori dráma szentek életéből⟩
miraculous [mɪ'rækjʊləs] a csodálatos, természetfeletti

mirage ['mɪrɑːʒ; US mɪ'rɑːʒ] n délibáb, káprázat (átv is)
Miranda [mɪ'rændə] prop
mire ['maɪə*] I. n 1. sár 2. pocsolya 3. be in the ~ benne van a pácban; drag sy (v. sy's name) through the ~ bemocskol/meghurcol vkt II. vt 1. besároz 2. bemocskol
Miriam ['mɪrɪəm] prop Mirjam
mirror ['mɪrə*] I. n 1. tükör 2. példakép II. vt (vissza)tükröz
mirth [məːθ] n vidámság, jókedv
mirthful ['məːθful] a vidám, jókedvű
mirthless ['məːθlɪs] a örömtelen, szomorú, zord
miry ['maɪərɪ] a sáros
misadjustment [mɪsə'dʒʌstmənt] n 1. rossz (össze)illesztés; helytelen beállítás 2. hibás arány
misadventure [mɪsəd'ventʃə*] n baleset, szerencsétlenség; balszerencse; by ~ véletlenül, balszerencse folytán
misadvise [mɪsəd'vaɪz] vt rossz tanácsot ad, tévútra vezet, félrevezet
misalliance [mɪsə'laɪəns] n rangon aluli házasság
misanthrope ['mɪz(ə)nθroʊp] n embergyűlölő, emberkerülő (személy)
misanthropic(al) [mɪz(ə)n'θrɔpɪk(l); US -'θrɑ-] a embergyűlölő, emberkerülő
misanthropist [mɪ'zænθrəpɪst] n embergyűlölő, emberkerülő (személy)
misanthropy [mɪ'zænθrəpɪ] n embergyűlölet, emberkerülés
misapplication ['mɪsæplɪ'keɪʃn] n 1. helytelen/rossz alkalmazás/használat 2. jogellenes felhasználás
misapply [mɪsə'plaɪ] vt 1. hibásan/rosszul alkalmaz/használ 2. jogellenesen használ fel, hűtlenül kezel
misappreciate [mɪsə'priːʃɪeɪt] vt félreismer, félremagyaráz
misapprehend ['mɪsæprɪ'hend] vt rosszul ért (meg), félreért
misapprehension ['mɪsæprɪ'henʃn] n félreértés; under ~ tévedésből
misappropriate [mɪsə'proʊprɪeɪt] vt (el-) sikkaszt, hűtlenül kezel
misappropriation ['mɪsəproʊprɪ'eɪʃn] n (el)sikkasztás, hűtlen kezelés
misbecome [mɪsbɪ'kʌm] vt (pt -became

-bɪ'keɪm, pp ~ -bɪ'kʌm) nem illik hozzá, nem áll jól neki
misbegotten ['mɪsbɪgɔtn; US -gɑ-] a 1. házasságon kívül született, törvénytelen [gyermek]; korcs 2. biz értéktelen
misbehave [mɪsbɪ'heɪv] vi ~ oneself illetlenül/neveletlenül viselkedik
misbehaviour, US -ior [mɪsbɪ'heɪvjə*] n neveletlenség, illetlen viselkedés
misbelief [mɪsbɪ'liːf] n tévhit
miscalculate [mɪs'kælkjʊleɪt] A. vt hibásan számít (ki) B. vi elszámítja magát, téved
miscalculation ['mɪskælkjʊ'leɪʃn] n hibás számítás, számítási hiba, tévedés
miscall [mɪs'kɔːl] vt 1. rosszul/helytelenül nevez meg 2. becsmérel
miscarriage [mɪs'kærɪdʒ] n 1. kudarc, felsülés, balsiker 2. jogellenes cselekmény; ~ of justice justizmord, súlyos bírói tévedés 3. (el)vetélés; koraszülés; have a ~ elvetél, abortusza van 4. téves kézbesítés, elkallódás [levélé stb.]
miscarry [mɪs'kærɪ] vi 1. kudarcot vall, nem sikerül, rosszul sül el, célt téveszt 2. elvetél, abortál 3. elvész, idegen kézbe jut, elkallódik [levél stb.]
miscegenation [mɪsɪdʒɪ'neɪʃn] n fajkeveredés
miscellaneous [mɪsɪ'leɪnjəs] a különféle, vegyes
miscellany [mɪ'selənɪ; US 'mɪsəleɪnɪ] n 1. egyveleg 2. miscellanies pl vegyes írások/művek
mischance [mɪs'tʃɑːns] n balszerencse
mischief ['mɪstʃɪf] n 1. kár; baj; do ~ (1) rosszalkodik (2) bajt csinál; kárt okoz; get into ~ bajba keveredik 2. gonoszkodás; csíny, rossz tréfa; be up to ~ rosszat forral; make ~ (1) = do ~ (2) viszályt szít 3. biz bajcsináló, bajkeverő
mischief-maker n bajcsináló, bajkeverő
mischievous ['mɪstʃɪvəs] a 1. kártékony, ártalmas 2. csintalan, pajkos
misconception [mɪskən'sepʃn] n félreértés, tévképzet, téves értelmezés
misconduct I. n [mɪs'kɔndʌkt; US -'kɑ-] 1. rossz igazgatás 2. rossz viselkedés, neveletlenség 3. házasságtörés II. vt

[mıskən'dʌkt] 1. rosszul vezet/igazgat 2. ~ *oneself* rosszul viselkedik; ~ *oneself with sy* viszonya van vkvel
misconstruction [mıskən'strʌkʃn] *n* félremagyarázás, téves értelmezés
misconstrue [mıskən'stru:] *vt* rosszul/tévesen értelmez, félremagyaráz
miscount [mıs'kaunt] I. *n* rossz számolás, számolási hiba II. *vt* rosszul/hibásan számol (meg)
miscreant ['mıskrıənt] *n* † gonosztevő, gazember, bűnös
misdate [mıs'deıt] *vt* rosszul keltez
misdeed [mıs'di:d] *n* bűn, gaztett
misdelivery [mısdı'lıvərı] *n* téves kézbesítés
misdemeanour, *US* -nor [mısdı'mi:nə*] *n* 1. vétség 2. † rossz viselkedés
misdirect [mısdı'rekt] *vt* 1. rosszul irányít/címez 2. rosszul céloz 3. félrevezet
misdirection [mısdı'rekʃn] *n* 1. rossz/hibás irányítás/címzés 2. téves felvilágosítás, félrevezetés
misdoing [mıs'du:ıŋ] *n* bűn, gaztett
misentry [mıs'entrı] *n* téves bejegyzés
miser ['maızə*] *n* fösvény, zsugori
miserable ['mız(ə)rəbl] *a* 1. szánalmas, nyomorult, szerencsétlen, siralmas 2. aljas, hitvány, silány, gyatra
miserably ['mız(ə)rəblı] *adv* 1. szánalmasan, nyomorultan, siralmasan, szerencsétlenül 2. gyatrán
miserliness ['maızəlınıs] *n* fösvénység
miserly ['maızəlı] *a* fukar, fösvény
misery ['mızərı] *n* boldogtalanság, nyomor(úság), baj, szenvedés; *put an animal out of* ~ megadja a kegyelemdöfést egy állatnak
misfire [mıs'faıə*] I. *n* hibás gyújtás, kihagyás [motorban] II. *vi* 1. nem sül el, csütörtököt mond; *(átv is)* rosszul sül el 2. nem gyújt [motor], kihagy [gyújtás]
misfit ['mısfıt] *n* 1. rosszul álló ruha 2. környezetéhez alkalmazkodni képtelen ember, aszociális egyén
misfortune [mıs'fɔ:tʃ(ə)n] *n* balszerencse, szerencsétlenség, baj, csapás
misgivings [mıs'gıvıŋz] *n pl* aggodalom, kétség, rossz előérzet

misgovern [mıs'gʌvən] *vt* rosszul kormányoz
misgovernment [mıs'gʌvənmənt] *n* rossz kormányzás
misguided [mıs'gaıdıd] *a* 1. félrevezetett 2. megfontolatlan [magatartás]; céltalan [lelkesedés]
mishandle [mıs'hændl] *vt* rosszul bánik/kezel
mishap ['mıshæp] *n* 1. baleset, szerencsétlenség 2. balsors, balszerencse
mishear [mıs'hıə*] *vt* (*pt/pp* ~d -'hə:d) rosszul hall (vmt)
mish-mash ['mıʃmæʃ] *n* zagyvalék
misinform [mısın'fɔ:m] *vt* rosszul tájékoztat, félrevezet
misinformation ['mısınfɔ:'meıʃn] *n* félrevezető tájékoztatás, rossz információ
misinterpret [mısın'tə:prıt] *vt* rosszul értelmez, félreért, félremagyaráz
misinterpretation ['mısıntə:prı'teıʃn] *n* hibás értelmezés, félremagyarázás
misjudge [mıs'dʒʌdʒ] *vt* rosszul/tévesen ítél meg (v. becsül); lebecsül
misjudg(e)ment [mıs'dʒʌdʒmənt] *n* téves megítélés, tévítélet
mislay [mıs'leı] *vt* (*pt/pp* -laid -'leıd) eltesz vhová úgy, hogy nem találja; rossz helyre tesz; elveszt
mislead [mıs'li:d] *vt* (*pt/pp* -led -'led) félrevezet, becsap, megtéveszt
mismanage [mıs'mænıdʒ] *vt* rosszul vezet/bánik/gazdálkodik/kezel
mismanagement [mıs'mænıdʒmənt] *n* rossz vezetés/gazdálkodás/kezelés
misname [mıs'neım] *vt* hibásan nevez meg/el
misnomer [mıs'noumə*] *n* helytelen elnevezés, nem alkalmas leírás/jelző
misogamist [mı'sɔgəmıst; *US* -'sɑ-] *n* a házasság gyűlölője
misogynist [mı'sɔdʒınıst; *US* -'sɑ-] *n* nőgyűlölő
misogyny [mı'sɔdʒını; *US* -'sɑ-] *n* nőgyűlölet
misplace [mıs'pleıs] *vt* 1. rossz helyre tesz; elhány 2. *he* ~*d his confidence* bizalmát méltatlanra pazarolta
misprint ['mısprınt] *n* sajtóhiba
mispronounce [mısprə'nauns] *vt* rosszul ejt ki

mispronunciation ['mɪsprənʌnsɪ'eɪʃn] n rossz kiejtés

misquotation [mɪskwoʊ'teɪʃn] n helytelen/pontatlan idézet

misquote [mɪs'kwoʊt] vt rosszul/hibásan idéz [szöveget]

misread [mɪs'riːd] vt (pt/pp -read -'red) 1. rosszul olvas 2. félreért, -magyaráz; rosszul magyaráz

misreckon [mɪs'rek(ə)n] vt/vi rosszul számít/számol

misreport [mɪsrɪ'pɔːt] vt/vi rosszul számol be, tévesen jelent

misrepresent ['mɪsreprɪ'zent] vt elferdítve ad elő, hamisan ír le

misrepresentation ['mɪsreprɪzen'teɪʃn] n elferdítés, megtévesztés, hamis beállítás

misrule [mɪs'ruːl] I. n 1. rossz kormányzás 2. zűrzavar 3. Lord of M~ ⟨karácsonyi vigasságok tréfacsináló mestere⟩ II. vt = misgovern

miss¹ [mɪs] n 1. kisasszony, ifjú hölgy; M~ Smith Smith kisasszony 2. leányka [-kabát stb.]

miss² [mɪs] I. n 1. elhibázás, eltévesztés, elvétés; hiba, tévedés; give sy a ~ vkt szándékosan nem vesz észre, vkt kerül; give sg a ~ kihagy vmt 2. hiány, veszteség II. A. vt 1. elhibáz, eltéveszt, elvét [célt, utat]; he ~ed it nem találta el; ~ the point nem érti meg a lényeget; ~ one's way eltéved 2. elmulaszt, elszalaszt, lemarad (vmről); ~ the train lekésik a vonatról; you haven't ~ed much nem sokat mulasztottál 3. ~ out kihagy [szót olvasás közben, ételfogást stb.] 4. nélkülöz, hiányol; I ~ you igen hiányzol nekem B. vi 1. nem talál [lövedék célba stb.], mellémegy 2. be ~ing (1) hiányzik (2) elveszett; eltünt 3. rosszul/nem sikerül, balul üt ki

Miss. Mississippi

missal ['mɪsl] n misekönyv

misshapen [mɪs'ʃeɪp(ə)n] a torz (alakú), idomtalan, alaktalan

missile ['mɪsaɪl; US 'mɪs(ə)l] n lövedék; rakéta(lövedék); ~ site indítóállás, kilövőállás

missing ['mɪsɪŋ] a hiányzó; elveszett, eltünt

mission ['mɪʃn] n 1. küldetés, megbízás 2. küldöttség, misszió 3. (hit)térítés 4. [harci] feladat 5. ~ in life élethivatás

missionary ['mɪʃ(ə)n(ə)rɪ; US -erɪ] n hittérítő, misszionárius

missis ['mɪsɪz] n biz 1. asszony; háziasszony 2. feleség, nej

missish ['mɪsɪʃ] a kényeskedő, affektáló; fiatallányos [modor]

Mississippi [mɪsɪ'sɪpɪ] prop

missive ['mɪsɪv] n levél

Missouri [mɪ'zʊərɪ] prop

misspell [mɪs'spel] vt (pt/pp -spelt -'spelt) helyesírási hibával ír, rosszul ír (le) [nevet stb.]

misspent [mɪs'spent] a elpazarolt, rosszul eltöltött/elköltött; a ~ youth eltékozolt ifjúság

misstate [mɪs'steɪt] vt tévesen álít/mond

misstatement [mɪs'steɪtmənt] n téves állítás

missus ['mɪsɪz] n = missis

missy ['mɪsɪ] n biz kisasszony(ka)

mist [mɪst] I. n 1. köd; Scotch ~ permetező eső 2. homály, fátyol [könnyes szem előtt stb.] II. A. vt 1. ködbe borít 2. elhomályosít B. vi ködbe borul; ~ over beparásodik; elhomályosodik

mistakable [mɪ'steɪkəbl] a félreérthető

mistake [mɪ'steɪk] I. n hiba; tévedés; botlás; make a ~ hibát követ el, elhibáz, téved; by ~ tévedésből; biz and no ~ kétségtelenül, nem vitás II. v (pt -took mɪ'stʊk, pp -taken mɪ'steɪk(ə)n) A. vt összetéveszt (sy/sg for sy/sg vkt/vmt vkvel/vmvel); eltéveszt (vmt); be ~n téved(ésben van); there's no mistaking it nem lehet eltéveszteni/félreérteni B. vi téved; if I ~ not ha nem tévedek

mistaken [mɪ'steɪk(ə)n] a téves, helytelen; ~ identity személycsere (tévedésből)

mister ['mɪstə*] n 1. úr [rövidítve Mr.]; Mr. Chairman Elnök Úr 2. biz uram

mistime [mɪs'taɪm] vt alkalmatlan időben tesz, rosszul időzít (vmt)

mistiness ['mɪstɪnɪs] n 1. ködösség 2. homályosság

mistitle [mɪs'taɪtl] *vt* helytelenül címez/ nevez

mistletoe ['mɪsltoʊ] *n* fagyöngy

mistook →*mistake II.*

mistranslate [mɪstræns'leɪt] *vt* rosszul/tévesen fordít

mistranslation [mɪstræns'leɪʃn] *n* rossz/ helytelen fordítás; fordítási hiba

mistress ['mɪstrɪs] *n* 1. úrnő 2. háziasszony 3. tanárnő 4. szerető, kitartott nő 5. (rövidítve **Mrs.** ['mɪsɪz]) -né; *Mrs. Smith* Smithné

mistrial [mɪs'traɪəl] *n* szabálytalan bírói tárgyalás

mistrust [mɪs'trʌst] I. *n* bizalmatlanság II. *vt* nem bízik (vkben, vmben)

mistrustful [mɪs'trʌstfʊl] *a* bizalmatlan, gyanakvó

mistune [mɪs'tjuːn; *US* -'tuːn] *vt* rosszul hangol; rosszul állít be [rádiót]

misty ['mɪstɪ] *a* (*átv is*) ködös; homályos

misunderstand [mɪsʌndə'stænd] *vt* (*pt/pp* -**stood** -'stʊd) félreért

misunderstanding [mɪsʌndə'stændɪŋ] *n* 1. félreértés 2. nézeteltérés

misuse I. *n* [mɪs'juːs] 1. rossz (célra való) felhasználás 2. visszaélés II. *vt* [mɪs'juːz] 1. visszaél (vmvel), rossz célra használ fel (vmt) 2. tévesen/helytelenül használ [szót] 3. bántalmaz

M.I.T. [emaɪ'tiː] *Massachusetts Institute of Technology* Bostoni Műegyetem

mite [maɪt] *n* 1. fillér, picula 2. szerény hozzájárulás; *offer one's* ~ hozzájárul vmhez 3. kicsi/parányi dolog; pici gyerek 4. atka; (sajt)kukac

miter →*mitre*

mitigate ['mɪtɪgeɪt] *vt* 1. enyhít, csillapít 2. mérsékel

mitigation [mɪtɪ'geɪʃn] *n* enyhítés, csillapítás

mitre, *US* **miter** ['maɪtə*] I. *n* 1. püspöksüveg 2. püspökség, püspöki tisztség 3. 45°-os szög II. *vt* 1. püspöksüveggel ellát 2. félderékszögben összeilleszt

mitred ['maɪtəd] *a* 1. püspöksüveges 2. sarokkötéssel illesztett

mitre-joint *n* ferde illesztés/összeeresztés, sarokkötés

mitre-square *n* félderékszögmérő, 45°-os szögmérő

mitt [mɪt] 1. = *mitten 1.* 2. *US* baseball-kesztyű; *biz* bokszkesztyű

mitten ['mɪtn] *n* 1. egyujjas/ujjatlan kesztyű; *get the* ~ (1) kosarat kap (2) kidobják [állásából] 2. *biz* mittens *pl* bokszkesztyű

mix [mɪks] I. *n* 1. keverék 2. zűrzavar, felfordulás II. A. *vt* 1. (össze)kever, vegyít, elegyít; készít [salátát, orvosságot] 2. ~ *up* összekever, -zavar, -téveszt; *be/get* ~*ed up in sg* belekeveredik/-zavarodik vmbe; ~ *sy up in sg* vmbe belekever vkt B. *vi* 1. keveredik, vegyül 2. érintkezik, összejár (*with* vkvel); ~ *in society* társaságba jár, társaságban forog

mixed [mɪkst] *a* 1. kevert, vegyes; ~ *feelings* vegyes érzelmek; ~ *grill* kb. fatányéros; ~ *metaphor* képzavar; ~ *number* vegyes tört/szám; ~ *school* vegyes/koedukációs iskola 2. *biz* összezavart, megzavarodott, konfúzus

mixer ['mɪksə*] *n* 1. keverő (ember, gép); (*food*) ~ (háztartási) robotgép 2. *biz good* ~ ⟨aki jól beletalálja magát minden társaságba⟩, könnyen barátkozó ember

mixture ['mɪkstʃə*] *n* 1. keverék, elegy 2. orvosság

mix-up *n* zűrzavar, rendetlenség, felfordulás, kavarodás

miz(z)en ['mɪzn] *n* ~ *royal* hátsó(árboc)--felsősudárvitorla; ~ *staysail* hátsó tarcsvitorla; ~ *topgallant* hátsó(árboc)-sudárvitorla; ~ *lower topsail* hátsó(árboc)-derékvitorla; ~ *upper topsail* hátsó(árboc)-felsőderékvitorla

miz(z)en-mast *n* hátsó árboc, keresztárboc

miz(z)en-sail *n* farvitorla, tatvitorla

mizzle ['mɪzl] I. *n* permetező eső II. *vi* szemerkél, szitál [eső]

ml 1. *mile(s)* 2. *millilitre(s)*

mm *millimetre(s)* milliméter, mm

Mme *Madame*

mnemonic [niː'mɒnɪk; *US* -'mɑ-] *a* emlékezeterősítő

mnemonics [niː'mɒnɪks; *US* -'mɑ-] *n* mnemonika, emlékezeti munka megkönnyítése

mo [mou] n (= *moment*) □ *half a* ~!
egy pillanat !
mo. *month*
Mo. *Missouri*
M.O., MO [em'ou] 1. *medical officer* 2.
money-order
moan [moun] I. n nyögés, sóhaj II. A. *vi*
1. nyög, sóhajt 2. siránkozik, kesereg
3. jajgat B. *vt* siránkozva elpanaszol
moat [mout] n várárok, sáncárok
moated ['moutɪd] a körülárkolt, várárokkal körülvett
mob [mɔb; US -ɑ-] I. n tömeg, csőcselék;
~ *law* lincselés, népítélet II. v -bb- A;
vt megrohan, nekitámad B. *vi* összecsődül
mob-cap n † fejkötő, főkötő
mobile ['moubaɪl; US -b(ə)l] a 1. mozgatható; mozgó; ~ *home* lakókocsi 2.
mozgékony 3. állhatatlan, változékony
mobility [mə'bɪlətɪ] n 1. mozgékonyság
2. állhatatlanság
mobilization [moubɪlaɪ'zeɪʃn; US -lɪ'z-]
n mozgósítás; ~ *orders* általános mozgósítás
mobilize ['moubɪlaɪz] *vt/vi* mozgósít
moccasin ['mɔkəsɪn; US -'mɑ-] n indián
őzbőr saru, mokasszin
mocha ['mɔkə; US 'moukə] n mokkakávé
mock [mɔk; US -ɑ-] I. a utánzott, hamis, ál-; mű-; látszat-; -utánzat; ~
modesty álszerénység II. n † 1. gúny;
make ~ *of sy* gúny tárgyává tesz vkt,
kigúnyol/kicsúfol vkt 2. kigúnyolás 3.
utánzás III. A. *vt* 1. (ki)gúnyol, kinevet, kicsúfol 2. becsap, lóvá tesz;
meghiúsít 3. utánoz B. *vi* gúnyolódik,
csúfolódik; ~ *at sy* kigúnyol/kicsúfol
vkt
mocker ['mɔkə*; US -ɑ-] n 1. gúnyoló
2. utánzó
mockery ['mɔkərɪ; US -ɑ-] n 1. (ki)gúnyolás, (ki)csúfolás, csúfolódás 2. gúny
tárgya 3. utánzás, majmolás 4. nevetséges utánzat, megtévesztés, hamis
látszat, porhintés
mock-heroic I. a komikus eposzi II. n
komikus/szatirikus eposz
mockingbird ['mɔkɪŋ-; US -ɑ-] n US
sokszavú poszáta
mock-sun n melléknap

mock-turtle soup hamis teknősbékaleves,
borjúfejleves
mock-up n modell, mintadarab, makett
modal ['moudl] a alaki, módbeli
mod cons [mɔd'kɔnz] *modern conveniences* → *convenience*
mode [moud] n 1. mód 2. divat, szokás
3. [nyelvtani] igemód 4. eljárás 5.
hangnem
model ['mɔdl; US -ɑ-] I. n 1. minta,
modell, sablon; ~ *farm* mintagazdaság; ~ *T* (1) elavult típus (2) régi
Ford (autó); *on the* ~ *of sy* vk után (késźítve), vknek a mintájára 2. mintakép 3. maneken II. *vt* -ll- (*US -l-*) 1.
(meg)mintáz, képez, formál, alakít 2.
modellál; ~ *oneself on sy* vkt mintaképül vesz
modeller, *US* modeler ['mɔdlə*; US -ɑ-]
n mintakésźítő, mintázó
modelling, *US* modeling ['mɔdlɪŋ; US
-ɑ-] n (meg)mintázás, mintakésźítés,
formálás
moderate I. a ['mɔd(ə)rət; US 'mɑ-] 1.
mérsékelt, nyugodt, higgadt, józan 2.
közepes; szerény II. v ['mɔdəreɪt; US
'mɑ-] A. *vt* 1. mérsékel, enyhít 2. viszszatart B. *vi* 1. mérséklődik, enyhül 2.
elnököl
moderateness ['mɔdrətnɪs; US 'mɑ-] n
1. mérséklet, higgadtság 2. középszerűség
moderation [mɔdə'reɪʃn; US mɑ-] n 1.
mérséklet; *in* ~ mértékkel 2. mérséklés, csökkentés 3. moderations *pl* első
szigorlat [Oxfordban]
moderator ['mɔdəreɪtə*; US 'mɑ-] n 1.
közvetítő 2. mérséklő 3. elnök [skót
presbiteri egyházé, vizsgabizottságé];
vitavezető
modern ['mɔd(ə)n; US -ɑ-] a korszerű,
modern, újabb kori, mai; ~ *languages*
élő nyelvek; ~ *history* újabb kori
(v. újkori) történelem; *the* ~ *side of a*
school az iskola természettudományos
tagozata
modernism ['mɔdənɪzm; US 'mɑ-] n
mai/modern szokás/nézet/felfogás/irányzat/kifejezés/fogalom
modernity [mɔ'dɜ:nətɪ; US mə-] n
modernség, korszerűség

modernize ['mɔdənaɪz; US 'ma-] vt/vi korszerűsít, modernizál
modest ['mɔdɪst; US -a-] a 1. szerény, igénytelen, egyszerű 2. mérsékelt
modesty ['mɔdɪstɪ; US 'ma-] n 1. szerénység, egyszerűség, igénytelenség 2. mérséklet
modicum ['mɔdɪkəm; US 'ma-] n kis mennyiség, egy kevés
modification [mɔdɪfɪ'keɪʃn; US ma-] n 1. módosítás, változ(tat)ás 2. közelebbi meghatározás
modify ['mɔdɪfaɪ; US 'ma-] vt 1. módosít; megváltoztat 2. mérsékel 3. közelebbről meghatároz
modish ['moʊdɪʃ] a divatos
modishness ['moʊdɪʃnɪs] n divatosság
mods [mɔdz; US -a-] n pl = moderation 3.
modular ['mɔdjʊlə*; US 'madʒʊ-] a előregyártott elemekből készült; ~ furniture kb. variabútor
modulate ['mɔdjʊleɪt; US 'madʒʊ-] A. vt 1. árnyal, színez [hangot]; modulál 2. szabályoz, vmnek megfelelően alakít, változtat, hozzáidomít, -igazít B. vi változik
modulation [mɔdjʊ'leɪʃn; US madʒʊ-] n moduláció; hangnemváltozás
module ['mɔdju:l; US 'madʒ-] n 1. [építészetben stb.] modul; (építő-) elem; egység 2. egység [űrhajó része]
modulus ['mɔdjʊləs; US 'madʒ-] n (pl -li -laɪ) 1. arányszám, modulus 2. tényező, együttható
mogul ['moʊgʌl] n főember, „nagykutya", „fejes"
mohair ['moʊheə*] n angóragyapjú-szövet, mohair, moher
Mohammedan [moʊ'hæmɪdən v. mə-] a/n mohamedán
Mohawk ['moʊhɔ:k] n mohikán (indián)
Mohican ['moʊɪkən] a/n mohikán (indián)
moiety ['mɔɪətɪ] n 1. felerész, fele (vmnek) 2. osztályrész
moil [mɔɪl] vi toil and ~ gürcöl
Moira ['mɔɪ(ə)rə] prop ⟨ír női név⟩
moire [mwa:*] n moaré(szövet), moaréselyem
moiré ['mwa:reɪ] n = moire
moist [mɔɪst] a nyirkos, nedves

moisten ['mɔɪsn] A. vt megnedvesít, benedvesít B. vi megnedvesedik
moisture ['mɔɪstʃə*] n nedvesség, nyirkosság, páratartalom; csapadék; nedv
moke [moʊk] n □ szamár
molar ['moʊlə*] I. a őrlő [fog] II. n őrlőfog, zápfog
molasses [mə'læsɪz] n melasz
mold →mould
mole[1] [moʊl] n anyajegy, májfolt, szeplő
mole[2] [moʊl] n móló, kikötőgát, hullámtörő
mole[3] [moʊl] n vakond
molecular [mə'lekjʊlə*] a molekuláris, molekula-
molecule ['mɔlɪkju:l; US 'ma-] n molekula
mole-hill n vakondtúrás; make a mountain out of a ~ szúnyogból/bolhából elefántot csinál
moleskin n 1. vakondprém 2. (finom) barhent, pamutbársony 3. moleskins pl pamutbársony nadrág
molest [mə'lest] vt zaklat, molesztál
molestation [moʊle'steɪʃn] n háborgatás, zaklatás, molesztálás
Moll[1] [mɔl; US -a-] prop = Molly
Moll[2] [mɔl; US -a-] n vulg □ szajha, lotyó; csaj
mollification [mɔlɪfɪ'keɪʃn; US ma-] n enyhítés, meglágyítás
mollify ['mɔlɪfaɪ; US -a-] vt 1. meglágyít [szívet]; lecsillapít (vkt) 2. enyhít, csillapít
mollusc, US mollusk is ['mɔləsk; US -a-] n puhatestű [állat]
Molly ['mɔlɪ; US -a-] prop Mari, Maris, Mariska
mollycoddle ['mɔlɪkɔdl; US -a- -a-] I. n anyámasszony katonája II. vt (el-)kényeztet, babusgat
molt →moult
molten ['moʊlt(ə)n] a olvadt; olvasztott ‖ →melt
moment ['moʊmənt] n 1. pillanat, időpont; the ~ that abban a pillanatban, amint; in a ~ azonnal; at this ~ (1) pillanatnyilag (2) akkor; the very ~ (éppen) abban a pillanatban; for the ~ pillanatnyilag; not for a ~ soha(sem) 2. erő, nyomaték; indíték; bending ~

hajlító nyomaték 3. jelentőség; *be of*
~ *fontos; of no* ~ jelentéktelen
momentary ['moʊmənt(ə)rɪ; *US* -erɪ] *a*
1. pillanatnyi **2.** futólagos **3.** hirtelen
momentous [mə'mentəs] *a* fontos, nagy
jelentőségű, jelentős
momentum [mə'mentəm] *n* (*pl* -ta -tə)
1. mozgásmennyiség, nyomaték, im-
pulzus(momentum) **2.** hajtóerő, len-
dület; *gather* ~ lendületbe jön; *lose* ~
lelassul, akadozni kezd **3.** mozzanat
Mon. *Monday*
Monaco ['mɔnəkoʊ; *US* 'ma-] *prop*
monarch ['mɔnək; *US* -a-] *n* (egyed-)
uralkodó, fejedelem
monarchic(al) [mɔ'nɑːkɪk(l); *US* ma-] *a*
uralkodói; egyeduralmi, monarchikus
monarchist ['mɔnəkɪst; *US* 'ma-] *n*
monarchista, királypárti
monarchy ['mɔnəkɪ; *US* 'ma-] **1.** *n* mo-
narchia, egyeduralom **2.** birodalom
monastery ['mɔnəst(ə)rɪ; *US* 'manəs-
terɪ] *n* kolostor, zárda
monastic [mə'næstɪk] *a* szerzetesi, kolos-
tori
Monday ['mʌndɪ v. = deɪ] *n* hétfő
monetary ['mʌnɪt(ə)rɪ; *US* -erɪ] *a* pénz-
beli, pénzügyi, valutaügyi, pénz-; ~
system pénzrendszer; ~ *unit* pénzegy-
ség
money ['mʌnɪ] *n* **1.** pénz; ~ *down* (1)
készpénz (2) előleg; ~ *of account* elszá-
molási pénznem; *be out of* ~ kikölte-
kezett, nincs pénze; *come into* ~
örököl (vagyont); □ *be in the* ~ dögi-
vel van pénze; *make* ~ pénzt keres;
marry ~ gazdagon nősül, gazdagon
megy férjhez, érdekházasságot köt,
benősül; *time is* ~ az idő pénz **2.**
pénz(összeg); *public* ~*s* közpénzek
money-bag *n* (*átv is*) pénzeszsák
money-bill *n* költségvetési (v. pénzügyi
intézkedéseket tartalmazó) törvény
money-box *n* persely
money-changer *n* pénzváltó
moneyed ['mʌnɪd] *a* **1.** gazdag, pénzes
2. pénz-; *the* ~ *interest* a tőkések
money-grubber *n* pénzsóvár ember, zsu-
gori
money-grubbing *n* pénzhajhászás, anya-
giasság

moneylender *n* pénzkölcsönző
money-market *n* pénzpiac
money-order *n* postautalvány, pénzes-
utalvány
money-wort *n* pénzeslevelű lizinka
monger ['mʌngə*] *n* **1.** kereskedő, árus
2. vmt koholó/kitaláló személy
mongering ['mʌngərɪŋ] *n* kereskedés,
árusítás
Mongol ['mɔŋgɔl; *US* 'maŋgəl] *a/n* mon-
gol
Mongolia [mɔŋ'goʊljə; *US* maŋ-] *prop*
Mongólia
Mongolian [mɔŋ'goʊljən; *US* maŋ-] *a/n*
mongóliai, mongol
mongoose ['mɔŋguːs; *US* 'ma-] *n* indiai
menyét
mongrel ['mʌŋgr(ə)l] *a/n* korcs [kutya
stb.]
Monica ['mɔnɪkə; *US* 'ma-] *prop* Mónika
monition [mə'nɪʃn] *n* figyelmeztetés
monitor ['mɔnɪtə*; *US* -a-] *I.* *n* **1.** (felső-
osztályos) felügyelő (diák) **2.** folyami
hadihajó, monitor **3.** külföldi híra-
nyag/adások lehallgatója **4.** megfi-
gyelő/vészjelző berendezés; ~ (*screen*)
monitor [tévében] *II.* *vt* külföldi hír-
anyagot/adást lehallgat
monk [mʌŋk] *n* szerzetes, barát; *black* ~
bencés; *white* ~ cisztercita
monkey ['mʌŋkɪ] *I.* *n* **1.** majom; ~ *busi-
ness* gyanús dolog; szamárkodás, osto-
baság; □ *get one's* ~ *up* dühbe gurul,
begurul; □ *put sy's* ~ *up* dühbe gurít
vkt **2.** cölöpverő kos, sulyok **3.** □
500 font/dollár *II.* *A.* *vt* majmol *B.* *vi*
babrál vmvel, vacakol; bolondozik
vkvel/vmvel
monkey-engine *n* cölöpverő gép (mo-
torja)
monkey-jacket *n* spencer
monkey-nut *n* amerikai mogyoró
monkey-puzzle *n* araukária, szobafenyő
monkey-wrench *n* állítható csavarkulcs,
franciakulcs; *biz throw the* ~ *into the
machine* beleköp a számításba
monkish ['mʌŋkɪʃ] *a* szerzetesi, csuhás
monkshood ['mʌŋkshʊd] *n* sisakvirág
Monmouth ['mɔnməθ] *prop*
mono ['mɔnoʊ; *US* -a-] *I.* *a* mono [nem
sztereó] *II.* *n biz* mono lemez

monocarp ['mɔnəkɑːp; US 'mɑ-] n
egynyári/egyszertermő növény
monochrome ['mɔnəkroum; US 'mɑ-] !.
a egyszínű II. n 1. egyszínű fest-
mény/kép 2. egyszínű nyomás/eljárás
monocle ['mɔnəkl; US -ɑ-] n monokli
monocotyledon ['mɔnəkɔtɪ'liːd(ə)n; US
'mɑnəkɑ-] n egyszikű növény
monody ['mɔnədɪ; US 'mɑ-] n gyász-
dal
monoecious [mə'niːʃəs] a egylaki
monogamic [mɔnə'gæmɪk; US mɑ-] a
egynejű
monogamous [mɔ'nɔgəməs; US -'nɑ-] a
egynejű, monogám
monogamy [mɔ'nɔgəmɪ; US -'nɑ-] n
egynejűség
monogram ['mɔnəgræm; US 'mɑ-] n név-
jel, monogram
monograph ['mɔnəgrɑːf; US 'mɑnəgræf]
n monográfia
monographer [mɔ'nɔgrəfə*; US -'nɑ-] n
monográfiaíró, monográfia szerzője
monolingual [mɔnə'lɪŋgw(ə)l; US mɑ-]
a egynyelvű
monolith ['mɔnəlɪθ; US 'mɑ-] n monolit
[egy kőből vágott oszlop]
monolithic [mɔnə'lɪθɪk; US mɑ-] a 1.
egy darab kőből készült; monolit 2.
átv masszív, egységes szervezetű
monologize [mɔ'nɔlədʒaɪz; US -'nɑ-]
(egy)maga beszél, monologizál
monologue, US monolog is ['mɔnəlɔg;
US 'mɑnəlɔːg] n monológ, magánbe-
széd
monomania [mɔnə'meɪnjə; US mɑ-] n
rögeszme, monománia
monomaniac [mɔnə'meɪnɪæk; US mɑ-]
a rögeszmés, monomániás
monophthong ['mɔnəfθɔŋ; US 'mɑ-] n
egyszerű magánhangzó
monoplane ['mɔnəpleɪn; US 'mɑ-] n egy-
fedelű repülőgép, monoplán
monopolist [mə'nɔpəlɪst; US -'nɑ-] n
egyedárus, monopolista
monopolize [mə'nɔpəlaɪz; US -'nɑ-] vt
monopolizál, kisajátít magának, maga
rendelkezik vele; ~ the conversation
nem hagy mást szóhoz jutni
monopoly [mə'nɔpəlɪ; US -'nɑ-] n
egyedáruság, monopólium

monorail ['mɔnəreɪl; US 'mɑ-] n egysínű
vasút
monosyllabic [mɔnəsɪ'læbɪk; US mɑ-] a
egy(szó)tagú, egyszótagos; ~ answer
kurta válasz
monosyllable ['mɔnəsɪləbl; US 'mɑ-] n
egytagú szó; answer in ~s kurtán felel-
get
monotheism ['mɔnəθiːɪzm; US 'mɑ-] n
egyistenhit
monotheist ['mɔnəθiːɪst; US 'mɑ-] n
egyistenhívő
monotone ['mɔnətoun; US 'mɑ-] n egy-
hangúság
monotonous [mə'nɔt(ə)nəs; US -'nɑ-] a
egyhangú
monotony [mə'nɔt(ə)nɪ; US -'nɑ-] n
egyhangúság
monotype ['mɔnətaɪp; US 'mɑ-] n mono-
type/monó szedőgép/szedés
monoxide [mɔ'nɔksaɪd; US mɑ'nɑ-] n
monoxid
Monroe [mən'rou] prop
monsoon [mɔn'suːn; US -ɑ-] n monszun
monster ['mɔnstə*; US -ɑ-] n 1. ször-
nyeteg 2. óriás(i)
monstrance ['mɔnstr(ə)ns; US -ɑ-] n
szentségtartó, monstrancia
monstrosity [mɔn'strɔsətɪ; US -ɑ- -ɑ-] n
1. szörnyűség, gonoszság 2. szörny,
óriás
monstrous ['mɔnstrəs; US 'mɑ-] a 1.
szörnyű 2. óriási, éktelen (nagy)
Mont. Montana
montage [mɔn'tɑːʒ; US 'mɑ-] n mon-
tázs
Montagu(e) ['mɔntəgjuː] prop
Montana [mɔn'tænə; US mɑn-] prop
Montenegro [mɔntɪ'niːgrou; US mɑn-]
prop Montenegró
Montgomery [mənt'gʌm(ə)rɪ; US mɑ-]
prop
month [mʌnθ] n hónap; current/this ~
folyó/e hó(ban) ; last ~ múlt hó(ban);
this day ~ mához egy hó(nap)ra; by the
~ (1) hónaponként (2) hónapszám; a
~ of Sundays egy örökkévalóság
monthly ['mʌnθlɪ] I. a havi, havonkénti
II. n 1. havi folyóirat 2. monthlies pl
havibaj, menstruáció
Montreal [mɔntrɪ'ɔːl; US mɑ-] prop

monument ['mɔnjomənt; US 'manjə-] n emlékmű; ancient ~ műemlék
monumental [mɔnju'mentl; US ma-] a 1. emlékművi; ~ mason síremlékkészítő, sírkőfaragó 2. hatalmas, nagyszabású; ~ ignorance hajmeresztő tudatlanság
moo [mu:] I. n tehébőgés II. vi bőg [tehén]
mooch [mu:tʃ] □ A. vi ~ about csavarog, lődörög B. vt ellop, elcsen
moo-cow n boci
mood[1] [mu:d] n (ige)mód
mood[2] [mu:d] n hangulat, kedélyállapot; man of ~s hangulatember; be in the ~ for sg hangulata van vmre; I'm in no laughing ~ nem vagyok nevető kedvemben
moody ['mu:dɪ] a rosszkedvű, kedvetlen, szeszélyes
moon [mu:n] I. n 1. hold; ~ flight holdutazás; full ~ telihold, holdtölte; new ~ újhold; bay at the ~ ugatja a holdat, tutul [kutya]; cry for the ~ lehetetlen dolgot kíván; GB □ shoot the ~ ⟨lakbérfizetés elől éjjel holmijával együtt távozik⟩ 2. hónap II. A. vi ~ (about) tűnődik, (el)ábrándozik B. vt ~ away one's time időt semmiséggel eltölt
moonbeam n holdsugár, -fény
mooncalf n (pl -calves) 1. tökfilkó, tökfej 2. szörnyeteg
mooncraft n holdjármű, -kocsi
moonflower n százszorszép
moon-landing n holdraszállás
moonlight n holdfény, -világ
moonlit [-lɪt] a holdsütötte, -világos
moonshine n 1. biz süket duma, blabla; fantazmagória 2. US □ becsempészett szesz
moonstruck a hülye, ütődött
moony ['mu:nɪ] a biz ábrándozó
moor[1] [mʊə*] n mocsár, láp, ingovány
moor[2] [mʊə*] vt kiköt, lehorgonyoz [hajót]
Moor[3] [mʊə*] n mór, szerecsen
moorage ['mʊərɪdʒ] n 1. kikötési díj 2. kikötőhely
moor-cock n fajdkakas
Moore [mʊə*] prop
moor-fowl/game n nyírfajd

moor-hen n fajdtyúk
mooring ['mʊərɪŋ] n 1. kikötés [hajóé]; ~ mast kikötőárboc [léghajóé] 2. moorings pl (1) kikötési kötél/horgony/cölöp (2) kikötőhely
moorish[1] ['mʊərɪʃ] a mocsaras, ingoványos, lápos
Moorish[2] ['mʊərɪʃ] a mór
moorland ['mʊələnd] n mocsaras terület
moose [mu:s] n jávorszarvas
moot [mu:t] I. a ~ point/question vitás kérdés/pont II. vt felvet, megvitat [kérdést]
mop [mɔp; US -ɑ-] I. n 1. nyeles súrolórongy, mosogatórongy, mop 2. hajcsomó II. vt -pp- súrol, megtöröl, letöröl; ~ up (1) feltöröl, -tisztogat (2) felemészt [hasznot] (3) megtisztít [ellenségtől], felszámol [ellenállást]
mope [moʊp] I. n 1. búslakodó/levert/unatkozó ember 2. the ~s levertség, depresszió II. vi búslakodik, szomorkodik, unatkozik
moped ['moʊped] n moped
mopish ['moʊpɪʃ] a levert, mélabús
moppet ['mɔpɪt; US -ɑ-] n 1. rongybaba 2. kislány 3. ölebecske
mopping-up ['mɔpɪŋ-; US -ɑ-] n 1. feltörlés 2. befejezés, felszámolás 3. (katonai) tisztogatás
mop-up n felszámolás
moraine [mɔ'reɪn; US mə-] n moréna
moral ['mɔr(ə)l; US -ɔ:-] I. a 1. erkölcsi; ~ courage erkölcsi bátorság; ~ insanity erkölcsi beszámíthatatlanság; ~ philosophy erkölcstan, etika 2. erkölcsös II. n 1. tanulság 2. morals pl (1) erkölcs(ök), viselkedés, morál (2) erkölcstan, etika 3. = morale
morale [mɔ'rɑ:l; US mə'ræl] n (köz)szellem, hangulat
moralist ['mɔrəlɪst; US 'mɔ:-] n 1. erkölcstanító, -bíró 2. erkölcsösen élő ember
morality [mə'rælətɪ] n 1. erkölcstan 2. erkölcs(iség) erkölcsi felfogás, erény ~ (play) moralitás [allegorikus színmű]
moralize ['mɔrəlaɪz; US 'mɔ:-] A. vt 1. erkölcsileg magyaráz, erkölcsi tanulságra tanít/oktat 2. erkölcsössé tesz B. vi moralizál

morass [mə'ræs] n mocsár, posvány, ingovány

moratorium [mɔrə'tɔ:rɪəm; US mɔ:-] n (pl -ria -rɪə v. ~s -z) (fizetési) haladék

Moravia [mə'reɪvjə] prop Morvaország

morbid ['mɔ:bɪd] a 1. beteges, kóros; ~ anatomy kórbonctan 2. szörnyű, rettenetes, félelmetes

morbidity [mɔ:'bɪdətɪ] n 1. betegesség, betegeskedés 2. megbetegedések száma [adott helyen]

morbidness ['mɔ:bɪdnɪs] n betegesség, betegeskedés

mordacity [mɔ:'dæsətɪ] n (átv is) csípősség

mordancy ['mɔ:dənsɪ] n = mordacity

mordant ['mɔ:d(ə)nt] I. a (átv is) maró, csípős II. n marószer

more [mɔ:*] I. a 1. több; and what is ~ (sőt) mi több; one ~ még egy(et); have some ~ wine! igyék még egy kis bort; I have no ~ money nincs több pénzem; no ~ (. . . thank you) köszönöm, elég; a little ~ még egy kevés, még vmvel több; is there any ~? van még (belőle)? 2. -abb, -ebb [középfok képzője]; ~ difficult nehezebb II. adv 1. többé; (not) any ~ többé nem, még egyszer nem; never ~ soha többé (nem); once ~ még egyszer; no ~ többé nem; be no ~ nem létezik többé 2. jobban, inkább, többet; ~ and ~ egyre inkább; of which ~ anon amiről bővebben majd később; the ~ . . . the ~ minél inkább . . . annál inkább; ~ or less többé-kevésbé, meglehetősen 3. so much the ~ annál is inkább III. n a több; let's see ~ of you lássunk benneteket többször

morel¹ [mɔ'rel] n kucsmagomba

morel² [mɔ'rel] n ebszőlő

morello [mə'reloʊ] n meggy

moreover [mɔ:'roʊvə*] adv azonfelül, azonkívül, sőt, ráadásul

morganatic [mɔ:gə'nætɪk] a rangon aluli, morganatikus [házasság]

morgue [mɔ:g] n hullaház, tetemnéző

moribund ['mɔrɪbʌnd; US 'mɔ:-] a haldokló

Mormon ['mɔ:mən] a/n mormon

morn [mɔ:n] n † reggel

morning ['mɔ:nɪŋ] n 1. reggel, délelőtt; this ~ ma reggel/délelőtt; the ~ after másnap reggel; first thing in the ~ az első teendő aznap; good ~! jó reggelt/napot!; a ~ off szabad délelőtt; biz the ~ after the night before másnaposság, macskajajos érzés 2. jelzői haszn reggeli, délelőtti; ~ coat zsakett; ~ dress (1) pongyola (2) utcai ruha; ~ star hajnalcsillag; ~ sickness terhességi hányinger

morning-glory n 1. kerti folyondár 2. hajnalka

morning-room n nappali (szoba)

Moroccan [mə'rɔkən; US -'rɑ-] a/n marokkói

Morocco [mə'rɔkoʊ; US -'rɑ-] I. prop Marokkó II. n m~ maroken, szatyánbőr

moron ['mɔ:rɔn] n idióta, hülye

moronic [mə'rɔnɪk; US -'rɑ-] a US hülye, gügye

morose [mə'roʊs] a mogorva, morózus

morpheme ['mɔ:fi:m] n morféma

morphia ['mɔ:fjə] n = morphine

morphine ['mɔ:fi:n] n morfin, morfium

morphinist ['mɔ:fɪnɪst] n morfinista

morphology [mɔ:'fɔlədʒɪ; US -'fɑ-] n alaktan, morfológia

Morris chair ['mɔrɪs; US -ɔ:-] állítható támlájú karosszék

morris-dance [mɔrɪs-; US -ɔ:-] n ⟨jelmezes drámai tánc szabadban⟩

morrow ['mɔroʊ; US 'mɔ:-] n † 1. holnap 2. reggel; good ~! jó reggelt! 3. on the ~ of World War II közvetlenül a második világháború befejezése után

Morse [mɔ:s] prop ~ code morzéábécé, -írás

morsel ['mɔ:sl] n morzsa, darabka, falat

mortal ['mɔ:tl] I. a 1. halandó; his ~ remains földi maradványai 2. halálos, végzetes, halállal kapcsolatos, halál-; ~ agony haláltusa; ~ enemy halálos/ádáz ellenség; ~ fear halálfélelem 3. biz igen nagy; in a ~ hurry lóhalálában 4. biz halálosan unalmas; ~ hours unalmas órák 5. biz any ~ thing akármi az égvilágon II. n ember, halandó mortality [mɔ:'tælətɪ] n 1. halandóság; halálozás; ~ rate halálozási arány- (szám); ~ tables halandósági táblák 2. vmnek halálos mivolta

mortar ['mɔ:tə*] I. n 1. mozsár [porítás- hoz] 2. mozsárágyú 3. habarcs, va- kolat, malter II. vt vakol; habarccsal megköt

mortar-board n 1. habarcstartó (deszka-) lap 2. [egyetemi viselethez tartozó] négyszögletű kalap

mortgage ['mɔ:gɪdʒ] I. n 1. jelzálog, teher; jelzálogkölcsön; raise a ~ jel- zálogkölcsönt vesz fel 2. betáblázás II. vt jelzáloggal terhel [ingatlant], jel- zálogot betábláztat [ingatlanra]

mortgagee [mɔ:gə'dʒi:] n jelzálogos hitelező, jelzálog-tulajdonos

mortgagor [mɔ:gə'dʒɔ:*] n jelzálogos adós

mortician [mɔ:'tɪʃn] n US temetkezési vállalkozó

mortification [mɔ:tɪfɪ'keɪʃn] n 1. (ön-) sanyargatás 2. üszkösödés; elhalás [testrésze] 3. lealázás, sérelem

mortify ['mɔ:tɪfaɪ] A. vt 1. sanyargat [testet]; elöl [vágyat] 2. lealáz, meg- sért B. vi elhal, üszkösödik

mortise ['mɔ:tɪs] I. n csaplyuk; furat; horony; ~ lock bevésett zár II. vt 1. csaplyukat vés (vmbe), hornyol 2. csappal összeköt, összeilleszt

mortised ['mɔ:tɪst] a ~ hole vésett csaplyuk

mortising ['mɔ:tɪsɪŋ] n csapos kötés

mortuary ['mɔ:tjʊərɪ; US -tʃʊerɪ] n 1. halottasház, hullakamra, tetem- néző 2. gyászmisedíj

mosaic¹ [mə'zeɪɪk] n mozaik

Mosaic² [mə'zeɪɪk] a mózesi

Moscow ['mɔskoʊ; US 'mɑ-] prop Moszkva

Moses ['moʊzɪz] prop Mózes

Moslem ['mɔzlem; US 'mɑ-] a/n moha- medán

mosque [mɔsk; US -ɑ-] n mecset

mosquito [mə'ski:toʊ] n (pl ~es -z) moszkitó, szúnyog; ~ craft hadiflotta kiskönnyű egységei;~ net szúnyogháló

moss [mɔs; US -ɔ:-] n 1. moha 2. mo- csár

moss-back n US □ ókonzervatív/reak- ciós ember

moss-grown a mohos, mohlepte

moss-hag n tőzegtelep

moss-rose n moharózsa

moss-trooper n ⟨17. századbeli skót martalóc⟩

mossy ['mɔsɪ; US -ɔ:-] a mohás, mohos, mohlepte

most [moʊst] I. a legtöbb; ~ people legtöbb ember; for the ~ part a leg- több esetben, legnagyobbrészt, leg- többnyire II. adv 1. leg... bb [mel- léknév felsőfoka]; the ~ beautiful a legszebb 2. leginkább, legjobban; nagyon, igen, rendkívül; ~ likely nagyon/igen valószínű(en); ~ of all leginkább, legfőképpen 3. US majd- nem III. n a legtöbb, a legnagyobb rész, a többség; ~ of them legnagyobb részük, legtöbbjük; at (the) ~ leg- följebb; make the ~ of sg jól kihasz- nál/hasznosít vmt

mostly ['moʊstlɪ] adv leginkább, leg- többnyire, főként, legnagyobbrészt

mote [moʊt] n porszemecske; behold the ~ in the brother's eye más szemé- ben a szálkát is észreveszi

motel [moʊ'tel] n motel

moth [mɔθ; US -ɔ:-] n 1. pille, éjjeli lepke 2. (ruha)moly

moth-ball n molyirtó(szer), naftalin; US ~ fleet tartalékflotta; in ~s tarta- lékban megóvásra eltéve [hajókat stb.]

moth-eaten a 1. molyette, molyos 2. régi, elavult, ósdi

mother ['mʌðə*] I. n 1. anya, mama; every ~'s son minden emberfia; US M~'s Day anyák napja [május máso- dik vasárnapja] 2. anya-; ~ country (1) haza (2) anyaország; ~ earth anyaföld; M~ Hubbard bő női pon- gyola; ~ naked anyaszült meztelen; ~ ship anyahajó; ~ tongue anya- nyelv; ~ wit természetes ész 3. M~ Superior a főnökasszony/fejedelem- asszony 4. létrehozó, forrás, szülő- anyja (vmnek) 5. ~ of vinegar ecet- ágy II. vt 1. anyai gondját viseli (vknek), anyáskodik (vk felett) 2. szülöttjének vállalja

mothercraft *n* 1. anyai gondoskodás 2. csecsemőápolás; gyermekgondozás
motherhood ['mʌðəhʊd] *n* anyaság
mother-in-law *n* (*pl* **mothers-in-law**) anyós
motherless ['mʌðəlɪs] *a* anyátlan (árva)
motherly ['mʌðəlɪ] *a* anyai, anyáskodó, gyengéd
mother-of-pearl *n* gyöngyház
moth-proof I. *a* molyálló II. *vt* molyállóvá tesz, molytalanít
mothy ['mɔθɪ; *US* -ɔ:-] *a* 1. molyos, molylepte 2. molyette, molyrágott
motif [moʊ'ti:f] *n* 1. [zenei, irodalmi] motívum, alapgondolat 2. ismétlődő minta, díszítőelem
motility [məˈtɪlətɪ] *n* mozgásképesség
motion ['moʊʃn] I. *n* 1. mozgás, helyváltoztatás; *put in* ~ mozgásba hoz; ~ *picture* mozgókép, film →*motion-picture* 2. mozdulat; *make a* ~ megmozdul [→*motion 4.*]; *biz go through the* ~*s* úgy tesz, mintha ... 3. indíték, motívum, szándék; *of one's own* ~ önszántából 4. indítvány, javaslat; *carry a* ~ elfogad/megszavaz egy javaslatot; *make a* ~ indítványt/javaslatot tesz 5. székelés, ürülés II. *vt/vi* 1. int, (kézmozdulattal) jelt ad (vknek) 2. indítványoz, javasol, indítványt/javaslatot tesz
motionless ['moʊʃnlɪs] *a* mozdulatlan
motion-picture *n* ~ *camera* filmfelvevő (gép), mozigép ‖→*motion I. 7.*
motivate ['moʊtɪveɪt] *vt* megindokol, okadatol; motivál
motivation [moʊtɪ'veɪʃn] *n* indokolás, megokolás; motáviáció
motive ['moʊtɪv] I. *a* 1. mozgató; ~ *power* hajtóerő 2. indító II. *n* 1. ok, indíték, motívum 2. = *motif 1.*
motiveless ['moʊtɪvlɪs] *a* céltalan
motley ['mɔtlɪ; *US* -ɑ-] I. *a* 1. tarkabarka 2. vegyes, zavaros, zagyva II. *n* 1. bohócruha 2. zagyvaság
motocross ['moʊtoʊkrɔs; *US* -ɔ:s] *n* gyorsasági terepverseny [motorkerékpároké]
motor ['moʊtə*] I. *n* 1. motor 2. (*jelzői haszn*) autó(s)-, motoros; ~ *pool*

gépkocsipark; ~ *show* autókiállítás; ~ *tour* autótúra 3. mozgató/motorikus izom/ideg II. *vi* motorozik, gépkocsizik, autózik
motor-assisted [-ə'sɪstɪd] *a* segédmotoros
motor-bike *n* = *motor-cycle*
motor-boat *n* motorcsónak
motor-bus *n* autóbusz
motorcade ['moʊtəkeɪd] *n* gépkocsikíséret, autófelvonulás
motor-car *GB* (gép)kocsi, autó
motor-coach *n* (távolsági) autóbusz
motor-cycle *n* motorkerékpár, -bicikli
motor-cyclist *n* motor(kerékpár)os
motor-driven *a* motor (meg)hajtású, motorral hajtott, motoros
motoring ['moʊtərɪŋ] *n* gépkocsizás, autózás; *school of* ~ autósiskola
motorist ['moʊtərɪst] *n* gépkocsizó, autós
motorization [moʊtəraɪ'zeɪʃn; *US* -rɪ'z-] *n* motorizálás, motorizáció
motorize ['moʊtəraɪz] *vt* motorizál, géperőre rendez be, gépesít
motor-lorry *n* teherautó, -gépkocsi
motorman *n* (*pl* -men) 1. gépkocsivezető 2. mozdonyvezető 3. villamosvezető
motor-scooter *n* robogó
motor-vehicle *n* gépjármű, gépkocsi
motorway *n* autópálya
motory ['moʊtərɪ] *a* mozgató [ideg]
mottled ['mɔtld; *US* -ɑ-] *a* tarka, pettyes, márványozott, márványos
motto ['mɔtoʊ; *US* 'mɑ-] *n* (*pl* ~**es** -z) jelige, jelmondat, mottó
mould¹, *US* **mold** [moʊld] I. *n* televényföld, humusz; *man of* ~ földi halandó II. *vt* földdel beborít, feltöltöget
mould², *US* **mold** [moʊld] I. *n* forma, öntőminta; *cast in a heroic* ~ hősies jellem, fennkölt II. *vt* 1. (meg)mintáz, (meg)formál; formába önt; ~ *sy's character* alakítja vk jellemét 2. képlékennyé tesz 3. dagaszt
mould³, *US* **mold** [moʊld] I. *n* penész(folt) II. *vi* penésze(se)dik
mouldboard, *US* **mold-** *n* ekevas
moulded, *US* **molded** ['moʊldɪd] *a* megformált; öntött; ~ *brick* profiltégla

moulder¹, US **molder** ['moʊldə*] n alakító, mintázó; (öntő)mintakészítő (munkás)

moulder², US **molder** ['moʊldə*] vi (el)porlad, széttöredezik, széthull, szétmállik (átv is)

mouldiness, US **moldiness** ['moʊldɪnɪs] n penészesség

moulding, US **molding** ['moʊldɪŋ] n 1. öntőminta 2. alakozás, formázás, mintázás; öntés 3. öntvény, forma 4. szegély, bordűr, párkányszelvény, párkányzat; díszléc

mouldy¹, US **moldy** ['moʊldɪ] a 1. penészes; virágos [bor] 2. régimódi, ósdi, vacak 3. □ unalmas, fárasztó; értéktelen, nyamvadt

mouldy², US **moldy** ['moʊldɪ] n porhanyós [föld]

moult, US **molt** [moʊlt] I. n vedlés II. vi vedlik; bőrt vált

mound¹ [maʊnd] n domb(ocska), bucka, (föld)halom

mound² [maʊnd] n országalma

mount [maʊnt] I. n 1. hegy 2. hátasló 3. keret, foglalat; paszpartu 4. emelvény; állvány, tartó II. A. vt 1. felmegy, felmászik [hegyre, létrára], megmászik [hegyet]; felhág (vmre); ~ the throne trónra lép 2. (fel)ül [lóra, kerékpárra]; felszáll (vmre); ~ guard őrségbe megy 3. felültet [lóra], nyeregbe segít; lovasít [csapatot] 4. felállít [ágyút]; felszerel [állványra], ráerősít; montíroz; felragaszt, (fel)kasíroz; tárgylemezre tesz; bekeretez [diát]; befoglal [drágakövet]; befog [fűrész pengéjét] 5. beállít, színre hoz, színpadra állít [darabot] 6. meghág [nőstényt] 7. ~ an offensive támadást indít B. vi 1. (fel)emelkedik, felszáll 2. lóra ül 3. ~ up emelkedik, növekszik, nő [összeg stb.]; ~ (up) to vmennyire rúg, kitesz (vmennyit) [összeg]

mountain ['maʊntɪn; US -tən] n 1. hegy; ~ ash veres berkenye; ~ chain/ range hegylánc; biz ~ dew kisüsti (whisky); ~ lion puma 2. **mountains** pl hegység 3. nagy tömeg/halom/rakás; ~ of difficulties tömérdek nehézség

mountaineer [maʊntɪ'nɪə*] n 1. hegylakó 2. hegymászó, alpinista

mountaineering [maʊntɪ'nɪərɪŋ] n hegymászás, alpinizmus

mountainous ['maʊntɪnəs] a 1. hegyes 2. hegymagasságú; óriási

mountebank ['maʊntɪbæŋk] n szédelgő, kókler; szélhámos, sarlatán

mounted ['maʊntɪd] a lovas(ított)

mounter ['maʊntə*] n szerelő, montőr

Mountie ['maʊntɪ] n biz (kanadai) lovascsendőr

mounting ['maʊntɪŋ] n 1. felszállás [lóra stb.] 2. felszerelés, montírozás 3. talapzat; kasírozás; állvány; foglalat

mourn [mɔ:n] A. vt (meg)gyászol, (meg)sirat B. vi ~ (for/over) gyászol (vkt), búsul (vm miatt)

mourner ['mɔ:nə*] n gyászoló

mournful ['mɔ:nfʊl] a gyászos, szomorú, siralmas

mourning ['mɔ:nɪŋ] n 1. gyász; be in ~ for sy gyászol vkt; in deep ~ mély gyászban; go into ~ gyászt ölt 2. gyászruha

mourning-band n gyász(kar)szalag

mourning-paper n gyászkeretes levélpapír

mouse I. n [maʊs] (pl **mice** maɪs) 1. egér; field ~ mezei egér 2. biz félénk ember 3. bog [kötélen] 4. „monokli" [ütéstől bedagadt szem] II. v [maʊz] A. vt felkutat, lázasan keres, kiszimatol B. vi 1. egerészik 2. leselkedik

mouse-ear n nefelejcs

mouse-hole n egérlyuk

mouser ['maʊzə*] n egerész

mousetrap n egérfogó

mousie ['maʊsɪ] n egérke

mousse [mu:s] n hab [étel]

moustache, US **mustache** [mə'stɑ:ʃ; US 'mʌstæʃ] n bajusz

mousy ['maʊsɪ] a 1. egérszerű 2. egérszürke 3. nagyon csendes 4. tele egerekkel

mouth I. n [maʊθ; pl -ðz] 1. száj; down in the ~ lehangolt; have a ~ (1) rossz a szája íze (2) mocskos szája van, rossznyelvű; it makes the ~ water összefut tőle az ember nyála; one's

~ *waters for sg* csorog a nyála vmért; *make a* ~ elhúzza a száját, arcát fintorgatja; *put one's foot in one's* ~ ostobán elszólja magát; *stop sy's* ~ befogja/betömi a száját vknek; *a useless* ~ kenyérpusztító haszontalan ember 2. nyílás, lyuk, száj 3. torkolat [folyóé], bejárat [kikötőé] II. *vi/vt* [mauð] 1. hangosan beszél, szónokol 2. szájába vesz, szájával érint 3. arcot/fintort vág
mouthed [mauðd] *a* szájú
mouthful ['mauθful] *n* egy falás/harapás [étel], falat; korty; *swallow sg at a* ~ egyszerre nyel le (v. fal be) vmt
mouth-organ *n* szájharmonika
mouthpiece *n* 1. csutora, szopóka; szájrész, fúvóka [fúvós hangszeren] 2. *átv* szócső, szószóló
mouth-wash *n* szájvíz
movable ['mu:vəbl] I. *a* 1. mozgatható, mozdítható 2. ingó [vagyon] 3. változó [ünnep] II. **movables** *n pl* ingóságók, ingó vagyon
move [mu:v] I. *n* 1. mozdulat, mozgás; lépés [sakkban]; *make a* ~ (1) elindul (2) lép [sakkban]; *be on the* ~ mozgásban/úton van; *be always on the* ~ folyton jön-megy, sürög-forog; *biz get a* ~ *on!* mozgás!, gyerünk! 2. *átv* sakkhúzás, lépés, eljárás 3. költözködés II. A. *vt* 1. (meg)mozgat, (el)mozdít, megmozdít, mozgásba hoz 2. megindít, meghat, megrendít; ~ *sy to pity* szánalmat ébreszt vkben; *be* ~*d to tears* könnyekig meg van hatódva 3. rábír, sarkall; *when the spirit* ~*s me* amikor kedvem van hozzá 4. javasol, indítványoz; ~ *a resolution* indítványt tesz B. *vi* 1. (el)mozdul, megmozdul, mozog, megy; forog [vmlyen társaságban]; *don't* ~ ne moccanj!; *keep moving!* mozgás!, menjenek tovább!, oszoljanak! [rendőri felszólítás] 2. lép [sakkban] 3. megy, halad [munka] 4. mozgásba jön [hadsereg, tömeg] 5. költözködik, hurcolkodik 6. javaslatot/indítványt tesz; ~ *that* ... azt javasolja/indítványozza, hogy ... 7. eljár, lépéseket tesz [ügyben], intézkedik

move for *vi* javaslatot/indítványt tesz
move in *vi* beköltözik
move off *vi* 1. elhordja magát, elkotródik 2. elköltözik
move on *vi* előremegy, továbbmegy, odébbáll; halad; ~ *on!* gyerünk előbbre/odébb!, tessék továbbmenni!
move out *vi* kiköltözik
moveable ['mu:vəbl] *a/n* = *movable*
movement ['mu:vmənt] *n* 1. mozgás, mozdulat 2. mozgalom 3. mozgalmasság, lendület; élénkség 4. tétel [zeneműé] 5. működés [szerkezeté], mozgató szerkezet 6. = *motion I. 5.*
mover ['mu:və*] *n* 1. mozgató 2. indítványozó
movie ['mu:vɪ] *n US* (mozi)film; ~ *camera* filmfelvevő (gép), mozigép; ~ *projector* vetítőgép; *the* ~*s* (1) mozi (2) a film [ipar]; ~ *(house)* mozi
moving ['mu:vɪŋ] *a* 1. mozgó, mozgásban levő; ~ *pictures* (1) mozgókép, film (2) mozi; ~ *staircase* mozgólépcső 2. mozgató, mozgásba hozó; *the* ~ *spirit* lelke/mozgatója vmnek ∶, megható, megindító
mow [mou] *vt* (*pt* ~*ed* moud, *pp* ~*n* moun) 1. (le)kaszál, lenyír [füvet] 2. ~ *down/off* lekaszál, lekaszabol
mower ['mouə*] *n* 1. kaszáló, arató 2. kaszálógép, aratógép, fűnyírógép
Mowgli ['maugli] *prop* Maugli
mowing-machine ['mouɪŋ-] *n* = *mower* 2.
mown →*mow*
Mozambique [mouzəm'bi:k] *prop* Mozambik
M.P., MP [em'pi:] 1. *Member of Parliament* →*member* 2. *military police*
m.p. [em'pi:] *melting-point*
mpg [empi:'dʒi:] *miles per gallon* gallon(fogyasztás) mérföldenként
mph [empi:'eɪtʃ] *miles per hour* óránként ... mérföld
Mr., Mr ['mɪstə*] *Mister* úr
Mrs., Mrs ['mɪsɪz] *Mistress* asszony, -né
MS [em'es] *manuscript*
M.S. [em'es] *US* = *M.Sc.*
Ms., Ms [mɪz, məz] ⟨családi állapotot nem feltüntető női cím/megszólítás⟩

M.Sc. [emes'si:] *Master of Science* →*master*
MSS [emes'es] *manuscripts*
Mt. [maʊnt] *Mount*
much [mʌtʃ] I. *a* sok; *how* ~? (1) mennyi?, mennyibe kerül? (2) menynyire?; *not* ~ *of a sg* nem sokat ér (mint vm); *this/that* ~ ennyi; *too* ~ túl sok; *too* ~ *by half* túl sok (a jóból); *so* ~ (1) ennyi, annyi (2) ennyire, annyira; *so/as* ~ *as* (1) annyi mint (2) ugyanannyira/ugyanúgy mint; *he went away without so* ~ *as saying good-bye* elment és még csak el sem köszönt; *he doesn't so* ~ *as*... még csak nem is... (tesz vmt); *I thought as* ~ ezt gondoltam is; *as* ~ *as to say* (annyi) mintha azt akarná mondani hogy; *be too* ~ *for sy* (1) túl sok vknek, kifog vkn (2) felülmúl vkt II. *adv* 1. sokkal; ~ *less could I go* sokkal kevésbé mehetnék én; *ever so* ~ *better* sokszorosan jobb 2. nagyon; *thank you very* ~ igen szépen köszönöm; ~ *as* bármennyire is; ~ *too small* túl kicsi; ~ *the largest* lényegesen nagyobb (a többinél); ~ *to my astonishment* legnagyobb meglepetésemre; *so* ~ *so that* olyannyira hogy 3. majdnem; ~ *the same* körülbelül ugyanaz III. *n* 1. sok, nagy tömeg; *do you see* ~ *of him?* gyakran találkozol vele? 2. *make* ~ *of sg* nagy dolgot csinál vmből, nagyra/sokra tart vmt; *it's not up to* ~ nem sokat ér, nem nagy dolog; *I am not* ~ *of a dancer* nem vagyok valami jó táncos
much-admired [-əd'maɪəd] *a* köztiszteletben álló
much-loved [-'lʌvd] *a* igen/hőn szeretett
muchness ['mʌtʃnɪs] *n* nagy mennyiség/terjedelem; *much of a* ~ körülbelül egyforma; egyik kutya, másik eb
mucilage ['mju:sɪlɪdʒ] *n* 1. nyálka 2. ragasztószer
mucilaginous [mju:sɪ'lædʒɪnəs] *a* nyálkás, ragadós
muck [mʌk] I. *n* 1. trágya, ganéj 2. piszok, szemét, rondaság, szar II.

vt 1. megtrágyáz 2. beszennyez, bepiszkít, bemocskol 3. □ = *muck up*
muck about *vi* □ 1. lófrál 2. elvacakol
muck out *vt* kiganajoz
muck up *vt* □ elfuserál, eltol, ellő, elszar
mucker ['mʌkə*] *n* □ 1. nagy (le)esés, elhasalás, elbotlás (*átv is*); *come/go a* ~ (1) leesik [lóról stb.], elhasal (2) pórul jár, pofára esik 2. *US* közönséges/durva fráter, „disznó"
muck-heap *n* trágyadomb
muckiness ['mʌkɪnɪs] *n* mocskosság
muckle ['mʌkl] *a/n* = *mickle*
muckrake I. *n* trágyagereblye II. *vi US* panamákat leleplez
muckraker [-reɪkə*] *n biz* botrányleleplező
mucky ['mʌkɪ] *a* trágyás, piszkos
mucosity [mju:'kɔsətɪ; *US* -'kɑ-] *n* nyálkásság
mucous ['mju:kəs] *a* nyálkás, nyálkamucus ['mju:kəs] *n* nyálka
mud [mʌd] *n* sár; iszap; ~ *pie* homokpogácsa; *fling/throw* ~ *at sy* megrágalmaz/bemocskol vkt; *US biz* ~ *in your eyes!* egészségére! [koccintás helyett]
mud-bank *n* homokzátony
mud-barge *n* iszapkotró hajó
mud-bath *n* iszapfürdő
muddied ['mʌdɪd] *a* sáros; iszapos; →*muddy II.*
muddiness ['mʌdɪnɪs] *n* 1. iszaposság 2. *átv* zavarosság
muddle ['mʌdl] I. *n* zűrzavar, rendetlenség; *get into a* ~ (1) bajba jut (2) belegabalyodik vmbe; *make a* ~ *of sg* összezavar/összegabalyít vmt II. A. *vt* 1. zavarossá tesz (*átv is*) 2. = *muddle up* 3. vknek az agyát elködösíti (itallal) B. *vi* 1. iszapban/sárban turkál, piszkos munkát végez 2. zavarossá válik, zavart lesz [vk italtól] 3. ügyetlenül viselkedik
    muddle along/on *vi* eldöcög/eltengődik vhogyan
    muddle through *vi* (valahogy) jól-rosszul átevickél
    muddle up *vt* összezavar, -kever

-zagyvál, elront, elfuserál; *get* ~*d up* összezavarodik

muddle-headed *a* zavaros fejű, tökkelütött

muddy ['mʌdɪ] I. *a* 1. sáros, iszapos 2. (*átv is*) zavaros II. A. *vt* 1. besároz 2. zavarossá tesz, felkavar B. *vi* zavarossá válik, eliszaposodik

mud-flat *n* iszapos lapály

mudguard *n* sárhányó, sárvédő

mud-hut *n* vályogkunyhó

mudlark *n* utcagyerek, srác

mud-pack *n* iszappakolás

mud-slinging *n biz* rágalmazás

muezzin [mu:'ezɪn; *US* mju:-] *n* müezzin

muff¹ [mʌf] *n* muff, karmantyú

muff² [mʌf] I. *n* melléfogás II. *vt* elhibáz, elvét, elügyetlenkedik, eltol

muffin ['mʌfɪn] *n* ⟨meleg vajas teasütemény⟩

muffle¹ ['mʌfl] *n* orr, száj [marháé]

muffle² ['mʌfl] *n* 1. egyujjas/ujjatlan kesztyű 2. tokos/porcelánégető kemence

muffle³ ['mʌfl] I. *n* burkolat, bevonat II. *vt* 1. bebugyolál, betakar 2. [dobot] bevon; [hangot] tompít

muffler ['mʌflə*] *n* 1. sál 2. hangtompító 3. egyujjas kesztyű; bokszkesztyű

mufti ['mʌftɪ] *n* 1. mohamedán jogtudós, mufti 2. polgári ruha [katonáé]; *in* ~ civilben

mug¹ [mʌg] *n* 1. bögre, korsó 2. □ arc, pofa 3. □ balek, pali; mafla alak

mug² [mʌg] I. *n* magoló II. *vt/vi* -gg- magol, bifláz; ~ *sg up* bemagol vmt

mug³ [mʌg] *vt* -gg- *biz* megtámad és kirabol

mugging ['mʌgɪŋ] *n biz* utcai rablótámadás

muggy ['mʌgɪ] *a* fülledt, nyomott

mugwort *n* fekete üröm

mugwump ['mʌgwʌmp] *n US biz* 1. nagyfejű, nagykutya 2. pártonkívüli (politikus)

Muhammadan [mə'hæmɪdən] *a/n* = *Mohammedan*

Muir [mjʊə*] *prop*

mulatto [mju:'lætoʊ; *US* mə'l-] *n* (*pl* ~es -z) mulatt

mulberry ['mʌlb(ə)rɪ; *US* -berɪ] *n* eperfa; [termése:] faeper; szeder(fa)

mulch [mʌltʃ] *n* talajtakarás [fagy ellen]

mulct [mʌlkt] I. *n* (pénz)bírság II. *vt* 1. megbírságol 2. megfoszt (*of* vmtől)

mule¹ [mju:l] *n* 1. öszvér 2. makacs/csökönyös/buta ember

mule² [mju:l] *n* szegedi/sarkatlan papucs, mamusz

mule-driver *n* öszvérhajcsár

muleteer [mju:lɪ'tɪə*] *n* öszvérhajcsár

mulish ['mju:lɪʃ] *a* csökönyös

mull¹ [mʌl] *n* mull(szövet), muszlin

mull² [mʌl] I. *n* zűrzavar, felfordulás, rendetlenség II. A. *vt* összezavar, -zagyvál B. *vi* töpreng, rágódik (*over* vmn)

mull³ [mʌl] *vt* forral (és fűszerez) [bort]; ~*ed wine* forralt bor

mull⁴ [mʌl] *n sk* hegyfok

mull⁵ [mʌl] I. *n* tubákszelence II. *vt* apróra tör

mullein ['mʌlɪn] *n* ökörfarkkóró

mulligatawny [mʌlɪgə'tɔ:nɪ] *n* ⟨curryval fűszerezett indiai rizsleves⟩

mulligrubs ['mʌlɪgrʌbz] *n pl biz* 1. rosszkedv 2. hascsikarás

mullion ['mʌlɪən] *n* ablakborda, ablakosztó, függőleges ablakosztás

multi- [(')mʌltɪ-] sok-, több

multi-coloured *a* sokszínű, tarka

multi-engined *a* többmotoros

multifarious [mʌltɪ'feərɪəs] *a* sokféle, változatos

multiform *a* sokalakú, különféle

multi-lateral *a* többoldalú, sokoldalú, multilaterális

multilingual *a* soknyelvű, több nyelvű

multimillionaire *n* többszörös milliomos

multiple ['mʌltɪpl] I. *a* sokszoros, sokrészű, összetett; ~(-)*choice* ⟨többféléből választást lehetővé tevő⟩; ~-*choice questions/test* feladatlap(os vizsga/teszt), teszt, tesztkérdések; ~ *meaning* több/sok jelentés; ~ *store/shop* fiók(üzlet) [üzlethálózaté]; ~ *voting* többszörös (aktív) választójog (gyakorlása) II. *n* (számtani) többszörös; *least/lowest common* ~ legkisebb közös többszörös

multipliable ['mʌltɪplaɪəbl] *a* szorozható, sokszorosítható
multiplicand [mʌltɪplɪ'kænd] *n* szorzandó
multiplication [mʌltɪplɪ'keɪʃn] *n* 1. szorzás; ~ *table* egyszeregy, szorzótábla 2. sokszorosítás
multiplicity [mʌltɪ'plɪsətɪ] *n* 1. sokféleség, sokszerűség 2. sokaság
multiplier ['mʌltɪplaɪə*] *n* 1. sokszorosító 2. szorzó 3. elektronsokszorozó
multiply ['mʌltɪplaɪ] **A.** *vt* 1. sokszorosít, (meg)sokszoroz, szaporít 2. szoroz, (meg)szoroz **B.** *vi* 1. sokasodik, (meg)sokszorozódik, szaporodik 2. terjed
multi-racial *a* sokfajú, soknemzetiségű
multistage *a* többlépcsős, -fokozatú [rakéta]
multi-storey *a* sokemeletes, többemeletes
multitude ['mʌltɪtju:d; *US* -tu:d] *n* 1. nagy mennyiség, sokaság 2. tömeg
multitudinous [mʌltɪ'tju:dɪnəs; *US* -'tu:-] *a* 1. nagyszámú, tömeges 2. sokféle
mum¹ [mʌm] **I.** *int* hallgass!, csitt!; ~'s *the word!* pszt!, egy szót se! **II.** *a* néma, hallgatag; *keep* ~ *about sg* mélyen hallgat vmről
mum² [mʌm] *n* mama
mumble ['mʌmbl] *vi/vt* 1. mormog, motyog, dörmög 2. majszol
mumbo-jumbo [mʌmboʊ'dʒʌmboʊ] *n* bálvány
mummer ['mʌmə*] *n* némajátékos
mummery ['mʌmərɪ] *n* 1. némajáték 2. nevetséges ceremónia, hókuszpókusz
mummification [mʌmɪfɪ'keɪʃn] *n* bebalzsamozás
mummify ['mʌmɪfaɪ] **A.** *vt* bebalzsamoz **B.** *vi* összeaszik, múmiává válik
mummy¹ ['mʌmɪ] *n* múmia
mummy² ['mʌmɪ] *n* anyu, mami
mumps [mʌmps] *n* *pl* 1. fültőmirigylob, mumpsz 2. rosszkedv
munch [mʌntʃ] *vt/vi* csámcsogva rág(csál)
mundane [mʌn'deɪn] *a* földi, evilági
Munich ['mju:nɪk] *prop* München
municipal [mju:'nɪsɪpl] *a* városi, községi, törvényhatósági

municipality [mju:nɪsɪ'pælətɪ] *n* törvényhatóság(i joggal felruházott város)
munificence [mju:'nɪfɪsns] *n* bőkezűség, adakozó kedv
munificent [mju:'nɪfɪsnt] *a* bőkezű, adakozó
muniments ['mju:nɪmənts] *n* *pl* okiratok, okmányok; okmánytár, irattár
munition [mju:'nɪʃn] **I.** *n* hadianyag, lőszer **II.** *vt* hadianyaggal ellát
mural ['mjʊər(ə)l] **I.** *a* fali **II.** *n* falfestmény, freskó
murder ['mɜ:də*] **I.** *n* gyilkosság, (előre kitervelt módon elkövetett) emberölés; *commit* ~ gyilkosságot követ el; ~ *will out!* az igazság előbb-utóbb kiderül!; *biz cry blue* ~ eszeveszetten kiabál ‖ →*fist-degree*, *second-degree* **II.** *vt* 1. meggyilkol 2. *biz* kerékbe tör [nyelvet], tönkretesz [zeneművet]
murderer ['mɜ:dərə*] *n* gyilkos
murderess ['mɜ:dərɪs] *n* gyilkosnő
murderous ['mɜ:d(ə)rəs] *a* gyilkos
Muriel ['mjʊərɪəl] *prop* ⟨angol női név⟩
murk [mɜ:k] *n* homály, sötétség
murkiness ['mɜ:kɪnɪs] *n* homályosság, sötétség
murky ['mɜ:kɪ] *a* homályos, sötét, borongós; sűrű [homály]
murmur ['mɜ:mə*] **I.** *n* 1. moraj(lás), mormogás, mormolás 2. morgás, zúgolódás **II. A.** *vi* 1. mormol, morajlik 2. morog, zúgolódik (*at*, *against* vm miatt) **B.** *vt* dörmögve mond, elmormol
murphy ['mɜ:fɪ] *n* ☐ krumpli
murrain ['mʌrɪn] *n* marhavész
Murray ['mʌrɪ] *prop*
Mus. B. [mʌz'bi:], **Mus. Bac.** [mʌz'bæk] *Bachelor of Music* a zenetudományok baccalaureusa
muscatel [mʌskə'tel] *n* muskotály(bor)
muscle ['mʌsl] **I.** *n* 1. izom; *man of* ~ erős/izmos ember 2. izomerő **II.** *vi* *biz* ~ *in* beférkőzik, befurakodik
muscle-bound *a* túlfejlett s merev izomzatú
muscle-man *n* (*pl* -men) izomember

muscular 553 mustard-plaster

muscular ['mʌskjʊlə*] a 1. izom; ~ system izomzat; ~ tissue izomszövet 2. izmos, erős

muscularity [mʌskjʊ'lærətɪ] n izmosság, fejlett izomzat

musculature ['mʌskjʊlətʃə*] n izomzat

muse¹ [mjuːz] n múzsa

muse² [mjuːz] vi (el)tűnődik, elmélkedik, (el)mereng, (el)méláz (on, upon vmn, vm felett)

museologist [mjuːzɪ'ɔlədʒɪst; US -'ɑ-] n muzeológus

museology [mjuːzɪ'ɔlədʒɪ; US -'ɑ-] n muzeológia

musette [mjuː'zet] n ~ bag (katonai) kenyérzsák

museum [mjuː'zɪəm] n múzeum; ~ piece muzeális tárgy/darab

mush [mʌʃ] n 1. pép 2. US kukoricakása, puliszka 3. biz beteges érzelgősség; giccs 4. sercegés [rádióban]

mush-ice n kásás jég

mushroom ['mʌʃrʊm; US -ruːm] I. n 1. [ehető] gomba 2. biz hirtelen/gyorsan feltörő személy, parvenü 3. biz gomba alakú tárgy [ernyő, női kalap stb.]; ~ cloud gomba alakú felhő [atombomba robbanásakor] II. vi 1. gombászik 2. gombaszerűen szétlapul 3. gomba módra szaporodik; gyorsan terjed/nő [tűz stb.]

mushy ['mʌʃɪ] a 1. pépszerű, puha 2. US érzelgős, szirupos; giccses

music ['mjuːzɪk] n 1. zene, muzsika; US ~ box zenélődoboz; ~ centre sztereóberendezés, (Hi-Fi) sztereó szett; ~ of the spheres szférák zenéje; put/set to ~ megzenésít 2. kotta 3. zeneművek

musical ['mjuːzɪkl] I. a 1. zenei, zenés; ~ box zenélődoboz; ~ chairs ⟨angol zenés társasjáték⟩ kb. „székfoglaló"; ~ comedy zenés játék, musical; ~ instrument hangszer 2. jól hangzó, dallamos 3. muzikális; zenekedvelő II. n zenés játék/film, musical

music-hall n 1. zenés kabaré, varieté 2. mulatóhely

musician [mjuː'zɪʃn] n 1. zenész 2. zeneértő, zenetudós

music-lover n zenebarát, zenerajongó

musicology [mjuːzɪ'kɔlədʒɪ; US -'kɑ-] n zenetudomány

music-paper n kottapapír

music-roll n darabhenger [villanyzongoráé]

music-seller n zeneműkereskedő

music-stand n kottatartó

music-stool n zongoraszék

musing ['mjuːzɪŋ] I. a álmodozó, mélázó II. n tűnődés, álmodozás

musk [mʌsk] n pézsma

musk-deer n pézsmaszarvas

musket ['mʌskɪt] n † muskéta

musketeer [mʌskɪ'tɪə*] n † muskétás

musketry ['mʌskɪtrɪ] n 1. † muskétások 2. puskatűz 3. lövészet; ~ instruction lőiskola, lőkiképzés

musk-melon n sárgadinnye, kantalup- (dinnye)

musk-ox n (pl -oxen) pézsmatulok

musk-rat n pézsmapatkány

musk-rose n pézsmarózsa

musky ['mʌskɪ] a pézsmaszagú, -illatú

Muslim ['mʊslɪm; US 'mʌzləm] n muzulmán, mohamedán

muslin ['mʌzlɪn] n muszlin

musquash ['mʌskwɔʃ] n = musk-rat

muss [mʌs] US biz I. n zűrzavar, felfordulás II. vt ~ (up) összezagyvál

mussel ['mʌsl] n kagyló; ~ bank kagylótelep

Mussulman ['mʌslmən] n = Muslim

must¹ [mʌst, gyenge ejtésű alakja: məst] I. v aux kell, muszáj; I ~ go mennem kell; you ~ not (v. mustn't) go nem szabad menned, nem mehetsz; it ~ have been good kellemes lehetett; he ~ have missed the train bizonyára lekésett a vonatról; there's a ring, it ~ be the doctor csöngettek: ez az orvos lesz II. n biz it is a ~ ez elkerülhetetlenül szükséges, ennek muszáj meglenni

must² [mʌst] n must

must³ [mʌst] n penészesség, dohosság

mustache →moustache

mustang ['mʌstæŋ] n ⟨amerikai félvad ló⟩, musztáng

mustard ['mʌstəd] n mustár

mustard-gas n mustárgáz

mustard-plaster n mustártapasz

mustard-seed *n* mustármag
muster ['mʌstə*] I. *n* 1. szemle, mustra; *pass* ~ kiállja a próbát, elfogadható 2. gyülekezet 3. ~ *(roll)* nyilvántartási jegyzék 4. minta II. A. *vt* 1. megszemlél, mustrál [csapatot]; ~ *out* kimustrál, kiszuperál 2. ~ *(up)* összeszed, összegyűjt, felvonultat [csapatokat, személyeket]; ~ *(up) one's courage* összeszedi a bátorságát B. *vi* gyülekezik
mustiness ['mʌstɪnɪs] *n* dohosság, penészesség
mustn't ['mʌsnt] = *must not* →*must¹*
musty ['mʌstɪ] *a* 1. dohos, penészes 2. elavult, idejétmúlt
mutability [mju:tə'bɪlətɪ] *n* változékonyság
mutable ['mju:təbl] *a* változékony, változó; ingatag, állhatatlan
mutation [mju:'teɪʃn] *n* 1. változás, eltérés; mutáció 2. umlaut
mute [mju:t] I. *a* néma II. *n* 1. néma ember/szereplő 2. hangfogó, szordínó 3. néma hangzó III. *vt* 1. elnémít 2. letompít; hangfogót tesz (vmre)
muted ['mju:tɪd] *a* 1. elnémított 2. (el)tompított
muteness ['mju:tnɪs] *n* némaság
mutilate ['mju:tɪleɪt; *US* -t(ə)l-] *vt* megcsonkít
mutilation [mju:tɪ'leɪʃn; *US* -tə-] *n* (meg)csonkítás; *voluntary* ~ öncsonkítás
mutineer [mju:tɪ'nɪə*; *US* -tə-] *n* lázadó, zendülő, bujtogató
mutinous ['mju:tɪnəs; *US* -t(ə)n-] *a* lázadó, zendülő, forrongó
mutiny ['mju:tɪnɪ; *US* -tə-] I. *n* lázadás, zendülés II. *vi* fellázad, zendül
mutt [mʌt] *n* □ hülye, tökfej, tökfilkó
mutter ['mʌtə*] A. *vi* 1. motyog, mor-(m)og 2. dörmög, morog (*at* vm miatt) 3. morajlik B. *vt* 1. halkan mormol [szavakat]; ~ *threats* fojtott hangon fenyegetőzik 2. titokban mond
muttering ['mʌt(ə)rɪŋ] I. *a* mormogó II. *n* 1. dörmögés, mor(mo)gás 2. mormolás, motyogás
mutton ['mʌtn] *n* ürühús, birkahús
mutton-chop *n* ürüszelet; ~ *whiskers* Ferenc József-szakáll, pofaszakáll

mutton-head *n biz* tökfej, hülye
mutton-stew *n* birkagulyás
mutual ['mju:tʃʊəl] *a* kölcsönös, viszonos; *our* ~ *friend* közös barátunk
mutuality [mju:tjʊ'ælətɪ; *US* -tʃʊ-] *n* kölcsönösség, viszonosság
muzzle ['mʌzl] I. *n* 1. orr, pofa [állaté] 2. szájkosár 3. száj, csőtorkolat, nyílás; ~ *fire* torkolattűz; ~ *velocity* kezdősebesség [lövedéké] II. *vt* 1. szájkosarat rak fel (-ra, -re) 2. elnémít, elhallgattat (vkt) 3. (vitorlát) bevon
muzzle-loading *a* elöltöltő [puska]
muzzy ['mʌzɪ] *a* 1. unalmas, egyhangú 2. zavaros, ostoba 3. kábult [italtól]
MW 1. *medium wave* középhullám, KH 2. *megawatt*(s)
my [maɪ] *pron* (az én) -m, -am, -em, -om, -öm; ~ *book* a(z én) könyvem; ~*!* a kutyafáját!, úristen!
myalgia [maɪ'ældʒɪə] *n* izomfájdalom
mycology [maɪ'kɔlədʒɪ; *US* -'kɑ-] *n* gombatan, mikológia
myelitis [maɪə'laɪtɪs] *n* gerincvelő-gyulladás
myocarditis [maɪəkɑ:'daɪtɪs] *n* szívizomgyulladás
myopia [maɪ'oʊpjə] *n* rövidlátás
myopic [maɪ'ɔpɪk; *US* -'ɑ-] *a* rövidlátó
myriad ['mɪrɪəd] *a*/*n* 1. számtalan, miriád 2. tízezer
myriapod ['mɪrɪəpɔd; *US* -ɑd] *a*/*n* százlábú
myrmidon ['mə:mɪdən; *US* -ɑn] *n* feltétlenül engedelmes szolga/eszköz, poroszló, fogdmeg
myrrh [mə:*] *n* mirha
myrtle ['mə:tl] *n* mirtusz
myself [maɪ'self] *pron* (én/saját) magam, (engem/saját) magamat; *I am not* ~ nem vagyok egészen magamnál; *by* ~ magam; *as for* ~ ami engem illet
mysterious [mɪ'stɪərɪəs] *a* rejtélyes, titokzatos, misztikus
mystery¹ ['mɪst(ə)rɪ] *n* 1. rejtély, rejtelem, titokzatos dolog, misztérium 2. hittitok 3. titokzatosság 4. titkolózás 5. ~ *(play)* misztériumjáték, -dráma

mystery² ['mɪst(ə)rɪ] *n* † 1. szakma 2. céh
mystic ['mɪstɪk] I. *a* titokzatos, misztikus II. *n* misztikus
mystical ['mɪstɪkl] *a* misztikus, titokzatos
mysticism ['mɪstɪsɪzm] *n* misztika, misztlcizmus
mystification [mɪstɪfɪ'keɪʃn] *n* ámítás, megtévesztés, félrevezetés

mistify ['mɪstɪfaɪ] *vt* 1. rejtelmessé tesz 2. zavarba ejt, megtéveszt
myth [mɪθ] *n* 1. mítosz, hitrege 2. képzelt/koholt dolog/személy
mythical ['mɪθɪkl] *a* képzelt, mitikus
mythological [mɪθə'lɔdʒɪkl; *US* -'lɑ-] *a* hitregei, mondabeli, mitológiai
mythology [mɪ'θɔlədʒɪ; *US* -'θɑ-] *n* mitológia

N

N, n [en] *n* N, n (betű) ‖→*nth*
N. *North(ern)* észak, É
N.A.A.F.I., NAAFI, Naafi ['næfɪ] *Navy, Army and Air Force Institutes* ⟨brit katonai kantin és szórakoztató szervezet⟩
nab [næb] *vt* **-bb-** □ elcsíp, fülön fog, elkap
nabob ['neɪbɔb; *US* -ab] *n* nábob
nacelle [næ'sel] *n* gondola [repülőgép--hajtóműé, léghajóé]
nacre ['neɪkə*] *a* gyöngyház
nacreous ['neɪkrɪəs] *a* gyöngyházszínű, -fényű
nadir ['neɪdɪə*] *n* nadír, mélypont (*átv is*)
naevus ['niːvəs] *n* (*pl* **naevi** 'niːvaɪ) anyajegy; lencse
nag¹ [næg] *n biz* 1. póni 2. gebe
nag² [næg] *vi/vt* **-gg-** zsémbeskedik; ~ (*at*) *sy* korhol/szekál/gyötör vkt, állandóan kifogásolni valót talál vkben
nagging ['nægɪŋ] *a* zsémbes, civódós
naiad ['naɪæd] *n* najád, hableány
nail [neɪl] I. *n* 1. szeg; *French* ~ drótszeg; *hit the* ~ *on the head* fején találja a szeget; *drive a* ~ *in sy's coffin* sírba visz vkt, megrövidíti vknek az életét 2. köröm; karom; *pay on the* ~ azonnal fizet (az utolsó fillérig) II. *vt* 1. (rá)szegez, odaerősít; ~ *a lie to the counter* vmnek hazug voltát kimutatja/leleplezi; ~ *down* (1) leszegez (2) vkt vmnek megtartására kényszerít; ~ *up* felszegez 2. □ elfog, elkap (vkt, vmt)
nail-brush *n* körömkefe
nail-claw *n* szeghúzó, harapófogó
nail-clippers *n pl* körömcsipesz

nail-drawer *n* = *nail-claw*
nail-file *n* körömreszelő, -ráspoly
nail-polish *n* körömlakk; ~ *remover* körömlakklemosó
nail-scissors *n pl* körömolló
nail-varnish *n* = *nail-polish*
nail-wrench *n* szeghúzó, harapófogó
nainsook ['neɪnsʊk] *n* nanszu, pamutvászon, ágyneművászon
Nairobi [naɪ'roʊbɪ] *prop*
naive [heɪv], **naïve** [nɑ:'iːv] *a* naiv, gyermeteg, mesterkéletlen
naivety [nɑ:'iːvtɪ] *n* naivitás, természetesség, ártatlanság
naked ['neɪkɪd] *a* meztelen, csupasz (*átv is*)*; with the* ~ *eye* puszta szemmel; ~ *light* nyílt láng; ~ *sword* kivont kard; ~ *truth* leplezetlen igazság, rideg valóság
nakedness ['neɪkɪdnɪs] *n* meztelenség, csupaszság
namby-pamby [næmbɪ'pæmbɪ] I. *a* érzelgős, szentimentális; finomkodó, negédes II. *n* érzelgős/szentimentális vers/írás/beszéd
name [neɪm] I. *n* 1. név; elnevezés; *full* ~ teljes név; *by* ~ név szerint, névről, ... nevű; *in* ~ névleg; *put down* (v. *enter*) *one's* ~ *for sg* feliratkozik vmre, beiratkozik vhová; *send in one's* ~ bejelent(et)i magát, benevez; *what* ~ *shall I say?* kit jelenthetek (be)?; *to one's* ~ ami az övé; *lend one's* ~ *to sg* nevét (oda)adja vmhez; *call sy* ~*s* sérteget (v. gorombaságokkal illet) vkt 2. hírnév; *have a* ~ *for sg* híres vmről; *make a* ~ *for oneself* hírnévre tesz szert 3. híres ember, (nagy) név II. *vt* 1. nevet ad (vknek,

vmnek), (el)nevez; ~ *after* (*US for*)
sy vkről elnevez 2. megnevez; megje-
löl 3. kitűz, megállapít, megjelöl
[időpontot, összeget stb.] 4. ajánl,
javasol, jelöl 5. kinevez (*sy for sg* vkt
vmre)
-named [neɪmd] nevezett; nevű
name-day *n* névnap
name-dropping *n* ⟨fontos emberek nevé-
nek emlegetése, mintha a beszélő
barátja lenne⟩, dobálódzás nevekkel
nameless ['neɪmlɪs] *a* 1. névtelen 2.
ismeretlen 3. leírhatatlan
namely ['neɪmlɪ] *adv* ugyanis, azaz, tud-
niillik; mégpedig, név szerint
name-part *n* címszerep
name-plate *n* névtábla
namesake ['neɪmseɪk] *n* névrokon
Namibia [nə'mɪbɪə] *prop* Namíbia
Nancy[1] ['nænsɪ] *prop* Annus
nancy[2] ['nænsɪ] *GB* □ 1. nőies férfi 2.
buzi
nankeen [næŋ'kiːn] *n* 1. nanking [szö-
vet] 2. **nankeens** *pl* nanking-nadrág
Nanny[1] ['nænɪ] *prop* Annus
nanny[2] ['nænɪ] *n* dada
nanny-goat *n* nőstény kecske
Nantucket [næn'tʌkɪt] *prop*
Naomi ['neɪəmɪ] *prop* Noémi
nap[1] [næp] I. *n* szundikálás II. *vi* **-pp-**
szundít, szundikál; *catch sy* ~*ping*
vkt rajtakap, alváson kap rajta vkt
nap[2] [næp] I. *n* csomó, bolyhosság [szö-
veten] II. *vt* **-pp-** bolyhosít, felkefél
napalm ['neɪpɑːm] *n* napalm
nape [neɪp] *n* tarkó, nyakszirt
naphtha ['næfθə] *n* szolvens nafta,
könnyűbenzin
naphthalene ['næfθəliːn] *n* naftalin
Napier ['neɪpɪə*] *prop*
napkin ['næpkɪn] *n* 1. szalvéta 2. pe-
lenka
Naples ['neɪplz] *prop* Nápoly
napped [næpt], **napping** ['næpɪŋ] → *nap*[1]
és *nap*[2] *II*.
nappy ['næpɪ] *n biz* 1. előke [kisgyer-
meké], partedli 2. pelenka
narcissus [nɑː'sɪsəs] *n* (*pl* **-si** -saɪ) nár-
cisz
narcosis [nɑː'koʊsɪs] *n* kábultság, narkó-
zis

narcotic [nɑː'kɔtɪk; *US* -'kɑ-] I. *a* bó-
dító, altató; ~ *drug* kábítószer II. *n*
1. kábítószer, altatószer 2. narkomá-
niás, kábítószer rabja, *biz* narkós
narcotize ['nɑːkətaɪz] *vt* narkotizál, bó-
dít, elkábít, elaltat
nard [nɑːd] *n* 1. nárdus 2. nárdusolaj
narghile ['nɑːgɪlɪ] *n* vízicsibuk, vízipipa
nark [nɑːk] *n GB* □ (rendőr)spicli
narrate [nə'reɪt] *vt* elbeszél, elmond
narration [nə'reɪʃn] *n* elbeszélés
narrative ['nærətɪv] I. *a* elbeszélő II. *n*
elbeszélés, beszámoló
narrator [nə'reɪtə*] *n* elbeszélő, mese-
mondó; narrátor
narrow ['næroʊ] I. *a* 1. szűk, keskeny;
grow ~ (össze)szűkül 2. szűk, korlá-
tozott; csekély; ~ *circumstances* szű-
kös anyagi körülmények; (*s*)*he had a*
~ *escape* egy hajszálon múlt, hogy
megmenekült; ~ *majority* csekély
többség 3. = *narrow-minded* 4. pon-
tos, alapos, figyelmes [vizsgálat] II.
narrows *n pl* (hegy)szoros, tengerszo-
ros III. A. *vt* 1. (be)szűkít, keskenyít
2. csökkent, korlátoz B. *vi* (össze)szű-
kül
narrow-gauge railway keskeny nyom-
távú/vágányú vasút
narrowly ['næroʊlɪ] *adv* 1. szűken, alig,
majdnem; *he* ~ *missed being run over*
hajszálon múlt, hogy el nem gázolták
2. szigorúan; behatóan, gondosan
narrow-minded *a* szűk látókörű, kicsi-
nyes, elfogult, korlátolt
narrowness ['næroʊnɪs] *n* 1. keskeny-
ség 2. korlátozottság; szűklátókörű-
ség
nary ['neərɪ] *adv US* □ soha, semmi
NASA ['næsə] *National Aeronautics and
Space Administration* Országos Re-
pülésügyi és Űrkutatási Hivatal (*USA*)
nasal ['neɪzl] I. *a* orral kapcsolatos, orr-;
~ *bone* orrcsont; ~ *sound* orrhang II.
n 1. orrhang 2. orrcsont 3. orrvédő
[sisakon]
nasality [neɪ'zælətɪ] *n* orrhangú kiejtés
nasalize ['neɪzəlaɪz] *vt* orrhangon ejt ki,
nazalizál
nascent ['næsnt] *a* születő, keletkező;
fejlődő

nastily ['nɑːstɪlɪ; US -æ-] adv 1. csúnyán 2. aljasul
nastiness ['nɑːstɪnɪs; US -æ-] n 1. piszkosság 2. undokság, kellemetlenség 3. komiszság, aljasság; trágárság
nasturtium [nə'stɜːʃ(ə)m] n 1. sarkantyúvirág 2. böjtfű
nasty ['nɑːstɪ; US -æ-] a 1. piszkos 2. kellemetlen, csúnya [időjárás]; undok [ember]; komisz (to vkvel szemben) 3. trágár 4. veszélyes [kanyar stb.]
Nat. 1. national 2. natural
natal ['neɪtl] a születési
Natalie ['nætəlɪ] prop Natália
natality [nə'tælətɪ] n születési arányszám
natation [nə'teɪʃn] n úszás
Nathaniel [nə'θænjəl] prop Nátán
nation ['neɪʃn] n nemzet
national ['næʃənl] I. nemzeti; ~ bank nemzeti bank; ~ economy nemzetgazdaság; népgazdaság; US N~ Guard nemzetőrség; N~ Health Service (NHS) ⟨a nagy-britanniai társadalombiztosítási szervezet⟩, kb. az angol „SZTK"; ~ income nemzeti jövedelem; ~ park nemzeti park; GB ~ service kötelező katonai szolgálat 2. országos; állami, állam-; ~ debt államadósság II. n állampolgár
nationalism ['næʃnəlɪzm] n nacionalizmus
nationalist ['næʃnəlɪst] n nacionalista
nationality [næʃ(ə)'nælətɪ] n 1. nemzetiség 2. állampolgárság
nationalization [næʃnəlaɪ'zeɪʃn; US -lɪ'z-] n 1. államosítás 2. honosítás
nationalize ['næʃnəlaɪz] vt 1. államosít 2. honosít
nationwide a országos
native ['neɪtɪv] I. a 1. születési, szülő-; hazai, honi; ~ land szülőföld, haza; ~ language anyanyelv; ~ place szülő-; hely; ~ speaker of English angol ajkú/anyanyelvű (egyén) 2. (ott) született, bennszülött; ~ to ... vhol honos/élő [állat, növény]; go ~ alkalmazkodik a helyi (kezdetleges) szokásokhoz [távolabbról jött magasabb civilizációjú ember] 3. egyszerű, természetes, eredeti; vele született 4.

termés- [arany stb.] II. n 1. bennszülött; őslakó; a ~ of England angol születésű (személy) 2. őshonos/hazai állat/növény
nativity [nə'tɪvətɪ] n 1. the N~ Krisztus születése; N~ Play karácsonyi misztérium(játék) 2. születés 3. csillagjóslás; cast sy's ~ vknek felállítja a horoszkópját
NATO ['neɪtoʊ] North Atlantic Treaty Organization Észak-atlanti Szerződés Szervezete
natrium ['neɪtrɪəm] n nátrium
natron ['neɪtrən] n (kristály)szóda
natter ['nætə*] vi GB biz szakadatlanul fecseg/locsog
natty ['nætɪ] a biz 1. csinos, elegáns, takaros 2. ügyes
natural ['nætʃr(ə)l] I. a 1. természeti, természet-; ~ forces természeti erők; ~ gas földgáz; ~ history természetrajz; ~ law természeti törvény; † ~ philosopher természettudós; † ~ philosophy természettudomány; ~ resources természeti kincsek; ~ science természettudomány 2. természetes; ~ child házasságon kívül született (v. természetes) gyermek 3. vele született, természetes, magával hozott; a ~ poet született költő; it comes ~ to him természetes (v. magától értetődő) számára 4. természetes [skála]; előjegyzés nélküli [hangjegy]; B ~ h II. n 1. félkegyelmű, hülye 2. előjegyzés nélküli (v. feloldott) hang(jegy) 3. feloldójel [zenében]
naturalism ['nætʃrəlɪzm] n 1. ösztönös cselekvés, természetesség 2. naturalizmus
naturalist ['nætʃrəlɪst] n 1. természettudós, természetbúvár 2. naturalista
naturalistic [nætʃrə'lɪstɪk] a természethű; naturalista; naturalisztikus
naturalization [nætʃrəlaɪ'zeɪʃn; US -lɪ'z-] n honosítás, állampolgárság megszerzése
naturalize ['nætʃrəlaɪz] A. vt 1. honosít (vkt), állampolgárságot ad (vknek) 2. meghonosít; be ~d meghonosodik, polgárjogot nyer
naturally ['nætʃrəlɪ] adv 1. természeté-

nél/természettől fogva 2. természetesen
nature ['neɪtʃə*] n 1. természet; ~
reserve természetvédelmi terület; ~
study természetrajz; debt of ~ halál; in
a state of ~ meztelenül; draw from ~
természet után rajzol 2. átv természet; sajátosság; by ~ természeténél
fogva; good ~ jóindulat, előzékenység;
it is in the ~ of things that a dolgok
természetéből következik, hogy; it is
against ~ természetellenes 3. jelleg,
minőség, fajta; in the ~ of vmlyen
-szerű/-fajta; of this ~ ilyenfajta
-natured [-'neɪtʃəd] természetű, fajta,
indulatú; good-~ jóindulatú
naturism ['neɪtʃərɪzm] n nudizmus
naught [nɔ:t] n 1. semmi; bring to ~
meghiúsít; come to ~ nem sikerül; set
at ~ semmibe (sem) vesz, lekicsinyel
2. nulla, zéró
naughty ['nɔ:tɪ] a pajkos, csintalan,
rossz; merész, illetlen
nausea ['nɔ:sjə; US -ʃə] n émelygés,
hányinger
nauseate ['nɔ:sɪeɪt] A. vt 1. émelyít 2.
undorodik (vmtől) B. vi 1. hányingere van, émelyeg 2. undorodik (at
vmtől)
nauseating ['nɔ:sɪeɪtɪŋ] a = nauseous
nauseous ['nɔ:sjəs; US -ʃəs] a émelyítő,
undorító
nautch-girl ['nɔ:tʃ-] n indiai táncosnő,
bajadér
nautical ['nɔ:tɪkl] a tengeri; tengerészeti,
(tenger)hajózási
nautilus ['nɔ:tɪləs] n (pl -li -laɪ v. ~es -ɪz)
kagylós fejlábú állat
naval ['neɪvl] a (hadi)tengerészeti, flotta-; ~ academy (hadi)tengerészeti
(tisztképző) akadémia; ~ base flottabázis, -támaszpont; ~ battle tengeri
ütközet; ~ officer tengerésztiszt; ~
port hadikikötő
nave¹ [neɪv] n (templom)hajó, főhajó,
hosszhajó
nave² [neɪv] n kerékagy
navel ['neɪvl] n köldök
navel-string n köldökzsinór
navigability [nævɪgə'bɪlətɪ] n hajózhatóság

navigable ['nævɪgəbl] a 1. hajózható 2.
kormányozható [léggömb stb.]
navigate ['nævɪgeɪt] A. vi hajózik B. vt
1. behajóz, (hajón) bejár [tengert] 2.
kormányoz, navigál [hajót, repgépet]
navigation [nævɪ'geɪʃn] n 1. hajózás 2.
kormányzás, navigálás, navigáció
navigator ['nævɪgeɪtə*] n 1. tengerész,
hajós 2. navigátor, navigációs tiszt
navvy ['nævɪ] n GB 1. kubikos, földmunkás, napszámos 2. kotrógép, exkavátor
navy ['neɪvɪ] n 1. hajóhad, hajóraj,
flotta 2. haditengerészet; ~ blue sötétkék, matrózkék; ~ yard haditengerészeti dokk és anyagraktár
nay [neɪ] adv 1. nem 2. sőt
Nazarene [næzə'ri:n] a/n nazarénus
Nazareth ['næzərəθ] prop Názáret
Nazi ['nɑ:tsɪ] a/n náci
Nazism ['nɑ:tsɪzm] n nácizmus
N.B., NB [en'bi:] 1. New Brunswick 2.
(n.b., nb is) nota bene (= note well,
take notice) megjegyzendő, N.B.
n.b.g. [enbi:'dʒi:] (vulg) no bloody good
nem ér kutyát se, szart sem ér, vacak
N.C. [en'si:] North Carolina
NCB [ensi:'bi:] National Coal Board
⟨brit állami szénügyi központ⟩
NCO [ensi:'oʊ] non-commissioned officer
n.d. no date év nélkül, é. n.
N.Dak. North Dakota
N.E., NE [en'i:] 1. New England 2.
north-east északkelet, ÉK
neap [ni:p] I. n ~ (tide) legkisebb dagály, vakár II. vt be ~ed apály miatt
zátonyon
Neapolitan [nɪə'pɒlɪt(ə)n; US -pɑ-] a/n
nápolyi; ~ ice-cream ⟨színes rétegekben készített fagylalt⟩
near [nɪə*] I. a 1. közeli, közel fekvő
[térben, időben]; the N~ East a Közel-Kelet 2. közeli [rokonság], meghitt, szoros, intim [barátság] 3. bal
oldali [járda stb.]; the ~ horse bal
oldali ló, nyerges; ~ side járda felőli
oldal →nearside 4. hajszálon múló;
have a ~ escape; it was a ~ thing éppen/alig hogy megmenekült/megúszta;
it was a ~ miss (ez) majdnem talált 5.
~ translation pontos/hű fordítás 6. †

fukar 7. közelről érintő II. *adv/prep*
közel; ~ *by* közel, közvetlen közelében →*nearby; come* ~ *to doing sg*
majdnem megtesz vmt; ~ *and far* közel(ben) és távol(ban), mindenütt; *as* ~ *as* amilyen közel csak ..., amennyire ...; ~ *at hand* (közvetlen) közelben; ~ *the station* közel az állomáshoz, az állomás közelében; ~ *(up)on ten* majdnem tíz III. *vt/vi* ~ *(to)* (meg)közelít, közeledik (vkhez/vmhez)
nearby *a* közeli, szomszédos
nearly ['nɪəlɪ] *adv* 1. majdnem, csaknem; közel; *not* ~ egyáltalán nem, távolról sem 2. közel(ről); *be* ~ *related* közeli rokonságban van(nak)
nearness ['nɪənɪs] *n* 1. közelség, szomszédosság 2. rokoni/baráti közelség 3. fösvénység
nearside *a* járda felőli, *GB* bal oldali; ~ *lane* külső sáv [autópályán]
near-sighted *a* rövidlátó
neat[1] [ni:t] *n* † szarvasmarha
neat[2] [ni:t] *a* 1. takaros, csinos, rendes, elegáns 2. ügyes 3. világos, tömör [stílus]; talpraesett [válasz] 4. tiszta, nem kevert [ital]
'neath [ni:θ] *prep* = *beneath*
Nebr. *Nebraska*
Nebraska [nɪ'bræskə] *prop*
nebula ['nebjʋlə; *US* -bjə-] *n* (*pl* ~e -li:) ködfolt, ködfátyol, csillagköd
nebular ['nebjʋlə*; *US* -bjə-] *a* ködfoltos
nebulosity [nebjʋ'lɔsətɪ; *US* nebjə'la-] *n* 1. ködfolt(osság) 2. homályosság, ködösség
nebulous ['nebjʋləs; *US* -bjə-] *a* 1. ködfoltszerű 2. ködös, homályos
necessarily ['nesəs(ə)rəlɪ; *US* -serə-] *adv* szükségszerűen, szükségképpen
necessary ['nesəs(ə)rɪ; *US* -serɪ] I. *a* 1. szükséges, nélkülözhetetlen (*for* vknek, vk számára, *to* vmhez) 2. szükségszerű, szükségképpeni II. *n* 1. szükséges dolog 2. *rendsz pl* életszükséglet(ek), szükségleti cikkek
necessitate [nɪ'sesɪteɪt] *vt* 1. szükségessé tesz, (meg)kíván, (meg)követel 2. kényszerít
necessitous [nɪ'sesɪtəs] *a* szűkölködő
necessity [nɪ'sesətɪ] *n* 1. kényszer(űség),

szükség(szerűség), szükségesség; *be under the* ~ *(of doing sg)* kénytelen vmre; *by/of* ~ szükségszerűen, természetszerűleg 2. szükséges/elkerülhetetlen dolog, kellék; szükséglet; *the necessities of life* életszükségletek 3. szükség, nyomor
neck [nek] I. *n* 1. nyak; ~ *and* ~ fej fej mellett; ~ *and crop* mindenestül, szőröstül-bőröstül; ~ *or nothing* (1) vagy ... vagy ... (2) dupla vagy semmi; *break one's* ~ nyakát szegi/töri; *break the* ~ *of sg* túljut a nehezén; *biz breathe down sy's* ~ vknek fenyegetően a nyomában van; □ *get it in the* ~ kihúzza a lutrit, megkapja a magáét; *save one's* ~ megmenti a bőrét; *biz stick one's* ~ *out* veszélyes dolgot kockáztat 2. gallér, ingnyak, (ruha-)nyak; *low* ~ mély kivágás 3. nyak (alakú rész), (üveg)nyak; (tenger)szoros; ~ *of land* földnyelv II. *vi* □ csókolódzik, smárol
neck-band *n* 1. gallér 2. nyakbőség
neckcloth *n* nyakkendő
-necked [-nekt] nyakú
neckerchief ['nekətʃɪf] *n* † sál
necking ['nekɪŋ] *n* 1. oszlopnyak 2. □ csókolódzás, smárolás
necklace ['neklɪs] *n* nyaklánc, nyakék
necklet ['neklɪt]*n* 1.nyaklánc 2. (prém-) gallér, boa
neckline *n* (nyak)kivágás
necktie *n* nyakkendő; *fur* ~ szőrmegallér, boa
neckwear *n* nyakravaló [gallér, kendő, sál]
necromancer ['nekrəmænsə*]·*n* 1. szellemidéző 2. bűvész, varázsló
necromancy ['nekrəmænsɪ] *n* 1. szellemidézés 2. bűvészet, varázslás
necropolis [ne'krɔpəlɪs; *US* -ap-] *n* temető
necrosis [ne'krousɪs] *n* (szövet)elhalás
nectar ['nektə*]*n* 1.nektár 2. virágméz
nectarine ['nekt(ə)rɪn] *n* sima héjú őszibarack
N.E.D. [eni:'di:] *New English Dictionary* = *O.E.D.*
née [neɪ] *a* született, sz. [asszony lánynevének megadásakor]

need [ni:d] I. *n* 1. szükség; *if ~ be* szükség esetén, ha a szükség úgy hozza magával; *there is no ~ for (sg)* (v. *to do sg*) nincs szükség (vmre v. vm megtételére), nem kell (vm v. vmt megtenni); *stand in ~ of sg* szüksége van vmre, vmre rászorul 2. **needs** *pl* szükséglet(ek), igények 3. baj, nehéz/súlyos helyzet; *in times of ~* nehéz időkben 4. szűkölködés, szükség, szegénység, ínség; *be in ~* szűkölködik II. *vt* (*pt/pp* ~**ed** 'ni:dɪd, egyes szám 3. szem. ~**s** ni:dz) 1. szüksége van (vkre/vmre); megkíván, megkövetel, igényel; *you ~ a haircut* meg kéne nyiratkoznod 2. szükséges, kell; *he didn't ~ to be told twice* nem kellett neki kétszer mondani; *you only ~ed to ask* csak kérned kellett (volna) III. *v aux* (egyes szám 3. szem. ~ ni:d) kell; ~ *he go?* el kell-e mennie?; *you ~ not* (*needn't* ['ni:dnt]) *wait long* nem kell sokáig várnod || →*needs*

needful ['ni:df(ə)l] *a* szükséges; □ *the ~* pénz, „dohány"

needle ['ni:dl] I. *n* 1. (varró)tű; horgolótű, kötőtű; *look for a ~ in a haystack* szénaboglyában akar egy tűt megtalálni 2. (irány)tű, mutató 3. tű [gramofon-, injekciós stb.] 4. fenyőtű 5. tű alakú szikla 6. obeliszk 7. □ *the ~* idegesség II. *vt* 1. varr (vmt), tűvel dolgozik (vmn), átszúr 2. keresztülfurakodik, átfurakodik [tömegen]

needle-case *n* tűtok
needlecord *n* mikrokord
needle-lace *n* varrott csipke
needle-point *n* tűhegy
needless ['ni:dlɪs] *a* szükségtelen, fölösleges
needlewoman *n* (*pl* -**women**) varrónő
needlework *n* varrás, hímzés, kézimunka
needn't ['ni:dnt] →*need III.*
needs [ni:dz] *adv* szükségképpen; *I must ~ obey* kénytelen vagyok engedelmeskedni; *if ~ must* ha muszáj || →*need*
needy ['ni:dɪ] *a* szűkölködő, szegény
ne'er [neə*] *adv* (= *never*) soha
ne'er-do-well ['neədu:wel] *a/n* semmirekellő, mihaszna, léhűtő
nefarious [nɪ'feərɪəs] *a* gyalázatos

negation [nɪ'geɪʃn] *n* tagadás
negative ['negətɪv] I. *a* 1. tagadó, nemleges, elutasító, negatív 2. ellentett (előjelű), negatív; ~ *sign* mínuszjel II. *n* 1. tagadószó, tagadás; *answer in the ~, return a ~* tagadó választ ad 2. negatív tulajdonság, negatívum 3. negatív [kép, film] 4. negatív mennyiség III. *vt* 1. tagad 2. megcáfol, bebizonyítja az ellenkezőjét 3. elutasít, leszavaz 4. semlegesít
neglect [nɪ'glekt] I. *n* 1. elhanyagolás 2. hanyagság, gondatlanság 3. elhanyagoltság, elhagyatottság II. *vt* 1. elhanyagol, elmulaszt 2. mellőz 3. lenéz (vkt)
neglected [nɪ'glektɪd] *a* elhanyagolt, elhagyatott
neglectful [nɪ'glektfʊl] *a* hanyag, közömbös, gondatlan, nemtörődöm
negligence ['neglɪdʒ(ə)ns] *n* 1. gondatlanság, hanyagság 2. nemtörődömség, közömbösség, lenézés
negligent ['neglɪdʒ(ə)nt] *a* hanyag, gondatlan, nemtörődöm, felületes; *be ~ of one's duties* nem törődik kötelességeivel; *be ~ in one's work* hanyagul végzi munkáját
negligible ['neglɪdʒəbl] *a* elhanyagolható, jelentéktelen
negotiable [nɪ'gouʃjəbl; *US* -ʃə-] *a* 1. átruházható, forgatható, tőzsdeképes [csekk, váltó] 2. forgalomba hozható, forgalomképes [áru] 3. járható [terep], legyőzhető [akadály]
negotiate [nɪ'gouʃɪeɪt] A. *vi* tárgyal, tárgyalás(oka)t folytat (*with* vkvel) B. *vt* 1. tárgyalással elér/keresztülvisz, megtárgyal 2. forgalomba hoz, elad, leszámítol 3. átjut (vmn), legyőz [nehézséget]; vesz [kanyart]
negotiation [nɪgouʃɪ'eɪʃn] *n* 1. tárgyalás 2. forgalomba hozás 3. [nehézségek stb.] ügyes legyőzése
negotiator [nɪ'gouʃɪeɪtə*] *n* tárgyaló fél, közvetítő
Negress ['ni:grɪs] *n* néger nő
Negro ['ni:grou] *n* (*pl* ~**es** -z) néger
Negroid ['ni:grɔɪd] *a* negroid, négerszerű
Nehru ['neəru:] *prop*

neigh [neɪ] I. *n* nyerítés II. *vi* nyerít
neighbour, *US* -bor- ['neɪbə*] I. *n* 1.
szomszéd 2. felebarát II. A. *vi* határos, szomszédos *(upon* vmvel) B. *vt*
szomszédja (vknek)
neighbourhood, *US* -bor- ['neɪbəhʊd] *n*
1. szomszédság, környék; *in the ~ of*
10 pounds körülbelül/mintegy 10 font
2. a szomszédok
neighbouring, *US* -bor- ['neɪb(ə)rɪŋ] *a*
szomszédos, közeli
neighbourly, *US* -bor- ['neɪbəlɪ] *a* barátságos, lekötelező, szíves, udvarias; jószomszédi [viszony]
Neil [ni:l] *prop* ⟨angol férfinév⟩
neither ['naɪðə*; *US* 'ni:-] I. *a/pron*
egyik sem (a kettő közül); *~ of them*
knows egyikük sem tudja II. *adv/conj*
sem, se; *~ shall I, ~ do I* én sem;
~ . . . nor sem . . . sem
Nellie, Nelly ['nelɪ] *prop* Nelli
Nelson ['nelsn] *prop*
nem. con. [nem'kɔn; *US* -an] *adv* (= nemine contradicente) egyhangúlag
neo-classicism [ni:oʊ'klæsɪsɪzm] *n* újklasszicizmus
neo-colonialism [nɪoʊkə'loʊnɪəlɪzm] *n*
neokolonializmus
neo-Greek [ni:oʊ'gri:k] *a/n* újgörög
neo-Latin [ni:oʊ'lætɪn] *a/n* újlatin
neolith ['ni:əlɪθ] *n* neolit
neolithic [ni:ə'lɪθɪk] *a* neolit (korból
származó)
neologism [ni:'ɔlədʒɪzm; *US* -'ɑ-] *n*
nyelvi újítás, új keletű szó, neologizmus
neon ['ni:ən] *n* neon; *~ lights* neonfények; *~ sign* neon fényreklám; *~ tube*
neoncső
neophyte ['ni:əfaɪt] *n* új megtért, neofita
Nepal [nɪ'pɔ:l] *prop* Nepál
Nepalese [nepɔ:'li:z] *a/n* nepáli
nepenthe [ne'penθɪ] *n* búfelejtő ital
nephew ['nevju:; *US* -fj-] *n* unokaöcs
nephritis [ne'fraɪtɪs] *n* vesegyulladás
nephrolith ['nefrəlɪθ] *n* vesekő
nephrotomy [ne'frɔtəmɪ; *US* -at-] *n*
vesekő-eltávolítás
nepotism ['nepətɪzm] *n* atyafiságpártolás, nepotizmus
Neptune ['neptju:n; *US* -tu:n] *prop*
Neptunus

nereid ['nɪərɪɪd] *n* sellő, hableány
Nero ['nɪəroʊ] *prop* Néró
nervate ['nə:veɪt] *a* erezett
nervation [nə:'veɪʃn] *n* erezet
nerve [nə:v] I. *n* 1. ideg; *have ~s of iron*
vasidegzete van; *she is all ~s* csupa
ideg; *get on sy's ~s* idegeire megy
vknek; *war of ~s* idegháború 2.
nerves *pl* idegesség; *fit of ~s* idegroham 3. erő, magabiztosság, bátorság;
vakmerőség; *man of ~* erős bátor
ember; *lose one's ~* elveszti hidegvérét;
have the ~ to (1) van mersze (ahhoz,
hogy) (2) van képe/pofája, hogy . . . 4.
† ín; *strain every ~ to* minden erejét/idegszálát megfeszíti (hogy) 5. erezet [levélé] II. *vt* erősít, bátorít; *~*
oneself to összeszedi magát (hogy)
nerve-cell *n* idegsejt
nerveless ['nə:vlɪs] *a* 1. erélytelen, erőtlen, gyenge 2. ideg nélküli
nerve-patient *n* idegbeteg
nerve-racking *a* idegtépő, idegesítő
nervous ['nə:vəs] *a* 1. ideg-; *~ breakdown* idegösszeroppanás; *~ system*
idegrendszer 2. ideges *(about* vm miatt); *feel ~* ideges, izgatott; *be ~ of*
doing sg kissé fél vmt tenni 3. erős,
izmos
nervousness ['nə:vəsnɪs] *n* idegesség
nervy ['nə:vɪ] *a* 1. ideges, izgulékony 2.
biz arcátlan, pimasz, vakmerő 3. *biz*
idegkimerítő
ness [nes] *n* hegyfok
nest [nest] I. *n* 1. fészek 2. tanya [állatoké] 3. *átv* fészek, tanya, rejtekhely, búvóhely; meghitt/meleg otthon
4. az egész társaság/banda/sereg 5. *~*
of drawers sokfiókos szekrény; *~ of*
tables egybetolható teaasztalkák II. *vi*
1. fészkel, fészket rak 2. letelepedik
3. madárfészket kiszed
nest-box *n* tojóláda [tyúknak]
nest-egg *n* 1. palozsna 2. eldugott/félretett pénzecske
nestful ['nestfʊl] *n* fészekalja
nesting ['nestɪŋ] I. *a* fészkenülő II. *n* 1.
fészkelés 2. kotlás
nestle ['nesl] *vi/vt* 1. fészkel, fészket rak
2. befészkeli magát, kényelmesen letelepedik/pihen/fekszik; *~ (up) to* hoz-

zásimul, -bújik, odasimul, -bújik **3.**
gyöngéden ápol; (el)ringat
Nestlé ['nesl] *prop*
nestling ['neslɪŋ] *n* **1.** madárfióka **2.** kisgyermek
net[1] [net] **I.** *n* **1.** háló; *marketing* ~ bevásárlószatyor **2.** kelepce, csapda, háló; *fall into the* ~ kelepcébe esik **3.** rece **4.** muszlin, tüll **5.** hálózat **II.** *vt/vi* -tt- **1.** hálóval fog [halat], halászik (hálóval) **2.** hálóval borít/befed; behálóz **3.** hálót köt
net[2] [net] **I.** *a* nettó, tiszta [súly, ár stb.]; ~ *weight* tiszta/nettó súly **II.** *vt* -tt- **1.** tiszta hasznot húz, tisztán keres/bevesz **2.** tiszta hasznot hajt/jövedelmez
net-bag *n* szatyor
net-ball *n* **1.** ⟨egy kosárlabdaszerű játék⟩ **2.** necclabda [teniszben]
nether ['neðə*] *a* alsó; ~ *garments* nadrág; ~ *world/regions* alvilág, pokol
Netherlander ['neðələndə*] *n* németalföldi ember, holland(us)
Netherlands, The [ðə'neðələndz] *prop* Hollandia
nethermost ['neðəmoʊst] *a* legalsó
nett [net] *a/vt* = *net*[2]
netting ['netɪŋ] *n* **1.** háló(zat) **2.** hálókészítés **3.** halászás hálóval
nettle ['netl] **I.** *n* csalán; *grasp the* ~ bátran nekivág veszélyes/kellemetlen vállalkozásnak **II.** *vt* **1.** (csalánnal) üt, szúr, éget **2.** *biz* bosszant, ingerel, mérgesít ‖→*dead*
nettle-rash *n* csalánkiütés
network *n* hálózat (*átv is*)
neu ... az e betűcsoporttal kezdődő szavak *GB* ejtése rendsz. [njʊə...], *US* kiejtése azonban többnyire [nʊ...]
neural ['njʊər(ə)l; *US* 'nʊ-] *a* ideg-
neuralgia [njʊə'rældʒə; *US* nʊ-] *n* idegfájdalom, idegzsába, neuralgia
neuralgic [njʊə'rældʒɪk; *US* nʊ-] *a* idegzsábás, neuralgiás
neurasthenia [njʊərəs'θiːnjə; *US* nʊ-] *n* neuraszténia, (alkati) ideggyengeség
neurasthenic [njʊərəs'θenɪk; *US* nʊ-] *a* neuraszténiás, ideggyenge, gyenge idegzetű

neuritis [njʊə'raɪtɪs; *US* nʊ-] *n* ideggyulladás
neurological [njʊərə'lɔdʒɪkl; *US* nʊrə'lɑ-] *a* ideggyógyászati, neurológiai
neurologist [njʊə'rɔlədʒɪst; *US* nʊ'rɑ-] *n* ideggyógyász, -orvos, neurológus
neurology [njʊə'rɔlədʒɪ; *US* nʊ'rɑ-] *n* ideggyógyászat, neurológia
neuropath ['njʊərəpæθ; *US* 'nʊ-] *n* idegbeteg (ember), neuropata
neurosis [njʊə'roʊsɪs; *US* nʊ-] *n* (*pl* -ses* -siːz) idegbetegség, neurózis
neurosurgery ['njʊərə-; *US* 'nʊ-] *n* idegsebészet
neurotic [njʊə'rɔtɪk; *US* nʊ'rɑ-] **I.** *a* idegbajos, gyenge idegzetű, neurotikus **II.** *n* idegbajos/idegbeteg/neurotikus személy
neuter ['njuːtə*; *US* 'nuː-] **I.** *a* semleges (nemű) **2.** nem nélküli; herélt **II.** *n* **1.** semleges nem **2.** herélt (állat)
neutral ['njuːtr(ə)l; *US* 'nuː-] **I.** *a* **1.** semleges; pártatlan; közömbös; ~ *gear* üresjárat [sebváltóé]; *be in* ~ (*gear*) üresben van **2.** homályos, meghatározatlan **3.** nem nélküli **II.** *n* semleges ország
neutrality [nju:'trælətɪ; *US* nu:-] *n* semlegesség; pártatlanság; közömbösség
neutralization [nju:trəlaɪ'zeɪʃn; *US* nu:trəlɪ'z-] *n* semlegesítés, közömbösítés
neutralize ['nju:trəlaɪz; *US* nu:-] *vt* semlegesít, közömbösít, hatástalanít
neutron ['nju:trɔn; *US* 'nu:-] *n* neutron
Nev. *Nevada*
Nevada [ne'vɑ:də; *US* nə'væ-] *prop*
never ['nevə*] *adv* soha(sem); ~ *yet* még soha; *biz tomorrow come* ~ borjúnyúzó kiskedden, majd ha fagy; *better late than* ~ jobb későn mint soha; *the N*~ *N*~ *land* álomország; *GB biz on the* ~ ~ részletletagadásra; *be it* ~ *so good* bármily jó legyen is; *well, I* ~ *!* no de ilyet !
never-ending *a* véget nem érő, végeérhetetlen, szűntelen
never-failing *a* mindig bevált
nevermore *adv* soha többé
nevertheless [nevəðə'les] *adv* mindamellett, mindazonáltal, azonban

Neville ['nevɪl] *prop*
new [nju:; *US* többnyire: nu:] *a* új;
friss; újszerű; mai, modern; ~ *bread*
friss kenyér; ~ *moon* újhold; *the N~*
World az Újvilág [Amerika]; *N~*
Year's Eve szilveszter(est); *see the N~*
Year in szilveszterezik; *it is ~ to me*
még nem ismerem, szokatlan szá-
momra; ~ *from school* most végzett
Newark ['nju:ək; *US* 'nu:- v.
'nju:-] *prop*
new-blown *a* frissen kinyílott [virág]
new-born *a* újszülött
Newcastle ['nju:kɑ:sl] *prop*
newcomer *n* újonnan érkezett ember,
újonc, jövevény, idegen
new-drawn *a* frissen csapolt/lefejtett
newel ['nju:əl; *US* 'nu:- v. 'nju:-] *n*
lépcsőorsó, korlátpillér, orsópillér
new-fallen *a* frissen hullott [hó]
new-fangled [-fæŋgld] *a* újmódi, újke-
letű, újdivatú, hipermodern
new-fledged *a* ~ *doctor* kezdő orvos
Newfoundland ['nju:fəndlənd; *US* 'nu:-
v. 'nju:-] I. *prop* Új-Fundland II. *n*
újfundlandi (kutya)
Newgate ['nju:gɪt] *prop*
New Haven [nju:'heɪvn; *US* nu:- v.
nju:-] *prop*
newish ['nju:ɪʃ; *US* többnyire: 'nu:-] *a*
meglehetősen új
new-laid *a* friss(en tojt) [tojás]
newly ['nju:lɪ; *US* többnyire: 'nu:-] *adv*
1. újonnan 2. nemrég, minap 3. újra,
újból
newly-weds [-wedz] *n pl* fiatal házasok,
az ifjú pár
new-made *a* újonnan készült, újdonsült,
friss
newness ['nju:nɪs; *US* többnyire: 'nu:-]
n 1. új(don)ság, vmnek új volta 2.
gyakorlatlanság, tapasztalatlanság, é-
retlenség
New Orleans [nju:'ɔ:lɪənz; *US* nu:- v.
nju:-] *prop*
news [nju:z; *US* többnyire: nu:z] *n* 1.
hír, újság, tudósítás; közlemény; *a*
piece of ~ (egy) hír; ~ *analyst* hírma-
gyarázó; ~ *blackout* hírzárlat; ~
flash gyorshír; ~ *headlines/summary*
hírösszefoglaló; ~ *items* (vegyes) hí-

rek; *a sad piece of* ~ rossz hír; *be in*
the ~ sokat emlegetik (a lapok); ~
in brief rövid hírek; *no* ~ *is good* ~
már az is jó hír, ha nincs semmi hír;
that's ~ *to me* ez újság számomra;
what's the ~? mi újság? 2. hírek
[rádióban]; (tévé)híradó; *here is the* ~
híreket mondunk; ~ *cinema/theatre*
híradó mozi
news-agency *n* hírügynökség
news-agent *n* újságárus
news-boy *n* újságárus, rikkancs
newscast I. *n* 1. hírközlés, híradás [rá-
dió, tévé] 2. hírek II. *vt* híreket közöl
newscaster *n* hírközlő; hírmagyarázó
newsdealer *n US* újságárus
newshawk *n US biz* riporter
newsletter *n* ⟨magánjellegű rendszeres
hírközlés és hírmagyarázat folyóirat-
alakban⟩
newsman ['nju:zmən; *US* többnyire:
'nu:-] *n (pl* -men -mən) 1. újságárus
2. újságíró
newsmonger *n* hírharang, pletykafészek
New South Wales [nju:sauθ'weɪlz] *prop*
Új-Dél-Wales [Ausztrália]
newspaper *n* újság, hírlap; napilap; ~
man (1) újságárus (2) újságíró
newsprint *n* újságnyomó papír
newsreel *n* filmhíradó
news-room *n* 1. folyóirat-olvasó [te-
rem] 2. hírközvetítő/hírbeolvasó stú-
dió [rádió, tévé]
news-sheet *n* újság, hírlap
news-stand *n* újságárusbódé, újságosbódé
newsvendor *n* újságárus
newsworthy *a* újságban való közlésre al-
kalmas (hír)
newt [nju:t; *US* többnyire: nu:t] *n* tara-
jos gőte
Newton ['nju:tn; *US* 'nu:- v. 'nju:-]
prop
New York [nju:'jɔ:k; *US* nu:- v. nju:-]
prop
New Zealand [nju:'zi:lənd; *US* nu:- v.
nju:-] *prop* Új-Zéland
New Zealander [-'zi:ləndə*] *n* új-zélandi
next [nekst] I. *a* 1. legközelebbi; szom-
széd(os), közvetlen mellette fekvő; ~
to sy/sg (közvetlenül) vk/vm mellett;
she sat ~ *to me* mellettem ült; ~ *to*

nothing úgyszólván/majdnem ' semmi
2. következő; ~ *best thing* második
legjobb megoldás (ha az első nem si-
kerül); ~ *day* másnap; ~ *day but one*
harmadnap; *the* ~ *time* legközelebb;
~ *week* a következő hét(en); ~ *year*
jövőre, következő év(ben); *on Friday*
~ jövő pénteken; *this day* ~ *year* má-
hoz egy évre **II.** *adv* azután; *what* ~*?*
és még (mi jöhet)?, és most mi lesz?,
mi a csoda?; *who comes* ~*?* ki követ-
kezik? **III.** *prep* közvetlenül (vk/vm)
mellett/után; *the thing* ~ *my heart* ami
nekem legkedvesebb **IV.** *n* **1.** legkö-
zelebb álló személy [rokon, férj stb.]
2. a következő levél, következő szám
[folyóiraté]; *in my* ~ legközelebbi le-
velemben; *to be continued in our* ~
folytatása a következő számban
nexus ['neksəs] *n* összefüggés, kapcsolat
N.F., NF *Newfoundland*
N.H. *New Hampshire*
NHS [eneɪtʃ'es] *National Health Service*
kb. (a brit) SZTK
Niagara [naɪ'ægərə] *prop*
nib [nɪb] *n* **1.** tollhegy **2.** hegy, él, csúcs
[szerszámé stb.] **3.** (madár)csőr
nibbed [nɪbd] hegyű
nibble ['nɪbl] **I.** *n* **1.** majszolás, harapás
2. falat **II. A.** *vt* **1.** majszol, harapdál,
rágcsál **2.** leharap, lelegel **B.** *vi* ~ *at*
(1) harapdál/rágcsál vmt (2) *biz* bírál
vmt, kifogásolnivalót keres vmn
niblick ['nɪblɪk] *n* ⟨egy fajta golfütő⟩
Nicaragua [nɪkə'rægjʊə] *prop* Nicaragua
Nicaraguan [nɪkə'rægjʊən] *a/n* nicara-
guai
nice [naɪs] *a* **1.** kellemes, barátságos,
helyes, kedves; ~ *and warm* kelleme-
sen meleg; ~ *and sweet* jó édes; *be* ~ *to*
sy kedves vkhez; *it is* ~ *of you to* . . .
szép tőled, hogy . . . **2.** csinos, szép
[lány]; jó, finom [étel]; szép [szín,
szövet]; *a* ~ *mess* [ironikusan] szép
kis helyzet **3.** apró, csekély, finom;
érzékeny; *a* ~ *distinction* finom meg-
különböztetés **4.** kényes, igényes, vá-
logatós; *be* ~ *about/in sg* pedáns vmben
5. szabatos, pontos
nicely ['naɪslɪ] *adv* **1.** pontosan, szaba-
tosan **2.** *biz* (nagyon) jól

nicety ['naɪs(ə)tɪ] *n* pontosság; finom
különbség/részlet/árnyalat; *to a* ~ egy
hajszálra, pontosan
niche [nɪtʃ] *n* fülke, falmélyedés
Nicholas ['nɪkələs] *prop* Miklós
Nick[1] [nɪk] *prop* Miki; *Old* ~ az ördög
nick[2] [nɪk] **I.** *n* **1.** bemetszés, rovátka,
karcolás **2.** csorba **3.** *in the* ~ *of time*
éppen jókor **II. A.** *vt* **1.** rovátkol, meg-
karcol, bemetsz **2.** lerövidít **3.** kitalál,
helyesen megfejt; ~ *it* fején találja a
szöget **4.** □ elcsíp [vonatot, betörőt]
5. □ becsap **B.** *vi* **1.** találatot ér el **2.**
~ *in* hirtelen/jókor érkezik
nickel ['nɪkl] **I.** *n* **1.** nikkel **2.** *US* öt-
centes [pénzdarab] **II.** *vt* -ll-. *(US* -l-)
nikkelez
nickel-plate *vt* (be)nikkelez
Nickleby ['nɪklbɪ] *prop*
nick-nack ['nɪknæk] *n* = *knick-knack*
nickname **I.** *n* **1.** gúnynév, csúfnév
2. becenév **II.** *vt* gúnynevet ad (vknek);
becenevén/-néven szólít (vkt)
Nicolas ['nɪkələs] *prop* Miklós
nicotine ['nɪkəti:n] *n* nikotin
nictitate ['nɪktɪteɪt] *vi* pillog, pislog,
hunyorog
niece [ni:s] *n* unokahúg
nifty ['nɪftɪ] *a* □ **1.** remek, klassz, ele-
gáns **2.** büdös **3.** fürge
Nigel ['naɪdʒ(ə)l] *prop* ⟨angol férfinév⟩
Niger *prop* **1.** [ni:'ʒeə*] Niger **2.** [a
folyó:] ['naɪdʒə*]
Nigeria [naɪ'dʒɪərɪə] *prop* Nigéria
Nigerian [naɪ'dʒɪərɪən] *a/n* nigériai
niggard ['nɪgəd] *n* fösvény, zsugori
niggardly ['nɪgədlɪ] *a* fukar, zsugori
nigger ['nɪgə*] *n* néger, nigger [megvető
értelmű szó]; □ ~ *in the woodpile*
gyanús körülmény, vm disznóság
(készül)
niggle ['nɪgl] *vi* aprólékoskodik, pepe-
csel; semmiségeken nyargal
nigh [naɪ] *adv/prep* † közel
night [naɪt] *n* **1.** északa, éj, éjjel, este;
at ~ éjjel, éjszaka; *by* ~ éjjel, az éj-
szaka folyamán; éjjelente; *good* ~*!* jó
estét/éjszakát!; *in the* ~ az éj folya-
mán; *last* ~ (1) tegnap este (2) (az
el)múlt éjjel/éjszaka; ~ *before* előző
este; ~ *and day* éjjel-nappal, szünte-

lenül; *it is his ~ out* ez a szabad/kimenő estéje [alkalmazottnak]; *make a ~ of it* átmulatja az éjszakát; *work ~s* éjjeles, éjszakás; *o' ~s* éjjel(ente) 2. [jelzőként] éjjeli, éjszakai; *~ life* éjszakai élet; *~ porter* éjszakai portás; *~ school* esti iskola/tagozat; *~ shift* éjszakai műszak; *~ train* éjszakai vonat

night-bird *n* 1. bagoly; fülemüle 2. éjjel járkáló gyanús alak

night-cap *n* 1. hálósapka, gyerekcsináló sapka 2. ⟨lefekvés előtt ivott utolsó pohár szeszes ital⟩

nightclub *n* éjszakai mulató(hely)

nightdress *n* [női] hálóing

nightfall *n* alkony, szürkület

nightgown *n* [női] hálóing

nightie ['naɪtɪ] *n biz* hálóing

nightingale ['naɪtɪŋgeɪl] *n* fülemüle, csalogány

night-jar *n* kecskefejő [madár]

night-letter *n US* (éjszaka továbbított) levéltávirat

night-light *n* éjjeli mécses/lámpa

night-long *a* egész éjszakán át tartó

nightly ['naɪtlɪ] I. *a* éjjeli, éjszakai; éjszakánkénti II. *adv* éjjelenként, éjszakánként, minden éjjel

nightmare ['naɪtmeə*] *n* rémkép, lidérc(nyomás)

nightshade *n* (*black*) *~* fekete csucsor

nightshirt *n* [férfi] hálóing

night-soil *n* pöcegödör kihordott tartalma

night-stick *n US* gumibot

night-table *n* éjjeliszekrény

night-time *n* éjszaka (ideje), éjjel

night-walker *n* 1. éjszaka mászkáló ember [betörő, prostituált stb.] 2. = *sleepwalker*

night-watch *n* éjszakai őrség

night-watchman *n* (*pl* -men) éjjeliőr

nighty ['naɪtɪ] *n biz* hálóing

nihilism ['naɪɪlɪzm] *n* nihilizmus

nihilist ['naɪɪlɪst] *n* nihilista

nihilistic [naɪɪ'lɪstɪk] *a* nihilista

nil [nɪl] *n* semmi, nulla, null; *3 goals to ~, 3—0* [olvasd: three-nil] 3 null(a)

Nile [naɪl] *prop* Nílus

nimble ['nɪmbl] *a* 1. fürge 2. gyors felfogású; éles [ész]

nimble-witted *a* gyors észjárású

nimbus ['nɪmbəs] *n* (*pl ~es* -sɪz v. -**bi** -baɪ) 1. nimbusz, fénykoszorú, dicsfény 2. esőfelhő

niminy-piminy [nɪmɪnɪ'pɪmɪnɪ] *a* affektáló, finomkodó

nincompoop ['nɪnkəmpu:p] *n* együgyű/szamár/tökfejű ember, tökfilkó

nine [naɪn] I. *a* kilenc; *have ~ lives* nem lehet agyonütni II. *n* a kilenc(es szám); *biz dress up to the ~s* kicsípi magát

ninefold *a* kilencszeres

ninepence ['naɪnpəns] *n* kilenc penny

ninepins [-pɪnz] *n* kugli, teke(játék); *play at ~* tekézik

nineteen [naɪn'ti:n] *a/n* tizenkilenc; *talk ~ to the dozen* folyton fecseg, be nem áll a szája

nineteenth [naɪn'ti:nθ] *a/n* tizenkilencedik

ninetieth ['naɪntɪɪθ] *a/n* kilencvenedik

ninety ['naɪntɪ] *a/n* kilencven; *the nineties* a kilencvenes évek

ninny ['nɪnɪ] *n* = *nincompoop*

ninth [naɪnθ] *a* kilencedik

Niobe ['naɪəbɪ] *prop* Niobé

nip[1] [nɪp] I. *n* 1. megcsípés 2. levágás, lemetszés 3. lemetszett darab, szeletke 4. maró gúny, szarkazmus 5. enyhe fagy 6. *US ~ and tuck* (1) fej fej mellett (2) minden lehetséges II. *v* **-pp- A.** *vt* 1. becsíp(tet), beszorít; *get ~ped* beszorul 2. lecsíp, levág, lemetsz 3. megcsíp [fagy]; elpusztít, megsemmisít (*átv is*) 4. elcsíp 5. □ elcsen, elcsór **B.** *vi* 1. csíp 2. fáj 3. fürgén mozog
nip along *vi biz* siet, szalad
nip away *vt* gyorsan elvesz/elragad vmt
nip in *vi biz* beugrik egy pillanatra
nip off A. *vt* = *nip*[1] *II. 2.* **B.** *vi biz* meglép
nip up *biz* **A.** *vt* gyorsan felkap/megragad vmt **B.** *vi* fürgén felmászik

nip[2] [nɪp] *biz* I. *n* korty II. *vt/vi* **-pp-** hörpint, kortyolgat

nipper ['nɪpə*] *n* 1. **nippers** *pl biz* (1) csipesz, (csípő/)fogó (2) orrcsíptető, cvikker 2. olló [ráké] 3. metszőfog [lóé] 4. *biz* kis srác

nipping[1] ['nɪpɪŋ] I. *a* csípős [szél] II. *n* lemetszés, lecsípés

nipping² ['nɪpɪŋ] *n* kortyolgatás
nipple ['nɪpl] *n* 1. csecsbimbó 2. (gumi-) cucli [cuclisüvegen] 3. bütyök, vastagodás, kidudorodás [bőrön, üvegen, fémen stb.] 4. csőkapcsoló karmantyú; *greasing* ~ zsírzófej
Nippon ['nɪpɔn] *prop* Japán
nippy ['nɪpɪ] *biz a* 1. éles, metsző, csípős [levegő] 2. csipkelődő 3. fürge, mozgékony; *look* ~! fürgén!, mozgás!
nisi →*decree I.*
nit [nɪt] *n* sörke, tetűtojás
niter →*nitre*
nit-picking *n* szőrözés, szőrszálhasogatás
nitrate ['naɪtreɪt] *n* salétromsavas só, fémnitrát
nitre, *US* niter ['naɪtə*] *n* salétrom
nitric ['naɪtrɪk] *a* salétromsavas; ~ *acid* salétromsav
nitrogen ['naɪtrədʒən] *n* nitrogén
nitrogenous [naɪ'trɔdʒɪnəs; *US* -ɑdʒ-] *a* nitrogénes
nitro-glycerine [naɪtrə'glɪsəri:n] *n* nitroglicerin [robbanóanyag]
nitrous ['naɪtrəs] *a* salétromos; ~ *oxid* kéjgáz
nitwit ['nɪtwɪt] *n biz* hülye, tökfej, tökfilkó, hólyag
nix¹ [nɪks] *int* □ vigyázat!, pszt!
nix² [nɪks] *n* □ semmi
Nixon ['nɪks(ə)n] *prop*
N.J. *New Jersey*
N.Mex. *New Mexico*
NNE *north-north-east*
NNW *north-north-west*
no [noʊ] I. *a* 1. semmiféle, semmi; *have* ~ *money* nincs (semmi) pénze; ~ *one* senki; *at* ~ *time* soha 2. jelentéktelen; *it is* ~ *distance* nincs (is) messze; *in* ~ *time* igen hamar, szinte rögtön II. *adv* 1. [mondat tagadására:] nem; *Is it cold? No, it isn't.* Hideg van? Nem, nincs hideg (v. egyszerűen: Nincs.) 2. nem; *whether you want it or* ~ akár akarod akár nem III. *n* (*pl* ~es noʊz) 1. a „nem" szócska, tagadás, visszautasítás 2. noes *pl* nemmel szavazók; *the* ~es *have it* le van szavazva
No. ['nʌmbə*] *number* szám(ú)
Noah ['noʊə] *prop* Noé; ~'s *ark* Noé bárkája

nob¹ [nɔb; *US* -ɑ-] *n* □ fej, kókusz
nob² [nɔb; *US* -ɑ-] *n* □ előkelő ember
Nobel prize [noʊ'bel] Nobel-díj
nobility [nə'bɪlətɪ] *n* nemesség
noble ['noʊbl] I. *a* 1. nemes, nemesi származású 2. nemes gondolkozású, nagylelkű 3. csodálatos, ragyogó; *the* ~ *art* ökölvívás II. *n* nemes(ember)
nobleman ['noʊblmən] *n* (*pl* -men -mən) főnemes, nemesember
noble-minded *a* nemes lelkű, fennkölt gondolkodású
nobly ['noʊblɪ] *adv* 1. nemesen, nagylelkűen 2. nagyszerűen
nobody ['noʊb(ə)dɪ] *n* 1. senki; ~ *else* senki más; *there was* ~ *about* egy lélek sem volt ott 2. jelentéktelen ember, senkiházi, (nagy) senki
noctambulist [nɔk'tæmbjʊlɪst; *US* nɑk-] *n* alvajáró, holdkóros
nocturnal [nɔk'tə:nl; *US* nɑk-] *a* éjjeli, éji
nocturne ['nɔktə:n; *US* -ɑ-] *n* nocturne
nod [nɔd; *US* -ɑ-] I. *n* biccentés, (fej)bólintás; előrebillenés [fejé elszundításkor]; *give sy a* ~ odabiccent vknek; *Land of N*~ álomország II. *v* -dd- A. *vi* 1. bólint, biccent; ~ *to sy* (1) vkt biccentéssel üdvözöl (2) biccentéssel jelt ad vknek, (fejével) int vknek 2. bóbiskol, szundikál 3. melléfog, kihagy az agya B. *vt* fejbólintással jelez; ~ *one's head* megbiccenti a fejét, bólint a fejével; ~ *assent* igent/helyeslőleg bólint
nodal ['noʊdl] *a* csomóponti
nodding ['nɔdɪŋ; *US* -ɑ-] *a* bólintó; ~ *acquaintance* futólagos ismeretség, köszönő viszony ‖ →*nod II.*
noddle ['nɔdl] *n biz* fej, kobak
node [noʊd] *n* 1. csomó, bütyök 2. csomópont
nodule ['nɔdju:l; *US* 'nɑdʒ-] *n* (kis) göröngy, csomó(cska)
Noel ['noʊəl] *prop* Noel ⟨angol férfinév⟩
noggin ['nɔgɪn; *US* -ɑ-] *n* 1. kiskancsó 2. másfél deci
nohow *adv biz* sehogy
noise [nɔɪz] I. *n* 1. zaj, lárma; ~ *injury/pollution* zajártalom; ~ *level* zajszint; *make* ~ zajong, lármáz, zajt csinál 2. feltűnés 3. feltűnés tárgya II. *vt* elhíresztel

noiseless ['nɔɪzlɪs] a zajtalan, nesztelen
noisily ['nɔɪzɪlɪ] adv zajosan
noisiness ['nɔɪzɪnɪs] n zajosság
noisome ['nɔɪsəm] a 1. kellemetlen 2.
rossz szagú 3. undorító
noisy ['nɔɪzɪ] a 1. zajos, lármás, hangos
2. feltűnő, rikító, kiabáló [szín stb.]
nomad ['nɒʊmæd] a/n nomád
nomadic [nɒʊ'mædɪk] a nomád
no-man's-land n senki földje
nomenclature [nɒʊ'menkletʃə*; US
'nɒʊmənkleɪtʃər] n szakkifejezések
(összessége), nómenklatúra, nevezéktan
nominal ['nɒmɪnl; US -ə-] a 1. névleges; ~ value névérték 2. névszói
nominate ['nɒmɪneɪt; US 'nɑ-] vt 1. jelöl, ajánl, javasol (for vmre) 2. kinevez (for vmnek)
nomination [nɒmɪ'neɪʃn; US nɑ-] n 1.
jelölés, ajánlás 2. kinevezés
nominative ['nɒmɪnətɪv; US 'nɑ-] I. a
alanyeseti II. n alanyeset, nominativus
nominee [nɒmɪ'niː; US nɑ-] n 1. jelölt
2. életjáradék-tulajdonos
non- [nɒn-; US -ɑ-] pref nem- [tagadó
értelmű előképző]
non-acceptance n el nem fogadás
nonage ['nɒʊnɪdʒ; US 'nɑn-] n kiskorúság
nonagenarian [nɒʊnədʒɪ'neərɪən] a/n kilencvenéves (ember)
non-aggression n meg nem támadás; ~
pact megnemtámadási szerződés
non-alcoholic a ~ drinks alkoholmentes
(üdítő) italok
non-aligned [-ə'laɪnd] a el nem kötelezett [ország]
non-alignment n el nem kötelezettség
non-appealable [-ə'piːləbl] a megfellebbezhetetlen, jogerős
non-appearance n meg nem jelenés, megjelenés elmulasztása
non-arrival n meg nem érkezés
non-attendance n meg nem jelenés, távollét, távolmaradás
nonce [nɒns; US -ɑ-] n for the ~ most az
egyszer
nonce-word n alkalmi(lag alkotott) szó/
kifejezés, hapax

nonchalance ['nɒnʃ(ə)ləns; US 'nɑn-] n
(kényelmes) hanyagság, nemtörődömség
nonchalant ['nɒnʃ(ə)lənt; US 'nɑn-] a
nemtörődöm, kényelmes, hanyag
non-combatant a/n segédszolgálatos, nem
harcoló
non-commissioned officer tiszthelyettes
non-comittal [-kə'mɪtl] a állást nem
foglaló, semleges, diplomatikus
non-committed [-kə'mɪtɪd] a el nem kötelezett
non-completion n be nem fejezés
non compos mentis [nɒn'kɒmpɒs'mentɪs;
US -ɑ- -ɑ- -ɑ-] nem beszámítható,
gyengeelméjű
non-conductor n nem/rossz vezető, szigetelő
nonconformist [nɒnkən'fɔːmɪst; US
nɑn-] n 1. GB vallási disszidens ⟨az
anglikán egyházat el nem fogadó protestáns⟩ 2. nonkonformista
nonconformity [nɒnkən'fɔːmətɪ; US
nɑn-] n nem alkalmazkodás, nonkonformizmus
non-content n GB (a Lordok Házában)
nemmel szavazó
non-co-operation n együtt nem működés,
az együttműködés megtagadása
non-corrosive a rozsdamentes
non-crushable [-'krʌʃəbl] a nem gyűrődő, gyűrhetetlen
non-dazzle a tompított fényű [autóreflektor]
non-delivery n átadás/szállítás elmulasztása
nondescript ['nɒndɪskrɪpt; US 'nɑn-] a
nehezen meghatározható/leírható/besorolható, bizonytalan (jellegű), keverék-
none [nʌn] I. pron 1. egyik sem; ~ of
them came egyik sem jött el közülük 2.
senki, semmi; I will have ~ of it nem
kérek belőle, nem tűröm; it is ~ of
your business semmi közöd hozzá II. a
semmi(lyen); home she had ~ semmilyen otthona sem volt III. adv semmiképpen, egyáltalán nem; I feel ~ the
better semmivel sem érzem jobban
magam; I am ~ the wiser for it ettől
nem lettem okosabb; ~ but csakis; ~

the less mindazonáltal; ~ *too* nem nagyon/túl, egyáltalán nem; ~ *too soon* éppen (v. nagyon is) jókor
nonentity [nɔ'nentətɪ; *US* nɑ-]*n* 1. jelentéktelen személy/dolog 2. nem létezés, nemlét
nonesuch ['nʌnsʌtʃ] *a/n* = *nonsuch*
non-existence *n* nem létezés; nemlét
non-existent *a* nem létező
non-ferrous *a* ~ *metals* színes fémek
non-fiction *n* prózairodalom (a regény kivételével)
non-figurative *a* = *non-representational*
non-flammable *a* nem gyúlékony, éghetetlen
non-interference/intervention *n* be nem avatkozás
non-iron *a* neva [ing], nem vasalandó
non-legal *a* jogi vonatkozással nem bíró
non-member *n* nem tag, kültag, meghívott vendég
non-nuclear *a* ~ *zone* atomfegyvermentes övezet
non-observance *n* be nem tartás, figyelmen kívül hagyás
nonpareil ['nɔnp(ə)rəl; *US* nɑnpə'rel] I. *a* páratlan, párját ritkító; ~ *type* = *II. 2.* II. *n* 1. páratlan ember/dolog 2. nonpareille (betű) [6 pontos]
non-party *a* párton kívüli
non-payment *n* nem fizetés, fizetés elmulasztása
non-performance *n* nem teljesítés, teljesítés elmulasztása
non-person *n* nem létezőnek tekintett személy, félreállított személy
nonplus [nɔn'plʌs; *US* nɑn-] *vt* -ss- zavarba hoz, meghökkent, elképeszt; *J was ~sed* paff voltam
non-political *a* apolitikus, politikailag közömbös; politikamentes
non-productive *a* 1. nem termelő 2. terméketlen
non-professional *a* nem hivatásos/hivatásbeli, műkedvelő
non-profit(-making) *a* 1. nem haszonra dolgozó, altruista [vállalkozás] 2. nem nyereséges
non-proliferation *n* ~ *agreement* atomsorompó-egyezmény

non-representational [-reprɪzen'teɪʃənl] *a* absztrakt, nem figurális [művészet]
non-resident *a/n* nem helybenlakó/bennlakó
nonsense ['nɔns(ə)ns; *US* 'nɑnsens] *n* ostobaság, képtelenség, badarság, szamárság; *no ~!* elég az ostobaságból!, szűnjetek meg!; *talk* ~ hetet-havat összehord; ~ *verses* halandzsavers
nonsensical [nɔn'sensɪkl; *US* nɑn-] *a* képtelen, abszurd
non-skid(ding) *a* csúszásgátló; csúszás mentes [gumi]
non-smoker *n* 1. nem dohányos 2. nemdohányzó (fülke stb.)
non-stick *a* teflon [edények]
non-stop I. *a* megszakítás nélküli, folytatólagos; ~ *flight* leszállás nélküli repülés; ~ *train to . . .* a vonat . . . -ig nem áll meg II. *adv* megállás/leszállás nélkül
nonsuch ['nʌnsʌtʃ] I. *a* páratlan, párját ritkító II. *n* páratlan (v. párját ritkító) személy/dolog
nonsuit [nɔn'su:t; *US* 'nɑn-] *vt* keresetét elutasítja (vknek)
non-transferable *a* át nem ruházható
non-U [nɔn'ju:; *US* nɑn-] *biz* = *not upper class; not in vogue; vulgar*
non-union *a* szakszervezetbe nem tartozó
noodle[1] ['nu:dl] *n* tökfej, tökfilkó
noodle[2] ['nu:dl] *n rendsz pl* metélt (tészta), csipetke, galuska, nudli
nook [nʊk] *n* zug, sarok, szöglet
noon [nu:n] *n* dél; *at* ~ délben
noonday, noontide *n* délidő
noose [nu:s] I. *n* (csúsztatható) hurok, siklóhurok; *hangman's* ~ hóhér kötele II. *vt* 1. hurkot készít 2. hurokkal fog 3. felakaszt vkt
nope [noʊp] *int* □ nem, dehogyis
nor [nɔ:*] *conj* sem; *neither . . . ~* se(m) . . . se(m); *he can't do it,* ~ *can I* nem tudja megcsinálni, és/de én sem (tudom)
nor'- [nɔ:*] = *north*
Nora(h) ['nɔ:rə] *prop* Nóra
Nordic ['nɔ:dɪk] *a/n* északi (germán)
Norfolk ['nɔ:fək] *prop*
norm [nɔ:m] *n* minta, szabály, zsinórmérték, norma

normal ['nɔ:ml] I. a 1. szabályos, szabályszerű, természetszerű, szabványos, rendes, közönséges, normális; normál; ~ school tanítóképző intézet (gyakorlóiskolája) 2. merőleges (to vmre) II. n 1. merőleges (vonal) 2. átlagos/szokásos mennyiség/szín/vonal/állapot; get back to ~ a helyzet normalizálódik

normalcy ['nɔ:mlsɪ] n normális idők/állapot

normality [nɔ:'mælətɪ] n szabályszerűség, szabályosság, természetszerűség

normalize ['nɔ:məlaɪz] vt normalizál, szabályossá tesz

normally ['nɔ:məlɪ] adv rendes körülmények között

Norman ['nɔ:mən] a/n (pl ~s -z) normann; ~ architecture/style angliai román építészeti stílus || →conquest

Normandy ['nɔ:məndɪ] prop Normandia

normative ['nɔ:mətɪv] a normatív, irányadó, előíró, előírásos

Norse [nɔ:s] I. a norvég(iai), skandináv II. n a norvég nyelv

north [nɔ:θ] I. a északi, észak-; N~ America Észak-Amerika; N~ American észak-amerikai; the N~ Country Észak-Anglia; N~ Sea Észak-tenger II. adv észak felé, északra, északi irányba(n); ~ of sg vmtől északra III. n 1. észak 2. északi rész [országé] 3. északi szél

Northamptonshire [nɔ:'θæmptənʃə*]prop

Northants. [nɔ:'θænts] Northamptonshire

northeast I. adv északkelet felé, északkeletre II. n északkelet

northeaster n északkeleti szél

northeasterly, northeastern a északkeleti

northerly ['nɔ:ðəlɪ] I. a északi II. adv észak felől/felé

northern ['nɔ:ðn] I. a északi; N~ Ireland Észak-Írország; ~ lights északi fény II. n 1. északi lakos 2. északi szél

northerner ['nɔ:ð(ə)nə*] n északi lakos

northernmost ['nɔ:ðnmoust] a legészakibb

Northman ['nɔ:θmən] n (pl -men -mə) viking, skandináv

north-north-east I. a észak-északkeleti II. adv észak-északkelet felé/felől

north-north-west I. a észak-északnyugati II. adv észak-északnyugat felé/felől

Northumberland [nɔ:'θʌmbələnd] prop

Northumbria [nɔ:'θʌmbrɪə] prop

northwards ['nɔ:θwədz] adv észak felé

northwest I. a északnyugati; N~ Passage északnyugati átjáró II. adv északnyugat felé, északnyugatra III. n északnyugat

northwester [-'westə*] n északnyugati szél

northwesterly, northwestern a északnyugati

Norway ['nɔ:weɪ] prop Norvégia

Norwegian [nɔ:'wi:dʒ(ə)n] a/n norvég (ember, nyelv)

Norwich ['nɔrɪdʒ] prop

Nos. ['nʌmbəz] numbers

nose [nouz] I. n 1. orr; under his ~ az orra előtt; lead by the ~ orránál fogva vezet; make a long ~ at sy hosszú orrot (v. szamárfület) mutat vknek; pay through the ~ borsos árat fizet; turn up the ~ felhúzza az orrát, orrát fintorítja 2. szaglás, szimat II. A. vt 1. (ki)szaglász, kifürkész; megszagol 2. orrával nyom/érint/dörzsöl 3. orrán keresztül beszél B. vi 1. szagol, szaglász 2. fürkész, nyomoz

nose about vi szaglász, fürkész, nyomoz

nose after vi nyomoz/kutat/fürkész vm után

nose down vi zuhanórepülést hajt végre, (lefelé) zuhan [repgép]

nose for vi = nose after

nose into vi beleüti az orrát (vmbe)

nose out vt kiszimatol, kiderít

nose-bag n abrakos tarisznya

nose-bleed(ing) n orrvérzés

-nosed [-nouzd] orrú

nose-dive n zuhanórepülés

nosegay ['nouzgeɪ] n (virág)csokor

nose-ring n orrkarika

nosey ['nouzɪ] a biz 1. kíváncsi; a N~ Parker minden lében kanál személy 2. nagy orrú 3. büdös

no-show n meg nem jelenés [reptéren]

nostalgia [nɔ'stældʒɪə; US nɑ'stældʒə] n honvágy, nosztalgia

nostalgic [nɔ'stældʒɪk; US nɑ-] a nosztalgikus

nostril ['nɔstr(ə)l; US 'nɑ-] n orrlyuk

nostrum ['nɔstrəm; US 'nɑ-] n csodaszer

nosy ['noʊzɪ] a = nosey

not [nɔt; US -ɑ-] adv nem; ~ at all [nɔtə'tɔ:l; US nɑ-] (1) egyáltalán nem (2) [megköszönés után:] szívesen!, kérem!, szóra sem érdemes!; I think ~ azt hiszem, (hogy) nem; ~ that nem mintha; I do ~ (v. don't) go nem megyek; ~ even in London még L-ban sem

notability [noʊtə'bɪlətɪ] n 1. előkelőség, híres ember, notabilitás 2. vmnek figyelemre méltó mivolta, jelentőség

notable ['noʊtəbl] a figyelemre méltó, nevezetes, jelentős

notary ['noʊtərɪ] n ~ (public) közjegyző

notation [noʊ'teɪʃn] n 1. jelölés 2. jelzésrendszer, jelölési mód/rendszer; jelmagyarázat; átírás

notch [nɔtʃ; US -ɑ-] I. n 1. rovátka, bevágás, bemetszés 2. horony 3. US hegyszoros, szurdok II. vt 1. bevág, rovátkol 2. hornyol 3. ró 4. összeilleszt [gerendát]

note [noʊt] I. n 1. hangjegy 2. [zenei] hang 3. hang(nem); change one's ~ hangnemet változtat, más hangon kezd beszélni; strike the right ~ megtalálja a helyes hangot, jó hangot üt meg 4. jegyzet; make/take ~s (of sg) jegyzeteket készít (vmről), jegyzetel 5. megjegyzés, széljegyzet, magyarázat 6. feljegyzés; jegyzék [diplomáciai]; rövid levél, néhány sor 7. ~ (of hand) adóslevél, kötelezvény 8. bankjegy 9. man of ~ neves ember 10. figyelem; worthy of ~ figyelemre méltó, érdemes megjegyezni; take ~ of sg megjegyez vmt, figyel vmre II. vt 1. megjegyez, megfigyel, figyelembe/tudomásul vesz; be ~d for sg vmről híres 2. ~ down feljegyez, lejegyez, felír 3. jegyzetekkel ellát

note-book n notesz, jegyzetfüzet; jegyzetkönyv

note-case n levéltárca, pénztárca

noted ['noʊtɪd] a híres (for vmről), neves

note-paper n levélpapír

noteworthy a figyelemre méltó, nevezetes

nothing ['nʌθɪŋ] I. n 1. semmi; all that goes for ~ ez mind nem számít semmit; come to ~ füstbe megy, meghiúsul, abbamarad; for ~ (1) ingyen (2) hiába (3) ok nélkül; he has ~ to his name nincs semmije ami az övé; have ~ to do with sg semmi köze vmhez, nincs kapcsolatban vmvel; it is not for ~ that nem ok nélkül van az úgy, hogy; make ~ of sg (1) semmibe se vesz vmt (2) nem ért vmt; ~ but csak; ~ could be simpler mi sem egyszerűbb; ~ doing nincs mit tenni, tárgytalan; nem megy, nincs értelme; ~ if not rendkívüli, nagyon; ~ less than nem egyéb/csekélyebb mint; ~ much nem valami nagy dolog; ~ venture ~ have/win/gain aki mer az nyer; there is ~ like sg mindennél többet ér, nincsen párja vmnek; with ~ on tiszta meztelenül 2. nulla, zéró 3. jelentéktelen dolog/esemény/személy, semmiség II. adv egyáltalán nem, semmit (sem)

nothingness ['nʌθɪŋnɪs] n 1. = non--existence 2. értéktelenség 3. értéktelen/jelentéktelen dolog, semmiség

notice ['noʊtɪs] I. n 1. értesítés, bejelentés; ~ is hereby given (that) közhírré tétetik; until further ~ további értesítésig 2. előzetes értesítés, felszólítás; figyelmeztetés; felmondás; at a moment's ~ azonnal; at short ~ rövid határidőre, pillanatokon belül; előzetes bejelentés nélkül; a week's ~ egyheti felmondás; give sy ~ of sg vkt vmről előre értesít; give ~ to sy felmond vknek 3. tudomás, figyelem; bring sg to sy's ~ felhívja vmre vk figyelmét; come to sy's ~ tudomására jut vknek; take ~ of sg tudomásul/figyelembe vesz vmt; take no ~ of sg figyelmen kívül hagy vmt, nem vesz tudomásul vmt 4. rövid újságcikk, közlemény II. vt 1. megfigyel, észrevesz, tudomásul vesz, figyelemre méltat 2. megemlít, megjegyez

noticeable ['noʊtɪsəbl] a 1. észrevehető 2. figyelemre méltó

notice-board *n* hirdetőtábla
notifiable ['noʊtɪfaɪəbl] *a* kötelező bejelentés alá eső [betegség stb.]
notification [noʊtɪfɪ'keɪʃn] *n* bejelentés, tudtul adás, közlés
notifv ['noʊtɪfaɪ] *vt* bejelent, értesít (*sy of sg* vkt vmről), közöl, tudtul ad
notion ['noʊʃn] *n* 1. fogalom, eszme, elképzelés, kép 2. vélemény 3. hajlandóság, szándék, kedv 4. notions *pl US* rövidáru
notional ['noʊʃənl] *a* 1. fogalmi; képzeletbeli 2. spekulatív [tudomány] 3. képzelődő [személy]
notoriety [noʊtə'raɪətɪ] *n* 1. hírhedtség; közismertség 2. közismert személy
notorious [noʊ'tɔːrɪəs] *a* 1. közismert 2. hírhedt
Nottingham(shire) ['nɔtɪŋəm(ʃə*)] *prop* Notts. [nɔts; *US* -ɑ-] *Nottinghamshire*
notwithstanding [nɔtwɪθ'stændɪŋ; *US* natwɪð-] I. *prep* (vmnek) ellenére, dacára II. *adv* mégis, mindamellett III. *conj* ~ *that* jóllehet, habár
nougat ['nuːgɑ:; *US* 'nuːgət] *n* nugát
nought [nɔ:t] *n* = *naught*
noun [naʊn] *n* főnév
nourish ['nʌrɪʃ; *US* 'nə:-] *vt* 1. táplál 2. *átv* táplál, fenntart; elősegít
nourishing ['nʌrɪʃɪŋ; *US* 'nə:-] *a* tápláló
nourishment ['nʌrɪʃmənt; *US* 'nə:-] *n* 1. táplálék, étel 2. táplálás, táplálkozás
nous [naʊs] *n* ész
Nov. *November* november, nov.
Nova Scotia [noʊvə'skoʊʃə] *prop* Új-Skócia
novel ['nɔvl; *US* -ɑ-] I. *a* újszerű, újfajta, szokatlan II. *n* regény
novelette [nɔvə'let; *US* nɑ-] *n* kisregény
novelist ['nɔvəlɪst; *US* 'nɑ-] *n* regényíró
novelistic [nɔvə'lɪstɪk] *a* regényszerű
novelty ['nɔvltɪ; *US* -ɑ-] 1. újdonság 2. vmnek új volta, újszerűség
November [noʊ'vembə*] *n* november
novice ['nɔvɪs; *US* -ɑ-] *n* 1. papnövendék, novícius 2. kezdő, újonc
noviciate [nə'vɪʃɪət] *n* 1. noviciátus 2. novícius 3. tanoncévek, kezdőség
novocaine ['noʊvəkeɪn] *n* novokain

now [naʊ] I. *adv* 1. most, jelenleg; ~ *and then/again* hébe-hóba, olykor, néha; ~ *or never* most vagy soha; *even* ~ még most is/sem; *by* ~ mostanára; *not* ~ (1) már nem (2) most nem; *just* ~ (1) éppen most, pár perce, az imént (2) nemrég 2. azonnal 3. (ugyan)akkor, nemsokára (azután) 4. hát, pedig; *come* ~*!* ugyan kérlek/már!; ~*!* ~*!* na-na!, ugyan már!, ugyan-ugyan!; ~ ... ~ majd ... majd; hol ... hol; ~ *hot* ~ *cold* hol meleg, hol hideg; ~ *then* (1) hát ezek után!, na már most! (2) na(hát)!, figyelem!, na most rajta! II. *conj* ~ (*that*) most hogy III. *n* a jelen (pillanat); *from* ~ *on* mostantól kezdve, mától fogva; *in three days from* ~ mához három napra; *up to* ~ mostanáig
nowadays ['naʊədeɪz] *adv* mostanában, mostanság, manapság, a mai világban
noways ['noʊweɪz] *adv* sehogyan, semmi esetre sem
nowhere ['noʊweə*; *US* -hw-] *adv* sehol; sehova; ~ *near* távolról sem; *it got* ~ egyáltalán nem sikerült/boldogult
nowise ['noʊwaɪz] *adv* † semmiképpen, sehogyan sem
noxious ['nɔkʃəs; *US* -ɑ-] *a* ártalmas, kártékony, veszedelmes
nozzle ['nɔzl; *US* -ɑ-] *n* csővég; szórófej; fúvóka [porlasztóé]
N.P. [en'pi:] *Notary Public*
N.S. [en'es] 1. *New Style* →*style* 2. *new series* új folyam 3. *Nova Scotia*
N.S.W. *New South Wales*
N.T., NT 1. *New Testament* Újszövetség(i Szentírás) 2. *Northern Territory* [Ausztrália]
nth [enθ] *a* 1. x-edik; *for the* ~ *time* ikszedszer, x-edszer 2. *to the* ~ *power/degree* az n-edik hatványra
nuance [nju:'ɑ:ns; *US* nu:-] *n* árnyalat
nub [nʌb] *n* 1. kis darab/rög 2. csomó, gumó, kinövés 3. *biz* lényeg, csattanó [történeté]
nubile ['nju:baɪl; *US* 'nu:b(ə)l] *a* férjhezadó korban levő, anyányi [lány]
nuclear ['nju:klɪə*; *US* 'nu:-] *a* nukleáris, mag-, atom-; ~ *energy* magenergia, atomenergia; ~ *fission* (atom)mag-

hasadás; ~ *physics* magfizika ~ *power* (1) atomenergia (2) atomhatalom; ~ *power plant/station* atomerőmű; ~ *research* atom(mag)kutatás, magkutatás; ~ *test* kísérleti (atom)robbantás, nukleáris fegyverkísérlet; ~ *test ban* atomcsend(egyezmény); ~ *war(fare)* atomháború, nukleáris háború/hadviselés; ~ *weapon* nukleáris fegyver, atomfegyver

nuclear-powered *a* atomhajtású, atomerővel hajtott; ~ *rocket* atomrakéta

nuclear-proof *a* atombiztos

nucleonics [nju:klɪ'ɔnɪks; *US* nu:-] *n* magtechnika, nukleonika

nucleus ['nju:klɪəs; *US* 'nu:-] *n* (*pl* **nuclei** ['nju:klɪaɪ; *US* 'nu:-] 1. középpont, lényeg, mag 2. atommag

nude [nju:d; *US* nu:d] I. *a* meztelen; ~ *stockings* testszínű harisnya II. *n* akt; *in the* ~ meztelen(ül); *draw from the* ~ aktot rajzol

nudge [nʌdʒ] I. *n* gyengéd oldalba lökés (könyökkel) II. *vt* (könyökkel) gyengén oldalba lök [figyelmeztetésül]

nudism ['nju:dɪzm; *US* 'nu:-] *n* nudizmus

nudist ['nju:dɪst; *US* 'nu:-] *n* nudista

nudity ['nju:dətɪ; *US* 'nu:-] *n* mezítelenség, pőreség

nugatory ['nju:gət(ə)rɪ; *US* 'nu:gətɔ:rɪ] *a* 1. hiábavaló, hatástalan 2. jelentéktelen, értéktelen

nugget ['nʌgɪt] *n* 1. aranyrög 2. rög, csomó

nuisance ['nju:sns; *US* 'nu:-] *n* 1. kellemetlenség, alkalmatlanság; *what a* ~*!* ja de kellemetlen!; *commit no* ~ [feliratként] (1) itt vizelni tilos (2) a szemétlerakodás tilos 2. kellemetlenkedő/terhes/alkalmatlankodó személy; *he is a* ~ folytonosan alkalmatlankodik; *be a* ~ *to sy* terhére van (v. idegeire megy) vknek; *make a* ~ *of oneself* lehetetlenül viselkedik, kellemetlenkedik, másoknak terhére van

null [nʌl] *a* 1. semmis, érvénytelen; ~ *and void* semmis 2. semmitmondó, jelentéktelen

nullification [nʌlɪfɪ'keɪʃn] *n* érvénytelenítés, hatálytalanítás

nullify ['nʌlɪfaɪ] *vt* megsemmisít, érvénytelenít, hatálytalanít

nullity ['nʌlətɪ] *n* 1. semmisség, érvénytelenség 2. nem létezés; a semmi, semmiség

numb [nʌm] I. *a* dermedt, zsibbadt, érzéketlen; *fingers* ~ *with cold* hidegtől meggémberedett ujjak II. *vt* elzsibbaszt, megdermeszt, érzéketlenít

number ['nʌmbə*] I. *n* 1. szám; ~ *theory* számelmélet; *any* ~ *of* bármennyi, egy egész sereg; *a* ~ *of sg* sok, számos; *a large* ~ *of people* igen sok ember; *his* ~ *is up* vége van, el van veszve; *without* ~ számtalan, töméntelen; *times without* ~ számtalanszor, x-szer; *six in* ~ szám szerint hat(an) 2. (ház)szám, sorszám; ~ *one* (1) egyes szám; első (2) önmaga (3) *biz* kisdolog, pisilés; *take care of* ~ *one* csak magával törődik 3. szám, nagyság [cipőé stb.] 4. szám [folyóiraté]; zeneszám 5. [nyelvtani] szám 6. numbers *pl* (1) ütem, ritmus (2) vers, költemény 7. **numbers** *pl* számtan; *good at* ~*s* jó számtanos 8. **Numbers** *pl* Mózes negyedik könyve 9. *US* ~*s pool* ⟨egy fajta tiltott lottójáték⟩ II. *vt* 1. (meg-) számlál, megszámol; *his days are* ~*ed* meg vannak számlálva a napjai 2. besorol; ~ *sy among one's friends* barátjai közé számít vkt 3. (meg)számoz 4. [egy mennyiséget] kitesz 5. *he* ~*s twenty years* húsz éves

numbered ['nʌmbəd] *a* 1. számozott, számokkal ellátott 2. megszámlált

numberless ['nʌmbəlɪs] *a* számtalan

number-plate *n* rendszámtábla

numbness ['nʌmnɪs] *n* zsibbadtság, dermedtség

numeral ['nju:m(ə)rəl; *US* 'nu:-] I. *a* számokból álló II. *n* 1. szám 2. számjegy

numerate I. *a* ['nju:mərət; *US* 'nu:-] számolni tudó II. *vt* ['nju:məreɪt; *US* 'nu:-] megszámol, előszámol

numeration [nju:mə'reɪʃn; *US* nu:-] *n* 1. számolás 2. (meg)számozás

numerator ['nju:məreɪtə*; *US* 'nu:-] *n* számláló [törté]

numerical [nju:'merɪkl; *US* nu:-] *a* számszerű, szám szerinti, numerikus

numerous ['nju:m(ə)rəs; US 'nu:-] a számos, nagyszámú, sok
numismatic [nju:mız'mætık; US nu:-] a éremtani
numismatics [nju:mız'mætıks; US nu:-] n éremtan, numizmatika
numismatist [nju:'mızmətıst; US nu:-] n numizmatikus, érmész
nummulite ['nʌmjʊlaıt] n nummulit, Szt. László-pénze
numskull ['nʌmskʌl] n tökfej, tökfilkó
nun [nʌn] n apáca
nuncio ['nʌnʃıoʊ] n pápai követ/nuncius
nunnery ['nʌnərı] n (apáca)zárda
nuptial ['nʌpʃl] a lakodalmi, menyegzői, nász-
nuptials ['nʌpʃlz] n pl lakodalom, menyegző
Nuremberg ['njʊərəmbə:g] prop Nürnberg
nurse [nə:s] I. n 1. dajka, dada; gyermekgondozó; dry ~ szárazdajka; (wet-)~ szoptatós dajka 2. (beteg-)ápoló, ápolónő, nővér II. vt 1. szoptat 2. dajkál 3. felnevel 4. ápol; ~ back to health gondos ápolással kigyógyít; ~ one's cold nátháját (otthon) gyógyít(gat)ja 5. átv ápol, gondoz [birtokot, növényeket stb.]; táplál [reményt, érzést], érlel magában [tervet]; ~ one's public ápolja népszerűségét
nurseling ['nə:slıŋ] n = nursling
nursemaid n gyermeklány, dada
nursery ['nə:s(ə)rı] n 1. gyermekszoba; ~ governess (1) gyermekgondozónő (2) nevelőnő, „kisasszony"; ~ rhyme(s) gyermekvers(ek), gyermekdal(ok); ~ school óvoda; ~ tale dajkamese 2. ~ (garden) (1) műkertészet (2) faiskola; ~ man (1) műkertész (2) faiskola-tulajdonos, csemetekertész
nursing ['nə:sıŋ] n 1. szoptatás; ~ bottle cuclisüveg 2. nevelés, gondozás, ápolás [növényé is] 3. (beteg)ápolás; take up ~ (as a career) ápolónőnek megy
nursing-home n US 1. szanatórium 2. elfekvő(kórház)
nursling ['nə:slıŋ] n 1. szopós gyermek, csecsemő 2. nevelt gyermek 3. fiatal palánta

nurture ['nə:tʃə*] I. n 1. táplálkozás 2. gondozás, nevelés II. vt 1. táplál 2. felnevel
nut [nʌt] n 1. dió; hard ~ to crack kemény dió (átv is) 2. anya(csavar) 3. ⬜ fej, kókusz; off one's ~ elment az esze, bedilizett 4. ⬜ pasas 5. US ⬜ be (dead) ~s about (egészen) odavan vkért/vmért, bele van esve vkbe; ~s! marhaság!, szamárság!
nut-brown a gesztenyebarna
nutcake n US fánk
nut-crackers n pl diótörő
nutgall n gubacs
nuthatch ['nʌthætʃ] n csuszka [madár]
nutmeg n szerecsendió
nutria ['nju:trıə; US 'nu:-] n nutria
nutrient ['nju:trıənt; US 'nu:-] n táplálék
nutriment ['nju:trımənt; US 'nu:-] n 1. táplálék, élelem, étel 2. szellemi táplálék
nutrition [nju:'trıʃn; US nu:-] n 1. táplálás, élelmezés 2. táplálkozás 3. táplálék, élelem
nutritional [nju:'trıʃnl; US nu:-] a táplálkozási; ~ value tápérték
nutritious [nju:'trıʃəs; US nu:-] a tápláló, tápértékű
nutritive ['nju:trətıv; US 'nu:-] a tápláló, tápértékű, erősítő, táp-
nutshell ['nʌt-ʃel] n dióhéj; in a ~ dióhéjban, pár szóban
nutting ['nʌtıŋ] n dióverés, diószedés
nutty ['nʌtı] a 1. dióban gazdag 2. dióízű 3. ⬜ szerelmes, belebolondult 4. ⬜ dilis
nuzzle ['nʌzl] A. vt orrával érint, orrát beleüti, ormányával túr B. vi 1. szaglász 2. kényelmesen fészkelődik/fekszik 3. ~ up (to) odakuporodik, -simul
NW [en'dʌblju:] north-west északnyugat, ÉNy
N.Y.(C.) New York (City)
Nyasaland [naı'æsəlænd] prop Nyaszaföld (ma: Malawi)
nylon ['naılon; US -ɑn] n 1. nylon 2. nylons pl nylonharisnya
nymph [nımf] n nimfa, fiatal lány
nymphomania [nımfə'meınıə] n nimfománia
N.Z. New Zealand

O

O,¹ o [oʊ] *n* O, o (betű)
o² [oʊ] *n* **1.** zérus, nulla **2.** karika, kör
o³ [oʊ] *int* **1.** ó!, óh! **2.** ejnye!
O⁴ [oʊ] ~ *level* →*ordinary*
O' [oʊ- v. ə-] *pref* [ír nevek előtt jelentése:] -fi; *O'Hara* ⟨Hara nemzetségbeli⟩
o' [ə] *prep* = *of*
o/a *on account (of)* számlájára
oaf [oʊf] *n* (*pl* **oafs** oʊfs v. **oaves** oʊvz) mamlasz, fajankó
oafish ['oʊfɪʃ] *a* ostoba, bamba
oak [oʊk] *n* **1.** tölgy(fa) **2.** *GB* külső tölgyfaajtó [angol kollégiumi szobákon]; *sport one's* ~ a külső ajtót beteszi [s ezzel jelzi hogy, nem fogad látogatót]
oak-apple *n* tölgyfagubacs
oaken ['oʊk(ə)n] *a* tölgyfából való, tölgy(fa-)
oak-gall *n* tölgyfagubacs
oakum ['oʊkəm] *n* csepű, kóc [tömítésnek]
oar [ɔ:*] I. *n* **1.** evezőlapát; *pull at the* ~*s* evez; *pull a good* ~ jól evez, jó evezős; *rest on one's* ~*s* (1) evezés közben pihen (2) *átv* pihen a babérain; *biz put/shove one's* ~ *in* beleüti az orrát vmbe **2.** evezős [ember] II. *vt/vi* evez
-oared [ɔ:d] -evezős
oarlock *n US* = *rowlock*
oarsman ['ɔ:zmən] *n* (*pl* **-men** -mən) evezős [személy]
OAS [oʊeɪ'es] *Organization of American States* Amerikai Államok Szervezete
oasis [oʊ'eɪsɪs] *n* (*pl* **-ses** -si:z) oázis
oast(-house) ['oʊst-] *n* komlószárító, dohányszárító
oat [oʊt] *n rendsz pl* zab; *sow one's wild*

~*s* kitombolja magát [fiatal ember]; *biz feel one's* ~*s* (1) tudatában van fontosságának (2) kitűnő hangulatban van; *biz be off its* ~*s* beteg, étvágytalan
oatcake *n sk* zabpogácsa
oath [oʊθ; *pl* -ðz] *n* **1.** eskü; fogadalom; *on/under* ~ eskü alatt; *administer the* ~ *to sy* vktől kiveszi az esküt; *make/ swear/take an* ~ esküt (le)tesz, esküszik; *biz on my* ~ esküszöm **2.** káromkodás
oatmeal *n sk* zabliszt, zabdara
ob. *obiit he died* meghalt, megh., elhunyt
obduracy ['ɔbdjʊrəsɪ; *US* 'ɑbdər-] *n* makacsság, konokság
obdurate ['ɔbdjʊrət; *US* 'ɑbdər-] *a* **1.** makacs, konok **2.** kemény (szívű)
O.B.E., OBE [oʊbi:'i:] *Officer of the (Order of the) British Empire* ⟨egy brit kitüntetés⟩
obedience [ə'bi:djəns] *n* engedelmesség, szófogadás
obedient [ə'bi:djənt] *a* engedelmes, szófogadó, kötelességtudó; *GB your* ~ *servant* alázatos szolgája [levél befejezéseként]
obeisance [ə'beɪs(ə)ns] *n* hódolat, bókolás, meghajlás, főhajtás
obelisk ['ɔbəlɪsk; *US* 'ɑ-] *n* **1.** obeliszk **2.** [utalás jegyzetre:] †
obese [ə'bi:s] *a* elhízott, hájas
obesity [ə'bi:sətɪ] *n* hájasság, elhízottság
obey [ə'beɪ] *vt* engedelmeskedik, szót fogad (vknek, vmnek)
obfuscate ['ɔbfʌskeɪt; *US* 'ɑb-] *vt* **1.** elhomályosít; összezavar **2.** elkábít, elbódít
obiter ['ɔbɪtə*; *US* 'ɑ-] *adv* ~ *dicta* vélemények és megjegyzések

obituary [ə'bɪtjʊərɪ; US -tʃʊerɪ] a/n ~ (notice) gyászjelentés, nekrológ
object I. n ['ɔbdʒɪkt; US 'ab-] 1. tárgy, dolog; ~ glass/lens tárgylencse 2. ~ of/for sg tárgya/alanya vmnek 3. cél, szándék; feladat; with this ~ ezért, e célból; succeed in one's ~ eléri célját 4. akadály; no ~ nem számít/akadály, mellékes 5. nevetséges (v. szánalomra méltó) ember/dolog II. vt/vi [əb'dʒekt] 1. kifogásol, ellenez (to vmt), tiltakozik, óvást emel (to vm ellen); I ~ to being treated like this tiltakozom ellene, hogy így bánjanak velem 2. ~ sg to sy szemére vet/hány vknek vmt
objection [əb'dʒekʃn] n 1. kifogás, ellenvetés, tiltakozás, ellenzés; take ~ to sg kifogásol vmt; have no ~ to sy/sg nincs kifogása vk/vm ellen 2. akadály
objectionable [əb'dʒekʃnəbl] a kifogásolható; kellemetlen, nem kívánatos
objective [əb'dʒektɪv] I. a 1. tárgyi, nem alanyi; ~ case tárgyeset 2. tárgyilagos, objektív, elfogulatlan II. n 1. tárgy 2. cél(pont) 3. tárgylencse, objektiv
objectivity [ɔbdʒek'tɪvətɪ; US ab-] n tárgyilagosság
objectless ['ɔbdʒɪktlɪs; US 'ab-] a tárgytalan, céltalan
object-lesson n 1. szemléltető óra/példa 2. intő példa
objector [əb'dʒektə*] n tiltakozó
objurgation [ɔbdʒə:'geɪʃn; US ab-] n korholás
oblate ['ɔbleɪt; US 'ab-] a összelapított, sarkain benyomott [gömb]; ellipszoid
oblation [ə'bleɪʃn] n áldozat
obligation [ɔblɪ'geɪʃn; US ab-] n 1. (le-) kötelezettség; kötelesség; lekötelezés; put/place sy under an ~ lekötelez vkt; be under an ~ (to) le van kötelezve (vknek), elkötelezte magát; fulfil/meet one's ~s teljesíti kötelességét 2. tartozás, kötelem, szerződés(es kötelezettség), kötvény, adóslevél
obligatory [ə'blɪgət(ə)rɪ; US -ɔ:rɪ] a kötelező
oblige [ə'blaɪdʒ] vt 1. kötelez, kényszerít; be ~d to do sg köteles/kényszelen vmt megtenni 2. lekötelez, kedvére

tesz, szívességből csinál (sy by/with sg vknek vmt); be ~d to sy hálás vknek; full particulars will ~ részletes tájékoztatást kérünk; I am much ~d igen hálás vagyok, igen szépen köszönöm; I should be very much ~d to you if you would kindly . . . nagyon lekötelezne, ha volna szíves (vmt tenni)
obligee [ɔblɪ'dʒi:; US ab-] n hitelező
obliging [ə'blaɪdʒɪŋ] a lekötelező, udvarias, előzékeny
oblique [ə'bli:k] a 1. ferde, rézsútos; ~ angle ferdeszög 2. burkolt, homályos, indirekt 3. ~ oration függő beszéd
obliterate [ə'blɪtəreɪt] vt kitöröl, eltöröl, elmos, kipusztít, kiirt
obliteration [əblɪtə'reɪʃn] n eltörlés, kiirtás
oblivion [ə'blɪvɪən] n feledés, elfelejtés; sink/fall into' ~ feledésbe merül; Act/Bill of O~ amnesztia
oblivious [ə'blɪvɪəs] a feledékeny, hanyag, megfeledkező (of vmről)
oblong ['ɔblɔŋ; US 'ablɔ:ŋ] I. a téglalap alakú, hosszúkás II. n téglalap
obloquy ['ɔblɔkwɪ; US 'ab-] n becsmérlés; szégyen, gyalázat; fall into ~ rossz hírbe kerül
obnoxious [əb'nɔkʃəs; US -'nɑ-] a kellemetlen, ellenszenves, visszataszító
oboe ['oʊboʊ] n oboa
oboist ['oʊboʊɪst] n oboajátékos, oboás
O'Brien [ə'braɪən] prop
obscene [əb'si:n] a trágár, obszcén
obscenity [əb'senətɪ] n trágárság, ocsmányság, illetlenség, sikamlósság
obscurantism [ɔbskjʊə'ræntɪzm] n maradiság, lelki/szellemi sötétség
obscure [əb'skjʊə*] I. a 1. sötét, homályos; zavaros 2. tompa [szín], bizonytalan, határozatlan 3. ismeretlen, jelentéktelen, tizedrangú 4. kétes hírű II. vt 1. elhomályosít 2. elfed
obscurity [əb'skjʊərətɪ] n 1. sötétség, homály(osság), bizonytalanság 2. ismeretlenség, visszavonultság
obsequies ['ɔbsɪkwɪz; US 'ab-] n pl temetés, gyászszertartás
obsequious [əb'si:kwɪəs] a alázatos, alkalmazkodó; hajlongó, szolgalelkű
observable [əb'zə:vəbl] a 1. észlelhető, megfigyelhető 2. figyelembe veendő

observance [əb'zə:vns] *n* **1.** megtartás, betartás, figyelem(bevétel) **2.** szertartás, rítus **3.** előírás, szabály [szerzetesrendé]
observant [əb'zə:vnt] *a* **1.** figyelmes, megfigyelő **2.** engedelmes; *be ~ of sg* tiszteletben tart vmt
observation [ɔbzə'veɪʃn; *US* ɑb-] *n* **1.** megfigyelés; észlelés; *~ balloon* megfigyelőléggömb; *~ car* (vasúti) kilátókocsi; *~ post* [katonai] megfigyelőállás; *escape ~* elkerüli a figyelmet; *take an ~* meghatározza a hajó helyzetét **2.** megjegyzés, észrevétel; *~s* megállapítások, észrevételek, tapasztalat(ok)
observatory [əb'zə:vətrɪ; *US* -ɔ:rɪ] *n* csillagvizsgáló (intézet), obszervatórium
observe [əb'zə:v] **A.** *vt* **1.** megfigyel, észlel; észrevesz, felfedez **2.** betart, megtart; *~ a holiday* ünnepet megül; *~ a law* törvényt megtart; *~ silence* hallgat, nem szól **3.** észrevételt/megjegyzést tesz (vmre), megjegyez **B.** *vi* figyel, figyelmes
observer [əb'zə:və*] *n* **1.** (meg)figyelő; *the observed of all ~s* az érdeklődés középpontja **2.** megtartó, betartó
obsess [əb'ses] *vt be ~ed by fear* félelem gyötri; *be ~ed with an idea* egy gondolat megszállottja
obsession [əb'seʃn] *n* megszállottság, rögeszme, mánia
obsessive [əb'sesɪv] *a* mániákus, megszállott
obsidian [ɔb'sɪdɪən] *n* obszidián, vulkáni üveg
obsolescence [ɔbsə'lesns; *US* ɑb-] *n* elavulás
obsolescent [ɔbsə'lesnt; *US* ɑb-] *a* elavulófélben levő
obsolete ['ɔbsəli:t; *US* 'ɑb-] *a* elavult, régies, idejétmúlt, ósdi
obstacle ['ɔbstəkl; *US* 'ɑb-] *n* akadály, gát; *~ race* akadályverseny; *put ~s in sy's way* akadályokat gördít vk útjába
obstetric(al) [ɔb'stetrɪk(l); *US* ɑb-] *a* szülészeti; *~ ward* szülészet [kórházi osztály]

obstetrician [ɔbste'trɪʃn; *US* ɑb-] *n* szülész
obstetrics [ɔb'stetrɪks; *US* ɑb-] *n* szülészet
obstinacy ['ɔbstɪnəsɪ; *US* 'ɑb-] *n* önfejűség, makacsság, konokság, nyakasság
obstinate ['ɔbstənət; *US* 'ɑb-] *a* önfejű, csökönyös, makacs
obstipation [ɔbstɪ'peɪʃn] *n* makacs székrekedés
obstreperous [əb'strep(ə)rəs] *a* **1.** zajos, lármás **2.** fegyelmezetlen; duhaj
obstruct [əb'strʌkt] **A.** *vt* **1.** akadályoz, gátol, eltakar [kilátást]; *~ sy's path* elállja vk útját **2.** eltöm, eldugaszol, elzár, eltorlaszol **3.** obstruál **B.** *vi* eltömődik, eldugul
obstruction [əb'strʌkʃn] *n* **1.** (el)dugulás, eltömődés **2.** akadály(ozás), elakadás, (forgalmi) torlódás **3.** obstrukció
obstructionist [əb'strʌkʃənɪst] *n* obstruáló [személy, képviselő]
obtain [əb'teɪn] **A.** *vt* (meg)kap, (meg-) szerez, elér, kieszközöl (vmt), hozzájut (vmhez), elnyer **B.** *vi* fennáll, érvényben van
obtainable [əb'teɪnəbl] *a* kapható, megszerezhető, elérhető
obtrude [əb'tru:d] **A.** *vt* rátukmál, ráerőszakol (vmt vkre); *~ oneself* tolakszik; *~ oneself upon sy* ráakaszkodik vkre, nyakába varrja magát vknek **B.** *vi* tolakszik
obtrusion [əb'tru:ʒn] *n* ráerőszakolás, (be)tolakodás, erőszakoskodás
obtrusive [əb'tru:sɪv] *a* **1.** tolakodó, erőszakos **2.** átható [szag]; feltűnő, szembeötlő [dolog]
obtuse [əb'tju:s; *US* -'tu:s] *a* **1.** tompa; *~ angle* tompaszög **2.** korlátolt, buta
obverse ['ɔbvə:s; 'ɑb-] **I.** *a* szemben levő, másik [oldal]; kiegészítő; ellentétes **II.** *n* fejoldal, előlap [éremé], a másik oldal, megfelelője/ellentéte vmnek
obviate ['ɔbvɪeɪt; *US* 'ɑb-] *vt* elhárít, elkerül (vmt), elejét veszi (vmnek)
obvious ['ɔbvɪəs; *US* 'ɑb-] *a* nyilvánvaló, magától értetődő, kézenfekvő, szembeszökő

obviously ['ɔbvɪəslɪ; US 'ɑb-] adv nyilván(valóan), magától értetődően

O'Casey [ə'keɪsɪ] prop

occasion [ə'keɪʒn] I. n 1. alkalom; as ~ serves ahogy alkalom nyílik rá (v. adódik); rise to the ~ a helyzet magaslatára emelkedik; on ~ alkalmilag; on the ~ of sg vm alkalmából; take ~ to do sg felhasználja/megragadja az alkalmat vmre 2. ok; avoid all ~s of quarrel minden okot elkerül a veszekedésre 3. go about one's lawful ~s hivatalos ügyei után jár II. vt előidéz, okoz (vmt), alkalmat/okot ad (vmre)

occasional [ə'keɪʒənl] a alkalmi, véletlen; esetenkénti; ~ showers szórványos záporok; ~ table ide-oda helyezhető asztal

occasionally [ə'keɪʒnəlɪ] adv alkalmilag, néha, alkalomadtán; véletlenül

occident ['ɔksɪd(ə)nt; US 'ɑ-] n nyugat

occidental [ɔksɪ'dentl; US ɑ-] a nyugati

occipital [ɔk'sɪpɪtl; US ɑk-] a ~ bone nyakszirtcsont

occiput ['ɔksɪpʌt; US 'ɑ-] n nyakszirt

occlusion [ɔ'klu:ʒn] n 1. elzárás, eltömés 2. elzáródás, eltömődés 3. elnyelés, abszorpció

occult [ɔ'kʌlt] a rejtett, titkos, ismeretlen, okkult

occultism ['ɔk(ə)ltɪzm; US 'ɑ-] n okkultizmus

occupancy ['ɔkjʊpənsɪ; US 'ɑkjə-] n 1. elfoglalás [állásé]; birtokbavétel [ingatlané] 2. birtoklás

occupant ['ɔkjʊpənt; US 'ɑkjə-] n birtokos, birtokló; lakó, bérlő

occupation [ɔkjʊ'peɪʃn; US ɑkjə-] n 1. birtokbavétel, lefoglalás, beköltözés; kibérlés 2. megszállás, elfoglalás 3. birtoklás 4. foglalkozás, elfoglaltság, hivatás

occupational [ɔkjuː'peɪʃənl; US ɑkjə-] a foglalkozással kapcsolatos; ~ disease foglalkozási betegség; ~ hazard foglalkozással járó kockázat/veszély; ~ therapy munkaterápia, -gyógymód

occupier ['ɔkjʊpaɪə*; US 'ɑkjə-] n lakó, bérlő, birtokló

occupy ['ɔkjʊpaɪ; US 'ɑkjə-] vt 1. elfoglal, birtokba vesz; megszáll; birtokban

tart; this seat is occupied ez a hely foglalt 2. betölt [állást] 3. elvesz, igénybe vesz [időt]; lefoglal, leköt; be occupied el van foglalva, nem ér rá; ~ oneself elfoglalja magát

occur [ə'kə:*] vi -rr- 1. előfordul, megtörténik, megesik, bekövetkezik; ~ again megismétlődik 2. akad, felbukkan 3. it ~s to me eszembe jut

occurrence [ə'kʌr(ə)ns; US ə'kə:-] n esemény, előfordulás, eset

ocean ['oʊʃn] n 1. óceán, tenger; ~ liner óceánjáró; the German O~ Északi-tenger 2. biz tengernyi/rengeteg mennyiség (vmből)

ocean-going a óceánjáró

Oceania [oʊʃɪ'eɪnjə] prop Óceánia

oceanic [oʊʃɪ'ænɪk] a 1. óceáni 2. biz rengeteg, tengernyi

oceanography [oʊʃjə'nɔgrəfɪ; US -'nɑ-] n tengerkutatás, oceanográfia

ocelot ['oʊsɪlɔt; US -ɑt] n ocelot, párducmacska

ochre, US rendsz ocher ['oʊkə*] n okker-(sárga)

o'clock [ə'klɔk; US -ɑk] adv óra(kor); it is six ~ hat óra (van); biz like one ~ mint a karikacsapás

O'Connell [ə'kɔnl] prop

O'Connor [ə'kɔnə*] prop

Oct. October október, okt.

octagon ['ɔktəgən; US 'ɑktəgɑn] n nyolcszög, oktogon

octagonal [ɔk'tægənl; US ɑk-] a nyolcszögű

octahedron [ɔktə'hedr(ə)n; US ɑk-] n oktaéder, nyolclap(ú test)

octane ['ɔkteɪn; US 'ɑ-] n oktán; ~ number oktánszám

octave ['ɔktɪv; US 'ɑ-] n oktáv(a)

octavo, 8vo [ɔk'teɪvoʊ; US ɑk-] n nyolcadrét, oktáv papírméret

octet(te) [ɔk'tet; US ɑk-] n oktett

October [ɔk'toʊbə*; US ɑk-] n október

octogenarian [ɔktoʊdʒɪ'neərɪən; US ɑk-] a/n nyolcvanéves

octopus ['ɔktəpəs; US 'ɑk-] n (pl ~es -sɪz) polip

octoroon [ɔktə'ru:n; US ɑk-] n nyolcadvér [akinek egyik dédszülője néger]

octosyllabic [ɔktoʊsı'læbık; *US* ak-]
a nyolc szótagú/szótagos
ocular ['ɔkjʊlə*; *US* 'akjə-] **I.** *a* **1.**
szemmel kapcsolatos, szem- **2.** (szemmel) látható; kézzelfogható **II.** *n*
szemlencse
oculist ['ɔkjʊlıst; *US* 'akjə-] *n* szemész,
szemorvos
odalisque ['oʊdəlısk] *n* háremhölgy,
odaliszk
odd [ɔd; *US* ad] *a* **1.** nem páros, páratlan; ~ *number* páratlan szám; ~
months 31 napos hónapok; *an* ~ *glove*
fél pár kesztyű **2.** szám feletti; alkalmi; mellékes; ~ *jobs* alkalmi munkák;
~ *man out* magányos ember, nem közösségi ember; ~ *moments* szabad
percek **3.** valamivel több mint; *twenty-*~ *years* húsz-egynéhány év; *3
pounds* ~ 3 font és pár penny; *keep
the* ~ *money* megtartja a visszajáró
pénzt **4.** szokatlan, furcsa, különös
∥ →*odds*
oddity ['ɔdıtı; *US* 'a-] *n* furcsaság, különlegesség; különcség
oddly ['ɔdlı; *US* 'a-] *adv* különösképp(en), különös módon; furcsán;
~ *enough* különös módon
oddments ['ɔdmənts; *US* 'a-] *n pl* maradékok, egyes darabok
odds [ɔdz; *US* adz] *n pl* **1.** valószínűség;/esély; *the* ~ *are that* . . . az esélyek szerint . . .; *the* ~ *are against
him* nem sok esélye van **2.** különbség; *biz what's the* ~? mi a különbség?, nem mindegy?, számít az?; *it
makes no* ~ nem tesz semmit **3.** ~
and ends maradékok, apró-cseprő
holmik **4.** *be at* ~ *with sy* hadilábon
áll vkvel **5.** *lay the* ~ fogad vkvel
∥ →*odd*
ode [oʊd] *n* óda
odious ['oʊdjəs] *a* utálatos, gyűlöletes
odium ['oʊdjəm] *n* gyűlölet(esség), gyalázat, ódium
odontology [ɔdɔn'tɔlədʒı; *US* oʊdan-
'ta-] *n* fogászat
odorous ['oʊdərəs] *a* illatos, szagos
odour, *US* **odor** ['oʊdə*] *n* illat, szag;
be in bad ~ rossz híre van; *die in the*
~ *of sanctity* szentség hírében hal meg

odourless, *US* **odor-** ['oʊdəlıs] *a* szagtalan
Odysseus [ə'dısju:s] *prop* Odüsszeusz
Odyssey ['ɔdısı; *US* 'a-] **I.** *prop* Odisszea
II. *n o*~ kalandos utazás, odisszea
oeco . . . →*eco* . . .
oecumenical [i:kju:'menıkl; *US* ekjʊ-] *a*
= *ecumenical*
OED [oʊi:'di:] *Oxford English Dictionary* ⟨az angol nyelv oxfordi nagyszótára⟩
oedema, *US* **ed-** [i:'di:mə] *n* vizenyő,
ödéma
Oedipus ['i:dıpəs] *prop* Oidipusz; ~
complex Ödipusz-komplexum
o'er ['oʊə*] = *over*
oesophagus *US* **es-** [i:'sɔfəgəs; *US* -'sa-]
pl -**gi** -gaı) *n* bárzsing, nyelőcső
oestrus, *US* **es-** ['i:strəs] *n* koslatás,
üzekedés, tüzelés
of [ɔv; *US* av; gyenge ejtésű alakjai:
əv, v, f] *prep* **1.** -ból, -ből, közül;
well, and what ~ *it?* na és aztán?,
hát aztán?; *US five minutes* ~ *one*
5 perc múlva 1 óra; *two* ~ *them* kettő
közülük; *what do you do* ~ *a Sunday?*
mit csinálsz vasárnap?; ~ *old* régen,
azelőtt, hajdan; ~ *all things* mindenekelőtt; *he* ~ *all men* elsősorban/
pont ő **2.** -tól, -től; *it is very kind* ~
you igen kedves öntől/tőled; ~ *all
booksellers* minden könyvkereskedésben kapható; *within a mile* ~ *London*
egy mérföldre Londontól **3.** -ról,
-ről; *speak* ~ *books* könyvekről beszél
4. vmből való/álló; *made* ~ *wood*
fából készült **5.** [vmnek a része,
mennyiség:] *a piece* ~ *furniture*
bútor(darab); *a pound* ~ . . . egy
font . . . **6.** [minőség/milyenség kifejezője:] *child* ~ *ten* tízéves gyermek; *swift* ~ *foot* gyors lábú **7.** [a
birtokviszony kifejezője:] *the works*
~ *Shakespeare* S. művei; *a friend* ~
mine egyik barátom
off [ɔf; *US* ɔ:f] **I.** *a* **1.** távoli, messzi
2. szabad, nem elfoglalt; ~ *day* szabadnap; *this is one of his* ~ *days*
rossz napja van **II.** *aáv/prep* **1.** el;
félre; le; távol, messze; *he is* ~ *to
London* elutazott L-ba; *be* ~ távozik,

elmegy; *be ~!* mars innen!; *~ we go!*
na gyerünk!; *they're ~!* elindultak
[versenylovak stb.]; *the concert is
~ a* hangverseny elmarad; *be well ~*
jómódban él; *~ and on* időnként;
right/straight ~ azonnal, rögtön; *have
a day ~* szabadnapja van; *be ~ duty*
nincs szolgálatban; *be ~ one's food*
nincs étvágya; *be ~ colour* nincs jó
színben, rossz bőrben van →*off-col-
our; ~ the point* lényegtelen, nem
a tárgyhoz tartozó; *you are ~ on that
point* elkalandoztál a témától, el-
tértél a tárgytól **2.** lezárva, elzárva,
kikapcsolva [fűtés, villany stb.], ki
[műszeren]; *the gas is ~* el van zárva
a gáz **3.** *be a bit ~* nem egészen friss
[húsról stb.]
offal ['ɔfl; *US* 'ɔ:-] *n* **1.** hulladék, sze-
mét **2.** belsőség(ek) [állaté]
off-beat *a biz* nem a megszokott, nem
sablonos
off-chance *n* csekély valószínűség
off-colour *a* **1.** gyengélkedő, rossz álla-
potban levő **2.** rosszabb minőségű,
kétes **3.** kifakult, elszíneződött **4.**
sikamlós, pikáns [tréfa]
offence, *US* **-se** [ə'fens] *n* **1.** (meg-)
sértés, támadás; sérelem; *~ against
sg* vmnek a megsértése; *~ against the
law* törvénysértés; *give ~ to sy* meg-
sért vkt; *take ~ at sg* megsértődik
vmn; *no ~ (was meant)!* nem akartam
megbántani!, bocsánat! **2.** vétek, bűn
offend [ə'fend] **A.** *vt* **1.** (meg)bánt,
megsért; kellemetlenül érint; *be ~ed
at/by/with sg* megsértődik vm miatt
2. sért [szemet, fület] **B.** *vi* **1.** *~
against* megszeg, megsért [törvényt
stb.] **2.** † vétkezik
offender [ə'fendə*] *n* bűnöző; bűntet-
tes; *old ~* büntetett előéletű bűnöző
offending [ə'fendɪŋ] *a* bántó, sértő
offense →*offence*
offensive [ə'fensɪv] **I.** *a* **1.** támadó **2.**
visszataszító, kellemetlen [szag, lát-
vány]; sértő, durva, goromba [sza-
vak stb.] **II.** *n* támadás, offenzíva;
take the ~, act on the ~ támadólag
lép fel
offer ['ɔfə*; *US* 'ɔ:-] **I.** *n* ajánlat, kí-

nálat; *make an ~* ajánlatot tesz **II.**
A. *vt* **1.** (fel)ajánl, (fel)kínál (*sg to sy*
vmt vknek); *~ to do sg* ajánlkozik
vmnek a megtételére; *~ itself* adó-
dik, kínálkozik; *~ an opinion* véle-
ményt mond; *~ a remark* megjegyzést
tesz; *~ resistance* ellenáll **2.** nyújt
B. *vi* kínálkozik, adódik [alkalom];
as occasion ~s amint alkalom adódik
offering ['ɔf(ə)rɪŋ; *US* 'ɔ:-] *n* **1.** fel-
ajánlás **2.** ajándék; *~s* adakozás
[templomban]
offertory ['ɔfət(ə)rɪ; *US* 'ɔ:fərtɔ:rɪ] *n*
1. felajánlás, offertórium **2.** [temp-
lomi] perselyezés; (összegyűjtött)
adomány
off-hand **I.** *a* **1.** rögtönzött, spontán **2.**
fesztelen; fölényes **II.** *adv* **1.** kapásból
2. fesztelenül; fölényesen
office ['ɔfɪs; *US* 'ɔ:-] *n* **1.** hivatal,
szolgálat, állás; tisztség; *come into
~, take ~* hivatalba lép; *be in ~, hold
~* (1) állást betölt (2) hatalmon van
[kormány] **2.** iroda, hivatal(i helyi-
ség); *US* rendelő [orvosé]; *~ girl*
tisztviselőnő; *~ hours* hivatalos idő
3. istentisztelet, szertartás; *~ for
the Dead* gyászmise **4.** **offices** *pl* (1)
mellékhelyiségek [lakásban] (2) gaz-
dasági épületek, melléképületek **5.**
through the good ~s of sy vk szíves
segítségével/közbenjárásával **6.** *GB*
minisztérium **7.** □ jelzés, figyelmez-
tetés; *give/take the ~* jelt ad, figyel-
meztet
office-bearer *n* hivatal/állás betöltője,
tiszt(ség)viselő
office-block *n* irodaház
office-boy *n* irodai kifutófiú
office-holder *n* = *office-bearer*
officer ['ɔfɪsə*; *US* 'ɔ:-] *n* **1.** (katona-)
tiszt **2.** = *official* **3.** ⟨angol rendőr
megszólítása⟩ kb. biztos úr!
official [ə'fɪʃl] **I.** *a* **1.** hivatalos, szol-
gálati; *~ receiver* zárgondnok **2.** hi-
teles **II.** *n* hivatalnok, tisztviselő
officialdom [ə'fɪʃldəm] *n* hivatalnoki kar
officialese [əfɪʃə'li:z] *n* bürokratikus/
hivatalos nyelv
officially [ə'fɪʃəlɪ] *adv* hivatalosan; hi-
vatalból

officiate [ə'fɪʃɪeɪt] vi működik, ténykedik; ~ as host a házigazda szerepét tölti be
officious [ə'fɪʃəs] a fontoskodó, túlbuzgó, túlzottan szolgálatkész
offing ['ɔfɪŋ; US 'ɔ:-] n 1. nyílt tenger 2. be in the ~ kilátásban/készülőben van
offish ['ɔfɪʃ; US 'ɔ:-] n biz tartózkodó, kimért
off-key a US hamis [zenében]
off-licence n GB 1. italmérés utcán át 2. palackozott italok boltja
off-peak a csúcsforgalmon kívüli; ~ period elő- és utószezon
off-print n különlenyomat
off-putting a elkedvetlenítő
off-scourings ['ɔfskaʊərɪŋz; US 'ɔ:-] n pl hulladék, söpredék, szemét
off-season n holt idény/szezon
offset ['ɔfset; US 'ɔ:-] I. n 1. ~ (process) ofszetnyomás; ~ press ofszetgép 2. = offshoot 1. 3. kárpótlás; ellensúly; viszonzás 4. ordináta II. vt ellensúlyoz, kiegyenlít, kárpótol
offshoot ['ɔfʃu:t; US 'ɔ:-] n 1. sarj, (törzs)hajtás; elágazás 2. származék
off-shore I. a parti, part menti II. adv a parttól nem messze
offside [ɔf'saɪd; US ɔ:-] I. a 1. les-[határ, szabály stb.] 2. belső [sáv] II. adv be ~ lesen van [játékos]
offspring ['ɔfsprɪŋ; US 'ɔ:-] n (pl ~) 1. leszármazott(ak), ivadék, sarj(adék), vk „csemetéje" 2. eredmény
off-street n mellékutca
off-the-record a nem hivatalos, bizalmas [közlés]
off-white a piszkosfehér
oft [ɔft; US ɔ:-] adv gyakran, gyakorta
often ['ɔfn; US 'ɔ:-] adv gyakran, sokszor, sűrűn; how ~? hányszor?; milyen sűrűn?; as ~ as not igen gyakran; once too ~ a kelleténél többszer
oft-times adv † gyakran
ogee ['oʊdʒi:] n ~ arch szamárhátív
ogival [oʊ'dʒaɪvl] a csúcsíves, gótikus
ogive ['oʊdʒaɪv] n csúcsív, gótikus ív
ogle ['oʊgl] vi/vt fixíroz (vkt), szemez (vkvel)
ogre ['oʊgə*] n emberevő óriás

ogress ['oʊgrɪs] n emberevő óriásnő
oh [oʊ] int = o³
Ohio [ə'haɪoʊ] prop
ohm [oʊm] n ohm [egység]
O.H.M.S., OHMS [oʊeɪtʃem'es] On His/Her Majesty's Service →majesty
oil [ɔɪl] I. n olaj; ~ refinery olajfinomító; ~ slick →slick III. 1.; paint in ~ olajjal fest; pour ~ on troubled waters lecsillapítja a kedélyeket; strike ~ (1) olajra bukkan (2) biz jó fogást csinál, sikere van II. vt (meg)olajoz, ken, zsíroz; átv ~ sy's palm megkeni vknek a tenyerét; átv ~ the wheels keni a kereket; ~ one's tongue hízelegve beszél; ~ up megolajoz
oil-bearing a (kő)olaj tartalmú [réteg stb.], olajtermő
oilcake n olajpogácsa
oil-can n olajozókanna
oilcloth n viaszosvászon, linóleum
oil-colours n pl olajfesték
oiler ['ɔɪlə*] n 1. olajozókanna 2. olajozó [személy] 3. olajszállító hajó
oil-field n olajmező
oil-gauge n olajszintmutató
oilily ['ɔɪlɪlɪ] adv 1. olajosan 2. kenetteljesen
oiliness ['ɔɪlɪnɪs] n 1. olajosság 2. kenetteljesség
oilman ['ɔɪlmən] n (pl -men -mən) olaj-(festék-)kereskedő
oil-painting n olajfestmény
oil-press n olajsatu, -ütő, -prés
oil-rig n fúrótorony, -sziget
oilskin(s) n 1. olajjal impregnált anyag 2. vízhatlan tengerészköpeny
oilstone n köszörűkő, fenőkő
oil-tanker n olajszállító hajó, tankhajó
oil-well n olajkút
oily ['ɔɪlɪ] a 1. olajos, zsíros 2. átv sima, hízelkedő, kenetes, kenetteljes
ointment ['ɔɪntmənt] n kenőcs, ír, balzsam, pomádé
O.K., OK, okay [oʊ'keɪ] biz I. int/adv rendben van, helyes, el van intézve II. n give one's OK beleegyezik, hozzájárul III. vt (OK'ing oʊ'keɪɪŋ, pt/pp OK'd oʊ'keɪd) helybenhagy, jóváhagy, beleegyezik; szignál

okapi [oʊ'kɑːpɪ] *n* okapi
okay [oʊ'keɪ] →*O.K.*, *OK*
Okie ['oʊkɪ] *n US* **1.** oklahomai (lakos)
2. (Oklahomából szárazság miatt elköltözött) vándormunkás
Okla. *Oklahoma*
Oklahoma [oʊklə'hoʊmə] *prop*
Olaf ['oʊləf] *prop* Olaf
old [oʊld] **I.** *a (comp* **older** 'oʊldə*,* **sup oldest** 'oʊldɪst) **1.** öreg, vén, idős; **grow ~** megöregszik, megvénül; *three years* **~** hároméves; **~** *age* öregkor, aggkor, vénség →*old-age;* *how* **~** *are you?* mennyi idős vagy?, hány éves (vagy)?; *an* **~** *friend of mine* régi jó barátom; *as* **~** *as the hills* öreg mint az országút; *an* **~** *boy* öreg fiú, öregdiák, vén diák; *an* **~** *hand at sg* (tapasztalt) vén róka [mesterségében]; *goodbye* **~** *man* Isten veled öreg fiú!; □ *your* **~** *man* a faterod, az öreged/ősöd; □ *my* **~** *man* férjem, uram **2.** régi, ó; *the* **~** *country* az óhaza; *US O~ Glory* az amerikai zászló; **~** *gold* óarany; *biz* **~** *hat* idejétmúlt, ósdi; **~** *masters* régi festők (festményei); *biz have a fine]good* **~** *time* jól érzi magát, jól szórakozik **II.** *n of* **~** hajdan(i); *in days of* **~** hajdanán, a régi időkben
old-age *a* öregkori, öregségi ‖ →*old I.*
old-clothesman [-'kloʊðzmæn] *n (pl -men -men)* ószeres
olden ['oʊld(ə)n] *a* régi, hajdani
older ['oʊldə*] *a* öregebb, régibb →*old I.*
oldest ['oʊldɪst] *a* legöregebb, legrégibb →*old I.*
old-established *a* régóta fennálló, régi
old-fashioned [-'fæʃnd] *a* régimódi, ódivatú, divatjamúlt, idejétmúlt, régies
oldish ['oʊldɪʃ] *a* öreges, öregecske
old-maidish [-'meɪdɪʃ] *a* vénkisasszonyos
oldster ['oʊldstə*] *n biz* öregember
old-timer *n* **1.** veterán **2.** „öreg fiú", régi ember (vhol, vmben)
old-womanish [-'wʊmənɪʃ] *a* öregasszonyos
old-world *a* régi (világbeli), óvilági, ódivatú
oleaginous [oʊlɪ'ædʒɪnəs] *a* **1.** olajos, olajtartalmú, zsíros **2.** *átv* kenetes

oleander [oʊlɪ'ændə*] *n* oleánder
oleograph ['oʊlɪəgrɑːf; *US* -æf] *n* olajnyomat
olfactory [ɔl'fækt(ə)rɪ; *US* ɑl-] *a* szagló(szervi)
Olga ['ɔlgə] *prop* Olga
oligarch ['ɔlɪgɑːk; *US* 'ɑ-] *n* oligarcha
oligarchical [ɔlɪ'gɑːkɪkl; *US* ɑ-] *a* oligarchikus
oligarchy ['ɔlɪgɑːkɪ; *US* 'ɑ-] *n* oligarchia
olivaceous [ɔlɪ'veɪʃəs; *US* ɑ-] *a* olajzöld
olive ['ɔlɪv; *US* 'ɑ-] **I.** *a* olívzöld, olajzöld **II.** *n* **1.** olajfa **2.** olajbogyó, olíva
olive-branch *n* olajág
olive-drab I. *a* barnászöld (színű); kincstári színű **II.** *n* katonai egyenruha
olive-green *a = olive I.*
olive-oil *n* olívaolaj, faolaj
Oliver ['ɔlɪvə*; *US* 'ɑ-] *prop* Olivér
Olivia [ɔ'lɪvɪə] *prop* Olívia
ology ['ɔlədʒɪ; *US* 'ɑ-] *n biz* tudomány
olympiad [ə'lɪmpɪæd] *n* olimpiász [négyéves időköz két ógörög olimpiai játék között]
Olympian [ə'lɪmpɪən] *a/n* olimposzi
Olympic [ə'lɪmpɪk] **I.** *a* olimpiai; **~** *games* olimpia(i játékok) **II.** **Olympics** *n pl* olimpia(i játékok)
Olympus [ə'lɪmpəs] *prop* Olimposz
O.M., OM [oʊ'em] *Order of Merit* ⟨magas brit polgári kitüntetés⟩
Omaha ['oʊməhɑː] *prop*
Oman [ə'mɑːn] *prop* Omán
Omar Khayyam ['oʊmɑːkaɪ'ɑːm] *prop* Omár Khájjám
ombudsman ['ɔmbʊdzmən; *US* 'ɑ-] *n (pl -men -mən)* ⟨magánszemélyeknek a közhivatalok bürokratikus túlkapásai ellen tett panaszait kivizsgáló állami tisztviselő⟩
omelet(te) ['ɔmlɪt; *US* -m(ə)l-] *n* omlett, tojáslepény
omen ['oʊmen] **I.** *n* ómen, (elő)jel **II.** *vt* előre jelez, megjósol
ominous ['ɔmɪnəs; *US* 'ɑ-] *a* baljós(latú), rosszat jelentő, ominózus
omission [ə'mɪʃn] *n* kihagyás, elhagyás; (el)mulasztás; *sin of* **~** mulasztási vétek
omit [ə'mɪt] *vt* **-tt-** elhagy, kihagy, mellőz; kifelejt; elmulaszt; **~** *to do sg* vmt

nem tesz meg, elmulaszt/elfelejt vmt megtenni; *he ~ted to provide for his family* nem gondoskodott családjáról; *not ~ to do sg* nem mulaszt el vmt megtenni
omnibus ['ɔmnɪbəs; *US* 'ɑ-] *n* **1.** † autóbusz **2.** ~ *volume* gyűjteményes kötet [egy író műveiből]
omnipotent [ɔm'nɪpət(ə)nt; *US* ɑm-] *a* mindenható
omnipresent [ɔmnɪ'preznt; *US* ɑm-] *a* mindenütt jelenvaló
omniscient [ɔm'nɪsɪənt; *US* ɑm'nɪʃ(ə)nt] *a* mindentudó
omnivorous [ɔm'nɪv(ə)rəs; *US* ɑm-] *a* mindenevő
on [ɔn; *US* ɑn] **I.** *prep* **1.** -on, -en, -ön, -n, vmn, vm mellett, -nál, -nél; *this is ~ me* ezt én fizetem; ~ *duty* szolgálatban; ~ *holiday* szabadságon; ~ *purpose* szándékosan; ~ *tap* csapra verve; ~ *sale* eladó; ~ *the cheap* olcsón; *the house is ~ the road* a ház az út mentén van; *have you a match ~ you?* van nálad gyufa? **2.** *(kelet/dátum/nap meghatározásánál:)* -án, -én, -n; ~ *or about the fifth* ötödikén vagy ötödike körül/táján; ~ *the 5th of May* május ötödikén; ~ *Sunday* vasárnap; ~ *Xmas eve* karácsony estéjén **3.** -ra, -re; -ról, -ről; *curse ~ him* átok reá; *a book ~ ......* -ról szóló könyv; *he lectures ~ finances* a pénzügyekről ad elő **4.** -hoz, -hez, -höz, felé; *march ~ London* L. felé halad/nyomul/menetel **5.** közben, pontosan akkor (amikor . . .), rögtön azután, hogy . . . ; vmnek eredményeképpen; ~ *entering the room* a szobába lépve, ahogy a szobába lépett; ~ *the instant* tüstént, azon nyomban; ~ *a sudden* hirtelen; ~ *examination I found* . . . vizsgálatom eredményeképpen úgy találtam . . .; ~ *the minute* pontosan **II.** *adv* **1.** tovább; iránta; feléje; *well ~ in years* előrehaladott korú; ~ *and* ~ úgy mint eddig, tovább, folyvást; ~ *and off* hébe-hóba, időnként **2.** *be* ~ (1) színpadon van [színész] (2) fut, játsszák [filmet, színdarabot]; *what's ~?* mit játszanak/adnak?; *Macbeth is ~* M. van műsoron,

M-t játsszák; *the show is ~* az előadás folyik **3.** kinyitva, bekapcsolva [gáz, villany stb.], be [műszeren]; *the tap is ~* nyitva van a csap [folyik a víz/gáz]; *the light is ~* ég a lámpa, meg van gyújtva a lámpa; *the hand-brake is ~* be van húzva a kézifék **4.** *what has she got ~?* mibe van öltözve?, mi van rajta?; □ *a bit ~* kissé spicces **5.** *biz be ~* benne van vmben **6.** *be ~ to sy* (1) tisztában van vkvel (2) nyaggat, bosszant
onanism ['ɔnənɪzm] *n* onánia, nemi önkielégítés [férfié]
once [wʌns] **I.** *adv* **1.** egyszer, egy ízben; ~ *more* még egyszer, újra; ~ *for all* egyszer s mindenkorra; *for (this)* ~ ez egyszer; ~ *in a while* néha, ritkán; ~ *or twice* párszor, néhányszor **2.** egykor, valaha; ~ *upon a time* egyszer volt hol nem volt **3.** *at* ~ (1) azonnal, nyomban (2) egyszerre; ugyanakkor; *all at* ~ egyszerre csak, hirtelen **II.** *conj* mihelyt, ha egyszer; ~ *you do it* ha (már) egyszer megteszed
once-over *n US biz give sg the* ~ (gyorsan) átnéz, átfut (vmt), futó pillantást vet vmre
oncology [ɔŋ'kɔlədʒɪ; *US* ɑŋ'kɑ-] *n* onkológia
on-coming I. *a* közelítő; közeledő; ~ *traffic* szembejövő forgalom **II.** *n* közeledés
one [wʌn] **I.** *a* **1.** egy; egyik; ~ *day* egy (szép) napon; ~ *Mr Smith* egy bizonyos Smith úr; ~ *and only* páratlanul álló; *it's all* ~ mindegy; ~ *and all* egytől egyig, mind kivétel nélkül; ~ *and six* egy shilling hat penny **2.** *book* ~ első könyv/ének [eposzban] **3.** egyetlen; ugyanaz, egyesített; *become* ~, *be made* ~ egyesül, összeházasodik; *remains for ever* ~ mindig ugyanaz marad; *the* ~ *way to do it* az egyetlen járható út, az egyetlen módja ennek **II.** *pron* **1.** ~ *another* egymás(t); ~ *by* ~ egyenként; ~ *after the other* egymás után, sorban; ~ *of us* egyikünk; ~ *of them* egyikük; *make* ~ *of us* tarts velünk; ~ *and all* mind kivétel nélkül, egytől egyig; *the* ~ *who* az aki . . .; *he*

is the ~ ő az 2. [főnévhelyettesítő] *which pencil do you want?* (*I want*) *the black* ~ Melyik ceruzát kéred? A feketét (kérem); *which* ~? melyiket? 3. [általános alany] az ember, valaki; ~ *cannot always be right* az ember néha téved; ~'s (az ő) ... -a/-e; *do* ~'s *duty* megteszi kötelességét III. *n* 1. egy [ember, dolog]; *no* ~ senki; *all in* ~ mind együtt, összesítve; ~ (*up*) *for us* egy pont a javunkra, egy null a javunkra 2. *the little* ~s a kicsinyek, a kisgyerekek

one-act *a* ~ *play* egyfelvonásos (színdarab)

one-armed *a* egykarú, félkarú; *US* □ ~ *bandit* kb. flipper

one-course *a* ~ *dish* egytálétel

one-day *a* ~ *return ticket* egynapos kirándulójegy [oda-vissza]

one-eyed *a* egyszemű, félszemű

one-horse *a* 1. egyfogatú 2. *US biz* silány, kisszerű, „piti"; *a* ~ *town* kb. Mucsa

O'Neil(l) [ə'ni:l] *prop*

one-legged *a* egylábú, féllábú

one-man *a* egyszemélyes

oneness ['wʌnnɪs] *n* egység, azonosság

one-piece *a* egyrészes [fürdőruha]

one-price *a* egységárú [üzlet]

oner ['wʌnə*] *n* □ vm nagyszabású dolog; páratlan ember (a maga nemében)

onerous ['ɔnərəs; *US*'ɑ-] *a* súlyos, terhes

onerousness ['ɔnərəsnɪs; *US* 'ɑ-] *n* súlyosság, terhesség

one's [wʌnz] →*one II*.

oneself [wʌn'self] *pron* (ön)maga, (ön-)magát, magának; *of* ~ magától, önként; *look after* ~ gondoskodik magáról; *come to* ~ magához tér

one-sided *a* egyoldalú, féloldalas, elfogult, igazságtalan

one-storied *a* földszintes

one-time *a* egykori, hajdani

one-track *a* 1. egyvágányú 2. egyoldalú [gondolkodás]

one-way *a* egyirányú; ~ *street* egyirányú utca; *US* ~ *ticket* egyszeri utazásra szóló jegy

ongoing ['ɔngoʊɪŋ; *US* 'ɑn-] *a* folyamatban levő

onion ['ʌnjən] *n* (vörös)hagyma; ~ *pickles* hagymasaláta

onion-skin *n* vékony fényes papír, hártyapapír

onlooker ['ɔnlʊkə*; *US* 'ɑn-] *n* néző

only ['oʊnlɪ] I. *a* egyetlen, egyedüli; *an* ~ *child* egyetlen gyerek II. *adv* csak, csupán; ~ *too* nagyon is; ~ *just* éppen hogy; ~ *to think of it* csak erre gondolni is; ~ *yesterday* csupán tegnap; *you* ~ *can guess* csak te tudod kitalálni; *you can* ~ *guess* csak találgatni tudsz/lehet III. *conj* csak éppen, kivéve hogy, azonban; ~ *that* ... kivéve hogy, csak ne lenne ...

onomatopoeia [ɔnəmætə'piːə; *US* ɑ-] *n* hangutánzás, hangfestés

onomatopoeic [ɔnəmætə'piːɪk; *US* ɑ-] *a* hangutánzó, hangfestő

onrush ['ɔnrʌʃ; *US* 'ɑn-] *n* támadás, rárohanás; hirtelen ömlés

onset ['ɔnset; *US* 'ɑn-] *n* 1. roham, támadás 2. kezdet; *from the* ~ kezdettől fogva

onside [ɔn'saɪd] *a*/*adv be* ~ nincs lesen

onslaught ['ɔnslɔ:t; *US* 'ɑn-] *n* támadás

Ont. *Ontario*

Ontario [ɔn'teərɪoʊ; *US* ɑn-] *prop*

onto ['ɔntʊ; *US* 'ɑn-] *prep* -ra, -re; felé

ontological [ɔntə'lɔdʒɪkl; *US* ɑntə'lɑ-] *a* ontológiai, létel méleti

ontology [ɔn'tɔlədʒɪ; *US* ɑn'ta-] *n* ontológia, létel mélelet

onus ['oʊnəs] *n* súly, teher, felelősség

onward ['ɔnwəd; *US* 'ɑn-] *a* előrehaladó

onwards ['ɔnwədz; *US* 'ɑn-] *adv* előre, tovább; *from this time* ~ ettől fogva

onyx ['ɔnɪks; *US* 'ɑ-] *n* ónix

oof [u:f] *n* □ pénz, dohány

oomph [u:mf] *n* □ nemi vonzóerő

oops [ʊps] *int* zsupsz!

ooze [u:z] I. *n* 1. szivárgás, lassú kiáramlás 2. iszap, sár II. *vi* 1. szivárog, átszűrődik, csöpög, izzad, gyöngyözik 2. ~ *out* kiszivárog [titok] 3. ~ *away* elpárolog [bátorság]

op [ɔp; *US* ɑp] *a* (= *optical*); ~ *art* op művészet

op. *opus* mű

o.p., **OP** [oʊ'pi:] *out of print* elfogyott (könyv), már nem kapható

opacity [oʊ'pæsətɪ] *n* átlátszatlanság, homályosság
opal ['oʊpl] *n* opál
opalescent [oʊpə'lesnt] *a* opálos, opálfényű, opalizáló, színeket játszó
opaque [oʊ'peɪk] *a* **1.** átlátszatlan **2.** tudatlan, nehézfejű
op. cit. [ɔp'sɪt] opere citato *in the work cited* az idézett műben, i. m.
OPEC ['oʊpek] *Organization of Petroleum Exporting Countries* Kőolajexportáló Országok Szervezete
open ['oʊp(ə)n] *I. a* **1.** nyitott, nyílt; *break ~* feltör, kibont; *cut ~* felvág; *throw ~* kitár; *the door is ~* az ajtó nyitva van/áll; *(policy of) the ~ door* „nyitott kapu" elve **2.** szabad, nyílt; nyilvános; *in the ~ air* a szabadban; *in ~ country* nyílt terepen, lakott területen kívül; *in ~ court* nyilvános tárgyaláson; *keep ~ house* nyílt házat visz; *~ road* szabad út; *the ~ sea* a nyílt tenger; *the ~ season* vadászidény; *GB O~ University* ⟨levelező rendszerű egyetem⟩; *it is ~ to you to do sg* szabadságodban áll vmt tenni; *~ to the public* a közönség számára nyitva **3.** egyenes, őszinte, nyílt, világos, közlékeny; *be ~ with sy* őszinte vkvel **4.** eldöntetlen; *leave the matter ~* függőben hagyja a dolgot; *have an ~ mind* liberális gondolkodású, elfogulatlan; *~ question* nyílt/nyitott kérdés; *~ contract* még nem teljesített szerződés, határidős kötés **5.** vmnek alávetve; *be ~ to advice* szívesen fogad tanácsot; *~ to criticism* bírálható, kritizálható; *~ to doubt* kérdéses, vitatható **II.** *n in the ~* a szabadban; *come out into the ~* nyilvánosságra jut **III. A.** *vt* **1.** (fel-)nyit, kinyit, megnyit, (ki)bont, felbont; kitár; kitát; *~ oneself* kiönti a szívét **2.** (meg)kezd, indít, bevezet; *~ hearts* kőrrel/pirossal kezd [kártyában]; *~ fire* tüzet nyit **B.** *vi* **1.** (ki)nyílik, megnyílik, kitárul; *the door ~s into a passage* az ajtó folyosóra nyílik; *the window ~s on to the garden* az ablak a kertre néz/nyílik **2.** kezdődik, indul; (el)terjed **3.** fakad, rügyezik [virág]
open out A. *vt* kinyit, kitár, kibont

B. *vi* **1.** kinyílik, kitárul(kozik) **2.** kifejlődik, kibontakozik
open up A. *vt* **1.** megnyit, hozzáférhetővé tesz, feltár **2.** felvág **3.** fiókot nyit **B.** *vi* megnyílik, hozzáférhetővé válik
open-air *a* szabadtéri, szabad ég alatti, nyitott; *~ school* erdei iskola; *~ treatment* légkúra
open-cast *a* külszíni fejtésű
open-ended [-'endɪd] *a* többféle megoldást lehetővé tevő, nem lezárt, nyitva hagyott
opener ['oʊp(ə)nə*] *n* nyitó, bontó
open-eyed *a* szemfüles, óvatos; *with ~ astonishment* a meglepetéstől tágra nyílt szemekkel
open-faced *a* nyílt arcú
open-handed *a* bőkezű
open-hearted *a* nyíltszívű, őszinte, nemes szívű
open-heart surgery nyitott szívműtét
opening ['oʊpnɪŋ] **I.** *a* (meg)nyitó; *~ night* bemutató (előadás); *~ paragraph* első bekezdés **II.** *n* **1.** nyílás, rés **2.** kezdet, kezdés; *~ hours* nyitvatartás(i idő); *~ time* nyitás [üzleté] **3.** alkalom, esély **4.** üresedés, álláslehetőség **5.** *átv* kilátás **6.** *US* tisztás [erdőben]
openly ['oʊp(ə)nlɪ] *adv* nyíltan, szabadon; nyilvánvalóan
open-minded *a* liberális gondolkodású, elfogulatlan
open-mouthed *a* **1.** tátott szájú **2.** falánk, ragadozó
open-necked *a* nyitott gallérú
openness ['oʊp(ə)nnɪs] *n* nyíltság
open-work *n* **1.** áttört kötés **2.** külfejtés, külszíni fejtés [bányában]
opera ['ɔp(ə)rə; *US* 'ɑ-] *n* opera
operable ['ɔpərəbl; *US* 'ɑ-] *a* **1.** működtethető, kezelhető **2.** operálható
opera-cloak *n* (báli) belépő
opera-glasses *n pl* színházi látcső
opera-hat *n* rugós cilinder, klakk
opera-house *n* operaház
operate ['ɔpəreɪt; *US* 'ɑ-] **A.** *vi* **1.** működik, üzemel **2.** hat(ással van) (vmre) **3.** operál; *~ on sy* megoperál/megműt vkt **4.** hatályos, érvényes

B. *vt* **1.** működtet, üzemben tart [gépet]; ~*d by electricity* villamos (meg)hajtású **2.** (meg)operál; *be* ~*d on* megoperálják **3.** okoz, ` előidéz; befolyásol
-**operated** [-ɔpəreɪtɪd; *US* -ap-] működésű, hajtású
operatic [ɔpə'rætɪk; *US* a-] *a* operai, opera-
operating ['ɔpəreɪtɪŋ; *US* 'a-] *a* **1.** operáló, műtői, műtő- **2.** működtető; üzemi
operating-room *n* műtő
operating-table *n* műtőasztal
operating-theatre *n* (demonstrációs) műtő(terem)
operation [ɔpə'reɪʃn; *US* a-] *n* **1.** működés, cselekvés; üzem(elés); *be in* ~ működik, üzemben van, üzemel; *put in* ~ működésbe hoz, üzembe helyez; *in full* ~ teljes üzemben/ üzemmel **2.** műtét, operáció; *undergo an* ~ megoperálják, megműtik **3.** joghatás, érvény(esség), hatály; *come into* ~ érvénybe lép **4.** eljárás; művelet **5.** hadművelet; *European theatre of* ~*s* európai hadszíntér
operational [ɔpə'reɪʃənl; *US* a-] *a* **1.** hadműveleti **2.** ~ *costs* üzemeltetési költség(ek) **3.** ~ *research* operációkutatás
operative ['ɔp(ə)rətɪv; *US* 'apəreɪ-] I. *a* **1.** hatásos, döntő, leglényegesebb, fontos; ~ *word* döntő/lényeges szó **2.** hatályos, érvényes; *become* ~ hatályba lép, működni/üzemelni kezd **3.** műtéti II. *n* munkás, dolgozó, alkalmazott
operator ['ɔpəreɪtə*; *US* 'a-] *n* **1.** gépész, műszerész, (gép)kezelő; telefonos **2.** sebész
operetta [ɔpə'retə; *US* a-] *n* operett
Ophelia [ɔ'fiːljə] *prop* Ofélia
ophthalmia [ɔf'θælmɪə; *US* af-] *n* szemgyulladás
ophthalmic [ɔf'θælmɪk; *US* af-] *a* szem-
ophthalmological [ɔfθælmə'lɔdʒɪkl; *US* afθælmə'la-] *a* szemészeti
ophthalmology [ɔfθæl'mɔlədʒɪ; *US* afθæl'ma-] *n* szemészet

ophthalmoscope [ɔf'θælməskoʊp; *US* af-] *n* szemtükör
opiate ['oʊpɪət] *n* ópium tartalmú altatószer/kábítószer
opine [ə'paɪn] *vt/vi* **1.** gondol, vél, gyanít **2.** (vmlyen) véleményen van, véleményt nyilvánít (vmről)
opinion [ə'pɪnjən] *n* **1.** vélemény (*of* vkről, *on* vmről); ~ *leader* hangadó, közvéleményt formáló személy; *in my* ~ véleményem szerint; *matter of* ~ felfogás dolga/kérdése; *public* ~ közvélemény; *have a high* ~ *of sy* nagyra tart vkt; *have a low* ~ *of sy* kevésre becsül vkt; *be of the* ~ *that* azon a véleményen van, hogy; *az a felfogása, hogy* **2.** szakvélemény
opinionated [ə'pɪnjəneɪtɪd] *a* véleményéhez makacsul ragaszkodó; nagyképű, fontoskodó
opium ['oʊpjəm] *n* ópium
opium-eater *n* ópiumszívó
opossum [ə'pɔsəm; *US* -'pa-] *n* oposszum
opp. *opposite*
opponent [ə'poʊnənt] *n* ellenfél, versenytárs
opportune ['ɔpətjuːn; *US* apər'tuːn] *a* alkalomszerű, időszerű, alkalmas
opportunism ['ɔpətjuːnɪzm; *US* apər'tuː-] *n* megalkuvás, opportunizmus
opportunist ['ɔpətjuːnɪst; *US* apər'tuː-] *n* megalkuvó, opportunista
opportunity [ɔpə'tjuːnətɪ; *US* apər'tuː-] *n* (kedvező) alkalom (*for sg, of doing sg, to do sg* vmre); alkalmas idő; *seize an* ~ megragadja az alkalmat
oppose [ə'poʊz] *vt* **1.** szembeállít **2.** ellenáll (vknek), szembehelyezkedik (vkvel, vmvel), ellenez (vmt); *be* ~*d to sy/sg* szemben áll vkvel, ellenez vmt
opposed [ə'poʊzd] *a* ellentétes, szemben álló, szembeállított; *as* ~ *to sg* szemben/összehasonlítva vmvel
opposite ['ɔpəzɪt; *US* 'a-] I. *a* ellentétes, szemben levő, ellenkező; szemközti; túlsó; *one's* ~ *number* vknek a [külföldi] kollégája II. *adv/prep* szemben, átellenben III. *n* ellentéte, ellenkezője (*of* vknek, vmnek)

opposition [ɔpə'zıʃn; US ɑ-] n 1. szembenállás, ellenzés, oppozíció, ellenállás 2. ellenzék 3. ellentét
oppress [ə'pres] vt 1. elnyom, sanyargat, nyomorgat 2. (le)nyom, ránehezedik, terhel 3. deprimál, lehangol
oppression [ə'preʃn] n 1. elnyomás, zsarnokság 2. lehangoltság
oppressive [ə'presıv] a 1. elnyomó 2. súlyos, terhes, nyomasztó [érzés], tikkasztó [hőség]
oppressor [ə'presə*] n zsarnok, kényúr, elnyomó
opprobrious [ə'proʊbrıəs] a gyalázatos, megszégyenítő, szégyenletes
opprobrium [ə'proʊbrıəm] n szégyen, gyalázat
oppugn [ɔ'pju:n] vt 1. megtámad (vmt), ellenszegül (vmnek) 2. vitat, kétségbe von (vmt); ellentmond (vmnek)
opt [ɔpt; US ɑ-] vi választ (for sg két dolog közül vmt); ~ out of sg „kiszáll" vmből
optative ['ɔptətıv; US 'ɑ-] a/n ~ (mood) óhajtó mód, optativus
optic ['ɔptık; US 'ɑ-] a látási, látó-, szem-; ~ nerve látóideg
optical ['ɔptıkl; US 'ɑ-] a látási, látó-, szem-; optikai; ~ illusion optikai csalódás
optician [ɔp'tıʃn; US ɑp-] n látszerész, optikus
optics ['ɔptıks; US 'ɑ-] n fénytan, optika
optimism ['ɔptımızm; US 'ɑ-] n derűlátás, optimizmus
optimist ['ɔptımıst; US 'ɑ-] n derűlátó, optimista
optimistic [ɔptı'mıstık; US ɑp-] a derűlátó, optimista, bizakodó
optimum ['ɔptıməm; US 'ɑ-] n (jelzői haszn) legjobb, legelőnyösebb, optimális
option ['ɔpʃn; US 'ɑ-] n 1. (szabad) választás, a választás lehetősége; elővételi jog, opció; soft ~ a könnyebbik megoldás (választása); have no ~ nincs más választása 2. díjügylet, prémiumügylet
optional ['ɔpʃənl; US 'ɑ-] a szabadon választható, nem kötelező, fakultatív [tárgy], tetszőleges

opulence ['ɔpjʊləns; US 'ɑ-] n bőség, gazdagság, vagyon
opulent ['ɔpjʊlənt; US 'ɑ-] a 1. dúsgazdag; pazar, fényűző 2. bő(séges), dús
or [ɔ:*] conj vagy; either ... ~ vagy ... vagy; ~ so körülbelül; mintegy, vagy így; in a day ~ two egy-két nap alatt
oracle ['ɔrəkl; US 'ɔ:-] n 1. jóslat, nagy bölcsesség 2. jóshely, orákulum; GB □ work the ~ a kulisszák mögött működik 3. jós, nagy bölcs
oracular [ɔ'rækjʊlə*; US ɔ:'r-] a 1. jóslatszerű; rejtett értelmű; kétértelmű 2. magát csalhatatlannak képzelő
oral ['ɔ:r(ə)l] a 1. szóbeli; ~ examination szóbeli (vizsga) 2. szájon át történő, (per)oralis; száj-
orally ['ɔ:rəlı] adv 1. szóban 2. szájon át, orálisan
orange ['ɔrındʒ; US 'ɔ:-] n narancs; ~ drink narancsszörp, [szintetikus] narancsital; ~ juice narancslé; ~ pekoe ['pi:koʊ] 〈indiai apró levelű fekete tea〉
orangeade [ɔrındʒ'eıd; US ɔ:-] n narancsszörp, oranzsád
orange-blossom n narancsvirág
Orangeman ['ɔrındʒmən; US 'ɔ:-] n (pl -men -mən) 〈észak-írországi protestáns unionista〉
orange-peel n narancshéj
orangery ['ɔrındʒərı; US 'ɔ:-] n melegház narancsfáknak
orang-outang, -utan [ɔ:rænu:'tæŋ, -'tæn; US oʊ'ræŋ-] n orangután
oration [ɔ:'reıʃn] n 1. szónoklat, nyilvános beszéd 2. direct ~ egyenes beszéd; indirect ~ függő beszéd
orator ['ɔrətə*; US 'ɔ:-] n szónok
oratorical [ɔrə'tɔrıkl; US ɔ:rə'tɔ:-] a 1. szónoki 2. nagyhangú
oratorio [ɔrə'tɔ:rıoʊ; US ɔ:-] n oratórium
oratory ['ɔrət(ə)rı; US 'ɔ:rətɔ:rı] n 1. ékesszólás, szónoklástan 2. imaház, (magán)kápolna, oratórium
orb [ɔ:b] n 1. gömb; égitest 2. szem (golyó) 3. országalma

orbit ['ɔ:bɪt] I. *n* 1. pálya [égitesté]; űrpálya; *put in(to)* ~ (űr)pályára állít 2. hatáskör, működési terület 3. szemgödör, szemüreg II. *vi* kering [űrhajó]

orbital ['ɔ:bɪtl] *a* 1. szemüregi 2. pályamenti, orbitális, pálya-; ~ *speed* pályamenti sebesség; ~ *velocity* első kozmikus sebesség

orbiter ['ɔ:bɪtə*] *n* űrhajó, mesterséges űrbolygó

orchard ['ɔ:tʃəd] *n* gyümölcsös(kert)

orchestra ['ɔ:kɪstrə] *n* 1. zenekar; ~ *pit* zenekari árok; ~ *stalls* zenekari ülés, zsöllye 2. *US* zsöllye, földszint [színházban]

orchestral [ɔ:'kestr(ə)l] *a* zenekari

orchestrate ['ɔ:kɪstreɪt] *vt* zenekarra feldolgoz, hangszerel

orchestration [ɔ:ke'streɪʃn] *n* hangszerelés

orchid ['ɔ:kɪd] *n* orchidea, kosbor

orchitis [ɔ:'kaɪtɪs] *n* heregyulladás

ordain [ɔ:'deɪn] *vt* 1. pappá szentel, felszentel, 2. elrendel, meghagy

ordeal [ɔ:'di:l] *n* istenítélet, megpróbáltatás; ~ *by fire* tűzpróba

order ['ɔ:də*] I. *n* 1. rend; rendszer; sorrend; *be in* ~ rendben van; *be in good/working* ~ jól működik; *be out of* ~ rossz állapotban van, nem működik; *put out of* ~ elront; *set in* ~ rendbe tesz; *in (the)* ~ *of sg* vmnek sorrendjében; ~ *of battle* csatarend; ~ *of magnitude* nagyságrend; *of the* ~ *of . . .* nagyságrendű; *the old* ~ *of things* a régi világ/rendszer; *the motion is not in* ~ az indítvány nem tartozik a tárgyhoz; ~ *!* ~ *!* térjen a tárgyra !; ~ *of the day* napirend; *considerations of quite another* ~ egészen más természetű megfontolások; *call to* ~ (1) rendreutasít (2) *US* megnyit [ülést]; *public* ~ közrend; *law and* ~ jogrend 2. rendelet, határozat; szabály; parancs, utasítás; ~*s are* ~*s* a parancs parancs, a szabály az szabály; *by* ~ *of sy* vk parancsára/ rendeletére; *O*~ *in Council* királyi (titkos tanácsi) rendelet 3. (meg-) rendelés; megbízás; *export* ~ külföldi

rendelés; *place an* ~ *with sy* (meg-) rendel vktől (vmt); *fill/execute an* ~ rendelést teljesít; *made to* ~ rendelésre készült; *biz that's a tall/large* ~ *!* ez már sok a jóból !, mindennek van határa ! 4. utalvány; ~ *on a bank* banknak adott meghatalmazás/megbízás 5. *in* ~ *to . . .* azon célból, (v. azért,) hogy . . . 6. érdemrend, rendjel 7. rend, rang, (társadalmi) osztály; (szerzetes)rend, lovagrend; *the clerical* ~ a papság, klérus; *holy* ~*s* egyházi/papi rend; *all* ~*s & degrees of men* minden rangú és rendű ember 8. [élővilágban] rend II. *vt* 1. (el-) rendel, (meg)parancsol; vezényel; ~ *arms!* fegyvert lábhoz ! 2. (meg-) rendel [árut stb.] 3. előír, rendel [orvos] 4. (el)rendez, igazgat 5. pappá szentel, felszentel

order about *vt* parancsolgat vknek, ide/oda rendel/rángat/küldözget

order in *vt* berendel

order off *vt* 1. elparancsol, elküld 2. kiállít [játékost]

order out *vt* kiparancsol

order-book *n* megrendelési könyv

ordered ['ɔ:dəd] *a* rendezett

order-form *n* 1. megrendelőlap, rendelési űrlap 2. (könyvtári) kérőlap

ordering ['ɔ:d(ə)rɪŋ] *n* 1. (el)rendezés 2. szabályozás

orderliness ['ɔ:dəlɪnɪs] *n* 1. szabályosság, szép rend 2. jó magaviselet; rendszeretet

orderly ['ɔ:dəlɪ] I. *a* 1. szabályos, rendes; *in an* ~ *fashion* szép rendben 2. rendszerető, szófogadó 3. szolgálatban levő, szolgálatos; ~ *book* parancskönyv; ~ *officer* parancsőrtiszt, napos tiszt; ~ *room* századiroda, ezrediroda II. *n* 1. tiszti küldönc 2. (kórházi) beteghordozó, műtős

ordinal ['ɔ:dɪnl] I. *a* sorrendi, rend-, sor-; ~ *number* sorszám(név) II. *n* sorszámnév

ordinance ['ɔ:dɪnəns] *n* 1. (szabály-) rendelet, előírás 2. szertartás(i szabály)

ordinarily ['ɔ:d(ə)nrəlɪ; *US* 'ɔ:dənerəlɪ] *adv* szokásos módon, szokásszerűen

ordinary ['ɔ:d(ə)nrɪ; US -dənerɪ] I. *a*
rendes, szokásos, általános, hétköz-
napi, közönséges, átlagos; ~ *level*,
O *level* közepes előmenetelű; *in the*
~ *way* rendes körülmények között II.
n 1. a szokásos, a rendes kerékvágás;
out of the ~ a szokásostól eltérő,
rendkívüli 2. vendéglő 3. (table
d'hôte) menü 4. mise változatlan
része, rituálé
ordinate ['ɔ:d(ɪ)nət] *n* ordináta
ordination [ɔ:dɪ'neɪʃn] *n* 1. elrendezés,
intézkedés 2. pappá szentelés, fel-
szentelés
ordnance ['ɔ:dnəns] *n* 1. löveg, ágyú;
piece of ~ löveg 2. hadianyag 3. tü-
zérség; ~ *map* katonai térkép; *GB*
~ *survey* (katonai) térképészeti szol-
gálat
ordure ['ɔ:djʊə*; US -dʒər] *n* 1. trágya,
rondaság, szenny, mocsok 2. trágár
beszéd, trágárság
ore [ɔ:*] *n* érc
Oreg. *Oregon*
Oregon ['ɒrɪgən; US 'ɔ:rɪgɑn] *prop*
organ ['ɔ:gən] *n* 1. szerv, érzékszerv
2. † emberi hang, orgánum 3. szerv
[intézményé stb.]; hírközlő szerv,
(sajtó)orgánum 4. orgona; *American*
~ harmónium
organdie, *US* **-dy** ['ɔ:gəndɪ] *n* organtin
organ-grinder *n* kintornás
organic [ɔ:'gænɪk] *a* 1. szervi [baj
stb.] 2. szerves (*átv is*), organikus;
~ *chemistry* szerves kémia; *US* ~
~ *gardening* műtrágya nélküli ker-
tészkedés; *an* ~ *whole* összefüggő egész
organically [ɔ:'gænɪk(ə)lɪ] *adv* 1. szer-
vesen 2. szervileg 3. szervezetten,
rendszeresen; szervezetileg
organism ['ɔ:gənɪzm] *n* szervezet, orga-
nizmus
organist ['ɔ:gənɪst] *n* orgonista
organization [ɔ:gənaɪ'zeɪʃn; *US* -nɪ'z-]
n 1. szervezet, organizáció, organiz-
mus 2. (meg)szervezés, elrendezés,
organizálás 3. (organikus) alkat, (em-
beri) szervezet
organize ['ɔ:gənaɪz] A. *vt* (meg)szervez,
organizál; (meg)rendez B. *vi* organi-
zálódik, alakul

organized ['ɔ:gənaɪzd] *a* (meg)szerve-
zett; ~ *labour* szervezett munkásság
organizer ['ɔ:gənaɪzə*] *n* szervező, ren-
dező, organizátor
organ-loft *n* orgonakarzat
organ-pipe *n* orgonasíp
organ-stop *n* (orgona)regiszter
orgasm ['ɔ:gæzm] *n* orgazmus
orgiastic [ɔ:dʒɪ'æstɪk] *a* orgiába fúló,
tobzódó
orgy ['ɔ:dʒɪ] *n* orgia, tobzódás
oriel ['ɔ:rɪəl] *n* konzolos zárt erkély;
[falsíkból] kiugró ablakfülke
orient I. *a* ['ɔ:rɪənt] 1. keleti 2. ragyo-
gó, fénylő, csillogó 3. felkelő, emel-
kedő II. *n* ['ɔ:rɪənt] 1. (nap)kelet
2. hajnal III. *v* ['ɔ:rɪent] *US* = *orien-
tate*
oriental [ɔ:rɪ'entl] *a* keleti
orientalism [ɔ:rɪ'entəlɪzm] *n* 1. keleti
szokás/életforma 2. orientalisztika
orientalist [ɔ:rɪ'entəlɪst] *n* orientalista
orientate ['ɔ:rɪenteɪt] A. *vt* 1. kelet
felé tájol, betájol, keletel 2. ~ *one-
self* tájékozódik, orientálódik B. *vi*
igazodik (*to* vkhez)
orientation [ɔ:rɪen'teɪʃn] *n* 1. tájéko-
zódás, orientáció, eligazodás 2. tájé-
koztatás, eligazítás 3. kelet felé for-
dulás, keletelés 4. (politikai) irány,
orientáció
orienteering [ɔ:rɪen'tɪərɪŋ] *n* tájfutás,
tájékozódási futás
orifice ['ɒrɪfɪs; *US* 'ɔ:r-] *n* nyílás, száj-
(nyílás)
origin ['ɒrɪdʒɪn; *US* 'ɔ:r-] *n* eredet,
forrás, kiindulás, kiindulópont; szár-
mazás
original [ə'rɪdʒənl] I. *a* 1. eredeti, ősi,
ős-; ~ *sin* eredendő bűn 2. eredeti,
újszerű; egyéni, sajátos; rendkívüli
[ember] II. *n* 1. ősök 2. eredeti
[példány, nyelv], (vmnek az) ere-
detije; *in the* ~ eredetiben
originality [ərɪdʒə'nælətɪ] *n* eredetiség
originally [ə'rɪdʒənəlɪ] *adv* eredetileg,
első ízben
originate [ə'rɪdʒəneɪt] A. *vt* teremt,
létrehoz, létesít B. *vi* ered, származik
(*in/from* vmből, *from/with* vktől),
visszavezethető (*in* vmre)

originator [ə'rɪdʒəneɪtə*] n kezdeményező, (értelmi) szerző, alkotó, létrehozó
oriole ['ɔ:rɪoul] n (golden) ~ sárgarigó
Orkney Islands ['ɔ:knɪ], Orkneys ['ɔ:knɪz] prop Orkney-szigetek
Orlando [ɔ:'lændou] prop
orlop ['ɔ:lɔp] n legalsó fedélzet [hajóé]
ormolu ['ɔ:məlu:] n aranyutánzat [rézből]
ornament I. n ['ɔ:nəmənt] dísz(ítmény), díszítés, ékesség; dísztárgy II. vt ['ɔ:nəment] (fel)díszít, ékesít
ornamental [ɔ:nə'mentl] a díszítő; ~ piece dísztárgy
ornamentation [ɔ:nəmen'teɪʃn] n 1. díszítés 2. díszítmények
ornate [ɔ:'neɪt] a díszes, gondosan feldíszített, választékos
ornery ['ɔ:nərɪ] a US biz nehezen kezelhető, makacs; komisz
ornithological [ɔ:nɪθə'lɔdʒɪkl; US -'lɑ-] a madártani, ornitológiai
ornithologist [ɔ:nɪ'θɔlədʒɪst; US -'θɑ-] n madártudós, ornitológus
ornithology [ɔ:nɪ'θɔlədʒɪ; US -'θɑ-] n madártan, ornitológia
orotund ['ɔrətʌnd; US 'ɔ:-] a 1. zengzetes 2. dagályos
orphan ['ɔ:fn] a/n árva
orphanage ['ɔ:fənɪdʒ] n 1. árvaház 2. árvaság
orphaned ['ɔ:fnd] a árva, elárvult
Orpheus ['ɔ:fju:s] prop Orpheus
orris ['ɔrɪs; US 'ɔ:-] n (flórenci) nőszirom
orthochromatic [ɔ:θəkrə'mætɪk] a ortokromatikus
orthodontist [ɔ:θə'dɔntɪst; US -'dɑ-] n fogszabályozó (szakorvos)
orthodox ['ɔ:θədɔks; US -aks] a 1. ortodox, óhitű; O~ Church görögkeleti egyház 2. bevett, hagyományos, ortodox
orthodoxy ['ɔ:θədɔksɪ; US -ak-] n 1. óhitűség, igazhitűség 2. hagyományokhoz való merev ragaszkodás
orthographic(al) [ɔ:θə'græfɪk(l)] a helyesírási
orthography [ɔ:'θɔgrəfɪ; US -'θɑ-] n helyesírás

orthop(a)edic [ɔ:θə'pi:dɪk] a ortopéd(iai)
orthop(a)edics [ɔ:θə'pi:dɪks] n ortopédia
ortolan ['ɔ:tələn] n sármány
O.S. [ou'es] 1. Old Style →style 2. ordinary seaman
Osborne ['ɔzbən] prop
Oscar ['ɔskə*; US 'a-] prop/n 1. Oszkár 2. Oscar-díj
oscillate ['ɔsɪleɪt; US 'a-] vi 1. leng, rezeg, oszcillál 2. ingadozik, vacillál, habozik
oscillating ['ɔsɪleɪtɪŋ; US 'a-] a rezgő, oszcilláló; ~ circuit rezgőkör
oscillation [ɔsɪ'leɪʃn; US a-] n 1. ingás, lengés, rezgés, oszcillálás 2. ingadozás, vacillálás, habozás
oscillator ['ɔsɪleɪtə*; US 'a-] n oszcillátor, rezgéskeltő
osculate ['ɔskjuleɪt; US 'askjə-] A. vt 1. több ponton érint 2. csókol B. vi csókolódzik
osculatory ['ɔskjulət(ə)rɪ; US 'askjələtɔ:rɪ] a 1. érintő, érintkező 2. csókoló(dzó)
osier ['ouʒə*] n 1. nemes fűz 2. fűzfavessző
Oslo ['ɔzlou; US 'a-] prop
Osmanli [ɔz'mænlɪ; US az-] a/n oszmán--török, oszmánli
osmosis [ɔz'mousɪs; US az-] n átszivárgás, ozmózis
osprey ['ɔsprɪ; US a-] n 1. halászsas 2. kócsagtoll
osseous ['ɔsɪəs; US 'a-] a csontos; csont-; csontszerű
Ossian ['ɔsɪən; US 'aʃən v. 'asɪən] prop Osszián
Ossianic [ɔsɪ'ænɪk; US aʃɪ- v. asɪ-] a ossziáni
ossification [ɔsɪfɪ'keɪʃn; US a-] n csontképződés, csontosodás
ossify ['ɔsɪfaɪ; US 'a-] A. vi 1. elcsontosodik, csonttá válik 2. (átv is) megcsontosodik, megkeményedik B. vt elcsontosít; megkeményít (átv is)
ossuary ['ɔsjuərɪ; US 'asjuerɪ] n csontház, -kamra
Ostend [ɔ'stend; US a-] prop Ostende
ostensible [ɔ'stensəbl; US a-] a állítólagos, látszólagos
ostentation [ɔsten'teɪʃn; US a-] n

tüntetés (vmvel), kérkedés, muto-gatás(a vmnek)
ostentatious [ɔsten'teɪʃəs; US ɑ-] a kérkedő, hivalkodó, (vmvel) tüntető, hencegő
osteology [ɔstɪ'ɔlədʒɪ; US ɑstɪ'ɑ-] n csonttan
osteopath ['ɔstɪəpæθ; US 'ɑ-] n hát-gerincmasszőr; csontrakó
osteopathy [ɔstɪ'ɔpəθɪ; US ɑ-] n osteo-pathia, hátgerincmasszázs
ostler ['ɔslə*; US 'ɑ-] n lovász
ostracism ['ɔstrəsɪzm; US 'ɑ-]n **1.** cserép-szavazás **2.** száműz(et)és; kiközösítés
ostracize ['ɔstrəsaɪz; US 'ɑ-] vt **1.** cse-répszavazással száműz **2.** átv kikö-zösít, (jó) társaságból kizár/kiutál
ostrich ['ɔstrɪtʃ; US 'ɑ-] n strucc
Oswald ['ɔzw(ə)ld; US 'ɑ-] prop Oszvald
O.T., OT Old Testament Ószövetség(i Szentírás)
otalgia [oʊ'tældʒɪə] n fülfájás
OTC [oʊti:'si:] Officers' Training Corps tisztképző tanfolyam
Othello [ə'θeloʊ, oʊ-] prop Otelló
other ['ʌðə*] **I.** a/pron más; másik; különböző; többi; további; egyéb; the ~ day a minap, a napokban; ~ people mások; the ~s a többiek; in ~ words más szavakkal; ~ things being equal egyéb feltételek egyezése esetén; ~ days ~ ways más idők más embe-rek; one after the ~ egyik a másik után, egymás után, sorban; I could do no ~ than nem tehettem mást, mint; ... or ~ (1) vagy mi, egy és más (2) vagy hogyan; some day or ~ majd egyszer; somehow or ~ vala-hogy(an); someone or ~ valaki; the ~ world a másvilág; any person ~ than yourself rajtad kívül bárki más; I do not wish him ~ than he is nem kívánom, hogy más legyen **II.** adv másképp; I can't do ~ than to... nem tehetek egyebet/mást, mint ...
otherness ['ʌðənɪs] n különbözőség, vmnek más volta
otherwise adv másképp(en), (más)külön-ben, egyébként
otherworldly a túlvilági, nem e világra való, más világban élő

otic ['oʊtɪk] a halló-, fül-
otiose ['oʊʃɪoʊs] a céltalan, haszontalan
otitis [ə'taɪtɪs] n fülgyulladás; ~ media ['mi:dɪə] középfülgyulladás
otolaryngology ['oʊtəlærɪŋ'gɔlədʒɪ; US -'gɑ-] n fül-orr-gégészet
otology [oʊ'tɔlədʒɪ; US -'tɑ-] n fülgyó-gyászat, fülészet
Ottawa ['ɔtəwə; US 'ɑ-] prop
otter ['ɔtə*; US 'ɑ-] n vidra
ottoman ['ɔtəmən; US 'ɑ-] n dívány, ottomán
ouch [aʊtʃ] int jaj !
ought [ɔ:t] v aux kellene, illene; you ~ to have seen it látnod kellett volna; ~n't ['ɔ:tnt] he (v. ~ he not) to see a doctor? nem kellene orvoshoz mennie?
ounce¹ [aʊns] n uncia; avoirdupois ~ = 28,35 g; troy ~ = 31,10 g; fluid ~ = 28,4 cm³
ounce² [aʊns] n hópárduc
O.U.P., OUP [oʊju:'pi:] Oxford Univer-sity Press Oxfordi Egyetemi Nyomda
our ['aʊə*]a/pron -unk, -ünk, -nk, -aink, -jaink, -eink, -jeink; ~ house a házunk
ours ['aʊəz] pron mienk, mieink; it is not ~ to nem a mi dolgunk, hogy
ourself [aʊə'self] pron mi(nket) magun-kat, mi magunk [fejedelmi többesben]
ourselves [aʊə'selvz] pron mi magunk; magunkat; □ (all) by ~ mi magunk teljesen egyedül
ousel ['u:zl] n = ouzel
oust [aʊst] vt elűz, kiűz; kitúr (from vmből)
out [aʊt] **I.** adv **1.** ki, kifelé; kinn; ~ and ~ (1) teljes(en), kimondott(an), leghatározottabb(an) (2) ágyafúrt; he is ~ and about again már (meggyó-gyult és) újra kijár; day ~ szabadnap [háztartási alkalmazotté]; ~ there ott kinn, arra; be ~ after sg vmt el akar érni; be ~ for sg teljes erővel törekszik vmre; be ~ to (1) az a célja/szándéka, hogy (2) nekifogott, hogy; the book is ~ a könyv megjelent; the workers are ~ a munkások sztrájkolnak; the secret is ~ a titok kiszivárgott/kiderült; ~ with it! nyögd már ki !, ki vele !; he is five pounds ~ öt fonttal elszámította ma-gát; lights ~! lámpákat leoltani !;

before the week is ~ még a hét vége előtt; *the Tories are* ~ a konzervatív párt megbukott az utolsó választáson; *the fire is* ~ a tűz kialudt; ~ *and away* sokkal (inkább), összehasonlíthatatlanul 2. *prep* ~ *of* (vhonnan, vmből) ki; (vmből) kinn; (vmn) kívül; -ból, -ből; *is* ~ *of sight* nem látszik; *get* ~ *of here* menj/takarodj ki; *be* ~ *of sg* (1) kifogyott vmből, elfogyott/hiányzik vmje (2) kimarad(t) vmből; *it happened* ~ *of Persia* Perzsián kívül történt, nem Perzsiában történt; ~ *of respect for you* Ön iránti tiszteletből II. *n the ins and* ~*s* →*in* III. *vt* 1. kiüt 2. *biz* kirak (vkt)

outbalance [aʊt'bæləns] *vt* = *outweigh*

outbid [aʊt-'bɪd] *vt* (*pt* -**bid** -'bɪd, *pp* -**bid** -'bɪd v. -**bidden** -'bɪdn; -**dd**-) 1. túllicitál, vknél többet ígér 2. *biz* felülmúl

outboard ['aʊtbɔ:d] *a/adv* ~ *motor* farmotor [csónaké]

out-boarder ['aʊtbɔ:də*] *n* kinnlakó, bejáró (diák)

outbound ['aʊtbaʊnd] *a* kifelé tartó [hajó]

outbreak ['aʊtbreɪk] *n* 1. kitörés 2. zendülés

outbuilding ['aʊtbɪldɪŋ] *n* melléképület

outburst ['aʊtbə:st] *n* kitörés, kirobbanás

outcast ['aʊtkɑ:st; *US* -kæ-] *a/n* 1. kiközösített, kitaszított, száműzött 2. csavargó

outcaste ['aʊtkɑ:st; *US* -kæ-] *a/n* kasztjából kiközösített, pária

outclass [aʊt'klɑ:s; *US* -'klæs] *vt* klasszisukülönbséggel legyőz; klasszisokkal jobb (vknél)

outcome ['aʊtkʌm] *n* eredmény, következmény, kimenetel, folyomány

outcrop ['aʊtkrɔp; *US* -ɑp] I. *n* kibúvás [rétegé felszínre] II. *vi* -**pp**- kibúvik, napfényre kerül, felszínre jut

outcry ['aʊtkraɪ] *n* 1. felkiáltás; lárma 2. felzúdulás, felháborodás

outdated [aʊt'deɪtɪd] *a* idejétmúlt, divatjamúlt, elavult

outdistance [aʊt'dɪstəns] *vt* megelőz, lehagy, elhagy

outdo [aʊt'du:] *vt* (*pt* -**did** -'dɪd, *pp* -**done** -'dʌn) felülmúl, túltesz (vkn)

outdoor ['aʊtdɔ:*] *a* szabadban történő, külső, házon kívüli; szabadtéri; ~ *clothes* utcai ruha; ~ *life* sportos életmód; ~ *museum* szabadtéri múzeum/gyűjtemény

outdoors [aʊt'dɔ:z] *adv* kinn, házon kívül, a szabadban, a szabad ég alatt

outer ['aʊtə*] *a* 1. külső; ~ *garments* felsőruha; *the* ~ *man* az ember külső megjelenése (v. külseje) 2. ~ *space* világűr

outermost ['aʊtəmoʊst] *a* 1. legkülső 2. legtávolabbi, legtávolabb levő

outface [aʊt'feɪs] *vt* 1. megfélemlít, kihívóan néz rá, leterrorizál 2. szembeszáll (vkvel)

outfall ['aʊtfɔ:l] *n* 1. kifolyónyílás, kivezetőnyílás; torkolat [folyóé] 2. kifolyás

outfield ['aʊtfi:ld] *n* külső játéktér [krikettben], külső mezőny [baseballban]

outfit ['aʊtfɪt] *n* 1. felszerelés, szerelvény; készlet, berendezés 2. *US biz* társaság, csapat

outfitter ['aʊtfɪtə*] *n* 1. *gentlemen's* ~ férfidivatáru-kereskedő 2. (úti- és) sportfelszerelés-kereskedő

outfitting ['aʊtfɪtɪŋ] *n* felszerelés, kistafirozás; ~ *department* konfekcióosztály, férfidivatáru-osztály

outflank [aʊt'flæŋk] *vt* 1. átkarol [ellenséget] 2. túljár az eszén (vknek)

outflow ['aʊtfloʊ] *n* kifolyás, kiáramlás

outgeneral [aʊt'dʒen(ə)rəl] *vt* -**ll**- (*US* -**l**-) kifog rajta; jobb hadvezérnek bizonyul (vknél)

outgoing ['aʊtgoʊɪŋ] I. *a* 1. kifelé tartó, kimenő; távozó 2. társaságot kedvelő II. **outgoings** *n pl* kiadás(ok), ráfordítás(ok), költségek

outgrow [aʊt'groʊ] *vt* (*pt* -**grew** -'gru:, *pp* -**grown** -'groʊn) 1. gyorsabban/nagyobbra nő 2. kinő (vmből)

outgrowth ['aʊtgroʊθ] *n* 1. kinövés 2. eredmény, következmény, folyomány

out-herod [aʊt'herəd] *vt* Heródesen is túltesz kegyetlenségben

outhouse ['aʊthaʊs] *n* 1. külső épület, melléképület 2. *US* árnyékszék, budi

outing ['aʊtɪŋ] *n* kirándulás, séta

outlandish [aʊt'lændɪʃ] *a* külföldies, idegenszerű, szokatlan, furcsa outlast [aʊt'lɑːst; US -æ-] vt túlél (vmt), tovább tart (vmnél)

outlaw ['aʊtlɔː] I. n 1. számkivetett, földönfutó, törvényen kívüli 2. zsivány, betyár II. vt 1. száműz, törvényen kívül helyez (vkt) 2. megtilt, eltilt (vmt)

outlay ['aʊtleɪ] n kiadás(ok), költség(ek)

outlet ['aʊtlet] n 1. kivezető nyílás, kifolyó; kivezetés; kijárat 2. megnyilvánulási alkalom; ~ for one's energy fölös energia levezetője

outline ['aʊtlaɪn] I. n 1. körvonal, kontúr, vázlat; in ~ körvonalakban, vázlatosan 2. áttekintés, vázlat; an ~ of phonetics bevezetés a fonetikába II. vt körvonalaz, (fel)vázol

outlive [aʊt'lɪv] vt túlél

outlook ['aʊtlʊk] n 1. kilátás, remény; further ~: dry and sunny várható időjárás: száraz napos idő 2. szemléletmód; ~ on life életszemlélet

outlying ['aʊtlaɪɪŋ] a kívül fekvő; távoli, félreeső, központtól távol eső

outman [aʊt'mæn] vt -nn- = outnumber

outmanoeuvre, US -neuver [aʊtmə'nuː-və*] vt túljár az eszén (vknek)

outmarch [aʊt'mɑːtʃ] vt gyorsabban menetel (vknél), lehagy (vkt), elébe vág (vknek)

outmoded [aʊt'moʊdɪd] a = outdated

outmost ['aʊtmoʊst] a = outermost

outnumber [aʊt'nʌmbə*] vt számbelileg/létszámban felülmúl, számbeli fölényben/többségben van (vkvel szemben)

out-of-date [aʊtəv'deɪt] a 1. idejétmúlt, elavult, divatjamúlt 2. lejárt

out-of-doors [aʊtəv'dɔːz] adv = outdoors

out-of-pocket [aʊtəv'pɒkɪt; US 'pɑ-] a ~ expenses készkiadások

out-of-the-way [aʊtəvðə'weɪ] a 1. félreeső, távoli, isten háta mögötti 2. szokatlan, nem mindennapi

outpace [aʊt'peɪs] vt = outmarch

outpatient ['aʊtpeɪʃnt] n járó beteg

outplay [aʊt'pleɪ] vt jobban játszik (vknél); legyőz [sportban]

outpoint [aʊt'pɔɪnt] vt pontozással legyőz

outpost ['aʊtpoʊst] n előörs, előretolt állás/őrszem

outpourings ['aʊtpɔːrɪŋz] n pl áradozás, ömlengés; kiáradás [érzelmeké]

output ['aʊtpʊt] n 1. termelés(i eredmény), teljesítmény, hozam 2. (kimenő) teljesítmény 3. kimenet, output

outrage ['aʊtreɪdʒ] I. n 1. erőszak(oskodás); merénylet 2. gyalázat; gaztett II. vt durván megsért, (meg)gyaláz, (be)mocskol

outrageous [aʊt'reɪdʒəs] a gyalázatos, felháborító, sértő, szörnyű

outrange [aʊt'reɪndʒ] vt 1. messzebbre hord [fegyver], nagyobb hatókörű (vmnél) 2. túltesz (vkn)

outride [aʊt'raɪd] vt (pt -rode -'roʊd, pp -ridden -'rɪdn) gyorsabban lovagol (vknél), lóháton megelőz

outrider ['aʊtraɪdə*] n 1. csatlós 2. motorkerékpáros kísérő [személygépkocsi mellett]

outrigger ['aʊtrɪgə*] n 1. árbocág, támaszfa 2. külvillás versenycsónak/hajó 3. külvilla 4. ~ (canoe) ⟨kivetővel ellátott polinéziai vitorlás csónak⟩

outright I. a ['aʊtraɪt] őszinte, nyílt, leplezetlen, egyenes II. adv [aʊt'raɪt] 1. őszintén, nyíltan, egyenesen 2. teljesen, egészen; egészében; készpénzért 3. azonnal, rögtön, azon nyomban

outrun [aʊt'rʌn] vt (pt -ran -'ræn, pp -run -'rʌn; -nn-) megelőz (vkt), gyorsabban szalad (vknél), elhagy, lehagy

outseam ['aʊtsiːm] n külhossz, külvarrat [nadrágszáré]

outset ['aʊtset] n kezdet; at the ~ kezdetben, az elején; from the ~ kezdettől fogva

outshine [aʊt'ʃaɪn] vt (pt/pp -shone -'ʃɒn, US -'ʃoʊn) 1. túlragyog, ragyogóbb (vmnél) 2. átv elhomályosít, felülmúl

outside [aʊt'saɪd] I. a 1. külső; ~ broadcast helyszíni közvetítés; ~ measurements külméretek; ~ worker bedolgozó (munkás) 2. legnagyobb, végső; ~ price maximális ár; biz it was an ~ chance egész csekély valószínűsége volt II. adv kívül, kinn, kint; ride ~ (nyílt) tetőn utazik [autóbuszon]; ~

of sg vmn kívül III. *n* 1. vmnek a külseje, külső (oldal, felület); ~ *left* balszélső [futballban]; *at the* ~ legfeljebb 2. külszín, látszat; *judge from the* ~ a látszat után ítél IV. *prep* kívül; *that's* ~ *the question* ez nem tartozik a kérdéshez
outsider [aʊt'saɪdə*] *n* 1. nem bennfentes/szakmabeli, kívülálló; autszájder 2. nem esélyes
outsize ['aʊtsaɪz] I. *a* különleges/rendkívüli méretű [ruha stb.] II. *n* különleges/rendkívüli/extra méret
outskirts ['aʊtskə:ts] *n pl* külváros, külterület, kültelkek, külső övezet, peremkerületek
outsmart [aʊt'smɑ:t] *vt biz* túljár az eszén (vknek)
outspoken [aʊt'spoʊk(ə)n] *a* őszinte, nyílt, egyenes, szókimondó
outspread [aʊt'spred] *a* kiterjesztett; széttárt; szétterpesztett
outstanding [aʊt'stændɪŋ] *a* 1. kiemelkedő, kimagasló, kiváló 2. kifizetetlen, el nem intézett; ~ *debts* kinnlevőségek; ~ *liabilities* fedezetlen kötelezettségek
outstay [aʊt'steɪ] *vt* ~ *one's welcome* tovább marad/vendégeskedik a kelleténél
outstretched [aʊt'stretʃt] *a* kiterített, kinyújtott, kiterjesztett, kitárt
outstrip [aʊt'strɪp] *vt* -pp- gyorsabban halad (vknél), megelőz; *átv* felülmúl
outvote [aʊt'voʊt] *vt* leszavaz vkt, több szavazatot kap (mint más); *be* ~*d* leszavazzák
outward ['aʊtwəd] *a* 1. külső 2. kifelé tartó; ~ *bound* kifelé tartó/induló; ~ *journey* kiutazás, odautazás
outwardly ['aʊtwədlɪ] *adv* külsőleg, kívülről, látszólag
outwards ['aʊtwədz] *adv* kifelé
outwear [aʊt'weə*] *vt* (*pt* -**wore** -'wɔ:*, *pp* -**worn** -'wɔ:n) 1. elkoptat, elhord 2. tovább tart (vm másnál)
outweigh [aʊt'weɪ] *vt* többet nyom, túlsúlyban van; ellensúlyoz; súlyosabb/befolyásosabb másnál
outwit [aʊt'wɪt] *vt* -tt- túljár vk eszén
outwork ['aʊtwɔ:k] *n* 1. külső bástya 2. bedolgozómunka

outworn [aʊt'wɔ:n] *a* idejétmúlt, túlhaladott, elavult || →*outwear*
ouzel ['u:zl] *n* feketerigó
ova →*ovum*
oval ['oʊvl] *a/n* tojásdad, ovális [idom]
ovaritis [oʊvə'raɪtɪs] *n* petefészek-gyulladás
ovary ['oʊvərɪ] *n* 1. petefészek 2. magház
ovate ['oʊveɪt] *a* tojás alakú, tojásdad
ovation [oʊ'veɪʃn] *n* lelkes üdvözlés, éljenzés, ünneplés, ováció
oven ['ʌvn] *n* 1. sütő [gáz, villany]; *cook in a gentle* ~ lassú/gyenge tűzön süt 2. kemence
oven-ready *a* konyhakész
ovenware *n* tűzálló edények
over ['oʊvə*] I. *a* 1. felső 2. többlet- II. *adv* 1. át, keresztül; *ask sy* ~ áthívat vkt; ~ *here* itt (nálunk), (erre) mifelénk; ~ *there* ott, odaát 2. elmúlt, vége; *the storm is* ~ a viharnak vége; *let's have it* ~ *with* essünk át rajta! 3. ismételten; *ten times* ~ tízszer egymás után; ~ *again* újra, még egyszer, elölről; ~ *and* ~ *again* újra meg újra 4. több mint, felül, túl; *6 metres and a bit* ~ 6 méternél vmvel több/magasabb; *3 into 7 goes twice and one* ~ három a hétben megvan kétszer és még marad egy; ~ *and above* ráadásul, azonfelül, vmn felül III. *prep* 1. vm fölött/fölé, vmn felül, rá; *átv* ~ *sy's head* vk háta mögött; *sit* ~ *the fire* a tűznél melegedik, a tűz mellett ül; *laugh* ~ *the absurdity of a statement* nevet a képtelen állításon 2. mindenütt; *all* ~ *the world* az egész világon, világszerte 3. (vmn) át, keresztül; vmn túl; ~ *the road* a túloldalon, a túlsó oldalon; *he fell* ~ *the edge* átbukott/átesett a peremen; ~ *against sg* szemben/átellenben vmvel 4. felül; túl [időben]; ~ *100 Fts* 100 forinton felül; *for* ~ *an hour* több mint egy órán át; *stay* ~ *the weekend* itt tölti(k) a hétvégét
over- [('oʊvə(r)-] *pref* túl-, túlságosan
overabundant [oʊv(ə)rə'bʌndənt] *a* túlságosan bőséges
overact [oʊvər'ækt] *vt* túloz, túljátszik [szerepet]

over-age [ouvər'eɪdʒ] *a* túlkoros
overall I. *a* ['ouvərɔ:l] átfogó, teljes, általános; össz-; ~ *efficiency* összhatásfok; ~ *measurements* külső főméretek **II.** *adv* [ouvər'ɔ:l] teljes hosszában/szélességében; mindenütt, általában **III.** *n* ['ouvərɔ:l] munkaköpeny, otthonka [háziasszonyé], iskolaköpeny ‖ →*overalls*
overalls ['ouvərɔ:lz] *n pl* szerelőruha, overall, kezeslábas; munkanadrág [mellrésszel]
overarm ['ouvəra:m] *a* ~ *stroke* pillangóúszás
overawe [ouvər'ɔ:] *vt* megfélemlít
overbalance [ouvə'bæləns] **A.** *vt* **1.** feldönt, felborít **2.** több/súlyosabb vmnél; *átv* felülmúl vmt **B.** *vi* feldől, elveszti egyensúlyát, felborul
overbear [ouvə'beə*] *vt* (*pt* **-bore** -'bɔ:*, *pp* **-borne** -'bɔ:n) **1.** lenyom, legyőz, letör **2.** basáskodik (vkvel)
overbearing [ouvə'beərɪŋ] *a* hatalmaskodó, basáskodó, erőszakos
overbid [ouvə'bɪd] *vt* (*pt* ~ -'bɪd, *pp* ~ -'bɪd v. **-bidden** -'bɪdn; **-dd-**) túllicitál, többet ígér vmnél
overblown [ouvə'bloun] *a* elvirágzott, teljesen kinyílt [virág]
overboard ['ouvəbɔ:d] *adv* a hajó oldalán át, hajóból ki; *throw* ~ (1) hajóról kidob, tengerbe dob (2) elvet, elutasít, ejt (vkt); *fall* ~ tengerbe esik; *man* ~! ember a vízben!
overbore, overborne →*overbear*
overburden [ouvə'bɔ:dn] *vt* túlterhel
overcast I. *a* [ouvə'ka:st; *US* 'ouvəkæst] **1.** felhős, borult [égbolt] **2.** lehangolt **II.** *n* ['ouvəka:st; *US* -kæst] felhős égbolt **III.** *vt* [ouvə-'ka:st; *US* 'ouvəkæst] (*pt/pp* ~) **1.** beborít, elhomályosít, elsötétít **2.** beszeg
overcharge [ouvə'tʃa:dʒ] **I.** *n* **1.** túlságosan nagy ár/követelés **2.** túlterhelés; túltöltés **II.** *vt* **1.** túlfizettet, túl sokat kér (vmért) **2.** túltöm; túlterhel; túltölt
overclothes ['ouvəklouðz; *US* -klouz] *n pl* felsőruhák
overcloud [ouvə'klaud] **A.** *vt* **1.** felhők-

kel borít **2.** *átv* elsötétít **B.** *vi* **1.** beborul **2.** *átv* elsötétedik, elborul
overcoat ['ouvəkout] *n* felöltő, felsőkabát
overcome [ouvə'kʌm] *vt* (*pt* **-came** -'keɪm, *pp* ~) legyőz, úrrá lesz (vmn); erőt vesz (vkn/vmn); *be* ~ *by/with sg* vm erőt vesz vkn; hatalmába keríti vm
overcrowd [ouvə'kraud] *vt* túlzsúfol; ~*ed* túlzsúfolt, túlnépesedett
overcrowding [ouvə'kra'udɪŋ] *n* túlzsúfoltság, túlnépesedés
overdevelop [ouvədɪ'veləp] *vt* **1.** túlságosan kifejleszt **2.** túlhív [negatívot]
overdo [ouvə'du:] *vt* (*pt* **-did** -'dɪd, *pp* **-done** -'dʌn) **1.** eltúloz, túlzásba visz; ~ *it* (1) túlzásba viszi (2) agyonhajszolja magát **2.** agyonsüt, túlsüt, agyonfőz
overdone [ouvə'dʌn] *a* túlsütött, agyonsütött [hús]
overdose ['ouvədous] *n* túl nagy adag [orvosságból], halálos adag
overdraft ['ouvədra:ft; *US* -æft] *n* hiteltúllépés; számlahitel; technikai hitel
overdraw [ouvə'drɔ:] *v* (*pt* **-drew** -'dru:, *pp* **-drawn** -'drɔ:n) *vt* **1.** (el)túloz **2.** ~ *one's account* hiteltúllépést követ el, fedezet nélküli csekket állít ki; *an* ~*n account* túldiszponált számla
overdress I. *n* ['ouvədres] huzatruha **II.** *vt/vi* [ouvə'dres] túlságosan kiöltözik
overdrive I. *n* ['ouvədraɪv] gyorsító áttétel **II.** *v* [ouvə'draɪv] *vt* (*pt* **-drove** -'drouv, *pp* **-driven** -'drɪvn) túlhajt, túlerőltet, agyonhajszol
overdue [ouvə'dju:; *US* -'du:] *a* rég esedékes, megkésett; lejárt [váltó stb.]; *be* ~ késik [vonat stb.]
overeat [ouvər'i:t] *vt/vi* (*pt* **-ate** -et, *US* -eɪt, *pp* **-eaten** -'i:tn) ~ *oneself* túl sokat eszik, bezabál
over-emphasize [ouvər'emfəsaɪz] *vt* túlhangsúlyoz
over-estimate [ouvər'estɪmeɪt] *vt* túlbecsül, túlértékel
overexertion [ouv(ə)rɪg'zɔ:ʃn] *n* túlterhelés, agyonhajszolás

overexposure [oʊv(ə)rɪk'spoʊʒə*] n túlexponálás

overextend [oʊvərɪk'stend] vt ~ oneself v. one's resources túl sokat vállal

overfatigue [oʊvəfə'ti:g] vt túlságosan kifáraszt, agyonhajszol

overfed [oʊvə'fed] a túltáplált

overflow I. n [ˈoʊvəfloʊ] 1. túlcsordulás, túlfolyás 2. túlfolyó folyadék; ~ pipe túlfolyó(cső) 3. felesleg; ~ meeting pótgyűlés [az elsőről kiszorultak részére]; ~ of population túlnépesedés II. v [oʊvə'floʊ] (pt/pp -ed -'floʊd) A. vt 1. túlcsordul (vmn), túlfolyik; ~ its banks kilép a medréből, kiárad [folyó] 2. átv eláraszt; ~ the barriers áttör a kordonon [tömeg] B. vi 1. túlfolyik, túlcsordul, kiárad; full to ~ing zsúfolásig/csordultig tele 2. bővelkedik (with vmben), csordultig van (with vmvel)

overgrow [oʊvə'groʊ] vt (pt -grew -'gru:, pp -grown -'groʊn) 1. nagyobbra nő (vmnél) 2. benő (vmt)

overgrown [oʊvə'groʊn] a 1. korához képest túl nagy, felnyurgult 2. ~ with sg vmvel benőtt

overgrowth [ˈoʊvəgroʊθ] n 1. túlnövés; túlburjánzás 2. bozót

overhand [ˈoʊvəhænd] a = overarm

overhang I. n [ˈoʊvəhæŋ] túlnyúlás, kiálló rész II. vt/vi [oʊvə'hæŋ] (pt/pp -hung -hʌŋ) 1. kinyúlik, túlnyúlik, kiugrik, kiáll (vm felett) 2. fenyeget [veszély]

overhaul I. n [ˈoʊvəhɔ:l] 1. nagyjavítás, generáljavítás [motoré] 2. biz kivizsgálás [betegé] II. vt [oʊvə'hɔ:l] 1. alaposan átvizsgál/kijavít; nagyjavítást végez [járműn], generáloz 2. utolér

overhead I. a [ˈoʊvəhed] 1. felső; ~ aerial magasantenna; ~ crossing felüljáró; ~ projector írásvetítő; ~ railway magasvasút; ~ wire felső vezeték, légvezeték 2. ~ charges/expenses általános költségek, rezsiköltségek; ~ price átalányár II. adv [oʊvə'hed] felül, a magasban; danger, works ~! vigyázat! a tetőn

dolgoznak! III. n [ˈoʊvəhed] ~s = ~ charges/expenses

overhear [oʊvə'hɪə*] vt (pp/pt ~d -'hɔ:d) véletlenül/hallgatózással meghall

overheat [oʊvə'hi:t] A. vt túlfűt, túlhevít B. vi túlmelegszik, hőnfut

over-indulge [oʊv(ə)rɪn'dʌldʒ] vt/vi túl sokat megenged (másoknak v. magának), túlságosan elkényeztet

overjoyed [oʊvə'dʒɔɪd] a be ~ magánkívül van az örömtől, igen boldog, el van ragadtatva

overkill [ˈoʊvəkɪl] n ⟨a győzelemhez szükségesnél jóval több ellenfél elpusztítása pl. hidrogénbombával⟩

overladen [oʊvə'leɪdn] a túlterhelt

overland I. a [ˈoʊvəlænd] szárazföldi II. adv [oʊvə'lænd] szárazföldi úton

overlap I. n [ˈoʊvəlæp] átfedés II. vt/vi [oʊvə'læp] -pp- 1. részben fed, átfed; ~ one another átfedik egymást 2. egybevág, egybeesik

overlapping [oʊvə'læpɪŋ] a átfedő, egymást (részben) fedő

overlay I. n [ˈoʊvəleɪ] 1. borítás, rátét, felső lap, burkolat 2. ágytakaró 3. kis (asztal)terítő II. vt [oʊvə'leɪ] (pt/pp -laid -'leɪd) befed, (be)takar, ráborít, beborít

overleaf [oʊvə'li:f] adv a hátlapon/túloldalon

overlie [oʊvə'laɪ] vt (pt -lay -'leɪ, pp -lain -'leɪn) 1. ráfekszik; rajta fekszik; eltakar 2. agyonnyom

overload I. n [ˈoʊvəloʊd] túlterhelés, súlytöbblet II. vt [oʊvə'loʊd] túlterhel

overlong [oʊvə'lɔŋ] a túl hosszú

overlook [oʊvə'lʊk] vt 1. vmre néz/ nyílik [ablak stb.] 2. elkerüli a figyelmét 3. elnéz; szemet huny (vm fölött)

overlord [ˈoʊvəlɔ:d] n feljebbvaló, legfőbb úr, hűbérúr

overly [ˈoʊvəlɪ] adv nagyon is, túlságosan

overman I. n [ˈoʊvəmæn] (pl -men -men) munkavezető, művezető II. vt [oʊvə'mæn] -nn- túl sok főt alkalmaz

overmaster [oʊvə'ma:stə*] vt legyőz,
hatalmába kerít
overmuch [oʊvə'mʌtʃ] I. a túl sok II.
adv nagyon is (sokat), szerfölött
overnight [oʊvə'naɪt] I. a az éjszaka
folyamán történő, éjszakai II. adv
1. hirtelen, máról holnapra 2. előző
éjjel/este; egész éjjel, az éjszaka folya-
mán, reggelig; stay ~ ott marad éj-
szakára
overpass ['oʊvəpa:s; US -pæs] n felüljáró
overpay [oʊvə'peɪ] vt (pt/pp -paid
-'peɪd) túlfizet (vkt)
overpopulated [oʊvə'pɔpjʊleɪtɪd; US
-'pɑ-] a túlnépesedett, túlzsúfolt
overpower [oʊvə'paʊə*] vt legyőz, le-
bír
overpowering [oʊvə'paʊərɪŋ] a ellen-
állhatatlan, túlerejű, hatalmas, erős
overpraise [oʊvə'preɪz] vt túldicsér
overprint [oʊvə'prɪnt] vt 1. többet
nyom 2. felülnyom [bélyeget], túl-
kopíroz [fényképet]
overproduction [oʊvəprə'dʌkʃn] n túl-
termelés
overrate [oʊvə'reɪt] vt túlbecsül, túl-
értékel
overreach [oʊvə'ri:tʃ] vt 1. túlterjed
(vmn), tovább ér (vmnél) 2. kiját-
szik, rászed (vkt), túljár (vknek) az
eszén; ~ oneself (1) másnak vermet
ás és maga esik bele (2) túlbecsüli
képességeit
overrefinement [oʊvərɪ'faɪnmənt] n
túlfinomultság
override [oʊvə'raɪd] vt (pt -rode -'roʊd,
pp -ridden -'rɪdn) 1. átgázol (vmn),
legázol (vkt) 2. megsemmisít, ha-
tálytalanít; semmibe vesz; ~ one's
commission visszaél (hivatali) hatal-
mával 3. agyonhajszol [lovat]
overriding [oʊvə'raɪdɪŋ] a nagy jelen-
tőségű, kiemelkedő; of ~ interest
kiemelkedően a legérdekesebb
overripe [oʊvə'raɪp] a túlérett
overrule [oʊvə'ru:l] vt hatályon kívül
helyez, érvénytelenít [ítéletet]; el-
utasít [kárigényt stb.]; megmásít
[döntést]
overrun [oʊvə'rʌn] v (pt -ran -'ræn, pp
-run -'rʌn; -nn-) vt 1. eláraszt, el-

özönöl; lerohan; be ~ with hemzseg
vmtől 2. elborít, befed, benő, belep
3. túllép, áthág [határt]; overran the
time allotted tovább tartott a meg-
szabott időnél [beszéd] 4. futásban
lehagy 5. legázol, eltapos 6. túlfut
(vmn)
oversea(s) [oʊvə'si:(z)] I. a tengeren
túli; külföldi II. adv tengeren túl;
külföldön
oversee [oʊvə'si:] vt (pt -saw -'sɔ:, pp
-seen -'si:n) felügyel, ellenőriz; irá-
nyít
overseer ['oʊvəsɪə*] n felügyelő, gond-
nok; munkavezető; művezető
overset [oʊvə'set] v (pt/pp ~; -tt-) A.
vt feldönt, -fordít, -borít B. vi feldől,
-fordul, -borul
overshadow [oʊvə'ʃædoʊ] vt 1. beárnyé-
kol, árnyékba borít 2. háttérbe szo-
rít, felülmúl, elhomályosít
overshoe ['oʊvəʃu:] n sárcipő, hócipő
overshoot [oʊvə'ʃu:t] vt (pt/pp -shot
-'ʃɔt, US -ɑ-) 1. fölötte átlő; ~ the
mark túllő a célon (átv is) 2. túlfut
[leszállópályán] 3. túl sok vadat lő
ki [állományból]
overshot [oʊvə'ʃɔt; US -ɑt] a ~ wheel
felülcsapó vízikerék
oversight ['oʊvəsaɪt] n 1. (vigyázat-
lanságból eredő) tévedés, elnézés;
through an ~ tévedésből, figyelmet-
lenségből 2. felügyelet
oversize ['oʊvəsaɪz] n túlméret, rend-
kívüli méret
oversleep [oʊvə'sli:p] vi/vt (pt/pp -slept
-'slept) elalussza az időt, (túlságosan)
későn ébred
overspend [oʊvə'spend] vi (pp/pt -spent
-'spent) túlköltekezik
overstatement [oʊvə'steɪtmənt] n túl-
zott állítás, túlzás
overstay [oʊvə'steɪ] vt = outstay
overstep [oʊvə'step] vt -pp- túllép
vmt/vmn
overstock [oʊvə'stɔk; US -ɑk] vt 1.
(áruval) telít [piacot] 2. túl nagy
készlettel/állatállománnyal lát el
overstrain I. n ['oʊvəstreɪn] túlerőltetés
II. vt [oʊvə'streɪn] túlerőltet; ~
oneself agyondolgozza magát

overstrung *a* 1. [oʊvə'strʌŋ] túlfeszített [idegállapot] 2. ['oʊvəstrʌŋ] kereszthúros [zongora] oversubscribe [oʊvəsəb'skraɪb] *vt* túljegyez [kölcsönt stb.]

overt ['oʊvə:t] *a* nyilvánvaló, nyílt overtake [oʊvə'teɪk] *vt (pt* -took -'tʊk, *pp* -taken -'teɪk(ə)n) 1. utolér; (meg-) előz; *no overtaking* előzni tilos 2. meglep, ráront 3. legyőz

overtax [oʊvə'tæks] *vt* 1. túladóztat 2. túlságosan igénybe vesz

overthrow I. *n* ['oʊvəθroʊ] 1. megdöntés [hatalomé], megbuktatás [kormányé] 2. bukás, vereség II. *vt* [oʊvə'θroʊ] *(pt* -threw -'θru:, *pp* -thrown -'θroʊn) 1. felfordít, ledönt 2. megbuktat [kormányt], megdönt [hatalmat]; legyőz [ellenfelet]

overtime ['oʊvətaɪm] *n* túlóra, túlórázás; *work ~* túlórázik

overtly ['oʊvə:tlɪ] *adv* nyíltan

overtone ['oʊvətoʊn] *n* 1. felhang 2. *rendsz pl* mellékértelem, -zönge

overtook → *overtake*

overtop [oʊvə'tɔp; *US* -ap] *vt* -pp- kimagaslik (vm fölött), magasabb (vknél, vmnél); felülmúl

overtrump ['oʊvətrʌmp] *vt* felüllop [kártyában]

overture ['oʊvətjʊə*; *US* -tʃʊr] *n* 1. nyitány 2. *rendsz pl* ajánlat, barátságos közeledés; *make ~s to sy* kezdeményező lépéseket tesz vk felé

overturn [oʊvə'tə:n] A. *vt* 1. feldönt, -fordít, -borít 2. megdönt; legyőz B. *vi* feldől, -fordul, -borul

overview ['oʊvəvju:] *n* áttekintés

overweening [oʊvə'wi:nɪŋ] *a* elbizakodott, gőgös, beképzelt, arrogáns

overweight I. *a* [oʊvə'weɪt] túlsúlyú, a megengedettnél nehezebb II. *n* ['oʊvəweɪt] túlsúly, súlytöbblet III. *vt* [oʊvə'weɪt] túlságosan megterhel, túlterhel

overwhelm [oʊvə'welm; *US* -'hw-] *vt* 1. elborít, eláraszt, elnyom 2. megsemmisít, legyőz, eltipor; erőt vesz rajta

overwhelming [oʊvə'welmɪŋ; *US* -'hw-] *a* ellenállhatatlan, nyomasztó [fö-

lény]; megsemmisítő [csapás], elsöprő [győzelem]

overwork I. *n* 1. [oʊvə'wə:k] túlterhelés [munkával], túlfeszített munka 2. ['oʊvəwə:k] túlmunka II. *v* [oʊvə-'wə:k] A. *vt* 1. túldolgoztat, agyondolgoztat; *~ oneself* agyondolgozza magát 2. *átv* elcsépel (vmt) B. *vi* túl sokat dolgozik

overwrought [oʊvə'rɔ:t] *a* 1. agyondolgozott, kimerült 2. túlfeszített 3. igen izgatott

over-zealous [oʊvə'zeləs] *a* túlbuzgó

Ovid ['ɔvɪd] *prop* Ovidius

oviduct ['oʊvɪdʌkt] *n* petevezeték; méhkürt

oviparous [oʊ'vɪpərəs] *a* tojásról/petéről szaporodó, tojásrakó

ovoid ['oʊvɔɪd] *a* tojás alakú

ovulation [ɔvjʊ'leɪʃn; *US* oʊvjə-] *n* peteérés

ovum ['oʊvəm] *n (pl* ova 'oʊvə) pete

owe [oʊ] *vt ~ sy sg* tartozik vknek vmvel, köszön vmt vknek; *~ allegiance to sy* hűséggel tartozik vknek; *I ~ my life to you* neked köszönhetem, hogy még élek; *to what do I ~ this honour?* minek köszönhetem ezt a megtiszteltetést? ‖ → *IOU*

Owen ['oʊɪn] *prop*

owing ['oʊɪŋ] *a* 1. tartozó, adós, hátralékban levő 2. fizetendő, járó *(to* vknek); *there is* £200 *~ to you* 200 font jár Önöknek 3. köszönhető *(to* vknek/vmnek); *~ to sg* vm következtében, vm miatt

owl [aʊl] *n* bagoly; *US ~ train* éjszakai vonat

owlet ['aʊlɪt] *n* baglyocska

owlish ['aʊlɪʃ] *a* 1. bagolyszerű 2. fontoskodó

own [oʊn] I. *a* saját, tulajdon; *~ brother* édes fivér/testvér; *~ material* hozott anyag [ruhához]; *for reasons of his ~* megvan az oka rá, ő tudja miért; *a style all one's ~* egyéni/eredeti stílus; *come into one's ~* megkapja jogos tulajdonát, *átv* megkapja az őt megillető helyet; *do sg on one's ~* (1) egyedül/egymaga csinál vmt (2) a saját szakállára csinál vmt; *I am* *on my ~ today* ma a magam ura vagyok, ma teljesen egyedül vagyok; *hold one's ~* megállja a sarat **II.** *vt/vi* **1.** (tulajdonul) bír **2.** elismer; beismer, bevall; *I ~ I was wrong* beismerem, hogy tévedtem/hibáztam; *~ sy as a brother* fivérének elismer/tekint; *~ up (to sg)* beismer, bevall (vmt)

owner ['oʊnə*] *n* tulajdonos, gazda

owner-driver *n* magánautós, úrvezető

ownership ['oʊnəʃɪp] *n* tulajdon(jog); *'under new ~'* „új vezetés alatt"

ox [ɔks; *US* ɑ-] *n (pl ~en* 'ɔks(ə)n, *US* 'ɑ-) ökör

oxalate ['ɔksəleɪt; *US* 'ɑ-] *n* sóskasav sója

oxalic [ɔk'sælɪk; *US* ɑk-] *a ~ acid* sóskasav

oxbow [-boʊ] *n* **1.** ökörjárom, -iga, kumét **2.** patkó alakú folyókanyar

Oxbridge ['ɔksbrɪdʒ; *US* 'ɑ-] *prop* ⟨Oxford és Cambridge egyetemei-(nek világa)⟩

oxcart *n* ökrös szekér

oxen →*ox*

ox-eye *n ~ daisy* papvirág, margitvirág, margaréta

Oxford[1] ['ɔksfəd; *US* 'ɑ-] *prop* **1.** Oxford **2.** *~ bags* bő szárú pantalló; *~ shoe(s)* (fűzős) félcipő

oxford[2] ['ɔksfəd; *US* 'ɑ-] *n* **1.** *US* (fűzős) félcipő **2.** oxford inganyag

oxide ['ɔksaɪd; *US* 'ɑ-] *n* oxid

oxidizable ['ɔksɪdaɪzəbl; *US* 'ɑ-] *a* oxidálható

oxidize ['ɔksɪdaɪz; *US* 'ɑ-] **A.** *vt* oxidál **B.** *vi* oxidálódik

Oxon. ['ɔksn; *US* 'ɑ-] *a/n* Oxoniensis (= *from Oxford*) oxfordi (diák)

Oxonian [ɔk'soʊnjən; *US* ɑk-] *a/n* oxfordi (diák)

ox-tail *n* ökörfark; *~ soup* ököruszályleves

oxyacetylene [ɔksɪə'setɪliːn; *US* ɑk-] *n* oxiacetilén; *~ blowpipe* autogénvágó, autogénhegesztő pisztoly; *~ welding* autogénhegesztés

oxygen ['ɔksɪdʒ(ə)n; *US* 'ɑ-] *n* oxigén; *~ tent* oxigénsátor

oxygenate [ɔk'sɪdʒəneɪt; *US* ɑk-] *vt* oxigénnel telít, oxidál

oyes, oyez [oʊ'jes; *US* 'oʊjes] *int* hallgassatok (ide)!

oyster ['ɔɪstə*] *n* osztriga

oyster-bed/field *n* osztrigatelep

oyster-knife *n (pl* **-knives**) osztrigabontó kés

oysterman ['ɔɪstəmən] *n (pl* **-men** -mən) **1.** osztrigaárus; osztrigahalász **2.** osztrigagyűjtő csónak

oyster-shell *n* osztrigahéj

oz. [aʊns] *ounce(s)*

ozone ['oʊzoʊn] *n* ózon

ozonizer ['oʊzənaɪzə*] *n* ózonfejlesztő készülék

ozs. ['aʊnsɪz] *ounces*

P

P,¹ p [piː] *n* P, p (betű)
P² [piː] *Parking* parkoló(hely), P
p.³ *page* lap, 1.
p⁴ [piː] *(new) penny, pence*
pa [pɑː] *n biz* papa
p.a. per annum (= *by the year, per year*) évenként
pabulum ['pæbjʊləm; *US* -bjə-] *n* táplálék
pace¹ [peɪs] **I.** *n* 1. lépés, lépéshossz; *keep ~ with sy* lépést tart vkvel 2. (menet)sebesség, iram; *at a lively ~* élénken; *go the ~* (1) nagy iramban halad (2) nagy lábon él; *set/make the ~* tempót/iramot diktál (*for sy* vknek) 3. járás(mód); *put sy through his ~s* (alaposan megdolgoztatva) próbára tesz vkt **II. A.** *vi* 1. lépked 2. lépésben megy; poroszkál [ló] **B.** *vt* 1. tempót/iramot diktál 2. kilép, lelép [távolságot] 3. nagy léptekkel ró [utcát, termet stb.]
pace² ['peɪsɪ] *prep* vk engedelmével, ha vk nem ellenzi
-paced [-peɪst] -léptű, -járású
pacemaker *n* 1. iramot diktáló versenyző [sp...ban] 2. szívritmus-szabályozó
pacer ['peɪsə*], **pace-setter** *n* = *pacemaker* 1.
pachyderm ['pækɪdə:m] *n* vastagbőrű(ek)
pacific [pə'sɪfɪk] *a/n* békés; csendes; nyugalmas; *the P~* (*Ocean*) a Csendes-óceán
pacifier ['pæsɪfaɪə*] *n* 1. békéltető 2. *US* cucli, cumi
pacifism ['pæsɪfɪzm] *n* pacifizmus
pacifist ['pæsɪfɪst] *n* pacifista
pacify ['pæsɪfaɪ] *vt* kibékít, lecsendesít

pack [pæk] **I.** *n* 1. csomag, poggyász; batyu, málha 2. falka [kutya-, farkas-] 3. tömeg [ember] 4. *biz* csomó, halom, rakás; *a ~ of lies* csupa hazugság 5. pakli [kártya]; doboz [cigaretta] 6. (úszó) jégtorlasz 7. (hideg) borogatás **II. A.** *vt* 1. (be)csomagol, bepakol; összepakol 2. beletöm, belezsúfol; megrak; *the train was ~ed* a vonat zsúfolva volt 3. tömít 4. konzervál; dobozol 5. összeszed, összegyűjt [állatokat]; összeválogat [személyeket, tárgyakat]; ⟨egy társaság/csoport tagjait úgy szedi össze, hogy azok rá előnyös döntést hozzanak⟩; *~ a jury* részrehajló esküdtszéket állít össze **B.** *vi* 1. összeáll, tömörödik [hó, föld] 2. összeverődnek [állatok]; összecsődülnek [emberek]; cimborálnak 3. *articles that ~ well* jól/könnyen csomagolható/tárolható árucikkek 4. *biz send sy ~ing* elzavar vkt
   pack in *vt/vi* becsomagol
   pack off A. *vi* eltakarodik, elkotródik **B.** *vt* elküld, elzavar (vkt); *~ a child o. to bed* ágyba dugja a gyereket
   pack up A. *vt* becsomagol, összepakol **B.** *vi* 1. *biz* fájrontot csinál, leteszi a vakolókanalat 2. □ bedöglik, lerohad [gép]
package ['pækɪdʒ] **I.** *n* csomag; *biz ~ (deal/offer)* csomagterv; *~ tour* csomagtúra **II.** *vt* (be)csomagol
packaging ['pækɪdʒɪŋ] *n US* csomagolás
pack-animal *n* málhás állat
Packard ['pækɑːd] *prop*
packer ['pækə*] *n* 1. csomagoló(gép) 2. *US* konzervgyáros

packet ['pækɪt] n 1. (kis) csomag 2. GB
□ catch/get/stop a ~ súlyos/halálos
sebet kap [katona] 3. □ a ~of money
nagy csomó pénz
packet-boat n postahajó
pack-horse n málhás ló
pack-ice n (úszó) jégtorlasz
packing ['pækɪŋ] n 1. (be)csomagolás,
bepakolás; ~ included csomagolás
bérmentve 2. tömítés; ~ ring tömítő-
gyűrű 3. burkoló-, tömítőanyag, cso-
magolópapír 4. konzerválás, tartósí-
tás; US ~ house konzervgyár
packing-case n csomagolóláda
packing-needle n zsákvarrótű
pack-saddle n málhanyereg
pack-thread n csomagolózsineg
pact [pækt] n szerződés, egyezmény
pad¹ [pæd] I. n 1. párna; párnázás; tö-
m(ít)és 2. nyeregpárna 3. jegyzet-
tömb, blokk; írómappa 4. lábszár-
védő; mellvédő 5. [állati] láb, mancs
6. ujjbegy 7. □ kégli II. vt -dd- 1.
kibélel, kipárnáz, kitöm 2. biz terjen-
gőssé tesz [írást]
pad² [pæd] v -dd- vi kutyagol, gyalogol
padded ['pædɪd] a bélelt, párnázott; ~ cell
párnázott falú cella [dühöngő őrülté]
→pad¹, pad²
padding ['pædɪŋ] n 1. bélés, tömés; vat-
tázás (átv is) 2. helykitöltő fecsegés
[írásműben] || → pad¹, pad²
Paddington ['pædɪŋtən] prop
paddle¹ ['pædl] I. n 1. kajakevező; lapát
[vízikeréké] 2. úszóhártyás láb 3. suly-
koló II. A. vi (kajakevezővel) evez, „ka-
nalaz" B. vt hajt [csónakot]; biz ~ one's
own canoe a saját erejéből boldogul
paddle² ['pædl] vi lubickol, pacskol [víz-
ben]
paddle-wheel n lapátkerék
paddling-pool ['pædlɪŋ-] n lubickolóme-
dence
paddock ['pædək] n 1. bekerített kifutó
[istálló mellett] 2. nyergelő [lóver-
senypályán]
paddy¹ ['pædɪ] n hántolatlan rizs
paddy² ['pædɪ] n biz be in a ~ dühös
Paddy³ ['pædɪ] prop 1. ⟨Patrick becézett
alakja⟩ 2. biz ír (ember) 3. US □
~(-waggon) rabomobil

paddy-field n rizsföld
padlock ['pædlɔk; US -ɑk] I. n lakat II.
vt belakatol
padre ['pɑːdrɪ; US -eɪ] n tábori lelkész
paean ['piːən] n diadalének
paediatr... →pediatr...
pagan ['peɪgən] n (átv is) pogány
paganism ['peɪgənɪzm] n pogányság
page¹ [peɪdʒ] I. n 1. apród 2. ~ (boy)
(szállodai) boy II. vt kerestet [boyjal
szállodában]
page² [peɪdʒ] I. n lap, oldal II. vt lap-
számoz
pageant ['pædʒ(ə)nt] n 1. látványosság,
nagy felvonulás (élőképekkel) 2. üres
pompa
pageantry ['pædʒ(ə)ntrɪ] n 1. pompa,
fény 2. látványosság, látványos fel-
vonulás
Paget ['pædʒɪt] prop
paginate ['pædʒɪneɪt] vt lapszámoz
pagination [pædʒɪ'neɪʃn] n lapszámo-
zás
paging ['peɪdʒɪŋ] n lapszámozás
pagoda [pə'goʊdə] n pagoda
paid [peɪd] → pay¹ II.
pail [peɪl] n vödör, csöbör
pailful ['peɪlfʊl] n vödörnyi
pain [peɪn] I. n 1. fájdalom, szenvedés;
kín; be in (great) ~ (nagy) fájdalmai
vannak; give ~ fájdalmat okoz; ~s pl
vajúdás; put an animal out of its ~
megadja egy állatnak a kegyelem-
döfést 2. pains pl fáradozás, fáradság;
take ~s nem sajnálja a fáradságot,
fáradozik 3. kellemetlenség, bosszú-
ság; □ a ~ in his neck szálka a szemé-
ben, kellemetlen a számára 4. † bün-
tetés; under/(up)on ~ büntetés terhe
mellett; on ~ of death halálbüntetés
terhe alatt II. A. vt fájdalmat okoz,
gyötör, kínoz B. vi fáj
Paine [peɪn] prop
pained [peɪnd] a 1. fájdalmas, megsér-
tődött [arckifejezés] 2. bánatos
painful ['peɪnfʊl] a 1. fájdalmas, fájós
2. kínos, kellemetlen
pain-killer n fájdalomcsillapító
painless ['peɪnlɪs] a fájdalommentes
painstaking ['peɪnzteɪkɪŋ] a gondos, lel-
kiismeretes; alapos

paint [peɪnt] **I.** *n* **1.** festék; *coat of* ~ festékréteg **2.** arcfesték, rúzs **II.** *vt* **1.** lefest, (meg)fest **2.** (be)fest, (be)mázol, beken; ~ *with iodine* bejódoz **3.** (szavakkal) leír, lefest
paint-box *n* festékdoboz
paint-brush *n* (festő)ecset
painter[1] ['peɪntə*] *n* **1.** festő(művész) **2.** szobafestő, mázoló
painter[2] ['peɪntə*] *n* hajókikötő-kötél; *cut the* ~ (1) elvágja a hajókötelet (2) *biz* elszakad [gyarmat]; végleg megszabadul vmtől
painting ['peɪntɪŋ] *n* **1.** festmény **2.** festés, festészet
paintress ['peɪntrɪs] *n* festőművésznő
pair [peə*] **I.** *n* **1.** (egy) pár; *where is the* ~ *to this sock?* hol van ennek a zokninak a párja?; *a* ~ *of trousers* nadrág, pantalló; *the* ~ *of you* ti ketten; *in* ~s párosával **2.** fogat; *carriage and* ~ kétlovas hintó **3.** (házas)pár **4.** ⟨két szemben álló párthoz tartozó képviselő, akik kölcsönös megállapodással tartózkodnak a szavazástól⟩ **II. A.** *vt* párosít, párosával összerak **B.** *vi* **1.** párosodik, párzik **2.** ⟨egy ellenpárti képviselővel együtt távol marad a szavazástól⟩
pair off A. *vt* kettesével elrendez **B.** *vi* **1.** kettesével elvonul **2.** *biz* összeházasodik (*with* vkvel)
pajamas → *pyjamas*
Pakistan [pɑːkɪˈstɑːn] *prop* Pakisztán
Pakistani [pɑːkɪˈstɑːnɪ] *a/n* pakisztáni
pal [pæl] □ **I.** *n* pajtás, cimbora, haver **II.** *vi* -ll- ~ *up with sy* összebarátkozik/összehaverkodik vkvel
palace ['pælɪs] *n* palota; ~ *revolution* palotaforradalom
palace-car *n US* szalonkocsi
paladin ['pælədɪn] *n* lovag, levente
palaeographer, *US* **paleo-** [pælɪˈɒɡrəfə*; *US* peɪlɪˈɑ-] *n* paleográfus
palaeography, *US* **paleo-** [pælɪˈɒɡrəfɪ; *US* peɪlɪˈɑ-] *n* paleográfia
palaeolithic, *US* **paleo-** [pælɪəˈlɪθɪk; *US* peɪ-] *a* őskőkori
palaeontology, *US* **paleon-** [pælɪɒnˈtɒlədʒɪ; *US* peɪlɪɑnˈtɑ-] *n* őslénytan, paleontológia

palanquin [pælənˈkiːn] *n* fedett gyaloghintó
palatable ['pælətəbl] *a* ízletes; kellemes
palatal ['pælətl] *n* ínyhang, palatális (hang)
palatalize ['pælətəlaɪz] *vt* palatalizál
palate ['pælət] *n* **1.** íny, szájpadlás; *cleft* ~ farkastorok **2.** ízlés, gusztus
palatial [pəˈleɪʃl] *a* **1.** palotaszerű **2.** fejedelmi, nagyszabású, fényűző
palatinate [pəˈlætɪnət] *n* palotagrófi/nádori méltóság; *The P*~ Pfalz
palatine ['pælətaɪn] *n* palotagróf, nádor
palaver [pəˈlɑːvə*; *US* -ˈlæ-] **I.** *n* **1.** [bennszülöttekkel folytatott] (hosszadalmas) tárgyalás **2.** *biz* üres beszéd, fecsegés **II.** *vi* **1.** (bennszülöttekkel) tárgyal **2.** locsog, fecseg
pale[1] [peɪl] *n* **1.** karó, hegyes léc; palánk **2.** *beyond/outside the* ~ kívül esik vm (pl. az illem) határán
pale[2] [peɪl] **I.** *a* sápadt, hal(o)vány; színtelen, fakó; ~ *ale* világos sör; ~ *blue* halványkék; *grow/turn* ~ elsápad **II. A.** *vi* elsápad, elhalványodik **B.** *vt* elsápaszt
pale-face *n* sápadt arcú
paleness ['peɪlnɪs] *n* sápadtság, halványság
paleo . . . →*palaeo . . .*
Palestine ['pæləstaɪn] *prop* Palesztina
Palestinian [pæləˈstɪnɪən] *a/n* palesztin(ai)
palette ['pælət] *n* (festő)paletta
palette-knife *n* (*pl* **-knives**) palettakaparó kés
palimpsest ['pælɪmpsest] *n* palimpszeszt
palindrome ['pælɪndroʊm] *n* tükörmondat, palindroma
paling ['peɪlɪŋ] *n* **1.** palánk, (hegyes) léckerítés **2.** karó(k)
palisade [pælɪˈseɪd] **I.** *n* **1.** palánk(kerítés) **2.** *US* meredek sziklafal [folyó mentén] **II.** *vt* körülpalánkol
palish ['peɪlɪʃ] *a* kissé halvány
pall[1] [pɔːl] *n* **1.** koporsólepel, szemfedél **2.** lepel, takaró; *a* ~ *of smoke* füstfátyol
pall[2] [pɔːl] *vi* unalmassá válik, ellaposodik
pall-bearer *n* gyászoló [aki a koporsót oldalt kíséri]

palled [pæld] →pal II.

pallet ['pælɪt] n szalmazsák, priccs

palliasse ['pælɪæs; US -'æs] n szalmazsák

palliate ['pælɪeɪt] vt 1. átmenetileg enyhít/csillapít/könnyít 2. menteget

palliation [pælɪ'eɪʃn] n 1. átmeneti csillapítás/enyhítés/könnyítés 2. mentegetés, szépítés

palliative ['pælɪətɪv; US -eɪt-] a/n csillapító(szer)

pallid ['pælɪd] a sápadt, fakó; fénytelen

Pall Mall [pæl'mæl] prop

pallor ['pælə*] n sápadtság

pally ['pælɪ] a biz barátkozó, haverkodó; I'm ~ with him jó haverom

palm¹ [pɑ:m] n pálma; carry off the ~ elnyeri a pálmát/győzelmet; P~ Sunday virágvasárnap

palm² [pɑ:m] I. n 1. tenyér; grease/oil sy's ~ „megken" vkt 2. horgonyköröm 3. korona [szarvasagancsé] 4. tenyérszélesség, -hossz II. vt 1. tenyérbe rejt 2. ~ sg off on sy elsóz vmt vknek, rátukmál/rásóz vkre vmt; ~ oneself off as sg vmnek kiadja magát 3. biz „megken"

palmate ['pælmɪt; US -eɪt] a tenyér alakú

palmer ['pɑ:mə*] n (a Szentföldről pálmaággal hazatért) zarándok

Palmerston ['pɑ:məst(ə)n] prop

palmetto [pæl'metoʊ‖ n törpe legyezőpálma

palm-grove n pálmaliget

palmist ['pɑ:mɪst] n tenyérjós

palmistry ['pɑ:mɪstrɪ] n tenyérjóslás

palm-oil n 1. pálmaolaj 2. GB biz „kenés", csúszópénz

palmy ['pɑ:mɪ] a 1. pálmás 2. átv virágzó, boldog

palpability [pælpə'bɪlətɪ] n 1. érzékelhetőség, (ki)tapinthatóság 2. nyilvánvaló volta (vmnek)

palpable ['pælpəbl] a 1. érzékelhető, (ki)tapintható 2. kézzelfogható, nyilvánvaló

palpate ['pælpeɪt] vt (meg)tapogat, kitapogat, kitapint [orvosilag]

palpitate ['pælpɪteɪt] vt 1. dobog, lüktet, ver [szív] 2. remeg, reszket

palpitation [pælpɪ'teɪʃn] n 1. (szív)dobogás 2. remegés, reszketés

palsied ['pɔ:lzɪd] a szélütött, bénult

palsy ['pɔ:lzɪ] I. n szélütés, -hűdés; bénulás II. vt megbénít

palter ['pɔ:ltə*] vi köntörfalaz, mellébeszél; ~ with sg könnyedén vesz/kezel vmt

paltering ['pɔ:lt(ə)rɪŋ] n kifogás, ürügy

paltriness ['pɔ:ltrɪnɪs] n értéktelenség; jelentéktelenség, silányság

paltry ['pɔ:ltrɪ] a értéktelen; jelentéktelen, vacak, rongyos

Pamela ['pæmələ] prop Paméla

Pamirs, The [ðəpə'mɪəz] prop a Pamír

pampas ['pæmpəs] n pl pampa [dél-amerikai füves síkság]

pampas-grass n pampaszfű

pamper ['pæmpə*] vt (el)kényeztet

pamphlet ['pæmflɪt] n 1. vékony fűzött könyv, [nyomtatott] füzet 2. röpirat; brosúra, pamflet

pamphleteer [pæmflə'tɪə*] n röpiratíró

pan¹ [pæn] I. n 1. serpenyő, tepsi, lábas; pots and ~s konyhaedények 2. mérlegcsésze 3. (serpenyő alakú) talajmélyedés, horpadás 4. koponya felső része 5. □ pofa, ábrázat II. v -nn- A. vt 1. ~ (out, off) (ki)mos [aranyat] 2. főz, párol [ételt] 3. biz lehord, lekritizál B. vi ~ out (1) ad, hoz [aranyat] (2) végződik/sikerül vhogyan

pan² [pæn] vt/vi -nn- pásztáz, (film)felvevőgéppel követ

panacea [pænə'sɪə] n csodaszer

panache [pə'næʃ] n magabiztosság

Panama [pænə'mɑ:; US főleg 'pæ-] prop Panama

Panamanian [pænə'meɪnjən] a/n panamai

Pan-American [pænə'merɪkən] a pánamerikai

pancake ['pænkeɪk] n palacsinta; ~ day húshagyókedd; ~ (landing) futómű nélküli kényszerleszállás, hasra szállás, hasleszállás [repgépé]

panchromatic [pænkrə'mætɪk] a pankromatikus

Pancras ['pæŋkrəs] prop Pongrác

pancreas ['pæŋkrɪəs] n hasnyálmirigy

pancreatic [pæŋkrɪ'ætɪk]a hasnyálmirigy-

panda ['pændə] *n* 1. (tibeti) macskamedve, panda 2. *GB* P~ *car* URHkocsi; P~ *crossing* sávozott gyalogátkelőhely [ahol a jelzőlámpát a gyalogos kezeli]
pandemic [pæn'demɪk] *n* országos járvány
pandemonium [pændɪ'moʊnjəm] *n* pokoli lárma, zűrzavar
pander ['pændə*] I. *n* 1. kerítő 2. cinkos(társ) II. A. *vt* 1. kerítő szerepét játssza 2. cinkosként segít B. *vi* 1. kerít(éssel foglalkozik) 2. ~ *to sy* cinkosa vknek
pane [peɪn] *n* 1. ~ (*of glass*) (üveg-) tábla, táblaüveg 2. (osztás)mező
panegyric [pænɪ'dʒɪrɪk] *n* dicshimnusz
panegyrize ['pænɪdʒɪraɪz] *vt* dicsőit
panel ['pænl] I. *n* 1. (fa)tábla; (fal)mező [mennyezeten, falon stb.]; ablaktábla; ajtótábla; ~ *painting* táblakép 2. panel [épitőelem] 3. (*instrument*) műszerfal 4. esküdtnévsor, -szék 5. *GB* ⟨társadalombiztosítási szolgálatban részt vevő körzeti orvosok jegyzéke⟩; *be on the* ~ kb. körzeti orvos 6. munkaközösség; bizottság 7. ~ (*discussion*) fórum [tévében] II. *vt* -ll- (*US* -l-) 1. táblákra/mezőkre oszt 2. faburkolattal ellát, burkol [falat]
panel-doctor *n* *GB* kb. körzeti orvos, SZTK-orvos
panelled ['pænld] *a* faburkolatú; ~ *door* betétes ajtószárny
panelling ['pæn(ə)lɪŋ] *n* fa(l)burkolat, lambéria
panel-patient *n* *GB* kb. SZTK-beteg
pang [pæŋ] *n* 1. nyilalló/szaggató fájás 2. *átv* kín, (szív)fájdalom
panhandle ['pænhændl] *US* I. *n* földnyelv II. *vi* *biz* koldul
panic ['pænɪk] I. *n* pánik II. *vi* (*pt*/*pp* -ked 'pænɪkt) pánikba esik
panicky ['pænɪkɪ] *a* pánikra hajlamos, könnyen rémüldöző
panic-monger *n* pánikkeltő, -terjesztő
panic-stricken *a* megrémült, fejvesztett
panjandrum [pæn'dʒændrəm] *n biz* nagyfejű, fejes
Pankhurst ['pæŋkhəst] *prop*
panned [pænd] →*pan*¹ *II.*, *pan*²

pannier ['pænɪə*] *n* (nagy) (málhás)kosár [málhás állaton, kerékpáron]
pannikin ['pænɪkɪn] *n* 1. kis fémpohár/ fémcsésze 2. kis pohárnyi ital
panning ['pænɪŋ] *n* panorámafelvétel, „úsztatás" [filmfelvevőgéppel] ‖ →*pan*¹ *II.*, *pan*²
panoply ['pænəplɪ] *n* (*átv is*) teljes vértezet
panorama [pænə'rɑːmə*; *US* -'ræ-] *n* 1. körkép, látkép; panoráma 2. akadálytalan kilátás, körkilátás
panoramic [pænə'ræmɪk] *a* panorámaszerű, panoráma-; ~ *camera* nagylátószögű fényképezőgép; ~ *view* (1) körkilátás (2) *átv* átfogó kép (vmről)
pan-pipe ['pæn-] *n* pánsíp
Pan-Slavism [pæn'slɑːvɪzm] *n* pánszlávizmus
pansy ['pænzɪ] *n* 1. árvácska 2. *biz* homokos [férfi]
pant [pænt] *vi* 1. liheg, zihál, levegő után kapkod, piheg 2. hevesen dobog, ver [szív] 3. ~ *for*/*after sg* vágyódik vm után
pantaloons [pæntə'luːnz] *n pl US* pantalló, hosszúnadrág [férfié]
pantechnicon [pæn'teknɪkən] *n GB* bútorszállító kocsi
pantheism ['pænθiːɪzm] *n* panteizmus
pantheist ['pænθiːɪst] *n* panteista
pantheistic(al) [pænθiː'ɪstɪk(l)] *a* panteista, panteisztikus
pantheon ['pænθiən; *US* -ɑn] *n* panteon
panther ['pænθə*] *n* fekete leopárd, *US* puma
panties ['pæntɪz] *n pl biz* 1. gyermeknadrág 2. bugyi, női (alsó)nadrág
pantile ['pæntaɪl] *n* hullámos cserépzsindely
panting ['pæntɪŋ] *a* lihegő, ziháló, dobogó ‖ →*pant*
pantograph ['pæntəɡrɑːf; *US* -æf] *n* pantográf, gólyaorr
pantomime ['pæntəmaɪm] *n* 1. pantomim, némajáték 2. látványos tündérrevü
pantry ['pæntrɪ] *n* 1. éléskamra 2. tálaló(helyiség)
pants [pænts] *n pl biz* 1. hosszúnadrág, pantalló; ~ *suit* nadrágkosztüm; *biz*

kick in the ~ fenékbe rúg 2. *GB* alsónadrág; *with the* ~ *down* (1) *biz* letolt gatyával (2) *átv* □ készületlenül, zavarba hozó helyzetben 3. = *panties*
panty-hose ['pæntɪ-] *n* harisnyanadrág
panzer ['pæntzə*] *a/n* páncélos
pap [pæp] *n* 1. pép, kása; papi 2. *US* igénytelen/nívótlan olvasmány
papa [pə'pɑ:] *n* papa, apuka
papacy ['peɪpəsɪ] *n* pápaság
papal ['peɪpl] *a* pápai
papaw [pə'pɔ:] *n* papaja(fa gyümölcse)
paper ['peɪpə*] I. *n* 1. papír; *commit sg to* ~, *put sg down on* ~ papírra vet vmt, írásba foglal vmt; *on* ~ papíron, elméletben 2. **papers** *pl* írás(ok), (személyi) okmány, iratok, igazolvány; *send in one's* ~s lemond (tiszti) rangjáról 3. értekezés, tanulmány; dolgozat; *deliver/present/read a* ~ előadást tart/felolvas 4. [iskolai] dolgozat; írásbeli (vizsga) 5. újság, (hír)lap 6. ~ *money* papírpénz, bankjegy II. *vt* 1. tapétáz 2. (papirosba) becsomagol; *átv biz* ~ *over the cracks* elfedi/szépíti a hibákat 3. □ vattáz [színházat]
paperback *n* fűzött könyv, zsebkönyv
paper-bag *n* papírzacskó, -zsák
paperboy *n* lapkihordó
paper-chase *n* ⟨tréfás hajtóvadászat elszórt papírdarabok nyomán⟩
paper-clip *n* gemkapocs, iratkapocs
paper-hanger *n* tapétázó
paper-knife *n* (*pl* -knives) papírvágó kés
paper-mill *n* papírmalom ,-gyár
paper-weight *n* levélnehezék
paperwork *n* aktázás, irodai munka
papery ['peɪpərɪ] *a* papírszerű
papier-mâché [pæpjeɪ'mæʃeɪ] *n* papírmasé
papist ['peɪpɪst] *n* pápista
papoose [pə'pu:s] *n* 1. *US* indián csecsemő 2. gyermekhordozó hátizsák
paprika ['pæprɪkə] *n* (piros) paprika
Papuan ['pɑ:pʊən] *a/n* pápuai, Pápua Új-Guinea-i
Papua New Guinea ['pɑ:pʊə] *prop* Pápua Új-Guinea
papyrus [pə'paɪərəs] *n* (*pl* -ri -raɪ) papirusz
par[1] [pɑ:*] *n* névérték, egyenérték, pari

árfolyam; *up to* ~ színvonalas; *below* ~ (1) névérték alatt (2) *átv* nívótlan, átlagon aluli; *biz feel below* ~ nem érzi jól magát, nincs formában; *at* ~ parin
par[2] [pɑ:*] *n biz* 1. paragrafus 2. kis újságcikk
parable ['pærəbl] *n* példabeszéd, példázat
parabola [pə'ræbələ] *n* parabola
parabolic(al) [pærə'bɔlɪk; *US* -'bɑ-] *a* 1. példabeszédbe burkolt 2. parabolikus
parachute ['pærəʃu:t] I. *n* ejtőernyő; ~ *flare* ejtőernyős rakéta; ~ *mine* ejtőernyővel ledobott akna; ~ *troops* ejtőernyős alakulat II. *vi* ejtőernyővel leszáll
parachutist ['pærəʃu:tɪst] *n* ejtőernyős
parade [pə'reɪd] I. *n* 1. dísz, pompa, parádé 2. (dísz)szemle; *on* ~ (1) szemlén (2) gyakorlótéren 3. sétány 4. *make a* ~ *of sg* kérkedik/hivalkodik vmvel II. A. *vt* 1. fitogtat, kérkedik (vmvel) 2. (dísz)szemlét tart B. *vi* 1. parádézik, díszeleg 2. szemlére vonul
parade-ground *n* gyakorlótér
paradigm ['pærədaɪm; *US* -dɪm v. -daɪm] *n* (ragozási) minta, paradigma
paradise ['pærədaɪs] *n* paradicsom(kert); mennyország; *bird of* ~ paradicsommadár; *P*~ *Lost* A paradicsom elvesztése
paradisiac [pærə'dɪsɪæk] *a* paradicsomi, mennyei
paradisiacal [pærədɪ'saɪəkl] *a* = *paradisiac*
paradox ['pærədɔks; *US* -ɑks] *n* paradoxon, látszólagos ellentmondás
paradoxical [pærə'dɔksɪkl; *US* -'dɑ-] *a* paradox
paraffin ['pærəfɪn] *n* 1. paraffin; *liquid* ~ paraffinolaj 2. *GB* kőolaj, petróleum; ~ *lamp* petróleumlámpa; ~ *oil* (1) paraffinolaj (2) petróleumpárlat
paragon ['pærəgən; *US* -ɑn] *n* minta(kép), eszménykép
paragraph ['pærəgrɑ:f; *US* -æf] I. *n* 1. paragrafus, szakasz, cikk(ely) 2. (új) bekezdés 3. paragrafus(jel) 4. újsághír, (rövid) cikk II. *vt* paragrafusokra/bekezdésekre oszt

Paraguay ['pærəgwaɪ] *prop* Paraguay
Paraguayan [pærə'gwaɪən] *a/n* paraguayi
parakeet ['pærəki:t] *n* arapapagáj
parallax ['pærəlæks] *n* parallaxis
parallel ['pærəlel] I. *a* 1. párhuzamos *(with/to* vmvel); ~ *bars* korlát [szertornában]; ~ *ruler* párhuzamvonalzó 2. megfelelő, hasonló II. *n* 1. párhuzamos (vonal); *draw a* ~ (1) párhuzamost von (2) *átv* párhuzamba állít; párhuzamot von *(between* két dolog között) 2. ~ *(of latitude)* (földrajzi) szélességi kör/vonal 3. hasonlóság, párhuzam 4. *in* ~ párhuzamosan kapcsolt 5. vmnek párja; *without* ~ példátlan, páratlan III. *vt* -ll- *(US* -l-) 1. párhuzamba állít, egybevet [két dolgot] 2. vmnek megfelel, vmvel megegyezik 3. párhuzamos (vmvel)
parallelism ['pærəlelɪzm] *n* párhuzam(osság), hasonlóság, megfelelés
parallelogram [pærə'leləgræm] *n* egyenköz, paralelogramma
paralyse, *US* -lyze ['pærəlaɪz] *vt* (meg-)bénít; ~*d with fear* félelemtől dermedt(en)
paralysing, *US* -lyz- ['pærəlaɪzɪŋ] *a* bénító
paralysis [pə'rælɪsɪs] *n* 1. megbénítás 2. (meg)bénulás, hűdés, paralízis 3. *átv* tehetetlenség, cselekvésképtelenség
paralytic [pærə'lɪtɪk] *a/n* bénult, béna, paralitikus; tehetetlen (ember)
parameter [pə'ræmɪtə*] *n* paraméter, segédváltozó
paramilitary [pærə'mɪlɪtərɪ; *US* -erɪ] *a* katonai jellegű
paramount ['pærəmaʊnt] *a* legfőbb
paramour ['pærəmʊə*] *n* † szerető, kedves
paranoia [pærə'nɔɪə] *n* nagyzási/üldözési mánia, paranoia
parapet ['pærəpɪt] *n* 1. mellvéd, könyöklőfal 2. karfa, (híd)korlát
paraph ['pærəf] I. *n* kacskaringó [névaláírásé] II. *vt* kézjeggyel ellát, parafál
paraphernalia [pærəfə'neɪljə] *n pl biz* 1. felszerelés, kellék(ek) 2. holmi, cókmók

paraphrase ['pærəfreɪz] I. *n* magyarázó körülírás, parafrázis II. *vt* kifejt, részletez, körülír, más szavakkal elmond
paraplegia [pærə'pli:dʒə] *n* kétoldali végtagbénulás (a deréktól lefelé)
paras ['pærəz] *n pl biz* = *paratroopers*
parasite ['pærəsaɪt] *n* élősdi, élősködő, parazita
parasitic [pærə'sɪtɪk] *a* élősködő
parasol ['pærəsɔl; *US* -sɔ:l] *n* napernyő
paratrooper ['pærətru:pə*] *n* ejtőernyős
paratroops ['pærətru:ps] *n pl* ejtőernyős csapatok
paratyphoid [pærə'taɪfɔɪd] *n* paratífusz
parboil ['pɑ:bɔɪl] A. *vt* előfőz B. *vi átv* túlságosan felhevül
parcel ['pɑ:sl] I. *n* 1. (posta)csomag; ~ *post* csomagposta 2. *biz* csomó, rakás; ~ *of lies* egy csomó hazugság 3. telek(rész), parcella 4. *part and* ~ *of sg* vmnek szerves alkatrésze II. *vt* -ll- *(US* -l-) 1. ~ *(out)* feloszt, (fel)parcelláz 2. ~ *(up)* becsomagol
parcel-gilt *a* részben aranyozott
parch [pɑ:tʃ] A. *vt* 1. (el)szárít,kiszárít, fonnyaszt, aszal 2. éget, perzsel B. *vi* 1. elszárad, elfonnyad 2. szomjazik
parchment ['pɑ:tʃmənt] *n* pergamen
pard [pɑ:d] *n* † leopárd
pardon ['pɑ:dn] I. *n* 1. bocsánat; *ask for* ~ bocsánatot kér; *I beg your* ~*!* (1) pardon bocsánat! (2) de kérem! [méltatlankodva]; *(I beg your)* ~*?* tessék?, mit tetszett mondani?, nem értettem! 2. bűnbocsánat, búcsú II. *vt* 1. megbocsát, elnéz *(sy sg* vknek vmt); ~ *me!* bocsánat! 2. megkegyelmez (vknek)
pardonable ['pɑ:dnəbl] *a* megbocsátható, menthető
pardoner ['pɑ:dnə*] *n* † bűnbocsánatárus
pare [peə*] *vt* nyes; vág [körmöt]; (meg)hámoz [gyümölcsöt]; ~ *away/off* levág, lenyír; *átv* ~ *down* csökkent, lefarag
parent ['peər(ə)nt] *n* 1. szülő; ős; ~ *concern* anyaintézet 2. forrás, kútfő
parentage ['peər(ə)ntɪdʒ] *n* 1. származás 2. szülők, ősök; család
parental [pə'rentl] *n* szülői, atyai

parenthesis [pə'renθɪsɪs] n (pl **-ses** -si:z) 1. (kerek) zárójel 2. közbevetett megjegyzés/mondat **parenthetic(al)** [pær(ə)n'θetɪk(l)] a közbevetett, zárójelbe tett **parent-teacher association** kb. szülői munkaközösség **parget** ['pɑːdʒɪt] vt (durván) bevakol, díszít **parhelion** [pɑː'hiːljən] n (pl **-lia** -ljə) melléknap **pariah** ['pærɪə] n pária [Indiában]; átv társadalomból kitaszított ember **paring** ['peərɪŋ] n 1. hámozás 2. **parings** pl (fa)hulladék, forgács; héj **paring-knife** n (pl **-knives**) dikics, kacorkés, fejtőkés; hámozókés **Paris** ['pærɪs] prop Párizs **parish** ['pærɪʃ] n 1. plébánia, egyházközség, parókia; ~ church plébániatemplom; ~ clerk sekrestyés, templomszolga; egyházfi; ~ priest plébános; ~ register (községi) anyakönyv 2. (civil) ~ község; ~ council községi tanács; biz go on the ~ köztartásban részesül, szociális otthonba kerül **parishioner** [pə'rɪʃənə*] n egyházközséghez tartozó ember, egyháztag **Parisian** [pə'rɪzjən; US -ʒən] a/n párizsi **parity** ['pærətɪ] n 1. egyenlőség, egyenértékűség, paritás 2. megfelelés, egyezés **park** [pɑːk] I. n 1. park, díszkert; vadaskert 2. katonai anyagraktár 3. (gépkocsi)telephely; (car) ~ parkolóhely II. vt 1. körülkerít; parkosít 2. parkol [gépkocsit] 3. biz lerak; elhelyez [csomagot stb.] **parka** ['pɑːkə] n US csuklyás anorák **parking** ['pɑːkɪŋ] n 1. parkolás, várakozás; ~ attendant parkolási díjbeszedő, parkolóőr; ~ meter parkolóóra; ~ lot/area/place parkolóhely; no ~! parkolni tilos! 2. parkoló(hely) **parking-ticket** n bírságcédula tilos parkolásért **parkland** n kb. liget(es vidék) **parlance** ['pɑːləns] n beszéd(mód), szólásmód; in common ~ hétköznapi nyelven; in legal ~ jog(ász)i nyelven **parley** ['pɑːlɪ] I. n vita, tárgyalás; egyez-

kedés II. vi tárgyalásokba bocsátkozik, egyezkedik **parliament** ['pɑːləmənt] n országgyűlés, parlament **parliamentarian** [pɑːləmen'teərɪən] I. a parlamenti II. n 1. országgyűlési képviselő 2. GB † Stuaṛt-ellenes [a 17. sz.-ban] **parliamentary** [pɑːlə'ment(ə)rɪ] a parlamenti, országgyűlési, parlamentáris; P~ Commissioner = ombudsman; ~ election képviselő-választás **parlour,** US **-lor** ['pɑːlə*] n 1. nappali (szoba); szalon; ~ game társasjáték 2. társalgó, fogadószoba 3. különszoba, különterem [kocsmáé, vendéglőé] 4. US (elegáns) üzlethelyiség, (-)szalon **parlo(u)r-car** n US szalonkocsi **parlo(u)r-maid** n (felszolgáló) szobalány **parlous** ['pɑːləs] a † veszélyes, merész **Parnell** [pɑː'nel] prop **parochial** [pə'roʊkjəl] a 1. egyházközségi 2. helyi; szűk látókörű **parochialism** [pə'roʊkjəlɪzm] n helyi elfogultság, lokálpatriotizmus **parodist** ['pærədɪst] n paródiaíró **parody** ['pærədɪ] I. n 1. paródia; kifigurázás 2. (silány/gyenge) utánzat, travesztia II. vt parodizál, kifiguráz **parole** [pə'roʊl] n becsületszó; prisoner on ~ ⟨szabadlábra helyezett fogoly, aki becsületszavát adja, hogy nem szökik meg⟩; break one's ~ szökési kísérletet tesz [ideiglenesen szabadlábra helyezett fogoly] **parotid** [pə'rɒtɪd; US -rɑ-] n fültőmirigy **parotitis** [pærə'taɪtɪs] n fültőmirigy--gyulladás, mumpsz **paroxysm** ['pærəksɪzm] n kitörés, roham [nevetésé, dühé] **parquet** ['pɑːkeɪ; US -'keɪ] n 1. parkett(a) 2. US földszint(i ülések), zsöllye **parquetry** ['pɑːkɪtrɪ] n parkett(a); parkettmunka **parricide** ['pærɪsaɪd] n apagyilkos(ság) **parrot** ['pærət] n 1. papagáj; ~ disease/fever papagájkór 2. szajkó (módon utánzó ember) **parry** ['pærɪ] I. n kivédés, (el)hárítás

[ütésé, kérdésé] **II.** *vt* (*átv is*) kivéd, elhárít (vmt), kitér (vm elől); védekezik (vm ellen)
parse [pɑːz] *vt* (mondatot) elemez
parsimonious [pɑːsɪ'moʊnjəs] *a* **1.** takarékos **2.** fösvény, zsugori
parsimony ['pɑːsɪmənɪ; *US* -moʊnɪ] *n* **1.** takarékosság **2.** fösvénység, zsugoriság
parsing ['pɑːzɪŋ] *n* mondatelemzés
parsley ['pɑːslɪ] *n* petrezselyem
parsnip ['pɑːsnɪp] *n* paszternák
parson ['pɑːsn] *n* **1.** plébános **2.** *biz* pap, lelkész; ~*'s nose* püspökfalat
parsonage ['pɑːsnɪdʒ] *n* plébánia, paplak
part [pɑːt] **I.** *n* **1.** (alkotó)rész, darab, tag; *the* ~*s of the body* a test részei; *in* ~ részben, némileg, valamennyire; *in* ~*s* (1) részletekben (2) füzetenként, kötetenként [jelenik meg]; *biz three* ~*s drunk* meglehetősen be van rúgva **2.** alkatrész **3.** ~ *of speech* beszédrész, szófaj **4.** füzet; kötet [sorozatból] **5.** vidék; *be a stranger in these* ~*s* nem ismerős ezen a vidéken/tájon **6.** oldal, párt [vitás kérdésekben stb.]; *take sy's* ~ pártját fogja vknek, vk pártjára áll; *for my* ~ ... részemről ..., ami engem illet ...; *on the one* ~ egyrészt; *on the* ~ *of sy, on sy's* ~ vk részéről; *on the* ~ *of Brown* B. részéről; *for the most* ~ többnyire, a legtöbb esetben **7.** (*átv is*) szerep; *Hamlet's* ~ H. szerepe; *each one did his* ~ mindenki megtette a magáét/kötelességét; *take* (*a*) ~ *in sg* részt vesz vmben, közreműködik vmben **8.** [zenei] szólam **9.** *take sg in good* ~ jó néven vesz vmt, nem sértődik meg vmn **10.** † **parts** *pl* adottság, képesség; *man of good* ~*s* tehetséges ember **II.** *adv* részben; *it is made* ~ *of iron and* ~ *of wood* félig vasból (és) félig fából készült/van **III.** **A.** *vt* **1.** elválaszt, (szét)választ; *till death do us* ~ mindhalálig, holtomiglan-holtodiglan **2.** kettéoszt; ~ *one's hair* elválasztja a haját **B.** *vi* **1.** szétválik; felbomlik, feloszlik **2.** elbúcsúzik, elválik; elmegy; *let us* ~ *friends* váljunk el mint jóba-

rátok; ~ *from sg* megválik vmtől; ~ *with sg* (1) megválik vmtől (2) felad vmt, lemond vmről
partake [pɑː'teɪk] *vi* (*pt* -**took** -'tʊk, *pp* -**taken** -'teɪkn) **1.** részesül, részt vesz (*in/of* vmben) **2.** eszik, iszik (*of* vmből) **3.** ~ *of sg* vmnek tulajdonságaival bír
parterre [pɑː'teə*] *n* **1.** virágokkal beültetett (kert)rész **2.** földszinti zsöllye
Parthian ['pɑːθjən] *a* ~ *shot/shaft* (éles) megjegyzés távozáskor/búcsúzóul
partial ['pɑːʃl] *a* **1.** részleges, parciális **2.** elfogult, részrehajló (*to/towards* vk iránt, vkvel szemben) **3.** *biz be* ~ *to sy/sg* különösen szeret/kedvel vkt/vmt
partiality [pɑːʃɪ'ælətɪ] *n* **1.** elfogultság, részrehajlás (*for sy/sg* vk/vm iránt) **2.** előszeretet (*for sy/sg* vk/vm iránt)
participant [pɑː'tɪsɪpənt] *a/n* rész(t)vevő
participate [pɑː'tɪsɪpeɪt] *vi* részt vesz, közreműködik (*in sg* vmben); hozzájárul [költségekhez]
participation [pɑːtɪsɪ'peɪʃn] *n* részvétel, részesedés; részesség
participial [pɑːtɪ'sɪpɪəl] *a* (melléknévi) igenévi, participiumi, participiális
participle ['pɑːtɪsɪpl] *n* melléknévi igenév, participium
particle ['pɑːtɪkl] *n* **1.** (elemi) részecske, parány, szemcse, csipetnyi; *there is not a* ~ *of truth in it* szemernyi igazság sincs benne **2.** viszonyszó
particoloured, *US* -**colored** ['pɑːtɪ-] *a* különböző színű, tarka
particular [pə'tɪkjʊlə*; *US* -kjə-] **I.** *a* **1.** külön(ös), különleges, saját(ság)os, sajátlagos, egyéni; *in this* ~ *case* ebben a konkrét esetben **2.** szabatos, pontos; részletes **3.** aprólékos, körülményes; finnyás, válogatós; *be* ~ *about sg* válogatós vmben, finnyás(kodik); *don't be too* ~ (*about it*) nem kell olyan aprólékosnak lenni, ne merülj el a részletekben **4.** rendkívüli, szokatlan **5.** részbeli, részleges, partikuláris **II.** *n* részlet(let), (közelebbi) adat; ~*s* személyi adatok; *in* ~ különösen, főleg, főként; *go/enter into* ~*s* részletekbe bocsátkozik; *full* ~*s* összes részletek, részletes adatok; *with full* ~*s* részletesen; *give full* ~*s* részletez

particularity [pətɪkjʊ'lærətɪ; US -kjə-] n 1. saját(os)ság, különlegesség 2. pontosság, szabatosság; aprólékosság particularize [pə'tɪkjʊlərɑɪz; US -kjə-] vt részletez particularly [pə'tɪkjʊləlɪ; US -kjə-] adv 1. főleg, különösen 2. részletesen, részletekbe menően particulate [pə'tɪkjəleɪt] a apró szemcséjű, részecskékből álló parting ['pɑːtɪŋ] I. a ~ kiss búcsúcsók II. n 1. elválás, búcsú, eltávozás 2. elválasztás, hajválaszték 3. útelágazás, szétszakadás; ~ of the ways (1) útelágazás (2) biz válaszút partisan [pɑːtɪ'zæn; US 'pɑːrtɪzən] n 1. pártfél, vknek/vmnek fanatikus híve 2. partizán partisanship [pɑːtɪ'zænʃɪp; US 'pɑːrtɪzən-] n 1. pártosság, részrehajlás 2. párthűség partition [pɑː'tɪʃn] I. n 1. felosztás, szétválasztás; elkülönítés 2. válaszfal 3. fülke, rekesz II. vt 1. feloszt, szétoszt, szétválaszt 2. ~ off elkülönít, fallal elválaszt, leválaszt [szobát stb.] partitive ['pɑːtɪtɪv] a/n részelő (eset) partly ['pɑːtlɪ] adv részben, részint partner ['pɑːtnə*] I. n 1. társ(nő), partner 2. részes, üzlettárs 3. társ, partner [sportban]; táncpartner II. vt partnerként szerepel; társul (vkvel) partnership ['pɑːtnəʃɪp] n 1. társi szerep, társas viszony; enter into ~ with sy társul vkvel 2. (kereskedelmi) társaság partook → partake part-owner n résztulajdonos, társtulajdonos partridge ['pɑːtrɪdʒ] n fogoly [madár] part-song n kórusmű, énekkari mű part-time I. a részidős; félnapos [munka]; ~ job/post (1) részfoglalkozás (2) mellékfoglalkozás, másodállás II. adv részlegesen, nem teljes munkaidőben [foglalkoztat] parturition [pɑːtjʊ(ə)'rɪʃn; US -tʊ-] n vajúdás, szülés party ['pɑːtɪ] n 1. párt; ~ card pártigazolvány; ~ meeting pártgyűlés; ~ member párttag; join the ~ belép a

pártba 2. (társas) összejövetel, társaság, vendégség, zsúr; he's the life of the ~ ő a társaság lelke; make one of the ~ csatlakozik a társasághoz; give (v. US throw) a ~ zsúrt/estélyt ad 3. csapat, brigád; (katonai) különítmény, osztag 4. (ügy)fél; interested ~ érdekelt fél; third ~ harmadik/kívülálló személy 5. részes (vmben); bűnrészes; be a ~ to sg érdekelve van, részes vmben 6. biz (az) illető; alak, pasas party-colo(u)red a = particoloured party-line n 1. ikertelefon, -vonal 2. pártvonal party-man n (pl -men) pártember, párttag party-spirit n pártszellem parvis ['pɑːvɪs] n előtér [templomé] Pasadena [pæsə'diːnə] prop paschal ['pɑːsk(ə)l] a húsvéti pasha ['pɑːʃə] n pasa, basa pasque-flower ['pɑːsk-] n kökörcsin, anemóna pass [pɑːs; US -æ-] I. n 1. (hegy)szoros, hágó 2. igazolvány; engedély; free ~ (1) szabadjegy (2) szabad átkelés/átjárás 3. sikeres letétel [vizsgáé]; levizsgázás; ~ degree elégséges osztályzató oklevél; ~ mark elégséges/közepes eredmény [egyetemi vizsgán] 4. bring to ~ előidéz; have things come to such a ~? hát idáig jutottak/fajultak a dolgok? 5. leadás, passz [futballban]; kitörés, passz [vívásban] 6. kézmozdulat [bűvészé] 7. biz make a ~ (at a woman) kikezd (egy nővel) 8. passzolás [kártyában] II. A. vi 1. megy; (el)halad, továbbhalad, (el)vonul; átmegy; let sy ~ elenged vkt maga mellett; let it ~! hagyjuk ezt! 2. átmegy [vizsgázó] 3. határozatba megy; that won't ~! ezt nem lehet elfogadni! 4. (meg)történik, előfordul; did nothing ~ between you? semmi sem történt köztetek? 5. (el)múlik (el)telik, eltűnik; time ~es rapidly röpül az idő; his remarks ~ed unnoticed megjegyzéseit senki sem vette figyelembe 6. eltűnik, elmúlik; meghal; he ~ed from among us itt hagyott bennünket 7. passzol

[kártyában] **B.** *vt* **1.** áthalad (vmn); elhalad, elmegy (vk/vm mellett); (meg)előz [járművet]; *no food has ~ed my lips* egy falatot sem ettem **2.** átmegy, keresztülmegy [vizsgán, vizsgálaton stb.]; ~ *an examination* levizsgázik; ~ *the test* kiállja a próbát **3.** nem vesz észre, átsiklik (vmn); elszalaszt, elpasszol (vmt) **4.** túlhalad, túljut (vmn); meghalad, felülmúl (vmt); *it ~es my comprehension*‾nekem ez magas **5.** átad; továbbad [labdát stb.]; ~ *the bread please!* kérlek, add ide a kenyeret! **6.** elfogadtat, továbbad [hamis bankjegyet] **7.** bevezet, elkönyvel [tételt] **8.** ~ *judgment* ítéletet mond **9.** (el)tölt [időt]; ~ *the time of day* pár szót vált (vkvel) **10.** elfogad, megszavaz [törvényjavaslatot]; jóváhagy, engedélyez [számlát] **11.** ~ *water* vizel **12.** elvonultat, elléptet [csapatokat]
pass across *vi* átmegy, keresztülmegy
pass along *vi* végigmegy [utcán], elmegy vm mellett
pass away A. *vi* **1.** meghal **2.** eltűnik; szétoszlik **3.** elmúlik; eltelik [idő] **B.** *vt* eltölt, elpocsékol [időt]
pass by A. *vi* továbbmegy, elhalad vm mellett **B.** *vt* **1.** mellőz, figyelmen kívül hagy **2.** elnéz [hibát]
pass down *vt* ~ *sg d. to sy* vkre hagy vmt [örökségként]
pass for *vi* vmnek tartják/gondolják
pass in *vt* **1.** benyújt, bead **2.** = *pass into* **2.**
pass into *vi* **1.** vmvé válik/átalakul, tulajdonost/gazdát cserél **2.** belép, bejut (vhova); felvételt nyer (vhol)
pass off A. *vi* **1.** lezajlik, lefolyik [per stb.] **2.** elmúlik [fájdalom stb.] **B.** *vt* **1.** *he ~ed himself o. as my servant* szolgámnak adta ki magát **2.** ~ *o. a bad coin* elsóz/elsüt egy hamis pénzdarabot
pass on A. *vi* **1.** továbbmegy, továbbhalad **2.** meghal **B.** *vt* továbbad, továbbít; ~ *remarks on sy* megjegyzéseket tesz vkre
pass out A. *vi* **1.** kimegy; ~ *o. of*

sight eltűnik (a látótérből) **2.** (végleg) elhagyja az iskolát, végez/**3.** *biz* elájul, elveszti eszméletét **4.** meghal **B.** *vt* kiad; kioszt
pass over A. *vi* **1.** átmegy/átsuhan vmn **2.** átsiklik (vmn), mellőz (vmt); ~ *o. sg in silence* elnéz vmt, hallgat vmről **B.** *vt* **1.** átad **2.** *they ~ed him o.* mellőzték (az előléptetésnél) **3.** ~ *your eye o. this letter* fussa át ezt a levelet
pass round *vt* **1.** körbejár; megkerül (vmt) **2.** körbead
pass through A. *vi* **1.** átmegy, áthalad (vmn) **2.** átél (vmt) **B.** *vt* áttör, átpasszíroz [szitán stb.]
pass to A. *vt* ~ *sg to sy* vmt vknek (el)juttat **B.** *vi the estate ~ed to his heirs* a birtok örököseire szállt
pass up *vt* *biz* lemond vmről, felad (vmt); elmulaszt, elszalaszt [lehetőséget]
pass upon *vt* **1.** ~ *a sentence u. sy* ítéletet mond vk felett, elítél vkt **2.** ~ *sg u. sy as/for sg* vmt vm gyanánt rásóz vkre

passable ['pɑːsəbl; US 'pæ-] *a* **1.** elfogadható, tűrhető, meglehetős **2.** járható [út]; hajózható [folyó]
passage ['pæsɪdʒ] *n* **1.** átkelés, áthaladás, átutazás; *no ~ here!* tilos az átjárás! **2.** utazás, (hajó)út; *I had a bad ~* az átkelés viharos volt **3.** vezeték, cső [emberi testben] **4.** átjáró, folyosó **5.** menetjegy **6.** szakasz, rész, kitétel, hely [irodalmi/zenei műben] **7.** ~ *of a Bill* törvényjavaslat elfogadása/ megszavazása **8.** (*átv is*) ~ *of arms* párviadal, megütközés **9.** **passages** *pl* kapcsolat, (emberi) érintkezés; *angry ~s* dühös szóváltás
passageway *n* átjáró, folyosó
passbook *n* takarékkönyv
passenger ['pæsɪndʒə*] *n* utas; ~ *train* személyvonat
passe-partout ['pæspɑːtuː:; US -pɑːr'tuː:] *n* **1.** papírkeret **2.** szabadjegy **3.** álkulcs
passer-by [pɑːsə'baɪ; US pæ-] *n* (*pl* **passers-by** pɑːsəz'baɪ) járókelő, arra menő

passim ['pæsım] *adv* itt-ott (többször)
passing ['pɑ:sıŋ; *US* -æ-] I. *a* 1. elmenő, arra menő 2. futó(lagos) II. *adv* † igen, nagyon; ~ *fair* igen szép III. *n* 1. elhaladás, elvonulás 2. (el)múlás, eltűnés; halál
passing-bell *n* lélekharang
passion ['pæʃn] *n* 1. szenvedély; *ruling* ~ fő szenvedély, hobbi; *have a* ~ *for sg* vmt igen kedvel, vm a szenvedélye 2. indulat, düh(kitörés); *fit of* ~ (düh-) roham; *fly into a* ~ dühbe gurul 3. *P*~ passió, Jézus kínszenvedése; *P*~ *Week* nagyhét
passionate ['pæʃənət] *a* szenvedélyes, heves
passion-flower *n* golgotavirág
passionless ['pæʃnlıs] *a* szenvtelen, hűvös, érzéketlen
passion-play *n* passiójáték
passive ['pæsıv] I. *a* 1. tétlen, passzív; ~ *resistance* passzív rezisztencia 2. ~ *voice* szenvedő alak 3. ~ *debts* passzívák II. *n* szenvedő (alak)
passiveness ['pæsıvnıs] *n* tétlenség, passzivitás, passzív magatartás
passivity [pæ'sıvətı] *n* = *passiveness*
pass-key *n* 1. (kapu)kulcs 2. álkulcs, tolvajkulcs
passman *n* (*pl* -men -men) elégséges eredményt elérő vizsgázó
Passover ['pɑ:souvə*] *n* (zsidó) húsvét
passport ['pɑ:spɔ:t; *US* 'pæs-] *n* útlevél
password *n* jelszó [táboré]
past¹ [pɑ:st; *US* -æ-] I. *a* 1. (el)múlt, régi; *for some time* ~ (már) egy ideje, egy idő óta; ~ *week* (a) múlt héten 2. múlt; ~ *participle* múlt idejű melléknévi igenév; ~ *perfect* (*tense*) befejezett múlt (idő), régmúlt; ~ *tense* múlt idő II. *n* 1. a múlt; történelem; *it is a thing of the* ~ a múlté 2. előélet, múlt; *she is a woman with a* ~ ennek az asszonynak múltja van 3. múlt (idő)
past² [pɑ:st; *US* -æ-] I. *prep* 1. túl (vmn); el (vm mellett) 2. után, túl [időben]; *quarter* ~ *four* negyed öt; *half* ~ *four* fél öt; *five (minutes)* ~ *four* öt perccel múlt négy (óra) 3. ~ *(all) danger* túl van a veszélyen; ~ *endur-*

ance tűrhetetlen; *be* ~ *one's work* túl öreg a munkához; *biz I would not put it* ~ *him that* kitelik tőle, hogy ..., képes rá, hogy ... II. *adv* mellett(e el); *go/march/walk* ~ *sy* elmegy/elvonul/elsétál vk mellett
paste [peıst] I. *n* 1. tészta(massza) 2. paszta, kenőcs; csiriz 3. pástétom, krém 4. strassz, drágakőutánzat II. *vt* (fel)ragaszt, csirizel; ~ *up* felragaszt, kiragaszt [plakátot]; beragaszt
pasteboard *n* kartonpapír, papundekli
pastel [pæ'stel; *jelzői haszn* 'pæstl] I. *a* pasztell [színárnyalatok] II. *n* 1. pasztellkréta; *draw in* ~ pasztellképet fest/készít 2. pasztellkép
pastel(l)ist ['pæstəlıst] *n* pasztellfestő
pastern ['pæstə:n] *n* csüd [lóé]
pasteurize ['pæstəraız; *US* -tʃə-] *vt* pasztőröz, pasztörizál
pastille ['pæst(ə)l; *US* -'sti:l] *n* pasztilla
pastime ['pɑ:staım; *US* 'pæ-] *n* időtöltés, szórakozás
pasting ['peıstıŋ] *n biz* bunyó, hirig
past-master *n biz* szakértő, nagymester (vmben)
pastor ['pɑ:stə*; *US* 'pæ-] *n* lelkész, lelkipásztor
pastoral ['pɑ:st(ə)rəl; *US* 'pæ-] I. *a* 1. pásztori, pásztor-; ~ *tribes* pásztorkodó néptörzsek 2. lelkészi, (lelki-)pásztori; ~ *care* lelkigondozás; ~ *letter* pásztorlevél II. *n* 1. pásztorköltemény, -dal, pasztorál II. *n* 1. pásztorköltemény, -dal, pasztorál
pastry ['peıstrı] *n* cukrászsütemény, édes tészta
pastry-cook *n* cukrász
pastry-shop *n* cukrászda
pasturage ['pɑ:stjurıdʒ; *US* 'pæstʃə-] *n* 1. legeltetés 2. legelő
pasture ['pɑ:stʃə*; *US* 'pæ-] I. *n* legelő II. A. *vt* 1. legeltet 2. lelegel B. *vi* legel
pasture-land *n* legelő, rét
pasty I. *a* ['peıstı] 1. tésztás, tésztaszerű; pépszerű, pépes 2. puha II. *n* ['pæstı; *US* 'peı-] pástétom
pasty-faced ['peıstı-] *a* sápadt, savóképű
pat¹ [pæt] I. *n* 1. gyengéd ütés, legyintés, veregetés; ~ *on the back* vállveregetés 2. darabka [vaj] II. *vt/vi* -tt-

(meg)vereget, (meg)cirógat; ~ *on the back* vállát veregeti (jóindulatúan)
pat² [pæt] *adv* épp jókor, kapóra; *stand* ~ nem enged a negyvennyolcból
Pat³ [pæt] *prop* ⟨*Patrick* becézett alakja⟩
patch [pætʃ] I. *n* 1. folt; toldás; *not a* ~ *on sy* a nyomába sem léphet vknek 2. tapasz, flastrom; *eye* ~ szemkötő 3. folt, darabka; parcella; *cabbage* ~ káposztaföld; *hit/strike a bad* ~ rájár a rúd 4. szépségtapasz II. *vt* 1. (meg-)foltoz, kijavít; ~ *up* (1) kijavít, összetákol (2) elsimít [nézeteltérést] 2. szépségtapaszt ragaszt [arcra]
patchiness ['pætʃɪnɪs] *n* foltosság; toldozott-foldozott kinézés
patch-pocket *n* rávarrt zseb
patchwork *n* 1. darabokból összeállított munka 2. fércmű, tákolmány
patchy ['pætʃɪ] *a* 1. foltozott 2. szedett-vedett
pate [peɪt] *n biz* fej, koponya
pâté ['pæteɪ] *n* pástétom, [máj-·stb.]krém
-pated [-peɪtɪd] -fejű
patella [pə'telə] *n* térdkalács
paten ['pæt(ə)n] *n* kehelytányér
patent ['peɪt(ə)nt; *US* 'pæ-] I. *a* 1. [*US* 'peɪ-] nyilvánvaló, kétségtelen 2. szabadalmazott; ~ *medicine* (1) szabadalmazott gyógyszerkészítmény (2) kétes csodaszer 3. *biz* újszerű; különleges; ~ *fastener* patentkapocs; ~ *leather* lakkbőr 4. *letters* ~ ['pæt(ə)nt] kiváltságlevél, pátens, szabadalomlevél II. *n* 1. kiváltságlevél 2. (találmányi) szabadalom, patent; ~ *agent* szabadalmi ügyvivő; ~ *office* ['pæt(ə)nt] szabadalmi hivatal; ~ *rights* szabadalmi jogok 3. szabadalmazott találmány/eljárás
patentee [peɪt(ə)n'tiː; *US* pæ-] *n* szabadalmas, szabadalom tulajdonosa
patently ['peɪt(ə)ntlɪ] *adv* világosan; nyilvánvalóan
pater ['peɪtə*] *n* □ fater, az öreg(em)
paterfamilias [peɪtəfə'mɪlɪæs] *n biz* családapa, családfő
paternal [pə'tə:nl] *a* apai, atyai; apai ágon örökölt/rokon

paternalistic [pətə:nə'lɪstɪk] *a* atyáskodó
paternity [pə'tə:nətɪ] *n* 1. apaság 2. származás [apai ágon] 3. *biz* származás, eredet
paternoster [pætə'nɒstə*; *US* -'nɑ-] *n* miatyánk
path [pɑ:θ, *pl* -ðz; *US* -æ-] *n* 1. ösvény, (gyalog)út; (*átv is*) *beat a* ~ utat tör; *beaten* ~ járt út 2. útvonal
pathetic [pə'θetɪk] *a* 1. szánalmas 2. érzelmes, patetikus; ~ *fallacy* ⟨emberi érzelmek tulajdonítása érzéketlen tárgyaknak⟩
path-finder *n* 1. úttörő 2. felderítő [repülőgép]
pathless ['pɑ:θlɪs; *US* -æ-] *a* úttalan, járatlan
pathological [pæθə'lɒdʒɪkl; *US* -'lɑ-] *a* patologikus, beteges, kóros
pathologist [pə'θɒlədʒɪst; *US* -'θɑ-] *n* patológus
pathology [pə'θɒlədʒɪ; *US* -'θɑ-] *n* patológia, kórtan
pathos ['peɪθɒs; *US* -ɑs] *n* (szónoki) indulat, hév, pátosz
pathway *n* 1. (gyalog)ösvény 2. gyalogjáró, járda
patience ['peɪʃns] *n* 1. türelem; *have no* ~ *with, be out of* ~ *with sy* idegeire megy vk 2. pasziansz [kártyajáték]
patient ['peɪʃnt] I. *a* türelmes II. *n* beteg, páciens
patina ['pætɪnə] *n* patina, nemes rozsda
patio ['pætɪoʊ] *n* kis zárt fedetlen belső udvar
patriarch ['peɪtrɪɑ:k] *n* pátriárka
patriarchal [peɪtrɪ'ɑ:kl] *a* patriarkális
Patricia [pə'trɪʃə] *prop* Patrícia
patrician [pə'trɪʃn] I. *a* patrícius(i), nemes(i) II. *n* patrícius
Patrick ['pætrɪk] *prop* Patrik ⟨ír férfinév⟩
patrimonial [pætrɪ'moʊnjəl] *a* apától öröklött, patrimoniális
patrimony ['pætrɪmənɪ; *US* -moʊnɪ] *n* 1. örökség, patrimónium 2. egyházi vagyon
patriot ['pætrɪət; *US* 'peɪ-] *n* hazafi, patrióta
patriotic [pætrɪ'ɒtɪk; *US* peɪtrɪ'ɑ-] *a* hazafias, hazafiúi; honvédő

patriotism ['pætrɪətɪzm; US 'peɪ-] n hazafiasság, hazaszeretet
patrol [pə'troʊl] I. n 1. járőr 2. őrjárat; ~ car (1) [rendőrségi] URH-kocsi (2) segélykocsi, „sárga angyal"; ~ service segélyszolgálat 3. őrs [cserkész, úttörő] II. vi/vt -ll- cirkál, őrjáratot tart
patrol-boat n őrnaszád
patrolman [pə'troʊlmən] n (pl -men -mən) őrszemes rendőr
patron ['peɪtr(ə)n] n 1. pártfogó, védnök, patrónus; ~ saint védőszent 2. állandó vevő/kuncsaft
patronage ['pætrənɪdʒ; US 'peɪ-] n 1. pártfogás; védnökség 2. (állandó) vevőkör 3. GB kegyuraság 4. fölényeskedés; an air of ~ leereszkedő/fölényeskedő magatartás/modor
patroness ['peɪtrənɪs] n védnöknő
patronize ['pætrənaɪz; US 'peɪ-] vt 1. támogat, pártfogol, patronál 2. rendszeresen vásárol [vmely üzletben]; törzsvendég [vmely étteremben stb.] 3. leereszkedő vkvel szemben; patronizing tone leereszkedő modor
patronymic [pætrə'nɪmɪk] I. a apa nevéből képzett [családnév] II. n apai név [pl. Sándorffy, Johnson], patronimikon
patted ['pætɪd] →pat[1] II.
patten ['pætn] n facipő
patter[1] ['pætə*] I. n (halk) kopogás; (halk) dobogás II. vi kopog, dobol
patter[2] ['pætə*] I. n 1. tolvajnyelv 2. halandzsa [bűvészé]; gyors duma II. A. vt elhadar B. vi fecseg, locsog
pattern ['pætən] I. n 1. minta(kép) 2. minta, sablon, séma; mód(szer); motívum; verb ~s igés szerkezeti sémák 3. mintázat [kelmén stb.] 4. szabásminta; áruminta 5. átv (kialakult) rend(szer); new ~ of family life a családi élet új formája/rendje II. vt mintát vesz vmről, megmintáz
pattern-book n mintagyűjtemény [szövetből]
pattern-shop n öntőminta-készítő műhely
patting ['pætɪŋ] →pat[1] II.
patty ['pætɪ] n ⟨húspástétomos aprósütemény⟩

paucity ['pɔ:sətɪ] n kis mennyiség, csekély volta vmnek; szűkösség
Paul [pɔ:l] prop Pál
Pauline[1] [pɔ:'li:n] prop Paula
Pauline[2] ['pɔ:laɪn] a Pál apostolra vonatkozó; the ~ epistles a páli levelek
paunch [pɔ:ntʃ] n pocak
paunchy ['pɔ:ntʃɪ] a pocakos, potrohos
pauper ['pɔ:pə*] n szegény
pauperism ['pɔ:pərɪzm] n általános szegénység, tömegnyomor
pauperize ['pɔ:pəraɪz] vt elszegényít
pause [pɔ:z] I. n 1. szünet(elés), megszakítás; megállás; give ~ to sy habozásra/megállásra kényszerít vkt 2. korona [zenében] II. vi szünetet tart, megáll; időzik
pave [peɪv] vt kikövez, burkol [utat]; ~ the way for sg vmnek útját egyengeti
pavement ['peɪvmənt] n 1. US útburkolat, kövezet 2. GB gyalogjáró, járda; ~ artist ⟨gyalogjáróra pasztellképet festő személy⟩
paver ['peɪvə*] n kövező(munkás)
pavilion [pə'vɪljən] n 1. kerti ház; pavilon 2. sportklubház
paving ['peɪvɪŋ] n 1. kövezés 2. kövezet
paving-block/stone n kövezőkő
paw [pɔ:] I. n 1. mancs [állaté] 2. biz (emberi) mancs, pracli II. vt 1. ~ the ground a földet kapálja [ló] 2. biz fogdos, tapogat, grejfol
pawky ['pɔ:kɪ] a sk ravasz, furfangos
pawl [pɔ:l] n 1. (megakasztó) kilincs 2. (záró)pecek, rögzítőkampó
pawn[1] [pɔ:n] I. n zálog, biztosíték II. vt 1. elzálogosít, zálogba ad 2. kockáztat
pawn[2] [pɔ:n] n 1. gyalog, paraszt [sakkban] 2. be sy's ~ vknek eszköze/játékszere
pawnbroker n zálogkölcsönző
pawnshop n zálogház, zaci
pawn-ticket n zálogjegy, -cédula
pay[1] [peɪ] I. n 1. fizetés, fizetség, illetmény, bér; US ~ envelope = pay-packet; in the ~ of sy vknek a szolgálatában 2. US ~ dirt/gravel aranytartalmú föveny/áradmány II. v (pt/pp paid peɪd) A. vt 1. fizet, kifizet, kie-

gyenlít; ~ sy for sg fizet vknek vmért; ~ sg to sy kifizet (vmely összeget) vknek; biz what's to ~? mibe kerül?; ~ one's/its way (1) megáll a saját lábán (2) kifizetődik; biz put paid to (1) megfizet vknek (2) biz végleg elintéz vkt (3) biz végleg lezár [ügyet] 2. megtérít; viszonoz (vmt) B. vi 1. fizet 2. kifizetődik; it doesn't ~ nem fizetődik ki, nem érdemes; it w'll ~ you to . . . nem bánja meg, ha . . .
pay back vt visszafizet; ~ sy b. in his own coin átv visszafizeti a kölcsönt vknek
pay down vt 1. lefizet 2. ~ sg d. leelőlegez vmt
pay for vi 1. (meg)fizet (vmért), megfizet (vmt) 2. lakol, bűnhődik (vmért)
pay in vt befizet
pay off. A. vt 1. kifizet, kiegyenlít 2. bosszút áll 3. elbocsát [alkalmazottat] B. vi US kifizetődik, beválik
pay out vt 1. kifizet; ~ sy o. (1) kifizet vkt (2) átv biz megfizet vknek 2. kiereszt, utánaenged [kötelet]
pay up vt/vi kifizeti tartozását
pay² [pei] vt kátrányoz [hajót]
payable ['peiəbl] a 1. fizethető; fizetendő, esedékes; ~ to bearer bemutatóra szóló 2. kifizetődő, jövedelmező
pay-as-you-earn (P.A.Y.E. pi:eiwai'i:) n ⟨adót a fizetésből a folyósításkor levonó eljárás⟩
pay-day n (bér)fizetési nap
payee [pei'i:] n rendelvényes [váltóé]; bemutató [csekké]
payer ['peiə*] n fizető, aki fizet
paying ['peiiŋ] a 1. fizető; ~ guest fizetővendég [magánházban] 2. kifizetődő, jövedelmező
payload n hasznos súly/teher
paymaster n fizetőtiszt; P~ General főhadbiztos
payment ['peimənt] n 1. fizetés; in ~ for . . . . . . kiegyenlítésére 2. fizetség, tiszteletdíj, bér
paynim ['peinim] n † pogány
pay-off n 1. elszámolás; leszámolás 2. (vég)eredmény; győzelem
pay-packet n bérfizetési boríték

pay-roll n bérlista, fizetési jegyzék; be on the ~ of sy vk alkalmazásában áll
pay-sheet n = pay-roll
P.C. [pi:'si:] 1. Police Constable 2. Privy Councillor
p.c. [pi:'si:] 1. per cent százalék 2. postcard lev(elező)lap
pd. paid fizetve
p.d.q. [pi:di:'kju:] □ pretty damn quick de gyorsan aztán!, szedd a lábad!
PE [pi:'i:] physical education
pea [pi:] n borsó; they are as like as two ~s úgy hasonlítanak egymásra, mint két tojás
peace [pi:s] n béke; ~ movement békemozgalom; ~ offensive békeoffenzíva, -harc; ~ pact békeegyezmény; ~ struggle/fight békeharc; World P~ Council Béke-világtanács; the King's/ Queen's ~ közrend; keep the ~ tiszteletben tartja a közrendet, békében marad; at ~ with sg megbékélve vmvel; ~ of mind lelki nyugalom; make ~ with sy kibékül vkvel
peaceable ['pi:səbl] a békés, békeszerető
peace-feeler n béketapogatódzás
peace-fighter n békeharcos
peaceful ['pi:sful] n 1. békés, csendes, nyugodt 2. békeszerető; ~ change békés revízió
peace-loving a békeszerető
peacemaker n békéltető, békeszerző
peace-march n békemenet
peace-offering n engesztelő áldozat
peace-pipe n békepipa
peacetime n béke(idő)
peace-treaty n békeszerződés
peach¹ [pi:tʃ] n 1. őszibarack 2. biz üde fiatal lány, édes pofa 3. biz remek dolog, tündéri (vm)
peach² [pi:tʃ] vi □ ~ against/on sy besúg vkt, spicliskedik vkre
peach-blow n barackvirágszín
peach-brandy n barackpálinka
peacher ['pi:tʃə*] n □ spicli, besúgó
pea-chick n pávacsirke
peach-tree n őszibarackfa
peachy ['pi:tʃi] a üde, hamvas [arc]
peacock ['pi:kɔk; US -kak] I. n páva(kakas); ~ blue pávakék II. vi páváskodik

peafowl *n* páva
pea-green *a/n* borsózöld
peahen *n* pávajérce
pea-jacket *n* vastag gyapjú matrózzubbony
peak [pi:k] *n* 1. csúcs, orom, vmnek hegye 2. *átv* tetőfok, maximum, csúcsérték; ~ *hours* csúcsforgalmi órák, csúcsforgalom 3. szemellenző [sapkán] 4. rekesz, rész [hajóé]
peaked [pi:kt] *a* hegyes, csúcsos
peak-load *n* csúcsterhelés
peaky¹ ['pi:kɪ] *a* hegyes; csúcsos
peaky² ['pi:kɪ] *a* sovány, vézna, göthös
peal [pi:l] I. *n* 1. harangzúgás, harangjáték, harangszó 2. dörej, zengés; ~ *of laughter* nagy hahota 3. harangsor II. A. *vt* meghúz [harangot] B. *vi* 1. megkondul, megcsendül; kong [harang] 2. zeng; visszhangzik, dörög, morajlik
peanut ['pi:nʌt] *n* amerikai mogyoró, földimogyoró; ~ *butter* amerikaimogyoró-vaj
pea-pod *n* borsóhüvely
pear [peə*] *n* körte(fa)
pearl [pə:l] I. *n* 1. gyöngy; (*átv is*) gyöngyszem 2. gyöngyház II. A. *vi* 1. gyöngyözik 2. gyöngyre halászik B. *vt* gyönggyel díszít/hímez
pearl-barley *n* árpagyöngy, gersli
pearl-diver/fisher *n* gyöngyhalász
pearl-grey *a/n* gyöngyszürke (szín)
pearlies ['pə:lɪz] *n pl* ⟨gyöngyházgombos ruhájú londoni utcai árus⟩
pearl-oyster *n* gyöngykagyló
pearly ['pə:lɪ] *a* 1. gyöngyszerű 2. gyöngyházból való 3. gyöngyökkel díszített
Peary ['pɪərɪ] *prop*
peasant ['peznt] *n* paraszt; földműves
peasantry ['pezntrɪ] *n* parasztság
pease [pi:z] *n* † borsó
pea-shooter *n* kis fúvócső
pea-soup *n* borsóleves
pea-souper [-'su:pə*] *n biz* ⟨vastag sárga londoni köd⟩
peat [pi:t] *n* tőzeg, turfa
peat-bog/moss *n* tőzegtelep
pebble ['pebl] *n* 1. kavics 2. hegyikristály 3. barkázás [bőré]
pebbly ['peblɪ] *a* kavicsos

pecan [pɪ'kæn] *n US* hikoridió, pekandió
peccadillo [pekə'dɪloʊ] *n* (*pl* ~es -z) gyarlóság, kis hiba/vétek
peck¹ [pek] *n* 1. ⟨ űrmérték: 2 gallon v. 1/4 bushel = 9,08 liter⟩ 2. halom, csomó
peck² [pek] I. *n* 1. csípés [csőrrel] 2. *biz* puszi II. A. *vt* 1. csíp, csipked [csőrrel]; csipeget, szemelget; ~ *out sy's eyes* kivájja vk szemét 2. *biz* csipeget [ember ételt], (kis darabot) bekap 3. megpuszil B. *vi* ~ *at sg* megvág/megcsíp/csipeget vmt [csőrrel]; *biz* ~ *at sy* piszkál vkt [megjegyzésekkel], csipkelődik vkvel
pecker ['pekə*]*n* 1. harkály, fakopá(n)cs 2. *GB* □ csőr, orr; *keep your* ~ *up* fel a fejjel!
pecking ['pekɪŋ] *n* 1. csipegetés 2. csipkedés, akadékoskodás; ~ *order* (1) ⟨egymást csipkedve kialakított erőszak-hierarchia [baromfiaknál]⟩ (2) ⟨társadalmi rangsorolás erőviszonyok alapján [embereknél]⟩
peckish ['pekɪʃ] *a biz* éhes
pectoral ['pektər(ə)l] I. *a* mellső, mell-; ~ *cross* mellkereszt [főpapé]; ~ *fin* melluszony II. *n* papi melldísz
peculate ['pekjʊleɪt; *US* -kjə-] *vi/vt* (el)sikkaszt, hűtlenül kezel
peculation [pekjʊ'leɪʃn; *US* -kjə-] *n* sikkasztás
peculiar [pɪ'kju:ljə*] *a* 1. saját(ság)os, jellemző (*to* vkre); *expressions* ~ *to Americans* amerikaiakra jellemző kifejezések 2. különleges, speciális 3. furcsa, különös
peculiarity [pɪkju:lɪ'ærətɪ] *n* 1. különlegesség, saját(os)ság 2. jellemző vonás; furcsaság; *special peculiarities* különös ismertetőjel [személyleírásban]
peculiarly [pɪ'kju:ljəlɪ] *adv* 1. főképpen, különösen, nagymértékben; kivált 2. egyénileg, személy szerint
pecuniary [pɪ'kju:njərɪ] *a* pénzügyi, anyagi
pedagogic(al) [pedə'gɔdʒɪk(l); *US* -'gɑ-] *a* 1. neveléstani, pedagógiai 2. nevelői, pedagógusi

pedagogue ['pedəgɔg; US -gɑg] n 1. pedagógus, nevelő, oktató 2. tudálékos/pedáns tanár

pedagogy ['pedəgɔdʒɪ; US -goʊ-] n pedagógia, neveléstan, -tudomány

pedal ['pedl] I. n pedál II. vi/vt -ll- (US -l-) 1. pedáloz, pedált tapos 2. biciklizik

pedant ['ped(ə)nt] n fontoskodó/tudálékos ember; doktríner

pedantic [pɪ'dæntɪk] a tudálékos; pedáns, kínosan aprólékos

pedantry ['ped(ə)ntrɪ] n tudálékosság; pedantéria, kicsinyes szőrszálhasogatás

peddle ['pedl] vi/vt házal; biz ~ gossip pletykát terjeszt

peddler ['pedlə*] n US házaló

pederast ['pedəræst] n homoszexuális (férfi), pederaszta

pederasty ['pedəræstɪ] n homoszexualitás, pederasztia

pedestal ['pedɪstl] n talapzat, piedesztál; put/set sy on a ~ vkt piedesztálra emel

pedestal-table n (kerek) egylábú asztal

pedestrian [pɪ'destrɪən] I. a 1. gyalogos, gyalogjáró, gyalog- 2. lendület nélküli, prózai, unalmas II. n gyalogós, gyalogjáró; ~ crossing (kijelölt) gyalogátkelőhely; ~ precinct csak gyalogos forgalom számára kijelölt terület [belvárosban], sétálóutca

p(a)ediatrician [pi:dɪə'trɪʃn] n gyermekorvos, gyermekgyógyász

p(a)ediatrics [pi:dɪ'ætrɪks] n gyermekgyógyászat

pedicure ['pedɪkjʊə*] n pedikür, lábápolás

pedigree ['pedɪgri:] n családfa, származás, pedigré; ~ animal fajállat, törzskönyvezett állat; ~ dog fajkutya

pediment ['pedɪmənt] n háromszögű oromfal, timpanon

pedlar ['pedlə*] n házaló; ~'s French tolvajnyelv

pedometer [pɪ'dɔmɪtə*; US -'dɑ-] n lépésszámláló készülék, lépésmérő

pee [pi:] vi biz pisil

peek [pi:k] vi kandikál, kukucskál

peek-a-boo [pi:kə'bu:] n bújócska

peel [pi:l] I. n (gyümölcs)héj II. A. vt 1. (meg)hámoz; (le)hánt 2. biz ~ off

one's coat leveti a kabátját B. vi 1. ~ (off) lehámlik [bőr]; lemállik, lepattogzik [vakolat, festék] 2. biz levetkőzik

peeler¹ ['pi:lə*] n hámozókés; hántoló (szerszám)

peeler² ['pi:lə*] n 1. GB † □ rendőr, zsaru 2. US □ sztriptíztáncosnő

peeling ['pi:lɪŋ] n 1. hámozás, hántás 2. hámlás 3. **peelings** pl héj, hulladék

peen [pi:n] n kalapácsfej éle

peep¹ [pi:p] I. n kukucskálás, (be)kukkantás; at ~ of day virradatkor, hajnalban II. vi 1. kandikál; ~ at sy odales vkre; ~ in bekukucskál; ~ through the keyhole bekukucskál a kulcslyukon; ~ing Tom kíváncsi/indiszkrét ember 2. ~ out kikandikál, kibújik

peep² [pi:p] I. n csipogás; cincogás II. vi csipog, cincog

peep-bo ['pi:pboʊ] I. int kukucs! II. n bújócska

peeper ['pi:pə*] n 1. leskelődő/kíváncsiskodó ember 2. □ **peepers** pl szem

peep-hole n kémlelőnyílás

peep-show n kukucskálós panoráma

peer¹ [pɪə*] I. n 1. GB főnemes, főrend; ~ of the realm brit főrend; life ~ ⟨nem öröklődő rangú brit főrend⟩ 2. egyenrangú; has no ~ páratlan (a maga nemében) II. vi/vt egyenrangú (with vkvel/vmvel)

peer² [pɪə*] vi pillant, mereven néz; ~ at sy/sg megbámul vmt

peerage ['pɪərɪdʒ] n 1. főnemesség, arisztokrácia; raise sy to the ~ vknek főnemességet adományoz 2. főnemesi évkönyv

peeress ['pɪərɪs] n főrangú nő

peerless ['pɪəlɪs] a páratlan, egyedülálló

peeve [pi:v] vt biz idegesít, bosszant

peeved [pi:vd] a biz duzzogó, (meg)sértődött; get ~ megsértődik

peevish ['pi:vɪʃ] a kedvetlen, durcás, ingerlékeny

peewit ['pi:wɪt] n bíbic [madár]

peg [peg] I. n 1. (fa)szeg, (fa)ék, pecek, csap; dugó; biz a square ~ in a round hole nem megfelelő beosztásban/munkakörben levő ember 2. karó, cölöp,

pózna, cövek **3.** ruhafogas; *buy off the* ~ készruhát vesz **4.** (létra)fok; *biz come down a* ~ leszáll a magas lóról, alább adja; *biz take sy down a* ~ (*or two*) leszállít vkt a magas lóról; megaláz vkt **5.** *biz* alkalom; ürügy; *a* ~ *to hang on* jó alkalom/ürügy vmre **6.** kulcs, húrfeszítő csavar [húros hangszeren] **7.** *US biz* pohárka szódavizes whisky/brandy **8.** □ láb(fej) **II.** *vt* **-gg-** **1.** faszeggel megszegel/rögzít **2.** rögzít [árat, bért] **peg at** *vi/vt* **1.** megcéloz, célba vesz **2.** (meg)dobál **peg away** *vi biz* ~ *a.* (*at sg*) kitartóan foglalatoskodik/munkálkodik vmn **peg down** *vt* **1.** lecövekel **2.** *átv* korlátoz, meghatároz; leköt, kötelez **peg out A.** *vt* kicövekel, kijelöl [határt]; ~ *o. a claim* (négy cölöp beverésével) szabályszerűen birtokba veszi az igényelt földet [aranybányászás/olajkutatás stb. céljára] **B.** *vi biz* beadja a kulcsot
pegged [pegd], **pegging** ['pegɪŋ] →*peg II.*
Peggotty ['pegətɪ] *prop*
Peggy ['pegɪ] *prop* Margitka, Manci
peg-leg *n biz* faláb
peg-top *n* hajtócsiga [játékszer]
pejorative ['pi:dʒ(ə)rətɪv v. pɪ'dʒɔ-; *US* -'dʒɑ-] *a* rosszalló, pejoratív
Pekingese [pi:kɪŋ'i:z] **I.** *a* pekingi **II.** *n* **1.** pekingi (lakos) **2.** pekingi öleb
Pekinese [pekɪ'ni:z] *a/n* = *Pekingese*
pekoe ['pi:koʊ] *n* ⟨finom fekete tea⟩, pekkótea
pelagic [pe'lædʒɪk] *a* nyílt tengeri
pelargonium [pelə'goʊnjəm] *n* muskátli
pelf [pelf] *n* gazdagság, vagyon
pelican ['pelɪkən] *n* pelikán
pelisse [pe'li:s] *n* † bunda; mente
pellet ['pelɪt] *n* **1.** galacsin, golyócska **2.** sörét **3.** labdacs, pirula
pell-mell [pel'mel] **I.** *a/adv* összevissza **II.** *n* összevisszaság
pellucid [pe'lju:sɪd; *US* -'lu:-] *a* átlátszó, kristálytiszta
pelmet ['pelmɪt] *n* (karnis)drapéria
Peloponnese ['peləpəni:s] *prop* Peloponnészosz
pelt¹ [pelt] *n* irha; (nyers)bőr

pelt² [pelt] **I.** *n* **1.** megdobás **2.** *at full* ~ teljes iramban **II. A.** *vt* **1.** megdobál, -hajigál **2.** *átv* eláraszt [kérdésekkel, szidalmakkal] **B.** *vi* **1.** dobál **2.** zuhog, verdes [eső]
peltry ['peltrɪ] *n* irhák, szőrmeáru
pelvic ['pelvɪk] *a* medence-
pelvis ['pelvɪs] *n* medence [az altestben]
Pembroke ['pembrʊk] *prop*
pemmican ['pemɪkən] *n* **1.** szárított hús, erőtáplálék **2.** kivonat
pen¹ [pen] **I.** *n* **1.** toll [íráshoz]; ~ *sketch* tollrajz; *put/set one's* ~ *to paper* írni kezd **2.** *átv* toll, írás; *he made a living with his* ~ írással kereste kenyerét; ~ *and ink* íróeszközök, -szerek **II.** *vt* **-nn-** megír; írásba foglal
pen² [pen] **I.** *n* **1.** ketrec, karám, akol **2.** = *playpen* **II.** *vt* **-nn-** ~ (*up/in*) bekerít, karámba zár
pen³ [pen] *n* nőstényhattyú
P.E.N. [pen] (*International Association of*) *Poets, Playwrights, Essayists, Editors, and Novelists* Pen Club
penal ['pi:nl] *a* **1.** büntető; ~ *code* büntető törvénykönyv; † ~ *colony/settlement* fegyenctelep [gyarmaton]; ~ *law* büntetőjog; † ~ *servitude* kényszermunka **2.** büntethető; büntetendő
penalize ['pi:nəlaɪz] *vt* **1.** megbüntet, büntetéssel sújt **2.** büntetendőnek nyilvánít
penalty ['penltɪ] *n* **1.** büntetés; *under* ~ *of death* halálbüntetés terhe alatt **2.** ~ *area* büntetőterület; ~ (*kick*) büntető(rúgás), tizenegyes [futballban] **3.** (pénz)büntetés, bírság; kötbér; *pay the* ~ megbűnhődik **4.** hátrány, hendikep **5.** hibapont
penance ['penəns] *n* bűnbánat, töredelem; *do* ~ vezekel
pence →*penny 2.*
penchant ['pɑ:ŋʃɑːŋ; *US* 'pentʃənt] *n* (erős) hajlam; előszeretet (*for sg* vm iránt)
pencil ['pensl] **I.** *n* **1.** ceruza; *write in* ~ ceruzával ír **2.** rudacska **3.** ~ *of light rays* keskeny sugárköteg **4.** kis/hegyes ecset **II.** *vt* **-ll-** (*US* -l-) ceruzával rajzol/ír/jelöl; ~ *one's eyebrows* kihúzza a szemöldökét

pencil-sharpener n ceruzahegyező
pendant ['pendənt] n 1. függő, fülbe-
való; zsuzsu 2. csillár 3. = pennant
4. vmnek párja/kiegészítője
Pendennis [pen'denɪs] prop
pendent ['pendənt] a 1. függő, lógó, fel-
függesztett 2. kinyúló, kiálló 3. füg-
gőben levő
pendentive [pen'dentɪv] n csegely
pending ['pendɪŋ] I. a függőben levő, el
nem döntött II. prep 1. alatt, folya-
mán; ~ the negotiations a tárgyalások
(időtartama) alatt 2. amíg, várva
vmre, -ig; ~ his return visszajöveteléig
3. vmtől függően
pendragon [pen'drægən] n † (walesi)
törzsfőnök
pendulous ['pendjʊləs; US -dʒə-] a 1.
függő, lelógó 2. lengő, ingó
pendulum ['pendjʊləm; US -dʒə-] n inga
Penelope [pɪ'neləpɪ] prop
penetrability [penɪtrə'bɪlətɪ] n 1. átha-
tolhatóság 2. érzékenység
penetrable ['penɪtrəbl] a áthatolható
penetrate ['penɪtreɪt] A. vt 1. áthatol;
behatol, benyomul 2. áthat, átjár
(vmt); eltölt (with vmvel); be ~d with
sg átjárja/eltölti vm 3. megért, felfog
(vmt), átlát (vmn) B. vi ~ into behatol
(vhova); ~ through keresztülhatol
(vmn); ~ to eljut (vmeddig)
penetrating ['penɪtreɪtɪŋ] a 1. átható,
metsző 2. éles [fájdalom stb.] 3. éles
[elme]
penetration [penɪ'treɪʃn] n 1. áthatolás,
behatolás; térfoglalás 2. éleslátás, éles-
elméjűség
penetrative ['penɪtrətɪv; US -reɪ-] a át-
ható, mélyreható; éles
pen-friend n levelezőtárs
penguin ['peŋgwɪn] n pingvin
penholder n tollszár
penicillin [penɪ'sɪlɪn] n penicillin
peninsula [pɪ'nɪnsjʊlə; US -sələ] n fél-
sziget
peninsular [pɪ'nɪnsjʊlə*; US -səl-] a fél-
szigeti; P~ War ⟨Napóleon 1808 — 14-i
spanyolországi hadjárata⟩
penis ['piːnɪs] n hímvessző
penitence ['penɪt(ə)ns] n bűnbánat, ve-
zeklés, töredelem, penitencia

penitent ['penɪtənt] a/n bűnbánó, vezek-
lő
penitential [penɪ'tenʃl] a bűnbánati
penitentiary [penɪ'tenʃərɪ] I. a büntető
II. n 1. gyóntató [pap] 2. US fegy-
ház, börtön 3. javítóintézet
penknife n (pl -knives) zsebkés, bicska
penlight battery n ceruzaelem
penman ['penmən] n (pl -men -mən) 1.
író, szerző 2. szép kézírású személy
penmanship ['penmənʃɪp] n 1. szépírás
2. írásművészet
Penn [pen] prop
Penna. Pennsylvania
pen-name n írói álnév
pennant ['penənt] n árbocszalag; (jelző-)
zászló
penned [pend] →pen¹, és pen² II.
pen-nib n tollhegy
penniless ['penɪlɪs] a nincstelen, szegény,
pénztelen
pennon ['penən] n = pennant
penn'orth ['penəθ] n = pennyworth
Pennsylvania [pensɪl'veɪnjə] prop
penny ['penɪ] n 1. (pl pennies 'penɪz)
penny [a font századrésze]; egypennys
(pénzérme); he gave me my change in
pennies pennykben adott vissza; four-
penny nails négypennys szögek; biz ~
dreadful rémregény, ponyva(regény);
biz ~ pincher krajcároskodó/zsugori
alak; turn an honest ~ becsületesen
keresi a pénzt; biz spend a ~ ⟨nyilvá-
nos illemhelyet vesz igénybe⟩; pretty
~ szép summa, szép kis összeg; a ~
for your thoughts min jár az eszed?;
not have a ~ to bless oneself with nincs
egy (büdös) vasa sem; in for a ~ in
for a pound aki át mondott, mondjon
bét is; ~ wise (and) pound foolish kis
dolgokban takarékos és a nagy dol-
gokban pazarol 2. (pl pence pens)
penny ⟨angol pénzegység: † a shilling
1/12 része, röv.: d; 197⁴ óta a font
sterling 1/100 része, röv.: p [piː]⟩;
new ~ (új) penny; I paid fourteen
pence 14 pennyt fizettem; take care of
the pence and the pounds will take care
of themselves aki a garast nem becsü-
li, a forintot nem érdemli 3. (US és
Kanada) cent

penny-farthing (bicycle) ⟨régimódi magas kerekű bicikli⟩
penny-in-the-slot *a* pénzbedobós [automata]
penny-piece *n* egypennys pénzdarab
penny-ride *n* egypennys autóbuszút
penny-royal *n* csombormenta
penny-weight *n* kb. másfél gramm
penny-wort *n* köldökfű
pennyworth ['penəθ] *n* egy penny értékű (mennyiség)
pen-pal *n* levelezőtárs
pen-pusher *n* □ firkász, tintanyaló
pension I. *n* 1. ['penʃn] nyugdíj; *retirement* ~, † *old-age* ~ öregkori biztosítás, öregségi járadék; *retire on a* ~ nyugdíjba megy 2. ['pɑːŋsɪɔːŋ; *US* pɑːŋsɪˈoʊn] panzió, penzió II. *vt* ['penʃn] nyugdíjban részesít (vkt); ~ *sy off* nyugdíjaz vkt
pensionable ['penʃ(ə)nəbl] *a* nyugdíjjogosult, nyugdíjazható
pensionary ['penʃənərɪ; *US* -erɪ] *n* nyugdíjas
pensioner ['penʃənə*] *n* nyugdíjas
pensive ['pensɪv] *a* gondolkodó, töprengő, tépelődő
pensiveness ['pensɪvnɪs] *n* elgondolkodás, töprengés, tépelődés
penstock *n* zsilip
pent [pent] *a* bezárt; ~(-)*up* (1) bezárt (2) felgyülemlett, elfojtott [érzelem stb.]
pentagon ['pentəgən; *US* -ɑn] *n* 1. ötszög 2. *US the P~* ⟨az Egyesült Államok hadügyminisztériuma, Washingtonban⟩
pentagram ['pentəgræm] *n* ötágú csillag
pentameter [pen'tæmɪtə*] *n* ötlábú verssor
Pentateuch ['pentətjuːk; *US* -tuːk] *n* Mózes öt könyve [a bibliában]
pentathlon [pen'tæθlən] *n* (*modern*) ~ öttusa
pentathlonist [pen'tæθlənɪst] *n* öttusázó
Pentecost ['pentɪkɔst; *US* -kɔːst] *n* pünkösd
penthouse *n* 1. előtető, tetőtoldat, toldaléktető 2. *US* ⟨felhőkarcoló lapos tetejére épített házikó⟩ 3. védőtető, fé(l)szer

pent-roof *n* eresz; félnyeregtető
pent-up *a* →*pent*
penult(imate) [pe'nʌlt(ɪmət)] *a/n* utolsó előtti (szótag)
penumbra [pɪ'nʌmbrə] *n* félárnyék
penurious [pɪ'njʊərɪəs; *US* -'nʊ-] *a* 1. szegény(es); silány 2. fösvény, zsugori
penury ['penjʊrɪ; *US* -jə-] *n* nyomor(úság), szegénység, ínség
peon *n* 1. ['piːən] [Latin-Amerikában] mexikói földmunkás; rabszolgasorba taszított adós 2. [pjuːn] [Indiában] gyalogos katona; szolga, kifutó
peony ['pɪənɪ] *n* pünkösdi rózsa, peónia
people ['piːpl] I. *n* (*pl* peoples 'piːplz) nép; ~'s republic népköztársaság; *a man of the* ~ a népből való ember; *the chosen* ~ a választott nép, a zsidók II. *n pl* 1. nép(esség), lakosság; *the* ~ *of London* L. lakossága, a londoniak; *the* (*common*) ~ a köznép 2. alkalmazottak; alárendeltek; munkások; *twenty* ~ *are working* 20 ember dolgozik, húszan dolgoznak 3. emberek; *many* ~ sok ember; *the* ~ *at large* a nagyközönség; az emberek általánosságban véve; *young* ~ az ifjúság; *what do you* ~ *think?* maguk mit gondolnak emberek?; *Jones of all* ~! pont J. mindenki közül! 4. az ember [mint általános alany]; ~ *say* azt mondják 5. *biz* rokonok, család; *my* ~ a szüleim/családom, az enyéim, a hozzátartozóim 6. *the little/good* ~ a tündérek III. *vt* benépesít (*with* vmvel); *densely* ~*d country* sűrűn lakott ország
pep [pep] I. *n* □ *US* energia, életerő, rámenősség; lelkesedés; ~ *pill* stimuláló/élénkítő szer; ~ *talk* buzdító beszéd, propagandabeszéd II. *vt* -pp- ~ *sy* (*up*) felélénkít/felráz vkt
pepper ['pepə*] I. *n* 1. bors 2. (*red*) ~ (piros) paprika II. *vt* 1. borssal meghint, megborsoz 2. (*átv is*) megsörétez 3. *biz* elver (vkt)
pepper-and-salt *n* milpoen, fehérpettyes fekete szövet
pepper-box/castor *n* borsszóró
peppercorn *n* 1. borsszem 2. *átv* ~ *rent* névleges bérösszeg
pepper-mill *n* borsdaráló

peppermint *n* 1. bors(os)menta 2. mentacukorka
peppery ['pepərɪ] *a* 1. borsos (ízű) 2. ingerlékeny, lobbanékony, indulatos
peppy ['pepɪ] *a* □ *US* életerős, rámenős, energikus [ember]
pepsin ['pepsɪn] *n* pepszin
peptic ['peptɪk] *a* emésztési, emésztő; ~ *glands* emésztőmirigyek
Pepys [*Samuel:* pi:ps; *mások:* 'pepɪs] *prop*
per [pə:*; gyenge ejtésű alakja: pə*] *prep* által, útján, révén, át, -val, -vel, -ként, -kint; *as* ~ szerint; ~ *annum* évenként; ~ *capita* ['kæpɪtə] fejenként(i), egy főre eső; ~ *cent* (1) százalék(ban) (2) százanként; ~ *day* naponként; ~ *diem* [daɪem] (1) naponként (2) napidíj; *sixty miles* ~ *hour* óránként 96 km; ~ *week* hetenként
peradventure [p(ə)rəd'ventʃə*] † I. *adv* véletlenül, netalán II. *n* véletlen; *beyond* (*a*) ~ kétségtelenül
perambulate [pə'ræmbjʊleɪt; *US* -bjə-] A. *vt* bejár; körüljár B. *vi* (föl s alá) sétál
perambulator [pə'ræmbjʊleɪtə*; *US* -bjə-] *n* gyermekkocsi
perceive [pə'si:v] *vt* 1. észrevesz, meglát, észlel 2. felfog, megért
percent, per cent [pə'sent] *n* százalék →*per*
percentage [pə'sentɪdʒ] *n* 1. százalék(arány); ~ *of alcohol* szesztartalom 2. rész, hányad
perceptible [pə'septəbl] *a* észrevehető, érezhető; érzékelhető, megfigyelhető; ~ *to the* (*naked*) *eye* szabad szemmel látható
perception [pə'sepʃn] *n* 1. érzékelés, észlelés, percepció 2. felfogóképesség, érzékenység
perceptive [pə'septɪv] *a* 1. észrevevő; (gyorsan) érzékelő 2. figyelmes, jó/éles ítélőképességű/szemű
Perceval ['pə:sɪvl] *prop*
perch¹ [pə:tʃ] I. *n* 1. ág; (ülő)rúd [madaraknak] 2. *biz* jó/magas állás, pozíció; biztos állás; *biz knock sy off his* ~ elintéz/legyőz/megsemmisít vkt 3. (kocsi)rúd 4. ⟨hosszmérték: 5,5 yard⟩

II. A. *vi* leszáll [madár ágra]; letelepszik; elül (baromfi) B. *vt* magas helyre tesz; *town* ~*ed on a hill* dombon épült város
perch² [pə:tʃ] *n* folyami sügér
perchance [pə'tʃɑ:ns; *US* -æ-] *adv* † netalán; véletlenül
percipient [pə'sɪpɪənt] I. *a* felfogó (képességű), észrevevő; észlelő II. *n* telepatikus médium
percolate ['pə:kəleɪt] A. *vi* 1. átszűrődik, átszivárog 2. kicsepeg [kávé kávéfőzőből]B. *vt* 1. átszűr [folyadékot]; átcsepegtet, kávéfőzőn főz [kávét] 2. átjár (vmt), áthatol (vmn)
percolation [pə:kə'leɪʃn] *n* 1. átszűrődés, átszivárgás 2. átszűrés
percolator ['pə:kəleɪtə*] *n* 1. szűrő 2. eszpresszógép, kávéfőző (gép)
percuss [pə'kʌs] *vt* megkopogtat [orvos mellkast]
percussion [pə'kʌʃn] *n* 1. ütés, lökés; ~ *cap* gyutacs, kapszli [puskán]; ~ *pin* gyúszeg 2. ~ *instrument* ütőhangszer 3. (orvosi) kopogtatás
percussionist [pə'kʌʃ(ə)nɪst] *n* ütőhangszer-játékos, ütőjátékos
percussive [pə'kʌsɪv] *a* (össze)csapódó, üt(köz)ő; csappantyús
Percy ['pə:sɪ] *prop*
perdition [pə'dɪʃn] *n* 1. elkárhozás, kárhozat 2. (el)pusztulás, végromlás
peregrination [perɪgrɪ'neɪʃn] *n* vándorlás, utaz(gat)ás; kóborlás
peremptory [pə'rempt(ə)rɪ] *a* 1. döntő, végérvényes; ~ *writ* idézőlevél 2. feltétlen, ellentmondást nem tűrő 3. önkényes
perennial [pə'renjəl] I. *a* 1. állandó; örökké tartó 2. egész éven át tartó 3. évelő [növény] II. *n* évelő (növény)
perfect I. *a* ['pə:fɪkt] 1. tökéletes, kifogástalan, hibátlan; ~ *number* tökéletes szám; ~ *power* teljes hatvány 2. *biz* teljes, kész 3. ~ *tense* befejezett igeidő II. *n* ['pə:fɪkt] befejezett igealak, perfektum; (*present*) ~ befejezett jelen (idő) III. *vt* [pə'fekt] 1. tökéletesít 2. bevégez, befejez
perfectible [pə'fektəbl] *a* tökéletesíthető
perfection [pə'fekʃn] *n* 1. befejezés, el-

végzés 2. tökéletesítés; *bring to* ~ tökéletesít 3. tökéletesség, tökély 4. ~ *in sg* jártasság vmben; alapos tudás
perfectionist [pə'fekʃ(ə)nɪst] *n* tökéletesre törő, maximalista
perfectly ['pə:fɪktlɪ] *adv* teljesen, tökéletesen
perfervid [pə:'fə:vɪd] *a* igen buzgó, heves, lelkes
perfidious [pə'fɪdɪəs] *a* álnok, hitszegő
perfidiousness [pə'fɪdɪəsnɪs] *n* álnokság, hitszegés
perfidy ['pə:fɪdɪ] *n* = *perfidiousness*
perforate ['pə:fəreɪt] **A.** *vt* 1. átlyukaszt, kilyukaszt, átfúr, perforál 2. áthatol (*sg* vmn) **B.** *vi* átfúródik; ~ *into/ through sg* behatol vmbe
perforation [pə:fə'reɪʃn] *n* 1. átlyukasztás, kilyukasztás 2. átfúródás 3. lyuk(sorozat), perforáció
perforce [pə'fɔ:s] *adv* † szükségképpen, okvetlenül
perform [pə'fɔ:m] **A.** *vt* 1. megtesz, véghezvisz, végrehajt, teljesít, (el)végez 2. előad [színművet], (el)játszik [szerepet] **B.** *vi* játszik, szerepel
performance [pə'fɔ:məns] *n* 1. előadás [műé]; eljátszás [szerepé] 2. véghezvitel, teljesítés 3. teljesítmény; ~ *test* teljesítményvizsgálat
performer [pə'fɔ:mə*] *n* 1. (előadó-) művész 2. szereplő; szín(műv)ész
perfume **I.** *n* ['pə:fju:m] 1. illat, szag 2. illatszer, parfüm **II.** *vt* [pə'fju:m] illatosít
perfumier [pə'fju:mɪə*] *n* illatszerárus
perfumery [pə'fju:m(ə)rɪ] *n* 1. illatszertár 2. illatszergyár 3. illatszerek
perfunctory [pə'fʌŋkt(ə)rɪ] *a* felületes, hanyag
pergola ['pə:gələ] *n* fedett kerti lugas
perhaps [pə'hæps; néha: præps] *adv* talán, tán, (meg)lehet; ~ *so* ~ *not* lehet, hogy igen, lehet, hogy nem
pericarditis [perɪkɑ:'daɪtɪs] *n* szívburokgyulladás
Pericles ['perɪkli:z] *prop* Periklész
perigee ['perɪdʒi:] *n* földközel
perihelion [perɪ'hi:ljən] *n* napközel
peril ['per(ə)l] **I.** *n* veszély, veszedelem; *at your* ~ saját felelősségedre; *in* ~ *of*

one's life életveszélyben, élete kockáztatásával **II.** *vt* -ll- (*US* -l-) veszélyeztet
perilous ['perələs] *a* veszélyes
perimeter [pə'rɪmɪtə*] *n* kerület [idomé]
period ['pɪərɪəd] **I.** *a* 1. korabeli, stíl-; ~ *furniture* (1) antik bútor (2) stílbútor; ~ *piece* (1) stílbútor (2) antik holmi (3) kosztümös (szín)darab 2. történelmi [regény stb.]; ~ *dress* korhű jelmez; ~ *play* kosztümös (szín)darab **II.** *n* 1. (idő)tartam 2. (idő)szak 3. kor(szak); *the* ~ a jelenkor, a ma; *the girl of the* ~ a mai lány 4. ismétlődő/visszatérő időköz; szakasz; fázis; ciklus, keringési idő, periódus; (lezajlási) idő 5. **periods** *pl* menstruáció 6. (kör)mondat, periódus 7. pont [írásjel]; *put a* ~ *to sg* pontot tesz vmre 8. (tanítási) óra
periodic [pɪərɪ'ɔdɪk; *US* -'ɑ-] *a* 1. időszaki, időszakos, periodikus; szakaszos, időnként ismétlődő, visszatérő; ~ *law* periódusos törvény; ~ *table* periódusos rendszer (táblázata) [elemeké] 2. ~ *style* körmondatokban gazdag stílus
periodical [pɪərɪ'ɔdɪkl; *US* -'ɑ-] **I.** *a* időszaki, időnkénti, periodikus **II.** *n* folyóirat
periodicity [pɪərɪə'dɪsətɪ] *n* időszakiság, időszakosság, szakaszosság
periostitis [perɪɔ'staɪtɪs] *n* csonthártyagyulladás
peripatetic [perɪpə'tetɪk] *a/n* peripatetikus; járkáló
peripheral [pə'rɪfər(ə)l] *a* külső, kerületi, periferikus
periphery [pə'rɪfərɪ] *n* 1. kerület, külső szél 2. külterület, periféria
periphrasis [pə'rɪfrəsɪs] *n* (*pl* -ses -si:z) körülírás, perifrázis
periphrastic [perɪ'fræstɪk] *a* 1. körülíró 2. segédigével szerkesztett
periscope ['perɪskoʊp] *n* periszkóp
perish ['perɪʃ] **A.** *vi* 1. elpusztul, elvész; ~ *by/with hunger* éhenhal; ~ *by/with cold* megfagy 2. megromlik **B.** *vt* elpusztít, tönkretesz; ~ *the thought!* erre még gondolni sem szabad!; *we were* ~*ed with cold* majd megfagytunk
perishable ['perɪʃəbl] **I.** *a* romlandó **II. perishables** *n pl* romlandó áru

perisher ['perɪʃə*] n □ pasas, pacák
perishing ['perɪʃɪŋ] a/adv GB biz átko-
zott(ul) [hideg stb.]
peristalsis [perɪ'stælsɪs] n gyomor- és
bélmozgás
peristyle ['perɪstaɪl] n oszlopsor; oszlop-
csarnok
peritonitis [perɪtə'naɪtɪs] n hashártya-
gyulladás
periwig ['perɪwɪg] n paróka
periwinkle¹ ['perɪwɪŋkl] n meténg
periwinkle² ['perɪwɪŋkl] n (ehető) (ten-
ger)parti csiga
perjure ['pə:dʒə*] v refl ~ oneself hami-
san esküszik
perjurer ['pə:dʒ(ə)rə*] n hamisan esküvő
perjury ['pə:dʒ(ə)rɪ] n hamis eskü
perk¹ [pə:k] A. vi ~ up magához tér,
új erőre kap [betegség után] B. vt ~
sy up felélénkít/felüdít vkt [ital stb.];
~ up the ears hegyezi a fülét
perk² [pə:k] vt/vi biz kávét főz [kávéfőző-
gépen]
perkily ['pə:kɪlɪ] adv szemtelenül, hety-
kén
perks [pə:ks] n pl biz = perquisite
perky ['pə:kɪ] a 1. élénk; csintalan, sze-
les 2. öntelt, hetyke, szemtelen
perm [pə:m] biz I. n dauer II. vt dauerol-
tat
permafrost ['pə:məfrɔst; US -ɔ:st] n al-
talaj állandóan fagyott rétege [sark-
körön túl]
permanence ['pə:m(ə)nəns] n tartósság,
állandóság
permanency ['pə:m(ə)nənsɪ] n 1. =
permanence 2. állandó alkalmazás
permanent ['pə:m(ə)nənt] a állandó,
tartós, marad(and)ó, permanens; ~
address állandó lakhely; ~ wave
tartós hullám [hajban]; ~ way vasúti
pályatest
permanganate [pə:'mæŋgəneɪt] n hiper-
mangán
permeability [pə:mjə'bɪlətɪ] n áteresztő
képesség
permeable ['pə:mjəbl] a áthatolható,
átjárható, áteresztő; átbocsátóképes
permeate ['pə:mɪeɪt] A. vt 1. keresztül-
hatol, áthat(ol), átjár (vmt) 2. behatol
(vmbe), szétterjed (vmben) B. vi 1.

áthatol, keresztülhatol (through vmn);
behatol (into vmbe) 2. elterjed (among
között)
permeation [pə:mɪ'eɪʃn] n áthatolás;
behatolás; elterjedés
permissible [pə'mɪsəbl] a megengedhető;
szabad
permission [pə'mɪʃn] n 1. engedély
2. beleegyezés, hozzájárulás
permissive [pə'mɪsɪv] a 1. megengedő
2. engedékeny, türelmes, elnéző; ~ so-
ciety liberális társadalom [erkölcsi
szempontból]
permit I. n ['pə:mɪt] engedély; take out
a ~ engedélyt szerez II. v [pə'mɪt]
-tt- A. vt (meg)enged, engedélyez,
engedélyt ad (vmre); ~ me to remark
legyen szabad megjegyeznem; is ~ted
megengedett, meg van engedve, sza-
bad; not ~ted nem engedélyezett,
tilos B. vi 1. enged 2. ~ of lehetővé
tesz, helyet ad (vmnek), megenged
(vmt)
permutation [pə:mju:'teɪʃn] n fölcseré-
lés, sorrendváltoztatás; permutáció
permute [pə'mju:t] vt megcserél, fel-
cserél; permutál
pernicious [pə'nɪʃəs] a ártalmas, vesze-
delmes, káros; ~ an(a)emia vészes
vérszegénység
pernickety [pə'nɪkətɪ] a biz aprólékos-
kodó; válogatós, finnyás; kényes
peroration [perə'reɪʃn] n szónoklat be-
fejező része, peroráció
peroxide [pə'rɔksaɪd; US -'rɑ-] n (hi-)
peroxid; szuperoxid; a ~ blonde egy
nő szőkére festett hajjal
perpendicular [pə:pən'dɪkjulə*] I. a
függőleges, merőleges; ~ style függé-
lyes stílus [az angol gótika utolsó
szakasza] II. n 1. függőleges/merőleges
vonal/sík; out of the ~ nem függőleges
2. mérőón, függélyező
perpetrate ['pə:pɪtreɪt] vt elkövet; ~ a
joke tréfát űz, megtréfál (vkt)
perpetration [pə:pɪ'treɪʃn] n elkövetés
perpetrator ['pə:pɪtreɪtə*] n elkövető
perpetual [pə'petʃuəl] a 1. örök(ké tartó)
2. biz örökös, állandó, szakadatlan
3. ~ motion örökmozgás, perpetuum
mobile; ~ watch önfelhúzó óra

perpetually [pə'petʃʊəlɪ] adv 1. örökösen, állandóan 2. örökre
perpetuate [pə'petʃʊeɪt] vt 1. megörökít 2. állandósít, állandóvá tesz
perpetuation [pəpetʃʊ'eɪʃn] n 1. megörökítés 2. állandósítás
perpetuity [pə:pɪ'tju:ətɪ; US -'tu:-] n 1. örökkévalóság, folytonosság; in ~ örökké, örökre 2. elidegeníthetetlenség 3. életjáradék
perplex [pə'pleks] vt 1. zavarba hoz; megzavar, meghökkent 2. összegabalyít
perplexing [pə'pleksɪŋ] a 1. zavarba hozó; zavaró 2. összezavart
perplexity [pə'pleksətɪ] n 1. zavar(odottság), megrökönyödöttség 2. tanácstalanság
per pro(c). per procurationem (= by proxy) megbízásból
perquisite ['pə:kwɪzɪt] n 1. mellékjövedelem, -kereset, mellékes 2. illetéktelen haszon
perry ['perɪ] n körtebor
persecute ['pə:sɪkju:t] vt 1. üldöz 2. zaklat, gyötör [kérdésekkel stb.]
persecution [pə:sɪ'kju:ʃn] n 1. üldözés; zaklatás 2. üldöztetés; ~ complex/mania üldözési mánia
persecutor ['pə:sɪkju:tə*] n üldöző
perseverance [pə:sɪ'vɪər(ə)ns] n állhatatosság, kitartás
persevere [pə:sɪ'vɪə*] vi kitart (in vm mellett); kitartóan csinál/végez (with vmt)
persevering [pə:sɪ'vɪərɪŋ] a kitartó, állhatatos
Persia ['pə:ʃə; US -ʒə] n † Perzsia
Persian ['pə:ʃn; US -ʒ(ə)n] n I. a perzsa; ~ carpet/rug perzsaszőnyeg II. n 1. perzsa/iráni ember 2. (új)perzsa nyelv
persiflage [pə:sɪ'flɑ:ʒ] n kigúnyolás, nevetségessé tétel; ugratás
persimmon [pə:'sɪmən] n datolyaszilva
persist [pə'sɪst] vi 1. ~ in sg kitart vm mellett, állhatatos vmben; ~ in doing sg kitartóan/rendületlenül (tovább) csinál vmt 2. folytatódik
persistence [pə'sɪst(ə)ns] n 1. kitartás, állhatatosság, szívósság 2. konokság
persistency [pə'sɪst(ə)nsɪ] n = persistence

persistent [pə'sɪst(ə)nt] a 1. állhatatos, kitartó 2. folytatódó, ismétlődő 3. állandó, tartós, örök
person ['pə:sn] n 1. személy; in ~ személyesen; 3rd ~ singular egyes szám harmadik személy; artificial ~ jogi személy 2. egyén, ember; valaki; no ~ senki 3. szereplő, személy [színdarabban]
personable ['pə:snəbl] a kellemes külsejű/megjelenésű; csinos
personage ['pə:s(ə)nɪdʒ] n befolyásos személy(iség); kiválóság
personal ['pə:snl] I. a 1. egyéni, individuális; átv ~ equation egyéni álláspont/hozzáállás 2. személyes, saját; ~ interview személyes megbeszélés; ~ safety személyi biztonság; articles for ~ use személyes használati tárgyak 3. magán-; ~ letter magánlevél 4. személyeskedő; ~ remarks személyeskedő megjegyzések; be/become ~ személyeskedik 5. személy-, személyi; ~ data személyi adatok; ~ estate/property ingó vagyon; személyi tulajdon; ~ hygiene testápolás 6. ~ pronoun személyes névmás II. n személyi hír(ek) [újságcikk]
personality [pə:sə'nælətɪ] n 1. személy(iség); egyéniség 2. personalities pl személyeskedés; indulge in personalities személyeskedik 3. kimagasló személyiség; ~ cult személyi kultusz
personalize ['pə:snəlaɪz] vt egyénivé tesz [monogram/név alkalmazásával]
personally ['pə:snəlɪ] adv 1. személy szerint, személyesen 2. részünkről, részemről, ami engem illet
personalty ['pə:sn(ə)ltɪ] n ingóság(ok); ingó vagyon
personate ['pə:səneɪt] vt 1. megszemélyesít, (meg)játszik [szerepet] 2. kiadja magát (vknek, vmnek)
personation [pə:sə'neɪʃn] n alakítás, megszemélyesítés; utánzás
personification [pə:sɔnɪfɪ'keɪʃn; US -sɑ-] n 1. megszemélyesítés 2. megtestesülés
personify [pə:'sɔnɪfaɪ; US -'sɑ-] vt 1. megszemélyesít 2. megtestesít
personnel [pə:sə'nel] n személyzet, alkalmazottak

perspective [pə'spektɪv] *n* **1.** távlati ábrázolás **2.** távlati hatás, térszerűség **3.** távlat, perspektíva; *see things in (its right)* ~ dolgokat igazi valójukban (következményeikkel együtt) látja; *out of* ~ hibás perspektívájú [kép] **4.** *(átv is)* kilátás, látvány

perspicacious [pə:spɪ'keɪʃəs] *a* éles eszű, eszes, okos

perspicacity [pə:spɪ'kæsətɪ] *n* eszesség, tisztánlátás, jó judícium

perspicuity [pə:spɪ'kju:ətɪ] *n* **1.** világosság, áttekinthetőség; szabatosság **2.** nyilvánvalóság (vmé)

perspicuous [pə'spɪkjʊəs] *a* tiszta, áttekinthető, könnyen érthető

perspiration [pə:spə'reɪʃn] *n* **1.** izzadás **2.** izzadság, veríték

perspire [pə'spaɪə*] *vi/vt* izzad, verítékezik

perspiring [pə'spaɪərɪŋ] *a* izzadt, izzadó, verítékező

persuade [pə'sweɪd] *vt* **1.** ~ *sy to do sg* rábeszél/rávesz vkt vmre; ~ *sy out of sg* lebeszél vkt vmről **2.** meggyőz *(of* vmről); *I am* ~*d of his honesty* meg vagyok győződve becsületességéről

persuasion [pə'sweɪʒn] *n* **1.** rábeszélés, meggyőzés **2.** meggyőződés **3.** vallás(os meggyőződés), hit **4.** *biz* faj(ta)

persuasive [pə'sweɪsɪv] *a* **1.** meggyőző **2.** (rosszra) csábító

pert [pə:t] *a* szemtelen, hetyke

pertain [pə:'teɪn] *vi* **1.** tartozik *(to* vhová) **2.** vonatkozik *(to* vmre)

pertinacious [pə:tɪ'neɪʃəs] *a* **1.** állhatatos, rendületlen **2.** makacs, önfejű

pertinacity [pə:tɪ'næsətɪ] *n* **1.** állhatatosság **2.** makacsság, önfejűség

pertinence ['pə:tɪnəns] *n* **1.** helytállóság, helyesség **2.** (dologra/tárgyra) tartozás

pertinent ['pə:tɪnənt] *a* **1.** helyes, (oda-) illő, találó, helyénvaló, alkalomszerű **2.** tartozó, vonatkozó *(to* vmre)

pertly ['pə:tlɪ] *adv* hetykén, szemtelenül

pertness ['pə:tnɪs] *n* hetykeség, szemtelenség

perturb [pə'tə:b] *vt* háborgat, megzavar, összezavar

perturbation [pə:tə'beɪʃn] *n* **1.** izgatottság, zavar; izgalom **2.** zavarkeltés, zavarás

Peru [pə'ru:] *prop* Peru

peruke [pə'ru:k] *n* paróka

perusal [pə'ru:zl] *n* (gondos) átolvasás

peruse [pə'ru:z] *vt* gondosan elolvas/átolvas/átvizsgál

Peruvian [pə'ru:vjən] *a/n* perui

pervade [pə'veɪd] *vt (átv is)* áthat, átjár

pervasive [pə'veɪsɪv] *a* mindent átható

perverse [pə'və:s] *a* **1.** fonák, természetellenes, rendellenes, visszás **2.** romlott, perverz **3.** önfejű

perverseness [pə'və:snɪs] *n* = *perversity*

perversion [pə'və:ʃn; *US* -ʒn] *n* **1.** elferdítés, kiforgatás **2.** fajtalanság, perverzió

perversity [pə'və:sətɪ] *n* **1.** természetellenesség, romlottság **2.** fajtalanság, perverzitás **3.** önfejűség, makacsság

pervert I. *n* ['pə:və:t] **1.** hitehagyott **2.** fajtalan/pervertált nemi életű egyén II. *vt* [pə'və:t] **1.** (erkölcsileg) megront **2.** kiforgat, elferdít; csűr-csavar

peseta [pə'seɪtə] *n* pezeta

pesky ['peskɪ] *a US biz* bosszantó, kellemetlen; idegesítő

peso ['peɪsoʊ] *n* pezó

pessary ['pesərɪ] *n* méhgyűrű, pesszárium

pessimism ['pesɪmɪzm] *n* borúlátás, pesszimizmus

pessimist ['pesɪmɪst] *n* borúlátó, pesszimista

pessimistic [pesɪ'mɪstɪk] *a* borúlátó, pesszimista

pest [pest] *n* **1.** † dögvész **2.** *biz* nyűg, istencsapása **3.** kártevő [rovar, állat]

pester ['pestə*] *vt* zaklat, háborgat

pest-house *n* járványkórház

pesticide ['pestɪsaɪd] *n* féregirtó/rovarirtó szer

pestiferous [pe'stɪf(ə)rəs] *a* **1.** dögletes, fertőző **2.** *átv* veszedelmes

pestilence ['pestɪləns] *n* dögvész, pestis

pestilent ['pestɪlənt] *a* **1.** dögletes, kárhozatos, átkos, ártalmas **2.** *biz* bosszantó, kellemetlen

pestilential [pestɪ'lenʃl] *a* **1.** dögvészes **2.** fertőző **3.** *átv* ártalmas, mérgező

pestle ['pesl] I. *n* mozsártörő II. *vt* mozsárban összezúz/megtör
pet¹ [pet] I. *a* kedvenc; ~ *dog* öleb; ~ *name* becenév II. *n* 1. dédelgetett háziállat; ~ *shop* állatkereskedés 2. kedvenc III. *vt* -tt- 1. becéz, dédelget,- kényeztet 2. *US* cirógat, csókolgat
pet² [pet] *n* hirtelen harag; *be in a* ~ dühös, morcos
petal ['petl] *n* szirom(levél)
petal(l)ed ['petld] *a* szirmú, szirmos
petard [pe'tɑ:d] *n* 1. petárda; *hoist with his own* ~ saját fegyverével veri meg, aki másnak vermet ás, maga esik bele 2. rakéta, petárda [tűzijátékban]
Pete [pi:t] *prop* Peti
peter¹ ['pi:tə*] *vi biz* ~ *out* (1) lassan kifogy/kimerül [készlet] (2) elmúlik, elenyészik, megszűnik
Peter² ['pi:tə*] *prop* Péter; *rob* ~ *to pay Paul* (1) egyiktől elvesz, hogy a másiknak adhasson (2) egyik adósságból a másikba zuhan; *blue* ~ ⟨indulást jelző hajózászló⟩; ~'s *pence*, ~ *penny* péterfillér
petersham ['pi:təʃəm] *n* nehéz gyapjúszövet
pet-food *n* kutya-, macskaeledel
petition [pɪ'tɪʃn] I. *n* 1. kérelem, kérés 2. kérvény, folyamodvány, petíció; *make a* ~ kérvényt bead/benyújt 3. kereset; ~ *for a divorce* válókereset II. *vt/vi* kér(elmez), kérvényt benyújt (*for vmért*); kérelemmel fordul (vkhez)
petitioner [pɪ'tɪʃ(ə)nə*] *n* 1. folyamodó, kérvényező 2. felperes [válóperben]
Petrarch ['petrɑ:k] *prop* Petrarca
petrel ['petr(ə)l] *n* viharmadár; *stormy* ~ (1) viharmadár (2) *átv* bajkeverő
petrifaction [petrɪ'fækʃn] *n* 1. megkövesedés 2. kövület
petrify ['petrɪfaɪ] A. *vt* 1. megkövesít, elkövesít 2. megdermeszt, megdöbbent; *petrified with fear* félelemtől dermedt(en), megkövült(en) B. *vi* 1. megkövesedik, megkövül 2. *átv* kővé mered
petrochemical [petroʊ'kemɪk(ə)l] *a* petrolkémiai
petrography [pɪ'trɔgrəfɪ; *US* -ag-] *n* kőzettan, petrográfia

petrol ['petr(ə)l] *n GB* benzin; ~ *station* benzinkút; ~ *tank* üzemanyagtartály, benzintartály
petrol-can *n GB* benzinkanna
petroleum [pɪ'troʊljəm] *n* kőolaj, nyersolaj, ásványolaj; ~ *jelly* vazelin
petrology [pɪ'trɔlədʒɪ; *US* -rɑ-] *n* kőzettan
petrous ['petrəs] *a* 1. megkövesedett 2. köves, sziklás
Petruchio [pɪ'tru:kɪoʊ] *prop*
petted ['petɪd] →*pet¹ III*.
petticoat ['petɪkoʊt] *n* (alsó)szoknya; ~ *government* nőuralom
petties ['petɪz] *n pl* különféle (apró) kiadások
pettifogger ['petɪfɔgə*; *US* -fɑ-] *n* törvénycsavaró, zugügyvéd
pettifogging ['petɪfɔgɪŋ; *US* -fɑ-] *a* kicsinyes(kedő), jelentéktelen
petting ['petɪŋ] *n* ölelgetés, cirógatás, dédelgetés; *US biz* smárolás || →*pet¹ III*.
pettish ['petɪʃ] *a* bosszús, ingerlékeny, szeszélyes
petty ['petɪ] *a* 1. jelentéktelen, bagatell, piti; ~ *larceny* apró tolvajlás 2. kicsinyes, kisszerű; ~ *bourgeois* kispolgár, nyárspolgár; ~ *cash* (1) kiskassza, készpénzkassza (2) apróbb kiadásokra félretett pénz; ~ *farmer* kisbirtokos; ~ *monarch* kiskirály; ~ *officer* tengerészaltiszt
petulance ['petjʊləns; *US* -tʃə-] *n* ingerültség, türelmetlenkedés
petulant ['petjʊlənt; *US* -tʃə-] *a* ingerlékeny, veszekedős, sértődékeny
petunia [pɪ'tju:njə; *US* -'tu:-] *n* petúnia
pew [pju:] *n* 1. (templomi) pad 2. *biz* ülőhely
pewit ['pi:wɪt] *n* bíbic
pewter ['pju:tə*] *n* 1. ónötvözet 2. cintárgy, ónedény
Pfc. *private first class* őrvezető, őrv.
P.G., PG [pi:'dʒi:] *paying guest*
phaeton ['feɪtn; *US* 'feɪətn] *n* † könnyű futókocsi
phagocyte ['fægəsaɪt] *n* falósejt
phalanstery ['fælənst(ə)rɪ] *n* falanszter
phalanx ['fælæŋks; *US* 'feɪ-] *n* (*pl* ~es -sɪz *v*. -langes -'lændʒi:z) 1. falanx 2. ujjper(e)c

phallic ['fælɪk] a fallikus
phallus ['fæləs] n fallosz
phantasm ['fæntæzm] n agyrém, rémkép, káprázat, fantazma
phantasmagoric [fæntæzmə'gɔrɪk; US -'gɔ:-] a csalóka, képzelet szőtte
phantasmal [fæn'tæzml] a agyrémszerű, jelenésszerű, fantomszerű
phantasy ['fæntəsɪ] n = fantasy
phantom ['fæntəm] I. a képzeletbeli; ál-, fantom- II. n 1. kísértet, jelenés, fantom 2. ábrándkép, rémkép; agyrém; káprázat
Pharaoh ['feərou] n fáraó
pharisaic(al) [færɪ'seɪɪk(l)] a farizeusi, szenteskedő, álszent
Pharisee ['færɪsi:] n 1. farizeus 2. p~ álszent, képmutató
pharmaceutic(al) [fɑ:mə'sju:tɪk(l); US -'su:-] a gyógyszerészeti, gyógyszer-; ~ goods gyógyszeráru
pharmaceutics [fɑ:mə'sju:tɪks; US -'su:-] n gyógyszertan; gyógyszerészet
pharmacist ['fɑ:məsɪst] n gyógyszerész
pharmacology [fɑ:mə'kɔlədʒɪ; US -'kɑ-] n gyógyszertan
pharmacop(o)eia [fɑ:məkə'pi:ə] n gyógyszerkönyv
pharmacy ['fɑ:məsɪ] n 1. gyógyszerészet 2. gyógyszertár, patika
pharyngitis [færɪn'dʒaɪtɪs] n garathurut, torokgyulladás
pharynx ['færɪŋks] n (pl ~es -sɪz) garat
phase [feɪz] I. n 1. (fejlődési) fok, mozzanat, szakasz, fázis II. vt szakaszait meghatározza (vmnek); ~ out kivon [forgalomból]; fokozatosan megszüntet
Ph.D., PhD [pi:eɪtʃ'di:] Doctor of Philosophy bölcsészdoktor
pheasant ['feznt] n fácán
Phebe ['fi:bɪ] prop
phenol ['fi:nɔl; US -ɑl] n karbolsav, fenol
phenomena → phenomenon
phenomenal [fə'nɔmɪnl; US -'nɑ-] a 1. érzékelhető jelenségek körébe tartozó 2. tüneményes, rendkívüli, fenomenális
phenomenon [fə'nɔmɪnən; US -'nɑmənɑn] n (pl -na -nə) 1. tünet,

jelenség; the phenomena of nature természeti jelenségek 2. csodálatos dolog/ember, nagy tehetség; tünemény
phew [fju:] int pfuj !, puff !
phial ['faɪ(ə)l] n fiola, üvegcse
Phila. Philadelphia
Philadelphia [fɪlə'delfɪə] prop
philander [fɪ'lændə*] vi flörtöl, szerelmeskedik, nők után fut(kos)
philanderer [fɪ'lændərə*] n szoknyabolond
philanthropic [fɪlən'θrɔpɪk; US -ɑp-] a emberbaráti, filantróp
philanthropist [fɪ'lænθrəpɪst] n emberbarát, filantrópus
philanthropy [fɪ'lænθrəpɪ] n emberszeretet, -barátiság, filantrópia
philatelic [fɪlə'telɪk] a bélyeggyűjtő
philatelist [fɪ'lætəlɪst] n bélyeggyűjtő, filatelista
philately [fɪ'lætəlɪ] n bélyeggyűjtés, filatélia
philharmonic [fɪlɑ:'mɔnɪk; US fɪlhɑ:r-'mɑ-] a filharmonikus, zenekedvelő, zenebarát(i)
philhellene ['fɪlheli:n] a/n görögbarát
Philip ['fɪlɪp] prop Fülöp
Philippi [fɪ'lɪpaɪ] prop Philippi, Filippi
philippic [fɪ'lɪpɪk] n filippika, támadó beszéd
Philippine ['fɪlɪpi:n] a Fülöp-szigeteki
Philippines ['fɪlɪpi:nz] prop Fülöp-szigetek
Philistine ['fɪlɪstaɪn; US fə'lɪstɪn v. 'fɪlɪsti:n] a 1. filiszteus 2. p~ nyárspolgári II. n 1. filiszteus 2. p~ nyárspolgár, filiszter
philological [fɪlə'lɔdʒɪkl; US -'lɑ-] a 1. nyelvészeti 2. filológiai
philologist [fɪ'lɔlədʒɪst; US -'lɑ-] n 1. nyelvész 2. filológus
philology [fɪ'lɔlədʒɪ; US -'lɑ-] n 1. nyelvtudomány, nyelvészet 2. filológia
philosopher [fɪ'lɔsəfə*; US -'lɑ-] n 1. filozófus 2. bölcs; ~'s stone bölcsek köve
philosophical [fɪlə'sɔfɪkl; US -'sɑ-] a 1. bölcseleti, filozófiai; filozofikus 2. józan, higgadt, bölcs
philosophize [fɪ'lɔsəfaɪz; US -'lɑ-] vi bölcselkedik, elmélkedik, filozofál

philosophy [fɪ'lɔsəfɪ; US -'la-] n 1. böl-cselet, filozófia 2. életfelfogás, -szem-lélet, -filozófia
philtre, US -ter ['fɪltə*] n bájital
phiz [fɪz] n biz arc(kifejezés), „pofa"
phlebitis [flɪ'baɪtɪs] n visszérgyulladás; érhártyagyulladás
phlegm [flem] n 1. nyálka, váladék, vulg turha 2. flegma, hidegvér, kö-zöny
phlegmatic [fleg'mætɪk] a közönyös, flegmatikus
phlox [flɔks; US -a-] n lángvirág, flox
phobia ['foʊbjə] n beteges félelem, szo-rongás, fóbia
Phoebe ['fi:bɪ] prop
Phoenicia [fɪ'nɪʃɪə; US -ʃə] prop Fönícia
Phoenician [fɪ'nɪʃɪən; US -ʃən] a/n föníciai
phoenix ['fi:nɪks] n főnix
phonation [foʊ'neɪʃn] n hangképzés
phone [foʊn] biz I. n telefon II. A. vi telefonál B. vt felhív [telefonon]
phoneme ['foʊni:m] n fonéma
phonemic [fə'ni:mɪk] a fonemikus
phonemics [fə'ni:mɪks] n fonológia
phonetic [fə'netɪk] a 1. kiejtési 2. fone-tikus; fonetikai, hangtani; ~ speeling fonetikus írás; ~ transcription fone-tikus átírás
phonetician [foʊnɪ'tɪʃn] n fonetikus
phonetics [fə'netɪks] n fonetika, hangtan
phoney ['foʊnɪ] a □ hamis
phonogram ['foʊnəgræm] n fonogram
phonograph ['foʊnəgrɑ:f; US -æf] n 1. fonográf 2. US gramofon
phonologic(al) [foʊnə'lɔdʒɪk(l); US -'la-] a fonológiai; fonologikus
phonology [fə'nɔlədʒɪ; US -'na-] n fonológia
phony ['foʊnɪ] a = phoney
phooey ['fʊɪ] int pfuj!
phosphate ['fɔsfeɪt; US 'fa-] n foszfát
phosphoresce [fɔsfə'res; US fa-] vi foszforeszkál
phosphorescence [fɔsfə'resns; US fa-] n foszforeszkálás, villogás, villódzás
phosphorescent [fɔsfə'resnt; US fa-] a foszforeszkáló, sötétben villódzó
phosphoric [fɔs'fɔrɪk; US fas'fɔ:-] a = phosphorous

phosphorous ['fɔsf(ə)rəs; US 'fa-] a fosz-foros, foszfortartalmú, foszfor-
phosphorus ['fɔsf(ə)rəs; US 'fa-] n foszfor
photo ['foʊtoʊ; összetételben rendsz.: foʊtə-] n biz fénykép, fotó; ~ finish célfotó
photocopy I. n fotokópia II. vt/vi fotokó-piát készít (vmről)
photoelectric [foʊtoʊɪ'lektrɪk] a fény-elektromos; ~ cell fotocella
photo-engraving n 1. autotípia 2. klisé-készítés
photoflash a ~ lamp villanólámpa, vaku
photogenic [foʊtoʊ'dʒenɪk] a jól fény-képezhető, fotogén
photograph ['foʊtəgrɑ:f; US -æf] I. n fénykép; have one's ~ taken lefényké-pezteti magát II. A. vt (le)fényképez, levesz B. vi ~ well jó fényképarca van; jól mutat fényképen
photographer [fə'tɔgrəfə*; US -'tɑ-] n fényképész
photographic [foʊtə'græfɪk] a fényképé-szeti, fényképező, fénykép-
photography [fə'tɔgrəfɪ; US -'tɑ-] n fényképezés, fényképészet
photogravure n (raszter)mélynyomás
photometer [foʊ'tɔmɪtə*; US -'tɑ-] n fénymérő, fotométer
photomural [foʊtə'mjʊər(ə)l] n gi-gantposzter
photon ['foʊtɔn; US -ɑn] n foton
photo-offset n fotomechanikai ofszet-eljárás
photosensitive [foʊtə'sensɪtɪv] a fény-érzékeny
photostat ['foʊtəstæt] I. n ~ (copy) foto-kópia, fénymásolat II. vt -tt- (US -t-) fotokópiát/fénymásolatot készít (vm-ről)
photosynthesis [foʊtoʊ'sɪnθɪsɪs] n foto-szintézis
phototype ['foʊtətaɪp] n fénymásolat, fénynyomat; fototípia
phototypesetting [foʊtə'taɪpsetɪŋ] n [nyomdai] fényszedés
phrasal ['freɪzl] a ~ verb határozós—elöljárós (vonzatú) ige
phrase [freɪz] I. n 1. mondás, szólás-(mód), kitétel; as the ~ goes ahogy mondani szokás 2. üres szavak/szó-

lam, frázis; *we have had enough* ~s
elég volt a (szép) szavakból **3.** állandó-
sult szókapcsolat; kifejezés, (nyelvi)
fordulat **4.** [zenei] mondat, frázis **II.**
vt kifejez, szavakba foglal
phrase-book *n* szólásgyűjtemény
phrase-monger *n* frázisember
phraseological [freɪzɪə'lɔdʒɪkl; *US* -'la-]
a frazeológiai
phraseology [freɪzɪ'ɔlədʒɪ; *US* -'a-] *n*
kifejezésmód, frazeológia
phrenetic [frɪ'netɪk] *a* vad, eszeveszett
phrenology [frɪ'nɔlədʒɪ; *US* -'na-] *n*
koponyatan, frenológia
phthisis ['θaɪsɪs] *n* tüdővész, sorvadás
phut [fʌt] *adv* fuccs; *biz go* ~ tönkre-
megy, elromlik, megbukik, bedöglik
phylactery [fɪ'læktərɪ] *n* **1.** imaszíj
[zsidóknál] **2.** amulett
Phyllis ['fɪlɪs] *prop* ⟨női név⟩
physic ['fɪzɪk] **I.** *n* **1.** *biz* orvosság; has-
hajtó **2.** † orvostudomány **II.** *vt*
(*pt/pp* ~ked 'fɪzɪkt) orvosol, kúrál
(vkt)
physical ['fɪzɪkl] *a* **1.** fizikai; ~ *geography*
fizikai földrajz; *a* ~ *impossibility*
fizikai lehetetlenség **2.** fizikai, testi;
~ *education/training* testnevelés, test-
edzés; ~ *examination* általános egész-
ségügyi vizsgálat; ~ *exercises, biz*
~ *jerks* torna(gyakorlatok), testgya-
korlat, -edzés
physician [fɪ'zɪʃn] *n* orvos
physicist ['fɪzɪsɪst] *n* fizikus
physics ['fɪzɪks] *n* fizika, természettan
physiognomy [fɪzɪ'ɔnəmɪ; *US* -'ag-] *n*
1. arc, arckifejezés, arcvonás(ok) **2.**
jellegzetesség, külső megjelenés, jelleg
3. fiziognómia, arcismeret
physiological [fɪzɪə'lɔdʒɪkl; *US* -'la-]
a élettani, fiziológiai
physiologist [fɪzɪ'ɔlədʒɪst; *US* -'a-] *n*
fiziológus
physiology [fɪzɪ'ɔlədʒɪ; *US* -'a-] *n* élet-
tan, fiziológia
physiotherapy [fɪzɪə'θerəpɪ] *n* fizikote-
rápia
physique [fɪ'ziːk] *n* testalkat, (testi)
szervezet, fizikum
pi [paɪ] *n* **1.** pi [görög betű] **2.** Ludolf-
féle szám (3,14)

pianist ['pɪənɪst; *US* pɪ'æn-] *n* zongorista
piano[1] [pɪ'ænoʊ] *n* zongora; *upright* ~
pianínó; ~ *accordion* tangóharmonika;
~ *concerto* zongoraverseny; ~ *organ*
gépzongora
piano[2] ['pjaːnoʊ; *US* pi:'aː-] *adv* halkan,
piano
pianoforte [pjænə'fɔːtɪ] *n* zongora
pianola [pɪə'noʊlə] *n* villanyzongora
piazza [pɪ'ætsə] *n* **1.** köztér **2.** *US* ve-
randa
pibroch ['piːbrɔk, *sk* -ɔx] *n* ⟨skót harci
dal dudára⟩
pica ['paɪkə] *n* ciceró betű [12 pontos]
picaresque [pɪkə'resk] *a* selyma, selma;
~ *novel* sel(y)maregény, pikaró/pika-
reszk regény
picayune [pɪkə'juːn] *n US* **1.** ötcentes
(pénzdarab) **2.** *biz* értéktelen apróság
Piccadilly [pɪkə'dɪlɪ, 'pɪ] *prop*
piccalilli ['pɪkəlɪlɪ] *n* ⟨mustáros ecetbe
rakott zöldség⟩
piccaninny ['pɪkənɪnɪ] *n* **1.** † néger bébi
2. apróság
piccolo ['pɪkəloʊ] *n* pikoló, kisfuvola
pick[1] [pɪk] *n* **1.** csákány; ~ *and shovel*
man földmunkás, kubikos **2.** fogpiszkáló
pick[2] [pɪk] **I.** *n* **1.** vmnek a java/színe
(-virága); *the* ~ *of the bunch* vmnek a
legjava **2.** (ki)válogatás **II. A.** *vt* **1.**
csipked; szúr, váj **2.** (ki)szed, (ki-)
piszkál; ~ *one's teeth* fogát piszkálja;
~ *a lock* zárat feltör; ~ *sy's pocket*
kilop/kicsen vmt vk zsebéből; ~ *a*
quarrel with sy beleköt vkbe, összevész
vkvel **3.** (le)szed, (le)tép [virágot,
gyümölcsöt]; kopaszt [baromfit]; ~ *to*
pieces darabokra/ízekre szed **4.** gon-
dosan megválogat/kiválaszt; kikeres,
kiszemel; ~ *one's step/way* óvatosan
lépked; ~ *one's words* megválogatja a
szavait; ~ *and choose* aprólékos gond-
dal (ki)válogat; válogatós, finnyás-
(kodik) **5.** *US* ~ *a banjo* bendzsón
játszik **B.** *vi* **1.** csipeget, szedeget
2. *biz* eszeget, csipeget [ember] || →*bone*
pick at *vi biz* ~ *at one's food* csipeget
az ételből; *biz* ~ *at sy* beleköt vkbe;
piszkál vkt
pick off *vt* **1.** leszed, letép **2.** egyen-
ként lelő/leszed

pick on *vi biz* **1.** kiszemel/kiszúr vkt/vmt **2.** utazik/pikkel vkre
pick out *vt* **1.** kiválaszt, kiválogat, kiszemel **2.** megkülönböztet, felismer **3.** kivesz [értelmet], kiolvas, kiókumlál **4.** kiszínez; színezéssel kiemel **5.** hallás után eljátszik [dallamot]
pick over *vt* átválogat [gyümölcsöt]
pick up A. *vt* **1.** felcsákányoz **2.** felszed, felvesz, felkap; felcsíp; *I'll ~ you up at your house* majd érted megyek **3.** szerez, talál, keres vmt; *~ up information* értesülést szerez **4.** *~ oneself up* (1) feláll [esés után] (2) öszszeszedi magát; *~ up courage* visszanyer bátorságot; *~ up health* visszanyeri egészségét, összeszedi magát [betegség után]; *~ up speed* gyorsul; *that'll ~ you up* ettől majd rendbe jössz **5.** szert tesz (vmre); (gyorsan) elsajátít (vmt); *he will ~ up the language easily* könnyen bele fog jönni a nyelvbe **6.** *biz* összeismerkedik (vkvel); *~ up new friends* új barátokra tesz szert **B.** *vi* **1.** javul, erősödik, összeszedi magát; nekilendül [üzlet stb.] **2.** *biz ~ up with sy* összeismerkedik vkvel, ismeretséget köt vkvel
pickaback ['pɪkəbæk] *adv* hátán, vállán
pickax(e) ['pɪkæks] *n* csákány
picked [pɪkt] *a* válogatott, szemelt; →*pick² II.*
picker ['pɪkə*] *n* **1.** szedő, gyűjtő, válogató [munkás] **2.** osztályozógép **3.** ütőfej, vetőfej, ostorkalapács [szövőszéken] **4.** álkulcsos tolvaj
pickerel ['pɪkər(ə)l] *n* kis csuka
picket ['pɪkɪt] **I.** *n* **1.** karó, cövek **2.** őrszem; (katonai) különítmény; járőr **3.** sztrájkőr(ség) **II.** *vt* **1.** körülkerít, bepalánkol **2.** karóhoz köt [lovat] **3.** őrséget állít **4.** (nem sztrájkolókat) munkahelyről távol tart, sztrájkőrséget állít; sztrájolók mellett hangulatot csinál
picket-boat *n* kis torpedónaszád
picketing ['pɪkɪtɪŋ] *n* sztrájkőrállítás
picking ['pɪkɪŋ] *n* **1.** szedés; kicsipkedés, (meg)válogatás **2.** *~ and stealing* lop(kod)ás **3.** **pickings** *pl* (1) (nem tisztességes) mellékkereset, zugkereset

(2) maradék(ok), hulladék(ok) ‖ →*pick²
II.*
pickle ['pɪkl] **I.** *n* **1.** ecetes lé, pác; *have a rod in ~ for* sy büntetést tartogat vk számára **2. pickles** *pl* ecetes savanyúság **3.** kellemetlenség, kínos helyzet, „pác"; *be in a* (*sad*) *~* benne van a pácban, kínos helyzetben van **4.** *biz* kópé, kis ördögfióka **II.** *vt* besavanyít; ecetbe rak; sós lében pácol, besóz
pickled ['pɪkld]*a* **1.** ecetes (lében eltett); sós; pácolt; *~ cucumber* ecetes uborka; *~ herring* sós herring **2.** □ részeg, berúgott
picklock *n* **1.** tolvaj **2.** tolvajkulcs
pickman *n* (*pl* -men) csákányozó (munkás)
pick-me-up *n* szíverősítő
pickpocket *n* zsebtolvaj
pick-up *n* **1.** felszedés **2.** véletlen/alkalmi ismeretség **3.** (motor)gyorsulás **4.** fogás, vétel [rádióadásé] **5.** lejátszófej, hangszedő, pickup [lemezjátszóé] **6.** *~* (*tube*) (televíziós) képfelvevő cső **7.** *~* (*truck*) könnyű teherautó
Pickwick ['pɪkwɪk] *prop*
Pickwickian [pɪk'wɪkɪən] *a* nem szó szerinti értelemben vett
picnic ['pɪknɪk] **I.** *n* **1.** (társas) kirándulás [piknik alapon] **2.** *biz* kellemes időtöltés, jó szórakozás; *no ~* nem gyerekjáték **II.** *vi* (*pt/pp ~ked* 'pɪknɪkt) (társasággal) kirándul (és szabadban étkezik)
picnicker ['pɪknɪkə*] *n* kiránduló
Pict [pɪkt] *n* pikt [nép]
pictorial [pɪk'tɔ:rɪəl] **I.** *a* **1.** képi, képes **2.** képszerű; festői **II.** *n* képeslap, képes újság/folyóirat
picture ['pɪktʃə*] **I.** *n* **1.** kép; *~ of health* a megtestesült egészség; *be out of the ~* nem számít; *put sy in the ~* tájékoztat vkt (vmről); *~ hat* széles karimájú (női) kalap, florentin kalap **2.** film(darab); *the ~s* mozi **3.** (tévé)kép; *~ area* képmező; *~ tube* képcső **II.** *vt* **1.** ábrázol, lefest; *átv* leír, érzékeltet **2.** *~ to oneself* elképzel
picture-book *n* képeskönyv
picture-card *n* figurás kártya
picture-gallery *n* képtár

picture-goer *n* mozijáró, -látogató
picture-house/palace *n* filmszínház, mozi
picture-puzzle *n* képrejtvény, képes fejtörő
picturesque [pɪktʃə'resk] *a* 1. festői 2. eleven, színes, szemléletes
picture-theatre *n* filmszínház, mozi
picture-writing *n* képírás
piddle ['pɪdl] *vi biz* pisil
piddling ['pɪdlɪŋ] *a* vacak
pidgin ['pɪdʒɪn] *n* ~ *(English)* ⟨csendesóceáni kikötők kereskedelmi életében használatos tört angolság⟩
pie¹ [paɪ] *n* 1. pástétom 2. vajastészta, pite 3. gyümölcstorta; *have a finger in the* ~ köze van hozzá 4. □ *as easy as* ~ gyerekjáték; ~ *in the sky* paradicsomi állapot, toronyóra lánccal
pie² [paɪ] *n* szarka
piebald ['paɪbɔːld] *a* tarkánfoltos [ló]
piece [piːs] I. *n* 1. darab; ~ *of furniture* bútor(darab) 2. munkadarab; árucikk; ~ *by* ~ darabonként, darabszám; *by the* ~ darabszám, darabonként, darabárukként; *work by the* ~ darabbérben dolgozik 3. (alkat)rész; *be all of a* ~ *with sg* összeillik, összhangban van (vmivel); *break to* ~*s* darabokra tör; *come/fall/go to* ~*s* szétesik, darabokra törik; *átv biz she went all to* ~*s* (idegileg) összeomlott, összeroppant; *take to* ~*s* szétszed; *in* ~*s* darabokban, összetörve 4. vég [szövet]; tekercs [tapéta] 5. (szín)darab; (zene)darab; kompozíció 6. műtárgy; ritka példány; *átv* példa; ~ *of work* munka(darab); feladat; *a fine* ~ *of work* szép munka, remekmű; *a nasty* ~ *of work* piszok alak; *a wonderful* ~ *of navigation* a hajózásnak egy nagyszerű példája/hőstette 7. pénzdarab [érme] II. *vt* 1. (meg)foltoz, toldoz III. *vt* hozzátold, megtold
   piece out *vt* 1. kitold, kiegészít 2. *átv* összerak
   piece together *vt* 1. kiegészít 2. összeállít, -illeszt, -rak, -told(oz)
   piece up *vt* helyrehoz, kijavít
piece-goods *n pl* darabáru, végáru
piece-job *n* darabmunka
piecemeal ['piːsmiːl] *a/adv* darabonként

piece-rate *n* darabbér, teljesítménybér
piece-wages *n pl* darabbér, teljesítménybér
piece-work darabszámra fizetett munka, akkordmunka
pie-crust *n* tésztahéj
pied [paɪd] *a* tarka, színes, pettyes
pieplant *n US* rebarbara
pier [pɪə*] *n* 1. kikötő(gát), móló, hullámtörő gát 2. hídpillér 3. pilaszter, támpillér, gyámoszlop
pierce [pɪəs] *vt* 1. (át)szúr; átfúr, kifúr; (át)lyukaszt, (ki)lyukaszt; keresztüldöf 2. behatol (vmb), átjár, áttör (vmt); hasogat [fület, szívet] 3. meghat, elérzékenyít B. *vi* átszúródik, átfúródik; kibújik [fog]; ~ *into* behatol (vmbe); ~ *through* áthatol, átmegy
piercing ['pɪəsɪŋ] *a* 1. átható, szúrós [tekintet] 2. éles, metsző [szél] 3. fülsértő [hang]
pier-glass *n* nagy állótükör
pier-head *n* móló (külső) végpontja
Piers [pɪəz] *prop* † Péter
pig [pɪg] I. *n* 1. disznó, sertés; ~ *in a poke* zsákbamacska; *sleep like a* ~ alszik, mint a bunda 2. (kis)malac; *roast* ~ malacpecsenye 3. *biz* mocskos/faragatlan fráter, disznó; *make a* ~ *of oneself* fal mint egy disznó 4. = *pig-iron* 5. □ zsaru II. *v-* -gg- A. *vt/vi* malacozik B. *vi biz* ~ *it/together* (zsúfoltan) mocsokban él(nek)
pigeon ['pɪdʒɪn; *US* -dʒən] *n* 1. galamb; *carrier/homing* ~ postagalamb 2. *biz* balek, pali
pigeon-breasted/chested *a* csirkemellű
pigeon-hearted *a* nyúlszívű, galamblelkű
pigeonhole I. *n* 1. galambdúc 2. rekesz [írásztalé stb.] II. *vt* 1. osztályoz 2. irattárba tesz, (későbbi használatra) félretesz, ad acta tesz [iratot]; elskatulyáz
pigeon-loft *n* galambdúc
pigeonry ['pɪdʒɪnrɪ; *US* -dʒən-] *n* galambdúc
pigeon-toed *a* gacsos lábú
pig-eyed *a* apró szemű
pig-farm *n* disznóhizlalda
piggery ['pɪgərɪ] *n* 1. disznóól 2. = *pig-farm*

piggish ['pɪgɪʃ] a 1. disznószerű 2. falánk; piszkos
piggy ['pɪgɪ] biz I. a mohó; falánk II. n kismalac
piggyback n US = pickaback
piggy-bank n szerencsemalac [persely]
piggy-wig n biz kismalac, malacka, röfike
pig-headed a makacs, csökönyös, önfejű
pig-iron n (olvasztott) nyersvas (tömb), öntecs
piglet ['pɪglɪt] n kismalac
pigman ['pɪgmən] n (pl -men -mən] kondás, kanász
pigment ['pɪgmənt] n 1. festőanyag, színezőanyag 2. bőrfesték, pigment [vérben]
pigmentation [pɪgmən'teɪʃn] n 1. színezés pigmenttel 2. pigmentlerakódás, (el)színeződés
pigmy ['pɪgmɪ] n törpe
pig-pail n moslékosdézsa
pigskin n disznóbőr
pigsticker n 1. böllér 2. biz disznóölő kés, böllérbicska
pigsticking n 1. vaddisznóvadászat lándzsával 2. dizsnóölés
pigsty ['pɪgstaɪ] n (átv is) disznóól
pigswill n = pigwash
pigtail n copf, varkocs
pigwash n moslék
pigweed n libatop
pi-jaw ['paɪdʒɔː] n □ lelki fröccs
pike¹ [paɪk] n 1. pika, lándzsa, dárda 2. (bányász)csákány 3. GB hegycsúcs 4. csuka
pike² [paɪk] n US 1. vámút 2. vámsorompó; sorompórúd 3. útvám 4. = turnpike (road)
pikeman¹ ['paɪkmən] n (pl -men -mən) lándzsás, dárdavívő
pikeman² ['paɪkmən] n (pl -men -mən) vámőr
pikestaff n dárdanyél; plain as ~ nyilvánvaló, világos mint a vakablak, egyszerű
pilaf(f) ['pɪlæf; US pɪ'lɑːf] n piláf; rizseshús
pilaster [pɪ'læstə*] n pilaszter; falkiugrás
Pilate ['paɪlət] prop Pilátus
pilau [pɪ'laʊ; US -'lɔː] n = pilaf(f)

pilchard ['pɪltʃəd] n szardínia, szardina
pile¹ [paɪl] I. n cölöp, karó II. vt cölöpöz; besulykol
pile² [paɪl] I. n 1. halom, rakás 2. köteg, nyaláb; ~s of sg egész csomó (vmből) 3. máglya(rakás) 4. nagy épület, épületcsoport 5. biz nagy vagyon; make one's ~ megszedi magát 6. százalezem II. A. vt (fel)halmoz, megrak; ~ arms fegyvert gúlába rak B. vi felhalmozódik
  pile on A. vt felhalmoz, rárak, megrak; ~ it on túloz, nagyzol B. vi biz ~ on the agony halmozza a kellemetlen/ fájó részleteket
  pile out vi kiözönlik
  pile up A. vt 1. (fel)halmoz, összegyűjt, megrak [tányért stb.] B. vi 1. felhalmozódik, összegyűlik; felszaporodik 2. egymásba ütközik [több autó] 3. zátonyra fut, megfeneklik
pile³ [paɪl] n bolyh(osság)
pile-driver n cölöpverő gép/kos
pile-dwelling n cölöpépítmény
piles [paɪlz] n pl aranyér
pile-up n tömeges autószerencsétlenség/ összeütközés, összecsúszás
pilewort n salátaboglárka
pilfer ['pɪlfə*] vt elcsen, ellop
pilferage ['pɪlfərɪdʒ] n 1. tolvajlás, dézsmálás 2. lopott holmi
pilferer ['pɪlfərə*] n tolvaj; fosztogató
pilgrim ['pɪlgrɪm] n zarándok; P~ Fathers Zarándok Atyák ⟨Új-Angliát Amerikában 1620-ban megalapító puritánok⟩
pilgrimage ['pɪlgrɪmɪdʒ] n zarándoklat
pill [pɪl] n 1. pirula, labdacs, golyó; sugar the ~ megédesíti a keserű pirulát; swallow the bitter ~ lenyeli a békát 2. biz the ~ fogamzásgátló tabletta/ pirula; go/be on the ~ (fogamzásgátló) tablettát szed
pillage ['pɪlɪdʒ] I. n 1. fosztogatás 2. zsákmány II. vt rabol, fosztogat
pillager ['pɪlɪdʒə*] n fosztogató
pillar ['pɪlə*] n 1. oszlop, pillér; from ~ to post Ponciustól Pilátusig 2. átv támasz
pillar-box n GB levélszekrény, postaláda
pillared ['pɪləd] a oszlopos

pillbox *n* 1. pirulás doboz 2. *biz* gépfegyveres kiseröd/bunker
pillion ['pɪljən] *n* 1. nyeregvánkos 2. pótülés [nyergen, motorkerékpáron]
pillion-rider *n* pótülés utasa
pillory ['pɪlərɪ] I. *n* pellengér II. *vt* kipellengérez, pellengérre állít
pillow ['pɪloʊ] I. *n* párna, vánkos; *take counsel of one's* ~ alszik rá egyet II. *vt* vánkosra letesz, lepihentet
pillow-case/slip *n* párnahuzat
pilot ['paɪlət] I. *a* kísérleti, próba-; ~ *lot* nullszéria; ~ *plant* kísérleti üzem; ~ *scheme* kísérleti eljárás II. *n* 1. kormányos; *(licensed)* ~ révkalauz 2. pilóta; *GB* ~ *officer* ⟨legalacsonyabb tiszti rang a brit légierőben⟩ 3. *átv* kalauz, vezető III. *vt* 1. kormányoz, vezet 2. *(átv is)* kalauzol, irányít
pilotage ['paɪlətɪdʒ] *n* révkalauzolás; ~ *(dues)* révkalauzi díj
pilot-balloon *n* próbaléggömb
pilot-boat *n* rév(kalauz)hajó
pilot-cloth *n* vastag posztó
pilot-engine *n* elölfutó mozdony [pályaellenőrzésre]
pilot-fish *n* kalauzhal
pilot-flame *n* gyújtóláng, őrláng
piloting ['paɪlətɪŋ] *n* kalauzolás
pilot-lamp *n* (áramellenőrző) jelzőlámpa
pilotless ['paɪlətlɪs] *a* pilóta nélküli, távirányítású [repgép stb.]
pilot-light *n* 1. = *pilot-flame* 2. = *pilot-lamp*
pilot-print *n* próbanyomat
pilule ['pɪlju:l] *n* pirula
pimento [pɪ'mentoʊ] *n* spanyol paprika
pimp [pɪmp] *n* kerítő, strici
pimpernel ['pɪmpənel] *n* tikszem, pimpinella
pimple ['pɪmpl] *n* pörsenés, pattanás; kiütés
pimpled ['pɪmpld] *a* pörsenéses, pattanásos, kiütéses
pimply ['pɪmplɪ] *a* = *pimpled*
pin [pɪn] I. *n* 1. tű, gombostű; *be on* ~*s and needles* (1) tűkön ül (2) zsibbad; *not care a* ~ *for sg* mit sem törődik vmvel; *you could have heard a* ~ *drop* még egy légy döngését is hallani lehetett volna 2. *(főleg összet.)* -tű 3. szeg,

szögecs, cövek, pecek 4. (húrfeszítő) kulcs [hegedűn stb.] 5. *biz* pins *pl* láb(ak), mankó(k) II. *vt* -nn- 1. (meg-) tűz 2. odaszegez; megszegez 3. bezár, leszorít; megfog
pin back *vt* hátratűz; *you'll get your ears* ~*ned back* majd hátrakötik a sarkadat !, ezért még szorulsz !
pin down *vt* 1. lezár, leszorít, lerögzít; leszögez *(átv is)* 2. ~ *sy d. to his word* szaván fog vkt
pin on *vt* 1. rátűz; feltűz; kitűz; megtűz 2. hozzáerősít, rászegez; ~ *sg on sy* vkre tol [hibát, felelősséget]; ~ *oneself on sy* vknek nyakába varrja magát
pin together *vt* összetűz [tűvel]
pin up *vt* feltűz, kitűz
pinafore ['pɪnəfɔ:*] *n* (gyermek)kötény; ~ *(dress)* kötényruha
pinball *n* tivoli [játék]
pince-nez ['pænsneɪ] *n* cvikker, orrcsíptető
pincers ['pɪnsəz] *n pl* 1. *(a pair of)* ~*s* csipesz; harapófogó 2. rákolló
pinch [pɪntʃ] I. *n* 1. becsípés; megcsípés 2. csipet(nyi); *a* ~ *of salt* egy csipetnyi só 3. *átv* szorongató helyzet; *at/in a* ~ szükség esetén, ha minden kötél szakad 4. □ lopás II. A. *vi* 1. csíp, szorít; *where the shoe* ~*es* hol szorít a cipő/csizma 2. ~ *and scrape* szűkösen él B. *vt* 1. csíp; be(le)csíp 2. *átv* megszorít; ~ *oneself* megvon magától vmt; *be* ~*ed for money* pénzzavarban szenved 3. □ (el)lop, (el)csen 4. □ elfog, nyakoncsíp [tolvajt stb.]; *get* ~*ed* elkapják
pinchbeck *n* talmi arany
pinched [pɪntʃt] *a* elgyötört [arc]; szűkös [helyzet]
pinch-hit *vi (pt/pp* ~) *US* beugrik [egy szerepbe]; kisegít (vkt)
pinching ['pɪntʃɪŋ] *a* 1. csípős [hideg] 2. zsugori
pincushion ['pɪnkʊʃn] *n* tűpárna
pine[1] [paɪn] *n* fenyő(fa)
pine[2] [paɪn] *vi* 1. ~ *away* emésztődik 2. epekedik; sóvárog *(for* vm után); ~ *to do sg* ég a vágytól, hogy vmt megtehessen

pineal ['pɪnɪəl] a toboz alakú, toboz-
pineapple ['paɪnæpl] n ananász
pine-cone n fenyőtoboz
pine-grove n fenyves
pine-needle n tűlevél [fenyőé]
pine-wood n 1. fenyőfa [faanyag] 2. fe-
nyőerdő
pin-feather n tokos toll
ping [pɪŋ] I. n fütyülés, sivítás [golyóé]
II. vi sivít, fütyül [golyó]
ping-pong ['pɪŋpɔŋ] n asztalitenisz,
pingpong
pin-head n 1. gombostűfej 2. parány,
csipetnyi 3. biz tökfej
pinhole n 1. (tűhegynyi) lyuk 2. pecek-
nyílás, csapnyílás
pining ['paɪnɪŋ] →pine²
pinion¹ ['pɪnjən] I. n 1. szárnytoll 2. átv
szárny II. vt 1. szárnyát megnyesi
[madárnak] 2. lekötöz, megkötöz,
megbilincsel; odaköt (to vmhez)
pinion² ['pɪnjən] n közlőfogaskerék;
fogazott hajtótengely
pink¹ [pɪŋk] I. a 1. rózsaszín(ű) 2. biz
mérsékelten baloldali II. n 1. rózsaszín
2. szegfű 3. the ~ of perfection a meg-
testesült tökéletesség; in the ~ (of
health) majd kicsattan az egészségtől;
biz in the ~ elég/egész jól; □ strike me
~! hihetetlen!
pink² [pɪŋk] n fiatal lazac
pink³ [pɪŋk] vt 1. átszúr, átdöf [karddal]
2. ~ (out) fogaz,(ki)lyuggat, (ki)csipkéz
pink⁴ [pɪŋk] vi kopog [motor]
pinkish ['pɪŋkɪʃ] a rózsaszín(ű), pirosas
pin-money n tűpénz, dugi pénz
pinnace ['pɪnɪs] n naszád
pinnacle ['pɪnəkl] n 1. orom, csúcs 2.
átv tetőpont 3. dísztornyocska
pinnate ['pɪnɪt], pinnated ['pɪneɪtɪd]
a szárnyas(an összetett) [levél]
pinned [pɪnd], pinning ['pɪnɪŋ] → pin II.
pin-point I. a hajszálpontos; ~ bombing
(cél)pontbombázás; ~ target pontcél
II. n tűhegy III. vt hajszálpontosan
eltalál/rögzít/megállapít
pin-prick n átv is túszúrás
pin-stripe n hajszálcsík, krétacsík [szö-
vetmintában]
pint [paɪnt] n pint ⟨űrmérték: GB 0,568
l, US 0,473 l⟩, kb. fél liter

pinta ['paɪntə] n fél liter tej
pin-table n tivoli [játék]
pintle ['pɪntl] 1. ékszeg, rögzítő csap-
szeg, zárószeg 2. kis tű
pin-up n biz falra tűzött női kép
pin-wheel n 1. forgó [színes papírból]
2. turn ~s cigánykereket hány
pioneer [paɪə'nɪə*] I. n 1. (átv is) úttörő,
előharcos, pionír 2. utász II. A. vi út-
törő munkát végez B. vt utat tör/
egyenget
pious ['paɪəs] a jámbor, istenfélő, kegyes
pip¹ [pɪp] n 1. píp [madárbetegség]
2. □ rosszkedv; that gives me the ~
ebből elegem volt, ez betett nekem
pip² [pɪp] n (gyümölcs)mag
pip³ [pɪp] n 1. GB biz csillag [tiszti
rangjelzés] 2. (egy) pont [kártyán stb.]
pip⁴ [pɪp] n ~s sípjel, -szó
pip⁵ [pɪp] vt -pp- GB biz 1. golyót ereszt
vkbe 2. legyőz, lever 3. elvág [vizsgán]
pipe [paɪp] I. n 1. cső, csővezeték 2.
pipa; biz put it in your ~ and smoke it
jól rágd meg, aludj rá egyet II. A. vi
1. sípol; furulyázik, tilinkózik; dudál;
sípjelet ad [hajó]; sipít [ember];
sivít [szél]; dalol [madár] B. vt 1. csö-
vön/csővezetéken át továbbít; ~d
water vízvezetéki víz 2. (hajó)síppal
összehív [legénységet] 3. sípon/furu-
lyán/tilinkón eljátszik [dallamot] 4. ~
one's eyes itatja az egereket 5. zsinór-
ral beszeg, paszpoloz [ruhát]
pipe down vi alább adja, lecsendese-
dik; biz ~ d.! kuss!, pofa be!
pipe up vt/vi rázendít [dalra];
belefog [mondókába]; vékony hangon
megszólal
pipe-clay n 1. pipaagyag, pipatékpor 2.
biz kapcáskodó katonai elöljáró
pipedream n biz vágyálom
pipe-fitter n csőszerelő
pipeful ['paɪpfʊl] n pipáravaló, pipányi
pipe-laying n csőfektetés, csőlerakás
pipe-light n fidibusz
pipeline n csővezeték; biz in the ~ folya-
matban van/levő
piper ['paɪpə*] n sípos, dudás; he who
pays the ~ calls the tune aki fizet, az
petyegtet; pay the ~ vállalja a költsé-
geket, fizeti a cechet

pipe-rack n pipatórium
piping ['paɪpɪŋ] I. a éles, metsző, magas, sipító; ~ *times of peace* boldog békeidő II. *adv* ~ *hot* tűzforró III. n 1. csövek, csővezeték, csövezés 2. sípolás, furulyázás 3. vékony hang; madárének 4. szegélyezés, paszpolozás, paszomány, szegőzsinór 5. díszítés [tortán]
pipkin ['pɪpkɪn] n cseréplábas
pippin ['pɪpɪn] n ranettalma
pipsqueak n □ jelentéktelen alak, mitugrász
piquancy ['pi:kənsɪ] n pikantéria
piquant ['pi:kənt] a pikáns
pique [pi:k] I. n neheztelés, sértődés; *take a* ~ *against sy* megneheztel vkre II. *vt* 1. megsérti vk büszkeségét; *be* ~*d at sg* neheztel vm miatt 2. felkelt [érdeklődést]
piqué ['pi:keɪ; *US* pɪ'keɪ] n piké [anyag]
piquet [pɪ'ket] n pikét [kártyajáték]
piracy ['paɪərəsɪ] n 1. kalózság, kalózkodás 2. szerzői jogbitorlás; szabadalombitorlás, kalózkodás
pirate ['paɪərət] I. n 1. kalóz 2. kalózhajó 3. (irodalmi) kalóz II. A. *vt* 1. kirabol, megrabol 2. kalózkiadásban megjelentet B. *vi* kalózkodik (*átv is*)
piratical [paɪ'rætɪkl] a 1. kalózkodó 2. jogbitorló; ~ *edition* kalózkiadás
pirouette [pɪrʊ'et] I. n perdülés, piruett II. *vi* perdül, piruettezik
piscary ['pɪskərɪ] n halászati jog
piscatorial [pɪskə'tɔ:rɪəl] a halászati, halász-
pish [pɪʃ] I. *int* ugyan!, á!, nem ér semmit! II. *vi* lefitymál
piss [pɪs] *vulg* I. n húgy, vizelet II. *vi/vt* pisál
pissed [pɪst] a □ részeg
pistachio [pɪ'stɑ:ʃɪoʊ] n 1. pisztácia 2. pisztáciazöld [szín]
pistil ['pɪstɪl] n termő [növényé], bibe
pistillate ['pɪstɪlɪt] a termős, bibés, nőivarú [növény]
pistol ['pɪstl] n pisztoly
pistol-grip n pisztolyagy
pistol-shot n pisztolylövés
pistol-whip *vt* -pp- pisztoly agyával ver
piston ['pɪstən] n dugattyú; ~ *valve* dugattyús tolattyú/szelep

piston-rod n dugattyúrúd
pit[1] [pɪt] I. n 1. gödör, üreg; árok; szakadék 2. mélyedés; ~ *of the stomach* gyomorszáj 3. (sír)gödör; *fly the* ~ feladja a harcot 4. tárnalejárat, akna; bánya 5. *GB* földszinti zsöllye [nézőtéren] 6. himlőhely, ragya 7. tőr, csapda; állatfogó verem 8. *US* gabonatőzsde 9. *the* ~ a pokol 10. (*orchestra*) ~ zenekari árok II. *vt* -tt- 1. (el-) vermel 2. himlőhelyessé tesz 3. ~ *sy against sy* szembeállít vkt vkvel, egymás ellen uszít
pit[2] [pɪt] *US* I. n (csonthéjas) mag [gyümölcsé] II. *vt* -tt- kimagoz [gyümölcsöt]
pit-a-pat [pɪtə'pæt] I. *adv* tipegve-topogva; ketyegve; pötyögve II. n tipegés-topogás; ketyegés
pitch[1] [pɪtʃ] I. n szurok; *dark as* ~ szuroksötét, koromsötét II. *vt* bekátrányoz, (be)szurkoz
pitch[2] [pɪtʃ] I. n 1. dobás, hajítás 2. csúcs(pont), tetőfok, magaslat; *to such a* ~ *that* olyan mértékig, hogy; *fly a high* ~ magasan repül 3. hangmagasság 4. lejtősség, lejtés; hajlás(szög); dőlés; tetőhajlás 5. elárusítóhely, bódé, stand [utcai árusé]; *queer sy's* ~ felborítja/meghiúsítja vk terveit 6. bukdácsolás, hányódás [hajóé] 7. fogosztás, osztóköz 8. ⟨krikettpálya középső része⟩ II. A. *vt* 1. (fel)állít, (fel)üt [sátrat, tábort] 2. földbe szúr/ver 3. meghatároz, hangot vmhez mér; ~ *a tune too low* túl alacsonyan kezdi a dallamot 4. dob, hajít [villával] hány [szénát stb.] 5. kövez [utat], kővel bélel 6. □ ~ *a yarn* mesél; □ ~ *it strong* felvág B. *vi* 1. esik, előre bukik [személy, állat] 2. dob [krikettben] 3. ~ (*and toss*) bukdácsol, hányódik [hajó] 4. lejt(ősödik), ereszkedik 5. táborozik
    pitch in *vi biz* nekifog, hozzálát [munkához], rákapcsol
    pitch into *vi/vt biz* 1. bedob 2. nekitámad (vknek), leszid (vkt) 3. = *pitch in*
    pitch out *vt* kidob, kihajít
    pitch (up)on *vi* rátalál/rábukkan vmre/vkre

pitch-and-toss [pɪtʃən'tɔs; US -ɔ:s] n kb. snúrozás

pitch-black a koromfekete, szurokfekete, szuroksötét

pitch-blende n uránszurokérc

pitched [pɪtʃt] a 1. kikövezett 2. ~ battle (1) szabályos ütközet (2) ádáz harc

pitcher[1] ['pɪtʃə*] n korsó, kancsó; little ~ have long ears gyerek füle mindent meghall (amit nem kell)

pitcher[2] ['pɪtʃə*] n dobó (játékos) [baseball-ban]

pitch-faced a durva felületű [terméskő]

pitchfork I. n 1. vasvilla, szénavilla 2. † hangvilla II. vt 1. villával dob, villáz 2. biz benyom [vkt állásba]

pitch-pine n szurokfenyő

pitch-pipe n hang(oló)síp

pitchy ['pɪtʃɪ] a szurkos; koromfekete

piteous ['pɪtɪəs] a szánalmas, siralmas

pitfall n (átv is) csapda, kelepce

pith [pɪθ] n 1. (fa)bél, szárbél; ~ helmet/ hat trópusi sisak 2. belső (fehér) héj [narancsé] 3. † gerincvelő 4. (vm) veleje, gerince, magva 5. energia, (élet-) erő

pit-head n tárnalejárat, aknalejárat; ~ frame aknatorony

pithiness ['pɪθɪnɪs] n tömörség, velősség

pithy ['pɪθɪ] a 1. velős, tömör 2. szárbeles [növény]; fás [kalarábé stb.]

pitiable ['pɪtɪəbl] a 1. szánalomra méltó 2. szánalmas, megvetendő

pitiful ['pɪtɪfʊl] a 1. könyörületes, szánakozó 2. megindító, szánalomra méltó 3. megvetendő, alávaló

pitiless ['pɪtɪlɪs] a könyörtelen, irgalmatlan

pitman ['pɪtmən] n (pl -men -mən) bányász, vájár

pit-prop n bánya(tám)fa

pitsaw n hasítófűrész, hosszfűrész

pit-stall n 1. zenekari ülés 2. földszinti zsöllye

Pitt [pɪt] prop

pittance ['pɪt(ə)ns] n csekély illetmény, éhbér; nyomorúságos alamizsna

pitted ['pɪtɪd] a 1. himlőhelyes, ripacsos 2. kimagozott 3. rozsdafoltos, kimart 4. gödrös, üreges; lyukacsos 5. lepattogzott; ‖ →pit[1] és pit[2] II.

Pittsburg(h) ['pɪtsbə:g] prop

pituitary [pɪ'tjʊɪt(ə)rɪ; US -'tu:-] I. a agyalapi; ~ gland agyalapi mirigy, hipofízis II. n = ~ gland

pity ['pɪtɪ] I. n 1. szánalom, könyörület, irgalom; have/take ~ on sy megkönyörül vkn; feel ~ for sy szán/sajnál vkt; out of ~ for sy könyörületből vk iránt; for ~'s sake! az Isten szerelmére! 2. kár; what a ~! jaj de kár!; the ~ is that ... az a kár, hogy ..., a sajnálatos az, hogy ...; it's a thousand pities ... nagy kár, hogy ...; more's the ~ annál rosszabb/sajnálatosabb II. vt megszán, (meg)sajnál; he is (much) to be pitied szánalomra méltó

pivot ['pɪvət] I. n 1. tengelyvégcsap, forgócsap; ~ lathe csúcseszterga 2. átv sarkalatos pont [érvelésé stb.] II. A. vi ~ on (meg)fordul vmn B. vt 1. forgócsapra szerel; forgócsappal lát el 2. (átv is) be ~ed on sg vm körül forog/ fordul

pivotal ['pɪvətl] a 1. forgó; forgócsapos 2. sarkalatos [kérdés]; kulcs- [pozíció stb.]

pixie ['pɪksɪ] n tündér

pixilated ['pɪksɪleɪtɪd] a US hóbortos, ütődött

pixy ['pɪksɪ] n tündér

pizzle ['pɪzl] n vulg bikacsök

Pl. Place →place I. 4.

placard ['plækɑ:d] I. n plakát, falragasz II. vt [US plə'kɑ:rd] kiplakátoz, hirdet

placate [plə'keɪt; US pleɪ-] vt kiengesztel, kibékít

place [pleɪs] I. n 1. hely, terület; give/ make ~ (1) helyet! (2) helyt ad (vk-nek, vmnek) (3) vm helyébe lép; felvált vmt; take ~ (1) helyet foglal; elfoglalja helyét (2) megtörténik, lefolyik, végbemegy; in his ~ az ő helyében; in ~ of helyett; put sy in his ~ rendreutasít vkt; it is out of ~ (1) nem helyénvaló, nem odaillő (2) időszerűtlen; this is no ~ for you (1) ez nem neked való hely (2) itt nincs semmi keresnivalód; wide open ~ a szabad természet 2. hely(ség); város; ~ of birth születési hely(e); ~ of residence lakhely; all over the ~ (szét-

szórva) mindenütt; *go ~s (and see things)* (sokfelé) utazgat (és megnézi a nevezetességeket) 3. otthon, lakás; ház; *come round to my ~* jöjjön el hozzám, látogasson meg; *no ~ like home* mindenütt jó, de legjobb otthon 4. [helymegjelölésben:] tér 5. megillető hely; rang; *in high ~s* előkelő körökben; *and Oxford of all ~s!* és éppen/pont Oxford!? 6. állás, (hivatali) beosztás, tisztség; hivatás; *win a ~ at the university* felveszik az egyetemre 7. helyezés [versenyen] 8. rész hely, passzus [könyvben, zenében II *vt* 1. (el)helyez, tesz; rendez (vmt); *~ in order* rendbe tesz/rak 2. alkalmaz (vkt) 3. felad, eszközöl [rendelést]; *~ an order* (meg)rendel [árut]; *difficult to ~* nehezen eladható/elhelyezhető [áru] 4. kihelyez [pénzt] 5. rábíz (vmt vkre); *~ sy in command* parancsnokká nevez ki vkt 6. felismer [helyet stb.]; *I can't ~ you* nem tudom hová tegyem [emlékezetemben]; *~ on record* (1) jegyzőkönyvbe vétet (1) előjegyez
place-bet *n* fogadás helyre [lóversenyen]
placebo [plə'si:bou] *n* látszatgyógyszer, placebo
place-hunter *n* álláskereső
place-kick *n* kezdőrúgás, kirúgás
placeless ['pleıslıs] *a* állástalan
placeman ['pleısmən] *n (pl -men -mən)* 1. karrierista, törtető 2. hivatalnok
place-mat *n* tányéralátét, szet
placement ['pleısmənt] *n* 1. elhelyezés, kinevezés 2. állás
place-name *n* hely(ség)név
placenta [plə'sentə] *n (pl ~e -ti:)* méhlepény, placenta
placer ['pleısə*] 1. elhelyező 2. alluviális telep/lelőhely
placid ['plæsıd] békés; higgadt; nyugodt, szelíd
placidity [plæ'sıdətı] *n* higgadtság, nyugodtság, szelídség
placket ['plækıt] *n* 1. bevágott szoknyazseb 2. nyílás, slicc [szoknyán]
plage [plɑ:ʒ] *n* (természetes) strand
plagiarism ['pleıdʒjərızm; *US* -dʒɜ-] *n* plágium; plagizálás

plagiarist ['pleıdʒjərıst; *US* -dʒɜ-] *n* plagizáló, plagizátor, ollózó
plagiarize ['pleıdʒjəraız; *US* -dʒɜ-] *vt* plagizál, ollóz
plagiary ['pleıdʒjərı *US* -dʒɜ-] *n* 1. plágium 2. plagizátor
plague [pleıg] **I.** *n* 1. pestis, dögvész, döghalál 2. (sors)csapás, szerencsétlenség; † *a ~ on you!* a fene egyen meg !; *biz what a ~ this child is!* milyen idegesítő ez a gyerek ! **II.** *vt biz* gyötör, bosszant *(with* vmvel)
plague-spot *n* 1. pestisfolt 2. pestisfészek
plague-stricken *a* pestises, pestis sújtotta
plagu(e)y ['pleıgı] *a biz* bosszantó, kellemetlen
plaice [pleıs] *n* lepényhal
plaid [plæd] *n* skót kockás (szövet)kendő; pléd
plain [pleın] **I.** *a* 1. tisztán látható/hallható/kivehető 2. világos, (köz)érthető; *it is ~* nyilvánvaló; *in ~ English* magyarán; *~ language* nem rejtjelezett [távirat stb.]; *make one's meaning ~* félreérthetetlenül megmondja, hogy mit gondol; *as ~ as day* (v. *as a pikestaff)* világos, mint az egyszeregy 3. egyenes, szókimondó, őszinte; *be ~ with sy* őszinte/nyílt valakivel; *~ dealing* becsületes eljárás; *~ speech* őszinte/nyílt beszéd 4. egyszerű, sima; köznapi; *in ~ clothes* civilben; *~ cooking* polgári konyha, házikoszt 5. nem csinos **II.** *adv* világosan, érthetően **III.** *n* 1. síkság, alföld, lapály 2. sima (szem) [kötésnél]
plain-clothes man *(pl -men)* nyomozó, detektív
plainly ['pleınlı] *adv* 1. világosan; nyilvánvalóan 2. őszintén, kereken 3. egyszerűen
plainness ['pleınnıs] *n* 1. nyíltság; őszinteség 2. egyszerűség
plainsman ['pleınzmən] *n (pl -men -mən)* alföldi ember
plainsong *n* gregorián ének
plain-spoken *a* szókimondó, őszinte, nyílt
plaint [pleınt] *n* 1. panasz, sirám 2. *GB* panasztétel, kereset

plaintiff ['pleɪntɪf] *n* felperes
plaintive ['pleɪntɪv] *a* panaszos, szomorú
plait [plæt; *US* -eɪ-] I. *n* copf, hajfonat
II. *vt* sodor; összefon; befon
plan [plæn] I. *n* 1. terv; *according to* ~ tervszerűen, terv szerint 2. tervrajz; alaprajz; felülnézet; kisléptékű térkép 3. terv(ezet), elgondolás II. *vt* -nn- 1. (meg)tervez; ~*ned economy* tervgazdaság, tervgazdálkodás; ~ *to do sg* szándékában áll vmt tenni, készül vmt tenni 2. vázol, tervrajzot/alaprajzot készít
plane¹ [pleɪn] I. *a* sík, sima II. *n* 1. sík(felület), (sík)lap; ~ *geometry* síkmértan 2. színvonal 3. *biz* (repülő)gép III. *vi* siklórepüléssel száll
plane² [pleɪn] *n* platán(fa)
plane³ [pleɪn] I. *n* gyalu II. *vt* 1. (le)gyalul 2. planíroz, kiegyenget
planet ['plænɪt] *n* bolygó
plane-table *n* mérőasztal, előrajzoló asztal
planetarium [plænɪ'teərɪəm] *n* (*pl* ~s -z v. -ria -rɪə) planetárium
planetary ['plænɪt(ə)rɪ; *US* -erɪ] *a* 1. bolygó- 2. földi, evilági
planet-pinion/wheel *n* (kis) bolygókerék
planish ['plænɪʃ] *vt* simára kalapál
planisphere ['plænɪsfɪə*] *n* síkban ábrázolt gömbfelület
plank [plæŋk] I. *n* 1. széles deszka, palánk, palló 2. elvi platform, programpont [politikai párté] II. *vt* 1. (be-)deszkáz, pallóz 2. *biz* ~ *down* leszúr [pénzt]; ~ *oneself down* leül, letelepszik
plank-bed *n* priccs
planking ['plæŋkɪŋ] *n* 1. padlózat 2. deszkakerítés
planless ['plænlɪs] *a* tervszerűtlen
planned [plænd] →*plan II.*
planner ['plænə*] *n* tervező
planning ['plænɪŋ] *n* (meg)tervezés; tervkészítés; →*plan II.*
plant [plɑːnt; *US* -æ-] I. *n* 1. növény; palánta; ~ *life* növényzet, flóra 2. üzem, gyár(telep) 3. (gépi) felszerelés/berendezés, géppark 4. □ svindli, trükk II. *vt* 1. (el)ültet, vet, palántál; ~ *out* kiültet, pikíroz 2. *átv* elültet,

plántál [eszmét] 3. beüt, bever; üt; ~ *one's fist in sy's face* vkt pofon üt 4. (le)telepít, elhelyez; ~ *oneself in front of sy* odaáll vk elé 5. □ elrejt [lopott holmit stb.] (vknél)
Plantagenet [plæn'tædʒ(ə)nɪt] *prop*
plantain¹ ['plæntɪn; *US* -t(ə)n] *n* útifű, útilapu
plantain² ['plæntɪn; *US* -t(ə)n] *n* pizang
plantation [plæn'teɪʃn] *n* 1. ültetvény 2. gyarmat
plant-eater *n* növényevő
planter ['plɑːntə*; *US* -æ-] *n* 1. ültető (ember); ültetőgép 2. ültetvényes, telepes
plant-louse *n* (*pl* -lice) levéltetű
plaque [plɑːk; *US* -æ-] *n* emléktábla, dísztábla
plaquette [plæ'ket] *n* plakett
plash [plæʃ] I. *n* 1. pocsolya 2. csobbanás II. A. *vt* pacskol [vizet] B. *vi* csobog [víz]; loccsan
plasm ['plæzm] *n* (proto)plazma
plasma ['plæzmə] *n* vérsavó, (vér)plazma
plaster ['plɑːstə*; *US* -æ-] I. *n* 1. vakolat; ~ *(of Paris)* gipsz 2. tapasz, flastrom; *(adhesive)* ~ leukoplaszt, ragtapasz; ~ *(cast)* (1) gipszöntvény (2) gipsz(kötés) [törött végtagra] II. *vt* 1. bevakol, bepucol; ~ *up* (1) begipszel [rést] (2) *(átv is)* rendbe hoz, elsimít 2. betapaszt [flastrommal] 3. beken, megken; vastagon beborít *(with* vmvel)
plastered ['plɑːstəd; *US* -æ-] *a* 1. bevakolt 2. betapasztott 3. *biz* részeg, beszívott
plasterer ['plɑːstərə*; *US* -æ-] *n* vakoló(munkás), fehérmunkás
plaster-work *n* vakolat
plastic ['plæstɪk] I. *a* 1. alakítható, képlékeny, formálható; ~ *art* szobrászművészet, plasztika 2. plasztikai [műtét]; ~ *surgery* plasztikai sebészet II. *n* plasztik, műanyag
plastic-bomb *n* plasztikbomba
plasticine ['plæstɪsiːn] *n* plasztilin, gyurma
plasticity [plæ'stɪsətɪ] *n* formálhatóság, képlékenység
plastics ['plæstɪks] *n pl* 1. műanyagok 2. plasztika(i sebészet)

plate 638 play

plate [pleɪt] I. *n* 1. tányér 2. ezüst(nemű); fémétkészlet, fémtálak; *biz hand on a* ~ (arany) tálcán nyújt (át) vknek 3. lemez, lap [fémből, üvegből] 4. nyomódúc, -lemez, klisé 5. [fényképező] lemez 6. tábla, egészlapos ábra 7. számtábla; névtábla 8. versenydíj, kupa 9. műfogsor (tartólemeze) 10. akkulemez; anód II. *vt* 1. fémlapokkal fed, lemezel 2. nemesfémmel befuttat/bevon, galvanizál 3. klisíroz

plate-armour *n* (hajó)páncél, páncéllemez

plateau ['plætoʊ; *US* plæ'toʊ] (*pl* ~s v. ~x -z) *n* fennsík

plate-basket *n GB* evőeszköztartó (kosár)

plated ['pleɪtɪd] *a* 1. lemez borítású, lemezelt 2. fémmel bevont, galvanizált

plateful ['pleɪtfʊl] *a* tányérnyi, tányérra való

plate-glass *n* táblaüveg, tükörüveg

plate-holder *n* lemezkazetta, -tartó

plate-iron *n* vasbádog, vaslemez

platelayer *n* vasúti pályamunkás

plate-mark *n* fémjelzés

platen ['plæt(ə)n] *n* 1. nyomólemez 2. írógéphenger

plate-powder *n* fémtisztító (por)

plater ['pleɪtə*] *n* 1. galvanizáló (munkás) 2. másodrendű versenyló

plate-rack *n* edényszárító (rács)

plate-tracery *n* áttört kődíszítés

platform ['plætfɔːm] *n* 1. emelvény, dobogó, pódium; *US* ~ *car* pőrekocsi 2. vágány, peron; ~ *ticket* peronjegy; *which* ~ *does the Brighton train leave from?* melyik vágányról indul a brightoni vonat? 3. politikai program, platform

plating ['pleɪtɪŋ] *n* 1. fémmel/lemezzel való burkolás; páncélozás 2. galvanizálás, aranyozás, ezüstözés 3. fémbevonat 4. klisírozás

platinize ['plætɪnaɪz] *vt* platinával bevon

platinum ['plætɪnəm] *n* platina; *biz* ~ *blonde* platinaszőke

platitude ['plætɪtjuːd; *US* -tuːd] *n* közhely, elkoptatott frázis

platitudinize [plætɪ'tjuːdɪnaɪz; *US* -'tuː-] *vi* közhelyeket mond

Plato ['pleɪtoʊ] *prop* Platón

Platonic [plə'tɒnɪk; *US* -'tɑ-] *a* plátói

platoon [plə'tuːn] *n* szakasz [katonai]

platter ['plætə*] *n US* 1. tál 2. *biz* nagylemez

platypus ['plætɪpəs] *n* (*pl* ~es -sɪz) csőrös emlős

plaudits ['plɔːdɪts] *n pl* taps

plausibility [plɔːzə'bɪlətɪ] *n* valószínűség, elfogadhatóság

plausible ['plɔːzəbl] *a* 1. valószínű, elfogadható, elhihető 2. ⟨megejtő modorú, de nem megbízható⟩

play [pleɪ] I. *n* 1. játék; szórakozás; *be at* ~ játszik; *the ball is in* ~ a labda játékban van; *say sg in* ~ tréfából mond vmt; ~ *on words* szójáték 2. (szerencse)játék; *the* ~ *runs high* nagy tétben játszanak 3. (szín)darab; *go to the* ~ színházba megy 4. működés; *bring into* ~ megindít; *come into* ~ működésbe lép; *give free* ~ szabadjára ereszt; *in full* ~ teljes üzemben 5. *átv* játék, gyors váltakozás; ~ *of light* a fény játéka/váltakozása II. **A.** *vi* 1. játszik 2. szerepel [színpadon] **B.** *vt* 1. játszik (vmt); ~ *ball* labdázik; ~ *ball with sy* korrektül együttműködik vkvel, nem labdázik vkvel; ~ *cards* kártyázik; ~ *a card* kijátszik egy kártyát 2. játszik [hangszeren]; ~ *the piano* zongorázik 3. előad, (el)játszik (vmt); ~ *the idiot* megjátssza a hülyét; ~ *a part* szerepet játszik 4. visszedik/bánik vkvel; ~ *sy false* cserbenhagy/becsap vkt; ~ *a joke on sy* megtréfál vkt 5. ráirányít, megcéloz (vmt) [puskával, fecskendővel] 6. (ki)fáraszt [halat]

   play at *vi* játszik (vmt); ~ *at soldiers* katonásdit játszik

   play away *vt* eljátszik/elherdál vmt

   play back *vt* visszajátszik, lejátszik, lehallgat [hangfelvételt]

   play down *vt* csekély jelentőségűnek tüntet fel, háttérbe szorít (vmt)

   play for *vi* 1. játszik (vmért, vmben); ~ *f. money* pénzben játszik

   play into *vi* ~ *i. sy's hands* vk kezére játszik

   play off *vt* 1. ~ *sy o. against sy* vkt

vk ellen kijátszik 2. rossz színben tüntet fel (vkt) 3. újrajátszat [mérkőzést döntetlen után] play on *vi* 1. tovább játszik 2. játszik [hangszeren] 3. kihasznál [hiszékenységet stb.] play out *vt* 1. végigjátszik 2. zeneszóval búcsúztat 3. *biz be ~ed o.* (1) kimerült (2) hasznavehetetlen, idejétmúlt play up A. *vi* 1. minden erejét beleveti a játékba 2. ficánkol, bolondozik 3. ~ *up with sy* „falaz" vknek, összejátszik vkvel 4. ~ *up to sy* (1) alájátszik vknek [színész] (2) *biz* hízeleg vknek B. *vt biz* 1. ~ *up sg* nagy ügyet csinál vmből, túlhangsúlyoz vmt 2. ~ *sy up* bosszant/ugrat vkt; kellemetlenkedik vknek
play upon *vi* = *play on*
play with *vi* (*átv is*) játszik vkvel/vmvel
play-acting *n biz* (*átv is*) színészkedés
play-actor *n* színész, komédiás
play-back *n* visszajátszás, lejátszás [film, magnó]
playbill *n* színlap
play-book *n* szövegkönyv [színdarabé]
playboy *n* ⟨gazdag aranyifjú, aki csak a szórakozással törődik⟩
play-day *n* szünnap
play-debt *n* kártyaadósság
player ['pleɪə*] *n* 1. játékos 2. színész 3. előadó [zeneműé], zenész; ~ *piano* villanyzongora 4. hivatásos sportoló, profi; *gentlemen versus ~s* amatőrök a profik ellen (játszanak)
playfellow *n* = *playmate*
playful ['pleɪfʊl] *a* 1. játékos 2. vidám, bohó, pajkos
playfulness ['pleɪfʊlnɪs] *n* játékosság, enyelgés
playgoer *n* (gyakori) színházlátogató
playground *n* játszótér
playhouse *n* színház
playing ['pleɪɪŋ] *n* 1. játék, játszás 2. színjátszás 3. előadás [zeneműé]
playing-card *n* (játék)kártya
playing-field *n* sportpálya
playlet ['pleɪlɪt] *n* rövid színdarab, egyfelvonásos
playmate *n* játszópajtás, játszótárs

play-off *n* újrajátszott mérkőzés [döntetlen után], újrajátszás
playpen *n* járóka [kisgyereké]
play-room *n US* játszószoba [gyerekeknek]
play-school *n* kb. bölcsőde
play-street *n* játszóutca
playsuit *n* játszóruha [gyerekeknek]
plaything *n* (*átv is*) játékszer
playtime *n* [iskolai] szünet
playwright ['pleɪraɪt] *n* drámaíró
plaza ['plɑːzə] *n* köztér
plea [pliː] *n* 1. kifogás, ellenvetés 2. védekezés, védőbeszéd; *common ~* polgári per 3. kérelem, előterjesztés (*for sg* vm érdekében)
plead [pliːd] (*pt/pp ~ed* 'pliːdɪd; *US* pled [pled] is) A. *vt* 1. képvisel [ügyet bíróság előtt]; *biz ~ sy's cause with sy* vk érdekében közbenjár vknél 2. állít, felhoz (vmt); hivatkozik (vmre); ~ *ignorance* tudatlanságára hivatkozik 3. *biz* mentségül/ürügyként felhoz B. *vi* 1. perbeszédet mond/tart (*for* mellett; *against* ellen) 2. ~ *for sg* esedezik vmért 3. *biz ~ with sy for sy/sg* szót emel vknél vk/vm érdekében; ~ *with sy to do sg* (igyekszik) rávenni vkt vm megtételére ‖ →*guilty*
pleader ['pliːdə*] *n* (védő)ügyvéd
pleading ['pliːdɪŋ] *n* 1. védekezés 2. perbeszéd; védőbeszéd; *biz special ~* elfogult/megtévesztő érvelés 3. közbenjárás (*for* vkért)
pleasance ['pleznz] *n* 1. vidámság, szórakozás 2. mulatókert, díszkert
pleasant ['pleznt] *a* kellemes
pleasantness ['plezntnɪs] *n* kellemesség
pleasantry ['plezntrɪ] *n* 1. vidámság, jókedv 2. tréfás megjegyzés
please [pliːz] A. *vt* 1. örömet okoz/szerez (vknek); *hard to ~* nehéz kedvére tenni; ~ *God!* ha Isten is úgy akarja!; *there's no pleasing him* nem lehet kedvére tenni; ~ *yourself* tégy ahogy jólesik/tetszik 2. *be ~ed with sg* meg van elégedve vmvel; kedvére van vm; ~*d to see/meet you!* örvendek a szerencsének B. *vi* 1. tetszik (vknek); *just as you ~* ahogy akarod; *do as one ~s* úgy tesz, ahogy kedve tartja 2. *if you*

~ tessék!, ha volna szíves, szíves engedelmével; *and now, if you* ~, *he expects me to pay for it* és most, szólj hozzá, azt akarja, hogy fizessek érte; *and in his pocket, if you* ~, *was the letter!* és ha akarod tudni, a zsebében volt a levél 3. *May I?* ~ *do!* Szabad lesz? Hogyne, csak tessék!; ~ *don't forget the key* kérlek ne feledkezzél meg a kulcsról; *coffee for two,* ~ két kávét legyen szíves, két kávét kérek; *Would you like a cup of coffee? (Yes,)* ~ Kér egy csésze kávét? (Igen,) kérek; *come in,* ~ legyen szíves jöjjön be, tessék befáradni ‖ →*pleased*

pleased [pli:zd] *a* (meg)elégedett; *look* ~ elégedettnek látszik ‖ →*please A. 2.*

pleasing ['pli:zɪŋ] *a* kellemes, megnyerő

pleasurable ['pleʒ(ə)rəbl] *a* kellemes, élvezetes

pleasure ['pleʒə*] *n* 1. öröm, gyönyörűség, élvezet; *with* ~*!* szívesen, boldogan, (legnagyobb) örömmel; *take/find* ~ *in sg* kedve telik vmben, örömét leli vmben; *it gives me much* ~... nagy örömömre szolgál...; *I have much* ~ *in informing you* örömmel közlöm/tudatom/jelentem; *we request the* ~ *of your company to dinner* tisztelettel meghívjuk ebédre/vacsorára 2. szórakozás, kedvtelés; ~ *resort* üdülőhely, fürdőhely; ~ *trip* kéjutazás; (hajó)kirándulás 3. gyönyör, kéj; *man of* ~ élvhajhász ember 4. kedv, tetszés, óhaj; *at (his own) pleasure* tetszése szerint, kénye-kedve szerint; *during the King's* ~ életfogytiglan

pleasure-boat *n* kirándulóhajó, sétahajó

pleasure-ground *n* szórakozóhely

pleasure-loving *a* szórakozni/mulatni vágyó

pleasure-seeker *n* szórakozni vágyó

pleat [pli:t] I. *n* 1. ránc, redő 2. berakás, pliszé II. *vt* berak, redőz, pliszíroz

pleb [pleb] *n biz* proli

plebeian [plɪ'bi:ən] I. *a* 1. plebejus, köznépből való 2. alantas, közönséges II. *n* plebejus

plebiscite ['plebɪsɪt; *US* -saɪt] *n* népszavazás

plebs [plebz] *n pl* köznép, plebsz

pled [pled] →*plead*

pledge [pledʒ] I. *n* 1. biztosíték, zálog; *átv* ~ *of good faith* jóhiszeműség bizonyítéka 2. fogadalom, ígéret; *make a* ~ felajánlást tesz 3. áldomás, tószt 4. *US* tagjelölt [klubban stb.] II. *vt* 1. elzálogosít, zálogba ad 2. elkötelez; ~ *one's word* (becsület)szavát adja 3. megígértet, megfogadtat 4. *US* tagjelöltnek felvesz [klubba stb.] 5. (vk) egészségére iszik

pledgee [ple'dʒi:] *n* zálogtartó, zálogos

Pleiad ['plaɪəd] *n (pl* ~s -z v. ~es -di:z) Plejádok, Fiastyúk

plenary ['pli:nərɪ] *a* teljes, összes, plenáris

plenipotentiary [plenɪpə'tenʃ(ə)rɪ; *US* -ʃɪerɪ] I. *a* teljhatalmú; *minister* ~ meghatalmazott miniszter II. *n* meghatalmazott

plenitude ['plenɪtju:d; *US* -tu:d] *n* 1. teljesség 2. bőség

plenteous ['plentjəs] *a* 1. bőséges 2. termékeny

plentiful ['plentɪfʊl] *a* 1. bő, bőséges 2. gazdag; termékeny

plenty ['plentɪ] I. *n* 1. bőség; ~ *(of sg)* sok vmből; (bőven) elég; *we have* ~ *of time* bőven van időnk, rengeteg időnk van; *in* ~ bőven, bőségesen, bőséggel; *there is/are* ~ *(more) (of)* van még sok/bőven (vm); *has* ~ *to go upon* bőven van mindene 2. jólét, gazdagság; *land of* ~ tejjel-mézzel folyó ország II. *adv biz* eléggé; *it is* ~ *large enough* jó/elég nagy

pleonasm ['plɪənæzm] *n* szószaporítás, szóhalmczás

pleonastic [plɪə'næstɪk] *a* szószaporító

plethora ['pleθərə] *n* túltengés

pleura ['plʊərə] *n (pl* ~e -ri:) mellhártya

pleurisy ['plʊərəsɪ] *n* mellhártyagyulladás

plexiglass ['pleksɪ-] *n* plexiüveg

plexus ['pleksəs] *n* 1. góc, szövedék 2. idegközpont 3. *biz* hálózat

pliability [plaɪə'bɪlətɪ] *n* 1. hajlékonyság, rugalmasság 2. *átv* simulékonyság

pliable ['plaɪəbl] *a* 1. hajlítható, hajlékony, rugalmas 2. *átv* simulékony; rugalmas; könnyen befolyásolható; engedékeny

pliant ['plaɪənt] *a* = *pliable*

plied [plaɪd] →*ply²*

pliers ['plaɪəz] *n pl* (lapos)fogó, kombinált fogó

plight¹ [plaɪt] *n* (nehéz) állapot, helyzet

plight² [plaɪt] *vt* 1. megígér, szavát adja; ~*ed word* adott szó 2. eljegyez; ~*ed lovers* jegyesek

Plimsoll ['plɪms(ə)l] *n* ~ *line/mark* Plimsoll-vonal, merülési vonal

plimsolls ['plɪms(ə)lz] *n pl GB* gumitalpú vászoncipő

plinth [plɪnθ] *n* oszloptalp

Pliny ['plɪnɪ] *prop* Plinius

plod [plɒd; *US* -ɑ-] *v* -dd- **A.** *vi* 1. ~ *along* cammog, vánszorog 2. ~ *away* vesződik, küszködik, fáradozik **B.** *vt* ~ *one's way* nehezen boldogul, küszködik

plodder ['plɒdə*; *US* -ɑ-] *n* 1. gürcölő 2. *biz* magoló

plodding ['plɒdɪŋ; *US* -ɑ-] *n* robotolás, gürcölés; →*plod*

plonk [plɒŋk; *US* -ɑ-] *n/v* = *plunk*

plop [plɒp; *US* -ɑ-] **I.** *int* zsupsz, puff **II.** *adv* pottyanva, huppanva **III.** *n* zuppanás **IV.** *vi* -pp- pottyan, huppan

plosive ['pləʊsɪv] *n* zárhang

plot [plɒt; *US* -ɑ-] **I.** *n* 1. földdarab, telek, parcella 2. (titkos) terv; összeesküvés, cselszövés 3. cselekmény, tartalom [regényé, drámáé] 4. tervrajz **II.** *v* -tt- **A.** *vt* 1. tervez, kifőz, kitervel, kieszel 2. térképez 3. (meg-)szerkeszt, ábrázol [görbét stb.]; ~*ted against sg* vm szerint/függvényében ábrázolva **B.** *vi* összeesküszik (*against* vk ellen)

plotter ['plɒtə*; *US* -ɑ-] *n* 1. összeesküvő 2. térképező, térképszerkesztő

plotting ['plɒtɪŋ; *US* -ɑ-] *n* 1. cselszövés, cselszövény; összeesküvés 2. helyszínrajz-készítés, térképezés; terepfelvétel 3. grafikus ábrázolás; ~ *paper* milliméterpapír

plough, *US* **plow** [plaʊ] **I.** *n* 1. eke; *follow the* ~ (1) szánt (2) mint földműves dolgozik; *put one's hand to the* ~ megfogja az eke szarvát, vmlyen vállalkozásba fog 2. szántás, felszántott föld 3. *the P*~ a Göncölszekér **II. A.** *vt* 1. (fel)szánt; ~ *the sands* hiábavaló munkát végez; ~ *a lonely furrow* segítség nélkül dolgozik 2. □ elhúz, elvág [vizsgán] **B.** *vi* szánt **plough back** *vt* 1. beszánt 2. *átv biz* reinvesztál [hasznot]

plough down *vt* alászánt, beszánt

plough in *vt* beszánt [trágyát]

plough through *vt/vi* (erővel) áthatol, átvergődik (vmn)

plough under *vt* 1. alászánt, beszánt 2. □ legyőz és végleg elintéz

plough up *vt* felszánt

plough-beam *n* ekegerendely

plough-boy *n* szántó lovat vezető fiú

plough-handle *n* ekeszarv

plough-horse *n* igásló

ploughing ['plaʊɪŋ] *n* szántás

plough-land *n* 1. szántóföld 2. *GB* † kb. 100—120 acre

ploughman ['plaʊmən] *n* (*pl* -men -mən) szántóvető, földműves

plough-share *n* ekevas

plough-sole *n* eketalp

plough-tail *n* ekeszarv

plover ['plʌvə*] *n* lile [madár]; ~*'s eggs* bíbictojás

plow →*plough*

ploy ['plɔɪ] *n* 1. időtöltés, elfoglaltság 2. huncutság, húzás, trükk

pluck [plʌk] **I.** *n* 1. tépés, rántás 2. zsiger, belsőség [állaté] 3. bátorság, mersz **II. A.** *vt* 1. húz, ránt, (le)tép; ~ *out/up* kitép; ~ *up one's courage* összeszedi a bátorságát, nekibátorodik 2. (meg)kopaszt, meleszt 3. *biz* megbuktat, elvág [vizsgán] 4. □ megrabol, kifoszt, megvág (vkt) **B.** *vi* ~ *at* megránt, rángat

plucky ['plʌkɪ] *a* bátor, merész

plug [plʌg] **I.** *n* 1. dugó 2. (villás)dugó, (csatlakozó)dugasz 3. gyertya [autóé] 4. tűzcsap 5. vízöblítő [vécéé] 6. préselt dohánytömb; bagó 7. □ *US* gebe 8. □ hirdetésszöveg [rádióban, tévében] **II.** *v* -gg- **A.** *vt* 1. ~ (*up*) bedug(aszol), betöm; tömít; ~ *in* bekapcsol [áramot stb.], bedug [csat-

lakozódugót] 2. □ golyót ereszt (vkbe) 3. □ *US* hirdet, reklámoz [árut, eszmét rádióban/tévében] 4. □ behúz (vknek) B. *vi ~ (away) at sg* makacsul/kitartóan dolgozik vmn
plugger ['plʌgə*] *n* dugasz(oló)
plug-hat *n US biz* cilinder
plug-hole *n* kifolyólyuk, -nyílás [fürdőkádé]
plug-ugly *n* □ *US* gengszter
plum [plʌm] *n* 1. szilva(fa) 2. mazsola 3. vmnek a legjava; zsíros állás
plumage ['plu:mɪdʒ] *n* tollazat
plumb [plʌm] I. *a* 1. függőleges 2. igaz 3. *US biz* merő, teljes; *~ nonsense* teljes képtelenség II. *adv* 1. függőlegesen 2. □ teljesen, tisztára, egész(en) 3. *biz* pont(osan) III. *n* 1. függőón; mérőón, mélységmérő ón 2. függőlegesség; *out of ~* nem függőleges IV. A. *vt* 1. mérőónnal mér; mélységet mér 2. *átv* mélyére lát, kivizsgál 3. szerel [vízvezetéket] B. *vi* vízvezetéket szerel
plumbago [plʌm'beɪgoʊ] *n* grafit
plumber ['plʌmə*] *n* víz(vezeték)- és gázszerelő; *~'s friend/helper = plunger 4.*
plumbing ['plʌmɪŋ] *n* 1. víz(vezeték)- és gázszerelés 2. csőhálózat, csővezeték [épületé] 3. ólomművesség
plumb-line *n* függőón/mérőón (zsinórja)
plumb-rule *n* függőónvonalzó
plum-cake *n* ⟨mazsolás süteményfajta⟩
plum-duff *n* mazsolás puding
plume [plu:m] I. *n* 1. toll, tollazat; *borrowed ~s* idegen tollak 2. tollforgó 3. szőrcsomó, hajcsomó II. *vt* 1. tollakkal díszít; *~ itself* tollászkodik [madár] 2. *~ oneself on sg* nagyra van, kérkedik vmvel
plummet ['plʌmɪt] I. *n* 1. = *plumb III. 1.* 2. ólom, nehezék [horgászzsinóron] II. *vi* (egyenesen) (le)zuhan, (le)esik
plummy ['plʌmɪ] *a* 1. szilvás; mazsolás 2. *biz* kívánatos, előnyös 3. *biz* zsíros [hang]
plump¹ [plʌmp] I. *a* kövér(kés), jó húsban levő, telt II. A. *vt* hizlal; puffaszt B. *vi ~ (out, up)* kigömbölyödik, meghízik

plump² [plʌmp] I. *a* egyenes, határozott [tagadás] II. *adv* 1. hirtelen, zsupsz 2. nyíltan, egyenesen; *I told him ~* kereken megmondtam neki III. *n* 1. huppanás, puffanás 2. *biz summer ~* nyári zápor IV. A. *vi* 1. (le)pottyan, (le)zöttyen, lezuhan, zuppan 2. *~ for* a candidate (csak) egy jelöltre szavaz B. *vt* (le)pottyant; *~ sy/sg down* odacsap/odavág vmt
plumpness ['plʌmpnɪs] *n* kövér(kés)ség, teltség
plum-pudding *n* (karácsonyi) mazsolás puding
plum-tree *n* szilvafa
plunder ['plʌndə*] I. *n* 1. fosztogatás, kifosztás, rablás 2. zsákmány, rablott holmi II. A. *vt* zsákmányol, rabol, kifoszt B. *vi* fosztogat
plunderer ['plʌndə(ə)rə*] *n* fosztogató, rabló
plunge [plʌndʒ] I. *n* 1. fejesugrás, vízbemerülés; *take the ~* fejest ugrik vmbe, rászánja magát (vmre) 2. bemerítés II. A. *vt* 1. alámerít; belemárt, belemerít [vmt vmbe] 2. *átv* taszít, dönt; *~ into war* háborúba sodor; *~ into poverty* nyomorba dönt B. *vi* 1. vízbe/fejest ugrik, beleveti magát (*into* vmbe) 2. hirtelen ereszkedik/lejt [út] 3. *~ into the room* beront a szobába 4. megbokrosodik, megugrik [ló] 5. hazardíroz, hazárdjátékot űz, nagyban játszik [szerencsejátékot]
plunger ['plʌndʒə*] *n* 1. búvár 2. *biz* hazardőr 3. búvárdugattyú; szelepszár [gumitömlőben] 4. (gumi)pumpa [lefolyócső tisztítására]
plunk [plʌŋk] I. *n* 1. erős/éles pengetés [húros hangszeré] 2. *US biz* váratlan ütés II. A. *vt* 1. hirtelen lelök, lepotytyant 2. *US biz* váratlanul megüt 3. penget [húros hangszert] B. *vi* 1. lepottyan, zuppan 2. peng
pluperfect [plu:'pə:fɪkt] *a/n* régmúlt (igeidő)
plural ['plʊər(ə)l] I. *a* 1. többszörös; *~ voter* többszörös szavazati joggal rendelkező (személy) 2. többes számú II. *n* többes (szám)
pluralism ['plʊərəlɪzm] *n* 1. pluralizmus

2. álláshalmozás; (egyházi) javadalomhalmozás
pluralistic [pluərə'lıstık] *a* többelvű(séget megengedő)
plurality [pluə'rælətı] *n* 1. többség 2. álláshalmozás; javadalomhalmozás
plus [plʌs] I. *prep* meg, és, plusz, hozzáadva II. *a* 1. több, többlet-, külön, plusz; *on the* ~ *side* (számla) követel oldalán; *for boys 12* ~ *12* éves és idősebb fiúk számára 2. pozitív III. *n* 1. összeadásjel, pluszjel 2. többlet
plus-fours *n pl* golfnadrág
plush [plʌʃ] I. *a biz* osztályon felüli, klassz II. *n* plüss
Plutarch ['plu:ta:k] *prop* Plutarkhosz
plutocracy [plu:'tɔkrəsı; *US* -'ta-] *n* 1. pénzuralom, plutokrácia 2. vagyonos osztály, a gazdagok
plutocrat ['plu:təkræt] *n* pénzes ember, plutokrata
plutocratic [plu:tə'krætık] *a* pénzuralmi, plutokrata
plutonium [plu:'toʊnjəm] *n* plutónium
ply¹ [plaı] *n* 1. hajtás, redőzés, rétegezés 2. fonat, sodrat 3. hajlás, görbület
ply² [plaı] A. *vt* 1. alkalmaz, használ; forgat 2. dolgozik, folytat, űz [foglalkozást]; ~ *a trade* foglalkozást űz 3. ellát, elhalmoz; ~ *sy with food* ellát/elhalmoz vkt élelemmel; ~ *sy with questions* kérdésekkel ostromol/zaklat vkt B. *vi* 1. (rendszeresen) közlekedik; *ships* ~*ing between Europe and South America* Európa és Dél-Amerika között (rendszeresen) közlekedő hajók 2. munkára vár [hordár, taxisofőr stb.]; ~ *for hire* bérfuvarozást bonyolít le [közforgalmi jármű]
Plymouth ['plɪməθ] *prop*
ply-wood *n* furnérlemez
P.M., PM [pi:'em] 1. *Prime Minister* 2. *Provost Marshal*
p.m. [pi:'em] *post meridiem* (= *afternoon*) délután, du.
PMG [pi:em'dʒi:] *Postmaster-General*
pneumatic [nju:'mætık; *US* nu:-] I. *a* sűrített levegővel működő, pneumatikus, lég-, préslég-; ~ *brake* légfék; ~ *dispatch* csőposta; ~ *drill* préslégfúrógép ~ *hammer* préslégkalapács; ~

tyre/tire gumiabroncs, pneumatik II. *n* gumiabroncs, pneu(matik)
pneumonia [nju:'moʊnjə; *US* nu:-] *n* tüdőgyulladás
pneumonic [nju:'mɔnık; *US* nu:'ma-] *a* tüdő-
po [poʊ] *n biz* bili
P.O., [pi:'oʊ] 1. *Petty Officer* 2. *postal order* 3. *post office*
poach¹ [poʊtʃ] *vt/vi* orvvadászik, orvhalászik, oroz, tilosban jár; ~ *on sy's preserve* tilosban/idegenben vadászik/halászik
poach² [poʊtʃ] *vt* buggyant [tojást]; ~*ed egg* buggyantott tojás
poacher ['poʊtʃə*] *n* vadorzó, orvvadász, orvhalász
poaching ['poʊtʃıŋ] *n* orvvadászat, orvhalászat
P.O.B., POB [pi:oʊ'bi:] = *PO Box*
PO Box [pi:oʊ'bɔks; *US* -baks] *Post Office Box* postafiók, pf.
pock [pɔk; *US* -a-] *n* hímlő
pocket ['pɔkıt; *US* -a-] I. *a* zseb-; ~ *battleship* zsebcsatahajó; ~ *dictionary* zsebszótár, kisszótár; ~ *handkerchief* zsebkendő; ~ *sized* zseb- [méretű] II. *n* 1. zseb; *be five shillings in* ~ keresett/nyert 5 shillinget; *be out of* ~ (1) ki van fogyva a pénzből (2) veszített [üzleten]; *biz have sy in one's* ~ hatalmában (v. befolyása alatt) tart vkt; *biz line one's* ~*s* megszedi magát; *put one's hand in one's* ~ (*átv is*) belenyúl a zsebébe; *put one's feelings in one's* ~ elfojtja érzéseit; *biz put one's pride in one's* ~ félreteszi büszkeségét 2. érclencse, zseb [kőzetben] 3. lyuk [biliárdasztalban] 4. (pofa)zacskó 5. teknő(södés), [katonai] katlan III. *vt* 1. zsebre vág/tesz, bezsebel 2. „zsebre vág" [sértést stb.]
pocket-book *n* 1. jegyzetfüzet, notesz 2. pénztárca, levéltárca 3. zsebkönyv
pocket-edition *n* zsebkiadás
pocketful ['pɔkıtful; *US* 'pa-] *n* zsebnyi, zsebrevaló
pocket-knife *n* (*pl* -knives) zsebkés, bicska
pocket-money *n* zsebpénz
pocket-picking *n* zsebtolvajlás

pocket-pistol *n* 1. zsebpisztoly 2. *biz* zsebflaska

pock-mark *n* hímlőhely

pock-marked *a* hímlőhelyes

pod [pɔd; *US* -ɑ-] I. *n* 1. hüvely, tok 2. gubó 3. □ has II. *v* -dd- G. *vt* [borsót, babot] hüvelyez B. *vi* ~ *(up)* dagad, telik [mag]

P.O.D. [pi:ou'di:] *pay on delivery → delivery*

podginess ['pɔdʒɪnɪs; *US* -ɑ-] *n* pocakosság

podgy ['pɔdʒɪ; *US* -ɑ-] *a* kövér, köpcös, zömök, vastag

podiatry [pə'daɪətrɪ] *n* lábápolás

podium ['poʊdɪəm] *n* emelvény, dobogó, pódium

Poe [poʊ] *prop*

poem ['poʊɪm] *n* vers, költemény

poesy ['poʊɪzɪ] *n* † költészet

poet ['poʊɪt] *n* költő

poetaster [poʊɪ'tæstə*] *n* fűzfapoéta

poetess ['poʊɪtɪs] *n* költőnő

poetic(al) [poʊ'etɪk(l)] *a* költői; *poetic justice* költői igazságszolgáltatás; *poetic licence* költői szabadság; *poetical works* költői művek

poetics [poʊ'etɪks] *n* költészettan

poetry ['poʊɪtrɪ] *n* 1. költészet; költemények; *piece of* ~ vers, költemény, költői mű 2. költői(es)ség

po-faced *a* *vulg* seggfejű

pogrom ['pɔgrəm; *US* poʊ'grɑm] *n* pogrom, üldözés [szektáé, fajé]

poignancy ['pɔɪnənsɪ] *n* 1. él, csípősség 2. hevesség [érzelemé]; élesség [fájdalomé]

poignant ['pɔɪnənt] *a* 1. csípős, éles 2. megrendítő, szívszaggató, szívbe markoló

poinsettia [pɔɪn'setɪə] *n* karácsonyi csillag [virág], mikulásvirág

point [pɔɪnt] I. *n* 1. pont; *three* ~ *five* három egész öt tized; ~ *of reference* szintjel, alappont, vonatkozási pont; ~ *of view* szempont, szemszög; *at all* ~*s* minden ponton/tekintetben; *be on the* ~ *of doing sg* (már éppen) azon (a ponton) van, hogy megtegyen vmt 2. pont, kérdés [vitában]; ~ *by/for* ~ pontról pontra; *in* ~ *of sg* vmre nézve, vm tekintetében; *in* ~ *of fact*

valójában, tulajdonképpen; *on this* ~ ebben a kérdésben; *carry one's* ~ érvényesíti akaratát/elgondolását; *make one's* ~ jól érvel; *make a* ~ *of (doing sg)* elvi kérdést csinál vmből, súlyt helyez vmre 3. *the* ~ a lényeg/ kérdés; *that's the* ~*!* ez itt a lényeg!; *I can't see the* ~ *of it* nem látom értelmét; *what is the* ~ *of sg?* mi értelme van (ennek)?; *no* ~ *about it* nincs értelme; *(wander) off/away from the* ~ eltér/elkalandozik a tárgytól; *beside the* ~, *'not to the* '~ nem tartozik a tárgyhoz; *come to the* ~ rátér a tárgyra; *miss the* ~ nem érti meg a lényeget, nem kapcsol 4. pont, (jellem)vonás; *his weak* ~ a gyenge oldala/pontja; *have one's good* ~*s* megvannak a jó oldalai 5. pont(eredmény), pontérték [vizsgaeredménynél, sportban]; *win by* ~*s* pontozással győz 6. pont, egység; *the shares rose 5* ~*s yesterday* tegnap 5 ponttal emelkedtek a részvények [a tőzsdén]; ~ *goods* jegyes áru; *be off* ~*s* szabadon vásárolható 7. pont [nyomdai betűnagyság egysége] 8. él, csattanó, poén [tréfáé] 9.*GB* fali csatlakozó, konnektor 10. *points pl* kitérővágány; váltó II. A. *vt* 1. hegyez [ceruzát stb.] 2. (meg)mutat, kimutat; ~ *a moral* az erkölcsi tanulságot aláhúzza; ~ *out sg to sy* rámutat vmre vk előtt, vknek vmt kimutat; *let me* ~ *out that* . . . hadd hívjam fel a figyelmüket arra, hogy 3. irányít; ~ *a gun* puskát ráfog (vmre), megcéloz (vmt) 4. = *punctuate 1.* 5. kihézagol [falat], fugáz B. *vi* 1. mutat [óra, iránytű]; ~ *at* ujjal mutat (vmre) 2. állja a /adat [kutya]

point-blank I. *a* 1. közvetlen közelből leadott [lövés] 2. egyenes, közvetlen, félreérthetetlen II. *adv* 1. közvetlen lőtávolságban 2. egyenesen, félreérthetetlenül, kereken

point-duty *n* őrszolgálat; *policeman/ constable on* ~ őrszemes rendőr, rendőrőrszem

pointed ['pɔɪntɪd] *a* 1. hegyes, éles; csúcsos; ~ *arch* csúcsív 2. félreérthetetlen, nyílt [célzás]; tömör, velős

pointedly ['pɔɪntɪdlɪ] adv 1. csípősen; nyomatékkal 2. félreérthetetlenül
pointedness ['pɔɪntɪdnɪs] n csípősség; félreérthetetlenség [megjegyzésé]
pointer ['pɔɪntə*] n 1. mutató, mérlegnyelv, index 2. biz figyelmeztetés, jótanács 3. (vadász)vizsla
point-lace n tűcsipke, horgolt/velencei csipke
pointless ['pɔɪntlɪs] a 1. ponteredmény nélküli [mérkőzés] 2. céltalan, értelmetlen; eredménytelen
pointsman ['pɔɪntsmən] n (pl -men -mən) 1. váltóőr, -kezelő 2. őrszemes rendőr, rendőrőrszem
point-to-point I. a helyközi II. n tereplovaglás, -futás
poise [pɔɪz] I. n 1. egyensúly 2. nyugalom, higgadtság; man of ~ kiegyensúlyozott ember 3. tartás [testé, fejé] II. A. vt (ki)egyensúlyoz, egyensúlyba hoz B. vi (egy helyben) lebeg [madár]
poison ['pɔɪzn] I. n méreg II. vt megmérgez; ~ sy's mind megmételyezi vk lelkét; ~ed wound elmérgesedett seb
poisoner ['pɔɪznə*] n méregkeverő
poison-gas n mérgesgáz, harcgáz
poison-gland n méregmirigy
poisoning ['pɔɪznɪŋ] n (meg)mérgezés
poison-ivy n mérges szömörce
poisonous ['pɔɪznəs] a 1. mérges, mérgező 2. átv mérgező, ártalmas
poison-pen letter névtelen levél
poke¹ [poʊk] I. n lökés, döfés II. vt/vi döf, lök(dös), taszigál, piszkál; ~ the fire megpiszkálja a tüzet; ~ one's head előredugja a fejét; ~ one's nose into sg beleüti az orrát vmbe; ~ about for sg vmt tapogatózva keresgél
poke² [poʊk] n zsák
poker¹ ['poʊkə*] n piszkavas
poker² ['poʊkə*] n póker [kártyajáték]
poker-face n biz pléhpofa
poker-work n beégetés [bőrbe, fába]
poke-weed n alkörmös
pok(e)y ['poʊkɪ] a szegényes; dohos; vacak
Poland ['poʊlənd] prop Lengyelország
polar ['poʊlə*] a 1. sarki, poláris, sark-; ~ bear jegesmedve; ~ circle

sarkkör; ~ lights északi/sarki fény 2. (homlokegyenest) ellenkező
polarity [pə'lærətɪ] n polaritás, ellentettség
polarization [poʊləraɪ'zeɪʃn; US -rɪ'z-] n sarkítás, polarizáció, polarizál(ód)ás
polarize ['poʊləraɪz] vt 1. sarkít, polároz 2. átv kiélez [ellentéteket stb.]
pole¹ [poʊl] n 1. rúd, pózna; árboc; □ be up the ~ (1) dilis, bolond (2) pácban van; under bare ~s leereszett/levont vitorlákkal 2. mérőrúd ⟨mint hosszmérték: 5,03 méter⟩
pole² [poʊl] n 1. sark(pont); be ~s apart/asunder poláris ellentétek; ég és föld (távolságra egymástól) 2. sarok, pólus; positive ~ pozitív pólus; anód; negative ~ negatív pólus; katód
Pole³ [poʊl] n lengyel (ember)
pole-ax(e) I. n 1. csatabárd 2. mészárosbárd 3. csáklya [tengerészé] II. vt letaglóz
polecat n GB görény
pole-horse n rudas (ló)
polemic [pɔ'lemɪk] I. a vitatkozó, vitázó, polemikus II. n (irodalmi) vita, tollharc, polémia
polemics [pɔ'lemɪks] n 1. (hit)vita, polémia, polemizálás 2. vitairodalom
pole-star n sarkcsillag
pole-vault(ing) n rúdugrás
police [pɔ'li:s] I. n 1. rendőrség; the ~ are standing by a rendőrség készenlétben áll; ~ commissioner rendőrfelügyelő; ~ constable (köz)rendőr; ~ force rendőrség, karhatalom; ~ intelligence rendőri hírek; ~ state rendőrállam; ~ superintendent rendőrkapitány 2. = policeman II. vt fenntartja/ biztosítja a rendet [országban]
police-court n rendőrbíróság
police-magistrate n rendőrbíró
policeman [pɔ'li:smən] n (pl -men -mən) (köz)rendőr
police-office n rendőrkapitányság
police-officer n (köz)rendőr
police-station n (rendőr)őrszoba, rendőrőrs
police-van n rabszállító kocsi
policewoman n (pl -women) női rendőr, rendőrnő

policy[1] ['pɔləsı; *US* 'pɑ-] *n* **1.** politika, államvezetés; irányvonal; (vezér)elv; cél(kitűzés); *adopt a* ~ álláspontot kialakít **2.** politika, előrelátás [ügyek intézésében], eljárás(mód)

policy[2] ['pɔləsı; *US* 'pɑ-] *n* biztosítási kötvény; *take out a* ~ biztosítást köt

policy-holder *n* biztosítási kötvény birtokosa, biztosított (személy)

polio ['poʊıoʊ] *n* = *poliomyelitis*

poliomyelitis [poʊlıəmaıə'laıtıs] *n* gyermekbénulás, -paralízis

polish[1] ['pɔlıʃ; *US* -ɑ-] I. *n* **1.** fény, ragyogás; fényezés, fénymáz **2.** fényezőanyag, fénymáz, fényesítő **3.** csiszoltság, jó modor **II. A.** *vt* **1.** (ki-) fényesít; (ki)tisztít; fényez; políroz; ~ *up* (1) kifényesít (2) felfrissít [nyelvtudást] **2.** ~ *off* (1) befejez, összecsap [munkát] (2) elpucol [ételt] **3.** *átv* (ki)csiszol, kifinomít **B.** *vi this wood won't* ~ ezt a fát nem lehet fényezni

Polish[2] ['poʊlıʃ] *a/n* lengyel (ember, nyelv)

polished ['pɔlıʃt; *US* -ɑ-] *a* **1.** csiszolt, fényes; fényezett **2.** csiszolt; választékos

polisher ['pɔlıʃə*; *US* -ɑ-] *n* csiszoló, fényező

politburo ['pɔlıtbjʊəroʊ; *US* pə'lıt-] *n* politikai bizottság [kommunista párté]

polite [pə'laıt] *a* **1.** udvarias, előzékeny **2.** művelt; finom; ~ *learning/letters* szépirodalom; ~ *society* (1) a művelt emberek társasága (2) az előkelő világ

politeness [pə'laıtnıs] *n* udvariasság

politic ['pɔlıtık; 'pɑ-] *a* **1.** ügyes, okos; furfangos **2.** körültekintő, politikus [ember, viselkedés]

political [pə'lıtıkl] *a* politikai; ~ *economy* politikai gazdaságtan, közgazdaságtan; ~ *science* államtudomány

politician [pɔlı'tıʃn; *US* pɑ-] *n* politikus

politics ['pɔlıtıks; *US* 'pɑ-] **1.** *n* politika; *party* ~ pártpolitika; *go into* ~ politikai pályára megy **2.** *n pl* politikai meggyőződése/elvei (vknek)

polity ['pɔlətı; *US* 'pɑ-] *n* **1.** államigazgatás **2.** (állam)közösség

polka ['pɔlkə] *n* polka

polka-dot *a* babos, pettyes [minta]

poll[1] [poʊl] **I.** *n* **1.** † fej(tető) **2.** választói névjegyzék **3.** szavazás **4.** szavazatszámlálás **5.** szavazat; *heavy* ~ nagyszámú szavazat **6.** szavazóhelyiség; *go to the* ~*s* szavaz, urnához járul **7.** (*opinion*) ~ közvéleménykutatás **II. A.** *vt* **1.** levág [hajat, szarvat, fa tetejét] **2.** leszavaz(tat) **3.** elnyer, kap [szavazatot jelölt] **B.** *vi* (le)szavaz

poll[2] [pɔl; *US* -ɑ-] *n* ~ (*parrot*) papagáj

Poll[3] [pɔl; *US* -ɑ-] *prop* Mari(ska)

pollard ['pɔləd; *US* 'pɑ-] **I.** *n* **1.** megnyesett fa; ~ *willow* visszanyesett fűzfa **2.** szarvatlan állat **II.** *vt* legallyaz, megnyes, visszanyes [fát]

polled [poʊld] *a* szarvatlan, szarv nélküli; levágott szarvú

pollen ['pɔlən; *US* -ɑ-] *n* virágpor, hímpor

pollinate ['pɔləneıt; *US* 'pɑ-] *vt* beporoz [növényt]

pollination [pɔlı'neıʃn; *US* pɑ-] *n* beporzás, megtermékenyítés [virágé]

polling ['poʊlıŋ] *n* szavazás, választás; ~ *booth* szavazófülke; ~ *place/station* szavazóhely(iség)

pollster ['poʊlstə*] *n US* közvéleménykutató

poll-tax *n* † fejadó

pollutant [pə'lu:t(ə)nt] *n* (természeti környezetet) szennyező anyag/hatás

pollute [pə'lu:t] *vt* **1.** (be)szennyez, megfertőz [vizet, levegőt] **2.** bemocskol, (be)szennyez, megszentségtelenít **3.** megront, megfertőz [erkölcsileg]

polluted [pə'lu:tıd] *a* szennyezett [levegő, víz stb.]

pollution [pə'lu:ʃn] *n* (be)szennyezés; szennyeződés; *air* ~ levegőszennyezés, -szennyeződés, szennyezett levegő

Polly ['pɔlı; *US* -ɑ-] *prop* Mariska

pollywog ['pɔlıwɔg; *US* -ɑ- -ɑ-] *n* ebihal

polo ['poʊloʊ] *n* (lovas)póló

polo-neck *n* garbónyak

Polonius [pə'loʊnjəs] *prop*

polony [pə'loʊnı] *n* kb. szafaládé

polo-shirt *n* pólóing

polo-stick *n* pólóütő

poltroon [pɔl'tru:n; *US* pɑl-] *n* gyáva ember

poly ['pɔlı; US -a-] n biz = poly-technic II.

poly- [pɔlı-; US -a-] pref sok-, több-, poli-

polyandrous [pɔlı'ændrəs; US pa-] a 1. sokférjű, többférjű 2. sok porzós [növény]

polyandry ['pɔlıændrı; US 'pa-] n sokférjűség, többférjűség

polybasic [pɔlı'beısık; US pa-] a több-bázisú

polychromatic a sokszínű, több színű

polyester [pɔlı'estə*; US pa-] n poliészter

polyethylene [pɔlı'eθıli:n; US pa-] n polietilén

polygamist [pə'lıgəmıst] n több nejű ember

polygamous [pə'lıgəməs] a több nejű

polygamy [pə'lıgəmı] n többnejűség, poligámia

polyglot ['pɔlıglɔt; US -a- -a-] I. a soknyelvű, több nyelvű II. n több nyelvű könyv

polygon ['pɔlıgən; US -a- -a-] n sokszög, poligon

polygonal [pɔ'lıgənl] a sokszögű, poligonális

polygonum [pə'lıgənəm] n keserűfű

polyhedral [pɔlı'hedrl; US palı'hi:dr(ə)l] a soklapú

polyhedron [pɔlı'hedr(ə)n; US palı'hi:-] n soklap(ú test), poliéder

polymath ['pɔlımæθ; US 'pa-] n poli-hisztor

polymer ['pɔlımə*; US 'pa-] n polimer

polymeric [pɔlı'merık; US pa-] a polimer(ikus)

polymorphic [pɔlı'mɔ:fık; US pa-] a sokalakú, sokoldalú, polimorf

polymorphous [pɔlı'mɔ:fəs; US pa-] a = polymorphic

Polynesia [pɔlı'ni:zjə; US palə'ni:ʒə v. -ʃə] prop Polinézia

Polynesian [pɔlı'ni:zjən; US palə'ni:-ʒən v. -ʃən] a/n polinéziai

polynomial [pɔlı'noumjəl; US palə-] a több tagú II. n több tagú (algebrai) kifejezés, polinom

polyp ['pɔlıp; US -a-] n tintahal, polip

polyphonic [pɔlı'fɔnık; US -a- -a-] a több szólamú, polifón

polyphony [pə'lıfənı] n többszólamú-ság, polifónia

polypody ['pɔlıpədı; US 'pa-] n páfrány

polypus ['pɔlıpəs; US 'pa-] n (pl ~es -sız v. -pi -paı) polip, kocsányos da-ganat

polysemantic [pɔlısı'mæntık; US pa-] a több jelentésű

polystyrene [pɔlı'staıri:n; US pa-] n polisztirol

polysyllabic [pɔlısı'læbık; US pa-] a több (szó)tagú

polysyllable ['pɔlısıləbl; US 'pa-] n több (szó)tagú szó

polytechnic [pɔlı'teknık; US pa-] I. a műszaki II. n műszaki főiskola/egyetem

polytheism ['pɔlıθi:ızm; US 'pa-] n többistenhit, politeizmus

polytheistic [pɔlıθi:'ıstık; US pa-] a politeista

polythene ['pɔlıθi:n; US 'pa-] n polietilén

polyurethane [pɔlı'juərıθeın; US pa-] n poliuretán

pom [pɔm; US -a-] n spicc [kutya]

pomace ['pʌmıs] n 1. almatörköly 2. halolajpogácsa

pomade [pə'mɑ:d; US -'meıd] I. n haj-kenőcs, pomádé II. vt bepomádéz

pomegranate ['pɔmıgrænıt; US 'pam-grænıt] n gránátalma

Pomeranian [pɔmə'reınjən; US pa-] a/n pomerániai; ~ dog spicc [kutya]

pommel ['pʌml] I. n 1. kardgomb 2. nyeregkápagomb II. vt -ll- (US -l-) püföl, ököllel ver

pommy ['pɔmı; US -a-] n biz angol (bevándorló) [Ausztráliában]

pomology [pə'mɔlədʒı; US -'ma-] n gyümölcstermesztés(tan), pomológia

pomp [pɔmp; US -a-] n pompa, fény

Pompeii [pɔm'peıi:] prop Pompeji

Pompey ['pɔmpı] prop Pompeius

pomposity [pɔm'pɔsətı; US -a- -a-] n = pompousness

pompous ['pɔmpəs; US -a-] a 1. nagy-képű 2. dagályos, fellengzős

pompousness ['pɔmpəsnıs; US -a-] n 1. nagyképűség 2. dagályosság

ponce [pɔns; US -a-] n GB □ strici, selyemfiú; kerítő

poncho ['pɔntʃoʊ; US 'pɑ-] n poncsó
pond [pɔnd; US -ɑ-] n kis (mesterséges)
tó
ponder ['pɔndə*; US -ɑ-] A. vt latolgat,
mérlegel [kérdést] B. vi (el)tűnődik,
(el)mereng (over/on vmn)
ponderable ['pɔnd(ə)rəbl; US -ɑ-] a
1. mérhető 2. mérlegelhető
ponderous ['pɔnd(ə)rəs; US -ɑ-] a 1.
súlyos, nehéz 2. nehézkes, esetlen
pone [poʊn] n US kukoricamálé, prósza
poniard ['pɔnjəd; US -ɑ-] n gyilok, tőr
Pontic ['pɔntɪk; US -ɑ-] a † fekete-
-tengeri
pontiff ['pɔntɪf; US -ɑ-] n 1. † főpap,
püspök 2. pápa
pontifical [pɔn'tɪfɪkl; US pɑn-] I. a
1. főpapi 2. pápai 3. méltóságteljes
II. n 1. ~s főpapi ornátus 2. szer-
tartáskönyv
pontificate I. n [pɔn'tɪfɪkɪt; US pɑn-]
főpapi méltóság II. vi [pɔn'tɪfɪkeɪt;
US pɑn-] 1. főpapi misét pontifikál
2. biz nagyképűsködik
Pontius ['pɔntjəs; US 'pɑntʃəs] prop
Poncius
pontoon¹ [pɔn'tuːn; US pɑn-] n 1.
ponton, hídtag 2. keszon
pontoon² [pɔn'tuːn; US pɑn-] n huszon-
egyes [kártyajáték]
pontoon-bridge n hajóhíd, pontonhíd
pontoon-corps n pontonos alakulat
pony ['poʊnɪ] n 1. póni(ló) 2. kis tola-
tómozdony 3. GB □ 25 font (ster-
ling) 4. US □ puska [iskolai]
pony-skin n csikóbunda
pony-tail n lófarokfrizura
poodle ['puːdl] n uszkár
pooh [puː] int ugyan!, csak ennyi?
pooh-bah [puː'bɑː] n GB biz 1. állás-
halmozó 2. nagyképű személy
pooh-pooh [puː'puː] vt lefitymál
pool¹ [puːl] n 1. tó, tavacska, folyó
széles és mély része; the P~ (of Lon-
don) a Temze teherkikötője [London-
ban] 2. tócsa, pocsolya; ~ of blood
vértócsa
pool² [puːl] I. n 1. össztét; (szerencse-
játék-)fogadás; the ~s totó 2. közös
alap/készlet 3. közös állomány; motor
~ gépkocsipark 4. érdekszövetség;

„pool" 5. US ⟨biliárdjáték egy faj-
tája⟩ II. A. vt 1. összegyűjt [közös
alapba]; összead, összedob [pénzt]
2. érdekszövetségbe tömörít B. vi
erőiket egyesítik
pool-room n US játékterem, biliárd-
terem
poop¹ [puːp] I. n hajófar, tat II. vt 1.
hajófaron átcsap [hullám] 3. hátulról
lök/felszáll
poop² [puːp] vi vulg fingik
poor [pʊə*] I. a 1. szegény, szerencsét-
len; ~ law szegényügyi törvény;
~ thing szegényke; US ~ white fehér
agrárproletár; ~ you! na te szegény!
2. gyenge, rossz (minőségű), silány;
have a ~ opinion of sy nem jó véle-
ménnyel van vkről; ~ stuff gyenge
dolog, gyengus II. n the ~ a szegények
poor-box n persely [szegényeknek]
poor-house n szegényház
poorish ['pʊərɪʃ] a 1. szegényes 2. gyen-
ge (minőségű), gyengus
poorly ['pʊəlɪ] I. a be/feel ~ gyengén/
rosszul érzi magát II. adv 1. gyengén,
rosszul 2. szegény(es)en; be ~ off
rossz anyagi körülmények között
van/él; think ~ of sy nincs nagy véle-
ménye vkről
poorness ['pʊənɪs] n 1. szegénység 2.
silányság
poor-rate n ínségadó
poor-relief n szegénygondozás
poor-spirited a félénk, bátortalan
pop¹ [pɔp; US -ɑ-] I. adv hirtelen, várat-
lanul II. inf puff, pukk; go ~ (1)
pukkan (2) tönkremegy; meghal III.
n 1. pukkanás, durranás 2. szénsa-
vas ital 3. □ lövés 4. □ zálog; be
in ~ zaciban van 5. próbálkozás;
have/take a ~ at sg megpróbál vmt
IV. -pp- A. vi pukkan B. vt 1. elsüt
[fegyvert]; biz ~ the question megkéri
a kezét [nőnek] 2. gyorsan/hirtelen
megy/dug/tesz 3. □ zálogba/zaciba
csap 4. US ~ (corn) pattogtat (kuko-
ricát)

pop at vi rálő

pop in A. vi bekukkant, betoppan,
benéz (vkhez, vhová) B. vt bedug
pop into A. vt ~ sg i. sg (gyorsan)

betesz/bedug vmt vmbe/vhová **B.**
vi ~ *i.* bed gyorsan bebújik az ágyba
pop off *vi biz* **1.** elsül [fegyver] **2.**
2. elszalad, elkotródik **3.** kinyiffan
pop out *vi biz* **1.** hirtelen kiszalad;
his eyes were ~*ping o.* of *his head*
majd kiugrott a szeme **2.** = *pop off 3.*
pop over *vi biz* ~ *o. to sy* átszalad/
bekukkant vkhez
pop round *vi* ~ *r. to the grocer*
átszalad a fűszereshez
pop up *vi* felbukkan
pop² [pɔp; *US* -a-] *biz a* népszerű, pop-
[énekes stb.]; ~ *art* popművészet;
~ *festival* popfesztivál; ~ *music* pop-
zene
pop³ [pɔp; *US* -a-] *n US biz* papa, fater
popcorn *n* pattogatott kukorica
pope [poʊp] *n* **1.** pápa; pópa **2.** ~*'s
head* hosszúnyelű kefe [mennyezet
tisztítására]; ~*'s nose* püspökfalat
popedom ['poʊpdəm] *n* pápaság
popery ['poʊpərɪ] *n* pápistaság
pop-eyed *a US biz* kidülledt szemű
pop-gun *n* játékpuska
popinjay ['pɔpɪndʒəɪ; *US* 'pɑ-] *n* **1.**
† papagáj **2.** üresfejű léha fiatalember,
piperkőc
popish ['poʊpʃ] *a* pápista
poplar ['pɔplə*; *US* -a-] *n* nyár(fa)
poplin ['pɔplɪn; *US* -a-] *n* puplin
poppa ['pɔpə; *US* -a-] *n US biz* papa
popped [pɔpt; *US* -a-] →*pop¹ IV.*
poppet ['pɔprɪt; *US* -a-] *n* baba, babuska
popping ['pɔpɪŋ; *US* -a-] →*pop¹ IV.*
popple ['pɔpl; *US* -a-] *vi* **1.** buzog;
fodrozódik [víz] **2.** lebeg, ringatózik
[hullámzó vizen]
poppy ['pɔpɪ; *US* -a-] *n* **1.** pipacs **2.**
mák
poppycock *n* □ üres beszéd, duma, sza-
márság
poppy-head *n* mákgubó
poppy-seed *n* mákszem; ~ *cake* mákos
kalács
pop-shop *n* □ zálogház, zaci
populace ['pɔpjʊləs; *US* 'pɑ-] *n the*
~ a lakosság, a (nép)tömeg; a köznép
popular ['pɔpjʊlə*; *US* 'pɑ-] *a* **1.** népi-
(es), nép-; ~*front* népfront **2.** népszerű;
közkedvelt; *he is* ~ *with his men*

alárendeltjei szeretik, népszerűségnek
örvend emberei körében; ~ *error*
köztudatba begyökerezett téveszme
3. népszerű, könnyen érthető; ~
edition népszerű/olcsó kiadás [köny-
vé]
popularity [pɔpjʊ'lærətɪ; *US* pɑpjə-] *n*
1. népszerűség **2.** népiesség
popularization [pɔpjʊlərɑɪ'zeɪʃn; *US*
pɑpjələrɪ'z-] *n* népszerűsítés
popularize ['pɔpjʊlərɑɪz; *US* 'pɑpjə-]
vt népszerűsít
populate ['pɔpjʊleɪt; *US* 'pɑpjə-] *vt*
benépesít; *densely* ~*d* sűrűn lakott
population [pɔpjʊ'leɪʃn; *US* pɑpjə-] *n*
1. lakosság, népesség; ~ *explosion*
demográfiai robbanás; ~ *statistics* né-
pességi/népesedési statisztika; *fall in*
~ a lakosság számának csökkenése
2. benépesítés
populist ['pɔpjʊlɪst; *US* 'pɔpjə-] *n*
amerikai néppárti
populous ['pɔpjʊləs; *US* 'pɑpjə-] *a* né-
pes; sűrűn lakott
porcelain ['pɔ:s(ə)lɪn] *n* porcelán
porcelain-clay *n* kaolin
porch [pɔ:tʃ] *n* **1.** előcsarnok **2.** *US*
tornác, veranda
porcine ['pɔ:saɪn] *a* disznó(szerű)
porcupine ['pɔ:kjʊpaɪn] *n* (tarajos) sül
pore¹ [pɔ:*] *n* pórus, likacs
pore² [pɔ:*] *vi* ~ *over sg* vmre figyelmét
összpontosítja, elmélyül vmben; ~
over a book elmélyülten hajol a könyv
fölé
Porgy ['pɔ:gɪ] *prop*
pork [pɔ:k] *n* disznóhús, sertéshús;
~ *chop* sertéskaraj, -szelet
pork-barrel *n US biz* állami anyagi
támogatás [politikai célzattal]
pork-butcher *n* hentes
porker ['pɔ:kə*] *n* hízott disznó, hízó
porkling ['pɔ:klɪŋ] *n* malac
pork-pie *n* ⟨tésztába sütött vagdalt
disznóhús hidegen⟩, húsos pite; ~
hat lapos kerek nemezkalap
porky ['pɔ:kɪ] *a* **1.** disznószerű **2.** *biz*
túl kövér
porn [pɔ:n] *n biz* pornó
pornographic [pɔ:nə'græfɪk] *a* pornog-
ráf, szeméremsértő

pornography [pɔ:'nɔrəfɪ; *US* -'na-] *n* pornográfia, trágár irodalom/könyv/ stb.

porosity [pɔ:'rɔsətɪ; *US* -'ra-] *n* lyukacsosság, porozitás

porous ['pɔ:rəs] *a* likacsos, lyukacsos, szivacsos, porózus

porousness ['pɔ:rəsnɪs] *n* = *porosity*

porphyry ['pɔ:fɪrɪ] *n* porfír

porpoise ['pɔ:pəs] *n* delfin

porridge ['pɔrɪdʒ; *US* 'pa-] *n* zabkása

porringer ['pɔrɪndʒə*; *US* 'pa-] tálka [zabkásának stb.]

port¹ [pɔ:t] *n* **1.** kikötő, rév; ~ *of call* (menetrendszerű) kikötő; pihenőkikötő; *naval* ~ hadikikötő; ~ *charges* kikötői illeték; *put into* ~ befut a kikötőbe; *biz any* ~ *in storm* szükség törvényt bont **2.** kikötőváros

port² [pɔ:t] *n* **1.** kapu **2.** (raktár)nyílás **3.** hajóablak

port³ [pɔ:t] **I.** *n* † viselkedés(mód) **II.** *vt* ~ *arms!* puskát vizsgára!

port⁴ [pɔ:t] **I.** *n* bal oldal [hajóé]; *put the helm to* ~ balra fordítja a kormányt **II. A.** *vt* ~ *the helm* balra fordítja a kormányt **B.** *vi* balra fordul [hajó]

port⁵ [pɔ:t] *n* (o)portói/vörös bor

portability [pɔ:tə'bɪlətɪ] *n* szállíthatóság

portable ['pɔ:təbl] *a* hordozható, szállítható; ~ *radio* táskarádió; ~ *railway* ideiglenes tábori vasút(vonal); ~ *typewriter* táskaírógép

portage ['pɔ:tɪdʒ] *n* **1.** szállítás **2.** fuvardíj

portal ['pɔ:tl] *n* bejárat, portál

portcullis [pɔ:t'kʌlɪs] *n* csapórács [várkapun], hullórostély

Porte [pɔ:t] *prop the Sublime* ~ a török szultán udvara, a Magas Porta

portend [pɔ:'tend] *vt* előre jelez, megjövendöl; előreveti árnyékát

portent ['pɔ:tent] *n* **1.** (baljós) előjel, ómen **2.** csodálatos dolog, csodajel

portentous [pɔ:'tentəs] *a* **1.** baljós(latu), vészjósló **2.** csodálatos, rendkívüli

porter¹ ['pɔ:tə*] *n* portás, kapus; ~'*s lodge* portásfülke

porter² ['pɔ:tə*] *n* **1.** hordár **2.** barna sör **3.** *US* hálókocsi-kalauz; szalonkocsipincér

porterage ['pɔ:tərɪdʒ] *n* **1.** szállítás **2.** szállítási költség

porter-house steak finom bélszínszelet

portfolio [pɔ:t'foʊljoʊ] *n* **1.** aktatáska, irattáska, mappa **2.** (miniszteri) tárca; *minister without* ~ tárca nélküli miniszter

porthole *n* (kerek) hajóablak

Portia ['pɔ:ʃjə; *US* -ʃə] *prop*

portico ['pɔ:tɪkoʊ]*n* (*pl* ~(e)s -z) (oszlop-) csarnok

portion ['pɔ:ʃn] **I.** *n* **1.** adag; rész, porció; részlet, darab **2.** ~ (*of inheritance*) örökrész **3.** osztályrész, sors **II.** *vt* **1.** ~ (*out*) kioszt, szétoszt **2.** kelengyével ellát, kiházasít

portionless ['pɔ:ʃnlɪs] *a* hozomány nélküli

Portland cement ['pɔ:tlənd] portlandcement

portliness ['pɔ:tlɪnɪs] *n* **1.** pocakosság **2.** méltóságteljesség

portly ['pɔ:tlɪ] *a* **1.** pocakos **2.** méltóságteljes

portmanteau [pɔ:t'mæntoʊ] *n* (*pl* ~s v. ~x -toʊz) **1.** bőrönd, útitáska **2.** ~ *word* vegyülékszó [mint ucsora]

Porto Rico [pɔ:tə'ri:koʊ] = *Puerto Rico*

portrait ['pɔ:trɪt] *n* **1.** arckép, képmás, portré; *half-length* ~ mellkép, -szobor **2.** élethű (személy)leírás, portré

portraitist ['pɔ:trɪtɪst] *n* arcképfestő (művész), portretista

portraiture ['pɔ:trɪtʃə*]*n* **1.** arcképfestés **2.** arckép, portré **3.** élethű leírás

portray [pɔ:'treɪ] *vt* **1.** lefest vkt, megfesti vk arcképét **2.** leír, ábrázol [jelenetet stb.] **3.** alakít, játszik [szerepet]

portrayal [pɔ:'treɪəl] *n* **1.** ábrázolás, (élethű) leírás **2.** alakítás, jellemábrázolás

portrayer [pɔ:'treɪə*] *n* **1.** ábrázoló, lefestő **2.** leíró

Portsmouth ['pɔ:tsməθ] *prop*

port-town *n* kikötőváros

Portugal ['pɔ:tjʊgl; *US* -tʃ-] *prop* Portugália

Portuguese [pɔ:tjʊ'gi:z; *US* pɔ:tʃə-] *a/n* portugál

port-wine *n* (o)portói/vörös bor

pose¹ [poʊz] **I.** *n* **1.** testtartás, póz **2.** pózolás, színlelés **II. A.** *vi* **1.** pózol, affektál 2. színlel; kiadja magát (as vmnek) 3. modellt ül/áll (for sy vknek) B. vt elrendez, beállít [modellt stb.]

pose² [pouz] vt feltesz [kérdést]; felvet [problémát]; kérdéssel zavarba ejt

poser¹ ['pouzə*] n pozoló személy, pozőr

poser² ['pouzə*] n zavarbaejtő kérdés

posh [pɔʃ; US -a-] a biz 1. elegáns, sikkes, fess; menő 2. flancos

posit ['pɔzɪt; US -a-] vt rögzít, posztulál

position [pə'zɪʃn] I. n 1. helyzet, állás, állapot; in ~ megfelelő helyen; out of ~ meg nem felelő helyen, rossz helyen; put yourself in my ~ képzeld magadat a helyembe; be in ~ to do sg abban a helyzetben van hogy vmt megtehet; ~ paper helyzetfelmérés, álláspont-ismertetés; ~ closed „zárva" [pl. vasúti jegypénztár ablaka] 2. hely(zet), fekvés [városé stb.]; fix one's ~ meghatározza (hajó) helyzetét 3. (had)állás 4. állás; tisztség; hivatal, pozíció; társadalmi helyzet/rang/állás; hold a ~ állást/pozíciót betölt; in high ~ magas rangban/állásban; man of ~ tekintélyes ember; people of ~ előkelőségek, az előkelőek 5. álláspont, állásfoglalás; his ~ on this question állásfoglalása ebben a kérdésben 6. testtartás; sit in an uncomfortable ~ kényelmetlen testtartással ül II. vt 1. elhelyez [megfelelő helyre] 2. helyet meghatároz 3. ~ oneself helyezkedik [csoportban]

positive ['pɔzətɪv; US 'pa-] a 1. pozitív, határozott, kifejezett; igenlő; állító, helyeslő; a ~ answer igenlő válasz 2. feltétlen, biztos; it is a ~ fact kétségtelen tény; I am ~ meg vagyok róla győződve, biztos vagyok benne; biz he is a ~ nuisance teljesen kibírhatatlan alak 3. valós, tényeken alapuló 4. pozitív (előjelű) [szám]; pozitív [lelet]; ~ charge pozitív töltés; ~ sign (1) pozitív előjel, pluszjel (2) összeadási jel 5. pozitív [kép] 6. alapfokú [melléknév]; ~ degree alapfok II. n 1. pozitív (fény)kép; diapozitív 2. alapfok [melléknévé] 3. pozitív mennyiség 4. answer in the ~ igenlő válasz

positively ['pɔzətɪvlɪ; US 'pa-] adv 1. tényleg, valóban 2. igenlően 3. határozottan, kifejezetten

positiveness ['pɔzətɪvnɪs; US 'pa-] n 1. határozottság, biztonság 2. tényleges-ség, valóság

positivism ['pɔzɪtɪvɪzm; US 'pa-] n pozitivizmus

positivist ['pɔzɪtɪvɪst; US 'pa-] n pozitivista

positivistic [pɔzətɪ'vɪstɪk; US pa-] a pozitivista

posse ['pɔsɪ; US -a-] n ⟨törvény nevében toborzott fegyveres tömeg⟩

possess [pə'zes] vt 1. birtokában van, bír (vmt), birtokol, van vmje, rendelkezik vmvel; be ~ed of sg birtokában van vmnek 2. vmlyen képessége/ adottsága van; ~ several languages több nyelven beszél/tud 3. † ~ oneself of sg (1) vmt megszerez (2) bitorol vmt 4. hatalmába kerít, megszáll [vkt indulat/szenvedély]; what ~ed him to do it? mi vitte őt rá erre?; be ~ed by vm hatalmában tartja; ~ed by the devil ördöngös, az ördögtől megszállott; ~ed with an idea egy gondolat megszállottja

possession [pə'zeʃn] n 1. birtoklás; take ~ of sg, come/enter into ~ of sg vmt birtokába vesz, megszerez vmt; put into ~ birtokba helyez; be in ~ of sg birtokában van vmnek, birtokon belül van; in full ~ of his faculties szellemi képességeinek teljes birtokában; house to let with vacant ~ azonnal beköltözhető kiadó ház; ~ is nine points of the law akié a hatalom, azé a jog; nehéz kimozdítani azt, aki birtokon belül van 2. possessions pl (1) vagyon, javak (2) gyarmatok; a man of great ~s vagyonos ember 3. megszállottság

possessive [pə'zesɪv] I. a 1. birtokosi 2. birtokos; ~ case birtokos eset, genitivus; ~ pronoun birtokos névmás 3. hatalmában tartani vágyó II. n the ~ birtokos eset, genitivus

possessor [pə'zesə*] n birtokos, tulajdonos

posset ['pɔsɪt; US -a-] n kb. forralt bor tejjel

possibility [pɔsə'bɪlətɪ; *US* pɑ-] *n* lehetőség; eshetőség, kilátás; *if by any ~* ha úgy adódnék
possible ['pɔsəbl; *US* 'pɑ-] I. *a* lehetséges, lehető; *it is ~* lehet(séges); *the best ~* a lehető legjobb; *as early as ~* amilyen korán csak lehet; *as far as ~* amennyire csak lehet II. *n* a lehetséges; *do one's ~* megteszi a tőle telhetőt
possibly ['pɔsəblɪ; *US* 'pɑ-] *adv* 1. talán, lehet hogy; *I cannot ~ do it* sehogy sem tudom megtenni; *it can't ~ be!* de hiszen ez lehetetlen!; *all he can ~ do* ami csak tőle telik; *I will come as soon as I ~ can* jövök, mihelyt tudok; *~!* talán!, meglehet! 2. igazán?, valóban?
possum ['pɔsəm; *US* -ɑ-]*biz* = *opossum; play ~* (1) halottnak tetteti magát (2) lapít
post[1] [poʊst] I. *n* 1. posta; *send by ~* postán küld; *general ~* (1) helycserés társasjáték (2) reggeli postakézbesítés; *~ code* →*postcode* 2. *~ (office)* posta(hivatal); *General P~ Office* főposta; *P~ Office Box* postafiók, pf.; *P~ Office Savings Bank* posta-takarékpénztár 3. = *postbox* 4. † postakocsi; *ride ~* váltott lovakkal utazik/lovagol II. A. *vt* 1. felad, bedob [levelet]; postán küld, postáz, postára ad 2. értesít; *keep sy ~ed* vkt rendszeresen értesít/tájékoztat 3. elkönyvel; *~ up the ledger* főkönyvbe átvezet B. *vi* 1. postakocsin utazik 2. *biz* gyorsan jár/utazik
post[2] [poʊst] I. *n* 1. cölöp, (jelző)karó 2. oszlop, pillér 3. ajtófélfa II. *vt* 1. kiragaszt, plakatíroz; *~ no bills!* falragaszok felragasztása tilos! 2. közzétesz
post[3] [poʊst] I. *n* 1. őrhely; őrszem; *be on ~* őrségen van 2. megerősített (katonai) állás; erőd; *US ~ exchange* helyőrségi üzlet, kantin 3. állás, elhelyezkedés; *take up one's ~* elfoglalja állását/hivatalát II. *vt* 1. (fel)állít [őrszemet] 2. (parancsnoki tisztségre) kinevez; *be ~ed to a ship* egy hajóra kap beosztást

post[4] [poʊst] *n first ~* első takarodó; *last ~* utolsó takarodó
post- [poʊst-] utó(lagos), utáni; *~-war* háború utáni
postage ['poʊstɪdʒ] *n* portóköltség, bérmentesítés; postaköltség; *~ stamp* levélbélyeg; *~ paid* bérmentve
postal ['poʊst(ə)l] *a* postai, posta-; *~ code* = *postcode;* *~ matter* postai küldemény; *~ order* postautalvány; *~ tariff* postai díjszabás; *~ tuition* levelező oktatás
post-bag *n* postazsák
postbox *n* (utcai) levélgyűjtő szekrény
postcard *n* (postai) levelezőlap; *(picture) ~* képes levelezőlap, képeslap
post-chaise *n* † postakocsi
postcode *n GB* postai irányítószám
post-date *vt* későbbre keltez
post-entry *n* utólagos elkönyvelés/bevezetés
poster ['poʊstə*] *n* plakát, falragasz, poszter
poste restante [poʊst'restɑːnt] postán maradó
posterior [pɔ'stɪərɪə*; *US* pɑ-] I. *a* 1. hát(ul)só 2. későbbi, utólagos II. *n* alfél; *kick the ~* fenékbe rúg
posterity [pɔ'sterətɪ; *US* pɑ-] *n* 1. utókor 2. leszármazottak
postern ['poʊstəːn] *n ~ (door)* kiskapu, hátsóajtó
post-free I. *a* díjmentes, bérmentes(ített), portómentes II. *adv* bérmentve, frankó
post-glacial *a* jégkorszak utáni
postgraduate [poʊst'grædjʊət; *US* -dʒ-] *a* egyetemi tanulmányok befejezése utáni [tanulmányok], posztgraduális; *~ course* tudományos továbbképzés, posztgraduális képzés [egyetemen]
post-haste *adv* lóhalálában; *~ work* postamunka
post-horn *n* postakürt
post-horse *n* (gyors) postaló
post-house *n* † posta(kocsi-)állomás
posthumous ['pɔstjʊməs; *US* 'pastʃə-] *a* 1. halál utáni, posztumusz, hátrahagyott [mű] 2. utószülött [gyermek]
postil(l)ion [pə'stɪljən; *US* poʊ-] *n* (lovon ülő) postakocsis

postman ['poʊstmən] *n* (*pl* -men -mən) postás, levélhordó
postmark I. *n* postabélyegző, keletbélyegző II. *vt* lebélyegez
postmaster *n* postamester; *GB The P~-General* postaügyi miniszter
post meridiem [poʊstməˈrɪdɪəm] *adv* délután (röv.: p.m.)
postmistress *n* postamesternő
post-mortem [poʊstˈmɔːtem] *n* ~ (*examination*) halottszemle, -kémlés
post-natal [poʊstˈneɪtl] *a* születés utáni
postnuptial [poʊstˈnʌpʃl] *a* esküvő utáni
post-office *a* posta- →*post*[1] *I. 2.*
postpaid *a/adv* = *post-free*
postpalatal [poʊstˈpælətl] *a* veláris, posztpalatális [hang]
postpone [poʊstˈpoʊn] *vt* elhalaszt, kitol [dátumot]; későbbre tesz
postponement [poʊstˈpoʊnmənt] *n* (el-) halasztás
postposition [poʊstpəˈzɪʃn] *n* 1. utántétel 2. névutó, posztpozíció
postprandial [poʊstˈprændɪəl] *a* ebéd/étkezés utáni
postscript ['poʊsskrɪpt] *n* 1. utóirat (röv. P.S. piːˈes) 2. utószó
postulate I. *n* ['pɔstjʊlət; *US* 'pɑstʃə-] követelmény, kívánság, kívánalom, posztulátum II. *vt* ['pɔstjʊleɪt; *US* 'pɑstʃə-] 1. kíván, előzetes követelményként állít fel 2. alapul tekint, (posztulátumként) feltesz, posztulál
posture ['pɔstʃə*; *US* 'pɑ-] I. *n* 1. testtartás, (test)helyzet 2. magatartás, kedély 3. póz II. A. *vt* beállít, elhelyez B. *vi* vm szerepet/magatartást/pózt vesz fel, vm színben mutatkozik, pózol
post-war [poʊstˈwɔː*] *a* háború utáni
posy ['poʊzɪ] *n* kis csokor/bokréta
pot [pɔt; *US* -ɑ-] I. *n* 1. fazék; edény; virágcserép; ~s *of money* rengeteg pénz; *the* ~ *calling the kettle black* bagoly mondja verébnek nagyfejű; □ *go to* ~ tönkremegy, veszendőbe megy; *keep the* ~ *boiling* valahogy megkeresi a létfenntartáshoz szükségest 2. *biz a big* ~ nagyfejű, fejes 3. *biz* lövés; *take a* ~ *at a bird* közelről lő rá a madárra 4. *biz* kupa, serleg

[győztesé] 5. □ marihuána II. *vt* -tt- 1. fazékba tesz 2. befőz, konzervál 3. *biz* lyukba lök [biliárdgolyót], lövöldöz; rálő (*at* vkre/vmre) 4. cserépbe ültet 5. *biz* ~ *the baby* bilizteti a gyereket
potable ['poʊtəbl] *a* iható
potash ['pɔtæʃ; *US* 'pɑ-] *n* hamuzsír; *caustic* ~ lúgkő, kálilúg
potassium [pəˈtæsjəm] *n* kálium; ~ *cyanide* ciánkáli; ~ *permanganate* káliumpermanganát
potation [poʊˈteɪʃn] *n* 1. ivás, ivászat 2. ital
potato [pəˈteɪtoʊ] *n* (*pl* ~es -toʊz) burgonya, krumpli; *baked* ~ sült burgonya; *boiled* ~ főtt burgonya; *fried* ~ hasábburgonya, zsírban sült burgonyaszeletek; ~ *crisps*, *US* ~ *chips* burgonyaszirom; *biz hot* ~ kényes/kellemetlen ügy; □ *small* ~ jelentéktelen ember
potato-ball *n* burgonyakrokett, -ropogós
potato-beetle *n* kolorádóbogár
potato-masher *n* burgonyatörő, krumplinyomó
potato-spirit *n* burgonyaszesz
potato-starch *n* burgonyakeményítő
potato-trap *n* □ száj, „etető"
pot-bellied [-belɪd] *a biz* pocakos, nagyhasú
pot-belly *n biz* pocak
pot-boiler *n biz* ⟨anyagi haszonért írott csekély értékű irodalmi mű (szerzője)⟩
pot-boy *n* pikoló, italos (pincér)
poteen [pɔˈtiːn; *US* poʊ-] *n* ⟨engedély nélkül párolt ír whisky⟩
potency ['poʊt(ə)nsɪ] *n* 1. erő, hatásság 2. befolyás, tekintély 3. potencia
potent ['poʊt(ə)nt] *a* 1. erős; hatásos, hathatós 2. potens, közösülőképes [férfi]
potentate ['poʊt(ə)nteɪt] *n* nagyúr; nagy tekintély, potentát
potential [pəˈtenʃl] I. *a* 1. lappangó, rejtett, lehetséges 2. helyzeti, potenciális; ~ *energy* helyzeti/potenciális energia 3. feltételes [mód] II. *n* 1. lehetőség 2. helyzeti/potenciális energia 3. villamos potenciál, feszültség

potentiality [pətenʃı'ælətı] *n* lehetséges-ség, lappangó lehetőség, rejtett képes-ség

potentially [pə'tenʃəlı] *adv* belső lehető-ség szerint, virtuálisan, potenciálisan

potentiate [pə'tenʃıeıt] *vt* lehetővé tesz, elősegít, felszabadít [erőt]

potentiometer [pətenʃı'ɔmıtə*; *US* -'a-] *n* feszültségmérő, potenciométer

pother ['pɔðə*; *US* -a-] *n* hűhó, izga-lom, zavar(gás); csődület

pot-herb *n* konyhanövény, zöldség

pot-hole *n biz* gödör, kátyú [úton]

pot-hook *n* 1. edényakasztó kampó 2. (vonalak és) kampók [írni tanuló gyerekek írásgyakorlataiban]

pot-house *n* kocsma, pejzli; ~ *manners* útszéli viselkedés/modor

pot-hunter *n* profi (szellemű) versenyző

potion ['pouʃn] *n* ital, korty, adag

pot-luck *n biz take* ~ azt eszik, amit éppen talál/kap

potman ['pɔtmən; *US* -a-] *n* (*pl* -men -mən) 1. csaposlegény 2. pincér

Potomac [pə'toumək] *prop*

potpourri [pou'puri:; *US* -'ri:] *n* egy-veleg

pot-roast I. *n* párolt marhasült II. *vt* párol [marhasültet]

potsherd ['pɔt-ʃəːd; *US* 'pat-] *n* törött cserép

pot-shot *n* közelről való lövés

pot-still *n* kisüst

potstone *n* fazekas agyag

pottage ['pɔtıdʒ; *US* -a-] *n kb.* gulyás-leves; *mess of* ~ (a bibliai) egy tál lencse

potted ['pɔtıd; *US* -a-] *a* 1. befőzött, konzervált 2. rövidített, sűrített [kivonat írásműé] ||→*pot II.*

potter¹ ['pɔtə*; *US* -a-] *n* fazekas, gö-löncsér, cserepes; ~*'s clay* fazekas-agyag; *US* ~*'s field* szegények teme-tője; ~*'s lathe* fazekaspad; ~*'s wheel* fazekaskorong

potter² ['pɔtə*; *US* -a-] *vi/vt* 1. ~ (*about*) pepecsel, piszmog; ~ *away* (*one's time*) elfecsérli az idejét 2. fontoskodik

pottery ['pɔtərı; *US* 'pa-] *n* 1. cserép-edény, agyagáru; *a piece of* ~ egy

kőedény 2. fazekasműhely; *The Potteries* a staffordshire-i kőedény-gyárak (városai)

potting ['pɔtıŋ; *US* -a-] *n* 1. befőzés 2. edénykészítés 3. cserépbe ültetés ||→*pot II.*

potty¹ ['pɔtı; *US* -a-] *a biz* 1. vacak, nyavalyás 2. könnyű, egyszerű 3. hő-börödött, dilis; *he is* ~ *about that girl* egészen bele van esve abba a lányba

potty² ['pɔtı; *US* -a-] *n biz* bili

pouch [pautʃ] I. *n* 1. zacskó, erszény; (övre akasztott) tasak 2. erszény [erszényes állaté] 3. táska [szem alatt] II. A. *vt* 1. zsebre vág, bezsebel 2. buggyosra varr B. *vi* kidudorodik

pouf(fe) [pu:f] *n* puff [ülőhely]

poulterer ['poult(ə)rə*] *n* baromfi- és vadkereskedő 2. tikász, tyukász

poultice ['poultıs] *n* (forró) lenmaglisz-tes borogatás

poultry ['poultrı] *n* baromfi, szárnyas

poultry-farm *n* tyúkfarm, baromfite-nyészet

poultry-yard *n* baromfiudvar

pounce¹ [pauns] I. *n* 1. (hirtelen) le-csapás 2. karom [ragadozó madáré] II. *vi* ~ (*up*)*on* lecsap (vmre), meg-ragad (vmt)

pounce² [pauns] I. *n* 1. tajtékkőpor, habkő 2. kékpor [kézimunkaminta átmásolására] II. *vi/vt* 1. mintát má-sol [kékporral] 2. csiszol · [porral]

pound¹ [paund] *n* 1. font [súlymérték = 453,6 g, jele *lb*]; *by the* ~ fonton-ként 2. font [pénzegység, jele £]; ~ *sterling* font (sterling); *this cost me ten* ~*s ez* tíz fontomba került; ~ *foolish* →*penny*

pound² [paund] I. *n* ól, karám II. *vt* karámba zár; bezár; elkerít

pound³ [paund] A. *vt* 1. apróra tör, zúz; ~*ed sugar* porcukor 2. ököllel ver, üt; zörög; ~ *the piano* klimpíroz, veri a zongorát 3. lövet, veret [tüzér-séggel] B. *vi* ~ *at/on sg* erősen rávág vmre; ~ *at the door* erősen kopogtat ajtón; veri az ajtót; *his heart was* ~*ing* kalapált a szíve; ~ *along* cammogva/zörögve halad

poundage¹ ['paʊndɪdʒ] *n* alkuszdíj; végrehajtói díj, súlyvám
poundage² ['paʊndɪdʒ] *n* elkobzás; letétbe helyezés
pound-cake *n* egyensúlytészta
pounder¹ ['paʊndə*] *n* zúzó, kölyű, mozsár(törő)
-pounder² ['paʊndə*] *n* összet. 1. ... súlyú; *two-~* két font súlyú 2. *five-~* ötfontos [bankjegy]
pour [pɔ:*] A. *vt* önt; ömleszt; *átv ~ oil on troubled waters* lecsillapítja a kedélyeket B. *vi* ömlik, omlik, folyik, zuhog; *it is ~ing (with rain)* zuhog (az eső), szakad az eső; *átv it never rains but it ~s* a baj nem jár egyedül
   pour down *vi the rain came ~ing d.* csak úgy ömlött az eső
   pour forth A. *vt* kiönt B. *vi* kiözönlik, kiárad
   pour in A. *vt* beönt B. *vi* beömlik, beözönlik
   pour off *vt* leszűr
   pour on *vt* ráönt
   pour out A. *vt* 1. beönt, betölt [teát csészébe] 2. *~ o. sg of sg* kiönt vmt vmből 3. *átv* kiönt [szívet, bánatot] B. *vi* 1. asztalfőn ül [és kitölti a teát stb.] 2. ömleng 3. kiözönlik
pout [paʊt] I. *n* ajakbiggyesztés II. *vi* 1. ajkat biggyeszt, duzzog 2. felfújja magát [galamb]
pouter ['paʊtə*] *n* bögyös galamb
poverty ['pɔvətɪ; *US* 'pa-] *n* szegénység, nyomor
poverty-stricken *a* nyomorgó
P.O.W., POW [pi:oʊ'dʌblju:] *prisoner of war*
powder ['paʊdə*] I. *n* 1. por; *reduce to ~* porrá tör 2. lőpor, puskapor; *(átv is) ~ keg* puskaporos hordó; *biz keep one's ~ dry* résen van 3. rizspor, púder II. *vt* 1. behint *(with* vmvel); bepúderoz, beporoz 2. porrá tör, porít; *~ed sugar* porcukor; *~ed milk* tejpor
powder-flask/horn *n* † lőportartó, -tülök
powderiness ['paʊdərɪnɪs] *n* 1. porszerűség, porhanyósság 2. porosság

powder-magazine *n* lőpor(rak)tár
powder-room *n biz* (női) mosdó, toalett
powdery ['paʊdərɪ] *a* 1. porszerű, porhanyó(s) 2. poros
Powell ['poʊəl] *prop*
power ['paʊə*] I. *n* 1. hatalom, képesség, erő (vm megtételére); *it lies in my ~ to do sg* hatalmamban/módomban van/áll vmt megtenni; *it is beyond my ~* meghaladja erőimet, nem áll módomban; *be in ~* hatalmon/uralmon van; *come into ~* hatalomra jut; *full ~s* teljhatalom; *go beyond one's ~s* túllépi hatáskörét/jogkörét; *have ~ over sy* hatalmában tart vkt; *~ politics* erőpolitika; *the ~s that be* a létező/mindenkori hatalmasságok 2. képesség; *~ of mind* szellemi képesség; *~ of vision* látóképesség; *~ of will* akaraterő 3. (testi) erő; *biz more ~ to your elbow!* (1) nosza rajta! (2) sok sikert! 4. erő, energia; gépi erő; *under ~* üzemben, működésben, gőz alatt [gép]; *under its own ~* saját erejéből; *~ steering* szervokormányzás 5. (elektromos/villamos) áram, energia; *US ~ plant* erőmű; *~ point = point I. 9; turn off the ~* kikapcsolja az áramot 6. teljesítmény [gépé stb.]; nagyítás [lencséé] 7. hatvány; *to the nth ~* az n-edik hatványra; *the third ~ of 2 is 8* 2-nek a harmadik hatványa 8 8. *biz* nagy; sok; *a ~ of people* hatalmas embertömeg II. *vt* áramot ad [gépnek stb.]
power- 1. gépi, motoros 2. teljesítmény-; áram-
power-boat *n* motorcsónak
power-cut *n* 1. áramkorlátozás 2. áramhiány
power-dive *n* zuhanórepülés [gázzal]
power-driven *a* gépi hajtású, géperejű, motoros
powered ['paʊəd] *a* 1. géperejű, motoros 2. energiát termelő 3. (összetételben) -hajtású
powerful ['paʊəf(ʊ)l] *a* 1. erős, erőteljes 2. hatalmas, hathatós, nyomós; *biz a ~ lot of* rengeteg
power-hammer *n* gépkalapács

powerhouse *n* = *power-station*
powerless ['pauəlıs] *a* **1.** erőtlen **2.**
tehetetlen
powerlessness ['pauəlısnıs] *n* tehetet-
lenség, gyengeség
power-line *n* (nagyfeszültségű) távve-
zeték
power-loom *n* gépi szövőszék
power-operated *a* gépi hajtású
power-output *n* (leadott) teljesítmény
power-station *n* erőmű; *nuclear* ~ atom-
erőmű
power-stroke *n* munkalöket [dugattyúé]
power-supply *n* energiaellátás, áramel-
látás
pow-wow ['pauwau] **I.** *n* tanácskozás
[indiánokkal]; *átv biz* értekezlet, meg-
beszélés **II.** *vi* tanácskozik
Powys ['pouɪs; *sk és londoni tér :* 'pauɪs]
prop
pox [pɔks; *US* -a-] *n* **1.** himlő; ~ *on*
you! a fene/rosseb egyen meg! **2.** *biz*
vérbaj, szifilisz
pp., pp *pages* lapokon, kk.
p.p., pp = *per pro(c)*.
PR [pi:'a:*] **1.** *proportional represen-*
tation **2.** *Public Relations*
pr. 1. *pair* **2.** *price* ár(a)
PRA [pi:a:r'eɪ] *President of the Royal*
Academy a Királyi Szépművészeti
Akadémia elnöke
practicability [præktɪkə'bɪlətɪ] *n* **1.** hasz-
nálhatóság, járhatóság **2.** megvaló-
síthatóság
practicable ['præktɪkəbl] *a* **1.** használ-
ható, gyakorlati; ~ *window* valóságos/
nyitható (és nem festett) ablak [szín-
padon] **2.** megvalósítható, keresztül-
vihető
practical ['præktɪkl] *a* **1.** gyakorlati(as),
tapasztalati, alkalmazott [módszer];
megvalósítható [eljárás, terv] **2.** cél-
szerű, ügyes, praktikus [használati
cikk] **3.** valóságos, tényleges; ~ *joke*
durva/otromba tréfa; *with* ~ *únanim-*
ity úgyszólván egyhangúlag
practically *adv* **1.** ['præktɪklɪ] tulajdon-
képpen, voltaképpen; úgyszólván **2.**
['præktɪkəlɪ] gyakorlatilag
practice ['præktɪs] **I.** *n* **1.** gyakorlat,
szokás; *the* ~ *of the courts* bírói jog-

gyakorlat; *be in* ~ (1) gyakorlatot
folytat, gyakorol (2) gyakorlott vm-
ben; *make a* ~ *of doing sg, make it*
a ~ szokásává tesz vmt, rászokik
vmre **2.** gyakorlás; edzés, trenírozás;
be in ~ (1) gyakorlatban/formában
van (2) járatos, gyakorlott; *be out of* ~
kijött a gyakorlatból, nincs formá-
ban; ~ *match* edzőmérkőzés; ~
makes perfect gyakorlat teszi a mes-
tert **3.** gyakorlati alkalmazás; *put*
into ~ megvalósít **4.** praxis; pacien-
túra; klientéla; *Dr. Brown has a*
large ~ B. doktornak sok betege
van, B. doktor igen keresett orvos
5. practices *pl* üzelmek **II.** *vt/vi US* =
practise
practiced →*practised*
practise, *US* -**ice** is ['præktɪs] **A.** *vt*
1. gyakorol; alkalmaz, gyakorlatba
átvisz [elvet stb.]; űz, folytat [mes-
terséget]; ~ *law* ügyvédi gyakorlatot
folytat; ~ *medicine* orvosi pályán
működik **2.** próbál [zeneművet stb.];
~ *the violin* hegedűt gyakorol **3.** szok-
tat (*in* vmre); gyakoroltat (vkvel
vmt) **B.** *vi* **1.** gyakorol(ja magát)
2. gyakorlatot folytat [foglalkozási
ágban], praktizál
practised, *US* -**ced** ['præktɪst] *a* gya-
korlott, szakavatott; jártas (vmben)
practising ['præktɪsɪŋ] *a* gyakorló
practitioner [præk'tɪʃnə*] *n* gyakorló
orvos/ügyvéd ‖→*general*
pragmatic [præg'mætɪk] *a* **1.** pragma-
tikus, gyakorlati **2.** oknyomozó, ok-
fejtő **3.** fontoskodó; dogmatikus
pragmatical [præg'mætɪkl] *a* = *prag-*
matic 1., 3.
pragmatics [præg'mætɪks] *n* pragmatika
pragmatism ['prægmətɪzm] **1.** pragma-
tizmus; oknyomozó módszer **2.** fon-
toskodás
Prague [pra:g] *prop* Prága
prairie ['preərɪ] *n* préri [Észak-Ameriká-
ban]; ~ *chicken* prérityúk; ~ *dog*
(társas) prérikutya; *US* ~ *schooner*
ekhós szekér; ~ *wolf* prérifarkas
praise [preɪz] *n* **1.** dicséret, dicsérés;
in ~ *of sg* vmről elismerőleg szólva;
beyond all ~ pompás, felülmúlhatat-

lan; *everyone was loud in his* ~*s* mindenki hangosan nyilvánította tetszését, mindenki róla áradozott (v. őt dicsérte); ~ *be to God* hála Istennek! 2. hálaadó istentisztelet II. *vt* dicsér, magasztal, dicsőít
praiseworthy ['preɪzwə:ðɪ] *a* dicséretre méltó, dicséretes
pram [præm] *n* gyermekkocsi, babakocsi
prance [prɑ:ns; *US* -æ-] *vi* 1. ágaskodik [ló] 2. büszkén jár-kel
prancing ['prɑ:nsɪŋ; *US* -æ-] *n* táncolás, ágaskodás [lóé]
prandial ['prændɪəl] *a* étkezési
prank [præŋk] *n* csíny, kópéság
prankster ['præŋkstə*] *n* kópé, tréfacsináló
prate [preɪt] *vi*/*vt* csacsog, fecseg, locsog
prattle ['prætl] I. *n* csacsogás, gagyogás [gyereké]; fecsegés, locsogás [vénasszonyoké] II. *vi* csacsog [gyermek]; fecseg, pletykál [nő]
prattler ['prætlə*] *n* fecsegő
prawn [prɔ:n] *n* scampi, garnélarák
pray [preɪ] A. *vt* 1. kér (vmt) 2. kérlel (vkt); ~ *sy for sg*, ~ *sy to do sg* vkt vmnek a megtételére kér, kér vktől vmt; (*I*) ~ (*you*) kérem; *what will that help,* ~? ugyan mondd, mit fog ez segíteni? B. *vi* 1. könyörög, imádkozik; ~ *for sg* könyörög/esedezik/ imádkozik vmért; *he is past* ~*ing for* rajta már az imádság se segít 2. *tell me the reason,* ~ adja okát, könyörgöm
prayer ['preə*] *n* 1. imádság, ima, könyörgés; *put up a* ~ imádkozik; *say one's* ~*s* imádkozik; *GB Book of Common P*~ ⟨hivatalos anglikán ima- és liturgiakönyv⟩ 2. kérés, kérelem; könyörgés
prayer-book *n* imakönyv
prayerful ['preəful] *a* imádságos
prayer-mat *n* = *prayer-rug*
prayer-meeting *n* közös imaóra
prayer-rug *n* imaszőnyeg
prayer-stool *n* imazsámoly
prayer-wheel *n* (buddhista) imagép
praying ['preɪŋ] I. *a* kérő, könyörgő; imádkozó; ~ *mantis* ájtatos manó II. *n* imádkozás

praying-desk imazsámoly
pre- [pri:-] előtti, (vmt) megelőző, előpreach [pri:tʃ] *vt*/*vi* 1. prédikál, szentbeszédet mond, igét hirdet 2. ~ *at sy* (1) kiprédikál vkt (2) *biz* „prédikál" vknek; *biz* ~ *to sy* „prédikál" vknek, megleckéztet vkt; ~ *up* feldicsér
preacher ['pri:tʃə*] *n* hitszónok, prédikátor, igehirdető
preachify ['pri:tʃɪfaɪ] *vi biz* „prédikál", erkölcsprédikációt tart
preamble [pri:'æmbl] *n* 1. előszó, bevezetés 2. indokolás [törvénycikké]
pre-arrange [pri:ə'reɪndʒ] *vt* előre/előzetesen elrendez/megbeszél
pre-arrangement [pri:ə'reɪndʒmənt] *n* előzetes elrendezés/megbeszélés
pre-atomic [pri:ə'tɔmɪk; *US* -'tɑ-] *a* atomkorszak előtti, 1945 előtti
prebend ['prebənd] *n* káptalani javadalommal járó
prebendal [prɪ'bendl] *a* káptalani (javadalmi)
prebendary ['prebənd(ə)rɪ] *n* kanonok, káptalani javadalmas
precarious [prɪ'keərɪəs] *a* 1. bizonytalan, ingatag, kétes; *make a* ~ *living* megélhetése bizonytalan; ~ *life* veszéllyel teli élet
precaution [prɪ'kɔ:ʃn] *n* 1. elővigyázat, óvatosság 2. (*measure of*) ~ óvintézkedés
precautionary [prɪ'kɔ:ʃnərɪ] *a* elővigyázatból tett; óvatossági
precede [pri:'si:d] A. *vt* megelőz, előtte megy B. *vi* elsőbbsége van
precedence [pri:'si:d(ə)ns] *n* 1. megelőzés, első(bb)ség; *have* ~ *of sy* vkt (rangban) megelőz; *ladies take* ~ hölgyeké az elsőbbség 2. első(bb)ségi jog
precedent ['presɪd(ə)nt] *n* példa, irányadó eset, precedens; *create/set a* ~ (*for sg*) precedenst képez; *according to* ~ a szokásnak megfelelően, hagyományosan; *without* ~ példa nélkül álló, példátlan
preceding [pri:'si:dɪŋ] *a* (meg)előző, előbbi
precentor [pri:'sentə*] *n* előénekes (pap)
precept ['pri:sept] *n* 1. tan, szabály, elv 2. hivatali utasítás

preceptor [prɪ'septə*] *n* nevelő, tanító
precession [prɪ'seʃn] *n* precesszió, előrehaladás [állócsillagoké]
precinct ['pri:sɪŋkt] *n* 1. bekerített terület [épületé stb.] 2. **precincts** *pl* (közvetlen) környék [városé]; *within the city* ~s a város határain/falain belül 3. körzet; zóna; *US* kerület
preciosity [preʃɪ'ɔsətɪ; *US* -'ɑ-] *n* mesterkéltség, modorosság
precious ['preʃəs] I. *a* értékes, drága, becses; ~ *metals* nemesfémek; ~ *stones* drágakövek 2. finnyás, mesterkélt II. *adv biz* nagyon, roppantul; ~ *little* édeskevés
preciousness ['preʃəsnɪs] *n* 1. drágaság, értékesség 2. modorosság
precipice ['presɪpɪs] *n* szakadék, mélység
precipitance [prɪ'sɪpɪt(ə)ns] *n* sietség; meggondolatlanság
precipitant [prɪ'sɪpɪt(ə)nt] I. *a* = *precipitate* I. II. *n* (vegyi) lecsapószer
precipitate I. *a* [prɪ'sɪpɪtət] meggondolatlan, kapkodó; elhamarkodott II. *n* [prɪ'sɪpɪteɪt] csapadék, üledék; *form a* ~ lecsapódik, kicsapódik [anyag] III. *v* [prɪ'sɪpɪteɪt] A. *vt* 1. (be)letaszít, levet [mélységbe]; ~ *the country into war* háborúba sodorja az országot 2. siettet, sürget, meggyorsít [eseményt] 3. kicsap, lecsap, leülepít 4. kivált [következményt] B. *vi* 1. lebukik, lezuhan 2. lecsapódik, leülepedik
precipitation [prɪsɪpɪ'teɪʃn] *n* 1. [légköri] csapadék, üledék 2. kapkodás; meggondolatlanság 3. kiváltás [következményé]
precipitous [prɪ'sɪpɪtəs] *a* hirtelen esésű, meredek
precipitousness [prɪ'sɪpɪtəsnɪs] *n* meredekség
précis ['preɪsi:] *n* (*pl* ~ -si:z) tartalmi/rövid kivonat
precise [prɪ'saɪs] *a* 1. pontos, szabatos, precíz 2. pedáns
precisely [prɪ'saɪslɪ] *adv* pontosan; ~ *so!* pontosan (így van)
preciseness [prɪ'saɪsnɪs] *n* 1. pontosság, precízség 2. pedantéria
precision [prɪ'sɪʒn] *n* pontosság, szabatosság; ~ *bombing* pontbombázás;

~ *instruments/tools* precíziós műszerek; ~ *mechanics* finommechanika
preclude [prɪ'klu:d] *vt* eleve kizár; elejét veszi, megakadályoz, meggátol; *be* ~*d from doing sg* eleve lehetetlen számára, hogy vmt (meg)tegyen
precocious [prɪ'koʊʃəs] *a* korai [gyümölcs]; koraérett [gyerek]
precociousness [prɪ'koʊʃəsnɪs] *n* koraérettség
precocity [prɪ'kɔsətɪ; *US* -'kɑ-] *n* = *precociousness*
precognition [pri:kɔg'nɪʃn; *US* -kɑg-] *n* előzetes ismeret
pre-Columbian [pri:kə'lʌmbɪən] *a* Kolumbusz előtti
preconceive [pri:kən'si:v] *vt* előre kialakít [véleményt]; ~*d idea* előítélet
preconception [pri:kən'sepʃn] *n* előre kialakult vélemény; előítélet
precondition [pri:kən'dɪʃn] *n* előfeltétel
precook [pri:'kʊk] *vt* előfőz [húst stb.]
precursor [pri:'kə:sə*] *n* előfutár; (hivatali) előd
precursory [pri:'kə:sərɪ] *a* 1. előzetes 2. előre jelző; ~ *symptoms* (1) előjelek (2) előtünetek
predacious [prɪ'deɪʃəs] *a* = *predatory*
predate [pri:'deɪt] *vt* antedatál, előre keltez
predator ['predətə*] *n* ragadozó
predatory ['predət(ə)rɪ; *US* -ɔ:rɪ] *a* ragadozó, zsákmányra vadászó; rabló, zsákmányoló
predecease [pri:dɪ'si:s] *vt* előbb hal meg (vknél)
predecessor ['pri:dɪsesə*; *US* 'pre-] *n* előd; ~ *in title* jogelőd
predestinate [pri:'destɪneɪt] *vt* előre kijelöl/kiválaszt, predesztinál (*to* vmre); eleve elrendel
predestination [pri:destɪ'neɪʃn] *n* 1. eleve elrendelés, predesztináció 2. sors, végzet
predestine [pri:'destɪn] *vt* = *predestinate*
predetermination ['pri:dɪtə:mɪ'neɪʃn] *n* 1. előre megfontolt szándék 2. predesztináció
predetermine [pri:dɪ'tə:mɪn] *vt* előre elrendel/elhatároz/meghatároz

predicament [prɪ'dɪkəmənt] n 1. kellemetlen/kínos/nyomasztó helyzet; baj; we're in a fine ~! na jól nézünk ki! 2. kategória [logikában]
predicate I. n ['predɪkət] 1. állítmány 2. állítás II. vt ['predɪkeɪt] 1. állít, kimond (vmt vmről) 2. US alapoz
predicative [prɪ'dɪkətɪv; US 'predɪkeɪ-] a 1. állító 2. állítmányi; ~ adjective melléknévi állítmány
predict [prɪ'dɪkt] vt megjósol, előre megmond
predictable [prɪ'dɪktəbl] a 1. előre látható 2. megjósolható
prediction [prɪ'dɪkʃn] n jóslás, jövendölés
predictive [prɪ'dɪktɪv] a jósló, jövendölő
predilection [pri:dɪ'lekʃn] n előszeretet; részrehajlás (for iránt)
predispose [pri:dɪ'spoʊz] vt hajlandóvá/fogékonnyá tesz vmre, prediszponál
predisposition ['pri:dɪspə'zɪʃn] n fogékonyság, hajlam (to vmre)
predominance [prɪ'domɪnəns; US -'da-] n túlsúly; fölény, uralkodás (over vm fölött)
predominant [prɪ'domɪnənt; US -'da-] a túlsúlyban levő, túlnyomó
predominate [prɪ'domɪneɪt; US -'da-] vi túlsúlyban van, érvényesül (over vmvel szemben)
pre-eminence [pri:'emɪnəns] n kitűnőség, kiemelkedés; kiválóság
pre-eminent [pri:'emɪnənt] a kimagasló, kiemelkedő, kitűnő
pre-eminently [pri:'emɪnəntlɪ] adv kiváltképp; mindenekelőtt
pre-empt [pri:'empt] vt elővételi jogon vásárol/elfoglal [földet]
pre-emption [pri:'empʃn] n 1. elővétel, elővételi jog 2. elővásárlás
pre-emptive [pri:'emptɪv] a 1. elővételi [jog] 2. megelőző; ~ strike megelőző támadás/csapás
preen [pri:n] vt tollászkodik; ~ oneself csinosítja magát
preexistent [pri:ɪg'zɪst(ə)nt] a előbb létező
Pref. preface
prefab ['pri:fæb; US -'fæb] a/n előre gyártott (épületelem)

prefabricate [pri:'fæbrɪkeɪt] vt előre gyárt; ~d [-ɪd] előre gyártott
prefabrication ['pri:fæbrɪ'keɪʃn] n előregyártás
preface ['prefɪs] I. n előszó, bevezetés II. vt előszót ír (vmhez), bevezet(éssel ellát)
prefatory ['prefət(ə)rɪ; US -ɔ:rɪ] a bevezető
prefect ['pri:fekt] n 1. elöljáró, prefektus 2. felügyelő, szenior [angol iskolában]
prefectorial [pri:fek'tɔ:rɪəl] a elöljárói, prefektusi
prefer [prɪ'fə:*] vt -rr- 1. ~ (sg to sg), ~ sg rather than sg vmt vmnél jobban szeret, előnyben részesít vmt vmvel szemben; ~ water to wine jobban szereti a vizet a bornál; I ~ to wait inkább várok 2. előad [panaszt]; benyújt [keresetet]; ~ a claim követelést érvényesít 3. kinevez; előléptet
preferable ['pref(ə)rəbl] a kívánatosabb; jobb, többre becsülhető (to aminél)
preferably ['pref(ə)rəblɪ] adv inkább
preference ['pref(ə)rəns] n 1. előny(ben részesítés), kedvezés; in ~ inkább; give sy ~ over sy előnyben részesít vkt vkvel szemben 2. kedvezmény 3. elsőbbségi jog
preferential [prefə'renʃl] a kedvezményes; ~ tariff kedvezményes (vám-) tarifa
preferment [prɪ'fə:mənt] n 1. előléptetés 2. kedvezés, kedvezményben részesítés
preferred [prɪ'fə:d] a előnyben részesített; ~ stock elsőbbségi részvény ‖→prefer
prefix I. n ['pri:fɪks] előképző, prefixum II. vt [pri:'fɪks] eléje tesz/told/beszúr
pregnancy ['pregnənsɪ] n 1. terhesség 2. tartalmasság; horderő
pregnant ['pregnənt] a 1. terhes, állapotos; vemhes, hasas 2. bővelkedő (with vmben); sokatmondó, jelentős; ~ with consequences (súlyos) következményekkel járó
preheat [pri:'hi:t] vt előmelegít
prehensile [prɪ'hensaɪl; US -s(ə)l] a fogó, kapaszkodó [ujj, farok stb.]

prehistoric(al) [pri:hɪ'stɔrɪk(l); US -'stɔ:-] a történelem előtti

prehistory [pri:'hɪst(ə)rɪ] n őstörténet

prejudge [pri:'dʒʌdʒ] vt 1. eleve megítél 2. elébevág, előre dönt

prejudice ['predʒʊdɪs; US -dʒə-] I. n 1. előítélet, elfogultság (against/for vk/vm iránt) 2. hátrány, sérelem; without ~ (to my right) jogfenntartással, kötelezettség nélkül II. vt 1. elfogulttá tesz, befolyásol (against vk ellen; for vk érdekében) 2. károsan befolyásol, kárt okoz [ügynek]

prejudiced ['predʒʊdɪst; US -dʒə-] a elfogult, előítéletes

prejudicial [predʒʊ'dɪʃl; US -dʒə-] a 1. hátrányos, sérelmes; káros 2. előítéletet keltő; elfogult vmvel szemben

prelacy ['preləsɪ] n főpapi méltóság; the ~ a főpapság

prelate ['prelɪt] n főpap, prelátus

prelim ['pri:lɪm v. prɪ'lɪm] n biz felvételi (vizsga) || → prelims

preliminary [prɪ'lɪmɪnərɪ; US -erɪ] I. a előzetes, bevezető; ~ examination felvételi vizsga II. n 1. bevezetés, bevezető 2. preliminaries pl előzetes intézkedések/tárgyalások

prelims ['pri:lɪmz v. prɪ'lɪmz] n pl címnegyed

prelude ['prelju:d] n 1. [zenei] előjáték, prelúdium 2. bevezetés; előzmény (to vmhez)

premature [premə'tjʊə*; US pri:mə-'tʃʊr] a 1. koránérő, koraérett 2. idő előtti, (túl) korai; ~ birth koraszülés

premeditate [pri:'medɪteɪt] vt előre megfontol/elhatároz

premeditated [pri:'medɪteɪtɪd] a előre megfontolt, szándékos

premeditation [pri:medɪ'teɪʃn] n előre megfontolás, megfontoltság

premier ['premjə*; US prɪ'mɪ(ə)r] I. a első(rangú), legfontosabb II. n miniszterelnök

première ['premɪeə*; US prɪ'mɪ(ə)r] n bemutató (előadás), premier

premiership ['premjəʃɪp; US prɪ'mɪ(ə)r-] n miniszterelnöki állás; miniszterelnökség

premise I. n ['premɪs] 1. előtétel, pre-

missza 2. premises pl helyiség, épület [üzleté stb.]; ház [telekkel]; on the ~s a helyszínen; off ~s utcán át (fogyasztható) [ital] II. v [prɪ'maɪz] 1. előrebocsát, bevezetésként megemlít 2. premisszaként feltesz/feltételez

premium ['pri:mjəm] n 1. felár, felpénz, jutalék; sell at a ~ felárral kel/ad el; stand at ~ parin felül áll 2. jutalom, prémium; be at ~ nagy a kelete; set/put a ~ on lying (valósággal) buzdít a hazudozásra 3. biztosítási díj(részlet) 4. díj [szakoktatási, lelépési] 5. ~ bond nyereménybetétkönyv

premonition [pri:mə'nɪʃn] n 1. előzetes figyelmeztetés 2. előérzet

premonitory [prɪ'mɒnɪt(ə)rɪ; US -'mɒnɪtɔ:rɪ] a előzetesen jelentkező [tünet]; ~ sign előjel; ~ signs of sg vmnek az előszele

prenatal [pri:'neɪtl] a szül(et)és előtti; ~ care terhesgondozás

prentice ['prentɪs] n tanonc; ~ hand kezdő/tapasztalatlan ember

preoccupation [pri:ɒkjʊ'peɪʃn; US -ɑkjə-] n 1. belefeledkezés, belemélyedés (with vmbe) 2. (greatest) ~ egyetlen gondolat, fő gond

preoccupied [pri:'ɒkjʊpaɪd; US -'ɑkjə-] a gondolatokba (el)merült, vmbe belefeledkezett

preoccupy [pri:'ɒkjʊpaɪ; US -'ɑ-] vt kizárólagosan foglalkoztat, figyelmét egészen leköti (vknek)

pre-ordain [pri:ɔ:'deɪn] vt előre elrendel/megállapít/kijelöl

prep [prep] n biz 1. (= preparation) készülés 2. házi feladat, „háef" 3. ~ school → preparatory

prepacked [pri:'pækt] a előre csomagolt, kiszerelt

prepaid [pri:'peɪd] a előre kifizetett, bérmentesített; answer ~ válasz fizetve; || → prepay

preparation [prepə'reɪʃn] n 1. készülés [másnapi órára, vizsgára stb.]; előkészület, felkészülés; make ~s for sg készülődik (v. előkészületeket tesz) vmre 2. (el)készítés; in ~ készül [étel stb.] 3. készítmény, preparátum

preparatory [prɪ'pærət(ə)rɪ; US -ɔ:rɪ] *a* előkészítő; ~/*prep school* kb. előkészítő (magán)iskola [*GB public school*-ba, US főiskolára való felvételre]; ~ *to* vmt megelőzően

prepare [prɪ'peə*] A. *vt* 1. (el)készít; kikészít 2. előkészít; *be* ~*d to do sg* kész/hajlandó megtenni vmt; *be* ~*d* légy résen! [cserkészköszönés]; ~ *oneself* felkészül vmre B. *vi* készül(ődik) (*for* vmre)

preparedness [prɪ'peədnɪs] *n* felkészültség, készenlét

prepay [pri:'peɪ] *vt* (*pt/pp* -**paid** -'peɪd) 1. előre fizet 2. bérmentesít

prepayment [pri:'peɪmənt] *n* 1. előrefizetés 2. bérmentesítés

prepense [prɪ'pens] *a of. malice* ~ kártevő/ártó szándékkal

preponderance [prɪ'pɔnd(ə)rəns; US -'pɑ-] *n* túlsúly, nagyobb befolyás (*over* vm fölött)

preponderant [prɪ'pɔnd(ə)rənt; US -'pɑ-] *a* túlnyomó, túlsúlyban levő, uralkodó

preponderate [prɪ'pɔndəreɪt; US -'pɑ-] *vi* jobban érvényesül, túlsúlyban van (*over* vm felett)

preposition [prepə'zɪʃn] *n* elöljáró, prepozíció

prepositional [prepə'zɪʃənl] *a* elöljárói; ~ *phrase* elöljárós/prepozíciós (szó-)szerkezet

prepossess [pri:pə'zes] *vt* 1. elfogulttá tesz; ~ *sy in favour of sy/sg* vkt elfogulttá tesz vk/vm javára; *be* ~*ed by sy* elfogult vk javára 2. áthat, eltölt (*with* vmvel); hatással van rá; *I was* ~*ed by his manners* megnyerőnek találtam modorát

prepossessing [pri:pə'zesɪŋ] *a* megnyerő, rokonszenves

prepossession [pri:pə'zeʃn] *n* elfogultság, részrehajlás

preposterous [prɪ'pɔst(ə)rəs; US -'pɑ-] *a* 1. abszurd, felháborítóan nevetséges 2. oktalan, ostoba

preposterousness [prɪ'pɔst(ə)rəsnɪs; US -'pɑ-] *n* 1. nevetségesség 2. abszurditás

prepuce ['pri:pju:s] *n* fityma, előbőr

prerequisite [pri:'rekwɪzɪt] *n* előfeltétel, nélkülözhetetlen kellék

prerogative [prɪ'rɔgətɪv; US -'rɑ-] *n* előjog, kiváltság; (*royal*) ~ felségjog

Pres. *president*

presage ['presɪdʒ] I. *n* 1. előérzet, sejtelem 2. előjel, ómen II. *vt* (meg)jósol; előre jelez; (előre) megérez

presbyter ['prezbɪtə*] *n* presbiter

presbyterian [prezbɪ'tɪərɪən] *a/n* presbiteriánus

presbytery ['prezbɪt(ə)rɪ] *n* 1. templomi szentély 2. katolikus plébánia, paplak 3. presbitérium

pre-school [pri:'sku:l] *a* iskoláskor előtti

prescience ['presɪəns; US 'pri:ʃɪ-] *n* előre tudás, megsejtés; (bölcs) előrelátás

prescribe [prɪ'skraɪb] A. *vt* 1. előír, elrendel 2. rendel [orvosságot/gyógymódot betegnek], felír [gyógyszert] B. *vi* 1. utasítást ad 2. ~ *for sy* (1) kezelést ír elő vknek (2) receptet ír fel vk számára

prescript ['pri:skrɪpt] *n* előírás

prescription [prɪ'skrɪpʃn] *n* 1. előírás 2. elévülés; *positive* ~ elbirtoklás 3. rendelvény, recept 4. (felírt) gyógyszer

prescriptive [prɪ'skrɪptɪv] *a* 1. előíró 2. szokáson alapuló 3. ~ *right* elbirtoklási jog

presence ['prezns] *n* 1. jelenlét; előfordulás [növényé]; *your* ~ *is requested* szíves megjelenését kérjük; ~ *of mind* lélekjelenlét 2. *GB* uralkodó jelenléte [fogadáson stb.] 3. viselkedés, megjelenés [személyé]; *a man of good* ~ jó fellépésű/megjelenésű ember

presence-chamber *n* királyi fogadószoba

present[1] ['preznt] I. *a* 1. jelenlevő; *be* ~ jelen/ott van (vhol); *those* ~ a jelenlevők 2. jelen, jelenlegi, mostani; *the* ~ *writer* e sorok írója, a jelen szerző; *at the* ~ *time* jelenleg; *the* ~ *government* a jelenlegi kormány 3. ~ *participle* jelen idejű melléknévi igenév; ~ *perfect* (*tense*) befejezett jelen (idő); ~ *tense* jelen idő [nyelvtani] 4. azonnali II. *n* 1. jelen (pillanat); *at* ~ jelenleg, most; *for the* ~ egyelőre; *no time like the* ~ most vagy soha, ez a legjobb alkalom 2. jelen (idő) [nyelvtani] 3. *by these* ~*s* ezen okmánnyal; ezennel

present[2] I. *n* ['preznt] ajándék; *as a* ~

ajándékként; *make sy a ~ of sg* megajándékoz vkt vmvel II. *v* [prɪ'zent] A. *vt* 1. bemutat; *~ sy to sy* bemutat vkt vknek; *~ a play* színdarabot előad/bemutat; *~ oneself* jelentkezik 2. nyújt [vmlyen látványt]; kelt [vmlyen benyomást]; *~ a fine appearance* jól fest; *it ~s some difficulty* (ez) némi nehézséget okoz; *an idea ~s itself* felmerül egy ötlet; *a good opportunity ~s itself* kedvező alkalom kínálkozik 3. bemutat [váltót]; benyújt [számlát]; bead [keresetet]; előad [kérést]; *~ my respects* adja át tisztelettel üdvözletemet 4. ajándékoz; *~ sy with sg* megajándékoz vkt vmvel; *~ sg to sy* vknek vmt (oda)ajándékoz
presentable [prɪ'zentəbl] *a* 1. szalonképes 2. tisztességes (külsejű) 3. ajándékozásra alkalmas
presentation [prez(ə)n'teɪʃn] *n* 1. bemutatás 2. átnyújtás, átadás, beterjesztés; előterjesztés 3. beállítás, „tálalás" [kérdésé, tárgyé] 4. ajándék(tárgy); *~ copy* tiszteletpéldány
present-day *a* mai, jelenlegi
presenter [prɪ'zentə*] *n* műsorvezető
presentiment [prɪ'zentɪmənt] *n* előérzet, (bal)sejtelem
presently ['prezntlɪ] *adv* 1. mindjárt, rögtön; *I'll be here ~* rögtön jövök 2. *US* jelenleg, most
presentment [prɪ'zentmənt] *n* 1. bemutatás 2. előadás 3. látszat, ábrázolás, leírás 4. vádhatározat [esküdtszéké]
preservation [prezə'veɪʃn] 1. megőrzés 2. kondíció, konzerváltság; *in a good state of ~* jó állapotban/karban 3. befőzés; konzerválás, tartósítás
preservative [prɪ'zə:vətɪv] I. *a* megőrző, óvó II. *n* tartósító szer
preserve [prɪ'zə:v] I. *n* 1. befőtt; lekvár 2. természetvédelmi terület, rezervátum 3. kizárólagos (vadász)terület 4. *preserves pl* védőszemüveg, autószemüveg II. *vt* 1. megőriz, megvéd (*from* vmitől); megtart, megment; fenntart [műemléket]; *~ appearances* a látszatot megőrzi 2. tartósít, befőz, konzervál

preserved [prɪ'zə:vd] *a* 1. konzervált 2. megőrzött; karbantartott
preserver [prɪ'zə:və*] *n* 1. megőrző, megmentő 2. konzerváló szer
preset [pri:'set] *vt* (*pt/pp ~*; -tt-) előre beállít
preshrunk [pri:'ʃrʌŋk] *a* (előre) beavatott, zsugorodásmentes
preside [prɪ'zaɪd] *vi* 1. elnököl (*at/over* vm fölött) 2. asztalfőn ül
presidency ['prezɪd(ə)nsɪ] *n* elnöklés; elnökség, elnöki méltóság/tisztség
president ['prezɪd(ə)nt] *n* 1. elnök 2. *US* (egyetemi) rektor
presidential [prezɪ'denʃl] *a* 1. elnöki 2. elnökválasztási
presiding [prɪ'zaɪdɪŋ] *a* elnöklő
press[1] [pres] I. *n* 1. nyomás 2. prés 3. sajtó; könyvnyomtatás, (könyv-)nyomda; *have a good ~* jó sajtója van; *go to ~* nyomdába kerül; *in the ~* nyomás/sajtó alatt; *~ conference* sajtókonferencia; *~ release* sajtóközlemény 4. tolongás, szorongás, tömeg, csődület 5. hajsza; *~ of business* sürgős munka/elfoglaltság 6. (ruhás)szekrény, fehérneműs szekrény II. A. *vt* 1. (meg)nyom, összenyom; (ki)sajtol, (ki)présel 2. (meg)szorít; (át)ölel 3. (ki)vasal; *have one's suit ~ed* kivasaltatja öltönyét 4. kényszerít, sürget, siettet; *~ an attack* erőteljesen támad; *~ sy hard* szutyongat vkt B. *vi* 1. nyomul, tolong, szorong; *~ close to sg* közel húzódik vmhez, odahúzódik vmhez 2. sürgős, sietős; *time ~es* sürget az az idő 3. befolyással/hatással van
press against *vt* nekitámaszkodik
press down *vt* 1. lenyom [pedált, gombot] 2. lesimít
press for *vt* erőteljesen sürget, követel; *~ f. an answer* sürgeti a választ; *be ~ed f. money* pénzszűkében van; *be ~ed f. time* időzavarral/-hiánnyal küzd → *pressed*
press forward A. *vi* előreözönlik [tömeg] B. *vt* siettet, sürget, unszol
press on A. *vt* 1. ráprésel, ráerősít 2. ráerőltet 3. siettet, sürget, unszol B. *vi* 1. előretódul 2. eltökélten folytatja útját/munkáját 3. *his respon-*

sibilities ~ heavily on him súlyos felelősség nehezedik rá press upon = press on A. 1., 2., B. 3.

press² [pres] *vt* erőszakkal besoroz, verbuvál

press-agent *n* sajtóügynök

press-box *n* sajtópáholy

press-button *n* patentgomb, nyomógomb

press-campaign *n* sajtóhadjárat

press-clipping *n* újságkivágás, -kivágat

press-copy *n* sajtópéldány

press-correspondent *n* sajtótudósító, levelező

press-cutting *n* újságkivágás, -kivágat

pressed [prest] *a* **1.** sajtolt; préselt; vasalt [ruha] **2.** ~ *for space* helyszűke (miatt); *be hard* ~ nyomasztó helyzetben van **3.** hajszolt, űzött, sürgetett || →*press¹ II.*, *press for*

press-gallery *n* sajtókarzat

press-gang *n* † erőszakkal verbuváló őrjárat

pressing ['presɪŋ] **I.** *a* sürgős, sürgető, halasztást nem tűrő **II.** *n* **1.** nyomás; préselés **2.** pressings *pl* kisajtolt nedv [gyümölcsé, húsé] **3.** vasalás; mángorlás **4.** sürgetés, nógatás

pressman ['presmæn] *n* (*pl* -men -mən) **1.** nyomdász **2.** újságíró **3.** US (nyomdai) gépmester

press-mark *n* GB katalógusszám [könyvé könyvtárban]

press-stud *n* GB nyomókapocs, patent- (kapocs)

press-up *n* fekvőtámasz

pressure ['preʃə*] *n* **1.** nyomás; *high* ~ nagy nyomás →*high-pressure*; *at high* ~ (1) nagy nyomással (2) nagy sebességgel; ~ *cabin* túlnyomásos utasfülke [repgépen]; ~ *suit* túlnyomásos pilótaöltöny, űrruha **2.** *átv* nyomás (vmre); ~ *group* nyomást gyakorló érdekszövetség **3.** sanyarúság, szükség **4.** kényszer; sürgősség; *under* ~ kényszer(űség)ből

pressure-cooker *n* kukta(fazék)

pressure-gauge *n* nyomásmérő, manométer

pressurize ['preʃəraɪz] *vt* túlnyomást létesít; ~*d cabin* túlnyomásos utasfülke [repgépen]

prestige [pre'sti:ʒ] *n* tekintély, erkölcsi súly, presztízs

prestigious [pre'stɪdʒəs] *a* tekintélyes, köztiszteletben álló, rangos

presto ['prestou] *adv* gyorsan

prestressed [pri:'strest] *a* előfeszített [betonelem]

presumable [prɪ'zju:məbl; US -'zu:-] *a* feltételezhető, feltehető; gyanítható; valószínű

presume [prɪ'zju:m; US -'zu:m] **A.** *vt* **1.** feltesz, feltételez, gyanít, vél, sejt; *Doctor Livingstone I* ~? Ugyebár Dr. L.-hoz van szerencsém? **2.** ~ *to do sg* bátorkodik/mer(észel) vmt (meg)tenni; ~ *too much* sokat enged meg magának **B.** *vi* ~ (*up*)*on sg* számít vmre, (túl sokat) vár vmtől; ~ (*up*)*on sy's friendship* visszaél vk barátságával

presumed [prɪ'zju:md; US -'zu:-] *a* feltételezett, valószínű

presuming [prɪ'zju:mjŋ; US -'zu:-] *a* **1.** elbizakodott, beképzelt **2.** tapintatlan, tolakodó

presumption [prɪ'zʌmpʃn] **1.** feltételezés, vélelem **2.** valószínűség, elbizakodottság, önteltség

presumptive [prɪ'zʌmptɪv] *a* **1.** valószínű **2.** vélelmezett || →*heir*

presumptuous [prɪ'zʌmptjʊəs; US -tʃʊ-] *a* **1.** merész **2.** önhitt **3.** szemtelen, hepciás

presuppose [pri:sə'pouz] *vt* előre feltesz, feltételez, vélelmez

pretence, US -tense [prɪ'tens] *n* **1.** ürügy, igény, jogcím; *under the* ~ *of friendship* barátságot színlelve **2.** látszat, színlelés, szerepjátszás; *there's no* ~ *about him* természetes ember, nem pózol, önmagát adja **3.** áltatás, fondorlat; *on*/*under false* ~*s* csalárd fondorlattal

pretend [prɪ'tend] **A.** *vt* **1.** tettet, mímel, színlel, úgy tesz, mintha; megjátssza, hogy; szimulál; *let's* ~ *to be robbers* játsszuk azt, hogy rablók vagyunk **B.** *vi* igényel, igényt tart vmre

pretender [prɪ'tendə*] *n* igénylő; igényt tartó (*to* vmre); trónkövetelő

pretense →*pretence*

pretension [prɪ'tenʃn] *n* **1.** kifogás, ürügy **2.** (jog)igény, követelés **3.** önhittség, elbizakodottság; *man of no ~(s)* igénytelen/szerény ember

pretentious [prɪ'tenʃəs] *a* **1.** követelőző; nagyratörő **2.** elbizakodott, nagyhangú

pretentiousness [prɪ'tenʃəsnɪs] *n* **1.** = *pretension* **3. 2.** követelőzés

preterit(e) ['pret(ə)rɪt] *a/n* múlt (idő), praeteritum

preternatural [pri:tə'nætʃrəl] *a* természetfölötti

pretext ['pri:tekst] *n* ürügy, kifogás; *on/under the ~ of* vmnek örve alatt

Pretoria [prɪ'tɔ:rɪə] *prop* Pretória

prettify ['prɪtɪfaɪ] *vt* csinosít(gat)

prettily ['prɪtɪlɪ] *adv* kedvesen; kecsesen; csinosan

prettiness ['prɪtɪnɪs] *n* **1.** csinosság, kedvesség **2.** finomkodás

pretty ['prɪtɪ] **I.** *a* **1.** csinos, bájos, szép **2.** meglehetős; *a ~ state of affairs!* szép kis ügy (mondhatom)! **II.** *adv* **1.** eléggé, meglehetősen; *~ well* (1) elég jól (2) jóformán; *~ much* eléggé, meglehetősen; *~ much the same* nagyjából ugyanaz; *biz ~ near* majdnem **2.** *biz be sitting ~* kitűnő/biztos helyzetben van **III.** *n my ~!* kis bogaram! drágaságom!

pretty-pretty *a* finomkodó; affektáló

prevail [prɪ'veɪl] *vi* **1.** uralkodik (*over* vk fölött), győzedelmeskedik, érvényesül (*over/against* vkvel szemben) **2.** *~ (up)on sy to do sg* rábeszél/rábír vkt vmnek a megtételére **3.** uralkodik, túlsúlyban van, dominál

prevailing [prɪ'veɪlɪŋ] *a* **1.** fennálló, uralkodó, általános, érvényes; *~ winds* uralkodó szelek **2.** hatásos

prevalence ['prevələns] *n* túlsúly, gyakoriság, elterjedtség

prevalent ['prevələnt] *a* uralkodó, túlsúlyban levő, gyakori, elterjedt

prevaricate [prɪ'værɪkeɪt] *vi* nem beszél nyíltan, kertel

prevarication [prɪværɪ'keɪʃn] *n* nem őszinte beszéd, kertelés

prevent [prɪ'vent] *vt* (meg)akadályoz, meghiúsít; *~ sy from doing sg* megakadályoz vkt vm megtételében

prevention [prɪ'venʃn] *n* **1.** megakadályozás, meggátolás **2.** megelőzés, elhárítás, prevenció; *~ of accidents* balesetelhárítás

preventive [prɪ'ventɪv] **I.** *a* **1.** megakadályozó, meggátló, elhárító **2.** megelőző,preventív [intézkedés stb.]; *~ detention* internálás; *~ medicine* profilaxis; *~ officer* parti vámőr **II.** *n* preventív gyógyszer

preview ['pri:vju:] **I.** *n* sajtóbemutató, szakmai bemutató [filmé] **II.** *vt* sajtóbemutatón/előre megtekint

previous ['pri:vjəs] **I.** *a* **1.** (meg)előző, előzetes, előbbi; *~ question* halasztási indítvány [előzetes kérdés eldöntése címén] **2.** *biz* túl korai, elsietett **II.** *adv ~ to* előbb, vmit megelőzően, vm előtt; *~ to my departure* elutazásomat megelőzően

previously ['pri:vjəslɪ] *adv* azelőtt, korábban; előzetesen

prevision [pri:'vɪʒn] *n* előrelátás

pre-war [pri:'wɔ:*; *jelzői haszn* 'pri:-] *a* háború előtti

prexy ['preksɪ] *n US biz* elnök, rektor [főiskoláé, egyetemé]

prey [preɪ] **I.** *n* préda, zsákmány; áldozat; *be/fall ~ to* (1) áldozatul esik (2) szenved (vm miatt) **II.** *vi ~ (up)on sg* (1) leselkedik vmre (2) zsákmányul ejt vmt, megragad vmt; *~ (up)on sy* (1) élősködik vkn (2) bánt/emészt vkt; *sg is ~ing on his mind* vm emészti

price [praɪs] **I.** *n* **1.** ár; árfolyam; *~ current = price-list; ~ cut* árleszállítás; *at any ~* mindenáron; *set a high ~ on sg* vmt nagyra értékel; *above/beyond/without ~* megfizethetetlen, felbecsülhetetlen; *biz what ~ . . .?* (1) mi a valószínűsége? (2) mibe kerül? (3) mit ér . . . [gúnyosan]; *biz what ~ glory?* drágán vásárolt dicsőség [a háborús győzelem]; *every man has his ~* minden ember megvásárolható **2.** jutalom, díj; *set/put a ~ on sy's head* díjat tűz ki vk fejére **II.** *vt* **1.** árat megállapít, (be)áraz **2.** becsül, értékel

price-control *n* árellenőrzés

priced [praɪst] *a* **1.** (vmlyen) árú **2.** árral megjelölt

price-index *n* árindex
priceless ['praɪslɪs] *a* (*átv is*) megfizethetetlen, megbecsülhetetlen
price-level *n* árszint
price-list *n* ár(folyam)jegyzék, árlap
price-tag *n* árcédula
prick [prɪk] I. *n* 1. (tű)szúrás (helye); *biz* ~*s of conscience* lelkiismeretfurdalás 2. tüske; tövis 3. ösztöke; vmnek a hegye; *kick against the* ~*s* oktalanul makrancosokodik 4. *vulg* fasz, fark(a vknek) II. A. *vt* 1. (meg)szúr; felszúr, kibök; ~ *one's finger* megszúrja az ujját 2. ~ *up one's ears* fülét hegyezi 3. ~ *out* kiültet [palántát] B. *vi* 1. bizsereg 2. † lóháton megy, lovagol
prick-eared *a* hegyes fülű
pricker ['prɪkə*] *n* (pontszúró) tű, pikírozófa, ár
pricking ['prɪkɪŋ] *n* 1. szúrás; kipontozás; ~ *wheel* szabórádli 2. zsibongás, bizsergés
prickle ['prɪkl] I. *n* 1. tüske, tövis 2. bizsergés II. A. *vt* bök, szúr B. *vi* bizsereg
prickly ['prɪklɪ] *a* 1. tövises, szúrós; ~ *pear* fügekaktusz 2. kényes [kérdés] 3. bizsergő, viszkető, csiklandó, csípő; ~ *heat* hőkiütés 4. *biz* tüskés, ingerlékeny [ember]
pride [praɪd] I. *n* 1. büszkeség; önérzet; *take* ~ *in sg* büszke vmre 2. gőg, kevélység; ~ *goes before a fall* aki felmagasztalja magát megaláztatik 3. tetőfok; *in the* ~ *of years* élete virágjában/teljében II. *vt* ~ *oneself on sg* büszkélkedik/kérkedik vmvel
pried [praɪd] →*pry*¹ és *pry*² II.
priest [pri:st] *n* (áldozó)pap; lelkész
priesthood ['pri:sthʊd] *n* papság
Priestley ['pri:stlɪ] *prop*
priestlike *a* papi, papos
priestly ['pri:stlɪ] *a* papi, paphoz illő
priest-ridden *a* papság által elnyomott
prig [prɪg] *n* smokk; beképzelt/öntelt/szenteskedő ember
priggish ['prɪgɪʃ] *a* 1. önhitt 2. kényeskedő
priggishness ['prɪgɪʃnɪs] *n* 1. fontoskodás, önhittség 2. kényeskedés
prim [prɪm] *a* 1. kimért, mesterkélt, pedáns 2. prűd, szemérmes 3. csinos

primacy ['praɪməsɪ] *n* 1. érsekség, prímásság 2. elsőbbség, felsőbbség
primaeval →*primeval*
prima facie [praɪmə'feɪʃi:] *a/adv* első látásra elfogadható(an)
primal ['praɪml] *a* 1. első, eredeti, ős- 2. első, fő, legfőbb
primarily ['praɪm(ə)rəlɪ] *adv* elsősorban; eredetileg
primary ['praɪmərɪ; *US* -erɪ] I. *a* 1. első, elsődleges, eredeti, fő(-); *of* ~ *importance* alapvető fontosságú 2. elemi; ~ *colours* alapszín(ek); ~ *education* elemi oktatás; ~ *school* kb. általános iskola (alsó tagozata) II. *n* 1. fődolog 2. *US* (elnök)jelölő helyi előválasztás
primate ['praɪmət] *n* prímás [egyházi]
primates [praɪ'meɪtɪ:z] *n pl* főemlősök
prime [praɪm] *a* 1. első(rendű), fő(-); ~ *cost* beszerzési/előállítási ár; ~ *minister* miniszterelnök; ~ *mover* (1) erőgép (2) *átv* lelke/mozgatója vmnek; ~ *necessity* elsőrangú fontosságú dolog 2. legjobb, kiváló, elsőrendű minőségű; ~ *cut* java rész [húsé] 3. eredeti, ős-, elsődleges; ~ *number* törzsszám II. *n* 1. kezdet, tavasz; *in the* ~ *of life, in one's* ~ élete virágjában; *past one's* ~ kenyere javát megette 2. vmnek színe-java, tökéletessége, vmnek tetőfoka 3. prima (hora) [reggeli imádság(idő)] III. *vt* 1. (meg)tölt [üzemanyaggal, lőporral]; telít [szivattyút stb.]; ~ *the pump* (1) szivattyúba vizet tölt (2) *biz* anyagilag támogat 2. *biz* itat; etet; *be well* ~*d* borközi állapotban van 3. kitanít, kioktat, (be)paukol 4. alapoz [festés alá]
primer¹ ['praɪmə*; *US* 'prɪ-] *n* 1. ábécéskönyv, elsős olvasókönyv 2. bevezetés, bevezető [könyv]; alapelemek
primer² ['praɪmə*] *n* 1. gyutacs 2. alapozó; alapréteg [festék]
prim(a)eval [praɪ'mi:vl] *a* ősi, eredeti
priming ['praɪmɪŋ] →*prime* III.
primitive ['prɪmɪtɪv] *a* 1. ősi, eredeti, ős-; ~ *man* ősember 2. kezdetleges, egyszerű, primitív[művészet, irányzat]
primitiveness ['prɪmɪtɪvnɪs] *n* egyszerűség, kezdetlegesség, primitívség

primly ['prɪmlɪ] *adv* 1. mesterkélten, erőltetetten 2. kimérten, pedánsan
primness ['prɪmnɪs] *n* 1. prűdség, mesterkéltség, erőltetettség 2. pedánsság, pedantéria
primogeniture [praɪmoʊ'dʒenɪtʃə*] *n* 1. elsőszülöttség 2. hitbizományi rendszer
primordial [praɪ'mɔːdjəl] *a* 1. ősi, eredeti, legelső 2. alapvető (fontosságú)
primp [prɪmp] *vi/vt* = *prink*
primrose ['prɪmroʊz] *n* kankalin; *biz the* ~ *path* élvezetekkel teli élet(út), a lejtő
primula ['prɪmjʊlə; *US* -mjə-] *n* kerti kankalin
primus¹ ['praɪməs] *a* idősebb
primus² ['praɪməs] ~ (*stove*) hordozható olajtűzhely
prince [prɪns] *n* 1. herceg; *P*~ *Consort* (angol) királynő férje; *P*~ *Regent* régensherceg; *P*~ *of Wales* a walesi herceg 2. uralkodó; fejedelem; *the* ~ *of darkness* a sátán
princedom ['prɪnsdəm] *n* hercegség
princely ['prɪnslɪ] *a* fejedelmi, hercegi
princess [prɪn'ses; *US* 'prɪn-] *n* hercegnő; hercegné; *P*~ *Royal* ⟨angol király legidősebb lánya⟩
Princeton ['prɪnstən] *prop*
principal ['prɪnsəpl] I. *a* fő, legelső, legfontosabb; ~ *parts* (*of a verb*) az ige törzsalakjai/averbója II. *n* 1. igazgató; főnök, elöljáró, felettes, principális 2. megbízó 3. (kölcsön)tőke; ~ *and interest* tőke és kamatok 4. (közvetlen) tettes, elkövető [bűncselekménynél] 5. párbajozó fél 6. szarufa, mestergerenda
principality [prɪnsɪ'pælətɪ] *n* fejedelemség; *the P*~ Wales
principally ['prɪnsəplɪ] *adv* főként, leginkább; elsősorban
principle ['prɪnsəpl] *n* (alap)elv, alap; *in* ~ általában, elvben; *on* ~ elvből; *high* ~*s* emelkedett erkölcsi szempontok; *matter of* ~ elvi kérdés
principled ['prɪnsəpld] *a* 1. vmlyen elvű 2. elvi alapon álló
prink [prɪŋk] *vi/vt* ~ (*oneself*) *up* cicomázza/kicsípi magát

print [prɪnt] I. *n* 1. nyomdatermék; nyomat; nyom(tat)ás; metszet; *in* ~ (1) nyomás alatt, nyomtatásban (2) kapható; *out of* ~ kifogyott, nem kapható [könyv] 2. (nyomdai) betű(típus); *large* ~ nagy betű 3. fénykép(másolat), kópia 4. lenyomat (vmé); (láb)nyom 5. nyomott pamutszövet 6. kiadás, kinyomtatás; nyomtatvány; *US* újság II. A. *vt* 1. ~ (*off*) nyom, (ki)nyomtat, kinyomat; ~ *out* kiír [adatokat számítógép] 2. fényképmásolatot készít (*off* vmről) 3. nyomtatott betűkkel ír 4. (rá)nyom; (le)bélyegez 5. nyom [szövetet] B. *vi the book is* ~*ing* a könyvet nyomják
printable ['prɪntəbl] *a* 1. (ki)nyomható 2. nyomdafestéket elbíró 3. nyomtatásra kész
printed ['prɪntɪd] *a* nyom(tat)ott; ~ *circuit* nyomtatott áramkör; ~ *cloth* nyomott pamutszövet; "~ *matter*", "~ *papers*" „nyomtatvány" [postai jelzés]
printed-paper rate nyomtatványdíjszabás
printer ['prɪntə*] *n* nyomdász; nyomdai) gépmester; ~*'s devil* nyomdai tanonc, nyomdászinas; ~*'s error* sajtóhiba; ~*'s ink* nyomdafesték; ~*'s reader* nyomdai korrektor
printing ['prɪntɪŋ] *n* 1. nyom(tat)ás 2. másolás; ~ *frame* másolókeret
printing-house *n* nyomda
printing-machine *n* nyomógép, nyomdagép
printing-office *n* nyomda
printing-out paper napfénypapír
printing-press *n* = *printing-machine*
printout *n* nyomtatott eredmény, kiírás [adatfeldolgozásban]
print-room *n* metszetgyűjtemény
print-seller *n* metszetárus
print-shop *n* metszetkereskedés
prior¹ ['praɪə*] *n* házfőnök, perjel
prior² ['praɪə*] I. *a* előbbi, korábbi (*to* vknél/vmnél) II. *adv* ~ *to* (vmt) megelőzően; ~ *to that* korábban
prioress ['praɪərɪs] *n* (zárda)főnöknő
priority [praɪ'ɔrətɪ; *US* -'ɔːr-] *n* elsőbbség; *top* ~ mindent/mindenkit mege-

lőző elsőbbség(i jog); ~ *sign* „főútvonal" jelzőtábla; *have/take* ~ elsőbbséggel bír, elsőbbsége van (*over* előtt); *have low* ~ nem sürgős
priory ['praɪərɪ] *n* szerzetház, zárda [perjel vezetése alatt]
prism ['prɪzm] *n* 1. hasáb, prizma 2.
prisms *pl* a színkép színei
prismatic [prɪz'mætɪk] *a* 1. hasáb alakú, prizmás 2. ~ *colours* szivárványszínek
prison ['prɪzn] *n* börtön, fogház; *break* (*out of*) ~ megszökik a börtönből; *put sy in* ~ börtönbe vet vkt
prison-breaking *n* megszökés börtönből
prisoner ['prɪznə*] *n* 1. rab, rabnő, fogoly; ~ *of war* hadifogoly; *be taken* ~ foglyul esik/ejtik 2. letartóztatott; vizsgálati fogoly; ~*'s base* kb. „adj király katonát..." [fogójáték]
prison-yard *n* börtönudvar
prissy ['prɪsɪ] *a US biz* fontoskodó, finomkodó
pristine ['prɪstaɪn; *US* -tiːn] *a* hajdani, régi, ősi, eredeti
prithee ['prɪðɪ] *int* † (kérve) kérlek
privacy ['prɪvəsɪ; *US* 'praɪ-] *n* 1. magányosság; magánélet; elvonultság, magány 2. titok(tartás)
private ['praɪvɪt] I. *a* 1. magántermészetű, magán-; ~ *patient* magánbeteg; *in* ~ *life* a magánéletben 2. titkos, bizalmas; *for your* ~ *ear* (egészen) bizalmasan [közlöm]; *keep sg* ~ titokban tart vmt 3. nem nyilvános, zártkörű; ~ *dance* zártkörű táncmulatság; *the funeral will be* ~ a temetésen csak a legszűkebb családtagok vesznek részt; „~" (1) „magánterület"; „belépni tilos" (2) különjárat [buszfelirat] 4. ~ *parts* (külső) nemi szervek 5. ~ *soldier* közkatona II. *n* 1. magányosság, egyedüllét; *in* ~ (1) a magánéletben, bizalmas körben (2) titokban, bizalmasan 2. közkatona; *US* ~ *first class* őrvezető
privateer [praɪvə'tɪə*] I. *n* 1. partizánhajó 2. partizánhajó kapitánya/tengerésze II. *vi* kalózkodik
privately ['praɪvɪtlɪ] *adv* 1. titkosan, bizalmasan 2. személyesen; ~ *owned* magántulajdonban levő

privation [praɪ'veɪʃn] *n* 1. nyomor, szűkölködés 2. megfosztás
privet ['prɪvɪt] *n* fagyal(bokor)
privilege ['prɪvɪlɪdʒ] I. *n* 1. kiváltság, előjog, privilégium; *parliamentary* ~ mentelmi jog 2. megtiszteltetés; *it's a great* ~ *to me to* ... nagy tisztességemre szolgál az, hogy ... II. *vt* kiváltsággal felruház, előjogot biztosít
privileged ['prɪvɪlɪdʒd] *a* 1. kiváltságos; *the* ~ *classes* a kiváltságos osztályok 2. szabadalmas
privy ['prɪvɪ] I. *a* 1. ~ *to sg* tudomása van vmiről, részes/cinkos vmben 2. titkos; magán; ~ *parts* nemi szervek 3. *GB P*~ *Council* Titkos Tanács, Királyi Államtanács; *P*~ *Councillor* a Királyi Államtanács tagja, belső titkos tanácsos; *Lord P*~ *Seal* Lordpecsétőr; *P*~ *Purse* az uralkodó magánpénztára, civillista II. *n* 1. érdektárs 2. *US* árnyékszék
prize[1] [praɪz] I. *n* 1. díj, nyeremény, jutalom 2. (*jelzői haszn*) díjazott, díjnyertes; ~ *dog* díjnyertes kutya II. *vt* becsül vmre, nagyra becsül, értékel
prize[2] [praɪz] I. *n* † (hadi)zsákmány II. *vt* zsákmányul ejt
prize[3] [praɪz] *vt* ~ *open/out* feltör, felfeszít; ~ (*up*) emelővel felemel (vmt)
prize-fight *n* (hivatásos) ökölvívómérkőzés
prize-fighter *n* hivatásos bokszoló/ökölvívó
prize-giving *n* jutalomkiosztás
prize-list *n* jutalmazottak/győztesek névsora
prizeman ['praɪzmən] *n* (*pl* -men -mən) díjnyertes, jutalmazott
prize-ring *n* szorító [ökölvívóké]
prize-winner *n* = *prizeman*
pro[1] [proʊ] I. *prep* mellett, -ért; ~ *rata* [proʊ'rɑːtə] arányosan; ~ *tem(pore)* [proʊ'tem(pərɪ)] ideiglenesen, átmenetileg; ~ *forma* [proʊ'fɔːmə] a forma/látszat kedvéért; ~ *forma invoice* előszámla II. *n the* ~*s and cons* a mellette és ellene szóló érvek/szempontok
pro[2] [proʊ] *a/n biz* profi, hivatásos
pro- [proʊ] *pref/a* 1. -támogató, -barát; ~-*Communist* kommunistabarát

2. *biz he is very* ~ nagyon támogatja, mellette van

P.R.O., PRO [pi:a:r'oʊ] *public relations officer* →*public*

probability [prɔbə'bɪlətɪ; *US* pra-] *n* valószínűség; eshetőség, esély

probable ['prɔbəbl; *US* -a-] I. *a* valószínű, lehetséges; *a* ~ *winner* esélyes, favorit II. *n* esélyes [jelölt stb.]

probably ['prɔbəblɪ; *US* 'pra-] *adv* valószínűleg; talán

probate ['proʊbeɪt] I. *n* 1. hiteles érvényesítés/jóváhagyás [végrendeleté] 2. örökösödési eljárás; *P*~ *Court* hagyatéki bíróság; ~ *duty* hagyatéki adó 2. bíróilag hitelesített végrendelet-másolat II. *vt US* ~ *a will* végrendeletet bíróilag megerősít

probation [prə'beɪʃn; *US* proʊ-] *n* 1. feltételes szabadlábra helyezés; ~ *officer* ⟨feltételesen szabadlábra helyezettek felügyeletével megbízott rendőrtiszt⟩; ~ *system* próbaidőre való szabadlábra helyezés (módszere) 2. próba(idő); *be on* ~ (1) gyakorlati idejét tölti (2) feltételesen szabadlábon van

probational [prə'beɪʃənl] *a* próbaidős, próbaidejét töltő, gyakorlóéves

probationary [prə'beɪʃn(ə)rɪ; *US* -erɪ] *a* = *probational*

probationer [prə'beɪʃnə*] *n* 1. novícius; próbaéves, gyakorlóéves; újonc 2. próbaidőre szabadlábra helyezett

probe [proʊb] I. *n* 1. szonda, kutasz; *lunar* ~ holdszonda 2. alapos/mélyreható vizsgálat II. *vt* 1. szondáz; kitapogat [orvos] 2. kutat, (alaposan) megvizsgál

probity ['proʊbətɪ] *n* feddhetetlenség, becsületesség

problem ['prɔbləm; *US* -a-] *n* 1. probléma, kérdés, feladat; ~ *child* nehezen nevelhető gyerek; ~ *play* tételes dráma, iránydráma 2. (mennyiségtani) feladat, példa

problematic(al) [prɔblə'mætɪk(l); *US* pra-] *a* problematikus, kérdéses, kétséges, vitatható

proboscis [prə'bɔsɪs; *US* -'ba-] *n* 1. orrmány 2. szívószerv [rovaré]

pro-British [proʊ'brɪtɪʃ] *a* angolbarát

procedural [prə'si:dʒər(ə)l] *a* ügyrendi

procedure [prə'si:dʒə*] *n* 1. eljárás-(mód), művelet; *legal* ~ bírói eljárás 2. ügyrendi szabályzat [gyűlésen]

proceed [prə'si:d] *vi* 1. halad, előremegy, folytatódik, tovább megy; ~ *to/towards a place* vhová megy/halad; ~ *to* (1) elkezd/folytat vmt, hozzáfog vmhez (2) (vmt követően) tesz vmt; ~ *to blows* verekedésre kerül a sor 2. folytatódik, folyamatban van; *proceed!* folytasd!, tovább!; ~ *with sg* folytat vmt 3. ered, kiindul (*from* vmből) 4. eljár [hivatalosan]; ~ *against sy* (jogi) eljárást indít vk ellen, beperel vkt ‖ →*proceeds*

proceeding [prə'si:dɪŋ] *n* 1. eljárás(mód) 2. **proceedings** *pl* bírósági eljárás; *costs of the* ~*s* perköltség 3. **proceedings** *pl* jegyzőkönyv [gyűlése]; *P*~*s of the Academy* az Akadémia közleményei/aktái; (*written*) ~*s* akták, iratok

proceeds ['proʊsi:dz] *n pl* bevétel; haszon, hozadék; jövedelem; *net* ~ tiszta haszon

process[1] ['proʊses; *US* 'pra-] I. *n* 1. folyamat; eljárás; fejlődés; *in* ~ *of construction* építés alatt 2. per, kereset; bírósági idézés 3. kinövés, nyúlvány II. *vt* 1. feldolgoz; megmunkál; vm eljárást végez vmn, kikészít [textilt stb.]; tartósít [húst] 2. kidolgoz [filmet] 3. klisíroz; lenyomtat 4. (be-)perel

process[2] [prə'ses] *vi biz* (fel)vonul

processed ['proʊsest] *a* feldolgozott; ~ *cheese* ömlesztett sajt

procession [prə'seʃn] *n* processzió, felvonulás, körmenet

processional [prə'seʃənl] *a* körmeneti

process-printing *n* háromszínnyomás

process-server *n* bírósági kézbesítő

proclaim [prə'kleɪm] *vt* 1. kihirdet, kikiált, kinyilvánít 2. ~ *war* hadat üzen

proclamation [prɔklə'meɪʃn; *US* pra-] *n* kiáltvány, nyilatkozat

proclitic [prə'klɪtɪk] *a/n* hangsúlytalan, simuló (szó)

proclivity [prə'klɪvətɪ; *US* proʊ-] *n* (rossz irányú erkölcsi) hajlam

proconsul [proʊ'kɒns(ə)l; US -'kɑ-] *n* prokonzul, gyarmati kormányzó

procrastinate [prə'kræstɪneɪt] *vi* halogat, késlekedik

procrastination [prəkræstɪ'neɪʃn] *n* halogatás, késlekedés

procreate ['proʊkrɪeɪt] *vt* nemz; alkot, létrehoz

procreation [proʊkrɪ'eɪʃn] *n* nemzés, teremtés; létrehozás

proctor ['prɒktə*; US -ɑ-] **1.** *GB* egyetemi fegyelmi felügyelő **2.** *US* vizsgafelügyelő

procumbent [proʊ'kʌmbənt] *a* **1.** hason fekvő **2.** kúszó

procurable [prə'kjʊərəbl] *a* kapható, megszerezhető

procuration [prɒkjʊ(ə)'reɪʃn; US prakjə-] *n* **1.** megszerzés, beszerzés **2.** ügyvitel **3.** meghatalmazás; cégjegyzés; *per ~* megbízásból **4.** *~ fee/money* ügynöki díj

procurator ['prɒkjʊ(ə)reɪtə*; US 'prakjə-] *n* meghatalmazott

procure [prə'kjʊə*] *vt* **1.** (meg)szerez, beszerez; kieszközöl **2.** † okoz, előidéz **3.** kerít [nőt]

procurement [prə'kjʊəmənt] *n* **1.** = *procuration 1.* **2.** közbenjárás **3.** kerítés [nőt]

procurer [prə'kjʊərə*] *n* **1.** vásárló **2.** kijáró, felhajtó **3.** kerítő(nő)

procuress [prə'kjʊərɪs] *n* kerítőnő

prod [prɒd; *US* -ɑ-] **I.** *n* **1.** ösztöke **2.** döfés, lökés **II.** *vt* -dd- **1.** döf, piszkál, taszít **2.** ösztökél, sarkall

prodigal ['prɒdɪgl; *US* 'prɑ-] *a/n* bőkezű; pazarló; *~ son* tékozló fiú; *be ~ of sg* bőkezűen bánik vmvel

prodigality [prɒdɪ'gælətɪ; *US* prɑ-] *n* bőkezűség; pazarlás

prodigious [prə'dɪdʒəs] *a* óriási; bámulatos; csodálatos

prodigy ['prɒdɪdʒɪ; *US* 'prɑ-] *n* csoda; csodálatos esemény/tehetség; *infant ~* csodagyer(m)ek

produce I. *n* ['prɒdjuːs; *US* 'prɑduːs] termény, termék, termés(hozam); *P~ Exchange* árutőzsde; *farm ~* mezőgazdasági termény(ek) **II.** *v* [prə'djuːs; *US* -'duːs] **A.** *vt* **1.** terem [gyümöl-

csöt]; szül [ivadékot]; hoz [kamatot]; létrehoz, létesít; előállít, termel, gyárt **2.** előidéz, okoz; *~ a sensation* feltűnést/szenzációt kelt **3.** bemutat, színre hoz [színdarabot]; kiad [könyvet] **4.** felmutat [jegyet stb.] **B.** *vi* **1.** terem **2.** termel [üzem] **3.** alkot [író stb.]

producer [prə'djuːsə*; *US* -'duː-] *n* **1.** termelő; *~(s') goods* termelési javak **2.** *(gas) ~* gázfejlesztő készülék **3.** gyártásvezető, producer [filmé]; színrehozó

product ['prɒdʌkt; *US* 'prɑ-] *n* **1.** termék; termény; készítmény, gyártmány; *secondary ~* melléktermék **2.** szorzat

production [prə'dʌkʃn] *n* **1.** termelés, feldolgozás, előállítás, gyártás; *cost of ~* termelési/előállítási költség; *~ line* (1) futószalag (2) gépsor **2.** termék, gyártmány **3.** (irodalmi) mű, alkotás **4.** felmutatás, megmutatás **5.** színrehozás, rendezés [színdarabé]

productive [prə'dʌktɪv] *a* **1.** termő, termékeny; hasznot hajtó, gyümölcsöző; eredményes **2.** termelő; *~ forces* termelőerők

productiveness [prə'dʌktɪvnɪs] *n* **1.** termelékenység, termőképesség **2.** *(átv is)* termékenység

productivity [prɒdʌk'tɪvətɪ; *US* proʊ-] *n = productiveness*

proem ['proʊem] *n* előszó, előhang

pro-English [proʊ'ɪŋglɪʃ] *a* angolbarát

Prof. [prɒf; *US* -ɑ-] *Professor*

profane [prə'feɪn] **I.** *a* **1.** világi(as), profán; beavatatlan; pogány **2.** szentségtörő; *~ words* káromkodás, istentelen beszéd **II.** *vt* megszentségtelenít; meggyaláz

profanity [prə'fænətɪ] *n* **1.** szentségtörés, profanitás **2.** *profanities pl* káromkodás, istenkáromlás

profess [prə'fes] **A.** *vt* **1.** vall; kijelent, állít; *~ friendship* barátságot hangoztat; *~ Christianity, ~ oneself Christian* kereszténynek vallja magát **2.** gyakorol, űz [foglalkozást] **3.** előad, tanít [vmt egyetemen] **B.** *vi* **1.** előad, tanít [egyetemen] **2.** szerzetesi fogadalmat tesz

professed [prə'fest] a 1. meggyőződéses; bevallott; kifejezett 2. állítólagos 3. hivatásos 4. szerzetesi fogadalmat tett **professedly** [prə'fesɪdlɪ] adv 1. nyíltan, bevallottan; nyilvánvalóan 2. állítólag(osan) 3. látszólag **profession** [prə'feʃn] n 1. (élet)hivatás, (szellemi) foglalkozás, mesterség, szakma(beliek összessége); by ~ he is a ... foglalkozására nézve ő ... 2. ~ (of faith) hitvallás 3. (szerzetesi) fogadalom 4. nyilatkozat **professional** [prə'feʃənl] I. a 1. szakmai, szakmabeli, szakértő(i); take ~ advice on sg (1) szaktanácsot kér (2) ügyvédi/orvosi tanácsot kér 2. szakszerű 3. hivatásos, profi 4. szabad foglalkozású; ~ classes diplomások, szellemi pályán levők; ~ man (1) szabad foglalkozású (ember) (2) diplomás II. n 1. hivatásos, profi [művész, sportoló] 2. diplomás 3. szakember **professionalism** [prə'feʃnəlɪzm]n 1. szakszerű hivatásgyakorlás 2. profirendszer [sportban] **professor** [prə'fesə*] n 1. egyetemi/főiskolai tanár, professzor 2. † (hit)valló **professorial** [prɒfɪ'sɔːrɪəl; US prɑ-] a 1. tanári, professzori 2. tanáros, professzoros **professorship** [prə'fesəʃɪp] n egyetemi tanszék, katedra **proffer** ['prɒfə*; US -ɑ-] I. n ajánlat II. vt (fel)ajánl, kínál **proficiency** [prə'fɪʃnsɪ] n 1. szakértelem, jártasság 2. előmenetel; ~ in English (jó) angol nyelvtudás; ~ examination kb. nyelvvizsga **proficient** [prə'fɪʃnt] a jártas, gyakorlott (in vmben) **profile** ['prəʊfaɪl] I. n 1. profil, arcél; oldalnézet; körvonal 2. idom, profil; szelvény; ~ iron idomvas 3. rövid életrajz, (jellem- és) pályakép [személyről nyomtatásban] 4. átv low ~ hangsúlyosságot kerülő jelleg, tartózkodás II. vt oldalnézetben/metszetben ábrázol **profit** ['prɒfɪt; US -ɑ-] I. n 1. haszon, nyereség, előny; to my ~ előnyömre, hasznomra; turn to ~ hasznára fordít,

hasznot húz (vmből) 2. nyereség, profit; ~ and loss account nyereség— veszteség számla; sell at ~ nyereséggel ad el; loss of ~ elmaradt nyereség; narrow margin of ~ csekély haszon II. A. vt hasznára van/válik B. vi tanul, haszna van, hasznot húz (from/by sg vmből) **profitable** ['prɒfɪtəbl; US 'prɑ-] a hasznos; jövedelmező; előnyös; rentábilis **profiteer** [prɒfɪ'tɪə*; US prɑ-] I. n nyerészkedő II. vi nyerészkedik, feketézik **profiteering** [prɒfɪ'tɪərɪŋ; US prɑ-] n 1. üzérkedés, haszonlesés 2. kalmárszellem **profitless** ['prɒfɪtlɪs] a nem jövedelmező, hiábavaló **profit-margin** n haszonkulcs **profit-sharing** n nyereségrészesedés, haszonmegosztás **profligacy** ['prɒflɪɡəsɪ; US 'prɑ-] n 1. kicsapongás, feslett élet 2. tékozlás **profligate** ['prɒflɪɡət; US 'prɑ-] a/n 1. feslett, erkölcstelen, kicsapongó 2. tékozló (személy) **profound** [prə'faʊnd] a 1. (átv is) mély(séges) 2. alapos, beható **profoundly** [prə'faʊndlɪ] adv 1. nagyon, mélységesen 2. alaposan, behatóan **profoundness** [prə'faʊndnɪs] n mélység **profundity** [prə'fʌndətɪ] n mélység **profuse** [prə'fjuːs] a 1. bő(séges), pazar(ló) 2. bőkezű (in vmben) **profusely** [prə'fjuːslɪ] adv bőségesen **profuseness** [prə'fjuːsnɪs] n pazar bőség, gazdagság (of/in vmben) **profusion** [prə'fjuːʒn] n = profuseness **prog** [prɒg; US -ɑ-] □ n GB egyetemi fegyelmi felügyelő **progenitor** [prə'dʒenɪtə*] n ős, előd **progeniture** [prə'dʒenɪtʃə*] n 1. ivadék(ok) 2. nemzés **progeny** ['prɒdʒənɪ; US 'prɑ-] n 1. ivadék(ok), utód(ok), leszármazott(ak) 2. eredmény, folyomány **prognosis** [prɒg'nəʊsɪs; US prɑg-] n (pl -ses -siːz) prognózis; kórjóslat; (időjárás-)előrejelzés **prognostic** [prɒg'nɒstɪk; US -ɑ- -ɑ-] I. a előre jelző, jós- II. n 1. (meg)jövendölés 2. előjel

prognosticate [prɔg'nɔstɪkcɪt; US prag-'na-] *vt* (meg)jósol, (meg)jövendöl, (előre) jelez

program(me) ['prougræm] I. *n* 1. műsor, tárgysorozat, munkarend, napirend, program, tervezet; ~ *music* programzene 2. (nyomtatott) tájékoztató [iskola tanulmányi rendjéről stb.] 3. program [számítógépé]; ~ *control* programvezérlés II. *vt* 1. programot csinál, tervet készít; műsort összeállít 2. [kibernetikában] (be)programoz

programmed ['prougræmd] *a* programozott

programmer ['prougræmə*] *n* programozó

progress I. *n* ['prougres, US 'pra-] haladás, előmenetel; *work in* ~ munkában levő mű; *make* ~ (jól) halad; ~ *of time* az idő múlása II. *vi* [prə'gres] 1. halad, múlik [idő] 2. halad, fejlődik; javul

progression [prə'greʃn] *n* 1. haladás, előmenetel 2. haladó mozgás 3. haladvány, számtani/mértani sor

progressive [prə'gresɪv] I. *a* 1. haladó [mozgás] 2. haladó (szellemű), progresszív 3. kifejlődő, súlyosbodó [betegség] 4. progresszív [adózás stb.] 5. folyamatos [alak, idő] II. *n* haladó szellemű politikus

progressively [prə'gresɪvlɪ] *adv* 1. fokozatosan, progresszíve 2. haladó szellemben

prohibit [prə'hɪbɪt; US prou-] *vt* 1. (meg)tilt; ~ *sy from doing sg* eltilt vkt vmtől; *smoking is* ~*ed* tilos a dohányzás 2. (meg)akadályoz

prohibition [prouɪ'bɪʃn] *n* 1. tilalom 2. *US* szesztilalom

prohibitionist [prouɪ'bɪʃ(ə)nɪst] *n US* szesztilalom híve

prohibitive [prə'hɪbɪtɪv; US prou-] *a* tiltó, korlátozó; ~ *price* megfizethetetlen ár

project I. *n* ['prɔdʒekt; US 'pra-] 1. terv(ezet); tervrajz 2. (nagyméretű) beruházás 3. (kutatási) téma, feladat II. *v* [prə'dʒekt] A. *vt* 1. tervez, kigondol, vázol 2. dob, vet, hajít; kirepít; kilő [lövedéket stb.] 3. vetít

[fényt, képet] 4. (ki)vetít, vetületet készít [rajzban] 5. átél [lélekben]; beleképzeli magát [jövőbe stb.] B. *vi* kiáll, kinyúl(ik) || → *housing*

projectile [prə'dʒektaɪl; US -t(ə)l] I. *a* hajító [erő] II. *n* lövedék

projecting [prə'dʒektɪŋ] *a* kiugró, kinyúló, kiszögellő

projection [prə'dʒekʃn] *n* 1. hajítás; kilövés [lövedéké] 2. vetítés [fénysugáré]; ~ *room* vetítőfülke 3. kivetítés [síkba] 4. vetület, projekció 5. kinyúlás, kiugrás, kiszögellés; nyúlvány

projector [prə'dʒektə*] *n* vetítőgép

prolapse ['proulæps; US -'læps] *n* elő-(re)esés, süllyedés [méhé stb.]

prole [proul] *a/n biz* proli

prolegomena [proulə'gomɪnə; US -'ga-] *n pl* bevezetés, előismeretek

proletarian [proulɪ'teərɪən] *a/n* proletár

proletariat [proulɪ'teərɪət] *n* proletariátus

proliferate [prə'lɪfəreɪt] *vt* 1. osztódással szaporodik 2. *átv* burjánzik, (el-) szaporodik

proliferation [prəlɪfə'reɪʃn] *n* 1. osztódás útján való szaporodás 2. *átv* (el)burjánzás

proliferous [prə'lɪfərəs] *a* sarjadzó

prolific [prə'lɪfɪk] *a* szapora, termékeny

prolix ['proulɪks; US -'lɪks] *a* szószátyár, szószaporító

prolixity [prə'lɪksətɪ] *n* terjengősség, szószátyárság, szószaporítás

prologue, *US* **prolog** ['proulɔg; US -lɔ:g] *n* prológus, előszó, előjáték

prolong [prə'lɔŋ; US -lɔ:ŋ] *vt* meghosszabbít, prolongál

prolongation [proulɔŋ'geɪʃn; US -lɔ:ŋ-] *n* 1. meghosszabbítás, prolongálás 2. toldalék

promenade [prɔmə'na:d; *US* pramə'neɪd] I. *n* 1. sétálás; sétalovaglás; sétakocsikázás 2. sétány; ~ *concert* sétahangverseny [állóhelyes hangversenyteremben]; ~ *deck* sétafedélzet II. A. *vi* sétál, korzózik B. *vt* 1. végigsétál [utcán stb.] 2. körülvezet, sétára visz

promenader [prɔmə'na:də*; US pramə'neɪdər] *n* sétáló

Prometheus [prə'mi:θju:s] *prop* Prométheusz

prominence ['prɔmɪnəns; US 'pra-] n 1.
kiemelkedés 2. kiválóság
prominent ['prɔmɪnənt; US 'pra-] a 1.
kiemelkedő, feltűnő 2. kiváló, kitűnő
prominently ['prɔmɪnəntlɪ; US 'pra-]
adv kiemelkedően; kimagaslóan
promiscuity [prɔmɪ'skjuːətɪ; US pra-] n
1. összevisszaság 2. szabad szerelem
promiscuous [prə'mɪskjuəs] a 1. ku-
szált, összevissza, válogatás nélküli;
~ bathing közös fürdés; she's rather a
~ girl ez a lány fűvel-fával lefekszik
2. biz esetleges, véletlen
promise ['prɔmɪs; US -a-] I. n 1. ígéret;
make a ~ megígér vmt; the land of ~
az ígéret földje; keep one's ~ megtartja
a szavát 2. remény, kilátás (of vmre);
youth of great ~ sokat ígérő ifjú; hold
out a ~ to sy vkt szép reményekkel
kecsegtet II. A. vt ~ sy sg, ~ sg to sy
(meg)ígér vmt vknek; ~ oneself sg
bizakodik vmben, számít vmre B. vi
ígérkezik; the crops ~ well a termés
jónak ígérkezik
promised ['prɔmɪst; US -a-] a (meg-)
ígért; the P~ Land az ígéret földje
promising ['prɔmɪsɪŋ; US -a-] a biztató,
sokat ígérő
promissory ['prɔmɪsərɪ; US 'pramɪsɔːrɪ]
a ígérő; ~ note saját váltó, kötelez-
vény, ígérvény
promontory ['prɔməntrɪ; US 'pramɔntɔː-
rɪ] n hegyfok
promote [prə'moʊt] vt 1. előléptet 2.
előmozdít, (elő)segít; támogat 3. ~ a
company vállalatot alapít
promoter [prə'moʊtə*] n 1. kezdemé-
nyező, támogató 2. alapító, szervező
[vállalkozásé stb.]
promotion [prə'moʊʃn] n 1. előléptetés
2. elősegítés, előmozdítás; hírverés,
reklámozás
prompt [prɔmpt; US -a-] I. a gyors;
haladéktalan, azonnali; ~ reply vá-
lasz postafordultával II. n 1. súgás 2.
fizetési felszólítás/határidő III. vt 1.
buzdít, sarkall; felbujt; feel/be ~ed to
speak indíttatva érzi magát, hogy be-
széljen 2. súg [színházban, iskolában]
prompt-book n = prompt-copy
prompt-box n súgólyuk

prompt-copy n súgópéldány
prompter ['prɔmptə*; US -a-] n 1. súgó;
opposite ~ súgótól jobbra [színpadon]
2. felbujtó
prompting ['prɔmptɪŋ; US -a-] n 1. sú-
gás; no ~! ne súgj! 2. buzdítás, ösztö-
kélés (to vmre)
promptitude ['prɔmptɪtjuːd; US 'pramp-
tɪtuːd] n 1. gyorsaság 2. (szolgálat-)
készség
promptness ['prɔmptnɪs; US -a-] n =
promptitude
prompt-note n fizetési határidőre figyel-
meztető értesítés
prompt-side n színpad bal oldali része,
balfenék
promulgate ['prɔmlgeɪt; US 'pra-] vt 1.
(ki)hirdet; közhírré tesz 2. életbe lép-
tet [törvényt stb.]
promulgation [prɔml'geɪʃn; US pra-] n
1. kihirdetés, közhírré tétel 2. életbe
léptetés
prone [proʊn] a 1. elterült, hason fek-
vő; lie ~ hason fekszik 2. be ~ to sg
diszponált, hajlamos vmre
proneness ['proʊnnɪs] n 1. hajlam(os-
ság) 2. elterültség, földreborultság
prong [prɔŋ; US -ɔː-] n 1. (vas)villa 2.
villafog 3. agancshegy
-pronged [-prɔŋd; US -ɔː-] ágas, -ágú;
two-~ kétágú [villa]
pronominal [prə'nɔmɪnl; US -'na-] a
névmási
pronoun ['proʊnaʊn] n névmás
pronounce [prə'naʊns] vt 1. (ki)ejt, ki-
mond 2. kijelent, mond [ítéletet, be-
szédet]; ~ in favour of sy vk mellett
állást foglal 3. (vmnek) nyilvánít
pronounceable [prə'naʊnsəbl] a (ki)ejt-
hető
pronounced [prə'naʊnst] a kifejezett,
hangsúlyozott, kimondott
pronouncement [prə'naʊnsmənt] n kije-
lentés, nyilatkozat
pronunciation [prənʌnsɪ'eɪʃn] n kiejtés
proof [pruːf] I. a 1. ~ against sg vmnek
ellenálló 2. -mentes, -biztos; bomb-~
vombabiztos; shower-~ esőálló, víz-
hatlan; water-~ vízhatlan II. n 1.
bizonyíték, bizonyság; in ~ of sg
vmnek bizonyítékaképp; give ~ of sg

bizonyítékát/tanújelét adja vmnek; 2. próba, kísérlet; *has stood the* ~ kiállta a próbát; *of* ~ kipróbált, megbízható; *put sg to the* ~ kipróbál vmt 3. korrektúra; *read* ~s korrektúrát olvas, korrektúrázik; *pass the* ~s (*for press*) imprimál [levonatot] 4. lenyomat [metszeté] 5. szeszfok; ~ *spirit* előírásos fokú szesz [*GB* 57%-os, *US* 50%-os alkoholtartalom] **III.** *vt* 1. vízhatlanít, impregnál 2. lenyomatot készít
proofing ['pru:fɪŋ] *n* 1. vízhatlanítás, impregnálás 2. impregnáló szer 3. korrigálás
proof-read *vi/vt* (*pt/pp* ~) korrigál, korrektúrát olvas, korrektúrázik
proof-reader *n* (nyomdai) korrektor
proof-reading *n* korrektúra(-olvasás), korrektúrázás
proof-sheet *n* korrektúra(ív), kefelevonat
prop¹ [prɔp; *US* -a-] **I.** *n* 1. támasz, dúc, gyámfa 2. *átv* oszlop, támasz **II.** *vt* -pp- 1. ~ (*up*) (meg)támaszt 2. karóz [növényt] 3. dúcol 4. gyámolít
prop² [prɔp; *US* -a-] *n biz* (színházi) kellék
prop³ [prɔp; *US* -a-] *n biz* propeller
propaganda [prɔpə'gændə; *US* pra-] *n* hírverés, propaganda; *make* ~ *for sg* hangulatot csinál/kelt vm mellett
propagandist [prɔpə'gændɪst; *US* pra-] *n* propagandista
propagandize [prɔpə'gændaɪz; *US* pra-] *vt* propagál, propagandát csinál (vmnek)
propagate ['prɔpəgeɪt; *US* 'pra-] **A.** *vt* 1. (el)terjeszt; propagál, népszerűsít 2. szaporít, tenyészt; ~ *oneself* szaporodik **B.** *vi* szaporodik
propagation [prɔpə'geɪʃn; *US* pra-] *n* 1. terjesztés, propagálás, népszerűsítés 2. szaporítás 3. szaporodás
propagator ['prɔpəgeɪtə*; *US* 'pra-] *n* 1. terjesztő; propagátor, propagandista 2. szaporító
propane ['proʊpeɪn] *n* propán(gáz)
propel [prə'pel] *vt* -ll- (*átv is*) (előre-) hajt, mozgat
propellant [prə'pelənt] **I.** *a* hajtó; ~ *power* hajtóerő **II.** *n* hajtóanyag, üzemanyag

-**propelled** [prə'peld] hajtott, hajtású; *jet*-~ sugárhajtású
propeller [prə'pelə*] *n* haj(t)ócsavar; légcsavar, propeller; ~ *blade* (lég-) csavarszárny; ~ *shaft* (lég)csavartengely
propelling [prə'pelɪŋ] *a* (meg)hajtó; ~ *force* hajtóerő; ~ *pencil* töltőceruza
propensity [prə'pensətɪ] *n* hajlam, hajlandóság (*to/towards* vmre), vonzalom
proper ['prɔpə*; *US* -a-] *a* 1. helyes, megfelelő, helyénvaló, illő; igazi; *in the* ~ *sense of the word* a szó igazi értelmében; *at the* ~ *time* a kellő időben/pillanatban; *do the* ~ *thing by sy* korrektül viselkedik vkvel szemben; *keep in* ~ *condition* jó karban tart 2. sajátos, jellemző (*to* vmre) 3. a szó szoros értelmében vett, szűkebb értelemben vett, tulajdonképpeni, valódi, eredeti; *one's country* ~ szűkebb hazája vknek; *within the sphere of architecture* ~ a szorosabb/szűkebb értelemben vett építészet területén belül; ~ *fraction* valódi tört 4. saját, tulajdon-; ~ *motion* saját mozgás [csillagé]; ~ *noun/name* tulajdonnév 5. *biz* hamisítatlan, „komplett"
properly ['prɔpəlɪ; *US* -a-] *adv* 1. illően, megfelelően, helyesen; *behave* ~ úgy viselkedik, ahogy illik 2. ~ *speaking* tulajdonképp(en); ~ *so called* tulajdonképpeni 3. *biz* alaposan
propertied ['prɔpətɪd; *US* -a-] *a* vagyonos, birtokos [osztályok]
property ['prɔpətɪ; *US* -a-] *n* 1. tulajdon, vagyon; *public* ~ köztulajdon; ~ *tax* vagyonadó; ingatlanadó; *man of* ~ vagyonos ember 2. ingatlan, birtok; ~ *register* (telekkönyvi) ingatlanjegyzék 3. tulajdonság, sajátság 4. (színpadi) kellék
property-man ['prɔpətɪmən; *US* -a-] *n* (*pl* -men -mən) kellékes
property-room *n* kelléktár
prophecy ['prɔfɪsɪ; *US* -a-] *n* 1. jóslat, jövendölés 2. prófécia
prophesy ['prɔfɪsaɪ; *US* -a-] *vt/vi* (meg-) jövendöl, (meg)jósol
prophet ['prɔfɪt; *US* -a-] *n* 1. jós, látnok, jövendőmondó 2. próféta

prophetess ['prɔfɪtɪs; US -ɑ-] n 1. jósnő
2. prófétanő
prophetic(al) [prə'fetɪk(l)] a 1. jósló, jövendőmondó, látnoki 2. prófétai
prophylactic [prɔfɪ'læktɪk; US prɑ-] a (betegséget) megelőző, profilaktikus
prophylaxis [prɔfɪ'læksɪs; US prɑ-] n megelőzés, profilaxis
propinquity [prə'pɪŋkwətɪ] n közelség
propitiate [prə'pɪʃɪeɪt] vt kiengesztel, megbékít
propitiation [prəpɪʃɪ'eɪʃn] n kiengesztelés; vezeklés
propitious [prə'pɪʃəs] a kedvező (to vkre nézve, for vmre); jóindulatú, kegyes (to vkvel szemben)
propjet n ~ aircraft turbólégcsavaros repülőgép
proportion [prə'pɔ:ʃn] I. n 1. arány(osság), viszony; in ~ to arányban vmvel, viszonyítva vmhez; in ~ as abban az arányban, ahogy; be out of ~ (1) nem áll arányban (with vmvel) (2) aránytalan, rosszul tagolt; have an eye for ~ van arányérzéke 2. arány-(pár) 3. rész, hányad 4. proportions pl méretek [gépé stb.] II. vt 1. arányosít, arányba állít (vmvel) 2. méretez [gépet stb.] 3. kioszt
proportional [prə'pɔ:ʃənl] a arány(lag)os, megfelelő; be directly ~ to sg egyenes arányban van vmvel; inversely ~ to fordítva arányos vmvel; ~ representation arányos képviselet [parlamenti választáson]
proportionate [prə'pɔ:ʃnət] a = proportional
proportionately [prə'pɔ:ʃnətlɪ] adv arányosan
proposal [prə'pouzl] n 1. indítványozás, előterjesztés 2. javaslat, indítvány; make a ~ javaslatot tesz 3. házassági ajánlat, leánykérés
propose [prə'pouz] A. vt 1. indítványoz, javasol, ajánl; ~ marriage házassági ajánlatot tesz; megkéri a kezét (to vknek); the object I ~ to myself... kitűzött célom; ~ the health of sy vknek egészségére emeli poharát 2. feltesz [kérdést] 3. ~ to do sg, ~ doing sg szándékozik/akar vmt tenni B. vi

1. tervez; man ~s God disposes ember tervez Isten végez 2. házassági ajánlatot tesz; ~ to a girl megkéri a leány kezét
proposer [prə'pouzə*] n ajánló [egyesületben új tagé]; javaslattevő
proposition [prɔpə'zɪʃn; US prɑ-] n 1. =proposal 1—2. 2. biz ügy, üzlet, vállalkozás, feladat, probléma; paying ~ jövedelmező dolog; biz he is a tough ~ nehéz pasas/eset
propound [prə'paund] vt 1. felvet, előad, javasol [kérdést] 2. elismerésre perel [végrendeletet]
propped [prɔpt] →prop¹ II.
proprietary [prə'praɪət(ə)rɪ; US -erɪ] I. a 1. szabadalmazott; ~ article szabadalmazott/márkás cikk ~ name védett/bejegyzett név [árué] 2. tulajdonosi; ~ classes vagyonos osztályok; ~ rights tulajdonjog II. n tulajdonos, birtokos
proprietor [prə'praɪətə*] n tulajdonos
proprietorship [prə'praɪətəʃɪp] n tulajdon(jog)
proprietress [prə'praɪətrɪs] n tulajdonosnő
propriety [prə'praɪətɪ] n 1. illem, illendőség, helyesség; szabályszerűség, korrektség 2. proprieties pl illemszabályok, (társadalmi) konvenciók; observe the proprieties tartja magát a konvenciókhoz 3. † tulajdon, birtok; marriage of ~ érdekházasság
propulsion [prə'pʌlʃn] n (előre)hajtás, propulzió; jet ~ lökhajtás
propulsive [prə'pʌlsɪv] a 1. (előre)hajtó, mozgató 2. serkentő
pro rata →pro¹
prorogation [prourə'geɪʃn] n elnapolás, berekesztés [parlamenti ülésszaké]
prorogue [prə'roug] vt elnapol, berekeszt
prosaic [prou'zeɪk] a prózai(as), száraz; unalmas
pros and cons →pro¹ II.
proscenium [prəu'si:njəm] n (pl ~s -z v. -nia -njə] előszín(pad), proszcénium; ~ box proszcéniumpáholy
proscribe [prə'skraɪb] vt 1. száműz, törvényen kívül helyez 2. megtilt, eltilt
proscription [prə'skrɪpʃn] n 1. számű-

zetés, száműzés, törvényen kívül helyezés 2. eltiltás, betiltás
proscriptive [prə'skrıptıv] *a* 1. száműző 2. eltiltó, betiltó
prose [prouz] I. *a* prózai; ~ *writer* prózairó II. *n* 1. próza 2. (unalmas) hétköznapiság, prózaiság III. *vi biz* unalmasan beszél
prosecute ['prɔsıkju:t; *US* 'prɑ-] *vt* 1. feljelentést tesz; vádat emel (vk ellen); beperel (vkt); *be ~d for sg* eljárás folyik ellene vm miatt; ..., *prosecuting*, ... a vád képviseletében 2. folytat [tanulmányt stb.]
prosecution [prɔsı'kju:ʃn; *US* prɑ-] *n* 1. bűnvádi eljárás; *start a ~ against sy* beperel vkt 2. (köz)vád 3. *the P~* a vád képviselője; az ügyész(ség); *witness for the ~* terhelő tanú 4. folytatás [vm mestersége/foglalkozásé]
prosecutor ['prɔsıkju:tə*; *US* 'prɑ-] *n* vádló, feljelentő; *Public P~* (1) (állam)ügyész, közvádló (2) ügyészség, vádhatóság
proselyte ['prɔsılaıt; *US* 'prɑ-] I. *n* áttért ember, új hívő, prozelita II. *vt US* megtérít
proselytism ['prɔsılıtızm; *US* 'prɑ-] *n* térítői buzgalom
prose-poem *n* prózában írt költemény
proser ['prouzə*] *n* prózai/száraz/unalmas ember
prosiness ['prouzınıs] *n* prózaiság
prosody ['prɔsədı; *US* -ɑ-] *n* verstan
prospect I. *n* ['prɔspekt; *US* -ɑ-] 1. kilátás; látvány 2. (*átv*) kilátás; lehetőség; távlat; ~*s* kilátások, remény; *the ~s of the harvest are excellent* a termés kitűnőnek ígérkezik 3. érclelőhely; ~ *hole* kutatóakna, -fúrás, próbagödör 4. lehetséges vevő/(üzlet)fél, esetleges jelölt II. *v* [prɔ'spekt; *US* 'prɑ-] A. *vt* kutat [terepet stb.] B. *vi* kutat (*for* vm után)
prospective [prə'spektıv] *a* leendő, jövendőbeli; ~ *buyer* lehetséges/várható vevő
prospector [prə'spektə*] *n* talajkutató, bányakutató
prospectus [prə'spektəs] *n* tájékoztató, ismertetés, prospektus

prosper ['prɔspə*; *US* -ɑ-] A. *vi* boldogul, virágzik, prosperál, jól megy [üzlet] B. *vt* felvirágoztat; kegyel; *may God ~ you* Isten vezéreljen
prosperity [prɔ'sperıtı; *US* prɑ-] *n* jólét, jómód; boldogulás; konjunktúra
prosperous ['prɔsp(ə)rəs; *US* 'prɑ-] *a* 1. kedvező, előnyös (*to* vmre) 2. jól menő; sikeres, virágzó
prostate ['prɔsteıt; *US* -ɑ-] *n* ~ (*gland*) prosztata, dülmirigy
prosthesis ['prɔsθısıs; *US* 'prɑ-] *n* protézis; fogpótlás; művégtag
prostitute ['prɔstıtju:t; *US* 'prɑstıtu:t] I. *n* prostituált II. *vt* (*átv is*) prostituál, áruba bocsát [testet, tehetséget]
prostitution [prɔstı'tju:ʃn; *US* prɑstı'tu:-] *n* 1. prostitúció 2. becstelen áruba bocsátás
prostrate I. *a* ['prɔstreıt; *US* 'prɑ-] 1. elterült, leborult, hason csúszó 2. lesújtott; megsemmisített 3. elesett, kimerült II. *vt* [prɔ'streıt; *US* 'prɑs-] 1. földre terít, leterít; ~ *oneself* földre borul (vk előtt) 2. ellankaszt, kimerít
prostration [prɔ'streıʃn; *US* prɑ-] *n* 1. földre borulás, megalázkodás 2. letörtség, levertség; kimerültség
prosy ['prouzı] *a* prózai(as), száraz, unalmas
Prot. *Protestant*
protagonist [prou'tægənıst] *n* főszereplő, főhős [színdarabé]; *átv* bajnok
protean [prou'ti:ən] *a* ezerarcú, változatos, változó, mozgalmas
protect [prə'tekt] *vt* 1. (meg)véd, oltalmaz, megóv (*against/from* vmtől) 2. védővámmal véd [hazai ipart]
protecting [prə'tektıŋ] *a* védő, oltalmazó
protection [prə'tekʃn] *n* 1. megvédés (vké); védekezés (vm ellen) 2. védelem, oltalom 3. menedék 4. menlevél 5. védővám(rendszer)
protectionism [prə'tekʃənızm] *n* védővámrendszer, protekcionizmus
protectionist [prə'tekʃənıst] *n* védővámrendszer híve
protective [prə'tektıv] *a* védő, védelmező, oltalmazó; ~ *arrest/custody* védőőrizet; ~ *clothing* védőöltözet; ~

colouring a környezethez alkalmazkodó szín(ezet) [egyes állatoké]; terepszín; ~ *food* védőétel; ~ *tariff* védővám
protector [prə'tektə*] *n* **1.** védő, oltalmazó; pártfogó **2.** védő(berendezés) **3.** *GB* † kormányzó, régens
protectorate [prə'tekt(ə)rət] *n* védnökség, protektorátus
protégé ['prouteʒeɪ] *n* védenc, pártfogolt
protein ['prouti:n] *n* protein, fehérje
pro tem [prou'tem] pro tempore (= *temporarily*) ideiglenesen, átmenetileg
protest I. *n* ['proutest] tiltakozás; óv(atol)ás; *under* ~ (1) fenntartás mellett (2) kényszerből; *make/lodge a* ~ bejelenti tiltakozását **II.** *v* [prə'test] **A.** *vi* tiltakozik, protestál, óvást emel (*against* vm ellen) **B.** *vt* hangoztat, ünnepélyesen kijelent; ~ *one's innocence* ártatlanságát hangoztatja
Protestant ['prɔtɪst(ə)nt; *US* 'prɑ-] *a/n* protestáns
Protestantism ['prɔtɪst(ə)ntɪzm; *US* 'prɑ-] *n* protestantizmus
protestation [proute'steɪʃn; *US* prɑtə-] *n* **1.** tiltakozás; óvás(emelés) **2.** (ünnepélyes) kijelentés
protester [prə'testə*] *n* tiltakozó
protocol ['proutəkɔl; *US* -al] *n* protokoll [jegyzőkönyv; diplomáciai formaságok]
proton ['proutɔn; *US* -ɑn] *n* proton
protoplasm ['proutəplæzm] *n* protoplazma
prototype ['proutətaɪp] *n* ősalak, prototípus
protozoa [proutə'zouə] *n pl* véglény, protozoa
protract [prə'trækt; *US* prou-] *vt* kihúz, elnyújt; halaszt, késleltet
protraction [prə'trækʃn; *US* prou-] *n* kihúzás, elnyújtás, húzás-halasztás
protractor [prə'træktə*; *US* prou-] *n* szögmérő [eszköz]
protrude [prə'tru:d; *US* prou-] **A.** *vt* kinyújt, előretol **B.** *vi* kinyúlik, kiáll, kiugrik
protruding [prə'tru:dɪŋ; *US* prou-] *a* kiálló, kiugró

protrusion [prə'tru:ʒn; *US* prou-] *n* **1.** kiugrás, kiállás, kiemelkedés; kidülledés **2.** kiálló rész; dudor
protuberance [prə'tju:b(ə)rəns; *US* prou-'tu:-] *n* **1.** kidudorodás **2.** protuberancia, napkitörés
protuberant [prə'tju:b(ə)rənt; *US* prou-'tu:-] *a* kidudorodó; kiugró
proud [praud] *a* **1.** büszke (*of* vmre); *I am* ~ *of knowing him I am* ~ *to know him* igen megtisztelő rám, hogy ismerhetem **2.** öntelt, önhitt **3.** pompás, remek; *biz do sy* ~ (1) megtisztel vkt (2) pompásan megvendégel vkt **4.** ~ *flesh* sarjadzó hús [gyógyuló seben]; vadhús; ~ *nail* kiálló szeg
provable ['pru:vəbl] *a* bizonyítható
prove [pru:v] *v* (*pt* ~d pru:vd, *pp* ~d v. † ~n 'pru:vn) **A.** *vt* **1.** (be)bizonyít; igazol **2.** próbára tesz, kipróbál **3.** érvényesít [végrendeletet] **4.** ~ *oneself* (*to be*) *sg* vmlyennek mutatkozik/bizonyul **B.** *vi* bizonyul; *it* ~*d* (*to be*) *false* hamisnak bizonyult
proven ['pru:vn] *a* † (be)bizonyított; *not* ~ bizonyíték hiányában [felmentő ítélet]
provenance ['prɔvənəns; *US* -av-] *n* származás(i hely), eredet
provender ['prɔvɪndə*; *US* -av-] *n* **1.** tartomány **2.** *biz* elemózsia
proverb ['prɔvə:b; *US* -ɑ-] *n* közmondás; *he is a* ~ *for inaccuracy* pontatlansága közismert, pontatlansága már valóságos szállóigévé vált; *the Book of* P~s Példabeszédek könyve [a bibliában]
proverbial [prə'və:bjəl] *a* közmondásos; *his unreliability is* ~ közismerten megbízhatatlan
provide [prə'vaɪd] **A.** *vt* **1.** (be)szerez (*for* vk részére) **2.** ellát, felszerel (*with* vmvel) **3.** *átv* gondoskodik (vmről), nyújt, ad, szolgáltat; biztosít (vmt vk számára); *accommodation will be* ~*d* elhelyezésről/szállásról gondoskodunk **B.** *vi* **1.** gondoskodik (*for* vmről); ~ *against sg* vmnek elhárításáról gondoskodik, felkészül vm ellen **2.** intézkedik, rendelkezik [törvény stb.] **3.** ~ *for sy* gondoskodik vkről;

be ~d for megvan a biztos megélhetése, el van látva
provided [prə'vaɪdɪd] *conj* ~ *(that)* feltéve, ha/hogy
providence ['prɔvɪd(ə)ns; *US* -av-] *n* 1. előrelátás; óv~tosság 2. takarékosság 3. P~ (isteni) gondviselés
provident ['prɔvɪd(ə)nt; *US* -av-] *a* 1. előrelátó, körültekintő 2. takarékos
providential [prɔvɪ'denʃl; *US* -av-] *a* gondviselésszerű; szerencsés
provider [prə'vaɪdə*] *n* gondoskodó, ellátó
providing [prə'vaɪdɪŋ] *conj biz* ~ *(that)* = *provided*
province ['prɔvɪns; *US* -a-] *n* 1. tartomány 2. *in the* ~*s* vidéken 3. *átv* terület; működési kör; szakma; *not (within) my* ~ nem tartozik hozzám (v. hatáskörömbe), nem az én szakmám (v. érdeklődési területem)
provincial [prə'vɪnʃl] I. *a* 1. vidéki(es), helyi (jellegű) 2. szűk látókörű, provinciális 3. tartományi II. *n* vidéki
provincialism [prə'vɪnʃəlɪzm] *n* 1. vidékiesség, provincializmus 2. lokálpatriotizmus
provision [prə'vɪʒn] I. *n* 1. gondoskodás *(for* vmről); ~ *against sg* óvintézkedés vm ellen 2. ellátás *(with* vmvel) 3. **provisions** *pl* élelmiszerek 4. intézkedés, rendelkezés [törvényé stb.] 5. = *proviso* II. *vt* élelmiszerekkel ellát
provisional [prə'vɪʒənl] *a* feltételes; ideiglenes, átmeneti, provizórikus
provisionally [prə'vɪʒnəlɪ] *adv* átmenetileg, ideiglenesen
provisioning [prə'vɪʒ(ə)nɪŋ] *n* élelmezés, ellátás
proviso [prə'vaɪzou] *n (pl* ~(e)s -zouz) kikötés, feltétel, fenntartás; klauzula
provisory [prə'vaɪz(ə)rɪ] *a* = *provisional*
provocation [prɔvə'keɪʃn; *US* -av-] *n* ingerlés, felizgatás, kihívás, provokáció; *act under* ~ erős felindulásban cselekszik
provocative [prə'vɔkətɪv; *US* -'va-] *a* 1. kihívó, provokatív; bosszantó 2. ~ *of* vmt keltő/előidéző

provoke [prə'vouk] *vt* 1. ingerel, bosszant, kihív, provokál 2. előidéz, okoz; kivált; ~ *a smile* mosolyra késztet
provoking [prə'voukɪŋ] *a* kihívó, bos.∙ szantó
provost ['prɔvəst; *US* -a-] *n* 1. *sk* polgármester 2. *GB* (kollégiumi) igazgató 3. ~ *marshal* [prəvou'ma:ʃl; *US* proʊvoʊ-] a tábori csendőrség parancsnoka
prow [prau] *n* hajóorr
prowess ['prauɪs] *n* bátorság, vitézség
prowl [praul] I. *n* portyázás, kószálás; *US* ~ *car* (rendőrségi) URH-kocsi; *be on the* ~ (állandóan) lesen áll II. *vi/vt* portyázik, zsákmány után jár, csavarog
prowler ['praulə*] *n* csavargó
prox. *proximo*
proximate ['prɔksɪmət; *US* 'pra-] *a* 1. legközelebbi; közvetlen (közelében levő) 2. megközelítő
proximity [prɔk'sɪmətɪ; *US* pra-] *n* közelség, szomszédság; ~ *fuse* célközelben robbanó (automatikus) gyújtószerkezet
proximo ['prɔksɪmou; *US* 'pra-] *adv* a jövő/következő hónapban
proxy ['prɔksɪ; *US* -a-] *n* 1. helyettes, megbízott, meghatalmazott; *marriage by* ~ távházasság 2. meghatalmazás; *by* ~ megbízásból
P.R.S., PRS [pi:a:r'es] *President of the Royal Society* a Királyi Természettudományi Akadémia elnöke
prude [pru:d] *n* álszemérmes, prűd
prudence ['pru:dns] I. *n* okosság; óvatosság; körültekintés, eszélyesség II. *prop P~* ⟨női név⟩
prudent ['pru:dnt] *a* okos(an óvatos), körültekintő
prudential [pru'denʃl] *a* okos, meggondolt; tapintatos
prudery ['pru:dərɪ] *n* álszemérem, prüdéria; kényeskedés
prudish ['pru:dɪʃ] *a* álszemérm(et)es(kedő), prűd; kényeskedő
Prue [pru:] *prop* ⟨*Prudence* becézett alakja⟩
prune¹ [pru:n] *n* aszalt szilva; ~*s and prism(s)* affektált beszédmód

prune² [pru:n] *vt* nyes, megmetsz [fát]; ~ (*away*, *down*) eltávolít; (meg-) tisztít

pruning ['pru:nɪŋ] *n* fanyesés, fametszés; ~ *hook* ágnyesző kés; ~ *knife* kis kertészkés, kacorkés; ~ *shears* kerti olló, metszőolló

prurience ['pruərɪəns] *n* 1. buja/fajtalan vágy 2. viszketegség

prurient ['pruərɪənt] *a* érzéki, buja; fajtalan

Prussia ['prʌʃə] *prop* Poroszország

Prussian ['prʌʃən] *a* porosz; ~ *blue* berlini kék

prussic ['prʌsɪk] *a* ~ *acid* kéksav

pry¹ [praɪ] I. *n* kíváncsi ember II. *vi* 1. kukucskál, kandikál 2. kíváncsiskodik, orrát beleüti (*into* vmbe)

pry² [praɪ] I. *n* emelőrúd II. *vt* 1. (emelővel) emel 2. ~ *open* felfeszít

P.S. [pi:'es] *postscript* utóirat, Ui.

psalm [sɑ:m] *n* zsoltár

psalmist ['sɑ:mɪst] *n* zsoltáríró

psalmody ['sælmədɪ v. 'sɑ:m-] *n* 1. zsoltároskönyv 2. zsoltáréneklés

psalter ['sɔ:ltə*] *n* zsoltároskönyv

pseudo- ['sju:doʊ; *US* 'su:-] *pref* hamis, ál-, pszeudo-

pseudonym ['sju:dənɪm; *US* 'su:-] *n* (írói) álnév

pshaw [pʃɔ:] I. *int* ugyan kérlek! II. A. *vt* lefitymál B. *vi* becsmérlően nyilatkozik (*at* vmről)

psht [pʃ:t] *int* pszt!

psittacosis [psɪtə'koʊsɪs] *n* papagájkór

psst [ps] *int* pszt!

Psyche ['saɪkɪ] I. *prop* Pszükhé II. *n* p~ lélek, szellem, psziché

psychedelic [saɪkɪ'delɪk] *a* tudatot kitágító, pszichedelikus [állapot, szer]

psychiatric [saɪkɪ'ætrɪk] *a* elmegyógyászati, pszichiátrikus

psychiatrist [saɪ'kaɪətrɪst] *n* elmeorvos, pszichiáter

psychiatry [saɪ'kaɪətrɪ] *n* elmegyógyászat, pszichiátria

psychic ['saɪkɪk] I. *a* pszichikai, szellemi, lelki II. *n* médium

psychical ['saɪkɪkl] *a* = *psychic I.*

psycho ['saɪkoʊ] *biz* I. *a* = *psychopathic* II. *n* = *psychopath*

psychoanalysis [saɪkoʊə'næləsɪs] *n* lélekelemzés, pszichoanalízis

psychoanalyst [saɪkoʊ'ænəlɪst] *n* lélekelemző, pszichoanalitikus

psychological [saɪkə'lɔdʒɪkl; *US* -'lɑ-] *a* lélektani, pszichológiai

psychologist [saɪ'kɔlədʒɪst; *US* -'kɑ-] *n* pszichológus; lélekbúvár

psychology [saɪ'kɔlədʒɪ; *US* -'kɑ-] *n* lélektan, pszichológia

psychopath ['saɪkoʊpæθ] *n* kóros lelki alkatú egyén, pszichopata

psychopathic [saɪkoʊ'pæθɪk] *a* kóros lelki alkatú, pszichopata

psychosis [saɪ'koʊsɪs] *n* (*pl* -**ses** -si:z) pszichózis, elmezavar, elmebaj

psychosomatic [saɪkoʊsə'mætɪk] *a* pszichoszomatikus

psychotherapy [saɪkoʊ'θerəpɪ] *n* lelki gyógymód, pszichoterápia

pt. 1. *part* rész, r. 2. *pint(s)* 3. *point*

PTA [pi:ti:'eɪ] *Parent-Teacher Association* kb. Szülői Munkaközösség, SZMK

ptarmigan ['tɑ:mɪɡən] *n* hófajd

Pte. *private* (*soldier*)

PTO [pi:ti:'oʊ] *please turn over* tessék fordítani!, fordíts!

ptomaine ['toʊmeɪn] *n* ptomain; ~ *poisoning* ételmérgezés

pub [pʌb] *n* biz kocsma, (kis)vendéglő

pub-crawling [-krɔ:lɪŋ] *n* biz kocsmáról kocsmára járás, kocsmázás

puberty ['pju:bətɪ] *n* serdülés, serdülőkor, pubertás

pubescent [pju:'besnt] *a* 1. serdülő 2. bolyhos (*növény*)

pubic ['pju:bɪk] *a* ágyéki, szemérem-; ~ *hair* fanszőr

public ['pʌblɪk] I. *a* nyilvános, általános; közös(ségi); köz-; ~ *body* nyilvános szerv, intézmény; ~ *company* részvénytársaság; ~ *conveyance/vehicle* tömegközlekedési eszköz; ~ *debt* államadósság; ~ *enemy* közellenség; ~ *holiday* törvényes ünnep; ~ *house* kocsma, vendéglő; ~ *library* könyvtár; ~ *life* közélet; ~ *nuisance* közháborítás; ~ *opinion* közvélemény; ~ *ownership* köztulajdon; társadalmi tulajdon; ~ *prosecutor* közvádló; ~ *relations* közönségszolgálat

(köz)kapcsolatszervezés, propaganda; **~** *relations office* kb. tájékoztató szerv, sajtóiroda; **~** *relations officer/ man* kb. propagandista; (köz)kapcsolatszervező; sajtófőnök; **~** *school* (1) *GB* ⟨előkelő zártkörű bennlakásos középiskola⟩ (2) *US* ⟨nyilvános ingyenes bejáró általános vagy középiskola⟩; **~** *servant* közalkalmazott; **~** *spirit* közösségi szellem; **~** *works* (1) közművek (2) középületek; *for* **~** *use* közhasználatra; *make* **~** nyilvánosságra hoz II. *n* 1. nyilvánosság; *in* **~** nyilvánosan,' nyilvánosság előtt 2. Közönség; *the* **~** *at large* a nagyközönség **public-address system** hangosító berendezés
publican ['pʌblɪkən] *n* 1. kocsmáros, vendéglős 2. † vámszedő
publication [pʌblɪ'keɪʃn] *n* 1. közzététel, közhírré tétel 2. kiadás [köny√é] 3. kiadvány
publicist ['pʌblɪsɪst] *n* 1. újságíró, közíró, publicista 2. közjogász
publicity [pʌb'lɪsətɪ] *n* 1. nyilvánosság 2. hírverés, reklám(ozás), hirdetés; népszerűsítés; **~** *agent/man* hirdetési ügynök, reklámszakember; **~** *department* sajtóosztály, reklámosztály
publicly ['pʌblɪklɪ] *adv* nyilvánosan; **~** *owned* köztulajdonban lévő
public-minded/spirited *a* a közjóért küzdő, a közérdeket szem előtt tartó
publish ['pʌblɪʃ] *vt* 1. közzétesz 2. kiad, megjelentet [könyvet]; *just* **~***ed* most jelent meg
publisher ['pʌblɪʃə*] *n* (könyv)kiadó
puce [pju:s] *a/n* vörösbarna, bolhaszínű
puck¹ [pʌk] *n* korong [jégkoronghoz]
Puck² [pʌk] *n* ⟨pajkos tündér neve⟩
pucker ['pʌkə*] I. *n* ránc II. *vt* (össze-)ráncol [arcot, ruhát]; összegyűr; **~** *up one's lips* elhúzza a száját
puckering ['pʌkərɪŋ] *n* ráncolás; arcfintor
puckish ['pʌkɪʃ] *a* csintalan, pajkos, dévaj
pudding ['pʊdɪŋ] *n* 1. puding 2. hurka
pudding-face *n biz* nagy lapos kifejezéstelen arc
pudding-head *n* tökfej, mamlasz

pudding-stone *n* kavicsos kőzet, konglomerátum
puddle ['pʌdl] I. *n* 1. tócsa, pocsolya 2. vízálló agyag-homok keverék 3. *biz* zűrzavar, összevisszaság II. A. *vt* 1. vízálló pépet készít/felrak 2. buzgat, kever [acélt] 3. felkavar [vizet] B. *vi* tócsában gázol
puddler ['pʌdlə*] *n* kavarómunkás [vasgyártásnál]
puddle-steel *n* buzgatott acél
puddling-furnace ['pʌdlɪŋ-] *n* kavarókemence
pudgy ['pʌdʒɪ] *a* kövér(kés)
pueblo [pʊ'ebloʊ] *n* pueblo [mexikói/arizónai indián falu/ház]
puerile ['pjʊəraɪl; *US* -r(ə)l] *a* gyer(m)ekes, gyermekded
puerility [pjʊə'rɪlətɪ] *n* gyer(m)ekesség; együgyű tett/mondás
puerperal [pju:'ə:pər(ə)l] *a* gyermekágyi
Puerto Rico [pwə:toʊ'ri:koʊ] *prop* Puerto Rico
Puerto Rican [pwə:toʊ'ri:kən] *a/n* Puerto Ricó-i
puff [pʌf] I. *n* 1. lehelet, fuvalom 2. pöfékelés 3. (könnyű) felfújt [tészta] 4. puff(os ruhaujj) 5. púderpamacs 6. (túlzó) reklám, agyondicsérés II. A. *vi* 1. szuszog, pöfékel 2. felpuffad, kidagad 3. pöffeszkedik B. *vt* 1. felfúj, kidagaszt 2. reklámoz, agyondicsér
  puff away A. *vt* elfúj [gyertyát] B. *vi* elpöfög [mozdony]
  puff out A. *vt* 1. elfúj 2. kidagaszt; *he* **~***ed o. his chest with pride* büszkén kidüllesztette a mellét B. *vi* kipöfög [mozdony]
  puff up A. *vi* felfúvódik, felpuffad B. *vt* felfúj; **~** *(oneself) up* felfuvalkodik, pöffeszkedik
puff-ball *n* 1. pöfeteg(gomba), vénasszonyposz 2. pitypangbóbita
puff-box *n* púderdoboz
puffed [pʌft] *a* 1. felfújt; **~** *up* felfuvalkodott, felfújt, dagályos; **~** *rice* pattogatott rizs 2. puffos, dudoros
puffer ['pʌfə*] *n* 1. reklámozó 2. árfelhajtó [árverésen] 3. *biz* mozdony, töf-töf [gyermeknyelven]

puffin ['pʌfɪn] *n* északi lunda [sarki madár]
puffiness ['pʌfɪnɪs] *n* puffadtság
puff-pastry *n* leveles tészta
puffy ['pʌfɪ] *a* 1. dagadt, puffadt; kövér 2. kifulladt
pug¹ [pʌg] *n* 1. mopszli 2. pisze orr 3. P~ róka koma 4. † majom
pug² [pʌg] I. *n* 1. agyagpép 2. hangszigetelő habarcs II. *vt* -gg- gyur, [agyagot], [agyaggal] kitapaszt
pug³ [pʌg] *n* lábnyom [tigrisé stb.]
pug⁴ [pʌg] *n biz* bokszoló, öklöző
pug-dog *n* mopszli
pugged [pʌgd] →*pug² II.*
pugging ['pʌgɪŋ] *n* 1. agyaggyúrás 2. tapasztás agyaggal 3. = *pug² I. 2.*
pugilism ['pju:dʒɪlɪzm] *n* bokszolás, ökölvívás
pugilist ['pju:dʒɪlɪst] *n* bokszoló, (hivatásos) ökölvívó
pug-mill *h* habarcskeverő gép
pugnacious [pʌg'neɪʃəs] *a* harcias
pugnacity [pʌg'næsətɪ] *n* harciasság
pug-nosed *a* pisze orrú
puisne ['pju:nɪ] *a ~ judge* szavazóbíró
puissance ['pju:ɪsns] *n* kitartásos ugratás
puissant ['pju:ɪsnt] *a* † hatalmas
puke [pju:k] *vt/vi biz* hány, okád(ik)
pukka ['pʌkə] *a biz* igazi, valóságos
pule [pju:l] *vi* nyafog, nyöszörög
Pulitzer [*US kiadó:* 'pʊlɪtsə*; díj:* 'pju:lɪtsə*] *prop*
pull [pʊl] I. *n* 1. húzás, rántás; *give a ~* meghúz, megránt 2. vonzás; vonzóerő 3. evezés; evezőcsapás 4. (nagy) korty, „slukk" [italból, cigarettából] 5. (húzó)fogantyú 6. előny 7. kefelevonat 8. *biz have a ~ with sy* jó összeköttetése/protekciója van vknél II. A. *vt* 1. (meg)húz, (meg)ránt; von; ~ *a boat* evez; ~ *the trigger* meghúzza a ravaszt 2. húz, cibál [hajat stb.]; ~ *one's weight* (1) teljes erejéből evez (2) jól kiveszi részét a munkából; *biz ~ a fast one* vmlyen trükkel becsap (vkt) 3. kihúz, kiránt; ~ *a tooth* fogat húz 4. húz, vontat [kocsit stb.] 5. tép, szakít, szed; *(átv is)* ~ *to pieces* ízekre szed, darabokra tép B. *vi* 1. húz [ruha stb.] 2. evez

pull about *vt* 1. ode-oda ráncigál 2. *biz* rosszul bánik vkvel
pull apart/asunder *vt* szétszakít; szétválaszt
pull at *vi* 1. húz (vmn) 2. húz, szippant (vmből); ~ *at one's pipe* szívogatja pipáját
pull away A. *vt* elhúz, széthúz B. *vi* elevez
pull back A. *vt* 1. visszahúz B. *vi* visszavonul
pull down *vt* 1. lerombol, lebont 2. legyengít [betegség]; *átv* lever, letör 3. leenged, lehúz [függönyt]
pull in A. *vt* 1. behúz 2. csökkent, leszállít [költséget stb.]; összébb húzza magát; ~ *oneself in* behúzza a hasát 3. meghúz [gyeplőt] 4. *biz how much money is he ~ing in* mennyi pénzt/gubát keres? 5. *biz* letartóztat B. *vi* 1. beevez 2. befut [vonat az állomásra]
pull off A. *vt* 1. lehúz, levesz 2. vmt sikerre juttat 3. megnyer B. *vi* elevez (vhonnan)
pull on *vt* ráhúz; felhúz
pull out A. *vt* 1. kihúz [fogat] 2. kinyújt, elnyújt B. *vi* 1. kievez 2. kigördül [állomásról vonat]
pull over A. *vt* föléje húz B. *vi* [autó] áthajt (a másik oldalra); átevez (máshová)
pull round A. *vt* meggyógyít, talpraállít B. *vi* meggyógyul, talpraáll
pull through A. *vt* 1. átsegít (vkt vmn) 2. = *pull round* A. B. *vi* 1. = *pull round B.* 2. megállja a helyét, győz
pull to *vt* becsuk [ajtót]
pull together A. *vt* összehúz; ~ *oneself t.* összeszedi magát B. *vi* együttműködik (vkvel)
pull up A. *vt* 1. felhúz 2. kitép [növényt, hajszálat] 3. megállít, visszatart 4. kérdőre von B. *vi* 1. megáll; ~ *up short* hirtelen megáll 2. ~ *up with/to sy* utolér vkt
pull-back *n* 1. visszahúzás, akadály, gát 2. visszavonulás
puller ['pʊlə*] *n* 1. húzó; evező [személy] 2. jól húzó ló

pullet ['pʊlɪt] *n* jérce
pulley ['pʊlɪ] *n* (emelő)csiga
pulley-block *n* csigasor
pull-in *n* = *pull-up 2.*
pulling ['pʊlɪŋ] *n* 1. húzás; evezés 2. kefelevonat
Pullman ['pʊlmən] *n* ~ *(car)* (1) szalonkocsi (2) hálókocsi
pull-on *a* bebújós [ruhadarab]
pull-out I. *a* kihúzható II. *n* 1. kinyitható képes melléklet [könyvben], leporelló 2. kivonás [katonai alakulatoké]
pullover *n* pulóver
pullulate ['pʌljʊleɪt] *vi* nyüzsög, szaporodik; csírázik, burjánzik
pullulation [pʌljʊ'leɪʃn] *n* nyüzsgés, hemzsegés; burjánzás
pull-up *n* 1. hirtelen megáll(ít)ás 2. *GB* autóscsárda 3. *US* fekvőtámasz
pulmonary ['pʌlmənərɪ; *US* -erɪ] *a* tüdő-; ~ *artery* tüdőverőér; ~ *disease* tüdőbaj
pulp [pʌlp] I. *n* 1. pép, kása; *biz beat sy to* ~ laposra ver vkt 2. gyümölcspép 3. ~ *magazine* ponyvairodalmi folyóirat [újságpapírra nyomva] II. *vt* megőröl, péppé zúz, pépesít
pulping ['pʌlpɪŋ] *n* péppé zúzás/őrlés; ~ *machine* papírzúzda, -malom
pulpit ['pʊlpɪt] *n* 1. szószék 2. prédikálás
pulpy ['pʌlpɪ] *a* pépszerű, kocsonyás, kásás, szotyakos [gyümölcs]
pulsar ['pʌlsə*] *n* pulzár [csillag]
pulsate [pʌl'seɪt; *US* 'pʌl-] *vi* lüktet, ver, dobog [szív]
pulsatilla [pʌlsə'tɪlə] *n* kökörcsin
pulsation [pʌl'seɪʃn] *n* lüktetés, dobogás; (ér)verés
pulse¹ [pʌls] I. *n* 1. érverés, pulzus, ütőér; *feel sy's* ~ (1) kitapintja vknek a pulzusát (2) *biz* puhatolódzik II. *vi* lüktet, dobog, ver
pulse² [pʌls] *n* hüvelyesek
pulverize ['pʌlvəraɪz] A. *vt* 1. porrá tör, porlaszt; porít 2. *átv* szétzúz B. *vi* szétporlad
puma ['pju:mə] *n* puma
pumice ['pʌmɪs] *n* tajtékkő, habkő
pummel ['pʌml] *vt* -ll- (*US* -l-) öklöz/püföl

pump¹ [pʌmp] I. *n* szivattyú, pumpa; kút II. A. *vt* 1. szivattyúz, pumpál; ~ *out* (1) kiszivattyúz (2) kifáraszt; ~ *up* (1) felszivattyúz (2) felpumpál, felfúj; ~ *air into a tyre* levegőt fúj/pumpál tömlőbe; *biz* ~ *hands* kezet ráz (hosszasan) 2. *biz* kikérdez, firtat B. *vi* szivattyúz, pumpál
pump² [pʌmp] *n* papucscipő
pump-dredger *n* szívókotró
pumping ['pʌmpɪŋ] *n* szivattyúzás
pumpkin ['pʌmpkɪn] *n* tök
pump-room *n* ivócsarnok [gyógyfürdőben]
pun¹ [pʌn] I. *n* szójáték II. *vi* -nn- szójátékot csinál
pun² [pʌn] *vt* -nn- döngöl
punch¹ [pʌntʃ] I. *n* 1. lyukasztó(gép); ár; pontozó; ~ *card* lyukkártya 2. lyuggató minta II. *vt* (ki)lyukaszt, átüt; ~ *in* árral lyukaszt [szeg helyét]; ~ *out* (1) kilyukaszt [jegyet] (2) kiránt [szeget]
punch² [pʌntʃ] I. *n* 1. ököllcsapás; ütés; ~ *line* csattanó [viccé]; *biz pull one's* ~*es* (1) kíméletesen üt (2) kesztyűs kézzel bánik (vkvel); mérsékli magát 2. *biz* energia, (ütő)erő II. *vt* (meg)üt
punch³ [pʌntʃ] *n* puncs
punch⁴ [pʌntʃ] *n* paprikajancsi: *P~ and Judy show* bábszínház; *pleased as P~* igen megelégedett, hízik a mája
punch-bowl *n* 1. puncsostál 2. kerek vápa [hegyoldalban]
punch-drunk *a* ütésektől kábult/tántorgó [bokszoló]
punched [pʌntʃt] *a* ~ *card* lyukkártya; ~ *tape* lyukszalag
puncheon ['pʌntʃ(ə)n] *n* 1. ár; lyukasztó minta 2. gyámfa
punching ['pʌntʃɪŋ] *n* (ki)lyukasztás
punching-bag *n* homokzsák [bokszolóé]
punching-ball *n* verőlabda [bokszolóé]
punch-mark *n* 1. lyukasztás helye 2. megjelölés
punctilio [pʌŋk'tɪlɪoʊ] *n* szertartásosság; teketória
punctilious [pʌŋk'tɪlɪəs] *a* szertartásos; aprólékoskodó, szőrszálhasogató
punctual ['pʌŋktjʊəl; *US* -tʃʊ-] *a* pontos; szabatos

punctuality [pʌŋktjʊ'ælətɪ; US -tʃʊ-] n
pontosság; szabatosság
punctually ['pʌŋktjʊəlɪ; US -tʃʊ-] adv
pontosan, kellő időben
punctuate ['pʌŋktjʊeɪt; US -tʃʊ-] vt 1.
írásjelekkel ellát 2. meg-megszakít;
kihangsúlyoz
punctuation [pʌŋktjʊ'eɪʃn; US -tʃʊ-] n
írásjelek kitevése, központozás, inter-
punkció
puncture ['pʌŋktʃə*] I. n (fel)szúrás,
átlyukasztás, lyuk, gumidefekt; have
a ~ (gumi)defektet kap II. A. vt 1. ki-
lyukaszt [gumit] 2. felszúr [kele-
vényt] 3. átv lelohaszt [öntelt séget
stb.] B. vi kilyukad, kipukkad
puncture-proof a defektmentes [autó-
gumi]
pundit ['pʌndɪt] n (hindu) tudós
pungency ['pʌndʒ(ə)nsɪ] n 1. csípősség,
pikáns íz 2. élesség [fájdalomé]; ma-
ró/metsző él [gúnyé, stílusé]
pungent ['pʌndʒ(ə)nt] a 1. csípős; pi-
káns [íz] 2. metsző, átható [fájda-
lom]; éles, metsző [gúny] 3. stimuláló
punish ['pʌnɪʃ] vt 1. (meg)büntet (sy
for sg vkt vmért) 2. biz bántalmaz,
összever 3. biz alaposan nekilát [étel-
nek, italnak]
punishable ['pʌnɪʃəbl] a büntethető,
büntetendő
punishment ['pʌnɪʃmənt] n 1. (meg-)
büntetés 2. biz megverés, összeverés
punitive ['pju:nətɪv] a büntető, fenyítő
punk¹ [pʌŋk] I. a □ vacak, pocsék II. n
1. US tapló 2. □ vacak (dolog) 3. □
kb. csöves
punk² [pʌŋk] n GB † szajha
punkah ['pʌŋkə] n ⟨kézzel hajtott nagy
szobalegyező tropikus területeken⟩
punned [pʌnd] → pun¹, pun²
punner ['pʌnə*] n verőkes, döngölő
punster ['pʌnstə*] n szójátékcsináló
punt¹ [pʌnt] I. n lapos fenekű csónak II.
vi/vt rúddal hajt [csónakot]
punt² [pʌnt] I. n kézből rúgás [futball-
ban] II. vt/vi kézből rúg/ló [labdát]
punt³ [pʌnt] vi 1. tétet hazardíroz [bank
ellen] 2. kicsiben tőzsdézik
punter¹ ['pʌntə*] csónakázó [rúddal
hajtott ladikon]

punter² ['pʌntə*] n hazardőr
punt-pole n csónaktaszító rúd
puny ['pju:nɪ] a apró, kistermetű, kicsi,
vézna
pup [pʌp] n kölyökkutya; in ~ vemhes
[szuka]; biz sell sy a ~ becsap vkt
pupa ['pju:pə] n (pl ~e -pi:) lárva
pupil ['pju:pl] n 1. tanítvány, növendék
2. pupilla, szembogár
pupil(l)age ['pju:pɪlɪdʒ] n kiskorúság
puppet ['pʌpɪt] n 1. báb(u), baba 2. átv
báb; ~ government bábkormány
puppet-show n bábszínház, -játék
puppy ['pʌpɪ] n 1. kölyökkutya 2. biz
önhitt fiatalember; taknyos kölyök
purblind ['pə:blaɪnd] n vaksi, elvakult
purchase ['pə:tʃəs] I. n 1. (meg)vásár-
lás; vétel; bevásárlás; GB ~ tax forgal-
mi adó; make (some) ~s bevásárol 2.
megvásárolt dolog/holmi/áru; szerze-
mény 3. (évi) hozam; at 20 years' ~
az évi hozam hússzorosáért 4. átv
könnyítés, előny 5. emelőrúd; emelő-
(szerkezet) 6. támasz(pont); fogás;
get a ~ on sg jó fogást biztosít magá-
nak vmn; take ~ on támaszkodik vmre
II. vt 1. (meg)vásárol, (meg)vesz;
beszerez, megszerez 2. felemel [emelő-
szerkezettel]
purchase-money/price n vételár
purchaser ['pə:tʃəsə*] n (be)vásárló;
vevő
purdah ['pə:dɑ:] n 1. függöny 2. lefá-
tyolozás [hindu nőké]
pure [pjʊə*] a 1. tiszta, vegyítetlen,
finom 2. tiszta, szeplőtlen, szűzies
3. (átv is) igazi, hamisítatlan; out of ~
malice merő rosszindulatból
pure-blood(ed)/bred a faj(ta)tiszta
purée, puree ['pjʊəreɪ; US pjʊ'reɪ]
n pép, püré
purely ['pjʊəlɪ] adv tisztán, teljesen
purgation [pə:'geɪʃn] n 1. megtisztítás
2. megtisztulás 3. hashajtás
purgative ['pə:gətɪv] a/n 1. (meg)tisztító
2. hashajtó
purgatory ['pə:gət(ə)rɪ; US -ɔ:rɪ] n
(átv is) tisztítótűz, purgatórium
purge [pə:dʒ] I. n 1. (ki)tisztítás, has-
hajtás 2. hashajtó 3. erkölcsi tiszta-
ság teremtése; (párt)tisztogatási ak-

ció, tisztogatás II. *vt* 1. kitisztít; (meg)tisztít; ~ *out* kiirt 2. (meg)hajt, kiürít [beleket] 3. leszűr [folyadékot] 4. *átv* megtisztít [erkölcsöket]; tisztogatást végez
purging ['pə:dʒɪŋ] I. *a* tisztító, hashajtó II. *n* 1. (ki)tisztítás; (meg)tisztulás 2. *átv* megtisztítás
purification [pjʊərɪfɪ'keɪʃn] *n* 1. tisztítás, derítés [folyadéké stb.] 2. (meg-)tisztulás
purify ['pjʊərɪfaɪ] *vt* (meg)tisztít; (meg-)szűr; derít; *átv* tisztáz
purifying ['pjʊərɪfaɪɪŋ] I. *a* tisztító II. *n* (meg)tisztítás; derítés; (meg-)tisztulás
purist ['pjʊərɪst] *n* purista
Puritan, p~ ['pjʊərɪt(ə)n] *a/n* puritán
puritanical [pjʊərɪ'tænɪkl] *a* puritán-(kodó), merev erkölcsi felfogású
puritanism ['pjʊərɪtənɪzm] *n* 1. puritanizmus 2. szigorú erkölcsi felfogás, puritánság
purity ['pjʊərətɪ] *n* tisztaság
purl¹ [pə:l] I. *n* 1. arany/ezüst hímzőszál, csipkeszegély 2. fordított szem [kötésben] II. *vt/vi* 1. csipkével szegélyez 2. fordított szemet köt; *knit one, ~ one* egy sima, egy fordított
purl² [pə:l] I. *n* csörgedezés, mormogás [pataké] II. *vi* csörgedezik, mormog
purlieus ['pə:lju:z; *US* -lu:z] *n pl* környék, vidék, kültel(k)ek
purlin ['pə:lɪn] *n* szelemen(gerenda)
purloin [pə:'lɔɪn] *vt* elcsen, ellop
purple ['pə:pl] I. *a* bíbor(piros); *turn ~* elvörösödik [dühtől]; *US P~ Heart* sebesülési érem; *~ patches* kiemelkedően szép részletek [nagyobb irodalmi műé]; *~ wood* bíborfa, paliszanderfa II. *n* 1. bíbor(szín) 2. *átv* bíbor(palást); *born in the ~* bíborban született; *be raised to the ~* bíborosi/császári méltóságra emelkedik 3. **purples** *pl* vörheny
purplish ['pə:plɪʃ] *a* bíborba játszó
purport I. *n* ['pə:pət; *US* -pɔ:rt] 1. értelem, jelentés 2. szándék, cél; tartalom II. *vt* ['pə:pət; *US* -'pɔ:rt] tartalmaz, jelent
purpose ['pə:pəs] I. *n* szándék, cél, terv;

beside the ~ céltalan; *on ~* szándékosan; *on ~ to . . .* a célból (v. azon szándékkal), hogy . . .; *for the ~ of* avégett; *to no ~* hiába; *to the ~* célszerű, hasznos; *serve one's ~* megfelel céljának; *of set ~* szándékosan II. *vt* szándékol, tervez
purposeful ['pə:pəsfʊl] *a* 1. szándékos; céltudatos; tervszerű 2. jelentős
purposeless ['pə:pəslɪs] *a* céltalan, hiábavaló
purposely ['pə:pəslɪ] *adv* 1. szándékosan, készakarva 2. azon célból, hogy
purposive ['pə:pəsɪv] *a* = *purposeful 1.*
purr [pə:*] I. *n* dorombolás II. *vi* dorombol, fon [macska]
purring ['pə:rɪŋ] I. *a* doromboló II. *n* dorombolás
purse [pə:s] I. *n* 1. erszény, pénztárca; *you cannot make a silk ~ out of a sow's ear* kutyából nem lesz szalonna 2. pénzügy(ek); *a light ~* üres erszény; szegénység; *a long/heavy ~* tömött erszény; gazdagság; *the public ~* államkincstár; *put/take up a ~* nagyobb pénzösszeget gyűjt össze és ajánl fel [sportmérkőzés díjául stb.]; *be beyond one's ~* meghaladja anyagi erejét; *live within one's ~* kijön/megél a fizetéséből/jövedelméből 3. *US* (női) kézitáska, retikül II. *vt* összehúz, összeráncol [homlokot]; *~ (up)* bigygyeszt [ajkat]
purse-bearer *n* kincstáros; főpecsétőr
purseful ['pə:sfʊl] *n* erszényre való (sok pénz)
purse-proud *a* vagyonára gőgös
purser ['pə:sə*] *n* pénztáros [hajón]
purse-strings *n pl* 1. pénzeszsák kötője 2. *átv* she holds the ~ ő a pénzügyminiszter a családban; *tighten the ~* összehúzza a nadrágszíjat
purslane ['pə:slɪn; *US* -leɪn] *n* porcsin, portulakka [növény]
pursuance [pə'sjʊəns; *US* -'su:-] *n in ~ of* vm szerint, vmnek véghezvitele során, vmnek értelmében
pursuant [pə'sjʊənt; *US* -'su:-] *adv ~ to sg* vmnek értelmében, vm szerint
pursue [pə'sju:; *US* -'su:] *vt* 1. üldöz, űz 2. követ, folytat, űz; *~ a profession*

vm foglalkozást űz; ~ *studies* tanulmányokat folytat **3.** törekszik vmre; ~ *pleasures* hajszolja az élvezeteket
pursuer [pə'sju:ə*; *US* -'su:-] *n* **1.** üldöző **2.** folytató **3.** ügyész, közvádló
pursuit [pə'sju:t; *US* -'su:t] *n* **1.** üldözés, űzés, keresés; ~ *plane* vadászrepülőgép **2.** törekvés (*of* vmre); *the* ~ *of happiness* törekvés a boldogságra; *in* ~ *of sg* vmnek keresésében/követésében **3.** tevékenység, elfoglaltság; működés
pursuivant ['pə:sɪvənt; *US* -swə-] *n GB* †
kísérő; futár
purulence ['pjʊərələns] *n* genny(edés)
purulent ['pjʊərələnt] *a* gennyes
purvey [pə'veɪ] *vt/vi* szállít, élelmiszerrel ellát; *this firm* ~*s for the navy* ez a vállalat a haditengerészet szállítója
purveyance [pə'veɪəns] *n* élelmiszerbeszerzés, -ellátás
purveyor [pə'veɪə*] *n* (élelmiszer-)szállító; ~ *by appointment* udvari szállító
purview ['pə:vju:] *n* **1.** hatáskör, működési kör **2.** rendelkező rész [törvényé]
pus [pʌs] *n* genny
push [pʊʃ] **I.** *n* **1.** lökés, taszítás, tolás; döfés **2.** szorult helyzet, válságos pillanat; *at a* ~ végszükség esetén; ☐ *be in the* ~ benne van a dologban/buliban **3.** erőfeszítés, igyekezet; energia; *have plenty of* ~ rámenős, energikus; *man of* ~ *and go* rámenős ember; *make a* ~ **(1)** beleadja az erejét **(2)** támadást indít **4.** ☐ elbocsátás; *get the* ~ kirúgják az állásából **5.** protekció **II. A.** *vt* **1.** tol, lök, taszít; ~ *the door to* bevágja az ajtót; ~ *bar to open* tolni! [felírás lengőajtón] **2.** (meg)nyom; ~ *the button* megnyomja a gombot **3.** hajt, sürget; ~ *oneself* tolakszik; ~ *one's way* **(1)** boldogul (az életben) **(2)** *átv* törtet, „könyököl"; ~ *one's way through the crowd* átvergődik a tömegen; *biz* ~ *a person* protezsál vkt, közbenjár vkért; ~ *an advantage* kihasználja az előnyt; *I am* ~*ed for time* időszűkében vagyok, sürget az idő; *biz I'm rather* ~*ed today* nagy hajtásban vagyok ma **4.** *biz* feldicsér,

reklámoz [árucikket]; ~ *an article* terjeszt egy árucikket **B.** *vi* törekszik, törtet, erélyeskedik
push along *vi biz* továbbsiet, -megy
push around *biz* erőszakoskodik (vkvel)
push aside *vt* félrelök
push back *vt* visszatol, -lök, -nyom
push by *vi* vm mellett előrenyomul
push forward *vt* ~ *oneself f.* **(1)** tolakszik **(2)** törtet
push in A. *vt* benyom; belök; betol **B.** *vi* behatol, benyomul
push off A. *vt* eltol, eltaszít [csónakot stb.] **B.** *vi* **1.** ellöki a csónakot a parttól **2.** *biz time to* ~ *o.* ideje (haza)menni
push on A. *vi* **1.** ~ *on with sg* folytat/(előre)halad vmvel **2.** = *push off B.* **2. B.** *vt* siettet, sürget, hajt
push out A. *vi* rügyezik, gyökeret hajt **B.** *vt.* **1.** kidug, kihajt [rügyet] **2.** = *push off A.*
push over *vt* feldönt, felborít
push through A. *vt* (sikeresen) véghezvisz **B.** *vi* **1.** áttolakszik **2.** előbújik
push up A. *vt* feltol; *biz* ~ *up the daisies* alulról szagolja az ibolyát **2.** felnyom [árat]
push-ball *n* ⟨futballjáték 180 cm átmérőjű labdával⟩
push-bike *biz* (rendes) kerékpár, bringa
push-button I. *a* **1.** nyomógombos **2.** gombnyomásra működő, távirányított [rakéta] **II.** *n* nyomógomb, kapcsoló
push-cart *n* kézi targonca
push-chair *n* (összecsukható) gyer(m)ekkocsi
push-door *n* tolóajtó
pusher ['pʊʃə*] *n* **1.** törtető ember **2.** ☐ kábítószer-kereskedő **3.** tolóka
pushing ['pʊʃɪŋ] *a* rámenős, törtető
push-off *n* ellökés a parttól
pushover *n US biz* könnyű dolog; *it's a* ~ *!* gyerekjáték az egész!
pushup *n* = *press-up*
pushy ['pʊʃɪ] *a* = *pushing*
pusillanimity [pju:sɪlə'nɪmətɪ] *n* félénkség, kishitűség
pusillanimous [pju:sɪ'lænɪməs] *a* félénk, kishitű, csüggeteg; gyáva

puss [pʊs] *n* **1.** cica; *P~ in Boots* Csizmás kandúr; *~ in the corner* (1) komámasszony hol az olló? (2) háttérből ható befolyás **2.** *biz* (kis)lány
pussy ['pʊsɪ] *n* **1.** cica, cicus **2.** barka; *~ willow* (1) fűzfa (2) fűzbarka
pussy-cat *n* cica(mica), cicus
pussyfoot *vi* macska módján megy, puhán lépdel (mint a macska)
pustule ['pʌstjuːl; *US* -tʃ-] *n* gennyes pattanás
put[1] [pʊt] I. *n* dobás, lökés, vetés [súlyé] II. *vt* (*pt/pp* **put** pʊt; **-tt-**) **1.** (oda)tesz, helyez; *it stays ~* megmarad azon a helyen ahova teszik; *~ a field under wheat* búzával vet be egy táblát/ földet **2.** *átv* (fel)tesz [kérdést]; helyez [bizalmat/stb. vmbe]; visz [vmt vk elé] **3.** becsül (vmre); *I ~ his income at £5000 a year* évi ötezer fontra becsülöm a jövedelmét **4.** dob, vet; *~ the weight* súlyt dob/lök [sportban] **5.** megfogalmaz, kifejez (vmt); *as Shakespeare ~s it* ahogy Sh. mondja **6.** feltételez; † *~ (the) case (that)* tegyük fel (hogy)
　put about A. *vt* **1.** elterjeszt, elhíresztel **2.** zaklat; zavarba ejt **B.** *vi* irányt változtat [hajó]
　put across *vt* **1.** keresztbe tesz **2.** *~ sg a.* nyélbe üt vmt, sikerre visz vmt **3.** elhitet; elfogadtat (vkvel vmt); *US you can't ~ that a. me* ebbe nem fogsz engem beugratni, ebben Tamás vagyok
　put aside *vt* **1.** félretesz **2.** mellőz (vmt)
　put away *vt* **1.** félretesz, eltesz (vmt) **2.** *biz* diliházba dug (vkt) **3.** felhagy (vmvel); lemond (vmről) **4.** † elkerget [feleséget] **5.** *biz* eltesz láb alól (vkt)
　put back A. *vt* **1.** visszatesz **2.** késleltet **3.** megtagad, elutasít **4.** akadályoz; visszavet **5.** visszaigazít [mutatót, órát] **B.** *vi ~ b. to port* visszatér a kikötőbe [hajó]
　put by *vt* **1.** félretesz, megtakarít, tartalékol **2.** kitér (vm elől) **3.** félretol, mellőz **4.** felfog [ütést]
　put down A. *vt* **1.** letesz **2.** csökkent, leszállít [árakat] **3.** lever, el-

nyom [lázadást] **4.** letromfol, elhallgattat **5.** leír; *~ d. in writing* írásba foglal; *~ sy d. for sg* vkt előjegyez vmre; *~ me d. for $55* dollárt jegyzek/ megajánlok **6.** gondol, vél, elkönyvel (vmnek); *I ~ him d. for an Englishman* angolnak néztem **7.** *~ sg d. to sg* vmt vmnek tulajdonít **8.** összehajt [esernyőt] **B.** *vi* leszáll, landol [repgép]
　put forth A. *vt* **1.** kinyújt **2.** működésbe hoz; (ki)fejleszt **3.** megfeszíti [erejét] **4.** kiad [könyvet] **5.** hajt [rügyet, ágat] **B.** *vi* **1.** elindul [hajó] **2.** kicsírázik, kihajt [növény]
　put forward *vt* **1.** előretesz; előretol; előreigazít; *~ one's best foot f.* (1) igyekszik, jól kilép (2) legjobb oldaláról mutatkozik; *~ oneself f.* magát túlságosan előtérbe tolja **2.** javasol [jelöltet] **3.** előterjeszt [tervet stb.]
　put in A. *vt* **1.** betesz; beszúr; behelyez; *~ in force* életbe léptet; *~ in hand* kézbe vesz; elkezd (vmnt); *~ in practice* használatba vesz; *~ yourself in my place* képzeld magadat az én helyembe; *~ sy in his place* rendreutasít vkt **2.** közbevet, közbeszól **3.** bead, előterjeszt [iratot]; *~ in a claim for damages* kártérítési igényt jelent be; *~ sy in evidence* vkt tanúként állít **B.** *vi* **1.** bejelenti igényét (vmre); *~ in for a post* megpályáz egy állást **2.** befut, beérkezik [hajó]
　put into A. *vt* **1.** (*átv is*) beletesz; belefektet [pénzt, munkát stb.] **2.** lefordít, átültet [vmlyen nyelvre] **B.** *vi* befut [hajó kikötőbe]
　put off A. *vt* **1.** (*átv is*) félretesz; levet [ruhát, kétséget stb.] **2.** elhalaszt, elnapol **3.** kitér (vm elől); leszerel (vkt vmvel); *I will not be ~ o. any longer* engem nem hiteget tovább (az biztos) **4.** félrevezet, ámít (vkt); rászed, becsap (vkt) **5.** (meg)akadályoz; megzavar, kizökkent (vkt vmből) **6.** visszataszít, undorít; *~ sy o. (his appetite)* elveszi vknek az étvágyát **7.** ellök [csónakot parttól] **B.** *vi* elhagyja a kikötőt, elindul
　put on A. *vt* **1.** feltesz, rátesz **2.** fel-

vesz [ruhadarabot]; *átv* felölt [arckifejezést stb.]; színlel, tettet (vmt); ~ *it on* (1) henceg, adja a bankot (2) borsos árat számít; □ ~ *it on thick* otrombán hízeleg 3. tulajdonít (vknek vmt) 4. üzembe helyez, működésbe hoz (vmt); ~ *on the light* meggyújtja a lámpát/villanyt; ~ *on a train* beállít vonatot [menetrendbe]; *I shall* ~ *you on to Mr. Smith* átkapcsolom Smith úrhoz 5. munkába állít (vkt) 6. színre, hoz, bemutat [darabot] 7. rászed, becsap (vkt) 8. kimér (vkre vmt); megszorít (vkt, vmt); ~ *sy on good behaviour* vkt jó magaviseletre int; ~ *sy on diet* diétára fog vkt 9. hozzáad; növel; emel [árat]; fokoz [sebességet]; ~ *on flesh/weight* (meg-)hízik 10. előretol, előreigazít [órát] 11. pénzt tesz, fogad [lóversenyen] 12. felszólít, felhív [tanulót felelésre] **B.** *vi* (el)siet
put out A. *vt* 1. kitesz; kidob; kitűz [zászlót]; kihajt [rügyet], kinyújt [kezet stb.] 2. kificamít 3. kiad [munkát]; kikölcsönöz, befektet [pénzt]; ~ *work o.* házimunkába kiad 4. kikapcsol, elolt [villanyt, tüzet] 5. bosszant, felizgat; zavar(ba hoz) 6. kiad, közzétesz 7. előállít, termel **B.** *vi* kihajózik, elindul ‖ →*put to B.*
put over A. *vt* 1. föléje tesz/helyez 2. utasít (vkt vkhez) 3. átszállít [csónakon stb.] 4. *US* sikerre juttat [színdarabot, filmet] **B.** *vi* átmegy [a másik partra hajó]
put through *vt* 1. befejez, végrehajt 2. átnyom; keresztüljuttat; *he* ~ *me t. college* az ő anyagi támogatásával végeztem el a főiskolát 3. ~ *sy t. to sy* vkt vkvel összeköttetésbe hoz [telefonon stb.]; ~ *me t. to the manager* kérem kapcsolja az igazgatót
put to A. *vt* 1. hozzáad, hozzátesz; ~ *one's name to it* támogat [erkölcsileg] 2. késztet (vkt vmre); ~ *to bed* lefektet; ~ *to school* iskolába ad/járat; ~ *to silence* elhallgattat; ~ *to sleep* elaltat 3. vmnek kitesz/alávet (vkt); korlátoz, megszorít; ~ *to it* zavar; szorít, szorongat; *he was hard* ~ *to it* nem volt

könnyű neki 4. összekapcsol (vmt vmvel); befog [lovat] 5. vk elé terjeszt (vmt); ~ *it to him* nicely közölje vele (a dolgot) kíméletesen; *I* ~ *it to you whether...* azt kérdem öntől, hogy... 6. vmlyen pályára ad **B.** *vi* ~ *(out) to sea* (1) kifut a nyílt tengerre [hajó] (2) tengerre/hajóra száll
put together *vt* 1. összetesz, -rak; összeszerel; *they* ~ *their heads t.* összedugták a fejüket 2. *biz* ~ *two and two t.* levonja a (nyilvánvaló) következtetést 3. *átv* összeszed, -állít; ~ *one's thoughts t.* összeszedi a gondolatait
put up A. *vt* 1. felemel [kezet stb.]; felhúz [ablakot, zászlót]; kinyit [ernyőt]; feltesz [képet, függönyt]; ~ *up one's hair* feltűzi a haját, kontyot csinál; ~ *up one's hands* feltartja a kezét, megadja magát 2. felver [vadat] 3. ajánl, felléptet [jelöltet] 4. ~ *sg up for sale* áruba bocsát vmt; ~ *sg up for auction* elárvereztet vmt 5. felver [árakat] 6. (be)csomagol; elrak [télire stb.] 7. ~ *up the money for sg* előteremti a pénzt vmhez 8. (fel)épít [házat]; (fel)állít [emlékművet stb.] 9. visszatesz, -helyez; becsuk [zsebkést]; ~ *up your sword* dugd hüvelyébe a kardod 10. bezár, beszüntet [üzemet]; ~ *up the shutters* (1) lehúzza a redőnyöket [üzletben] (2) *átv* bezárja a boltot 11. kifejt [ellenállást stb.]; ~ *up a good fight* derekasan küzd; ~ *up a stout resistance* makacsul ellenáll 12. elszállásol vkt, szállást ad vknek; elhelyez 13. kitervez, kifőz [tréfát, gaztettet stb.]; *biz* ~ *up a job* cselt sző; ~ *sy up to sg* (1) tájékoztat vkt vmről, beavat vkt vmbe (2) utasítást ad vknek vmre vonatkozólag (3) rábeszél/rábír vkt vmre **B.** *vi* 1. ~ *up for sg* (1) igényt támaszt vmre (2) folyamodik vmért 2. megszáll vhol; ~ *up at a(n) hotel* szállodába(n) száll (meg) 3. ~ *up with sg* belenyugszik vmbe
put upon A. *vt* 1. rátesz 2. ráerőszakol 3. elnyom **B.** *vi* fejére nő
put² [pʌt] *n/vt* = putt

putative ['pju:tǝtɪv] a vélelmezett, vélt
put-off n 1. halasztás 2. ürügy, kifogás
put-on a színlelt, tettetett [viselkedés stb.]
putrefaction [pju:trɪ'fækʃn] n rothadás, feloszlás
putrefactive [pjʊtrɪ'fæktɪv] a rothasztó, korhasztó
putrefy ['pju:trɪfaɪ] A. vt (meg)rothaszt B. vi 1. (meg)rothad; korhad; oszlásnak indul 2. gennyesedik, üszkösödik
putrescence [pju:'tresns] n rothadás, korhadás
putrescent [pju:'tresnt] a rothadó, poshadó, bűzös
putrid ['pju:trɪd] a rothadt, korhadó; bűzös, orrfacsaró; ~ sore throat gennyes torokgyulladás/mandulagyulladás
putt [pʌt] I. n (be)gurítás [golflabdáé lyukba] II. vt gurít [golflabdát lyuk felé]
puttee ['pʌtɪ] n lábszárvédő, lábtekercs
putter¹ ['pʌtǝ*] I. n 1. ⟨egy fajta golfütő⟩ 2. az aki lök
putter² ['pʌtǝ*] US vi pepecsel, piszmog
putting¹ ['pʊtɪn] n 1. (el)helyezés; (le-) tevés 2. ~ the shot/weight súlydobás, súlylökés; ‖ →put¹ II.
putting² ['pʌtɪn] n ⟨golflabda begurítása lyukba⟩ →putt II.
putting-green ['pʌtɪn-] n ⟨golfpálya lyuk körüli sima pázsitja⟩
putty ['pʌtɪ] I. n gitt, ragacs II. vt betapaszt, betöm (gittel), begittel
put-up a a ~ job kicsinált dolog, kiszámított trükk
puzzle ['pʌzl] I. n 1. rejtvény, türelemjáték, fejtörő 2. nehézség, zavar; be in a ~ zavarban van II. A. vt 1. zavarba hoz, nyugtalanít 2. összebonyolít; ~ out kibogoz, megfejt [titkot stb.] B. vi zavarban van; töri a fejét, tépelődik (about/over vmn)

puzzler ['pʌzlǝ*] n fogas kérdés
puzzling ['pʌzlɪn] a rejtélyes
PVC [pi:vi:'si:] polyvinyl chloride polivinilklorid, PVC
Pvt, pvt. US private (solider)
P.X., PX [pi:'eks] post exchange
pycnometer [pɪk'nɔmɪtǝ*; US -'nɑ-] n fajsúlymérő, sűrűségmérő
Pygmalion [pɪg'meɪljǝn] prop
pygmy ['pɪgmɪ] a/n törpe
pyjamas, US pajamas [pǝ'dʒɑ:mǝz] n pl pizsama
pylon ['paɪlǝn; US -ɑn] n távvezetékoszlop, pilon
pylorus [paɪ'lɔ:rǝs] n (pl -ri -raɪ] gyomorkapu
pyorrh(o)ea [paɪǝ'rɪǝ] n (gennyfolyásos) fogínysorvadás
pyramid ['pɪrǝmɪd] n 1. gúla 2. piramis
pyramidal [pɪ'ræmɪdl] a gúla alakú
Pyramus ['pɪrǝmǝs] prop
pyre ['paɪǝ*] n halotti máglya
Pyrenees [pɪrǝ'ni:z] prop Pireneusok
Pyrex ['paɪreks] n tűzálló edény
pyrexia [paɪ'reksjǝ] n láz(as betegség)
pyrites [paɪ'raɪtɪ:z] n pirit
pyritic [paɪ'rɪtɪk] a pirites
pyromania [paɪrǝ'meɪnɪǝ] n pirománia, gyújtogatás
pyrometer [paɪ'rɔmɪtǝ*; US -'rɑ-] n magas fokú hőmérő, pirométer
pyrotechnical [paɪrǝ'teknɪkl] a pirotechnikai
pyrotechnics [paɪrǝ'teknɪks] n tűzijáték; pirotechnika
Pythagoras [paɪ'θægǝræs] prop Püthagorasz; ~' theorem = Pythagorean t.
Pythagorean theorem [paɪθægǝ'rɪǝn] Pitagorasz-tétel, P. tétele
python ['paɪθn; US -θǝn] n óriáskígyó
pyx [pɪks] n † szentségtartó
pyxis ['pɪksɪs] n (pl pyxides 'pɪksɪdi:z) 1. toktermés 2. ízületi gödör

Q

Q¹, q [kjuː] *n* Q, q (betű)
Q². 1. *quarto* 2. *Quebec* 3. (q is) *question*
Q.C. [kjuːˈsiː] *Queen's Counsel* →*counsel*
QED [kjuːiːˈdiː] quod erat demonstrandum (= *which was to be demonstrated*) amit bizonyítani kellett
QM [kjuːˈem] *quarter-master*
QMG [kjuːemˈdʒiː] *quarter-master general*
qr. *quarter*(s) negyed
qt. *quart*(s) →*quart¹*
q.t. [kjuːˈtiː] →*quiet II. 2.*
qu *query, question*
qua [kweɪ] *conj* mint
quack¹ [kwæk] I. *n* hápogás II. *vi* hápog
quack² [kwæk] *n* ~ (*doctor*) kuruzsló, sarlatán
quackery [ˈkwækərɪ] *n* kuruzslás, szélhámosság
quad [kwɔd; *US* -ɑ-] *n* 1. = *quadrangle* 2. 2. quads *pl* négyes ikrek
quadragenarian [kwɔdrədʒɪˈneərɪən; *US* -ɑd-] *a*/*n* megvenéves (ember)
quadrangle [ˈkwɔdræŋgl; *US* -ɑd-] *n* 1. négyszög 2. [négyszögű zárt belső] udvar [kollégiumé stb.]
quadrangular [kwɔˈdræŋgjʊlə*; *US* kwɑ-] *a* négyszögű, négyszögletes
quadrant [ˈkwɔdr(ə)nt; *US* -ɑ-] *n* 1. körnegyed, 90° 2. kvadráns [műszer]
quadratic [kwɔˈdrætɪk; *US* kwɑ-] *a* ~ *equation* másodfokú egyenlet
quadrilateral [kwɔdrɪˈlæt(ə)rəl; *US* kwɑ-] I. *a* négyoldalú II. *n* négyszög
quadrille [kwəˈdrɪl] *n* francia négyes
quadrillion [kwɔˈdrɪljən; *US* kwɑ-] *n* GB milliószor trillió (10²⁴), *US* ezer trillió (10¹⁵)
quadroon [kwɔˈdruːn; *US* kwɑ-] *n*

negyedvér [fehér és mulatt keverék csak egy néger nagyszülővel]
quadruped [ˈkwɔdrʊped; *US* ˈkwɑ-] *a*/*n* négylábú
quadruple [ˈkwɔdrʊpl; *US* ˈkwɑ-] *a*/*n* négyszeres(e vmnek)
quadruplets [ˈkwɔdrʊplɪts; *US* ˈkwɑ-] *n pl* négyes ikrek
quadruplicate [kwɔˈdruːplɪkət; *US* kwɑ-] I. *a* négyszeres, négy példányban készült II. *n in* ~ négy példányban
quaff [kwɑːf] *vt* † nagyokat kortyol
quagmire [ˈkwægmaɪə*] *n* ingovány
quail¹ [kweɪl] *n* fürj
quail² [kweɪl] *vi* csügged, meghunyászkodik, elszáll [bátorsága]
quaint [kweɪnt] *a* 1. furcsa, különös 2. régies 3. érdekes, eredeti
quake [kweɪk] *vi* 1. remeg, reszket 2. borzong 3. reng
Quaker [ˈkweɪkə*] *n* kvéker
qualification [kwɔlɪfɪˈkeɪʃn; *US* kwɑ-] *n* 1. képesítés, képzettség; végzettség 2. módosítás; korlátozás; *without* ~ fenntartás nélkül 3. minősítés
qualified [ˈkwɔlɪfaɪd; *US* -ɑl-] *a* 1. képesített; képzett; alkalmas (*for* vmre) 2. módosított, korlátozott 3. feltételes
qualify [ˈkwɔlɪfaɪ; *US* -ɑl-] A. *vt* 1. ~ *sy for sg* (v. *to do sg*) vkt vmre (v. vm megtevésére) képesít; alkalmassá tesz; *be qualified to teach English* angoltanári képesítése van 2. feljogosít (*for* vmre) 3. minősít 4. módosít; korlátoz B. *vi* 1. képesítést szerez; jogot nyer (*for* vmre) 2. továbbjut [versenyben]; ~ *for the finals* bejut a döntőbe
qualifying [ˈkwɔlɪfaɪɪŋ; *US* -ɑl-] *a* 1. ké-

pesítő; ~ *examination* képesítővizsga;
~ *match* selejtező mérkőzés; ~ *heat/*
round előfutam 2. módosító
qualitative ['kwɔlɪtətɪv; *US* 'kwɑlɪteɪ-] *a*
minőségi
quality ['kwɔlətɪ; *US* -ɑl-] *n* 1. minőség;
(*of*) *poor* ~ gyenge minőségű; ~ *car*
márkás autó; ~ *check*(*ing*) meó(zás)
2. (emberi) tulajdonság; képesség; *he*
has many good qualities sok jó oldala/
tulajdonsága van vknek 3. † *people*
of ~ előkelő emberek
qualm [kwɑ:m] *n* 1. lelkiismeret-fur-
dalás, aggály; *have no* ~*s about sg*
nincs skrupulusa vmt illetően 2.
émelygés
qualmish ['kwɑ:mɪʃ] *a* 1. lelkifurdalástól
gyötört 2. émelygő(s)
quandary ['kwɔndərɪ; *US* -ɑn-] *n* zavar,
dilemma, bizonytalanság
quanta →*quantum*
quantification [kwɔntɪfɪ'keɪʃn; *US* -ɑn-]
n mennyiségi meghatározás
quantify ['kwɔntɪfaɪ; *US* -ɑn-] *vt* meny-
nyiségileg meghatároz
quantitative ['kwɔntɪtətɪv; *US* 'kwɑn-
tɪteɪ-] *a* mennyiségi
quantity ['kwɔntətɪ; *US* -ɑn-] *n* 1. meny-
nyiség; ~ *surveyor* építési ellenőr,
anyagmennyiség-becslő; *a* ~ *of sg* igen
sok vmből; *in* ~ nagy tömegben 2.
időmérték, (idő)tartam
quantum ['kwɔntəm; *US* -ɑn-] *n* (*pl* -ta
-tə] 1. mennyiség, tömeg; ~ *theory*
kvantumelmélet 2. adag
quarantine ['kwɔr(ə)nti:n; *US* -ɔ:-] I. *n*
vesztegzár II. *vt* vesztegzár alá helyez,
elkülönít
quarrel ['kwɔr(ə)l; *US* -ɔ:-] I. *n* vesze-
kedés, vita; *have a* ~ (*with sy about sg*)
veszekedik, összevész (vkvel vm
miatt); *have* ~ *with sy* kifogása van vk
ellen, elvi vitába száll vkvel; *have no* ~
with/against sy nincs kifogása vk ellen;
make up a ~ vitát/nézeteltérést elsimít
II. *vi* -ll- (*US* -l-) 1. veszekedik;
vitatkozik (*with sy about/over sg* vkvel
vm miatt) 2. ~ *with sg* hibát talál vm-
ben, kifogásol vmt
quarrel(l)ing ['kwɔrəlɪŋ; *US* -ɔ:-] I. *a*
veszekedő II. *n* veszekedés

quarrelsome ['kwɔr(ə)lsəm; *US* -ɔ:-] *a*
veszekedő(s), civakodó, házsártos
quarry[1] ['kwɔrɪ; *US* -ɔ:-] *n* (vadász-)
zsákmány, konc
quarry[2] ['kwɔrɪ; *US* -ɔ:-] I. *n* 1. kőbánya,
kőfejtő; ~ *stone* terméskő 2. *átv* tár-
háza, lelőhelye [adatoknak stb.] II.
vt/vi (*pt/pp* **quarried** 'kwɔrɪd, *US* -ɔ:-]
1. fejt, bányászik [követ] 2. *átv* kutat
[régi adatanyagban]
quarryman ['kwɔrɪmən; *US* -ɔ:-] *n* (*pl*
men -mən) kőbányász, kőfejtő
quart[1] [kwɔ:t] *n* ⟨*a gallon* negyedrésze
GB: 1,136 l, *US*: 0,946 l⟩; *put a* ~
into a pint pot a lehetetlenre vállalko-
zik
quart[2] [kɑ:t] *n* kvart [vívásban]
quarter ['kwɔ:tə*] I. *n* 1. negyed(rész);
US ~ *note* negyed (hangjegy) 2. ne-
gyed(óra); negyedév, évnegyed; ~ *past*
six negyed 7; ~ *to six* háromnegyed 6
3. (város)negyed 4. (világ)táj; *from*
every ~ mindenhonnan, minden irány-
ból; *in high* ~*s* felsőbb körökben; *in*
responsible ~*s* illetékes/felelős helyen
5. **quarters** *pl* szállás(hely), lakás;
close ~*s* szűkös elhelyezés; *at close* ~*s*
közel (egymáshoz), közvetlen közel-
(ről); *change one's* ~*s* máshová költö-
zik; *living* ~*s* lakóhely, szállás; *take*
up one's ~*s* szállását felüti vhol 6.
(*különféle egységek:*) (1) ⟨súlymérték:
GB 12,7 kg, *US* 11,34 kg⟩ (2) ⟨űr-
mérték: 2,9 hl⟩ (3) *US* 25 cent, negyed
dollár(os) 7. kegyelem; *cry* ~, *ask for*
~ kegyelmet kér; *no* ~ *given* nincs ir-
galom II. *vt* 1. négy részre oszt, négy-
felé oszt/vág, felnégyel 2. elszállásol;
~ *oneself on/with sy* beszállásolja
magát vhová
quarter-back *n US* hátvéd [amerikai
futballban]
quarter-day *n* negyedévi bérfizetési nap
quarter-deck *n* 1. tatfedélzet 2. tisztikar
[hadihajóé]
quarter-finals *n pl* negyeddöntő; [vívás-
ban] elődöntő
quarterly ['kwɔ:təlɪ] I. *a* negyedév(en-
ként) II. *adv* negyedévenként III. *n*
negyedévenként megjelenő folyóirat
quarter-master *n* 1. [katonai] szállás-

44

mester; ~ *general* vezérlő hadbiztos; ~ *officer* hadbiztos; ~ *sergeant* számvevő tiszthelyettes 2. kormányos(mester)

quartern ['kwɔ:tən] *n* 1. ~ *(loaf)* négyfontos kenyér 2. negyed pint [0,14 l] 3. negyed „stone" [1,59 kg]

quarter-sessions *n pl* negyedév(enként)i bírósági ülésszak

quarter-staff *n (pl* **-staves**) kétméteres bot [mint fegyver]

quartet(te) [kwɔ:'tet] *n* [zenei] négyes, kvartett

quarto ['kwɔ:toʊ] *a/n* negyedrét (alakú könyv), kvartó

quartz [kwɔ:ts] *n* kvarc; ~ *clock/watch* kvarcóra

quash [kwɔʃ; *US* -ɑ-] *vt* 1. hatálytalanít, semmisnek nyilvánít 2. elnyom, elfojt

quasi- ['kweɪzaɪ-; *US* -saɪ] *pref* látszólagos, félig(-meddig); ... jellegű

quassia ['kwɔʃə; *US* -ɑ-] *n* kvasszia(fa)

quatercentenary [kwætəsen'ti:nərɪ; *US* kweɪtər'sentənerɪ] *n* négyszázéves évforduló

quaternary [kwə'tə:nərɪ] *a* 1. négyes 2. négy elemből álló, négytagú; négyértékű

quatrain ['kwɔtreɪn; *US* -ɑ-] *n* négysoros vers(szak)

quatrefoil ['kætrəfɔɪl; *US* -tər-] *n* négylevelű lóhere alakú ablak v. díszítés

quaver ['kweɪvə*] I. *n* 1. reszketés, remegés [hangé] 2. hangrezgés 3. trilla 4. nyolcad (hangjegy) II. A. *vi* 1. rezeg, remeg, reszket [hang] 2. trilláz B. *vt* reszkető hangon mond/(el)énekel vmt

quavering ['kweɪv(ə)rɪŋ] *a* reszkető, remegő

quaveringly ['kweɪv(ə)rɪŋlɪ] *adv* reszkető/elcsukló hangon

quay [ki:] *n* rak(odó)part

quayage ['ki:ɪdʒ] *n* 1. rakodótér [rakparton] 2. rakparti illeték/díj

quean [kwi:n] *n* † nőszemély, lotyó

queasy ['kwi:zɪ] *a* 1. émelygő 2. émelyítő, undorító 3. finnyás, kényes

Quebec [kwɪ'bek] *prop*

queen [kwi:n] I. *n* 1. királynő; királyné; ~ *consort* a király hitvese, a királyné;

~ *dowager* özvegy királyné; ~ *mother* anyakirályné 2. [sakkban] vezér; [kártyában] dáma II. *vt* 1. ~ *it* királynői módon (v. fölényesen) viselkedik 2. vezérnek bevisz [sakkban gyalogot]

queen-bee *n* méhkirálynő

queenly ['kwi:nlɪ] *a* királynői

queen-post *n* feszítőmű oszlopa, császárfa

Queensland ['kwi:nzlənd] *prop*

queer [kwɪə*] I. *a* 1. furcsa, különös; *a* ~ *fish* különös (v. furcsa egy) alak; *go* ~ megzavarodik, meghibban; *biz I feel very* ~ nem jól (v. vacakul) érzem magam; *be in Q~ Street* bajban/pácban/pénzzavarban van 2. kétes jellemű, gyanús 3. □ hamis [pénz] 4. □ részeg 5. □ homokos II. *vt* nevetségessé tesz, elront(ja a hatást)

queerness ['kwɪənɪs] *n* furcsaság

quell [kwel] *vt* 1. elnyom, elfojt [lázadást] 2. lecsillapít, megnyugtat

quench [kwentʃ] *vt* 1. elolt [tüzet] 2. csillapít, elolt [szomjúságot] 3. lecsendesít [szenvedélyt], elnyom, elfojt [vágyat]; lehűt [lelkesedést] 4. hirtelen lehűt [izzó acélt], edz [fémet]

quern [kwə:n] *n* kézimalom

querulous ['kwerʊləs; *US* -rə-] *a* panaszkodó; nyafogó, siránkozó

query ['kwɪərɪ] I. *n* 1. kérdés; *list of queries* kérdőív 2. kétség, aggály 3. kérdőjel II. *vt* 1. (meg)kérdez; ~ *if/ whether* ... megkérdezi/kérdezősködik, vajon ... 2. megkérdőjelez

quest [kwest] *n* keresés, (fel)kutatás; *go in* ~ *of sg* vmnek a keresésére/(fel)kutatására indul

question ['kwestʃ(ə)n] I. *n* 1. kérdés; *ask sy a* ~ kérdez vktől vmt; *put a* ~ *to sy* kérdést intéz vkhez, kérdést tesz fel vknek 2. kétség; *beyond (all)* ~, *without* ~ kétségtelenül, vitathatatlanul; *call in* ~ kétségbe von 3. (vitás) kérdés, probléma; vita tárgya; *there's no* ~ *about it* nem vitás; *that's not/beside the* ~ nem erről van szó; *be out of the* ~ szóba sem jöhet, szó sem lehet róla; *(sy, sg) in* ~ a kérdéses (vk, vm), a szóban forgó (vk, vm); *a* ~ *of time* idő kérdése; *there was no* ~ *of my coming* nem volt szó arról, hogy én

jövök; *come into* ~ szóba jön; *beg the* ~
kérdést bizonyítottnak tekint; *put the*
~ szavazásra bocsátja a kérdést;
~ *time* interpellációs idő [parlament-
ben] 4. † kínvallatás II. *vt* 1.
(meg-) kérdez, kérdezősködik, kérdéseket tesz
fel (vknek), kikérdez, kihallgat 2. két-
ségbe von 3. kifogásol
questionable ['kwestʃənəbl] *a* 1. kérdé-
ses, vitatható, problematikus 2. bi-
zonytalan; kétes
questioner ['kwestʃənə*] *n* 1. kérdező
2. vallató
questioning ['kwestʃənɪŋ] I. *a* kérdő II. *n*
kikérdezés, kihallgatás
question-mark *n* kérdőjel
question-master *n* = *quizmaster*
questionnaire [kwestʃə'neə*] *n* kérdőív
queue [kju:] I. *n* 1. sor [embereké,
kocsiké]; *form a* ~ sorba áll; *GB biz
jump the* ~ előre tolakszik (sorban
állók elé); *stand in a* ~ sorban/sort áll
(vmért) 2. copf, varkocs II. *vi* ~ *up*
sort/sorba áll (*for sg* vmért)
quibble ['kwɪbl] I. *n* 1. szójáték 2. kibú-
vó, csűrés-csavarás II. *vi* szőrszálat
hasogat, csűri-csavarja a dolgot
quick [kwɪk] I. *a* 1. gyors; *be* ~ *about sg*
gyorsan végez (v. siet) vmvel; ~
march/time gyors(ított) menet [kato-
nai] 2. hirtelen [természet] 3. eleven,
élénk; ~ *mind* eleven ész; ~ *to under-
stand* gyors felfogású II. *adv* gyorsan,
fürgén III. *n* 1. vknek az elevenje; *cut/
touch sy to the* ~ az elevenére tapint
vknek 2. † *the* ~ *and the dead* az ele-
venek és holtak
quick-change artist átváltozó művész,
fregoli artista
quicken ['kwɪk(ə)n] A. *vt* 1. meggyorsít,
élénkít 2. serkent; megmozgat [kép-
zeletet] B. *vi* 1. meggyorsul, -élénkül
2. megmozdul [magzat]
quick-firing *a* gyorstüzelő
quick-freeze [-fri:z] *vt* (*pt* -froze -frouz,
pp -frozen -frouzn) gyorsfagyasztással
hűt/tartósít, mélyhűt
quick-freezing *n* gyorsfagyasztás
quick-frozen *a* gyorsfagyasztott
quickie ['kwɪkɪ] *n biz* sebtében összeütött
mű; fércmű

quick-lime *n* oltatlan mész
quick-lunch bar/counter gyorsbüfé
quickly ['kwɪklɪ] *adv* gyorsan, élénken
quickness ['kwɪknɪs] *n* gyorsaság, élénk-
ség; ~ *of temper* lobbanékonyság
[emberi]
quicksand *n* fosóhomok, folyós homok
[amiben ember, állat elsüllyed]
quickset *n* (galagonya) élősövény
quick-setting *a* gyorsan kötő [cement]
quicksilver I. *n* 1. higany 2. élénk/moz-
gékony ember II. *vt* foncsoroz
quickstep *n* 1. gyorsított lépés/menet
[katonai] 2. gyors (ütemű) tánc/fox-
trott
quick-tempered *a* hirtelen haragú, lob-
banékony
quick-witted *a* eleven eszű, éles elméjű/
eszű, gyorsan kapcsoló
quid¹ [kwɪd] *n* (*pl* ~) □ font [pénz]
quid² [kwɪd] *n* bagó
quid pro quo [kwɪdprou'kwou] *n* ellen-
szolgáltatás, ellenérték
quiescence [kwaɪ'esns] *n* 1. nyugalom,
tétlenség 2. téli álom [állaté]
quiescent [kwaɪ'esnt] *a* 1. nyugalmas,
nyugodt, higgadt 2. tétlen 3. néma
[hangzó]
quiet ['kwaɪət] I. *a* 1. csendes; *be* ~ *!*
maradj csöndben !, hagyj békén !;
keep ~ *!* maradj csöndben !, hallgass !;
keep sg ~ hallgat vmről, elhallgat
vmt 2. nyugodt, békés; halk, szelíd
3. egyszerű, nem feltűnő, diszkrét
II. *n* 1. nyugalom, béke 2. csend;
on the ~, □ *on the q.t.* [kju:'ti:] szép
csendben, (a legnagyobb) titokban,
suba alatt III. A. *vt* ~ (*down*) meg-
nyugtat; lecsendesít B. *vi* ~ *down*
megnyugszik; lecsendesül
quieten ['kwaɪətn] *v* = *quiet III.*
quietism ['kwaɪɪtɪzm] *n* kvietizmus
quietly ['kwaɪətlɪ] *adv* nyugodtan, csen-
desen
quietness ['kwaɪətnɪs] *n* nyugalom,
csendesség
quietude ['kwaɪɪtju:d; *US* -tu:d] *n*
(lelki) nyugalom, béke(sség), csend
quietus [kwaɪ'i:təs] *n* † 1. búcsú, vég,
halál 2. végkielégítés
quill [kwɪl] I. *n* 1. tollszár [madáré];

~(-feather) evezőtoll, farktoll 2. =
quill-pen 3. tüske [süné] 4. (vetülék-)
cséve II. vt 1. fodorít 2. felcsévéz 3.
megmelleszt [libát]
quill-pen n lúdtoll, penna
quilt [kwɪlt] I. n (vatta)paplan II. vt
tűzdel, steppel; vattáz
quilted ['kwɪltɪd] a 1. tűzdelt, tűzött,
steppelt 2. vattázott
quince [kwɪns] n birsalma; ~ jelly
birsalmasajt
quincunx ['kwɪnkʌŋks] n ötpontos el-
rendezés (: · :), ötös kötés; ~ planting
keresztültetés
quinine [kwɪ'niːn; US 'kwaɪnaɪn] n
kinin; ~ wine kínabor
quinquagenarian [kwɪŋkwədʒɪ'neərɪən]
a/n ötvenéves, ötvenes
quinquennial [kwɪŋ'kwenɪəl] a ötéven-
kénti, ötéves
quinsy ['kwɪnzɪ] n tüszős mandulagyul-
ladás
quintal ['kwɪntl] n 1. ⟨súlymérték: GB
112, US 100 font⟩ 2. (méter)mázsa
[100 kg]
quintessence [kwɪn'tesns] n vmnek a
legjava/lényege/veleje, kvintesszencia
quintet(te) [kwɪn'tet] n [zenei] ötös,
kvintett
quintillion [kwɪn'tɪljən] GB kvintillió
(10³⁰), US trillió (10¹⁸)
quintuple ['kwɪntjʊpl; US -tʊ-] a/n
ötszörös(e vmnek)
quintuplet ['kwɪntjʊplɪt; US -tʊ-] n 1.
ötös csoport 2. quintuplets pl ötös ikrek
quip [kwɪp] I. n 1. csípős megjegyzés,
bemondás, gúnyos visszavágás 2. =
quibble I. II. vi -pp- 1. gúnyolódik 2.
bemondást csinál
quire¹ ['kwaɪə*] n 1. egy konc papír; in
~s krúdában 2. 24 (db.) ívpapír
quire² ['kwaɪə*] n = choir
quirk [kwəːk] n 1. = quip I. 1. 2. hirte-
len fordulat 3. cikornya 4. ékítmény
[zenében]
quisling ['kwɪzlɪŋ] n hazaáruló, quisling
quit [kwɪt] I. a szabad, mentes; be ~ of
sy/sg megszabadul vktől/vmtől, leráz
vkt/vmt (a nyakáról); be ~s with sy
nem tartozik vknek; now we are ~s,
we'll cry ~s (most) kvittek vagyunk;

I'll be ~s with him egyszer még szá-
molunk; call it ~s elintézettnek tekin-
tik (a dolgot) II. v (pt/pp ~ted 'kwɪtɪd,
US quit) A. vt 1. otthagy, elhagy
[állást, házat, vkt]; abbahagy [mun-
kát]; ~ one's job otthagyja állását,
felmond 2. megszabadít, felment 3.
kiegyenlít, letörleszt [tartozást] 4. †
~ you like men legyenek férfiak! B. vi
1. távozik, elmegy 2. munkát abba-
hagy, leáll; felmond; notice to ~ fel-
mondás [lakásbérlőnek, alkalmazott-
nak stb.]
quite [kwaɪt] adv 1. egész(en), teljesen;
~ (so)! úgy van!, helyes!, igaza(d)
van!; I ~ agree egyetértek (veled)!;
~ enough épp(en) elég; ~ right nagyon
helyes; he isn't ~ ~ nem egészen
kifogástalan 2. meglehetősen, elég; ~
a bit nagyon (is); ~ a few jó egynéhány
quits [kwɪts] →quit
quittance ['kwɪt(ə)ns] n † nyugta
quitted →quit II.
quitter ['kwɪtə*] n biz 1. ⟨aki félénkség-
ből abbahagyja, amibe kezdett⟩ 2.
húzódó, bujkáló, magát vmből kihúzó
3. (front)lógós
quiver¹ ['kwɪvə*] n tegez [nyilaknak]
quiver² ['kwɪvə*] I. n reszketés, remegés;
rebbenés II. vi remeg, rezeg, reszket;
megrebben
quixotic [kwɪk'sɔtɪk; US -'sɑ-] a fan-
tasztikus; gyakorlatiatlan; fellegekben
járó, ábrándokat kergető
quixotism ['kwɪksətɪzm] n ábrándkerge-
tés, képtelen vállalkozás
quiz [kwɪz] I. n 1. vetélkedő [tévében,
rádióban stb.]; játék 2. US biz szó-
beli (vizsga); teszt 3. furcsa figura II.
vt -zz- 1. kérdéseket tesz fel [osztály-
nak stb.], kérdez [vizsgázót, vetélke-
dőn részt vevőt]; vizsgáztat 2. meg-
tréfál, ugrat [vkt]
quizmaster n aki kérdez, játékmester,
játékvezető [vetélkedőkben]
quizzical ['kwɪzɪkl] a 1. incselkedő,
kötekedő 2. furcsa, különös
quod [kwɔd; US -ɑ-] n ▢ börtön, siti
quoin [kɔɪn] I. n 1. sarokkő, szegletkő
2. falkiszögellés 3. ék II. vt beékel,
aláékel

quoit [kɔɪt; *US* kwɔɪt] *n* **1.** lapos vaskarika **2. quoits** *pl* karikadobó játék
quondam ['kwɔndæm; *US* -ɑn-] *a* † hajdani, azelőtti, egykori
quorum ['kwɔːrəm] *n* határozatképesség(hez szükséges legkisebb létszám), kvórum
quota ['kwoutə] *n* **1.** hányad, arányos rész, kvóta **2.** kontingens; ~ *system* kontingentálás
quotable ['kwoutəbl] *a* **1.** idézhető [szöveg] **2.** (tőzsdén) jegyezhető
quotation [kwou'teɪʃn] *n* **1.** idézet; idézés [szövegé]; ~ *marks* idézőjel **2.** árfolyam(jegyzés), tőzsdei/piaci ár; *official* ~ hivatalos árfolyam **3.** árajánlat

quote [kwout] *vt* **1.** idéz [könyvből] **2.** hivatkozik (vkre, vmre); *in reply please* ~ válaszában szíveskedjék hivatkozni (vm számra/jelre) **3.** megállapít, megmond, közöl [árat], árajánlatot tesz; *be* ~*d* be van vezetve, jegyzik [a tőzsdén]
quoth [kwouθ] *vt* mondottam én, mondotta ő, szólt ... [csak e 2 személyben használatos]
quotidian [kwɔ'tɪdɪən; *US* kwou-] *a* **1.** mindennapi, naponta ismétlődő **2.** köznapi, elkoptatott
quotient ['kwouʃnt] *n* hányados
q.v. [kjuː'viː; wɪtʃ'siː] *quod vide* (= *which see*) lásd, l., l ... alatt

R

R¹, r [ɑ:*] *n* R, r (betű); *the three R's* a tudás (alap)elemei [reading-writing-arithmetic]
R²., R 1. *Railway* **2.** Réaumur **3.** Regina (= *Queen*) királynő **4.** Rex (= *King*) király **5.** *River* **6.** *Royal*
r³., r 1. *radius* **2.** *right* jobb(ra)
R.A., RA [ɑ:r'eɪ] **1.** *Royal Academician* →*academician* **2.** *Royal Academy* → *academy* **3.** *Royal Artillery* (angol) királyi tüzérség
rabbet ['ræbɪt] **I.** *n* **1.** horony, vájat; ~ *plane* horonygyalu, völgyelőgyalu **2.** csapos/hornyos illesztés **II.** *vt* **1.** hornyol; csapol **2.** összeilleszt
rabbi ['ræbaɪ] *n* rabbi
rabbinical [ræ'bɪnɪkl] *a* rabbinikus; rabbinusi
rabbit ['ræbɪt] **I.** *n* **1.** üregi nyúl; *pet/tame* ~ házinyúl **2.** *biz* gyenge/rossz játékos [tenisz stb.] **II.** *vi* -t- v. -tt- nyúlra vadászik; *go* ~ (*t*)*ing* nyulászni megy
rabbit-farm *n* nyúltenyészet
rabbit-hole *n* nyúl vacka
rabbit-hutch *n* nyúlketrec
rabbit-punch *n* nyakszirtütés, tarkóütés [bokszban]
rabbit-warren *n* **1.** (kiterjedt) föld alatti nyúltanya **2.** épület bonyolult folyosórendszerrel; ⟨szűk s tekergős utcahálózatú labirintusszerű városnegyed⟩; túlzsúfolt bérház
rabbity ['ræbɪtɪ] *a* **1.** nyúlszerű **2.** *biz* félénk, nyúlszívű
rabble ['ræbl] *n* csőcselék
rabble-rouser [-raʊzə*] *n* demagóg népvezér
rabid ['ræbɪd] *a* **1.** veszett [kutya] **2.** vad **3.** fanatikus, elvakult

rabies ['reɪbi:z] *n* veszettség
RAC [ɑ:reɪ'si:] *Royal Automobile Club* Királyi Automobil Klub
raccoon [rə'ku:n; *US* ræ-] *n* = *racoon*
race¹ [reɪs] **I.** *n* **1.** verseny; ~ *against time* versenyfutás az idővel **2.** *races pl* lóverseny; *go to the* ~*s* lóversenyezik, lóversenyre jár **3.** életpálya; *his* ~ *is run* ideje lejárt **4.** zuhatag, zúgó; vízvezető csatorna, üzemvízcsatorna **II. A.** *vi* **1.** versenyez (*with/against* vkvel) **2.** gyorsan fut, siet, rohan, száguld **3.** lóversenyez **B.** *vt* **1.** versenyt fut, versenyez (vkvel) **2.** futtat [lovat]; ~ *the engine* túráztatja a motort
race along *vi* gyorsan fut, vele rohan
race through *vt* keresztülhajszol
race² [reɪs] *n* faj; fajta; ~ *riot* összetűzés színes bőrűek és fehérek között
race-card *n* lóversenyprogram
race-course *n* lóversenytér, -pálya
race-goer *n* lóversenyjáró, -látogató
racehorse *n* versenyló
raceme ['ræsi:m; *US* reɪ'si:m] *n* fürt(virágzat)
race-meeting *n* lóverseny(nap), galopp
racer ['reɪsə*] *n* **1.** versenyző, futó **2.** versenyló **3.** versenygép, -autó, -hajó
race-track *n* (ló)versenypálya
Rachel ['reɪtʃ(ə)l] *prop* Ráhel
rachitic [ræ'kɪtɪk] *a* angolkóros
rachitis [ræ'kaɪtɪs] *n* angolkór
racial ['reɪʃl] *a* faji; ~ *discrimination* faji megkülönböztetés
racialism ['reɪʃəlɪzm] *n* **1.** fajvédő politika, fajkultusz **2.** faji előítélet/gyűlölet
racialist ['reɪʃəlɪst] *a/n* fajüldöző
racially ['reɪʃəlɪ] *adv* fajilag, faji szempontból

racily ['reisili] adv 1. ízesen, zamatosan 2. pikánsan
raciness ['reisinis] n zamatosság, tősgyökeresség
racing ['reisiŋ] I. a verseny-; ~ car versenyautó; ~ stable versenyistálló II. n (ló)versenyzés
rack¹ [ræk] n felhőfoszlány
rack² [ræk] n romlás, pusztulás; go to ~ and ruin tönkremegy, (el)pusztul
rack³ [ræk] n 1. állvány, tartó(keret); (ruha)fogas 2. jászolrács 3. poggyásztartó, -háló; saroglya 4. fogazott rúd, fogasrúd, fogasléc
rack⁴ [ræk] I. n kínpad; átv be on the ~ a pokol kínjait állja ki II. vt 1. kínpadra von 2. kínoz, gyötör [betegség, fájdalom stb.]; ~ed with pain a fájdalomtól meggyötörve 3. túlerőltet 4. uzsorabérrel sanyargat [bérlőt]
racket¹ ['rækit] n 1. (tenisz)ütő 2. **rackets** pl ⟨a teniszjáték egy fajtája⟩
racket² ['rækit] I. n 1. lárma, zsivaj, zenebona; kick up a ~ nagy hűhót/lármát/botrányt csap 2. tivornyázás 3. US biz panama, csalás; zsarolás; be in on a ~ benne van a buliban 4. megpróbáltatás II. vi mulatozik; zajosan él; lármát csap
racketeer [rækə'tiə*] n US biz gengszter, zsaroló
racketeering [rækə'tiəriŋ] n US biz gengszterség, (meg)zsarolás [üzletemberéké]; panamázás
racking ['rækiŋ] a 1. gyötrő, kínzó; ~ headache kínzó fejfájás 2. túlzott
rack-rail n fogazott sín
rack-railway n fogaskerekű vasút
rack-rent n túl magas bér, uzsorabér
racoon [rə'ku:n; US ræ-] n mosómedve
racquet ['rækit] n = racket¹
racy ['reisi] a 1. ízes, zamatos; tősgyökeres 2. csípős, borsos, pikáns 3. eleven, élénk, lendületes
radar ['reidɑ:*] n (rádió)lokátor, radar-(készülék); ~ homing radarvezérlés; ~ screen radarernyő
raddle ['rædl] n vörös (vas)okker [festék]
radial ['reidjəl] I. a 1. sugárirányú, sugaras; ~ cut sugárirányú átvágás; ~ drill radiálfúró; ~ engine csillag-

motor; ~ force centrifugális erő 2. orsócsonti; ~ artery alkari verőér; ~ bone orsócsont II. n ~ (tyre) radiálgumi
radially ['reidjəli] adv sugár irányban/alakban, sugarasan
radian ['reidjən] n radián [ívegység]
radiance ['reidjəns] n fényesség, ragyogás; sugárzás
radiant ['reidjənt] a ragyogó; sugárzó (átv is); sugárzási
radiate ['reidieit] A. vi sugárzik (átv is) B. vt (ki)sugároz (átv is)
radiation [reidi'eiʃn] n sugárzás; ~ danger sugárveszély; ~ injury sugárártalom; ~ therapy/treatment sugárkezelés, -terápia
radiator ['reidieitə*] n 1. fűtőtest, radiátor 2. (autó)hűtő; ~ cap hűtősapka
radical ['rædikl] I. a 1. gyökeres, radikális, mélyreható, alapvető 2. ~ sign gyökjel (√) II. n 1. radikális (politikus) 2. gyök(jel) 3. gyök
radicalism ['rædikəlizm] n radikalizmus
radically ['rædik(ə)li] adv gyökeresen, alaposan, radikálisan
radices →radix
radicle ['rædikl] n 1. gyököcske 2. hajszálgyökér
radii →radius
radio ['reidiou] I. n (pl ~s -z) 1. rádió; ~ play rádiójáték; on the ~ a rádióban 2. ~ (set) rádió(készülék) 3. rádióüzenet, -híradás 4. ~ beacon rádió-irányjeladó; ~ car URH-kocsi; ~ frequency rádiófrekvencia; ~ link rádió-összeköttetés; ~ station rádióállomás; ~ telescope rádióteleszkóp II. vt rádión közvetít/lead
radio- ['reidiou-] 1. rádió- 2. radio-; radioaktív
radioactive [reidiou'æktiv] a radioaktív
radioactivity [reidiouæk'tivəti] n radioaktivitás
radiobiology [reidioubai'ɔlədʒi; US -'ɑ-] n sugárbiológia
radiogram ['reidiougræm] n 1. rádiótávirat 2. zenegép 3. röntgenfelvétel
radiograph ['reidiougrɑ:f; US -æf] I. n röntgenfelvétel II. vt röntgenfelvételt készít (vkről)

radiography [reɪdɪ'ɔgrəfɪ; US -'ɑ-] n
röntgenográfia
radioisotope [reɪdɪoʊ'aɪsətoʊp] n radio-
aktív izotóp
radiolocation [reɪdɪoʊloʊ'keɪʃn] n rádió-
lokáció, radar
radiology [reɪdɪ'ɔlədʒɪ; US -'ɑ-] n
radiológia
radioscopy [reɪdɪ'ɔskəpɪ; US -'ɑ-] n
radioszkópia [átvilágítás röntgensuga-
rakkal]
radiotherapy [reɪdɪoʊ'θerəpɪ] n radiote-
rápia, sugárkezelés, -terápia
radish ['rædɪʃ] n retek
radium ['reɪdjəm] n rádium
radius ['reɪdjəs] n (pl -dii -dɪaɪ) 1. sugár,
rádiusz; ~ of action hatótávolság;
within a ~ of egy bizonyos távolságon/
körzeten belül 2. orsócsont
radix ['reɪdɪks] n (pl radices 'reɪdɪsi:z)
1. gyök; alapszám 2. átv tő, gyökér;
forrás
R.A.F. [ɑːreɪ'ef; biz ræf] Royal Air
Force (Angol) Királyi Légierő
raffia ['ræfɪə] n rafia, kötözőháncs
raffish ['ræfɪʃ] a rossz hírű, mulatozó,
léha, züllött, ordináré
raffle ['ræfl] n tombola, sorsjáték
raft [rɑːft; US -æ-] I. n 1. tutaj 2. ~
(wood) úsztatott fa 3. hajóhíd [kikö-
tőnél] II. A. vt tutajon szállít B. vi
tutajoz
rafter ['rɑːftə*; US -æ-] n szarufa, tető-
gerenda
raftsman ['rɑːftsmən; US 'ræ-] n (pl
-men -mən) tutajos
rag¹ [ræg] n 1. rongy, cafat; feel like a
~ olyan, mint a mosogatórongy;
in ~s rongyokban, rongyos ruhában
2. [felhő- stb.] foszlány 3. biz szenny-
lap [újság]
rag² [ræg] biz I. n 1. ugratás, heccelés,
kitolás 2. zenebona, ricsaj, felfordulás
II. vt -gg- 1. ugrat, bosszant, heccel,
kitol (vkvel) 2. lehord, leszid
ragamuffin ['rægəmʌfɪn] n 1. rongyos/
mezítlábas ember 2. utcagyerek
rag-and-bone man [rægən'boʊn] rongy-
szedő, hulladékgyűjtő
rag-bag n 1. rongyzsák 2. biz vegyes
limlom

rag-doll n rongybaba
rage [reɪdʒ] I. n 1. düh(öngés), őrjöngés;
fly into a ~ dühbe gurul 2. divat(hó-
bort); szenvedély, mánia; it is all the
~ now mindenki ezért bolondul;
have a ~ for music majd „megőrül" a
zenéért II. vi dühöng, tombol (átv is);
~ at/against sy/sg hevesen kikel/ki-
rohan vk/vm ellen
ragged ['rægɪd] a 1. egyenetlen, érdes,
durva; szakadozott (átv is) 2. bozontos,
rendetlen [haj, szőr] 3. rongyos, ko-
pott; ~ school szegényiskola [régen]
4. ~ robin kakukkszegfű, -mécsvirág
|| → rag² II.
raggedness ['rægɪdnɪs] n 1. egyenet-
lenség, érdesség 2. rongyosság
raging ['reɪdʒɪŋ] a dühöngő, tomboló
raglan ['ræglən] n raglán (felöltő)
ragout ['rægu:] n ragu
ragpaper n rongypapír, merített papír
rag-picker n rongyszedő, guberáló
ragtag n ~ (and bobtail) csőcselék, söpre-
dék
ragtime n ragtime ⟨erősen szinkopált
néger tánczene⟩
ragwort ['rægwə:t] n aggófű
raid [reɪd] I. n 1. (váratlan) támadás,
rajtaütés, (fegyveres) betörés; portyá-
zó rablóhadjárat 2. (police) ~ razzia
II. vi/vt 1. megtámad, rajtaüt, rátör
2. fosztogat; kifoszt 3. razziázik
raider ['reɪdə*] n 1. támadó 2. foszto-
gató
rail¹ [reɪl] I. n 1. sín; by ~ vasúton;
leave the ~s kisiklik (vonat); be off
the ~s (1) kisiklott [vasúti kocsi]
(2) átv letér(t) a helyes útról (3) biz
kissé dilis 2. tartó [pl. törülköző-]
3. korlát; karfa 4. rács(ozat) II. A. vt
1. bekerít; ~ off elkerít; ~ed off space
elkerített terület; ~ round körülkerít
2. korláttal/karfával ellát B. vi vasúton
utazik
rail² [reɪl] vi szitkozódik; ~ against/at
hevesen kikel/kirohan vk/vm ellen
railage ['reɪlɪdʒ] n 1. vasúti szállítás
2. vasúti fuvardíj
railcar n motorkocsi; sínautó
railer ['reɪlə*] n kötekedő ember
rail-head n 1. vasúti vonal vége; vég-

pont [épülő vasútvonalé] 2. átrakóállomás [katonai]
railing¹ ['reılıŋ] *n rendsz pl* karfa, korlát
railing² ['reılıŋ] *n* 1. csúfolódás, kötekedés 2. *rendsz pl* keserves panaszkodás
rail-joint *n* sínillesztés
raillery ['reılərı] *n* gúnyolódás, kötődés, ugratás, csipkelődés
railman ['reılmən] *n* (*pl* -men -mən) vasuta s
railroad *US* I. *n* = *railway* II. *vt* 1. vasúton küld 2. *biz* keresztülhajszol [törvényjavaslatot] 3. □ hamis váddal bebörtönöztet (, hogy megszabaduljon tőle)
railsplitter [-splıtə*] *n US* ⟨kerítésnek való karókat hasító ember; A. Lincoln *biz* jelölése⟩
railway *n* vasút; *light* ~ keskeny vágányú vasút; ~ *carriage* vasúti kocsi; ~ *cutting* bevágás [vasútvonal átvezetésére]; ~ *embankment* vasúti töltés; ~ *guide* vasúti menetrend; ~ *station* vasútállomás, pályaudvar; ~ *transport* vasúti szállítás
railwayman ['reılweımən] *n* (*pl* -men -mən) vasutas
raiment ['reımənt] *n* † ruházat, öltözet
rain [reın] I. *n* 1. eső; ~ *forest* (trópusi) őserdő; *the* ~*s* esős időszak; ~ *or shine* akár esik akár fúj; *as right as* ~ kitűnő állapotban; □ *get out of the* ~ meglép, ellóg 2. *átv* zápor; özön II. A. *vi* 1. esik [az eső]; *it was* ~*ing heavily* (csak úgy) zuhogott; *it never* ~*s but it pours* a baj soha sem jár egyedül 2. záporoz [ütések, jókívánság stb.] B. *vt* 1. ~ *cats and dogs* úgy esik, mintha dézsából öntenék 2. eláraszt; elhalmoz; ~ *blows* (*up*)*on sy* elagyabugyál vkt
rain-bird *n* zöld harkály
rainbow ['reınbou] *n* szivárvány; *chase* ~*s* ábrándokat kerget
raincoat *n* esőköpeny, esőkabát
raindrop *n* esőcsepp
rainfall *n* eső(zés), csapadék
rain-gauge *n* esőmérő, csapadékmérő
rainless ['reınlıs] *n* esőtlen, száraz
rain-maker *n* esőcsináló [varázsló vad népeknél]

rain-pipe *n* esőcsatorna
rainproof *a* esőálló, vízhatlan
rainstorm *n* felhőszakadás, zivatar
rainwater *n* esővíz
rainy ['reını] *a* 1. esős 2. ~ *day* (1) esős nap (2) nehéz idők, nélkülözés, szorult helyzet; *for/against a* ~ *day* rossz(abb) napokra, nehéz időkre
raise [reız] I. *n* 1. *US* (fizetés)emelés 2. emelkedés II. *vt* 1. (fel)emel; megemel; magasra emel; ~ *one's glass to sy* emeli poharát vk egészségére; ~*s its head* felüti fejét 2. épít, emel, felhúz [épületet stb.] 3. (fel)ébreszt, (fel)kelt, felver; előidéz; ~ *from the dead* halottaiból feltámaszt; ~ *the people* fellázítja a népet (*against* ellen); ~ *hope* reményt ébreszt; ~ *a laugh* megnevettet [társaságot]; ~ *Cain/hell* pokoli zajt csap, őrült felfordulást csinál 4. (fel)emel, (meg)növel, fokoz; ~ *the dough* megkeleszti a tésztát; ~ *to the second power* négyzetre emel 5. kiemel, előléptet (vkt) 6. felvet, felhoz; ~ *a question* felvet egy kérdést 7. tenyészt [állatot]; termeszt [növényt]; (fel)nevel (vkt); *biz where was he* ~*d?* hová valósi?; *be* ~*d in the country* vidéken nőtt fel 8. összegyűjt, előteremt; ~ *an army* sereget gyűjt; ~ *money*, *biz* ~ *the wind* pénzt szerez/felhajt 9. felold, megszüntet [blokádot, embargót stb.]; ~ *a siege* abbahagyja az ostromot 10. ~ *land* megpillantja a szárazföldet
raised [reızd] *a* 1. emelt 2. domborművű, dombornyomású, dombor- 3. kelt [tészta] →*raise II.*
raiser ['reızə*] *n* (-)tenyésztő, (-)termelő
raisin ['reızn] *n* mazsola
raj [rɑːdʒ] *n* uralom; *the British* ~ a brit uralom Indiában [1947-ig]
rajah ['rɑːdʒə] *n* [indiai] fejedelem
rake¹ [reık] I. *n* 1. gereblye 2. bontófésű 3. piszkavas, szénvonó, kuruglya II. A. *vt* 1. gereblyéz [talajt] 2. átkutat, átfésül 3. végigpásztáz [géppfegyvertűzzel] B. *vi* 1. gereblyéz 2. kutat, fürkész
rake in *vt* besöpör [pénzt]

rake off vt 1. félregereblyéz 2.
[nagyobb összegből kisebbet] lecsap
rake out vt ~ o. the fire kioltja/
szétkotorja a tüzet
rake over vt 1. (meg)gereblyéz 2.
átkutat, átfésül
rake together vt összegereblyéz
rake up vt 1. összegereblyéz 2.
összegyűjt, -szed 3. felújít; felpiszkál;
előkotor, előás
rake² [reik] I. n 1. dőlés [árbocé, hajó-
kéményé] 2. lejtés [színpadé, néző-
téré] II. vi hajlik, dől; lejt
rake³ [reik] n korhely, élvhajhász
rake-off n biz illetéktelen jutalék/jöve-
delem, sáp
raking ['reikiŋ] n 1. gereblyézés 2.
összegereblyézett holmi/gaz stb.
rakish¹ ['reikiʃ] a kicsapongó
rakish² ['reikiʃ] a kackiás
Rale(i)gh ['rɔ:li] prop
rally¹ ['ræli] I. n 1. gyülekezés 2. nagy-
gyűlés 3. erőre kapás 4. labdamenet
[teniszben] 5. túraverseny, rallye
[gépkocsiké] II. A. vt 1. összegyűjt,
összevon [csapatokat], összeszed [em-
bereket] 2. életre kelt (vkt), magához
térít (vkt); ~ one's strength össze-
szedi minden erejét B. vi 1. össze-
gyűlik, gyülekezik; ~ round sy vk
köré sereglik 2. magához tér, erőre
kap; felgyógyul [from betegségből]
rally² ['ræli] vt ugrat, heccel
Ralph [reif v. rælf] prop ⟨angol férfinév⟩
ram [ræm] I. n 1. kos 2. cölöpverő
(kos), sulyok II. vt -mm- 1. üt, dön-
göl, csömöszöl 2. (bele)töm, belegyö-
möszöl (átv is) 3. nekiüt, nekivág
(és megrongálja)
ram down vt 1. ledöngöl [földet]
2. bever [cölöpöt] 3. ráerőszakol vkre
vmt
ram into A. vt bever B. vi (teljes
erőből) belehajt [másik kocsiba]
ram through vt keresztülerőszakol
(vmt)
ramble ['ræmbl] I. n 1. kószálás, séta
2. elkalandozás [beszédben] II. vi
1. kószál, sétál, kóborol 2. fecseg,
elkalandozik (a tárgytól)
rambler ['ræmblə*] n 1. kószáló, ván-

dorló (személy) 2. fecsegő, összevissza
beszélő ember 3. futórózsa
rambling ['ræmbliŋ] I. a 1. kószáló,
bolyongó 2. összefüggéstelen; szét-
folyó; elkalandozó 3. kúszó [növény]
4. tervszerűtlenül épített II. n ~s
kószálás, kalandozás
rambunctious [ræm'bʌŋkʃəs] a US biz
vad, izgága, féktelen, lármás
ramification [ræmɪfɪ'keiʃn] n elágazás
ramify ['ræmɪfai] vi elágazik
rammed [ræmd] →ram II.
ramp¹ [ræmp] I. n felhajtó, rámpa, fel-
járó; lejtő [pl. kórházban lépcső
helyett] II. vi 1. dühöng, őrjöng,
tombol 2. burjánzik [növényzet] 3. lejt
ramp² [ræmp] GB □ n csalás, panama,
átverés
rampage [ræm'peidʒ] I. n dühöngés,
tombolás, őrjöngés II. vi tombol,
dühöng, őrjöng
rampageous [ræm'peidʒəs] a vad, za-
bolátlan, féktelen
rampant ['ræmpənt] a 1. hátsó lábain
álló [oroszlán címertanban] 2. =
= rampageous 3. uralkodó, domináló
[kedvezőtlen értelemben] 4. buja,
burjánzó [növényzet]
rampart ['ræmpɑ:t] n 1. (föld)sánc,
bástya 2. töltés, gát 3. védelem
rampion ['ræmpjən] n raponc(a) [nö-
vény]
ramrod n puskavessző; as stiff as a ~
olyan, mintha nyársat nyelt volna
ramshackle ['ræmʃækl] a rozoga, roz-
zant, düledező
ran →run III.
ranch [rɑ:ntʃ; US -æ-] US I. n farm
[főleg állattenyésztésre]; ~ wagon
kombi II. vi farmerkodik
rancher ['rɑ:ntʃə*; US -æ-] n US far-
mer, állattenyésztő
rancid ['rænsid] a avas
rancidity [ræn'sidəti] n avasság
rancor →rancour
rancorous ['ræŋkərəs] a rosszakaratú,
gonosz, gyűlölködő
rancour, US -cor ['ræŋkə*] n rossz-
akarat, gyűlölet, gyűlölködés
rand [rænd] n 1. (föld)szegély, mezsgye
2. sarokráma [cipőn]

random ['rændəm] I. *a* 1. találomra tett, vaktában mondott, véletlen; ~ *sampling* reprezentatív/véletlen mintavétel [statisztikában] 2. ~ *work* szabálytalan terméskövekből rakott falazat II. *n at* ~ találomra, vaktában, véletlenül

randy ['rændɪ] *a* 1. lármázó, erőszakos 2. *biz* kéjvágyó; begerjedt [szexuálisan]

ranee [rɑːˈniː] *n* 1. hindu királyné 2. hindu királynő/hercegnő

rang →*ring II.*

range [reɪndʒ] I. *n* 1. sor, láncolat, sorozat; ~ *of mountains* hegylánc 2. lőtáv(olság); hallótávolság; (ható-) távolság; *at short* ~ közelről 3. tér(ség), kiterjedés, terjedelem; kör, hatáskör, körzet, terület; ~ *of action* működési terület; ~ *of interests* érdeklődési kör; *a wide* ~ *of knowledge* széles körű tudás; *beyond one's* ~ hatáskörén (v. érdeklődési körén) kívül 4. (változási) tartomány; ingadozás; választék; ~ *of colours* színskála; ~ *of prices* árskála, ártartomány; ~ *of speeds* sebességhatárok; ~ *of voice* hangterjedelem, -tartomány 5. *US* (szabad) legelő; vadászterület 6. elterjedtségi terület [állaté, növényé] 7. lőtér 8. [konyhai] tűzhely II. A. *vt* 1. sorba állít, sorakoztat 2. (el-) rendez, osztályoz, besorol; ~ *oneself* rendezett életet kezd, megnősül; ~ *oneself with sy átv* vk mellé áll 3. ráirányít, rászegez [puskát, távcsövet] 4. bebarangol, bejár [vidéket stb.] B. *vi* 1. fekszik, terjed, nyúlik; ~ *with sg átv* megegyezik/egyenrangú vmvel 2. kóborol, vándorol, barangol; ~ *in* lakik, tanyázik, található [vhol állat]; ~ *over/through* bebarangol [országot stb.] 3. *átv* terjed, kiterjed; *ranging over a wide field* nagy területet felölelő [kutatómunka] 4. *sg* ~*es from* . . . *to* váltakozik/mozog vm között, terjed vmtől vmeddig

range-finder *n* táv(olság)mérő

ranger ['reɪndʒə*] *n* 1. *US* erdőőr 2. *US R*~ (1) lovas csendőr (2) katonai rohamcsapat tagja 3. *GB* királyi parkok/erdők őre

rank¹ [ræŋk] I. *n* 1. sor [emberekből v. tárgyakból]; *break* ~ kilép a sorból; *keep* ~ benn marad a sorban 2. *the* ~*s*, ~ *and file* (1) legénység, közkatonák [tizedesig bezárólag] (2) népség, katonaság; a köznép; *reduce to the* ~*s* lefokoz 3. rang, (társadalmi) osztály, rend; *of the first* ~ elsőrendű; *biz pull* ~ visszaél magasabb rangjával II. A. *vi* 1. sorban következik 2. ~ *among* . . . . . . közé számítják/sorolják/tartozik; ~ *among the best* a legjobbak közé számítják; ~ *above sy* (1) magasabb rangban van vknél (2) jobb vknél [pl. költő, író stb.] B. *vt* 1. sorba állít, elrendez 2. besorol, osztályoz, minősít, rangsorol; ~ *high* nagyra tart; *be* ~*ed with* egy sorba állítják (v. egyenrangú) (vkvel/vmvel) 3. *US* rangban megelőz (vkt)

rank² [ræŋk] *a* 1. sűrű, buja [növényzet] 2. dúsan termő [föld] 3. orrfacsaró; avas 4. visszataszító, undorító 5. ~ *poison* tiszta/erős méreg; ~ *treason* égbekiáltó árulás

ranker ['ræŋkə*] *n* közlegényből lett tiszt

ranking ['ræŋkɪŋ] *a US* rangidős

rankle ['ræŋkl] *vi* vm nyomja a szívét

rankling ['ræŋklɪŋ] *a* elkeserítő

rankness ['ræŋknɪs] *n* 1. bujaság [növényzeté] 2. büdösség; romlottság

ransack ['rænsæk] *vt* 1. átkutat, tűvé tesz 2. kifoszt

ransom ['ræns(ə)m] I. *n* váltságdíj II. *vt* kivált [fogságból]; váltságdíjat fizet (vkért)

rant [rænt] I. *n* 1. dagályos/fellengzős beszéd 2. üres fecsegés, hanta II. *vi* henceg, nagy hangon beszél, lármázik

ranter ['ræntə*] *n* nagyhangú ember

ranunculus [rəˈnʌŋkjʊləs; *US* -kjə-] *n* (*pl* ~**es** -ɪz v. -**li** -laɪ) boglárka

rap¹ [ræp] I. *n* 1. koppintás, fricska; *give sy a* ~ *on the knuckles* körmére koppint vknek; *biz take the* ~ más miatt lakol (ártatlanul) 2. kopogás II. *v* -**pp-** A. *vt* 1. megüt, megfricskáz; rákoppint (vmre) 2. rendreutasít

B. *vi* **1.** kopog(tat) **2.** durván beszél, éles hangot használ
rap at/on *vi* kopog
rap out *vt* **1.** kikopog(tat) **2.** kibök-(kent), kimond
rap² [ræp] *n I don't care a ~!* fütyülök rá!, törődöm is vele!
rapacious [rə'peɪʃəs] *a* kapzsi, telhetetlen
rapacity [rə'pæsətɪ] *n* kapzsiság
rape¹ [reɪp] I. *n* 1. elrablás; nőrablás 2. nemi erőszak, megerőszakolás II. *vt* 1. elrabol [nőt] 2. megerőszakol, erőszakot követ el (vkn)
rape² [reɪp] *n* repce
rape³ [reɪp] *n* törköly
rape-oil *n* repceolaj
rapid ['ræpɪd] I. *a* 1. sebes, gyors 2. hirtelen II. *n* zúgó, zuhatag; *run/shoot the ~s* átkel a zúgón
rapid-fire *a* gyorstüzelő
rapidity [rə'pɪdətɪ] *n* 1. sebesség, gyorsaság 2. hirtelenség
rapier ['reɪpjə*] *n* vívótőr, hosszú tőr
rapine ['ræpaɪn; *US* -ɪn] *n* rablás
rapist ['reɪpɪst] *n* nemi erőszakot elkövető
rapped [ræpt] →*rap¹ II.*
rapping ['ræpɪŋ] I. *a* kopogó II. *n* kopogás
rapscallion [ræp'skæljən] *n* † semmiházi, gézengúz
rapt [ræpt] *a* elmerült, belemélyedt; feszült [figyelem]
rapture ['ræptʃə*] *n* elragadtatás; gyönyör; *go into ~s over sg* áradozik vmről, dicshimnuszokat zeng vmről
rapturous ['ræptʃ(ə)rəs] *a* elragadtatott, elbűvölt, lelkes
rare¹ [reə*] *a* 1. ritka, kivételes 2. ritka [légréteg] 3. *biz* pompás, kiváló
rare² [reə*] *a* félig sült, angolos [hús]
rarebit ['reəbɪt] *biz* = *Welsh rabbit*
rarefaction [reərɪ'fækʃn] *n* ritkítás
rarefy ['reərɪfaɪ] A. *vt* 1. ritkít [levegőt] 2. kifinomít B. *vi* ritkul
rarely ['reəlɪ] *adv* 1. ritkán, kivételesen 2. *biz* rendkívül (jól)
rareness ['reənɪs] *n* ritkaság
rarity ['reərətɪ] *n* ritkaság
rascal ['rɑːsk(ə)l; *US* -æ-] *n* gazember, hitvány ember; csirkefogó

rascality [rɑː'skælətɪ; *US* ræ-] *n* 1. alávalóság, hitványság 2. gaz csíny
rascally ['rɑːskəlɪ; *US* 'ræ-] *a* gaz, hitvány, csibész, betyár, alávaló, cudar
rash¹ [ræʃ] *n* kiütés, pörsenés
rash² [ræʃ] *a* elhamarkodott, gyors, meggondolatlan, hirtelen
rasher ['ræʃə*] *n* (húsos) szalonnaszelet [pirításra]
rashness ['ræʃnɪs] *n* elhamarkodottság, meggondolatlanság
rasp [rɑːsp; *US* -æ-] I. *n* 1. ráspoly, reszelő 2. reszelés hangja; csikorgás II. A. *vt* 1. reszel, ráspolyoz; kapar 2. sért [fület]; *~ sy's feelings* idegesít/ingerel vkt 3. recsegő hangon mond B. *vi* csikorog, nyikorog; *biz ~ on his violin* cincog a hegedűjén
raspberry ['rɑːzb(ə)rɪ; *US* 'ræzberɪ] *n* 1. málna 2. □ ⟨megvetést kifejező hang/mozdulat⟩; *get the ~* vkre ráorditanak, jól lehordják
rasping ['rɑːspɪŋ; *US* -æ-] *a* 1. ráspolyozó 2. recsegő, érdes
raspy ['rɑːspɪ; *US* -æ-] *a* recsegő, érdes
rat [ræt] I. *n* 1. patkány; *die like a ~ in a hole* elhagyottan hal meg; *smell a ~* valami gyanúsat sejt; *biz the ~ race* „patkányok versenyfutása" [= kisszerű mindennapos létharc]; □ *~s!* marhaság!, buta beszéd! 2. áruló, rongy ember II. *vi* -tt- 1. patkányokra vadászik, patkányt fog 2. (gyávaságból) elpártol, áruló lesz; *~ on sy* faképnél hagy vkt
ratable ['reɪtəbl] *a* = *rateable*
rat-catcher *n* patkányfogó [ember]
ratchet ['rætʃɪt] *n* 1. kilincsmű; *~ wheel* kilincskerék 2. zárópecek, zárókilincs
rate¹ [reɪt] I. *n* 1. arány(szám), mérték, fok, mérv; ár(folyam); szint; *at high ~* magas áron; *~ of interest* kamatláb; *at the ~ of six per cent* hatszázalékos kamatra; *~ of wages* bérszint 2. sebesség, gyorsaság; *at the ~ of... ...* sebességgel; *biz at this/that ~* ilyen tempóban, ha ez így megy tovább; *at any ~* mindenesetre, bármi történjék 3. díj(tétel), díjszabás, tarifa; árszabás 4. községi/helyi adó,

pótadó; ~s and taxes községi és állami
adók; come upon the ~s községélyből él
5. osztály, rang; first-~ elsőrendű,
első osztályú II. A. vt 1. becsül, értékel
2. megadóztat, adót vet ki 3. vhová
sorol, vmnek tekint 4. ~ up magas
biztosítási összeget vet ki B. vi
vmnek számít, vmlyen osztályba
tartozik/sorolják
rate² [reɪt] vt megdorgál, lehord, leszid
rateable ['reɪtəbl] a 1. adó alá eső,
adóköteles; ~ value adóköteles érték,
adóalap [ingatlané] 2. felbecsülhető
rate-aided [-'eɪdɪd] a GB községileg tá-
mogatott, államsegélyes
rate-collector n GB (pót)adószedő
rate-payer n adófizető
-rater [-'reɪtə*] vmlyen osztályú
rather ['rɑːðə*; US -æ-] adv 1. inkább;
~ than inkább/szívesebben mint,
hogysem; or ~ helyesebben, illetőleg;
I would ~ not inkább nem; you should
~ go jobb lenne (v. jobban tennéd),
ha mennél 2. meglehetősen, elég(gé);
~ too meglehetősen; it's ~ cold
elég/egész hideg van; I ~ think . . .
az az érzésem . . .; it was ~ a failure
elég gyengén sikerült 3. GB biz sőt,
hogyne, de mennyire!
ratification [rætɪfɪ'keɪʃn] n jóváhagyás,
megerősítés, becikkelyezés, ratifi-
kálás
ratify ['rætɪfaɪ] vt jóváhagy, megerősít,
becikkelyez, ratifikál
rating¹ ['reɪtɪŋ] n 1. osztály(o)zás;
rangsorolás; minősítés, értékelés; be-
sorolás 2. osztály, kategória [autóé,
jachté stb.] 3. adókivetés 4. GB naval
~ tengerészközlegény, matróz 5. US
nézettségi fok [tévéműsoroké]
rating² ['reɪtɪŋ] n dorgálás, szidás
ratio ['reɪʃɪoʊ] a arány(szám), viszony-
(szám); hányados; in the ~ of arányá-
ban; in direct ~ egyenes arányban
ratiocinate [rætɪ'ɒsɪneɪt; US -'ɑ-] vi
következtet, érvel
ration ['ræʃn] I. n 1. élelmiszeradag;
(fej)adag; ~ book (élelmiszer- stb.)
jegyfüzet; ~ card élelmiszerjegy; draw
~s vételez [fejadagot]; put on ~s
jegyre ad [élelmiszert]; be on short ~s

csökkentett fejadagot kap, szűk kosz-
ton van 2. rations pl élelmiszer(ek)
II. vt 1. jegyre ad/adagol 2. élelmez
rational ['ræʃənl] a 1. ésszerű, józan,
racionális; értelmes 2. ~ number raci-
onális szám
rationalize ['ræʃnəlaɪz] vt ésszerűsít,
racionalizál
rationing ['ræʃ(ə)nɪŋ] n adagolás; jegy-
re adás [élelmiszereké]
ratlin(e) ['rætlɪn] n kötélhágcsó
rat-tail n 1. patkányfarok 2. ~ file
gömbölyű reszelő
rat-tailed a 1. hosszú és elvékonyodó;
vékony farkú 2. szőrtelen farkú
rattan [rə'tæn] n rotangpálma, nádpál-
ma
rat-tat [ræt'tæt] n kop-kop, kip-kop
ratted ['rætɪd] →rat II.
ratter ['rætə*] n patkányfogó (kutya)
rattle ['rætl] I. n 1. kereplő; csörgő 2.
zörgés, csörgés; kopogás 3. (halál-)
hörgés 4. fecsegés 5. fecsegő személy
II. A. vi 1. zörög, csörög 2. hörög
3. zörögve megy, zötyög [vonat]
4. fecseg, kerepel, karattyol B. vt
1. csörget, zörget 2. biz ledarál, el-
hadar [leckét stb.] 3. kerget [rókát];
„zavar" [kocsit] 4. biz felizgat, idege-
sít; get ~d ideges lesz, zavarba jön;
he never gets ~d semmi sem hozza
ki a sodrából
rattle along vi zötyög, végigzörög
[jármű]
rattle off vt gyorsan felsorol, elha-
dar, eldarál, ledarál
rattle on vi tovább karattyol/fe-
cseg
rattle out vt = rattle off
rattle-box n csörgő [kisgyermeké]
rattlebrained a szeles; üresfejű
rattler ['rætlə*] n 1. csörgő, kereplő
2. US csörgőkígyó 3. biz remek pél-
dány
rattlesnake n csörgőkígyó
rattletrap n 1. ócska tragacs 2. rattle-
traps pl limlom, kacat, kramanc
rattling ['rætlɪŋ] a 1. csörgő, zörgő 2.
biz élénk, erőteljes 3. □ stramm,
klassz; állati [jó stb.]
rat-trap n patkányfogó [eszköz]

ratty ['rætɪ] a 1. patkánnyal teli; patkányszerű, patkány- 2. biz dühös
raucous ['rɔːkəs] a rekedt, érdes [hang]
ravage ['rævɪdʒ] I. n 1. pusztítás, rombolás 2. ravages pl pusztító hatás/következmény II. A. vt (el)pusztít, tönkretesz, feldúl (és kifoszt) B. vi pusztít, rombol
rave [reɪv] I. n biz lelkesedés; a ~ review lelkes könyvismertetés II. vi 1. félrebeszél 2. biz ~ about sg/sy rajongva beszél vmről/vkről, extázisban van vm/vk miatt 3. tombol, dühöng [tenger, szél stb.]
ravel ['rævl] I. n 1. összebonyolódás, gubanc 2. kibogozás 3. bonyodalom II. v -ll- (US -l-) A. vt 1. ~ (out) felfejt, felbont, kibogoz 2. összekuszál, -gubancol (átv is) B. vi foszlik, szálakra bomlik
raven ['reɪvn] I. a hollófekete II. n holló
ravening ['ræv(ə)nɪŋ] a falánk, ragadozó
ravenous ['rævənəs] a 1. falánk, kiéhezett; ~ appetite farkasétvágy 2. kapzsi, mohó
ravine [rə'viːn] n (vízmosásos) szakadék
raving ['reɪvɪŋ] I. a a ~ lunatic dühöngő őrült II. n rendsz pl 1. félrebeszélés, összefüggéstelen beszéd 2. ömlengés
ravish ['rævɪʃ] vt 1. elragadtat, elbűvöl 2. † elragad, elrabol; megerőszakol [nőt]
ravishing ['rævɪʃɪŋ] a elragadó, bűbájos
ravishment ['rævɪʃmənt] n 1. elragadtatás, elbűvölés, extázis 2. † elrablás; megerőszakolás
raw [rɔː] I. a 1. nyers; feldolgozatlan, kikészítetlen, megmunkálatlan; ~ material nyersanyag; ~ spirit tömény szesz 2. tapasztalatlan, zöldfülű; ~ hand kezdő 3. be nem hegedt 4. nyirkos, zord 5. biz a ~ deal komisz elbánás II. n 1. touch sy on the ~ az eleven(j)ére tapint vknek 2. in the ~ természetes állapotban
raw-boned a kiálló csontú, girhes
rawhide n 1. nyersbőr 2. szíjostor
rawness ['rɔːnɪs] n 1. nyerseség 2. tapasztalatlanság, éretlenség 3. nyirkos hideg

ray¹ [reɪ] n (fény)sugár (átv is)
ray² [reɪ] n rája [hal]
Raymond ['reɪmənd] prop Rajmund
rayon ['reɪɔn] n műselyem
raze [reɪz] vt 1. ~ to the ground földig lerombol, a földdel tesz egyenlővé 2. átv kitöröl [emlékezetből]
razor ['reɪzə*] n borotva
razor-back n 1. hosszú szárnyú bálna 2. amerikai vaddisznó
razor-backed a sovány, girhes
razor-bill n pingvin
razor-edge n 1. borotvaél; be on a ~ borotvaélen táncol/jár 2. éles hegygerinc
razor-strop n borotvaszíj, fenőszíj
razz [ræz] vt/vi US □ ugrat, heccel
razzle ['ræzl] n □ mulatás, muri; be/go on the ~ mulat
R.C. [ɑː'siː] 1. Red Cross 2. Roman Catholic római katolikus, r. kat., r. k.
Rd. Road
re¹ [riː] prep in ~ vm ügyben; ~ sg vm dolgában/tárgyában, vmt illetőleg
re² [reɪ] n re [zenében]
're = are →be
re- [riː-] pref újra-, újból, ismét, vissza-
reach [riːtʃ] I. n 1. kinyújtás [kézé] 2. elérés (átv is); it's beyond my ~ nem érem el, elérhetetlen számomra (átv is); (be) within one's ~ hozzáférhető, elérhető (vk számára), keze ügyében (van); within easy ~ (of sg) (vmhez) egészen közel, (vhonnan) könnyen elérhető 3. kiterjedés 4. hatótávolság; hatáskör 5. felfogóképesség 6. folyószakasz; the upper ~es of the Thames a Temze felső szakasza II. A. vt 1. elér (vmt); megfog; levesz (vmt) 2. átad, átnyújt (sg to sy vknek vmt) 3. elér (vmt), eljut, megérkezik (vhová); when matters ~ed this stage mikor a dolgok idáig fejlődtek; no agreement was ~ed nem jött létre megegyezés 4. (ki)terjed (vhová); ér, nyúlik (vmeddig) B. vi 1. elér (vmeddig); ~ for sg vm után nyúl 2. (el-)terjed, nyúlik (vmeddig)
    reach down vt lead, levesz [vmt polcról]

reach out A. *vt* kinyújt [kezet]
B. *vi* ~ *o. for sg* kinyújtja a kezét
(v. kinyúl) vm után
reach up *vi* ~ *up to the skies* égig
ér
reach-me-down *n GB biz rendsz pl*
1. készruha 2. használt ruha
react [rɪ'ækt] *vi* visszahat, hatással
van (*on* vmre); reagál
reaction [rɪ'ækʃn] *n* 1. ellenhatás, visz-
szahatás, reakció; ~ *wheel* forgó
vízikerék, reakciókerék [turbinában]
2. válasz, reagálás, érzelmi visszhang;
what was his ~ *to the news?* hogyan
fogadta a hírt?, hogyan reagált a
hírre? 3. [politikai] reakció
reactionary [rɪ'ækʃ(ə)nərɪ; *US* -erɪ]
a/n reakciós
reactive [rɪ'æktɪv] *a* visszaható, reagens
reactor [rɪ'æktə*] *n* (atom)reaktor
read I. *a* [red] olvasott [ember] **II.**
v [ri:d] (*pt/pp* **read** red) **A.** *vt* 1. (el-)
olvas; ~ *a paper* (1) újságot olvas
(2) (tudományos) előadást/felolvasást
tart; ~ [red] *and approved* átnézve
és jóváhagyva; *be widely* ~ [red]
nagy az olvasottsága, sokan olvassák
2. (vmlyen) tanulmányokat folytat;
~ *law* jogi tanulmányokat folytat,
jogot végez 3. (meg)magyaráz, meg-
fejt [álmot stb.]; értelmez [szöveget];
~ *sy's hand* tenyérből olvas/jósol;
~ *the signs of the times* megérti az idők
szavát 4. leolvas [műszert] 5. jelez,
mutat [műszer vmlyen értéket, fokot
stb.] **B.** *vi* 1. olvas; ~ *between the
lines* a sorok között olvas 2. vmlyen
benyomást kelt, (vhogyan) hat; *it
~s like a translation* úgy hat, mintha
fordítás volna; *it ~s well* jól olvas-
ható, olvasmányos, (jól) olvastatja
magát [könyv]; *this play ~s better
than it acts* ez a darab olvasva jobb,
mint előadva 3. hangzik [szöveg]
read for *vi* ~ *f. an exam* vizsgára
tanul/készül; ~ *f. a degree in . . .*
vmnek készül, vmt tanul [egyete-
men]
read into *vt* ~ *sg i. sg* beleolvas/
belemagyaráz vmt vmbe
read out *vt* hangosan felolvas

read over *vt* újra elolvas
read through *vt* végigolvas, kiolvas
read to *vt* felolvas vknek
read up *vt* ~ *up a subject* egy tárgy-
körből mindent elolvas, alaposan/
behatóan tanulmányoz egy tárgykört
readable ['ri:dəbl] *a* 1. olvasható 2.
érdekes, olvasmányos
re-address [ri:ə'dres] *vt* újra/másként
címez, átcímez [levelet]
reader ['ri:də*] *n* 1. olvasó 2. felolvasó
3. *publisher's* ~ könyvkiadói lektor
4. = *proof-reader* 5. (egyetemi) docens
6. olvasókönyv
readied ['redɪd] →*ready IV.*
readily ['redɪlɪ] *adv* 1. készségesen,
szívesen 2. könnyen, könnyedén
readiness ['redɪnɪs] *n* 1. készenlét, ké-
szültség 2. gyorsaság, könnyedség;
~ *of speech* szóbőség; ~ *of thought*
gyors észjárás 3. készség(esség)
reading[1] ['ri:dɪŋ] **I.** *a* olvasó **II.** *n* 1.
olvasás 2. olvasottság 3. olvasmány;
~ (*matter*) olvasnivaló 4. felolvasás
5. leolvasás [mérőműszeré] 6. állás
[mérőműszeré] 7. olvasásmód, olva-
sat; szövegváltozat 8. korrektúra-
olvasás, korrektúrázás 9. (szöveg-)
értelmezés; (helyzet)kiértékelés
Reading[2] ['redɪŋ] *prop*
reading-desk *n* olvasóállvány
reading-glass *n* 1. olvasószemüveg 2.
kézi nagyítóüveg
reading-lamp *n* olvasólámpa
reading-room *n* [könyvtári] olvasóterem
readjust [ri:ə'dʒʌst] *vt* 1. rendbe hoz
2. újra hozzáigazít
readjustment [ri:ə'dʒʌstmənt] *n* újra
hozzáigazítás/hozzáalkalmazás; (újra-)
alkalmazkodás [megváltozott körül-
ményekhez]
ready ['redɪ] **I.** *a* 1. kész; ~ *for the trip*
útra készen; *be* ~ készen van/áll,
elkészült (*with* vmvel, *for* vmre);
get ~ felkészül, előkészül (*for* vmre);
make ~ (1) előkészít (2) elkészít 2.
hajlandó, kész(séges) (*to* vmre) 3.
gyors; *have a* ~ *wit* gyorsan kapcsol,
gyors észjárású 4. kéznél levő, hozzá-
férhető; ~ *money* készpénz; *be* ~ *at
hand* kéznél van **II.** *adv* készen; telje-

sen; ~(,) *steady*(,) *go!* elkészülni,
vigyázz, rajt! III. *n* 1. *at the* ~
tüzelésre kész [puskaállás] 2. □ kész-
pénz, kápé IV. *vt* előkészít, rendbe tesz
ready-cooked [-'kʊkt] *a* teljesen elké-
szített [étel]
ready-made *a* 1. kész-; ~ *clothes* kész-
ruha, konfekció(s ruha) 2. másoktól
átvett, nem eredeti [vélemény stb.]
ready-reckoner *n* gyorsszámoló(-könyv)
ready-to-wear *a* = *ready-made*
ready-witted *a* gyorsan kapcsoló, éles
eszű
reaffirm [ri:ə'fə:m] *vt* újra megerősít/
állít
reafforestation ['ri:əfɔrɪ'steɪʃn; US -fɔ:-]
n újra/újbóli fásítás/erdősítés
Reagen ['reɪgən] *prop*
reagent [ri:'eɪdʒ(ə)nt] *n* reagens
real [rɪəl] I. *a* 1. igazi, valódi, tényleges,
való(ságos), valós, reális, valószerű
2. ~ *estate/property* ingatlan(tulaj-
don) II. *adv US biz* nagyon, igazán;
have a ~ *good time* remekül érzi magát
realignment [ri:ə'laɪnmənt] *n* átrende-
z(őd)és, átszervez(őd)és
realism ['rɪəlɪzm] *n* valószerűség, realiz-
mus
realist ['rɪəlɪst] I. *a* 1. valószerű 2.
gyakorlatias, realista II. *n* gyakorlati-
as/realista ember
realistic [rɪə'lɪstɪk] *a* 1. valószerű, élet-
hű, realisztikus 2. gyakorlatias, rea-
lista
reality [rɪ'ælətɪ] *n* 1. valóság, realitás;
tény(ek); *in* ~ valóban, tényleg(esen)
2. élethűség, valószerűség
realizable ['rɪəlaɪzəbl] *a* 1. megvalósít-
ható 2. értékesíthető 3. felfogható
realization [rɪəlaɪ'zeɪʃn; US -lɪ'z-] *n*
1. megvalósítás 2. értékesítés, pénz-
zé tétel 3. vmnek elképzelése/felfo-
gása, ráeszmélés
realize ['rɪəlaɪz] *vt* 1. felfog, megért,
tudatában van (vmnek), tisztában van
(vmvel), ráébred (vmre) 2. megvaló-
sít, végrehajt 3. pénzzé tesz, értékesít
4. [vmlyen összegért] elkel, [vmlyen
árat] elér 5. szerez, gyűjt [vagyont]
really ['rɪəlɪ] *adv* 1. igazán, valóban
2. ~? igazán?, tényleg?, valóban?,

komolyan?; *not* ~! lehetetlen!, csak
nem!
realm [relm] *n* birodalom, királyság
realtor ['rɪəltə*] *n US* ingatlanügynök
realty ['rɪəltɪ] *n US* ingatlan (vagyon)
ream [ri:m] *n* rizsma [480 ív papír]
reanimate [ri:'ænɪmeɪt] *vt* újra életre
kelt, felpezsdít, új életet önt (vkbe)
reap [ri:p] *vt/vi* (le)arat, (le)kaszál; *we*
~ *as we sow* ki mint vet, úgy arat;
~ *one's reward* elnyeri jutalmát
reaper ['ri:pə*] *n.* 1. kaszáló, arató
(munkás) 2. kaszálógép, aratógép
reaping ['ri:pɪŋ] *n* kaszálás, aratás
reaping-hook *n* sarló
reaping-machine *n* (marokrakó) arató-
gép, kaszálógép
reappear [ri:ə'pɪə*] *vi* újra megjelenik/
feltűnik/felbukkan
reappearance [ri:ə'pɪər(ə)ns] *n* újra/új-
bóli megjelenés; újrafellépés [színésze]
reappoint [ri:ə'pɔɪnt] *vt* újra kinevez/
alkalmaz, állásába visszahelyez
reappraisal [ri:ə'preɪzl] *n* újraértékelés
rear[1] [rɪə*] I. *a* hátsó; ~ *lamp*(s)/*light*
hátsó lámpa [járműn] II. *n* 1. vmnek
hátsó része/vége 2. hátvéd; *bring up
the* ~ bezárja a sort, leghátul kullog
3. *vulg* fenék, ülep 4. □ klozett, ár-
nyékszék
rear[2] [rɪə*] A. *vt* 1. ~ *its head* vm felüti
a fejét 2. emel, felépít, (fel)állít 3.
tenyészt; termel 4. (fel)nevel B. *vi*
ágaskodik [ló]
rear-admiral *n* ellentengernagy
rear-drive *n* hátsókerék-meghajtás
rear-guard *n* utóvéd, hátvéd; ~ *action*
utóvédharc
rearm [ri:'ɑ:m] *vt* újra felfegyverez
rearmament [rɪ'ɑ:məmənt] *n* újrafel-
fegyver(ke)zés
rearmost ['rɪəmoʊst] *a* leghátulsó
rearrange [ri:ə'reɪndʒ] *vt* újra (el)rendez,
átrendez; átcsoportosít
rearrangement [ri:ə'reɪndʒmənt] *n* át-
rendezés; átcsoportosítás
rear-view mirror visszapillantó tükör
rearward ['rɪəwəd] I. *a* hát(ul)só II.
n hátvéd, utóvéd; *in the* ~ (leg)hátul
rearwards ['rɪəwədz] *adv* hátrafelé; há-
tul

reason ['riːzn] I. *n* 1. ok, indíték, indok, alap; ~s indokolás [ítéleté]; *by* ~ *of* miatt; *for no* ~ ok nélkül; *for that very* ~ éppen ezért; *give* ~s *for doing sg* meg(ind)okolja tettét; *see* ~ belát vmt; *the* ~ *why* az oka; *with (good)* ~ (teljes) joggal 2. ész, értelem; *lose one's* ~ eszét veszti, megbolondul 3. józan ész, ésszerű magatartás/viselkedés; *bring to* ~ észre térít; *listen to* ~ hallgat a józan észre; *(with)in* ~ ésszerűen, mértékkel; *it stands to* ~ nyilvánvaló, magától értetődik II. A. *vi* 1. gondolkodik, okoskodik, következtet, ítél 2. érvel; ~ *with sy* vitatkozik vkvel B. *vt* 1. átgondol, megindokol; *closely* ~ed logikus okfejtésű, világosan kifejtett [érvelés] 2. megvitat, fejteget; ~ *sg out* kikövetkeztet vmt 3. ~ *sy into sg* rábeszél vkt vmre; ~ *sy out of sg* lebeszél vkt valamiről

reasonable ['riːznəbl] *a* 1. gondolkodó 2. ésszerű; *do be* ~ *!* légy belátással!, legyen eszed! 3. indokolt; méltányos, elfogadható, mérsékelt; ~ *price* jutányos ár

reasonableness ['riːznəblnɪs] *n* 1. ésszerűség 2. indokoltság, méltányosság

reasonably ['riːznəblɪ] *adv* meglehetősen

reasoning ['riːz(ə)nɪŋ] I. *a* eszes; gondolkodó II. *n* 1. gondolkodás; okfejtés, érvelés, okoskodás; *power of* ~ gondolkodóképesség; *there is no* ~ *with her* nem hallgat az okos szóra 2. vita

reassemble [riːə'sembl] A. *vt* 1. újra összegyűjt 2. újra összeállít/összeszerel B. *vi* újra összegyűlik/gyülekezik

reassurance [riːə'ʃʊər(ə)ns] *n* 1. megnyugtatás; felbátorítás 2. megújult önbizalom 3. viszontbiztosítás

reassure [riːə'ʃʊə*] *vt* 1. megnyugtat *(about* vm felől); biztat, felbátorít; *feel* ~*d* megnyugszik 2. viszontbiztosít

reassuring [riːə'ʃʊərɪŋ] *a* biztató

Réaumur ['reɪəmjʊə*] *prop*

rebate ['riːbeɪt] *n* engedmény, rabatt

Rebecca [rɪ'bekə] *prop* Rebeka

rebel I. *n* ['rebl] lázadó, felkelő, zendülő II. *vi* [rɪ'bel] -ll- fellázad *(agains* vk/vm ellen)

rebellion [rɪ'beljən] *n* 1. (fel)lázadás, felkelés, zendülés 2. ellenállás

rebellious [rɪ'beljəs] *a* 1. lázadó, zendülő 2. ellenszegülő, engedetlen

rebelliousness [rɪ'beljəsnɪs] *n* 1. lázadó szellem 2. engedetlenség

rebind [riː'baɪnd] *vt (pt/pp* -bound -'baʊnd) újra beköt, újraköt

rebirth [riː'bəːθ] *n* újjászületés, megújhodás

reborn [riː'bɔːn] *a* újjászületett

rebound[1] I. *n* ['riːbaʊnd] 1. visszaugrás, -pattanás 2. *take sy on the* ~ a kellő lélektani pillanatban vesz rá vkt vmre II. *vi* [rɪ'baʊnd] 1. visszapattan, -ugrik 2. visszaháramlik [rossz cselekedet stb. *on, upon* vkre] 3. feléled, új erőre kap

rebound[2] [riː'baʊnd] →*rebind*

rebuff [rɪ'bʌf] I. *n* visszautasítás II. *vt* visszautasít, elutasít

rebuild [riː'bɪld] *vt (pt/pp* -built -'bɪlt) újjáépít

rebuke [rɪ'bjuːk] I. *n* rendreutasítás; *without* ~ kifogástalan(ul) II. *vt* megdorgál, megszid, rendreutasít

rebus ['riːbəs] *n* rejtvény

rebut [rɪ'bʌt] *vi* -tt- 1. megcáfol 2. keményen visszautasít

rebuttal [rɪ'bʌtl] *n* cáfolat

recalcitrance [rɪ'kælsɪtrəns] *n* nyakasság, makacsság, akaratosság, önfejűség

recalcitrant [rɪ'kælsɪtrənt] *a* ellenszegülő, makacs, akaratos, önfejű

recall [rɪ'kɔːl] I. *n.* 1. visszahívás, felmondás 2. visszavonás; *beyond/past* ~ visszavonhatatlan(ul) 3. emlékezőtehetség; *total* ~ kitűnő memória 4. kitapsolás [színészt függöny elé] II. *vt* 1. visszahív 2. visszavon 3. emléztet [kötelességre] 4. (vissza-)emlékszik (vmre), felidéz (vmt), felelevenít [emléket]

recant [rɪ'kænt] A. *vt* visszavon, megtagad [állítást] B. *vi* visszavonja állítását/stb.

recantation [riːkæn'teɪʃn] *n* visszavonás, esküvel való ünnepélyes megtagadás

recapitulate [riːkə'pɪtjʊleɪt] *US* -tʃə-] *vt* ismétel, röviden összefoglal/összegez

recapitulation ['riːkəpɪtjʊ'leɪʃn; *US*

-tʃə-] *n* (ismétlő) összefoglalás, összegezés
recapture [ri:'kæptʃə*] I. *n* visszafoglalás
II. *vt* 1. visszafoglal 2. visszaidéz
recast [ri:'kɑ:st; *US* -'kæ-] *vt* (*pt/pp*
~) 1. újraönt 2. újra kiszámít 3. átdolgoz [könyvet stb.] 4. új szereposztásban ad elő
recce ['rekɪ] *n biz* = reconnaissance
recd. *received* átvéve
recede [rɪ'si:d] *vi* 1. hátrál, visszavonul,
-húzódik 2. hátrafelé hajlik [homlok]
3. visszalép, eláll (*from* vmtől) 4.
csökken [ár, érték, befolyás]; veszít
értékéből
receding [rɪ'si:dɪŋ] *a* 1. hátráló, elvonuló 2. csapott [homlok, áll]
receipt [rɪ'si:t] I. *n* 1. átvétel; *be in ~ of*
átvesz, kézhez vesz; *on ~ of* átvételekor; *I am in ~ of your favour* szíves
sorait megkaptam 2. *receipts pl* bevétel 3. nyugta, (átvételi) elismervény; ~ *book* nyugtakönyv II. *vt*
nyugtáz
receipt-stamp *n* nyugtabélyeg
receivable [rɪ'si:vəbl] *a* 1. átvehető 2.
esedékes, kinnlevő
receive [rɪ'si:v] *vt* 1. (meg)kap, átvesz,
kézhez vesz; ~*d with thanks* köszönettel átvett(em) 2. elfogad 3. fogad,
vendégül lát (vkt); fogadtatásban részesít 4. befogad 5. vesz, fog [rádióstb. adást]
received [rɪ'si:vd] *a* elfogadott, bevett,
elismert, általános, irányadó; ~ *pronunciation* a köznyelvi kiejtés, a
helyes (angol) kiejtés
receiver [rɪ'si:və*] *n* 1. csődtömeggondnok 2. orgazda 3. telefonkagyló 4.
vevő(készülék) 5. tartály
receiving [rɪ'si:vɪŋ] I. *a* 1. felfogó 2.
~ *set* vevőkészülék II. *n* 1. (át)vétel
2. orgazdaság
recent ['ri:snt] *a* új(abb) keletű, új, legújabb; friss; mai
recently ['ri:sntlɪ] *adv* mostanában, az
utóbbi időben, a minap/napokban,
nemrég, múltkor; *until quite* ~ egészen a legutóbbi időkig
receptacle [rɪ'septəkl] *n* 1. tartály 2.
magbuga

reception [rɪ'sepʃn] *n* 1. felvétel, befogadás, átvétel (*átv is*); ~ *area* befogadó terület; ~ *camp/centre* gyűjtőtábor [menekülteknek] 2. fogadás [pl.
vendégeké]; *US* ~ *clerk* = receptionist *1.*; ~ *desk* (szálloda)porta, recepció; ~ *room* fogadószoba; *hold a* ~
fogadást tart/rendez 3. fogadtatás 4.
[rádió- stb.] vétel
receptionist [rɪ'sepʃənɪst] *n* 1. [szállodai] fogadóportás 2. asszisztensnő
[rendelőben]
receptive [rɪ'septɪv] *a* fogékony
recess [rɪ'ses; *US* 'ri:ses] *n* 1. szünet
[törvényhozó testületnél stb.] 2. *US*
szünet, szünidő, vakáció 3. zug, eldugott hely 4. (fal)fülke, alkóv, beugrás
recessed [rɪ'sest] *a* mélyített, süllyesztett, befelé lejtő, bemélyedő
recession [rɪ'seʃn] *n* 1. hátrálás, visszavonulás 2. (gazdasági) pangás, visszaesés
recessional [rɪ'seʃənl] I. *a* visszavonulási
II. *n* visszavonulási ének [templomban]
recessive [rɪ'sesɪv] *a* 1. hátrafelé haladó
2. lappangó, látens [jelleg, biológiában]
recharge [ri:'tʃɑ:dʒ] *vt* 1. újra tölt
[telepet, puskát] 2. újra megtámad
[ellenséget] 3. újra megvádol
rechargeable [ri:'tʃɑ:dʒəbl] *a* utántölthető, újra tölthető
recidivist [rɪ'sɪdɪvɪst] *n* visszaeső bűnöző
recipe ['resɪpɪ] *n* recept, (rendel)vény
recipient [rɪ'sɪpɪənt] I. *a* fogékony II.
n átvevő, elfogadó (személy), címzett
reciprocal [rɪ'sɪprəkl] *a* 1. kölcsönös,
viszonos 2. reciprok, (meg)fordított
reciprocate [rɪ'sɪprəkeɪt] A. *vt* 1. előrehátra mozgat 2. viszonoz B. *vi* váltakozó mozgást végez, előre és hátra
hat/működik, ide-oda leng
reciprocity [resɪ'prɒsətɪ; *US* -ɑs-] *n*
kölcsönösség, viszonosság, reciprocitás
recital [rɪ'saɪtl] *n* 1. elmondás; elbeszélés 2. beszámoló 3. (szóló)hangverseny, szólóest; *piano* ~ zongoraest

recitation [resɪ'teɪʃn] n 1. szavalat, előadás 2. US felelés, felelet [iskolában]
recite [rɪ'saɪt] A. vt 1. elmond, elszaval, előad [verset stb.]; US felel (vmből) [iskolában] 2. felsorol, elmond B. vi 1. szaval 2. US felel [iskolában]
reck [rek] vt/vi † törődik (vmvel); it ~s me not mi közöm hozzá; what ~s it? nem baj!, mit bánod!
reckless ['reklɪs] a 1. vakmerő, meggondolatlan 2. vmvel nem törődő; vigyázatlan [vezetés]
reckon ['rek(ə)n] vt/vi 1. (ki)számít; számol 2. ~ sy/sg as (v. to be) vmnek/vmlyennek tekint/tart vkt/ymt 3. US gondol, vél; becsül; I ~ úgy gondolom/vélem
    reckon among vt ... közé számít/sorol
    reckon in vt hozzászámít, beleszámol, -kalkulál, -ért
    reckon (up)on vi számít vkre/vmre
    reckon up vt összeszámol, -ad
    reckon with vi 1. elszámol/leszámol vkvel 2. figyelemmel van vkre/vmre, tekintetbe/számításba vesz vkt/vmt, számol vmvel
reckoner ['rek(ə)nə*] n 1. számoló; számláló 2. számolókönyv
reckoning ['rek(ə)nɪŋ] n 1. számolás; (ki)számítás; hajó helyének megállapítása; be out in one's ~ elszámítja magát 2. † átv fizetség, leszámolás; day of ~ (1) a leszámolás napja (2) az utolsó ítélet
reclaim [rɪ'kleɪm] vt 1. visszahódít, termővé tesz, művelésre alkalmassá tesz [földet lecsapolással stb.] 2. kigyógyít [bűnözésből, káros szenvedélyből], (erkölcsileg) megjavít 3. [riː'kleɪm] visszakövetel
reclamation [reklə'meɪʃn] n 1. termővé tétel [földé]; telkesítés; (land) ~ talajjavítás 2. kigyógyítás, megjavítás
recline [rɪ'klaɪn] A. vi 1. fekszik, támaszkodik; ~ against nekitámaszkodik, odadől 2. ~ upon sy támaszkodik/hagyatkozik vkre B. vt hátratámaszt; nekitámaszt; fektet
reclining [rɪ'klaɪnɪŋ] a ~ chair/seat állítható támlájú szék/ülés

recluse [rɪ'kluːs; US 'rekluːs] a/n remete
recognition [rekəg'nɪʃn] n 1. megismerés; felismerés; ~ signal ismertetőjel; ~ vocabulary passzív szókincs; past ~ felismerhetetlen(ül) 2. elismerés; in ~ of vm elismeréséül
recognizable ['rekəgnaɪzəbl] a felismerhető
recognizance [rɪ'kɔgnɪz(ə)ns; US -'ka-] n 1. kötelezettségvállalás; kötelezvény 2. biztosíték
recognize ['rekəgnaɪz] vt 1. felismer, megismer 2. elismer, beismer 3. elismer, megbecsül, méltányol
recognized ['rekəgnaɪzd] a elismert, bevett
recoil I. n ['riːkɔɪl] 1. visszarúgás [lőfegyveré]; visszaugrás [rugóé] 2. visszaszaborzadás, hátrahőkölés 3. következmény; feel the ~ of one's own folly saját meggondolatlanságának/ostobaságának következményeit viseli II. vi [rɪ'kɔɪl] 1. visszarúg, -ugrik, -pattan 2. visszavonul, meghátrál 3. visszaszáll [on, upon vkre rossz cselekedet stb.] 4. visszahőköl, megdöbben
recollect[1] [rekə'lekt] vt/vi 1. (vissza)emlékezik, -gondol (vmre) 2. ~ oneself összeszedi magát
re-collect[2] [riːkə'lekt] vt újra összeszed/összegyűjt
recollection [rekə'lekʃn] n 1. emlékezés; emlékezet; keep a good ~ of me tartson meg jó emlékezetében 2. emlék
recommend [rekə'mend] vt 1. ajánl; javasol, tanácsol (sg to sy v. sy sg vmt vknek) 2. rábíz, (figyelmébe/gondjaiba) ajánl 3. mellette szól, (jó) ajánlólevél (vk részére)
recommendation [rekəmen'deɪʃn] n 1. ajánlás 2. ajánlólevél; javaslat 3. előírás
recompense ['rekəmpens] I. n 1. viszonzás 2. kárpótlás, kártalanítás; elégtétel II. vt 1. megjutalmaz (for vmért); kárpótol, kártalanít (for vmért) 2. viszonoz
reconcilable ['rekənsaɪləbl] a összeegyeztethető, kibékíthető
reconcile ['rekənsaɪl] vt 1. kibékít 2. elsimít [vitát, ellentétet] 3. össze-

egyeztet (*with* vmvel) 4. ~ *oneself to sg, be* ~*d to sg* belenyugszik vmbe
reconciliation [rekənsılı'eıʃn] *n* 1. kibékülés 2. kibékítés 3. összeegyeztetés
recondite ['rekəndaıt] *a* rejtélyes, mély, homályos, rejtett (értelmű)
recondition [ri:kən'dıʃn] *vt* kijavít, helyreállít, helyrehoz, rendbe hoz, renovál
reconnaissance [rı'kɔnıs(ə)ns; *US* -'kɑ-] *n* felderítés
reconnoitre, *US* -**ter** [rekə'nɔıtə*] *vt/vi* felderít(ést végez)
reconsider [ri:kən'sıdə*] *vt* újra megfontol/-gondol/-vizsgál/elbírál
reconsideration ['rikənsıdə'reıʃn] *n* ismételt meggondolás/megfontolás/elbírálás
reconstruct [ri:kən'strʌkt] *vt* 1. újjáépít, helyreállít; újjászervez 2. eredeti alakjában helyreállít, rekonstruál
reconstruction [ri:kən'strʌkʃn] *n* 1. újjáépítés, helyreállítás, újjászervezés 2. (eredeti alakjában való) helyreállítás, rekonstrukció
record I. *n* ['rekɔ:d; *US* -kərd] 1. feljegyzés; jegyzőkönyv; okmány, okirat; *be on* ~ fel van jegyezve; *go on* ~ (1) feljegyzik róla (hogy) (2) *US* vm mellett foglal állást; *keep a* ~ *of sg* feljegyez vmt; feljegyzést/nyilvántartást vezet vmről; *GB the (Public) R*~ *Office* állami levéltár; *US off the* ~ nem hivatalos(an), bizalmas(an) 2. **records** *pl* (1) [történelmi stb.] emlékanyag (2) hiteles feljegyzések 3. előélet, priusz; [szolgálati] minősítés; *have a bad* ~ rossz hír(nev)e/priusza van; *have a clean* ~ büntetlen előéletű; *bear* ~ *to sg* bizonyít/igazol vmt 4. (hang)lemez 5. csúcs, rekord; *beat/ break the* ~ megdönti/megjavítja a csúcsot/rekordot II. *vt* [rı'kɔ:d] 1. feljegyez; megörökít, regisztrál 2. jelez, mutat [műszer] 3. hangfelvételt készít (vmről), felvesz (vmt); rögzít [műsort]
recorded [rı'kɔ:dıd] *a* ~ *delivery* kb. térti vevénnyel kézbesítés
recorder [rı'kɔ:də*] *n* 1. jegyző; jegyzőkönyvvezető; irattáros 2. (hang)felvevő, felvevőkészülék; regisztráló ké-

szülék; *radio/cassette* ~ rádió-magnó 3. egyenesfuvola, cölöpflóta
recording [rı'kɔ:dıŋ] *n* 1. feljegyzés 2. felvétel [hang, kép]; ~ *head* felvevőfej
record-player *n* lemezjátszó
recount[1] [rı'kaʊnt] *vt* elmond, elbeszél
re-count[2] I. *n* ['ri:kaʊnt] újraszámlálás II. *vt* [ri:'kaʊnt] újra (meg)számol/számlál
recoup [rı'ku:p] *vt* 1. levon, visszatart [követelt összeg részét] 2. (ki)pótol [veszteséget], kárpótol, kártalanít; ~ *oneself* kárpótolja/kártalanítja magát
recourse [rı'kɔ:s] *n/* 1. *have* ~ *to sg* vmhez folyamodik/fordul (segítségért) 2. menedék, kisegítő megoldás
recover[1] [rı'kʌvə*] A. *vt* 1. visszanyer, visszaszerez, visszakap; ~ *sg from sy* visszaszerez vmt vktől; ~ *consciousness* visszanyeri eszméletét; ~ *oneself* (1) magához tér (2) összeszedi magát 2. (ki)pótol, behoz, bepótol [veszteséget, mulasztást stb.]; ~ *damages from sy* kártérítést kap vktől B. *vi* ~ (*from*) meggyógyul, felépül [betegségből], kihever (vmt), talpra áll
re-cover[2] [ri:'kʌvə*] *vt* újra befed/behúz, áthúz [bútort, esernyőt stb.]
recoverable [rı'kʌvərəbl] *a* visszaszerezhető
recovery [rı'kʌvərı] *n* 1. visszaszerzés, -nyerés 2. (fel)gyógyulás, felépülés; *make a good* ~ szépen gyógyul 3. talpraállás, fellendülés
recreant ['rekrıənt] *a/n* gyáva; hitszegő
re-create [ri:krı'eıt] *vt* újjáteremt; újjáalkot; újra előállít
recreation[1] [rekrı'eıʃn] *n* (fel)üdülés, kikapcsolódás, pihenés; ~ *ground* játszótér
re-creation[2] [ri:krı'eıʃn] *n* újjáteremtés, -alkotás
recreational [rekrı'eıʃ(ə)nəl] *a* szórakozási, pihenési; ~ *facilities* sportolási/szórakozási lehetőségek
recrimination [rıkrımı'neıʃn] *n* viszonvád, visszavágás; tiltakozás
recriminatory [rı'krımınət(ə)rı; *US* -ɔ:rı] *a/n* viszonvádló; tiltakozó
recrudesce [ri:kru:'des] *vi* 1. újra kifa-

kad [seb], kiújul [betegség] 2. újra fellángol [elégedetlenség stb.]
recrudescence [ri:kru:'desns] n kiújulás; átv fellángolás
recrudescent [ri:kru:'desnt] a kiújuló
recruit [rɪ'kru:t] I. n 1. újonc, regruta 2. új tag II. A. vt 1. toboroz, verbuvál 2. felújít, felfrissít, megerősít 3. helyreállít [egészséget] B. vi 1. újoncoz; új párthíveket szerez/verbuvál 2. megerősödik, felépül
recruiting [rɪ'kru:tɪŋ] n toborzás
recruitment [rɪ'kru:tmənt] n 1. toborzás, újoncozás 2. felgyógyulás, felépülés, megerősödés
recta →rectum
rectal ['rektəl] a végbélen át történő, végbél-; ~ injection allövet, beöntés
rectangle ['rektæŋgl] n derékszögű négyszög, téglalap
rectangular [rek'tæŋgjʊlə*; US -gjə-] a derékszögű
rectification [rektɪfɪ'keɪʃn] n 1. helyreigazítás, helyesbítés, (ki)javítás, kiigazítás 2. többszörös önműködő lepárlás, rektifikálás 3. görbe vonal/felület kifejtése síkba, kiegyenesítés 4. egyenirányítás
rectifier ['rektɪfaɪə*] n 1. gáztisztító (készülék) 2. desztilláló/lepárló berendezés, rektifikátor 3. egyenirányító
rectify ['rektɪfaɪ] vt 1. helyesbít, kiigazít; helyrehoz, orvosol 2. síkba fejt [görbét], kiegyenesít 3. lepárol, rektifikál 4. egyenirányít
rectilinear [rektɪ'lɪnɪə*] a 1. egyenes vonalú 2. egyenesek által határolt
rectitude ['rektɪtju:d; US -tu:d] n egyenesség, becsületesség
recto ['rektoʊ] n 1. jobb oldali lap 2. első lap, rektó
rector ['rektə*] n 1. (anglikán) plébános, pap 2. rektor; igazgató
rectory ['rekt(ə)rɪ] n parókia
rectum ['rektəm] n (pl ~s -z v. recta 'rektə) végbél
recumbent [rɪ'kʌmbənt] a fekvő, hátratámaszkodó
recuperate [rɪ'kju:p(ə)reɪt] A. vt 1. visszanyer, -szerez [erőt]; helyrehoz [egészséget] 2. meggyógyít B. vi 1.

meggyógyul, felépül, összeszedi magát 2. rendbe jön [anyagilag]
recuperation [rɪkju:pə'reɪʃn] n 1. visszaszerzés 2. felépülés 3. energia-visszanyerés
recur [rɪ'kə:*] vi -rr- 1. [gondolatban, beszédben] visszatér (to vmre) 2. újból/ismét eszébe jut (v. felmerül) 3. visszatér, ismétlődik, újból jelentkezik
recurrence [rɪ'kʌr(ə)ns; US -'kə:-] n 1. visszatérés, ismétlődés 2 visszaesés [betegségbe]; kiújulás [betegségé]
recurrent [rɪ'kʌr(ə)nt; US -'kə:-] a ismétlődő, visszatérő, felújuló
reccurring [rɪ'kə:rɪŋ] a visszatérő, ismétlődő; ~ decimal szakaszos tizedes tört
recusant ['rekjʊz(ə)nt] I. a (egyházzal) szembehelyezkedő II. n ⟨protestantizmusra át nem térő katolikus (GB 16—17. sz.)⟩
recut [ri:'kʌt] vt (pt/pp ~) újra vág/metsz [reszelőt, csavarmenetet]
recycle [ri:'saɪkl] vt újra feldolgoz/hasznosít [hulladék-, selejt- v. elhasznált anyagot]
red [red] I. a (comp ~der 'redə*, sup ~dest 'redɪst) 1. vörös, piros; grow ~ elvörösödik; see ~ dühbe gurul; paint the town ~ részeg ricsajjal felveri a várost, randalíroz 2. (összetételekben:) R~ Cross Vöröskereszt; ~ deer rőtvad, szarvas; ~ eyes véraláfutásos (v. vörösre kisírt) szem; ~ hat bíbornoki kalap; ~ heat vörösizzás; R~ Indian rézbőrű indián; ~ lane nyelőcső [gyermeknyelven]; ~ lead vörös ólomoxid, mínium(festék); ~ light piros fény [jelzőlámpában]; vörös fény/lámpa; ~ meat marhahús; ~ pepper pirospaprika; ~ tape bürokrácia, aktatologatás 3. „vörös", kommunista II. n 1. piros/vörös szín 2. „vörös", kommunista, forradalmár 3. biz be in the ~ deficitje van, veszteséggel dolgozik
red-baiting [-beɪtɪŋ] n kommunistaüldözés
red-blooded a férfias, erőszakos, rámenős
redbreast n vörösbegy
redbrick a GB újabb alapítású, állami [egyetem]

redcap n 1. GB tábori csendőr 2. US hordár
red-coat n † brit katona
red-currant n ribizli, ribiszke
redden ['redn] A. vi elvörösödik, elpirul B. vt bevörösít
redder, reddest →red I.
reddish ['redɪʃ] a vöröses
redecorate [ri:'dekəreɪt] vt újra fest és berendez [lakást]
redeem [rɪ'di:m] vt 1. visszavásárol, kivált, visszaszerez 2. bevált [pénzt], törleszt [adósságot] 3. bevált [ígéretet] 4. jóvátesz, helyrehoz 5. (pénzzel) kivált [foglyot], felszabadít [rabszolgát] 6. megvált [kárhozattól]
redeemable [rɪ'di:məbl] a 1. helyrehozható 2. beváltható 3. törleszthető 4. megváltható [kárhozattól]
Redeemer [rɪ'di:mə*] n a Megváltó
redefine [rɪ:d:'faɪn] vt újra fogalmaz, másként határoz meg
redemption [rɪ'dempʃn] n 1. visszavásárlás; -szerzés; -fizetés; kiváltás, törlesztés; ~ fund törlesztési/amortizációs alap 2. beváltás [pénzé, ígéreté] 3. jóvátétel, helyrehozás 4. kiváltás, kiszabadítás [rabszolgáé] 5. megváltás [kárhozattól]
redeploy [ri:dɪ'plɔɪ] vt átcsoportosít, átrendez [erőket]
redeployment [ri:dɪ'plɔɪmənt] n átcsoportosítás, átrendezés [erőké]; másutt való bevetés
red-eyed a vörös/gyulladásos szemű
red-handed a véres kezű; catch ~ tetten ér, rajtakap
red-hot a 1. vörösen izzó 2. izgatott; izzó, lángoló
redirect [ri:dɪ'rekt] vt utána küld [levelet]
rediscover [ri:dɪ'skʌvə*] vt újra felfedez
redistribute [ri:dɪ'strɪbju:t] vt 1. újra szétoszt 2. átrendez
redistribution ['ri:dɪstrɪ'bju:ʃn] n 1. újra kiosztás/szétosztás 2. átrendezés
red-letter a ~ day piros betűs ünnep(nap), munkaszüneti nap
redness ['rednɪs] n vörösség
redo [ri:'du:] vt (pt -did -'dɪd, pp -done -'dʌn) átalakít; rendbe hoz; újra kifest

redolence ['redəl(ə)ns] n kellemes illat/szag; illatosság
redolent ['redəl(ə)nt] a 1. illatos; ~ of vmlyen illatú 2. ~ of vmre emlékeztető
redouble [ri:'dʌbl] A. vt 1. megkettőz, növel, rádupláz 2. (meg)rekontráz [kártyában] 3. még egyszer összehajt B. vi megkettőződik, fokozódik, növekszik
redoubt [rɪ'daʊt] n különálló zárt sáncerőd, redut
redoubtable [rɪ'daʊtəbl] a félelmetes [ellenfél]; impozáns
redound [rɪ'daʊnd] vi 1. hozzájárul (to vmhez); ~ to one's honour becsületére válik, öregbíti becsületét 2. viszszaszáll, visszahárul (upon vkre)
redpoll n 1. kenderike 2. ⟨szarvatlan vörös angol marha⟩
redraft [ri:'drɑ:ft; US -æft] vt újra fogalmaz
redraw [ri:'drɔ:] vt (pt -drew -'dru:, pp -drawn -'drɔ:n) 1. visszaintézvényez 2. újra rajzol; kihúz [rajzot]
redress[1] [rɪ'dres] I. n helyrehozás, orvoslás; legal ~ jogorvoslat II. vt jóvátesz; helyrehoz, orvosol
re-dress[2] [ri:'dres] vt 1. másképp/újra öltöztet/öltözködik 2. újrakötöz [sebet]
redressable [rɪ'dresəbl] a orvosolható
red-short a vöröstörékeny
redskin n (rézbőrű) indián
redstart n rozsdás farkú gébics
reduce [rɪ'dju:s; US -'du:s] A. vt 1. csökkent, leszállít, mérsékel, apaszt; ~ one's weight (le)fogyasztja magát 2. ⟨vmlyen állapotba hoz⟩; ~ to ashes elhamvaszt; ~ to nothing megsemmisít; ~ to writing írásba foglal 3. kényszerít [vm rosszabra]; he was ~d to sell his car kénytelen volt eladni a kocsiját 4. lefokoz [tisztet] 5. helyretesz, helyreigazít [ficamot], összeilleszt [törött csontvégeket] 6. átszámít [to más mértékegységre] 7. egyszerűsít, közös nevezőre hoz [törtet]; ~ an equation egyenletet rendez 8. redukál, dezoxidál [oxigéntől megfoszt] 9. felbont [vegyületet elemeire] 10.

színít [fémet] 11. hígít; gyengít
[fényképfürdőt] B. *vi* (le)fogy, (le)so-
ványodik
reduced [rɪ'dju:st; *US* -'du:-] *a* 1. csök-
kentett; ~ *prices* leszállított árak;
~ *rate(s)* kedvezményes/mérsékelt díj-
szabás 2. *in* ~ *circumstances* szűkös
körülmények között
reducer [rɪ'dju:sə*; *US* -'du:-] *n* 1. redu-
káló szer 2. gyengítő szer [fényképé]
reducible [rɪ'dju:səbl; *US* -'du:-] *a* csök-
kenthető, egyszerűsíthető
reducing [rɪ'dju:sɪŋ; *US* -'du:-] *a* 1.
csökkentő 2. redukáló 3. soványító
reduction [rɪ'dʌkʃn] *n* 1. leszállítás, re-
dukálás, csökken(t)és; ~(s) *in prices*
árleszállítás; *grant a'*~ árengedményt
ad 2. átszámítás [kisebb mértékegy-
ségre] 3. színítés
edundancy [rɪ'dʌndənsɪ] *n* 1. bőség
2. fölösleg(esség), létszámon felüli
mennyiség 3. terjengősség 4. redun-
dancia
redundant [rɪ'dʌndənt] *a* 1. bőséges
2. szükségtelen, fölösleges, létszám
fölötti, redundáns 3. bőbeszédű
reduplicate [rɪ'dju:plɪkeɪt; *US* -'du:-]
vt (meg)kettőz(tet), megdupláz, meg-
ismétel
reduplication [rɪdju:plɪ'keɪʃn; *US* -du:-]
n (meg)kettőzés
redwing *n* szőlőrigó
redwood *n US* kaliforniai szikvójafenyő
re-echo [ri:'ekoʊ] A. *vt* visszhangoz
B. *vi* visszhangzik
reed [ri:d] *n* 1. nád 2. nádas 3. nádsíp;
nádnyelv [oboáé stb.]; *the* ~*s* a fafúvó-
sok [nádnyelves hangszerek] 4. nyíl
re-edit [ri:'edɪt] *vt* 1. újból kiad [köny-
vet] 2. átstilizál [szöveget]
reed-mace *n* buzogánysás, gyékény
reed-stop *n* nyelvsíp [orgonában]
re-educate [ri:'edjʊkeɪt; *US* -dʒə-] *vt*
átnevel
reed-warbler *n* nádi poszáta
reedy ['ri:dɪ] *a* 1. náddal benőtt, nádas,
nádi 2. gyenge; karcsú, sudár 3. éles,
sipító [hang]
reef[1] [ri:f]I. *n take in a* ~ (1) bereffeli/
kurtítja a vitorlát, (be)reffel (2) *biz*
óvatosabban jár el; *let out the* ~ (1)

kireffel (2) *biz* megereszti a nadrág-
szíjat [ebéd után] II. *vt* ~ *in* bereffel,
kurtít [vitorlát]
reef[2] [ri:f] *n* 1. zátony 2. aranytartalmú
(tel)ér
reefer[1] ['ri:fə*] *n* tengerészkabát
reefer[2] ['ri:fə*] *n* marihuánás cigaretta
reek [ri:k] I. *n* 1. füst, kigőzölgés 2. bűz,
rossz/áporodott szag II. *vi* 1. füstöl,
(ki)gőzölög 2. bűzlik (*of* vmtől)
reeky ['ri:kɪ] *a* füstös; *Auld Reekie*
⟨Edinburgh skót beceneve⟩
reel [ri:l] I. *n* 1. tekercs, henger, cséve;
orsó, motolla; *off the* ~ gyorsan pereg-
ve, gyors egymásutánban 2. tekercse-
lő(dob) 3. filmtekercs 4. tántorgás
5. ⟨gyors skót tánc⟩ II. A. *vt* gombo-
lyít, teker(csel) B. *vi* tántorog; forog
(vk körül vm); szédül; *my brain* ~*s*
forog velem a világ, szédülök
reel in *vt* feltekercsel
reel off *vt* 1. letekercsel, legombolyít
2. ~ *off a verse* elhadar/ledarál egy
verset
reel up *vt* feltekercsel; felgombolyít
re-elect [ri:ɪ'lekt] *vt* újra megválaszt
re-election [ri:ɪ'lekʃn] *n* újraválasztás
re-embark [ri:ɪm'ba:k] A. *vi* újra hajóra
száll B. *vt* újra behajóz
re-enter [ri:'entə*] A. *vt* újra bejegyez
B. *vi* újra belép/bemegy; visszatér
re-entry [ri:'entrɪ] *n* újra belépés; vissza-
térés [űrhajóé]
re-establish [ri:ɪ'stæblɪʃ] *vt* 1. vissza-
helyez [hivatalába] 2. helyreállít
reeve [ri:v] *n* † ispán, felügyelő, elöljáró
re-examination ['ri:ɪgzæmɪ'neɪʃn] *n* 1.
felülvizsgálat 2. másodszori tanúki-
hallgatás
re-examine [ri:ɪg'zæmɪn] *vt* 1. újra meg-
vizsgál 2. újból kihallgat
re-export I. *n* [ri:'ekspɔ:t] újrakivitel,
reexportálás II. *vt* [ri:ek'spɔ:t] újra-
exportál, reexportál
ref [ref] *n biz* bíró, játékvezető
ref. *reference* hivatkozás
reface [rɪ:'feɪs] *vt* újravakol
refashion [ri:'fæʃn] *vt* átalakít, -formál
refection [rɪ'fekʃn] *n* 1. felfrissülés [étel-
től, italtól] 2. könnyű étkezés
refectory [rɪ'fekt(ə)rɪ] *n* ebédlő

refer [rɪ'fə:*] v -rr- A. vi ~ to sy/sg (1) céloz/utal/hivatkozik vkre/vmre (2) folyamodik/fordul vkhez/vmhez (3) vonatkozik vkre/vmre, illet vkt/vmt B. vt 1. ~ sy to sy vkt vkhez küld/utasít/utal; I was ~red to ... ... -hoz küldtek, azt mondták, forduljak ... -hoz; the reader is ~red to ... lásd még ... 2. ~ sg to sy vk elé terjeszt vmt [döntésre stb.]; ~ back visszaküld, elutasít 3. be ~red to as ... úgy nevezik/hívják („hogy ...)
referee [refə'ri:] I. n 1. döntőbíró 2. játékvezető, bíró II. vt vezet [mérkőzést]
reference ['refr(ə)ns] n 1. utalás, hivatkozás; célzás; ~ mark utalójel; ~ number hivatkozási szám; ~ O/L válaszában kérjük O/L jelre hivatkozni; with ~ to your letter hivatkozással levelére; make ~ to a book hivatkozik/ utal egy könyvre 2. tájékoztatás, felvilágosítás; ~ book/work kézikönyv, segédkönyv; ~ library kézikönyvtár 3. felvilágosítás (vkről); referencia; ajánlólevél 4. kapcsolat, vonatkozás; have ~ to sg vonatkozik vmre; in/with ~ to sg vmre vonatkozóan, vmvel kapcsolatban; without ~ to sg figyelmen kívül hagyva vmt, függetlenül vmtől 5. terms of ~ hatáskör [szerve]
referendum [refə'rendəm] n népszavazás
referent ['refrənt] n 1. téma, tárgy 2. a szóval megjelölt dolog
referential [refə'renʃl] a 1. vonatkozó; utaló 2. tájékoztató (jellegű)
referral [rɪ'fə:rəl] n 1. irányítás, utasítás, utalás, küldés 2. beutalás [orvosi]
referred [rɪ'fə:d] →refer
referring [rɪ'fə:rɪŋ] adv ~ to vmre vonatkozólag/hivatkozással || →refer
refill I. n ['ri:fɪl] utántöltés; betét [golyóstollba] II. vt [ri:'fɪl] újra tölt, feltölt, utánatölt
refine [rɪ'faɪn] A. vt 1. finomít, (meg-) tisztít 2. csiszol, palléroz [nyelvet], javít, finomabbá tesz [ízlést, erkölcsöt stb.] B. vi 1. tisztul; finomodik 2. ~ on/upon nemesít, csiszol
refined [rɪ'faɪnd] a 1. finom(ított) 2. kifinomult, csiszolt, választékos
refinement [rɪ'faɪnmənt] n 1. finomítás

2. kifinomultság; lack of ~ közönségesség 3. finom modor
refiner [rɪ'faɪnə*] n 1. finomítómunkás 2. tisztító-, rafináló-, finomítókészülék
refinery [rɪ'faɪnərɪ] n finomító [üzem]
refit I. n ['ri:fɪt] kijavítás, rendbe hozás II. vt [ri:'fɪt] -tt- 1. újra felszerel 2. kijavít, megjavít, helyreállít, rendbe hoz
reflect [rɪ'flekt] A. vt 1. visszaver, -sugároz, -tükröz; be ~ed visszaverődik, (vissza)tükröződik 2. átv (vissza-) tükröz, kifejez 3. ~ credit (up)on sy becsületére válik vknek; ~ discredit on sy rossz fényt vet vkre B. vi 1. visszaverődik, -tükröződik 2. ~ (up)on sy (1) vkre rossz fényt vet (2) (meg)kritizál vkt 3. töpreng, elmélkedik, gondolkodik (on, upon vmn)
reflection [rɪ'flekʃn] n 1. visszatükrözés 2. visszaverődés, -tükröződés, -vert fény/hő; tükörkép 3. elmélkedés; on ~ jobban meggondolva 4. gáncs, helytelenítés 5. megjegyzés, észrevétel
reflective [rɪ'flektɪv] a 1. visszatükröző 2. gondolkodó, töprengő, elmélkedő
reflector [rɪ'flektə*] n fényszóró, reflektor; ~ studs [úttestbe ágyazott] macskaszemek
reflex ['ri:fleks] I. a 1. ~ action reflexmozdulat 2. ~ camera tükörreflexes (fényképező)gép II. n reflex
reflexive [rɪ'fleksɪv] a visszaható
refloat [ri:'flout] vt [zátonyról] kiszabadít, úszóképessé tesz [hajót]
reflux ['ri:flʌks] n 1. visszafolyás 2. apály
refoot [ri:'fut] vt megfejel [harisnyát]
reforestation [ri:fɔrɪ'steɪʃn; US -fɔ:-] n = re-afforestation
reform[1] [rɪ'fɔ:m] I. n reform, megújulás II. A. vt megújít, megjavít, (meg-) reformál B. vi megújul, megjavul
re-form[2] [ri:'fɔ:m] A. vt újra megalakít, újra csatasorba állít B. vi (újra) sorakozik
reformation [rɛfə'meɪʃn] n 1. megújítás, megjavítás, megreformálás 2. megújulás, megjavulás 3. the R~ a hitújítás/reformáció
reformatory [rɪ'fɔ:mət(ə)rɪ; US -ɔ:rɪ] I. a megújító; reform- II. n javítóintézet

reformed [ri:'fɔ:md] a református
reformer [rɪ'fɔ:mə*] n 1. újító (személy)
2. reformátor
refract [rɪ'frækt] vt megtör [fényt]
refraction [rɪ'frækʃn] n fénytörés
refractive [rɪ'fræktɪv] a fénytörő; doubly
~ kettős törésű
refractory [rɪ'frækt(ə)rɪ] a 1. makacs
[személy, betegség] 2. tűzálló, hőálló
refrain¹ [rɪ'freɪn] n refrén
refrain² [rɪ'freɪn] vi ~ from (sg) tartóz-
kodik (vmtől), visszatartja magát
(vmtől)
refresh [rɪ'freʃ] vt 1. felüdít, (fel)frissít;
~ oneself (1) felfrissül, (2) frissítőt iszik
2. felfrissít [emlékezetet]
refresher [rɪ'freʃə*] n 1. üdítő ital 2. ~
course továbbképző tanfolyam, fejtá-
gító
refreshment [rɪ'freʃmənt] n 1. felüdítés
2. felüdülés 3. frissítő [ital]; (light) ~s
frissítők, büféáru, (mint felirat:) büfé;
have some ~s eszik vmt (v. vm hide-
get); ~ car büfékocsi; ~ room büfé,
bisztró, falatozó
refrigerate [rɪ'frɪdʒəreɪt] vt (le)hűt, be-
hűt, fagyaszt; ~d meat fagyasztott hús
refrigeration [rɪfrɪdʒə'reɪʃn] n (le)hűtés
refrigerator [rɪ'frɪdʒəreɪtə*] n hűtő-
szekrény, -készülék, frizsider; ~ van
hűtőkocsi
refuel [ri:'fjʊəl] vi -ll- (US -l-) üzem-
anyagot vesz fel, tankol
refuel(l)ing [ri:'fjʊəlɪŋ] n üzemanyag-
-felvétel
refuge ['refju:dʒ] n 1. menedék; haven
of ~ vészkikötő; night ~ éjjeli mene-
dékhely 2. járdasziget 3. óvóhely 4.
végső segítség, mentsvár
refugee [refjʊ'dʒi:] n menekült
refulgent [rɪ'fʌldʒ(ə)ns] n fény(esség),
ragyogás
refulgent [rɪ'fʌldʒ(ə)nt] a ragyogó, fé-
nyes, fénylő
refund I. n ['ri:fʌnd] visszatérítés II. vt
[ri:'fʌnd] megtérít, visszatérít, -fizet
refurbish [ri:'fə:bɪʃ] vt felfrissít, újra
rendbe hoz, újrafényez
refusal [rɪ'fju:zl] n 1. visszautasítás
elutasítás; megtagadás 2. the first ~
elővételi jog, opció

refuse I. n ['refju:s] hulladék, szemét;
~ bin szemétláda; ~ dump szemét-
domb, -lerakodó; ~ water szennyvíz
II. vt [rɪ'fju:z] visszautasít, elutasít;
megtagad; be ~d admittance nem en-
gedik be
refutation [refju:'teɪʃn] n 1. megcáfolás
2. cáfolat
refute [rɪ'fju:t] vt megcáfol
regain [rɪ'geɪn] vt 1. visszanyer, -szerez
2. újra elér [földrajzi helyet], újra el-
jut vhová
regal ['ri:gl] a királyi, fejedelmi
regale [rɪ'geɪl] vt (bőségesen) megvendé-
gel; ~ oneself jóllakik, lakomázik
regalia [rɪ'geɪljə] n pl 1. koronázási
jelvények, koronaékszerek 2. felség-
jogok
Regan ['ri:gən] prop
regard [rɪ'gɑ:d] I. n 1. tekintet, szem-
pont, vonatkozás; figyelem; in this ~
ebben a tekintetben/vonatkozásban;
in/with ~ to ... tekintettel ... -ra/-re;
pay ~ to sg tekintettel/figyelemmel
van vmre; pay no ~ to ügyet sem vet
vmre, nincs tekintettel vmre 2. tisz-
telet(adás), megbecsülés, elismerés;
have a great ~ for sy nagy elismeréssel/
tisztelettel van vk iránt 3. regards pl
üdvözlet; kind ~s szívélyes üdvözlet
II. vt 1. † néz, figyel, szemlél 2. ~ sg
as sg vmnek tart/tekint vmt 3. figye-
lembe vesz, mérlegel, megfontol, meg-
vizsgál 4. vonatkozik (vmre, vkre);
as ~s ..., ~ing ... ami ... -tilleti,
-ra/-re vonatkozólag, -t illetőleg
regardful [rɪ'gɑ:dfʊl] a 1. figyelmes
2. tiszteletteljes
regardless [rɪ'gɑ:dlɪs] a 1. figyelmetlen
2. ~ of sg vmre való tekintet nélkül(i);
~ (of expense) tekintet nélkül a költsé-
gekre; kerül, amibe kerül; biz he was
got up ~ kicsípte magát (és nem nézte
a költségeket)
regatta [rɪ'gætə] n evezősverseny, vitor-
lásverseny, regatta
regency ['ri:dʒ(ə)nsɪ] n kormányzóság,
régensség
regenerate [rɪ'dʒenəreɪt] A. vt megifjít,
megújít, újjászül, felújít B. vi újra
képződik, regenerálódik

regeneration [rɪdʒenə'reɪʃn] n 1. újjá-
születés, megújhodás; regenerálódás
2. újjáteremtés, regenerálás
regent ['ri:dʒ(ə)nt] n kormányzó, ré-
gens
regentship ['ri:dʒ(ə)nt-ʃɪp] n kormányzó-
ság
Reggie ['redʒɪ] prop ⟨Reginald becézett
alakja⟩
regicide ['redʒɪsaɪd] n 1. királygyilkos
2. királygyilkosság
régime, regime [reɪ'ʒi:m] n uralom,
(kormány)rendszer, rezsim
regimen ['redʒɪmen] n étrend, diéta;
életrend
regiment I. n ['redʒɪmənt] 1. ezred
2. tömeg 3. uralom II. vt ['redʒɪment]
1. ezredet alakít 2. (katonai) fegyel-
met gyakorol, parancsolgat (vknek)
regimental [redʒɪ'mentl] I. a ezred-;
~ colours ezredlobogó II. regimentals
n pl ezredegyenruha
regimentation [redʒɪmen'teɪʃn] n 1. ez-
redbeosztás 2. parancsolgatás
Regina [rɪ'dʒaɪnə] I. prop Regina II. n
az angol királynő
Reginald ['redʒɪnld] prop Reginald
region ['ri:dʒ(ə)n] n 1. táj(ék), vidék,
környék, körzet, régió 2. terület,
birodalom [tudományé stb.]
regional ['ri:dʒənl] a 1. területi, táji,
regionális 2. kerületi, helyi, körzeti
register ['redʒɪstə*] I. n 1. jegyzék,
nyilvántartás, nyilvántartó könyv/
napló, névjegyzék; anyakönyv; kata-
lógus; ~ of voters választói névjegyzék
2. hangterjedelem 3. regiszter [orgo-
nán] 4. jelzőkészülék, számláló II. A.
vt 1. beiktat, jegyzékbe/nyilvántartás-
ba vesz, bejegyez 2. mutat, jelez
[műszer] 3. kifejez [arcjátékkal érzel-
met stb.] 4. ajánlva ad fel [levelet];
felad [poggyászt] B. vi 1. ~ at a hotel
bejelenti magát, bejelentkezik [szál-
lodában] 2. it doesn't ~ (with me) ez
nem mond nekem semmit ‖→ ton 2.
registered ['redʒɪstəd] a 1. ajánlott
[küldemény]; feladott [poggyász]; ~
letter ajánlott levél; ~ parcel értékcso-
mag; ~ post ajánlott (postai) külde-
mény 2. bejegyzett, nyilvántartott

registrar [redʒɪ'strɑ:*] n anyakönyvve-
zető; irattáros; egyetemi irodavezető
registration [redʒɪ'streɪʃn] n 1. beírás,
bejegyzés, (be)iktatás; nyilvántartás-
(ba vétel); bejelentkezés [szállodába
stb.]; jelentkezés [részvételre]; ~ book
forgalmi engedély [gépkocsié]; ~ form
bejelentőlap; jelentkezési lap; ~ num-
ber (forgalmi) rendszám; ~ plate
rendszámtábla; ~ of marriage házassá-
gi anyakönyvezés 2. ajánlottként való
feladás [levélé]; feladás [csomagé]; ~
fee (1) ajánlási díj [postai] (2) beirat-
(koz)ási díj 3. beiratkozás [egyetemre
stb.]
registry ['redʒɪstrɪ] n 1. iktató(hivatal),
nyilvántartó (hivatal); ~ (office) anya-
könyvi hivatal; be married at a ~ office
polgári házasságot köt; ~ court cég-
bíróság 2. = registration 1.; port of ~
illetőségi kikötő 3. ~ (office) munka-
közvetítő (hivatal)
Regius ['ri:dʒjəs] a ~ professor GB
(állami tanszéken működő) egyetemi
tanár
regress I. n ['ri:gres] 1. hátrafelé hala-
dás, visszatérés 2. visszafejlődés II. vi
[rɪ'gres] 1. visszafelé halad 2. vissza-
fejlődik
regression [rɪ'greʃn] n 1. visszatérés,
visszafelé haladás/menés 2. vissza-
fejlődés, -esés
regressive [rɪ'gresɪv] a 1. visszafelé ha-
ladó 2. visszafejlődő, -eső, csökkenő;
hátraható, regresszív
regret [rɪ'gret] I. n 1. sajnálat; sajnál-
kozás; much to my ~ legnagyobb saj-
nálatomra 2. regrets pl lemondás,
visszamondás [meghívásé]; ~s only
⟨választ csak akkor kérünk, ha a
meghívásnak nem tud eleget tenni⟩
3. megbánás II. vt -tt- 1. sajnál (vmt),
sajnálkozik (vm miatt); ~ doing sg,
~ that . . . sajnálja/bánja, hogy vmt
tett; it is to be ~ted that . . . sajnos . . .,
sajnálatos, hogy . . . 2. megbán vmt
regretful [rɪ'gretfʊl] a sajnálkozó
regrettable [rɪ'gretəbl] a sajnálatos
regroup [ri:'gru:p] vt átcsoportosít, át-
rendez, újraosztályoz
Regt. regiment

regular ['regjʊlə*; *US* -jə-] I. *a* 1. szabályos, szabályszerű, rendszeres, pontos 2. rendes, szokásos, állandó, megszokott; ~ *customer* állandó vevő; ~ *staff* állandó alkalmazottak;~ *visitor* rendszeres/sűrű látogató 3. tényleges; ~ *army* állandó hadsereg; ~ *officer* tényleges tiszt 4. *biz* teljes, tökéletes; *US a* ~ *guy* rendes fickó II. *n* 1. tényleges/hivatásos katona 2. szerzetes 3. *biz* állandó/rendszeres vevő/látogató; törzsvendég

regularity [regjʊ'lærətɪ; *US* -jə-] *n* rendszeresség, szabályszerűség, szabályosság

regularize ['regjʊləraɪz; *US* -jə-] *vt* 1. rendez, szabályoz 2. törvényessé tesz

regularly ['regjʊləlɪ; *US* -jə-] *adv* 1. szabályosan, pontosan ,rendesen 2. rendszeresen 3. *biz* teljesen, alaposan

regulate ['regjʊleɪt; *US* -jə-] *vt* 1. szabályoz, beállít, (be)igazít [órát, gépet stb.]; rendbe hoz 2. irányít, szabályoz [ügyeket, forgalmat stb.]

regulation [regjʊ'leɪʃn; *US* -jə-] *n* 1. szabályozás, beállítás, beigazítás 2. szabályzat; ~s (rend)szabályok; előírások, rendelkezések; *traffic* ~s közlekedési szabályok 3. szabvány; *of* ~ *size* előírásos méretű/nagyságú

regulator ['regjʊleɪtə*; *US* -jə-] *n* szabályozó (készülék), regulátor

regurgitate [rɪ'gə:dʒɪteɪt] A. *vt* felöklendez; kiokád B. *vi* visszafolyik

rehabilitate [ri:ə'bɪlɪteɪt; *US* ri:hə-] *vt* rehabilitál

rehabilitation ['ri:əbɪlɪ'teɪʃn; *US* 'ri:hə-] *n* rehabilitáció; ~ *centre* rehabilitációs intézet/központ

rehash [ri:'hæʃ] *vt* [régi anyagot] újra feldolgoz

rehear [ri:'hɪə*] *vt* (*pt/pp* ~d -'hə:d] újra tárgyal/megvizsgál

rehearsal [rɪ'hə:sl] *n* 1. ismétlés 2. [színházi] próba; *dress* ~ (jelmezes) főróba

rehearse [rɪ'hə:s] *vt* 1. próbát tart, (el)próbál [jelenetet stb.] 2. ismétel, újra elmond 3. felsorol

reheat [ri:'hi:t] *vt* újra hevít/melegít

rehouse [ri:'haʊz] *vt* átköltöztet, új házakban/lakásokban helyez el

reign [reɪn] I. *n* uralkodás, uralom II. *vi* uralkodik

reimburse [ri:ɪm'bə:s] *vt* visszafizet, -térít, megtérít

reimbursement [ri:ɪm'bə:smənt] *n* visszafizetés, -térítés, megtérítés

reimport [ri:ɪm'pɔ:t] *vt* újra behoz [kivitt árut], reimportál

reimportation ['ri:ɪmpɔ:'teɪʃn] *n* újrabehozatal

rein [reɪn] I. *n* gyeplő, kantárszár; *give the* ~ *to* szabadjára enged, szabad folyást enged; *keep a tight* ~ *on sy* szorosra fog vkt; *take the* ~s kezébe veszi a gyeplőt [a dolgok irányítását] II. *vt* megzaboláz, megfékez, féken tart; ~ *in* megállít, lépésre fog [lovat], megzaboláz (vkt); ~ *up* (1) megállít (2) megfékez ‖ →*reins*

reincarnation [ri:ɪnkɑ:'neɪʃn] *n* újra megtestesülés, reinkarnáció

reindeer ['reɪndɪə*] *n* (*pl* ~) rénszarvas

reinforce [ri:ɪn'fɔ:s] *vt* megerősít; ~d *concrete* vasbeton

reinforcement [ri:ɪn'fɔ:smənt] *n* 1. (meg)erősítés 2. (meg)erősödés, fokozódás 3. reinforcements *pl* [katonai] utánpótlás

reins [reɪnz] *n pl* † 1. a vesék [bibliai értelemben is] 2. lágyéktájék ‖ →*rein*

reinstall [ri:ɪn'stɔ:l] *vt* visszahelyez, újra behelyez

reinstate [ri:ɪn'steɪt] *vt* visszahelyez; újból beiktat

reinsurance [ri:ɪn'ʃʊər(ə)ns] *n* viszontbiztosítás

reinsure [ri:ɪn'ʃʊə*] *vt* viszontbiztosít

reinvest [ri:ɪn'vest] *vt* újból befektet

reinvestment [ri:ɪn'vestmənt] *n* újbóli befektetés

reinvigorate [ri:ɪn'vɪgəreɪt] *vt* felüdít; újra megerősít, új erőt ad

reissue [ri:'ɪʃu:] I. *n* új(ra) kibocsátás; új kiadás II. *vt* újra kibocsát/kiad

reiterate [ri:'ɪtəreɪt] *vt* ismétel, hajtogat

reiteration [ri:ɪtə'reɪʃn] *n* 1. ismételgetés 2. ismétlés 3. ismételt elkövetés

reject I. *n* ['ri:dʒekt] 1. visszautasított/elutasított személy/dolog 2. selejt; *export* ~s exportból visszamaradt áru; ~ *shop* kb. alkalmi áruk háza 3.

szervezetből kivetett/kilökődött átültetett szövet/szerv II. *vt* [rɪ'dʒekt] 1. visszautasít, elutasít, elvet, nem fogad el 2. kiselejtez 3. felöklendez; kihány 4. kivet [átültetett szövetet/ szervet szervezet] **rejection** [rɪ'dʒekʃn] *n* 1. visszautasítás, elutasítás, elvetés 2. **rejections** *pl* selejt(es holmi) 3. kilökődés [átültetett szöveté/szervé szervezetből] **rejig** [ri:'dʒɪg] *vt* -gg- *biz* új gépekkel szerel fel, új fajta munkára állít át [üzemet] **rejoice** [rɪ'dʒɔɪs] A. *vi* ~ at/in/over *sg* örül/örvend(ezik) vmnek, élvez vmt B. *vt* megörvendeztet **rejoicing** [rɪ'dʒɔɪsɪŋ] I. *a* 1. örvendetes 2. vidám, örvendő II. *n* 1. boldogság, öröm 2. **rejoicings** *pl* ünneplés, mulatság, vidámság **rejoin**[1] [ri:'dʒɔɪn] *vt* 1. újra egyesít, újból egymásba illeszt 2. (újból) csatlakozik (vkhez, vmhez) **rejoin**[2] [rɪ'dʒɔɪn] *vi* válaszol, felel **rejoinder** [rɪ'dʒɔɪndə*] *n* (viszon)válasz **rejuvenate** [rɪ'dʒu:vɪneɪt] A. *vt* megfiatalít B. *vi* megfiatalodik, megifjul **rejuvenation** [rɪdʒu:vɪ'neɪʃn] *n* 1. megfiatalítás 2. megfiatalodás **rekindle** [ri:'kɪndl] A. *vt* újra meggyújt B. *vi* újból lángra lobban **relaid** →relay[2] **relapse** [rɪ'læps] I. *n* visszaesés, rosszabbodás II. *vi* visszaesik, hanyatlik, rosszabbodik **relate** [rɪ'leɪt] A. *vt* 1. elmond, elbeszél 2. összekapcsol, vonatkozásba/összefüggésbe hoz (*sg to sg* vmt vmvel); *be ~d to sg* összefüggésben/kapcsolatban van/áll vmvel 3. *be ~d to sy* rokonságban van vkvel, rokona vknek; *be ~d by marriage* sógorsági viszonyban van(nak) B. *vi* 1. kapcsolatban van, összefügg 2. vonatkozik, utal (*to* vmre) **related** [rɪ'leɪtɪd] *a* összefüggő, kapcsolatban levő; rokon **relating** [rɪ'leɪtɪŋ] *a* ~ *to* . . . . . . -ra/-re vonatkozó/utaló **relation** [rɪ'leɪʃn] *n* 1. elmondás, elbeszélés 2. vonatkozás, kapcsolat, vi-

szony; arány; *bear a ~ to sg* kapcsolatban/összefüggésben van vmvel, vonatkozik vmre; *in ~ to* (vmre/vkre) vonatkozólag, vmt illetőleg; *out of all ~ to sg* semmiképp sem arányos (v. áll arányban) vmvel; *break off all ~s with sy* minden összeköttetést/kapcsolatot megszakít vkvel 3. rokon; *near ~* közeli rokon **relationship** [rɪ'leɪʃnʃɪp] *n* 1. rokonság 2. kapcsolat, összefüggés, viszony **relative** ['relətɪv] I. *a* 1. viszonylagos, relatív 2. vonatkozó [névmás stb.] 3. ~ *to* vmre vonatkozó(lag), vmt illetőleg/illetően II. *n* rokon **relatively** ['relətɪvlɪ] *adv* aránylag, viszonylag **relativity** [relə'tɪvətɪ] *n* viszonylagosság, relativitás **relax** [rɪ'læks] A. *vt* megereszt, (meg-) lazít, elernyeszt; enyhít; pihentet; ~ *the bowels* hasmenést csinál, meghajt B. *vi* gyengül, elernyed, ellankad, alábbhagy; kipiheni magát; lazít **relaxation** [ri:læk'seɪʃn] *n* 1. meglazítás 2. elernyedés, (meg)lazulás 3. pihenés, kikapcsolódás; lazítás 4. büntetés egy részének elengedése **relaxing** [rɪ'læksɪŋ] *a* 1. bágyasztó 2. (has)hajtó **relay**[1] I. *n* ['ri:leɪ] 1. váltás, váltott lovak; ~ *race* váltó(futás), staféta 2. relé, jelfogó 3. sugárzás, továbbítás; ~ *station* közvetítőállomás 4. szabályozó (motor), szervomotor II. *vt* [ri:'leɪ v. 'ri:leɪ] (*pt/pp* ~ed -'leɪd v. -leɪd) [rádió- v. tévéadást] továbbít, közvetít, sugároz **relay**[2] [ri:'leɪ] *vt* (*pt/pp* **relaid** ri:'leɪd) újra lerak/fektet **release**[1] [rɪ'li:s] I. *n* 1. szabadon bocsátás, elengedés; felmentés 2. felszabadulás [pl. energiáé] 3. forgalomba hozatal [filmé] 4. (jog)átruházás, tulajdonátruházás 5. kioldás, ledobás [bombáé repgépről] 6. kikapcsolás; kiakasztás [rugóé]; kiengedés [féké]; ~ *gear* kioldószerkezet 7. ütőrugó, csappantó 8. árammegszakító; kapcsoló II. *vt* 1. elereszt, elenged; kiold, ledob [bombát]; kienged [féket]

2. szabadon bocsát [foglyot] 3. enyhít, csökkent; megszabadít [fájdalomtól, szenvedéstől] 4. forgalomba hoz, bemutat [filmet] 5. felment, mentesít [kötelezettség alól] 6. közzétesz [híranyagot] 7. átruház

re-lease² [ri:'li:s] vt újra bérbe ad

relegate ['relɪgeɪt] vt 1. száműz 2. alacsonyabb sorba süllyeszt, eltávolít; leminősít, lejjebb sorol 3. ~ to vhová utal, döntésre átküld

relegation [relɪ'geɪʃn] n 1. száműzés 2. lejjebb sorol(tat)ás

relent [rɪ'lent] vi enged; meglágyul; megengesztelődik; megkönyörül

relentless [rɪ'lentlɪs] a könyörtelen

relevance ['relǝvǝns] n 1. fontosság 2. tárgyhoz tartozás

relevancy ['relǝvǝnsɪ] n = relevance

relevant ['relǝvǝnt] a 1. fontos, lényeges, idevágó, tárgyhoz tartozó, tárgyra vonatkozó; ~ to vkre/vmre vonatkozó 2. jelentőségteljes, mondanivalóval bíró, releváns

reliability [rɪlaɪǝ'bɪlǝtɪ] n megbízhatóság

reliable [rɪ'laɪǝbl] a megbízható

reliance [rɪ'laɪǝns] n bizalom, bizodalom

reliant [rɪ'laɪǝnt] a be ~ on bízik vkben/vmben

relic ['relɪk] n 1. ereklye 2. relics pl földi maradványok 3. emlék

relict ['relɪkt] n † özvegy

relied →rely

relief¹ [rɪ'li:f] n 1. megkönnyebbülés; enyhülés; heave a sigh of ~ megkönnyebbülten sóhajt fel 2. enyhítés, könnyítés 3. segítség, segély(ezés); GB † községély; ~ work szükségmunka; be on the ~ roll községélyben részesül 4. felszabadítás, felmentés [ostromlott városé]; felmentő sereg; ~ party felváltó osztag 5. tehermentesítés; engine kisegítő mozdony, vontatómozdony; ~ road terelőút; ~ train mentesítő vonat

relief² [rɪ'li:f] n (high) ~ dombormű; low ~ síkdombormű; bring/throw into ~ kihangsúlyoz, kidomborít, kiemel; ~ map domborzati térkép

relieve [rɪ'li:v] vt 1. könnyít, enyhít; ~ oneself/nature szükségét elvégzi 2.

segít; relieving officer jótékonysági biztos 3. felment 4. felvált [őrséget] 5. tehermentesít; ~ sy of sg (1) levesz vkről vmt [terhet]; felment vkt vm alól [kötelezettség alól] (2) biz „megszabadít" vkt vmtől [= ellopja] (3) felment [állásából]; relieving arch teherelosztó boltív 6. kiemel, domborít

relight [ri:'laɪt] vt (pt/pp relit -'lɪt] újra meggyújt

religion [rɪ'lɪdʒ(ǝ)n] n vallás

religious [rɪ'lɪdʒǝs] a 1. vallásos 2. vallási

reline [ri:'laɪn] vt újra bélel/behúz

relinquish [rɪ'lɪŋkwɪʃ] vt lemond (vmről), felad, abbahagy

reliquary ['relɪkwǝrɪ; US -erɪ] n ereklyetartó

relish ['relɪʃ] I. n 1. íz, ízletesség, zamat 2. fűszer 3. étvágy, gusztus (átv is); eat sg with ~ jó étvággyal eszik vmt; have a ~ for sg szeret/kíván vmt, ínyére van vm II. vt 1. ízesít 2. étvággyal eszik 3. ínyére van, tetszik, élvez, szeret (vmt)

relit →relight

relive [ri:'lɪv] vt/vi újra (át)él

reload [ri:'loʊd] vt újra megtölt/megrak

relocate [ri:loʊ'keɪt: US -'loʊ-] vt áthelyez, áttelepít

reluctance [rɪ'lʌktǝns] n 1. idegenkedés, vonakodás 2. reluktancia

reluctant [rɪ'lʌktǝnt] a vonakodó; kelletlen; be ~ to . . . vonakodik (vmt tenni), vonakodva (tesz vmt)

reluctantly [rɪ'lʌktǝntlɪ] adv nem szívesen, vonakodva, kelletlenül

rely [rɪ'laɪ] vi (pt/pp relied -'laɪd] ~ (up)on sy/sg (meg)bízik vkben/vmben, épít/számít vkre/vmre

remade →remake

remain [rɪ'meɪn] I. n remains pl (1) maradék(ok); maradvány(ok) (2) emlékek; [írói] hagyaték (3) (mortal) ~s földi maradványok, hamvak II. vi 1. (meg)marad; it ~s to be seen majd elválik; ~ on hand nyakán/eladatlan marad; ~ silent nem szól, hallgat 2. tartózkodik, marad

remainder [rɪ'meɪndǝ*] n 1. maradék, maradvány 2. eladatlan/visszamaradt

példányok [könyvből] 3. fennmaradó összeg
remaining [rɪ'meɪnɪŋ] *a* megmaradó
remake [ri:'meɪk] *vt* (*pt/pp* -made -'meɪd) újra (meg)csinál; átalakít
remand [rɪ'mɑːnd; *US* -'mænd] I. *n* vizsgálati fogságban tartás; *GB* ~ *home* kb. nevelőintézet [fiatalkorú bűnözők számára] II. *vt* vizsgálati fogságban tart
remark [rɪ'mɑːk] I. *n* megjegyzés, észrevétel II. A. *vt* 1. észrevesz 2. megjegyez B. *vi* megjegyzést tesz (*on, upon* vmre)
remarkable [rɪ'mɑːkəbl] *a* figyelemre méltó, nevezetes; ~ *for sg* híres/nevezetes vmről
remarkably [rɪ'mɑːkəblɪ] *adv* rendkívül
remarry [ri:'mærɪ] *vi* újból megházasodik/megnősül (ill. férjhez megy)
remediable [rɪ'mi:djəbl] *a* orvosolható
remedial [rɪ'mi:djəl] *a* 1. gyógyító, gyógy- 2. *átv* javító; ~ *instruction* korrepetálás; ~ *reading* megtanítás helyes/gyors olvasásra
remedy ['remɪdɪ] I. *n* 1. orvosság, gyógyszer, ellenszer (*for* vmre, vm ellen) 2. orvoslás; jogorvoslat II. *vt* orvosol, helyrehoz
remember [rɪ'membə*] *vt/vi* 1. emlékszik, emlékezik (vkre, vmre); nem felejt el (vkt, vmt v. *doing sg* vmt megtenni) 2. eszébe jut (vk, vm); gondol (vkre valahogy) 3. megemlékezik [vkről adománnyal] 4. *please* ~ *me to* . . . adja át szíves üdvözletemet . . . -nak/-nek, üdvözölje . . . -t a nevemben
remembrance [rɪ'membr(ə)ns] *n* 1. emlékezés, emlék; *in* ~ *of* emlékére 2. emlékezet 3. emlék(tárgy) 4. **remembrances** *pl* üdvözlet, jókívánság
remilitarize [ri:'mɪlɪtəraɪz] *vt* újra felfegyverez
remind [rɪ'maɪnd] *vt* ~ *sy of sg* vkt vmre emlékeztet, vknek (az) eszébe juttat vmt; ~ *sy to do sg* emlékeztet/figyelmeztet vkt, hogy vmt meg kell tennie; *that* ~*s me!* erről jut eszembe!, apropó!
reminder [rɪ'maɪndə*] *n* 1. emlékeztető 2. figyelmeztetés, felszólítás

reminisce [remɪ'nɪs] *vi* emlékeiről beszél
reminiscence [remɪ'nɪsns] *n* 1. visszaemlékezés, reminiszcencia 2. emlék
reminiscent [remɪ'nɪsnt] *a be* ~ *of* emlékezik/emlékeztet . . . -ra/-re
remiss [rɪ'mɪs] *a* hanyag, pontatlan, lusta
remission [rɪ'mɪʃn] *n* 1. megbocsátás 2. elengedés [adósságé] 3. csökkenés [lázé, izgalomé], enyhülés
remit [rɪ'mɪt] *v* -tt- A. *vt* 1. megbocsát 2. elenged [büntetést, adósságot] 3. átutal, utalványoz, elküld [összeget]; kiegyenlít [tartozást]; *kindly* ~ *by cheque* szíveskedjék az összeget csekken befizetni 4. átküld [döntésre], áttesz [más bírósághoz] 5. csökkent, mérsékel 6. elhalaszt B. *vi* csökken, alábbhagy
remittal [rɪ'mɪtl] *n* 1. elengedés [büntetésé] 2. átküldés, visszaküldés
remittance [rɪ'mɪt(ə)ns] *n* 1. átutalás, utalványozás [pénzé] 2. átutalt összeg; ~ *man* ⟨aki külföldön otthonról küldött pénzből él⟩
remittent [rɪ'mɪtənt] *a* váltakozó, átmenetileg csökkenő [láz]
remitter [rɪ'mɪtə*] *n* feladó, küldő
remnant ['remnənt] *n* maradvány, maradék; ~ *shop* maradékbolt
remodel [ri:'mɔdl; *US* -ɑ-] *vt* -ll- (*US* -l-) újra mintáz; újjáalakít, átdolgoz
remold →**remould**
remonstrance [rɪ'mɔnstr(ə)ns; *US* -ɑn-] *n* 1. (heves) tiltakozás, kifogás(olás) 2. tiltakozó felirat; intelem
remonstrate ['remənstreɪt] *vi* tiltakozik, kifogásol, óvást emel (*against* vm ellen), panaszt tesz (*about* vm miatt)
remorse [rɪ'mɔːs] *n* lelki(ismeret-)furdalás, bűntudat, bűnbánat
remorseful [rɪ'mɔːsfʊl] *a* bűnbánó
remorseless [rɪ'mɔːslɪs] *a* könyörtelen
remote [rɪ'moʊt] *a* 1. távoli; ~ *control* távirányítás; *I haven't the* ~*st idea* halvány sejtelmem sincs (róla) 2. magányos, zárkózott
remoteness [rɪ'moʊtnɪs] *n* távoliság
remould, *US* -**mold** [ri:'moʊld] *vt* újra formáz, átformál
remount I. *n* ['ri:maʊnt] pótló, remonda

II. vt/vi [riː'maʊnt] 1. újra lóra száll; újra felül [kerékpárra] 2. újra felmászik 3. újból felragaszt

removable [rɪ'muːvəbl] a 1. elmozdítható, eltávolítható 2. levehető, leszerelhető 3. szállítható

removal [rɪ'muːvl] n 1. eltávolítás, elvitel, elszállítás 2. elköltözés, költözködés, hurcolkodás; ~ van bútorszállító kocsi 3. elbocsátás [állásból]

remove [rɪ'muːv] I. n 1. távolság; közbeeső fokozat; only one ~ from csak egy ugrás(nyi)ra (vmtől); at one ~ egy fokkal odább; közvetve és másodfokon 2. GB osztály [iskolában]; get one's ~ felsőbb osztályba léphet II. A. vt 1. eltávolít, elmozdít; eltesz; elvisz, levesz, leszed, leszerel; áthelyez 2. kitöröl, eltávolít, eltüntet [bűnjelet, nyomot, foltot] 3. megszüntet, kiküszöböl 4. elmozdít [állásból], eltávolít [iskolából]; be far ~d from sg távol áll vmtől B. vi elköltözik

remover [rɪ'muːvə*] n 1. (összetételekben:) hair-~ szőrtelenítő; stain-~ folttisztító szer 2. bútorszállító

remunerate [rɪ'mjuːnəreɪt] vt díjaz, (meg)jutalmaz, honorál

remuneration [rɪmjuːnə'reɪʃn] n 1. díjazás, ellenszolgáltatás; megtérítés 2. díj, jutalom, fizetség

remunerative [rɪ'mjuːn(ə)rətɪv; US -reɪ-] a kifizetődő, előnyös, hasznos

renaissance, R~ [rə'neɪs(ə)ns; US 'renəsɑːns] n reneszánsz

renal ['riːnl] a vese-; ~ calculus vesekő

renascence [rɪ'næsns] n 1. újjászületés, megújhodás 2. reneszánsz

renascent [rɪ'næsnt] a újjászülető

rend [rend] vt (pt/pp rent rent) hasít, szakít, szaggat

render ['rendə*] vt 1. nyújt, ad; viszonoz; ~ thanks köszönetet mond 2. benyújt, bemutat [számlát] 3. (le)fordít [into más nyelvre] 4. tolmácsol, előad [művet előadó] 5. tesz vmlyenné 6. kiolvaszt, kisüt [zsírt] 7. vakol

rendering ['rend(ə)rɪŋ] n 1. tolmácsolás, interpretálás, előadás [zeneműé] 2. fordítás 3. adás, nyújtás [segítségé] 4. kiolvasztás [zsíré] 5. vakolás

rendezvous ['rɒndɪvuː:; US 'rɑːn-] n találka, légyott, randevú

rendition [ren'dɪʃn] n 1. fordítás 2. = rendering 1.

renegade ['renɪgeɪd] n hitehagyott, renegát

reneg(u)e [rɪ'niːg; US -'nɪg] vi biz ~ (on sg) megszegi a szavát, visszakozik, visszatáncol

renew [rɪ'njuː:; US -'nuː:] A. vt 1. megújít, felújít; megismétel; be ~ed megújul 2. felfrissít, kicserél B. vi megújul, felújul

renewable [rɪ'njuːəbl; US -'nuː:-] a megújítható

renewal [rɪ'njuːəl; US -'nuː:-] n 1. megújítás 2. meghosszabbítás 3. megújulás

rennet[1] ['renɪt] n ranett [alma]

rennet[2] ['renɪt] n tejoltó

renounce [rɪ'naʊns] I. n renonsz [kártyában] II. A. vt 1. lemond (vmről), felad [jogot, elvet stb.] 2. megtagad B. vi renonszot csinál

renouncement [rɪ'naʊnsmənt] n 1. megtagadás 2. lemondás

renovate ['renəveɪt] vt megújít, helyreállít, renovál, restaurál

renovation [renə'veɪʃn] n megújítás, helyreállítás, renoválás, restaurálás

renown [rɪ'naʊn] n hírnév, renomé; win ~ hírnévre tesz szert

renowned [rɪ'naʊnd] a híres, neves

rent[1] [rent] n szakadás (átv is), hasadás, repedés

rent[2] [rent] I. n 1. bér(leti díj); lakbér; US for ~ kiadó, (ki)bérelhető 2. járadék II. A. vt 1. (ki)bérel, bérbe vesz; ~ a car kocsit bérel/kölcsönöz 2. bérbe ad B. vi the house ~s at £70 a year a ház évi bére 70 font

rent[3] →rend

rentable ['rentəbl] a (ki)bérelhető, bérbe vehető/adható

rent-a-car [rentə'kɑː:*] US „rent a car" kocsi, bérautó ‖ →rent[2] II. A. 1.

rental ['rentl] n 1. bér(összeg); bérleti/ kölcsönzési díj 2. bérjövedelem 3. bérlet, bérlemény; car ~ gépkocsikölcsönzés

rent-day n (lak)bérfizetési nap

renter ['rentə*] n 1. bérlő 2. filmkölcsönző
rent-free a (lak)bérmentes
rent-roll n 1. bérlők jegyzéke 2. teljes
bérhozam
renunciation [rɪnʌnsɪ'eɪʃn] n 1. megta-
gadás [kötelezettségé], felmondás
[szerződésé] 2. lemondás [vmről]
reopen [ri:'oʊp(ə)n] A. vt 1. újra kinyit/
megnyit 2. újrakezd B. vi újra meg-
nyílik/megkezdődik
reorganization ['ri:ɔ:gənaɪ'zeɪʃn; US
-nɪ'z-] n újjászervezés, átszervezés
reorganize [ri:'ɔ:gənaɪz] vt újjászervez,
átszervez
rep¹ [rep] n ripsz
rep² [rep] n biz felelés [iskolában]
rep³ [rep] n biz = repertory theatre
Rep. US 1. Representative 2. Republican
repack [ri:'pæk] vt újra (be)csomagol
repaid → repay
repaint [ri:'peɪnt] vt újra (be)fest/mázol
repair¹ [rɪ'peə*] I. n 1. (ki-, meg)javítás,
rendbehozás, tatarozás; ~s javítások,
javítási munkák; be under ~ javítás
alatt van; "Road Under R~" „Úton
folyó munkák"; ~ shop javítóműhely,
autójavító; beyond ~ helyrehozhatat-
lan(ul) 2. állapot; in good ~ jó álla-
potban/karban; out of ~ rossz álla-
potban/karban II. vt 1. kijavít, meg-
javít, rendbe hoz 2. orvosol, helyre-
hoz; jóvátesz [igazságtalanságot]
repair² [rɪ'peə*] vi vhova megy/menekül
repairer [rɪ'peərə*] n (autó)javító, sze-
relő; karbantartó
repairman [rɪ'peəmən] n (pl -men -mən)
= repairer
reparable ['rep(ə)rəbl] a kijavítható
reparation [repə'reɪʃn] n 1. helyreállítás,
(ki)javítás 2. reparations pl jóvátétel
repartee [repɑ:'ti:] n visszavágás
repast [rɪ'pɑ:st; US -'pæst] n étkezés
repatriate [ri:'pætrɪeɪt; US -'peɪ-] I. vt
haz telepít, visszahonosít, repatriál
II. n hazatelepített személy
repatriation [ri:pætrɪ'eɪʃn; US -peɪ-]
n hazatelepítés, visszahonosítás, re-
patriálás
repay [ri:'peɪ] vt (pt/pp repaid -'peɪd] 1.
visszafizet (átv is), megtérít, kiegyen-
lít 2. visszonoz (sy for sg vknek vmt)

repayable [ri:'peɪəbl] a 1. visszafizet-
hető 2. visszafizetendő
repayment [ri:'peɪmənt] n visszafizetés,
megtérítés
repeal [rɪ'pi:l] I. n hatálytalanítás, eltör-
lés II. vt hatálytalanít, megsemmisít,
felfüggeszt, eltöröl, visszavon
repeat [rɪ'pi:t] I. n 1. (meg)ismétlés
2. ismétlődés 3. ~ (order) utánrendelés
4. [zenei] ismétlőjel II. A. vt 1. (meg-)
ismétel; újra elmond 2. felmond [lec-
két], elismétel B. vi ismétel [óra]
2. (meg)ismétlődik 3. feljön [étel íze],
felböfög 4. US többször szavaz [u-
gyanazon a választáson]
repeated [rɪ'pi:tɪd] a ismételt
repeatedly [rɪ'pi:tɪdlɪ] adv ismételten,
többször, újra meg újra
repeater [rɪ'pi:tə*] n 1. ismétlő (sze-
mély/gép) 2. (osztály)ismétlő [tanuló]
3. ismétlőfegyver 4. ütőműves ismét-
lőóra 5. szakaszos tört 6. US [válasz-
táson törvényellenesen] többször sza-
vazó (személy)
repeating [rɪ'pi:tɪŋ] a 1. ismétlő; ~ rifle
ismétlőfegyver 2. ismétlődő
repel [rɪ'pel] vt -ll- 1. visszaűz [ellensé-
get], visszaver [támadást] 2. vissza-
utasít, elutasít 3. visszataszít
repellent [rɪ'pelənt] I. a 1. visszataszító,
undorító 2. víztaszító, -lepergető II. n
rovarriasztó (szer)
repelling [rɪ'pelɪŋ] a visszataszító
repent [rɪ'pent] vt/vi megbán [bűnt
stb.], (meg)bánja bűneit
repentance [rɪ'pentəns] n bűnbánat,
megbánás, töredelem
repentant [rɪ'pentənt] a bűnbánó
repercussion [ri:pə'kʌʃn] n 1. vissza-
verődés, -pattanás. -lökés 2. utóhatás,
visszahatás
repertoire ['repətwɑ:*] n repertoár
repertory ['repət(ə)rɪ; US~-ɔ:rɪ] n 1.
gyűjtemény, (adat)tár, repertórium;
átv tárháza vmnek, kincsesház 2. re-
pertoár; ~ company kb. állandó szín-
társulat; ~ theatre repertoárszínház
repetition [repɪ'tɪʃn] n 1. (meg)ismétlés
2. (meg)ismétlődés 3. felmondás [lec-
kéé], felelés
repetitive [rɪ'petətɪv] a ismétlődő

repine [rɪ'paɪn] *vi* elégedetlenkedik, zúgolódik (*at*/*against* vm miatt)
replace [rɪ'pleɪs] *vt* 1. visszatesz, -helyez 2. pótol, helyettesít, kicserél, felvált (*by*/*with* vkvel, vmvel) 3. helyébe lép (vmnek), kiszorít (vmt)
replaceable [rɪ'pleɪsəbl] *a* pótolható, helyettesíthető, kicserélhető
replacement [rɪ'pleɪsmənt] *n* 1. visszahelyezés 2. helyettesítés; pótlás, kicserélés 3. **replacements** *pl* tartalék alkatrészek
replant [ri:'plɑ:nt; *US* -æ-] *vt* átültet
replay I. *n* ['ri:pleɪ] 1. újrajátszás 2. visszajátszás, ismétlés [tv-közvetítésben]; lejátszás [magnó] II. *vt* [ri:'pleɪ] újra játszik
replenish [rɪ'plenɪʃ] *vt* újra megtölt/feltölt, teletölt; kiegészít
replenishment [rɪ'plenɪʃmənt] *n* újramegtöltés, feltöltés
replete [rɪ'pli:t] *a* tele, teletömött (*with* vmvel), bővelkedő (*with* vmben)
repletion [rɪ'pli:ʃn] *n* 1. *filled to* ~ színültig tele 2. jóllakottság; *eat to* ~ torkig lakik (vmvel)
replica ['replɪkə] *n* másolat, kópia
reply [rɪ'plaɪ] I. *n* válasz(olás), felelet; ~ *coupon* (nemzetközi) válaszkupon; ~ *paid* válasz fizetve II. *vi*/*vt* (*pt*/*pp* **replied** rɪ'plaɪd) válaszol, felel (*to* vmre)
report [rɪ'pɔ:t] I. *n* 1. jelentés, beszámoló; jegyzőkönyv; tudósítás, riport 2. (*school*) ~, *US* ~ *card* (iskolai) bizonyítvány, tanulmányi értesítő 3. (kósza) hír, szóbeszéd 4. hír(név); *man of good* ~ jó hírű/nevű ember; *know sg by mere* ~ csak hírből ismer vmt 5. (puska)durranás, dördülés [ágyué] II. A. *vt* 1. beszámol, jelent(ést tesz vmről); elmond, közöl, hírül ad (vmt); tudósítást/riportot ír [eseményről]; *we are* ~*ed* arról értesülünk . . .; ~ *progress* helyzetjelentést ad, tájékoztat az ügy állásáról; *move to* ~ *progress* törvényjavaslat vitájának elnapolását javasolja; ~ *a speech* beszámol beszédről; ~*ed speech* függő beszéd 2. (be)jelent [vmt illetékesnek]; ~ *himself sick* beteget jelent 3. (fel)jelent; ~ *oneself* (1) jelentkezik

(*to* vknél) (2) feladja magát B. *vi* 1. jelentést tesz, beszámol, hírt ad, tudósít (*on*/*upon* vmről); ~ *for* (*a newspaper*) vmely újság tudósítója 2. jelentkezik; ~ *for work* munkára jelentkezik
reporter [rɪ'pɔ:tə*] *n* tudósító, riporter
repose[1] [rɪ'pouz] I. *n* pihenés, nyugalom II. A. *vt* pihentet, nyugtat, (le)fektet; ~ *oneself* lepihen B. *vi* fekszik, nyugszik, pihen (*on* vmn)
repose[2] [rɪ'pouz] *vt* helyez; ~ *confidence in sy* vkbe helyezi bizalmát
repository [rɪ'pɔzɪt(ə)rɪ; *US* -'pɑzɪtɔ:rɪ] *n* 1. raktár, tár(ház) (*átv is*) 2. vknek a bizalmasa
repossess [ri:pə'zes] *vt* ~ (*oneself of*) *sg* újra birtokba vesz
repot [ri:'pɔt; *US* -ɑt] *vt* -tt- (más cserépbe) átültet
reprehend [reprɪ'hend] *vt* megró, -fedd
reprehensible [reprɪ'hensəbl] *a* megrovást érdemlő, elítélendő
reprehension [reprɪ'henʃn] *n* megrovás
represent [reprɪ'zent] *vt* 1. ábrázol, (be)mutat; kifejez [mű, művész] 2. feltüntet, lefest (vmlyennek) 3. képvisel [személyt, intézményt stb.] 4. jelent, jelöl [tény, jel vmt] 5. előad, elmond; alakít, játszik [szerepet]
representation [reprɪzen'teɪʃn] *n* 1. ábrázolás(i mód); beállítás; értelmezés 2. képviselet; *proportional* ~ arányos képviseleti rendszer 3. állítás; *make false* ~*s to sy* megtéveszt vkt 4. kifogás 5. alakítás, felfogás [szerepé]
representative [reprɪ'zentətɪv] I. *a* 1. ábrázoló 2. jellegzetes, jellemző, tipikus, reprezentatív 3. képviseleti; ~ *government* népképviseleti kormányzat II. *n* 1. példány [fajtáé] 2. képviselő; *US House of R*~*s* képviselőház
repress [rɪ'pres] *vt* elnyom, elfojt
repressed [rɪ'prest] *a* elfojtott, -nyomott
repression [rɪ'preʃn] *n* elnyomás, elfojtás
repressive [rɪ'presɪv] *a* elnyomó
reprieve [rɪ'pri:v] I. *n* 1. (halál)büntetés felfüggesztése 2. haladék II. *vt* 1. (vknek) a halálbüntetését ideiglenesen felfüggeszti 2. időlegesen megkímél
reprimand ['reprɪmɑ:nd; *US* -mæ-] I. *n*

46

feddés, dorgálás II. *vt* megdorgál, -fedd, rendreutasít
reprint I. *n* ['ri:prɪnt] (változatlan) utánnyomás II. *vt* [ri:'prɪnt] újra lenyomat/kinyomtat
reprisal [rɪ'praɪzl] *n* megtorlás
reproach [rɪ'proʊtʃ] I. *n* 1. szemrehányás; *beyond* ~ kifogástalan; *look of* ~ szemrehányó tekintet; *term of* ~ (becsület)sértő kifejezés 2. szégyen II. *vt* ~ *sy for/with sg* szemére vet vknek vmt
reproachful [rɪ'proʊtʃfʊl] *a* 1. szemrehányó 2. szégyenletes
reprobate ['reprəbeɪt] I. *n* semmirekellő; elvetemült ember II. *vt* rosszall, helytelenít
reprobation [reprə'beɪʃn] *n* 1. rosszallás, helytelenítés, társadalmi elítélés, kárhoztatás 2. kárhozat
reproduce [ri:prə'dju:s; *US* -'du:s] A. *vt* 1. újra megalkot; (le)másol; reprodukál; visszaad [hangot stb.] 2. nemz 3. újra növeszt B. *vi* szaporodik
reproduction [ri:prə'dʌkʃn] *n* 1. újrateremtés, újbóli előállítás, reprodukálás; újratermelés 2. szaporodás 3. másolat, sokszorosítás, reprodukció
reproductive [ri:prə'dʌktɪv] *a* 1. újrateremtő, reproduktív 2. nemző, nemzési; szaporodási; ~ *organs* nemzőszervek 3. szapora 4. másoló, sokszorosító
reprography [re'prɔgrəfɪ; *US* -ɑg-] *n* reprodukálás, gépi másolás, reprográfia
reproof¹ [rɪ'pru:f] *n* rosszallás, feddés
re-proof² [ri:'pru:f] *vt* újra vízhatlanít
reprove [rɪ'pru:v] *vt* megdorgál, megró (*for* vmért)
reproving [rɪ'pru:vɪŋ] *a* rosszalló
reptile ['reptaɪl; *US* -t(ə)l] I. *a* 1. csúszómászó [állat] 2. *átv* csúszó-mászó [ember] II. *n* 1. csúszómászó [állat], hüllő 2. aljas féreg [emberről]
republic [rɪ'pʌblɪk] *n* 1. köztársaság 2. *the* ~ *of letters* az irodalmi világ
republican [rɪ'pʌblɪkən] *a/n* 1. köztársasági (érzelmű) 2. köztársaságpárti, republikánus
republicanism [rɪ'pʌblɪkənɪzm] *n* 1. köztársasági rendszer 2. köztársasági érzület, republikanizmus

republication ['ri:pʌblɪ'keɪʃn] *n* új(bóli) kiadás, új lenyomat
republish [ri:'pʌblɪʃ] *vt* újra kiad/megjelentet
repudiate [rɪ'pju:dɪeɪt] *vt* 1. eltaszít [feleséget] 2. elutasít, megtagad, visszautasít 3. fizetést megtagad [állam]
repudiation [rɪpju:dɪ'eɪʃn] *n* 1. eltaszítás 2. elutasítás, visszautasítás, megtagadás
repugnance [rɪ'pʌgnəns] *n* idegenkedés, ellenszenv (*to/against* . . . vel szemben)
repugnant [rɪ'pʌgnənt] *a* ellenszenves, visszataszító (*to* vknek)
repulse [rɪ'pʌls] I. *n* 1. visszaverés [ellenségé] 2. elutasítás, kudarc II. *vt* 1. visszaver 2. visszautasít, elutasít
repulsion [rɪ'pʌlʃn] *n* 1. irtózás, iszonyodás 2. taszítás 3. visszaverés
repulsive [rɪ'pʌlsɪv] *a* 1. undorító, visszataszító 2. taszító [erő]
reputable ['repjʊtəbl] *a* jó hírű
reputation [repjʊ'teɪʃn] *n* hír(név); jó hír; *have a good* ~ *as a doctor* jó nevű orvos; *of bad* ~ rossz hírű
repute [rɪ'pju:t] I. *n* hír(név); jó hír; *know by* ~ hírből ismer; *doctor of* (*good*) ~ jó hírű/nevű orvos II. *vt be* ~*d as* (v. *to be*) *sg* vmnek tartják, vmlyennek ismerik, vmlyen hírben áll
reputed [rɪ'pju:tɪd] *a* 1. (hír)neves, híres 2. állítólagos, feltehető
reputedly [rɪ'pju:tɪdlɪ] *adv* állítólag, amint hírlik
request [rɪ'kwest] I. *n* 1. kérés, kívánság: *at the* ~ *of* kérésére, kérelmére; *cars stop by* ~, ~ *stop* feltételes megálló; *on* ~ kívánatra 2. kereslet; *be in* ~ keresett, kelendő II. *vt* 1. kér (*sg of/from sy* vmt vktől); *as* ~*ed* kérés/kívánság szerint 2. megkér, felkér, felhív (*sy to do sg* vkt vmre)
requiem ['rekwɪəm] *n* gyászmise, rekviem
require [rɪ'kwaɪə*] *vt* 1. (meg)követel, (meg)kíván, kér, elvár; ~ *sg of sy* vmt (meg)kíván/(meg)követel vktől; ~ *sy to do sg* megkívánja/megköveteli vktől, hogy vmt megtegyen 2. igényel; megkíván; szükséges, kell; feltételez [mint szükségszerűt]; *he did not* ~ *twice telling* nem kellett neki kétszer

mondani; *if/when* ~*d* szükség esetén; *be* ~*d to* ... (vk) köteles ..., (vknek) kötelező ...
required [rɪ'kwaɪəd] *a* szükséges, (meg-) kívánt, kötelező; ~ *reading* kötelező olvasmány
requirement [rɪ'kwaɪəmənt] *n* kívánalom, követelmény; előfeltétel; kellék; *meet/suit the* ~*s* megfelel a követelményeknek
requisite ['rekwɪzɪt] I. *a* szükséges, velejáró II. *n* kívánalom, követelmény, előfeltétel, szükséglet, kellék
requisition [rekwɪ'zɪʃn] I. *n* 1. kívánalom 2. igénybevétel; rekvirálás 3. ~ *number* hivatkozási szám II. *vt* 1. követel 2. igénybe vesz, rekvirál
requital [rɪ'kwaɪtl] *n* 1. viszonzás 2. megtorlás 3. jutalom
requite [rɪ'kwaɪt] *vt* 1. viszonoz; ~*d love* kölcsönös szerelem 2. megjutalmaz 3. megtorol
reredos ['rɪədɔs; *US* -as] *n* ⟨az oltár hátsó falát alkotó faragott dísz⟩
re-route [ri:'ru:t] *vt* más útvonalra irányít/terel; átirányít
rerun [ri:'rʌn] I. *n* felújítás, repríz [filmé] II. *vt* újra játszik, felújít [filmet]
resale [ri:'seɪl] *n* viszonteladás
rescind [rɪ'sɪnd] *vt* eltöröl, érvénytelenít, hatálytalanít, visszavon
rescission [rɪ'sɪʒn] *n* eltörlés, érvénytelenítés, hatálytalanítás
rescript ['ri:skrɪpt] *n* válaszirat, leirat
rescue ['reskju:] I. *n* megmentés, kimentés, megszabadítás; kiszabadítás; *come/go to the* ~ *of sy* vk segítségére siet II. *vt* megment, kiment, kiszabadít, megszabadít (*from* vmtől, vmből)
rescuer ['reskjʋə*] *n* (meg)mentő
research [rɪ'sə:tʃ] I. *n* kutatás, búvárkodás, (tudományos) kutatómunka; ~ *centre* kutatóközpont; ~ *library* tudományos szakkönyvtár; ~ *work* kutatómunka; ~ *worker* tudományos kutató/munkatárs; *do* ~ (*on sg*) (tudományos) kutatást végez (vmlyen területen) II. *vi* ~ *into sg* (tudományos) kutatást végez vmlyen területen
researcher [rɪ'sə:tʃə*] *n* = *research worker*

reseat [ri:'si:t] *vt* 1. újra leültet, visszaültet 2. új üléssel lát el [széket]
reseda ['resɪdə] *n* rezeda
resell [ri:'sel] *vt* (*pt/pp* -sold -'soʋld]) újra elad, viszontelad
resemblance [rɪ'zembləns] *n* hasonlatosság, hasonlóság; *bear a* ~ *to sg* hasonlít vmhez/vmre
resemble [rɪ'zembl] *vt* hasonlít (vkhez/vmhez, vkre/vmre)
resent [rɪ'zent] *vt* neheztel (vmért), zokon vesz, rossz néven vesz
resentful [rɪ'zentfʋl] *a* bosszús, neheztelő, haragtartó
resentment [rɪ'zentmənt] *n* neheztelés, megbántódás, harag
reservation [rezə'veɪʃn] *n* 1. fenntartás, kikötés; *without* ~ fenntartás nélkül 2. *US* félretétel, (előre) rendelés [jegyé], helyjegyváltás; (szoba)foglalás; *make a* ~ lefoglal egy helyet, helyjegyet vált; szobát foglal 3. *US* rezerváció; védett/természetvédelmi terület; (*central*) ~ középső elválasztó sáv [autópályán]; *Indian* ~ indián rezerváció
reserve [rɪ'zə:v] I. *n* 1. tartalék; ~ *fund* tartalékalap; ~ *price* kikötött legalacsonyabb ár; *have in* ~ készen(létben) tart, van (vmje) tartalékban 2. tartaléksereg 3. tartalék (játékos) 4. = *reservation 3.* 5. = *reservation 1.* 6. tartózkodás, óvatosság II. *vt* 1. tartalékol, félretesz; fenntart, tartogat (*sg for sy* vmt vk számára); *all rights* ~*d* minden jog fenntartva 2. (le)foglal [helyet, szobát], félretétet [jegyet]; ~ *a seat* (1) helyet/ülést fenntart (2) lefoglal egy helyet [repgépen], helyjegyet vált; *all seats* ~*d* jegyek csak elővételben
reserved [rɪ'zə:vd] *a* 1. fenntartott; fenntartva; ~ *seat* (*ticket*) helyjegy 2. tartózkodó, hallgatag
reservedly [rɪ'zə:vɪdlɪ] *adv* tartózkodóan
reservist [rɪ'zə:vɪst] *n* tartalékos
reservoir ['rezəvwa:*] *n* tartály, gyűjtőmedence, rezervoár
reset [ri:'set] *vt* (*pt/pp* -set -'set) 1. újonnan befoglal 2. újra kiszed [nyomda szöveget] megélesít [szerszámot]

4. helyére tesz [csontot] 5. utána igazít [órát], beállít, utánállít
resettle [ri:'setl] **A.** *vt* 1. újra rendbe hoz, újra elintéz [ügyet] 2. újra benépesít/betelepít **B.** *vi* áttelepül, újra letelepedik
reshape [ri:'ʃeɪp] *vt* átalakít, átformál; átdolgoz [irod. művet]
resharpen [ri:'ʃɑ:pn] *vt* újra (ki)élesít/ kihegyez
reship [ri:'ʃɪp] *v* -pp- **A.** *vt* 1. ismét hajóra rak, hajóra visszarak 2. más hajóra átrak **B.** *vi* újra hajóra száll
reshuffle [ri:'ʃʌfl] I. *n biz* átszervezés, átalakítás II. *vt* 1. újra kever [kártyát] 2. *biz* átszervez [személyzetet stb.]; átalakít [kormányt]
reside [rɪ'zaɪd] *vi* 1. lakik, tartózkodik (*at, in* vhol); *permission to* ~ lakhatási engedély 2. ~ *in* lakozik, rejlik, jelen van [vkben tulajdonság]
residence ['rezɪd(ə)ns] *n* 1. tartózkodás; *take up one's* ~ letelepszik [lakni] 2. tartózkodási hely, lakóhely 3. kastély; rezidencia
residency ['rezɪd(ə)nsɪ] *n* brit/USA nagykövet rezidenciája
resident ['rezɪd(ə)nt] I. *a* (benn)lakó; székelő; ~ *magistrate* rendőrbíró [Írországban]; ~ *doctor* bennlakó orvos [kórházban]; ~ *population* állandó/ helybeli lakosság II. *n* 1. állandó lakos 2. brit politikai ügyvivő [gyarmaton], helytartó, rezidens
residential [rezɪ'denʃl] *a* lakó-; tartózkodási; ~ *area/district/section* lakónegyed [kertes házakból]
residual [rɪ'zɪdjʊəl; *US* -dʒ-] I. *a* megmaradó, visszamaradt, maradék-; (le-) ülepedő II. *n* 1. maradék 2. üledék
residuary [rɪ'zɪdjʊərɪ; *US* -dʒʊerɪ] *a* 1. = *residual* 1. 2. megmaradó, hátralékos; ~ *legatee* általános örökös
residue ['rezɪdju:; *US* -du:] *n* 1. maradék, maradvány 2. üledék, csapadék
resign [rɪ'zaɪn] **A.** *vt* 1. lemond, leköszön [tisztségről] 2. felad [jogot, reményt] 3. átad; rábíz (vmt/vkt vkre); ~ *oneself to sg,* be ~*ed to sg* belenyugszik/beletörődik vmbe **B.** *vi* lemond (*from* vmről), benyújtja lemondását

resignation [rezɪg'neɪʃn] *n* 1. lemondás, leköszönés 2. lemondólevél; *tender* (v. *hand in*) *one's* ~ benyújtja lemondását 3. megnyugvás, beletörődés, rezignáció
resigned [rɪ'zaɪnd] *a* lemondó, beletörődő, nyugodt, elszánt, rezignált
resilience [rɪ'zɪlɪəns] *n* (*átv is*) rugalmasság
resiliency [rɪ'zɪlɪənsɪ] *n* = *resilience*
resilient [rɪ'zɪlɪənt] *a* (*átv is*) rugalmas
resin ['rezɪn; *US* -z(ə)n] *n* gyanta
resinous ['rezɪnəs] *a* gyantás
resist [rɪ'zɪst] *vt/vi* ellenáll (vmnek)
resistance [rɪ'zɪst(ə)ns] *n* 1. ellenállás; *line of least* ~ legkisebb ellenállás, legkönnyebb megoldás; ~ *moment* ellenálló nyomaték 2. ~ (*movement*) ellenállás(i mozgalom)
resistant [rɪ'zɪst(ə)nt] *a* ellenálló
resistless [rɪ'zɪstlɪs] *a* = *irresistible*
resold → *resell*
re-sole [ri:'soʊl] *vt* megtalpal [cipőt]
resolute ['rezəlu:t] *n* határozott, eltökélt
resoluteness ['rezəlu:tnɪs] *n* határozottság, eltökéltség, elszántság
resolution [rezə'lu:ʃn] *n* 1. határozat, döntés 2. elhatározás; szándék; *make a* ~ elhatároz vmt 3. elszántság, eltökéltség, határozottság 4. megoldás, megfejtés [problémáé] 5. felbontás [fizikában stb.]; felbontóképesség 6. feloldás; felbomlás [kémiában]
resolve [rɪ'zɔlv; *US* -ɑlv] I. *n* 1. elhatározás 2. = *resolution* 3. II. **A.** *vt* 1. (el)határoz, eldönt (vmt) 2. felold, felbont [alkotóelemeire]; ~ *itself into a committee* bizottsággá alakul át 3. megold, megfejt [problémát stb.]; eloszlat [kételyt] **B.** *vi* 1. határoz, dönt 2. felbomlik, feloldódik
resolved [rɪ'zɔlvd; *US* -ɑl-] *a* határozott, eltökélt, elszánt
resonance ['rezənəns] *n* 1. zengés 2. együttrezgés, együtthangzás, rezonancia
resonant ['rezənənt] *a* 1. zengő 2. ráhangzó, együtthangzó, rezonáns
resort [rɪ'zɔ:t] I. *n* 1. segélyforrás, eszköz; megoldás; *have* ~ *to sg* igénybe vesz vmt, folyamodik vmhez; *in the*

last ~ végül is, végső esetben/megoldásként; ha minden kötél szakad; *without* ~ *to compulsion* erőszak igénybevétele nélkül 2. menedék(hely) 3. (vm célból) sűrűn látogatott hely; *summer* ~ nyaralóhely II. *vi* ~ *to* (1) igénybe vesz (vmt), folyamodik, nyúl (vmhez) (2) ellátogat, (el)megy (vhová); gyakran látogat [egy helyet] **resound** [rɪ'zaʊnd] **A.** *vi* **1.** visszhangzik; zeng **2.** elterjed; ~*ing success* messzehangzó siker **B.** *vt* **1.** visszhangoz **2.** ünnepel (vkt), dicséretét zengi (vknek) **resource** [rɪ'sɔ:s] *n* **1.** *rendsz pl* erőforrás, segélyforrás, anyagi eszközök/források; *be at the end of one's* ~*s* elfogyott a pénze; *natural* ~*s* természeti kincsek/ erőforrások; *leave sy to his own* ~*s* magára hagy vkt **2.** végső eszköz, menedék, mentsvár; *last* ~ utolsó menedék **3.** kikapcsolódás, pihenés, szórakozás; *reading is a great* ~ az olvasás remek kikapcsolódás/szórakozás **4.** találékonyság, leleményesség; *man of* ~ leleményes ember **resourceful** [rɪ'sɔ:sfʊl] *a* leleményes, találékony **resourceless** [rɪ'sɔ:slɪs] *a* gyámoltalan, ügyefogyott **resp.** *respectively* illetőleg, ill. **respect** [rɪ'spekt] **I.** *n* **1.** tekintet(bevétel), figyelem(bevétel); *have* ~ *for*, *pay* ~ *to sg* figyelembe/tekintetbe vesz vmt; *without* ~ *of persons* személyválogatás nélkül, senkit sem kímélve, igazságosan; *with all* ~ *for sy* vk iránt érzett minden megbecsülés ellenére **2.** tisztelet; *have* ~ *for sy* tisztel vkt; *out of* ~ *for sy* iránta való tiszteletből **3.** vonatkozás; *in* ~ *of/to sg* ami vmt illeti, vmre vonatkozólag; *with* ~ *to sg* vmre vonatkozóan, vmt illetően, tekintettel vmre; *without* ~ *to sg* . . .-ra/-re való tekintet nélkül **4.** szempont; *in every* ~ minden szempontból; *in many* ~*s* sok szempontból; *in some* ~*s* bizonyos fokig **5. respects** *pl* üdvözlet; *our* ~*s of the 5th inst.* f. hó 5-i soraink; *my* ~*s to* . . . tiszteletem!; *pay one's* ~*s to* tiszteletét teszi vknél **II.** *vt* **1.** tekintetbe vesz, méltányol **2.** tisz-

tel(etben **tart**), **respektál 3.** érint (vmt), vonatkozik (vmre) **respectability** [rɪspektə'bɪlətɪ] *n* **1.** tiszteletreméltóság, jóhírűség **2.** társadalmi formákhoz ragaszkodás **3.** *rendsz pl* előkelőségek **respectable** [rɪ'spektəbl] *a* **1.** tiszteletre méltó, tisztes, jó hírű, tekintélyes **2.** tisztességes; elfogadható **3.** társadalmi formákhoz túlzottan ragaszkodó **4.** meglehetősen/elég nagy/jó **respecter** [rɪ'spektə*] *n* vmt tisztelő v. figyelembe vevő személy; *be no* ~ *of persons* senkire sincs tekintettel **respectful** [rɪ'spektfʊl] *a* **1.** tiszteletteljes; tisztelettudó **2.** tisztes [távolság] **respectfully** [rɪ'sepktfʊlɪ] *adv* tiszteletteljesen; *Yours* ~ (maradtam) kiváló tisztelettel, tiszteletteljes üdvözlettel **respectfulness** [rɪ'spektfʊlnɪs] *n* tisztelettudás **respective** [rɪ'spektɪv] *a* viszonylagos; illető, saját, megfelelő; *they retired to their* ~ *rooms* mindegyikük visszavonult saját szobájába **respectively** [rɪ'spektɪvlɪ] *adv* **1.** illetőleg; *they made the journey by car, train, and by sea,* ~ útjukat kocsival, vonattal, illetőleg hajóval tették meg **2.** külön(-külön), egyenként **respiration** [respə'reɪʃn] *n* **1.** lélegzés, légzés **2.** lélegzet(vétel), belehelés **respirator** ['respəreɪtə*] *n* **1.** légzőkészülék **2.** gázálarc **respiratory** [rɪ'spaɪərət(ə)rɪ; *US* 'respərətɔ:rɪ] *a* lélegző, légző-; ~ *organs* légzőszervek **respire** [rɪ'spaɪə*] *vi* **1.** lélegzik **2.** *biz* fellélegzik, pihen **respite** ['respaɪt; *US* -ɪt] **I.** *n* **1.** halasztás, haladék **2.** pihenő, (munka)szünet **II.** *vt* **1.** elhalaszt, haladékot ad **2.** félbeszakít; enyhít [fájdalmat] **resplendence** [rɪ'splendəns] *n* csillogás, ragyogás, fényesség **resplendent** [rɪ'splendənt] *a* csillogó, fénylő, ragyogó **respond** [rɪ'spɒnd; *US* -ɑ-] *vi* **1.** válaszol, felel (*to* vmre) **2.** visszahat, reagál (*to* vmre); *he* ~*s to music* a zene hatással van rá

respondent [rɪ'spɔndənt; *US* -ɑn-] *n* alperes [házassági bontóperben]

response [rɪ'spɔns; *US* -ɑ-] *n* **1.** válasz(olás), felelet; *in ~ to* (1) válaszolva vmre (2) eleget téve vmnek **2.** érzelmi visszahatás, reagálás, reakció; visszhang; *met with a warm ~* kedvező visszhangra talált

responsibility [rɪspɔnsə'bɪlətɪ; *US* -ɑn-] *n* **1.** felelősség (*for* vmért); *on one's own|~* saját felelősségére **2.** kötelezettség

responsible [rɪ'spɔnsəbl; *US* -ɑn-] *a* **1.** felelős (*for* vmért, vkért); *be ~ for sg* (1) felel(ős) vmért (2) vmnek az oka; *be ~ to sy for sg* felelős(séggel tartozik) vknek vmért; *hold sy ~ for sg* felelőssé tesz vkt vmért **2.** megbízható **3.** felelősségteljes [állás stb.]

responsive [rɪ'spɔnsɪv; *US* -ɑn-] *a* **1.** fogékony, érzékeny, rugalmasan/kedvezően reagáló (*to* vmre); készséges **2.** felelő, válaszoló

responsiveness [rɪ'spɔnsɪvnɪs; *US* -ɑn-] *n* érzékenység, fogékonyság

rest¹ [rest] **I.** *n* **1.** pihenés, nyugalom, nyugvás; alvás, nyugalmi állapot; *day of ~* pihenőnap, vasárnap; *had a good night's ~* jól kialudta magát; *go|retire to ~* lepihen; *at ~* (1) nyugalomban, nyugton, nyugalmi állapotban (2) nyugodt, pihenő (vm); *set at ~* (1) megpihentet, lefektet (2) véget vet; *set sy's mind at ~* megnyugtat vkt; *come to ~* megáll; *take a ~* megpihen; *be laid to ~* eltemették **2.** pihenőhely; *~ home* (1) szociális otthon, szeretetotthon (2) (gyógy)üdülő, szanatórium; *US ~ room* nyilvános illemhely, mosdó **3.** támasz(ték), támla, állvány **4.** szünet(jel) [zenében] **II. A.** *vi* **1.** pihen, alszik; *US ~ up* (jól) kipiheni magát **2.** szünetet tart (*from* vmben) **3.** *~ (up)on sg* nyugszik/támaszkodik vmn/vmre; alapszik vmn **B.** *vt* **1.** pihentet; *God ~ his soul!* Isten nyugosztalja! **2.** *~ sg against sg* vmt vmnek nekitámaszt

rest² [rest] **I.** *n* maradék, maradvány; *the ~* a többi(ek); *the ~ of us* mi (többiek); *and all the ~* és minden egyéb; *for the ~* ami a többit illeti; különben

II. *vi* **1.** marad; *you may ~ assured* nyugodt lehet(sz); *it ~ s with you* öntől/ tőled függ, önön/rajtad múlik

restart [ri:'stɑːt] **A.** *vi* újra megindul, újrakezdődik **B.** *vt* újra megindít, újrakezd

restate [ri:'steɪt] *vt* újból kifejt, újra megfogalmaz

restatement [ri:'steɪtmənt] *n* újbóli kifejtés

restaurant ['rest(ə)rɑːŋ; *US* -tərənt] *n* étterem, vendéglő; *~ car* étkezőkocsi

rest-cure *n* pihenő-, fekvőkúra

rest-day *n* pihenőnap, szünnap

restful ['restfʊl] *a* **1.** pihentető **2.** nyugalmas, csendes

rest-house *n* fogadó; menedékház

resting ['restɪŋ] *a* pihenő; →*rest¹ II.*

resting-place *n* pihenőhely; *last ~* a sír

restitute ['restɪtjuːt; *US* -tuːt] *vt* helyreállít

restitution [restɪ'tjuːʃn; *US* -'tuː-] *n* **1.** helyreállítás **2.** visszaadás, -térítés, megtérítés, jóvátétel, kárpótlás; *~ in kind* természetben kárpótlás

restive ['restɪv] *a* **1.** csökönyös [ló] **2.** türelmetlen, ideges [ember]

restless ['restlɪs] *a* **1.** nyugtalan; ideges **2.** álmatlan

restlessness ['restlɪsnɪs] *n* nyugtalanság

restock [ri:'stɔk; *US* -ɑk] *vt* új készlettel ellát, újra feltölt [raktárakat]; újra halasít [tavat]

restoration [restə'reɪʃn] *n* **1.** helyreállítás, újjáépítés; restaurálás **2.** visszahelyezés a trónra, restaurálás; *the R~* a (Stuart-)restauráció ⟨II. Károly trónra lépése 1660-ban és az ezt követő időszak⟩

restorative [rɪ'stɔrətɪv; *US* -ɔː-] **I.** *a* erősítő **II.** *n* erősítő szer

restore [rɪ'stɔː*] *vt* **1.** visszaad (*sg to sy* vmt vknek) **2.** helyreállít, újjáépít, eredeti formájában visszaállít, restaurál; rekonstruál [szöveget] **3.** visszatesz, -helyez (*to its place* helyére) **4.** visszaállít [királyságot stb.]; felújít [szokást] **5.** meggyógyít; *be ~d to health* helyreállt az egészsége

restorer [rɪ'stɔːrə*] *n* helyreállító, restauráló, restaurátor

restrain [rɪ'streɪn] vt 1. visszatart (from vmtől); megfékez, féken tart, korlátoz; ~ one's temper uralkodik magán 2. fogva tart
restrained [rɪ'streɪnd] a 1. mérsékelt; korlátozott 2. visszafojtott
restraint [rɪ'streɪnt] n 1. megfékezés 2. tartózkodás, mérséklet, önuralom; lack of ~ féktelenség 3. korlátozás, megszorítás, kikötés; tilalom; without ~ korlátlanul, teljesen szabadon; put ~ on sy fékez/mérsékel/korlátoz vkt 4. bezárás [börtönbe, elmegyógyintézetbe], fogva tartás 5. korlátozottság
restrict [rɪ'strɪkt] vt korlátoz (to vmre), megszorít, leszűkít
restricted [rɪ'strɪktɪd] a 1. korlátozott; ~ area útszakasz sebességkorlátozással 2. bizalmas [ügyirat]
restriction [rɪ'strɪkʃn] n korlátozás, megszorítás
restrictive [rɪ'strɪktɪv] a korlátozó
restring [riː'strɪŋ] vt (pt/pp -strung -'strʌŋ] újra húroz
result [rɪ'zʌlt] I. n eredmény, következmény, folyomány; as a ~ of sg vmnek következtében/eredményeként II. vi 1. következik, származik, ered (from vmből) 2. ~ in sg eredményez vmt, vezet vmre, végződik vmben
resultant [rɪ'zʌlt(ə)nt] a eredő [erő], származó
resume [rɪ'zjuːm; US -'zuːm] vt 1. újrakezd; folytat 2. visszavesz, -foglal, -szerez
résumé n 1. ['rezjuːmeɪ] összefoglalás, kivonat, rezümé 2. US [rezʊ'meɪ] szakmai önéletrajz, pályarajz
resumption [rɪ'zʌmpʃn] n újrakezdés; folytatás; újrafelvétel
resurface [riː'səːfɪs] A. vt újra burkol [utat] B. vi újra felszínre jön [tengeralattjáró]
resurgent [rɪ'səːdʒənt] a újjáéledő
resurrect [rezə'rekt] A. vt 1. feltámaszt 2. kihantol, exhumál 3. felújít B. vi feltámad
resurrection [rezə'rekʃn] n 1. feltámadás 2. felújítás [szokásé stb.], felélesztés 3. kihantolás, exhumálás; ~ man

hullatolvaj ⟨aki hullát kiás és boncolásra elad⟩
resuscitate [rɪ'sʌsɪteɪt] A. vt 1. feléleszt, magához térít 2. felelevenít, felújít [szokást stb.] B. vi feléled, magához tér
resuscitation [rɪsʌsɪ'teɪʃn] n 1. életre keltés, felelevenítés 2. feléledés
ret [ret] vt -tt- áztat [lent, kendert]
ret. →retd.
retail I. n ['riːteɪl] kiskereskedelem, eladás kicsi(ny)ben; ~ dealer kiskereskedő; ~ price kiskereskedelmi ár; ~ trade kiskereskedelem; sell goods (by) ~ kicsi(ny)ben árusít II. v [riː'teɪl] A. vt 1. kicsiben elad 2. hírt elmond/elmondogat, kipletykál B. vi kicsi(ny)ben elkel
retailer ['riːteɪlə*] n kiskereskedő
retain [rɪ'teɪn] vt 1. (vissza)tart 2. megtart, megőriz 3. felfogad (vkt); ~ a barrister ügyvédnek megbízást ad 4. emlékezetében tart/megőriz
retainer [rɪ'teɪnə*] n 1. ügyvédi díj(előleg) 2. ügyvédi meghatalmazás 3. † csatlós; alkalmazott; biz an old family ~ „öreg bútor" (a háznál)
retaining [rɪ'teɪnɪŋ] a 1. (vissza)tartó; ~ wall támfal 2. ~ fee ügyvédi díj(előleg)
retake I. n ['riːteɪk] megismételt (film-) felvétel II. vt [riː'teɪk] (pt -took -'tʊk, pp -taken -'teɪk(ə)n) 1. visszafoglal, -vesz 2. újra forgat/felvesz [filmjelenetet]
retaliate [rɪ'tælɪeɪt] vt/vi megtorol, visszafizeti a kölcsönt
retaliation [rɪtælɪ'eɪʃn] n megtorlás
retaliatory [rɪ'tælɪət(ə)rɪ; US -ɔːrɪ] a megtorló
retard [rɪ'taːd] vt késleltet, lassít, feltart, gátol; mentally ~ed child értelmi fogyatékos
retardation [riːtaː'deɪʃn] n 1. késleltetés, lassítás, akadály 2. lassulás
retch [retʃ] vi öklendezik
ret(d). retired nyugalmazott, nyug.
retell [riː'tel] vt (pt/pp -told -'toʊld) újra elmond, újból elmesél
retention [rɪ'tenʃn] n 1. visszatartás, megtartás; ~ money bánatpénz, biztosíték 2. rekedés [vizeleté, váladéké]

retentive [rɪ'tentɪv] a 1. megőrző, vissza-
tartó 2. a ~ memory jó emlékezőtehet-
ség

retentiveness [rɪ'tentɪvnɪs] n megőrző
képesség, visszatartó erő

rethink [riː'θɪŋk] vt (pt/pp -thought
-'θɔːt) újra átgondol

reticence ['retɪs(ə)ns] n 1. elhallgatás
2. hallgatagság, szűkszavúság, tartóz-
kodás

reticent ['retɪs(ə)nt] a hallgatag, szűk-
szavú, tartózkodó

reticulate [rɪ'tɪkjʊleɪt] vt/vi hálószerűen
bevon, hálózatot képez/készít, recéz

reticulated [rɪ'tɪkjʊleɪtɪd] a hálószerű,
hálós, recés

reticulation [rɪtɪkjʊ'leɪʃn] n 1. hálózat
2. hálószövet

retina ['retɪnə] n (pl ~s -z v. ~e -niː)
recehártya, retina

retinue ['retɪnjuː; US -nuː] n kíséret

retire [rɪ'taɪə*] A. vi 1. visszavonul
(from vhonnan, vmtől); ~ (to bed) nyu-
govóra tér 2. ~ (on a pension) nyu-
galomba megy 3. visszavonul [kato-
naság] B. vt 1. nyugdíjaz 2. visszavon
[csapatokat] 3. bevon [bankjegyet]

retired [rɪ'taɪəd] a 1. nyugalmazott,
nyugdíjas; the ~ list nyugállomány(ú-
ak jegyzéke); ~ pay nyugdíj 2. vissza-
vonult, magányos [élet] 3. félreeső,
eldugott [hely]

retirement [rɪ'taɪəmənt] n 1. nyugdíja-
zás; nyugalomba menés 2. vissza-
vonultság; live in ~ (1) nyugdíjban
van (2) elvonultan él 3. visszavonulás
[katonai]

retiring [rɪ'taɪərɪŋ] I. a tartózkodó, fé-
lénk II. n ~ age nyugdíjkorhatár

retold →retell

retook →retake

retool [riː'tuːl] vt átállít [gyárat más
termékek gyártására]; új gépeket
állít be, felújít [gépparkot]

retort¹ [rɪ'tɔːt] I. n visszavágás, találó fe-
lelet II. vt visszafelel, -vág

retort² [rɪ'tɔːt] n lombik, retorta

retouch [riː'tʌtʃ] I. n javítgatás, szépítés
retus(álás) II. vt retusál; átjavít

retrace [rɪ'treɪs] vt 1. visszamegy; ~
one's steps ugyanazon az úton vissza-

megy 2. elismétel 3. átgondol, vissza-
gondol

retract [rɪ'trækt] vt 1. visszahúz, behúz
[futószerkezetet; állat a karmát] 2.
visszavon, -szív [állítást stb.]

retractable [rɪ'træktəbl] a 1. behúzható,
bevonható 2. visszavonható

retractile [rɪ'træktaɪl; US -t(ə)l] a be-
húzható

retraction [rɪ'trækʃn] n 1. visszahúzás,
behúzás [karomé] 2. összehúz(ód)ás
3. visszavonás, -táncolás

retrain [riː'treɪn] vt átképez

retranslation [riːtræns'leɪʃn] n 1. vissza-
fordítás (eredeti nyelvre) 2. tovább-
fordítás (más nyelvre)

retread [riː'tred] vt (pt/pp ~ed) újrafutóz
[gumiabroncsot]

retreat [rɪ'triːt] I. n 1. visszavonulás 2.
takarodó; beat a ~ (1) takarodót fúj
(2) átv megfutamodik, visszakozik,
(meg)hátrál 3. menedékhely, csendes
pihenőhely 4. magányosság, ideigle-
nes visszavonultság 5. lelkigyakorlat,
csendes napok II. vi visszavonul,
hátrál, megszalad

retrench [rɪ'trentʃ] A. vt csökkent, kor-
látoz [költséget], megszorít [kiadást]
B. vi takarékoskodik

retrenchment [rɪ'trentʃmənt] n csökken-
tés; takarékosság

retrial [riː'traɪ(ə)l] n perújrafelvétel; új
tárgyalás

retribution [retrɪ'bjuːʃn] n büntetés,
megtorlás

retributive [rɪ'trɪbjʊtɪv] a megtorló

retrievable [rɪ'triːvəbl] a visszaszerezhe-
tő

retrieval [rɪ'triːvl] n 1. visszaszerzés,
-nyerés 2. visszakeresés, kinyerés
[számítógépből]; information/data ~
információ-visszakeresés, információ-
szolgáltatás 3. jóvátétel; beyond/past
~ jóvátehetetlen

retrieve [rɪ'triːv] A. vt 1. elhoz [kutya
vadat], apportíroz 2. visszaszerez,
-nyer 3. visszakeres, kinyer [számító-
gépből] 4. jóvátesz, helyrehoz B. vi
apportíroz [kutya]

retriever [rɪ'triːvə*] n vizsla

retroaction [retroʊ'ækʃn] n visszahatás

retroactive [retrou'æktɪv] a visszaható (erejű)
retrograde ['retrəgreɪd] I. a 1. hátrafelé haladó/irányuló; ellentétes 2. maradi, haladásellenes, retrográd II. vi 1. hátrafelé megy, ellentétes irányba megy; visszavonul 2. visszafejlődik, -esik, hanyatlik
retrogression [retrə'greʃn] n visszafejlődés, hanyatlás, visszaesés; degenerálódás, elsatnyulás
retrogressive [retrə'gresɪv] a visszafejlődő, hanyatló, elsatnyuló
retro-rocket ['retrou-] n fékezőrakéta
retrospect ['retrəspekt] n in ~ visszatekintve
retrospection [retrə'spekʃn] n visszatekintés, -pillantás [a múltba]
retrospective [retrə'spektɪv] a 1. visszatekintő, -pillantó 2. visszaható hatályú
retry [ri:'traɪ] vt újra tárgyal [ügyet]
retting ['retɪŋ] n →ret
return [rɪ'tə:n] I. n 1. visszatérés, -érkezés; ~ address feladó címe; ~ journey/voyage visszautazás; ~ (ticket) menettérti jegy; by ~ (of post/mail) postafordultával; point of no ~ kritikus pont 2. visszaadás, -szolgáltatás, -küldés, -térítés 3. visszatevés, -helyezés 4. megismétlődés, újra előfordulás; many happy ~s (of the day) gratulálok születésnapjára!, Isten éltesse(n) sokáig! 5. viszonzás; kiegyenlítés, ellenszolgáltatás, kárpótlás; in ~ (for sg) (1) vmnek fejében/ellenében (2) viszonzásul, ellenszolgáltatásképpen; ~ match visszavágó (mérkőzés) 6. rendsz pl bevétel, nyereség, haszon; jövedelem; üzleti forgalom; small profits and quick ~s nagy forgalom és kis haszon 7. ~ of income jövedelembevallás 8. megválasztás [képviselőé]; election ~s képviselőválasztási eredmények II. A. vi 1. visszatér, -jön, -érkezik (from vhonnan, to vhová) 2. átv visszatér (to vmre) 3. újból/ismét jelentkezik, (meg)ismétlődik 4. válaszol, felel B. vt 1. visszaad, -küld, -juttat; ~ a ball labdát visszaüt 2. visszatesz, -helyez 3. viszonoz, vissza-

fizet; ~ an answer válaszol; ~ a kindness szívességet viszonoz; ~ sy's love vk szerelmét viszonozza; ~ thanks for sg megköszön vmt; ~ the lie to sy meghazudtol vkt 4. hoz, jövedelmez; ~ profit hasznot hajt/hoz 5. beszámol, (be)jelent; ~ one's income jövedelmet bevall; prisoner was ~ed guilty a vádlottat az esküdtszék bűnösnek találta 6. megválaszt [képviselőt]
returnable [rɪ'tə:nəbl] a 1. visszaküldhető 2. visszaküldendő 3. viszonozható
returned [rɪ'tə:nd] a 1. visszatért 2. visszaküldött 3. ~ time hivatalos időeredmény [sportban]
returning [rɪ'tə:nɪŋ] a 1. visszatérő 2. ismétlődő, újból jelentkező 3. ~ officer szavazatszedő bizottság elnöke
reunification [ri:ju:nɪfɪ'keɪʃn] n újraegyesítés
reunion [ri:'ju:njən] n 1. (újra)egyesülés 2. újraegyesítés 3. [családi stb.] öszszejövetel
reunite [ri:ju:'naɪt] A. vt újraegyesít B. vi újraegyesül; újra összejön
re-use I. n [ri:'ju:s] újbóli/ismételt használat II. vt [ri:'ju:z] újból felhasznál
Reuter ['rɔɪtə*] prop
rev [rev] biz I. n (= revolution) fordulat(szám) II. vt -vv- biz ~ up the engine felpörgeti a motort
Rev. Reverend
rev. revised
revaluation [ri:vælju'eɪʃn] n átértékelés
revamp [ri:'væmp] vt biz átalakít, kitataroz, újjáalakít, „kipofoz"
reveal [rɪ'vi:l] vt 1. láthatóvá tesz, szem elé tár, mutat 2. felfed, feltár, elárul, leleplez 3. kinyilatkoztat, kijelent
revealing [rɪ'vi:lɪŋ] a leleplező, jellemző
reveille [rɪ'vælɪ; US 'revəli:] n [katonai] ébresztő
revel ['revl] I. n mulatozás, dorbézolás, dáridó II. vi -ll- (US -l-) 1. mulat, dőzsöl 2. ~ in sg kedvét leli vmben
revelation [revə'leɪʃn] n 1. kinyilatkoztatás, kijelentés; Book of R~ A jelenések könyve 2. (valóságos) felfedezés, meglepetés, reveláció

revel(l)er ['revlə*] n tivornyázó, mulatozó

revelry ['revlrɪ] n mulatozás, dáridó, tivornya

revenge [rɪ'vendʒ] I. n 1. megtorlás, bosszú(állás); out of ~ bosszúból 2. visszavágó [mérkőzés] II. vt megboszszul; be ~d on sy, ~ oneself on sy bosszút áll vkn

revengeful [rɪ'vendʒfʊl] a bosszúvágyó

revenue ['revənju:; US -nu:] n 1. állami jövedelem/bevétel; állami jövedék; public ~ állami bevétel, adójövedelem 2. ~ (office) adóhivatal; ~ officer (1) adóhivatali tisztviselő, [ma:] pénzügyi előadó (2) pénzügyőr; ~ stamp adóbélyeg; ~ tariff/tax (1) adóbevétel (2) pénzügyi vám

reverberate [rɪ'və:b(ə)reɪt] A. vi visszhangzik, visszaverődik B. vt visszaver [hangot]

reverberation [rɪvə:bə'reɪʃn] n 1. visszhangzás, visszaverődés 2. reverberations pl utóhatások, visszhang

revere [rɪ'vɪə*] vt tisztel, nagyra becsül

reverence ['rev(ə)rəns] I. n 1. tisztelet, nagyrabecsülés, hódolat; hold sy in ~ nagy tiszteletben tart vkt; pay ~ to sy tiszteletét nyilvánítja vknek; † saving your ~ tisztesség ne essék szólván 2. † tisztelendőséged [pap megszólításaként] II. vt tisztel, nagyra becsül

reverend ['rev(ə)rənd] a 1. tiszteletre méltó 2. the R~ (rövidítve: Rev.) nagytiszteletű [protestáns], tisztelendő [r. kat.]; Very R~ nagytiszteletű, főtisztelendő; Right/Most R~ főtiszteletű, főtisztelendő

reverent ['rev(ə)rənt] a 1. tisztelő, tiszteletteljes 2. áhítatos

reverential [revə'renʃl] a 1. tiszteletteljes 2. áhítatos

reverie ['revərɪ] n álmodozás, ábrándozás

revers [rɪ'vɪə*] n (pl ~ rɪ'vɪəz) kihajtás, hajtóka [kabáté]

reversal [rɪ'və:sl] n 1. megfordítás, visszafordítás 2. megfordulás, visszafordulás

reverse [rɪ'və:s] I. a (meg)fordított, ellenkező, ellentétes; hátsó [lap]; ~

curve ellenkanyar; ~ gear hátramenet; the ~ side of [érem] hátlapja, [szövet] visszája; in ~ order fordított sorrendben II. n 1. vmnek a(z) ellenkezője/ellentéte/fordítottja 2. hátlap, hátoldal, (vmnek a) visszája 3. hátramenet [gépkocsié]; put the car into ~ hátramenetbe kapcsol 4. szerencsétlenség, kudarc III. A. vt 1. megfordít, felfordít; ~ arms fegyvert csővel lefelé tart/visz 2. megcserél, felcserél [szerepet, sorrendet] 3. megsemmisít, megmásít [ítéletet] 4. megváltoztat [politikai irányvonalat] 5. átkapcsol, irányt vált; ~ one's car kocsijával tolat B. vi tolat

reversible [rɪ'və:səbl] a 1. megfordítható 2. kifordítható [szövet, ruhadarab]

reversion [rɪ'və:ʃn; US -ʒn] n 1. visszatérés [előbbi állapothoz]; ~ to type atavizmus 2. visszaháramlás [tulajdonjogé] 3. váromány, utódlási jog

reversionary [rɪ'və:ʃnərɪ; US -ʒ(ə)nerɪ] a háramlás alá eső; ~ heir utóörökös

revert [rɪ'və:t] vi 1. visszaháramlik, -száll [tulajdon] 2. visszatér (to vmhez, vmre); visszaüt [to ősi típusra]

revetment [rɪ'vetmənt] n 1. (fa)burkolás, burkolat 2. támfal

revictual [ri:'vɪtl] vt -ll- (US -l-) újra ellát élelemmel

review [rɪ'vju:] I. n 1. áttekintés, visszapillantás; (felül)vizsgálat, számbavétel 2. [katonai] szemle 3. ismertetés, recenzió, bírálat; ~ copy recenziós példány 4. folyóirat, szemle II. vt 1. áttekint, átvizsgál, felülvizsgál, számba vesz, átnéz 2. szemlét tart 3. bírálatot/(könyv)ismertetést ír (vmről), ismertet

reviewer [rɪ'wju:ə*] n bíráló, ismertető; ~'s copy recenziós példány

revile [rɪ'vaɪl] A. vt ócsárol, gyaláz, becsmérel B. vi. szitkozódik

revise [rɪ'vaɪz] I. n második (kefe)levonat II. vt 1. átnéz, átvizsgál, (ki)javít, korrigál 2. módosít, megváltoztat, revideál

revised [rɪ'vaɪzd] a átdolgozott, javított [kiadás]

revision [rɪ'vɪʒn] n 1. átvizsgálás, átné-

zés, átjavítás, átdolgozás; revízió, felülvizsgálat 2. javított/átdolgozott kiadás [könyvé] 3. ismétlés [tananyagé]
revisionism [rɪ'vɪʒnɪzm] *n* revizionizmus
revisionist [rɪ'vɪʒnɪst] *n* revizionista
revisit [riː'vɪzɪt] *vt* újra felkeres/meglátogat
revival [rɪ'vaɪvl] *a* 1. feléledés, új életre kelés, újjászületés; ~ *of learning* reneszánsz; *(religious)* ~ vallási megújulás, ébredés(i mozgalom) 2. felélesztés, felújítás
revive [rɪ'vaɪv] **A.** *vt* 1. feléleszt, magához térít; felfrissít, felüdít 2. felújít, felelevenít 3. fellendít, felvirágoztat **B.** *vi* 1. feléled, magához tér, új erőre kap 2. felvirágzik, megújul 3. felelevenedik
revivify [riː'vɪvɪfaɪ] *vt* újra életre kelt, újjáéleszt, felelevenít
revocable ['revəkəbl] *a* visszavonható
revocation [revə'keɪʃn] *n* 1. visszavonás 2. visszahívás
revoke [rɪ'voʊk] **A.** *vt* visszavon [rendeletet, ígéretet], hatálytalanít, eltöröl [rendeletet], megvon [beleegyezést, támogatást], bevon [vezetői engedélyt] **B.** *vi* renonszot csinál [kártyában]
revolt [rɪ'voʊlt] **I.** *n* lázadás, felkelés; *rise in* ~ felkel, fellázad **II. A.** *vi* 1. (fel)lázad *(against* vm ellen), zendül, forrong 2. ~ *against/at/from sg* lázadozik vm ellen, undorodik/irtózik vmtől **B.** *vt* visszataszít, felháborít
revolting [rɪ'voʊltɪŋ] *a* felháborító, undorító, visszataszító
revolution [revə'luːʃn] *n* 1. (kör)forgás; keringés 2. fordulat 3. szabályos ismétlődés [évszakoké] 4. forradalom 5. gyökeres átalakulás [gondolkodásban stb.]
revolutionary [revə'luːʃnərɪ; *US* -erɪ] **I.** *a* forradalmi **II.** *n* forradalmár
revolutionist [revə'luːʃ(ə)nɪst] *n* forradalmár
revolutionize [revə'luːʃ(ə)naɪz] *vt* forradalmasít, gyökeresen megváltoztat
revolve [rɪ'vɔlv; *US* -a-] **A.** *vi* 1. kering 2. forog **B.** *vt* 1. forgat 2. ~ *sg in one's mind* vmt forgat az agyában

revolver [rɪ'vɔlvə*; *US* -a-] *n* forgópisztoly, revolver
revolving [rɪ'vɔlvɪŋ; *US* -a-] *a* forgó; keringő; ~ *door* forgóajtó
revue [rɪ'vjuː] *n* revü [színházi]
revulsion [rɪ'vʌlʃn] *n* ellenérzés, visszatetszés; hirtelen változás/fordulat, (hirtelen) véleményváltoztatás
revved [revd] →*rev II.*
reward [rɪ'wɔːd] **I.** *n* jutalom, ellenszolgáltatás **II.** *vt* megjutalmaz
rewarding [rɪ'wɔːdɪŋ] *a* 1. jutalmazó 2. érdemes, kifizetődő, kielégítő
rewind [riː'waɪnd] *vt (pt/pp* -**wound** -'waʊnd) újra tekercsel, áttekercsel
rewrite [riː'raɪt] *vt (pt* -**wrote** -'roʊt, *pp* -**written** -'rɪtn) átír, újra ír
Reynard ['renəd] *prop* ~ *the Fox* róka koma
Reynolds ['ren(ə)ldz] *prop*
R.F.D. [ɑːref'diː] *Rural Free Delivery* →*rural*
r.h., rh *right hand*
rhapsodical [ræp'sɔdɪkl; *US* -'saː-]*a* rapszodikus
rhapsodize ['ræpsədaɪz] *vi/vt* ~ *(about/over)* lelkesen beszél/ír (vmről, vkről)
rhapsody ['ræpsədɪ] *n* 1. rapszódia 2. eksztázis, lelkendezés, elragadtatás
Rhenish ['riːnɪʃ] **I.** *a* rajnai **II.** *n* rajnai bor
rheostat ['rɪəstæt] *n* ellenállásszekrény, reosztát
rhetoric ['retərɪk] *n* 1. szónoklattan, ékesszólás, retorika 2. szónokiasság, bombasztikus stílus/beszédmodor, frázispufogtatás
rhetorical [rɪ'tɔrɪkl; *US* -'tɔː-]*a* 1. ékesszóló; szónoki, retorikai; ~ *question* szónoki kérdés 2. bombasztikus, fellengzős, szónokias
rhetorician [retə'rɪʃn] *n* 1. szónok 2. szónokias stílusú ember
rheum [ruːm] *n* 1. nyálka, csipa, *vulg* turha, slejm 2. nátha, hurut
rheumatic [ruː'mætɪk] **I.** *a* reumás, reumatikus; ~ *fever* reumás láz **II.** *n* 1. reumás beteg 2. **rheumatics** *pl biz* reuma
rheumatism ['ruːmətɪzm] *n* reuma
rheumatoid ['ruːmətɔɪd] *a* reumaszerű; ~ *arthritis* arthritis deformans

Rhine [raɪn] *prop* Rajna; ~ *wine* rajnai bor

Rhineland ['raɪnlænd] *prop* Rajna-vidék

rhino¹ ['raɪnoʊ] *n biz* orrszarvú

rhino² ['raɪnoʊ] *n* □ dohány, guba

rhinoceros [raɪ'nɔs(ə)rəs; *US* -'nɑ-] *n* orrszarvú

rhinoplasty ['raɪnəplæstɪ] *n* orrplasztika

rhizome ['raɪzoʊm] *n* gyökértörzs, rizóma

Rhode Island [roʊd'aɪlənd] *prop*

Rhodes [roʊdz] *prop* Rodosz

Rhodesia [roʊ'diːzjə v. -ʒə] *prop*

Rhodesian [roʊ'diːzjən v. -ʒən] *a/n* rodéziai

rhododendron [roʊdə'dendrən] *n* havasszépe, rododendron

rhomb [rɔm; *US* -ɑ-] *n* ferde négyszög, rombusz

rhombohedron [rɔmbə'hiːdrən; *US* rɑ-] *n (pl* -hedra -'hiːdrə) romboéder

rhombus ['rɔmbəs; *US* -ɑ-] *n* ferde négyszög, rombusz

rhubarb ['ruːbɑːb] *n* rebarbara

rhumb [rʌm] *n* vonás [szögmérték]

rhumb-line *n* 1. oxodroma 2. szél irányszöge

rhyme [raɪm] I. *n* 1. rím; *without* ~ *or reason* se füle se farka 2. vers; *in* ~ versben II. A. *vi* 1. versel 2. rímeket gyárt 3. rímel *(with* vmivel) B. *vt* (össze)rímeltet

rhymed [raɪmd] *a* rímes, verses

rhymester ['raɪmstə*] *n* versfaragó, rímkovács, fűzfapoéta

rhyming ['raɪmɪŋ] I. *a* rímelő, verses II. *n* 1. rímelés 2. verselés

rhythm ['rɪð(ə)m] *n* 1. ritmus, ütem 2. versmérték

rhythmic(al) ['rɪðmɪk(l)] *a* ritmikus, ütemes

RI Rex et Imperator (= *King and Emperor*) király és császár

R.I. *Rhode Island*

rib [rɪb] I. *n* 1. borda; *poke sy in the* ~*s* oldalba bök vkt (figyelmeztetésül); *biz smite sy under the fifth* ~ leszúr/ledöf vkt 2. *biz* feleség, „oldalborda" 3. bordázat 4. erezet [levélé] 5. bókony, borda [hajóé] II. *vt* -bb- 1. bordáz 2. *US biz* ugrat, heccel

RIBA [ɑːraɪbiː'eɪ] *Royal Institute of British Architects* Királyi Építészeti Társaság

ribald ['rɪb(ə)ld] *a/n* mocskos (szájú), trágár (ember)

ribaldry ['rɪb(ə)ldrɪ] *n* mocskos/trágár beszéd, malackodás, sikamlósság

ribbed [rɪbd] *a* bordázott, bordás; →*rib II.*

ribbon ['rɪbən] *n* 1. szalag, pántlika; rendjelszalag; *typewriter* ~ írógépszalag; *hang in* ~*s* rongyokban lóg [ruha stb.] 2. ribbons *pl* † gyeplő

ribbon-brake *n* szalagfék

ribbon-development *n* országút menti település, szalagépítkezés

ribbon-saw *n* szalagfűrész

ribbon-windows *n pl* szalagablak

riboflavin [raɪboʊ'fleɪvɪn; *US* 'raɪ-] *n* riboflavin, B₂ vitamin

rib-roast *n* natúr bordaszelet

rice [raɪs] *n* rizs; *husked* ~ hántolt rizs; *polished* ~ fényezett rizs

rice-flour *n* rizspor, rizsliszt

rice-paper *n* kinai papír, rizspapír

rice-pudding *n* rizsfelfújt

ricer ['raɪsə*] *n* [konyhai] burgonyaprés, krumplinyomó

rice-swamp *n* rizsföld

rice-water *n* rizsleves

rich [rɪtʃ] I. *a* 1. gazdag [ember, ország]; *grow* ~ meggazdagszik 2. gazdag, bővelkedő *(in* vmben); bő(séges); dús; termékeny [föld]; (túlságosan) tápláló [étel]; buja [növényzet] 3. finom, értékes [selymek stb.], pompás, gazdag [ruha, épület] 4. telt és élénk/meleg [szín], mély, zengő [hang] 5. *biz* mulatságos, szórakoztató; *that's* ~ ez remek!, ez már döfi! II. *n the* ~ a gazdagok; *the newly* ~ az újgazdagok

Richard ['rɪtʃəd] *prop* Richárd

Richardson ['rɪtʃədsn] *prop*

riches ['rɪtʃɪz] *n pl* gazdagság

richly ['rɪtʃlɪ] *adv* 1. gazdagon 2. bőven, alaposan; *he* ~ *deserved it* alaposan megérdemelte, bőven rászolgált

Richmond ['rɪtʃmənd] *prop*

richness ['rɪtʃnɪs] *n* gazdagság, bőség

rick¹ [rɪk] *n* boglya, kazal, asztag

rick² [rɪk] *n* = *wrick*

rickets ['rıkıts] n angolkór
rickety ['rıkətı] a 1. angolkóros 2. rozoga, roskatag, roskadozó
rickshaw ['rıkʃɔ:] n riksa
rick-yard n szérűskert
ricochet ['rıkəʃeı; US -'ʃeı] I. n lepattanás [lövedéké], geller II. vi -t- v. -tt- más irányba pattan [lövedék], gellert kap
rid [rıd] vt (pt ~ v. † ~ded 'rıdıd; -dd-) megszabadít; be/get ~ of megszabadul (vktől, vmtől), leráz (vkt) a nyakáról
riddance ['rıd(ə)ns] n (meg)szabadulás vmtől; a good ~ hála Isten(nek), hogy ettől megszabadultam
ridden ['rıdn] a üldözött, vm által nyomorgatott, elnyomott; →ride II.
riddle¹ ['rıdl] n 1. rejtvény; találós kérdés 2. rejtély, talány
riddle² ['rıdl] I. n rosta II. vt 1. (át)rostál, megrostál 2. biz ~ sy with bullets szitává lő vkt; ~ an argument szétzúzza az érvelést
riddlings ['rıdlıŋz] n pl rostaalja
ride [raıd] I. n 1. lovaglás 2. utazás járművön [közforgalmi szállítóeszközön]; kocsikázás; kerékpározás; go for a ~ (1) kilovagol (2) utazik [autóbuszon stb.]; elmegy/elviszik kocsikázni/autózni (3) kerékpározik (egyet); steal a ~ potyázik [járművön]; take sy for a ~ (1) biz becsap/átejt vkt (2) US □ (kocsin elvisz és) kinyír vkt 3. út [busszal stb.]; távolság; it's a tenpenny ~ on a bus tizpennys út buszon/busszal 4. lovaglóösvény II. v (pt rode rood, pp ridden 'rıdn) A. vi 1. lovagol; hajt [keréképáron]; ~ hard gyorsan lovagol/hajt; ~ for a fall (1) vadul lovagol (2) átv kihívja a sorsot, vesztébe rohan; ~ on a bycicle kerékpáron megy, kerékpározik 2. ~ in a bus/etc. autóbuszon/stb. megy/utazik 3. lebeg, úszik 4. he ~s 12 stone 76 kilót nyom a nyeregben B. vt 1. ~ a horse lovagol, lóháton ül; ~ a bicycle kerékpározik; ~ an idea to death folyton ugyanazon nyargal, unalomig csépel egy témát; ~ a child on one's knees térdén lovagtat gyereket 2. ~ the waves siklik a hullámokon [hajó]

ride away vi ellovagol
ride back vi 1. visszalovagol 2. lovas mögött ül [lóháton]; hátsó ülést foglal el [járműben]
ride by vi arra lovagol/hajt; ellovagol/elhajt mellette
ride down vt 1. utolér lóval 2. (lóval) legázol, letipor
ride in vi belovagol
ride off vi ellovagol
ride out A. vi kilovagol B. vt ~ o. a storm átvészel [bajt, válságot]
ride over vi ~ o. (to see sy) átlovagol vkhez
ride up vi felcsúszik [ruhadarab]
rider ['raıdə*] n 1. lovas 2. függelék, (kiegészítő) záradék, toldat 3. ráépítmény 4. lovas [mérlegen], tolósúly
ridge [rıdʒ] n 1. (hegy)gerinc, (hegy-)hát, orom 2. tetőgerinc, taréj 3. bakhát [mezőgazdaságban]
ridge-bar/board n hossztartó, -gerenda
ridge-pole n szelemen, felső hosszgerenda
ridge-roof n oromfalas nyeregtető
ridge-tile n oromzsindely; kúpcserép
ridicule ['rıdıkju:l] I. n nevetség, gúny; hold up to ~ nevetségessé tesz II. vt kinevet, kigúnyol, kicsúfol
ridiculous [rı'dıkjüləs] a nevetséges, képtelen
ridiculousness [rı'dıkjüləsnıs] n nevetségesség, képtelenség
riding¹ ['raıdıŋ] n 1. lovaglás 2. utazás [járművön] 3. lovaglóösvény 4. horgonyzás
riding² ['raıdıŋ] n 1. közigazgatási területi egység Yorkshire-ben 1974-ig 2. kb. járás [Új-Zélandban]
riding-boots n pl lovaglócsizma
riding-breeches n pl lovaglónadrág
riding-habit n (női) lovaglóruha
riding-hood n csuklya; Little Red R~ Piroska [a meséből]
riding-lamp/light n jelzőlámpa [lehorgonyzott hajóé]
riding-master n lovaglótanár
riding-school n lovarda; lovasiskola
riding-whip n lovaglóostor, -pálca
rife [raıf] a 1. gyakori, elterjedt 2. nagyszámú, bőséges; be ~ with sg bővelkedik vmben

riffle ['rɪfl] *vt/vi* **1.** (kártyát) kever ⟨kétfelé osztott csomagot két sarkánál egymásba lapol⟩ **2.** [könyv lapjait] végigpörgeti, gyorsan átlapoz
riff-raff ['rɪfræf] *n* csőcselék
rifle ['raɪfl] I. *n* **1.** [vontcsövű] puska; karabély; ~ *drill* puskafogások; ~ *practice* lövészet **2. rifles** *pl* lövészgyalogság, l övészezred **II.** *vt* **1.** von, huzagol [puskacsövet] **2.** ~ *sy* rálő vkre **3.** (felforgat/átkutat és) kirabol
rifle-club *n* lövészegyesület
rifled ['raɪfld] *a* vontcsövű, huzagolt
rifle-green *a/n* zöldesszürke (szín)
rifleman ['raɪflmən] *n* (*pl* -men -mən) **1.** puskás gyalogos [katona], vadász **2.** lövész
rifle-pit *n* lövészgödör, -árok
rifle-range *n* **1.** lövölde **2.** hordtávolság; *within* ~ lőtávolságban
rifle-shot *n* **1.** puskalövés **2.** = *rifle--range 2.* **3.** (jó) lövész
rifle-sling *n* puskaheveder, vállszíj
rift [rɪft] *n* repedés, hasadás; ~ *in the lute* zavaró mozzanat, törés [barátságban, boldogságban]
rig¹ [rɪg] I. *n* **1.** kötélzet, árbocozat, csarnakzat **2.** *biz* öltözet, ,,szerelés''; *in full* ~ teljes díszben **3.** *biz* külső (megjelenés) [emberé] **4.** berendezés, felszerelés; fúróállvány, -torony **II.** *vt* **-gg- 1.** kötélzettel ellát, felárbocoz, felcsarnakol [hajót] **2.** felszerel; ~ *out* (1) felszerel (2) kiöltöztet; ~ *up* (1) kiöltöztet; feldíszít (2) felállít; összeszerel, felszerel
rig² [rɪg] I. *n run a* ~ mókázik, tréfát űz **II.** *vt* **-gg-** tisztességtelenül befolyásol; ~ *the market* mesterségesen felhajtja/lenyomja az árakat, tőzsdényerészkedik/spekulál
rigger ['rɪgə*] *n* **1.** állványozó [ács] **2.** vitorlaműmester **3.** (repülőgép)szerelő
rigging ['rɪgɪŋ] *n* vitorlázat, kötélzet, árbocozat, csarnakzat
rigging-loft [raɪt] *n* zsinórpadlás
right [raɪt] I. *a* **1.** helyes, megfelelő, alkalmas, igazi; *in the* ~ *place* a megfelelő helyen, a (maga) helyén; *the* ~ *man in the* ~ *place* a megfelelő embert

a megfelelő helyre; ~ *side of a fabric* a szövet színe; *he is on the* ~ *side of fifty* még innen van az ötvenen; *the* ~ *time* a pontos idő; *he does not do it in the* ~ *way* nem jól csinálja/végzi, nem úgy csinálja ahogyan kellene; *the* ~ *word* helyes/találó szó/kifejezés; *be sure you bring the* ~ *book!* azt a könyvet hozd (ám), amit kértem/várok!; *all* ~*!* ['ɔːraɪt] helyes!, jó!, rendben (van)!; *do you feel all* ~*?* (1) jól érzed magad?, jól érzi magát? (2) jól/kényelmesen ül(sz)?; *he's all* ~ (1) rendes/megbízható ember (2) egész jól van; *quite* ~*!* nagyon helyes!; *that's* ~*!* helyes!, rendben van!, úgy van!; *you are* ~ igaza(d) van; ~ *you are!* igazad van!; *am I* ~ *for London?* ez a vonat megy L.-ba?, ez az út vezet L.-ba?; *get sg* ~ tisztáz (v. pontosan megért) vmt; *put/set* ~ (1) helyrehoz, helyreigazít, megigazít, rendbe hoz/tesz, megjavít, kijavít (vmt) (2) tévedéseiről felvilágosít; kijózanít, helyes útra vezet (vkt) **2.** igazságos, becsületes, helyes, helyénvaló, kívánatos, illő, rendes, jogos; *not* ~ helytelen, jogtalan; *do the* ~ *thing* helyesen/becsületesen jár el **3.** jobb (oldali); *sy's* ~ *hand* vknek a jobb keze (*átv is*); ~ *screw* jobbmenetű/jobbos csavar; ~ *wing* jobboldal, jobbszárny [politikai] **4.** egyenes; ~ *line* egyenes vonal **II.** *adv* **1.** helyesen, jogosan, jól, megfelelően; *do* ~ *by sy* korrektül bánik vkvel; *if I remember* ~ ha jól emlékszem **2.** egyenesen; egészen, azonnal, mindjárt, pont(osan), igazán; ~ *at the top* a legtetején; ~ *at the start* mindjárt az elején; ~ *away*, *US* ~ *off* azonnal, rögtön, máris, tüstént; *US come* ~ *in* kerüljön beljebb; *go* ~ *on* (1) egyenesen továbbmegy (2) ugyanúgy folytatja; *he is coming* ~ *enough* egész biztos, hogy eljön; *US* ~ *here* éppen itt; ~ *now* (1) éppen most (2) *US* azonnal, rögtön; ~ *after dinner* közvetlen ebéd után **3.** jobbra; ~ *and left* (1) jobbról-balról; jobbra-balra (2) mindenfelé; mindenünnen; *turn* ~ jobbra kanyarodik; ~ *turn* jobbra át! **4.** na-

gyon; *I know it ~ well* nagyon (is) jól
tudom 5. *R~ Honourable* méltóságos,
kegyelmes; *R~ Reverend* főtiszteletű,
főtisztelendő **III.** *n* **1.** igazság(osság), jogosság; méltányosság; *be in the
~ igaza* van, jogosan cselekszik **2.**
jog; juss; illetékesség; tulajdonjog; *he
has ~ to* . . . joga van vmhez; *by ~ of*
vmnél fogva, vm alapján, vm jogon/jogán; *by ~(s)* jogosan; jog szerint; *by what ~?* mi jogon?; *~ of
way* (1) (áthaladási) elsőbbség (2)
(út)szolgalom; *have the ~ of way over
sy* elsőbbsége van vkvel szemben; *all
~s reserved* minden jog fenntartva; *in
one's own ~* saját jogon/jogán; *stand
on* (v. *assert*) *one's ~s* ragaszkodik
jogaihoz **3.** *the ~s and wrongs of sg*
vmnek jó és rossz oldala(i); *put/set
(sg) to ~s* rendbe hoz, kijavít, elrendez, helyreállít (vmt) **4.** jobb oldal;
to the ~ jobbra; *keep to the ~!* jobbra
hajts!; *turn to the ~* jobbra kanyarodik/fordul -5. *the R~* a jobboldal [politikailag], a konzervatívok **IV.** *vt* **1.** felegyenesít, felállít; *~ oneself* (1) felegyenesedik (2) jó hírnevét visszaszerzi **2.** helyreállít, kijavít; *it will ~
itself* majd (magától) rendbe jön **3.**
igazol
right-about I. *a ~ turn/face* hátraarc,
[mint vezényszó:] hátra arc! **II.** *n biz
send sy to the ~* vkt (röviden) elzavar
right-angled [-'æŋgld] *a* derékszögű
right-down I. *a* teljes; igazi, hamisítatlan
II. *adv* teljesen
righteous ['raitʃəs] *a* **1.** becsületes, tisztességes, igaz **2.** jogos, igazságos
rightful ['raitfol] *a* **1.** törvényes, jogos
2. megillető, kijáró **3.** igazságos
right-hand *a* **1.** jobb oldali, jobb kéz felöli; *~ man* (1) vknek a jobb oldalán
álló/ülő férfi (2) jobb keze (vknek); *~
side* jobb oldal **2.** jobb kézre való,
jobbkezes [kesztyű]; jobbmenetes,
jobbos [csavar stb.]
right-handed *a* **1.** jobbkezes [egyén,
ütés] **2.** jobbmenetes; óramutató forgásával egyező irányú
right-hander [-'hændə*] *n* jobbkezes
ütés

rightist ['raitist] *a/n* jobboldali [politikailag]
rightly ['raitli] *adv* helyesen, jogosan,
méltán; *~ or wrongly* joggal/jogosan
vagy jogtalanul; *I cannot ~ say* nem
tudom pontosan megmondani
right-minded *a* becsületes, derék
right-o(h) [rait'oʊ] *int* igenis!, értem!,
helyes!, úgy van!, jól/rendben van!
rights [raits] →*right III. 2., 3.*
right-thinking *a* józan gondolkodású,
tisztességes
rightwards ['raitwədz] *adv* jobb felé
rigid ['ridʒid] *a* **1.** merev, rideg **2.** szigorú, hajthatatlan
rigidity [ri'dʒidəti] *n* **1.** merevség **2.**
ridegség, hajthatatlanság, szigorúság
rigmarole ['rigməroʊl] *n* üres fecsegés
rigor →*rigour*
rigor mortis ['raigɔ:'mɔ:tis] *n* hullamerevség
rigorous ['rig(ə)rəs] *a* **1.** szigorú, rideg,
kérlelhetetlen **2.** zord [éghajlat]
rigour, *US* -or ['rigə*] *n* **1.** szigorúság,
merevség, hajthatatlanság **2.** szigor,
kérlelhetetlenség [törvény alkalmazásában] **3.** zordság [időjárásé]
rig-out *n biz* ,,szerelés'' [öltözet]
rile [rail] *vt biz* bosszant, idegesít, húz
rill [ril] *n* ér, vízfolyás
rim [rim] **I.** *n* **1.** szegély, karima, vmnek
a széle/pereme; keret [szemüvegé] **2.**
(kerék)abroncs, (kerék)talp **II.** *vt* -mmszegélyez; abroncsoz
rime[1] [raim] *n* zúzmara
rime[2] [raim] *n US = rhyme*
rimless ['rimlis] *a* keret/perem nélküli
rimmed [rimd] *a* szegélyezett, keretes,
karimás, peremes
rimy ['raimi] *a* zúzmarás
rind [raind] *n* héj; kéreg
rinderpest ['rindəpest] *n* marhavész
ring[1] [riŋ] **I.** *n* **1.** karika, gyűrű; *annual
~* évgyűrű **2.** kör; *sitting in a ~
~ körben* ülve; *make/run ~s round sy*
leköröz/lepipál vkt **3.** kör, klikk; érdekcsoport; kartell **4.** porond, aréna
[cirkuszé]; szorító [bokszban]; elkerített rész [bukmékereké lóversenypályán]; *the ~* a bukmékerek **5.**
ökölvívás **II.** *vt* (*pt/pp ~ed* riŋd) **1.**

körülfog, bekerít; ~ *cattle* marhát terel 2. (meg)gyűrűz [madarat]; karikát tesz orrába [állatnak] 3. kört alkot [vm körül]
ring² [rɪŋ] I. *n* 1. csengetés; *there was a ~ at the door* csöngettek; *I'll give you a ~* majd felhívlak (telefonon) 2. csengés, zengés; *it lacks an honest ~* nem hangzik őszintén II. *v* (*pt* **rang** ræŋ, *pp* **rung** rʌŋ) A. *vi* 1. szól, cseng, hangzik; csendül; *my ears are ~ing* csöng a fülem; ~ *true* igaznak hangzik 2. ~ *for sy* csenget vknek 3. visszhangzik (*with* vmtől) (*átv is*); *the air rang with his cries* kiáltásai visszhangzottak B. *vt* 1. csenget 2. (harangot) húz, harangoz; ~ *the alarm* (1) félreveri a harangot (2) megszólaltatja a vészcsengőt; ~ *the praises of a deed* egy tett dicséretét zengi 3. (telefonon) felhív **ring down** *vt* ~ *d. the curtain* leereszti a függönyt [színházban]
ring in *vt* beharangoz vmt
ring off *vt*/*vi* lecsenget [telefonbeszélgetést]
ring out A. *vi* szól, cseng, (ki)hangzik B. *vt* búcsúztat (harangzúgással); ~ *o. the Old* (*year*) *and* ~ *in the New* szilveszterezik
ring up *vt* 1. ~ *up the curtain* felhúzza a függönyt [színházban] 2. felhív (telefonon)
ring-dove *n* örvösgalamb
ringed [rɪŋd] *a* gyűrűs, karikás
ringer ['rɪŋə*] *n* 1. harangozó 2. csengető készülék, csengő 3. *US* □ *be a dead ~ for sv* megszólalásig hasonlít vkre, kiköpött . . .
ring-fence *n* 1. kerítés 2. korlátozás, akadály, leküzdhetetlen nehézség
ring-finger *n* gyűrűsujj
ringing ['rɪŋɪŋ] I. *a* csengő, zengő II. *n* csengés
ringleader *n* főkolompos
ringlet ['rɪŋlɪt] *n* 1. gyűrűcske 2. hajfürt, lokni
ring-master *n* cirkuszigazgató
ring-road *n* autópályagyűrű
ringside *n* nézőtér első sora
ring-straked [-streɪkt] *a* örvös, csíkos
ring-worm *n* sömör

rink [rɪŋk] *n* (mű)jég(pálya), (gör)korcsolyapálya
rinse [rɪns] I. *n* 1. öblítés, öblögetés 2. bemosás [hajé] II. *vt* (ki)öblít, öblöget
riot ['raɪət] I. *n* 1. lázadás, zendülés; *biz read the R~ Act to sy* vkt erélyesen figyelmeztet rendes magaviseletre 2. zenebona, ricsaj; csendháborítás; *run ~* (1) (meg)vadul, féktelenkedik (2) (el)burjánzik [növény]; *the play was a ~* a darab tomboló sikert aratott 3. tobzódás, orgia [színeké, hangoké] II. *vi* 1. lázad, zendül 2. kicsapongó életet él 3. ~ *in sg* kedvét leli vmben, tobzódik vmben
rioter ['raɪətə*] *n* 1. lázadó 2. dorbézoló személy
rioting ['raɪətɪŋ] *n* lázadás, zavargás
riotous ['raɪətəs] *a* 1. lázadó, zavargó; garázda [viselkedés] 2. dőzsölő, kicsapongó
riotousness ['raɪətəsnɪs] *n* 1. zavargás, lázadás 2. vad összevisszaság
rip [rɪp] I. *n* 1. hasítás 2. hosszú hasadás/vágás II. *v* -pp- A. *vt* 1. felszakít, feltép (*átv is*), (fel)repeszt, (fel)hasít, széthasít; ~ *sg open* felhasít, feltép [borítékot stb.] 2. lebont [tetőt]; ~ *off* letép, leszakít B. *vi* 1. hasad 2. *biz* „repeszt", „tép"; *let her/it ~* ereszd neki
RIP [ɑːraɪ'piː] requiescat in pace (= *may* (*s*)*he rest in peace*) nyugodjék békében
riparian [raɪ'peərɪən] *a* parti; ~ *owner* parti birtokos
rip-cord *n* oldózsinór [ejtőernyön]
ripe [raɪp] *a* érett; ~ *old age* bölcs öregkor
ripen ['raɪp(ə)n] A. *vt* (meg)érlel B. *vi* érik
ripeness ['raɪpnɪs] *n* érettség
ripost(e) [rɪ'pɔst; *US* -pɔʊst] I. *n* visszavágás, riposzt II. *vi* visszavág, -szúr
ripped [rɪpt] →*rip II.*
ripper ['rɪpə*] *n* 1. aszfaltvágó gép; szakítófűrész; *Jack the R~* Hasfelmetsző Jack 2. □ klassz alak/dolog
ripping ['rɪpɪŋ] *a* 1. hasító, szakító 2. *GB* □ irtó klassz, állati jó
ripple ['rɪpl] I. *n* 1. fodrozódás [vizen]

2. hajfodor 3. halk moraj II. A. *vi* 1. fodrozódik, hullámzik, gyöngyöz [víz] 2. hullámzik [gabona] 3. mormol, csobog [patak] B. *vt* 1. hullámokat ver 2. fodroz

ripple-mark *n* ⟨hullámverés nyoma parti fövenyen⟩

rip-roaring *a US biz* lármás, zajos [mulatozás]

rip-saw *n* hasító (szalag)fűrész

Rip van Winkle [rɪpvæn'wɪŋkl] *prop*

rise [raɪz] I. *n* 1. (fel)emelkedés; felkelés; ~ *of day* pitymallat, hajnal; *be on the* ~ emelkedőben van; *get a* ~ *out of sy* felingerel vkt 2. emelkedés, lejtő [úté]; magaslat, domb; ~ *of arch* (bolt)ívmagasság 3. növekedés, nagyobbodás, szaporodás 4. fokozás, növelés; fizetésemelés, béremelés; *ask for a* ~ fizetésemelést kér; *a* ~ *in prices* áremel(ked)és 5. előmenetel, (fel)emelkedés, magasabbra jutás [anyagilag, társadalmilag]; ~ *to power* hatalomra emelkedés 6. forrás, eredet; *give* ~ *to sg* előidéz/okoz vmt II. *vi* (*pt* rose roʊz, *pp* risen 'rɪzn) 1. felemelkedik, felszáll; (fel)kel [égitest]; *the sun* ~*es in the East* a nap keleten kel; ~ *to the bait* bekapja a csalétket [hal] 2. felkel, feláll 3. ülést bezár/berekeszt, elnapol [tanácskozást stb.] 4. feltámad [halottaiból] 5. emelkedik [út]; kiemelkedik [domb]; felbukkan [vízből]; *prices are rising* emelkednek az árak; *be rising fifty* ötven felé jár (vk); ~ *to view* feltűnik, láthatóvá válik 6. nagyobbodik, növekszik, erősödik, fokozódik; *the sea is rising* (1) dagály van (2) feltámad a tenger; *the wind is rising* a szél (egyre) erősödik 7. (meg)dagad, (meg)duzzad; (meg)kel [tészta] 8. előlép, emelkedik [társadalmi ranglétrán]; ~ *in the world* előbbre jut az életben 9. ered, származik (*from* vmből, vhonnan) 10. fellázad (*against* ellen)

riser ['raɪzə*] *n* 1. *an early* ~ korán kelő (ember) 2. lépcsőfok magassága

risibility [rɪzɪ'bɪlətɪ] *n* nevető kedv

risible ['rɪzɪbl] *a* 1. nevetni képes 2. nevetséges, kacagtató

rising ['raɪzɪŋ] I. *a* 1. (fel)kelő 2. emelkedő 3. felvirradó, felkelő 4. [befolyásban, tudásban, hatalomban, rangban] emelkedő; jövendő; *the* ~ *generation* a(z) új/felnöv(ekv)ő nemzedék; ~ *man* nagy jövőjű ember, a jövő embere II. *n* 1. felkelés [napé]; emelkedés 2. lázadás, felkelés 3. pattanás 4. *US* élesztő

risk [rɪsk] I. *n* kockázat, rizikó, veszély; *run a* ~, *take* ~*s* kockázatot vállal, kockáztat; *run/take the* ~ *of . . .* megkockáztat vmt; vállalja a kockázatát vmnek; *at one's own* ~ saját felelősségére II. *vt* (meg)kockáztat, reszkíroz

riskiness ['rɪskɪnɪs] *n* kockázatosság

risky ['rɪskɪ] *a* kockázatos, veszélyes; merész

rissole ['rɪsoʊl] *n* (zsírban sült) húspogácsa/halpogácsa

rite [raɪt] *n* szertartás, rítus; ~ *of passage* átmeneti rítus

ritual ['rɪtjʊəl] I. *a* szertartási, rituális II. *n* 1. szertartás(ok), rítus 2. szertartáskönyv, rituále

ritualism ['rɪtjʊəlɪzm] *n* egyházi formasághoz ragaszkodás, ritualizmus

rival ['raɪvl] I. *n* versenytárs, vetélytárs, riválís II. *vt* -ll- (*US* -l-) versenyez, verseng, vetélkedik (vkvel, vmvel); vetekedik, felveszi a versenyt (vkvel, vmvel)

rivalry ['raɪvlrɪ] *n* versengés, vetélkedés

rive [raɪv] *vt* (*pt* ~*d* raɪvd, *pp* ~n 'rɪv(ə)n) 1. széthasít, -repeszt 2. letép, leszakít

river ['rɪvə*] *n* 1. folyó; folyam (*átv is*); *open* ~ nem befagyott folyó; *down the* ~ a folyón lefelé; *biz sell sy down the* ~ átejt, csőbe húz vkt 2. áradat 3. *diamond of the finest* ~ tiszta tűzű gyémánt

riverain ['rɪvəreɪn] *a* = riverine

river-bank *n* folyópart

river-basin *n* folyómedence; folyam vízgyűjtő medencéje

river-bed *n* folyóágy, -meder

river-head *n* folyó forrása/eredete

riverine ['rɪvəraɪn] *a* folyami, (folyó-) parti

riverside I. *a* folyóparti II. *n* folyópart

47

rivet ['rɪvɪt] I. *n* szegecs, nitt(szeg) II.
vt 1. (meg)szegecsel, nittel 2. ~ *eyes
upon sg* vmre szegezi tekintetét; ~
attention (1) figyelmét vmre összpon-
tosítja (2) a figyelmet magára vonja
riveting ['rɪvɪtɪŋ] I. *n* szegecselés II. *a
biz* izgalmas, lenyűgöző
rivulet ['rɪvjʊlɪt; *US* -vjə-] *n* patak
Rly, rly *railway*
R.M., RM [ɑ:r'em] 1. *resident magistrate*
2. *Royal Mail* ⟨angol postahajó⟩ 3.
Royal Marines →*marine*
R.N., RN [ɑ:r'en] *Royal Navy* (angol)
királyi haditengerészet
RNR [ɑ:ren'ɑ:*] *Royal Naval Reserve*
angol királyi haditengerészeti tarta-
lék(os)
roach[1] [roʊtʃ] *n* veresszárnyú koncér
roach[2] [roʊtʃ] *n* 1. *biz* svábbogár 2. □
marihuánás cigarettacsikk
road [roʊd] *n* 1. (köz)út, országút;
main ~ főútvonal [elsőbbséggel];
public ~ közút; ~ *accident* közúti
baleset; *US biz* ~ *agent* útonálló
(bandita); ~ *conditions* útviszonyok;
~ *island* terelősziget; ~ *junction* út-
találkozás, csomópont; ~ *markings*
útburkolati jelek; ~ *repairs* útjavítás;
~ (*patrol*) *service* országúti segélyszol-
gálat, „sárga angyal"; ~ *sign* (közúti)
jelzőtábla; ~ *works* (*ahead*) „közúton
folyó munkák" 2. (*egyéb kifejezések-
ben:*) *be on the* ~ (1) úton van (2) járja
az országot; *by* ~ (1) tengelyen [nem
vasúton] (2) gyalog; *get in one's* ~ út-
jába kerül [mint akadály]; *take the* ~
útra kel 3. **roads** *pl* rév, horgonyzó-
hely, kikötő 4. *US* (vasúti) pálya-
(test)
road-atlas *n* autóatlasz, úthálózati térkép
road-bed *n* 1. (út)ágyazat 2. vasúti pá-
lyatest
road-block *n* útakadály, -torlasz
road-brick *n* kövezetkocka; keramittégla
road-hog *n* garázda vezető [autós]
road-holding *n* úttartás [gépkocsié]
road-house *n* útmenti vendéglő, autós-
csárda
roadless ['roʊdlɪs] *a* úttalan
roadman ['roʊdmən] *n* (*pl* -men -mən)
útőr, útjavító/útkarbantartó munkás

road-map *n* autótérkép
road-metal *n* zúzott kő
road-race *n* országúti verseny
road-sense *n* autóvezetői érzék; helyes
magatartás a közúton
roadside *n* út széle, (út)padka; (*jelző-
ként:*) útmenti, országúti; *by the* ~ az
útszélen; ~ *inn* országúti vendéglő; ~
telephone segélyhívó telefon [út men-
tén]
roadstead ['roʊdsted] *n* = *road 3.*
roadster ['roʊdstə*] *n* kétüléses nyitott
sportkocsi
road-system *n* úthálózat
roadway *n* úttest, útpálya
roadworthy *a* közlekedésre/túrázásra al-
kalmas
roam [roʊm] *vi* barangol, kóborol,
kószál B. *vt* bebarangol, bejár
roaming ['roʊmɪŋ] I. *a* kóborló, kószáló,
barangoló II. *n* kóborlás, kószálás, ba-
rangolás
roan[1] [roʊn] *a/n* aranyderes (ló)
roan[2] [roʊn] *n* barna birkabőr(kötés)
roar [rɔ:*] I. *n* 1. üvöltés, ordítás; böm-
bölés 2. (oroszlán)bőgés 3. zúgás, mo-
raj(lás); ~*s of laughter* harsogó neve-
tés; *set the table in a* ~ az egész asztal
megnevetteti II. *vi* 1. ordít, kiabál 2.
bőg [oroszlán]; ~ *with laughter* haho-
tázik, röhög 3. dörög; bömböl; zúg,
morajlik; *a car* ~*ed by* egy autó zúgott
el
roaring ['rɔ:rɪŋ] I. *a* 1. ordító, bőgő,
üvöltő 2. zúgó, búgó, morajló; *the* ~
forties (1) viharos zóna az Atlanti-
óceánon [40. és 50. szélességi fokok
közt] (2) *US* az eseménydús negyve-
nes évek [1840-es] 3. élénk, virágzó;
do a ~ *trade* kitűnően megy az üzlete
II. *n* = *roar I.*
roast [roʊst] I. *a* sült; ~ *beef* marhasült,
rosztbif II. *n* (egybe)sült hús, sült
III. A. *vt* 1. (ki)süt, megsüt [húst]; *biz*
~ *oneself* majd megsül [tűz mellett] 2.
pörköl [kávét, ércet] 3. *biz* ugrat (vkt)
B. *vi* 1. sül [hús] 2. sütkérezik [na-
pon]
roaster ['roʊstə*] *n* 1. pecsenyesütő
[készülék] 2. sütni való [állat]
roasting ['roʊstɪŋ] *n* 1. sütés 2. pörkölés

roasting-jack *n* nyársforgató készülék
rob [rɔb; *US* -ɑ-] *vt* -bb- elrabol, kirabol, meglop, ellop
robber ['rɔbə*; *US* -ɑ-] *n* rabló
robbery ['rɔbərɪ; *US* -ɑ-] *n* rablás; *murder and* ~ rablógyilkosság
robe [roʊb] I. *n* díszruha, talár, palást; köntös II. A. *vt* díszruhába öltöztet B. *vi* díszruhába öltözik
Robert ['rɔbət; *US* -ɑ-] *prop* Róbert
robin¹ ['rɔbɪn; *US* -ɑ-] *n* ~ *(redbreast)* vörösbegy
Robin² ['rɔbɪn; *US* -ɑ-] *prop* Robi, Róbert; ~ *Goodfellow* ⟨egy vidám tündér neve⟩
Robinson ['rɔbɪns(ə)n] *prop*
robot ['roʊbɔt; *US* -ɑt] *n* 1. robotgép, robotember; *átv biz* lélektelen ember 2. ~ *bomb* távirányított lövedék
robust [roʊ'bʌst] *a* erős, markos, egészséges, robusztus
rock¹ [rɔk; *US* -ɑ-] *n* 1. szikla, szirt; *US* kő(darab), nagyobb kavics; *the R*~ a gibraltári szikla 2. zátony; *átv* akadály; *on the* ~*s* (1) zátonyra futott, zátonyon van (2) *biz* „nyomorban"/pénzzavarban/pácban van (3) *US biz* jégkockákkal [italról]; *see* ~*s ahead* (1) szirteket pillant meg (2) *biz* akadályokat/nehézségeket lát maga előtt 3. kőzet
rock² [rɔk; *US* -ɑ-] I. *n* ~ *(and roll)*, ~*-'n'-roll* [rɔkn'roʊl; *US* rɑ-] rock- -and-roll, rock (zene) II. A. *vt* 1. ringat, himbál, hintáztat, lenget; *biz* ~ *the boat* veszélyeztet vmt, kellemetlen helyzetbe hoz [együttest] 2. (meg-) renget, megrázkódtat B. *vi* 1. ring, himbálódzik, leng 2. reng
rock-and-roll [rɔkən'roʊl; *US* rɑ-] *n* →*rock²* I.
rock-bottom I. *a* ~ *price* legutolsó/legalacsonyabb ár II. *n* vmnek a legfeneke/legalja
rock-bound *a* sziklákkal körülvett
rock-cake *n* ⟨cukormázas teasütemény⟩
rock-candy *n* kandiscukor
rock-climbing *n* sziklamászás
rock-crystal *n* hegyikristály, kvarc
rock-dove *n* szirti galamb
rock-drill *n* sziklafúró gép, fúrókalapács

Rockefeller ['rɔkɪfelə*; *US* 'rɑ-] *prop*
rocker ['rɔkə*; *US* -ɑ-] *n* 1. saru ⟨hintaszék/hintaló görbe része⟩ 2. felhajló orrú korcsolya 3. *US* hintaszék 4. □ *off one's* ~ (1) rosszkedvű (2) bolondos, dilis
rockery ['rɔkərɪ; *US* -ɑ-] *n* sziklakert
rocket ['rɔkɪt; *US* -ɑ-] I. *n* 1. rakéta; ~ *engine/motor* rakétahajtómű; ~ *propulsion* rakéta(meg)hajtás 2. röppentyű [tűzijátékhoz] II. A. *vt* rakétákkal lő [célpontot] B. *vi* 1. gyorsan és egyenesen felszáll [fácán] 2. gyorsan emelkedik [vmnek az ára] 3. előreszökken [ló, lovas]
rocket-base *n* rakétatámaszpont
rocket-launcher *n* aknavető, sorozatvető
rocket-powered/propelled *a* rakétahajtású
rocket-range *n* rakétakilövő állomás
rocketry ['rɔkɪtrɪ; *US* -ɑ-] *n* 1. rakétatechnika 2. rakétafegyverek
rock-garden *n* sziklakert
Rockies ['rɔkɪz; *US* -ɑ-] →*rocky¹*
rocking ['rɔkɪŋ; *US* -ɑ-] I. *a* 1. ringó, hintázó 2. ringató, hintáztató II. *n* ringás, ingás, hintázás, egyensúlyozás
rocking-chair *n* hintaszék
rocking-horse *n* hintaló
rocking-stone *n* ringókő
rock'n'roll [rɔk(ə)n'roʊl; *US* rɑ-] →*rock²* I.
rock-oil *n* kőolaj
rock-salt *n* kősó
rock-wool *n* hangnyelő ásványi anyag
rocky¹ ['rɔkɪ; *US* -ɑ-] *a* 1. sziklás, köves; *R*~ *Mountains* (röv. *Rockies*) Sziklás- -hegység 2. *átv* sziklaszilárd; kőszívű
rocky² ['rɔkɪ; *US* -ɑ-] *a biz* bizonytalan, imbolygó, tántorgó, ingatag
rococo [rə'koʊkoʊ] *n* rokokó
rod [rɔd; *US* -ɑ-] *n* 1. vessző, pálca; virgács; *kiss the* ~ zokszó nélkül aláveti magát büntetésnek, megalázkodik 2. horgászbot; ~ *and line* horgászbot és zsinór 3. ⟨hosszmérték: 5,03 méter⟩ 4. rúd [függönyé, ingáé stb.]; ~ *control* botkormány 5. kormánypálca; *rule with a* ~ *of iron* vaskézzel kormányoz

rode [roud] →*ride II.*
rodent ['roud(ə)nt] *n* rágcsáló
rodeo [rou'deɪou; *US* 'roudɪou] *n US*
1. cowboy-lovasbemutató 2. motorke-
rékpáros „rodeo"
Roderick ['rɔd(ə)rɪk; *US* 'rɑ-] *prop*
⟨angol férfinév⟩
rodomontade [rɔdəmɔn'teɪd; *US* -ɑ-
-ɑ-] *n* hencegés, (száj)hősködés
roe¹ [rou] *n* őz
roe² [rou] *n* halikra
roebuck *n* őzbak
Roentgen, Röntgen ['rɔntjən; *US* 'rent-
gən] *n* = *X-ray(s)*
rogation [rou'geɪʃn] *n* ~ *week* keresztjáró
napok
Roger ['rɔdʒə*; *US* -ɑ-] I. *prop* Roge-
rius; *Jolly* ~ halálfejes kalózlobogó II.
int r~ *biz* rendben van!, értettem!,
helyes!
Roget ['rɔʒeɪ] *prop*
rogue [roug] *n* 1. gazember, gazfickó,
szélhámos; ~*s' gallery* (arcképes) bűn-
ügyi nyilvántartó 2. † csavargó 3.
huncut fickó, kópé 4. ~ *elephant* ma-
gányos elefánt
roguery ['rougərɪ] *n* 1. gazság, csalás,
szélhámosság 2. huncutság
roguish ['rougɪʃ] *a* 1. gaz 2. huncut
roister ['rɔɪstə*] *vi* hetvenkedik, hep-
ciáskodik
Roland ['roulənd] *prop* Lóránt; Loránd;
a ~ *for an Oliver* szemet szemért
role, rôle [roul] *n* szerep
roll [roul] I. *n* 1. tekercs; göngyöleg; vég
[kelme]; ~ *of fat* zsírpárna (vkn) 2.
henger; görgő; ~*s* hengersor, henger-
mű 3. ringás, himbálódzás, dülönge-
lés [hajóé]; gördülés; *the* ~ *of the sea*
hömpölygő/viharos tenger; *biz walk
with a* ~ ringó járással megy 4. gördí-
tés, gurítás 5. (név)jegyzék, lajstrom;
call the ~ névsort olvas; ~ *of honour*
hősi halottak névsora; *GB Master of
the R*~*s* főlevéltáros; *strike sy off the*
~*s* vkt kizár egy testületből, töröl vkt
a névjegyzékből 6. zsemle 7. *US*
bankjegyköteg 8. orsó(zás) [repülő-
géppel] II. A. *vt* 1. (fel)gyöngyölít; fel-
csavar; becsavar; ~ *a cigarette/smoke*
cigarettát sodor 2. hengerel; gördít,

gurít, görget; hengerít; ~ *one's eyes*
forgatja a szemét 3. perget [dobot];
~ *one's r's* pergeti az ,r' hangot 4. *US*
☐ markecol; *get* ~*ed* részegen kirabol-
ják B. *vi* 1. gurul, gördül; forog; hem-
pereg; hömpölyög 2. dörög [ágyú,
ég]; pereg [dob] 3. dülöng [hajó];
himbálódzik, ring
roll back A. *vt* 1. visszagurít 2. visz-
szaszorít B. *vi* visszagurul, hátragurul
roll by *vi* 1. elgurul előtte/mellette
2. (el)múlik, eltelik [idő]
roll down A. *vt* 1. lehengerel 2. legu-
rít B. *vi* legurul, legördül
roll in A. *vi* 1. begurul 2. beözönlik
3. *biz be* ~*ing in money* majd felveti a
pénz B. *vt* begurít, begördít
roll into *vt he was a poet and a sculp-
tor* ~*ed i. one* költő és szobrász volt
egy személyben
roll on A. *vi* 1. továbbgurul, (to-
vább)hömpölyög 2. telik, múlik [idő]
B. *vt* magára ránt [ruhát]
roll out A. *vt* kisodor, kinyújt [tész-
tát] B. *vi* 1. kigurul 2. *biz* kibújik [az
ágyból]
roll over A. *vi* körbefordul, [ágy-
ban] megfordul, befordul B. *vt* felfor-
dít, -billent, -borít
roll up A. *vt* 1. összegöngyölít, -csa-
var, -hajt 2. becsavar, begöngyöl [pa-
pirosba]; ~ *oneself up in a blanket* ta-
karóba burkolódzik 3. feltúr [inguj-
jat]; ~ *up one's sleeves* nekigyürkőzik
4. felgöngyölít [ellenséges arcvonalat]
B. *vi* 1. összegömbölyödik 2. bebur-
kolózik 3. *biz* megérkezik, megjelenik,
befut
rollable ['rouləbl] *a* 1. gurítható 2.
nyújtható, sodorható
roll-call *n* névsorolvasás
rolled [rould] *a* 1. összecsavart, teker-
cselt, göngyölt; ~ *up* összecsavarodott
2. hengerelt; ~ *gold* dublé arany
roller ['roulə*] *n* 1. henger 2. görgő; ~
seat gurulóülés 3. tekercs; ~ *bandage*
pólyatekercs 4. hosszú hullám
roller-bearing *n* görgőscsapágy
roller-blind *n* (vászon)redőny
roller-coaster *n* hullámvasút
roller-skates *n pl* görkorcsolya

roller-towel *n* végtelen törülköző
roll-film *n* tekercsfilm; filmtekercs
rollicking ['rɔlıkıŋ; *US* 'rɑ-] *a* vidám, jókedvű; könnyelmű, mulatós
rolling ['roulıŋ] I. *a* **1.** guruló, gördülő; ~ *kitchen* mozgókonyha; *a* ~ *stone* nyughatatlan ember; *a* ~ *stone gathers no moss* aki sokat hordozkodik meg nem mohosodik **2.** hömpölygő **3.** egymást követő [évek] **4.** himbálódzó, ringó; ~ *gait* ringó járás **5.** dimbesdombos **6.** ~ *collar* lehajtott gallér II. *n* **1.** gurulás **2.** hengerlés **3.** dörgés
rolling-load *n* mozgóterhelés, mozgóteher
rolling-mill *n* hengermű
rolling-pin *n* sodrófa, nyújtófa
rolling-stock *n* gördülőállomány, -anyag
roll-on *n* ~ (*belt*) csípőszorító [női]
Rolls-Royce [roulz'rɔıs] *prop*
roll-top desk amerikai (redőnyös) íróasztal
roly-poly [roulı'poulı] *n* **1.** kb. kis lekváros tekercs **2.** kis gömböc, dagi [gyerek, ember]
Roman ['roumən] I. *a* **1.** római; *the* ~ *Empire* a római birodalom **2.** ~ *Catholic* római katolikus **3.** *r*~ *numerals* római számok **4.** ~ v. *r*~ *letters/ type* antikva (betűk) II. *n* **1.** római (férfi, nő) **2.** római katolikus (hívő) **3.** *r*~ antikva (betű)
romance [rə'mæns] I. *a R*~ *languages* román/ujlatin nyelvek II. *n* **1.** versregény; lovagregény; *age of* ~ lovagkor **2.** regényes történet **3.** ábrándos dolog, romantikus történet/kaland; románc; *biz* szerelem, szerelmi ügy **4.** romantika III. *vi* **1.** regél **2.** ábrándozik
Romanesque [roumə'nesk] I. *a* román (stílusu) II. *n* román stílus
Romania [ru:'meınjə] *prop* = *Rumania*
Romanian [ru:'meınjən] *a/n* = *Rumanian*
Romanic [rə'mænık] *a* **1.** újlatin **2.** római
Romanize ['roumənaız] *vt/vi* **1.** elrómaiasít, romanizál **2.** katolizál
romantic [rə'mæntık] *a* romantikus, regényes

romanticism [rə'mæntısızm] *n* romantika, romanticizmus
romanticize [rə'mæntısaız] *vt* romantizál, romantikussá tesz
Romany ['rɔmənı; *US* 'rɑ-] *n* **1.** cigány, roma; ~ *rye* cigányrajongó **2.** cigány (nyelv)
Rome [roum] *prop* Róma; *Church of* ~ a római katolikus egyház; *all roads lead to* ~ minden út Rómába vezet
Romeo ['roumıou] *prop* Rómeó
Romish ['roumıʃ] *a* római katolikus, pápista
romp [rɔmp; *US* -ɑ-] I. *n* **1.** lármás gyerek, fiús/pajkos lány **2.** vad játék; hancúrozás II. *vi* **1.** pajkoskodik, vadul játszik, vadul **2.** *biz* ~ *home* könnyen nyer, kényelmesen befut [ló versenyen]; ~ *through an exam* kitűnően vizsgázik
romper ['rɔmpə*; *US* -ɑ-] *n* ~ (*suit*), (*a pair of*) ~*s* játszóruha [kisgyermeké], kezeslábas
rondo ['rɔndou; *US* -ɑ-] *n* [zenei] rondó
roneo ['rounıou] I. *n* **1.** [egy fajta] stencilgép **2.** stencilezett példány II. *vt* stencilez, sokszorosít
Röntgen →*Roentgen*
rood [ru:d] *n* † ~(-*tree*) a kereszt(fa), feszület
rood-screen *n* szentélyrács, -rekesztő
roof [ru:f] I. *n* **1.** tető, fedél; *biz lift/raise the* ~ (1) lelkesen tapsol (2) lármásan tiltakozik; ~ *rack* tetőcsomagtartó **2.** mennyezet **3.** ~ *of the mouth* (kemény) szájpadlás II. *vt* (be)föd, fed, tetővel fed/ellát
roofer ['ru:fə*] *n* tetőfedő (munkás)
roof-garden *n* tetőkert
roofing ['ru:fıŋ] *n* **1.** tetőfedés **2.** fedél(szerkezet); héjazat **3.** ~ (*material*) tetőfedőanyag; ~ *felt* kátránypapír, fedlemez
roofless ['ru:flıs] *a* **1.** fedetlen, tető nélküli **2.** hajléktalan
roof-light *n* tetővilágítás
roof-raising ceremony bokrétaünnepély
roof-tree *n* tetőgerenda
rook¹ [ruk] I. *n* **1.** vetési varjú **2.** csaló, sipista II. *vt* **1.** becsap [kártyán] **2.** pénzt kicsal (vkből)

rook² [rʊk] *n* bástya [sakkban]
rookery ['rʊkərı] *n* **1.** varjútanya **2.** fókatelep; pingvintelep **3.** túlzsúfolt szegénynegyed, nyomortanya
rookie ['rʊkı] *n US* □ újonc
room [ru:m] **I.** *n* **1.** szoba; terem **2.** **rooms** *pl* lakás, lakosztály; ~(*s*) *to let* szoba kiadó; *set of* ~*s* lakosztály; *live in* ~*s* albérletben lakik **3.** tér, (férő-) hely; *cramped for* ~ helyszűkében van; *in the* ~ *of* helyében, helyett; *make* ~ *for* helyet csinál (vmnek), utat enged (vknek); *take up much* ~ sok helyet foglal el; *no* ~ *for doubt* nincs helye a kétségnek; *átv there's much* ~ *for improvement* sok kívánnivalót hagy hátra **II.** *vi US* (albérletben) lakik
-roomed [-ru:md] -szobás
roomer ['ru:mə*] *n US* albérlő, lakó
roomful ['ru:mfʊl] *n* szobáravaló
roominess ['ru:mınıs] *n* tágasság
room-mate *n* szobatárs, lakótárs
roomy ['ru:mı] *a* tágas, téres, nagy
Roosevelt ['roʊzəvelt] *prop*
roost [ru:st] **I.** *n* **1.** ülő [tyúkólban]; *rule the* ~ ő az úr a háznál; *come home to* ~ visszaszáll fejére [bűne] **2.** pihenőhely, hálóhely **II.** *vi* **1.** elül [baromfi]; alszik **2.** lepihen
rooster ['ru:stə*] *n US* kakas
root¹ [ru:t] **I.** *n* **1.** gyökér; gumó; ~*s* gumós növények; ~ *and branch* mindenestül, szőröstül-bőröstül; *take/strike* ~ gyökeret ereszt/ver (*átv is*) **2.** gyökér [fogé stb.]; ideggyök **3.** eredet, forrás; alapja (vmnek); *the* ~ *of the matter* a dolog lényege **4.** (szó)tő **5.** gyök **II. A.** *vt* **1.** meggyökereztet (*átv is*); *remain* ~*ed to the spot* földbe gyökereznek a lábai **2.** ~ *out/up* gyökerestül kitép/kiirt **B.** *vi* **1.** gyökeresedik **2.** *átv* gyökerezik, gyökeret ver
root² [ru:t] **A.** *vi* kotorászik, turkál, túr, keresgél **B.** *vt* túr [disznó]; ~ *out/up* kitúr, kiás (vmt) (*átv is*)
root³ [ru:t] *vi US biz* ~ *for* (*a team*) szurkol [csapatnak], biztat [csapatot]
root-crops *n pl* gumós (gazdasági) növények
rooted ['ru:tıd] *a* **1.** gyökeres **2.** meg-

rögzött [szokás stb.]; *deeply* ~ mélyen gyökerező
rooter ['ru:tə*] *n US biz* lármásan szurkoló
rootless ['ru:tlıs] *a* gyökértelen
root-sign *n* gyökjel
root-word *n* gyökérszó, tőszó, alapszó
rope [roʊp] **I.** *n* **1.** kötél; *the* ~*s* szorító; *at the end of one's* ~ (anyagi) ereje fogytán; *give sy* (*plenty of*) ~ szabad kezet enged vknek, tág teret biztosít vknek; *know the* ~*s* ismeri a dörgést, érti a csíziót/dolgát; ~ *of sand* csalóka támasz/biztosíték; *worthy of the* ~ kötelet érdemel **2.** [hagyma-, füge-] koszorú, füzér; (gyöngy)sor **3.** (hajó)kötélzet **II. A.** *vt* **1.** összekötöz, odaköt(öz) (*to* vmhez) **2.** *US* kötéllel/laszszóval fog [lovat] **B.** *vi* nyúlós lesz
  rope in *vt* **1.** kötéllel bekerít/elkerít/elhatárol **2.** *biz* beszervez/beránt vkt (*on* vmbe)
  rope off *vt* kötéllel elkerít
  rope round *vt* = *rope in 1.*
rope-dancer *n* kötéltáncos
rope-ladder *n* kötélhágcsó, -létra
rope-maker *n* kötélverő
rope-moulding *n* zsinórdísz, füzérdísz [épületen]
rope-railway *n* drótkötélpálya
ropery ['roʊpərı] *n* kötélverő műhely
rope-walk *n* kötélverő műhely
rope-walker *n* kötéltáncos
rope-way *n* (drót)kötélpálya
rope-yard *n* kötélverő műhely
rope-yarn *n* vastag fonal, kötélfonal
ropiness ['roʊpınıs] *n* nyúlósság [italé]
ropy ['roʊpı] *a* nyúlós, nyálkás [bor stb.]
Rosalie ['roʊzəlı] *prop* Rozália
Rosalind ['rɔzəlınd; *US* 'rɑ-] *prop* Rozalinda
rosary ['roʊzərı] *n* **1.** rózsafüzér, olvasó **2.** = *rose-garden*
rose¹ [roʊz] *n* **1.** rózsa; *not a bed of* ~*s*, *not all* ~*s* nem fenékig tejföl; *biz under the* ~ titokban; *Wars of the R*~*s* rózsák háborúja [XV. sz.-ban a fehér rózsás York és a piros rózsás Lancaster családok és híveik között] **2.** rózsaszín **3.** rózsa [alakú tárgy/dolog/dísz],

rozetta; (szalag)csokor; rózsa [öntö-
zőkannáé]; koszorú [agancs karimá-
ján]; szélrózsa [iránytűn] **4.** orbánc
rose² [rouz] →*rise II.*
Rose³ [rouz] *prop* Róza, Rózsa
roseate ['rouziət] *a* rózsás, rózsaszínű
rose-bay *n* oleánder
rose-bowl *n* virágtartó (tál, váza)
rosebud *n* rózsabimbó; ~ *mouth* cse-
reszyeajak
rose-burner *n* gázrózsa, körégő
rose-coloured *a* rózsaszínű; *see things
through* ~ *spectacles* rózsaszínben látja
a világot, optimista
rose-diamond *n* rózsaalakra köszörült
gyémánt, rózsagyémánt
rose-garden *n* rózsakert, rózsáskert
rose-leaf *n* (*pl* **-leaves**) rózsalevél, -szi-
rom
rosemary ['rouzm(ə)rı] *n* rozmaring
roseola [rə'zi:ələ] *n* **1.** rózsahímlő, ru-
beola **2.** roseola
rose-rash *n* = *roseola*
rose-red *a* rózsapiros
rosery ['rouzərı] *n* rózsakert
rose-tree *n* rózsafa
rosette [rə'zet] *n* **1.** rózsadísz, rozetta **2.**
kokárda, szalagcsokor
rose-water *n* **1.** rózsavíz **2.** *átv* limonádé
rose-window *n* rózsaablak
rose-wood *n* rózsafa [fája]
rosily ['rouzılı] *adv* rózsásan, pirosan
rosin ['rɔzın; *US* 'rɑz(ə)n] *n* gyanta
rosiness ['rouzınıs] *n* rózsásság
Rossetti [rɔ'setı] *prop*
roster ['rɔstə*; *US* 'rɑ-] *n* **1.** = *rota;
by* ~ sorjában **2.** névsor
rostrum ['rɔstrəm; *US* -ɑ-] *n* (*pl* **-s** -z v.
-tra -trə) **1.** szónoki emelvény, kar-
mesteri pult, dobogó **2.** csőr **3.** hajó-
orr
rosy ['rouzı] *a* rózsaszínű, rózsás (*átv is*)
rot [rɔt; *US* -ɑ-] **I.** *n* **1.** rothadás, kor-
hadás **2.** májmételykór [juhoké] **3.**
letörés, összeomlás **4.** □ marhaság!,
buta beszéd! **II.** *v* -**tt**- **A.** *vt* (meg)rot-
haszt, (el)korhaszt **B.** *vi* (el)korhad,
(meg)rothad
rota ['routə] *n* szolgálati beosztás jegy-
zéke, sorrendi jegyzék
rotary ['routərı] **I.** *a* (körben) forgó; ~

motion körmozgás, körforgás; ~ *print-
ing-press* rotációs gép **II.** *n US* kör-
forgalom
rotate [rou'teıt] **A.** *vi* **1.** (körben) forog,
pörög **2.** váltakozik (sorrendben),
(sorban) felváltja egymást **B.** *vt* **1.** for-
gat **2.** felvált (sorrendben); váltogat;
felváltva művel
rotating [rou'teıtıŋ] *a* **1.** forgó **2.** sor-
rendben váltakozó/felváltó
rotation [rou'teıʃn] *n* **1.** forgás, pörgés
2. forgatás, pörgetés **3.** váltakozás,
felváltás; *in* ~ váltogatva **4.** ~ (*of
crops*) vetésforgó, váltógazdaság;
three-course ~ háromnyomású vetés-
forgó
rotational [rou'teıʃənl] *a* körforgó, kör-
ben forgó
rotative ['routətıv] *a* = *rotational*
rotatory ['routət(ə)rı; *US* -ɔ:rı] *a* **1.**
forgó **2.** forgató **3.** egymást felváltva
(v. váltott sorrendben) működő
ROTC [ɑ:routi:'si:] *Reserve Officers'
Training Corps* tartalékos tiszti ki-
képző alakulat
rote [rout] *n* ismétlés; *by* ~ gépiesen;
kívülről; *learn by* ~ bemagol, bevág
rot-gut *n* □ bundapálinka
Rothermere ['rɔðəmıə*] *prop*
Rothschild ['rɔθʃaıld] *prop*
rotogravure [routougrə'vjuə*] *n* rotá-
ciós fényképnyomás/nyomat
rotor ['routə*] *n* forgórész, rotor
rot-proof *a* rothadásmentes
rotted ['rɔtıd; *US* -ɑ-] →*rot II.*
rotten ['rɔtn; *US* -ɑ-] *a* **1.** ro(t)hadt,
korhadt; reves; záp; szúette **2.** er-
kölcstelen, romlott; *GB* ~ *borough* „a
rothadt körzetek" [Angliában 1832
előtt elnéptelenedett választókerüle-
tek] **3.** □ rohadt, vacak, nyamvadt,
pocsék; peches; ~ *weather* pocsék
idő(járás)
rottenness ['rɔtnıs; *US* -ɑ-] *n* rothadt-
ság
rotter ['rɔtə*; *US* -ɑ-] *n* □ rongy ember
rotting ['rɔtıŋ; *US* -ɑ-] *a* rothadó, kor-
hadó
rotund [rou'tʌnd] *a* **1.** kerek **2.** poca-
kos, jó húsban levő **3.** öblös [hang]
rotunda [rou'tʌndə] *n* rotunda

rotundity [roʊ'tʌndətɪ] n 1. kerekség, gömbölyűség 2. pocakosság, kövérség 3. szónokiasság, dagályosság

rouble ['ru:bl] n rubel

rouge [ru:ʒ] I. n pirosító, rúzs II. vt/vi rúzst felken, rúzsoz

rough [rʌf] I. a 1. durva, egyenetlen, érdes; repedezett 2. viharos [szél, tenger], zord [időjárás]; ~ crossing viharos átkelés; ~ weather zord idő 3. nyers, goromba, durva; ~ tongue durva/goromba beszéd; be ~ on sy kemény vkvel szemben 4. nyers, megmunkálatlan, csiszolatlan 5. vázlatos, hevenyészett; ~ draft piszkozat, első fogalmazvány; ~ sketch skicc, hevenyészett vázlat, első terv; ~ translation nyersfordítás 6. hozzávetőleges, megközelítő; at a ~ guess hozzávetőleges/durva becsléssel 7. kényelmetlen, primitív [életmód] 8. fanyar [bor] II. adv 1. nyersen, durván, brutálisan 2. primitív körülmények között [él] III. n 1. durva/érdes felületű tárgy; egyenetlen/hepehupás terep 2. nyers/kezdetleges állapot; in the ~ kidolgozatlan(ul), nyersen; take the ~ with the smooth úgy veszi a dolgokat, ahogy jönnek (egymás után); jót rosszal vegyest 3. útonálló, vagány, huligán IV. vt 1. érdessé tesz, nagyol 2. ~ it kényelmetlenül él, kezdetleges körülmények között él, nyomorog

rough in vt vázlatot készít, nagy vonalakban felrajzol/(fel)vázol

rough out vt 1. kinagyol 2. = rough in

rough up vt felborzol [hajat]; ~ sy up the wrong way felizgat/felidegesít vkt, felborzolja vknek az idegeit

roughage ['rʌfɪdʒ] n durva táplálék/takarmány, (növényi) rostanyag

rough-and-ready [rʌfən'redɪ] a 1. elnagyolt, gyorsan összecsapott, hevenyészett 2. mesterkéletlen [ember]

rough-and-tumble [rʌfən'tʌmbl] I. a vad, durva; mozgalmas, viharos, nyugtalan II. n általános verekedés

rough-cast I. n 1. csapott/durva vakolat 2. hevenyészett terv; első fogalmaz-

vány II. vt (pt/pp ~) 1. durván (be)vakol 2. nyers vázlatot készít (vmről), kinagyol

rough-coated a hosszú szőrű; drótszőrű

rough-dry vt mángorlás/vasalás nélkül szárít

roughen ['rʌf(ə)n] A. vt eldurvít B. vi 1. eldurvul 2. viharossá válik

rough-grained a durva szemcséjű

rough-hewn a 1. kinagyolt, durván kifaragott 2. csiszolatlan, faragatlan [ember]

roughhouse n biz balhé, hirig

roughly ['rʌflɪ] adv 1. durván 2. nagyjából, hozzávetőleg

rough-neck n US biz durva fickó, vagány, huligán

roughness ['rʌfnɪs] n durvaság, nyerseség, érdesség

rough-rider n 1. lóidomító; aki betör lovat 2. US R~ ⟨huszáronkéntes az 1898-as spanyol—amerikai háborúban⟩

rough-shod a 1. jégpatkóval patkolt 2. ride ~ over keresztülgázol (vkn), lábbal tipor (vmt)

rough-spoken a durva beszédű

roulette [ru:'let] n rulett

Roumania [ru:'meɪnjə] prop = Rumania

Roumanian [ru:'meɪnjən] a/n = Rumanian

round [raʊnd] I. a 1. kerek, kör alakú, kör-; gömbölyű; make ~ (1) (ki)kerekit (2) (le)gömbölyit; ~ dance körtánc; ~ robin kérvény sok aláírással; ~ shoulders csapott váll(ak); ~ table kerek asztal; ~ tour körutazás; ~ trip (1) US oda-vissza út/utazás (2) körutazás →round-trip 2. kerek, egész, teljes; a ~ dozen kerek tucat; in ~ figures kerek számban; ~ number kerek szám; ~ oath cifra/nagy káromkodás; go at a good ~ pace jól kilép; ~ sum jókora/komoly/tekintélyes összeg 3. őszinte, nyilt; be ~ with sy kereken megmondja vknek II. adv/prep 1. körbe(n), körül; ~ the clock éjjel-nappal, állandóan →round-the-clock; have a look ~ körülnéz, hátranéz; all the year ~ az egész éven át; all ~ (1) minden

tekintetben (2) körös-köröl; *taken* (v. *taking it*) *all* ~ mindent összevéve; *it's a long way* ~ nagy kerülő; *glasses* ~! poharat mindenkinek!; ~ *the corner* a sarkon túl; *come* ~ *the corner* befordul a sarkon; *go* ~ *an obstacle* körülkerüli az akadályt; *go* ~ *the world* körülutazza a világot 2. ~ (*about*) tájban; körül; ~ *midday* déltájban 3. *bring* ~ (1) feléleszt, magához térít (2) megtérít más nézetre; *come* ~ (1) magához tér (2) kibékül III. *n* 1. karika, kör; ~ *of veal* borjúcomb 2. forgás, változás; körjárat; járat, (kör)út, szemleút, őrjárat; sorozat; *stand a* ~ *of drinks* fizet egy fordulót/rundot [italból]; *the story went the* ~ a történet szájról szájra járt; *the daily* ~ a mindennapi kerékvágás 3. futam; menet; forduló 4. létrafok, hágcsó 5. egy lövés; *fire a* ~ egy lövést/sorozatot lead 6. kánon 7. körtánc IV. A. *vt* 1. (le)kerekít, kikerekít, (le)gömbölyít 2. körülzár, -vesz 3. körüljár, megkerül 4. befejez, lezár B. *vi* 1. (ki)kerekedik, gömbölyödik 2. megfordul; ~ *on one's heels* sarkon fordul, hátrafordul
   round off *vt* 1. lekerekít 2. befejez
   round on *vi* 1. váratlanul rátör; lehord 2. ellene fordul és elárul (vkt)
   round out A. *vt* kikerekít B. *vi* kigömbölyödik
   round up *vt* 1. összegyűjt, -terel; felhajt 2. felkerekít
   round upon *vi* = **round on**
roundabout I. *a* 1. kerülő [út]; *in a* ~ *way* kerülő úton 2. körüliró 3. kövér, jó húsban levő II. *n* 1. körhinta, ringlispil 2. dzseki 3. *GB* körforgalom
round-backed *a* görbe hátú, csapott vállú
rounded ['raʊndɪd] *a* 1. kerek, gömbölyű, legömbölyített, lekerekített; ~ *eyes* kerekre/tágra nyílt szem 2. ajakkerekítéssel ejtett, labiális [hang] 3. jó alakú
roundel ['raʊndl] *n* karika, korong, tárcsa; felségjel
roundelay ['raʊndɪleɪ] *n* 1. refrénes dal 2. körtánc

rounder ['raʊndə*] *n* 1. gömbölyítő 2. ⟨aki sorba/körbe jár bizonyos helyeket⟩ 3. **rounders** *pl* ⟨métaszerű játék⟩
round-eyed *a* tágra nyílt szemű
Roundhead *n GB* „kerekfejű" ⟨Cromwell híve az 1642—49-es forradalomban⟩
round-house *n* 1. őrkabin [tatfedélzet elülső részén] 2. [kör alakú] vasúti mozdonyszín 3. őrszoba
rounding ['raʊndɪŋ] *n* (le)kerekítés; (le-) gömbölyítés
round-iron *n* gömbvas, rúdvas
roundish ['raʊndɪʃ] *a* kerekded, gömbölyded
roundly ['raʊndlɪ] *adv* 1. (erő)teljesen 2. kereken, alaposan
roundness ['raʊndnɪs] *n* kerek(ded)ség, gömbölyűség; teltség
roundsman ['raʊndzmən] *n* (*pl* -men -mən) 1. körjáraton levő személy; őrjáratot tartó rendőr 2. *GB* árukihordó
round-the-clock *a* éjjel-nappal tartó, megállás nélküli; három műszakos
round-trip ticket *US* menettérti jegy
roundup *n US* razzia, összefogdosás, -terelés
rouse [raʊz] A. *bt* 1. felriaszt, felver [vadat] 2. felébreszt, felkelt (*átv is*) 3. feldühít 4. serkent, buzdít; ~ *sy to action* tettre serkent vkt; ~ *oneself* összeszedi magát B. *vi* 1. felriad, felébred 2. felbuzdul
rousing ['raʊzɪŋ] *a* 1. lelkesítő 2. harsány 3. *biz* elképesztő [hazugság]
rout[1] [raʊt] I. *n* 1. csődület 2. csőcselék 3. összejövetel 4. teljes vereség, megfutamodás; *put to* ~ megfutamít, megsemmisít [ellenséget] II. *vt* legyőz, megfutamít
rout[2] [raʊt] *vt* 1. ~ *out* (*of*) kiráncigál [ágyból], kiűz [házból] 2. kiváj
route [ruːt] I. *n* 1. útvonal, útirány; járat; *en* ~ [ɑːŋ'ruːt] úton, útban, útközben 2. menet(parancs) II. *vt* 1. irányít [vmlyen útvonalon] 2. telepít
route-map *n* útitérkép
route-march *n* menetgyakorlat
routine [ruː'tiːn] I. *a* megszokott, szokásos, rutin-; ~ *duties/work* folyó ügyek, sablonmunka; rutinmunka; ~ *medical*

examination rutinvizsgálat II. *n* 1. gyakorlat, jártasság, rutin; *business* ~ üzleti gyakorlat/jártasság 2. megszokott/(minden)napi munka, szokásos munkamenet

routing ['ru:tɪŋ] *n* (szállítmány)irányítás, útvonal megállapítása

routing-plane ['raʊtɪŋ-] *n* árkoló-, völgyelő-, hornyológyalu

Routledge ['raʊtlɪdʒ] *prop*

rove [roʊv] *vi/vt* = *roam*

rover ['roʊvə*] *n* 1. kóborló, ország-világjáró 2. = *sea-rover 1.* 3. öregcserkész

roving ['roʊvɪŋ] I. *a* kalandozó, vándorló, barangoló II. *n* kalandozás, vándorlás, barangolás

row¹ [roʊ] *n* sor; ~ *of houses* házsor; *hard* ~ *to hoe* nehéz munka/feladat

row² [roʊ] I. *n* evezés, csónakázás; *go for a* ~ evezni megy II. *vi/vt* evez

row³ [raʊ] *biz* I. *n* 1. zenebona, lárma, ricsaj; *make* (v. *kick up) a* ~ lármázik, hangos jelenetet rendez, balhézik; *hold your* ~ fogd be a pofádat! 2. veszekedés, összeveszés 3. leszidás, lehordás; *get into a* ~ bajba kerül, megmossák a fejét II. *vt/vi* 1. lármázik 2. veszekszik, hajbakap (*with* vkvel) 3. megszid, lehord

rowan ['raʊən; *US* 'roʊ-] *n* (vörös)berkenye

row-boat *n* = *rowing-boat*

rowdiness ['raʊdɪnɪs] *n* lármázás, verekedés

rowdy ['raʊdɪ] I. *a* lármázó; verekedő, garázda II. *n* csirkefogó, huligán

rowdyism ['raʊdɪɪzm] *n* vagánykodás, huligánság, garázdaság

rowel ['raʊəl] *n* taraj [sarkantyún]

rower ['roʊə*] *n* evezős

rowing ['roʊɪŋ] *n* evezés

rowing-boat *n* evezős csónak/hajó

rowing-club *n* evezősklub

rowing-man *n* (*pl* -men) (sport)evezős

rowlock ['rɔlək; *US* 'roʊlɑk] *n GB* (evező)villa

royal ['rɔɪ(ə)l] I. *a* 1. királyi; *Her/His R*~ *Highness* Ő Királyi Felsége/Fensége; *R*~ *Society* Királyi Természettudományi Akadémia 2. felséges, fensé-

ges, nagyszerű; pompás; ~ *jelly* méhpempő; *there is no* ~ *road to sg* nincs sima (nehézség nélküli) út vmhez; *biz have a right* ~ *time* remekül érzi magát II. *n fore* ~ elő(árboc)-felsősudárvitorla; *main* ~ fő(árboc)-felsősudárvitorla

royalism ['rɔɪəlɪzm] *n* királypártiság, uralkodóhűség

royalist ['rɔɪəlɪst] *n* királypárti

royalty ['rɔɪ(ə)ltɪ] *n* 1. király(i személy), fenség, felség, királyi család tagja 2. királyi méltóság/hatalom; fenség (viselkedésben) 3. (szerzői) jogdíj, szerzői díj; honorárium, tiszteletdíj; szabadalmi díj

RP [ɑ:'pi:] *received pronunciation*

r.p.m., rpm [ɑ:pi:'em] *revolutions per minute* percenkénti fordulatszám

R.R. *railroad* vasút (USA)

R.S. [ɑ:r'es] *Royal Society*

RSPCA [ɑ:respi:si:'eɪ] *Royal Society for the Prevention of Cruelty to Animals* állatvédő liga

R.S.V.P., RSVP [ɑ:respi:vi:'pi:] Répondez s'il vous plaît (= *please reply*) választ kérünk

rt. *right*

Rt. Hon. *Right Honourable* →*right*

Rt. Rev(d). *Right Reverend* →*right*

rub [rʌb] I. *n* 1. dörzsölés; *give sg a* ~ átdörzsöl/kifényesít vmt 2. egyenetlenség [talajé]; *there's the* ~ itt a bökkenő/hiba/bibi II. *vt* -bb- 1. dörgöl, dörzsöl, bedörzsöl; fényesít; ~ *one's hands* (megelégedetten) dörzsöl(get)i a kezét; ~ *shoulders with others* (1) gyakran összején másokkal (2) másokhoz dörgölődzik; ~ *sy the wrong way* kihoz vkt a sodrából 2. ~ *an inscription* feliratról dörzsölt másolatot készít

rub against *vi* dörzsölődik/súrlódik vmhez

rub along *vi biz* 1. (valahogy csak) eltengődik/eléldegél/boldogul 2. kijön vkvel

rub down *vt* ledörzsöl; lecsutakol, leápol [lovat]

rub in(to) *vt* 1. bedörzsöl 2. *biz* ~ *it in* (1) orra alá dörgöl (2) belever (vkbe leckét stb.)

rub off *vt* ledörzsöl, levakar

rub out *vt* 1. kitöröl, kivakar, kiradíroz 2. □ kinyír (vkt)
rub through *vt* átnyom, áttör, átpasszíroz [szitán]
rub together *vt* összedörzsöl
rub up A. *vt* 1. feldörzsöl; felvakar; fényesre dörzsöl, kifényesít 2. felfrissít, felújít B. *vi* dörgölődzik
rub-a-dub [rʌbə'dʌb] *n* dobpergés
rubbed [rʌbd] *a* 1. kidörzsölt, kopott 2. *biz* ingerült ‖ →rub II.
rubber¹ ['rʌbə*] *n* 1. gumi; ~ *band* gumiszalag; ~ *boots* gumicsizma; ~ *stamp* gumibélyegző →rubber-stamp 2. radír(gumi) 3. rubbers *pl* sárcipő(k), kalocsni
rubber² ['rʌbə*] *n* robber [bridzsben]
rubberize ['rʌbəraɪz] *vt* gumival bevon, gumiz, gumíroz; impregnál
rubberneck *n US biz* bámészkodó turista, városnéző (turista)
rubber-stamp *vt biz* gépiesen hozzájárul (vmhez) →rubber¹ 1.
rubber-tree *n* gumifa
rubbing ['rʌbɪŋ] *n* 1. dörzsölés 2. fényesítés 3. dörzsöléses átpauzálás [vésett rézlapról], dörzsölt másolat
rubbish ['rʌbɪʃ] *n* 1. szemét, hulladék; *shoot no* ~ szemétlerakás tilos 2. *átv* szemét, vacak; limlom 3. butaság, ostobaság, szamárság
rubbish-bin *n* szemétláda
rubbish-cart *n* szemeteskocsi
rubbish-heap *n* szemétdomb
rubbish-shoot *n* szeméttelep, szemétlerakodó hely
rubbishy ['rʌbɪʃɪ] *a* értéktelen, selejtes
rubble ['rʌbl] *n* 1. kőtöremelék 2. murva, nyers bányakő 3. terméskő
rubble-work *n* terméskő fal(azás)
rubicund ['ruːbɪkənd] *a* pirospozsgás
ruble ['ruːbl] *n* rubel
rubric ['ruːbrɪk] *n* 1. piros betűs (fejezet)cím [könyvben, kódexben stb.] 2. piros betűs (v. eltérő szedésű) utasítás [egyházi szertartáskönyvben, vizsgalapon stb.]
ruby ['ruːbɪ] I. *a* rubinvörös II. *n* 1. rubin 2. rubinvörös [szín]
ruck¹ [rʌk] *n* 1. *the (common)* ~ a szürke átlag/tömeg 2. nagy halom/csomó

ruck² [rʌk] I. *n* gyűrődés, redő, ránc II. A. *vt* összegyűr, ráncol, redőz B. *vi* ~ (*up*) összegyűrődik, ráncolódik
rucksack ['rʌksæk] *n* hátizsák
ruckus ['rʌkəs] *n US biz* lárma, zenebona, rumli, zrí, hűhó
ruction ['rʌkʃn] *n biz* kalamajka, zűr
rudder ['rʌdə*] *n* 1. kormány(lapát) [hajóé]; oldalkormány [repgépé] 2. irányító [személy]; vezérelv
rudderless ['rʌdəlɪs] *a* kormányát vesztett [hajó]
ruddiness ['rʌdɪnɪs] *n* vörösség, pirosság, pír
ruddle ['rʌdl] *n* vörösvasérc
ruddy ['rʌdɪ] I. *a* 1. pirospozsgás 2. piros, vörös 3. *GB biz* vacak, nyamvadt II. A. *vt* (ki)pirosít B. *vi* ki-, megpirosodik
rude [ruːd] *a* 1. nyers, kidolgozatlan; kezdetleges 2. egyszerű, műveletlen, primitív [törzs] 3. durva, faragatlan, goromba; *be* ~ *to sy* gorombáskodik vkvel 4. kicsattanó [egészség] 5. hirtelen, heves; ~ *awakening* keserves csalódás/felébredés
rudeness ['ruːdnɪs] *n* 1. kezdetlegesség 2. civilizálatlanság 3. gorombaság
rudiment ['ruːdɪmənt] *n* 1. kezdet, csökevény 2. *átv* csíra 3. rudiments *pl* alapismeretek, elemi dolgok
rudimentary [ruːdɪ'ment(ə)rɪ] *a* kezdetleges; elemi; alapvető, alap-
Rudolf ['ruːdɔlf] *prop* Rudolf, Rezső
Rudyard ['rʌdjəd] *prop* ⟨angol férfinév⟩
rue¹ [ruː] † I. *n* 1. bánat, megbánás, töredelem 2. sajnálat, részvét II. *vt* megbán
rue² [ruː] *n* ruta
rueful ['ruːfʊl] *a* bánatos, bús
ruefulness ['ruːfʊlnɪs] *n* 1. bánatosság, szomorúság 2. megbánás
ruff¹ [rʌf] *n* 1. nyaktollazat 2. (nyak-) fodor 3. pajzsos cankó [madár]
ruff² [rʌf] *n* vágó durbincs [hal]
ruff³ [rʌf] I. *n* adu, tromf II. *vt* tromfol, aduval üt
ruffian ['rʌfjən] *n* útonálló, haramia, bandita
ruffianly ['rʌfjənlɪ] *a* garázda, goromba, vad, brutális

ruffle ['rʌfl] I. *n* 1. fodor [kézelőn, ingalléron] 2. fodrozódás [vízen] 3. izgatottság II. A. *vt* 1. fodroz, fodorít 2. felborzol, összeborzol, -kuszál 3. felizgat, kihoz a sodrából B. *vi* 1. (fel)borzolódik (*átv is*) 2. hetvenkedik

rug [rʌg] *n* 1. pokróc, takaró; pléd 2. kisebb szőnyeg

Rugby ['rʌgbɪ] *n* ~ (*football*) rögbi

rugged ['rʌgɪd] *a* 1. egyenetlen, göröngyös [talaj]; szaggatott [partvonal]; érdes [felület] 2. nyers, barátságtalan, kemény, darabos [ember] 3. ~ *features* kemény/markáns (arc)vonások, barázdált arc 4. életerős, robusztus 5. csiszolatlan, faragatlan; darabos [stílus] 6. viharos, hányatott, zord [élet]

rugger ['rʌgə*] *n biz* rögbi

ruin ['ruɪn; *US* -u:-] I. *n* 1. (vég)romlás, összeomlás, pusztulás, tönkremenés; *bring to* ~ tönkretesz; *go to* ~ tönkremegy; *be/prove the* ~ *of sy* vknek a vesztét/romlását okozza 2. rom, omladék; *be in* ~*s* romokban hever II. *vt* 1. lerombol, romba dönt 2. tönkretesz

ruination [ruɪ'neɪʃn; *US* ru:-] *n* 1. tönkretétel, (el)pusztítás 2. (el)pusztulás, romlás

ruined ['ruɪnd; *US* -u:-] *a* elpusztult, tönkrement, romos

ruinous ['ruɪnəs; *US* -u:-] *a* 1. anyagi bukást előidéző [költekezés] 2. veszedelmes, vészes, pusztító, káros 3. düledező, romos

rule [ru:l] I. *n* 1. szabály; ~ *of court* perrend(i szabály); ~ *of law* jogrend; ~*s of procedure* eljárási szabály; ~(*s*) *of the road* a közúti közlekedés szabályai, KRESZ; ~ *of three* hármasszabály; *make it a* ~ rendszert csinál (abból hogy), elvül tekinti (azt hogy); megfogadta (hogy) 2. szokás, szokvány; *as a* ~ rendszerint, általában 3. uralkodás, uralom 4. vonalzó II. A. *vt* 1. szabályoz 2. kormányoz, irányít, vezet, igazgat; uralkodik (vkn); *be* ~*d by sy* alá van vetve vknek, vk hatalmában van 3. dönt; ~ *sg out of order* szabálytalannak nyilvánít, elutasít [javaslatot, kérelmet] 4. (meg)vona-

laz [papírt]; ~ *out* (1) (áthúzással) kitöröl, áthúz (2) elutasít B. *vi* 1. uralkodik; fennáll, érvényben van 2. dönt

ruled [ru:ld] *a* vonalazott, vonalas

ruler ['ru:lə*] *n* 1. uralkodó 2. vonalzó

ruling ['ru:lɪŋ] I. *a* uralkodó; fő-; szokásos II. *n* 1. uralkodás, kormányzás 2. rendelkezés; döntés 3. vonalazás

rum[1] [rʌm] *n* 1. rum 2. *US* szesz(es ital)

rum[2] [rʌm] *a* (*comp* ~*mer* 'rʌmə*, *sup* ~*mest* 'rʌmɪst) □ fur(cs)a, különös; ~ *affair* különös ügy; *feel* ~ ideges, furcsán (v. nem jól) érzi magát

Rumania [ruː'meɪnjə] *prop* Románia

Rumanian [ruː'meɪnjən] *a/n* román, (ember, nyelv); romániai

rumba ['rʌmbə] *n* rumba [tánc]

rumble ['rʌmbl] I. *n* 1. zörömbölés, dörgés, moraj, korgás 2. = *rumble-seat* II. *vi* zörög, dörög, morajlik; korog

rumble-seat *n* hátsó pótülés (és csomagtartó) [kocsiban]

rumbling ['rʌmblɪŋ] *n* zörömbölés, dörgés, moraj, korgás

rumbustious [rʌm'bʌstɪəs; *US* -tʃəs] *a biz* duhaj, lármás, vad

rumen ['ruːmən] *n* (*pl* **rumina** ['ruːmɪnə] bendő [kérődzőé]

ruminant ['ruːmɪnənt] *a/n* kérődző

ruminate ['ruːmɪneɪt] *vi* 1. kérődzik 2. tűnődik, elmélkedik, töpreng; „kérődzik" (*over/about* vmn)

rumination [ruːmɪ'neɪʃn] *n* 1. kérődzés 2. tűnődés, elmélkedés, töprengés

ruminative ['ruːmɪnətɪv; *US* -eɪt-] *a* tűnődő, elmélkedő, töprengő

rummage ['rʌmɪdʒ] I. *n* 1. átkutatás, turkálás, kotorászás [zsebben sth.] 2. limlom; ~ *sale* ócskaságok vására [jótékony célra] II. A. *vt* átkutat, felforgat, feltúr; ~ *up/out* előkotor, előás, kihalász vmt [a többi közül] B. *vi* kotorászik, turkál, kotonoz

rummer ['rʌmə*] *rummest* → *rum*[2]

rummy[1] ['rʌmɪ] *n* römi

rummy[2] ['rʌmɪ] *a* = *rum*[2]

rumour, *US* -**or** ['ruːmə*] I. *n* hír, híresztelés, fáma, szóbeszéd; ~ *has it* ugy hírlik, azt beszélik/rebesgetik II. *vt* híresztel; *it is* ~*d* úgy hírlik

rumour-monger, *US* **-or-** *n* rémhírterjesztő

rump [rʌmp] *n* **1.** hátsó rész, far; (marha)fartő **2.** *biz* maradék, töredék

rumple ['rʌmpl] *vt* összegyűr, -ráncol; összekócol, -borzol

rump-steak *n* (marha)fartő, hátszínszelet, ramsztek

rumpus ['rʌmpəs] *n biz* zűr, zrí; kavarodás; *kick up* '(v. *make) a* ~ nagy zrít csinál, balhézik

rum-runner *n US biz* alkoholcsempész

run [rʌn] **I.** *a* **1.** (ki)olvasztott; ~ *butter* kisütött vaj; ~ *steel* folytacél **2.** ~ *honey* pergetett méz **3.** *prices per foot* ~ ára folyólábanként **II.** *n* **1.** futás; *be on the* ~ (1) folyton(osan) rohan, mindig lót-fut (2) menekül; *have a* ~ *for one's money* (1) kap vmt a pénzéért (2) keményen megdolgozik a pénzéért; *give sy a* ~ *for his money* egy kis keresethez juttat vkt **2.** út, túra, kirándulás; *go for a* ~ *(in the car)* autózni megy; *a day's* ~ egynapi út [hajóval stb.] **3.** működés [gépé]; üzem(elés) **4.** szemlefutás [harisnyán] **5.** megrohanás; nagy kereslet (vmben); *there was a* ~ *on the bank* megrohanták a bankot; *a* ~ *on rubber* nagy kereslet gumiban **6.** sorozat, széria; tartam; ~ *of the cards* lapjárás; *a* ~ *of luck* sikersorozat, jó „passz"; *have a long* ~ (1) hosszú ideje fut/megy/játsszák [darabról, filmről] (2) hosszú ideje tart; *in the long* ~ (1) végül/végtére is, végeredményben (2) hosszú távra/távon **7.** folyás [eseményeké]; alakulás [tényezőké]; irány **8.** *biz* szabad bejárás *(of* vhova); *give free* ~ *of sg* (szabad) rendelkezésre bocsát vmt **9.** kifutó, udvar [baromfinak] **10.** az átlag(os), a tipikus, a szokásos; *common/ordinary* ~ *(of mankind)* a szürke átlag/tömeg, átlagemberek; ~ *of the mill* átlagos **11.** futam [zenében] **III.** *v (pt ran* ræn, *pp* **run** rʌn; -nn-) **A.** *vi* **1.** fut, szalad, rohan; ~ *home* (1) hazaszalad (2) befut a célba; *also ran* (1) futottak még (2) *(főnévként:)* egy a próbálkozók közül **2.** fut, megy, halad [jármű] **3.** jár, működik, megy, üzemben van

[gép]; ~ *hot* túlhevül, hőnfut **4.** közlekedik, jár [busz stb.] **5.** fut, (el)terjed [futónövény, tűz]; ~ *high* háborog, erősen hullámzik [tenger]; *feelings ran high* nagy volt az izgalom **6.** húzódik [hegylánc] **7.** szól [szöveg]; *so the story* ~*s* így szól/hangzik a történet **8.** folyik [folyó]; *the tide* ~*s strong* erős a dagály **9.** folyik, csepeg [csap, edény stb.]; *his nose was* ~*ning* csepegett/folyt az orra; *her eyes were* ~*ning* ömlött szeméből a könny **10.** (el)olvad, megfolyósodik; ereszt, fog [textilfesték]; gennyedzik [seb]; *the colour will* ~ kimegy a színe (mosásban) **11.** tart [időben valameddig], érvényben van **12.** (ki)terjed; irányul; *five days* ~*ning* egymás követő öt napon, öt nap egymás után; *the play ran 200 nights* a darab 200-szor ment, a darabot 200-szor adták **13.** felbomlik, felfeslik [kötés]; szalad a szem (harisnyán) **B.** *vt* **1.** (le)fut, befut [távolságot]; ~ *a mile* egy mérföldet fut; ~ *a race* versenyt fut; ~ *the streets* az utcákat rója, az utcán él [gyerek] **2.** üldöz, kerget; ~ *sy close/hard* (1) szorongat vkt, nyomában van vknek (2) komoly versenytársa vknek, megközelít vkt; *be hard* ~ szorongatott/szorult helyzetben van **3.** futtat [lovat]; üzemben tart, járat, közlekedtet [közlekedési eszközt], működtet [gépet]; ~ *a car* autót/kocsit tart **4.** vezet [szállodát, üzletet stb.]; irányít; igazgat; kezel [ügyeket]; *the hotel is* ~ *by Mr Brown* a szállodát B. úr vezeti **5.** folyat, ereszt [vizet stb.]; ~ *sy a bath* fürdőt készít vknek **6.** kiolvaszt; kisüt [vajat] **7.** (meg)húz, megvon [vonalat, határt] **8.** beszeg, végig varr

run about *vi* szaladgál, lót-fut

run across *vi* **1.** átszel (vmt), végigmegy (vmn) **2.** ~ *a. sy* összeszalad vkvel

run after *vi* fut/szalad (vk/vm) után

run against A. *vi* **1.** nekiszalad; beleszalad (vmbe) **2.** összetalálkozik, -fut (vkvel) **3.** ellenkezik; versenyez vkvel **B.** *vt* ~ *one's head a. sg* belevágja fejét vmbe, fejjel nekiszalad vmnek

run along *vi* **1.** vm mentén halad/fut/vonul/húzódik **2.** ~ *a.!* futás!, fuss (el oda)!
run at *vi* nekiszalad, -rohan, -támad, -megy
run away *vi* elfut, elszalad; elmenekül; elszökik; ~ *a.* with *sy* (1) megszöktet vkt, megszökik vkvel (2) elragad vkt [ló v. indulat]; ~ *a.* with *sg* (1) meglép vmvel (2) fölényesen nyer [játszmát]
run by *vi* elfut (vk, vm) mellett
run down A. *vi* **1.** leszalad, lefut; ~ *d. sg* végigfolyik/lecsordul vmn **2.** lejár [óra], leáll [gép] **3.** kimerül [akku] **B.** *vt* **1.** elgázol **2.** kimerít vkt; *be/feel* ~ *d.* kimerült, le van strapálva **3.** elfog, utolér **4.** leszól, lehúz a sárga földig
run for *vi* **1.** érte szalad **2.** pályázik vmre; jelölteti magát [képviselőnek, elnöknek]
run in A. *vi* beszalad **B.** *vt* **1.** bejárat [új járművet] **2.** *biz* letartóztat, bekísér, előállít
run into A. *vi* **1.** beleszalad, -rohan (vmbe) **2.** *átv* beleszalad (vkbe), öszszefut (vkvel) **3.** ~ *i.* one another egymásba folyik/olvad **4.** ~ *i. trouble* bajba jut **5.** (vm összegre) rúg **6.** *the book ran i. five editions* öt kiadás jelent meg a könyvből **B.** *vt* ~ *one's car into sg* kocsijával nekiszaladt vmnek
run off A. *vi* elfut; elszökik; ~ *o. with sy* vkt megszöktet, megszökik vkvel; ~ *o. with sg* meglép vmvel **B.** *vt* **1.** kienged, kifolyat [folyadékot] **2.** teljesen elad **3.** gyorsan leír **4.** (ki-)nyom [nyomda]; lehúz [sokszorosítógépen] **5.** ~ *sy o. his feet* alaposan megjárat vkt **6.** *be* ~ *o.* lefut [ver* senyt, futamot]
run on A. *vi* **1.** ~ *on to* odaszalad, -ér **2.** csak beszél (tovább) **3.** foglalkozik [vmvel elme, beszéd]; *one's thoughts* ~ *on sg* vmn járnak a gondolatai **B.** *vt* bekezdés nélkül folytat [nyomtatott szöveget]
run out *vi* **1.** kifut, kiszalad; *the tide is* ~*ning o.* a dagály visszamegy **2.** kifolyik, kicsordul **3.** elfogy, kifogy;

~ *o. of sg* kifogy vmje **4.** lejár, letelik **5.** kiszögellik
run over *vi/vt* **1.** elgázol (vkt), átmegy [vkn jármű] **2.** átfut, átszalad (vkhez v. vmn); átfut, átnéz (vmt) **3.** kifut, túlcsordul [folyadék]
run through *vi/vt* **1.** átfut, átszalad (vmn); végigpróbál [darabot] **2.** nyakára hág [pénznek], elver [vagyont] **3.** keresztülszúr, leszúr (vkt) **4.** áthúz [tollal]
run to *vi* **1.** odaszalad **2.** (vm öszszegbe) kerül, (vm mennyiséget) kitesz, rúg (vmennyire); *what will that* ~ *to?* mibe kerül ez?, mennyi lesz ez?; *biz I can't* ~ *to that* erre nekem nem telik
run up A. *vi* **1.** felfut, felszalad (vhová); nekifut [atlétikában]; ~ *up to sy* (1) odaszalad vekhez (2) másodiknak fut be **2.** ~ *up against sy* összeakad vkvel, belebotlik vkbe **3.** felnyurgul [növény]; felszökik [ár] **B.** *vt* **1.** felemel; növel [számlát]; felver [árat]; ~ *up a (big) bill* nagy számlát csinál, adósságot csinál [üzletben] **2.** gyorsan felhúz [épületet]; sebtiben összeállít/összeüt [ruhát stb.] **3.** felvon, felhúz [zászlót]
runabout ['rʌnəbaʊt] *n* kétüléses kisautó
runaway ['rʌnəweɪ] **I.** *a* (el)szökött, megszökött [szerelmesek]; elszabadult, megvadult [ló] **II.** *n* **1.** szökevény **2.** elszabadult ló
runcible spoon ['rʌnsɪbl] háromágú salátáskanál
run-down *a* kimerült, leromlott
rune [ru:n] *n* rúna
rung¹ [rʌŋ] *n* **1.** létrafok, hágcsófok **2.** széklábösszekötő **3.** küllő
rung² [rʌŋ] →*ring²* *II.*
runic ['ru:nɪk] *a* rúnákkal rótt, rúna-
runnel ['rʌnl] *n* **1.** patak(ocska), ér, csermely **2.** lefolyó, vízlevezető
runner ['rʌnə*] *n* **1.** futó; (versenyen induló) **2.** küldönc, kifutó **3.** csempész **4.** görgő; mozgó csiga **5.** él [korcsolyáé]; (szán)talp **6.** csúszópálya, -sín **7.** futószőnyeg; asztalfutó **8.** (harisnyán) leszaladó szem **9.** inda

10. kúszónövény, futónövény **11.** US felhajtó [ügynök]
runner-up n (pl **runners-up**) második helyezett [versenyben]
running ['rʌnɪŋ] **I.** a **1.** futó; ~ fight mozgóharc; ~ jump ugrás nekifutással/rohammal **2.** folyó; folyamatos; folytatólagos; ~ accompaniment folyamatos kísérőszöveg/kíséret; ~ account folyószámla; ~ day folyó naptári nap; ~ fire gyorstüzelés, pergőtűz (átv is); ~ hand folyóírás; ~ number folyószám; ~ title élőfej; ~ water folyó víz **3.** gennye(d)ző [seb] **4.** ~ gear futómű, futószerkezet; ~ knot mozgóhurok **II.** n **1.** futás; US ~ mate alelnökjelölt; ~ track futópálya; be in the ~ van kilátása vmre, ő is fut, esélyes **2.** járás, működés [gépé]; in ~ order üzemképes; ~ in bejáratás, [mint felirat:] bejáratós
running-board n felhágó [autón, mozdonyon]
Runnymede ['rʌnɪmiːd] prop
run-off n **1.** túlfolyás **2.** döntő mérkőzés [döntetlen után] **3.** pótválasztás
run-of-the-mill [rʌnəvðə'mɪl] a átlagos, középszerű
runt [rʌnt] n törpe, csenevész [ember, állat], „tökmag"
run-up n nekifutás, roham
runway n **1.** folyómeder **2.** (vad)csapás **3.** kifutópálya; leszállópálya [reptéren] **4.** visszagurító csatorna [tekepályán]
rupee [ruːˈpiː] n rupia
Rupert ['ruːpət] prop Rupert ⟨angol férfinév⟩
rupture ['rʌptʃə*] **I.** n **1.** törés; szakítás **2.** repedés, szakadás **3.** sérv **II. A.** vt **1.** megrepeszt **2.** megszakít [kapcsolatot] **3.** sérvet okoz **B.** vi **1.** megszakad, megreped **2.** sérvet kap
rural ['rʊər(ə)l] a **1.** vidéki, falusi; US ~ free delivery kb. tanyai postaszolgálat **2.** mezőgazdasági
ruse [ruːz] n fortély, csel, trükk
rush¹ [rʌʃ] **I.** n rohanás, roham, tolongás, tülekedés; ~ order sürgős rendelés; the ~(-)hour(s) a csúcsforgalmi órák, csúcsforgalom **II. A.** vi rohan, siet; tódul, tolong, tülekedik; ~ to conclu-

sions elhamarkodott következtetéseket von le **B.** vt **1.** sürget, siettet, hajszol; don't ~ me! ne zaklass!, ne siettess! **2.** sietve végez (vmt); rohanva/sürgősen visz/szállít; sietve teljesít [rendelést]; (please) ~! (1) sürgős! (2) kérem küldjön sürgősen . . . **3.** rohammal bevesz; megrohan, megrohamoz (átv is)
rush at vi rárohan, nekiront
rush into A. vi beront (vhová) **B.** vt belehajszol (vkt vmbe)
rush out vi kirohan, kitódul
rush through vt/vi **1.** keresztülhajszol (vmt) **2.** ledarál, elhadar (vmt)
rush² [rʌʃ] n káka, szittyó
rush-hour a ~ traffic csúcsforgalom →rush¹ I.
rushlight n **1.** ⟨kákabélből és faggyúból készült gyertya⟩ **2.** pislákoló mécs(világ)
rusk [rʌsk] n pirított piskóta
Ruskin ['rʌskɪn] prop
Russell ['rʌsl] prop
russet ['rʌsɪt] a/n **1.** sárgásbarna, vörösesbarna (szín) **2.** ranett [alma]
Russia ['rʌʃə] prop Oroszország; ~ leather bagariabőr
Russian ['rʌʃn] **I.** a orosz **II.** n **1.** orosz [férfi, nő] **2.** orosz (nyelv) **3.** orosz nyelvtudás
Russianize ['rʌʃənaɪz] vt (el)oroszosít
Russify ['rʌsɪfaɪ] vt (el)oroszosít
Russophile ['rʌsəfaɪl] a/n oroszbarát
Russophobe ['rʌsəfoʊb] a/n oroszgyűlölő
rust [rʌst] **I.** n **1.** rozsda **2.** (gabona-)üszög **II. A.** vi **1.** (meg)rozsdásodik, rozsdás lesz, berozsdásodik (átv is) **B.** vt megrozsdásít, berozsdásít
rustic ['rʌstɪk] **I.** a **1.** parasztos, falusias **2.** egyszerű, durván megmunkált; faragatlan (átv is) **II.** n paraszt
rusticate ['rʌstɪkeɪt] **A.** vi falun él **B.** vt **1.** ideiglenesen kizár [egyetemről] **2.** rovátkol
rusticity [rʌˈstɪsətɪ] n falusiasság, parasztosság
rustle ['rʌsl] **I.** n **1.** susogás, suhogás **2.** US biz rámenősség **II. A.** vi **1.** suhog, susog; ropog; zörög **2.** US biz rámenősen lép fel **B.** vt US □ lop, elköt [lovat, marhát]

rustler ['rʌslə*] n US biz marhatolvaj,
lótolvaj
rustless ['rʌstlɪs] a rozsdamentes
rustling ['rʌslɪŋ] I. a susogó, suhogó, zör-
gő, ropogó II. n susogás, suhogás, zör-
gés, ropogás
rustproof a rozsdamentes
rusty¹ ['rʌstɪ] a 1. rozsdás; üszögös 2.
rozsdaszínű 3. átv berozsdásodott 4.
kopott, kifakult 5. biz cut up ~, turn
~ megmakacsolja magát, sértődékeny
rusty² ['rʌstɪ] a avas [szalonna]
rut¹ [rʌt] I. n kerékvágás (átv is); get
out of the ~ kizökken a rendes kerék-
vágásból II. vt -tt- nyomot vág [ke-
rék]

rut² [rʌt] I. n bőgés, rigyetés [szarvasé
stb.] II. vi -tt bőg, rigyet
Rutgers ['rʌtgəz] prop
Rutherford ['rʌðəfəd] prop
ruthless ['ruːθlɪs] a könyörtelen, kegyet-
len, szívtelen
rutting season ['rʌtɪŋ] párzási/üzekedé-
si/rigyetési idő
rutty ['rʌtɪ] a kerékvágásos, szekérnyo-
mos
Ry, ry railway
rye [raɪ] n rozs
rye-bread n rozskenyér
rye-grass n angolperje

S

S,[1] **s** [es] *n* S, s (betű)
S.,[2] **S** 1. *saint* 2. *society* 3. *South* dél, D
s.[3]**, s** 1. *second(s)* 2. *shilling(s)*
's 1. = *is, has* 2. (birtokos) →*Függelék*
$ *dollar* dollár
S.A., SA [es'eɪ] 1. *Salvation Army* 2. *South Africa* Dél-Afrika 3. *South America* Dél-Amerika
Sabbatarian [sæbə'teərɪən] *n* szombatos
Sabbath ['sæbəθ] *n* ~ (*day*) 1. szombat [zsidóknál] 2. vasárnap [némely protestánsoknál]
sabbatical [sə'bætɪkl] *a* szombati, szombat-; ~ *year* kutatóév, alkotószabadság [egyetemi tanárnak]
saber →*sabre*
sable ['seɪbl] I. *a* fekete, gyászos II. *n* coboly(prém)
sabot ['sæboʊ] *n* facipő
sabotage ['sæbətɑːʒ] I. *n* szabotálás, szabotázs II. *vt* szabotál
saboteur [sæbə'tə:*] *n* szabotáló
sabre, *US* -ber ['seɪbə*] I. *n* kard, szablya II. *vt* (le)kaszabol
sabre-rattling *n* kardcsörtetés
sac [sæk] *n* zacskó, zsák, tömlő
saccharin ['sækərɪn] *n* szaharin
saccharine ['sækəri:n] *a* cukor tartalmú, cukros; *átv* édeskés
sacerdotal [sæsə'doʊtl] *a* papi
sachet ['sæʃeɪ; *US* -'ʃeɪ] *n* illatszeres/illatosító zacskó [fehérnemű közé]
sack [sæk] I. *n* 1. zsák; *biz give sy the* ~ kitesz/kirúg vkt [állásából]; *biz get the* ~ kirúgják [állásából] 2. fosztogatás, (ki)rablás [győztes sereg által] II. *vt* 1. zsákol, zsákba rak 2. sarcol, fosztogat, zsákmányol 3. *biz* kirúg [állásából]

sackcloth *n* 1. zsákvászon 2. daróc; *in* ~ *and ashes* hamut hintve fejére
sackful ['sækfʊl] *n* zsáknyi
sacking ['sækɪŋ] *n* 1. zsákvászon, zsákanyag 2. zsákolás 3. kirablás, fosztogatás 4. *biz* kirúgás [állásból]
sack-race *n* zsákfutás
Sackville ['sækvɪl] *prop*
sacral ['seɪkr(ə)l] *a* keresztcsont(táj)i
sacrament ['sækrəmənt] *n* szentség, sákramentum; *receive the* S~ áldozik, úrvacsorához járul
sacramental [sækrə'mentl] *a* szentségi
Sacramento [sækrə'mentoʊ] *prop*
sacred ['seɪkrɪd] *a* szentelt; szent; ~ *to the memory of* vk emlékének szentelt; ~ *music* egyházi zene
sacrifice ['sækrɪfaɪs] I. *n* 1. áldozat; áldozás; *offer up a* ~ (fel)áldoz; *make* ~s áldozatot hoz 2. *sell sg at a* ~ (v. *at* ~ *prices*) áron alul ad el vmt II. *vt* feláldoz
sacrificial [sækrɪ'fɪʃl] *a* áldozati
sacrilege ['sækrɪlɪdʒ] *n* szentségtörés
sacrilegius [sækrɪ'lɪdʒəs] *a* szentségtörő
sacristan ['sækrɪst(ə)n] *n* sekrestyés
sacristy ['sækrɪstɪ] *n* sekrestye
sacrosanct ['sækrəsæŋkt] *a* szent és sérthetetlen
sacrum ['seɪkrəm] *n* keresztcsont
sad [sæd] *a* (*comp* ~**der** 'sædə*, *sup* ~**dest** 'sædɪst) 1. szomorú, bús 2. sajnálatos, aggálmas szerencsétlen; *US biz* ~ *sack* élhetetlen alak, balfácán
sadden ['sædn] A. *vt* elszomorít B. *vi* elszomorodik
saddle ['sædl] I. *n* 1. nyereg 2. hegynyereg 3. gerinc, hátrész [hús]; ~ *of*

mutton ürügerinc II. *vt* 1. felnyergel, megnyergel 2. megterhel
saddle-back *n* 1. (hegy)nyereg 2. nyeregtető
saddle-bag *n* nyeregtáska
saddle-bow *n* nyeregfej, -kápa
saddle-cloth *n* nyeregtakaró
saddle-horse *n* hátasló
saddler ['sædlə*] *n* nyerges; szíjgyártó
saddlery ['sædlərı] *n* 1. nyereggyártás 2. (szíjgyártó- és) nyergesműhely 3. (nyergek és) lószerszámok, nyergesáruk
saddle-sore *a* nyeregtől feltört
saddle-tree *n* 1. nyeregfa 2. *US* tulipánfa
sadism ['seıdızm] *n* szadizmus
sadist ['seıdıst] *n* szadista
sadistic [sə'dıstık] *a* szadista
sadly ['sædlı] *adv* 1. szomorúan 2. siralmasan 3. *biz* szörnyen, nagyon
sadness ['sædnıs] *n* szomorúság
safari [sə'fɑːrı] *n* [afrikai] vadászexpedíció, szafári; ~ *park* kb. vadaspark [ahol a vadállatok autóból tekinthetők meg]
safe [seıf] I. *a* 1. biztos, biztonságos; ~ *load* megengedett terhelés; ~ *from sg* (1) biztonságban vmtől (2) ment vmtől; *to be on the* ~ *side* a biztonság kedvéért; ami biztos, biztos 2. megbízható, hűséges 3. ép(en), sértetlen(ül); ~ *and sound* (1) ép és egészséges (2) ép bőrrel, épségben, épkézláb [tér haza]; *he saw them* ~ *home* sértetlenül/épségben hazakísérte őket II. *n* 1. páncélszekrény, széf 2. ételszekrény
safe-breaker *n* kasszafúró
safe-conduct *n* 1. menedéklevél 2. szabad közlekedés
safe-deposit *n* páncélszekrény [magánletétek őrzésére]
safeguard I. *n* 1. biztosíték, garancia (*against* vmvel szemben) 2. biztonsági berendezés 3. védelem, oltalom 4. menedéklevél II. *vt* oltalmaz, megvéd, védelmez
safe-keeping *n* megóvás, (biztos) őrizet, megőrzés
safely ['seıflı] *adv* biztosan, biztonságban; nyugodtan; szerencsésen, épségben, minden baj nélkül [érkezik stb.]

safeness ['seıfnıs] *n* biztonság, biztosság
safety ['seıftı] *n* 1. biztonság; épség; ~ *first!* legfontosabb a biztonság!; *play for* ~ nem kockáztat; ~ *curtain* [színházi] vasfüggöny; ~ *film* éghetetlen film; ~ *glass* törhetetlen/szilánkmentes/biztonsági üveg; ~ *island* járdasziget; ~ *post* [útmenti] kerékvető cölöp; ~ *regulations* biztonsági rendszabályok/előírások 2. őrizet
safety-belt *n* biztonsági öv
safety-catch *n* biztonsági zár
safety-lamp *n* bányászlámpa
safety-match *n* gyufa
safety-pin *n* biztosítótű, dajkatű
safety-razor *n* zsilett
safety-valve *n* biztonsági szelep, biztosítószelep
saffron ['sæfr(ə)n] *n* sáfrány
sag [sæg] I. *n* megereszkedés, be-, lelógás, süllyedés II. *vi* **-gg-** 1. megereszkedik, besüpped, belóg; meghajlik; petyhüdté válik 2. esik, csökken [ár]
saga ['sɑːgə] *n* monda; ~ (*novel*) családregény
sagacious [sə'geıʃəs] *a* eszes, okos, értelmes
sagaciousness [sə'geıʃəsnıs] *n* = *sagacity*
sagacity [sə'gæsətı] *n* okosság, eszesség, értelmesség
sage[1] [seıdʒ] *a/n* bölcs, józan (ember)
sage[2] [seıdʒ] *n* zsálya
sagebrush *n US* zsályacserje
sagged [sægd] → *sag II.*
sagging ['sægıŋ] I. *a* 1. megereszkedett, megsüppedt, lelógó, meghajló; petyhüdt 2. csökkenő [ár]; ~ *market* gyenge piac II. *n* megereszkedés, megsüppedés, petyhüdtség ‖ → *sag II.*
sago ['seıgou] *n* szágó
Sahara [sə'hɑːrə; *US* -'heərə] *prop* Szahara
sahib [sɑːb] *n* úr [indiai megszólítás]
said [sed] *a* a nevezett, mondott, (fent) említett ‖ → *say II.*
sail [seıl] I. *n* 1. vitorla; *make* ~ vitorlát bont, felvonja a vitorlákat; *set* ~ (*for*) elhajózik, útnak indul (vhová); *in full* ~ teljes sebességgel, felvont vitorlákkal; *under* ~ úton [hajóról]; *take in* ~

(1) becsavar vitorlát (2) *átv* alább adja 2. (*pl* ~) vitorlás (hajó); *a fleet of twenty* ~ húsz hajóból álló (vitorlás)flotta 3. vitorlázás, utazás vitorlázás, utazás vitorláson; *let's go for a* ~ gyerünk vitorlázni II. A. *vi* 1. vitorlázik; hajózik, hajón megy/utazik; ~ *before the wind* hátszéllel vitorlázik; ~ *near* (v. *close to*) *the wind* (1) (élesen) a széllel szemben vitorlázik (2) *átv* kétes üzelmeket folytat, súrolja a tisztesség határát 2. (el)indul, kifut [hajó] 3. lebeg, siklik [madár levegőben] 4. *biz* tovasuhan, iramlik B. *vt* 1. vezet, kormányoz, navigál [hajót] 2. ~ *the seas* behajózza/bejárja a tengereket

sail-arm *n* szélmalomkerék karja
sailboat *n US* vitorlás (hajó)
sail-cloth *n* vitorlavászon
sailing ['seɪlɪŋ] I. *a* 1. vitorlás; ~ *barge* vitorlás dereglye; ~ *boat* vitorlás (hajó) 2. vitorlázó II. *n* 1. vitorlázás; hajózás; hajóút; *plain/smooth* ~ egyszerű dolog, sima ügy 2. (el)indulás; *list of* ~*s* menetrendszerű hajójáratok (jegyzéke)
sailing-ship *n* (nagy) vitorlás hajó
sail-maker *n* vitorlakészítő
sailor ['seɪlə*] *n* tengerész, matróz, hajós; *be a bad* ~ nem bírja a tengeri utazást, tengeri betegségre hajlamos; *be a good* ~ jól bírja a tengeri utat; ~ *hat* (1) matrózsapka (2) kerek szalmakalap, zsirardi (kalap); ~ *suit* matrózruha [gyermeknek]; ~*'s yarn* fantasztikus/háryjánoskodó történet
sailplane I. *n* vitorlázó repülőgép II. *vi* vitorlázórepülést végez, vitorlázik
sainfoin ['sænfɔɪn] *n* baltacim
saint (*röv.* St.) [seɪnt; ha tulajdonnévvel kapcsolódik: *GB* sənt, sɪnt, snt; *US* seɪnt] I. *a/n* szent; *All S*~*'s Day* mindenszentek napja (nov. 1.) II. *vt* szentté avat
St. Albans [snt'ɔ:lbənz] *prop*
sainted ['seɪntɪd] *a* megszentelt, szent (emlékű); szentté avatott
sainthood ['seɪnthʊd] *n* szentség (vké), szent volta (vknek, vmnek)
St. James [snt'dʒeɪmz] *prop* (~*'s* [-zɪz])

saintliness ['seɪntlɪnɪs] *n* (élet)szentség
saintly ['seɪntlɪ] *a* 1. szent, tiszta, jámbor 2. szenthez illő
saint's-day *n* búcsú, védőszent névünnepe
saith →*say II.*
sake [seɪk] *n for the* ~ *of* kedvéért; miatt; *for my* ~ kedvemért; *for God's* ~ az Isten szerelmére; *art for art's* ~ öncélú művészet, l'art pour l'art
sal [sæl]*n* só; ~ *volatile* [və'lætəlɪ] repülősó
salaam [sə'lɑ:m] I. *n* ünnepélyes (keleti) köszöntés; mély meghajlás II. *vt* (keleti) ünnepélyességgel köszönt, mélyen meghajlik
salable ['seɪləbl] *a* = *saleable*
salacious [sə'leɪʃəs] *a* buja, érzéki, illetlen, pikáns
salaciousness [sə'leɪʃəsnɪs] *n* bujaság, érzékiség
salacity [sə'læsətɪ] *n* = *salaciousness*
salad ['sæləd] *n* saláta
salad-bowl *n* salátástál
salad-days *n pl* tapasztalatlan ifjúkor; *in one's* ~ kb. zöldfülű korában, éretlen fejjel
salad-dressing *n* majonézes mártás, salátaöntet
salad-oil *n* salátaolaj
salad-servers *n pl* salátáskanál és -villa
salamander ['sæləmændə*] *n* szalamandra, tűzgyík
salami [sə'lɑ:mɪ] *n* szalámi
salariat [sə'leərɪæt] *n* fix fizetésűek, tisztviselőréteg, -társadalom
salaried ['sælərɪd] *a* 1. fix fizetésű [személy]; *the* ~ *classes* a fizetésből élők, a tisztviselőtársadalom 2. fizetéssel járó [állás]
salary ['sælərɪ] I. *n* fizetés, illetmény II. *vt* fizetést ad
sale [seɪl] *n* 1. eladás, (el)árusítás; *on/for* ~ eladó; *find a good* ~ jól kel, kapós; ~*s department* eladási osztály; ~*s engineer* üzletkötő mérnök; ~*s manager* üzletvezető [áruházban]; ~*s promotion* reklámozás; ~*s resistance* vásárolni nem akarás, vásárlók érdektelensége, fogyasztói ellenállás; ~*s*

talk vásárlásra való rábeszélés, reklámbeszélgetés; ~*s tax* forgalmi adó 2. (engedményes) vásár; kiárusítás; *winter* ~(*s*) téli vásár; ~ *price* engedményes ár 3. ~ (*by auction*), *public* ~ árverés, aukció 4. *rendsz pl* eladott árumennyiség/példányok; *high*~*s* nagy példányszám

saleable ['seɪləbl] *a* elad(hat)ó, kelendő, kapós

sale-goer *n* alkalmi vételt kereső, árverésre/aukcióra járó

Salem ['seɪləm] *prop*

sale-room *n* árverési terem/helyiség

salesclerk ['seɪlz-] *n US* [bolti] eladó

salesgirl ['seɪlz-] *n* elárusítólány, eladó

salesman ['seɪlzmən] *n (pl* -men -mən) 1. elárusító, eladó, (kereskedő)segéd 2. kereskedelmi utazó; ügynök, üzletszerző, -kötő

salesmanship ['seɪlzmənʃɪp] *n* eladási készség, az eladás művészete

salespeople ['seɪlz-] *n pl* 1. elárusítók, eladók 2. üzletszerzők, -kötők

salesroom ['seɪlz-] *n* 1. *GB = sale-room* 2. *US* mintaterem (árusítással)

saleswoman ['seɪlz-] *n (pl* -women) elárusítónő

salicylic [sælɪ'sɪlɪk] *a* szalicil-; ~ *acid* szalicilsav

salient ['seɪljənt] I. *a* kiugró, kiszögellő; kiemelkedő, szembeötlő II. *n* kiugrás, kiszögellés; párkány

saliferous [sə'lɪfərəs] *a* sótartalmú

salina [sə'laɪnə] *n* sós mocsár

saline I. *a* ['seɪlaɪn; *US* -li:n *is*] sós, sótartalmú II. *n* [sə'laɪn; *US* 'seɪ-] 1. keserűsó 2. sóoldat 3. sós mocsár/forrás/tó

salinity [sə'lɪnətɪ] *n* sósság, sótartalom

Salisbury ['sɔ:lzb(ə)rɪ] *prop*

saliva [sə'laɪvə] *n* nyál

salivary ['sælɪvərɪ; *US* -erɪ] *a* nyál-, nyáltermelő; ~ *glands* nyálmirigyek

salivate ['sælɪveɪt] *vi* nyáladzik

salivation [sælɪ'veɪʃn] *n* nyálképződés, nyáladzás, nyálfolyás

sallow¹ ['sæloʊ] *n* fűz(fa)

sallow² ['sæloʊ] I. *a* sárgásfakó [arcszín] II. A. *vt* sárgít B. *vi* sárgul [arcszín]

sally¹ ['sælɪ] I. *n* 1. kirohanás, kitörés

[ostromló seregre]; *ma ke a* ~ kirohan kitör 2. kirándulás 3. *átv* (érzelem-) kitörés 4. csintalanság; szellemes ötlet; csipkelődés II. *vi* ~ *out* kitör, kiront; ~ *forth* kirándul, kimegy

Sally² ['sælɪ] *prop* Sári; ~ *Lunn* [sælɪ'lʌn] ⟨egy fajta édes meleg teasütemény⟩

sally-port *n* kiskapu [erődé]

salmon ['sæmən] *n* 1. lazac; ~ *trout* tavaszi pisztráng 2. lazac(rózsa)szín

Salome [sə'loʊmɪ] *prop* S(z)alóme

salon ['sælɔ:ŋ; *US* sə'lɑn] *n* 1. szalon 2. fogadás 3. *the* S~ tárlat, kiállítás

saloon [sə'lu:n] *n* 1. díszterem, (nagy-) terem; szalon; *dancing* ~ táncterem; ~ *bar* első osztályú söntés; ~ *deck* első osztályú (hajó)fedélzet; ~ *passenger* első osztályú utas [hajón] 2. = *saloon-car* 3. *US* kocsma, italbolt, italmérés, söntés

saloon-car *n* 1. nagy személygépkocsi; luxuskocsi 2. *US* (vasúti) termes kocsi

salsify ['sælsɪfɪ] *n* salátabakszakáll

salt [sɔ:lt] I. *a* 1. sós (ízű); (be)sózott; sóban eltett 2. tengeri, sósvízi; ~ *water* sós víz, tengervíz →*salt-water* 3. sótartalmú 4. *átv* csípős, pikáns II. *n* 1. só; *table* ~ asztali só; *eat sy's* ~ vknek a vendége; *with a grain of* ~ fenntartással; *not worth his* ~ nem ér annyit amennyit megeszik; *sit below the* ~ az asztal vége felé ül; *I am not made of* ~ nem vagyok cukorból 2. csípősség, íz, szellemesség; *Attic* ~ finom szellemesség; attikai só 3. *biz old* ~ vén tengeri medve III. *vt* 1. (be)sóz, megsóz; ~ *away* (1) besóz, (sóban) eltesz (2) *biz* félretesz [pénzt]; *he's got a bit* ~*ed away* van egy kis pénze dugaszban; ~ *down* besóz, ecetben eltesz 2. beolt [lovat] 3. *biz* vmt túlzottan és csalárdul felértékel; meghamisít [pl. számlát]

SALT [sɔ:lt] *prop Strategic Arms Limitation Talks* hadászati fegyverkorlátozási tárgyalások, SALT

salt-cellar *n* sótartó [emberi testen is]

salted ['sɔ:ltɪd] *a* (be)sózott; sós

salter ['sɔ:ltə*] *n* 1. besózó 2. sóbányász 3. sózotthalárus 4. sózódézsa

saltiness ['sɔ:ltɪnɪs] *n* sósság; sós íz

salting ['sɔ:ltıŋ] n 1. (be)sózás; ~ tub sózóhordó, -dézsa 2. immunizálás
saltish ['sɔ:ltıʃ] a kissé sós
saltless ['sɔ:ltlıs] a sótlan
salt-lick n sózó, nyalató [nagyvadé]
saltpetre, US -peter ['sɔ:ltpi:tə*] n salétrom
salt-water a sósvízi, tenger(víz)i
salt-works n pl sópárló telep, sófőző (üzem), sófinomító
saltwort n ballagófű
salty ['sɔ:ltı] a 1. sós (ízű) 2. szellemes, csípős, borsos, pikáns
salubrious [sə'lu:brıəs] a egészséges [éghajlat]
salubrity [sə'lu:brətı] n egészség(esség)
salutary ['sæljʊt(ə)rı; US -erı] a üdvös, hasznos
salutation [sælju:'teıʃn] n üdvözlés, köszöntés; megszólítás [levélben]
salute [sə'lu:t] I. n 1. üdvözlés, köszöntés; tisztelgés 2. díszlövés, üdvlövés; fire a ~ díszlövést/üdvlövést lead II. A. vt köszönt, üdvözöl, tiszteleg (vknek); fogad B. vi tiszteleg
Salvador, El [el'sælvədɔ:*] prop Salvador(i köztársaság)
salvage ['sælvıdʒ] I. n 1. (meg)mentés [hajóé, rakományé]; ~ company ⟨elsüllyedt hajókat kiemelő vállalat⟩; ~ truck autómentő (gépkocsi) 2. mentési jutalom [pénz] 3. megmentett holmi 4. hulladék/selejt feldolgozása/hasznosítása 5. hasznosított szemét/hulladék/selejt II. vt 1. megment [hajót, rakományt, árut], kiment [tűzből ingóságot] 2. kiemel [roncsot]
salvation [sæl'veıʃn] n 1. üdvözítés, megmentés; S~ Army Üdvhadsereg 2. üdvözülés, üdvösség 3. megmentő
salvationist [sæl'veıʃ(ə)nıst] n 1. az Üdvhadsereg tagja 2. (hivatásos) lélekmentő
salve [sælv; US sæv] I. n kenőcs, (gyógy-)ír (átv is) II. vt enyhít, csillapít, gyógyít; megnyugtat [lelkiismeretet]
salver ['sælvə*] n tálca
salvo ['sælvoʊ] n (pl ~(e)s -z) üdvlövés, sortűz
Sam [sæm] prop Samu; biz stand ~ mindenkit megvendégel; biz upon

my ~ becsszavamra!; biz ~ Browne belt [angol] tiszti derékszíj (antantszíjjal)
Samaritan [sə'mærıt(ə)n] a/n s(z)amaritánus, s(z)amária(bel)i; the good ~ az irgalmas s(z)amaritánus
sambo ['sæmboʊ] n ⟨indián és néger ivadéka⟩
same [seım] I. a/pron ugyanaz, azonos; it's all/just the ~ mindegy; the same ... as ugyanaz(t), mint ...; the very ~ teljesen/pontosan ugyanaz; at the ~ time (1) ugyanakkor, egyidejűleg (2) azonban; in the ~ way ugyanúgy; hasonlóképpen; I did the ~ én is azt tettem; the ~ to you hasonlóképpen!, viszont (kívánom)!; one and the ~ egy és ugyanaz; biz (the) ~ here! én is!; nekem is! II. adv ugyanúgy; all the ~ ennek/annak ellenére, mégis; (the) ~ as ... ugyanúgy, mint ..., akárcsak ...
sameness ['seımnıs] n azonosság
Sammy ['sæmı] prop Samu(ka)
Samoa [sə'moʊə] prop Szamoa
Samoan [sə'moʊən] a/n szamoai
samovar [sæmoʊ'vɑ:*] n szamovár
Samoyed(e) [sæmɔı'ed] a/n szamojéd
sample ['sɑ:mpl; US -æ-] I. n 1. minta; take a ~ of mintát vesz (vmből) 2. kóstoló, mutató II. vt mintát vesz (vmből); válogat, kipróbál, kóstolgat
sampler ['sɑ:mplə*; US -æ-] n mintaszalag, -hímzés
sampling ['sɑ:mplıŋ; US -æ-] n 1. mintavétel 2. kóstolgatás; ~ tube lopó
Samson ['sæmsn] prop Sámson
Samuel ['sæmjʊəl] prop Sámuel, Samu
sanatorium [sænə'tɔ:rıəm] n (pl ~s -z v. -ria -rıə) szanatórium
sanctification [sæŋktıfı'keıʃn] n megszentelés; megünneplés
sanctified ['sæŋktıfaıd] a 1. megszentelt; szentesített 2. = sanctimonious
sanctify ['sæŋktıfaı] vt 1. megszentel 2. szentesít
sanctimonious [sæŋktı'moʊnjəs] a szenteskedő, képmutató, álszent
sanction ['sæŋkʃn] I. n 1. szentesítés, belegyezés 2. jutalom 3. megtorlás, szankció; take ~s szankciókhoz folya-

modik, megtorlást alkalmaz **II.** *vt*
megerősít, szentesít, törvényerőre emel
sanctity ['sæŋktətɪ] *n* szentség, sérthetet-
lenség, tisztaság
sanctuary ['sæŋktjʊərɪ; *US* -tʃʊerɪ] *n*
1. szentély **2.** menedékhely **3.** védett
terület
sanctum ['sæŋktəm] *n* **1.** szentély **2.** sa-
ját (dolgozó)szoba
sand [sænd] **I.** *n* **1.** homok, föveny;
the ~(*s*) homokos/fövenyes (tenger-)
part, strand; *the* ~*s are running out*
lejár az idő; *put* ~ *in the wheels* homo-
kot szór a kerekek közé [= szabotál]
2. homokzátony **3.** *US biz* mersz,
karakánság, bátorság **II. A.** *vt* **1.**
homokkal felszór/beszór/betemet **2.**
csiszolópapírral dörzsöl/csiszol, smirg-
liz **B.** *vi* ~ *up* elzátonyosodik
sandal ['sændl] *n* szandál, bocskor
sandalwood *n* szantálfa
sandarac ['sændəræk] *n* szandarak;
szandarakfa mézgája
sandbag *n* homokzsák
sand-bank *m* homokzátony
sand-bar *n* homokzátony
sand-blast *n* homokfúvó
sand-box *n* **1.** homokszóró láda **2.** por-
zótartó
sand-boy *n as happy as a* ~ madarat
lehetne vele fogatni
sand-drift *n* homokfúvás, -bucka
sand-dune *n* homokdűne
sanded ['sændɪd] *a* **1.** homokos **2.** ho-
mokszínű
sand-eel *n* (lándzsás) homoki angolna
sand-glass *n* homokóra
sand-hill *n* homokbucka, -domb
sandhog *n US biz* **1.** homokbányász
2. keszonmunkás
Sandhurst ['sændhəːst] *prop*
sand-lot *n US* grund
sand-man *n* (*pl* -men) *biz* (mesebeli)
álomhozó ember
sand-martin *n* parti fecske
sandpaper I. *n* üvegpapír, dörzspapír,
smirgli **II.** *vt* smirgliz
sandpiper *n* sárjáró libuc [madár]
sand-pit *n* **1.** homokgödör, -bánya **2.**
homokozó
s and-shoal *n* homokzátony

sand-shoes *n pl* fürdőcipő; gumitalpú
vászoncipő
sand-spout *n* homoktölcsér [viharban]
sandstone *n* homokkő
sand-storm *n* homokvihar, számum
sandwich ['sændwɪdʒ; *US* 'sæn(d)wɪtʃ]
I. *n* szendvics **II.** *vt* közbeiktat; *be*
~*ed* (*between*) (köz)beékelődik, beszorul
sandwich-man *n* (*pl* -men) szendvics-
ember ⟨mellén és hátán hirdetőpla-
kátot vivő ember⟩
sandy[1] ['sændɪ] *a* **1.** homokos, fövenyes
2. vöröseszőke, vörhenyes **3.** bizony-
talan, ingatag
Sandy[2] ['sændɪ] *prop* **1.** Sanyi **2.** *biz*
skót [skót ember gúnyneve]
sane [seɪn] *a* épelméjű; józan
San Francisco [sænfr(ə)n'sɪskoʊ] *prop*
sang [sæŋ] →*sing*
sanguinary ['sæŋgwɪnərɪ; *US* -erɪ] *a*
1. vérszomjas, kegyetlen **2.** véres
sanguine ['sæŋgwɪn] *a* **1.** vérvörös **2.**
vérmes, szangvinikus, heves **3.** biza-
kodó, optimista, derűlátó
sanies ['seɪniːz] *n* genny, sebváladék
sanitarium [sænɪ'teərɪəm] *n* (*pl* -taria
-'teərɪə) *US* szanatórium
sanitary ['sænɪt(ə)rɪ; *US* -erɪ] *a* egész-
ség(ügy)i; ~ *conditions* egészségügyi
viszonyok, (köz)egészségügy; ~ *in-
spector* közegészségügyi felügyelő; ~
pad egészségügyi tampon, tampax;
~ *towel/napkin* havikötő
sanitation [sænɪ'teɪʃn] *n* **1.** közegész-
ségügy, higiénia **2.** egészségügyi be-
rendezések
sanitize ['sænɪtaɪz] *vt US* higiénikussá
tesz
sanity ['sænətɪ] *n* józan ész, józanság
sank →*sink* **II.**
sans [sænz] *adv* nélkül
Sanskrit ['sænskrɪt] *a/n* szanszkrit
Santa Claus [sæntə'klɔːz; *US* 'sæn-]
n Mikulás [angol gyerekek karácsony-
kor várják]
sap[1] [sæp] **I.** *n* **1.** nedv [fáé, növényé],
életnedv **2.** *átv* életerő **II.** *vt* -pp-
életerőt kiszív (vkből)
sap[2] [sæp] **I.** *n* futóárok **II.** *vt/vi* -pp-
alapjaiban meggyengít; a(z) gyöke-
reket/alapokat kezdi ki

sap³ [sæp] □ **I.** *n* hülye, magoló **II.**
vi **-pp-** magol, biflázik
sap-head *n* □ hülye
sapience ['seɪpjəns] *n* **1.** okosság, böl-
csesség **2.** álbölcsesség
sapient ['seɪpjənt] *a* **1.** eszes, okos, bölcs
2. beképzelt, öntelt
sapless ['sæplɪs] *a* erőtlen; nedvetlen,
kiaszott (*átv is*)
sapling ['sæplɪŋ] *n* (fa)csemete, suháng
sapper ['sæpə*] *n* utász; műszaki (ka-
tona)
Sapphic ['sæfɪk] *a* szaffói [versforma]
sapphire ['sæfaɪə*] **I.** *a* zafírkék **II.**
n zafír
sappy ['sæpɪ] *a* **1.** nedvdús **2.** életerős
3. □ ütődött, gyüge
sap-wood *n* szíjács(fa)
Saracen ['særəsn] *a/n* szaracén, szere-
csen, mór
Sarah ['seərə] *prop* Sára, Sári
saratoga trunk [særə'toʊgə] *US* ⟨nagy
domború födelű utazóláda⟩, hajóbő-
rönd
sarcasm ['sɑːkæzm] *n* **1.** maró gúny,
szarkazmus **2.** csípős/gúnyos megjegy-
zés
sarcastic [sɑː'kæstɪk] *a* (bántóan) gú-
nyos, csípős, ironikus, szarkasztikus
sarcoma [sɑː'koʊmə] *n* szarkóma
sarcophagus [sɑː'kɔfəgəs; *US* -'kɑ-] *n*
(*pl* ~es -gəsɪz v. -gi -gaɪ) szarkofág,
díszkoporsó
sardine [sɑː'diːn] *n* szardínia v. szardína
[hal]; *packed like* ~s mint a heringek
[annyira zsúfolva]
Sardinia [sɑː'dɪnjə] *prop* Szardínia
Sardinian [sɑː'dɪnjən] *a/n* szárd, szar-
díniai
sardonic [sɑː'dɔnɪk; *US* -dɑ-] *a* kese-
rűen gúnyos, kaján, cinikus
sari ['sɑːrɪ] *n* szári ⟨hindu női tóga⟩
sark [sɑːk] *n* *sk* ing; hálóing
sarong [sə'rɔŋ] *n* (maláj) szoknya,
szarong
sarsaparilla [sɑːs(ə)pə'rɪlə] *n* szárcsa-
gyökér, szasszaparilla [vértisztító fő-
zet]
sartorial [sɑː'tɔːrɪəl] *a* szabászati, sza-
bó-
sartorius [sɑː'tɔːrɪəs] *n* szabóizom

sash¹ [sæʃ] *n* selyemöv; vállszalag
sash² [sæʃ] *n* **1.** tolóablak(keret) **2.**
ablakszárny
sash-cord *n* súlyzsinór [tolóablakhoz]
sash-frame *n* ablakkeret
sash-line *n* = *sash-cord*
sash-window *n* (angol rendszerű) toló-
ablak
Sask. *Saskatchewan*
Saskatchewan [səs'kætʃɪwən; *US*
sæs'kætʃəwɑn] *prop*
sass [sæs] *n* *US* *biz* visszabeszélés,
pofázás
sassafras ['sæsəfræs] *n* szasszafrász-fa
Sassenach ['sæsənæk] *a/n* (*sk, ir*) an-
gol(szász) [rosszallóan]
Sassoon [sə'suːn] *prop*
sassy ['sæsɪ] *a* *US* = *saucy*
sat → *sit*
Sat. *Saturday* szombat
Satan ['seɪt(ə)n] *n* sátán, ördög
Satanic [sə'tænɪk; *US* seɪ-] *a* sátáni,
ördögi
satchel ['sætʃ(ə)l] *n* (iskola)táska
sate [seɪt] *vt* = *satiate*
sated ['seɪtɪd] *a* jóllakott, kielégült,
eltelt
sateen [sæ'tiːn] *n* félszatén
satellite ['sætəlaɪt] *n* **1.** mellékbolygó,
hold [bolygóé] **2.** (*artificial*) ~ mű-
bolygó **3.** csatlós; ~ *town* előváros,
peremváros
satiable ['seɪʃjəbl] *a* kielégíthető
satiate ['seɪʃɪeɪt] *vt* kielégít, jóllakat,
teletöm, eltölt; *be* ~*d with sg* megcsö-
mörlik vmtől
satiety [sə'taɪətɪ] *n* kielégültség, jólla-
kottság
satin ['sætɪn] **I.** *n* szatén, atlaszselyem
II. *vt* atlaszfényt ad (vmnek)
satin-stitch ferde gobelinöltés
satin-wood *n* selyemfa
satiny ['sætɪnɪ] *a* fényes, atlaszfényű
satire ['sætaɪə*] *n* szatíra, gúnyirat
satirical [sə'tɪrɪkl] *a* szatirikus, ironikus,
gúnyos
satirist ['sætərɪst] *n* szatíraíró
satirize ['sætəraɪz] *vt* kigúnyol
satisfaction [sætɪs'fækʃn] *n* **1.** kielégí-
tés, elégtétel **2.** kielégülés; megelége-
dés, elégedettség; megnyugvás

satisfactorily [sætɪs'fækt(ə)rəlɪ] adv kielégítően

satisfactory [sætɪs'fækt(ə)rɪ] a kielégítő, elégséges, megnyugtató, megfelelő

satisfy ['sætɪsfaɪ] vt 1. kielégít, megnyugtat; be satisfied meg van elégedve; rest satisfied megelégszik ennyivel, kielégítőnek talál (with vmt); ~ the examiners átmegy a vizsgán 2. eleget tesz [követelésnek, kívánalomnak]; megfizet 3. eloszlat [kétséget]

satisfying ['sætɪsfaɪɪŋ] a 1. kielégítő, megnyugtató 2. kiadós [étel]

satrap ['sætrəp] n 1. s(z)atrapa [ókori Perzsiában] 2. kényúr

saturate ['sætʃəreɪt] vt telít, átitat

saturated ['sætʃərɪtɪd] a telített, átitatott, átázott

saturation [sætʃə'reɪʃn] n telítés, átitatás; telítettség; ~ bombing szőnyegbombázás; ~ point telítettségi határ

Saturday ['sætədɪ v. -deɪ] n szombat

Saturn ['sætən] prop Szaturnusz

saturnine ['sætənaɪn] a 1. bús, komor, mogorva 2. ólom-; ~ red mínium

satyr ['sætə*] n szatír

sauce [sɔːs] I. n 1. mártás, szósz; what is ~ for the goose is ~ for the gander ami nekem jó, az legyen neked is jó 2. fűszer, ízesítő 3. US párolt gyümölcs 4. (garden) főzelék; köret, körítés 5. biz szemtelenség; none of your ~! ne feleselj!, fogd be a szád!; what ~! micsoda szemtelenség! II. vt 1. fűszerez, ízesít 2. biz szemtelenkedik, felesel

sauce-boat n mártásoscsésze

sauce-box n biz szemtelen alak/kölyök

saucepan ['sɔːspən; US -pæn] n (nyeles) serpenyő

saucer ['sɔːsə*] n csészealj

saucer-eyed a nagy/kerek szemű

sauciness ['sɔːsɪnɪs] n szemtelenség, pimaszság, feleselés

saucy ['sɔːsɪ] a 1. szemtelen, pimasz, feleselő; ~ baggage szemtelen srác/kölyök/fruska 2. biz elegáns, pikánsan sikkes; a ~ little hat hetyke kis kalap

Saudi Arabia [saʊdɪə'reɪbɪə] prop Szaúd-Arábia

sauerkraut ['saʊəkraʊt] n savanyú káposzta

Saul [sɔːl] prop

sauna ['sɔːnə] n szauna

saunter ['sɔːntə*] I. n séta, őgyelgés II. vi ballag, bandukol, őgyeleg

saurian ['sɔːrɪən] n gyík

sausage ['sɔsɪdʒ; US 'sɔː-] n kolbász; Paris ~ apró kolbászka; Frankfurt ~ virsli; ~ balloon megfigyelőléggömb

sausage-dog n GB biz dakszli

sausage-meat n kolbásztöltelék

sausage-roll n zsemlében sült kolbász

sauté ['soʊteɪ; US -'teɪ] I. a hirtelen sült II. vt hirtelen kisüt; pirít

savage ['sævɪdʒ] I. a 1. vad, barbár, műveletlen, civilizálatlan; kegyetlen; szilaj 2. biz dühös, mérges; grow ~ dühbe gurul, „megvadul" II. n 1. vadember, vad bennszülött; ~s (a) vadak, vademberek 2. vad/durva/kegyetlen ember III. vt vadul megtámad (és megharap); megtapos

savageness ['sævɪdʒnɪs] n vadság, kegyetlenség, barbarizmus, brutalitás

savagery ['sævɪdʒ(ə)rɪ] n vadság, kegyetlenség, barbarizmus; live in ~ barbár módon él

savanna(h) [sə'vænə] n szavanna

save [seɪv] I. n védés [futballban] II. prep kivéve III. A. vt 1. megment, megóv, -véd (from vmtől); ~ sy from drowning kiment vkt a vízből 2. megkímél (sy sg vkt vmtől); ~ sy the trouble of doing sg megkímél vkt attól a fáradságtól, hogy...; ~ sy the expense of... megkímél vkt vmnek a költségétől; ~ your breath! kár a szót vesztegetni!; write hurriedly to ~ the post siess az írással, hogy elérd a postát 3. félretesz; megtakarít, megspórol; that will ~ me £50 ezzel megtakarítok 50 fontot; ~ one's strength beosztja az erejét, takarékoskodik az erejével; ~ time időt nyer 4. megvált, üdvözít B. vi 1. ~ (up) (for sg) félretesz, gyűjt, spórol (vmre), takarékoskodik 2. véd [futballban]

saveloy [sævə'lɔɪ] n szafaládé

saver ['seɪvə*] n 1. megmentő, megszabadító 2. (anyag- stb.) megtakarító (készülék) **B.** takarékos ember, jó gazda

saving ['seɪvɪŋ] **I.** *a* (meg)mentő, megvédő; ~ *grace* (1) megszentelő kegyelem (2) vmnek a jó oldala (3) mentő körülmény **II.** *n* 1. megmentés, -szabadítás 2. megtakarítás; takarékoskodás, takarékosság 3. **savings** *pl* megtakarított pénz; ~*s account* takarékbetét-számla; ~*s bank* takarékpénztár; ~*s book* takarékbetétkönyv 4. fenntartás, kikötés, kivétel **III.** *prep/conj* kivéve, hacsak nem, csak éppen; † ~ *your presence* tisztesség ne essék szólván

saviour, *US* **-ior** ['seɪvjə*] *n* megmentő; *the S*~ a Megváltó, az Üdvözítő

savor(...) →*savour*(...)

savory¹ →*savoury*

savory² ['seɪv(ə)rɪ] *n* borsfű, csombord

savour, *US* **-vor** ['seɪvə*] **I.** *n* 1. íz, zamat, aroma 2. *átv* nyoma vmnek **II. A.** *vt* 1. ízesít 2. ízét/zamatát érzi, ízlel **B.** *vi* ~ *of sg* (1) vmlyen ízű (2) kiérzik belőle vm, érződik rajta vm

savouriness ['seɪv(ə)rɪnɪs] *n* 1. ízletesség 2. kellemes illata/íze vmnek

savourless ['seɪvəlɪs] *a* 1. ízetlen 2. szagtalan

savoury, *US* **-vory** ['seɪv(ə)rɪ] **I.** *a* 1. jóízű, íz(let)es, kellemes ízű, élvezetes 2. kellemes/jó szagú 3. sós; pikáns [ízű] **II.** *n* ⟨erősen fűszerezett nem édes utóétel⟩; pikáns étel, ínyencfalat

savoy¹ [sə'vɔɪ] *n* fodorkel

Savoy² [sə'vɔɪ] *prop* Szavoja

savvy ['sævɪ] □ **I.** *n* hozzáértés, ész **II.** *vt* ért, kapiskál; *no* ~ nem értem

saw¹ [sɔ:] **I.** *n* fűrész **II.** *vt/vi* (*pt* ~**ed** sɔ:d, *pp* ~n sɔ:n és *US* ~**ed**) fűrészel; ~ *the air* kapálódzik, hadonászik

saw² [sɔ:] *n* szólásmondás, közmondás

saw³ →*see¹*

sawbones *n* □ sebész, „hentes"

saw-buck *n US* 1. fűrészbak 2. □ tízdolláros

sawder ['sɔ:də*] *n biz soft* ~ hízelgés, „olaj"

sawdust *n* fűrészpor

sawed-off ['sɔ:d-] *a* lefűrészelt; ~

shotgun rövidre vágott csövű vadászpuska

sawfish *n* fűrészhal

saw-fly *n* levéldarázs

saw-frame *n* fűrészkeret

saw-horse/jack *n* fűrészbak

sawmill *n* fűrészmalom

sawn [sɔ:n] *a* ~ *timber* fűrészáru ‖ →*saw¹ II.*

sawn-off *a* = *sawed-off*

saw-set *n* fűrészfog-hajtogató (szerszám)

saw-tooth *n* (*pl* -*teeth*) fűrészfog

saw-toothed *a* fogazott, fűrészfogú

sawyer ['sɔ:jə*] *n* fűrészelő (munkás)

sax [sæks] *n* palafedő-kalapács

saxifrage ['sæksɪfrɪdʒ] *n* kőtörőfű, kőtörőke

Saxon ['sæksn] *a/n* szász

Saxony ['sæks(ə)nɪ] *prop* Szászország

saxophone ['sæksəfoʊn] *n* szakszofon

saxophonist [sæk'sɔfənɪst; *US* 'sæksəfoʊnɪst] *n* szakszofonjátékos

saxpence ['sækspəns] *n* □ = *sixpence; bang went* ~! 6 penny ugrott

say [seɪ] **I.** *n* mondás, mondóka, mondanivaló; beleszólás; *let him have his* ~ hagyd beszélni; *have a* ~ *in the matter* van beleszólása/mondanivalója; *it's my* ~ *now* én tettem le a garast **II.** *vt/vi* (*pt/pp* said sed, jelen idő egyes szám 3. szem. **says** sez, régiesen **sayeth** 'seɪəθ v. **saith** seθ) mond, kijelent, kimond, elmond; említ; beszél, kifejez; *you don't* ~ (*so*)! ugyan!, ne mondja!; *biz I* ~! (1) mondja kérem!, ide hallgasson!, hé! (2) lehetetlen!, ejha!, nahát!; *that is to* ~ azaz; *who shall I* ~? kit jelenthetek be?; *what do you* ~? (1) hogy mondod?, tessék? (2) mit szólsz (hozzá); *what do you* ~ *to a drink* nem innánk egyet?; *what did you* ~? hogy mondta(d)?, tessék?; *so to* ~ hogy úgy mondjam, úgy szólván; *you might as well* ~ azt is lehetne mondani; *it goes without* ~*ing* ez magától értetődik; *I must* ~ ... őszintén bevallva; *to* ~ *nothing of* ... nem is említve; *there is much to be said for* ... sok szól amellett, hogy; *it is said that* ..., *they* ~ ... azt beszélik (,hogy) ...; *he*

is said to be rich azt mondják, hogy gazdag; *what I ~ is* ... nekem az a véleményem, szerintem; *I should ~ not* szerintem nem; azt hiszem, hogy nem; *(let us) ~* ... mondjuk ...; *come have lunch with me one day, ~ Sunday* gyere el egy nap ebédre, mondjuk vasárnap; *so you ~* mondod te [de én kétlem]; *~ what you will* mondhat(sz) amit akar(sz); *you don't mean to ~* talán csak nem akarod (ezzel) azt mondani?; *~ when* szólj ha elég [ital töltésekor]; *when all is said and done* mindent összevéve; *what can you ~ for yourself?* mit tud(sz) felhozni mentségedre?; *~ out* nyíltan kimond; *~ over* ismétel(get)
saying ['seɪɪŋ] *n* 1. mondás; közmondás, szólásmondás; *as the ~ goes/is* ahogy mondani szokás 2. kijelentés; *there is no ~* mit lehet tudni
S.C. [es'si:] 1. *South Carolina* 2. *Special Constable* 3. *Supreme Court*
Sc *scene* jelenet, kép
sc. scilicet (= *namely*) tudniillik, ti.
scab [skæb] I. *n* 1. var, heg, varasodás, ótvar 2. rüh(esség) 3. *biz* sztrájktörő; piszok alak II. *vi* -bb- (be)varasodik
scabbard ['skæbəd] *n* hüvely [kardé]
scabbiness ['skæbɪnɪs] *n* 1. varasság 2. rühesség 3. *biz* piszkos zsugoriság
scabby ['skæbɪ] *a* 1. varas, heges 2. rühes, koszos 3. *biz* smucig
scabies ['skeɪbiɪːz] *n* rüh(esség)
scabious ['skeɪbjəs] I. *a* rühes, koszos II. *n* ördögszem [növény]
scabrous ['skeɪbrəs] *a* 1. érdes, reszelős, dorozsmás 2. sikamlós, illetlen
scaffold ['skæf(ə)ld] I. *n* 1. (épület)állvány, állványzat 2. emelvény, tribün, lelátó 3. vesztőhely, akasztófa; *mount the ~* vérpadra lép II. *vt* állványoz
scaffolding ['skæf(ə)ldɪŋ] *n* 1. állványzat 2. állványozás
scalable ['skeɪləbl] *a* megmászható
scalawag ['skæləwæg] *n US* = *scallywag*
scald¹ [skɔːld] I. *n* forrázás(i seb) II. *vt* 1. (le)forráz 2. felforral [tejet]; *~ed cream* forralt tej föle
scald² [skɔːld] *n* s(z)kald [skandináv dalnok]

scalding ['skɔːldɪŋ] I. *a* forró; *~ tears* keserű könnyek II. *n* 1. leforrázás 2. (fel)forralás
scale¹ [skeɪl] I. *n* 1. pikkely; hártya; héj 2. hályog; *átv the ~s fell from his eyes* a hályog lehullott a szeméről 3. korpa [fejen]; lehámló réteg 4. fogkő; vízkő, kazánkő; fémhab; salak; pernye II. A. *vt* 1. lepikkelyez [halat] lekapar, levakar; lehántja/lehúzza a héját/kérgét (vmnek) 2. vízkőtől/kazánkőtől megtisztít B. *vi ~* (off) lehámlik; lepattogzik, leválik
scale² [skeɪl] I. *n* mérlegserpenyő; *(pair of) ~s* mérleg; *turn the ~s* (vk javára) billenti a mérleget, eldönti a kérdést; *turn the ~ at 12 stone* 76,2 kilót nyom; *hold the ~s even* igazságosan ítél/bíráskodik II. *vt* ... súlyú, (vmennyit) nyom
scale³ [skeɪl] I. *n* 1. fokbeosztás, skála [hőmérőn, műszeren]; méretarány, lépték [térképen]; arány, méret; *a map on the ~ of 10 kilometres to the centimetre* 1:1 000 000 méretarányú térkép; *draw sg to ~* vmt arányosan kicsinyítve rajzol; *on a small ~* szerény keretek között, kicsiben 2. számrendszer 3. *átv* létra, lépcső; *social ~* társadalmi ranglétra; *sink in the ~* lecsúszik, alacsonyabb sorba/rangba kerül; *~ of wages* bérskála 4. skála, hangsor; *practise ~s* skálázik II. *vt* 1. megmászik (vmt), felmászik (vmre) 2. mérték szerint felvázol, fokozatokra oszt 3. arányosít; *~ down* arányosan kisebbít/csökkent; *~ up* arányosan felemel
scale-beam *n* mérleg karja
scaled [skeɪld] *a* 1. pikkelyes 2. lepikkelyezett
scale-drawing *n* (arányos) méretrajz
scale-insect *n* pajzstetű
scale-model *n* mérethű modell, makett
scalene ['skeɪliɪ] *a* egyenlőtlen oldalú
scale-pan *n* mérlegcsésze, -serpenyő
scaliness ['skeɪlɪnɪs] *n* pikkelyesség
scaling¹ ['skeɪlɪŋ] *n* 1. lepikkelyezés, vízkőeltávolítás 2. lehámlás, rétegleválás 3. rétegképződés, vízkőképződés

scaling² ['skeılıŋ] *n* megmászás; ~ *ladder* tűzoltólétra, várostromló létra
scallion ['skæljən] *n* mogyoróhagyma
scallop ['skɔləp; *US* -ɑ-] **I.** *n* **1.** fésűkagyló; kagylóhéj **2.** sütőlábas **3.** *rendsz pl* csipkézés, díszítő kivágás, hornyolás **II.** *vt* **1.** kagylóban/cocotte-ban süt **2.** kb. bundáz, paníroz **3.** (hullámosan) kicsipkéz, (ki)cakkoz
scallop-shell *n* kagylóhéj
scallywag ['skælıwæg] *n* semmirekellő
scalp [skælp] **I.** *n* skalp [lenyúzott fejbőr és hajzat]; *biz be out for* ~*s* áldozatra/ „skalpra" vadászik; *have the* ~ *of sy* vkt legyőz; ~ *treatment* fejbőrmasszázs **II.** *vt* (meg)skalpol
scalpel ['skælp(ə)l] *n* sebészkés, szike
scaly ['skeılı] *a* **1.** pikkelyes **2.** hályogos **3.** (pikkelyesen) hámló; korpás [fejbőr] **4.** vízköves, kazánköves
scamp¹ [skæmp] *n* csirkefogó, betyár
scamp² [skæmp] *vt* hanyagul összecsap (vmt)
scamper¹ ['skæmpə*] **I.** *n* gyors szökellés **II.** *vi* iramodik, szalad; ~ *about* szökdécsel; ~ *away* elillan, megugrik
scamper² ['skæmpə*] *n* kontár
scan [skæn] **I.** *n* vizsgáló pillantás **II.** *v* -nn- **A.** *vt* **1.** (meg)vizsgál, kutat, jól megnéz **2.** *biz* [felületesen] átfut [újságot stb.] **3.** ütemez, skandál [verset] **4.** letapogat [képet elektronikusan]; (radarsugárral) átkutat [területet] **B.** *vi* skandálható
scandal ['skændl] *n* **1.** botrány, skandalum, szégyen **2.** rágalom, pletyka, megszólás
scandalize ['skændəlaız] *vt* **1.** megbotránkoztat **2.** gyaláz, rágalmaz
scandal-monger *n* pletykafészek, -hordó
scandal-mongering *n* (rosszindulatú) pletykázás
scandalous ['skændələs] *a* **1.** botrányos, megbotránkoztató, felháborító **2.** rágalmazó, becsületsértő; pletykás
Scandinavia [skændı'neıvjə] *prop* Skandinávia
Scandinavian [skændı'neıvjən] *a/n* skandináv(iai)
scanning ['skænıŋ] *n* **1.** (alapos) meg-

vizsgálás **2.** képletapogatás [elektronikusan] **3.** skandálás ‖ →*scan II.*
scansion ['skænʃn] *n* **1.** ütemezés, skandálás **2.** versmérték
scansorial [skæn'sɔːrıəl] *a* kúszó [madár], kapaszkodó
scant [skænt] **I.** *a* hiányos, szűkös, gyér, csekély, kevés; ~ *of breath* lihegő, kifulladt; ~ *of speech* szűkszavú **II.** *vt* szűken mér
scantily ['skæntılı] *adv* gyéren, hiányosan, szűkösen, alig
scantiness ['skæntınıs] *n* hiányosság, szűkösség, szegényesség
scantling ['skæntlıŋ] *n* **1.** kis adag, szükséges mennyiség **2.** rövid szerkezeti fa; négyzetfa **3.** ászokfa **4.** minta(darab)
scantly ['skæntlı] *adv* **1.** gyéren, hiányosan, szűk(ös)en **2.** alig
scanty ['skæntı] *a* hiányos, gyér, szegényes, elégtelen, szűk
scapegoat ['skeıpgoʊt] *n* bűnbak
scapegrace ['skeıpgreıs] *n* semmirekellő, csirkefogó, csibész
scapula ['skæpjʊlə; *US* -pjə-] *n* (*pl* ~*e* -liː) lapocka(csont)
scapulary ['skæpjʊlərı; *US* -pjəlerı] *n* skapuláré
scar [skɑː*] **I.** *n* forradás, heg(edés), sebhely **II.** *v* -rr- **A.** *vt* forradást/sebhelyet hagy **B.** *vi* ~ (*over*) beheged
scarab ['skærəb] *n* s(z)karabeusz, ganajtúró bogár
scarce [skeəs] *a* ritka, gyér, kevés; nehezen található/kapható; *biz make oneself* ~ elillan
scarcely ['skeəslı] *adv* alig; bajosan; ~ *ever* szinte soha
scarcity ['skeəsıtı] *n* hiány, vmnek szűke; ritkaság
scare [skeə*] **I.** *n* ijedelem, rémület, pánik **II.** *vt* megijeszt, megrémít; ~ *away* elriaszt
scarecrow *n* madárijesztő
scared [skeəd] *a* ijedt, begyulladt; ~ *to death* halálra rémült
scare-head(ing) *n* nagybetűs szenzációs (újságcikk)cím
scare-monger *n* rémhírterjesztő
scare-mongering *n* rémhírterjesztés

scarf¹ [skɑ:f] *n* (*pl* **scarves** skɑ:vz v. ~s skɑ:fs) 1. sál 2. nyakkendő
scarf² [skɑ:f] *n* (*pl* ~s -s) ferde lapolás
scarf-joint *n* lapolt illesztés, csapozás
scarf-skin *n* felhám, bőr [köröm tövén]
scarf-wise *adv* rézsútosan
scarify ['skeərɪfaɪ] *vt* 1. bemetsz, megkarcol, bevagdal [bőrt] 2. fellazít [talajt]; feltép [útburkolatot] 3. *biz* leránt, lehúz [kritikailag]
scarlet ['skɑ:lət] *a*/*n* skarlát(piros), élénkvörös; *the King's* ~ angol katonai egyenruha; ~ *fever* vörheny, skarlát; ~ *hat* bíborosi kalap; ~ *runner* törökbab; ~ *woman* (1) parázna nőszemély (2) a pogány Róma; *turn* ~ mélyen elpirul
scarp [skɑ:p] *n* meredek lejtő
scarred [skɑ:d] *a* 1. forradásos, sebhelyes 2. ráncos, redős ‖→*scar II.*
scarry ['skɑ:rɪ] *a* forradásos, sebhelyes
scarves →*scarf¹*
scary ['skeərɪ] *a* *biz* 1. ijesztő, rémítő 2. ijedező, (be)ijedős
scat [skæt] *int* *biz* sicc!, hess!
scathing ['skeɪðɪŋ] *a* maró, csípős, kegyetlen, gyilkos [kritika stb.]
scatological [skætə'lɔdʒɪkl; *US* -'lɑ-] *a* trágár [különösen ürülékkel kapcsolatban]
scatter ['skætə*] I. *n* szórás [töltényé] II. A. *vt* 1. (szét)hint, (szét)szór, elszór 2. eloszlat, szétoszlat 3. szertefoszlat, meghiúsít 4. (el)terjeszt B. *vi* eloszlik, szétoszlik, (szét)szóródik, elszéled
scatter-brain *n* szórakozott/figyelmetlen ember
scatter-brained *a* szórakozott, kelekótya, figyelmetlen
scattered ['skætəd] *a* elszórt, szétszórt; *thinly* ~ *population* elszórtan/szétszórtan élő lakosság
scattering ['skæt(ə)rɪŋ] *n* 1. (szét)szórás 2. szétszóródás 3. kis/csekély szám
scatty ['skætɪ] *a* *GB* *biz* bolondos
scavenge ['skævɪndʒ] *vt* söpör [utcát]
scavenger ['skævɪndʒə*] *a* 1. utcaseprő, köztisztasági alkalmazott 2. dögevő állat
scavenger-beetle *n* temetőbogár

scenario [sɪ'nɑ:rɪou; *US* -'neər-] *n* szövegkönyv, forgatókönyv
scenarist ['si:nərɪst; *US* sɪ'neər-] *n* szövegkönyvíró, forgatókönyvíró
scene [si:n] *n* 1. színhely; *the* ~ *is laid in London* a cselekmény L.-ban játszódik, a színhely L. 2. szín, kép, jelenet; *make a* ~ jelenet csinál 3. (színpadi) díszlet, kulissza; *behind the* ~s a kulisszák mögött 4. szín(pad); *come on the* ~ megjelenik a színen, színre lép 5. látvány, kép; táj
scene-painter *n* díszletfestő
scenery ['si:nərɪ] *n* 1. díszlet(ek), színfalak 2. kép, látvány, táj
scene-shifter *n* díszletező(munkás), kulisszatologató
scenic ['si:nɪk] *a* 1. színpadi(as); ~ *effects* színpadi hatások 2. festői, látványos, kies; szép/festői tájon át vezető [út stb.]; ~ *railway* kb. szellemvasút, barlangvasút
scent [sent] I. *n* 1. [kellemes] illat, [jó] szag 2. illatszer, parfüm 3. szaglás, szimat 4. szag [vad nyomában]; nyom, csapa; *follow up* ~ követi a nyomát; *lose* ~ elveszíti a nyomát; *(be) on the* ~ nyomon van; *put sy on false* ~, *put sy off the* ~ hamis nyomra vezet vkt II. *vt* 1. (be)illatosít 2. szagol, (meg)szimatol; ~ *(out)* kiszaglász, kiszimatol, kinyomoz
scent-bottle *n* illatszeres üveg(cse)
scented ['sentɪd] *a* 1. illatos(ított), szagos, jó szagú 2. jó szimatú
scentless ['sentlɪs] *a* szagtalan
scent-spray *n* illatszerszóró, parfüm
scepter(ed) →*sceptre, sceptred*
sceptic(al), *US* **skep-** ['skeptɪk(l)] *a* kételkedő, szkeptikus
scepticism, *US* **skep-** ['skeptɪsɪzm] *n* két(el)kedés, szkepticizmus
sceptre, *US* **-ter** ['septə*] *n* jogar, királyi kormánypálca/hatalom
sceptred, *US* **-tered** ['septəd] *a* uralkodó(i)
schedule ['ʃedju:l; *US* 'skedʒʊl] I. *n* 1. táblázat, jegyzék; toldalék, függelék; kérdőív 2. (munka)terv, ütemterv; ütemezés; *on* ~, *(according) to* ~

terv szerint, (határ)időre, pontosan; *full*/*heavy* ~ szoros/sűrű program 3. *US* menetrend; órarend; *on* ~ menetrend szerint II. *vt* 1. táblázatba/ jegyzékbe foglal 2. *US* tervbe iktat; (be)tervez, beütemez; *be* ~*d* tervbe van véve, szerepel a programban; *as* ~*d* menetrend/program szerint
scheduled ['ʃedju:ld; *US* 'skedʒʊld] *a* menetrendszerű
schematic [skɪ'mætɪk; *US* ski:-] *a* vázlatos, sematikus
scheme [ski:m] *n* I. *n* 1. terv(ezet), vázlat; táblázat; összeállítás, elrendezés 2. cselszövés, cselszövény II. A. *vt* vázol, tervez, tervbe vesz B. *vi* rosszban sántikál, intrikál, mesterkedik
schemer ['ski:mə*] *n* cselszövő
scheming ['ski:mɪŋ] I. *a* intrikus, áskálódó II. *n* 1. cselszövés, intrika 2. tervezés
schism ['sɪzm] *n* (hit)szakadás, szkizma
schismatic [sɪz'mætɪk] *a*/*n* szakadár
schist [ʃɪst] *n* agyagpala, kristályos pala
schizophrenia [skɪtsə'fri:njə; *US* skɪzə-] *n* tudathasadás, szkizofrénia
schizophrenic [skɪtsə'frenɪk; *US* skɪzə-] *a* tudathasadásos, szkizofrén
schnorkel ['ʃnɔ:kəl] *n* = *snorkel*
scholar ['skɔlə*; *US* -ɑ-] *n* 1. tudós 2. ösztöndíjas 3. † tanuló, diák
scholarly ['skɔləlɪ; *US* -ɑ-] *a* tudós, tudományos
scholarship ['skɔləʃɪp; *US* -ɑ-] *n* 1. tudományosság, humán tudományok 2. ösztöndíj; ~ *holder* ösztöndíjas
scholastic [skə'læstɪk] *a* 1. skolasztikus 2. vaskalapos, tudós(kodó) 3. iskolai; ~ *agency* tanárokat/pedagógusokat elhelyező iroda; ~ *profession* tanári/tanítói/pedagógusi pálya
scholasticism [skə'læstɪsɪzm] *n* skolasztika
school[1] [sku:l] I. *n* 1. iskola; ~ *age* iskolaköteles/tanköteles kor; ~ *attendance* iskolalátogatás; ~ *children* iskolások; ~ *doctor* iskolaorvos; ~ *exercise* iskolai dolgozat; ~ *fee(s)* tandíj; ~ *year* tanév; *go to* ~, *be at* ~ iskolába jár; *what* ~ *were you at?* hol jártál

iskolába? 2. tanítás, iskola(i oktatás) 3. iskolaépület(ek); tanterem, osztály; tagozat; *upper* ~ felső tagozat 4. kar, fakultás [egyetemen]; *medical* ~ orvosi egyetem/fakultás/kar 5. vizsgáztató- és előadóterem [Oxfordban] 6. iskola, irányzat; *one of the old* ~ régi vágású ember 7. iskola [mint módszer]; *violin* ~ hegedűiskola II. *vt* iskoláztat, nevel, tanít, oktat; ~ *a horse* lovat iskoláz/betanít
school[2] [sku:l] *n* (együtt úszó) halraj
schoolbag *n* iskolatáska
school board *n US* ⟨területi iskolafelügyeleti szerv⟩
school-book *n* tankönyv
schoolboy *n* diák, iskolásfiú
school-dame *n* falusi óvoda/iskola vezetőnője, tanítónő
school-day *n* 1. tanítási nap 2. **school-days** *pl* diákévek; *in my* ~*s* amikor én még iskolába jártam, iskoláskoromban
school-fellow *n* iskolatárs
schoolgirl *n* iskoláslány, diáklány
school-house *n* 1. iskolaépület 2. igazgatói lakás
schooling ['sku:lɪŋ] *n* 1. iskoláz(tat)ás, taní(tta)tás, nevelés 2. tandíj
school-inspector *n* tanfelügyelő, szakfelügyelő
school-leaver *n* végzős
school-ma'am [-mæm] *n* = *school-marm*
school-marm [-mɑ:m] *n biz* tanítónő, tanítónéni
schoolmaster *n* 1. iskolaigazgató 2. tanár, pedagógus
schoolmastering [-mɑ:stərɪŋ] *n* tanítás, pedagógusi pálya
school-mate *n* iskolatárs
schoolmiss *n* iskoláslány, diáklány
schoolmistress *n* tanárnő, tanítónő
schoolroom *n* tanterem; tanulószoba
school-teacher *n* tanító(nő)
school-time *n* tanítási idő
schooner ['sku:nə*] *n* 1. szkúner ⟨kétárbocos gyors járású hajó⟩ 2. *US* söröskorsó
sciatic [saɪ'ætɪk] *a* csípő-; ~ *nerve* ülőideg
sciatica [saɪ'ætɪkə] *n* ülőidegzsába, isiász

science ['saɪəns] n 1. tudomány; (natural) ~, the natural ~s természettudomány; ~ fiction tudományos-fantasztikus regény(irodalom), sci-fi; ~ master természettudomány-szakos tanár 2. tudás, technika [sportolóé]

scientific [saɪən'tɪfɪk] a tudományos, természettudományi

scientist ['saɪəntɪst] n természettudós

sci-fi [saɪ'faɪ] n biz (= science fiction) → science

Scilly Isles ['sɪlɪ] prop Scilly-szigetek

scimitar ['sɪmɪtə*] n handzsár

scintilla [sɪn'tɪlə] n szikra, szemernyi

scintillate ['sɪntɪleɪt] vi szikrázik, sziporkázik (átv is), ragyog, villog

scintillation [sɪntɪ'leɪʃn] n ragyogás, sziporkázás

scion ['saɪən] n 1. sarj(adék), ivadék, leszármazott 2. oltóág, -vessző

scissor ['sɪzə*] vt ollóval vág, kivág

scissors ['sɪzəz] n pl (pair of) ~ olló; cutting-out ~ szabóolló; ~ and paste (össze)ollózás

sclerosed [sklɪə'roʊst] a elmeszesedett

sclerosis [sklɪə'roʊsɪs] n (pl -ses -siːz) (el)meszesedés

sclerotitis [sklɪərə'taɪtɪs] n szaruhártyagyulladás

sclerous ['sklɪərəs] a megkeményedett, elmeszesedett

scoff¹ [skɔf; US -ɔː-] I. n 1. gúnyolódás, kötekedő megjegyzés 2. gúny/nevetség tárgya II. vi ~ at kigúnyol, kicsúfol, kinevet (vmt, vkt)

scoff² [skɔf; US -ɔː-] □ I. n kaja II. vt megzabál, befal

scoffing ['skɔfɪŋ; US -ɔː-] n gúnyolódás, csúfolódás, kötekedés

scold [skoʊld] I. n házsártos/zsémbes nő II. vt (meg)szid, összeszid (for vmért) B. vi veszekszik

scolding ['skoʊldɪŋ] n (össze)szidás; give sy a ~ összeszid/lehord vkt

scollop ['skɔləp; US -ɑ-] n/v = scallop

scolopendra [skɔlə'pendrə; US -ɑl-] n százlábú

scolopendrium [skɔlə'pendrɪəm; US -ɑl-] n gímharaszt

sconce¹ [skɔns; US -ɑ-] n karos/fali gyertyatartó

sconce² [skɔns; US -ɑ-] n védőbástya, kiserőd

scone [skɔn; US -oʊ-] n kb. lángos [árpalisztből]

scoop [skuːp] I. n 1. (hosszú nyelű) merítőkanál, -vödör; (rövid nyelű öblös) lapát; kanál [fűszeresé stb.]; kaparókanál [orvosé], lapát 2. lapátolás, merítés; at one ~ egy lapáttal/kanállal 3. üreg 4. biz elsőnek kikürtölt újságszenzáció; szerencsés/jó fogás II. vt 1. ~ (out/up) kimer, kilapátol 2. kikotor, kiváj 3. biz elsőnek közöl, elkaparint [szenzációs hírt] 4. biz jó fogást csinál, nagy hasznot söpör be

scooper ['skuːpə*] n kotró/vájó szerszám; háromélű/homorú véső

scoop-net n merítőháló

scoot [skuːt] vi biz rohan, szalad, (el)iszkol; ~! szedd a lábad!, spuri!

scooter ['skuːtə*] n 1. roller, futóka 2. robogó

scope [skoʊp] n terület, tér, kör [tudományé, működésé stb.]; alkalmazási terület; érvény, hatály; ~ (of authority) hatáskör; ~ of activities munkakör, munkaterület; give ~ for one's abilities lehetőséget ad képességei kifejtésére

scorbutic [skɔː'bjuːtɪk] a/n skorbutos

scorch [skɔːtʃ] A. vt 1. megperzsel, megpörköl; kiszárít 2. (maró gúnnyal) kigúnyol B. vi 1. megperzselődik, megpörkölődik 2. biz „repeszt", száguld

scorched [skɔːtʃt] a megperzselt, kiégetett; ~ earth felperzselt föld taktikája [visszavonuláskor]

scorcher ['skɔːtʃə*] n 1. forró/perzselő dolog; kánikulai nap 2. biz gyorshajtó [autón], „őrült köszörűs" 3. biz igen nagy/klassz vm

scorching ['skɔːtʃɪŋ] I. a ~ (hot) perzselő II. n 1. perzselés 2. biz gyorshajtás

score [skɔː*] I. n 1. bevágás, rovás, rovátka 2. adósság, számla; pay off old ~s leszámol régi sérelmekért; run up a ~ adósságot csinál; quit ~s elszámol, kárpótlást ad 3. indíték, ok; on what ~? mi okból?, milyen alapon?; on more ~s than one több okból is; on that ~ ezen okból; you may be easy on

that' ~ efelől egész nyugodt lehetsz 4. húsz (20); *four* ~ *years and ten* 90 év; ~*s of people* rengeteg ember; ~*s of times* számtalanszor 5. [sportban]pont ponteredmény; pontarány; a játék stb. állása; *there was no* ~ az eredmény null(a)-null(a); *what's the* ~? (1) hogy áll a játék/mérkőzés?, mi az eredmény? (2) mennyi a cech?; *keep the* ~ jegyzi a(z) pontokat/eredményt 6. partitúra; *miniature* ~ zsebpartitúra 7. *biz* talpraesett válasz II. *vt* 1. bevág, bemetsz, vonalakkal (meg)jelöl 2. felró, felír [adósságot] 3. megjegyez, felró [sérelmet] 4. jegyez, számol [pontokat, eredményt] 5. nyer [játékot stb.]; szerez, elér [pontokat]; ~ *a goal* gólt rúg/lő; ~ *no tricks* nem csinál ütést [bridzsben]; ~ *a great success* nagy sikere van; ~ *a victory* győzelmet arat; *we shall* ~ *by it* nyerünk vele 6. hangszerel 7. *US* leszid
score off *vt biz* letromfol
score out *vt* kihúz [egy szót]
score up *vt* felír, feljegyez
scoreboard *n* eredményjelző tábla
score-card *n* meccsprogram
scoreless ['skɔ:lɪs] *a* gól/pont nélküli [mérkőzés]
scorer ['skɔ:rə*] *n* 1. pontozó 2. pontszerző, góllövő, gólszerző
scoring ['skɔ:rɪŋ] *n* 1. karcolás, rovás 2. pontszerzés 3. hangszerelés
scorn [skɔ:n] I. *n* megvetés, lenézés, gúny(olódás) II. *vt* megvet, lenéz, (megvetéssel) elutasít; ~ *to do sg* méltóságán alulinak talál vmt tenni
scornful ['skɔ:nfʊl] *a* megvető, fitymáló, gúnyos; *be* ~ *of* megvet, lenéz
scornfully ['skɔ:nfʊlɪ] *adv* megvetően, lenézően, gőgösen
scorpion ['skɔ:pjən] *n* skorpió
scorpion-grass *n* vad nefelejcs
Scot¹ [skɔt; *US* -ɑ-] *n* skót (ember); *great* ~! úristen!, szent isten!
scot² [skɔt; *US* -ɑ-] *n* földadó, bírság; *pay* ~ *and lot* mindent kifizet
scotch¹ [skɔtʃ; *US* -ɑ-] I. *n* rovátka, (be)vágás, hasítás II. *vt* 1. bevág, bemetsz 2. megsebesít [de meg nem öl]
scotch² [skɔtʃ; *US* -ɑ-] I. *n* (támasztó)ék;

féksaru, fékpofa II. *vt* kereket köt; felékel
Scotch³ [skɔtʃ; *US* -ɑ-] I. *a* skót [nyelvjárás, szövet stb.]; ~ *broth* ⟨sűrű zöldséges húsleves gerslivel⟩; ~ *tape* cellux; ~ *terrier* skót terrier II. *n* 1. skót (nyelvjárás) 2. *the* ~ a skótok 3. skót whisky; *double* ~ 4,7 centiliter skót whisky
Scotchman ['skɔtʃmən; *US* -ɑ-] *n* (*pl* -men -mən) skót (férfi)
Scotchwoman *n* (*pl* -women) skót nő
scot-free I. *a* sértetlen; büntetlen II. *adv* 1. sértetlenül, épen, biztonságban; büntetlenül 2. költség nélkül
Scotland ['skɔtlənd; *US* -ɑt-] *prop* Skócia; ~ *Yard* londoni rendőrség (központi épülete)
Scots [skɔts; *US* -ɑ-] I. *a* skót [törvény, nyelv, mérték, katonaság] II. *n* = = *Scottish II.*
Scotsman ['skɔtsmən; *US* -ɑ-] *n* (*pl* -men -mən) skót (férfi)
Scotswoman *n* (*pl* -women) skót nő
Scott [skɔt] *prop*
Scot(t)icism ['skɔtɪsɪzm; *US* -ɑ-] *n* skót szó(lás), skoticizmus
Scottie ['skɔtɪ; *US* -ɑ-] *n* skót [tréfásan]
Scottish ['skɔtɪʃ; *US* -ɑ-] I. *a* skót [történelem, könyv, szokás, egyház]; ~ *national dress* skót nemzeti viselet II. *n* 1. *the* ~ a skót nép 2. skót (nyelvjárás)
scoundrel ['skaʊndr(ə)l] *n* gazember, csirkefogó, csibész
scoundrelism ['skaʊndrəlɪzm] *n* gazság, gazemberség, csibészség
scoundrelly ['skaʊndrəlɪ] *a* gaz, csibész
scour¹ [skaʊə*] I. *vt* 1. súrolás, tisztítás; *give sg a good* ~ jól kisúrol [edényt] II. *vt* 1. (le)súrol, sikál, (le)dörzsöl, tisztogat, kimos; ~ (*out*) kisúrol; *away/off* kidörzsöl, kivesz [pecsétet stb.] 2. kitisztít, kikotor [csatornát stb.] 3. hashajtót ad [betegnek]; kitisztít [beleket]
scour² [skaʊə*] A. *vi* ~ *about* (összevissza) kutat (*after* vk/vm után) B. *vt* átkutat, átfésül [területet]
scourer ['skaʊərə*] *n* súrolókefe, -rongy
scourge [skə:dʒ] I. *n* 1. ostor, korbács

2. istencsapás(a), veszedelem; megpróbáltatás II. *vt* ostoroz, korbácsol, büntet

scout¹ [skaʊt] I. *n* 1. felderítő; járőr; ~ *plane* felderítő repülőgép 2. *(boy)* ~ cserkész(fiú) 3. inas [oxfordi kollégiumokban] II. *vi* felderít, megfigyel

scout² [skaʊt] *vt* (le)fitymál, elutasít

scouting ['skaʊtɪŋ] *n* felderítés

scout-master *n* cserkészparancsnok, -tiszt

scow [skaʊ] *n* dereglye, uszály

scowl [skaʊl] I. *n* haragos tekintet II. *vi* összevonja szemöldökét

scrabble ['skræbl] I. *n* 1. négykézláb való keresés 2. kb. „játék a betűkkel" [kirakós játék] II. *vi* 1. négykézláb keres 2. firkál

scrag [skræg] I. *n* 1. csenevész/sovány ember/állat 2. *biz* (sovány) nyak, tarkó 3. ~*(-end) of mutton* ürünyaktő II. *vt* -gg- 1. *biz* kitekeri a nyakát, fojtogat, megfojt, felakaszt (vkt) 2. nyakánál fogva elkap [rögbiben vkt]

scragginess ['skrægɪnɪs] *n* 1. soványság, elcsenevészedés 2. egyenetlenség, göröngyösség

scraggy ['skrægɪ] *a* vézna, sovány, kiaszott, csenevész

scram [skræm] *vi* □ elsiet, meglóg, ellép; ~*!* tűnj el!

scramble ['skræmbl] I. *n* 1. tülekedés, tolongás (vmért) 2. négykézláb mászás, kúszás II. A. *vi* 1. négykézláb mászik, kúszik; ~ *to one's feet* feltápászkodik a földről 2. ~ *for sg* tülekedik/küzd vmért B. *vt* 1. rántottát csinál; ~*d eggs* rántotta 2. összezavar

scrap¹ [skræp] I. *n* 1. darabka, törmelék; ~ *of paper* cédula, papírszelet; *not a* ~ *of sg* semmi 2. hulladék, selejtanyag; forgács, ócskavas 3. lapkivágat, kivágott kép II. *vt* -pp- szemétre dob, félredob, kiselejtez; elvet

scrap² [skræp] □ I. *n* verekedés, bunyó II. *vi* -pp- verekszik, bunyózik

scrap-book ⟨album lapkivágatok v. kivágott képek beragasztására⟩

scrap-cake *n* halpogácsa [takarmány] |

scrape [skreɪp] I. *n* 1. kaparás, karcolás, vakarás 2. nyekerg(et)és [hegedűé] 3. leheletnyi vajréteg [kenyéren] 4.

kellemetlenség, kellemetlen helyzet; *get into a* ~ kínos helyzetbe (v. bajba) kerül II. A. *vt* levakar, lekapar, ledörzsöl, lesimít (vmt); megkarcol [felületet], felsért [bőrt]; *biz* ~ *one's chin* borotválkozik; *biz* ~ *the barrel* nagy nehezen összekapar vm pénzt; ~ *acquaintance with sy* sikerül ismeretséget kötnie vkvel B. *vi* dörzsölő/kaparó hangot hallat/előidéz, kapar, serceg

scrape along *vi* 1. ~ *a. the wall* súrolja a falat 2. szegényesen eléldegél, eltengődik *(on* vmből, vmn)

scrape away/off *vt* levakar, ledörzsöl; lehorzsol

scrape out *vt* 1. kikapar [edényt] 2. kitágít [lyukat]

scrape through *vi* átcsúszik [vizsgán]

scrape together/up *vt* összekuporgat, -kapar

scraper ['skreɪpə*] *n* 1. vakaró, kaparó [eszköz] 2. zsugori (ember)

scrap-heap *n* ócskavasdomb, szemétdomb

scraping ['skreɪpɪŋ] *n* 1. kaparás, vakarás, dörzsölés; *bowing and* ~ hajlongás, alázatoskodás 2. **scrapings** *pl* vakarék, kaparék, hulladék, ételmaradék 3. megtakarított pénzecske

scrap-iron *n* ócskavas, vashulladék

scrapped [skræpt] →*scrap¹* és *scrap²* II.

scrapper ['skræpə*] *n* □ bokszoló, bunyós

scrappy¹ ['skræpɪ] *a* hiányos, összefüggéstelen, szedett-vedett

scrappy² ['skræpɪ] *a* □ verekedős, bunyós

scrapy ['skreɪpɪ] *a* érdes (hangú), reszelős

scratch¹ [skrætʃ] I. *a* rögtönzött [étel]; ~ *team* (1) hirtelenében összeállított csapat (2) gyenge csapat II. *n* 1. karcolás, vakarás, vakaródzás, horzsolás, firkantás 2. karcolás/vakarás hangja, sercegés 3. rajtvonal [mérkőzésen, versenyen]; *come up to* ~ kiállja a próbát, megüti a mértéket; *biz start from* ~ semmiből kezdi III. A. *vt* 1. (meg)vakar, kapar, karcol; meg-

karmol; ~ *oneself* vakaródzik 2. firkál; (le)firkant 3. töröl, visszavon B. *vi* 1. karmol, kapar 2. takarékoskodik
scratch along *vi biz* eléldegél,˙eltengődik
scratch out *vt* 1. kikapar 2. kivakar [írást]
scratch together/up *vt* = *scrape together/up*
Scratch² [skrætʃ] *prop Old* ~ az ördög
scratch-awl *n* rajzolótű, karcolótű
scratch-back *n* hátvakaró
scratch-brush *n* vakarókefe
scratcher ['skrætʃə*] *n* vakaró(kés), kotró(vas), vakarókefe
scratch-pad *n* jegyzetblokk
scratch-work *n* sgraffito
scratchy ['skrætʃɪ] *a* 1. vakaródzó 2. kaparó [toll]; vakaró 3. viszketős 4. felületes, összekapkodott [munka] 5. szálkás [írás]
scrawl [skrɔ:l] I. *n* firkálás, macskakaparás II. *vt* csúnyán ír; lefirkant
scrawny ['skrɔ:nɪ] *a* ványadt, vézna
scream [skri:m] I. *n* 1. visítás, üvöltés, sivítás 2. □ csuda dolog; *a perfect* ~ irtó klassz, meg kell tőle pukkadni II. *vi/vt* visít, üvölt, sivít, rikolt, sikít; ~ *with laughter* (majd) megpukkad a nevetéstől
screaming ['skri:mɪŋ] *a* 1. visító, sikító, üvöltő 2. szörnyen nevettető
scree [skri:] *n* kavics, kőtörmelék, omladék [hegyoldalon]
screech [skri:tʃ] I. *n* sikoltás, rikoltás; csikorgás; sivítás II. *vi* rikolt, visít; csikorog, sivít; kuvikol
screech-owl *n* kuvik
screed [skri:d] *n* hosszú szónoklat/levél, vég nélküli sirám
screen [skri:n] I. *n* 1. ellenző, (védő-) ernyő 2. vetítőernyő, mozivászon; képernyő; *the* ~ a mozi/film [általában], filmművészet; *on the* ~ filmen; ~ *star* filmsztár 3. védőfal; szúnyogháló [ablakon]; *(folding)* ~ spanyolfal 4. szentélyrekesztő fal 5. rosta; szűrő, rács II. A. *vt* 1. ernyőz; oltalmaz; fedez [vkt vm elől], elrejt; elfed, elfog [kilátást]; leplez [hibát] 2. rostál,

szitál 3. vetít 4. megfilmesít 5. árnyékol [rádiócsövet] 6. priorál, (le-) káderez B. *vi* ~ *well* jól mutat filmen; *he does not* ~ *well* (1) nem mutat jól filmen (2) nem jó káder
screened [skri:nd] *a* 1. árnyékolt; szűrt [fény] 2. rácsos, zsalus 3. rejtett, védett 4. (meg)rostált
screening ['skri:nɪŋ] *n* 1. oltalmazás, fedezés (vké vm elől) 2. rostálás, szitálás 3. vetítés 4. árnyékolás [rádiócsőé] 5. priorálás, káderezés, szűrés
screenings ['skri:nɪŋz] *n pl* rostaalj
screen-play *n* forgatókönyv; ~ *by . . .* a forgatókönyvet írta . . .
screw [skru:] I. *n* 1. csavar; *female* ~ anyacsavar; *male* ~ csavar; *biz have a* ~ *loose* hiányzik egy kereke; *put the* ~ *on, apply the* ~ kényszerít, erőszakot alkalmaz vkn 2. csavarás; *give it another* ~ még egyet csavar/húz rajta 3. haj(t)ócsavar, légcsavar; ~ *steamer* csavargőzös 4. *GB* egy kevés dohány/cukor staniclian 5. □ zsugori, uzsorás 6. *GB* □ „dohány" [mint fizetés stb.] 7. □ vén gebe 8. □ smasszer 9. *vulg* kefélés II. A. *vt* 1. (be)csavar 2. szorongat, sanyargat 3. fordít; pörget; nyes [labdát] 4. ~ *one's face into wrinkles* elfintorítja arcát 5. *vulg* megkefél [nőt] B. *vi* 1. fordul, csavarodik 2. □ takarékoskodik 3. *vulg* kefél
screw down *vt* rácsavar
screw off *vt* lecsavar; kicsavar
screw on *vt* ráerősít; rácsavar; becsavar; *have one's head* ~*ed on the right way* helyén van az esze
screw out *vt* kiprésel, kifacsar; kicsal, kierőszakol (vkből vmt)
screw up *vt* 1. felcsavar; összecsavar; ráerősít; ~ *up one's courage* összeszedi a bátorságát; ~ *up one's eyes* összehúzza a szemét 2. felingerel, felhúz 3. □ elügyetlenkedik, eltol, összegabalyít
screwball *n US* □ bolond, ütődött (ember), dilis
screw-bolt *n* menetes csap(szeg)
screw-cap *n* csavaros fedél/kupak
screw-cutter *n* menetvágó

49

screw-driver *n* csavarhúzó
screwed [skru:d] *a* 1. csavart 2. csavaros 3. □ részeg, beszívott
screw-eye *n* gyűrűs csavar
screw-jack *n* csavaremelő
screw-nail *n* (közönséges) facsavar
screw-nut *n* csavaranya, mutter
screw-press *n* csavarsajtó, csigaprés
screw-tap *n* 1. menetfúró 2. csavaros vízcsap
screw-thread *n* csavarmenet
screw-top *n* = *screw-cap*
screw-topped *a* csavaros, lecsavarható
screw-wheel *n* csigakerék, csavarkerék
screw-wrench *n* csavarkulcs, -szorító
screwy ['skru:ɪ] *a* 1. csavaros 2. zsugori 3. értéktelen 4. *US* □ dilis
scribal ['skraɪbl] *a* 1. írnoki; ~ *error* tollhiba 2. írástudói
scribble ['skrɪbl] I. *n* 1. firkálás 2. levélke II. *vt* 1. firkál, irkál 2. ír, írogat [irodalmi művet stb.]
scribbler ['skrɪblə*] *n* firkáló, firkász, skribler
scribbling ['skrɪblɪŋ] *n* irkafirka, firkálás
scribbling-block/pad *n* jegyzetblokk
scribe [skraɪb] *n* 1. írnok 2. † írástudó 3. irdaló(tű)
scrimmage ['skrɪmɪdʒ] *n* 1. dulakodás, csetepaté, verekedés; kavarodás, közelharc 2. csomó [amerikai labdarúgásban] 3. edzés, edzőmérkőzés
scrimp [skrɪmp] *vt*/*vi* = *skimp*
scrimshank ['skrɪmʃæŋk] *vi* □ kihúzza magát a munkából/szolgálatból [mint katona], lóg
scrimshaw ['skrɪmʃɔ:] I. *n* 1. faragott elefántcsont, színesen díszített kagyló 2. gondos és aprólékos munka II. *vt* farag [elefántcsontot], fest [kagylót]
scrip[1] [skrɪp] *n* kis táska, tarisznya; batyu
scrip[2] [skrɪp] *n* 1. cédula 2. ideiglenes részvény/papírpénz
script [skrɪpt] *n* 1. kézírás 2. írás(rendszer); *Roman* ~ latin betűs írás 3. forgatókönyv, szövegkönyv 4. szöveg; okmány eredetije; kézirat 5. írásbeli (vizsga)dolgozat
scriptural ['skrɪptʃ(ə)rəl] *a* szentírási, bibliai

scripture ['skrɪptʃə*] *n* 1. *The (Holy)* S~s a Szentírás/Biblia 2. (*jelzőként:*) bibliai
scrivener ['skrɪvnə*] *n* □ 1. írnok, íródeák, tollnok; jegyző 2. ügynök
scrofula ['skrɔfjʊlə; *US* -əfjə-] *n* görvélykór, skrofula
scrofulous ['skrɔfjʊləs; *US* 'skrʌfjə-] *a* görvélykóros
scroll [skroʊl] *n* 1. kézirattekercs 2. feliratos szalag 3. kacskaringó; indadísz, csigavonal, voluta
scroll-saw *n* kanyarító/ívelő fűrész; lombfűrész
scroll-work *n* 1. lombfűrészmunka 2. voluta(dísz)
scrotum ['skroʊtəm] *n* (*pl* ~s -z v. -ta -tə) herezacskó
scrounge [skraʊndʒ] *vt*/*vi* *biz* 1. elcsen, szerez 2. potyázik
scrounger ['skraʊndʒə*] *n* *biz* tolvaj 2. potyázó
scrub[1] [skrʌb] *n* 1. cserjés, sűrű bozót 2. kopott (v. rövid szőrű) kefe 3. többnapos szakáll 4. törpe/satnya emberke, kis „tökmag"
scrub[2] [skrʌb] I. *n* 1. sikálás, súrolás 2. *biz* tartalékjátékos 3. *biz* ~(-team) második/gyengébb csapat II. *vt*/*vi* -bb- sikál, súrol
scrubber ['skrʌbə*] *n* 1. súrolókefe; kaparóvas, vakaróvas 2. gáztisztító berendezés/eszköz
scrubbing ['skrʌbɪŋ] *n* 1. súrolás, tisztítás; ~(-)brush súrolókefe 2. gáztisztítás
scrubby ['skrʌbɪ] *a* 1. borotválatlan 2. bozótos 3. csenevész, jelentéktelen 4. rongyos, ócska
scruff [skrʌf] *n* tarkó(bőr)
scruffy ['skrʌfɪ] *a* 1. ápolatlan, koszos, elhanyagolt 2. csenevész
scrum [skrʌm] *n* = *scrummage*
scrum-cap *n* fejvédő [rögbiben]
scrummage ['skrʌmɪdʒ] *n* 1. = *scrimmage 1.* 2. csomó [rögbiben]
scrumptious ['skrʌmpʃəs] *a* *biz* remek, pompás, klassz
scrunch [skrʌntʃ] A. *vt* szétmorzsol, szétrág [hangosan] B. *vi* csikorog
scruple ['skru:pl] I. *n* 1. aggály, kétség,

lelkiismeretfordulás, skrupulus; *make no ~s* nincsenek (lelkiismereti) aggályai, nem habozik 2. ⟨patikamérték˙ 0,6 g⟩ II. *vi* aggályai vannak (vm megtételével kapcsolatosan), habozik **scrupulous** ['skru:pjʊləs; *US* -pjə-] *a* (túlzottan) lelkiismeretes, aggályoskodó, kínosan pontos, skrupulózus **scrutineer** [skru:tɪ'nɪə*] *n* 1. kutató, fürkésző 2. szavazatszedő **scrutinize** ['skru:tɪnaɪz] *vt* alaposan/ tüzetesen megvizsgál **scrutiny** ['skru:tɪnɪ] *n* alapos megvizsgálás, részletekbe menő vizsgálat; *demand a ~* választási eredményt megpeticionál **scud** [skʌd] I. *n* 1. futás, száguldás, tovasiklás 2. száguldó felhő, szétszakadozó felhőfoszlányok; *showery ~s* záporfelhők 3. gyors futó II. *vi* -dd- szélsebesen fut, száguld **scuff** [skʌf] I. *n* papucs II. A. *vt* elkoptat, lekoptat B. *vi* csoszog **scuffle** ['skʌfl] *n* 1. tömegverekedés, dulakodás, hirig 2. saraboló **scull** [skʌl] I. *n* 1. pároslapát, rövid szárú evező 2. farevező 3. *single ~* egypárevezős (hajó), egyes; *double ~* kétpárevezős (hajó), kettes II. *vi/vt* 1. molnár módra (v. iklandva/csóválva) evez [csónakot] 2. (egyesben) evez **sculler** ['skʌlə*] *n* evezős; révész, csónakos **scullery** ['skʌlərɪ] *n* mosogató(helyiség) **scullery-maid** *n* mosogatólány **scullion** ['skʌljən] *n* † kis kukta, mosogatófiú, konyhalegény **sculpt** [skʌlpt] *vt/vi = sculpture* **sculptor** ['skʌlptə*] *n* szobrász **sculptress** ['skʌlptrɪs] *n* szobrásznő **sculptural** ['skʌlptʃ(ə)rəl] *a* szobrász(at)i; *the ~ arts* szobrászművészet **sculpture** ['skʌlptʃə*] I. *n* 1. szobor, szobormű, relief, dombormű 2. szobrászat II. *vt/vi* 1. farag [szobrot, követ]; szobrászmunkát végez 2. szoborral díszít **sculpturesque** [skʌlptʃə'resk] *a* szoborszerű, plasztikus

scum [skʌm] I. *n* 1. tajték, hab 2. salak, szemét, söpredék II. *v* -mm-, A. *vt* habját leszedi B. *vi* tajtékzik-habzik **scummy** ['skʌmɪ] *a* habos, habzó, tajtékos, tajtékozó **scupper** ['skʌpə*] I. *n* 1. vízkieresztő rés 2. drenázscső II. *vt* □ 1. megfúr, elsüllyeszt 2. lemészárol 3. elront; bajban hagy **scurf** [skə:f] *n* 1. korpa [fejbőrön] 2. var **scurfy** ['skə:fɪ] *a* 1. korpás 2. koszos **scurrility** [skʌ'rɪlətɪ; *US* skə-] *n* trágár beszéd **scurrilous** ['skʌrɪləs; *US* 'skə:-] *a* 1. trágár, mocskos, obszcén 2. (durván) sértő **scurry** ['skʌrɪ; *US* -ə:-] I. *n* 1. sietség, rohanás (apró léptekkel) 2. hirtelen hóvihar II. *vi* rohan, siet (apró léptekkel) **scurvied** ['skə:vɪd] *a* 1. skorbutos 2. aljas, közönséges, hitvány, vacak **scurvily** ['skə:vɪlɪ] *adv* aljasul **scurvy** ['skə:vɪ] I. *a* aljas, alávaló, hitvány II. *n* skorbut **scut** [skʌt] *n* 1. (rövid) farok [nyúlé, őzé] 2. □ hitvány fráter **scutcheon** ['skʌtʃ(ə)n] *n = escutcheon* **scuttle**[1] ['skʌtl] *n* szenesvödör **scuttle**[2] ['skʌtl] I. *n* fedélzeti lejáró, csapóajtó II. *vt* megfúr, elsüllyeszt [hajót] **scuttle**[3] ['skʌtl] I. *n* futólépés, sietős járás; (gyors) menekülés II. *vi ~ away/off* elfut, elsiet, elszalad, hűtlenül elhagy, elmenekül **scuttlebutt** *n* 1. ivóvíztartó hordó [hajón] 2. □ mendemonda, pletyka **scutum** ['skju:təm] *n* (*pl ~s* -z v. -ta* -tə) 1. római pajzs 2. páncél [krokodilé, teknősbékáé stb.] **scythe** [saɪð] I. *n* kasza II. *vt* kaszál **Scythian** ['sɪðɪən] *a/n* szkíta; szittya **S. Dak.** *South Dakota* **S.E., SE** *south-east* délkelet, DK **sea** [si:] *n* 1. tenger, óceán; *~ air* tengeri levegő; *GB S~ Lord* az Admiralitás lordja; *by the ~ a* tenger mellett; *by ~* tengeri úton; hajóval, hajón;

beyond/over the ~(s) a tengeren túl; *be (all) at* ~ zavarban van; *go to* ~ tengerésznek megy; *follow the* ~, *serve at* ~ mint tengerész szolgál; *the open/high* ~*s* a nyílt tenger; *put* (v. *stand out*) *to* ~ kifut a tengerre; *the four* ~*s* Nagy--Britanniát körülvevő tengerek, brit vizek; *the seven* ~*s* a világ minden tengere 2. hullámok, hullámzás, tengermozgás; *a short* ~ rövid/szabálytalan hullámverés 3. tengernyi vm, végtelen sok vm, sokaság; ~*s of blood* vérfürdő; ~*s of troubles* tengernyi baj

sea-anemone *n* tengeri rózsa, virágféreg
sea-animal *n* tengeri állat
sea-bank *n* tengerpart, móló
sea-bathing *n* tengeri fürdőzés
sea-bed *n* tengerfenék
sea-bird *n* tengeri madár
sea-biscuit *n* kétszersült
seaboard *n* tengerpart
sea-boat *n* tengerjáró hajó
sea-borne *a* tengeren szállított/lebonyolított, tengeri
sea-bound *a* 1. tengertől körülzárt 2. tengerre menő
sea-breeze *n* tengeri/parti szél/szellő
sea-calf *n* (*pl* -calves) (borjú)fóka
sea-captain *n* tengerészkapitány
sea-change *n* (nagyarányú) hirtelen változás/átalakulás
sea-coal *n* † kőszén
sea-coast *n* tengerpart
sea-cow *n* rozmár
sea-dog *n* 1. (borjú)fóka 2. *biz* (vén) tengeri medve
sea-eagle *n* halászsas
sea-elephant *n* ormányos fóka
seafarer ['si:feərə*] *n* tengerjáró; tengerész
seafaring ['si:feərɪŋ] *a* tengerjáró; hajós-, tengerész-; ~ *man* tengerész
sea-fight *n* tengeri csata
seafood *n* tengeri hal/rák és kagyló [mint étel]
sea-front *n* város tengerparti része
sea-girt *a* tengertől körülvett/övezett
sea-going *a* tengerjáró
sea-green *a* tengerzöld
sea-gull *n* (tengeri) sirály

sea-horse *n* 1. csikóhal 2. rozmár
sea-kale *n* tengeri káposzta
seal¹ [si:l] *n* 1. fóka 2. szilszkin, fókaprém, -bőr
seal² [si:l] I. *n* 1. pecsét; *leaden* ~ plomba, ólomzár; *set one's* ~ *to* (1) hitelesít, megerősít (2) lepecsétel 2. pecsétnyomó 3. biztosíték, zálog (vmé); *a* ~ *of love* szerelem záloga II. *vt* 1. lepecsétel, hitelesít, megerősít; ~ *up* lepecsétel [levelet stb.]; *his fate is* ~*ed* sorsa meg van pecsételve 2. (ólomzárral) lezár; elzár; leplombál; tömít; ~ *up the window* légmentesen elzárja az ablakot; ~ *a puncture* lyukat beragaszt [autótömlőn] 3. fémjelez
sealed [si:ld] *a* lepecsételt, lezárt; ~ *book* (1) csukott könyv (2) ismeretlen/érthetetlen szellemi tartalom
sea-legs *n pl* matrózjárás(mód); *find one's* ~ megszokja a hajóséletet
sealer¹ ['si:lə*] *n* fókavadász(hajó)
sealer² ['si:lə*] *n* szigetelő anyag/réteg
sealery ['si:lərɪ] *n* fókatelep
sea-level *n* tengerszint
sea-line *n* láthatár [tengeren]
sealing¹ ['si:lɪŋ] *n* fókavadászat
sealing² ['si:lɪŋ] *n* 1. pecsételés, bélyegzés 2. tömítés
sealing-wax *n* pecsétviasz
sea-lion *n* oroszlánfóka
seal-ring *n* pecsétgyűrű
sealskin *n* = *seal¹* 2.
seam [si:m] I. *n* 1. varrás, szegés; szegély [ruhán]; varrat 2. heg, forradás [bőrön] 3. (vékony) réteg, (tel)ér [bányában] II. *vt* 1. összeilleszt, összeereszt 2. beszeg 3. barázdál [arcot]
seaman ['si:mən] *n* (*pl* -mén -mən) tengerész, matróz, hajós; *ordinary* ~ matróz
seamanlike ['si:mənlaɪk] *a* 1. tengerészhez illő 2. tengeri dolgokban jártas
seamanship ['si:mənʃɪp] *n* tengeri dolgokban való jártasság
seamed [si:md] *a* 1. varrott; szegett 2. barázdált, ráncos [arc]
sea-mew *n* tengeri sirály
seamless ['si:mlɪs] *a* varrás/varrat nélküli; egy darabban szőtt

sea-monster n tengeri szörny(eteg)
seamstress ['semstrıs] n varrónő
Seamus ['feıməs] prop Jakab [írül]
seamy ['si:mı] a varrásos, varratos; forradásos; the ~ side of life az élet árnyoldala
Sean [ʃɔ:n] prop János [írül]
séance, seance ['seıɑ:ns] n 1. ülés 2. (spiritiszta) szeánsz
sea-piece n tengeri tájkép
seaplane n hidroplán, vízi repülőgép
sea-port n tengeri kikötő
sea-power n tengeri hatalom
sear [sıə*] I. a fonnyadt, száraz, hervadt II. vt 1. kiéget, kiszárít, elhervaszt, elfonnyaszt [növényt] 2. kiéget, kauterizál [sebet stb.] 3. átv megkeményít; eltompít; érzéketlenné tesz
search [sə:tʃ] I. n kutatás, keresés, nyomozás, motozás, vizsgálat; in ~ of sg vmt kutatva/keresve; ~ for identity törekvés az önmegvalósításra; ~ warrant házkutatási engedély II. A. vt 1. keres, kutat, fürkész, nyomoz, (meg-) vizsgál 2. átkutat; (meg)motoz 3. próbára tesz B. vi keres, kutat (for vmt, vm után)
searcher ['sə:tʃə*] n 1. kutató, vizsgáló; motozó, vámvizsgáló 2. kutasz, szonda, kereső berendezés
searching ['sə:tʃıŋ] a gondos, aprólékos [vizsgálat]; fürkésző, kutató, átható [pillantás]; szívhez szóló [szavak]
searchlight n fényszóró; keresőlámpa, fénykéve [fényszóróé]
search-party n mentőosztag, -expedíció
search-room n kutatóterem [levéltárban]
searing-iron ['sıərıŋ-] n égetővas, kauter
sea-room n mozgási tér [vízen]
sea-rover n 1. kalóz 2. kalózhajó
seascape ['si:skeıp] n tengeri táj(kép)
sea-scout n vízicserkész
sea-serpent n (mesebeli) tengeri kígyó
sea-shell n tengeri kagyló
seashore n tengerpart
seasick a tengeribeteg
seasickness n tengeribetegség
seaside I. a tenger(part)i; ~ resort tengerparti üdülőhely/fürdő(hely) II. n tengerpart

season ['si:zn] I. n 1. évszak, időszak; évad, idény, szezon; off ~ holt szezon; in ~ kellő időben, annak idején; be in ~ most van az ideje; in due ~ kellő időben; out of ~ időszerűtlen, alkalmatlan (időben); the ~'s greetings kellemes/boldog ünnepeket (kíván) 2. biz = season-ticket II. A. vt 1. hozzászoktat, -edz, akklimatizál 2. fűszerez, ízesít 3. (ki)érlel [fát stb.]; be well ~ed jól kiszáradt [fa] B. vi 1. hozzászokik, -edződik, akklimatizálódik 2. megérik
seasonable ['si:znəbl] a 1. az évszaknak megfelelő [időjárás] 2. időszerű, jókor/kapóra jött, alkalmas
seasonal ['si:zənl] a évszaki, évszakhoz illő, időszaki, idényjellegű, idény-
seasoned ['si:znd] a 1. fűszerezett, fűszeres, pikáns (ízű); highly ~ (1) erősen fűszerezett (2) sikamlós, pikáns 2. érett, tapasztalt, viharedzett
seasoning ['si:znıŋ] n 1. fűszer(ezés), ízesítés 2. megérés
season-ticket n bérlet(jegy)
seat [si:t] I. n 1. ülés, (ülő)hely; take a ~ helyet foglal, leül; keep one's ~ ülve marad; book a ~ megrendel/lefoglal egy helyet [repgépen, vonaton stb.]; jegyet (meg)vált [előre]; helyjegyet vált; all ~s are booked minden jegy elkelt 2. ülőke, ülés [székké] 3. nadrág/szoknya feneke 4. székhely; vidéki kastély [parkkal] 5. testtartás (lóháton, kerékpáron) 6. (országgyűlési) képviselői hely, mandátum 7. perem, felfekvési felület; fészek [szelepé] 8. székhely, kórpont II. vt 1. leültet, elhelyez; please be ~ed tessék helyet foglalni; ~ oneself helyet foglal, letelepszik 2. üléssel/ülőhellyel ellát; the room ~s 300 az ülőhelyek száma 300
seat-belt n biztonsági öv
seat-box n kocsiláda
-seated [-si:tıd] -ülő, -fekvő; deep-~ mélyen ülő
-seater [-si:tə*] -ülésű
seat-holder n bérlettulajdonos, bérlő [színházban stb.]
seating ['si:tıŋ] n (le)ültetés; ~ capacity ülőhelyek száma

seating-room n ülőhelyek száma, befogadóképesség
SEATO ['si:toʊ] *South-East Asia Treaty Organization* Délkelet-ázsiai Szerződés Szervezete
Seattle [sɪ'ætl] *prop*
sea-wall n védőgát [tenger ellen]
seaward ['si:wəd] I. *a* tenger felé tartó II. *adv* tenger felé
seawards ['si:wədz] *adv* tenger felé
sea-water n tengervíz
sea-way n 1. hajó haladása vízen 2. (hajózható) víziút 3. viharos tenger
seaweed n hínár, tengeri moszat
seaworthy ['si:wə:ðɪ] *a* hajózásra alkalmas, tengerbíró, tengerálló
sea-wrack n 1. hajóroncs 2. tengeri moszat/hínár
sebaceous [sɪ'beɪʃəs] *a* faggyús
Sebastian [sɪ'bæstjən] *prop* Sebestyén
sec., **sec** [sek] n *biz* (= *second*) másodperc; *half a* ~! egy pillanat!
Sec. *Secretary*
secant ['si:k(ə)nt] n metszővonal, szekáns
secateurs [sekə'tə:z] n *pl* metszőolló
secede [sɪ'si:d] *vi* ~ (*from*) elszakad (vmtől), kiválik, kilép [testületből]
seceder [sɪ'si:də*] n szakadár, disszidens
seceding [sɪ'si:dɪŋ] *a* 1. elszakadt 2. különváló, elszakadó
secession [sɪ'seʃn] n kiválás, kivonulás, kilépés, elszakadás; *US the War of S*~ az amerikai polgárháború [1861—65]
secessionist [sɪ'seʃ(ə)nɪst] n kilépő, elszakadó, szeparatista
seclude [sɪ'klu:d] *vt* elkülönít, elzár; ~ *oneself* elzárkózik, távolmarad
secluded [sɪ'klu:dɪd] *a* elvonult, magányos; félreeső, elhagyatott
seclusion [sɪ'klu:ʒn] n 1. elkülönítés 2. elvonultság, magányosság; *live in* ~ elvonultan/magányosan él
second ['sek(ə)nd] I. *a* 1. második; következő; *every* ~ *day* kétnaponként, minden második napon; ~ *floor GB* második emelet, *US* első emelet; *on* ~ *thought(s)* jobban meggondolva; *for the* ~ *time, in the* ~ *place* másodszor; ~ *to none* mindenki felett áll, felülmúlhatatlan 2. másodrendű, -rangú II. n

1. (a) második; *come in a good* ~ jó második [versenyben]; *the* ~ *in command* parancsnokhelyettes; *the* ~ *of June* június másodika 2. segítő; párbajsegéd 3. **seconds** *pl* (1) durván őrölt liszt, derce (2) másodrendű áru 4. másodperc; *biz* pillanat; ~ *hand* másodpercmutató; *ready in a* ~ egy perc/pillanat alatt kész (vagyok) 5. másod, szekund [zenében] III. *vt* 1. támogat, mellette szólal fel 2. (párbajban) segédkezik 3. [sɪ'kɔnd] rendelkezési állományba helyez [tisztet]
secondary ['sek(ə)nd(ə)rɪ; *US* -erɪ] *a* 1. másodlagos, másodfokú; ~ *education* középfokú oktatás; ~ *school* középiskola 2. másodrendű; alárendelt, mellékes, szekunder
second-best *a* második legjobb, másodosztályú (minőségű); pót-; *biz come off* ~ a rövidebbet húzza
second-class *a* másodosztályú, másodrendű; *US* ~ *mail/matter* nyomtatvány
second-degree murder *US* emberölés
seconder ['sek(ə)ndə*] n támogató [javaslaté]
second-hand *a* 1. használt, uraságoktól levetett; antikvár; másodkézből vett; *buy sg* ~ másodkézből/használtan vesz vmt 2. hallomásból származó ‖ → *second II. 4.*
secondly ['sek(ə)ndlɪ] *adv* másodszor
second-rate *a* másodosztályú; másodrendű
second-rater n közepes tehetségű (ember)
seconds ['sek(ə)ndz] n *pl* → *second II.*
second-sight n jövőbe/víziós látás, clairvoyance
secrecy ['si:krəsɪ] n titoktartás, diszkréció, titkosság
secret ['si:krɪt] I. *a* titkos, rejtett; titokzatos; diszkrét; ~ *agent* hírszerző; titkos ügynök; *The S*~ *Service* titkosszolgálat; *the* ~ *places of the heart* a szív legmélyebb rejteke II. n titok; rejtély, rejtelem; *in* ~ titokban; *be in the* ~ be van avatva a titokba; *open* ~ nyílt titok
secretarial [sekrə'teərɪəl] *a* titkári
secretariat [sekrə'teərɪət] n titkárság

secretary ['sekrətrı; US -erı] n 1. titkár; ~ general főtitkár; (private) ~ magántitkár 2. GB miniszter; S~ of State (1) GB miniszter (2) US külügyminiszter 3. íróasztalka, szekreter
secretary-bird n afrikai kígyászsas
secretaryship ['sekrətrıʃıp] n titkárság [állás]
secrete [sı'kri:t] vt 1. kiválaszt [váladékot] 2. elrejt, eldug
secretion [sı'kri:ʃn] n 1. eıválasztás, kiválasztás [biológiailag] 2. váladék 3. rejtegetés
secretive ['si:krətıv; US sı'kri:tıv] a titkoló, titokzatoskodó
sect [sekt] n szekta
sectarian [sek'teərıən] a szektariánus, szektás
sectarianism [sek'teərıənızm] n szektaszellem, szektarianizmus
section ['sekʃn] I. n 1. metszés, (kerʒszt-) metszet; szelet 2. szelvény, profil; szakasz 3. szakasz, paragrafus, bekezdés, rész; ~ mark paragrafusjel (§) 4. körzet, rész, negyed; darab; US köztelekrész [640 acre] 5. osztály, részleg; szekció II. vt részekre/szakaszokra oszt
sectional ['sekʃənl] a 1. (kereszt)metszeti; ~ iron profilvas, szelvényvas, idomvas 2. körzeti 3. részekből álló/összeállítható, szétszedhető 4. ~ interests csoportérdek(ek), helyi érdekek
sectionalism ['sekʃ(ə)nəlızm] n US helyi érdekek túlhajtása
sector ['sektə*] n 1. körcikk 2. körzet; szektor; szakasz 3. [gazdasági] szektor, ágazat; public ~ állami szektor
secular ['sekjʊlə*; US -kjə-] a világi; ~ arm világi hatalom
secularization [sekjʊlərar'zeıʃn; US -kjələrı'z-] n államosítás [egyházi tulajdoné], szekularizácó
secularize ['sekjʊləraız; US -kjə-] vt államosít [egyházi intézményt]
secure [sı'kjʊə*] I. a biztos(ított), biztonságos; nyugodt; be ~ from/against sg biztonságban van vmtől II. vt 1. biztosít, megvéd, megóv (from/against vmtől, vm ellen) 2. lefoglal,

(előre) biztosít; (meg)szerez 3. lezár, bezár; ~ a door ajtót bereteszel
securely [sı'kjʊəlı] adv biztosan, erősen
security [sı'kjʊərətı] n 1. biztonság; S~ Council Biztonsági Tanács; ~ risk megbízhatatlan személy [nemzetvédelmi szempontból] 2. biztosíték, óvadék; fedezet; kezesség; go/stand ~ for sy jótáll vkért 4. jótálló, kezes 5. securities pl értékpapírok, kötvények; foreign securities devizák; government securities állampapírok
sedan [sı'dæn] n US = saloon-car
sedan-chair n gyaloghintó
sedate [sı'deıt] a nyugodt, higgadt
sedative ['sedətıv] a/n nyugtató(szer)
sedentary ['sednt(ə)rı] a ülő-; ~ occupation ülő foglalkozás
sedge [sedʒ] n sás
sedge-warbler n nádiposzáta
sedgy ['sedʒı] a sásos
sedilia [se'daıljə; US -'dıl-] n pl ülőfülkék [kapuszínben, szentélyben]
sediment ['sedımənt] n üledék, seprő
sedimentary [sedı'ment(ə)rı] a üledékes
sedimentation [sedımən'teıʃn] n ülepedés, lerakódás, szedimentáció; ~ of blood vérsejtsüllyedés
sedition [sı'dıʃn] n zendülés
seditious [sı'dıʃəs] a 1. zendülő 2. lázító
seduce [sı'dju:s; US -'du:s] vt elcsábít; bűnre visz; eltérít (from vmtől)
seducer [sı'dju:sə* US -'du:-] n csábító
seduction [sı'dʌkʃn] n 1. (el)csábítás 2. vonzerő, varázs
seductive [sı'dʌktıv] a 1. csábító, megnyerő, rábeszélő 2. megtévesztő
sedulous ['sedjʊləs; US -dʒə-] a szorgalmas, serény, ügybuzgó; play the ~ ape to sy majmol vkt
see[1] [si:] v (pt saw sɔ:, pp ~n si:n) A. vt 1. lát; megnéz, szemügyre vesz; let me ~! hadd lássam!, nos hát!; ~ page 6 lásd a 6. lapot/lapon; ~ for yourself nézd meg magad (is); ~ the back/last of sy megszabadul vktől; ~ you on Tuesday! viszontlátásra kedden!; biz ~ you soon!, I'll be ~ing you!, ~ you later! viszontlátásra!, viszlát!; this is how I ~ it én úgy/így látom a dolgot 2. meglátogat; beszél (vkvel); call to ~

sy elmegy/eljön vkt meglátogatni; *can I ~ him?* beszélhetek vele?; *~ the doctor* orvoshoz megy; *he ~s a great deal of the Smiths* gyakran van együtt Smithékkel 3. (meg)ért, felfog, (meg-)lát, belát; *I ~!* (már) értem!, aha!; *you ~ ...* (mert) látja kérem ...; *I don't ~ the point* nem látom az értelmét; *do you ~ what I mean?* érted, mire gondolok? (v. mit akarok mondani?); *he cannot ~ a joke* nem érti (meg) a tréfát, nincs humorérzéke 4. utánanéz (vmnek), gondoskodik (vmről); *~ that ...* gondoskodj(ék) róla, hogy ...; ügyelj(en) arra, hogy ...; *I saw it done* elintéz(tet)tem 5. átél; *~ life* tapasztalatokat gyűjt; *she has ~n better days* nem volt mindig ilyen szegény, jobb napokat (is) látott 6. fogad (vkt); *he ~s nobody* senkit sem fogad 7. elkísér (vhová); *~ sy home* hazakísér vkt B. *vi* lát; *he can ~ well* jól lát; *I'll ~* majd meglátom
see about A. *vi* 1. vmhez lát 2. utánanéz (vmnek), intézkedik (vm ügyben); *I'll ~ a. it* (1) majd elintézem (2) majd meglátom/meggondolom B. *vt ~ sy a. sg* felkeres vkt vm ügyben
see across *vt* átvezet [vkt úttesten stb.]
see after *vi* utánanéz (vmnek), gondoskodik (vmről); felügyel, vigyáz (vkre, vmre)
see down *vt* lekísér [vkt emeletről]
see in *vt* bekísér [belső helyiségbe]
see into *vi* 1. belelát; kifürkész, felfed (vmt) 2. megvizsgál, kivizsgál
see off *vt* kikísér [vkt állomásra stb.]
see out *vt* 1. kikísér [vkt a kapuig] 2. végig kivár/kiül, végigül, végignéz
see through A. *vi* átlát, keresztüllát (vkn, vmn) B. *vt ~ sy th.* vknek (mindvégig) támogatást nyújt, végig kitart vmben vk mellett, átsegít vkt vmn; *~ sg th.* végigcsinál/végigkísér vmt; kiáll vmt
see to *vi* gondoskodik (vmről), utánanéz (vmnek), elintéz (vmt), ügyel (vmre); *I shall ~ to it* majd gondom lesz rá

see² [si:] *n* püspökség, érsekség, egyházmegye; *the Holy S~* a Szentszék
seed [si:d] I. *n* 1. mag; csíra (*átv is*); *go/run to ~* (1) magba megy, felmagzik (2) kivénül [ember] 2. mag, sperma, ondó 3. † ivadék, leszármazott II. A. *vi* 1. megérik, szemesedik, magot hoz 2. magot hullat B. *vt* 1. elvet [magot], bevet [földet] 2. kimagoz [gyümölcsöt] 3. kiemel [játékost]
seed-bed *n* vetőágy, melegágy (*átv is*)
seed-cake *n* 1. köménymagos sütemény 2. olajpogácsa
seed-corn *n* vetőmag
seeded ['si:did] *a* kiemelt [játékos]
seeder ['si:də*] *n* 1. vetőgép 2. kimagozógép
seed-hole *n* fészeklyuk [magvetéshez]
seediness ['si:dinis] *n* 1. magvasság 2. *biz* kopottasság, lecsúszottság 3. *biz* betegesség
seedling ['si:dliŋ] *n* magról nőtt/nevelt fiatal növény/csemete, magonc
seed-pearl *n* aprószemű gyöngy
seed-plot *n* veteményeskert, melegágy
seed-potato *n* (*pl ~es*) vetőburgonya
seed-shop *n* magkereskedés
seedsman ['si:dzmən] *n* (*pl* -men -mən) 1. magvető 2. magkereskedő
seed-time *n* vetési idő(szak)
seed-vessel *n* magburok
seedy ['si:di] *a* 1. magvas, sokmagú; felmagzott 2. *biz* rongyos, kopott(as külsejű), ágrólszakadt, nyomorúságos, keshedt 3. *biz* beteges (külsejű), gyengélkedő
seeing ['si:iŋ] I. *a* látó II. *conj ~ (that)* tekintettel arra (,hogy) ..., minthogy ... III. *n* látás, látóképesség; *~ is believing* azt hiszem, amit látok
seek [si:k] *vt* (*pt/pp* sought sɔ:t) keres, kutat; *~ after sg* vm után jár, vmt hajhász; vmre törekszik; *much sought after* igen keresett, kapós; *~ out* felkeres, kikutat, megtalál
seeker ['si:kə*] *n* kereső, kutató
seem [si:m] *vi* látszik, tűnik; *it ~s, it would ~ (that ...)* úgy tűnik/látszik (hogy ...); *it ~s to me* nekem úgy látszik/tűnik; *it ~ed as though* úgy

látszott, mintha; *I don't ~ to like him* valahogy nem kedvelem
seeming ['si:mɪŋ] *a* látszólagos
seemingly ['si:mɪŋlɪ] *adv* látszólag
seemliness ['si:mlɪnɪs] *n* illendőség, alkalmasság, helyesség
seemly ['si:mlɪ] *a* 1. ill(end)ő, helyes, alkalomszerű 2. csinos, szemrevaló
seen →*see*[1]
seep [si:p] *vi* (át-, el-, be)szivárog, átszűrődik
seepage ['si:pɪdʒ] *n* (át-, el-, be)szivárgás
seer ['si:ə*] *n* látnok
seersucker ['sɪəsʌkə*] *n* vékony csíkos pamutszövet, (hullám)krepp, kreton
seesaw I. *n* 1. libikóka, mérleghinta 2. himbálódzás, hintázás II. *vi* 1. hintázik; himbálódzik 2. ingadozik, fluktuál
seethe [si:ð] A. *vi* forr(ong), kavarog B. *vt* † (fel)forral, főz
see-through *a* átlátszó, -tetsző
segment I. *n* ['segmənt] metszet, szelet, rész, szelvény II. *v* [seg'ment] A. *vt* lemetsz, feloszt B. *vi* feloszlik, osztódik
segmental [seg'mentl] *a* részekre osztott, szelvényes; ~ *arch* szegmensív; körszelet íve
segmentation [segmən'teɪʃn] *n* ízekre/szelvényekre osztás/oszlás
segregate ['segrɪgeɪt] A. *vt* különválaszt, elkülönít, izolál B. *vi* különválik, elkülönül, izolálódik
segregation [segrɪ'geɪʃn] *n* 1. különválasztás; *(racial)* ~ faji megkülönböztetés/különválasztás, szegregáció 2. különválás
segregationist [segrɪ'geɪʃ(ə)nɪst] *n* a faji megkülönböztetés híve, szegregációs
seigneur [se'njə:*], **seignior** ['seɪnjə*; *US* 'si:n-] *n* hűbérúr, földesúr
seine [seɪn] *n* húzóháló, kerítőháló
seismic ['saɪzmɪk] *a* földrengési, szeizmikus
seismograph ['saɪzmətɡɹɑːf; *US* -æf] *n* szeizmográf
seismology [saɪz'mɔlədʒɪ; *US* -'mɑ-] *n* földrengéstan, szeizmológia
seize [si:z] A. *vt* 1. megragad, -fog; ~ *hold of sg* megragad vmit; *be ~d with*

fear elfogja a rémület 2. megszerez, birtokba vesz 3. lefoglal, zár alá vesz, elkoboz 4. (megtámad és) elfoglal 5. megért, felfog B. *vi* bemaródik, berágódik, megakad, megszorul [gép]; ~ *up* besül [géprész]
seizure ['si:ʒə*] *n* 1. megragadás 2. lefoglalás, elkobzás 3. elkobzott dolog; lefoglalt áru 4. (betegség)roham
seldom ['seldəm] *adv* ritkán; ~ *if ever* úgyszólván soha
select [sɪ'lekt] I. *a* 1. válogatott, kiszemelt 2. zárt körű II. *vt* (ki)választ, (ki)válogat
selected [sɪ'lektɪd] *a* válogatott; ~ *passages* szemelvények
selection [sɪ'lekʃn] *n* 1. kiválasztás, (ki)válogatás 2. *natural* ~ természetes kiválogatódás 3. választék 4. **selections** *pl* szemelvények
selective [sɪ'lektɪv] *a* szelektív; ~ *breeding* fajnemesítés; *US* ~ *service* kötelező katonai szolgálat
selectivity [sɪlek'tɪvətɪ] *n* szelektivitás
selectman [sɪ'lektmən] *n* (*pl* -men -mən) *US* városi tanácsos
selector [sɪ'lektə*] *n* 1. válogató, választó [személy] 2. sávátkapcsoló
selenium [sɪ'li:njəm] *n* szelén
self [self] I. *a* ~ *carnation* egyszínű szegfű II. *n* (*pl* selves selvz) maga, saját maga, önmaga; az énje (vknek); *one's own* ~ saját maga; *pay* ~ fizessen nekem; *your good selves* Önök; *all by one's very* ~ teljesen egyedül, minden segítség nélkül; *he is quite his old* ~ *again* már megint a régi; *one's better* ~ a jobbik énje; *for* ~ *and wife* (saját) maga(m) és felesége(m) részére; ~ *do* ~ *help* segíts magadon, s az Isten is megsegít
self-abasement *n* megalázkodás
self-absorbed [-əb'sɔːbd] *a* önmagával elfoglalt
self-abuse *n* 1. nemi önkielégítés, onánia 2. önbecsmérlés
self-acting *a* önműködő
self-addressed [-ə'drest] *a* ~ *envelope* megcímzett válaszboríték
self-appointed [-ə'pɔɪntɪd] *a* = *self-styled*

self-assertion *n* 1. tolakodás, önmaga erőszakos előtérbe tolása 2. öntudatos fellépés (saját érdekében), magabiztosság
self-assertive *a* 1. tolakodó, erőszakos 2. öntudatos határozottsággal fellépő, magabiztos
self-assurance *n* magabiztosság
self-assured [-ə'ʃʊəd] *a* magabiztos
self-binder *n* 1. kévekötő aratógép 2. önkötő könyvtábla
self-centred [-'sentəd] *a* 1. önző, egocentrikus 2. önközéppontú
self-closing *a* önműködő(en csukódó)
self-collected *a* higgadt
self-coloured *a* 1. egyszínű 2. természetes színű
self-command *n* önuralom, önmérséklés
self-complacent *a* önelégült
self-conceit *n* önhittség, beképzeltség
self-confessed [-kən'fest] *a* nyíltan magát vmnek valló
self-confidence *n* önbizalom, magabiztosság
self-confident *a* magabízó, magabiztos
self-conscious *a* 1. öntudatos 2. zavart, félénk
self-consciousness *n* 1. öntudatosság 2. zavar, félénkség
self-consistent *a* következetes
self-contained [-kən'teɪnd] *a* 1. tartózkodó, zárkózott 2. önálló, független; ~ *flat* külön bejáratú lakás; *GB* ~ *house* családi ház
self-content *n* önelégültség
self-contradiction *n* önellentmondás
self-control *n* önuralom
self-deception *n* önbecsapás, önáltatás
self-defence, *US* -se *n* önvédelem; *in* ~ önvédelemből; *the art of* ~ bokszolás, ökölvívás
self-denial *n* 1. önmegtagadás 2. takarékosság
self-denying *a* 1. önmegtagadó 2. takarékos 3. önzetlen
self-destruction *n* 1. öngyilkosság 2. önpusztítás
self-determination *n* 1. önállóság, független elhatározás, szabad akarat 2. önrendelkezés [népé]; *the right of peoples to* ~ a népek önrendelkezési joga

self-discipline *n* önfegyelem
self-display *n* fitogtatás, hencegés, önmaga előtérbe tolása
self-drive *a* ~ *car* bérautó vezető nélkül
self-educated *a* autodidakta
self-effacing [-ɪ'feɪsɪŋ] *a* félrevonuló
self-employed [-ɪm'plɔɪd] *a* önálló [kisiparos], magán- [vállalkozó stb.], maszek
self-esteem *n* önbecsülés, önérzet
self-evident *a* magától értetődő, világos, nyilvánvaló
self-examination *n* önvizsgálat, lelkiismeretvizsgálat
self-explanatory *a* önmagát magyarázó/indokoló, nyilvánvaló
self-expression *n* (művészi) önkifejezés
self-feeder *n* önetető
self-feeding *a* [üzemanyagot] önműködően adagoló
self-fertilization *n* önbeporzás, öntermékenyítés
self-governing *a* önkormányzatú, autonóm
self-government *n* 1. önkormányzat, autonómia 2. önuralom
self-heal *n* gyíkfű
self-help *n* önsegély
selfhood ['selfhʊd] *n* 1. egyéni élet, egyéniség 2. személyiség 3. önközpontúság
self-ignition *n* 1. öngyulladás 2. automatikus gyújtás
self-importance *n* önteltség, gőg, beképzeltség
self-important *a* öntelt, gőgös, beképzelt, fontoskodó
self-imposed [-ɪm'pəʊzd] *a* önként vállalt
self-induction *n* önindukció
self-indulgence *n* saját vágyainak kielégítése, önelkényeztetés
self-indulgent *a* ⟨aki önmagától nem tagad meg semmit⟩
self-interest *n* önzés, önérdek, haszonlesés
selfish ['selfɪʃ] *a* önző, önös
selfishness ['selfɪʃnɪs] *n* önzés
self-knowledge *n* önismeret
selfless ['selflɪs] *a* önzetlen
self-locking [-'lɒkɪŋ; *US* -ɑ-] *a* ön(el)záró

self-love *n* önzés, önszeretet
self-made *a* 1. maga erejéből lett; ~ *man* önerejéből lett ember [aki felemelkedését önmagának köszönheti] 2. maga erejéből készített, maga készítette
self-mastery *n* önuralom
self-murder *n* öngyilkosság
self-opinionated *a* 1. csökönyös, véleményéből nem engedő, önfejű 2. beképzelt
self-pity *n* önszánalom
self-portrait *n* önarckép
self-possessed [-pə'zest] *a* higgadt, magán uralkodni tudó
self-possession *n* higgadtság, önuralom; *regain one's* ~ összeszedi magát, lehiggad
self-preservation *n* önfenntartás
self-propelling *a* önműködő, önjáró
self-raising [-'reɪzɪŋ] *a* önmagától megkelő, sütőporral kevert [liszt]
self-realization *n* önmegvalósítás, az egyéniség kiteljesítése
self-regard *n* 1. saját érdekeinek szem előtt tartása 2. önbecsülés
self-registering [-'redʒɪstərɪŋ] *a* öníró
self-reliance *n* magabízás, önmagára támaszkodás, önbizalom
self-reliant *a* magabízó, önmagában bízó, önmagára támaszkodó
self-reproach *n* önvád
self-respect *n* önbecsülés, önérzet
self-respecting [-rɪ'spektɪŋ] *a* önbecsülő, önérzetes, (ön)magára (vmt) adó
self-restraint *n* önuralom, önmérséklés
self-righteous *a* önelégült, álszent, farizeusi
self-rising *a* US = *self-raising*
self-rule *n* = *self-government*
self-sacrifice *n* önfeláldozás
self-sacrificing [-'sækrɪfaɪsɪŋ] *a* önfeláldozó
self-same *a* (pontosan) ugyanaz
self-satisfaction *n* önelégültség
self-satisfied [-'sætɪsfaɪd] *a* önelégült
self-sealing *a* 1. önelzáró; önműködően záródó; öntömítő 2. önborítékoló [levélpapír]
self-seeker *n* önző/haszonleső ember
self-seeking [-'si:kɪŋ] I. *a* önző, haszonleső II. *n* önzés, haszonlesés

self-service I. *a* önkiszolgáló II. *n* önkiszolgálás
self-sown *a* magától [nem embertől] vetett [mag], kihullott magból kelt
self-starter *n* önindító
self-styled [-'staɪld] *a* magát vmnek kikiáltó/kiadó, állítólagos, úgynevezett
self-sufficiency *n* 1. önellátás(ra törekvés) 2. önelégültség
self-sufficient *a* 1. önellátó; önálló 2. önelégült, öntelt
self-sufficing [-sə'faɪsɪŋ] *a* független, önálló
self-supporting *a* önmagát fenntartó/ eltartó, önálló
self-taught *a* autodidakta
self-will *n* önfejűség, akaratosság
self-willed *a* önfejű, akaratos
self-winding *a* automata [óra]
Selkirk ['selkə:k] *prop*
sell [sel] I. *n biz* becsapás, csalás; *what a* ~*!* micsoda csalás/csalódás! II. *v* (*pt/pp* sold soʊld) A. *vt* 1. elad, (el-) árusít, árul, értékesít 2. *biz* elárul, becsap; *you have been sold* téged bepaliztak/átvertek B. *vi* eladható, elkel; *what are plums*~*ing at?* hogy a szilva?; *goods that* ~ *well* kelendő áruk; ~ *like hot cakes* igen kapós
   sell off *vt* felszámol, kiárusít
   sell out *vt* kiárusít, mindent elad; *be sold o.* elfogyott, kifogyott; *tickets are sold o.* minden jegy elkelt
   sell up *vt be sold up* elárverezték [tulajdonát]
seller ['selə*] *n* 1. eladó; ~*s' market* nagy kereslet 2. eladó áru 3. kelendő áru, jól menő cikk
selling ['selɪŋ] *n* eladás
selling-price *n* eladási ár
sellotape ['seləteɪp] *n* cellux
sell-out *n* 1. végeladás, kiárusítás 2. telt ház, „minden jegy elkelt"
seltzer ['seltzə*] *n* ~ *water* (1) [Seltersből származó] ásványvíz (2) szódavíz
selvage, -vedge ['selvɪdʒ] *n* szövött (textil)szél, szegély, endli
selves → *self II.*
semantic [sɪ'mæntɪk] *a* jelentéstani, szemantikai; ~ *variant* jelentésváltozat

semantics [sɪ'mæntɪks] n jelentéstan, szemantika
semaphore ['seməfɔ:*] I. n szemafor II. vt szemaforral továbbít
semasiology [sɪmeɪsɪ'ɔlədʒɪ; US -'a-] n 1. jelentéstan 2. jelentésváltozás-tan
semblance ['sembləns] n 1. hasonlóság; hasonlat 2. látszat, külszín
semen ['si:men] n ondó
semester [sɪ'mestə*] n (tanulmányi) félév, szemeszter
semi- ['semɪ-] pref félig, fél-
semi-annual a félévi, félévenkénti
semibreve ['semɪbri:v] n egész hang
semicircle n félkör
semicircular a félkör alakú
semicolon n pontosvessző (;)
semiconductor n félvezető
semi-detached house [semɪdɪ'tætʃt] ikerház
semifinal n középdöntő; elődöntő
semifinalist [-'faɪn(ə)lɪst] n középdöntős
semi-invalid a/n lábadozó (beteg)
semilunar a félhold alakú
semi-monthly I. a félhav(onként)i II. n n félhavi/kéthetenkénti folyóirat
seminal ['semɪnl] a 1. mag-; ~ emission magömlés; ~ fluid magfolyadék [hímé] 2. jelentékeny fejlődést elindító, termékenyítő
seminar ['semɪnɑ:*] n szeminárium
seminary ['semɪnərɪ; US -erɪ] n 1. papnevelde, szeminárium 2.† leánynevelő intézet
semi-nude a félmeztelen
semi-official a félhivatalos
semiology [semɪ'ɔlədʒɪ; US si:mɪ'a-] n szemiológia [= jeltan; jelrendszer; jelbeszéd; tünettan]
semiotics [semɪ'ɔtɪks; US si:mɪ'a-] n szemiotika
semiprecious a féldrága [kő]
semiquaver n tizenhatod [hangjegy]
semiskilled a betanított [munkás]
semisolid a félkemény, félig szilárd
Semite ['si:maɪt] a/n sémi, szemita
Semitic [sɪ'mɪtɪk] a sémi, szemita
semitone n félhang; kis szekund/másod
semitrailer n nyerges vontató
semitransparent a áttetsző
semi-vowel n félhangzó

semi-weekly a hetenként kétszer megjelenő [lap]
semolina [semə'li:nə] n búzadara, gríz
sempstress ['sempstrɪs] n varrónő
Sen. 1. Senate 2. Senator 3. senior idősebb, idősb, id.
senate ['senɪt] n 1. US S~ felsőház, szenátus 2. GB (egyetemi) tanács 3. † [római] szenátus
senator ['senətə*] n 1. tanácsos, szenátor 2. US felsőházi tag, szenátor
senatorial [senə'tɔ:rɪəl] a szenátori
senatorship ['senətəʃɪp] n szenátorság
send [send] vt (pt/pp sent sent) 1. (el-)küld; ~ one's love szeretettel üdvözli 2. vet, hajít, repít, hajt; the blow sent him sprawling az ütés földre terítette 3. † kegyesen megad/ajándékoz, (vm dologgal/tulajdonsággal) ellát; ~ her/him victorious tedd győztessé; God ~ it may be so Isten adja, hogy úgy legyen
send away vt elbocsát, elküld
send down vt 1. [egyetemről] eltanácsol, kitilt 2. elküld, leszállít 3. leszállít, csökkent
send for vi érte küld, hívat; hozat, kér(et); kerestet
send forth vt 1. kibocsát, kiad 2. szór 3. hajt [levelet]
send in vt beküld, benyújt
send off vt 1. elküld; elbocsát; elkerget 2. elbúcsúztat
send on vt továbbít, utánaküld
send out vt 1. kiküld, kibocsát, szétküld 2. ~ o. leaves leveleket hajt
send round vt 1. köröz, kézről-kézre ad(at), körbead 2. érte küld
send up vt 1. felküld, -ereszt, -hajít 2. felhajt [árat]; növel, emel [hőmérsékletet stb.] 3. GB biz kifiguráz (vkt)
sender ['sendə*] n küldő, feladó
sending ['sendɪŋ] n (el)küldés, feladás
send-off n 1. búcsú, búcsúztató 2. útnak indítás
send-up n GB biz kigúnyolás, paródia
Senegal [senɪ'gɔ:l] prop Szenegál
Senegalese [senɪgə'li:z] a/n szenegál(i)
senescence [sɪ'nesns] n elöregedés, megöregedés, aggkor
senescent [sɪ'nesnt] a (el)öregedő

seneschal ['senɪʃl] *n* udvarmester, udvarnagy, országbíró
senile ['si:naɪl] *a* aggkori, szenilis; ~ *decay* öregkori/aggkori gyengeség
senility [sɪ'nɪlətɪ] *n* aggkori gyengeség, vénség, szenilitás
senior ['si:njə*] I. *a* 1. idősebb, öregebb; ~ *to sy* vknél idősebb; ~ *citizen* nyugdíjas (korú állampolgár); ~ *class(es)* (v. *boys and girls*) felső tagozat, a felsősök; ~ *partner* vezető üzlettárs 2. magasabb rangú, rangidős; ~ *master* vezető tanár; ~ *officer* rangidős tiszt; *the S~ Service* haditengerészet II. *n* 1. *he is my* ~ *by five years* öt évvel idősebb nálam 2. rangelső, feljebbvaló 3. *US* negyedéves [egyetemi/főiskolai/középiskolai] hallgató; *the ~s* a felsősök
seniority [si:nɪ'orətɪ; *US* si:n'jɔ:r-] *n* idősebb/magasabb rang(ú), volta vknek), rangidősség
senna ['senə] *n* szennabokor
sensation [sen'seɪʃn] *n* 1. érzés, érzet, érzékelés 2. feltűnés, szenzáció
sensational [sen'seɪʃənl] *a* szenzációs, feltűnést keltő, feltűnő
sensationalism [sen'seɪʃ(ə)nəlɪzm] *n* szenzációhajhászás, feltűnéskeltés
sense [sens] I. *n* 1. érzék; *the five* ~*s* az öt érzék; *have a keen* ~ *of hearing* finom a hallása 2. senses *pl* ész, értelem; tudat; *be in one's (right)* ~*s* épeszű; *come to one's* ~*s* magához tér, észre tér; *lose one's* ~*s* (1) elájul (2) meghűl 3. érzet, érzés; tudat; érzék; ~ *of duty* kötelességtudat; ~ *of guilt* bűntudat; ~ *of humour* humorérzék; ~ *of purpose* céltudatosság 4. felfogás, vélemény 5. gyakorlati tudás; ítélőképesség; józan ész; *nobody in their* ~*s* senki józan ésszel ...; *man of* ~ értelmes ember; *have the (good)* ~ *to* van (annyi) esze/belátása, hogy 6. jelentés, értelem [szóé]; *talk* ~ okosan beszél; *make* ~ *of sg* vmt megért; *it does not make* ~ nincs (semmi) értelme, értelmetlen; *in a* ~ (egy) bizonyos értelemben II. *vt* 1. érzékel, tapint 2. (ösztönösen) megérez (vmt)
senseless ['senslɪs] *a* 1. öntudatlan, eszméletlen 2. értelmetlen, esztelen

sense-organ *n* érzékszerv
sensibility [sensɪ'bɪlətɪ] *n* 1. érzékenység 2. fogékonyság 3. érzék (vmhez)
sensible ['sensəbl] *a* 1. érezhető 2. okos, értelmes; *be* ~*!* legyen eszed!; ~ *man* okos ember 3. ésszerű, helyes 4. érzékeny; *be* ~ *of sg* vmt érez, vmnek tudatában van
sensibly ['sensəblɪ] *adv* 1. észrevehetően 2. okosan, értelmesen
sensitive ['sensɪtɪv] *a* (túl)érzékeny, fogékony, érző, kényes; ~ *plant* mimóza, nebáncsvirág *(átv is)*
sensitiveness ['sensɪtɪvnɪs] *n* érzékenység
sensitivity [sensɪ'tɪvətɪ] *n* érzékenység
sensitize ['sensɪtaɪz] *vt* (fény)érzékennyé tesz
sensitized ['sensɪtaɪzd] *a* fényérzékeny
sensory ['sensərɪ] *a* érzékekre vonatkozó, érzékelési, érzék-; ~ *nerve* érzőideg; ~ *organs* érzékszervek; ~ *perception* érzéki észlelet
sensual ['sensjʊəl; *US* -ʃʊ-] *a* 1. érzéki, testi; ~ *pleasures* érzéki/testi örömök 2. buja, kéjes 3. bujálkodó, kéjenc
sensualism ['sensjʊəlɪzm; *US* -ʃʊ-] *n* 1. érzékiség 2. szenzualizmus
sensualist ['sensjʊəlɪst; *US* -ʃʊ-] *n* 1. érzéki ember 2. szenzualista
sensuality [sensjʊ'ælətɪ; *US* -ʃʊ-] *n* érzékiség
sensuous ['sensjʊəs; *US* -ʃʊ-] *a* 1. érzéki [benyomás stb.] 2. érzékeny
sent →*send*[1]
sentence ['sentəns] I. *n* 1. ítélet; *pass* ~ ítéletet hirdet/mond (*on* vkről, vmről); (*under*) ~ elítélve 2. mondat II. *vt* (el)ítél
sententious [sen'tenʃəs] *a* 1. bölcs gondolatokban bővelkedő, velős 2. nagyképű(en bölcs)
sentient ['senʃnt] *a* érző, érzékeny
sentiment ['sentɪmənt] *n* 1. érzelem, érzés 2. érzékenység 3. vélemény, nézet, felfogás
sentimental [sentɪ'mentl] *a* érzelmes, érzelgős, szentimentális
sentimentalism [sentɪ'mentəlɪzm] *n* érzelmesség, érzelgősség, szentimentalizmus

sentimentality [sentɪmen'tælətɪ] n = sentimentalism
sentinel ['sentɪnl] n őrszem, őr; stand ~ (over sg) őrt áll, őriz vmt
sentry ['sentrɪ] n őr, őrszem
sentry-box n őrbódé, faköpönyeg
sepal ['sepəl] n csészelevél
separable ['sep(ə)rəbl] a elválasztható, leválasztható, levehető
separate I. a ['seprət] külön(álló), önálló, független; under ~ cover külön borítékban/levélben II. n ['seprət] ~s egyes darabok [pl. blúz, szoknya stb.] III. v ['sepəreɪt] A. vt 1. elválaszt, elkülönít (from vktől, vmtől), szétválaszt, szeparál; be ~ed külön(váltan)| él 2. kiválaszt, félretesz 3. centrifugál, szeparál B. vi elválik, különválik, szeparálódik (from vktől, vmtől)
separately ['seprətlɪ] adv elválasztva, külön-külön
separation [sepə'reɪʃn] n 1. elválasztás, elkülönítés; judicial/legal ~ ágytól asztaltól való elválasztás, az életközösség megszüntetése 2. különélés; ~ allowance különélési pótlék 3. elválás, elkülönülés 4. US ~ center (katonai) leszerelő tábor
separatist ['sep(ə)rətɪst] n szeparatista
separator ['sepəreɪtə*] n 1. szeparátor, fölözőgép 2. gabonarosta, szelektor
sepia ['si:pjə] n 1. szépia(szín); szépiafesték 2. tintahal
sepoy ['si:pɔɪ] n szipoj ⟨indiai katona angol szolgálatban 1947 előtt⟩
sepsis ['sepsɪs] n vérmérgezés, szepszis
Sept. September szeptember, szept.
September [sep'tembə*] n szeptember
septennial [sep'tenjəl] a 1. hétévenkénti 2. hét évig tartó
septet(te) [sep'tet] n 1. hetes (csoport) 2. szeptett
septic ['septɪk] a rothadt, fertőző, szeptikus; ~ tank szennyvízülepítő akna
septic(a)emia [septɪ'si:mɪə]n vérmérgezés
septuagenarian [septjʊədʒɪ'neərɪən; US -tʃʊ-] a/n hetvenéves (ember)
Septuagesima [septjʊə'dʒesɪmə; US -tʃʊ-] n hetvenedvasárnap
Septuagint ['septjʊədʒɪnt; US -tʃʊ-] n Septuaginta

sepulchral [sɪ'pʌlkr(ə)l] a síri
sepulchre, US -cher ['sep(ə)lkə*] n sír(emlék)
sequel ['si:kw(ə)l] n folytatás; következmény, fejlemény
sequence ['si:kwəns] n 1. következés, folytatás; sor(rend), sorozat; számsor; ~ of tenses igeidő-egyeztetés [consecutio temporum] 2. (film)jelenet, képsor 3. szekvencia, (egyházi) himnusz
sequester [sɪ'kwestə*] vt 1. elkülönít, különválaszt; ~ oneself félrevonul, elkülönül 2. = sequestrate
sequestered [sɪ'kwestəd] a magányos, elhagyott, eldugott [falu, hely]; lead a ~ life visszavonultan él
sequestrate [sɪ'kwestreɪt] vt elkoboz; zár alá vesz; lefoglal
sequestration [si:kwe'streɪʃn]n 1. visszavonultság, magány 2. elkobzás
sequestrator ['si:kwestreɪtə*] n zárgondnok
sequin ['si:kwɪn] n 1. zecchino, arany [régi olasz aranypénz] 2. flitter [női ruhán]
sequoia [sɪ'kwɔɪə] n (kaliforniai) óriásfenyő
seraglio [se'rɑ:lɪoʊ] n szeráj; hárem
seraph ['serəf] n (pl ~s v. ~im 'serəfɪm) szeráf
seraphic [se'ræfɪk] a angyali, szeráfi; ~ smile üdvözült mosoly
Serb [sɜ:b] a/n szerb
Serbia ['sɜ:bjə] prop Szerbia
Serbian ['sɜ:bjən] a/n szerb
Serbo-Croat [sɜ:boʊ'kroʊæt] a/n = Serbo-Croatian
Serbo-Croatian [sɜ:boʊkroʊ'eɪʃn] a/n szerb-horvát (nyelv)
sere [sɪə*] a/vt = sear
serenade [serə'neɪd] I. n éjjeli zene, szerenád II. vt éjjeli zenét ad vknek
serene [sɪ'ri:n] a 1. derült, nyugodt, csendes 2. higgadt, békés 3. ⟨herceg címe megszólításban, csak a kontinensen⟩; Your S~ Highness Főmagasságod, Fenséged
serenity [sɪ'renətɪ] n 1. vidámság, derű, nyugalom, higgadtság 2. derültség [égé], békesség, nyugalom [tengeré] 3. ⟨hercegi cím/megszólítás⟩

serf [sə:f] *n* 1. jobbágy 2. rabszolga
serfdom ['sə:fdəm] *n* 1. jobbágyság 2.
rabszolgaság
serge [sə:dʒ] *n* szerzs [szövet]
sergeant ['sɑːdʒ(ə)nt] *n* őrmester; szakaszvezető
sergeant-major *n* törzsőrmester, tiszthelyettes
serial ['sɪərɪəl] I. *a* 1. sorozat-, sor-, széria-; sorozatos; ~ *number* sorszám; ~ *story* folytatásos regény; ~ *rights* sorozatos közlés joga [újságban, folyóiratban] 2. időszakos II. *n* füzetekben megjelenő könyv, folytatásos regény/rádiójáték/stb.; *TV* ~ tévé-(film)sorozat
serially ['sɪərɪəlɪ] *adv* 1. sorozatosan, szériában 2. folytatásokban [megjelenő]
seriatim [sɪərɪ'eɪtɪm] *adv* (sorban) egymás után, (sorban) egyenként
seri(ci)culture ['serɪ(sɪ)kʌltʃə*] *n* selyemhernyó-tenyésztés
series ['sɪəriːz] *n* (*pl* ~) 1. sor, sorozat; *new* ~ új folyam 2. [számtani, mértani] sor, haladvány
serio-comic [sɪərɪoʊ'kɒmɪk; *US* -'kɑ-] *a* félig komoly félig vidám
serious ['sɪərɪəs] *a* komoly, fontos, súlyos; *I am* ~ nem viccelek
seriously ['sɪərɪəslɪ] *adv* komolyan, súlyosan
serious-minded *a* komoly (gondolkodású/felfogású)
seriousness ['sɪərɪəsnɪs] *n* komolyság, súlyosság; *in all* ~ halálos komolyan
serjeant ['sɑːdʒ(ə)nt] *n* ~(-)*at*(-)*law* ⟨magas rangú ügyvéd⟩; ~(-)*at*(-)*arms* parlamenti ajtónálló, terembiztos
sermon ['sə:mən] I. *n* szentbeszéd, prédikáció; *The S*~ *on the Mount* A hegyi beszéd II. *vt* prédikál
sermonize ['sə:mənaɪz] *vi/vt* prédikál
sermonizer ['sə:mənaɪzə*] *n* (örökös) erkölcsprédikáló
serology [sɪə'rɒlədʒɪ; *US* -'rɑ-] *n* szerológia
serous ['sɪərəs] *a* savós
serpent ['sə:p(ə)nt] *n* kígyó
serpentine ['sə:p(ə)ntaɪn; *US* -tiːn] I. *a* kígyózó, kanyargó, szerpentin- II. *n*

szerpentin(kő) III. *vi* kígyózik, kanyarog
serrate ['serɪt] *a* = *serrated*
serrated [se'reɪtɪd] *a* fűrészes, fűrészszerű; csipkézett; fogazott; fűrészélű
serried ['serɪd] *a* tömött, sűrű, szoros
serum ['sɪərəm] *n* (*pl* ~s -z v. sera 'sɪərə) szérum, védőoltóanyag
servant ['sə:v(ə)nt] *n* szolga, szolgáló-(lány), cseléd; inas
servant-girl *n* cselédlány, szolgálólány
serve [sə:v] I. *n* adogatás [teniszben] II. A. *vt* 1. (ki)szolgál; felszolgál; ellát [teendőket]; *are you being* ~*d?* tetszett már rendelni?, tetszik már kapni?; *how can I* ~ *you?* miben lehetek szolgálatára?; ~ *one's time* (1) leszolgálja az idejét (2) inaséveit tölti; ~ *the time* alkalmazkodik, opportunista (módon viselkedik) 2. megfelel [célnak], hasznára van (vknek); elég, (ki)futja 3. tálal; *dinner is* ~*d* (a vacsora) tálalva van 4. bánik (vkvel), viselkedik (vkvel szemben); *he has* ~*d me shamefully* csúnyán elbánt velem; ~ *sy a trick* megtréfál vkt, kibabrál vkvel; *it* ~*s him jolly well right!* úgy kellett!; megérdemelte (,hogy így járt) 5. [idézést] kézbesít 6. [teniszben] adogat, szervál B. *vi* 1. alkalmazásban áll; szolgál(atban áll) 2. felszolgál, kiszolgál 3. tálal 4. szolgál (*as/for* vmül/vmre); *it will* ~ (1) elegendő (2) megfelel a célnak; *it* ~*s to show* arra szolgál/való, hogy megmutatssa... 5. adogat, szervál [teniszben] 6. ministrál 7. fedez [állat]
serve on A. *vi* tagja [bizottságnak stb.] B. *vt* ~ *a writ on sy* idézést kézbesít vknek
serve out *vt* kiad, kioszt, kiszolgál
serve up *vt* felszolgál
server ['sə:və*] *n* 1. felszolgáló 2. adogató [tenisz] 3. ministráns 4. tálca
service ['sə:vɪs] I. *n* 1. [állami, katonai stb.] szolgálat; [háztartásbeli stb.] alkalmazás; ~ *club* (1) önsegítő (érdekszövetkezeti) társaság (2) *US* kb. helyőrségi klub; *fit for* ~ katonai szolgálatra alkalmas; *see* ~ katonai szolgálatot teljesít; *go into* ~, *go out to*

~ szolgálatba megy/áll; *take* ~ *with sy* szolgálatba lép vknél 2. szolgálat, szívesség; *do/render sy a* ~ szolgálatot tesz vknek; *be at sy's* ~ rendelkezésére áll vknek; *be of* ~ *to sy* (1) szolgálatára van vknek (2) hasznos vk számára (vm) 3. [vasúti, autóbusz- stb.] forgalom, közlekedés, szolgálat; *train* ~ vasúti közlekedés; *GB on His/Her Majesty's* ~ hivatalból portómentes 4. karbantartás, szerviz; *rendsz pl* szolgáltatások; ~ *data* üzemi adatok; ~ *department* vevőszolgálat; ~ *road* bekötő út; ~ *station* töltőállomás (szervizzel); szervizállomás 5. kiszolgálás [szállodában], felszolgálás [étteremben]; ~ *included* kiszolgálással együtt; ~ *charge* kiszolgálási díj 6. kézbesítés [hivatalos iraté] 7. (asztali) készlet, szerviz 8. istentisztelet; szertartás 9. adogatás [teniszben]; ~ *court* adogatóudvar; *whose* ~ *is it?* ki adogat? II. *vt* szervizel, karbantart; *have the car* ~*d* szervizre viszi a kocsit
serviceable ['sə:vɪsəbl] *a* 1. hasznos, használható, alkalmas, tartós 2. szolgálatkész
service-book *n* szertartáskönyv
service-flat *n* ⟨főbérleti lakás kiszolgálással és étkezéssel⟩
service-hoist *n* ételfelvonó
service-line *n* adogatóvonal [teniszben]
serviceman ['sə:vɪsmən] *n* (*pl* -men -mən) 1. katona, a haderő/véderő tagja 2. szerelő
service-tree *n* berkenyefa
service-uniform *n* szolgálati egyenruha
servicing ['sə:vɪsɪŋ] *n* szerviz(elés); karbantartás
serviette [sə:vɪ'et] *n* szalvéta
servile ['sə:vaɪl; *US* -v(ə)l] *a* szolgai, alázatos, szervilis
servility [sə:'vɪlətɪ] *n* 1. (rab)szolgaság 2. szolgalelkűség, szervilizmus
serving ['sə:vɪŋ] I. *a* szolgálatot teljesítő, szolgáló II. *n* 1. szolgálat, kiszolgálás 2. adogatás, szerválás 3. adag [étel]
servitor ['sə:vɪtə*] *n* † szolga
servitude ['sə:vɪtju:d; *US* -tu:d] *n* 1. (rab)szolgaság 2. szolgalom

servo ['sə:voʊ-] szervo-
servo(-assisted) brake szervofék, rásegítő fék
servomechanism *n* szervoberendezés
servomotor *n* segédhajtómű, szervomotor
sesame ['sesəmɪ] *n* szezámfű
sesqui- [seskwɪ-] másfél
sesquicentennial [seskwɪsen'tenjəl] *a* másfél százados, 150 éves
sesquipedalian [seskwɪpɪ'deɪljən] *a* igen hosszú [szó]
session ['seʃn] *n* 1. ülés; *be in* ~ ülésezik 2. ülésszak 3. *US, sk* [egyetemi] harmadév 4. összejövetel
set [set] I. *a* 1. szilárd, állhatatos; megmerevedett; ~ *purpose* szilárd elhatározás, feltett szándék; ~ *smile* merev mosoly 2. rendes, előírásos, megállapított, kötött; ~ *figure* kötelező gyakorlat [műkorcsolyában]; ~ *phrase* klisé, frázis, közhely; ~ *price* kötött/szabott ár; ~ *speech* előre elkészített beszéd; ~ *task* kijelölt feladat; ~ *time* megállapított idő(pont) 3. ~ *square* háromszögvonalzó II. *n* 1. készlet, szerviz, sorozat, garnitúra, szet(t); ~ *of false teeth* (mű)fogsor 2. csoport, banda, társaság 3. [rádióstb.] készülék 4. játszma [tenisz] 5. fészekalja 6. állás [ruháé]; beállítás, beigazítás 7. berakás [hajé] 8. irány(zat); alakulás; ~ *of sy's mind* vknek az eszejárása 9. napnyugta 10. dugvány, palánta 11. *make a* (*dead*) ~ *at sy* nekitámad/nekiugrik vknek 12. díszlet 13. kövezőkocka 14. lapos szélű véső 15. halmaz [matematikában]; ~ *theory* halmazelmélet III. *v* (*pt/pp* ~; -tt) A. *vt* 1. (le)tesz, (el)helyez; ~ *oneself to sg* hozzáfog vmhez 2. ~ *type* betűt szed, kiszed 3. ültet [növényt]; ~ *a hen* tyúkot megültet 4. vmbe foglal [drágakövet] 5. megszab, megállapít, kitűz; ~ *a date* időpontot megállapít; ~ *a problem/ paper* feladványt/leckét ad (fel), dolgozati témát tűz ki; ~ *a book* kötelező olvasmánynak ír elő (v. tűz ki) 6. ⟨vmlyen állapotba juttat⟩; ~ (*sy's mind*) *at ease* megnyugtat vkt; ~ *in*

order rendbe szed, elrendez; ~ *right*, ~ *to rights* rendbe hoz, helyreigazít, kijavít; *that* ~*s me thinking* ez gondolkodóba ejt; *US be all* ~ kész a rajtra, kész(en áll) (vmre) **7.** (meg)igazít, beállít; ~ *a bone* csontot helyre rak; ~ *the clock* órát megigazít/beállít; ~ *a scene* bedíszletez egy jelenetet **8.** ~ *the table* megterít **9.** ~ *words to music* szöveget megzenésít **10.** kirak, díszít vmvel **11.** fen, élesít **12.** (meg)erősít, (meg)szilárdít, megalvaszt, fagyaszt **13.** ~ *one's hair* berakja a haját **B.** *vi* **1.** lenyugszik [égitest] **2.** elenyészik, véget ér, végződik **3.** gyökeret ver; megköt **4.** megszilárdul, összeáll, megalvad; megkeményedik; (meg)köt [cement]; *the bone* ~*s* a csont összeforr **5.** megállapodik [ember], megszilárdul, kialakul [jellem] **6.** áll [vhogyan ruha]

set about A. *vi* **1.** hozzáfog; nekikezd **2.** *biz* megtámad, nekimegy (vknek) **B.** *vt* elterjeszt

set against *vt* **1.** ~ *sy a. sy* vk ellen uszít vkt **2.** ~ *sg a. sg* összehasonlít/ szembeállít vmt vmvel

set apart *vt* **1.** = *set aside 1.* **2.** elkülönít

set aside *vt* **1.** félretesz, félrerak, elrak; tartalékol **2.** mellőz, eltekint vmtől **3.** érvénytelenít, megsemmisít [ítéletet]

set back *vt* **1.** hátratesz, -húz; visszavon **2.** visszaállít, -igazít **3.** (meg-) akadályoz, hátráltat, visszavet **4.** *biz* kerül (vknek vmbe)

set before *vt* **1.** vk elé tesz **2.** vknek előterjeszt **3.** többre tart vmnél

set by *vt* félretesz, -rak; ~ *little by sg* kevésre tart

set down *vt* **1.** letesz **2.** leír, írásba foglal **3.** vkt vmnek tart, vmnek tulajdonít vmt

set forth A. *vt* **1.** kifejt [érvet]; előad [tényeket]; közzétesz **2.** felmutat; kimutat (vmt) **B.** *vi* = *set out B.*

set in A. *vi* **1.** kezdődik, beáll **2.** part felé folyik [tengervíz] **3.** dagad [áradat]; *the tide is* ~*ting in* jön a dagály **B.** *vt* **1.** kezd **2.** bevet

set off A. *vt* **1.** felrobbant, elsüt **2.** elindít **3.** kiemel [ellentét segítségével], kihangsúlyoz, érvényre juttat [színt, szépséget stb.] **4.** kivált [hatást] **5.** ellensúlyoz **6.** elválaszt **B.** *vi* elindul, útnak indul

set on A. *vt* **1.** ráuszít (vkt/vmt vkre); *I was* ~ *on by a dog* rám támadt egy kutya **2.** *be* ~ *on sg* fáj a foga vmre **B.** *vi* **1.** hozzáfog (vmhez) **2.** rátámad

set out A. *vt* **1.** megállapít; bizonyít; kifejt; felsorol; elmond; közzétesz **2.** kiállít **3.** felszerel, ellát **4.** kitesz **5.** kiültet **6.** kiemel **B.** *vi* **1.** ~ *o. (to do sg)* elhatároz(za magát vmre), nekifog **2.** elindul, útnak indul

set to *vi* **1.** nekifog, hozzálát; ~ *to work* munkához lát **2.** összeverekedik, összekap

set up A. *vt* **1.** (fel)állít, felépít, emel [szobrot, épületet]; állít [jelöltet] **2.** alapít, létesít [intézményt]; felállít [csúcsot, elméletet] **3.** felszerel, ellát **4.** megkezd, elkezd, elindít, szervez **5.** helyrehoz (egészségileg) **6.** ~ *up (type)* (ki)szed [kéziratot] **7.** ~ *up a clamour* nagy lármát csap **8.** felsegít, megsegít **9.** *be well* ~ *up* jó alakú/felépítésű **B.** *vi* ~ *up in business*, ~ *up for oneself* önállósítja magát, (önálló) üzletet nyit; ~ *(oneself) up as* (1) önálló üzletet nyit (2) kiadja magát vmnek

set upon →*set on*

set-back *n* **1.** visszaesés, hanyatlás; kudarc, kedvezőtlen fordulat; sorscsapás **2.** beugrás [épületé]

set-down *n* elutasítás, letromfolás

Seth [seθ] *prop* Sét [bibliai férfinév]

setness ['setnɪs] *n* merevség, makacsság; ~ *of purpose* elhatározottság

set-off *n* **1.** beszámítás, ellenkövetelés; ellentétel **2.** ellentét, kontraszt **3.** elindulás

set-screw *n* állítócsavar

sett [set] *n* kövezőkocka, kockakő

settee [se'ti:] *n* pamlag, kanapé, szófa

setter ['setə*] *n* **1.** (betű)szedő **2.** hosszúszőrű vizsla, szetter

setter-wort *n* fekete hunyor

setting ['setɪŋ] n 1. elrendezés; környezet, keret 2. befoglalás [drágakőé], foglalat 3. elvetés [magé] 4. szabályozás, igazítás, (fel)állítás, illesztés, rögzítés 5. (betű)szedés 6. gyümölcs kezdeti alakulása 7. élesítés 8. megszilárdulás; kötés 9. lenyugvás [égitesté] 10. díszlet 11. (zenei) átirat, letét ‖ → set III.
settle ['setl] A. vt 1. letelepít, elhelyez; betelepít; ~ oneself letelepedik [fotelba] 2. megnyugtat 3. megszilárdít, sűrít; leülepít, derít, megtisztít 4. elintéz, kifizet, rendez [számlát, tartozást stb.] 5. eldönt [vitát]; elintéz, rendez, lezár [ügyet]; it's as good as ~d elintézettnek tekinthető; that ~s it! ez eldönti a kérdést! 6. megállapít; elhatároz; ~ the day kitűzi a napot B. vi 1. letelepedik; elhelyezkedik; átv megállapodik; ~ to work komolyan munkához lát; cannot ~ with anything semmi mellett sem tud megmaradni, nyughatatlan természetű 2. megtisztul, leülepedik [folyadék] 3. lecsendesül, lecsillapodik; rendbe jön 4. kiderül [idő] 5. süllyed, lesüpped
settle down vi 1. letelepedik; elhelyezkedik 2. megállapodik; lehiggad; marry and ~ d. megházasodik (és normális életet kezd), családot alapít 3. ~ d. to sg hozzáfog/nekilát vmnek
settle for vi megelégszik, beéri (vmvel); ~ f. less kevesebbel is beéri
settle in A. vi betelepszik; berendezkedik B. vt hozzászoktat; get ~d in (job etc.) megszokik [új munkahelyet stb.]
settle on → settle upon
settle up vt 1. elintéz, véghezvisz 2. kifizet, kiegyenlít
settle (up)on A. vi 1. rárakódik; rátelepedik (vmre) 2. elhatároz (vmt), dönt (vk/vm mellett) B. vt átruház, ráruház (vkre vmt)
settled ['setld] a 1. változatlan, tartós; állandó; ~ weather kiegyensúlyozott időjárás 2. eldöntött, elintézett; „fizetve" [számlán] 3. rendes (életmódot folytató), házas, nős 4. letelepedett; berendezkedett 5. benépesített

settlement ['setlmənt] n 1. rendezés, elintézés [ügyé]; kiegyenlítés [számláé], elszámolás 2. megállapodás, egyezség 3. letelepedés 4. telep(ülés), gyarmat 5. alapítvány; tartásdíj; hozomány
settler ['setlə*] n 1. betelepülő, telepes 2. biz döntő ütés/cspás
settling ['setlɪŋ] n 1. elintézés, elrendezés; elszámolás 2. letelepedés; letelepítés 3. lecsillapítás; lecsillapulás 4. leülepedés, letisztulás 5. üledék
settling-day n fizetési/elszámolási nap
set-to n ökölharc; verekedés
set-up n 1. elrendezés, összeállítás; felépítés, rendszer, szerkezet [pl. gazdasági életé] 2. (test)tartás; testalkat 3. US □ kb „bunda"
seven ['sevn] a/n hét, hetes
sevenfold ['sevnfoʊld] I. a hétszeres II. adv hétszeresen
seven-league(d) a hétmérföldes
seventeen [sevn'tiːn] a/n tizenhét
seventeenth [sevn'tiːnθ] a/n tizenhetedik
seventh ['sevnθ] a/n heted(ik)
seventieth ['sevntɪθ] a/n hetvenedik
seventy ['sevntɪ] a/n hetven; the seventies a hetvenes évek
sever ['sevə*] vt levág, elvág, elmetsz; kettéválaszt, elválaszt; ~ connection (with sy) megszünteti a kapcsolatokat (vkvel)
several ['sevr(ə)l] a 1. több, számos; ~ times többször 2. különböző, különféle 3. néhány, egyes 4. saját, egyéni, önálló
severally ['sevrəlɪ] adv egyenként, külön-külön, egyénileg
severance ['sev(ə)rəns] n 1. elvágás, elválasztás, különválasztás 2. kettéválás, különválás; ~ pay végkielégítés
severe [sɪ'vɪə*] a 1. (átv is) szigorú, kemény, rideg, komoly 2. dísztelen, egyszerű, sallangmentes
severely [sɪ'vɪəlɪ] adv 1. szigorúan, keményen, ridegen, komolyan 2. sallangmentesen, egyszerűen 3. hevesen, vadul; nagyon; was left ~ alone senki sem törődött vele
severity [sɪ'verətɪ] n 1. szigorúság,

komolyság 2. dísztelenség, egyszerűség 3. hevesség, vadság
Severn ['sevən] prop
sew [souʊ] vt (pt ~ed souʊd, pp ~n souʊn v. ~ed) 1. (meg)varr 2. fűz [könyvet] sew in vt 1. rávarr, bevarr 2. (össze)fűz [könyvet] sew on vt rávarr, felvarr sew up vt 1. bevarr, belevarr 2. biz kimerít; berúgat; be ~n/~ed up (1) kivan (2) tökrészeg 3. biz sikeresen befejez [tárgyalást]
sewage ['sjuːɪdʒ; US 'suː-] n szennyvíz; ~ disposal szennyvízelvezetés; ~(-) farm/works szennyvíztisztító telep; ~ system csatornahálózat
Seward ['siːwəd] prop
sewer¹ ['souʊə*] n 1. varrónő 2. fűző(nő) [könyvkötészetben]
sewer² [sjuʊə*; US 'suː-] n (szennyvíz-) csatorna, kanális
sewerage ['sjuʊərɪdʒ; US 'suː-] n 1. ~ (system) szennycsatornarendszer 2. szennyvíz
sewing ['souʊɪŋ] I. a varró II. n varrás
sewing-machine n varrógép
sewn →sew
sex [seks] n 1. nem(iség), szex; the ~ a nők; ~ act nemi aktus; ~ appeal nemi vonzóerő; ~ education/instruction nemi felvilágosítás; ~ instinct nemi ösztön; 2. nemi/szexuális élet; biz have ~ közösül
sexagenarian [seksədʒɪ'neərɪən] a/n hatvanéves
sexed [sekst] a nemiséggel bíró
sex-kitten n biz cicababa
sexless ['sekslɪs] a 1. nem nélküli 2. hideg
sexology [sek'sɔlədʒɪ; US -'sɑ-] n nemi élet tudománya, szexológia
sextant ['sekstənt] n szextáns
sex-test n szexvizsgálat, -próba
sextet(te) [seks'tet] n hatos, szextett
sextillion [seks'tɪljən] n GB szextillió [= 10³⁶]; US ezertrillió [= 10²¹]
sexton ['sekst(ə)n] n 1. sírásó 2. sekrestyés
sexton-beetle n temetőbogár
sextuple ['sekstjupl; US -tuʊ-] I. a/n hatszoros II. vt (meg)hatszoroz

sexual ['seksjuʊəl; US -ʃuʊ-] a nemi, szexuális; ~ intercourse (nemi) közösülés
sexuality [seksjuʊ'ælətɪ; US -ʃuʊ-] n nemiség
sexually ['seksjuʊəlɪ; US -ʃuʊ-] adv nemileg, szexuálisan
sexy ['seksɪ] a biz szexi(s), szexes
Seychelles, (the) [(ðə)seɪ'ʃelz] prop Seychelle-szigetek
Seymour ['siːmɔː*; sk 'seɪ-] prop
sez-you [sez'juː] US biz (=says you) mondod te (de én nem hiszem)
SF Science Fiction
sgd. signed
sgraffito [zgræ'fiːtouʊ] n (pl -fiti-'fiːtɪ) sgraffito
Sgt. sergeant őrmester, őrm.
sh, shh [ʃ] int pszt!, csend!
shabbiness ['ʃæbɪnɪs] n kopottság, rongyosság
shabby ['ʃæbɪ] a 1. kopott, rongyos, ócska, elnyűtt 2. komisz, aljas, átv piszkos; ~ excuse gyenge kifogás; played me a ~ trick ajasul elbánt velem 3. fösvény, szűkmarkú
shabby-genteel a szegény, de tiszta; deklasszált
shabby-looking a kopott külsejű, ágrólszakadt
shack [ʃæk] a kunyhó, kaliba
shackle ['ʃækl] I. n 1. bilincs, béklyó, rögzítőbilincs, szorítókengyel 2. akadály, gát, korlát; the ~s of convention a konvenciók korlátjai, a társadalmi szokások béklyói II. vt megbilincsel, (meg)béklyóz
Shackleton ['ʃækltən] prop
shad [ʃæd] n (pl ~) vándor alóza [hal]
shade [ʃeɪd] I. n 1. árnyék; árny, homály; throw/put in(to) the ~ elhomályosít; túlragyog; háttérbe szorít; The S~s (1) a túlvilág/sír (2) szálloda bárja 2. sötét rész(ek) [képen] 3. árnyalat; hajszálnyi, csipetnyi (vmből); a ~ better vmvel jobb(an) 4. szellem, árny 5. (lámpa)ernyő, (fény-/nap)ellenző; US redőny, roló [ablakon] II. A. vt 1. megvéd [nap ellen]; tompít [fényt] 2. (be)árnyékol; árnyal, vonalkáz B. vi átmegy [egyik szín másikba]
shade-tree n US árnyékadó fa

shadiness ['ʃeɪdɪnɪs] *n* **1.** árnyékosság, homályosság **2.** gyanússág

shadow ['ʃædoʊ] **I.** *n* **1.** árnyék (*átv is*); homály; *cast a* ~ árnyékot vet; *not a* ~ *of suspicion* a gyanú árnyéka sem **2.** követője/„árnyéka" vknek **3.** *GB* ~ *cabinet* árnyékkormány; ~ *factory* tartalék hadianyaggyár [háború esetén] **4.** kísértet, árny **II.** *vt* **1.** beárnyékol **2.** (nyomon) követ, nyomában van, megfigyel [rendőrség]

shadow-boxing *n* árnyék(boksz)olás

shadowing ['ʃædoʊɪŋ] *n* nyomon követés, rendőri megfigyelés

shadowy ['ʃædoʊɪ] *a* **1.** árnyékos, árnyas **2.** homályos, bizonytalan

shady ['ʃeɪdɪ] *a* **1.** árnyékos; árnyas; *be on the* ~ *side of fifty* túl van az ötvenen **2.** gyanús, homályos, sötét, kétes

shaft [ʃɑːft; *US* -æ-] *n* **1.** nyél, szár; tengely; (*pair of*) ~*s* villásrúd [kocsirúdpár] **2.** törzs, derék [oszlopé] **3.** tárna, akna **4.** bibeszál **5.** fénysugár, -nyaláb **6.** nyíl(vessző)

Shaftesbury ['ʃɑːftsb(ə)rɪ] *prop*

shag [ʃæg] *n* **1.** gubanc, bozont **2.** kb. kapadohány

shaggy ['ʃægɪ] *a* bozontos, gubancos; ~ *dog story* hosszadalmas favicc

shagreen [ʃæ'griːn] *n* **1.** sagrén, (szemcsézett) szamárbőr **2.** cápabőr

shah [ʃɑː] *n* [perzsa] sah

shake [ʃeɪk] **I.** *n* **1.** (meg)rázás; lökés, taszítás **2.** (meg)rázkódás; hidegrázás; vibrálás **3.** hasadás [fában] **4.** trilla **5.** turmix **6.** *biz* pillanat; *in a* ~ egy pillanat alatt **7.** □ *no great* ~*s* nem valami nagy ügy **II.** *v* (*pt* **shook** ʃʊk, *pp* **shaken** 'ʃeɪk(ə)n) **A.** *vt* **1.** (meg)ráz, kiráz; ~ *hands with sy* kezet fog/ráz vkvel; ~ *the head* (tagadólag, kétkedőleg) rázza a fejét; ~ *one's finger at sy* (ujjával) megfenyeget vkt; *biz* ~ *a foot/leg* táncol **2.** megrázkódtat, (meg)remegtet; *átv* megrendít; *be badly* ~*n by sg* vm erősen megrendítette **B.** *vi* **1.** reszket, remeg, reng, rezeg; *his sides are shaking with laugther* hasát fogja nevettében; ~ *all over* minden ízében remeg/reszket; ~ *in one's shoes*

be van rezelve; *be shaking with cold* didereg **2.** tántorog **3.** trillázik

shake down A. *vt* **1.** leráz; összeráz **2.** *US biz* megzsarol **B.** *vi* **1.** ágyat vet [padlón szalmából stb.] **2.** beleszokik, -rázódik; egyenesbe jön; összeszokik [csapat stb.]

shake off A. *vt* leráz (vkt), megszabadul (vktől, vmtől) **B.** *vi* lesoványodik

shake out *vt* kiráz (vmt vmből); kibont

shake together A. *vt* összeráz **B.** *vi* összerázódnak, -szoknak

shake up A. *vt* **1.** (*átv is*) felráz, fellazít **2.** *biz* átszervez **B.** *vi* felrázódik, összerázódik

shake-down *n* **1.** hevenyészett fekvőhely **2.** *US biz* razzia **3.** ~ *cruise* próbajárat [hajóé]

shaken → *shake II.*

shaker ['ʃeɪkə*] *n* **1.** keverő, rázó [személy] **2.** keverő(edény), séker **3.** S~ séker-szektabeli

Shakespeare ['ʃeɪkspɪə*] *prop*

Shakespearian [ʃeɪk'spɪərɪən] *a* shakespeare-i

shake-up *n* **1.** átszervezés **2.** *biz* zendülés, izgalom

shakiness ['ʃeɪkɪnɪs] *n* bizonytalanság, ingatagság

shaking ['ʃeɪkɪŋ] *n* **1.** rázás **2.** rázkódás, reszketés

shako ['ʃækoʊ] *n* csákó

shaky ['ʃeɪkɪ] *a* **1.** remegő, reszkető; ingatag **2.** rozoga, repedezett, düledező **3.** bizonytalan, erőtlen

shale [ʃeɪl] *n* (agyag)pala

shall [ʃæl] gyenge ejtésű alakjai: [ʃəl, ʃl] *v aux;* régies **2.** szem. jelen időben **shalt** [ʃælt]; **shall not** gyakran összevonva **shan't** [ʃɑːnt; *US* ʃænt]; *pt* **should** [ʃʊd]; gyenge ejtésű alakja: [ʃəd]; **should not** gyakran összevonva **shouldn't** ['ʃʊdnt]; régies **2.** szem. *pt* **should(e)st** [ʃʊdst] — **I. 1.** (1. szem.-ben a jövő idő kifejezője:) *I* ~ *go* menni fogok, (el)megyek; *I* ~ *not* (v. *shan't*) *stay* nem fogok maradni, nem maradok **2.** (2. és 3. szem.-ben jövő v. feltételes állítás/kérdés amely egyben a beszélő részéről szándékot v. akarást fejez ki:) ~ *you come tomorrow?* eljössze holnap? **3.** (kötelezettség, óhaj, parancs, tiltás, kényszer kifejezője:) *you ~ pay for it* ezért (még) fizetsz l; *he ~ come* igenis el kell jönnie (v. eljön); † *thou shalt not steal* ne lopj l; *he ~ not die* nem halhat meg (mert nem hagyom); ~ *I open the window?* kinyissam(-e) az ablakot?; ~ *the boy wait?* várjon(-e) a fiú? **II. should 1.** (feltételes mód:) *I should be glad to* . . . örülnék ha . . .; *I should like to* . . . szeretnék . . .; *should the occassion arise* ha úgy adódnék (az alkalom); *if he should* (v. *should he) come (you will) let me know* ha (mégis) eljönne, értesíts; *whom should I meet but Bob!* és kivel találkozom (v. találkoztam volna) mint Bobbal l; *I should have thought* . . . gondolhattam volna (hogy) . . . **2.** (erkölcsi kötelezettség, elvárás, szükségszerűség:) kell(ene); *we should go* el kellene mennünk; *you should have seen it* látnia/látnod kellett volna; *which is as it should be* ami így is van rendjén, ennek így is kell lennie; *they should be there by now* már ott kell(ene) lenniük; *I should think so!* meghiszem azt l

shallop ['ʃæləp] *n* † lapos fenekű bárka
shallot [ʃə'lɔt; *US* -'lɑt] *n* mogyoróhagyma
shallow ['ʃælou] **I.** *a* **1.** sekély, lapos **2.** felszínes, sekélyes; felületes **II.** *n* sekély (hely), zátony, gázló
shallowness ['ʃælounɪs] *n* sekélyesség, felszínesség
shalt →*shall*
sham [ʃæm] **I.** *a* hamis, ál-, nem valódi; ~ *fight* fegyvergyakorlat, álharc **II.** *n* **1.** csalás, ámítás, tettetés, színlelés **2.** utánzat **3.** sarlatán **III.** *vt/vi* -mm- színlel, tettet, ámít, csal
shamateur ['ʃæmətə:*] *n biz* álamatőr
shamble ['ʃæmbl] **I.** *n* csoszogás, cammogás **II.** *vi* csoszog, cammog
shambles ['ʃæmblz] *n* **1.** mészárszék; vágóhíd **2.** romhalmaz **3.** zűrzavar, összevisszaság, rendetlenség
shame [ʃeɪm] **I.** *n* szégyen(kezés); gya-

lázat; *put sy to* ~ megszégyenít vkt; *for* ~*!,* ~ *on you!* szégyelld magad l; (*what a*) ~*!* (milyen) szégyen l, jaj de kár l; *cry* ~ *on sy* megbotránkozik vkn **II.** *vt* megszégyenít, szégyenbe hoz; *be* ~*d into doing sg* sértett önérzetből tesz vmt
shamefaced *a* szégyenlős, szégyenkező; szemérmes
shamefacedly [-'feɪstlɪ] *adv* zavarban, félénken, szégyenlősen
shameful ['ʃeɪmful] *a* szégyenletes, becstelen, megbotránkoztató
shameless ['ʃeɪmlɪs] *a* **1.** szégyentelen, arcátlan, szemtelen **2.** szemérmetlen
shammed [ʃæmd] →*sham III.*
shammy-leather ['ʃæmɪ-] *n* zergebőr
shampoo [ʃæm'puː] **I.** *n* **1.** hajmosás, fejmosás; ~ *and set* mosás és berakás **2.** sampon **II.** *vt* hajat mos (samponnal)
shamrock ['ʃæmrɔk; *US* -ɑk] *n* lóhere
shandy(gaff) ['ʃændɪ(gæf)] *n* ⟨sör és gyömbérsör/limonádé keveréke⟩
shanghai [ʃæŋ'haɪ] *vt* □ matróznak elrabol [leitatott embert]
shank [ʃæŋk] *n* **1.** lábszár; sípcsont; *go on* ~*s's mare/pony* az apostolok lován megy, kutyagol **2.** szár; törzs; nyél **3.** *US* (harisnya)szár
Shannon ['ʃænən] *prop*
shan't = *shall not*→*shall*
shantung [ʃæn'tʌŋ] *n* santung(selyem)
shanty[1] ['ʃæntɪ] *n* **1.** kunyhó, viskó, vityilló, kalyiba **2.** csapszék
shanty[2] [ʃæntɪ] *n* = *chanty*
shanty-town *n* kalyibanegyed; viskótelep
shape [ʃeɪp] **I.** *n* **1.** alak, forma; *put/get into* ~ (1) kialakít, megformál (2) megfogalmaz; *take* ~ alakot/formát ölt, kialakul **2.** *biz* erőnlét, forma; *he is in bad* ~ rossz bőrben van; *he is in good* ~ jó húsban/kondícióban/formában van **3.** féle, fajta **4.** forma, minta, sablon; váz **II.** *v* (régies *pp* ~n 'ʃeɪpən) **A.** *vt* alakít, (meg)formál, formáz; idomít, hozzá alkalmaz **B.** *vi* fejlődik, (ki)alakul, formát ölt; *is shaping well* jól halad/alakul/fejlődik
SHAPE [ʃeɪp] *Supreme Headquarters Allied Powers in Europe* Szövetséges

Hatalmak Európai Legfelső Főhadiszállása

shaped [ʃeɪpt] *a* alakú

shapeless ['ʃeɪplɪs] *a* alaktalan, idomtalan, formátlan

shapelessness ['ʃeɪplɪsnɪs] *a* alaktalanság, idomtalanság, formátlanság

shapeliness ['ʃeɪplɪnɪs] *n* formásság, arányosság

shapely ['ʃeɪplɪ] *a* formás, jó alakú

-shapen [-'ʃeɪpən] alakú, formájú

shaping ['ʃeɪpɪŋ] *n* formálás, alakítás, tervezés

shard [ʃɑːd] *n* **1.** cserépdarab **2.** kemény szárny [bogáré]

share¹ [ʃeə*] **I.** *n* **1.** rész, osztályrész, részesedés; kvóta; *have a ~ in sg* része van vmben; érdekelt vmben; *go ~s* (*in sg*) részt/részesedést vállal (vmből); felesben csinál (vmt vkvel); *in equal ~s* egyenlő részben; *take a ~ in sg* részt vesz vmben; *fall to one's ~* osztályrészéül jut **2.** részvény **II. A.** *vt* megoszt (*sg with sy* vkvel vmt); *~ out* feloszt, szétoszt, kioszt; *~d line* ikerállomás **B.** *vi* osztozik, részesedik; *~ in* részesedik vmből, részt vesz vmben; *~ and ~ alike* egyenlően/igazságosan osztoznak

share² [ʃeə*] *n* ekevas

share-beam *n* ekefej, ekegerendely

share-broker *n* tőzsdés, részvényügynök

share-certificate *n* részvényesi igazolvány, részvénybizonylat

sharecropper *n* US részes bérlő/arató

shareholder *n* részvényes; *principal ~* főrészvényes

share-list *n* tőzsdei árfolyam(jegyzék)

sharer ['ʃeərə*] *n* rész(t)vevő

sharing ['ʃeərɪŋ] *n* **1.** részvétel **2.** osztoz(kod)ás, részesedés

shark [ʃɑːk] *n* **1.** cápa **2.** □ kapzsi ember; csaló; uzsorás; üzér **3.** US □ „fej" (vmben)

sharp [ʃɑːp] **I.** *a* **1.** éles, hegyes **2.** csípős, metsző, erős, kemény, szigorú; *~ lesson* kemény lecke **3.** okos, éles eszű, agyafúrt; *be too ~ for sy* túljár vk eszén; *~ practice* (1) tisztességtelen eljárás, csalás (2) *pl* ravasz fogások **4.** *C ~* cisz; *sonata in F ~* Fisz-dúr szonáta

II. *adv* **1.** hirtelen, hevesen; *look ~!* siess!, mozgás! **2.** pontosan; *at four o'clock ~* pontosan/pontban négykor **3.** élesen **4.** hamisan **III.** *n* **1.** [zenei] kereszt; fekete billentyű [zongorán] **2.** □ csaló **IV.** *vt/vi* □ becsap; hamisan játszik, csal

sharpen ['ʃɑːp(ə)n] **A.** *vt* **1.** (meg)élesít, (ki)hegyez **2.** fokoz [fájdalmat]; *~ one's appetite* fokozza étvágyát **3.** súlyosbít [büntetést] **4.** csípőssé/pikánsabbá tesz **B.** *vi* élesedik

sharpener ['ʃɑːpnə*] *n* hegyező, élesítő

sharper ['ʃɑːpə*] *n* hamiskártyás, szélhámos, csaló

sharp-eyed *a* éles szemű

sharp-faced/featured *a* markáns arcú, csontos képű

sharply ['ʃɑːplɪ] *adv* élesen, határozottan

sharpness ['ʃɑːpnɪs] *n* **1.** élesség, hegyesség **2.** éles ész, ravaszság **3.** hevesség, csípősség

sharp-set *n* **1.** igen éhes/mohó **2.** kiéhezett, sovány [arc]

sharp-shooter *n* mesterlövész, jó lövész

sharp-sighted *a* éles szemű/látású; éles eszű

sharp-tongued *a* éles/csípős nyelvű

sharp-witted *a* éles eszű/elméjű

shat →*shit II.*

shatter ['ʃætə*] **A.** *vt* megrázkódtat, összetör, összezúz (*átv is*); meghiúsít **B.** *vi* összetörik, összedől, meghasad, megrázkódik

shatterproof *a* szilánkmentes

shave [ʃeɪv] **I.** *n* **1.** borotválás; borotválkozás; *biz it was a close/narrow ~* épp csak hogy megúszta, (egy) hajszálon múlt (hogy megmenekült) **2.** hántolókés **II.** *v* (régies *pp ~n* 'ʃeɪvn] **A.** *vt* **1.** (meg)borotvál **2.** érint, súrol (vmt) **3.** *~ (off)* (vékony szeletet) levág, hántol **4.** lefarag [költségvetést] **B.** *vi* borotválkozik

shaveling ['ʃeɪvlɪŋ] *n* **1.** (meg)borotvált, leborotvált [személy] **2.** csuhás **3.** tejfölösszájú

shaven ['ʃeɪvn] *a* **1.** borotvált **2.** tonzúrás

shaver ['ʃeɪvə*] *n* **1.** borotváló **2.** (*dry-*) *~* villanyborotva **3.** *biz* gyerkőc, srác

Shavian ['ʃeɪvjən] *a* shaw-i

shaving ['feɪvɪŋ] n 1. borotvál(koz)ás
2. pl forgács, fahulladék
shaving-brush n borotvapamacs, -ecset
shaving-cream n borotvakrém
shaving-glass n borotválkozótükör
shaving-soap n borotvaszappan
shaving-stick n (rúd) borotvaszappan
Shaw [fɔ:] prop
shawl [fɔ:l] n (váll)kendő
shay [feɪ] n US ⟨egylovas együléses kétkerekű kocsi⟩
she [fi:; gyenge ejtésű alakja: fɪ] I. pron
ő [nőnemű] II. n asszony, nő; (összetételekben:) nőstény(-)
sheaf [fi:f] n (pl sheaves fi:vz) kéve;
nyaláb, csomó, köteg, halom
shear [fɪə*] I. n 1. (a pair of) ~s nyesőolló, nyíróolló, nagyolló 2. nyírás
3. = shearing stress II. v (pt ~ed fɪəd,
pp shorn fɔ:n) A. vt nyír, nyes, kopaszt;
be shorn of sg meg van fosztva vmtől,
elveszik/elvették vmjét B. vi elhajlik;
deformálódik
shearer ['fɪərə*] n birkanyíró
shearing ['fɪərɪŋ] n 1. nyírás, nyesés;
~ stress nyírófeszültség, nyíró igénybevétel 2. shearings pl nyiradék, lenyírt gyapjú
shear-legs n pl emelőbak
shearwater n vészmadár
she-ass n nőstény szamár, szamárkanca
sheath [fi:θ; pl -ðz] n 1. hüvely, tok;
~ gown zsákruha 2. (protective) ~
védőgumi [óvszer]
sheathe [fi:ð] vt 1. hüvely(é)be dug;
~ the sword békét köt 2. bevon, (be-)
borít, (páncél)lemezekkel vértez [hajót], páncéloz
sheathing ['fi:ðɪŋ] n 1. borítás, burkolás
2. burkolat, bevonat 3. hüvely, tok
4. páncélzat, (lemez)borítás [hajóé]
sheath-knife n (pl -knives) tokos kés,
hüvelyes tőr
sheave [fi:v] vt kévébe köt, kévéz
sheaves →sheaf, sheave
Sheba ['fi:bə] prop Sába
shebang [fə'bæŋ] n US □ ügy, dolog;
the whole ~ az egész mindenség
she-bear n nőstény medve
shebeen [fɪ'bi:n] n zugkocsma, bögrecsárda

shed[1] [fed] n fészer, pajta, (kocsi)szín,
gépszín; viskó; barakk
shed[2] [fed] I. n vízválasztó II. vt (pt/pp ~;
-dd-) 1. (el)hullat, elhány, elejt (átv is),
elveszít 2. ont, (ki)önt, hullat, vet,
áraszt; ~ light on sg fényt vet/derít
vmre
she'd [fi:d] = she had/should/would
shedding ['fedɪŋ] n 1. vedlés, hullatás
2. ontás, öntés 3. levetett bőr/páncél
[állaté]
she-devil n fúria, sárkány [nőről]
sheen [fi:n] n ragyogás, fényesség
sheeny ['fi:nɪ] a ragyogó, fényes
sheep [fi:p] n (pl ~) 1. juh, birka; make
~'s eyes at sy szerelmes pillantásokat
vet vkre 2. juhbőr, birkabőr 3. málészájú
sheep-cote n juhakol
sheep-dip n birkaúsztató
sheep-dog n juhászkutya
sheep-farming n juhtenyésztés
sheepfold n juhakol, karám
sheep-hook n pásztorbot
sheepish ['fi:pɪf] a szégyenlős, félénk,
mafla
sheep-pen n juhakol, karám
sheep-run n birkalegelő
sheepshank n 1. birkalábszár 2. kurtítóbog
sheep's-head n tökfilkó
sheep-shearing n birkanyírás
sheepskin n 1. birkabőr, nyers juhbőr
2. pergament, okmány, „kutyabőr",
US biz oklevél
sheep-tick n kullancs
sheep-walk n (kisebb) birkalegelő
sheep-wash n 1. birkaúsztató 2. birkaúsztatás
sheer[1] [fɪə*] I. a 1. tiszta, igazi, valódi,
hamisítatlan; teljes, merő, puszta;
abszolút; by ~ force (1) puszta erőből/
erővel (2) nyers erőszakkal; for the ~
sake of sg tisztára csak vmért 2. meredek, függőleges II. adv 1. teljesen,
tisztára 2. meredeken, függőlegesen
sheer[2] [fɪə*] I. n 1. hajótest vonala 2.
hajó eltérése irányától II. vi ~ away/
off irányától eltér, elfordul [hajó]; biz
~ off elhordja magát, elkotródik
sheet[1] [fi:t] n 1. lepedő; lepel; get between

the ~*s* lefekszik (az ágyba) 2. ív; lap; lemez; *biz* ~ *music* kotta; *book in* ~*s* krúda(példány) [könyvé] 3. nagy kiterjedésű víz/hó/jég/tűz stb. 4. vitorlavezető szár, vezetőkötél; szarvkötél; □ *three* ~*s in the wind* tökrészeg
sheet-anchor *n* 1. segédhorgony 2. végső menedék
sheet-glass *n* ablaküveg, táblaüveg
sheeting ['ʃiːtɪŋ] *n* 1. lepedő(vászon), lepedőanyag 2. borítás, zsaluzás, deszkázás 3. lemezhengerlés, lemezhúzás 4. szádfal, deszkabélés
sheet-iron *n* (hengerelt) vaslemez
sheet-lead *n* ólomlap
sheet-lightning *n* távoli villámlás
sheet-metal *n* fémlemez
Sheffield-plate ['ʃefiːld-] *n* kínaezüst, újezüst
she-goat *n* nősténykecske
sheik(h) [ʃeɪk; *US* ʃiːk] *n* sejk
Sheila ['ʃiːlə] *prop* Sejla
shekel ['ʃekl] *n* 1. sékel 2. □ ~*s* pénz, „dohány"
Sheldonian Theatre [ʃel'doʊnjən] ⟨az oxfordi egyetem díszterme⟩
sheldrake ['ʃeldreɪk] *n* 1. ásólúd 2. *US* búvárréce
shelf [ʃelf] *n* (*pl* **shelves** ʃelvz) 1. polc; párkány; *put on the* ~ félretesz, mellőz; *be on the* ~ (1) félre van állítva (2) *biz* pártában maradt 2. szél, perem [szikláé] 3. (víz alatti) homokpad, zátony; *continental* ~ kontinentális talapzat
shelfmark *n* (könyvtári) jelzet
shell [ʃel] I. *n* 1. kagyló, héj; kéreg; páncél, teknő [teknősbékáé], ház [csigáé]; (mag)burok; *retire into one's* ~ begubózik 2. váz, bordázat, héj(szerkezet), héjazat 3. gránát, lövedék; (töltény)hüvely 4. (könnyű) versenycsónak 5. külsőség, (merő) látszat II. *vt* 1. kihámoz, kihüvelyez, lehánt; fejt [borsót] 2. (ágyúval/gránátokkal) lő, ágyúz 3. □ ~ *out* kiguberál, leszurkol [összeget]
she'll [ʃiːl] = *she will*
shellac [ʃə'læk] I. *n* sellak, lakkmézga II. *vt* (*pt/pp* **-ked**) sellakoz, lakkoz
shell-auger *n* kanalas fúró
shell-back *n* □ (vén) tengeri medve

shelled [ʃeld] *a* 1. kagylós, héjas; (*összetételekben:*) héjú 2. kifejtett [borsó], tisztított [dió stb.]
Shelley ['ʃelɪ] *prop*
shell-fire *n* ágyútűz, gránáttűz
shellfish *n* 1. mészhéjú/kagylós állat(ok); kagyló(k) 2. rákfélék
shell-hole *n* gránáttölcsér
shelling ['ʃelɪŋ] *n* 1. (ki)fejtés, kihámozás 2. lövés (gránátokkal), ágyúzás
shell-jacket *n* rövid tiszti zubbony
shell-proof *a* bombabiztos
shell-shock *n* gránátnyomás, harctéri idegsokk
shell-work *n* kagylódísz
shelly ['ʃelɪ] *a* kagylós [part]
shelter ['ʃeltə*] I. *n* 1. menedék, védelem; *take* ~ menedéket keres 2. menedékhely, biztos hely; *air-raid* ~ légópince, (légoltalmi) óvóhely; *bus* ~ (autóbusz-)váróhely II. A. *vt* oltalmaz, (meg)véd, elrejt B. *vi* menedéket keres (*from* vm elől), (el)rejtőzik
shelter-belt *n* védőerdősáv
sheltered ['ʃeltəd] *a* védett; ~ *industry* védett ipar(ág); ~ *life* (küzdelmektől és kellemetlenségektől ment) csendes/ nyugodt élet
shelve[1] [ʃelv] *vt* 1. félretesz, ad acta tesz, mellőz 2. elbocsát 3. polcokkal ellát
shelve[2] [ʃelv] *vi* ereszkedik, lejt
shelves [ʃelvz] →*shelf*, *shelve[1]*, *shelve[2]*
shelving ['ʃelvɪŋ] *n* polcok
shenanigan [ʃə'nænəgən] *n* *US* □ hecc, svindli, trükk, blöff, suskus
shepherd ['ʃepəd] I. *n* pásztor, juhász; ~ *dog* juhászkutya; ~*'s crook* pásztorbot; ~*'s pie* ⟨burgonyapürével egybesütött húsvagdalék⟩; ~*'s plaid* fekete-fehér kockás gyapjúszövet/pokróc; ~*'s purse* pásztortáska [növény] II. *vt* 1. őriz, gondját viseli 2. terel, irányít, kalauzol
shepherdess ['ʃepədɪs] *n* pásztorlány
Sheraton ['ʃerət(ə)n] *prop*
sherbet ['ʃəːbət] *n* 1. sörbet 2. *US* gyümölcsfagylalt
sherd [ʃəːd] *n* = *shard*
Sheridan ['ʃerɪdn] *prop*
sheriff ['ʃerɪf] *n* 1. *GB* kb. főispán 2. *US* megyei rendőrfőnök, seriff

Sherlock ['ʃəːlɔk] prop
Sherman ['ʃəːmən] prop
sherry ['ʃerɪ] n sherry [spanyol bor]
Sherwood ['ʃəːwʊd] prop
she's [ʃiːz] = she is/has
Shetland ['ʃetlənd] prop ~ Islands, the
S~s a Shetland-szigetek; ~ pony
shetlandi póni; ~ wool shetland ⟨egy
fajta könnyű gyapjúszövet⟩
shew [ʃoʊ] n/v = show
shibboleth ['ʃɪbəleθ] n jelszó, ismertetőjel
shied →shy¹, shy²
shield [ʃiːld] I. n 1. pajzs; védelem; the
other side of the ~ az érem másik oldala
2. pártfogó, védelmező 3. védőlemez,
-lap, -burok; árnyékolás II. vt 1. (meg-)
véd, védelmez, oltalmaz (from/against
vmtől) 2. árnyékol, eltakar
shield-bearer n pajzshordó, fegyvernök
shielding ['ʃiːldɪŋ] n 1. védelem, oltalom
2. árnyékolás [villamosság]
shier, shiest →shy¹
shift [ʃɪft] I. n 1. változtatás [helyé],
elmozdulás; eltolódás; (fel)váltás 2.
vált(ak)ozás 3. műszak, turnus, vál-
tás; eight-hour ~ nyolcórás műszak
4. kisegítő eszköz, félmegoldás; ürügy,
kibúvó, fortély; make ~ (with sg)
(1) módot talál (vmre), vhogyan (csak)
boldogul/megvan (vmvel) (2) beéri
(vmvel), kijön [pénzből]; I can make ~
without it majd csak megleszek/boldo-
gulok nélküle is 5. fekvés(váltás)
[húros hangszeren] 6. seb(esség)váltó
7. (női) ingruha; † (női) ing, alsóruha
II. A. vt 1. áthelyez, átrak, eltol, el-
mozdít; ~ the responsibility áthárítja a
felelősséget 2. változtat, vált, cserél;
~ one's clothes átöltözik; ~ one's quar-
ters lakóhelyet változtat B. vi 1. el-
mozdul, eltolódik; (meg)változik 2. ~
(for oneself) segít magán, magára van
utalva; leave sy to ~ for himself hagy-
ják, hogy boldoguljon ahogyan tud 3.
(sebességet) vált, kapcsol; ~ into
second gear másodikba kapcsol
   shift about A. vt folytonosan változ-
tat/cserél(get) B. vi folytonosan válto-
zik/cserélődik
   shift off vt leráz, másra hárít, elhárít
magától

shift round vi 1. helyet változtat
2. irányt változtat, megfordul [szél]
shiftiness ['ʃɪftɪnɪs] n állhatatlanság,
alattomosság
shifting ['ʃɪftɪŋ] a 1. elmozduló, változé-
kony; ~ sand futóhomok 2. biz ravasz
shift-key n váltó(kar) [írógépen]
shiftless ['ʃɪftlɪs] a gyámoltalan, ügye-
fogyott, élhetetlen; lusta
shifty ['ʃɪftɪ] a 1. ravasz, sunyi 2. ötle-
tes
shillelagh [ʃɪ'leɪlə] n bunkósbot, fütykös
[íreknél]
shilling ['ʃɪlɪŋ] n shilling [a font egyhu-
szad része, 1971-ig volt pénzegység];
biz take the King's/Queen's ~ beáll ka-
tonának
shilly-shally ['ʃɪlɪʃælɪ] vi habozik, bizony-
talankodik, vacillál
shimmer ['ʃɪmə*] I. n pislákolás, csillám-
lás II. vi pislákol, csillámlik
shin [ʃɪn] I. n lábszár (elülső része); síp-
csont II. v -nn- A. vi ~ up felmászik,
felkúszik B. vt sípcsonton rúg (vkt)
shin-bone n sípcsont
shindig ['ʃɪndɪg] n US □ 1. táncmulat-
ság, nagy hepaj 2. = shindy 1.
shindy ['ʃɪndɪ] n □ 1. ricsaj, hűhó;
kick up a ~ nagy lármát/zrít csap
2. US = shindig 1.
shine [ʃaɪn] I. n 1. ragyogás, fény(es-
ség); take the ~ out of sg (1) vmnek
frisseségét/hatását elrontja (2) felül-
múl/elhomályosít vmt 2. (cipő)fénye-
sítés 3. □ = shindy 1. 4. □ take a ~
to sy nagyon bír vkt II. v (pt/pp shone
ʃɔn; US ʃoʊn) A. vi 1. ragyog, fény-
lik, csillog; the sun is shining süt a nap;
her face shone with happiness arca su-
gárzott a boldogságtól 2. jeleskedik,
kiválik (in vmben) B. vt (pt/pp ~d)
biz (ki)tisztít, (ki)fényesít [cipőt, tű-
helyet, rézedényt stb.]
shiner ['ʃaɪnə*] n 1. ami ragyog 2. apró
aranyhal 3. ezüstpénz 4. US □ (ütés-
től) bedagadt szem, monokli
shingle¹ ['ʃɪŋgl] n (tengerparti) nagysze-
mű kavics
shingle² ['ʃɪŋgl] I. n 1. zsindely 2. bubi-
frizura 3. US (orvosi, ügyvédi) név-
tábla; put up one's ~ kiteszi a névtáb-

láját, rendelőt nyit [orvos] II. *vt* 1.
zsindelyez 2. bubisra vág (és fodrosít)
shingles [ˈʃɪŋglz] *n* övsömör
shingly [ˈʃɪŋglɪ] *a* kavicsos, murvás
shin-guard *n* lábszárvédő, sípcsontvédő
shining [ˈʃaɪnɪŋ] *a* ragyogó, fénylő,
fényes, csillogó
shinned [ʃɪnd] →*shin II.*
shiny [ˈʃaɪnɪ] *a* 1. = *shining* 2. kifénye-
sedett
ship [ʃɪp] I. *n* 1. hajó; ~'s *articles* hajó-
szolgálati szerződés; ~'s *husband* hajó-
gondnok; ~'s *papers* hajóokmányok;
take ~ hajóra száll; *on board* ~ hajó
fedélzetén, hajón; *when my* ~ *comes
home* ha megütöm a főnyereményt
2. *US biz* repülőgép 3. *biz* űrhajó II.
v -**pp**- A. *vt* 1. hajóba rak, behajóz,
hajón küld/szállít 2. (el)szállít, elküld
3. ~ *water*, ~ *a sea* becsap a víz [hajó-
ba], felcsap a fedélzetre [hullám] 4.
beállít [árbocot] B. *vi* 1. hajóra száll
2. hajón szolgál [tengerésztiszt]
-**ship** [-ʃɪp] *suff* -ság, -ség [mint képző]
shipboard *n* hajófedélzet; *on* ~ hajón,
fedélzeten
ship-breaker *n* hajóbontó (cég)
ship-broker *n* hajóügynök
shipbuilder *n* hajóépítő, -gyáros
shipbuilding *n* hajóépítés, -gyártás
ship-canal *n* hajózható csatorna
ship-chandler *n* ⟨élelmiszer és hajófel-
szerelési cikkeket szállító kereskedő⟩
shipload *n* hajórakomány
shipmaster *n* hajóskapitány, hajóvezető
[kereskedelmi hajón]
shipmate *n* hajóstárs, tengerész baj-
társ
shipment [ˈʃɪpmənt] *n* 1. hajóba rakás,
behajózás 2. szállítás, elküldés 3. ha-
jórakomány, szállítmány
shipped [ʃɪpt] →*ship II.*
shipper [ˈʃɪpə*] *n* 1. (hajó)fuvarozó,
szállító 2. hajótulajdonos; hajóbérlő
shipping [ˈʃɪpɪŋ] *n* 1. hajózás; kereske-
delmi tengerészet; ~ *company* hajózási
társaság 2. szállítás; ~ *charges* (1) szál-
lít(mányoz)ási költség(ek) (2) bera-
kodási költségek 3. hajóba rakás,
behajózás
shipping-agent *n* szállítmányozó

shipping-bill *n* hajófuvarlevél; elszállí-
tási értesítés
shipping-clerk *n* szállítmányozási tiszt-
viselő
shipping-office *n* 1. hajóügynökség 2.
árufelvételi iroda
shipping-room *n* csomagoló- és expedí-
ciós helyiség [vállalatnál]
shipping-weight *n* bruttó súly
shipshape [ˈʃɪpʃeɪp] I. *a* rendes, kifogás-
talan karban levő II. *adv* rendesen,
kifogástalanul, tisztán
ship-way *n* sólyapálya
ship-worm *n* hajóféreg
shipwreck I. *n* 1. hajótörés; *suffer* ~
hajótörést szenved 2. hajóroncs; *make*
~ *of sg*/*sy* elpusztít/megsemmisít vmt/
vkt 3. tönkremenés, pusztulás, meg-
semmisülés II. *vt* 1. hajótörést okoz,
zátonyra juttat; *be* ~*ed* hajótörést
szenved 2. elpusztít, tönkretesz
shipwrecked *a* hajótörött
shipwright *n* hajóács
shipyard *n* hajógyár, hajójavító műhely
shire [ˈʃaɪə*; végződésekben: -ʃə*, *sk*
-ʃɪə* is; *US* -ʃɪr v. -ʃər] *n* megye; *the*
~*s* közép-angliai megyék; ~ *horse*
angol igásló
shirk [ʃəːk] *vt* kitér (vm elől), kihúzza
magát, kibújik (vm alól)
shirker [ˈʃəːkə*] *n* munkakerülő, lógós
Shirley [ˈʃəːlɪ] *prop* ⟨angol női név⟩
shirr [ʃəː*] *vt US* [tojást] tálon süt
vajjal
shirt [ʃəːt] *n* 1. ing; □ *keep your* ~ *on*
ne izgulj!, nyugi!; □ *put one's* ~ *on*
a gatyáját is felteszi [lóra]; □ *get sy's*
~ *off* dühbe gurít, zabossá tesz, kibo-
rít (vkt) 2. ~ (*blouse*) ingblúz [női]
shirt-collar *n* inggallér
shirt-front *n* ingmell, plasztron
shirting [ˈʃəːtɪŋ] *n* inganyag, -vászon
shirtless [ˈʃəːtlɪs] *a* 1. ing nélküli 2. igen
szegény
shirt-maker *n* ingkészítő
shirt-sleeve *n* ingujj; *in one's* ~*s* ingujjban
shirtwaist *n* (ing)blúz; ~ *dress* ingruha
shirty [ˈʃəːtɪ] *a* □ ideges, morcos, inge-
rült, dühös
shit [ʃɪt] *vulg* I. *n* szar II. *vt*/*vi* (*pt*/*pp*
shat ʃæt; -**tt**-) szarik, kakál

shiver¹ ['ʃɪvə*] I. *n* didergés, borzongás; (*cold*) ~s hidegrázás II. *vi* didereg, borzong, reszket; *be* ~*ing with cold* vacog a foga a hidegtől, didereg
shiver² ['ʃɪvə*] I. *n* szilánk, forgács; *break* (*in*)*to* ~*s* = *shiver*² *II*. II. *vi/vt* összetör(ik), darabokra tör(ik)
shivering-fit ['ʃɪv(ə)rɪŋ] *n* hidegrázás
shivery ['ʃɪvərɪ] *a* reszketős, didergő(s), borzongó(s)
shoal¹ [ʃoʊl] I. *a* sekély [víz] II. *n* 1. sekély (vízű) hely; zátony, homokpad 2. *átv* rejtett veszély III. *vi* elsekélyesedik, elzátonyosodik
shoal² [ʃoʊl] I. *n* halraj II. *vi* rajzanak, vonulnak [halak]
shock¹ [ʃɔk; *US* -ɑ-] I. *n* 1. lökés, (össze-) ütközés, ütődés, rázkódás; (*electric*) ~ áramütés; *get a* ~ megrázza az áram; ~ *therapy/treatment* sokk-kezelés, elektrosokk 2. megrázkódtatás, megrendülés; ijedtség; sokk II. *vt* megráz(kód-tat), megdöbbent, megbotránkoztat; *be* ~*ed at sg* megbotránkozik/felháborodik vm miatt
shock² [ʃɔk; *US* -ɑ-] *n* kócos haj(fürt)
shock³ [ʃɔk; *US* -ɑ-] I. *n* kepe, (gabona-) kereszt; II. *vt* keresztekbe/kepékbe rak
shock-absorber *n* lengéscsillapító
shock-brigade *n* rohambrigád
shocker ['ʃɔkə*; *US* -ɑ-] *n* 1. megrázó/megdöbbentő dolog 2. *biz* olcsó rémregény, ponyva 3. *biz* ócskaság, nagyon vacak dolog
shock-headed *a* kócos fejű, boglyas hajú
shocking ['ʃɔkɪŋ; *US* -ɑ-] *a* 1. visszataszító, megbotránkoztató, felháborító, botrányos, undorító 2. megdöbbentő, ijesztő
shock-troops *n pl* rohamcsapatok
shock-worker *n* rohammunkás, élmunkás
shod →*shoe II.*
shoddiness ['ʃɔdɪnɪs; *US* -ɑ-] *n* gyenge minőség
shoddy ['ʃɔdɪ; *US* -ɑ-] I. *a* vacak, hitvány, selejtes II. *n* 1. ógyapjú, tépett gyapjú 2. tucatáru, vásári áru, bóvli
shoe [ʃu:] I. *n* 1. (fél)cipő; ~ *polish* cipőfénymáz, cipőkenőcs; *step into sy's* ~*s* vknek örökébe lép; *the* ~ *is on the*

other foot a dolog éppen fordítva van; *that's another pair of* ~*s* ez már más káposzta; *in his* ~*s* az ő helyében/bőrében; *die in one's* ~*s* nem „vízszintesen" hal meg [= felakasztják] 2. patkó; *cast a* ~ lerúgja a patkót 3. fékpofa; (kábel)saru II. *vt* (*pres part* ~*ing*; *pt/pp* shod ʃɔd; *US* -ɑ-) 1. cipővel ellát 2. megpatkol, -vasal [lovat]
shoeblack *n* 1. cipőtisztító [ember] 2. cipőpaszta
shoe-buckle *n* cipőcsat
shoe-cream *n* cipőkrém
shoe-horn *n* cipőhúzó, cipőkanál
shoeing ['ʃu:ɪŋ] *n* patkolás, vasalás
shoemaker *n* cipész, suszter
shoeshine *n US* cipőtisztítás; ~ *boy* cipőtisztító [ember]
shoestring *n US* cipőfűző; *on a* ~ filléres alapon; *start on a* ~ semmivel kezdi; ~ *potatoes* szalmaburgonya
shoe-tree *n* sámfa
shone →*shine II.*
shoo [ʃu:] I. *int* hess!, sss!, sicc! II. *vt* elkerget, elhesseget
shook¹ [ʃʊk] *n* kepe, kereszt
shook² [ʃʊk] →*shake II.*
shoon [ʃu:n] *n pl* ⟨a *shoe* régies többesszáma⟩
shoot [ʃu:t] I. *n* 1. lövés; vadászat 2. vadásztársaság 3. vadászterület 4. új hajtás [növényé], sarjadék, sarj 5. zuhogó, zúgó 6. csúszda, surrantó 7. nyilallás 8. szemétlerakodó (hely) II. *v* (*pt/pp* shot ʃɔt, *US* -ɑ-) A. *vt* 1. lő, tüzel [fegyverből], meglő, lelő, rálő, agyonlő; *I'll be shot if* inkább meghalok semmint 2. vadászik (vmre) 3. (ki-) lövell, kilő, kilök (magából), (ki)vet, hajít, (ki)dob; lerak [szemetet]; ~ *a glance at sy* vkre pillantást vet 4. (bimbót, rügyet] hajt 5. csónakkal átrohan/átsuhan (vm alatt/felett) 6. fényképfelvételt csinál (vkről), lekap (vkt) 7. forgat [filmet] 8. injekciót ad be (vknek), megszúr (vkt) 9. rúg [labdát]; ~ *a goal* gólt rúg/lő 10. □ kibök; ~*!* beszélj!, nyögd már ki! 11. *US biz* ~ *the works* rákapcsol, minden erejét beleadja B. *vi* 1. rohan, szökell, száguld, repül 2. lő (*at* vmre) 3. va-

dászik; *go ~ing* vadászni megy 4.
hajt, sarjadzik, nő, kialakul (*into*
vmvé) 5. nyilallik, szaggat [fájdalom]
shoot ahead *vi* előreszökken, -rohan; kitör, kiválik
shoot at *vi* rálő (vkre), (vkre) lő
shoot away *vt* ellövöldöz, ellő
shoot down *vt* lelő
shoot off A. *vi* eliramodik **B.** *vt*
ellő [testrészt]
shoot out A. *vt* hirtelen kinyújt/kiölt, kilövell **B.** *vi* előtör; kiront; kicsap
shoot up *vi* 1. felszáll, felröppen, felszökken 2. (hirtelen) felnő, felcseperedik, szárba szökik
shooter ['ʃuːtə*] *n* 1. vadász, lövő 2.
(*összetételben:*) -lövetű fegyver
shooting ['ʃuːtɪŋ] **I.** *a* szökellő, száguldó;
~ *star* hullócsillag **II.** *n* 1. lövés;
(cél)lövészet; ~ *war* „melegháború"
2. vadászat; ~ *lodge* vadászlak 3. vadászterület 4. vadászati jog 5. átkelés [folyó zúgóján] 6. szökellés, ugrás,
száguldás 7. forgatás, felvétel [filmé];
~ *script* technikai forgatókönyv 8. kihajtás [növényé] 9. nyilallás [fájdalom]
shooting-box *n GB* vadászlak
shooting-gallery *n* céllövölde
shooting-party *n* 1. vadásztársaság 2.
vadászat
shooting-range *n* [katonai] lőtér
shooting-stick *n* botszék
shoot-out *n US biz* tűzharc [nem katonai]
shop [ʃɔp; *US* -ɑ-] **I.** *n* 1. üzlet, bolt,
kereskedés; ~ *hours* nyitvatartás(i
idő); *keep a* ~ üzlete van; *biz be all
over the* ~ szanaszét hever; *biz shut up*
~ abbahagy (vmt), visszavonul 2.
foglalkozás, hivatal, szakma; *sink the*
~ (1) nem beszél hivatalos dolgokról
(2) eltitkolja foglalkozását; *talk* ~
szakmai dolgokról beszél(get) 3. műhely **II.** *v* **-pp- A.** *vi* (be)vásárol; *go
~ping* (be)vásárolni megy; *biz* ~ *around* körülnéz (az üzletben) **B.** *vt* □
becsuk, hűvösre tesz
shop-assistant *n GB* (bolti) eladó,
elárusító, segéd
shop-boy *n* kifutófiú; segéd

shop-case *n* vitrin [kirakatként]
shop-committee *n* üzemi bizottság
shop-floor *n* a(z) műhely/üzem (dolgozói)
shop-foreman *n* (*pl* -men) műhelyfőnök,
üzemvezető
shop-front *n* portál
shop-girl *n* elárusítónő
shopkeeper *n* boltos, kereskedő, üzlettulajdonos
shoplifter [-lɪftə*] *n* bolti tolvaj
shoplifting *n* bolti lopás/betörés
shopman ['ʃɔpmən; *US* -ɑ-] *n* (*pl
-men* -mən) 1. boltos, kereskedő 2.
elárusító, eladó, segéd 3. *US* szerelő
shopped [ʃɔpt; *US* -ɑ-] →*shop II.*
shopper ['ʃɔpə*; *US* -ɑ-] *n* 1. (be)vásárló 2. anyagbeszerző [kicsiben]
shopping ['ʃɔpɪŋ; *US* -ɑ-] *n* bevásárlás;
~ *area* üzleti negyed; ~ *bag* bevásárlószatyor; ~ *centre* (*US center*) (1) üzleti negyed (2) bevásárlóközpont;
~ *trolley* bevásárlókocsi; *do one's* ~ bevásárol ‖→ *shop II.*
shoppy ['ʃɔpɪ; *US* -ɑ-] *a biz* 1. üzletekkel/boltokkal teli 2. üzleties, kalmárszellemű 3. üzleti; szakmai
shop-soiled *a* [üzletben] agyonfogdosott,
elpiszkolódott [áru]
shop-steward *n* üzemi bizottsági tag,
üzemi megbízott
shopwalker *n US* áruházi felügyelő
shop-window *n* kirakat
shop-worn *a = shop-soiled*
shore[1] [ʃɔː*] *n* tengerpart, (tó)part;
in ~ partközelben, parthoz közel;
go on ~ partra száll; ~ *leave* eltávozás [engedély tengerésznek hajó elhagyására]
shore[2] [ʃɔː*] **I.** *n* gyámfa, támoszlop
II. *vt* ~ *up* alátámaszt, (alá)dúcol
shoreless ['ʃɔːlɪs] *a* parttalan, végtelen
shorn [ʃɔːn] *a* 1. nyírott 2. megfosztott
(*of* vmtől) ‖→*shear II.*
short [ʃɔːt] **I.** *a* 1. rövid, kurta, tömör;
alacsony; ~ *circuit* rövidzárlat →*short
-circuit;* ~ *cut* útrövidítés, átv egyszerűsített megoldás ~ *drink* rövid
ital; ~ *memory* rossz emlékezőtehetség; *at a* ~ *notice* rövid határidőre,
rövid idő alatt; ~ *story* novella, el

beszélés; ~ *temper* lobbanékony/türelmetlen természet; ~ *wave* rövidhullám →*short-wave*; *a* ~ *way off* nem messze; *make* ~ *work of sg* (1) gyorsan végez vmvel, rövid úton elintéz vmt (2) gyorsan elfogyaszt/ elpusztít vmt; *be* ~ *with sy* kurtán elintéz vkt; *for* ~ röviden, egyszerűen; ~ *for*... röviden, rövidítve 2. nem teljes, hiányos, nem elegendő; kifogyva; *give sy* ~ *change* kevesebbet ad vissza →*short-change*; ~ *sight* rövidlátás; *be in* ~ *supply* kevés van belőle; *give* ~ *weight* mérésnél becsap; *be* ~ *of sg* vmnek híján/szűkében van; *go/run* ~ *of sg* vmje kifogy; *little* ~ *of it* kis híján 3. ropogós, omlós, porhanyós; ~ *pastry* omlós/porhanyós tészta, vajastészta ‖→*ton 1*. II. *adv* 1. röviden, kurtán; hirtelen, gyorsan; *stop* ~ hirtelen megáll; *be taken* ~ (1) váratlanul éri vm (2) *biz* rájön a hasmenés 2. *fall* ~ *of sg* alatta marad vmnek, nem üti meg a mértéket 3. ~ *of*... vmn kívül, vmtől eltekintve; *nothing* ~ *of violence would compel him* csak az erőszak ér nála célt III. *n* 1. rövidítés, rövid összefoglalás 2. rövid hangzó/szótag 3. rövidített (bece)név 4. **shorts** *pl* (1) rövidnadrág, sort (2) *US* alsónadrág 5. rövidfilm, kisfilm 6. rövidzárlat IV. *vt* rövidzárlatot okoz

shortage ['ʃɔːtɪdʒ] *n* hiány; *there is a* ~ *at present in refrigerators* a hűtőszekrény jelenleg hiánycikk; ~ *of labour* munkaerőhiány

short-armed *a* rövid karú

shortbread *n* omlós (édes) teasütemény

short-cake *n* 1. *GB = shortbread* 2. *US kb* gyümölcstorta [omlós tésztából]

short-change *vt* kevesebbet ad vissza (vknek), becsap (vkt) →*short I. 2.*

short-circuit *vt* rövidzárlatot okoz, rövidre zár [áramkört] →*short I. 1.*

shortcoming *n* elégtelenség, tökéletlenség, hiba, hiányosság

short-dated *a* rövid lejáratú

shorten ['ʃɔːtn] I. *vt* 1. (meg)rövidít 2. porhanyóssá tesz [tésztafélét növényi zsírral] B. *vi* (meg)rövidül

shortening ['ʃɔtnɪŋ] *n US* (növényi) zsiradék, főzőmargarin

shortfall *n* hiány, deficit

shorthand *n* gyorsírás; ~ *typist* gyorsés gépíró(nő)

short-handed *a* túl kevés munkaerővel/ személyzettel rendelkező

shorthand-writer *n* gyorsíró

shorthorn *n* rövid szarvú marha

shortish ['ʃɔːtɪʃ] *a* meglehetősen rövid

short-lived *a* rövid/kérész életű, rövid ideig tartó, mulandó

shortly ['ʃɔːtlɪ] *adv* rövidesen, hamarosan, nemsokára; ~ *before*... röviddel... előtt

shortness ['ʃɔːtnɪs] *n* 1. rövidség, alacsonyság, kurtaság 2. hiány, szükség

short-order *a US* azonnal elkészíthető [ételféle]

short-sighted *a* rövidlátó (*átv is*)

short-spoken *a* szűkszavú, kimért

short-tempered *a* indulatos, hirtelen haragú, ingerlékeny

short-term *a* rövid lejáratú/határidejű

short-wave *a* rövidhullámú →*short I. 1.*

short-winded *a* gyorsan kifulladó

short-witted *a* együgyű, ostoba

shot¹ [ʃɔt; *US* -ɑ-] I. *a* színét változtató, színjátszó [selyem]; (más színnel) átszőtt [kelme] II. *n* 1. lövés [fegyverrel v. labdával]; dobás, rúgás [labdával]; hajítás; *within* ~ lövésnyire; *like a* ~ mint a villám, egy pillanat alatt; *off like a* ~ mintha puskából lőtték volna ki; *a* ~ *in the dark* kapásból való találgatás 2. lövedék, (puska-/ágyú)golyó; súly(golyó); *small* ~ sörét; *putting the* ~ súlylökés, súlydobás; □ ~ *in the locker* (némi) vastartalék, segélyforrás 3. *biz* kísérlet, próbálkozás; *make/have a* ~ *at sg* megpróbál vmt 4. lövő; lövész; *he is no* ~ rossz lövő 5. lőtávolság, dobótávolság; *not by a long* ~ távolról sem 6. felvétel [filmé] 7. injekció; *a* ~ *in the arm* felpezsdítés, egy kis dopping 8. egy korty/kupica pálinka 9. fellövés [űrhajóé] III. *vt* -tt- megtölt [fegyvert]

shot² [ʃɔt; *US* -ɑ-] *pt/pp* →*shoot II.*

shot-gun *n* (sörétes) vadászpuska

shot-proof *n* golyóálló
shot-put *n* súlydobás, -lökés
shot-putter *n* súlydobó, -lökő
should [ʃʊd] →*shall*
shoulder ['ʃoʊldə*] I. *n* 1. váll; lapocka;
~ *of mutton* ürülapocka; *straight from
the* ~ egyenesen, kereken; *put one's*
~ *to the wheel* beleadja minden erejét;
~ *to* ~ vállvetve, egyesült erővel
2. támasz, (alá)támasztás 3. (töltés)padka, perem, párkány; (*hard*) ~
útpadka II. A. *vt* 1. vállal, vállára
vesz; ~ *arms!* vállra! [vezényszó]
2. (vállal) taszít, (meg)lök B. *vi*
tolakszik, furakodik
shoulder-belt *n* vállszíj
shoulder-blade *n* lapocka(csont)
-shouldered [-'ʃoʊldəd] vállú
shoulder-knot *n* vállrojt
shoulder-strap *n* 1. váll-lap 2. vállszij
shouldn't ['ʃʊdnt] = *should not* →*shall*
should(e)st [ʃʊdst] →*shall*
shout [ʃaʊt] I. *n* kiáltás, kiabálás II.
vt/vi kiált' kiabál; ~ *at sy* rákiált/
rákiabál vᵏ re; ~ *down* lehurrog, túlkiabál; ~ *out* (1) felkiált (2) kikiált;
~ *with pain* ordít a fájdalomtól
shouting ['ʃaʊtɪŋ] *n* kiabálás
shove [ʃʌv] I. *n* lökés, tolás, taszítás
II. A. *vt* 1. lök, taszít, tol 2. *biz*
tesz (vmt vhova) B. *vi* lökdösődik,
furakodik
   shove around *vi* erőszakoskodik
vkvel
   shove aside *vt* félretol, -lök
   shove away *vt* továbbnyom; ellök
   shove back *vt* visszalök, -tol
   shove by *vt* félretol, eltol
   shove off *vi* 1. (parttól) eltávolodik;
ellöki magát/csónakját 2. elmegy;
let's ~ *o.* kopjunk le
   shove out A. *vi* eltávolodik B. *vt*
kinyújt, kidug
shovel ['ʃʌvl] I. *n* lapát II. *vt* -ll- (*US*
-l-) lapátol
shovel-board *n* = *shuffle-board*
shovelful ['ʃʌvlfʊl] *a* lapátnyi, egy lapátra való
shovel(l)ed ['ʃʌvld] →*shovel II.*
shovel(l)er ['ʃʌvlə*] *n* 1. lapátoló 2.
kanalas réce

show [ʃoʊ] I. *n* 1. felmutatás; (*by*) ~
of hands [szavazás] kézfelemeléssel
2. bemutatás; kiállítás; bemutató;
on ~ látható, megtekinthető 3. (nyilvános) előadás, műsor; látványosság, mutatvány; felvonulás 4. *biz*
(kimagasló) teljesítmény, siker; *put
up a good* ~ szép teljesítményt ér
el; *good* ~*!* szép volt!, bravó!; *a poor*
~ gyenge szereplés/dolog; *steal the*
~ arat le minden babért 5. *biz*
intézmény, vállalkozás, üzlet; *run
the* ~ igazat/vezet vmt 6. látszat, külszín; parádé, pompa; *for a* ~ a látszat kedvéért; *make a* ~ *of sg* színlel/fitogtat vmt; *biz make a* ~ *of
oneself* nevetségessé teszi magát; *be
putting on* ~ színészkedik, megjátssza
magát 7. *biz* alkalom, lehetőség; *give
sy a fair* ~ (méltányos) lehetőséget
ad vknek II. *v* (*pt* ~*ed* ʃoʊd, *pp* ~n
ʃoʊn) A. *vt* 1. (meg)mutat; felmutat,
bemutat; kiállít; ~ *oneself* mutatkozik, megjelenik; ~ *itself* láthatóvá
válik, mutatkozik; *I was* ~*n a house*
mutattak nekem egy házat; ~ *a
picture on the screen* képet/filmet
vetít; ~ *the way to . . .* útbaigazít
vhová; ~ *one's hand* felfedi kártyáit
2. kimutat, igazol, (be)bizonyít, megmagyaráz, kifejt; *it goes to* ~ ez azt
mutatja, (hogy . . .) ebből látható
(hogy . . .) 3. vezet; ~ *sy to his room*
szobájába vezet vkt B. *vi* 1. mutatkozik, (meg)látszik, látható; kilátszik 2. látszik vmnek
   show down *vt* leterít [kártyákat]
   show in(to) *vt* (vkt) bevezet (vhová)
   show off *vt/vi* 1. felmutat, fitogtat, mutogat 2. kérkedik, henceg,
hivalkodik, felvág (vmvel)
   show out *vt* kikísér vkt [kapuig,
ajtóig]
   show over *vt* vkt vmn végigvezet
megmutatva neki mindent, végigkalauzol
   show round *vt* körülvezet (és megmutatja a látnivalókat) ||→ *show over*
   show through *vi* átlátszik, átüt
   show up A. *vt* 1. felmutat 2. leleplez B. *vi* 1. látható (vmlyen háttér

előtt), érvényesül, látszik 2. mutatkozik, megjelenik

show-biz [-bɪz] *n* *biz = show-business*

show-boat *n* US színházhajó

show-business *n* tömegszórakoztató ipar [film, színházak, tévé stb.]

show-case *n* tárló, vitrin

showdown *n* US 1. kártyák leterítése/felfedése 2. *biz* szándékok/helyzet közlése 3. leszámolás

shower ['ʃaʊə*] I. *n* 1. zápor, zivatar 2. záporozás, bőség, özöne (vmnek); ~ *of blows* ütések zápora 3. zuhany II. A. *vt* eláraszt; ~ *sg upon sy* vkt vmvel eláraszt/elhalmoz B. *vi* 1. zuhog, záporeső/sűrűn esik 2. *átv* záporoz

shower-bath *n* zuhany

showery ['ʃaʊərɪ] *a* zivataros, (zápor)esős

show-girl *n* (revü)görl; (női) statiszta

showily ['ʃoʊɪlɪ] *adv* mutatósan

showiness ['ʃoʊɪnɪs] *n* mutatósság, tetszetősség

showing ['ʃoʊɪŋ] *n* bemutatás, felmutatás; *on your own* ~ ahogy magad állítod

show-jumping *n* díjugratás

showman ['ʃoʊmən] *n* (*pl* -men -mən) 1. kiállítás/látványosság rendezője 2. *átv* (nagy) pozőr

showmanship ['ʃoʊmənʃɪp] *n* rendezői képesség, a rendezés művészete

shown [ʃoʊn] →*show II.*

show-off *n* 1. hencegés, felvágás 2. *biz* nagyképű/felvágós alak

show-piece *n* (látványos) kiállítási példány/darab

show-place *n* idegenforgalmi nevezetesség/látványosság, látnivaló

showroom *n* mintaterem, bemutatóterem, kiállítási terem

show-up *n* leleplezés

show-window *n* kirakat

showy ['ʃoʊɪ] *a* 1. mutatós, tetszetős 2. feltűnő, kirívó, csiricsáré, rikító

shrank →*shrink*

shrapnel ['ʃræpn(ə)l] *n* srapnel

shred [ʃred] I. *n* foszlány, rongy, darabka, töredék; *not a* ~ *of* egy szemernyi sem; *tear to* ~*s* cafatokra/rongyokra tép II. *vt* -dd- darabokra szaggat/tép/vág

shrew [ʃru:] *n* 1. zsémbes/házsártos asszony, hárpia; *The Taming of the S*~ A makrancos hölgy [Shakespeare vígjátéka] 2. ~(-*mouse*) cickány

shrewd [ʃru:d] *a* 1. éles eszű/elméjű, okos 2. ravasz, agyafúrt, rosszhiszemű

shrewdness ['ʃru:dnɪs] *n* 1. éleselméjűség, okosság 2. ravasság

shrewish ['ʃru:ɪʃ] *a* házsártos, zsémbes, pörlekedő [asszony]

Shrewsbury ['ʃroʊzb(ə)rɪ] *prop*

shriek [ʃri:k] I. *n* sikoltás, visítás, sivítás II. *vt/vi* sikolt, rikolt, visít, sikít

shrift [ʃrɪft] *n* † gyónás és feloldozás; *short* ~ ⟨az ítélet és kivégzés/büntetéskezdet közti idő⟩; *biz get short* ~ kurtán elintézik; elzavarják

shrike [ʃraɪk] *n* gébics

shrill [ʃrɪl] I. *a* 1. éles, metsző, átható, visító 2. erőszakos, tolakodó, követelődző II. *vi* visít, sikít, sivít

shrillness ['ʃrɪlnɪs] *n* 1. éleshangúság 2. követelődzés, erőszakosság

shrilly ['ʃrɪlɪ] *adv* éles/metsző hangon

shrimp [ʃrɪmp] I. *n* 1. apró tengeri rák, garnéla(rák) 2. *biz* kis tökmag [ember] II. *vi* garnélarákra halászik

shrine [ʃraɪn] I. *n* 1. ereklyetartó; szentély, oltár; szent hely, kegyhely 2. (díszes) síremlék II. *vt = enshrine*

shrink [ʃrɪŋk] *v* (*pt* **shrank** ʃræŋk, *pp* **shrunk** ʃrʌŋk v. **shrunken** 'ʃrʌŋk(ə)n) A. *vi* 1. összezsugorodik, -megy, -fonynyad; visszahúzódik [foghús fogról] 2. visszariad, -húzódik, meghátrál (*from* vmtől) B. *vt* (össze)zsugorít, (be)avat [kelmét]

shrinkage ['ʃrɪŋkɪdʒ] *n* 1. (össze)zsugorodás, összezsemelés [kelméé], csökkenés; apadás, fogyás 2. beavatás [kelméé]

shrinking ['ʃrɪŋkɪŋ] I. *a* összehúzódó, (össze)zsugorodó; csökkenő II. *n = shrinkage 1.*

shrinkproof *a* zsugorodásmentes

shrive [ʃraɪv] *v* (*pt* ~**d** ʃraɪvd v. **shrove** ʃroʊv, *pp* ~**n** 'ʃrɪvn) *vt* meggyóntat és feloldoz

shrivel ['ʃrɪvl] *v* -ll- (US -l-) A. *vi* összezsugorodik, -szárad, -gyűrődik, -aszik B. *vt* összezsugorít, -gyűr

shriven →shrive
Shropshire ['ʃrɔpʃə*] prop
shroud [ʃraʊd] I. n 1. halotti lepel, szemfedő 2. lepel, takaró 3. shrouds pl árbocmerevítő kötél(zet), csarnak II. vt beburkol, eltakar, árnyékol
shrove [ʃroʊv] a S~ Tuesday húshagyókedd ‖→shrive
Shrove-tide farsang utója [utolsó három napja]
shrub¹ [ʃrʌb] n bokor, cserje
shrub² [ʃrʌb] n rumos limonádé
shrubbery ['ʃrʌbərɪ] n bozót, bokrok
shrubby ['ʃrʌbɪ] a bozótos, bokros
shrug [ʃrʌg] I. n ~ (of the shoulders) vállvonás, -rándítás II. vt/vi -gg- vállat von; ~ sg off vállrándítással elintéz (vmt)
shrunk →shrink
shrunken ['ʃrʌŋk(ə)n] a összeaszott, -zsugorodott, -ment, -ugrott ‖→shrink
shuck [ʃʌk] I. n US hüvely, héj, csuhé; kagylóteknő II. vt US kifejt, hüvelyez, lehánt III. int ~s! ugyan kérlek!, eszed tokja!
shudder ['ʃʌdə*] I. n borzongás, borzadás, iszonyodás II. vi remeg, borzong, borzad, iszonyodik; ~ with cold didereg (a hidegtől)
shuffle ['ʃʌfl] I. n 1. csoszogás 2. sasszé 3. keverés [kártyáé] 4. kibúvó, kertelés 5. ~ of the Cabinet kormányátalakítás II. A. vi 1. csoszog 2. kibúvót keres, kertel B. vt (meg)kever [kártyát] shuffle off A. vt 1. lehányja magáról [ruháit] 2. leráz magáról (vmt); másra tol [onto sy felelősséget stb.]; ~ o. this mortal coil porhüvelyét leveti, meghal B. vi elcsoszog
shuffle-board n ⟨padlón játszott tologatós társasjáték⟩
shuffler ['ʃʌflə*] n ötölő-hatoló, hímezőhámozó, kertelő
shuffling ['ʃʌflɪŋ] a 1. csoszogó 2. kertelő
shun [ʃʌn] vt -nn- (el)kerül (vkt, vmt), menekül (vmtől)
'shun [ʃʌn] int (= attention!) vigyázz!
shunt [ʃʌnt] I. n 1. tolatás 2. mellékáramkör, sönt II. vt/vi 1. (mellékvágányra) tolat; áttól, félretol 2. söntöl
shunter ['ʃʌntə*] n tolatómunkás

shunting ['ʃʌntɪŋ] n tolatás; ~ yard r endező pályaudvar
shunt-line n tolatóvágány
shut [ʃʌt] v (pt/pp ~; -tt-) A. vt 1. becsuk, betesz [ajtót stb.]; ~ the mouth hallgat, nem szól; ☐ ~ your mouth/trap! fogd be a pofádat! 2. bezár, becsuk, összehajt [könyvet, ernyőt stb.] B. vi (be)csukódik, (be-)záródik
shut down A. vt bezár, lezár, becsuk B. vi 1. bezáródik, lezárul, becsukódik 2. bezár [üzem]
shut in vt bezár, körülzár, elzár
shut off vt elzár, lezár, kikapcsol
shut out vt kizár, kirekeszt, elzár
shut to A. vt bezár, betesz B. vi bezáródik, bezárul, becsukódik
shut up A. vt 1. bezár, becsuk, bebörtönöz 2. lezár, bezár [lakást, boltot]; ~ up shop feladja üzletét 3. elhallgattat B. vi biz elhallgat; ~ up! kuss!, fogd be a szád!
shutdown n (üzem)bezárás, (kényszerű) üzemszünet; zárvatartás
shutter ['ʃʌtə*] n 1. (ablak)redőny; rolling ~ eszlingeni roló, görredőny; put up the ~s lehúzza a redőnyt (átv is) 2. spaletta; zsalu 3. zár [fényképezőgépen]
shutter-release n zárkioldó
shuttle ['ʃʌtl] I. n vetélő [szövőszéken]; hajó [varrógépen] II. vi ide-oda jár, pendlizik; ingázik
shuttlecock n tollaslabda [játék]
shuttle-service/train n ingajárat
shy¹ [ʃaɪ] I. a (comp ~er v. shier 'ʃaɪə*, sup ~est v. shiest 'ʃaɪɪst) 1. félénk, bátortalan, ijedős, szemérmes, szégyenlős; tartózkodó 2. biz I'm ~ three quid három fontom bánja II. n megbokrosodás, kitörés [lóé], (hirtelen) félreugrás III. vi (pt/pp shied ʃaɪd) megijed, megbokrosodik, visszaretten (at vmtől)
shy² [ʃaɪ] I. n 1. dobás, hajítás 2. biz kísérlet (at vmre) II. vt/vi (pt/pp shied ʃaɪd) dob, vet, hajít
Shylock ['ʃaɪlɔk] prop
shyness ['ʃaɪnɪs] a félénkség, tartózkodás, visszahúzódás, szemérmesség

shyster ['ʃaɪstə*] n US biz zugprókátor
Siam [saɪ'æm] prop Sziám
Siamese [saɪə'miːz] a/n sziámi; ~ cat
sziámi macska; ~ twins sziámi ikrek
sib [sɪb] n 1. rokon 2. rokonság
Siberia [saɪ'bɪərɪə] prop Szibéria
Siberian [saɪ'bɪərɪən] a/n szibériai
sibilant ['sɪbɪlənt] I. a sziszegő II. n szi-
szegő hang(zó)
sibling ['sɪblɪŋ] n testvér
sibyl ['sɪbɪl] n szibilla, jósnő
sibylline [sɪ'bɪlaɪn] a szibillai
sic [sɪk] adv sic!, így!
siccative ['sɪkətɪv] a szárító
Sicilian [sɪ'sɪljən] a/n szicíliai
Sicily ['sɪsɪlɪ] prop Szicília
sick [sɪk] I. a 1. beteg; fall ~ megbeteg-
szik; go/report ~ beteget jelent [kato-
na] 2. be ~ hány; feel/turn ~ hány-
ingere van, émelyeg 3. biz be ~ of sg
torkig van vmvel, utál vmt 4. dü-
hös; it makes me ~ dühbe hoz 5. le-
vert; be ~ at sg bántja vm 6. be ~ for
sg vágyódik vm után II. n the ~ a
betegek
sick-allowance n táppénz
sick-bay n betegszoba, hajókórház, gyen-
gélkedő [hadihajón]
sick-bed n betegágy
sick-benefit n betegségi segély [biztosító-
tól]
sicken ['sɪkn] A. vt émelyít, undort kelt
(vkben) B. vi 1. megbetegszik; be
~ing for sg lappang benne vm [beteg-
ség gyerekben] 2. émelyedik, undoro-
dik, felfordul a gyomra (of vmtől)
sickening ['sɪknɪŋ] a undorító, émelyítő,
visszataszító, ellenszenves
sick-headache n fejgörcs, migrén
sickle ['sɪkl] n sarló
sick-leave n betegszabadság
sickle-feather n kakastoll
sickliness ['sɪklɪnɪs] n 1. betegesség;
sápadtság 2. émelyítő jelleg; túlzott
érzelmesség, szentimentalizmus
sick-list n beteglista; be on the ~ beteg-
állományban/táppénzen van
sickly ['sɪklɪ] I. a 1. beteges, gyenge;
halvány, bágyadt 2. émelyítő 3. ér
zelgős, szentimentális II. vt sápaszt,
beteges színűvé tesz

sickness ['sɪknɪs] n 1. betegség, megbe-
tegedés; gyengélkedés; rosszullét 2.
hányás; hányinger
sick-nurse n betegápoló(nő)
sick-pay n táppénz
sick-room n betegszoba
side [saɪd] I. a oldal-; mellék-; ~ street
keresztutca, mellékutca II. n 1. oldal;
~ by ~ egymás mellett; split/burst
one's ~s majd megpukkad (a nevetés-
től); on every ~, on all ~s mindenhol,
mindenütt; from all ~s mindenfelől,
mindenünnen; this ~ up „itt fenn",
„nem állítani" [ládajelzés]; put sg
on/to one ~ félretesz, mellőz; US on
the ~ ráadásul, tetejébe(n); the weather
is on the cold ~ elég hideg van; on the
lonely ~ meglehetősen magányos 2.
széle vmnek, szegély, oldal 3. lejtő,
(hegy)oldal 4. (származási) ág, oldal;
on his mother's ~ anyai ágon 5. párt,
oldal [vknek az érdekköre]; fél [szem-
ben álló v. szerződést kötő stb.];
change ~s álláspontot változtat; take
~s állást foglal (vitában); take ~s
with sy vk pártjára/mellé áll 6. csapat;
oldal, mezőny; no ~ vége a mérkőzés-
nek [rögbiben] 7. □ hencegés; put on
~ nagyképűsködik, felvág, adja a ban-
kot III. vi ~ with sy/sg vk/vm mel-
lé/pártjára áll, vknek a pártját fogja
side-altar n mellékoltár
side-arms n pl oldalfegyver(ek)
sideboard n pohárszék, tálalóasztal,
kredenc
sideburns n pl = side-whiskers
side-car n 1. oldalkocsi 2. ⟨egy fajta
koktél⟩
side-chapel n oldalkápolna
-sided [-'saɪdɪd] -oldalú
side-dish n mellékfogás [étkezésnél]
side-effect n mellékhatás
side-guard n oldalvéd
side-issue n mellékszempont; másod-
rendű kérdés
sidekick n biz pajtás, üzlettárs
side-lamp n oldallámpa
sidelight n 1. oldalvilágítás, oldalfény;
átv throw a ~ on sg vmt mellesleg/
mellékesen megvilágít 2. = side-lamp
side-line n 1. szárnyvonal 2. mellék-

foglalkozás; melléküzemág 3. oldal-
vonal [sportpályán]
sidelong I. *a* ferde, oldalsó, oldalra irá-
nyuló, oldalról jövő; *cast a ~ glance
at sy* a szeme sarkából néz vkt II.
adv oldalra, oldalt
side-note *n* széljegyzet
side-pocket *n* oldalzseb
sidereal [sar'drərrəl] *a* csillag-, csilla-
gászati; *~ year* csillagászati év
side-road *n* bekötő út, mellékút
'sides [sardz] *biz = besides*
side-saddle *n* női nyereg
side-show *n* 1. mellékkiállítás [egy na-
gyobb keretében] 2. vurstli, mutat-
ványosbódé [vásáron] 3. mellékcse-
lekmény, -esemény
side-slip *n* oldalra csúszás, megcsúszás
sidesman ['sardzmən] *n GB pl* -men
-mən) sekrestyéshelyettes
side-splitting *a* rendkívül mulatságos;
~ laughter éktelen hahota
sidestep I. *n* oldallépés II. *v* -pp- A. *vi*
oldalt lép B. *vt* kikerül, elkerül (vmt)
side-stroke *n* oldaltempó
side-table *n* kis asztal, macskaasztal
side-track I. *n* mellékvágány II. *vt*
mellékvágányra terel/juttat; kitér (a
válasz elől); eltérít
side-view *n* oldalnézet
sidewalk *n US* járda, gyalogjáró
sideward ['sardwəd] *a* oldal felőli, oldalsó
sidewards ['sardwədz] *adv* oldal(vás)t,
oldalról
sideways ['sardweɪz] *adv = sidewards*
side-wheeler *n US* lapátkerekes hajó
side-whiskers *n pl* oldalszakáll, pofa-
szakáll, barkó
side-wind [-wɪnd] *n* 1. oldalszél 2. köz-
vetett mód(szer)/út
siding ['sardɪŋ] *n* 1. mellékvágány, ki-
térővágány, tolatóvágány 2. pártjára
állás (*with sy* vknek) 3. *US* deszka-
burkolat [külső házfalon]; zsaluzás
sidle ['sardl] *vi* oldalazva megy, som-
polyog, oldalog
Sidney ['sɪdnɪ] *prop*
siege [si:dʒ] *n* ostrom; *lay ~ to* megostro-
mol ‖→ *raise II. 9.*
sienna [sɪ'enə] *n* vörös(es)barna (fes-
ték, szín)

sierra ['sɪərə] *n* (fűrészes gerincű)
hegylánc
Sierra Leone [sɪerəlɪ'oʊn] *prop* Sierra
Leone
siesta [sɪ'estə] *n* déli pihenő, szieszta
sieve [sɪv] *n* 1. szita, rosta 2. szűrő 3.
biz titkot tartani nem tudó, fecsegő
sift [sɪft] A. *vt* 1. (meg)szitál, (át)rostál,
elkülönít 2. (alaposan) megvizsgál,
kivizsgál, ellenőriz B. *vi* 1. (át)szűrő-
dik 2. (eső/dara) szitál
sifter ['sɪftə*] *n* 1. szitáló, rostáló, szűrő
[személy] 2. (tisztító)rosta; szűrő
sifting ['sɪftɪŋ] *n* rostaalja
sigh [sar] I. *n* sóhaj(tás); *fetch/heave a ~*
sóhajt H. A. *vi* sóhajt; *~ for sy/sg*
(1) sóhajtozik/epekedik vk/vm után
(2) sopánkodik/bánkódik vk/vm miatt;
~ with satisfaction elégedetten sóhajt
B. *vt* sóhajtozva elmond/elpanaszol
sight [sart] I. *n* 1. látás, tekintet, rá-
nézés, megtekintés; *at ~* (1) látra (2)
azonnal, első tekintetre; kapásból;
~ draft látra szóló váltó; *play (music)
at ~* lapról játszik (el), blattol; *at
the ~ of* láttára, láttán; *catch ~* észre-
vesz, megpillant; *lose ~ of sg* elveszt
vmt szeme elől, szem elől téveszt vmt;
in ~ of (1) vmt látva (2) vk szeme
láttára; *know by ~* látásból ismer 2.
(látható) közelség, látótávolság; *come
into ~* látható lesz, feltűnik; *have in
~* szem előtt tart, szemmel tart; *out
of ~* nem látható; *out of ~ out of mind*
mihelyt nem látja már nem is gondol
rá 3. látvány(osság) 4. **sights** *pl* lát-
nivalók, nevezetességek [városé stb.];
see the ~s megnézi/megtekinti a lát-
nivalókat, városnézésre megy 5. vé-
lemény, nézet, szempont, szemszög
6. célzókészülék, célgömb, irányzék,
nézőke; *take a ~ on sg* célba vesz vmt
7. irányítás, célzás [célzóberendezés-
sel] 8. *biz* nagy mennyiség; *it is a
long ~ better* lényegesen jobb; *a ~
of money* nagy csomó pénz II. *vt* 1.
meglát, észlel, megpillant 2. (táv-
csővel) néz/vizsgál 3. megcéloz, (lö-
veget) irányít 4. irányzékkal lát el
[lőfegyvert]; beirányoz [fegyvert, lát-
csövet]

-sighted [-'saɪtɪd] -látású, -látó
sighter ['saɪtə*] n irányzék, célgömb
sighting ['saɪtɪŋ] n **1.** megfigyelés, észlelés **2.** célzás; célbavétel
sightless ['saɪtlɪs] a vak, világtalan
sightliness ['saɪtlɪnɪs] n szépség, mutatósság, tetszetősség
sightly ['saɪtlɪ] a szép, látványos, tetszetős, mutatós; feltűnő; kecses
sight-reading n lapról (való) olvasás/játék, blattolás
sightseeing n a látnivalók megtekintése, városnézés; ~ tour városnéző (kör)séta
sightseer n városnéző, turista
sight-testing n látásvizsgálat
sigil ['sɪdʒɪl] n pecsét
Sigismund ['sɪgɪsmənd] prop Zsigmond
sign [saɪn] I. n **1.** jel; make the ~ of the cross keresztet vet; show no ~ of life nem ad életjelt **2.** jegy; tünet; nyom **3.** (traffic) ~ jelzőtábla **4.** cégtábla, címtábla **II. A.** vt **1.** (meg)jelöl jeggyel/jellel ellát **2.** aláír, szignál; ~ peace békét köt **B.** vi **1.** jelt ad, jelez **2.** jelel [süketnéma]
  sign away vt írásban lemond (vmről); elajándékoz (vmt)
  sign in vi = clock in
  sign off vi befejez, abbahagy; távozik, lelép
  sign on/up A. vt (le)szerződtet **B.** vi (le)szerződik [munkára]
  sign out vi = clock out
signal ['sɪgn(ə)l] I. a feltűnő, kiemelkedő, emlékezetes **II.** n **1.** jel, jeladás, jelzés; ~ centre híradóközpont; ~ code jelkönyv, -kulcs; ~ corps híradóalakulat; híradósok; give ~s, give a ~ jelez **2.** jelzőberendezés, szemafor; ~ at danger tilosra állított jelző/szemafor **3.** előjel **III.** vi/vt -ll- (US -l-) jelez, jelt ad (to vknek); jeladással közöl/továbbít
signal-beacon n jelzőtűz
signal-book n jelkulcsgyűjtemény
signal-box n (vasúti) jelző- és váltóállító torony, jelzőtorony
signalize ['sɪgnəlaɪz] vt **1.** emlékezetessé jelentőssé tesz **2.** jelt ad
signaller, US **-aler** ['sɪgnələ*] n híradós; (fedélzeti) rádiós

signal-light n jel(ző)lámpa, jelfény
signalling, US **-aling** ['sɪgn(ə)lɪŋ] n jelzés, jeladás; ~ device jelzőberendezés
signalman ['sɪgn(ə)lmən] n (pl -men -mən) **1.** (vasúti) váltó- és szemaforkezelő **2.** jelzőőr **3.** híradós [katona]
signal-rocket n jelzőrakéta
signatory ['sɪgnət(ə)rɪ; US -ɔːrɪ] **I.** a aláíró, szerződő [fél] **II.** n aláíró/szerződő fél; the signatories to a treaty a szerződést aláíró felek, a szerződő felek
signature ['sɪgnətʃə*] n **1.** aláírás **2.** átv pecsét, bélyeg, jel **3.** ívjelzés [nyomdai] **4.** ~ tune szignál [rádió, tévé]
sign-board n cégtábla
signet ['sɪgnɪt] n pecsét; GB writer to the ~ bírósági tisztviselő [Skóciában]
signet-ring n pecsétgyűrű
significance [sɪg'nɪfɪkəns] n jelentőség, fontosság; értelem
significant [sɪg'nɪfɪkənt] a jelentős, fontos, lényeges, kiemelkedő
signification [sɪgnɪfɪ'keɪʃn] n **1.** jelentés, értelem **2.** jelzés
signify ['sɪgnɪfaɪ] vt jelent, jelez, kifejez
sign-language n jelbeszéd, jelelés [süketnémák]
sign-manual n kézjegy; aláírás
sign-painter n cégtáblafestő
sign-post n útjelző/(út)irányjelző tábla
silage ['saɪlɪdʒ] n **1.** besilózás **2.** silózott takarmány, silótakarmány
Silas ['saɪləs] prop ⟨angol férfinév⟩
silence ['saɪləns] **I.** n csend, hallgatás; nyugalom; ~ gives consent a hallgatás beleegyezés; reduce sy to ~ elhallgattat vkt **II.** vt elhallgattat; elfojt, eltilt
silencer ['saɪlənsə*] n zajtalanító, hangtompító, hangfogó
silent ['saɪlənt] a csendes, hangtalan, hallgatag; zajtalan; néma [betű]; ~ film némafilm; US ~ partner csendestárs; keep ~ hallgat, nem szól
silhouette [sɪlu:'et] n árnyalak, árnykép, sziluett; körvonal
silica ['sɪlɪkə] n kovasav, kovaföld; szilíciumdioxid
silicate ['sɪlɪkɪt] n szilikát

siliceous [sɪ'lɪʃəs] a kovás, kovasavas, szilíciumdioxidos
silicon ['sɪlɪkən] n szilícium
siliqua ['sɪlɪkwə] n (pl ~e -kwi:) becőtermés
silk [sɪlk] n 1. selyem; raw ~ nyersselyem; ~ hat cilinder; ~ stockings selyemharisnya 2. GB = Queen's/ King's Counsel →counsel; take ~ Queen's/King's counsel-i (kb. királyi tanácsosi) címet kap [mint ügyvéd]
silken ['sɪlk(ə)n] a 1. selymes 2. mézes, behízelgő, lágy [hang, szavak]
silkiness ['sɪlkɪnɪs] n 1. selymesség, lágyság, melegség, bársonyosság 2. mézesmázosság [beszédben]
silkworm n selyemhernyó
silky ['sɪlkɪ] a 1. selymes, lágy, bársonyos, gyengéd, finom 2. mézesmázos
sill [sɪl] n ablakpárkány; küszöb(fa), ászok
sillabub ['sɪləbʌb] n ⟨tejszínes bor és cukor keveréke habbá felverve⟩
silliness ['sɪlɪnɪs] n ostobaság, butaság
silly ['sɪlɪ] a ostoba, buta; say ~ things ostobaságokat/butaságokat mond; ~ season uborkaszezon
silo ['saɪloʊ] I. n siló II. vt (pt/pp ~ed 'saɪloʊd) silóz
silt [sɪlt] I. n iszap, hordalék II. A. vi ~ (up) eliszaposodik, eltömődik B. vt ~ (up) eliszaposít, eltöm
silver ['sɪlvə*] I. a ezüstös, ezüstszínű, ezüst-; ~ age ezüstkor; ~ birch közönséges nyír(fa); ~ fox ezüstróka; ~ wedding ezüstlakodalom II. n 1. ezüst; born with a ~ spoon in the mouth jólétben született, ezüstkanállal a szájában született 2. ~ (coin) ezüst(pénz) 3. ~ (plate) ezüst(nemű) →silver-plate III. A. vt beezüstöz (átv is); ezüsttel bevon; foncsoroz B. vi őszbe csavarodik, (meg)őszül
silverfish n ezüstös pikkelyke/ősrovar, ezüstmoly
silver-foil n ezüstfólia
silver-gilt a/n aranyozott ezüst
silver-headed a 1. ősz fejű, ezüsthajú 2. ezüstgombos
silver-mounted a ezüstkeretes; ezüst foglalatú/veretű

silver-plated a ezüstözött, ezüstlemezzel bevont
silver-side n kb. fartő
silversmith n ezüstműves
silver-tongued a aranyszájú
silver-ware/work n ezüstnemű
silvery ['sɪlv(ə)rɪ] a 1. ezüstös 2. ezüst csengésű
silviculture ['sɪlvɪkʌltʃə*] n erdészet, erdőgazdálkodás, erdőművelés
Simeon ['sɪmɪən] prop Simeon
simian ['sɪmɪən] a/n majom(szerű)
similar ['sɪmɪlə*] a hasonló (to vmhez/ vkhez)
similarity [sɪmɪ'lærətɪ] n hasonlóság
similarly ['sɪmɪləlɪ] adv hasonlóan, hasonlóképpen
simile ['sɪmɪlɪ] n hasonlat
similitude [sɪ'mɪlɪtju:d; US -tu:d] n 1. hasonlóság, hasonlatosság 2. hasonlat, példázat
simmer ['sɪmə*] I. n = simmering II. A. vt lassú tűzön süt/főz, párol B. vi 1. lassú tűzön sül/fő, lassan zümmögve (fel)forr 2. magában dühöng/méltatlankodik; ~ with anger forr benne a méreg
simmering ['sɪmərɪŋ] n zümmögő csendes forrás; lassú tűzön való sütés/ főzés, párolás
Simon ['saɪmən] prop Simon; Simple ~ együgyű ember; ~ Pure a hamisítatlan, az igazi [dolog]
simony ['saɪmənɪ] n s(z)imónia, szentségárulás
simoom [sɪ'mu:m] n számum
simp [sɪmp] n US biz = simpleton
simper ['sɪmpə*] I. n vigyorgás, mesterkélt mosoly II. vi vigyorog, mesterkélten mosolyog
simple ['sɪmpl] I. a 1. egyszerű; ~ fraction közönséges tört 2. mesterkéletlen 3. együgyű, bamba 4. biz valóságos; pure and ~ tiszta . . ., egész egyszerűen . . . II. n † gyógynövény(ből készült gyógyszer)
simple-hearted a mesterkéletlen, őszinte
simple-minded a 1. nyílt, egyenes 2. naiv, hiszékeny 3. butácska, együgyű
simpleness ['sɪmplnɪs] n egyszerűség
simpleton ['sɪmplt(ə)n] n együgyű/osto-

ba/hiszékeny ember, mamlasz, tök-
filkó
simplicity [sɪm'plɪsətɪ] *n* **1.** egyszerűség
2. őszinteség **3.** bambaság
simplification [sɪmplɪfɪ'keɪʃn] *n* (le-)
egyszerűsítés
simplify ['sɪmplɪfaɪ] *vt* (le)egyszerűsít
simplistic [sɪm'plɪstɪk] *a* a végletekig
leegyszerűsített, primitív
simply ['sɪmplɪ] *adv* egyszerűen; csak,
csupán; ~ *and solely* egész egyszerűen,
csupán
simulacrum [sɪmjʊ'leɪkrəm; *US* -mjə-]
n (pl ~s -z v. **-cra** -krə) **1.** bálványkép
2. csalóka látszat
simulate ['sɪmjʊleɪt; *US* -mjə-] *vt*
tettet, színlel, szimulál
simulation [sɪmjʊ'leɪʃn; *US* -mjə-] *n*
tettetés, színlelés, szimulálás
simulator ['sɪmjʊleɪtə*; *US* -mjə-] *n*
1. alakoskodó, szimuláns **2.** szimulá-
tor
simultaneity [sɪm(ə)ltə'nɪətɪ; *US* saɪ-]
n egyidejűség
simultaneous [sɪm(ə)l'teɪnjəs; *US* saɪ-]
a egyidejű (*with* vmvel), egyszerre
való/történő, szimultán
simultaneously [sɪm(ə)l'teɪnjəslɪ; *US*
saɪ-] *adv* egyidejűleg, egyszerre, szi-
multán
sin [sɪn] I. *n* bűn, vétek; *biz as* ~ erősen,
szörnyen II. *vi* -nn- vétkezik, bűnözik
since [sɪns] I. *adv/prep* óta, azóta, attól
fogva, -tól, -től; *long* ~ régóta, régen;
how long is it ~? mennyi idő telt is
el azóta?; ~ *when?* mióta?; ~ *then*
azóta II. *conj* mivel, miután, minthogy,
mert; ~ *there is no help* mivel ezen
nem lehet változtatni
sincere [sɪn'sɪə*] *a* őszinte, nyílt
sincerely [sɪn'sɪəlɪ] *adv* őszintén, nyíl-
tan; *yours* ~ szívélyes üdvözlettel,
őszinte tisztelettel
sincerity [sɪn'serətɪ] *n* őszinteség, nyílt-
ság; *in all* ~ egészen nyíltan/őszintén
Sinclair [sɪŋkleə*; *US* sɪn'kleər] *prop*
sine[1] [saɪn] *n* szinusz
sine[2] ['saɪnɪ] *adv* nélkül; *adjourn* ~ *die*
['daɪ:] bizonytalan időre elnapol
sinecure ['saɪnɪkjʊə*] *n* kényelmes
állás/hivatal, szinekúra

sinew ['sɪnju:] *n* **1.** ín; *the* ~*s of war*
(háborúhoz szükséges) pénz és hadi-
anyag **2.** ~*s* izomzat, (izom)erő
sinewy ['sɪnju:ɪ] *a* **1.** inas **2.** izmos, erős
sinful ['sɪnfʊl] *a* bűnös, vétkes
sinfulness ['sɪnfʊlnɪs] *n* bűnösség, vét-
kesség
sing [sɪŋ] *v (pt sang* sæŋ, *pp sung* sʌŋ)
vi/vt **1.** (el)énekel, dalol; ~ *small* alább
adja, szó nélkül engedelmeskedik, be-
húzza a farkát; *biz* ~ *another song/tune*
más hangon kezd beszélni, más húro-
kat penget; ~ *out* (fel)kiált; ~ *up*
hangosan (v. teli torokkal) énekel **2.**
megénekel [versben] **3.** zümmög, du-
ruzsol [víz forrva], cseng [fül], fütyül,
zúg [szél]
Singapore [sɪŋgə'pɔː*] *prop*
singe [sɪndʒ] I. *n* megperzselés II. *vt*
(*pres part* ~*ing*) megperzsel, -pörköl;
hajszál végét megperzseli [nyírás
után]
singeing ['sɪndʒɪŋ] *n* = *singe I.*
singer ['sɪŋə*] *n* énekes; dalos; költő
Singhalese [sɪŋhə'liːz] *a/n* szingaléz
singing ['sɪŋɪŋ] *n* **1.** éneklés **2.** fütyülés,
zúgás, csengés [fülben]
singing-bird *n* énekesmadár
singing-buoy *n* fütyülő bója
singing-master *n* énektanár
single ['sɪŋgl] I. *a* **1.** egyes, egyetlen,
egyedüli; egyszeri; egyszerű; szimpla;
magában álló; szóló; ~ (*bed*)*room*
egyágyas szoba; ~ *combat* párbaj;
every ~ *day* minden áldott nap; ~ *fare*
egy(szeri) út ára; ~ *journey* egyszeri
út/utazás; ~ *ticket* egy(szeri) utazásra
szóló jegy; *not a* ~ egyetlenegy sem **2.**
egyedülálló, egyedül élő; ~ *blessedness*
boldog nőtlenség; *lead a* ~ *life* (1) nőt-
len (2) hajadon; *remain* ~ nem háza-
sodik meg, nem megy férjhez **3.** egy-
szerű, becsületes, őszinte II. *n* **1.**
egyes [játék]; *men's* ~ férfi egyes
2. = *single ticket;* ~ *or return,*
please? csak oda (kéri)? III. *vt* **1.**
egyel [répát stb.] **2.** ~ *out* kiválogat,
kiválaszt, kiszemel
single-barrel(l)ed [-'bær(ə)ld] *a* egycsövű
single-breasted [-'brestɪd] *a* egysor(gomb-
b)os

single-eyed a félszemű
single-handed I. a 1. félkezű 2. segítség nélküli 3. egy ember által (v. félkézzel) kezelhető II. adv egyedül, segítség nélkül
single-hearted a egyszerű, őszinte, egyenes, nyílt
single-line a egyirányú [közlekedés]
single-minded a 1. egyetlen célt szem előtt tartó, céltudatos 2. őszinte, nyílt
singleness ['sɪŋglnɪs] n 1. magányosság, nőtlenség, egyedülállás 2. egyenesség, őszinteség, tisztaszívűség
single-phase a egyfázisú
single-seater n együléses gépkocsi/repülőgép
single-span a egynyílású [híd]
single-stick n vívóbot
singlet ['sɪŋglɪt] n trikó, atlétaing
singleton ['sɪŋglt(ə)n] n 1. egy(etlen) lap egy színből, szingli [kártyában] 2. egyetlen gyermek/dolog, egyke
single-track a egyvágányú [vonal]
single-tree n hámfa, kisafa
singly ['sɪŋglɪ] adv 1. egyedül, magányosan 2. egyenként, egyesével
Sing-Sing ['sɪŋsɪŋ] prop ⟨börtön New York közelében⟩
sing-song ['sɪŋsɔŋ] I. a monoton, éneklő [hang] II. n 1. egyhangú/monoton ének, kántálás 2. ⟨rögtönzött énekhangverseny baráti társaságban⟩ III. vt monoton/éneklő hangon recitál/(el-)mond (vmt)
singular ['sɪŋgjʊlə*; US -gjə-] I. a 1. egyetlen, egyes 2. egyes számú 3. rendkívüli, egyedülálló; különös, furcsa II. n egyes szám
singularity [sɪŋgjʊ'lærətɪ; US -gjə-] n különösség, rendkívüliség, egyedülállóság
Sinhalese [sɪnhə'liːz] a/n = Singhalese
sinister ['sɪnɪstə*] a baljós(latú), vészjósló
sink [sɪŋk] I. n 1. (konyhai) kiöntő, mosogató; lefolyólyuk; ~ of iniquity erkölcsi fertő 2. [színházi] süllyesztő II. v (pt sank sæŋk, pp sunk sʌŋk és sunken 'sʌŋkən) A. vi 1. (el)süllyed, (el)merül; lesüllyed, (le)süpped; ~ on one's knees térdre borul; ~ in oneself

magába roskad; ~ into sg belesüpped/-merül vmbe; let it ~ into sg hagyja be(le)ivódni vmbe; his legs sank under him lábai felmondták a szolgálatot, összerogyott; my heart sank elszorult a szívem, kétségbeestem; the patient is ~ing a beteg állapota súlyosbodik [haldoklik]; ~ or swim vagy boldogul, vagy elpusztul; vagy megszokik, vagy megszökik 2. leszáll, lemegy [nap stb.]; csökken; hanyatlik; apad B. vt 1. (el)süllyeszt, (el)merít, leereszt; csökkent; they sank their differences fátyolt borítottak nézeteltéréseikre 2. kiváj, kivés, bevés, kiás (vmt), (le)mélyít [kutat]; bever, beás [póznát stb. földbe]; ~ a die homorúan kivés bélyegzőt/mintát; ~ a well kutat ás 3. törleszt [adósságot]; amortizál [kölcsönt]
sinkable ['sɪŋkəbl] a (el)süllyeszthető
sinker ['sɪŋkə*] n 1. vésnök 2. kútásó 3. ólomnehezék 4. mélységmérő 5. US □ fánk
sink-hole n 1. lefolyólyuk 2. (tölcsér alakú) víznyelő [sziklában] 3. pöcegödör
sinking ['sɪŋkɪŋ] I. a süllyedő II. n 1. süllyedés; süppedés; that ~ feeling hirtelen elgyengülés 2. süllyesztés, mélyítés
sinking-fund n amortizációs alap
sinless ['sɪnlɪs] a bűntelen
sinned [sɪnd] →sin II.
sinner ['sɪnə*] n bűnös, vétkező
Sinn Fein [ʃɪn'feɪn] ⟨szeparatista nacionalista mozgalom Írországban⟩
sinology [sɪ'nɔlədʒɪ; US saɪ'nɑ-] n sinológia ⟨Kínával foglalkozó tudomány⟩
sinuosity [sɪnjʊ'ɔsətɪ; US -'ɑ-] n kanyargósság
sinuous ['sɪnjʊəs] a kanyargó(s), szerpentin, kígyózó
sinus ['saɪnəs] n üreg; öböl; frontal ~ homloküreg
sinusitis [saɪnə'saɪtɪs] n frontal ~ homloküreg-gyulladás
Sioux [suː] a/n (pl ~ suːz) sziu (indián)
sip [sɪp] I. n korty, hörpintés II. vt/vi -pp- kiszív, kortyol(gat), hörpint, szürcsöl(get)

siphon ['saɪfn] I. *n* 1. szívócső, szivornya, szifon 2. ~(-*bottle*) (auto)szifon, szódásüveg 3. bűzelzáró II. *vt* ~ *off/out* szívócsővel elvezet/kiszív
sipper ['sɪpə*] *n* 1. kortyol(gat)ó ember 2. szívószál [italhoz]
sippet ['sɪpɪt]*n* (tejbe/levesbe mártott/áztatott) kenyérdarabka
sipping ['sɪpɪŋ] *a* szürcsölő, kortyoló →*sip II*.
sir [sə:*; gyenge ejtésű alakja: sə*] *n* 1. [megszólításban] uram; [iskolában] tanár úr, tanító bácsi; *yes* ~*!* igenis (uram)!; *Dear S~s* Tisztelt Uraim! 2. *GB* ⟨lovag v. baronet címe, amelyet mindig a keresztnévvel együtt használnak, pl. *Sir Harold Wilson; Sir Harold*⟩
sire ['saɪə*] I. *n* 1. felséges úr/uram ?. † ős, apa 3. apamén, -állat II. *vt* nemz [apamén]
siren ['saɪərən] *n* 1. szirén, hableány 2. csábító 3. sziréna; gőzsíp
sirloin ['sə:lɔɪn] *n* vesepecsenye, hátszín
sirocco [sɪ'rɒkoʊ; *US* -'rɑ-] *n* forró szél, sirokkó
sirrah ['sɪrə] *n* fickó [megvetően]
sisal ['saɪsl] *n* szizál(kender)
sissy ['sɪsɪ] *n US* 1. □ nőies férfi/fiú, puhány 2. kislány
sister ['sɪstə*] *n* 1. nővér, (leány)testvér 2. apáca, nővér 3. ápolónő, nővér
sisterhood ['sɪstəhʊd] *n* 1. testvériség 2. apácarend
sister-in-law *n* (*pl* **sisters-in-law**) sógornő
sisterly ['sɪstəlɪ] *a* testvéri(es); szerető
sit [sɪt] *v* (*pt/pp* **sat** sæt; -tt-) A. *vi* 1. ül; *biz* ~ *tight* (1) biztosan ül (a nyeregben) (2) nem tágít (3) fenekén marad; lapít 2. ülésezik, ülést tart 3. tartózkodik, időz 4. [szél] fúj; *how* ~*s the wind?* honnan fúj a szél? 5. áll [ruha vkn] B. *vt* 1. megül [lovat] 2. ~ *oneself* leül
  sit back *vi* 1. hátradől, kényelembe helyezi/teszi magát 2. ölbe tett kezekkel ül
  sit down *vi* leül, letelepszik, pihen; *please* ~ *d.* kérem foglaljon/foglalja-

nak helyet !; ~ *d. under an insult* sértést zsebre vág v. lenyel; ~ *d. hard on sg* igen határozottan ellenez vmt
  sit for *vi* ~ *f. a portrait* modellt ül; ~ *f. an exam* vizsgázni megy, vizsgázik; ~ *f. a constituency* választókerületet képvisel
  sit in *vi* 1. [szél] fúj (vhonnan) 2. ülősztrájkot folytat 3. ~ *in on sg* megfigyelőként vesz részt
  sit on *vi* 1. megpirongat, ráripakodik 2. vmt megvizsgál [mint bizottsági tag] 3. ránehezedik (vmre), megfekszi [gyomrát étel] 4. ~ *on a committee* bizottságnak tagja
  sit out *vt* végigül, kivárja a végét; kihagy [egy táncot]
  sit through *vt* (türelmesen) végigül
  sit up *vi* 1. felül, egyenesen ül 2. (sokáig) fennmarad, virraszt, éjszakázik 3. megijed 4. hátsó lábára áll, „szolgál" [kutya] 5. *make sy* ~ *up* (1) elképeszt vkt (2) körmére koppint vknek
  sit upon *vi = sit on*
  sit with *vi* vkvel üldögél (és szórakoztatja)
sit-down strike ülősztrájk
site [saɪt] *n* 1. telek, házhely; hely; *on the* ~ a helyszínen 2. fekvés, helyzet
sit-in *n* ülősztrájk [gyár, egyetem stb. területén]
sitter ['sɪtə*] *n* 1. ülő 2. kotlós 3. modell [festőé] 4. könnyű lövés/fogás
sitting ['sɪtɪŋ] I. *a* ülő; ~ *hen* kotlós; ~ *duck/target* könnyű célpont II. *n* 1. ülés; ülésezés; *at a (single)* ~ egy ültő helyében 2. (neki)ülés; turnus [pl. ebédelőkből] 3. ülőhely [templomi] 4. kotlás; fészekalja tojás
sitting-room *n* nappali (szoba)
situate ['sɪtjʊeɪt; *US* -tʃʊ-] *vt* helyet kijelöl, elhelyez; *be* ~*d* fekszik, elterül (vhol)
situated ['sɪtjʊeɪtɪd; *US* -tʃʊ-] *a* 1. elhelyezett, tartózkodó, fekvő 2. vmlyen helyzetben levő; *be badly* ~ rosszak az anyagi körülményei
situation [sɪtjʊ'eɪʃn; *US* -tʃʊ-] *n* 1. helyzet, állapot 2. állás, elhelyezkedés; ~*s vacant* felveszünk . . . [hirdetés-

ben]; ~s wanted állást keres [hirdetésben] 3. fekvés
six [sɪks] a/n hat; ~ of one and half a dozen of the other az egyik tizenkilenc a másik egy híján húsz; biz at ~es and sevens a legnagyobb összevisszaságban
sixfold ['sɪksfoʊld] I. a hatszoros II. adv hatszorosan, hatszorosára
six-foot a hat lábnyi (183 cm-es)
six-footer n hat láb magas ember, colos fickó
sixpence ['sɪkspəns] n 1. hatpennys (érme) [az érme még forgalomban van, de értéke 1971 óta 2 ¹/₂ új penny] 2. hat penny [érték]
sixpenny ['sɪkspənɪ] a hat pennybe kerülő, hatpennys; ~ worth hat penny érték(ű)
six-shooter n hatlövetű revolver
sixteen [sɪks'ti:n] a/n tizenhat
sixteenth [sɪks'ti:nθ] a tizenhatodik; US ~ note = semiquaver
sixth [sɪksθ] a hatodik; GB the ~ form ⟨angol középiskola legfelső osztálya⟩; ~ sense hatodik érzék
sixtieth ['sɪkstɪθ] a hatvanadik
sixty ['sɪkstɪ] a/n hatvan; the sixties a hatvanas évek
sizable ['saɪzəbl] a jókora, meglehetős
sizar ['saɪzə*] n ösztöndíjas (diák) [Cambridge-ben]
size¹ [saɪz] I. n méret, nagyság, szám; alak, formátum; terjedelem; be of a ~ (with sg) egyforma nagyságú (vmvel); biz that's about the ~ of it nagyjából így áll a helyzet/dolog II. vt nagyság szerint osztályoz; ~ up felmér, felbecsül, értékel, véleményt/képet alkot (vkről, vmről)
size² [saɪz] I. n enyv; ragasztóanyag; appretúra II. vt enyvez; enyvvel kezel; csinoz; írez; appretál
sizeable ['saɪzəbl] a = sizable
-sized [-saɪzd] nagyságú, (-)méretű
sizzle ['sɪzl] biz I. n sistergés II. vi 1. sistereg 2. nagyon melege van, (majd) „megsül"
sizzling ['sɪzlɪŋ] a perzselő [forróság]
skate¹ [skeɪt] I. n korcsolya II. vi korcsolyázik

skate² [skeɪt] n rája(hal)
skateboard n gördeszka
skater ['skeɪtə*] n korcsolyázó
skating ['skeɪtɪŋ] n korcsolyázás
skating-rink n 1. korcsolyapálya, műjég(pálya) 2. görkorcsolyapálya
skedaddle [skɪ'dædl] I. n megfutamodás, szétszóródás II. vi biz meglóg, meglép, elfut; ~! tűnj(ön) el!, kopj le!
skeet [ski:t] n agyaggalamb-lövészet
skein [skeɪn] n 1. motring 2. zűrzavar 3. repülő vadkacsacsapat
skeletal ['skelɪtl] a csontváz-
skeleton ['skelɪtn] n 1. csontváz; the ~ in the cupboard, family ~ titkolt családi szégyenfolt 2. váz, keret; ~ crew keretlegénység; ~ key álkulcs; ~ staff személyzeti keret
skeptic(al) ['skeptɪk(l)] →sceptic(al)
sketch [sketʃ] I. n 1. vázlat, körvonalazás, skicc 2. karcolat, kroki II. vt (fel)vázol, vázlatot készít (vmről), körvonalaz, (meg)rajzol; ~ in felvázol, nagy vonalakban berajzol; ~ out vázlatosan ismertet [tervet]
sketch-block/book n vázlatkönyv, -tömb, -füzet
sketcher ['sketʃə*] n rajzoló, tervező
sketchiness ['sketʃɪnɪs] n vázlatosság
sketch-map n térképvázlat
sketchpad n = sketch-block
sketchy ['sketʃɪ] a vázlatos
skew [skju:] I. a ferde, rézsútos, aszimmetrikus II. n ferdeség, rézsútosság, aszimmetria; on the ~ ferdén, rézsútosan
skewbald a fehértarka [ló]
skewer [skjuə*] I. n 1. kis nyárs, pecek 2. kard II. vt nyársra tűz/húz [húst]
ski [ski:] I. n sí(léc), sítalp; ~ stick, US ~ pole síbot II. vi (pt/pp skied v. ski'd ski:d) sízik, síel
skid [skɪd] I. n 1. kerékkötő, ék [kerék alá]; féksaru; csúszótalp [repgépen] 2. farolás, megcsúszás II. vi -dd- farol, megcsúszik
skid-chain n hólánc
skidding ['skɪdɪŋ] n farolás, (meg)csúszás
skier ['ski:ə*] n síző, sífutó
skies [skaɪz] →sky

skiff [skɪf] n könnyű csónak, szkiff
skiffle ['skɪfl] n ~ group balladát éneklő
gitáros csoport
skiing ['ski:ɪŋ] n sízés, sísport
ski-jump n 1. síugrás 2. síugró sánc, ug-
rósánc
skilful, US skillful ['skɪlful] a ügyes,
(be)gyakorlott; szakképzett
skilfulness, US skillfulness ['skɪlfulnɪs]
n ügyesség, (be)gyakorlottság, jártas-
ság
ski-lift n sífelvonó, sílift
skill [skɪl] n ügyesség, jártasság, gyakor-
lottság
skilled [skɪld] a gyakorlott, jártas, ügyes
(in vmben); szakképzett; ~ job szak-
munka; ~ labour (1) szakmunkás (2)
szakmunka; ~ work szakmunka; ~
worker/workman szakmunkás
skillet ['skɪlɪt] n 1. lábos 2. US tepsi,
(nyeles) serpenyő
skillful →skilful
skilly ['skɪlɪ] n híg leves, zupa
skim [skɪm] v -mm- A. vt 1. lefölöz,
leszed; átv biz ~ the cream off sg lefö-
löz vmt, leszedi vmnek a javát 2.
(könnyedén) érint, súrol [felületet] 3.
felületesen átfut [olvasmányon] B.
vi 1. ~ over sg átsiklik vm felett,
könnyedén súrol vmt 2. ~ through sg
(felületesen/futólag) átnéz/átlapoz/át-
fut vmt
skimmer ['skɪmə*] n 1. fölözőkanál,
habszedőkanál 2. fölözőgép
skim-milk n lefölözött tej
skimmings ['skɪmɪŋz] n pl föl, hab;
tejszín
skimp [skɪmp] vt/vi 1. fukarkodik, spó-
rol (vmvel), elspórol (vmt) 2. biz gyor-
san összecsap [munkát]
skimpiness ['skɪmpɪnɪs] n szűkösség,
fukarság
skimpy ['skɪmpɪ] a 1. hiányos, szegé-
nyes, szűken mért 2. szűk(re szabott),
kicsi
skin [skɪn] I. n 1. bőr; he escaped by the
~ of his teeth csak egy hajszálon füg-
gött, hogy megmenekült; save one's ~
(ép bőrrel) megmenekül, menti a bő-
rét; get under sy's ~ vknek az idegei-
re megy 2. héj 3. bőrtömlő 4. „bőr"

[tejen] II. v -nn- A. vt 1. (meg)nyúz,
lenyúz, lehúz [bőrt, héjat] 2. átv biz
megkopaszt, kifoszt B. vi ~ over bőr
benövi, beheged
skin-deep a felületes
skin-diver n könnyűbúvár
skin-diving n könnyűbúvársport
skin-dresser n tímár, cserzővarga
skinflint n zsugori, fösvény
skinful ['skɪnful] a tömlőnyi [ital]; biz
a good ~ jó sok [bor], amennyi csak
belefér
skin-game n biz csalás, kíméletlen
kiszipolyozás
skin-graft(ing) [-grɑ:ft(ɪŋ); US -æ-]
n bőrátültetés
-skinned [-skɪnd -bőrű →skin II.
skinner ['skɪnə*] n 1. nyúzó 2. tímár
3. szűcs, szőrmekereskedő 4. csaló
skinning ['skɪnɪŋ] n nyúzás, lehámozás
skinny ['skɪnɪ] a 1. sovány, ösztövér,
csontos, szikár 2. fösvény 3. hártyás
skin-tight a testhez álló, tapadó
skip[1] [skɪp] I. n szökdécselés, ugrándozás
(egyik lábról a másikra) II. v -pp- A.
vi 1. ugrándozik, ugrik, szökdécsel
2. kihagy [emlékezet, figyelem] 3.
biz ~ off meglóg, lelécel B. vt elhagy,
kihagy, átugrik (vmt átv is)
skip[2] [skɪp] n billenőkocsi; szállítókas,
szkip [bányában]
skipjack n pattanóbogár
skipper ['skɪpə*] n 1. (hajós)kapitány
[kereskedelmi hajón] 2. csapatkapi-
tány [sportban]
skipping ['skɪpɪŋ] n ugrálás, ugrándozás;
ugrás, kötélugrás [gyermekjáték]
skipping-rope n ugrókötél [gyermeké]
skirl [skə:l] n visító hang [dudáé]
skirmish ['skə:mɪʃ] I. n csetepaté, csatá-
rozás II. vi csetepatézik, csatározik
skirmisher ['skə:mɪʃə*] n előcsatározó
skirt [skə:t] I. n 1. szoknya, alj 2.
skirts pl perem, szél [városé] 3. US
□ asszony, leány II. A. vt szegélyez,
körülvesz, körít B. vi körüljár (vk);
vm körül vezet [út stb.]
skirting ['skə:tɪŋ] n 1. szoknyaanyag
2. (padló)szegélyléc
skit [skɪt] I. n (rövid) tréfás jelenet,
paródia, burleszk II. vt -tt- parodizál

skittish ['skɪtɪʃ] a 1. ijedős, ideges [ló]
2. szeszélyes, túl élénk, kokett [nő]
skittle ['skɪtl] I. n 1. tekebábu, -fa 2.
skittles tekejáték, kugli; table ~s
orosz kugli II. int □ ~s! ostobaság!,
szamárság!
skivvy ['skɪvɪ] n GB biz cselédlány
skua ['skjuːə] n rablósirály, halfarkas
skulduggery [skʌl'dʌgərɪ] n US sötét/
gyanús ügy
skulk [skʌlk] I. n 1. semmittevő, ló-
gó(s) 2. leselkedő, ólálkodó II. vi 1.
leselkedik, ólálkodik 2. lapul, lapít,
kihúzza magát vmből, lóg
skull [skʌl] n koponya; ~ and cross-
bones halálfej [halálos veszély jelzé-
seként]
skull-cap n ⟨kis papi sapka a feje búb-
ján⟩; házisipka
-skulled [-skʌld] koponyájú
skunk [skʌŋk] n 1. bűzös borz, szkunk
2. □ utolsó fráter/gazember
sky [skaɪ] I. n (pl skies skaɪz) 1. ég,
égbolt; the ~ is the limit nincs kor-
látozás/plafon/határ; praise to the
skies egekig magasztal; under the
open ~ szabad ég alatt 2. klíma, at-
moszféra, légkör II. vt (pt/pp skied
skaɪd) 1. magasba üt, felüt [labdát]
2. (túlságosan) magasra akaszt [ké-
pet]
sky-blue a égszínkék
Skye [skaɪ] prop
skyey ['skaɪɪ] a égi, levegős, éteri
sky-high I. a égig érő II. adv (fel) az
égig
skyjack vt biz eltérít, elrabol [repgépet]
skyjacking [-dʒækɪŋ] n biz géprablás,
gépeltérítés
skylab n űrlaboratórium
skylark I. n pacsirta II. vi biz mókázik,
tréfál, stiklit csinál
skylarking [-lɑːkɪŋ] n biz móka, tréfa,
stikli
skylight n tetőablak
sky-line n égvonal, távlati várossziluett
sky-marker n ejtőernyős rakéta
sky-pilot n □ lelkész, pap, tiszi
sky-rocket I. n magasra szálló rakéta
II. vi felszökik, ugrásszerűen emelke-
dik [ár]

sky-scape n az égbolt [mint látvány];
felhőtanulmány [festményen]
skyscraper [-skreɪpə*] n felhőkarcoló
sky-sign n (magasra szerelt) fényreklám
sky-trooper n biz ejtőernyős
skyward(s) ['skaɪwəd(z)] adv az ég felé
sky-writing n füstírás (repülőgéppel)
slab [slæb] n 1. lap, lemez, tábla [kő-
ből, fából, fémből stb.]; darab, szelet
[sajt] 2. széldeszka
slab-sided a US biz nyurga, cingár
slack [slæk] I. a 1. laza [kötél]; pety-
hüdt, ernyedt [izom]; keep a ~ rein/
hand on sg gyenge kézzel kormányoz/
igazgat vmt 2. gyenge, erőtlen, bá-
gyadt; feel ~ „agyonvert"(-nek érzi
magát) 3. gondatlan; lanyha; pangó;
be ~ at one's work hanyagul végzi
a munkáját; ~ season holtszezon;
business is ~ az üzlet gyengén megy
(v. pang) 4. ~ lime oltott mész II.
adv lassan, lomhán; hang ~ nincs
meghúzva, belóg [kötél] III. n 1.
pangás 2. laza/lötyögő rész [kötélé
stb.]; take up the ~ kötelet meghúz
3. slacks pl (hosszú)nadrág, pantalló
4. széntörmelék IV. A. vt 1. meglazít,
tágít, kiereszt 2. hígít, olt [meszet]
3. lassít, késleltet 4. csökkent, gyen-
gít, enyhít B. vi 1. lazul, kieresztke-
dik, tágul; lazán lóg 2. hanyag lesz,
lazít; pang; gyengül, csökken, csilla-
pul; lassul; elernyed
slack about vi lopja a napot, lazsál
slack off vi lazít; csökken; lanyhul
slack up vi lelassít [megállás előtt]
slacken ['slæk(ə)n] vt/vi = slack IV.
slackening ['slæk(ə)nɪŋ] n lazulás, tá-
gulás
slacker ['slækə*] n biz lógós, lazsáló
slackness ['slæknɪs] n pangás, ernyedt-
ség, lazaság
slag [slæg] n salak
slag-heap n salakhányó
slain [sleɪn] → slay
slake [sleɪk] vt 1. (el)olt [szomjúságot,
tüzet] 2. olt [meszet]; ~d lime oltott
mész
slalom ['slɑːləm] n műlesiklás, szlalom;
grand ~ óriásműlesiklás
slam [slæm] I. n 1. becsap(ód)ás [aj-

tóé] 2. szlem [kártyában] II. v -mm-
A. vt 1. becsap, bevág [ajtót]; le-
csap, levág (vmt vmre) 2. □ erősen
megüt, üt 3. biz (könnyen) legyőz
4. biz keményen (meg)bírál, leszól B.
vi ~ (to) becsapódik, bevágódik
slander ['slɑ:ndə*; US -æ-] I. n (szóbe-
li) rágalmazás, becsületsértés [szó-
ban] II. vt (meg)rágalmaz
slanderous ['slɑ:nd(ə)rəs; US -æn-] a
rágalmazó, becsületsértő
slang [slæŋ] I. n tolvajnyelv, argó,
szleng II. vt szidalmaz, becsmérel,
mindennek elmond
slangy ['slæŋɪ] a szlenget beszélő;
jassz, szleng(es) [szó, kifejezés]
slant [slɑ:nt; US -æ-] I. a ferde, dőlt
II. n 1. lejtő(sség), dőlés; on the ~
ferdén 2. US szemszög; vmlyen be-
állítás III. A. vt lejt, ferdül, dől;
ereszkedik B. vt 1. lejtőssé tesz;
megdönt; ferdít 2. átv vmlyen beállí-
tást ad vmnek
slanting ['slɑ:ntɪŋ; US -æ-] a ferde, dőlt,
lejtős, oldalt csapódó
slantwise ['slɑ:ntwaɪz; US -æn-] adv
ferdén, rézsútosan
slap [slæp] I. adv hirtelen, egyszerre,
egyenesen II. n ütés; ~ in the face
(1) pofon (2) váratlan visszautasítás
III. vt/vi -pp- (kézzel) üt, megüt, csap;
~ in the face pofon üt; ~ on the back
megveregeti a vállát
slap-bang adv 1. hangosan, nagy dérrel-
-dúrral 2. hanyatt-homlok
slap-dash I. a összevissza; hirtelen;
felületes; ~ work összecsapott munka
II. adv hirtelen, nemtörődöm módon
slap-happy a 1. tántorgó, rogyadozó
2. gondtalan, a mával nem törődő
slapjack n US palacsinta
slapped [slæpt] →slap III.
slapper ['slæpə*] n 1. ütő 2. □ klassz
dolog
slapping ['slæpɪŋ] a biz nagyon nagy/
jó/gyors
slapstick a ~ comedy US bohózat sok
ütleggel
slap-up a □ pazar, klassz
slash [slæʃ] I. n 1. vágás, hasítás 2.
hasíték; forradás II. vt 1. (fel)hasít,

felmetsz 2. megvág, [korbáccsal] vé-
gigvág 3. biz leránt, lehúz [művet
kritikus] 4. biz leszállít [fizetést,
árakat stb.]
slashed [slæʃt] a (fel)hasított, bevágá-
sos; forradásos
slashing ['slæʃɪŋ] a 1. éles, kemény [kri-
tika] 2. biz klassz
slat [slæt] n léc [ablakredőnyben]
slate [sleɪt] I. n 1. pala 2. palatábla;
clean ~ tiszta előélet/lap 3. US
(választási) jelölőlista II. vt 1. palá-
val fed 2. US jelöl; kiszemel (for
vmre) 3. biz lehord; leránt [kritika]
slate-blue a palaszürke
slate-clay n palás agyag
slate-club n GB kb. segélyegylet, KST
slate-coloured a palaszürke
slated ['sleɪtɪd] a ~ roof palatető
slate-grey a palaszürke
slate-pencil n palavessző
slate-quarry n palabánya
slater[1] ['sleɪtə*] n 1. palafedő (munkás)
2. ászka
slater[2] ['sleɪtə*] n támadó kritikus
slatted ['slætɪd] a lécezett
slattern ['slætə:n] n szutykos/lompos nő
slatternly ['slætə:nlɪ] a szutykos, ápo-
latlan, kócos, lompos
slaty ['sleɪtɪ] a palás
slaughter ['slɔ:tə*] I. n (le)vágás, leölés;
(tömeg)mészárlás, öldöklés II. vt le-
vág, leöl, lemészárol
slaughterer ['slɔ:tərə*] n mészáros,
mészárló
slaughter-house n vágóhíd
slaughterman ['slɔ:təmən] n (pl -men
-mən) mészáros, vágóhídi munkás
slaughterous ['slɔ:tərəs] a gyilkos, öl-
döklő
Slav [slɑ:v] a/n szláv
slave [sleɪv] I. n rabszolga; ~ sluip
rabszolgaszállító hajó; S~ States a
rabszolgatartó/déli államok [az USA-
ban 1865 előtt]; átv be a ~ to sg
rabja vmnek II. vi ~ (away) (at sg)
agyondolgozza magát (vmvel), ro-
botol
slave-dealer n rabszolgakereskedő
slave-driver n 1. rabszolgafelügyelő,
-hajcsár 2. átv hajcsár

slave-holder *n* rabszolgatartó
slaver[1] ['sleɪvə*] *n* = *slave-trader*
slaver[2] ['slævə*] I. *n* 1. kicsorgó nyál, nyálka 2. talpnyalás II. *vi* 1. nyáladzik, folyik a nyála 2. nyal (vknek)
slavery ['sleɪvərɪ] *n* 1. rabszolgaság 2. *átv* rabszolgamunka, lélekölő munka
slave-trade *n* rabszolgakereskedelem
slave-trader *n* 1. rabszolgakereskedő 2. rabszolgaszállító hajó
slave-traffic *n* rabszolgakereskedelem
slavey ['sleɪvɪ] *n* fiatal/kis mindenes (lány)
Slavic ['slɑːvɪk; *US* -æ-] *a/n* szláv
slavish ['sleɪvɪʃ] *a* szolgai
Slavonia [sləˈvoʊnɪə] *prop* Szlavónia
Slavonian [sləˈvoʊnɪən] *a/n* 1. szláv 2. szlavón(iai)
Slavonic [sləˈvɔnɪk; *US* -ˈvɑ-] *a/n* szláv (nyelv)
slaw [slɔː] *n* káposztasaláta, gyalult/ vagdalt káposzta
slay [sleɪ] *vt* (*pt* slew sluː, *pp* slain sleɪn) (meg)öl, meggyilkol, elpusztít
slayer ['sleɪə*] *n* gyilkos
sleazy ['sliːzɪ] *a* 1. laza, vékony, szakadós 2. lompos, elhanyagolt
sled [sled] *n* és *v* (-dd-) *US* = *sledge*
sledge [sledʒ] I. *n* szánkó, ródli; szán II. A. *vi* *GB* szánkózik B. *vt* *US* szánkón/szánon visz
sledge-hammer *n* pöröly, nagykalapács, kőtörő kalapács
sleek [sliːk] I. *a* 1. sima, fényes, olajosan csillogó 2. sima (modorú), simulékony; ravasz, ügyes II. A. *vt* 1. lesimít, simára kefél 2. megnyugtat B. *vi* siklik, suhan, surran
sleekness ['sliːknɪs] *n* 1. olajos simaság/ csillogás 2. simulékonyság
sleep [sliːp] I. *n* alvás, álom; *get/go to ~* elalszik; *my foot has gone to ~* elzsibbadt a lábam; *put sy to ~* elaltat vkt II. *v* (*pt/pp* slept slept) A. *vi* alszik; *~ like a top* alszik mint a bunda; *not to ~ a wink* egy szemhunyásnyit sem alszik B. *vt* elszállásol
sleep away *vt* alvással elmulaszt
sleep in *vi* bent alszik [munkahelyén]
sleep off *vt* kialszik vmt
sleep on *vt ~ on sg* alszik rá egyet

sleep out A. *vi* nem otthon alszik B. *vt* kialszik vmt
sleep through *vt biz* elalszik [vekkert, vonatot]
sleep with *vi* lefekszik vkvel
sleeper ['sliːpə*] *a* 1. alvó 2. [vasúti] talpfa 3. ászokfa, párnafa 4. hálókocsi; *book a ~* hálókocsijegyet vált
sleepily ['sliːpɪlɪ] *adv* álmosan
sleepiness ['sliːpɪnɪs] *n* álmosság
sleeping ['sliːpɪŋ] I. *a* alvó; *S~ Beauty* Csipkerózsika; *~ partner* csendestárs II. *n* alvás
sleeping-bag *n* hálózsák
sleeping-car *n* hálókocsi
sleeping-draught/pill *n* altató(szer)
sleeping-quarters *n pl* hálóhelyiségek
sleeping-sickness *n* 1. afrikai álomkór (trypanosomiasis) 2. encephalitis lethargica
sleeping-suit *n* hálózsák, kezeslábas [gyermeknek alvásra]
sleepless ['sliːplɪs] *a* 1. álmatlan 2. fáradhatatlan, éber
sleeplessness ['sliːplɪsnɪs] *n* álmatlanság
sleep-walker *n* alvajáró
sleep-walking *n* alvajárás
sleepy ['sliːpɪ] *a* 1. álmos 2. álmosító 3. kásás [gyümölcs]
sleepy-head *n* álomszuszék, hétalvó
sleet [sliːt] I. *n* dara; ólmos/havas eső II. *vi it ~s* ólmos eső esik
sleeve [sliːv] *n* 1. (ruha)ujj, kabátujj, ingujj; *have sg* (v. *a card*) *up one's ~* van még egy ütőkártyája; *laugh up one's ~* markába nevet 2. hüvely, persely, karmantyú [műszaki] 3. szélzsák 4. (hang)lemezborító, tasak
sleeve-board *n* ujjafa, ujjavasaló
-sleeved [-sliːvd] (-)ujjú, -ujjas
sleeveless ['sliːvlɪs] *a* ujjatlan [ruha]
sleeve-nut *n* hüvelyes anya, menetes hüvely
sleeve-valve *n* tolattyú(s szelep)
sleigh [sleɪ] I. *n* szán(kó) II. A. *vi* szánkázik B. *vt* szánon/szánkón szállít/ visz
sleigh-bell *n* száncsengő
sleigh-ride *n* szánkázás
sleight [slaɪt] *n ~ of hand* bűvészmutatvány

slender ['slendə*] a 1. karcsú 2. gyenge, középszerű, szegényes
slept [slept] →sleep II.
sleuth [slu:θ]n 1. ~(-hound) kopó, véreb 2. US biz (rendőr)kopó, detektív
slew[1], US slue [slu:] I. n 1. csavarodás, (el)fordulás, tekeredés 2. himbál(ódz)ás, ring(at)ás II. A. vi 1. csavarodik, (el)fordul, tekeredik; ~ round elfordul, átfordul 2. himbálódzik, ring B. vt 1. (el)fordít, elforgat, (ki)teker; ~ round megfordít 2. himbál, ringat
slew[2] [slu:] →slay
slice [slais] I. n 1. szelet, darab 2. lapát [szeleteléshez] 3. rész(esedés), juss 4. nyesés; nyesett labda II. vt 1. szel(etel), (le)vág; ~ off levág; ~ up felszel(etel), felvág 2. nyes [labdát]
slicer ['slaisə*] n szeletelő(gép)
slick [slik]biz I. a 1. sima, egyenletes 2. ravasz, ügyes, „dörzsölt"; gyors II. adv ügyesen, egyenesen, simán III. n 1. (oil) ~ olajréteg [tengeren stb.] 2. simító 3. sima/sík felület 4. US ⟨sima papírra nyomott elegáns folyóirat⟩
slicker ['slikə*]n US biz 1. esőköpeny 2. „dörzsölt" fickó
slickness ['sliknis] n ügyesség
slid [slid] →slide II.
slide [slaid] I. n 1. csúszás, siklás; (föld)csuszamlás 2. csúszda; csúsztató 3. dia(pozitív); ~ frame diakeret; ~ strip diafilm(csík) 4. (tárgy)lemez [mikroszkópon] 5. tolattyú, tolóka; csúszka; US ~ fastener húzózár, zipzár II. v (pt/pp slid slid) A. vt csúsztat; tol B. vi (meg)csúszik, csúszkál, siklik; let ~ nem törődik vmvel, békén hagy
   slide away vi elillan, eloson
   slide by vi elillan, eloson
   slide down vi lecsúszik, lesiklik
slide-projector n diavetítő
slider ['slaidə*] n 1. csúsztató 2. csúszó (érintkező), csúszórész
slide-rule n logarléc
slide-valve n dugattyús henger
slide-way n = slide I. 2.
sliding ['slaidiŋ] I. a csúszó, sikló; ~ door tolóajtó; ~ roof tolótető [autóé];

~ scale mozgó (bér)skála; ~ seat gurulóülés [csónakban] II. n csúszás, csúszkálás, siklás; csuszamlás
slight [slait] I. a 1. csekély, jelentéktelen; könnyű, kevés 2. vékony, karcsú; kicsi II. n mellőzés; megalázás, megbántás III. vt semmibe (se) vesz, mellőz, megbánt, lefitymál
slighting ['slaitiŋ] a megvető, megalázó, becsmérlő, fitymáló
slightly ['slaitli] adv 1. némileg, kissé 2. ~(-)built karcsú, törékeny, vékony, apró termetű
slightness ['slaitnis] n 1. vékonyság, karcsúság 2. jelentéktelenség
slim [slim] I. a (comp ~mer 'slimə*, sup ~mest 'slimist) 1. karcsú, vékony 2. csekély, kevés; ~ chance csekély/halvány eshetőség; ~ excuse gyenge kifogás; ~ income szerény jövedelem 3. biz ravasz; hitvány II. v -mm- A. vt soványít, fogyaszt B. vi fogyasztja magát, fogyókúrát tart
slime [slaim] I. n 1. iszap 2. nyálka II. vt benyálkáz
sliminess ['slaiminis] n 1. iszaposság 2. nyálkásság
slimmed, slimmer →slim
slimming ['slimiŋ] I. a 1. fogyó 2. fogyasztó II. n 1. fogyás 2. fogyasztás; ~ cure fogyókúra
slimness ['slimnis] n 1. karcsúság, vékonyság 2. biz ravaszság, hitványság
slimpsy ['slimpsi] a US törékeny, laza
slimsy ['slimzi] a = slimpsy
slimy ['slaimi] a 1. iszapos 2. nyálkás 3. biz hajbókoló, csúszó-mászó, (talp-) nyaló
sling[1] [sliŋ] I. n 1. parittya 2. parittyakő 3. dobás 4. hurok; karfelkötő kendő; vállszij; hordóakasztó; carry one's arm in a ~ felkötve hordja a kezét/ karját 5. (sors)csapás II. v (pt/pp slung sllŋ) A. vt 1. (el)hajít, dob, elódít, (el)vet; parittyából kilő; ~ oneself up gyorsan felmászik 2. felakaszt, felköt, vállára vet B. vi ringó/lendületes járással jár/megy
sling[2] [sliŋ] n US ⟨jegelt gines és limonádés ital⟩

sling-cart *n* lőszerkocsi
slinger ['slɪŋə*] *n* parittyázó, dobó
sling-shot *n* csúzli
slink[1] [slɪŋk] *vi* (*pt*/*pp* slunk slʌŋk)
ólálkodik, lopakodik; ~ *away*/*off* elsomfordál, eloldalog; ~ *in* beoson, belopakodik
slink[2] [slɪŋk] I. *n* elvetélt (állati) magzat II. *vi*/*vt* elvetél [állat]
slip [slɪp] I. *n* 1. (el)csúszás, megcsúszás, csusszanás; *give sy the* ~ meglóg vk elől, faképnél hagy vkt; *there is many a* ~ *'twixt the cup and the lip* vmnek kezdete és sikeres befejezése között még sok minden történhetik 2. *átv* botlás, tévedés, hiba; ~ *of the pen* elírás, tollhiba; ~ *of the tongue* nyelvbotlás; *make a* ~ hibát ejt 3. darabka; ~ (*of paper*) cédula, papírdarab; *delivery* ~ árujegy 4. hasáb(levonat); kutyanyelv 5. női ing, kombiné; [gyermek] kötényruha 6. slips *pl* háromszögnadrág, „fecske" 7. (párna)huzat 8. bujtvány, oltóág, oltószem; *biz a mere* ~ *of a boy* kölyök, srác; ~ *of a girl* csitri 9. póráz 10. színes agyagkeverék [fazekasáru festésére] 11. sólya(pálya) 12. kompkikötő 13. slips *pl* színfalak, (oldal-)kulisszák II. *v* -pp- A. *vi* 1. (el)csúszik, megcsúszik, kicsúszik; *let* ~ (1) ereszt; elejt (2) elszalaszt [alkalmat] (3) elkottyant [titkot] 2. *átv* (meg-)téved, botlik 3. oson, surran, lopódzik 4. megszökik 5. *biz* hanyatlik B. *vt* 1. (be)csúsztat 2. (pórázról) elenged; elold, elköt [horgonyról]; ~ *its chain* elszabadul [megkötött állat] 3. kibújik (vmből), levet [bőrt] 4. megugrik, megszökik (vk elől) 5. ~ *one's memory* kiesik az emlékezetéből; ~ *sy's notice* elkerüli vk figyelmét 6. csúsztat [tengelykapcsolót] 7. leemel [szemet kötésnél] 8. elvetél 9. ojt, szemez
slip away/by *vi* 1. angolosan távozik, meglép, elillan 2. elmúlik, elszáll
slip down *vi* lecsúszik, lesiklik
slip in A. *vi* becsúszik B. *vt* becsúsztat, befűz [új filmet a gépbe]

slip into A. *vi* be(le)bújik [ruhába stb.]; ~ *i. bed* ágyba bújik B. *vt* vmt vmbe becsúsztat/bedug
slip off A. *vi* 1. lecsúszik 2. *biz* kereket old B. *vt* ledob magáról [ruhát]
slip on *vt* bebújik [ruhába], magára kap [egy ruhát]
slip out *vi* 1. kicsúszik (*of* vmből) 2. kibújik (*of* ruhából) 3. kiszivárog, napvilágra jut [titok] 4. *biz* kioson
slip over *vt* föléje húz, magára vesz [ruhát fején át]
slip through *vi* ~ *t. one's fingers* kicsúszik a kezéből
slip up *vi biz* 1. baklövést követ el, bakizik 2. *US* megbukik, zátonyra fut/jut [terv]
slip-carriage/coach *n* menet közben lekapcsolt [vasúti] kocsi
slip-cover *n* 1. védőhuzat [bútoron] 2. könyvtok
slip-in *a* becsúsztatós [fényképalbum]
slip-knot *n* csúszócsomó [kötélen]
slip-on, slipover *a* bebújós [ruha stb.]
slippage ['slɪpɪdʒ] *n* (meg)csúszás
slipped [slɪpt] *a* ~ *disc* porckorongsérv ‖ → slip II.
slipper ['slɪpə*] *n* 1. papucs, házicipő; tánccipő; *take a* ~ (*to a child*) elnadrágol (gyereket papuccsal) 2. ágytál 3. fékpofa, -saru
slipper-wort *n* papucsvirág, kalceolária
slippery ['slɪpərɪ] *a* 1. csúszós, síkos 2. sikamlós, kényes [ügy] 3. megbízhatatlan, ingadozó; nehezen megfogható, minden hájjal megkent
slip-pocket *n* zseb [köpenyen, autóajtón]
slip-proof *n* hasáblevonat
slippy ['slɪpɪ] *a* fürge, mozgékony; *look*/*be* ~! mozgás!, szedd a lábad!
slip-ring *n* csúszógyűrű
slip-road *n* bekötő út, ráhajtó út
slipshod ['slɪpʃɔd; *US* -ɑd] *a* 1. letaposott cipősarkú 2. hanyag, rendetlen, felületes
slipslop ['slɪpslɔp; *US* -ɑp] *n* 1. lötty 2. limonádé [olvasmány]
slip-stitch *n* leemelt szem [kötésnél]
slip-stream *n* légcsavarszél [repülőgép mögött], légörvény

slip-up *n biz* baklövés; baki
slip-way *n* sólya(pálya), csúszda
slit [slɪt] I. *n* hasíték, rés, nyílás, repedés
II. *v (pt/pp ~; -tt-)* A. *vt* felvág, hasít,
(be)metsz, repeszt; *~ sy's throat*
vknek elmetszi a torkát B. *vi* (el-)
reped, (el)hasad
slit-eyed *a* mandula vágású szemű,
ferde szemű
slither ['slɪðə*] *biz* I. *n* megcsúszás II.
vi (meg)csúszik, csúszkál, siklik
slitting ['slɪtɪŋ] *n* széthasítás, metszés
slitting-mill *n* 1. szeg(ecs)vágó gép/
üzem 2. lécvágó keretfűrész 3. sze-
letelőkorong [drágakő vágásához]
sliver ['slɪvə*] I. *n* 1. forgács, szilánk;
szelet 2. fátyolszalag, nyújtott szalag
II. A. *vt* leszakít, forgácsot lehasít,
lerepeszt (vmről) B. *vi* leszakad, le-
hasad
Sloan(e) [sloʊn] *prop*
slobber ['slɒbə*; *US* -ɑ-] I. *n* 1. csorgó
nyál 2. *biz* csöpögő/könnyes érzel-
gősség, érzelgős beszéd/csók 3. sár,
latyak II. A. *vi* nyáladzik; *~ over sy*
vkről érzelgős rajongással beszél B.
vt benyálaz
sloe [sloʊ] *n* kökény
slog [slɒg; *US* -ɑ-] I. *n* erős ütés II. *v*
-gg- A. *vt* erősen üt, (vadul) püföl B.
vi 1. erőlködik; *~ away at sg* elveszző-
dik/küszködik vmvel 2. *~ along* alig
vonszolja magát
slogan ['sloʊgən] *n* 1. jelmondat [poli-
tikai v. reklám], jelszó 2. csatakiáltás
[skót harcosoké]
slogger ['slɒgə*; *US* -ɑ-] *n* 1. kitartó/
alapos munkás 2. erős ütő [játékos]
sloop [sluːp] *n* naszád
slop¹ [slɒp; *US* -ɑ-] I. *n (rendsz pl)* 1.
kiloccsant víz; piszkos mos(d)óvíz,
mosogatólé, szennyvíz; moslék, lötty
2. folyékony betegkoszt II. *v* **-pp-** A.
vt kilottyant, kiloccsant; *~ out* (ürü-
léket) kiönt B. *vi* 1. *~ (over)* kilottyan,
kiloccsan; túlfolyik 2. *biz* ömleng
slop² [slɒp; *US* -ɑ-] *n rendsz pl* 1. kész-
ruha 2. tengerészruházat és ágynemű,
kincstári holmi [tengerészé]
slop-basin *n* ⟨edény teaaljnak⟩
slope [sloʊp] I. *n* 1. lejtő(s út), emelkedő

2. lejtés, lejtősség; dőlés II. A. *vi* 1.
lejt, ereszkedik; dől 2. *biz ~ about*
flangál, cselleng; *~ off* elmegy, meglóg
B. *vt* 1. lejtőssé tesz 2. *~ arms!*
puskát vállra!
slopiness ['sloʊpɪnɪs] *n* lejtősség, lejtő
sloping ['sloʊpɪŋ] *a* 1. lejtős; *~ shoul-
ders* csapott váll 2. ferde
slop-pail *n* szennyvízvödör
slopped [slɒpt; *US* -ɑ-] →*slop¹* II.
sloppiness ['slɒpɪnɪs; *US* -ɑ-] *n* 1. lucs-
kosság, nedvesség 2. löttyedtség, pu-
haság, lazaság 3. felületesség, hanyag-
ság 4. ömlengősség
sloppy ['slɒpɪ; *US* -ɑ-] *a* 1. lucskos, ned-
ves; felázott 2. lottyadt, laza 3. felü-
letes, hanyag 4. ömlengő, érzelgős
slop-room *n* ruhatár [hadihajón]
slop-shop *n* készruha-kereskedés
slosh [slɒʃ; *US* -ɑ-] *vt* □ behúz egyet
vknek
slot¹ [slɒt; *US* -ɑ-] I. *n* 1. (keskeny)
nyílás, rés [automatán pénzbedobás-
ra] 2. horony, vájat II. *vt* **-tt-** résel,
nyílást vág (vmbe)
slot² [slɒt; *US* -ɑ-] *n* nyom, csapa [őzé]
sloth [sloʊθ] *n* 1. lajhár 2. tunyaság
slothful ['sloʊθful] *a* tunya, lusta
slot-machine *n* (pénzbedobós) automata
slot-meter *n* pénzbedobós (gáz)mérő
slotting-machine ['slɒtɪŋ; *US* -ɑ-] *n* 1.
vésőgép, hornyológép, csapvágó gép
2. perforálógép [filmhez]
slouch [slaʊtʃ] I. *n* 1. nehézkes mozgás;
lomha csoszogó járás 2. *biz* esetlen/
lomha fickó, nagy melák II. A. *vi* 1.
lomhán/esetlenül csoszog/áll/ül; *don't
~!* húzd ki magad! 2. lekonyul, lelóg
B. *vt* lehajt [kalapkarimát]
slouch-hat *n* nagy puhakalap (lelógó
karimával)
slough¹ [slaʊ; *US* az 1. jelentésben:
sluː] *n* 1. mocsár, ingovány, pocsolya
2. kétségbeesés
slough² [slʌf] I. *n* 1. levedlett bőr [kí-
gyóé stb.]; elhullatott agancs [szar-
vasé stb.] 2. hámló bőr; pörk 3. leve-
tett/elhagyott szokás II. *vt/vi* (le)ved-
lik, hámlik; *~ off* (1) levedlik [bőrt]
(2) levet [rossz szokást]
sloughy ['slaʊɪ; *US* 'sluːɪ] *a* mocsaras

Slovak ['slouvæk] *a/n* szlovák
Slovakia [slou'vækɪə] *prop* Szlovákia
sloven ['slʌvn] *n* lompos/szurtos/ápolatlan egyén/férfi/nő
Slovene ['slouviːn] *a/n* szlovén
Slovenian [slou'viːnjən] *a/n* szlovén
slovenliness ['slʌvnlɪnɪs] *n* lomposság, szurtosság, ápolatlanság
slovenly ['slʌvnlɪ] *a* lompos, szurtos, rendetlen, ápolatlan, slampos
slow [slou] I. *a* 1. lassú; megfontolt; késedelmes; nehézkes; ~ *goods* teheráru; ~ *motion* lassított felvétel [filmjelenete] →*slow-motion; in* ~ *oven* lassú tűzön [süt]; ~ *poison* lassan ölő méreg; ~ *train* személyvonat; ... *is ten minutes* ~ [az óra] tíz percet késik; *be* ~ *to* ... nehezen szánja rá magát vmre; *he was not* ~ *to* ... sietett (vmt tenni) 2. hanyag, ostoba; ~ *child* nehéz felfogású gyerek 3. unalmas, vontatott II. *adv* lassan; *go* ~ (1) lassan hajt (2) óvatosan bánik vmvel III. A. *vt* lassít, késleltet; ~ *down/up* lelassít B. *vi* lassul, lassít; ~ *down/up* lelassul, lassít
slow-burning *a* lassan égő
slow-coach *n* lassú észjárású (maradi) ember
slow-combustion stove folytonégő kályha
slow-down (strike) *n* munkalassítás [mint sztrájk]
slow-motion *a* lassított [film, felvétel, leadás] →*slow I. 1.*
slowness ['slounɪs] *n* lassúság, lustaság, szellemi tompaság
slow-witted *a* lassú észjárású
slow-worm *n* törékeny gyík
slub [slʌb] I. *n* laza csomó, vastagodás [fonálban] II. *vt* -bb- [fonalat] (meg-)sodor
sludge [slʌdʒ] *n* 1. iszap, híg sár, szennyvíz 2. jégdarab [tengeren] 3. (olaj-)üledék, salak
sludgy ['slʌdʒɪ] *a* 1. sáros 2. jeges
slue →*slew¹*
slug¹ [slʌg] I. *n* 1. házatlan/meztelen csiga 2. *biz* naplopó 3. (puska)golyó 4. linotype szedésű sor; [nyomdai] sorköztag, betűköztag II. *vi* -gg- 1. henyél, hévizál 2. csigát(gyűjt és) pusztít

slug² [slʌg] *US n/vt* -gg- = *slog*
slug-a-bed ['slʌgəbed] *n* hétalvó
sluggard ['slʌgəd] *n* rest/tunya ember
sluggish ['slʌgɪʃ] *a* tunya, lomha; lassú folyású; renyhe [működésű szerv]
sluggishness ['slʌgɪʃnɪs] *n* lomhaság, tunyaság, renyheség
sluice [sluːs] I. *n* zsilip; ~ *chamber* zsilipkamra II. *vt* 1. zsilippel elzár; (vízzel) eláraszt 2. leereszt [vizet zsilipeken] 3. mos [aranyat] 4. *biz* megmos, lemos
sluice-gate *n* zsilipkapu
sluice-keeper *n* zsilipőr
sluice-valve *n* zsilipkapu
sluice-way *n* zsilipmeder; hordaléklebocsátó zsilip, öblítőzsilip
sluing ['sluːɪŋ] →*slew¹*
slum [slʌm] I. *n rendsz pl* (nagyvárosi) szegénynegyed, nyomornegyed; ~ *clearance* nyomornegyedek megszüntetése II. *vi* -mm- *go* ~*ming* nyomornegyedeket látogat
slumber ['slʌmbə*] I. *n* szunnyadozás, szendergés, szundítás II. *vi* szendereg, szunyókál
slumming ['slʌmɪŋ] *n* nyomornegyedek látogatása →*slum II.*
slummy ['slʌmɪ] *a* nyomortanya jellegű, [rosszallóan:] proli [negyed]
slump [slʌmp] I. *n* pangás, hirtelen áresés; gazdasági válság II. *vi* 1. hirtelen lepottyan, leesik, belesüpped vmbe 2. (hirtelen) nagyot esnek [árak, árfolyamok]
slung [slʌŋ] →*sling II.*
slung-shot *n* ⟨szíj végére erősített kő mint fegyver⟩
slunk →*slink¹*
slur [sləː*] I. *n* 1. gyalázat, szégyenfolt, gáncs; *cast a* ~ *on* megbélyegez (vkt), csorbát ejt (vmn) 2. (kötő)ív, ligatúra [zenében] 3. nem tiszta (ki)ejtés, hadarás, összefolyó beszéd II. *v* -rr- A. *vt* 1. átsiklik (vmn), semmibe vesz, lebecsül, becsmérel 2. ~ *one's words* hibásan/érthetetlenül beszél B. *vi* 1. elmosódik, összefolyik, egybefolyik [beszéd, ének, írás] 2. hibásan/érthetetlenül/hadarva beszél 3. ~ *over sg* átsiklik vmn
slurred [sləːd] *a* elmosódott, összefolyó,

egybefolyó [beszéd, ének, írás]
‖ →*slur II.*
slurry ['slʌrɪ; *US* -ə:-] *n* **1.** cementlé,
híg cementhabarcs **2.** híg iszap
slush [slʌʃ] **I.** *n* **1.** latyak, locspocs, hólé
2. kenőanyag, zsiradék **3.** *biz* (émelyítő) érzelgősség; limonádé, giccs **II.**
vt **1.** [kenőanyaggal stb.] ken, zsíroz
2. hézagol, bepucol [falat]
slush-fund *n US* □ **1.** pártkassza **2.**
„kenésre" félretett (pénz)alap
slushy ['slʌʃɪ] *a* **1.** latyakos, kásás [jég]
2. *biz* (émelyítően) érzelgős, giccses
slut [slʌt] *n* rossz hírű (v. szutykos) nő
sluttish ['slʌtɪʃ] *a* szutykos, loncsos,
lompos, rossz hírű [nő]
sly [slaɪ] *a* ravasz, sunyi, alattomos; *on
the* ~ alattomban, titokban, stikában;
~ *dog* ravasz kutya/kópé
slyness ['slaɪnɪs] *n* ravaszság, sunyiság,
alattomosság
smack¹ [smæk] **I.** *n* **1.** íz, mellékíz **2.** *a*
~ *of* . . . egy kevés/csipetnyi/árnyalatnyi . . . **II.** *vi* ~ *of sg* vmlyen (mellék)íze/látszata van, vm érzik rajta
smack² [smæk] **I.** *adv biz* zsupsz !, pont
(bele/neki), püff neki; hirtelen **II.** *n* **1.**
csattanás **2.** cuppanós csók; csattanó
pofon/ostor; ~ *in the face* pofon (*átv
is*); (sértő) visszautasítás; *have a* ~ *at
sg* megpróbálkozik vmvel **III. A.** *vt* **1.**
csattant, cuppant, csettint [nyelvével] **2.** ráver, rácsap [tenyérrel]; ~
sy's face vkt pofon üt **B.** *vi* csattan;
cuppan
smack³ [smæk] *n* halászbárka
small [smɔ:l] **I.** *a* **1.** kis, kicsi(ny), apró;
csekély, jelentéktelen; ~ *arms* kézi
fegyverek; ~ *caps* kapitálchen betűk;
~ *change* aprópénz; ~ *eater* kisevő,
kis étkű; ~ *fry* (1) apró hal (2) jelentéktelen ember; *the* ~ *hours* az éjfél
utáni első órák, kora hajnal; ~ *letter*
kisbetű; *on the* ~ *side* nem elég nagy,
meglehetősen kicsi; ~ *talk* (könnyed)
társalgás, csevegés [mindennapi témákról]; *in a* ~ *way* szerény keretek
között; *it is* ~ *wonder* nem lehet csodálni, nem csoda (ha . . .); *feel* ~ szégyenkezik, zavarban van; *look* ~
megszégyenültnek látszik **2.** rövid;

szűk; ~ *waist* keskeny derék **3.**
gyenge, halk [hang]; könnyű, gyenge
[ital]; ~ *beer* (1) gyenge sör (2) jelentéktelen ember/dolog; ~ *wine* könnyű
bor **II.** *adv* **1.** apróra **2.** szűk keretek
között, csekély mértékben **3.** halkan
III. *n* **1.** vmnek az apraja; ~ *of the
back* (vknek a) vék(o)nya, vese tája
2. **smalls** *pl biz* alsónadrág, (testi)
fehérnemű
small-clothes *n pl* † (rövid testhezálló)
térdnadrág
small-holder *n* kisgazda, kisbérlő
smallish ['smɔ:lɪʃ] *a* meglehetősen kicsi
small-minded *a* kicsinyes
smallness ['smɔ:lnɪs] *n* **1.** kicsi(ny)ség,
vmnek kis volta **2.** kicsinyesség
smallpox ['smɔ:lpɔks; *US* -paks] *n* himlő
small-scale *a* kisipari, kisüzemi
small-sword *n* tőr
small-time *a US biz* kisszerű, jelentéktelen, piti
small-toothed comb sűrűfésű
small-wares *n pl* rövidáru
smarm [smɑ:m] *biz* **A.** *vt* lesimít, lenyal
[hajat pomádéval] **B.** *vi* (túlzóan)
hízeleg, nyal (vknek)
smarmy ['smɑ:mɪ] *a biz* mézesmázos,
hízelgő, nyaló, undorító
smart [smɑ:t] **I.** *a* **1.** szúró, csípős, sajgó,
éles [fájdalom] **2.** fürge, eleven, élénk;
look ~ *!* mozgás !, szedd a lábad !, szaporán ! **3.** ügyes, ötletes, talpraesett;
eszes, gyors felfogású; szellemes; □ ~
alec(k) beképzelt alak/fráter **4.** agyafúrt, körmönfont **5.** divatos, elegáns,
sikkes, jó megjelenésű; *the* ~ *set* az
elegáns/előkelő világ **6.** szigorú, kemény [büntetés] **II.** *n* éles/szúró/metsző fájdalom, szúrás, sajgás **III.** *vi* **1.**
fáj, sajog, ég [seb]; csíp [jód stb.] **2.**
szenved **3.** megszenved, bűnhődik;
you shall ~ *for this* ezt még megkeserülöd
smarten ['smɑ:tn] **A.** *vt* feldíszít; felélénkít; ~ *oneself up* kicsinosítja/kicsípi
magát **B.** *vi* felélénkül
smarting ['smɑ:tɪŋ] *a* szúró, fájó
smart-money *n* fájdalomdíj
smartness ['smɑ:tnɪs] *n* **1.** csípősség **2.**
eszesség; ügyesség; körmönfontság,

52

furfangosság 3. fürgeség, elevenség, élénkség 4. ízlésesség, divatosság, elegancia

smarty ['smɑːtɪ] *n US biz* okosnak látszani akaró ember

smash [smæʃ] I. *adv go* ~ tönkremegy, csődbe jut; *run* ~ *into sg* teljes erővel beleszalad vmbe II. *n* 1. darabokra törés; összezúzódás, összetörés 2. kemény ütés; heves összeütközés, (vasúti v. autó)szerencsétlenség 3. összeomlás, tönkremenés, krach 4. lecsapás [labdáé teniszben] 5. □ ~ (*hit*) bombasiker III. A. *vt* 1. összezúz, szétzúz, összetör; nekicsap; betör, bezúz 2. ~ *the ball* lecsapja/megöli a labdát [teniszben]; ~ *a record* megdönt csúcsot B. *vi* 1. összezúzódik, -törik; nekicsapódik 2. tönkremegy, „bekrachol" 3. összeütközik; ~ *into sg* (teljes erővel) beleszalad, nekimegy vmnek

smash-and-grab [smæʃn'græb] *a biz* ~ *raid* (1) kirakatrablás (2) erőszakosság

smasher ['smæʃə*] *n* remek/pompás dolog/személy

smashing ['smæʃɪŋ] *a biz* remek, pompás

smash-up *n* 1. összeütközés, karambol, szerencsétlenség 2. összeomlás

smattering ['smæt(ə)rɪŋ] *n* felületes (nyelv)ismeret/tudás; *have a* ~ *of sg* konyít vmhez

smear [smɪə*] I. *n* 1. (zsír)folt, maszat 2. kenet II. *vt* 1. elken, beken, bemaszatol, bepiszkít 2. befeketít, rágalmaz

smear-word *n* csúfnév; rágalom

smell [smel] I. *n* 1. szag; *take a* ~ *at sg* vmt megszagol 2. szaglás II. *v* (*pt/pp* **smelt** smelt v. **smelled** smeld) A. *vt* 1. (meg)szagol, érzi a szagát (vmnek) 2. *átv* megszimatol, megszagol (vmt); ~ *out* kiszimatol, kifürkész B. *vi* 1. ~ *round* körülszaglász 2. (vm) szaga van, (vmlyen) szagú; büdös; ~ *of the lamp* érzik rajta az erőlködés, izzadságszaga van

smelling-bottle ['smelɪŋ-] *n* repülősós üvegcse

smelling-salts ['smelɪŋ-] *n pl* repülősó

smelly ['smelɪ] *a* rossz szagú, büdös

smelt[1] [smelt] *vt* (meg)olvaszt, kiolvaszt [fémet]

smelt[2] [smelt] *n* bűzöslazac, eperlánlazac

smelt[3] [smelt] →*smell II.*

smeltery ['smeltərɪ] *n* olvasztóműhely, kohó(mű), öntöde

smelting-furnace ['smeltɪŋ-] *n* olvasztókemence, -kohó

smew [smjuː] *n* bukómadár

smilax ['smaɪlæks] *n* szasszaparilla, szárcsagyökér

smile [smaɪl] I. *n* mosoly; *raise a* ~ megmosolyogtat; *be all* ~*s* (1) csupa mosoly (2) jóindulatúan mosolyog; *break into a* ~ elmosolyodik II. *vi*/*vt* mosolyog, vidám; ~ *welcome* mosolyogva üdvözöl; *keep smiling* légy mindig derűs/vidám, mindig mosolyogj
  smile at *vi* mosolyog (vmn, vkn), megmosolyog (vmt); rámosolyog (vkre)
  smile (up)on *vi* rámosolyog (vkre); kedvez (vknek)

smiling ['smaɪlɪŋ] *a* mosolygó(s)

smirch [smɜːtʃ] I. *n* folt II. *vt* bemocskol (*átv is*), megrágalmaz

smirk [smɜːk] I. *n* kényeskedő és önelégült mosoly(gás) II. *vi* önelégülten somolyog, vigyorog

smite [smaɪt] *vt* (*pt* **smote** smoʊt, *pp* **smitten** 'smɪtn) 1. megüt, rásújt, lecsap 2. sújt (vmvel); *city smitten with plague* pestissel sújtott város 3. legyőz, lever, csapást mér [ellenségre] 4. *be smitten by*/*with sg* elbűvöli/megigézi vm [látvány stb.]; *be smitten with sy* fülig szerelmes vkbe

smith [smɪθ] *n* kovács

smithereens [smɪðə'riːnz] *n pl* apró darabok; *smash into* ~ rapityára tör

smithy ['smɪðɪ; *US* -θɪ] *n* kovácsműhely

smitten →*smite*

smock [smɔk; *US* -ɑ-] *n* 1. ~(-*frock*) (munka)köpeny, (bő ingszerű ujjas) munkaruha 2. (gyermek) kezeslábas

smog [smɔg; *US* -ɑ-] *n* füstköd

smoke [smoʊk] I. *n* 1. füst; □ *like* ~ (1) azonnal (2) gőzerővel; *end* (*up*) *in* ~ füstbe megy 2. dohányzás; pipázás 3. *biz* cigaretta; szivar; *have a* ~ elszív

egy cigarettát; *have a* ~! gyújts(on) rá! **II. A.** *vi* **1.** füstöl, gőzölög **2.** dohányzik **B.** *vt* **1.** (meg)füstöl [húst stb.]; odaéget [ételt] **2.** ~ *out* kifüstöl **3.** (el)szív [szivart, cigarettát stb.] **4.** befüstöl, bekormoz **5.** † megsejt, gyanít
smoke-bomb *n* füstbomba
smoke-consumer *n* füstemésztő
smoke-curing *n* füstölés [húsé]
smoked [smoʊkt] *a* **1.** füstölt [hús] **2.** füstös, kormozott [üveg]
smoke-dried *a* füstölt [hús]
smoke-house *n* füstölde, húsfüstölő
smoke-jack *n* nyársforgató készülék
smokeless ['smoʊklɪs] *a* füst nélküli, füstmentes
smoker ['smoʊkə*] *n* **1.** dohányzó, dohányos (ember) **2.** dohányzó szakasz **3.** dohányzó [helyiség]
smoke-screen *n* (álcázó) füstfüggöny; *átv* ködösítés
smoke-stack *n* (gyár)kémény; hajókémény, mozdonykémény
smoking ['smoʊkɪŋ] **I.** *a* füstölő; dohányzó **II.** *n* **1.** füstölés **2.** dohányzás; *no* ~ tilos a dohányzás
smoking-carriage *n* dohányzó szakasz/kocsi
smoking-compartment *n* dohányzó szakasz
smoking-concert *n* ⟨hangverseny, ahol szabad dohányozni⟩
smoking-jacket *n* házikabát
smoking-room *n* dohányzó (szoba); ~ *story* borsos történet
smoky ['smoʊkɪ] *a* **1.** füstös, kormos, párás; befüstölt **2.** füstöl(g)ő
Smollett ['smɔlɪt] *prop*
smooth [smu:ð] **I.** *a* **1.** sima, sík, egyenletes; zavartalan, folyamatos; ~ *crossing* szélcsendes átkelés; ~ *landing* sima leszállás; *make things* ~ *for sy* vknek útját egyengeti **2.** udvarias, sima [modor]; előzékeny; hízelg ő, mézesszavú **II.** *n* **1.** simaság **2.** s imítás **III.** *v* (van smoothe alakja is) **A·** *vt* **1.** (le)simít, egyenget, csiszol, legyalul **2.** lecsillapít; elsimít **B.** *vi* elsimul; (le-) csillapodik
smooth away *vt* elsimít

smooth down A. *vi* lecsillapodik, elsimul **B.** *vt* elsimít, lecsillapít
smooth out *vt* kisimít
smooth over *vt* **1.** szépítget, palástol **2.** (el)simít, egyenget; elhárít [nehézségeket]
smooth-bore *a* huzagolatlan
smooth-chinned *a* **1.** sima állú, simára borotvált **2.** tejfölösszájú
smoothe [smu:ð] →*smooth III.*
smooth-faced *a* **1.** (simára) borotvált **2.** sima modorú; behízelgő, mézesmázos
smoothing-iron ['smu:ðɪŋ-] *n* (ruha)vasaló
smoothing-plane ['smu:ðɪŋ-] *n* simítógyalu
smoothly ['smu:ðlɪ] *adv* simán, egyenletesen, szabályosan
smoothness ['smu:ðnɪs] *n* **1.** simaság, egyenletesség **2.** zajtalanság **3.** sima modor; mézesmázosság
smooth-running *a* egyenletes járású [motor]
smooth-spoken/tongued *a* sima szavú/beszédű; behízelgő, mézesmázos modorú
smote →*smite*
smother ['smʌðə*] **I.** *n* **1.** sűrű füst/pára; porfelhő; füstgomolyag **2.** izzó parázs **II. A.** *vt* **1.** megfojt **2.** elolt, lefojt [tüzet]; elfojt [érzelmet] **3.** ~ (*up*) elrejt, eltussol **4.** eláraszt, elhalmoz (*with* vmvel); ~*ed in fog* ködbe borult **B.** *vi* **1.** megfullad; fulladozik **2.** füstölög, parázslik
smothery ['smʌðərɪ] *a* **1.** fojtó, fojtogató, fullasztó **2.** hamvadó
smoulder, *US* **smolder** ['smoʊldə*] *vt* **1.** láng nélkül ég, parázslik, izzik, hamvad **2.** *átv* lappang
smudge [smʌdʒ] **I.** *n* **1.** piszok, folt, paca **2.** *US* sűrű füst, füstölgő tűz **II. A.** *vt* **1.** bepiszkít, összeken; elmázol **2.** kifüstöl [élősdiket] **B.** *vi* elmaszatolódik
smudgy ['smʌdʒɪ] *a* foltos, pacás, piszkos; elmosódott (körvonalú)
smug [smʌg] *a* **1.** önelégült **2.** pedáns, kínosan rendes
smuggle ['smʌgl] *vt* csempészik
smuggler ['smʌglə*] *n* **1.** csempész **2.** csempészhajó

smuggling ['smʌglɪŋ] n csempészés
smugness ['smʌgnɪs] n 1. önelégültség
2. pedánsság
smut [smʌt] I. n 1. korom(folt); maszat
2. gabonaüszög 3. trágárság II. v -tt-
A. vt 1. (korom)foltot ejt vmn, bekormoz; beszennyez, bemocskol (átv is)
2. gabonaüszöggel fertőz B. vi gabonaüszöggel fertőződik
smuttiness ['smʌtɪnɪs] n 1. kormosság
2. üszkösség 3. trágárság
smutty ['smʌtɪ] a 1. kormos; piszkos 2.
üszkös 3. trágár
snack [snæk] n könnyű/gyors étkezés,
falatozás; have a ~ eszik vmt
snack-bar n ételbár
snaffle ['snæfl] I. n zabla II. vt 1. felzabláz 2. GB □ elcsen, elcsór; elcsíp
snag [snæg] I. n 1. kiálló (hegyes)
csonk/szikla/farönk, letörött fog, kidudorodás, csomó, bütyök 2. biz rejtett
akadály, váratlan bökkenő; hátrány
II. vt -gg- 1. be ~ged zátonyra fut 2.
[rönköktől stb.] megtisztít
snaggy ['snægɪ] a csomós, görcsös [fa]
snail [sneɪl] n csiga; at a ~'s pace csigalassúsággal
snake [sneɪk] I. n kígyó; biz see ~s fehér
egereket lát, delirium tremense van
II. vi kígyózik [út]
snake-bite n kígyómarás
snake-charmer n kígyóbűvölő
snake-weed n kígyógyökér
snaky ['sneɪkɪ] a 1. kígyószerű, csúszómászó, alattomos 2. kígyózó
snap [snæp] I. a meglepetésszerű, váratlan, hirtelen; ~ judgement kapásból
mondott vélemény II. n 1. csattanás,
pattanás; pattintás; bekattanás; make
a ~ at sy/sg vk/vm után kap [kutya]
2. patent(kapocs); zár, csat 3. US
energia, erély; put some ~ into it! kicsit élénkebben! 4. ropogós gyömbérsütemény 5. = snapshot 6. hirtelen
időváltozás; cold ~ hirtelen hideg
(idő) 7. biz lopás 8. biz (soft) ~ könynyű/potya dolog/munka III. v -pp- A.
vt 1. eltör [csattanással]; elroppant,
elpattant 2. bekap →snap at 3. (be-)
csattant, pattant, bekattint; pattint;
~ one's fingers fittyet hány, ujjával

pattint 4. elkap, elcsíp, megfog 5. lekap, lefényképez (vkt), pillanatfelvételt készít (vkről) B. vi 1. (reccsenéssel) kettétörik, kettéroppan, elpattan
2. csattan, roppan, pattan 3. odakap
(foggal); harap [állat] 4. csütörtököt
mond [puska]
  snap at vi 1. utána kap (szájával),
  belekap, odakap [kutya]; ráharap
  [csalétekre]; ~ at an opportunity két
  kézzel kap az alkalmon 2. ráförmed/
  rárivall vkre
  snap down vi rákattint [tetőt
  edényre]
  snap into vi ~ i. it rákapcsol, belefekszik a munkába
  snap off vt leharap, lenyisszant; ~
  o. sy's head/nose dühösen nekitámad
  vknek
  snap out vt 1. türelmetlenül/keményen/kurtán odamond vmt; ~ o. an
  order parancsot ad gyorsan és pattogó
  hangon 2. ~ o. of it kivágja magát
  vmből
  snap up vt 1. (mohón) felkap 2. ~
  sy up letorkol vkt 3. elkapkod [árut]
snapdragon n oroszlánszáj [virág]
snap-fastener n patent(kapocs), nyomókapocs [ruhán]
snap-hammer n zúzópöröly
snap-lock n 1. rugós csat/kapocs 2.
csappantyú
snapper-up ['snæpərʌp] n ~ (of trifles)
tolvaj, enyveskezű
snappily ['snæpɪlɪ] adv csípősen; talpraesetten
snappish ['snæpɪʃ] a harapós (átv is);
csípős (megjegyzéseket tevő)
snappy ['snæpɪ] a 1. = snappish 2. eleven, talpraesett, szellemes 3. biz make
it ~!, look ~! siess!, mozogj!
snapshot ['snæpʃɔt; US -ɑt] n (pillanat)felvétel, (amatőr) fénykép
snare [sneə*] I. n 1. kelepce, csapda
(átv is), hurok, tőr, háló 2. (polip-)
kacs [sebészi műszer] II. vt 1. csapdával fog 2. átv kelepcébe/tőrbe ejt
snare-drum n erős pergésű dob
snarer ['sneərə*] n csapdaállító
snarl¹ [snɑ:l] I. n (fogvicsorgató) morgás, vicsorgás II. A. vi fogát vicsor-

gatva morog; ~ *at sy* rámordul vkre **B.** *vt* mogorván mond, agresszíven kritizál

snarl² [snɑ:l] **I.** *n* **1.** bonyodalom, zavar; *traffic* ~ forgalmi torlódás/dugó **2.** csomó, hurok **II.** *vt* összekuszál, -zavar, -csomóz, -gubancol

snatch [snætʃ] **I** *n* **1.** odakapás vm után **2.** kis idő(köz); töredék; foszlány; *by/in* ~*es* megszakításokkal **II. A.** *vt* megkaparint, hirtelen elkap, vm után kap, megragad, elragad, kiragad [kezéből] **B.** *vi* ~ *at* kap(kod) vm után, kapva kap [alkalmon]

snatch-block *n* terelő csigasor; nyitható csiga

snatching ['snætʃɪŋ] *n* megkaparintás; megragadás, elragadás

sneak [sni:k] **I.** *n biz* alattomos ember; besúgó, árulkodó, spicli **II. A.** *vi* **1.** settenkedik, oson, sompolyog **2.** *biz* spicliskedik, árulkodik **B.** *vt biz* elemel, elcsen

sneaker ['sni:kə*] *n* **1.** settenkedő **2.** **sneakers** *pl US biz* gumitalpú (torna)cipő/vászoncipő

sneaking ['sni:kɪŋ] *a* **1.** titkos, be nem vallott **2.** sunyi

sneak-thief *n (pl* **-thieves**) besurranó tolvaj

sneer [snɪə*] **I.** *n* gúnyos mosoly **II.** *vi* ~ *at* gúnyosan mosolyog (vmn), fitymál (vmt)

sneeze [sni:z] **I.** *n* tüsszentés **II.** *vi* tüsszent; *that's not to be* ~*d at* érdemes vele foglalkozni, nem megvetendő

snick [snɪk] **I.** *n* **1.** rovátka **2.** gyenge ütés **II.** *vt* **1.** bevág, rovátkát metsz (vmre) **2.** gyengén (meg)üt [labdát]

snicker ['snɪkə*] **I.** *n* vihogás; kuncogás **II.** *vi* vihog; kuncog, kacarászik

snickersnee [snɪkə'sni:] *n* nagy kés

snide [snaɪd] *biz* **I.** *a* **1.** hamis(ított), utánzott **2.** ravasz **3.** rosszindulatú; aljas **II.** *n* hamis ékszer/pénz

sniff [snɪf] **I.** *n* szippantás; szimatolás; szipákolás **II. A.** *vi* **1.** szimatol **2.** szipákol **B.** *vt* **1.** szippant, beszív [levegőt] **2.** megszimatol

    sniff about *vi* körülszaglász, kémkedik

sniff at *vt* **1.** gyorsan megszagol **2.** fintorog (vm miatt); *not to be* ~*ed at* nem megvetendő

    sniff up *vt* felszippant

sniffle ['snɪfl] **I.** *n* **1.** szipogás **2.** ~*s* nátha; **II.** *vi* szipákol, szuszog, szipog

sniffy ['snɪfɪ] *a biz* **1.** lenéző **2.** rossz szagú, egy kis szaga van

snift [snɪft] *vi* szuszog, dohog [gőzgép]

snigger ['snɪgə*] *n/vi* = *snicker*

snip [snɪp] **I.** *n* **1.** lemetszett darab/szelet **2.** (le)nyisszantás, (le)metszés **3.** **snips** *pl* lemezvágó olló **4.** *biz* szabó, „kecske" **5.** □ biztos/előnyös dolog **II.** *vt* **-pp-** nyisszant, [ollóval] lemetsz

snipe [snaɪp] **I.** *n* szalonka **II.** *vi* **1.** szalonkázik **2.** lesből lő/lövöldöz; orvlövészkedik

sniper ['snaɪpə*] *n* orvlövész

snippet ['snɪpɪt] *n* töredék, apró darabka, vagdalék

snippety ['snɪpɪtɪ] *a* apró-cseprő, hézagos [hírek]; szaggatott [stílus]

snivel ['snɪvl] **I.** *n* **1.** nyafogás, nyavalygás; szipogás **2.** (folyó, csöpögő) takony **II.** *vi* **-ll-** (*US* **-l-**) **1.** nyafog, nyavalyog, sír-rí **2.** szipákol; taknyos, folyik az orra

sniveller, *US* **-eler** ['snɪv(ə)lə*] *n* nyafogó, nyavalygó, síró-rívó

snob [snɔb; *US* -ɑ-] *n* sznob

snobbery ['snɔbərɪ; *US* -ɑ-] *n* sznobság, sznobizmus

snobbish ['snɔbɪʃ; *US* -ɑ-] *a* sznob

snobbishness ['snɔbɪʃnɪs; *US* -ɑb-] *n* = *snobbery*

snood [snu:d] *n* párta, homlokkötő [hajadoné]; hajpánt; hajháló

snook [snu:k; *US* -ʊ-] *n cock a* ~ *at sy* szamárfület (v. hosszú orrot) mutat vknek

snooker ['snu:kə*; *US* -ʊ-] **I.** *n* ⟨biliárdszerű játék⟩ **II.** *vt* □ *be* ~*ed* kellemetlen/szorult helyzetben van

snoop [snu:p] *vi/vt US biz* szaglász, szimatol; spicliskedik; ~ *into sg* beleüti az orrát vmbe

snooty ['snu:tɪ] *a biz* felvágós, beképzelt, sznob

snooze [snu:z] *biz* **I.** *n* szundikálás **II.** *vi* szundít

snore [snɔ:*] I. *n* horkolás II. *vi* horkol,
hortyog
snoring ['snɔ:rɪŋ] *n* hortyogás, horkolás
snorkel ['snɔ:kl] *n* légzőcső [könnyűbú-
váré]; lélegzőperiszkóp [tengeralattjá-
róé]
snort [snɔ:t] I. *n* prüszkölés, horkantás,
felhorkanás II. A. *vi* prüszköl, (fel-)
horkan, horkant B. *vt* haragosan/bosz-
szúsan mond/kijelent
snorter ['snɔ:tə*] *n* □ 1. rendkívüli/
klassz dolog 2. közönséges fráter 3.
nyers elutasítás, ledorongolás 4. viha-
ros szél, vad szélvihar
snot [snɔt; US -ɑ-] *n* 1. *vulg* takony 2.
piszkos fráter, rongy alak
snotty ['snɔtɪ; US -ɑ-] I. *a* 1. *vulg* tak-
nyos 2. *biz* piszok, rongy, szemét
[ember] II. *n GB* □ tengerészkadét
snout [snaʊt] *n* 1. orr [disznóé], ormány
2. csőszáj, kifolyónyílás
snow [snoʊ] I. *n* 1. hó 2. □ kokain II.
A. *vi* havazik, esik a hó B. *vt* 1. ~
in/up behavaz 2. *be ~ed under (with)*
el van árasztva [levelekkel stb.]; ki
sem látszik [a munkából]
snowball I. *n* 1. hógolyó, hólabda 2.
labdarózsa; kányabangita 3. hólab-
darendszer(ű levelezés) II. A. *vt* hó-
golyóval (meg)dobál B. *vi* 1. hógolyó-
zik 2. lavinaszerűen növekszik
snowball-tree *n* labdarózsafa
snow-bank *n* hóbucka, hófuvat
snow-blindness *n* hóvakság
snow-boots *n pl* hócipő, hócsizma
snow-bound *a* behavazva, hóakadályos
snow-capped *a* hóborította
snow-chain *n* hólánc
Snowdon ['snoʊdn] *prop*
snow-drift *n* hófuvat, hótorlasz; hófúvás
snowdrop *n* hóvirág
snowfall *n* hóesés, havazás; hómennyiség
snow-field *n* hómező
snowflake *n* 1. hópehely 2. hósármány
3. tőzike [növény]
snow-line *n* az örök hó határa
snow-man *n* (*pl* -men) hóember
snowmobile *n US* lánctalpas motorszán
snow-plough, *US* -plow *n* hóeke
snow-shoe *n* hótalp
snow-slide/slip *n* hósuvadás, hógörgeteg

snowstorm *n* hóvihar
snow-suit *n* (téli orkán) kezeslábas
[gyermeké]
snow-tyre, *US* -tire *n* téli gumi(ab-
roncs), hóköpeny
snow-white *a* hófehér; Snowwhite Hófe-
hérke
snowy ['snoʊɪ] *a* 1. havas 2. hófehér
Snr. *senior* →*Sen. 3.*
snub [snʌb] I. *n* 1. visszautasítás, letor-
kolás 2. hirtelen lefékezés II. *vt* -bb- 1.
visszautasít, letorkol 2. megakadá-
lyoz; hirtelen lefékez
snub-nosed *a* pisze/fitos orrú
snuff¹ [snʌf] I. *n* 1. tubák, burnót 2.
szippantás; *biz be up to* ~ szemfüles
II. A. *vi* 1. tubákol, burnótozik 2.
szipog, szuszog B. *vt* felszív
snuff² [snʌf] I. *n* gyertya hamva II. A.
vt elkoppant [gyertyát], hamvát le-
vágja [gyertyának]; ~ *out* [gyertyát]
elfúj B. *vi biz* ~ *out* kinyiffan, elpat-
kol
snuff-box *n* burnótos szelence
snuff-coloured *a* tubákszínű
snuffer(s) ['snʌfə(z)] *n* (*pl*) koppantó
snuffle ['snʌfl] I. *n* 1. szuszogás, szipá-
kolás 2. nátha 3. orrhang 4. képmu-
tatás II. *vi* 1. szuszog, szipákol 2. orr-
hangon beszél 3. szenteskedik
snuffler ['snʌflə*] *n* 1. orrhangon be-
szélő 2. képmutató
snuff-taker *n* tubákoló
snuffy ['snʌfɪ] *a* 1. tubákos, burnótos
2. rendetlen, mocskos 3. mogorva
snug [snʌg] I. *a* kényelmes, biztos, jól vé-
dett, barátságos; *biz* ~ *as a bug in a
rug* kényelmesen (befészkelve) II. *n* =
snuggery
snuggery ['snʌgərɪ] *n* kényelmes/meg-
hitt kis (magán)szoba
snuggle ['snʌgl] A. *vi* ~ *up to sy* oda-
bújik/odasimul/odahúzódik vkhez B.
vt magához ölel
snugness ['snʌgnɪs] *n* kényelem
so [soʊ; gyenge ejtésű alakja: sə]
adv/conj 1. olyan, ilyen, annyira, eny-
nyire; ~ *far* eddig (még), ez ideig, idá-
ig; ~ *far* ~ *good* eddig rendben van/
volnánk; (*in*) ~ *far as* amennyiben;
már amennyire; ~ *long as* feltéve,

hogy; mindaddig, amíg...; ~ *long!* viszontlátásra!, viszlát!, szia!; ~ *much/many* ennyi; *ever* ~ *little* akármilyen kevés; *be* ~ *good/kind as to* ... legyen/légy olyan szíves/jó és...; *ever* ~ *much* nagyon; *not* ~ ... *as* nem olyan/annyira, mint; ~ *much* ~ *that* oly annyira, hogy 2. így, úgy; akként; *or* ~ *körülbelül; in a week or* ~ körülbelül egy hét múlva; *quite* ~*!* úgy van!, helyes!; ~ *that* (1) úgy... hogy, annyira... hogy (2) azon célból... hogy; ~ *as to*... (azon célból) hogy...; *if* ~ ezen esetben; *it* ~ *happened* úgy történt, úgy alakult a helyzet; *I think* ~ azt hiszem (igen), valószínűnek tartom; *I hope* ~ remélem (hogy igen); *I fear* ~ attól tartok, hogy igen; ~ *be it* így legyen!, hát legyen!; *not* ~ *he* de ő nem ám; ~ *I am!* az is vagyok!, bizony!; (*and*) ~ *am I* én is, részemről szintén; ~ *did I* én is (így tettem); *is that* ~*?* csakugyan? 3. no csak!, nos hát!; ~ *there!* nesze neked!, nna!, hát ez a helyzet!; ~ *what?* na és?, hát aztán?, mi köze ehhez? 4. tehát, úgyhogy
soak [soʊk] I. *n* 1. (be)áztatás; átitatás 2. ázás, átivódás 3. *biz* nagyivó, borzsák 4. *biz* ivászat II. A. *vt* 1. (be)áztat; átitat; átáztat; *get* ~*ed* bőrig ázik 2. pácol 3. felszív, magába szív 4.□ zsarol 5. □ „megvág" (vkt); ~ *the rich!* fizessenek a gazdagok! B. *vi* 1. (át)ázik, átitatódik, átivódik 2. □ iszik mint a kefekötő, vedel, „elázik"
soak in A. *vt* ~ *sg in sg* vmt vmben áztat B. *vi* beivódik; behatol [folyadék és *átv* vk tudatába]
soak through A. *vi* átázik, átszivárog (vmn) B. *vt* átáztat; átitat
soak up *vt* felszív; felitat
soakage ['soʊkɪdʒ] *n* 1. átitatás, telítés 2. telítődés, átázás
soaked [soʊkt] *a* átázott, átitatott, beáztatott
soaker ['soʊkə*] *n* □ 1. felhőszakadás 2. megrögzött alkoholista, nagyivó
soaking ['soʊkɪŋ] *a* ~ *wet* bőrig ázott/ázva, csuromvizes(en)
so-and-so ['soʊənsoʊ] *n Mr.* ~ X. Y.

soap [soʊp] I. *n* 1. szappan; *a cake/bar of* ~ egy darab szappan; *US biz* ~ *opera* folytatásos rádiójáték/tévéjáték [nappali adásban, könnyed, szentimentális témájú] 2. *US* □ csúszópénz, „kenés" 3. *US* □ *no* ~*!* nem megy! kár a benzinért! II. *vt* (be-) szappanoz
soap-boiler *n* szappanfőző
soap-box orator népszónok, demagóg
soap-bubble *n* szappanbuborék
soap-dish *n* szappantartó
soap-flakes *n pl* szappanpehely
soap-stone *n* szteatit, zsírkő
soap-suds *n pl* szappanos víz (habja), szappanhab
soap-works *n* szappangyár
soap-wort *n* szappanfű
soapy ['soʊpɪ] *a* 1. szappanos 2. hízelgő, kenetes, mézesmázos
soar [sɔ:*] *vi* (fel)szárnyal, felszáll (a magasba), felrepül; fenn lebeg
soaring ['sɔ:rɪŋ] *a* szárnyaló
sob [sɔb; *US* -ɑ-] I. *n* zokogás II. *v* -bb- A. *vi* zokog, hangosan sír B. *vt* elzokog vmt
s.o.b. [esoʊ'bi:] *son of a bitch* szarházi, gazember
sober ['soʊbə*] I. *a* józan, mértékletes, higgadt; *cold* ~ színjózan; ~ *fact* rideg valóság II. A. *vt* ~ (*down/up*) kijózanít B. *vi* ~ (*down/up*) kijózanodik; lehiggad
sober-minded *a* józan ítéletű/gondolkodású, megfontolt, komoly
soberness ['soʊbənɪs] *n* józanság
sobersides [-saɪdz] *n* komoly ember
sobriety [sə'braɪətɪ] *n* = *soberness*
sobriquet ['soʊbrɪkeɪ] *n* gúnynév, csúfnév, becenév, álnév
sob-story/stuff *n US* □ könnyzacskókra pályázó történet/írás/film stb.
Soc. *Society*
socage ['sɔkɪdʒ; *US* -ɑ-] *n* robotmunka
so-called [-'kɔ:ld] *a* úgynevezett, állítólagos
soccer ['sɔkə*; *US* -ɑ-] *n* futball [a nálunk is játszott változat], foci
sociability [soʊʃə'bɪlətɪ] *n* barátkozó természet, társas hajlam
sociable ['soʊʃəbl] *a* társaságkedvelő; barátkozó, barátságos

social ['souʃl] I. a 1. társadalmi; szociá-
lis; ~ class társadalmi osztály; ~
climber társadalmi törtető; S~ Dem-
ocrat szociáldemokrata; ~ economy
közgazdaságtan, nemzetgazdaságtan;
~ history társadalomtörténet; ~ insur-
ance társadalombiztosítás; ~ realism
szocialista realizmus; ~ science társa-
dalomtudomány; ~ security társada-
lombiztosítás; ~ services szociális in-
tézmények; ~ welfare közjólét, társa-
dalmi jólét; ~ work szociális munka/
teendők; ~ (welfare) worker kb. szo-
ciális gondozó(nő), védőnő 2. társa-
sági, társas; ~ evening (esti) baráti/tár-
sas összejövetel, estély; ~ events tár-
sadalmi események; ~ gathering tár-
sas összejövetel; ~ register előkelősé-
gek névjegyzéke 3. társas [lény stb.]
II. n = social gathering
socialism ['souʃəlɪzm] n szocializmus
socialist ['souʃəlɪst] a/n szocialista
socialistic [souʃə'lɪstɪk] a szocialisztikus
socialite ['souʃəlaɪt] n US biz társasági
„előkelőség"
socialize ['souʃəlaɪz] vt társadalmi tulaj-
donba vesz, államosít; US ~d medi-
cine társadalombiztosítás
societal [sə'saɪətl] a társadalmi
society [sə'saɪətɪ] n 1. társadalom 2.
társaság; high ~ előkelő világ, felső
tízezer; ~ news társasági hírek [újság-
rovat]; ~ verse könnyed csiszolt köl-
tészet; ~ woman társasági/nagyvilági
hölgy 3. társaság, társulat, egylet
sociological [sousjə'lɔdʒɪkl] US -'lɑ-] a
szociológiai
sociologist [sousɪ'ɔlədʒɪst; US -'ɑ-] n
szociológus, társadalomkutató
sociology [sousɪ'ɔlədʒɪ; US -'ɑ-] n szo-
ciológia
sock¹ [sɔk; US -ɑ-] n 1. ~(s) zokni, rövid
harisnya; knee ~s térdharisnya; ~
suspender zoknitartó, harisnyakötő;
biz pull your ~s up! kösd fel a gatyád!
2. parafa talpbetét
sock² [sɔk; US -ɑ-] □ I. n ütés [ököllel]
II. vt behúz egyet (vknek), pofájába vág
sockdolager [sɔk'dɔlədʒə; US -ɑ- -ɑ-] n
US □ 1. elsöprő erejű ütés 2. döntő
érv/csapás; kegyelemdöfés

socket ['sɔkɪt; US -ɑ-] I. n 1. üreg, gö-
dör 2. foglalat; tok; lyuk; csaplyuk;
karmantyú II. vt belehelyez, beleilleszt
[üregbe stb.]
socket-wrench n csőkulcs
socle ['sɔkl; US -ɑ-] n alj(azat), láb(a-
zat), talp(azat), szokli
Socrates ['sɔkrəti:z; US 'sɑ-] prop Szók-
ratész
Socratic [sɔ'krætɪk; US sou-] a szokra-
tészi
sod [sɔd; US -ɑ-] I. n rög; gyep; gyep-
tégla; under the ~ a sírban II. vt -dd
gyeptéglával kirak, (be)gyepesít
soda ['soudə] n 1. szóda 2. szódavíz
soda-fountain n 1. nagy szódavizes tar-
tály 2. ⟨hűsítőket kiszolgáló bár⟩
soda-jerker [-dʒə:kə*] n US □ csapos-
legény (soda-fountain-ben)
soda-pop n ⟨édesített, ízesített szódavíz⟩
soda-water n szódavíz
sodden ['sɔdn; US -ɑ-] a átitatott,
(f)elázott
sodium ['soudjəm] n nátrium; ~ bicar-
bonate szódabikarbóna; ~ chloride
nátriumklorid, konyhasó; ~ hydrate
nátronlúg, lúgkő
Sodom ['sɔdəm; US 'sɑ-] prop S(z)odo-
ma
sodomite ['sɔdəmaɪt; US 'sɑ-] n szodo-
mita
sodomy ['sɔdəmɪ; US 'sɑ-] n szodómia
soever [sou'evə*] adv bárhogyan, bár-
mennyire, bármi
sofa ['soufə] n dívány, pamlag, kanapé;
~ bed rekamié
Sofia ['soufjə] prop Szófia
soft [sɔft; US -ɔ:-] I. a 1. lágy, puha,
sima; bársonyos, finom; ~ coal bitu-
menes (v. hosszú lángú) szén; ~
landing sima leszállás [űrhajóé]; ~
pedal bal pedál [zongorán] →soft-
-pedal; ~ soap (1) kenőszappan (2)
biz hízelgés →soft-soap; ~ solder lágy-
forrasz →soft-solder; ~ water lágy víz
2. enyhe [időjárás] 3. elmosódó (kör-
vonalú), lágy(rajzú) 4. halk, csendes,
nyugodt 5. ~ drink alkoholmentes/
üdítő ital 6. nyájas, gyenge; ernyedt,
erőtlen, nőies, effeminált; ~ spot
gyenge/sebezhető pont; have a ~ spot

for sy elfogult vk javára 7. biz be ~ on sy bele van habarodva/esve vkbe 8. ~ currency~„puha" (v. nem konvertibilis) valuta 9. könnyű, kellemes; ~ job jó kis állás (kevés munkával); have a ~ time of it éli világát, jól él II. adv lágyan, halkan III. n biz hülye/ostoba alak IV. int (csak) lassan!, pszt!, várj csak!

soft-boiled a puhára főtt; ~ egg lágytojás
soften ['sɔfn; US -ɔ:-] A. vi 1. (meg)lágyul, (meg)puhul 2. enyhül, csillapul, engesztel(ődik) B. vt 1. (meg)lágyít, (meg)puhít; ~ up „puhít" [ellenséget] 2. (le)halkít, (le)tompít 3. enyhít, mérsékel

softening ['sɔfnɪŋ; US -ɔ:-] n lágyulás, enyhülés; ~ of the brain agylágyulás
soft-headed a együgyű, hülye
soft-hearted a lágyszívű
softie ['sɔftɪ; US -ɔ:-] n = softy
softish ['sɔftɪʃ; US -ɔ:-] a kissé lágy/puha
softly ['sɔftlɪ; US -ɔ:-] adv = soft II.
softness ['sɔftnɪs; US -ɔ:-] n lágyság, puhaság, enyheség
soft-pedal vt -ll- (US -l-) US biz enyhít, mérsékel, tompít →soft I. 1.
soft-sawder n hízelgés, talpnyalás
soft-soap biz talpát nyalja, (be)nyal (vknek) →soft I. 1.
soft-solder vt lágyforrasszal forraszt →soft I. 1.
soft-spoken a barátságos, nyájas
software n software [számítástechnikában]; program [komputeré]
soft-witted a = soft-headed
soft-wood n puhafa
softy ['sɔftɪ; US -ɔ:-] n 1. balek 2. tökfej, mamlasz 3. szentimentális puhány
soggy ['sɔgɪ; US -a-] a átázott, vizenyős, nyirkos, nedves
Soho ['souhou] prop
soil¹ [sɔɪl] n talaj, termőföld; native ~ szülőföld
soil² [sɔɪl] I. n piszokfolt II. vt 1. bepiszkít, bemocskol; beszennyez 2. meggyaláz 3. megtrágyáz
soiled [sɔɪld] a piszkos, mocskos, szennyes; ~ linen szennyes fehérnemű
soil-pipe n (szennyvíz)ejtőcső
soirée ['swa:reɪ; US swa:'reɪ] n estély

sojourn ['sɔdʒə:n; US 'sou-] I. n tartózkodás, időzés II. vi tartózkodik, időzik
sola ['soulə] n ~ topee trópusi sisak
solace ['sɔləs; US 'sa-] I. n vigasz(talás), megnyugvás II. vt (meg)vigasztal, megnyugtat, (meg)enyhít
solar ['soulə*] a 1. nap-, naptól eredő; ~ battery naptelep; ~ cell napelem; ~ energy napenergia; ~ heating fűtés napelemekkel; ~ system naprendszer 2. ~ plexus gyomorszáj, hasi idegközpont
solarium [sou'leərɪəm] n (pl -ria -rɪə) napozó(terasz), napozóterem, szolárium
solarize ['souləraɪz] vt túlexponál, eléget [fényképet]
sold →sell II.
solder ['sɔldə*; US 'sadər] I. n forrasz(tóanyag) II. vt (össze)forraszt, megforraszt
solderer ['sɔldərə*; US 'sad-] n 1. forrasztómunkás 2. forrasztóeszköz
soldering ['sɔld(ə)rɪŋ; US 'sad-] n 1. forrasztás 2. forrasztás helye, varrat
soldering-iron n forrasztópáka
soldering-lamp n forrasztólámpa
soldier ['souldʒə*] I. n katona, közlegény; ~ of fortune szerencsevadász; ~ lad kiskatona; fellow ~ bajtárs; biz come the old ~ over sy hárjánoskodik, adja a bankot; play at ~s katonásdit játszik II. vi katonáskodik; ~ on (1) tovább szolgál (2) rendíthetetlenül tovább dolgozik
soldiering ['souldʒərɪŋ] n katonáskodás
soldierly ['souldʒəlɪ] a katonás
soldiery ['souldʒərɪ] n katonaság
sole¹ [soul] n 1. talp 2. nyelvhal, szól II. vt megtalpal
sole² [soul] a 1. magányos, egyedüli, egyetlen; ~ agent kizárólagos képviselő; ~ heir általános örökös 2. hajadon, nőtlen
solecism ['sɔlɪsɪzm; US 'sa-] n 1. nyelvtani hiba, stílushiba 2. neveletlenség, társadalmi botlás/hiba
solely ['soullɪ] adv kizárólag, egyedül
solemn ['sɔləm; US -a-] a ünnepélyes, komoly
solemnity [sə'lemnətɪ] n 1. ünnepély 2. ünnepélyesség, komolyság

solemnize ['sɔləmnaɪz; US 'sɑ-] vt 1. megünnepel, megül; megpecsétel; ~ a marriage házasságot megköt(öttnek jelent ki) 2. komollyá tesz, ünnepélyességgel tölt el
solenoid ['soʊlənɔɪd] n szolenoid
sol-fa [sɔl'fɑː] n szolmizálás
solicit [sə'lɪsɪt] vt 1. (nyomatékosan) kér, vmért folyamodik 2. csábít, (be-) csalogat, leszólít [utcanő]
solicitation [səlɪsɪ'teɪʃn] n 1. kérelmezés, nyomatékos kérés 2. leszólítás
solicitor [sə'lɪsɪtə*] n 1. [angol] ügyvéd [magasabb bíróság előtti felszólalási jog nélkül]; [vállalati] jogtanácsos; ~'s fee ügyvédi tiszteletdíj; S~-General legfőbb államügyész-helyettes 2. US városi tiszti ügyész 3. US üzletszerző, ügynök
solicitous [sə'lɪsɪtəs] a aggályosan gondos; be ~ about/for sg vmt nagyon a szívén visel
solicitousness [sə'lɪsɪtəsnɪs] n = solicitude
solicitude [sə'lɪsɪtjuːd; US -tuːd] n szerető/féltő gondosság, aggály(osság)
solid ['sɔlɪd; US -ɑ-] I. a 1. szilárd; become ~ megszilárdul, megkeményedik; frozen ~ fenékig befagyott 2. tömör; homogén, áthatolhatatlan; ~ fuel szilárd tüzelőanyag; ~ tyre tömör gumi(abroncs); sleep ten ~ hours tíz órát alszik egyhuzamban; man of ~ built erős testalkatú ember 3. megbízható, őszinte, szolid, alapos, erős, biztos 4. egyetértő, egységes, szolidáris, egyhangú; US □ be ~ with sy kebelbarátságban van vkvel; ~ vote egyhangú szavazat 5. háromdimenziójú, térbeli; köb-; ~ angle testszög, térszög; ~ geometry térmértan; ~ measures térfogatmérték II. n 1. szilárd test 2. (háromdimenziójú) test, téridom
solidarity [sɔlɪ'dærətɪ; US sɑ-] n összetartás, együttérzés, szolidaritás
solidification [səlɪdɪfɪ'keɪʃn] n megszilárdulás, -dermedés, besűrűsödés
solidify [sə'lɪdɪfaɪ] A. vt (meg)szilárdít, (be)sűrít B. vi megszilárdul
solidity [sə'lɪdətɪ] n 1. szilárdság 2. tömörség, masszívság 3. megbízhatóság, valódiság, alaposság
solid-state a szilárdtest-; ~ physics szilárdtestfizika; ~ switch szilárdtestkapcsoló
soliloquize [sə'lɪləkwaɪz] vi magában beszél, monologizál
soliloquy [sə'lɪləkwɪ] n monológ, magánbeszéd
soling ['soʊlɪŋ] n talpalás
solitaire [sɔlɪ'teə*; US sɑ-] n 1. egyedül befoglalt drágakő, szoliter 2. egyedül játszható játék, US pasziánszjáték
solitary ['sɔlɪt(ə)rɪ; US 'sɑlɪterɪ] a magányos, egyedüli, elhagyatott
solitude ['sɔlɪtjuːd; US 'sɑlɪtuːd] n magány(osság), egyedüllét
solmizate ['sɔlmɪzeɪt; US -ɑl-] vi szolmizál
solo ['soʊloʊ] I. a egyes, egyedüli, szóló II. adv egyedül, magában, szólóban III. n 1. (ének)szóló, szólójáték 2. oldalkocsi nélküli (v. szóló) motorkerékpár
soloist ['soʊloʊɪst] n szólista; szólóénekes, magánénekes; szólótáncos
Solomon ['sɔləmən; US 'sɑ-] prop Salamon; ~'s seal (1) Salamon pecsétje [növény] (2) hatágú csillag, Dávidcsillag
solstice ['sɔlstɪs; US -ɑl-] n napforduló
solubility [sɔljʊ'brlətɪ; US saljə-] n 1. oldhatóság 2. megfejthetőség, megoldhatóság
soluble ['sɔljʊbl; US 'saljə-] a 1. (fel-) oldható; oldódó; ~ glass vízüveg 2. megfejthető, megoldható
solution [sə'luːʃn] n 1. (fel)oldás 2. oldat 3. megoldás, megfejtés; defy ~ megoldhatatlan
solvability [sɔlvə'brlətɪ; US sal-] n = solubility
solvable ['sɔlvəbl; US -ɑ-] a = soluble
solve [sɔlv; US -ɑ-] vt 1. megfejt, megold 2. † kibont, kibogoz
solvency ['sɔlv(ə)nsɪ; US -ɑ-] n fizetőképesség
solvent ['sɔlv(ə)nt; US -ɑ-] I. a 1. fizetőképes, hitelképes 2. oldható, oldóképes 3. (fel)oldó II. n oldószer
solver ['sɔlvə*; US -ɑ-] n 1. megfejtő 2. oldó

Somalia [sə'mɑːlɪə] *prop* Szomália
Somalian [sə'mɑːlɪən] *a/n* szomáli
sombre, *US* **-ber** ['sɔmbə*; *US* -ɑ-] *a* komor, sötét
sombrero [sɔm'breərou; *US* sɑm-] *n* szombreró
some [sʌm; gyenge ejtésű alakjai: səm, sm] I. *a* 1. némely, valamelyik, valami, (egy) bizonyos; ~ *people* (1) némely ember (2) néhány ember; *in* ~ *form or other* így vagy úgy, vmlyen formában 2. egy kevés/kis, némi; néhány; ~ *water* egy kis víz; ~ *more* még (egynéhány), még egy kis/kicsit; *at* ~ *length* elég hosszasan; *for* ~ *time* egy rövid/kis ideig; *to* ~ *extent* egy bizonyos mértékben/fokig 3. *US biz* igazi, egész, komoly, pompás; *it was* ~ *dinner* ez aztán ebéd volt !; ~ *guy* igazi/belevaló fickó II. *pron* némely, néhány; ~ *of them* némelyikük; *have/take* ~! végy belőle ! III. *adv* 1. valami, mintegy, körülbelül; *we were* ~ *sixty in all* körülbelül/mintegy hatvanan voltunk 2. *biz* némileg, meglehetősen
somebody ['sʌmbədɪ; *US* -bɑ-] I. *pron* valaki; ~ *or other* valaki (nem tudom pontosan ki) II. *n* fontos személyiség, „valaki"
someday ['sʌmdeɪ] *adv US* majd egyszer/valamikor, egy napon
somehow ['sʌmhau] *adv* valahogy(an); ~ *or other* valahogy majd csak [meglesz], isten tudja hogyan [de megtörtént]
someone ['sʌmwʌn] *n/prop* = *somebody*
someplace ['sʌmpleɪs] *adv US* valahol
somersault ʃ'sʌməsɔːlt] I. *n* bukfenc; *turn a* ~ (1) bukfencet vet (2) felbukfencezik, felfordul II. *vi* bukfencezik
Somerset ['sʌməsɪt] *prop*
something ['sʌmθɪŋ] I. *n/pron* valami, némi; ~ *or other* valami; ~ *to live for* vm életcél; ~ *to eat* egy kis ennivaló; ~ *of* egy kis/kevés (vmből); ~ *of a liar* kicsit hazudós; *have* ~ *to do with sg* kapcsolatban van vmvel, köze van hozzá; *there's* ~ *to it* van benne vm; *or* ~ vagy vm hasonló II. *adv* 1. egy kissé, némileg; ~ *like* (1) némileg

hasonló, körülbelül (2) *biz* igen nagy, óriási, nagyszerű; *that's* ~ *like it!* ezt nevezem ! 2. □ szörnyen, borzasztóan
sometime ['sʌmtaɪm] I. *a* egykori, hajdani, volt II. *adv* egykor, valamikor, egyszer valamikor, valaha
sometimes ['sʌmtaɪmz] *adv* néha, némelykor, olykor
someway ['sʌmweɪ] *adv* valahogy(an)
somewhat ['sʌmwɔt; *US* -hwɑt] I. *adv* némileg, némiképp, egy kissé II. *n* egy kevés
somewhere ['sʌmweə*; *US* -hw-] *adv* valahol, valahova
somnambulism [sɔm'næmbjʊlɪzm; *US* sɑm'næmbjə-] *n* alvajárás, holdkórosság
somnambulist [sɔm'næmbjʊlɪst; *US* sɑm'næmbjə-] *n* alvajáró, holdkóros
somnolence ['sɔmnələns; *US* 'sɑ-] *n* álmosság
somnolent ['sɔmnələnt; *US* 'sɑ-] *a* 1. (kórosan) álmos, aluszékony 2. álmosító
son [sʌn] *n* fiú, vknek a fia; *vulg* ~ *of a bitch* szarházi, gazember
sonant ['sounənt] I. *a* hangzó, zengő II. *n* zöngés hang
sonar ['souna:*] *n* hanglokátor
sonata [sə'nɑːtə] *n* szonáta
sonatina [sɔnə'tiːnə; *US* sɑ-] *n* szonatina
song [sɔŋ; *US* -ɔː-] *n* 1. dal, ének; ~ *hit* (dal)sláger; *for a(n old)* ~ potom pénzért; bagóért; *nothing to make a* ~ *about* semmi különösebb, nem vm nagy ügy 2. költemény, dal
song-bird *n* énekesmadár
songbook *n* daloskönyv
songster ['sɔŋstə*; *US* -ɔː-] *n* énekes, dalnok
sonic ['sɔnɪk; *US* -ɑ-] *a* hang-; ~ *barrier* hangsebességi határ, hanghatár; ~ *boom/bang* hangrobbanás; ~ *mine* akusztikus akna
son-in-law *n* (*pl* sons-in-law) vő
sonnet ['sɔnɪt; *US* -ɑ-] *n* szonett
sonneteer [sɔnɪ'tɪə*; *US* sɑ-] *n* szonettíró
sonny ['sʌnɪ] *n biz* fiacskám
sonority [sə'nɔrətɪ; *US* -'nɔː-] *n* zengzetesség

sonorous [sə'nɔ:rəs] *a* hangzatos, zengzetes; csengő/telt hangú

sonsy ['sɔnsɪ; *US* -a-] *a* **1.** szerencsés **2.** kövérkés, molett **3.** jóindulatú

soon [su:n] *adv* **1.** nemsokára, hamar, korán; ~ *after* (1) nemsokára (2) nem sokkal (v. röviddel)... után; *as* ~ *as* (rögtön) amint, mihelyt; *how* ~ *may I expect him?* mikorra várhatom (legkorábban)?; *none too* ~ nagyon is jókor, éppen jókor; *the* ~*er the better* minél előbb annál jobb; ~*er or later* előbb-utóbb; *no* ~*er... than* amint ..., mihelyt...; *no* ~*er said than done* a szót nyomban tett követte **2.** inkább (mint/hogysem), semhogy; *I would* ~ *die* inkább meghalok (mint)

soot [sʊt] **I.** *n* korom **II.** *vt* (be)kormoz

soothe [su:ð] *vt* **1.** csillapít, megnyugtat, enyhít **2.** lecsendesít

soother ['su:ðə*] *n* cucli, cumi

soothing ['su:ðɪŋ] *a* (meg)nyugtató, enyhítő, csillapító

soothsayer ['su:θseɪə*] *n* jövendőmondó, jós(nő)

soothsaying ['su:θseɪɪŋ] *n* jóslás, jövendölés

sooty ['sʊtɪ] *a* **1.** kormos **2.** fekete

sop [sɔp; *US* -a-] **I.** *n* **1.** levesbe/tejbe/stb. mártott/áztatott kenyérdarab **2.** *give a* ~ *to Cerberus* ['sə:bərəs] odavet egy koncot (vknek), lekenyerez **II.** *vt* -**pp**- **1.** mártogat, (be)áztat; átitat; ~ *up* kimártogat **2.** felszív

Sophia [sə'faɪə] *prop* Zsófia

Sophie ['soʊfɪ] *prop* Zsófi

sophism ['sɔfɪzm; *US* -a-] *n* álokoskodás, szofizma

sophist ['sɔfɪst; *US* -a-] *n* álokoskodó, szofista

sophistic(al) [sə'fɪstɪk(l)] *a* hamisan érvelő, szofista

sophisticated [sə'fɪstɪkeɪtɪd] *a* **1.** (túl) kifinomult, (túl) igényes, (túlzottan) okos, tapasztalt; (túl) bonyolult **2.** mesterkélt, nem természetes

sophistry ['sɔfɪstrɪ; *US* 'sa-] *n* álokoskodás

Sophocles ['sɔfəkli:z; *US* 'sa-] *prop* Szophoklész

sophomore ['sɔfəmɔ:*; *US* 'sa-] *a/n US* másodéves hallgató

Sophy ['soʊfɪ] *prop/n* **1.** Zsófi **2.** ⟨a perzsa sahok hajdani címe⟩

soporific [sɔpə'rɪfɪk; *US* sa-] *a/n* altató(szer)

sopped [sɔpt; *US* -a-] →*sop II.*

soppy ['sɔpɪ; *US* -a-] *a* **1.** átázott, nedves **2.** *biz* erőtlen; érzelgős

soprano [sə'pra:noʊ; *US* -'præ-] *n* szoprán (hang, szólam)

sorb [sɔ:b] *n* berkenye

sorbet ['sɔ:bət] *n* szörbet

sorcerer ['sɔ:s(ə)rə*] *n* varázsló, bűvész

sorceress ['sɔ:s(ə)rɪs] *n* boszorkány

sorcery ['sɔ:s(ə)rɪ] *n* varázslat, boszorkányság

sordid ['sɔ:dɪd] *a* **1.** piszkos, mocskos **2.** hitvány, aljas **3.** zsugori, anyagias

sordidness ['sɔ:dɪdnɪs] *n* **1.** piszkosság **2.** aljasság **3.** mocskos zsugoriság/anyagiasság

sore [sɔ:*] **I.** *a* **1.** fájó, fájdalmas, érzékeny; gyulladásos, heveny; ~ *spot* fájó/sebezhető pont; ~ *throat* torokfájás, -gyulladás; *sight for* ~ *eyes* kellemes/szívderítő látvány **2.** *be* ~ *at sy* neheztel vkre; *get* ~ megsértődik, megharagszik **3.** *be in* ~ *need of sg* égető szüksége van vmre **II.** *adv* nagyon, mélyen **III.** *n* seb, sérülés; baj; fájdalom

sorely ['sɔ:lɪ] *adv* súlyosan, nagyon; ~ *needed* égetően szükséges; ~ *tried* súlyos megpróbáltatásokat átélt

soreness ['sɔ:nɪs] *n* érzékenység, fájdalom

sorghum ['sɔ:gəm] *n* cirok

sorority [sə'rɔrətɪ; *US* -'rɔ:-] *n US* egyetemi/főiskolai leányszövetség

sorrel[1] ['sɔr(ə)l; *US* -ɔ:-] **I.** *a* rőt, vörös(es)sárga **II.** *n* vörössárga ló

sorrel[2] ['sɔr(ə)l; *US* -ɔ:-] *n* sóska

sorrow ['sɔroʊ; *US* 'sa-] **I.** *n* szomorúság, bánat, bú; *to my* ~ (nagy) sajnálatomra; *feel* ~ *for sy* szán/sajnál vkt **II.** *vi* szomorkodik, bánkódik

sorrowful ['sɔrəfʊl; *US* 'sa-] *a* szomorú, bánatos; sajnálatos

sorry ['sɔrɪ; *US* -a-] *a* **1.** szomorú, bús; *(I'm)* ~! (nagyon) sajnálom!, (pardon) bocsánat!, elnézést (kérek)!; *(I'm)* ~, *but* sajnos azonban..., sajnálom,

de ...; *awfully* ~! ezer bocsánat!
→*awfully*; *I am* ~ *to hear that*...
sajnálattal hallom, hogy...; ~ *to
have kept you waiting* elnézést kérek
amiért megvárakoztattam; *you will
be* ~ *for this* ezt még megkeserülöd 2.
siralmas, hitvány; *cut a* ~ *figure* szánalmas figura, siralmasan szerepelt
sort [sɔːt] I. *n* 1. fajta, féle; *what* ~ *of?*
miféle?, milyen?; *of all* ~*s, all* ~*s of*
mindenféle; *he's a real good* ~ igen
rendes/derék ember; *a bad* ~ nem
rendes/jó ember; *nothing of the* ~ szó
sincs róla!; *sg of* ~*s, sg of a* ~ egy
többé-kevésbé vmnek nevezhető dolog, egy valamiféle; *coffee of a* ~ vm
kávéféle (folyadék); *a* ~ *of* afféle;
another ~ *of* másféle 2. *biz* ~ *of* valahogy; *I* ~ *of feel that*... az az érzésem, hogy... 3. mód; *in a/some* ~
(egy) bizonyos fokig/mértékben; *feel
out of* ~*s* rosszkedvű, nem jól érzi magát II. *vt* kiválaszt, válogat, szétválaszt, szortíroz, csoportosít; ~ *out* (1)
kiválaszt, kiválogat (2) *biz* megold
[vm nehezet], elrendez
sorter ['sɔːtə*] *n* osztályozó, szortírozó,
válogató; levélcsoportosító
sortie ['sɔːtiː] *n* 1. kitörés [ostromlott
várból] 2. támadó repülés, bevetés
[repülőgépé]
sorting ['sɔːtɪŋ] *n* kiválogatás, osztályozás, szortírozás
SOS [esoʊ'es] *n* 1. segélykérő jel, SOS
2. segélykiáltás, vészkiáltás
so-so ['soʊsoʊ] *biz* I. *a* nem valami jó,
közepes, tűrhető II. *adv* meglehetősen,
úgy-ahogy, nem valami jól, tűrhetően
sot [sɔt; *US* -ɑ-] *n* iszákos, részeges
Sotheby ['sʌðəbɪ] *prop*
sottish ['sɔtɪʃ; *US* -ɑ-] *a* 1. iszákos, részeges 2. eszét elitta, alkoholtól elbutult
sotto voce [sɔtoʊ'voʊtʃɪ] félhangosan,
halkan
soubrette [suː'bret] *n* szubrett
souchong [suː'tʃɔŋ] *n* kínai fekete tea
sough [saʊ; *US* sʌf v. saʊ] I. *n* susogás,
sóhajtás [szélé a lombokban stb.] II.
vi [szél stb.] susog, sóhajt, zúg, fütyül
sought →*seek*

soul [soʊl] *n* 1. lélek, szellem; ~ *kiss*
nyelves csók; *with all my* ~ teljes szívemből, szívvel-lélekkel; *upon my* ~!
becsületemre!; *not for the* ~ *of me* nem
én, a világért sem!; *poor* ~! szegény
ördög!; *he's a good* ~ jó lélek; *biz
make one's* ~ lelkiismeretvizsgálatot
tart [gyónás előtt] 2. ember, lélek
soul-destroying [-dɪ'strɔɪɪŋ] *a* lélekölő
[munka]
soulful ['soʊlfʊl] *a* lelkes, kifejezésteljes,
mélyen érző/átérzett
soulless ['soʊllɪs] *a* lélektelen, érzéketlen
soul-stirring *a* lelkesítő, felrázó
sound¹ [saʊnd] I. *a* 1. egészséges, ép,
sértetlen; *of* ~ *mind* épelméjű, beszámítható 2. igaz, becsületes, megbízható, józan, logikus, helytálló; ~
judgment józan ítélet/ítélőképesség 3.
alapos; ~ *sleep* mély álom; *a* ~
thrashing alapos elverés 4. fizetőképes, megbízható; egészséges, szilárd
[gazdasági helyzet] II. *adv* 1. mélyen
[alszik] 2. becsülettel, józanul, alaposan
sound² [saʊnd] I. *n* 1. hang; zaj; ~
archives hangfelvételtár; ~ *barrier*
hangsebességi határ, hanghatár; ~
effects hanghatások, hangkulissza; ~
engineer hangmérnök; ~ *speed* hangsebesség 2. *within* ~ hallótávolságon
belül II. A. *vi* 1. hangzik, hallatszik,
hangot ad; *you* ~ *as if* úgy beszélsz,
mintha 2. *vm* benyomást tesz,
vmlyennek hangzik/hallatszik B. *vt* 1.
megszólaltat [hangszert]; ~ *the horn*
dudál, hangjelzést ad [autós] 2. kimond, hangoztat, (ki)hirdet; ~ *the
praises of sy* magasztal vkt 3. kiejt
[hangot]
sound³ [saʊnd] *n* 1. tengerszoros 2.
úszóhólyag [halé]
sound-absorbing [-əb'sɔːbɪŋ] *a* hangelnyelő, hangszigetelő
sound-board *n* hangszekrény; szélláda
[orgonáé]
sound-box *n* hangdoboz [lemezjátszón];
rezonanciadoboz [hangszeré]
sounder¹ ['saʊndə*] *n* hangjelző; morzekopogó

sounder² ['saʊndə*] *n* mélységmérő készülék
sound-film *n* hangosfilm
sound-groove *n* hangbarázda
sound-hole *n* hanglyuk; F-lyuk [vonós hangszeren]
sounding¹ ['saʊndɪŋ] I. *a* 1. hangzó 2. hangzatos II. *n* hangzás
sounding² ['saʊndɪŋ] *n* 1. kopogtatás, hallgatózás [orvosé betegen] 2. mélységmérés; szondázás 3. **soundings** *pl* vízmélység [tengeren]; *take the ~s* (1) mélységet mér (2) kipuhatolja a helyzetet
sounding-balloon *n* [meteorológiai] kutató/szondázó léggömb
sounding-board *n* 1. hangleverő mennyezet [szószéken] 2. rezonáns szekrény
sounding-lead/line *n* mélységmérő ón, mérőón
soundless ['saʊndlɪs] *a* 1. hangtalan, zajtalan 2. feneketlen(ül mély)
sound-locator *n* hanglokátor
soundly ['saʊndlɪ] *adv* 1. alaposan, józanul 2. mélyen 3. épen
soundness ['saʊndnɪs] *n* 1. egészségesség, józanság, épség 2. alaposság, helyesség, megbízhatóság
sound-proof *a* hangszigetelt, zajmentes, zörejmentes
sound-record *n* rögzített hang [hanglemezen, filmen]
sound-recording *n* 1. hangfelvétel 2. hangrögzítés
sound-track *n* hangsáv [hangosfilmen]; hangbarázda [hanglemezen]
sound-wave *n* hanghullám
soup [su:p] *n* leves; *thick ~* krémleves; *clear ~* erőleves, húsleves; *biz be in the ~* benne van a szószban/pácban
soup-kitchen *n* népkonyha
soup-ladle *n* levesmerő kanál, merőkanál
soup-plate *n* levestányér, mélytányér
soup-tureen *n* levesestál
sour ['saʊə*] I. *a* 1. savanyú, fanyar; *~ cream* tejföl; *~ cherry* [egy fajta] meggy; *~ grapes* savanyú a szőlő; *go/turn ~* megsavanyodik 2. *átv* savanyú, besavanyodott, mogorva, barátságtalan; *old ~ puss* vén róka; *~ soil*

savanyú talaj II. A. *vt* 1. (meg)savanyít 2. elkeserít, megkeserít, kedvét szegi B. *vi* 1. megsavanyodik 2. *átv* megkeseredik, besavanyodik
source [sɔ:s] *n* 1. (*átv is*) forrás, eredet; *~ language* vezérnyelv, forrásnyelv [szótárban] 2. forrás(munka), kútfő, forrásmű
source-book *n* forrásmunka, kútforrás
sour-faced *a* savanyú arcú/képű
sourish ['saʊərɪʃ] *a* savanykás
sourness ['saʊənɪs] *n* 1. (*átv is*) savanyúság, fanyarság 2. mogorvaság, barátságtalanság
souse [saʊs] I. *n* 1. sós lé/pác, páclé 2. (be)sózott hús 3. átázás 4. bemártás, áztatás 5. □ „elázás" [= részegség] II. A. *vt* 1. besóz, sóban pácol; mariníroz 2. átáztat, vízbe márt 3. □ leitat B. *vi* 1. (át)ázik 2. □ berúg, „elázik"
soused [saʊst] *a* 1. (be)pácolt, (be)sózott, sós; *~ herrings* pácolt hering 2. □ „elázott"
soutache [su:'tɑ:ʃ] *n* sújtás, paszomány
soutane [su:'tɑ:n] *n* reverenda
south [saʊθ] I. *a* 1. déli; délszaki; *S~ Africa* Dél-Afrika; *S~ African* délafrikai; *S~ America* Dél-Amerika; *S~ American* dél-amerikai; *GB the S~ Downs* Anglia déli dombvidéke [Sussexben és Hampshireben]; *the S~ Pacific/Sea* a Csendes-óceán déli része 2. délre néző, déli fekvésű II. *adv* 1. délre, dél felé, déli irányba(n); *~ of sg* vmtől délre 2. délről, dél felől, déli irányból III. *n* 1. dél [világtáj] 2. déli rész, dél [országé stb.]; *the S~* a déli államok, a dél [az USA-ban] IV. *vi* 1. dél felé halad 2. délkörön/meridiánon áthalad, delel [égitest]
Southamptom [saʊθ'æmptən] *prop*
south-east I. *a* délkeleti II. *adv* délkelet felé, délkeletre III. *n* délkelet
southeaster *n* délkeleti szél
southeasterly I. *a* délkeleti II. *adv* délkelet felől/felé
southeastern *a* délkeleti
southerly ['sʌðəlɪ] I. *a* déli, dél felől jövő II. *adv* 1. déli irányba(n) 2. délfelől, délről

southern ['sʌðən] *a* déli; *S~ Cross* Dél Keresztje [csillagzat]
southerner ['sʌðənə*] I. *a* déli, délvidéki, dél- II. *n* délvidéki lakos, déli főleg [főleg: az USA déli államaiban]
south-paw *a/n US* balkezes (játékos) [sportban]
southron ['sʌðr(ə)n] *n* déli (lakos) [főleg: megvető skót kifejezés angolokra]
southward ['sauθwəd] I. *a* délen levő/fekvő, dél felé néző, déli II. *adv =* **southwards** III. *n* dél(vidék)
southwards ['sauθwədz] *adv* dél felé; déli irányba(n), délre
Southwark ['sʌðək] *prop*
south-west I. *a* délnyugati II. *adv* 1. délnyugatra, délnyugat felé 2. délnyugatról, délnyugat felől III. *n* délnyugat
southwester *n* 1. délnyugati szél 2. = *sou'wester*
southwesterly I. *a* délnyugati II. *adv* délnyugat felől/felé
southwestern *a* délnyugati
souvenir [su:v(ə)'nɪə*] *n* emlék(tárgy), ajándék(tárgy); *~ shop* ajándékbolt
sou'wester [sau'westə*] *n* 1. délnyugati szél [hajósnyelven] 2. viharkalap [hajósoké]
sov. *sovereign*
sovereign ['sɔvrɪn; *US* 'sɑ-] I. *a* 1. legfőbb, legfelső 2. független, szuverén; uralkodói, felséges II. *n* 1. uralkodó 2. *GB* † ⟨egyfontsterlinges aranypénz⟩
sovereignty ['sɔvr(ə)ntɪ; *US* 'sɑ-] *n* korlátlan uralom, szuverenitás
soviet ['souvɪət] I. *a S~* szovjet-; *S~ Union* Szovjetunió →*USSR* II. *n* szovjet, munkástanács
sow[1] [sau] *n* koca, anyadisznó, emse; *got the wrong ~ by the ear* kb. eltalálta szarva között a tőgyét
sow[2] [sou] *vt (pt ~ed* soud, *pp ~n* soun) vet [magot], bevet, behint
sow-bug ['sau-] *n* ászka; fatetű
sower ['souə*] *n* magvető
sowing ['souɪŋ] *n* 1. (mag)vetés, veteményezés 2. elvetett mag, vetemény
sowing-machine *n* vetőgép
sowing-time *n* vetési idő
soy [sɔɪ] *n* 1. ⟨pikáns kínai mártás szójából halételhez⟩ 2. szója(bab)

soya (bean) ['sɔɪə] *n* szója(bab)
soybean ['sɔɪbiːn] *n* szójabab
sozzled ['sɔzld; *US* -ɑ-] *a* □ tökrészeg, elázott
spa [spɑ:]*n* 1. ásványvízforrás 2. gyógyfürdő(hely); fürdőváros
space [speɪs] I. *n* 1. tér, hely; (tér)köz, táv(olság); kiterjedés; *take up ~* helyet vesz igénybe; *lack of ~* helyszűke; *~ between* közbeeső tér, köz 2. időszak, időköz 3. (világ)űr; *~ age* az űrhajózás kora; *~ flight* űrrepülés, űrhajózás; *~ probe* űrszonda; *~ research* űrkutatás; *~ shuttle* űrrepülőgép; *~ station* űrállomás; *~ travel* űrutazás, űrrepülés; *~ traveller* űrrepülő, űrhajós, űrutas; *~ vehicle* űrhajó; *~ weapon* kozmikus fegyver 4. betűköz, szóköz; térző II. *vt* 1. *~ (out)* elhelyez (térközökkel), feloszt, szétoszt 2. ritkít; *~ out the type* ritkítja a szedést
space-bar *n* hézagbillentyű [írógépen]
space-capsule *n* űrkabin
spacecraft *n* űrhajó
spaced [speɪst] *a* elosztott; vmlyen térközű; ritkított
spaceman *n (pl -men)* űrhajós
space-rocket *n* űrrakéta
space-saving *a* helykímélő, helytakarékossági
spaceship ['speɪʃɪp] *n* űrhajó
spacesuit *n* űrhajósöltözet, űrruha
space-time *n* téridő
spacing ['speɪsɪŋ] *n* ritkítás; térköz(hagyás); *double ~* kettős sorköz; *single ~* egyes sorköz [gépírásnál]
spacious ['speɪʃəs] *a* tágas, téres, kiterjedt, terjedelmes
spaciousness ['speɪʃəsnɪs] *n* tágasság, téresség
spade [speɪd] I. *n* 1. ásó; *call a ~ a ~* nevén nevezi a gyermeket 2. pikk, zöld [kártyában] II. *vt* ás
spade-bone *n* lapockacsont
spadeful ['speɪdful] *n* egy ásónyi/lapátnyi
spade-work *n* (fárasztó, aprólékos) előkészítő munka
spaghetti [spə'getɪ] *n* spagetti
Spain [speɪn] *prop* Spanyolország; *castles in ~* légvárak

spake →*speak*
spam [spæm] *n* löncshús
span¹ [spæn] I. *n* 1. arasz [22,86 cm] 2. rövid idő(tartam); *our mortal ~* földi pályafutásunk 3. fesztáv; ívnyílás, ív [hídé], szárnytávolság [repülőgépé] 4. (kettős) fogat; ökörfogat [Dél-Afrikában] II. *vt* -nn- 1. átível, áthidal, átér 2. arasszal átfog/(meg)mér, araszol 3. befog [lovat, ökröt, Dél-Afrikában]
span² →*spin II.*
spandrel ['spændr(ə)l] *n* ívmező [ajtó/ablak/boltív felett]
spangle ['spæŋgl] I. *n* flitter II. *vt* csillogó díszekkel (v. flitterrel) díszít
Spaniard ['spænjəd] *n* spanyol (ember)
spaniel ['spænjəl] *n* 1. kajtászeb, spániel 2. † hízelgő, talpnyaló
Spanish ['spænɪʃ] *a/n* spanyol; *~ fly* kőrisbogár; *~ Main* (1) Dél-Amerika északi partvidéke (2) a Karib-tenger
spank [spæŋk] I. *n* ütés [tenyérrel, papuccsal] II. A. *vt* elnáspángol, elnadrágol, elfenekel B. *vi ~ along* gyorsan megy/halad/üget
spanker ['spæŋkə*] *n* 1. gyors járású ló 2. *~ sail* farvitorla 3. *biz* nagyszerű dolog
spanking ['spæŋkɪŋ] I. *a* 1. gyors, sebes [ügetés] 2. *biz* pompás, klassz II. *n* verés
spanned [spænd] →*span¹ II.*
spanner ['spænə*] *n* csavarkulcs; *open--ended ~* villáskulcs; *ring ~* csillagkulcs; *throw a ~ into the works* felborítja a terveket
span-roof *n* nyeregtető
spar¹ [spɑ:*] *n* gerenda, szarufa; rúd, pózna; árboc(fa)
spar² [spɑ:*] *n* pát [ásvány]
spar³ [spɑ:*] I. *n* 1. barátságos bokszmérkőzés 2. szócsata II. *vi* -rr- 1. öklöz, bokszol 2. szócsatát vív, vitázik (*at* vkivel)
spar-deck *n* felső hajófedélzet
spare [speə*] I. *a* 1. fölösleges; tartalék, pót-; *~ bed* pótágy; *~ (bed)room* vendégszoba; *~ parts* (pót)alkatrészek, tartalékalkatrészek; *~ time* szabad idő; *~ tyre/wheel* pótkerék 2. sovány,

cingár, szikár; *~ rib* sovány sertésborda 3. szűkös II. *n* (pót)alkatrész III. A. *vt* 1. (meg)kímél; takarékoskodik vmvel; *~ no pains* nem kíméli a fáradságot; *if we are ~d* ha még élünk, ha megérjük 2. nélkülözni tud (vmt), megtakarít; *~ sy sg* ad vmt vknek; *enough and to ~* bőven elég, jut is marad is; *no expense(s) ~d* kerül amibe kerül; *have no time to ~* nincs (ráérő) ideje B. *vi* spórol (*with* vmvel)
sparing ['speərɪŋ] *a* takarékos; *~ of words* szűkszavú
spark [spɑ:k] I. *n* 1. szikra, sziporka (*átv is*); *US ~ plug* = *sparking-plug* 2. aranyifjú; vidám fickó 3. udvarló 4. *biz* sparks (szikra)távírász [hajón] II. A. *vi* 1. szikrázik; gyújt 2. *biz* csapja a szelet (vknek) B. *vt ~ sg off* kirobbant vmt
spark-gap *n* szikraköz
sparking ['spɑ:kɪŋ] *n* 1. szikrázás 2. gyújtás (szikrával)
sparking-plug *n GB* (gyújtó)gyertya [motorban]
sparkle ['spɑ:kl] I. *n* 1. (kis) szikra 2. ragyogás, csillogás, szikrázás 3. szellemesség, sziporkázás II. *vi* 1. szikrázik, csillog, ragyog, sziporkázik (*átv is*) 2. pezseg, gyöngyözik
sparklet ['spɑ:klɪt] *n* (autoszifon)patron
sparkling ['spɑ:klɪŋ] *a* 1. ragyogó, szikrázó; sziporkázó (*átv is*) 2. gyöngyöző, habzó
sparred [spɑ:d] →*spar³ II.*
sparring ['spɑ:rɪŋ] *n* bokszolás, öklözés
sparring-match *n* barátságos ökölvívómérkőzés
sparring-partner *n* (állandó) edzőtárs [ökölvívóé]
sparrow ['spærəʊ] *n* veréb
sparrow-grass *n* spárga, csirág
sparrow-hawk *n* karvaly
sparse [spɑ:s] *a* ritka, szórványos, elszórt
sparsely ['spɑ:slɪ] *adv* elszórtan, szórványosan, ritkásan, gyéren
Spartan ['spɑ:t(ə)n] *a/n* spártai
spasm ['spæzm] *n* görcs; roham
spasmodic [spæz'mɔdɪk; *US* -'mɑ-] *a* 1. görcsös 2. hirtelen, szaggatott, lökésszerű

spastic ['spæstɪk] I. *a* görcsös II. *n* bénult, szélhűdéses
spat[1] [spæt] I. *n* (osztriga)ikra II. *vt/vi* -tt- ikrát (le)rak [osztriga]
spat[2] [spæt] *n* bokavédő, kamásli
spat[3] [spæt] I. *n US* 1. (enyhe) ütés 2. veszekedés, szóváltás II. *v* -tt- A. *vi US* civakodik, veszekszik B. *vt* meglegyint
spat[4] → *spit*[2] *II.*
spatchcock ['spætʃkɔk; *US* -ɑk] I. *n* frissen levágott és megsütött/megfőzött szárnyas II. *vt biz* (utólag) beszúr [vmt szövegbe]
spate [speɪt] *n* 1. árvíz, áradás [folyóé] 2. *a ~ of work* rengeteg munka
spatial ['speɪʃl] *a* térbeli, tér-
spatted ['spætɪd] → *spat*[1] és *spat*[3] *II.*
spatter ['spætə*] I. *n* 1. (be)fröcskölés 2. (sár)folt 3. kopogás, csöpögés II. A. *vt* 1. befröcsköl (vkt vmvel), ráfröccscsent (vkre vmt) 2. megrágalmaz, bemocskol B. *vi* csöpög
spatterdash *n* (magas) lábszárvédő
spatula ['spætjʊlə; *US* -tʃ-] *n* simítólapát, spatula, (nyelv)lapoc
spavin ['spævɪn] *n* ínpók, himpók [lóbetegség]
spawn [spɔ:n] I. *n* 1. (hal)ikra; békaporonty 2. micélium [gombák tenyészteste] 3. *biz* vknek porontya/ivadéka II. A. *vi* 1. ívik [hal]; petéket rak [béka] 2. származik, ered B. *vt* lerak [ikrákat, petéket]
spawner ['spɔ:nə*] *n* ikrás hal
spay [speɪ] *vt* ivartalanít [nőstényállatot]
speak [spi:k] (*pt* **spoke** spoʊk, † **spake** speɪk, *pp* **spoken** 'spoʊk(ə)n) *vi/vt* 1. beszél; szól; (*this is*) ... *~ing* itt ... beszél [telefonon]; *rise to ~* szólásra emelkedik; *roughly ~ing* nagyjából, hozzávetőleg 2. beszél, tud [nyelvet]; "*English spoken*" itt angolul (is) beszélnek/beszélünk 3. (ki)mond, kifejez; *so to ~* úgyszólván, hogy úgy mondjam; *~ one's mind* őszintén beszél
  speak for *vi* 1. *~ f. sy* vk nevében/helyett beszél; *~ f. oneself* a maga nevében beszél; *~ing f. myself* részem-

ről ... , ami engem illet ... 2. *vk mellett szól, vkt igazol [tény]; *~ well f. sy* előnyére szolgál, javára szól, becsületére válik; *it ~s f. itself* önmagáért beszél (vm)
  speak of *vi* beszél vkről/vmről; *nothing to ~ of* jelentéktelen, szóra se érdemes, semmiség (az egész); *not to ~ of* nem is említve; *~ highly/well of sy* vkről elismerően beszél
  speak out *vi* 1. = *speak up 1.* 2. őszintén és bátran kimondja véleményét, nyíltan beszél (vm ellen)
  speak to *vi* 1. *~ to sy* (1) beszél vkvel (*about* vmről) (2) beszél/szól vkhez, beszél a fejével (vknek) 2. hozzászól [kérdéshez] 3. tanúsít, igazol (vmt)
  speak up *vi* 1. hangosan/hangosabban/érthetően beszél, felemeli a hangját 2. *~ up for sy* vk érdekében felszólal
speakable ['spi:kəbl] *a* (ki)mondható
speak-easy *n US* □ titkos italmérés [szesztilalom idején]
speaker ['spi:kə*] *n* 1. beszélő, szónok 2. *the S~* a képviselőház elnöke 3. hangszóró
speaking ['spi:kɪŋ] I. *a* beszélő, kifejező; *~ likeness* a megszólalásig hű arckép; *not on ~ terms* nincs beszélő viszonyban II. *n public ~* szónoklás, ékesszólás
speaking-trumpet *n* hallócső
speaking-tube *n* szócső
spear [spɪə*] I. *n* 1. lándzsa, dárda, szigony; *~ side* (fér)fiág [származásrendben] 2. lándzsás 3. hajtás [növényé magból], sarjhajtás; (fű)szál II. A. *vt* lándzsával átdöf/átszúr, szigonnyal fog B. *vi* szárba szökken; sarjad
spear-head I. *n* 1. lándzsahegy 2. támadó él II. *vt* támadó él(e)ként szolgál [támadásnak]
spearmint ['spɪəmɪnt] *n* fodormenta
spear-shaft *n* lándzsanyél
spearwort *n* boglárka
spec [spek] *n biz on ~* próbaképp
special ['speʃl] I. *a* 1. különleges, saját(ság)os, speciális; *~ correspondent* különtudósító; *~ delivery* expressz kéz-

besítés; ~ effects film trükkfilm; ~
subject szaktárgy; speciális érdeklődési
kör 2. rendkívüli, alkalmi; ~ constable
felesküdött polgárőr 3. kitűnő II. n
1. különkiadás 2. különvonat
specialist ['speʃəlɪst] n szakember, szak-
orvos, specialista; (jelzői haszn) szak-
speciality [speʃɪ'ælətɪ] n 1. sajátosság,
különlegesség, specialitás 2. szakterü-
let
specialization [speʃəlaɪ'zeɪʃn; US -lɪ'z-] n
1. részletezés 2. szakosodás, speciali-
zálódás
specialize ['speʃəlaɪz] A. vt egyenként fel-
sorol, részletez, külön kimutat 2. sza-
kosít B. vi specializálódik, szakosodik;
~ in sg vmben/vmre specializálja ma-
gát
specialized ['speʃəlaɪzd] a szakosított; ~
knowledge szaktudás; ~ word szakszó
specially ['speʃəlɪ] adv külön(legesen),
különösen
specialty ['speʃltɪ] n 1. (pecsétes) írás-
beli szerződés 2. = speciality 2.
specie ['spi:ʃi:] n fémpénz; in ~ effektíve;
váltópénzben, készpénzben
species ['spi:ʃi:z] n (pl ~) faj(ta)
specifiable ['spesɪfaɪəbl] a részletezhető,
közelebbről meghatározandó
specific [spɪ'sɪfɪk] a 1. különleges, saját-
(ság)os, jellegzetes, specifikus; fajla-
gos; faj-; ~ gravity fajsúly; ~ heat faj-
lagos hő, fajhő; ~ name rendszertani
név; ~ weight fajsúly 2. közelebbről
meghatározott; speciális [jelentés]
specifically [spɪ'sɪfɪk(ə)lɪ] adv különö-
sen, kimondottan, kifejezetten, spe-
ciálisan
specification [spesɪfɪ'keɪʃn] n részletezés,
felsorolás; részletes leírás; előírás;
munkafeltételek; kikötés
specify ['spesɪfaɪ] vt 1. közelebbről/pon-
tosan meghatároz, részletez, (egyen-
ként) felsorol 2. kiköt, előír; unless
otherwise specified ha más kikötés
nincs 3. szabványosít
specimen ['spesɪmɪn] n 1. példány, min-
ta(darab), mutatvány 2. biz (queer) ~
furcsa ember/példány
specious ['spi:ʃəs] a mutatós, tetszetős
(de nem valódi), megtévesztő

speciousness ['spi:ʃəsnɪs] n megtévesztő
látszat
speck[1] [spek] n folt, petty, csepp,
szem(cse), darabka
speck[2] [spek] n US szalonna
specked [spekt] a pettyes
speckle ['spekl] n folt, petty
speckled ['spekld] a foltos, pettyes
specs [speks] n pl biz = spectacle 2.
spectacle ['spektəkl] n 1. látvány(osság)
2. (a pair of) ~s szemüveg, pápaszem
spectacle-case n szemüvegtok
spectacled ['spektəkld] a szemüveges
spectacular [spek'tækjʊlə*] a látványos
spectator [spek'teɪtə*; US 'sp-] n néző
specter →spectre
spectra →spectrum
spectral ['spektr(ə)l] a 1. kísérteti(es) 2.
színkép-; ~ analysis színképelemzés
spectre, US -ter ['spektə*] n kísértet,
szellem
spectroscope ['spektrəskoʊp] n színkép-
elemző készülék, spektroszkóp
spectroscopy [spek'trɒskəpɪ; US -ɑs-] n
színképelemzés, spektroszkópia
spectrum ['spektrəm] n (pl -tra -trə v.
~s -z) színkép, spektrum; ~ analysis
színképelemzés
speculate ['spekjʊleɪt; US -jə-] vi 1.
elmélkedik, töpreng, tűnődik 2. spe-
kulál [üzletileg]; ~ on the Stock Ex-
change tőzsdézik
speculation [spekjʊ'leɪʃn; US -jə-] n 1.
elmélkedés, töprengés; elmélet, felte-
vés 2. [üzleti] spekuláció
speculative ['spekjʊlətɪv; US -jəleɪ-] a
1. elméleti, elmélkedő, spekulatív 2.
spekulációs
speculator ['spekjʊleɪtə*; US -jə-] n
spekuláns; tőzsdés
speculum ['spekjʊləm; US -jə-] n (pl ~s
-z v. -la -lə) 1. (orvosi) tükör 2. táv-
csőtükör 3. szem [szárnyon]
sped →speed II.
speech [spi:tʃ] n 1. beszéd; ~ defect be-
szédhiba; ~ disorder beszédzavar; ~
sound beszédhang; ~ therapy beszéd-
terápia, -javítás; ~ failed him elállt
a szava 2. nyelv [népé]; nyelvjárás;
~ area nyelvterület; ~ habit nyelvszo-
kás 3. figure of ~ szólásmondás, be-

szédfordulat; *parts of* ~ szófajok; *direct* ~ egyenes beszéd; *indirect/reported* ~ függő beszéd 4. szónoklat, (szónoki) beszéd; *fair* ~*es* szép szavak; *make/deliver a* ~ beszédet mond/tart
speech-day *n* tanévzáró ünnepély
speechify ['spi:tʃɪfaɪ] *vi biz* beszédet/ szpícset mond, szónokol
speechless ['spi:tʃlɪs] *a* szótlan, néma, elnémult
speech-making *n* szónoklás
speed [spi:d] I. *n* 1. sebesség, gyorsaság; *at full/top* ~ legnagyobb/teljes sebességgel; *make* ~ siet; *at a* ~ *of* vmilyen sebességgel 2. *wish sy good* ~ szerencsét kíván vknek [vm előtt] 3. sebesség(fokozat) [gépkocsié] 4. (fény)érzékenység [filmé]; fényerő [lencséé] II. *v* (*pt/pp* ~ed v. sped sped) A. *vt* 1. siettet, gyorsít; ~ *up* felgyorsít 2. sebességet/fordulatszámot (be)szabályoz 3. † *God* ~ *you!* Isten vezéreljen!; ~ *the parting guest* távozónak szerencsés utat kíván B. *vi* 1. siet; halad; száguld; ~ *up* felgyorsul; *don't* ~ ne hajts (olyan) gyorsan 2. † boldogul, prosperál
speed-boat *n* gyorsasági versenycsónak, „papucs"
speed-cop *n biz* motoros rendőr, „fejvadász"
speed-hog *n* ☐ közveszélyes gyorshajtó, kilométerfaló, garázda vezető
speedily ['spi:dɪlɪ] *adv* gyorsan, sebesen, sürgősen
speed-indicator *n* sebességmérő
speediness ['spi:dɪnɪs] *n* gyorsaság, sietősség
speeding ['spi:dɪŋ] *n* gyorshajtás
speed-limit *n* megengedett legnagyobb sebesség; sebességkorlátozás
speed-merchant *n* ☐ = *speed-hog*
speedometer [spɪ'dɒmɪtə*; *US* -ɑm-] *n* sebességmérő
speed-skating *n* gyorskorcsolyázás
speedster ['spi:dstə*] *n* = *speed-hog*
speed-trial *n* gyorsasági verseny
speed-up *n* 1. gyorsulás 2. gyorsítás
speedwalk *n US* mozgójárda
speedway *n* 1. gyorsasági (verseny)pálya 2. autópálya

speedwell *n* veronika(fű)
speedy ['spi:dɪ] *a* gyors, sebes; azonnali
spell[1] [spel] I. *n* varázslat, bűbáj; *under the* ~ *of sg* vmnek a bűvöletében/igézetében II. *vt/vi* (*pt/pp* **spelt** spelt v. *US* ~ed) 1. betűz, szótagol, kiír, helyesen (le)ír; ~ *it, please* betűzze, kérem; *how is it spelt?* hogyan írják?; ~ *out* (nehezen) kisilabizál; *he can't* ~ nem tudja a helyesírást, nem tud helyesen írni 2. vm értelme van, vm következménnyel jár, vmt jelent; *it* ~*s ruin to them* ez romlást jelent nekik/számukra
spell[2] [spel] I. *n* 1. időszak; *the hot* ~ kánikula; *a long* ~ *of cold weather* hosszan tartó hideg (idő) 2. időtartam [munkáé], műszak, turnus; *take a* ~ (v. *spells*) *at sg* felváltva végez vmt
spell-binder *n US* lenyűgöző hatású szónok
spell-bound *a* elbűvölt, lenyűgözött
speller ['spelə*] *n* 1. helyesírási kézikönyv 2. *a good* ~ jó helyesíró
spelling ['spelɪŋ] *n* 1. helyesírás; ~ *bee* helyesírási verseny [élőszóban] 2. betűzés; ~ *pronunciation* betűejtés
spelling-book *n* 1. helyesírási kézikönyv/ tankönyv 2. első osztályos olvasókönyv, ábécéskönyv
spelter ['speltə*] *n* horgany
spencer ['spensə*] *n* (gyapjú)zubbony, spencer
spend [spend] *v* (*pt/pp* **spent** spent) A. *vt* 1. kiad, (el)költ [pénzt *on* -ra, -re] 2. (el)használ, (el)fogyaszt [erőt stb.]; ~ *one's blood* vérét adja; *it has spent its force* kiadta erejét, kimerült 3. (el-)tölt [időt]; ~ (*one's*) *time doing sg* vmvel tölti idejét B. *vi* költ(ekezik)
spender ['spendə*] *n* 1. költekező, pazarló 2. adományozó, adó
spending ['spendɪŋ] *n* (el)költés; *US* ~ *money* költőpénz; ~ *power* vásárlóerő
spendthrift ['spendθrɪft] *n* pazarló, tékozló, pocsékoló; költekező
Spenser ['spensə*] *prop*
spent [spent] *a* fáradt, kimerült, ernyedt; elhasznált; ~ *ball/bullet* fáradt golyó; ~ *cartridge* üres/kilőtt töltény; ~ *volcano* kialudt tűzhányó ‖ → *spend*

53*

sperm[1] [spə:m] *n* ondó, mag, sperma
sperm[2] [spə:m] *n* **1.** = *sperm-whale* **2.**
cetvelő
spermaceti [spə:mə'setɪ] *n* cetvelő
spermatism ['spə:mətɪzm] *n* magömlés
spermatozoon [spə:mətə'zoʊɔn; *US* -an]
n (*pl* -zoa -'zoʊə) ondósejt, spermium
sperm-whale *n* ámbrás cet
spew [spju:] *vt/vi* (ki)okád, (ki)hány;
kiköp
sp. gr. *specific gravity* fajsúly
sphagnum ['sfægnəm] *n* tőzegmoha
sphere [sfɪə*] *n* **1.** gömb; golyó **2.** égbolt **3.** (működési) kör, szféra, hatáskör; ~ *of activities* működési kör; ~ *of influence* befolyási övezet; ~ *of interest* érdeklődési kör; érdekkör
spherical ['sferɪkl] *a* gömbölyű, gömb-, szferikus; ~ *aberration* gömbi eltérés; ~ *joint* (1) gömbcsukló (2) csuklós kötés: ~ *cone* gömbcikk, gömbkúp; ~ *trigonometry* gömbháromszögtan
spheroid ['sfɪərɔɪd] *n* gömbszerű, szferoid
spherometer [sfɪə'rɔmɪtə*; *US* -am-] *n* gömbmérő, szferometer
spherule ['sferju:l] *n* parányi gömb
sphincter ['sfɪŋktə*] *n* záróizom
sphinx [sfɪŋks] *n* (*átv is*) szfinksz
spice [spaɪs] I. *n* **1.** fűszer **2.** zamat (*átv is*), (pikáns) íz **3.** *a* ~ *of sg* egy csipetnyi/csepp vm(ből) II. *vt* fűszerez, ízesít (*átv is*)
spice-cake *n* püspökkenyér
spiciness ['spaɪsɪnɪs] *n* **1.** fűszeresség, ízesség, zamatosság **2.** pikánsság
spick-and-span [spɪkən'spæn] *a* vadonatúj, tipp-topp, mintha skatulyából húzták volna ki
spicy ['spaɪsɪ] *a* fűszeres, zamatos, ízes, pikáns, borsos (*átv is*)
spider ['spaɪdə*] *n* **1.** pók **2.** háromlábú serpenyő; háromláb **3.** ⟨kétkerekű könnyű lovas kocsi nagy kerekekkel⟩
spider-crab *n* tengeri pók
spider-lines *n pl* hajszálkereszt [távcsőben]
spiderman *n* (*pl* -men) acélvázszerelő [felhőkarcolóé]
spidery ['spaɪdərɪ] *a* pókszerű; ~ *handwriting* szarkalábas/szálkás írás

spied [spaɪd] → *spy*
spiel [spi:l v. ʃpi:l] *US* I. *n* □ duma, „szöveg", hanta II. *vi/vt* dumál, szövegel
spier ['spaɪə*] *n* kém, fürkésző
spies [spaɪz] → *spy*
spiffy ['spɪfɪ] *a biz* elegáns
spigot ['spɪgət] *n* **1.** (hordó)csap **2.** (csőkarmantyúba illő) csővég
spigot-joint *n* tokos csőkötés
spike [spaɪk] I. *n* **1.** szeg; pecek **2.** karó, cövek **3.** tüske; vashegy; vasdárda [kerítésen]; ~ *heel* tűsarok [cipőn] **4.** kalász; füzérvirágzat II. *vt* **1.** (be)szegez; cövekel; ~ *sy's guns* meghiúsítja vk terveit **2** szöggel/vasheggyel lát el; szögekkel kiver
spiked [spaɪkt] *a* **1.** hegyes **2.** szeges, szöges
spikelet ['spaɪklɪt] *n* kalászka
spikenard ['spaɪknɑːd] *n* nárdus(olaj)
spike-oil *n* levendulaolaj
spiky ['spaɪkɪ] *a* **1.** hegyes, szúrós **2.** karószerű **3.** *átv* tüskés, szúrós, harapós
spill [spɪl] I. *n* bukás, (le)esés [lóról, kerékpárról]; *have a* ~ (1) leesik [lóról] (2) (fel)bukik [lovas, kerékpáros stb.]; felborul [autóval] II. *v* (*pt/pp* ~ed* spɪld v. **spilt** spɪlt) A. *vt* **1.** kiönt, kiloccsant, kilöttyent **2.** ledob [ló lovast] B. *vi* **1.** kiömlik, kiloccsan **2.** kiesik, kizuhan
spillway *n* **1.** túlfolyó [tartályból] **2.** bukógát
spilt → *spill II.*
spin [spɪn] I. *n* **1.** pörgés, forgás; *give a* ~ *to the ball* pörgetve üti a labdát **2.** dugóhúzó [műrepülésben]; *get/go into a* ~ (1) [repülőgép] csigavonalban száll/zuhan le, pörögni kezd (2) bajba jut **3.** (kis) kirándulás [autóval, kerékpáron, csónakkal stb.]; *go for a* ~ kiruccan, autózik egyet II. *v* (*pt* **spun** spʌn v. régiesen **span** spæn, *pp* **spun** spʌn; -nn-) A. *vt* **1.** fon, sodor [szálat]; sző [hálót pók] **2.** pörget, (meg-)forgat, (meg)perdít; ~ *a coin* pénzt feldob, „fej vagy írás"-t játszik; ~ *a top* játékcsigát hajt **3.** kieszel, kitalál [mesét]; ~ *a yarn* mesél **4.** = *spin-*

-*dry* **B.** *vi* **1.** (meg)perdül, (meg)fordul **2.** forog, pörög; *my head is ~ning* forog velem a világ; *the blow sent him ~ning* az ütéstől felbukfencezett **spin along** *vi* száguld [jármű] **spin out A.** *vt* elhúz, elnyújt, hoszszú lére ereszt [beszélgetést stb.]; húz [időt] **B.** *vi make one's money ~ o.* úgy osztja be a pénzét, hogy sokáig tartson
spinach ['spɪnɪdʒ; *US* -ɪtʃ] *n* spenót, paraj
spinal ['spaɪnl] *a* gerinc-; *~ column* gerincoszlop; *~ cord* gerincagy
spindle ['spɪndl] *n* **1.** orsó; *~ side* anyai/női ág **2.** tengely **3.** *biz* nyurga/vékony/nyakigláb ember **4.** (túlfejlett) inda
spindle-berry *n* kecskerágó (bogyója)
spindle-legs *n pl* **1.** pipaszárlábak **2.** hosszú lábú ember
spindle-shanks *n pl* = *spindle-legs*
spindle-tree *n* kecskerágó [bokor]
spin-drier/dryer *n* [háztartási] centrifuga
spin-dry *vt* (ki)centrifugáz
spine [spaɪn] *n* **1.** (hát)gerinc **2.** tüske, tövis **3.** gerinc [könyvé]
spineless ['spaɪnlɪs] *a* **1.** gerinctelen **2.** tüskétlen
spinet [spɪ'net; *US* 'spɪnɪt] *n* spinét
spinnaker ['spɪnəkə*] *n* pillangóvitorla, versenyvitorla, spinakker
spinner ['spɪnə*] *n* **1.** fonó(munkás) **2.** fonógép **3.** pók **4.** villantó [horgászáshoz]
spinneret ['spɪnəret] *n* **1.** fonószemölcs-(nyílás) [póké, selyemhernyóé] **2.** fonócső, -rózsa
spinney ['spɪnɪ] *n* bozót, csalit(os)
spinning ['spɪnɪŋ] *n* **1.** fonás **2.** pörgés, forgás →*spin II.*
spinning-jenny *n* jenny [mozgókocsis fonógép]
spinning-machine *n* fonógép
spinning-mill *n* fonoda
spinning-top *n* játékcsiga, búgócsiga
spinning-wheel *n* rokka
spin-off *n* mellékes haszon; hasznos melléktermék
spinster ['spɪnstə*] *n* **1.** hajadon **2.** vénkisasszony, vénlány, aggszűz

spiny ['spaɪnɪ] *a* tüskés
spiraea [spaɪ'rɪə] *n* gyöngyvessző, spirea
spiral ['spaɪər(ə)l] **I.** *a* csigavonalú, spirál(is); *~ staircase* csigalépcső **II.** *n* **1.** csigavonal, spirál(is) **2.** csavarmenet **3.** (óra)rugó **4.** szakadatlan emelkedés [áraké stb.] **III.** *vi* -**ll**- (*US* -**l**-) **1.** csigavonalat alkot **2.** csigavonalban/spirálisan mozog/emelkedik; kígyózik
spirant ['spaɪər(ə)nt] *n* réshang, spiráns
spire[1] ['spaɪə*] *n* **1.** csúcsos templomtorony; toronysisak **2.** vmnek csúcsa, orom
spire[2] ['spaɪə*] *n* csigavonal, spirál
spirit ['spɪrɪt] **I.** *n* **1.** szellem, lélek; *leading ~* vmnek a lelke, fő mozgatója; *~ of the age* korszellem; *the ~ of the law* a törvény szelleme; *enter into the ~ of sg* belemegy vmbe [tréfába, játékba] **2.** kísértet, szellem **3.** kedv, kedély, hangulat; lelkierő; bátorság; energia; *be in low/poor ~s, be out of ~s* rosszkedvű, lehangolt, levert; *be in high ~s* jókedvű, élénk **4.** szesz, alkohol; spiritusz; *raw ~s* finomítatlan szesz **5. spirits** *pl* szesz(es ital), alkohol; rövid italok **II.** *vt* **1.** fellelkesít **2.** *~ away/off* (rejtélyesen) eltüntet, ellop
spirited ['spɪrɪtɪd] *a* élénk, szellemes, bátor, talpraesett, határozott
spiritedness ['spɪrɪtɪdnɪs] *n* élénkség, határozottság
spiritism ['spɪrɪtɪzm] *n* spiritizmus
spirit-lamp *n* spirituszlámpa, -főző
spiritless ['spɪrɪtlɪs] *a* élettelen; levert, bátortalan, egykedvű
spirit-level *n* alkoholos vízszintező, csöves libella
spirit-stove *n* spirituszfőző
spiritual ['spɪrɪtʃʋəl]]**I.** *a* **1.** szellemi, lelki **2.** egyházi; *~ court* egyházi bíróság; *GB lords ~* egyházi főrendek **II.** *n* (*Negro*) ~ (néger) spirituálé
spiritualism ['spɪrɪtʃʋəlɪzm] *n* **1.** spiritizmus **2.** spiritualizmus, idealizmus
spiritualist ['spɪrɪtʃʋəlɪst] *n* spiritiszta
spiritualize ['spɪrɪtʃʋəlaɪz] *vt* át- szellemít, felmagasztosít, (meg)tisztít

spirituous ['spɪrɪtjʊəs; US -tʃ-] a 1. szesztartalmú; ~ liquors szeszes italok 2. szellemi
spirometer [spaɪ(ə)'rɒmɪtə*; US -ɑm-] n lélegzésmérő, spirométer
spirt [spə:t] n/v = spurt
spit¹ [spɪt] I. n 1. nyárs 2. földnyelv; (hosszú és keskeny) zátony II. vt -tt- nyársra húz/szúr; felnyársal (átv is)
spit² [spɪt] I. n 1. köpés, köpet; biz ~ and polish fényesítés, tisztogatás; előírásos tisztaság/külcsín [katonaságnál] 2. szemerkélő eső 3. nyál [rovaroké] 4. biz the dead/very ~ his father kiköpött apja II. v (pt/pp spat spæt v. ~; -tt-) A. vt (ki)köp, pök; biz ~ it out! ki vele!, nyögd ki!; ~ting image kiköpött mása B. vi 1. köp(köd); (átv is) ~ at/on sy/sg leköp vkt/vmt, köp vkre/vmre 2. (eső) szemerkél
spit³ [spɪt] n ásónyom(nyi föld)
spitball n US (összerágott) papírgalacsin [amit vkre fújnak/röpítenek]
spite [spaɪt] I. n 1. rosszakarat, rosszindulat, harag, gyűlölködés 2. in ~ of vmnek ellenére/dacára II. vt bosszant
spiteful ['spaɪtfʊl] a rosszindulatú
spitefulness ['spaɪtfʊlnɪs] n rosszakarat
spitfire n méregzsák (vkről)
Spithead [spɪt'hed] prop
spittle ['spɪtl] n köpés, köpet, nyál
spittoon [spɪ'tu:n] n köpőcsésze
spiv [spɪv] n □ 1. munka nélkül jól élő (ember) 2. jampec
splash [splæʃ] I. n 1. loccsanás 2. sár, sárfolt, folt, kifröcskölt/kiloccsantott víz 3. (színes) folt [állaton] 4. hűhó; make a ~ nagy szenzációt kelt; ~ headline szenzációs főcím [újságban] II. A. vt befröcsköl, lefröcsköl, locscsant, (rá)fröccsent B. vi 1. (fel)fröcscsen, loccsan; fröcsköl, spriccel 2. ~ down in the Pacific a Csendes-óceánon száll le [űrhajó]
splash-board n sárhányó, -védő
splash-down n vízreszállás [űrhajóé]
splasher ['splæʃə*] n 1. sárvédő, sárhányó 2. (védő) ellenző
splash-guard n sárfogólap [járművön]
splashy ['splæʃɪ] a sáros, latyakos
spiatter ['splætə*] n/v = spatter

splay [spleɪ] I. a ferde, rézsűs, ferdére vágott; kihajló II. n (ki)hajlás; befelé/kifelé szélesedő kiképzés [ablaké] III. A. vt lesarkít, ferdére vág; kifelé/befelé szélesedően képez ki B. vi 1. kiszélesedik 2. kificamodik, kibicsaklik
splayed [spleɪd] a ferde, kifelé szélesedő, szétálló, kihajló
splay-foot n lúdtalp
spleen [spli:n] n 1. lép [testi szerv] 2. rosszkedv, levertség, spleen, méla undor; vent one's ~ on sy kitölti vkn a haragját (v. rosszkedvét)
splendent ['splendənt] a ragyogó, csillogó
splendid ['splendɪd] a ragyogó, pompás, nagyszerű; ~ isolation elszigetelődés(i politika)
splendour, US -dor ['splendə*] n nagyszerűség, ragyogás, fény, pompa
splenetic [splɪ'netɪk] a spleenes, rosszkedvű
splenic ['splenɪk] a lép-
splenitis [splɪ'naɪtɪs] n lépgyulladás
splice [splaɪs] I. n összefonás [kötélvégeké], összekötés, -illesztés, (gerenda) csatlakozás II. vt összeköt, -fon [kötélvégeket], összekapcsol, -illeszt; □ get ~d házasságot köt
splicer ['splaɪsə*] n ragasztóprés (filmhez]
spline [splaɪn] n bütyök, csap, pecek
splint [splɪnt] I. n 1. sín [csonttöréshez] 2. szálka, szilánk; forgács 3. csontpók II. vt sínbe tesz [törött végtagot]
splint-bone n szárkapocscsont
splinter ['splɪntə*] I. n szilánk, szálka, forgács; ~ party töredék/szakadár (politikai) párt II. vt/vi darabokra/rapityára/szilánkokra tör(ik); ~ off lepattan, lehasad
splinter-proof a szilánkbiztos, -mentes
split [splɪt] I. a (ketté)hasított, kettévágott, elrepesztett; ~ infinitive ⟨szó beékelése a to és a főnévi igenév közé⟩; ~ personality tudathasadás; ~ ring kulcskarika; in a ~ second a másodperc ezredrésze alatt II. n 1. (el)hasadás, (el)repedés, (el)szakadás 2. hasadék, rés, repedés 3. átv szakadás [pártban] 4. do the ~s spárgát csi-

nál [balettban] **5.** *biz* fél üveg szóda; fél pohár ital **III.** *v (pt/pp* ~ split; -tt-) **A.** *vt* **1.** (el)hasít, hasogat, (el)repeszt, széthasít, -repeszt; ~ *the atom* atomot bont; ~ *hairs* szőrszálat hasogat; ~ *open* felnyit, -repeszt **2.** feloszt; megoszt, megfelez [költséget stb.]; ~ *the difference* a felében kiegyeznek **B.** *vi* **1.** (el)hasad, (el)reped, szétválik, (szét-) szakad; *my head is* ~*ting* hasogató fejfájásom van **2.** *átv* kettészakad, megoszlik, megbomlik az egység **split into** *vt* részekre bont/oszt; ~ *i.* **two** kettéoszt **split off A.** *vt* lehasít **B.** *vi* lehasad, leszakad **split on** *vi* □ spicliskedik vkre **split up A.** *vt* felhasogat, szétdarabol **B.** *vi* részekre hasad; szétválik **split-level** *a* osztott szintű, kétszintes [ház, lakás] **splitting** ['splɪtɪŋ] **1.** hasadó **2.** *átv* hasogató [fájdalom] **II.** *n* **1.** hasítás **2.** (mag)hasadás **splotch** [splɔtʃ; *US* -ɑ-] **I.** *n* folt, paca, maszat **II.** *vt* foltot ejt, bemaszatol, bepacáz **splurge** [splə:dʒ] **I.** *n biz* feltűnő/zajos viselkedés, feltűnéskeltés **II.** *vi* feltűnően viselkedik **splutter** ['splʌtə*] **I.** *n* köpködés, fröcsögés **II.** *vt/vi* **1.** fröcsög, köpköd; serceg **2.** összevissza beszél, hadar **spoil** [spɔɪl] **I.** *n* **1.** zsákmány, préda; haszon **2.** *US* **spoils** *pl* jövedelmező állások [szétosztva a győztes párt tagjai között] **3.** meddő(hányó); elhordott föld **II.** *v (pt/pp* ~ed) spɔɪlt v. **spoilt** spɔɪlt) **A.** *vt* **1.** elront, tönkretesz **2.** elkényeztet, rosszul nevel **B.** *vi* **1.** megromlik, tönkremegy **2.** *biz be* ~*ing for sg* ég a vágytól (vmt tenni) **spoilage** ['spɔɪlɪdʒ] *n* hulladék(papír), káló, selejt **spoilsman** ['spɔɪlzmən] *n (pl* -men -mən) *US* ⟨anyagi haszon céljából politizáló ember⟩, konjunktúralovag **spoil-sport** *n* ünneprontó **spoilt** [spɔɪlt] *a* elrontott ‖ → *spoil II.* **spoil-trade** *n* tisztességtelen konkurrens, üzletrontó

spoke¹ [spouk] **I.** *n* **1.** küllő **2.** kormánykerék-fogantyú **3.** (létra)fok **4.** kerékkötő; *biz put a* ~ *in sy's wheel* keresztezi vknek a számításait **II.** *vt* **1.** küllővel ellát **2.** (meg)akaszt [kereket], rudat dug [kerékbe] **spoke²** → *speak* **spoken** ['spouk(ə)n] *a* **1.** beszélt; kimondott **2.** (-)szavú, (-)beszédű; *civil* ~ udvarias; *a well-*~ *man* nyájas szavú/modorú ember ‖ → *speak* **spokeshave** ['spoukʃeɪv] *n* színlőgyalu; hántológyalu; vonókés **spokesman** ['spouksmən] *n (pl* -men -mən) szóvivő, szószóló **spokewise** *adv* sugarasan **spoliation** [spoulɪ'eɪʃn] *n* **1.** fosztogatás, zsákmányolás **2.** okmányrongálás **spondaic** [spɔn'deɪk; *US* -ɑn-] *a* spondeusi **spondee** ['spɔndi:; *US* -ɑn-] *n* spondeus **sponge** [spʌndʒ] **I.** *n* **1.** szivacs, spongya; *give sg a* ~ vmt szivaccsal letöröl; *throw in/up the* ~ bedobja a törülközőt, feladja a küzdelmet **2.** törlő, tampon **3.** piskótatészta **4.** *biz* potyázó, ingyenélő **II. A.** *vt* **1.** szivaccsal (le)töröl/lemos/felitat **2.** *biz* tarhál (vmt) **B.** *vi biz* potyázik, tarhál **sponge on** *vt* élősködik (vkn), potyázik (vknél); pumpol/fej (vkt) **sponge out** *vt* szivaccsal kitöröl **sponge up** *vt/vi* (szivaccsal) felitat **sponge-bag** *n* szivacstartó zacskó **sponge-bath** *n* nagy mosdótál **sponge-cake** *n* piskóta(tészta) **sponge-cloth** *n* **1.** eponzsszövet **2.** törlőruha **sponger** ['spʌndʒə*] *n biz* potyázó, élősdi (ember) **sponge-rubber** *n* habgumi, laticel **sponginess** ['spʌndʒɪnɪs] *n* szivacsosság **sponging** ['spʌndʒɪŋ] *n* **1.** letörlés szivaccsal **2.** *biz* élősködés, potyázás **spongy** ['spʌndʒɪ] *a* **1.** szivacsos, likacsos **2.** átázott, puha **sponsor** ['spɔnsə*; *US* -ɑn-] **I.** *n* **1.** jótálló, kezes; ajánló [új tagé egyesületben] **2.** keresztapa, -anya **3.** ⟨rádióv. tévéreklámműsor megrendelője/finanszírozója⟩ **II.** *vt* **1.** kezeskedik, fe-

lel, jótáll (vkért); költségeit viseli, támogat, patronál **2.** megrendel, fizet [rádió- v. tévéműsort reklám céljából]
spontaneity [spɔntə'neɪətɪ; US -ɑn-] *n* önkéntes cselekvés, spontaneitás, spontán jelleg
spontaneous [spɔn'teɪnjəs; US -ɑn-] *a* önként való, kényszer nélküli, saját jószántából való, spontán; ~ *combustion* öngyulladás, öngyúlás
spontaneously [spɔn'teɪnjəslɪ; US -ɑn-] *adv* önként, spontán (módon)
spontaneousness [spɔn'teɪnjəsnɪs; US -ɑn-] *n* = *spontaneity*
spontoon [spɔn'tuːn; US -ɑn-] *n* kb. fokos
spoof [spuːf] □ **I.** *n* svindli, átejtés **II.** *vt* becsap, bepaliz, átejt
spook [spuːk] *n* kísértet
spooky ['spuːkɪ] *a* kísérteties
spool [spuːl] **I.** *n* orsó, cséve, tekercs **II.** *vt* tekercsel, csévéz, gombolyít
spoon [spuːn] **I.** *n* **1.** kanál **2.** evező lapátja/tolla **3.** kanálvillantó [horgászé] **4.** *biz* mamlasz, málé, szerelmes **II. A.** *vt* kanalaz, mer; ~ *out/up* kikanalaz **B.** *vi* □ szerelmeskedik, smárol
spoonbill *n* kanalas gém
spoonerism ['spuːnərɪzm] *n* ⟨két szó kezdőbetűinek komikus hatású felcserélése, pl. karbol szappan — szarból kappan⟩
spoonfeed *vt* (*pt/pp* **-fed**) **1.** kanállal etet **2.** *biz* belediktál (vkbe vmt) **3.** államilag támogat, agyontámogat [deficites üzemet]
spoonful ['spuːnfʊl] *n* kanálnyi
spoony ['spuːnɪ] *a/n biz* szerelmeskedő
spoor [spʊə*] **I.** *n* nyom, csapa [vadé] **II.** *vt* csapáz, nyomon követ
sporadic [spə'rædɪk] *a* szórványos
sporadically [spə'rædɪk(ə)lɪ] *adv* szórványosan, elszórtan, hellyel-közzel
sporangium [spə'rændʒɪəm] *n* (*pl* **-gia** -dʒɪə) spóratok
spore [spɔː*] *n* spóra; csíra
sporran ['spɔr(ə)n; US -ɔː-] *n sk* kb. tüsző [erszény]
sport [spɔːt] **I.** *n* **1.** testgyakorlás; sport(ág); *have good* ~ jó eredménnyel járt a vadászat/halászat **2. sports** *pl* spor-

t(olás); sport-; (*athletic*) ~*s* atlétika; *school* ~*s* iskolai atlétika; ~*s results* sporteredmények; ~*s writer* sportújságíró; *go in for* ~*s* sportol **3.** mulatság, szórakozás, időtöltés **4.** játék, tréfa; *in* ~ tréfából; *make* ~ *of sy* tréfát űz vkből **5.** ⟨rendellenes/atípusos módon fejlődött növény/ember/testrész⟩ **6.** „fair" ember **7.** *biz* jó pajtás/ haver, stramm fickó; *be a* ~! ne akadékoskodjál!; *he's a real* ~ igazi jó pajtás/haver **II. A.** *vi* **1.** mulat, szórakozik, játszik; sportol **2.** tréfál, gúnyolódik **3.** ⟨abnormis élettani változat alakul ki⟩ **B.** *vt* feltűnően visel/hord [ruhát, jelvényt], felvág (vmvel)
sporting ['spɔːtɪŋ] **I.** *a* **1.** sportoló, sport-; játék-; ~ *man* sportember, sportkedvelő **2.** tisztességes, rendes, sportszerű; ~ *spirit* sportszellem; *have a* ~ *chance* érdemes megkockáztatni **II.** *n* **1.** sport(olás); ~ *goods* sportcikkek, sportszer(ek) **2.** vadászat; horgászat; ~ *gun* vadászpuska; ~ *rights* vadászati/horgászati jog
sportive ['spɔːtɪv] *a* tréfás, játékos, mókás
sports [spɔːts] → *sport I. 2.*
sports-car *n* sportkocsi
sports-court *n* sportcsarnok
sports-ground *n* sportpálya
sports-jacket *n* sportkabát, -zakó
sportsman ['spɔːtsmən] *n* (*pl* **-men** -mən) **1.** sportember, (amatőr) sportoló **2.** sportszerű/„fair"/korrekt ember **3.** vadász, horgász
sportsmanlike ['spɔːtsmənlaɪk] *a* sportszerű, korrekt
sportsmanship ['spɔːtsmənʃɪp] *n* **1.** rátermettség a sportra **2.** sportszerűség, korrekt gondolkodás
sportswear *n* sportöltözet
spot [spɔt; US -ɑ-] **I.** *n* **1.** folt, paca, petty, pont; *sy's weak* ~ vknek a gyenge oldala; *biz knock* ~*s off sy* alaposan elver vkt; □ *in a* ~ bajban, pácban **2.** pattanás [arcon]; anyajegy **3.** (szégyen)folt, hiba **4.** hely, vidék; helyszín; *on the* ~ azonnal, a helyszínen, helyben; *US biz put sy on the* ~ kinyír vkt **5.** (*jelzői haszn*) azonnali;

készpénzben történő; ~ *cash* készpénzfizetés; ~ *check* villámellenőrzés; ~ *contract* készáruügylet; ~ *goods* fizetés ellenében azonnal szállítható áru 6. *biz* egy kis/csepp...; *a* ~ *of whisky* egy pohárka whisky 7. (*TV/ radio*) ~ reklám(szöveg) [tévé- v. rádióműsor megszakításával/végén] II. *v* -tt- A. *vt* 1. bepiszkít, bemocskol, foltot/pecsétet ejt (vmn) 2. észrevesz, meglát, „kiszúr" (vkt) 3. *biz* előre kiszemel B. *vi* 1. foltossá válik 2. *biz* csöpög [eső]

spotless ['spɔtlɪs; *US* -a-] *n* szeplőtlen, tiszta, makulátlan

spotlight *n* reflektorfény, pontfény; fényszóró

spotted ['spɔtɪd; *US* -a-] *a* foltos, pecsétes, tarka; pettyes; ~ *dog* (1) tarka kutya (2) □ mazsolás puding; ~ *fever* (1) nyakszirtmerevedés, (járványos) agyhártyagyulladás (2) kiütéses tífusz || →*spot II.*

spotter ['spɔtə*; *US* -a-] *n* 1. felderítő 2. *US* detektív

spotty ['spɔtɪ; *US* -a-] *a* 1. foltos, pettyes 2. mocskos, piszkos

spouse [spaʊz; *US* -s] *n* † házastárs, hitves

spout [spaʊt] I. *n* 1. kifolyó(cső), lefolyó(cső); edény szája, csőr, vízköpő 2. (víz)sugár; víztölcsér [tengeren] 3. *put sg up the* ~ becsap vmt a zaciba II. A. *vt* 1. (ki)lövell, kiköp, fecskendez 2. *biz* elszaval, deklamál 3. □ zaciba csap B. *vi* 1. kilövell, sugárban ömlik 2. *biz keep on* ~*ing* árad belőle a szó

spouter ['spaʊtə*] *n* szónok, deklamáló

spouting ['spaʊtɪŋ] *n* 1. kilövellés, kifecskendezés 2. szónoklás, szavalás, deklamálás

sprag [spræg] *n* kerékkötő; fékfa; hegytámasz

sprain [spreɪn] I. *n* ficam, rándulás II. *vt* kificamít, megrándít

sprang →*spring II.*

sprat [spræt] *n* 1. sprottni [heringfaj] 2. nyápic gyerek

sprawl [sprɔːl] I. *n* terpeszkedés II. A. *vi* 1. (el)terpeszkedik; *he went*

~*ing* elvágódott (egész hosszában), elterült 2. burjánzik, összevissza nő [kúszónövény] B. *vt* szétterpeszt

spray[1] [spreɪ] *n* gally, virágzó ágacska

spray[2] [spreɪ] I. *n* 1. permetező eső/folyadék; permet(felhő) 2. permet(ezőpalack), spray II. *vt* (meg)permetez; porlaszt; fecskendez; befúj; dukkóz

sprayer ['spreɪə*] *n* porlasztó, fecskendő, permetező

spray-gun *n* festékszóró, szórópisztoly

spread [spred] I. *n* 1. (ki)terjesztés, elterjesztés 2. elterjedés, terjeszkedés 3. kiterjedés, terjedelem; szélesség, fesztávolság [szárnyaké]; nyílás [körzőé] 4. (szét)szórás 5. takaró, terítő 6. *biz* lakoma 7. ⟨kenhető ételnemű⟩ 8. többhasábos/egészlapos (új-ság)cikk/hirdetés II. *v* (*pt/pp* ~ spred) A. *vt* 1. ~ (*out*) kiterjeszt, szétterjeszt, -tár; szétterít, -hajt [térképet]; *biz* ~ *oneself* (1) terjengősen ad elő (2) kitesz magáért [anyagi áldozatban] 2. (el)terjeszt [betegséget, hírt] 3. (le)terít, elterít; befed, betakar; szétszór, eloszt; (el)ken; ~ *the table* megterít(i az asztalt); ~ *butter on bread* megkeni a kenyeret vajjal B. *vi* 1. (ki)terjed, elterül, húzódik, terjeszkedik 2. (el)terjed 3. (szét)szóródik; szétesik el

spread-eagle I. *a* 1. békaszerűen elterpeszkedő 2. *US biz* túlzó soviniszta II. *vt lie* ~*d* kezét-lábát szétvetve fekszik

spreader ['spredə*] *n* szórógép, földterítő gép

spreading ['spredɪŋ] *n* 1. terjesztés 2. szétterítés, -szórás 3. terjedés

spree [spriː] *n biz* 1. tréfa, hecc 2. muri, dáridó, ivászat; *be on the* ~ kirúg a hámból, „züllik" 3. *spending* ~ pénzszórás, költekezés

sprig [sprɪg] *n* 1. gallyacska, ág(acska), hajtás 2. fejetlen szög 3. *biz* sarj(adék)

sprightliness ['spraɪtlɪnɪs] *n* élénkség, vidámság

sprightly ['spraɪtlɪ] *a* vidám, fürge, élénk

spring [sprɪŋ] I. *n* 1. forrás (*átv is*);

eredet 2. tavasz; (*jelzői haszn*) tavaszi; *in* (*the*) ~ tavasszal; ~ *chicken* rántani való csirke; ~ *fever* tavaszi fáradtság; ~ *tide* szökőár, -dagály [újhold/telihold után] 3. ugrás 4. (*átv is*) rugó; ~ *blinds* vászonredőny, roletta; *átv* ~*s of action* tett rugói/ indítékai 5. rugalmasság, ruganyosság 6. megvetemedés, repedés II. *v* (*pt* sprang spræŋ, *pp* sprung sprʌŋ) A. *vi* 1. ugrik, szökken, szökell 2. fakad (*átv is*), ered, keletkezik, támad; származik 3. visszaugrik, visszavág [faág]; pattan [rugó]; *the door* ~*s open* az ajtó felpattan 4. megvetemedik, -hajlik; megreped B. *vt* 1. (váratlanul/hirtelen) előidéz, kitalál, készít; ~ *a surprise on sy* vkt vmvel váratlanul meglep 2. felver, felriaszt [vadat] 3. rugóz, rugóval ellát 4. ~ *a well* kutat ás 5. becsap [zárat]; ~ *a trap* csapdát lecsappant 6. hajlít; megrepeszt
    spring at *vi* ráugrik, nekiugrik, -támad
    spring back *vi* hátraugrik, visszaugrik, -pattan, -hőköl
    spring forth *vi* kibújik [rügy, hajtás]
    spring from *vi* származik (vhonnan), ered (vmből)
    spring into *vi* 1. ~ *i. saddle* nyeregbe pattan 2. ~ *i. existence* hirtelen létrejön, életre kel
    spring to *vi* 1. nekilát, -ugrik; ~ *to one's feet* talpra ugrik 2. becsapódik, bevágódik; *the lid sprung to* a fedél becsapódott/lecsapódott
    spring up *vi* 1. felugrik, -pattan 2. keletkezik; támad 3. kibújik [növény]
spring-balance *n* rugós mérleg
spring-bed *n* 1. sodronyos ágy 2. ruganyos matrac/ágybetét
spring-board *n* ugródeszka; ~ *diving* műugrás
springbok ['sprɪŋbɔk; *US* -ak] *n* dél-afrikai gazella
spring-carriage *n* féderes kocsi, hintó
spring-cleaning *n* tavaszi nagytakarítás
springe [sprɪndʒ] *n* madárfogó hurok/tőr

springer ['sprɪŋə*] *n* 1. ugró 2. gazella 3. kardszárnyú delfin 4. ívgyám, boltszék, -váll 5. rántani való csirke
Springfield ['sprɪŋfi:ld] *prop*
spring-head *n* forrás
springiness ['sprɪŋɪnɪs] *n* ruganyosság
springing ['sprɪŋɪŋ] *n* 1. ugrá(lá)s, ugrándozás 2. eredet 3. kirügyezés, kikelés 4. rugózás
springlike ['sprɪŋlaɪk] *a* tavaszias
spring-lock *n* rugós zár
spring-mattress *n* rugózott matrac/ágybetét, epeda
springtide *n* tavasz, kikelet →*spring I. 2.*
springtime *n* tavasz, kikelet
spring-water *n* forrásvíz
springy ['sprɪŋɪ] *a* ruganyos, rugalmas
sprinkle ['sprɪŋkl] I. *n* 1. ~ *of rain* pár csepp eső 2. *a* ~ *of . . .* egy csipetnyi . . . II. A. *vt* (meg)hint, (be)szór, permetez B. *vi* it ~*s* szemerkél, permetez (eső)
sprinkler ['sprɪŋklə*] *n* 1. locsoló; tűzoltó készülék 2. szenteltvízhintő
sprinkling ['sprɪŋklɪŋ] *n* 1. hintés; szórás, permetezés 2. *biz a* ~ *of knowledge* csekélyke tudás
sprint [sprɪnt] I. *n* rövidtávfutás II. *vi* vágtázik, sprintel
sprinter ['sprɪntə*] *n* rövidtávfutó, vágtázó, sprinter
sprit [sprɪt] *n* 1. pányvafa [hajóé], vitorla-kitámasztó átlós rúd 2. rügy, csíra; (fiatal) hajtás
sprite [spraɪt] *n* tündér, manó
spritsail ['sprɪtsl] *n* átlósrudas/pányvás vitorla
sprocket ['sprɔkɪt] *n* fog [lánckeréken]
sprocket-wheel *n* lánckerék, fogazott kerék, csillagkerék
sprout [spraʊt] I. *n* (fiatal) hajtás, sarj, sarjadék II. *vi* csírázik, sarjadzik, nő, (ki)hajt
spruce[1] [spru:s] *n* lucfenyő
spruce[2] [spru:s] I. *a* takaros, csinos, elegáns II. *vt* ~ *oneself up* kicsinosítja/ kicsípi magát
spruce-beer *n* fenyőrügyből készült sör
sprung [sprʌŋ] *a* 1. rugós, rugózott 2. repedt 3. □ spicces ‖→ *spring II.*

spry [spraɪ] *a* virgonc, fürge
spud [spʌd] **I.** *n* **1.** gyomirtó kapa; kéreghántó kés **2.** *biz* krumpli **II.** *vt* **-dd-** gyomlál
spume [spju:m] *n* hab, tajték
spumy ['spju:mɪ] *a* habos, habzó, tajtékos
spun [spʌn] *a* fonott; sodrott; trébelt ‖→*spin II.*
spunk [spʌŋk] *n* **1.** tapló, gyújtós **2.** *biz* bátorság, mersz; *have plenty of* ~ bátor/mokány ember **3.** *vulg* geci, hímolaj
spunky ['spʌŋkɪ] *a* mokány
spur [spə:*] **I.** *n* **1.** sarkantyú; *on the* ~ *of the moment* a pillanat hatása alatt; *win one's* ~ (1) lovagi rangot kap (2) megbecsülést vív ki magának **2.** *átv* ösztökélés, ösztönzés **3.** sarkantyú [kakasé]; kiszögellés, nyúlvány; ~ *gear/wheel* fogaskerék **II.** *v* **-rr-** **A.** *vt* (*átv is*) (meg)sarkantyúz, sarkall, ösztökél **B.** *vi* lóhalálában vágtat
spurge [spə:dʒ] *n* kutyatej [növény]
spurious ['spjʊərɪəs] *a* hamis, ál
spurn [spə:n] **I.** *n* megvetés, elutasítás **II.** *vt* megvet, mellőz, elkerget, elutasít
spurred [spə:d] *a* sarkantyús ‖→*spur II.*
spurt [spə:t] **I.** *n* **1.** kilövellés, sugár [folyadéké] **2.** hirtelen kitörés [indulaté] **3.** hajrá(zás) **II.** *vi/vt* **1.** ~ (*out*) kilővell, fecskendez, spriccel, sugárban kitör **2.** nagy hajrát vág ki, hajrázik
sputnik ['spʊtnɪk] *n* szputnyik
sputter ['spʌtə*] **I.** *n* hadaró/köpködő beszéd, hadarás **II. A.** *vt* köpködve elhadar **B.** *vi* **1.** köpköd; fröcsög a nyála; köpködve beszél **2.** hadar(va beszél) **3.** serceg; szikrát hány/vet
sputum ['spju:təm] *n* (*pl* **-ta** -tə) köpet
spy [spaɪ] **I.** *n* (*pl* **spies** spaɪz) kém, besúgó **II.** *v* (*pt/pp* **spied** spaɪd) **A.** *vt* **1.** megpillant, meglát; észrevesz; ~ *out* kikémlel **2.** kutat, vizsgál **B.** *vi* **1.** kémkedik (*on, upon* vk után) **2.** vizsgálódik
spy-glass *n* messzelátó, távcső
spy-hole *n* kémlelőlyuk, -ablak
spying ['spaɪɪŋ] *n* kémkedés

Sq., sq *square*
squab [skwɔb; *US* -ɑ-] **I.** *a* köpcös, tömzsi **II.** *adv* bumm!, puff! **III.** *n* **1.** csupasz galambfióka **2.** köpcös ember **3.** díványpárna; üléstámla (pár názata)
squabble ['skwɔbl; *US* -ɑ-] **I.** *n* perpatvar, pörlekedés, civakodás **II.** *vi* összezördül, civódik
squad [skwɔd; *US* -ɑ-] *n* **1.** szakasz; *US* raj; osztag; *US* ~ *car* rendőrségi (riadó)autó, URH-kocsi **2.** brigád, csapat [munkásoké]
squadron ['skwɔdr(ə)n; *US* -ɑd-] *n* **1.** lovasszázad **2.** (kis) hajóraj **3.** repülőszázad
squadron-leader *n* repülőőrnagy
squalid ['skwɔlɪd; *US* -ɑ-] *a* **1.** mocskos, ocsmány **2.** nyomorúságos; hitvány
squall [skwɔ:l] **I.** *n* **1.** ordítás, sikoltás **2.** (pusztító erejű rövid) szélroham; *look out for* ~*s!* vigyázz, baj lesz! **II.** *vi/vt* sikolt, ordít
squally ['skwɔ:lɪ] *a* viharos [szél], szélviharos
squalor ['skwɔlə*; *US* -ɑ-] *n* szenny, mocsok; nyomor
squama ['skweɪmə] *n* (*pl* ~**e** -mi:) pikkely
squamose ['skweɪmoʊs] *a* pikkelyes
squamous ['skweɪməs] *a* = *squamose*
squander ['skwɔndə*; *US* -ɑn-] *vt* elpazarol, elherdál, eltékozol, elfecsérel
squanderer ['skwɔnd(ə)rə*; *US* -ɑn-] *n* pazarló, tékozló
square [skweə*] **I.** *a* **1.** négyszögletes, négyzetes; ~ *measure* területmérték; ~ *metre* négyzetméter; ~ *root* négyzetgyök →*mile* **2.** ~ *dance* francia négyes; ~ *game* négyszemélyes játék **3.** derékszögű **4.** szögletes; ~ *brackets* szögletes zárójel **5.** tisztességes, korrekt, becsületes; *US* ~ *shooter* tisztességes/korrekt ember **6.** kiegyenlített [elszámolás]; *we are now* ~ kvittek vagyunk; *get* ~ *with sy* e₁ számol vkvel; *átv* leszámol vkvel; *ma'ke* ~ kiegyenlít **7.** *biz* ~ *meal* kiadós étkezés **8.** tagbaszakadt **II.** *adv* **1.** derékszögben **2.** egyenesen, tisztességesen **III.**

n **1.** négyszög, négyzet; kocka [sakktáblán stb.] **2.** (négyszögletes) tér **3.** *US* háztömb **4.** ~ (*rule*) derékszögű vonalzó, „vinkli"; *on the* ~ (1) derékszögben (2) becsületesen **5.** négyzet [számé]; *bring to a* ~ négyzetre emel **6.** □ régimódi ember **IV. A.** *vt* **1.** négyszögletesre/derékszögűre alakít; ~ *one's shoulders* kihúzza magát **2.** kiegyenlít, (el)rendez [számlát], elintéz (vmt) **3.** négyzetre emel **4.** hozzáalkalmaz, összhangba hoz, összeegyeztet (*with* vmvel); ~ *it with one's conscience* összeegyezteti a lelkiismeretével **5.** □ megveszteget, megken **B.** *vi* **1.** megegyezik (*with* vmvel) **2.** derékszöget alkot (*with* vmvel), derékszögben/merőlegesen áll (vmre)
square off A. *vt* négyoldalúra kifarag, derékszögben lemunkál [gömbfát] **B.** *vi* bokszállásba helyezkedik
square up *vi* **1.** ~ *up with sy* elszámol vkvel **2.** ~ *up to sy* bokszállásba helyezkedik vkvel szemben, verekedni készül vkvel
square-built *a* **1.** szögletesen épített **2.** (széles vállú és) tagbaszakadt
squarely ['skweəlɪ] *adv* **1.** derékszögben **2.** szembe(n) **3.** nyíltan, egyértelműen, becsületesen
squareness ['skweənɪs] *n* **1.** négyszögletűség, derékszögűség **2.** tisztességesség, egyenesség, becsületesség
square-rigged [-rɪgd] *a* keresztvitorlázatú
square-shouldered *a* széles és egyenes vállú
square-toed *a* **1.** (négy)szögletes orrú [cipő] **2.** régimódi, vaskalapos
squarish ['skweərɪʃ] *a* majdnem derékszögű/négyszögletes
squash¹ [skwɔʃ; *US* -ɑ-] **I. A.** *n* **1.** tolongás, tolongó tömeg, tumultus **2.** pép, kása **3.** (kipréselt) gyümölcslé, -lé; *orange* ~ narancslé **4.** tottyanás **II. A.** *vt* **1.** összeprésel, -nyom, szétlapít; kiprésel; kásává/péppé zúz **2.** *biz* letorkol, ledorongol **B.** *vi* összepréselődik, tolong, tolakszik
squash² [skwɔʃ; *US* -ɑ-] *n* (*pl* ~) tök

squash-hat *n* **1.** puhakalap **2.** klakk
squash-rackets *n* kb. minitenisz
squashy ['skwɔʃɪ; *US* -ɑ-] *a* kásás, pépes
squat [skwɔt; *US* -ɑ-] **I.** *a* zömök; guggoló **II.** *v* -tt- **A.** *vi* **1.** guggol, kucorog **2.** engedély nélkül beköltözik vhová (v. letelepszik vhol) **3.** *biz* (csücs)ül **B.** *vt* ~ *oneself down* leguggol
squatter ['skwɔtə*; *US* -ɑ-] *n* **1.** guggoló, kuporgó **2.** engedély nélkül beköltöző/letelepülő **3.** telepes [állami földön Ausztráliában]
squaw [skwɔ:] *n* [észak-amerikai] indián asszony
squawk [skwɔ:k] **I.** *n* vijjogás, rikoltás [madáré] **II.** *vi* **1.** vijjog, rikolt **2.** *biz* (hangosan) panaszkodik
squeak [skwi:k] **I.** *n* nyikkanás; nyikorgás; cincogás; *have a narrow* ~ nagy nehezen megússza **II.** *vi* **1.** nyikkan, vinnyog; nyikorog, csikordul **2.** cincog **3.** □ besúg, spicliskedik; ~ *on sy* beköp vkt
squeaker ['skwi:kə*] *n* **1.** vinnyogó/nyüszítő állat/ember **2.** kismalac **3.** madárfióka, galambfióka **4.** □ besúgó, spicli
squeal [skwi:l] **I.** *n* rikoltás, sikítás **II.** *vi* **1.** sikít, visít, rikolt(ozik) **2.** nyafog, panaszkodik (vmre) **3.** □ „köp" [bűnöz]; ~ *on his friend* (bűn)társát beköpi
squealer ['skwi:lə*] *n* **1.** sikító/rikoltó ember/állat **2.** *biz* örök siránkozó, nyafogó **3.** □ spicli
squeamish ['skwi:mɪʃ] *a* **1.** émelygős, kényes gyomrú **2.** finnyás, túl érzékeny
squeamishness ['skwi:mɪʃnɪs] *n* **1.** émelygősség; émelygés **2.** finnyásság
squeegee [skwi:'dʒi:] *n* gumibetétes ablaktörlő
squeeze [skwi:z] **I.** *n* **1.** összenyomás, szorítás, préselés; szorongatás; *biz tight* ~ szorult helyzet; *give sy a* ~ kezet szorít vkvel **2.** kipréselt gyümölcslé; *a* ~ *of lemon* néhány csepp citrom(lé) **3.** tolongás **4.** † viaszlenyomat **5.** megszorítás, korlátozás [kereskedelemben stb.] **6.** *US* □ vizsga **II. A.** *vt* **1.** (ki)sajtol, (ki)pré-

sel, (ki)nyom (*from, out of* vmt vmből); összenyom, (össze)szorít; ~ *sy's hand* kezet szorít vkvel; ~ *out* kifacsar, kiprésel, kinyom; ~ *the juice from* (v. *out of*) *a lemon* kinyomja egy citrom levét; *átv* ~ *sg out of sy* kiprésel/ kicsikar vmt vkből 2. szorongat (vkt), nyomást gyakorol (vkre) 3. ~ *into* be(le)présel, be(le)erőltet vhova 4. lenyomatot készít (viaszra, papírra) **B.** *vi* furakodik, préselődik, bepréseli magát (tömegbe); ~ *through* keresztültör(tet), átfurakodik (tömegen)

squeezer ['skwi:zə*] *n* gyümölcsprés, citromnyomó

squelch [skweltʃ] **A.** *vi* cuppog **B.** *vt* 1. széttapos 2. *biz* ledorongol

squib [skwɪb] **I.** *n* 1. kígyóröppentyű [tűzijátékban] 2. gúnyirat **II.** *vt* -bbgúnyiratot ír (vkről)

squid [skwɪd] *n* tintahal

squiffy ['skwɪfɪ] *a* □ spicces, betintázott

squill [skwɪl] *n* csillagvirág

squint [skwɪnt] **I.** *a* kancsal, bandzsa; sanda **II.** *n* 1. kancsalság, bandzsítás 2. sandítás, ferde/futó pillantás **III.** *vi* 1. bandzsít, kancsalít 2. ~ *at* *sy/sg* rásandít (v. ferdén néz) vkre/vmre

squint-eyed *a* kancsal

squinting ['skwɪntɪŋ] *n* kancsalítás, bandzsítás

squire ['skwaɪə*] **I.** *n* 1. földesúr 2. † pajzshordó, fegyvernök, ⟨a *knight* és és *gentleman* közé eső rang⟩ 3. *biz* udvarló, gavallér 4. *US* békebíró **II.** *vt* kísér, udvarol

squirearchy ['skwaɪərɑ:kɪ] *n* földbirtokos osztály (uralma)

squirely ['skwaɪəlɪ] *a* földesúri

squirm [skwə:m] **I.** *n* izgés-mozgás, fészkelődés **II.** *vi* izeg-mozog, tűkön ül, fészkelődik

squirrel ['skwɪr(ə)l] *n* mókus

squirt [skwə:t] **I.** *n* 1. fecskendő 2. kilövellő folyadék, sugár 3. *US biz* szemtelen fráter **II.** *vt/vi* fecskendez, spriccel; (ki)lövell; (ki)fröccsen

Sr. *Senior* →*Sen. 3.*

Sri Lanka [sri:'læŋkə] *prop* Sri Lanka (azelőtt: *Ceylon*)

S.S. [es'es] *steamship*

S.S.E., SSE *south-south-east* dél-délkelet

S.S.W., SSW *south-south-west* dél-délnyugat

St., St 1. *Saint* [sənt, sɪnt, snt; *US* seɪnt] szent (l. még a *Saint* ... kezdetű neveket) 2. *street* utca, u.

st. *stone* (*I. 4.*)

Sta. *Station* állomás, á., pályaudvar, pu.

stab [stæb] **I.** *n* 1. szúrás [késsel, tőrrel]; ~ *in the back* hátbatámadás; *biz have a* ~ *at sg* megkísérel vmt 2. szúrt seb 3. szúró fájdalom **II.** *v* -bb- **A.** *vt* (át)szúr, (le)döf, bök **B.** *vi* ~ *at sy* vk felé bök/szúr, *átv* megtámad vkt

stabbing ['stæbɪŋ] *a* szúró

stability [stə'bɪlətɪ] *n* szilárdság; állandóság, stabilitás

stabilization [steɪbɪlaɪ'zeɪʃn; *US* -lɪ'z-] *n* 1. állandósítás, rögzítés, megszilárdítás, stabilizáció 2. állandósulás, megszilárdulás

stabilize ['steɪbɪlaɪz] *vt* rögzít, megszilárdít, stabilizál

stabilizer ['steɪbɪlaɪzə*] *n* vízszintes vezérsík, stabilizátor [repülőgépen]

stable¹ ['steɪbl] **I.** *n* 1. istálló; *lock the* ~ *door after the horse is stolen* eső után köpönyeg 2. versenyistálló (lovai), lóállomány **II.** *vt* istállóz

stable² ['steɪbl] *a* állandó, szilárd, tartós, stabil

stable-boy *n* lovászinas, istállófiú

stable-companion *n* 1. istállótárs 2. *biz* (iskola)társ; klubtárs, kolléga

stable-keeper *n* béristálló-tulajdonos

stableman ['steɪblmən] *n* (*pl* -men -mən) lovász

stabling ['steɪblɪŋ] *n* 1. istálló(k) 2. istállózás 3. férőhely (istállóban)

stably ['steɪblɪ] *adv* szilárdan, stabilan

staccato [stə'kɑ:təʊ] *adv* szaggatottan

stack [stæk] **I.** *n* 1. boglya, kazal, asztag 2. rakás, halom, prizma; farakás, öl [108 köbláb] 3. *biz* nagy mennyiség, „egy rakás" 4. gúla [puskákból] 5. kémény(sor) **II.** *vt* halomba/boglyába/asztagba rak; ~ *up* halomba rak, felhalmoz; ~ *the cards* (nem becsületesen) keveri a kártyát

stadium ['steɪdjəm] *n* (*pl* ~s -z v. -dia

-djǝ) **1.** stádium, fok, szakasz **2.** stadion
staff [stɑːf; US -æ-] **I.** *n* **1.** bot, pálca; (zászló)rúd; mérőléc **2.** *átv* támasz, erősség; ~ *of life* kenyér **3.** személyzet; *medical* ~ orvosi kar; *school/ teaching* ~ oktatószemélyzet, tanári kar; *be on the* ~ állománybeli **4.** törzs-(kar), vezérkar; *general* ~ vezérkar; *chief of general* ~ vezérkari főnök; ~ *officer* törzstiszt; ~ *college* vezérkari iskola **5.** (*pl* **staves** steɪvz) vonalrendszer, a kotta öt vonala **II.** *vt* személyzettel ellát
staff-sergeant *n* törzsőrmester
stag [stæg] *n* **1.** szarvas(bika) **2.** tőzsdespekuláns **3.** *US biz* facér férfi [pl. estélyen]; ~ *party* kanmuri, kanzsúr
stag-beetle *n* szarvasbogár
stage [steɪdʒ] **I.** *n* **1.** színpad; színház [mint színművészet]; ~ *direction* színpadi utasítás; ~ *door* színészbejáró; ~ *effect* színpadi hatás; ~ *fever* vágyakozás a világot jelentő deszkák után; ~ *fright* lámpaláz; ~ *lights* rivaldafény, színpadi világítás; ~ *right* előadási jog; *the* ~ *was all set* megtörtént minden előkészület; *go on the* ~ színésznek megy, színpadra lép **2.** színhely, színtér **3.** (munka)állvány, állvány, állványzat, munkaállás; emelvény; dobogó **4.** állapot, fejlődési fokozat, szakasz, fok; *at this* ~ ezen a ponton; *at an early* ~ *of its history* történetének egyik régi/kezdeti korszakában **5.** (út)szakasz; etap **6.** lépcső, fokozat [rakétáé]; *3-*~ *rocket* háromlépcsős/háromfokozatú rakéta **7.** megállóhely, állomás, pihenő **II.** *vt* **1.** színpadra alkalmaz, színre hoz/ visz; dramatizál **2.** előad [színpadon], megrendez
stage-box *n* proszcéniumpáholy
stage-coach *n* postakocsi, delizsánsz
stagecraft *n* színpadi technika, drámaírói/rendezői képesség/gyakorlat
stage-hand *n* díszletező munkás
stage-manager *n* ügyelő [színházé]
stage-name *n* színészi álnév, művésznév
stage-property *n* színpadi kellék

stager ['steɪdʒǝ*] *n biz old* ~ tapasztalt vén róka
stage-struck *n* színházrajongó
stage-whisper *n* félreszólás [a színpadon], hangos súgás/suttogás
stagey ['steɪdʒɪ] *a* = *stagy*
stagger ['stægǝ*] **I.** *n* **1.** tántorgás, dülöngélés, támolygás **2.** **staggers** *pl* kergekór, kergeség [állaté] **II.** **A.** *vi* **1.** tántorog, támolyog, (meg)inog; ~ *to one's feet* feltápászkodik **2.** habozik, tétovázik, ingadozik **B.** *vt* **1.** (*átv is*) megtántorít, megingat **2.** meghökkent, megdöbbent; *be* ~*ed* meghökken, megdöbben **3.** lépcsősen eloszt/elrendez/visszaugrat; lépcsőz [munkaidő kezdetét/végét]
staggered ['stægǝd] *a* **1.** lépcsősen elosztott **2.** lépcsőzetes [munkakezdés]
staggerer ['stægǝrǝ*] *n* nehéz kérdés, meghökkentő helyzet/dolog; erős ütés
staggering ['stægǝrɪŋ] *a* megdöbbentő, megrázó; ~ *blow* hatalmas ütés
stag-horn *n* szarvasagancs
staghound *n* vadászkutya [rőtvadra]
staging ['steɪdʒɪŋ] *n* **1.** színpadi előadás, színre alkalmazás **2.** (építő)állvány, állványzat; állványozás
stagnancy ['stægnǝnsɪ] *n* pangás, állás, tespedés, stagnálás
stagnant ['stægnǝnt] *a* pangó, stagnáló, mozdulatlan; ~ *water* állóvíz
stagnate [stæg'neɪt; US 'stægneɪt] *vi* tesped, (el)posványosodik, megreked, stagnál, áll
stagnation [stæg'neɪʃn] *n* = *stagnancy*
stagy ['steɪdʒɪ] *a* színpadias, megrendezett, nem őszintén ható
staid [steɪd] *a* higgadt, megfontolt, nyugodt, komoly
staidness ['steɪdnɪs] *n* higgadtság, megfontoltság, nyugodtság, komolyság
stain [steɪn] **I.** *n* **1.** (*átv is*) folt, pecsét, mocsok; színeződés **2.** szégyen(folt) **3.** festék, festőanyag, festeny; *take the* ~ festődik **II.** **A.** *vt* **1.** bemocskol, bepiszkít, foltot ejt/csinál **2.** színez, (meg)fest; pácol [fát] **3.** meggyaláz, megront **B.** *vi* (be)piszkolódik
stained [steɪnd] *a* **1.** foltos, pecsétes, piszkos **2.** festett, színezett; ~ *glass*

színes/festett üveg 3. fröcskölt, pacsmagolt
stainless ['steɪnlɪs] a 1. mocsoktalan, szeplőtlen 2. nem foltosodó; ~ steel rozsdamentes acél
stain-remover n folttisztító szer
stair [steə*] n lépcső(fok); below ~s az alagsor(ban), a személyzeti helyiség(ek)ben; go down the ~s lépcsőn lemegy
staircase n lépcsőház; lépcső
stairhead n lépcsősor teteje
stair-rod n szőnyegrögzítő rúd [lépcsőn]
stairway n lépcsőház; lépcső
stake [steɪk] I. n 1. karó, pózna, cölöp 2. máglya(halál) 3. díj [versenyen], tét [fogadásban stb.]; lay the ~s tesz [rulettben]; be at ~ kockán forog 4. lóverseny 5. érdekeltség; have a ~ in sg érdekelve van vmben II. vt 1. karóz, karóhoz köt 2. átszúr (karóval) 3. tesz, fogad (on vmre); (meg)kockáztat, kockára tesz 4. ~ out/off határait kijelöli (vmnek)
stalactite ['stæləktaɪt; US stə'læk-] n függő cseppkő, s(z)talaktit
stalagmite ['stæləgmaɪt; US stə'læg-] n álló cseppkő, s(z)talagmit
stale [steɪl] I. a 1. állott, áporodott, poshadt, nem friss 2. elcsépelt, banális, lapos; ~ joke szakállas vicc 3. régi, elévült, lejárt 4. lanyha [piac] II. n húgy [lóé, szarvasmarháé] III. vi (meg)poshad, ízetlen lesz, megáporodik; varázsa megkopik
stalemate ['steɪlmeɪt] n 1. patt [sakkban] 2. holtpont [tárgyalásoké]
staleness ['steɪlnɪs] n áporodottság, ízetlenség, poshadtság
stalk[1] [stɔːk] n szár [fűé, virágé stb.], nyél [levélé]; kocsány; inda
stalk[2] [stɔːk] I. n 1. peckes/méltóságteljes lépkedés 2. cserkelés, cserkészés [vadra] II. A. vi 1. büszkén/méltóságteljesen/peckesen lépked/jár 2. oson, lopakodik B. vt cserkészik [vadra], cserkel [vadat]
stalker ['stɔːkə*] n cserkésző vadász
stalking ['stɔːkɪŋ] n osonás, lopódzás, vad becserkelése
stalking-horse n 1. fedezésül szolgáló

ló [amely mögé a vadász elbújik] 2. biz ürügy
stalky ['stɔːkɪ] a sovány, nyakigláb
stall[1] [stɔːl] I. n 1. rekesz, állás, boksz [istállóban] 2. árusítóbódé 3. stalls pl földszint, zsöllye [színházban] 4. szentélybeli ülés, kórusülés [templomban] 5. sebességvesztés [repgépé] II. A. vt 1. istállóban elhelyez/tart/hizlal 2. leállít [motort] B. vi elakad, megreked; akadozik; (le)lassul; sebességéből veszít; leáll [motor]
stall[2] [stɔːl] I. n 1. falaz (vknek); akadályoz; halogat; ~ off távoltart B. vi ~ (for time) húzza az időt II. n zsebtolvaj falazó társa
stall-fed a istállóban hizlalt
stall-holder n GB elárusító
stallion ['stæljən] n (apa)mén, csődör
stalwart ['stɔːlwət] a 1. magas és izmos, erős, derék 2. rendíthetetlen, bátor
stamen ['steɪmen] n porzó(szál)
stamina ['stæmɪnə] n erély, kitartás, életerő; állóképesség
stammer ['stæmə*] I. n dadogás, hebegés II. A. vi dadog, hebeg B. vt eldadog, elhebeg; ~ out kinyög
stamp [stæmp] I. n 1. bélyegző, pecsét 2. nyomás, veret 3. (postage) ~ (levél)bélyeg 4. toporzékolás, dobogás 5. átv bélyeg, jegy 6. jellem, alak; man of different ~ más vágású ember 7. pöröly, döngölő II. A. vt 1. (le-)bélyegez, lepecsétel, bélyeget üt be/rá, bérmentesít; megjelöl, bevés, ráüt [jelet] 2. apróra tör, őröl; döngöl; kölyűz; ~ out elpusztít, széttapos, kiirt B. vi dobbant, toporzékol
stamp-album n bélyegalbum
stamp-collector n bélyeggyűjtő
stamp-dealer n bélyegkereskedő
stamp-duty n bélyegilleték
stamped [stæmpt] a 1. bélyeges, lebélyegzett 2. ledöngölt
stampede [stæm'piːd] I. n eszeveszett menekülés, pánik II. A. vi fejvesztetten/pánikszerűen rohan/menekül B. vt ~ sy into sg belehajszol vkt vmbe
stamper ['stæmpə*] n bélyegző [ember, gép]

stamping ['stæmpıŋ] *n* **1.** lebélyegzés, bevésés, megjelölés **2.** (össze)zúzás **3.** dobbantás, toporzékolás; *US ~ ground* kedvenc tartózkodási hely
stamp-machine *n* bélyegautomata
stamp-mill *n* zúzómalom
stamp-office *n* állami bélyegzőhivatal
stance [stæns] *n* **1.** állás, hely(zet) **2.** beállítottság, hozzáállás
stanch [stɑ:ntʃ; *US* -ɔ:-] I. *a* = *staunch I. II. vt* **1.** elállít [vérzést] **2.** tömít
stanchion ['stɑ:nʃn; *US* 'stæntʃən v. -ʃən] *n* gyám(fa), támasz, oszlop, bálványfa, pillér
stand [stænd] I. *n* **1.** (meg)állás; *come to a ~* megáll **2.** *take a ~ on sg* állást foglal vm ügyben, vmlyen alapra helyezkedik; *take a ~ against sg* állást foglal vmvel szemben, ellenáll **3.** hely; (taxi)állomás **4.** lelátó, tribün; emelvény, dobogó; *take the ~* szót emel, szószékre lép **5.** állvány; tartó **6.** elárusítóhely, bódé, stand **7.** *US* tanúk padja II. *v* (*pt/pp* **stood** stʊd) A. *vi* **1.** áll; megáll; *be left ~ing* meghagyják (a helyén); *~ and deliver!* pénzt vagy életet! **2.** feláll **3.** van, áll; (*átv is*) fekszik (vm); *as it ~s* ahogy ma a helyzet áll; *~ convicted of sg* bűnös vmben; *~ corrected* beismeri tévedését/hibáját; *we ~ to lose* vesztésre állunk **4.** fennáll, érvényben van, érvényes **5.** vmlyen nagyságú; *~ 6 feet high* 6 láb magas B. *vt* **1.** *~ one's ground* megállja a helyét **2.** (oda)tesz, állít vhova **3.** tűr, elvisel, (ki)bír, (ki)áll (vmt); *~ all demands* minden követelménynek megfelel; *I can't ~ him* ki nem állhatom **4.** *biz* vállal [költséget], fizet; *~ sy a drink* fizet vknek egy pohárral
stand about *vi* ácsorog, őgyeleg
stand against *vi* **1.** (vmnek) támaszkodik **2.** ellenáll (vmnek), ellenez (vmt)
stand aside *vi* félreáll
stand away *vi* **1.** félreáll, -vonul **2.** kimarad
stand back *vi* **1.** hátramarad; hátravonul **2.** hátrább áll

stand by *vi* **1.** (csak) áll [és néz vmt tétlenül] **2.** mellette áll (vknek), kitart (vk) mellett, (meg)véd, támogat (vkt) **3.** készen(létben) áll **4.** *I ~ by what I said* amit mondtam, azt állom
stand down *vi* **1.** visszalép [jelölt stb.] **2.** szolgálatból lelép [katona]
stand for *vi* **1.** (vmt) képvisel; támogat, véd (vkt, vmt), híve [vm ügynek] **2.** törekszik, pályázik (vmre); *~ f. Parliament* képviselőnek lép fel (v. jelölteti magát) **3.** jelképez (vmt); jelent (vmt), bizonyos jelentése van **4.** vhová igyekszik [hajó]
stand in *vi* **1.** vmbe kerül [pénzbe] **2.** részt vesz (vmben); *~ in with sy* együttműködik vkvel, csatlakozik vkhez **3.** part felé hajózik **4.** helyettesít [filmszínész]
stand off A. *vi* **1.** félreáll, távolságot tart, tartózkodik (vmtől), visszalép; kitér **2.** kiáll, kimagaslik **3.** nyílt tengerre kifut [hajó]; *~ o. and on* (hajóval) lavíroz B. *vt* ideiglenesen nem foglalkoztat
stand on *vi* **1.** vmn áll; *his hair ~s on end* égnek áll a haja **2.** halad (az) útján, folytatja útját [hajó] **3.** *~ on one's dignity* elvárja a (rangjának járó) tiszteletet
stand out *vi* **1.** kiáll, kiugrik; (háttér előtt) élesen kirajzolódik **2.** *átv* kimagaslik **3.** ellenáll (*against* vmnek), nem enged **4.** *~ o. to sea* kifut a tengerre [hajó]
stand over *vi* **1.** függőben/elintézetlen marad **2.** ellenőriz (vkt) **3.** fenyeget
stand to *vi* **1.** kitart (vk/vm) mellett, támogat (vkt); *~ to one's word* megtartja a szavát **2.** támadásra készen áll [katonaság]; *~ to!* fegyverbe! **3.** *~ to the south* déli irányba fordul/tart [hajó]
stand up *vi* **1.** feláll, egyenesen áll **2.** *~ up against* szembeszáll, ellenáll; *~ up for sy* támogat vkt, kiáll vk mellett; *~ up to (sy, sg)* bátran szembeszáll (vkvel, vmvel); ellenáll (vmnek); *~ up and be counted* (vitatott ügyben) erélyesen állást foglal

stand' upon *vi* ragaszkodik (vmhez); becsül (vmt)
stand with *vi* 1. vmlyen viszonyban van (vkvel); vmnek tartják; ~ *well w. sy* vk nagyra becsüli/értékeli, *biz* be van vágódva vknél 2. *how do things ~ w. you?* hogy állnak a dolgaid?
standard ['stændəd] I. *a* mértékadó, irányadó, alapvető, szabványos, szabvány-, szabályos, standard, típus-; *the ~ authors* a klasszikus szerzők; ~ *book/work* alapvető (fontosságú) mű/könyv, standard könyv/mű, alapmű; ~ *English* helyes/köznyelvi angolság; ~ *gauge* szabványos nyomtáv; ~ *time* zónaidő II. *n* 1. zászló, lobogó 2. hiteles mérték, standard, minta, szabvány 3. minőség, mérték, színvonal, nívó, kívánalom; ~ *of living* életszínvonal; *of high* ~ igényes, színvonalas; *up to* ~ kívánt minőségű 4. [ált. iskolai] osztály 5. oszlop, (álló) gerenda 6. finomság [nemesfémé]; valuta(alap); *gold* ~ aranyalap
standard-bearer *n* (*átv is*) zászlóvivő
standardization [stændədaɪˈzeɪʃn; *US* -dɪˈz-] *n* szabványosítás
standardize ['stændədaɪz] *vt* szabványosít; ~*d product* szabványtermék; ~*d production* szériagyártás, sorozatgyártás
standby I. *a* tartalék-; ~ *passenger* üres helyre váró utas II. *n* (*pl* ~*s*) 1. tartalék 2. hűséges/megbízható támasz, segítség 3. *on* ~ készenlétben
standee [stænˈdi:] *n US biz* állóhelyes néző; álló utas
stand-in *n* 1. dublőr, dublőz [filmszínésze] 2. helyettes
standing ['stændɪŋ] I. *a* 1. álló; ~ *crops* lábon álló termés; ~ *jump* helyből ugrás; ~ *room* állóhely 2. állandó; ~ *army* állandó hadsereg; ~ *joke* hagyományos tréfa; ~ *locution* állandósult szókapcsolat; ~ *order* állandó/folyamatos rendelés [kereskedelmi]; ~ *orders* (képviselőházi) házszabályok, ügyrend; ~ *rigging* állandó kötélzet [hajón] II. *n* 1. állás, rang, pozíció; *social* ~ társadalmi állás; *of good* ~

jó hírű, tekintélyes; *of high* ~ magas állású/rangú 2. (idő)tartam; *of long* ~ régi, bevált; *of 2 months'* ~ 2 hónapja fenálló
stand-off *n* 1. tartózkodás 2. döntetlen [mérkőzés] 3. *átv* zsákutca, holtpont
stand-offish [-ˈɔfɪʃ; *US* -ˈɔ:-] *a* tartózkodó, kimért, zárkózott
standpatter [stændˈpætə*] *n US* változásellenes (személy, politikus); párthű ember
stand-pipe *n* függőleges nyomóvezeték [víznek]; felszállócső
standpoint *n* álláspont, szempont
standstill *n* megállás, leállás, mozdulatlanság, szünetelés; *come to a* ~ teljesen leáll/megáll, holtpontra jut
stand-to *n* vigyázzállás
stand-up *a* 1. ~ *collar* álló gallér 2. ~ *meal* állva fogyasztott étkezés 3. ~ *fight* szabályszerű (boksz)mérkőzés
stank →*stink II.*
Stanley ['stænlɪ] *prop*
stannary ['stænərɪ] *n* ónbánya
stannic ['stænɪk] *a* ~ *acid* ónsav
stanniferous [stænˈnɪfərəs] *a* óntartalmú
stanza ['stænzə] *n* strófa, versszak
stanzaic [stænˈzeɪk] *a* strófás, szakaszos
stapes ['steɪpi:z] *n* kengyel(csont) [fülben]
staple[1] ['steɪpl] I. *a* 1. állandó, tartós 2. legfontosabb, legfőbb, fő- II. *n* 1. főtermény, legfontosabb áru(cikk) 2. nyersanyag 3. kereskedelmi központ, piac; (le)rakodóhely 4. gyapjúszál, gyapotszál [minőségmeghatározás szempontjából] III. *vt* osztályoz [gyapotot, pamutot]
staple[2] ['steɪpl] I. *n* U szeg/kapocs; fémkapocs; fűzőkapocs II. *vt* összekapcsol, összefűz [fémkapoccsal stb.]
stapler ['steɪplə*] *n* 1. fűzőgép 2. szálosztályozó 3. főtermény-kereskedő
stapling-machine ['steɪplɪŋ-] *n* fűzőgép
star [stɑ:*] I. *n* 1. csillag; csillagzat; *fixed* ~ állócsillag; ~*s and stripes* csillagos-sávos lobogó [az USA nemzeti lobogója]; *the* ~*s in their courses* a végzet; *biz bless one's* ~*s* áldja a szerencséjét; *see* ~*s* szikrát hány a

szeme (az ütéstől) 2. sztár; ~ *turn*
főszám [műsorban], sztárszerep; ~
witness koronatanú II. *v* -rr- A. *vt*
csillagokkal díszít/tarkít; csillaggal
megjelöl [nevet stb.] B. *vi* 1. főszerepet/sztárszerepet játszik; ~*ring* ...
a főszerepben ... 2. remekel
starboard ['stɑ:bəd] I. *n* jobb oldal [hajóé menetirányban] II. *vt* jobbra kormányoz [hajót]
starch [stɑ:tʃ] I. *n* 1. keményítő 2.
keményítőoldat, -csiriz ١3. *biz* feszesség, merevség; *take the* ~ *out of sy*
leszállít vkt a magas lóról II. *vt* (ki-)
keményít [keményítővel]
starched [stɑ:tʃt] *a* 1. kikeményített
2. feszes, merev
starchy ['stɑ:tʃɪ] *a* 1. keményítő tartalmú 2. kikeményített 3. *átv* merev, feszes, kényszeredett, mesterkélt
star-crossed [-krɔst; *US* -ɔ:-] *a* rossz
csillag(zat) alatt született, szerencsétlen
stardom ['stɑ:dəm] *n* a sztárok világa
stare [steə*] I. *n* merev tekintet, bámulás, bámészkodás; *give sy a* ~
rábámul vkre II. *vt*/*vi* 1. mereven
néz, szemét mereszti, bámul (*at* vkre/
vmre); ~ *with astonishment* megdöbbenten bámul (*at* vkre); ~ *sy in the
face* vkre rábámul; fixíroz vkt; *it is
staring you in the face* (1) elkerülhetetlen (2) majd kiszúrja a szemedet,
valósággal „ordít" 2. kirí, rikít(ó)
starfish *n* tengeri csillag
star-gazing *n* 1. csillagvizsgálás 2. ábrándozás, szórakozottság
staring ['steərɪŋ] *a* 1. bámész, meredt
szemű 2. felborzolt szőrű 3. rikító
(színű) ‖ → *stare II.*
stark [stɑ:k] I. *a* merev, meredt; erős;
határozott II. *adv* teljesen, egészen
tisztára; ~ *mad* tiszta bolond; ~ *naked* anyaszült meztelen(ül), pucér(an)
starless ['stɑ:lɪs] *a* csillagtalan
starlet ['stɑ:lɪt] *n* sztárjelölt; fiatal sztár
starlight I. *a* csillagfényes, csillagos
II. *n* csillagfény
starling[1] ['stɑ:lɪŋ] *n* seregély
starling[2] ['stɑ:lɪŋ] *n* jégtörő (cölöpgát)
[hídpillérnél]

starlit *a* csillagos, csillagfényes
starred [stɑ:d] → *star II.*
starring ['stɑ:rɪŋ] → *star II.*
starry ['stɑ:rɪ] *a* csillagos; csillogó
starry-eyed *a* idealista
star-spangled [-spæŋgld] *a* csillagdíszes,
csillagos; *the S*~ *Banner* a csillagos-sávos lobogó [az USA nemzeti lobogója]
start [stɑ:t] I. *n* 1. (el)indulás, rajt,
start; kezdet; *at the very* ~ mindjárt
kezdetben, a kezdet kezdetén 2. rajt-
(vonal), start(vonal), indulási pont/
hely, rajthely 3. megriadás, hirtelen
mozdulat, ugrás, összerezzenés; *give a*
~ összerezzen; *give sy a* ~ megijeszt
vkt; *wake with a* ~ álmából felriad
4. előny [versenyben]; *give sy a* ~
(1) előnyt ad vknek [versenyen]
(2) vkt kedvezően indít el [életpályáján]; *get the* ~ *of sy* vkt megelőz
II. A. *vi* 1. (el)indul 2. (el)kezd;
it ~*ed raining* esni kezdett; ~ *to do
sg*, ~ *doing sg* belekezd vmbe 3. elugrik, megugrik [ló], felriad, megijed;
~ *from one's chair* felpattan ültéből
B. *vt* 1. elindít, (meg)indít; beindít;
alapít 2. elkezd, megkezd ~ *afresh*
elölről kezdi; ~ *a new subject* új tárgyba kezd 3. megijeszt, felriaszt megriaszt, megugraszt, felver [vadat]
start forward *vi* előreugrik
start in *vi biz* ~ *in to do sg*, ~ *in
on doing sg* nekikezd vmnek, hozzálát vmhez
start off *vi* elindul
start on *vi* 1. megkezd (vmt), hozzáfog (vmhez), belefog (vmbe) 2. ~
on one's journey útnak indul, elindul
start out *vi* 1. elindul (*to* vhová)
2. ~ *o. to* ... az a szándéka/terve,
hogy ...
start up A. *vi* 1. felpattan 2. keletkezik, támad 3. mozgásba jön, megindul, beindul B. *vt* begyújt, beindít
[motort]
start with *vi to* ~ *w.* először is ...,
kezdjük azzal, hogy ...
starter ['stɑ:tə*] *n* 1. indító [versenybíró] 2. ~ (*motor*) (ön)indító [motor]
3. induló [versenyen] 4. első fogás

starting ['stɑ:tɪŋ] n 1. kezdet, (el)indulás 2. megriadás, összerezzenés
starting-block n rajtgép
starting-gate n indítókorlát [lóversenyen]
starting-lever n indítókar
starting-point n kiindulópont
starting-post n rajtpózna
startle ['stɑ:tl] vt megijeszt, felriaszt; be ~d out of one's sleep felriad(t) álmából
startling ['stɑ:tlɪŋ] a meglepő, megdöbbentő, riasztó
starvation [stɑ:'veɪʃn] n éhezés; éhínség; die of ~ éhen hal; ~ wages éhbér
starve [stɑ:v] A. vi 1. éhezik, koplal, éhen hal; biz I'm starving rettentő éhes vagyok 2. ~ for sg, be ~d of sg vágyódik vmre, sóvárog vm után B. vt (agyon)éheztet, koplaltat
starveling ['stɑ:vlɪŋ] n éhes/kiéhezett ember/állat; éhenkórász
stash [stæʃ] vt US biz biztonságba helyez, elrejt, biztos helyre tesz
state [steɪt] I. n 1. állapot, helyzet; ~ of mind lelkiállapot; ~ of affairs a tényállás, a helyzet, a dolgok állása 2. állam; (jelzői haszn) állami, állam-; affairs of ~, ~ affairs államügyek; ~ bank állami bank; US S~ Department külügyminisztérium; ~ flower ⟨az egyes észak-amerikai szövetségi államokat jelképező virág⟩; US S~ Legislature tagállam parlamentje; ~ trial politikai bűnper; S~ university állami egyetem [az USA szövetségi tagállamainak mindegyikében]; biz the S~s az (Amerikai) Egyesült Államok, az USA 3. állás; rang, méltóság, státus; the ~s a rendek; in his robes of ~ hivatali díszruhájában 4. dísz, pompa, fény; ~ apartments reprezentációs helyiségek; ~ ball udvari bál; biz ~ call udvariassági látogatás; ~ coach díszhintó; ~ dinner díszebéd; in ~ nagy pompával, állásához illő dísszel; lie in ~ felravatalozták II. vt 1. kijelent, megállapít, állít, kifejez; please ~ below kérem itt feltüntetni (hogy); as ~d above mint már (fentebb) említettük 2. kifejt, előad [jogilag]

state-aided [-'eɪdɪd] a államilag támogatott, szubvencionált
statecraft n államvezetés (művészete)
stated ['steɪtɪd] a megállapított; at ~ intervals meghatározott időközökben
statehood ['steɪthʊd] n 1. államiság 2. US tagállami állapot
Statehouse n US szövetségi állam parlamentje [mint épület]
stateless ['steɪtlɪs] a hontalan
stateliness ['steɪtlɪnɪs] n méltóságteljesség, tekintélyesség
stately ['steɪtlɪ] a méltóságteljes, tekintélyes, impozáns, díszes; GB ~ homes főúri kastélyok
statement ['steɪtmənt] n 1. állítás, kijelentés, megállapítás, közlés, bejelentés, nyilatkozat; vallomás; official ~ hivatalos közlemény/nyilatkozat, kommüniké; make a ~ nyilatkozatot tesz; ~ of claim igénybejelentés, kereset; ~ of facts tényállás 2. számadás, kimutatás; monthly ~ havi mérleg; ~ of account számlakivonat; ~ of costs/expenses költségjegyzék
state-owned [-oʊnd] a állami (tulajdonban levő)
stateroom n magánlakosztály, luxuskabin [óceánjárón]; luxusfülke [vonaton]
state-run a állami vezetés alatt álló
statesman ['steɪtsmən] n (pl -men -mən) államférfi
statesmanlike ['steɪtsmənlaɪk] a államférfiúi, államférfihoz illő
statesmanship ['steɪtsmənʃɪp] n államférfiúi képesség/adottságok
static ['stætɪk] a nyugvó, szilárdsági, statikus, statikai
statics ['stætɪks] n 1. statika, szilárdságtan 2. pl légköri zavarok
station ['steɪʃn] I. n 1. állomás; pályaudvar; megálló(hely); goods ~ teherpályaudvar; US ~ wagon kombi; ~s of the Cross a kálvária stációi, keresztút 2. állomáshely [katonai] 3. hivatal, foglalkozás, állás, rang; ~ in life társadalmi állás/helyzet/pozíció II. vt odaállít, (ki)helyez; állomásoztat; be ~ed at ... állomásozik vhol [katonaság]

stationary ['steɪʃnərɪ; US -erɪ] a állandó; mozdulatlan, álló
stationer ['steɪʃnə*] n 1. papírkereskedő 2. † könyvkereskedő; könyvkiadó
stationery ['steɪʃnərɪ; US -erɪ] n írószer és papíráru; levélpapír; irodaszerek; (His/Her Majesty's) S~ Office ⟨angol állami nyomda⟩
station-house n (rendőr)őrszoba
station-master n állomásfőnök
statistical [stə'tɪstɪkl] a statisztikai
statistician [stætɪ'stɪʃn] n statisztikus
statistics [stə'tɪstɪks] n statisztika
stator ['steɪtə*] n állórész [motorban]
statuary ['stætjʊərɪ; US -tʃʊerɪ] n szobrászat; szobrok
statue ['stætʃu:] n szobor
statuesque [stætjʊ'esk; US -tʃʊ-] a szoborszerű,plasztikus
statuette [stætjʊ'et; US -tʃʊ-] n kisszobor; kisplasztika
stature ['stætʃə*] n 1. termet, alak 2. szellemi kaliber, formátum
-statured [-'stætʃəd] termetű
status ['steɪtəs] n 1. állapot, helyzet, státus; social ~ társadalmi helyzet/állás/rang; ~ symbol státusszimbólum 2. ~ quo (ante) [kwoʊ'æntɪ] régi/korábbi állapot, status quo
statute ['stætju:t; US -tʃu:t] n törvény; rendelet; ~ law írott jog
statute-barred a elévült
statute-book n törvénykönyv, Corpus Juris
statutory ['stætjʊt(ə)rɪ; US -tʃʊtɔ:rɪ] a törvényen alapuló, törvényszerű; törvényes; ~ declaration eskü helyetti kijelentés; ~ meeting alakuló közgyűlés [részvénytársaságé]; ~ rule törvényerejű rendelet
staunch [stɔ:ntʃ] I. a 1. hűséges, megbízható, rendületlen, rendíthetetlen 2. vízálló; légmentesen záródó, légszigetelt II. vt = stanch II.
staunchness ['stɔ:ntʃnɪs] n 1. kitartó hűség, megbízhatóság 2. vízhatlanság, vízállóság; légszigeteltség
stave [steɪv] I. n 1. (hordó)donga; léc 2. létrafok 3. versszak, strófa 4. = staff I. 5. II. vt (pt/pp ~d steɪvd v. stove stoʊv) 1. dongával ellát 2. ~

(in) beüt, bever, kilyukaszt [hordót, hajót] 3. ~ off távoltart, elhárít
stay¹ [steɪ] I. n 1. tartózkodás; make a ~ tartózkodik, marad 2. tartóztatás 3. elhalasztás, felfüggesztés; ~ of execution végrehajtás felfüggesztése, kivégzés elhalasztása 4. tartó, támasz (átv is) 5. kitartás, állóképesség 6. stays pl (női) fűző II. A. vt 1. támaszt, támogat, megtámaszt 2. visszatart, (fel)tartóztat; le-, megállít; késleltet; elhalaszt, felfüggeszt; ~ one's hand tartózkodik a cselekvéstől; ~ the blow ütést feltart 3. † megvár, bevár B. vi 1. marad, időzik, tartózkodik; biz come to ~ állandósul, meghonosodik; ~ for dinner ott marad ebédre; ~ there! maradj ott!, ott maradj!; ~ in bed ágyban marad; ~ at a hotel szállodában lakik (v. száll meg); ~ with friends barátoknál száll meg (v. lakik) 2. megáll, szünetet tart 3. kitart(ó), (jól) bírja az iramot
stay away vi távol marad
stay by vi mellette marad és támogatja
stay in vi benn marad [a házban]; bezárják [diákot iskolában]
stay on vi 1. tovább marad [mint szándékozott] 2. rajta marad, megmarad (vmn)
stay out vi nem jön haza, nem jön be (a házba), kinn marad; nem alszik otthon
stay up vi fenn marad, nem fekszik le
stay² [steɪ] I. n (hosszirányú) árbocfeszítő kötél, tarcs(kötél) II. vt (ki-)merevít; kiköt, rögzít [árbocot]
stay-at-home ['steɪəthoʊm] a/n otthonülő (ember)
stay-bar n ablakkitámasztó pecek
stayer ['steɪə*] n állóképes (v. az iramot jól bíró) versenyző/versenyló; kitartó ember
staying ['steɪɪŋ] n 1. tartózkodás, maradás; ~ power állóképesség 2. félbeszakítás, felfüggesztés
stay-in strike ülősztrájk
stay-lace n fűzőzsinór [női fűzőben]
stay-maker n fűzőkészítő

stay-rod *n* merevítőrúd, kitámasztó
staysail ['steɪseɪl; *hajósok nyelvén:* 'steɪsl] *n* tarcsvitorla; *fore topmast* ~ elő(árboc)-tarcsvitorla; *main* ~ derék-tarcsvitorla; *mizen* ~ hátsó tarcsvitorla; *royal* ~ felsősudár-tarcsvitorla; *topgallant* ~ sudár-tarcsvitorla
stead [sted] *n* 1. *in sy's* ~ vk helyett; *in my* ~ helyettem 2. haszon, előny; *stand sy in good* ~ jól jön vknek, vknél jól beválik
steadfast ['stedfəst; *US* -fæst] *a* állhatatos, rendületlen, rendíthetetlen
steadfastness ['stedfəstnɪs; *US* -fæst-] *n* állhatatosság, rendületlenség; ~ *of purpose* céltudatos kitartás
steadily ['stedɪlɪ] *adv* szilárdan, állhatatosan; egyenletesen; szünet nélkül
steadiness ['stedɪnɪs] *n* szilárdság, határozottság, kitartás, egyenletesség
steady ['stedɪ] I. *a* 1. szilárd, biztos, biztosan álló, rendületlen; *a* ~ *hand* biztos kéz; *be* ~ *on one's legs* biztosan áll a lábán 2. józan, kiegyensúlyozott, megállapodott, szilárd [jellem], állhatatos, kitartó; ~ *!* lassan és óvatosan!, csak nyugodtan!, nyugalom!, lassan a testtel! 3. állandó; egyöntetű, egyenletes; *a* ~ *demand for sg* állandó kereslet vmben; ~ *pace* egyenletes tempó II. *adv* 1. = *steadily* 2. *biz go* ~ *(with)* együtt jár(nak) [fiú lánynyal], jár (vkvel) III. *n* 1. (kéz)támasz [munkában] 2. *US biz* állandó barát/barátnő/partner; *Bob is her* ~ Robi a fiúja/lovagja, Robival jár IV. A. *vt* (meg)erősít, megszilárdít B. *vi* 1. megszilárdul 2. megnyugszik; ~ *down* lehiggad, megnyugszik
steak [steɪk] *n* 1. (hús)szelet, bifsztek 2. vagdalt (hús), húspogácsa
steak-house *n* ⟨frissensültek olcsó étterme⟩
steal [sti:l] *v* (*pt* **stole** stoʊl, *pp* **stolen** 'stoʊl(ə)n) A. *vt* (el)lop (*sg from sy* vmt vktől); ~ *a glance at sy* lopva vkre pillant; ~ *a march on sy* eléje vág vknek, ügyesen megelőz vkt B. *vi* 1. lop 2. lopódzik, lopakodik; ~ *into* belopakodik; ~ *out* kilopódzik

stealing ['sti:lɪŋ] *n* 1. lopás 2. **stealings** *pl* lopott holmi
stealth [stelθ] *n by* ~ = *stealthily*
stealthily ['stelθɪlɪ] *adv* lopva, titkon, titokban, suba alatt
stealthy ['stelθɪ] *a* titkos, rejtett, lopva tett, óvatos
steam [sti:m] I. *n* gőz; pára; ~ *hammer* gőzkalapács; ~ *iron* gőzölős vasaló; *get up* ~ (1) gőzt termel (2) összeszedi az erejét, rákapcsol; *let/blow off* ~ fölösleges energiáját levezeti; kiadja/kifújja a mérgét; *full* ~ *ahead* teljes gőzzel előre!; ~ *is up* a gép (teljes) gőz alatt áll; *under one's own* ~ saját erejéből II. A. *vt* gőzöl, párol B. *vi* 1. gőzölög, párolog 2. *biz* „gőzerővel" dolgozik; halad, fut [gőzölögve]
  steam ahead *vi* gőzerővel halad/dolgozik
  steam into *vi* bepöfög [az állomásra]
  steam up A. *vi* bepárásodik B. *vi biz get* ~*ed up* „felmegy benne a pumpa"
steam-boat *n* gőzhajó, gőzös
steam-boiler *n* (gőz)kazán
steam-box *n* gőzelosztó szekrény
steam-crane *n* gőzdaru
steam-driven *a* gőzerejű, gőzhajtású
steam-engine *n* 1. gőzgép 2. (gőz)mozdony
steamer ['sti:mə*] *n* 1. gőzös, gőzhajó 2. gőzölő (készülék/edény)
steam-gauge *n* gőzfeszmérő, manométer
steam-heated *a* gőzfűtésű, -fűtéses
steam-heating *n* gőzfűtés
steaminess ['sti:mɪnɪs] *n* gőzösség, párásság
steaming ['sti:mɪŋ] *a* gőzölgő, párolgó; ~ *hot* forró, gőzölgő
steam-navvy *n* = *steam-shovel*
steam-pipe *n* gőzvezeték
steam-pressure *n* gőznyomás
steam-roller *n* gőzhenger
steamship *n* gőzhajó; ~ *line* hajóstársaság
steam-shovel *n* gőzüzemű kotrógép/exkavátor
steam-tight *n* gőzálló, -biztos
steam-whistle *n* gőzsíp, -kürt
steamy ['sti:mɪ] *a* gőzös, párás, ködös, gőzölgő

stearin ['stɪərɪn] n sztearin
steed.[sti:d] n (harci) paripa
steel [sti:l] I. n 1. acél; cast ~ öntött acél; forged ~ kovácsolt acél; ~ grip vasmarok; ~ sheet acéllemez; ~ wire acélhuzal, acéldrót 2. kard, penge 3. fenőacél 4. acél fűzőmerevítő 5. vas-(tartalmú orvosság) II. vt 1. (meg)acéloz, erősít, (meg)edz; ~ oneself, ~ one's heart megacélozza akaratát, öszszeszedi magát 2. acéllal bevon/borít
steel-clad a páncélos, páncélozott
Steele [sti:l] prop
steel-engraving n acélmetszet
steel-faced a acéllal bevont
steel-framed [-freɪmd] a acélvázas, -keretű
steel-hearted a acélszívű
steeliness ['sti:lɪnɪs] n acélosság
steel-plate n 1. acélmetszet 2. acéllemez, páncéllemez
steel-plated a páncélos, páncélozott
steel-points n pl jancsiszegek [bakancson]
steel-wool n acélforgács, fémforgács
steelwork n 1. acéláru, épületvas 2. acélváz
steel-works n acélmű(vek)
steely ['sti:lɪ] a acélos, kemény, hideg
steelyard ['sti:ljɑ:d] n tolósúlyos kézimérleg, mázsálórúd
steenbok ['sti:nbɔk; US -ɑk] n ősz antilop
steep[1] [sti:p] I. a 1. meredek 2. rendkívüli; túlzott, hihetetlen; fantasztikus [ár]; that's a bit ~! ez már több a soknál!, ez egy kicsit erős! II. n meredek, meredély
steep[2] [sti:p] I. n 1. (be)áztatás 2. áztatófolyadék II. A. vt (be)áztat, átáztat, pácol, átitat (átv is); ~ed in prejudice előítélettel telve B. vi belemerül (vmbe), átitatódik vmvel (átv is)
steepen ['sti:p(ə)n] A. vi meredek lesz B. vt felemel [árat]
steeple ['sti:pl] n toronysisak, templomtorony
steeplechase n 1. akadályfutás, -verseny 2. terepfutás
steepled ['sti:pld] a sisakos tornyú
steeple-jack n toronyállványozó; (gyár-) kéményjavító

steepness ['sti:pnɪs] n meredekség; ~ of a curve kanyar élessége
steer[1] [stɪə*] n fiatal ökör
steer[2] [stɪə*] vt/vi 1. kormányoz, irányít 2. kormányozható, kormányozódik
steerable ['stɪərəbl]. a kormányozható
steerage ['stɪərɪdʒ] n 1. harmadik osztály [hajón], fedélköz 2. kormányzás
steering ['stɪərɪŋ] n kormányzás aut óé]
steering-column n kormányoszlo[,t -rúd
steering-gear n kormányszerkezp,e kormány(mű)
steering-wheel n kormány(kerék), volán
steersman ['stɪəzmən] n (pl -men -mən) kormányos
steeve[1] [sti:v] A. vt (vitorlarudat) lehajt B. vi (vitorlarúd) lehajlik
steeve[2] [sti:v] vt (alaposan) megrak [hajót teheráruval]
stein [staɪn] n 1. söröskorsó 2. egy korsó sör
stele ['sti:lɪ] n (pl stelae 'sti:li:) domborműves sírkő
Stella ['stelə] prop Esztella, Stella
stellar ['stelə*] a csillagos; csillagszerű; csillag-
stellate(d) ['steleɪt(ɪd)] a csillag alakú; csillagos
stem[1] [stem] I. n 1. törzs; szár; nyél; kocsány 2. nemzetség, (családi/nemzetségi) ág 3. (szó)tő 4. hajóorr; from ~ to stern hajó orrától faráig II. v -mm- A. vt szárát eltávolítja/leveszi [növénynek] B. vi ~ from ered/származik vhonnan
stem[2] [stem] vt -mm- meggátol, megakaszt; leállít, elállít
-stemmed [-stemd] vmlyen szárú
stem-winder [-'waɪndə*] n US 1. koronafelhúzású óra 2. biz remek dolog
sten [sten] n = sten-gun
stench [stentʃ] n bűz, rossz szag
stench-trap n bűzelzáró; szagfogó
stencil ['stensl] I. n 1. festősablon, betűrajzoló minta, patron 2. stencil II. vt -ll- (US -l-) 1. sablonnal/patronnal fest/átrajzol/sokszorosít 2. stencilez
sten-gun n géppisztoly
stenographer [stə'nɔgrəfə*; US -'nɑ-] n gyorsíró

stenography [stə'nɔgrəfɪ; US -'na-] n gyorsírás

stentorian [sten'tɔ:rɪən] a sztentori, harsogó hangú

step [step] I. n 1. lépés; ~ by ~ lépésről lépésre; break ~s! lépést könnyíts!; take a ~ lép egyet; bend one's ~s towards sg vhova megy/igyekszik, vhova irányítja lépteit; be in ~ (v. keep ~) with sy lépést tart vkvel; be out of ~ (with) nem tart lépést (vkvel, vmvel); fall into ~ with sy vknek a lépéséhez igazodik; mind/ watch your ~! ügyelj magadra!, légy óvatos!; nézd meg, hova lépsz! 2. lépcsőfok; létrafok; (flight of) ~s (1) lépcsősor (2) utaslépcső [repgéphez] 3. lábnyom, nyomdok 4. lépés, eljárás; take ~s lépéseket tesz [vm érdekében] 5. biz előléptetés; get one's ~ előléptetik 6. ~s of a key kulcs fogazata 7. járás(mód) II. v -pp- A. vi 1. lép, jár, lépked, kilép; ~ this way erre tessék! 2. (táncot) lejt B. vt 1. lépéssel kimér, kilép [távolságot] 2. beilleszt, behelyez [árbocot] 3. lépcsőzetesen elhelyez/beoszt
　step across vi átlép, átmegy
　step aside vi félreáll, visszavonul
　step by vi előtte/mellette elmegy
　step down A. vi lelép B. vt csökkent
　step forward vi előáll, előlép
　step in vi 1. belép, beszáll 2. biz közbelép
　step into vi 1. belebújik [nadrágjába stb.] 2. birtokába jut (vmnek) 3. be(le)lép
　step off A. vt lelép, kilép [távolságot] B. vi 1. lelép (vhonnan) 2. (vmlyen lábbal) elsőnek lép
　step on vi rálép; US biz ~ on the gas, ~ on it belelép a gázba, rákapcsol
　step out vt/vi kilép; ~ it o. jól kilép; ~ o. a distance távolságot kilép
　step over vi 1. átlép 2. átnéz vhova [látogatóba]
　step up A. vi felmegy [lépcsőn]; felmászik, fellép; ~ up to sy odalép vkhez B. vt fokoz, növel, emel

stepbrother n mostohafivér, -testvér

stepchild n (pl -children) mostohagyer-(m)ek

step-dance n sztepp(elés)

stepdaughter n mostohalánya vknek

stepfather n mostohaapa

Stephen ['sti:vn] prop István

Stephenson ['sti:vnsn] prop

step-in I. a bebújós [ruhadarab] II. n ingnadrág

step-ladder n kis állólétra

stepmother n mostohaanya

steppe [step] n sztyepp, pusztaság

stepped [stept] a lépcső(zete)s, fokozatos || → step II.

stepper ['stepə*] n lépő

stepping-stone ['stepɪŋ-] n 1. felhágókő [lóhátra stb.] 2. gázlókövek [patakban] 3. átv lépcsőfok, ugródeszka

stepsister n mostohanővér, -testvér

stepson n mostohafia vknek

step-up n fokozás, emelés

stepwise adv 1. lépkedve 2. lépésről lépésre

stere [stɪə*] n köbméter [tűzifából]

stereo ['sterɪoʊ] I. a térhatású [film]; sztereó [lemezjátszó stb.]; [egyébként:] stereo- II. n 1. = sereotype II. 2. sztereó lemezjátszó 3. sztereoszkóp

stereography [sterɪ'ɔgrəfɪ; US -'a-] n távlatos rajz, térmértan, sztereográfia

stereophonic [sterɪə'fɔnɪk; US -'fa-] a tér(hang)hatású, sztereofonikus

stereophotography [sterɪəfə'tɔgrəfɪ; US -'ta-] n sztereofényképezés

stereoscope ['sterɪəskoʊp] n sztereoszkóp

stereoscopic [sterɪə'skɔpɪk; US -ap-] a térhatású, sztereoszkopikus, háromdimenziós; térláttató

stereotype ['stɪərɪətaɪp v. főleg US 'ster-] I. a változatlan, s(z)tereotip II. n 1. [nyomdai] klisé, (nyomó)dúc, sztereotípia; tömöntés 2. sablon, konvenció III. vt 1. tömöntést/lemezöntést vesz (vmről), sztereotipál, klisíroz 2. átv megrögzít, állandósít, sablonossá tesz

stereotyped ['stɪərɪətaɪpt v. főleg US 'ster-] a változatlan, sablonos, s(z)tereotip; ~ phrase s(z)tereotip kifejezés, közhely, klisé

sterile ['sterail; US -r(ə)l] *a* csíramentes, csírátlan, steril, meddő (*átv is*)
sterility [stə'rılətı] *n* sterilitás, meddőség
sterilization [sterəlaı'zeıʃn; US -lı'z-] *n* csíramentesítés, csírátlanítás, fertőtlenítés, sterilizálás; pasztőrözés
sterilize ['sterəlaız] *vt* csírátlanít, fertőtlenít, sterilizál, pasztőröz
sterling ['stə:lıŋ] I. *a* 1. törvényes finomságú; teljes értékű 2. kitűnő, kiváló, valódi II. *n* sterling; ~ *area* sterlingövezet, fontövezet
stern¹ [stə:n] *a* szigorú, kemény, zord, komoly; *the* ~*er sex* az erősebb nem
stern² [stə:n] *n* 1. hajófar, tat; ~ *foremost* hátrálva, (ügyetlenül haladva) hátrafelé 2. far, farok [kopóé]
Sterne [stə:n] *prop*
stern-light *n* tatlámpa, farlámpa
sternmost ['stə:nmoυst] *a* leghátsó
sternness ['stə:nnıs] *n* szigorúság
stern-post *n* fartőkegerenda
stern-sheets *n pl* leghátsó rész/ülés(ek) [csónakon, kis hajón]
sternum ['stə:nəm] *n* (*pl* ~*s* -z v. -na -nə) szegycsont
sternway *n* hátrafelé haladás, hátramenet [hajóé]
stern-wheeler *n* farlapátkerekes hajó
stertorous ['stə:tərəs] *a* hortyogó, horkoló
stet [stet] *int* ,,maradhat'' [nyomdai jelzés]
stethoscope ['steθəskoυp] *n* [orvosi] hallgatócső, sztetoszkóp
stetson ['stetsn] *n* puhakalap [széles karimával]
Steve [sti:v] *prop* Pista, Pisti
stevedore ['sti:vədɔ:*] *n* [kikötői] rakodómunkás
Stevenson ['sti:vnsn] *prop*
stew¹ [stju:; US stu:] I. *n* 1. párolt hús; kb. ragu, pörkölt 2. *biz* zűrzavar izgalom; *be in a* ~ benne van a pácban 3. † rossz hírű mulató, bordélyház II. A. *vt* párol; főz B. *vi* párolódik; fő; ~ *in one's own juice* saját levében fő
stew² [stju:; US stu:] *n* haltartó medence; osztrigaponk

steward [stjυəd; US 'stu:-] *n* 1. gazdasági intéző; *unjust* ~ hűtlen sáfár 2. gondnok [klubé, kollégiumé] 3. pincér, steward, utaskísérő [hajón, repülőgépen]; *chief* ~ főpincér, maître d'hôtel 4. főrendező
stewardess ['stjυədıs; US 'stu:-] *n* légi utaskísérő, légikisasszony, stewardess
stewardship ['stjυədʃıp; US 'stu:-] *n* gondnokság, intézőség; sáfárkodás
Stewart [stjυət] *prop*
stewed [stju:d; US stu:d] *a* 1. párolt, főtt [hús] 2. ~ *fruit* kompót, párolt gyümölcs; ~ *prunes* aszalt szilva [levében] 3. *biz* beszívott
stew-pan/pot *n* (fedeles) serpenyő
stick [stık] I. *n* 1. bot, vessző, pálca; fadarab; karó; *loaded* ~ ólmosbot; *US* (*dry/small*) ~*s* rőzse; ~ *of celery* zellerszár; *without a* ~ *of furniture* egy szál bútor nélkül; *biz cut one's* ~ meglóg, meglép 2. rúd [fa, pecsétviasz, kozmetikai stb.]; *a* ~ *of sealing wax* egy rúd pecsétviasz 3. ütő [gyeplabda stb.] 4. (*setting*) ~ [nyomdai] sorjázó 5. *biz* lélektelen ember 6. *the* ~*s US biz* isten háta mögötti hely(ek) II. *v* (*pt/pp* **stuck** stʌk) A. *vt* 1. szúr, döf; ~ *a pig* disznót öl/leszúr; ~ *pigs* lóháton lándzsával vaddisznóra vadászik 2. dug, tűz 3. ragaszt; hozzáerősít; *be/get stuck* elakad, megreked, bennragad 4. karóz 5. *biz* kibír; ~ *it* (ki)bírja; *I can't* ~ *him* ki nem állhatom 6. □ zavarba ejt, megzavar 7. *US* □ megcsal, becsap B. *vi* 1. ragad, tapad 2. (meg)akad, elakad, megreked, bennragad 3. *biz* marad; ~ *indoors* benn/otthon kuksol 4. belesül
stick around *vi biz* 1. helyén marad 2. őgyeleg, cselleng
stick at *vi* 1. odatapad 2. megtorpan, meghátrál; ~ *at nothing* semmitől se riad vissza
stick by *vi* nem hagy cserben, híven támogat, kitart (vk) mellett
stick down *vt* 1. leragaszt 2. *biz* letesz 3. *biz* leír
stick in A. *vt* 1. be(le)szúr, beletűz,

beledug 2. beragaszt B. *vi* 1. elakad, bennragad, megreked (vmben) 2. belesül (vmbe)

stick on A. *vt* 1. ráragaszt, felragaszt 2. rátűz, odatűz 3. *biz ~ it on* (1) nagyképűsködik (2) borsos árat számít B. *vi* ráragad, hozzátapad stick out A. *vi* kiugrik, kiáll, kinyúlik; *biz it ~s o. a mile* majd kiszúrja az ember szemét 2. *biz ~ o. for sg* kitartóan/makacsul követel vmt B. *vt* 1. kidug; *~ o. one's chest* kidülleszti mellét 2. *biz ~ it o.* végig kibírja, győzi

stick to A. *vi* 1. (hozzá)tapad, (hozzá)ragad (vmhez) 2. ragaszkodik (vkhez, vmhez); *~ to it!* tarts ki mellette! B. *vt* hozzáragaszt, ráragaszt stick together *vi* összetart, együttmarad

stick up A. *vt* felállít; feltűz; *~ your hands up!, ~ 'em up!* fel a kezekkel! 2. □ feltartóztat és kirabol 3. *biz* zavarba hoz (vkt) B. *vi* 1. feláll 2. *~ up to sy* szembeszáll vkvel 3. *biz ~ up for sy* vknek pártját fogja, kiáll vk mellett

sticker ['stıkə*] *n* 1. böllér, hentes 2. henteskés. 3. plakátragasztó 4. kitartó munkás 5. *biz* „kullancs" 6. nehéz/fogas kérdés (vizsgán) 7. (felragasztható) címke, ragjegy, hotelcímke

stickiness ['stıkınıs] *n* ragadósság

sticking-plaster ['stıkıŋ-] *n* ragtapasz

stick-in-the-mud *a/n* nehézkes, maradi (ember)

stickjaw *n biz* ⟨szájpadláshoz ragadó édesség⟩ pl. karamella

stickleback ['stıklbæk] *n* tüskés pikó [hal]

stickler ['stıklə*] *n* 1. *be a ~ for sg* állandóan fennakad vmn, semmiségeken lovagol 2. nehéz probléma

stick-on *a ~ label* ráragasztható címke

stickpin *n* nyakkendőtű, dísztű

stick-up *n* □ (fegyveres) rablótámadás [„fel a kezekkel!" kiáltással]; *a ~ man* gengszter, bandita

sticky ['stıkı] *a* 1. ragadós, nyúlós [anyag] 2. nehézkes, szőröző [em-

ber] 3. □ kellemetlen, kínos [helyzet]; *come to a ~ end* gyászos/szomorú vége lett

sties [staız] →*sty¹, sty²*

stiff [stıf] I. *a* 1. merev, feszes, kemény; *feel ~* izomláza van; *be quite ~* minden tagja/csontja fáj; *biz bore ~* halálra untat; *~ joint* megmerevedett (v. nehezen hajló) ízület; *a ~ neck* (reumás) nyakfájás; *~ in the back* hajthatatlan 2. *átv* merev, kimért, makacs, hűvös, feszes, nehézkes; *~ market* szilárd piac [az árak nem változnak]; *put up a ~ resistance* makacsul ellenáll 3. nehéz, erős, megerőltető, kemény 4. *biz a ~ drink* „mellbevágó" ital; *~ price* borsos ár 5. nyúlós, sűrű II. *n* □ 1. hulla [boncoláson] 2. váltó, kötelezvény 3. javíthatatlan/reménytelen alak/ember

stiffen ['stıfn] A. *vt* (meg)merevít, (meg)keményít; ellenállóvá tesz B. *vi* 1. megmerevedik (*átv is*), megszilárdul, -keményedik; [modora] hűvösebb lesz 2. erősödik [szél]

stiffener ['stıfnə*] *n* merevítő (anyag, lemez)

stiffish ['stıfıʃ] *a* meglehetősen merev

stiffly ['stıflı] *adv* mereven, hűvösen

stiff-necked *a* makacs, vastagnyakú

stiffness ['stıfnıs] *n* merevség

stifle ['staıfl] A. *vt* fojtogat, megfojt; elfojt, elnyom, tompít; *be ~d by the heat* fullad(ozik) a hőségtől B. *vi* (el)fullad

stifling ['staıflıŋ] *a* fojtogató, fullasztó

stigma ['stıgmə] *n* (*pl ~s* -z v. *~ta* -tə) 1. (szégyen)bélyeg 2. tünet [betegségé] 3. bibe(száj) 4. sebhely, stigma [Krisztus sebhelyeinek mintájára]

stigmatic [stıg'mætık] *a* 1. anasztigmatikus 2. stigmás 3. becstelen, megbélyegzett

stigmatize ['stıgmətaız] *vt* megbélyegez

stile¹ [staıl] *n* 1. lépcsős átjáró [kerítés fölött]; *help a lame dog over a ~* vk nehézségeken átsegít 2. [útelzáró] forgókereszt

stile² [staıl] *n* ajtófélfa; ablakkeret oldalléce; kapubálvány

stiletto [stɪ'letoʊ] n 1. gyilok, rövid tőr; ~ heels tűsarok 2. ár [lyukasztásra]

still[1] [stɪl] I. a 1. csendes, halk, lágy [hang]; ~ life (pl ~ lifes) csendélet; the ~ small voice a lelkiismeret szava 2. nyugodt, mozdulatlan; keep ~ nyugodtan marad; ~ water állóvíz →water I. 1. II. adv 1. még (mindig); ~ less még kevésbé; ~ more még inkább 2. mégis, mindazonáltal, ennek ellenére III. n 1. nyugalom, csend 2. állókép [mozifilmből] IV. A. vt lecsendesít, elcsendesít, megnyugtat; enyhít B. vi lecsendesedik, megnyugszik

still[2] [stɪl] I. n lepárlókészülék, szeszfőző készülék II. vt lepárol

still-birth n 1. halvaszül(et)és 2. halva született magzat

still-born a 1. halva született (átv is) 2. kudarcot vallott

stillness ['stɪlnɪs] n csend, nyugalom

still-room n 1. pálinkafőző 2. kamra [italok, befőttek stb. tárolására]

stilly ['stɪlɪ] I. a csendes, nyugodt II. adv csendesen, halkan

stilt [stɪlt] n 1. gólyaláb [ember számára] 2. cölöp, dúc 3. partfutó (madár), gázlómadár

stilted ['stɪltɪd] a dagályos, cicomás, mesterkélt [stílus]

stiltedness ['stɪltɪdnɪs] n mesterkéltség [stílusé]

Stilton ['stɪlt(ə)n] n Stilton-sajt [angol sajtfajta]

stimulant ['stɪmjʊlənt; US -jə-] n izgatószer, élénkítőszer, stimuláns

stimulate ['stɪmjʊleɪt; US -jə-] vt serkent, sarkall, ösztökél, stimulál (sy to do sg vkt vmnek a megtételére)

stimulating ['stɪmjʊleɪtɪŋ; US -jə-] a serkentő, ösztönző, stimuláló

stimulation [stɪmjʊ'leɪʃn; US -jə-] n serkentés, ösztönzés, ösztökélés, izgatás

stimulus ['stɪmjʊləs; US -jə-] n (pl -li -laɪ) 1. inger 2. = stimulant 3. ösztönzés; ösztönző

stimy ['staɪmɪ] v = stymie

sting [stɪŋ] I. n 1. fullánk; méregfog 2. csípés, szúrás; harapás [méregfoggal] 3. szúró/égető fájdalom II. v (pt/pp stung stʌŋ) A. vt 1. (meg)csíp, (meg)szúr; (meg)harap [méregfoggal] 2. átv mar(dos), éget [lelkiismeret stb.] 3. □ „megvág", „levág" [vkt bizonyos összeg erejéig]; I was stung for a fiver megvágott egy ötössel, levágott egy ötösre B. vi ég, szúr, csíp [seb helye stb.]; my eyes are ~ing ég a szemem

stinger ['stɪŋə*] n 1. szúrós/csípős növény/állat 2. fájdalmas/csípős ütés/szúrás/megjegyzés 3. biz pohár pálinka, whisky szódával

stinginess ['stɪndʒɪnɪs] n fösvénység; fukarság

stinging ['stɪŋɪŋ] a szúró, csípős, égető; ~ blow fájdalmas ütés

stinging-nettle n (apró) csalán

stingy ['stɪndʒɪ] a fösvény, fukar

stink [stɪŋk] I. n 1. bűz, büdösség; □ raise a ~ botrányt csap 2. stinks pl □ kémia(óra) [iskolában] II. v (pt stank stæŋk, pp stunk stʌŋk) A. vi (átv is) bűzlik, büdös B. vt ~ out kifüstöl

stinkard ['stɪŋkəd] n 1. büdös ember, „görény" 2. ronda fráter

stink-bomb n 1. bűzbomba 2. □ gázbomba

stinker ['stɪŋkə*] n 1. = stinkard 1. 2. □ the maths paper was a ~ dög nehéz volt a matekdolgozat

stinkhorn n szemérmetlen szömörcsög [gomba]

stinking ['stɪŋkɪŋ] a büdös (átv is); cry ~ fish leszólja/ócsárolja saját portékáját/munkáját

stink-pot n bűzbomba [régi hadviselésben]

stink-trap n bűzelzáró

stint [stɪnt] I. n 1. korlátozás; without ~ korlátlanul, bőven 2. előírt munkafeladat; do one's daily ~ melózik II. vt 1. fukarkodik (vmvel); megszorít 2. ~ sy of sg megtagad/megvon vmt vktől

stintless ['stɪntlɪs] a korlátlan

stipe [staɪp] n tönk [gombáé]

stipend ['staɪpend] n illetmény, fizetés

stipendiary [staɪ'pendjərɪ] a/n fizetéses; ~ magistrate rendőrbíró

stipple ['stɪpl] I. *n* 1. pontozott vonal 2. pontozótechnika II. *vt* pontozótechnikával dolgozik; árnyal
stipulate ['stɪpjʊleɪt; *US* -jə-] *vi/vt* (szerződésben) kiköt, megállapodik, meghatároz
stipulation [stɪpjʊ'leɪʃn; *US* -jə-] *n* kikötés, feltétel, megszorítás; *on the* ~ *that*... azzal a kikötéssel, hogy...
stipule ['stɪpju:l] *n* pálha(levél)
stir [stə:*] I. *n* 1. kavarás, keverés; *give the fire a* ~ megpiszkálja a tüzet 2. kavarodás, felbolydulás, izgalom, sürgölődés, szenzáció; *make a* ~ feltűnést kelt 3. □ börtön, siti II. *v* -rr- A. *vt* 1. (meg)mozdít, (meg)mozgat; *I'll not* ~ *a foot* egy tapodtat sem moccanok 2. (meg)kever, (meg)kavar; ~ *one's tea* teáját kavarja 3. izgat, uszít, felkavar, lelkesít; ~ *up* felkever, -kavar, -izgat B. *vi* mozog, (meg-) mozdul, moccan; sürgölődik, serénykedik; *he's not* ~*ring yet* még nem kelt/ébredt fel; ~ *about* jön-megy, sürgölődik
stir-about *n* 1. zabkása, zabnyákleves 2. nyughatatlan ember
Stirling ['stə:lɪŋ] *prop*
stirrer ['stə:rə*] *n* 1. keverő 2. (fel)izgató, agitátor 3. mozgékony/fürge ember; *an early* ~ korán kelő
stirring ['stə:rɪŋ] *a* 1. izgató, izgalmas, lelkesítő 2. mozgalmas
stirrup ['stɪrəp] *n* kengyel
stirrup-bone *n* kengyel(csont)
stirrup-cup *n* szentjánosáldás, búcsúpohár
stirrup-iron *n* kengyelvas
stirrup-leather *n* kengyelszíj
stir-up *n* kavarodás, izgalom
stitch [stɪtʃ] I. *n* 1. öltés [tűvel]; szem [kötésben]; *not a dry* ~ *on (sy)* bőrig ázott, csuromvizes; *a* ~ *in time saves nine* az idejében tett intézkedés nagy erőmegtakarítás 2. szúró fájdalom, nyilallás [az ember oldalában]; *biz in* ~*es* hasát fogja nevettében II. *vt* ölt, tűz, összevarr; fűz [könyvet]
stitched [stɪtʃt] *a* füzött [könyv]
stitching ['stɪtʃɪŋ] *n* 1. varrás; (le)tűzés; (ki)varrás, hímzés 2. fűzés 3. varrat

stoat [stoʊt] *n* hermelin, hölgymenyét [nyári bundában]
stock [stɔk; *US* -ɑ-] I. *a* 1. raktáron levő, raktári 2. megszokott, szokványos, szabvány-; állandó; ~ *phrase* sablonos kitétel, közhely, klisé; ~ *size* szabvány(os)/szokásos méret II. *n* 1. (áru)készlet, raktár(i készlet), (raktár-) állomány; *lay in a* ~ *of sg* vmből készletet halmoz fel; *keep in* ~ raktáron tart; *be out of* ~ nincs raktáron, kifogyott; *take* ~ leltároz; *take* ~ *of sg* felmér, áttekint [helyzetet], felbecsül, szemügyre vesz vmt; ~ *in/on hand* raktári készlet; *US take no* ~ *in sy* nem sokat törődik vele 2. állatállomány; törzsállomány; *fat* ~ vágóállat 3. (fa)törzs, tuskó; cövek; nyél; ~ *of a rifle* puskatus, -agy 4. törzs; származás, eredet; fajta; *comes from good* ~ jó családból származik; *man of the good old* ~ régi vágású ember 5. alapanyag, nyersanyag 6. (alap)tőke, részvénytőke 7. részvény, értékpapír, államkötvény; ~ *exhange* értéktőzsde; *his* ~ *is going up* (1) mennek fel a papírjai (2) kezdik egyre többre becsülni/értékelni 8. **stocks** *pl* kaloda; *put sy in the* ~*s* vkt kalodába zár 9. **stocks** *pl* hajóépítő állvány, sólya; *sg is on the* ~*s* munkában van 10. (sárga) viola 11. talon [kártyában] 12. ⟨régimódi merev gallér [bőrből, textilből]⟩ 13. sűrített húsleves 14. alany [ojtáshoz] III. A. *vt* 1. raktáron tart 2. felszerel, áruval ellát; *well* ~*ed* nagy raktárral/készlettel rendelkező 3. aggyal ellát [puskát] 4. bevet [földet] 5. kalodába zár B. *vi* ~ *up* felszereli/ellátja magát [*with* készlettel]
stock-account *n* tőkeszámla
stockade [stɔ'keɪd; *US* stɑ-] *n* cölöpkerítés [erődítménye]
stock-blind *a* teljesen vak
stock-book *n* raktárkönyv
stock-breeder *n* (faj)állattenyésztő
stock-broker *n* részvényügynök, tőzsdeügynök, alkusz, tőzsdés
stock-broking *n* tőzsdei ügynökösködés
stock-cube *n* leveskocka
stocker ['stɔkə*; *US* -ɑ-] *n* készletező,

árukat/alkatrészeket raktáron tartó lerakat vezetője
stock-farm *n* (faj)állattenyészet
stockfish *n* szárított tőkehal
stockholder *n* részvényes
stockinet(te) [stɔkɪ'net; *US* -ɑk-] trikó(anyag) [alsóruhának]
stocking ['stɔkɪŋ; *US* -ɑ-] *n* **1.** (hosszú) harisnya; ~ *cap* jambósapka; ~ *frame/ loom* harisnyakötő gép; *in one's* ~ *feet* harisnyában [cipő nélkül]; *he stands 6 feet in his* ~*s* cipő nélkül mérve 183 cm magas, mezítláb is megvan 183 cm **2.** *horse with white* ~*s* fehér csüdű/ bokájú ló, kesely lábú ló
stock-in-trade *n* **1.** raktári készlet **2.** *átv biz* készlet, repertoár
stockist ['stɔkɪst; *US* -ɑ-] *n GB* kizárólagos képviselő [gyáré]; árulerakat vezetője
stock-jobber *n* **1.** *GB* közvetítő alkusz [bankcégek között] **2.** *US* részvényügynök
stock-list *n* árfolyamjegyzék [tőzsdén]
stockman ['stɔkmən; *US* -ɑ-] *n* (*pl* -men -mən) **1.** *US* állattenyésztő, marhatenyésztő **2.** (*Ausztráliában*) gulyás, csordás
stock-market *n* értékpiac, -tőzsde
stock-owl *n* fülesbagoly
stockpile I. *n* **1.** tartalékkészlet; *US* árukészlet **2.** prizma [kövekből] II. *vt* készletet felhalmoz (vmből), tárol, készletez
stockpiling [-paɪlɪŋ] *n* készletgyűjtés, készletezés
stock-pot *n* húslevesfazék
stock-raising [-reɪzɪŋ] *n* állattenyésztés
stock-still *adv* (teljesen) mozdulatlanul
stock-taking *n* leltározás
stocky ['stɔkɪ; *US* -ɑ-] *a* zömök, köpcös
stock-yard *n* **1.** istállók, marhaállás, -korlát **2.** *US* vágóhídi/pályaudvari istállótelep
stodge [stɔdʒ; *US* -ɑ-] *biz* I. *n* nehéz/laktató étel II. *vt* beeszik, tömi magát
stodgy ['stɔdʒɪ; *US* -ɑ-] *a* **1.** nehéz, laktató, nehezen emészthető (*átv is*)*;* vaskos, nehézkes **2.** köpcös, zömök
stoic ['stoʊɪk] *a/n* sztoikus (ember)
stoical ['stoʊɪkl] *a* sztoikus

stoicism ['stoʊɪsɪzm] *n* higgadtság, sztoicizmus
stoke [stoʊk] *vt/vi* **1.** fűt, tüzel, [kazánban] **2.** □ ~ (*up*) tömi a fejét, zabál
stokehold *n* kazántér, tüzelőtér [hajón]
stoke-hole *n* **1.** tüzelőnyílás [kazáné] **2.** kazánház [hajón]
Stoke Poges [stoʊk'poʊdʒɪz] *prop*
stoker ['stoʊkə*] *n* (kazán)fűtő [mozdonyon, hajón]
stole[1] [stoʊl] *n* **1.** stóla **2.** boa
stole[2] →*steal*
stolen →*steal*
stolid ['stɔlɪd; *US* -ɑ-] *a* egykedvű, közönyös
stolidity [stɔ'lɪdətɪ; *US* -ɑ-] *n* egykedvűség, flegma, közöny
stolon ['stoʊlən] *n* inda
stomach ['stʌmək] I. *n* **1.** gyomor; *on a full* ~ tele gyomorra(l), étkezés után; *turn sy's* ~, *make sy's* ~ *rise* felkavarja vknek a gyomrát; *have no* ~ *for sg* nem fülik a foga vmhez **2.** *átv* étvágy **3.** étvágy **4.** kedv, hajlam, mersz II. *vt* **1.** (jó étvággyal) eszik, nyel **2.** *átv* „lenyel", „zsebre vág", megemészt; *I can't* ~ *it* nem veszi be a gyomrom
stomach-ache *n* gyomorfájás; hasfájás
stomachal ['stʌməkəl] *a* gyomor-
stomacher ['stʌməkə*] *n* † mellkendő
stomachic [stoʊ'mækɪk] *a* gyomor-; ~ *ulcer* gyomorfekély
stomach-pump *n* gyomormosó készülék
stone [stoʊn] I. *n* **1.** kő; *S*~ *Age* kőkorszak; *leave no* ~ *unturned* minden követ megmozgat; *turn to* ~ kővé mered; *throw/cast* ~*s at sy* (1) vkt kővel megdob(ál) (2) megvádol/megkritizál vkt; *within a* ~*'s throw* kőhajításnyira; *heart of* ~ kőszívű **2.** (kocka)kő; (drága)kő; (epe-, vese)kő; szem [jégesőé]; *operate for* ~ vesekő- v. epekőműtétet végez **3.** (gyümölcs)mag **4.** (*pl* ~) ⟨brit súlyegység = 14 *pounds* = 6,35 kg⟩ **5.** † *biz* here, tök golyóbis II. *vt* **1.** megkövez, kővel megdobál **2.** kikövez, kővel burkol **3.** kimagoz
stone-axe *n* **1.** kőbalta **2.** kőfejtő kalapács

stone-blind *a* teljesen vak
stone-break *n* kőrontófű, kőtörőke
stone-breaker *n* 1. kőfejtő, kőtörő [ember] 2. kőzúzó gép
stonechat ['stoʊntʃæt] *n* hantmadár
stone-circle *n* megalitkör
stone-coal *n* kőszén, antracit
stone-cold *a* jéghideg
stonecrop *n* varjúháj [növény]
stone-cutter *n* kőfaragó
stoned [stoʊnd] *a* kimagozott
stone-dead *a* halott
stone-deaf *a* földsüket
stone-dresser *n* kőfaragó
stone-fruit *n* csonthéjas gyümölcs, csontár
Stonehenge [stoʊn'hendʒ] *prop* ⟨a legnagyobb *stone-circle* Angliában a Salisbury síkon⟩
stone-mason *n* kőfaragó
stone-pit *n* kőbánya, kőfejtő
stonewalling *n* 1. időhúzó (v. „fal melletti") játék [sportmérkőzésen] 2. obstrukció(s politika)
stone-ware *n* kőedény
stonework *n* 1. kőfaragó munka, kőfaragás 2. kőfalazat
stonily ['stoʊnɪlɪ] *adv* érzéketlenül, hidegen
stoniness ['stoʊnɪnɪs] *n* érzéketlenség, hidegség
stony ['stoʊnɪ] *a* 1. köves, kövecses 2. *(átv is)* kőkemény; (jég)hideg 3. □ = *stony-broke*
stony-broke *a* □ teljesen tönkrement/ „leégett", egy vasa sincs
stony-hearted *a* kőszívű, szívtelen
stood → *stand II.*
stooge [stu:dʒ] □ **I.** *n* 1. színész partnere [rendszerint a nézőtéren] 2. stróman, cinkostárs; fullajtár 3. beépített ember, „tégla" **II.** *vi* ~ *about* ide-oda utazik/röpköd [repülőgépen]
stook [stʊk] **I.** *n* kepe, kereszt [kévékből] **II.** *vi* kepél, keresztekbe rak
stool [stu:l] **I.** *n* 1. (támlátlan) szék, zsámoly; *(kitchen)* ~ hokedli; *fall between two* ~*s* két szék közt a pad alá esik 2. *(close)* ~ szobaárszék; *go to* ~ székel, ürít 3. széklet 4. (fa)törzs [melyből új hajtás nő] 5. csalimadár

6. ablakpárkány **II.** *vi* 1. kihajt [növény gyökérről] 2. székel, ürít
stool-pigeon *n* 1. csalimadár 2. *US* □ [rendőrségi] besúgó, rendőrspicli
stoop¹ [stu:p] **I.** *n* (meg)görnyedés, lehajlás, előrehajlás, leereszkedés **II. A.** *vi* 1. meggörnyed, lehajol, előrehajol 2. (le)alacsonyodik *(to* vmre/vmeddig), 3. lecsap (zsákmányára) **B.** *vt* megdönt, előrebillent [hordót]
stoop² [stu:p] *n US* (lépcsős) tornác
stop [stɔp; *US* -ɑ-] **I.** *n* 1. megállás, leállás; szünet; (rövid) tartózkodás (vhol); megálló; *bring sg to a* ~ vmt megállít/leállít; *come to a (sudden)* ~ hirtelen megáll/leáll; *make a* ~ megáll; *put a* ~ *to sg* véget vet vmnek 2. megálló(hely) 3. akadály, gát 4. ütköző; zárópecek; ~ *valve* zárószelep 5. írásjel; *full* ~ pont [a mondat végén] 6. (orgona)regiszter; lyuk [fuvolán]; billentyű [klarinéton] 7. rekesz(nyílás) [fényképezőgépen] 8. zárhang **II.** *v* -**pp**- **A.** *vt* 1. megállít, leállít; elállít [vérzést]; ~ *a bullet* golyót kap (a testébe), meglövik 2. visszatart, feltartóztat; felfog [ütést]; ~ *sy('s) doing sg*, ~ *sy from doing sg* megakadályoz vkt vmnek a megtételében; *nothing will* ~ *him from going* semmi sem akadályozhatja meg, hogy el ne menjen 3. beszüntet, abbahagy (vmt), véget vet (vmnek); ~ *it!* hagyd abba!, elég volt!; ~ *a cheque* csekket letilt 4. bedug(aszol), betöm [lyukat, fogat] elzár, eláll [utat]; ~ *one's ears to sg* befogja a fület, hallani sem akar vmről; *get* ~*ped* eldugul; *road* ~*ped* út elzárva 5. központoz [írást] 6. lefog [húrt hangszeren]; nyílását befogja [fuvolának] **B.** *vi* 1. megáll; ~*! állj!*; ~*! and give way* állj! elsőbbségadás kötelező; *US* ~ *look and listen* vigyázz ha jön a vonat! 2. (vhol) tartózkodik, időzik, marad; *how long do we* ~ *here* meddig állunk (v. áll a vonat) itt?; ~ *at a hotel* szállodában száll meg 3. megszűnik, abbamarad; leáll; ~ *doing sg* abbahagy vmt; *will you never* ~ *talking?* sohase áll be a szád?; *it has* ~*ped raining* elállt az eső; *the matter*

did not ~ *there* evvel még nem volt vége a dolognak
stop by *vi* 1. mellette marad 2. *he* ~*ped by at my house* (útközben) benézett hozzám
stop down *vt/vi* lerekeszel, leblendéz [rekesznyílást]
stop in *vi* benn marad (a házban)
stop out *vi biz* kimarad [éjszakára]
stop over *vi* megszakítja az útját (rövid időre)
stop up A. *vt* betöm, eldugaszol; *get* ~*ped up* eldugul **B.** *vi* fennmarad [este]
stop-bath *n* fixálófürdő
stop-block *n* ütközőbak
stop-cock *n* elzárócsap
stopgap I. *a* hézagpótló, kisegítő, átmeneti **II.** *n* kisegítő megoldás
stop-lamp *n* féklámpa, stoplámpa
stop-light *n* 1. piros fényjelzés/lámpa 2. *= stop-lamp*
stop-line *n* stopvonal
stopover *n* útmegszakítás, rövid tartózkodás
stoppage ['stɔpɪdʒ; *US* -ɑ-] *n* 1. megállítás, meggátlás; elállítás [vérzésé]; leállítás; megszüntetés; ~ *of pay* fizetésletiltás 2. megállás, fennakadás; leállás [munkában]; szünet 3. (el-)dugulás [csőé]; székrekedés 4. tartózkodás vhol [útmegszakítással]
stopped [stɔpt; *US* -ɑ-] → *stop II.*
stopper ['stɔpə*; *US* -ɑ-] **I.** *n* 1. dugó, dugasz(oló); elzáró 2. kötélrögzítő [hajón] **II.** *vt* bedugaszol
stopping ['stɔpɪŋ; *US* -ɑ-] *n* 1. megállás, megszűnés 2. megállítás, beszüntetés 3. tömés, plomba [fogban] 4. akadály || → *stop II.*
stopping-distance *n* féktáv(olság)
stopping-place *n* megállóhely
stopple ['stɔpl; *US* -ɑ-] *n* 1. dugó 2. *US* füldugó
stop-press *n* ~ (*news*) lapzárta utáni hír(ek)
stop-watch *n* stopper(óra)
storable ['stɔ:rəbl] *a* raktározható
storage ['stɔ:rɪdʒ] *n* 1. (be)raktározás, elraktározás; tárolás; ~ *battery* akku(mulátor); ~ *tank* gyűjtőtartály, táro-

ló; ~ *unit* tárolóegység, memória(egyj ség) 2. raktár(helyiség) 3. tárolási dí
store [stɔ:*] **I.** *n* 1. készlet, tartalék; (áru)raktár; *lay in a* ~ *of sg* készletet gyűjt vmből; *keep sg in* ~ tartalékol vmt, készenlétben tart vmt; *have sg in* ~ *for sy* vmt [meglepetést stb.] tartogat vk számára; *what the future has in* ~ mit rejteget a jövendő; *set/lay* (*great*) ~ *by sg* nagy fontosságot tulajdonít vmnek, nagyra értékel/tart vmt 2. *US* bolt, üzlet 3. *GB department* ~, *the* ~*s* áruház **II.** *vt* 1. (jól) felszerel, készlettel ellát 2. tárol, elraktároz; ~ *sg up* felhalmoz vmt 3. beraktároz [bútort]
store-house *n* 1. raktár 2. *átv* tárház
storekeeper *n* 1. raktáros 2. *US* boltos, kereskedő
store-room *n* 1. raktár(helyiség) 2. éléskamra
storey ['stɔ:rɪ] *n* emelet; szint; *third* ~ *GB* harmadik emelet, *US* második emelet
-storeyed [-'stɔ:rɪd] -emeletes
storied[1] ['stɔ:rɪd] *a* 1. díszes; illuminált 2. történelmi/mesebeli jelenteket ábrázoló, legendás (hírű)
-storied[2] [-'stɔ:rɪd] *US* -emeletes
stork [stɔ:k] *n* gólya
stork's-bill *n* 1. gémorr 2. muskátli
storm [stɔ:m] **I.** *n* 1. vihar; (*rain*-)~ zivatar; ~ *of arrows* nyílzápor; ~ *of indignation* viharos felháborodás; ~ *and stress* viszontagságos/küzdelmes időszak/korszak; ~ *in a teacup* vihar egy pohár vízben, sok hűhó semmiért; *the* ~ *blew over* a vihar elvonult 2. roham, megrohanás; *take by* ~ rohammal vesz be, egy csapásra meghódít 3. lárma, zűrzavar **II. A.** *vi* viharzik, tombol, dühöng (*átv is*) **B.** *vt* megrohamoz, rohammal bevesz
storm-area *n* viharzóna
storm-beaten *a* viharvert
storm-bird *n* viharmadár
storm-bound *a* vihar által akadályozott; viharba keveredett
storm-centre *n* 1. vihar/ciklon magja/középpontja 2. *átv* viharsarok, tűzfészek

storm-cloud *n* viharfelhő
storm-cone *n GB* viharjelző kúp/készülék [tengerparton]
stormer ['stɔ:mə*] *n* rohamcsapat tagja
stormily ['stɔ:mɪlɪ] *adv* viharosan
storminess ['stɔ:mɪnɪs] *n* viharosság
storming ['stɔ:mɪŋ] *n* megrohamozás
storming-party *n* rohamosztag
storm-jib *n* vihar-orrvitorla
storm-lantern *n GB* viharlámpa
stormless ['stɔ:mlɪs] *a* viharmentes, zivatarmentes
storm-proof *a* 1. viharálló 2. bevehetetlen
storm-signal *n* viharjelzés
storm-tossed [-tɔst; *US* -a-] *a* viharban hányódó, viharvert
storm-troops *n pl* rohamcsapatok
storm-water *n* esővíz
storm-window *n* külső ablak(szárny)
stormy ['stɔ:mɪ] *a* (*átv is*) viharos
story¹ ['stɔ:rɪ] *n* 1. történet, elbeszélés; mese; *tell a ~* (1) történetet elmond (2) mesél; *it's the same old ~* (ugyanaz a) régi nóta; *the ~ goes that* úgy beszélik; *a very different ~* egészen más dolog; *to make a long ~ short* hogy szavamat rövidre fogjam 2. anekdota, vicc, (tréfás) történet 3. *biz* (újság-) cikk, tudósítás 4. „mese", füllentés; (ártatlan) hazugság; *tell stories* „mesél", füllent, lódít || →*short I. 1.*
story² ['stɔ:rɪ] *n US* = *storey*
story-book *n* meséskönyv
story-teller *n* 1. mesemondó, elbeszélő 2. füllentő, hazudozó
story-writer *n* 1. meseíró 2. novellista
stoup [stu:p] *n* 1. kancsó, kupa 2. szenteltvíztartó
Stour [*Suffolk:* stʊə*; *Hampshire:* 'staʊə*] *prop*
stout [staʊt] I. *a* 1. erős, izmos 2. bátor, szilárd; szívós; *~ resistance* makacs ellenállás 3. vaskos, kövér II. *n* erős barna sör
stout-hearted *a* bátor (szívű), elszánt
stoutish ['staʊtɪʃ] *a* kövérkés
stoutly ['staʊtlɪ] *adv* határozottan, erősen; szívósan; makacsul
stoutness ['staʊtnɪs] *n* 1. erősség 2. határozottság 3. kövérség

stove¹ [stoʊv] I. *n* 1. kályha; tűzhely; kemence 2. *GB* (fűtött) melegház II. *vt* 1. éget, szárít [mázas cserepet] 2. *GB* melegházban nevel [növényt]
stove² [stoʊv] →*stave II.*
stove-pipe *n* kályhacső; *US biz ~ hat* cilinder, kürtőkalap
stove-setter *n* kályhás
stow [stoʊ] A. *vt* elrak, berak, elhelyez, eltesz; megrak [rakománnyal]; *~ sg away* gondosan elrak/elrejt vmt; □ *~ it!* fogd be a szád !, kuss ! B. *vi* elrejtőzik [hajón, hogy potyán utazhasson]
stowage ['stoʊɪdʒ] *n* 1. berakás, (el-)rakodás 2. rakodótér 3. rakodási díj, raktárdíj
stowaway ['stoʊəweɪ] *n* potyautas [hajón elrejtőzve]
stower ['stoʊə*] *n* rakományelrendező [hajón]
strabismus [strə'bɪzməs] *n* kancsalság
Strachey ['streɪtʃɪ] *prop*
straddle ['strædl] I. *n* 1. szétterpesztett lábbal ülés/állás 2. kétkulacsosság, kétértelmű viselkedés 3. stellázsügylet, kettős díjügylet II. A. *vi* 1. szétveti/szétterpeszti lábát, terpeszállásba(n) áll, szétvetett lábbal ül/áll/megy 2. habozik, várakozó állásponton van B. *vt* 1. lovaglóülésben ül (vmn), megül (vmt) 2. belövi magát célpontra [ágyú] 3. várakozó álláspontot foglal el (vmben) 4. közrefog (vmt)
straddle-legged *a* terpeszállásban (levő)
strafe [stra:f; *US* -eɪ-] I. *n* ágyútűz, géppuskázás, bombázás II. *vt* 1. erős ágyútűz alá vesz, bombáz; repülőgépről géppuskáz 2. megszid, lehord
Strafford ['stræfəd] *prop*
straggle ['strægl] *vi* 1. (el)csatangol, (el)kóborol 2. összevissza nő [növény]
straggler ['stræglə*] *n* elmaradozó, elcsatangoló, elkóborló
straggling ['stræglɪŋ] *a* szétszórt, ritka, szétfutó, rendetlen
straight [streɪt] I. *a* 1. egyenes; *~ angle* egyenesszög (180°) 2. rendben levő; *put sg ~* rendbe hoz, megigazít 3a. *átv* egyenes, őszinte, becsületes; *~ look* nyílt tekintet 4. közvetlen, direkt; tiszta, világos [érvelés stb.]; *US ~*

ticket hivatalos pártprogram **5.** *US* tiszta, tömény [nem kevert/hígított]; ~ *whisky* sima whisky **6.** □ megbízható; ~ *tip* biztos tipp **7.** *US* □ szabott árú **II.** *adv* **1.** egyenesen, egyenes vonalban; közvetlenül; *keep* ~ *on!* csak menjen egyenesen előre/tovább !; *three weeks* ~ három héten át folyton; *biz I have it* ~ *now* már értem; *read a book* ~ *through* (egyfolytában) végigolvassa a könyvet; ~ *from the horse's mouth* biztos/megbízható forrásból **2.** őszintén, nyíltan, tisztán; *go* ~ tisztességes marad, tisztességesen él **3.** azonnal; ~ *away/off* azonnal, rögtön, azon nyomban **III.** *n* egyenes pályaszakasz; *act on the* ~ lojálisan jár el

straightaway *US* **I.** *a* **1.** egyenes irányú **2.** *átv* nyílt, közvetlen, egyenes **II.** *adv* azonnal, rögtön, nyomban **III.** *n* = *straight III.*

straight-cut *a* hosszában vágott [dohánylevél]

straight-edge *n* szintezővonalzó, felületsimaság-vizsgáló

straight-eight *n* nyolchengeres motor

straighten ['streɪtn] **A.** *vt* **1.** kiegyenesít; kiegyenlít **2.** ~ (*up*) egyenesbe/rendbe hoz, helyrehoz **B.** *vi* kiegyenesedik; *things will* ~ *out* a dolgok majd rendbe jönnek

straight-face *n* pléhpofa

straightforward **I.** *a* őszinte, nyílt, egyenes, becsületes **II.** *adv* egyenesen

straightforwardness [-'fɔ:wədnɪs] *n* egyenesség, nyíltság, őszinteség

straightness ['streɪtnɪs] *n* egyenesség, őszinteség, tisztaság

straight-out **I.** *a* *US* nyílt, őszinte; meg nem alkuvó **II.** *adv* egyenesen, nyíltan

straightway *adv* = *straightaway II.*

strain [streɪn] **I.** *n* **1.** feszültség, feszülés; (túl)feszítés; terhelés, igénybevétel **2.** megerőltetés, megterhelés; erőlködés; *mental* ~ szellemi túlerőltetés/agyonhajszoltság; *the* ~ *of modern life* a modern élet hajszája **3.** húzódás, rándulás **4.** hangulat, hangnem, hang **5.** ének, költemény **6.** származás; fajta **7.** (jellem)vonás, hajlam **II.** **A.** *vt* **1.** (meg)feszít, meghúz **2.** megrándít

[végtagot] **3.** megerőltet, túlterhel, túlfeszít; próbára tesz [türelmet] **4.** magához ölel/szorít **5.** kiforgat, eltorzít [értelmet] **6.** megszűr, átszűr [folyadékot]; ~ *off* kiszűr, leszűr (vmt vmből) **B.** *vi* **1.** erőlködik; (meg)feszül; ~ *at sg* vmt teljes erőből húz/ ránt; ~ *after* vmre törekszik; ~ *after effects* hatásra vadászik **2.** átszivárog, letisztul, átszűrődik **3.** eltorzul, deformálódik

strained [streɪnd] *a* **1.** feszült; megfeszített; erőltetett; ~ *relations* feszült viszony **2.** ~ *ankle* megrándult/meghúzódott boka

strainer ['streɪnə*] *n* szűrő; szita

straining ['streɪnɪŋ] *n* **1.** (meg)feszítés, (meg)erőltetés **2.** szűrés; ~ *bag* szűrő zacskó

strait [streɪt] **I.** *a* † **1.** keskeny, szoros, szűk **2.** szigorú, pontos **3.** fukar **II.** *n* **1.** (tenger)szoros; *the S~s* [korábban] Gibraltári-szoros, [újabban] Malakkai-szoros **2.** nehéz helyzet; *be in great* ~*s* szorult helyzetben van

straitened ['streɪtnd] *a in* ~ *circumstances* szűkös viszonyok között

strait-jacket *n* kényszerzubbony

strait-laced [-'leɪst] *a* prűd, szigorú erkölcsű, vaskalapos

strait-waistcoat *n* = *strait-jacket*

strake [streɪk] *n* hajópalánk, palánksor

strand[1] [strænd] **I.** *n* **1.** (kötél)pászma; szál, fonal **2.** alkotóelem, (jellem)vonás **II.** *vt* [kötelet] ver

strand[2] [strænd] **I.** *n* part **II.** **A.** *vt* partra/ zátonyra juttat/vet [hajót]; *be* ~*ed* (1) megfeneklett (2) vesztegel (vhol) **B.** *vi* **1.** megfeneklik, zátonyra fut **2.** kátyuba jut

stranded[1] ['strændɪd] *three-*~ *rope* három szálból sodrott kötél

stranded[2] ['strændɪd] *a* **1.** megfeneklett, zátonyra futott; hajótörött **2.** nehéz helyzetben hagyott, kátyuba jutott, lemaradt

strange [streɪndʒ] *a* **1.** különös, furcsa, szokatlan, meglepő; ~ *to say* bármily furcsa/különös is ..., furcsa módon **2.** idegen(szerű), ismeretlen; *it is* ~ *to me* nem ismerem

strangely ['streɪndʒlɪ] *adv* különösképpen, furcsán
strangeness ['streɪndʒnɪs] *n* furcsaság, idegenszerűség
stranger ['streɪndʒə*] *n* idegen, külföldi, ismeretlen ember; *be a ~ to sg* járatlan vmben, nem ismer vmt; *I am a ~ here* nem vagyok idevalósi; *you are quite a ~ ezer éve nem jártál nálunk/itt; US say, ~!* pardon uram egy pillanatra!
strangle ['stræŋgl] *vt* megfojt, fojtogat; elfojt, visszafojt
stranglehold *n have a ~ on sy* markában tart vkt
strangling ['stræŋglɪŋ] *n* megfojtás
strangulate ['stræŋgjʊleɪt; *US* -jə-] *vt*
1. elköt, leszorít [eret]; elzár [belet]
2. megfojt; elfojt
strangulated ['stræŋgjʊleɪtɪd; *US* -jə-] *a* kizáródott [sérv]
strangulation [stræŋgjʊ'leɪʃn; *US* -jə-] *n* 1. eltömés, elzárás, lekötés, összeszorítás 2. megfojtás 3. eltömődés
strap [stræp] I. *n* 1. szíj; heveder; vállszíj; váll-lap; ragtapaszcsík 2. pánt; kapocs; cipőhúzó fül; bilincs [csőnek] II. *vt* -pp- 1. szíjjal átköt, összeszíjaz 2. szíjjal elver 3. ragtapasszal beragaszt 4. (fenő)szíjon (ki-)fen
strap-brake *n* szalagfék
strap-hanger *n* álló(helyes) utas [buszon stb.]
strap-hinge *n* sarokpánt
strap-oil *n biz give sy a little ~* mogyorópálcával keneget vkt
strapping ['stræpɪŋ] I. *a* magas és izmos (termetű), jó alakú, deltás II. *n* 1. szíjjal megverés 2. szíjazat, (hajtó-) szíjak 3. sebkötés
strata → *stratum*
stratagem ['strætədʒəm] *n* hadicsel
strategic(al) [strə'tiː'dʒɪk(l)] *a* hadászati, stratégiai, hadi fontosságú
strategist ['strætɪdʒɪst] *n* stratéga, hadvezér
strategy ['strætɪdʒɪ] *n* hadászat, stratégia
Stratford-(up)on-Avon [strætfəd(ʌp)ɔn'eɪvn] *prop*
strath [stræθ] *n sk* széles folyóvölgy

strathspey [stræθ'speɪ] *n* ⟨élénk skót tánc⟩
strati → *stratus*
stratification [strætɪfɪ'keɪʃn] *n* réteg(e)ződés; rétegezés
stratify ['strætɪfaɪ] A. *vt* rétegez B. *vi* réteg(e)ződik
stratocumulus [strætoʊ-] *n* gomolyos rétegfelhő, sztratokumulusz
stratosphere ['strætəsfɪə*] *n* sztratoszféra
stratum ['strɑːtəm; *US* 'streɪ-] *n (pl strata* 'strɑːtə, *US* 'streɪtə) réteg
stratus ['streɪtəs] *n (pl strati* 'streɪtaɪ) rétegfelhő
straw [strɔː] *n* 1. szalma; *~ man, man of ~* (1) szalmabáb (2) stróman; *~ mat* gyékény- v. szalmafonat [lábtörlő]; *~ mattress* szalmazsák; *~ vote* próbaszavazás 2. szalmakalap 3. szalmaszál; *cling to a ~* szalmaszálba kapaszkodik; *~ in the wind* apró jel ami mutatja, hogy honnan fúj a szél (vagy hogy mire kell felkészülni); *not worth a ~* nem ér semmit; *I do not care a ~* fütyülök rá; *it's the last ~!* még csak ez hiányzott!
strawberry ['strɔː:b(ə)rɪ; *US* -berɪ] (földi)eper, szamóca; *wild ~* erdei szamóca; *~ mark* anyajegy; *~ tree* szamócafa
straw-board *n* durva kartonpapír
straw-bottomed *a* szalmafonatos ülésű
straw-coloured *a* szalmasárga
straw-cutter *n* szecskavágó
strawy ['strɔːɪ] *a* szalmás
straw-yard *n* szérűskert
stray [streɪ] I. *a* 1. elkóborolt, eltévedt, kóbor; *~ current* kóboráram 2. elszórt, szórványos 3. alkalmi, véletlen II. *n* 1. bitang jószág; elhagyott kóborló gyerek 2. *GB* koronára visszaszálló (örökös nélküli) vagyon 3. *strays pl* légköri zavarok, recsegés [rádióban] III. *vi* elkóborol, elbitangol, elkalandozik; letér a jó útról; eltéved
streak [striːk] I. *n* 1. csík, sáv; réteg; ér; *off like a ~ (of lightning)* mint a villám 2. nyoma vmnek, egy kevés vmből; *there is a yellow ~ in him* van benne valami hitványság/gyávaság

55

II. A. *vt* csíkoz, tarkáz B. *vi biz* ~
(*off*) elhúzza a csíkot, elrohan
streaked [stri:kt] *a* = *streaky*
streaky ['stri:kı] *a* csíkos, sávos; erezett
stream [stri:m] I. *n* 1. patak; folyam,
folyó 2. ár(adat), áram(lás), ömlés,
özön(lés); sugár [vízé stb.]; *go with the*
~ úszik az árral; *come on* ~ üzemelni/
termelni kezd; *against the* ~ ár ellen;
~ *of consciousness* tudatfolyam; *in one
continuous* ~ szakadatlan áradatban
3. irányzat 4. GB ⟨tanulók szintezett
csoportja⟩ II. A. *vi* 1. özönlik, folyik,
ömlik, áramlik; zuhog, szakad (az
eső); potyog [könny], hull, dől, patak-
zik [vér]; *be* ~*ing with perspiration*
folyik róla az izzadság 2. leng, lobog
B. *vt* 1. önt, zúdít 2. GB szintez
[tanulókat képesség/tudásszint sze-
rint]
     stream forth *vi* kibuggyan, kiömlik
     stream in *vi* beözönlik, beáramlik
     stream out *vi* kitódul, kiözönlik
streamer ['stri:mə*] *n* 1. (szalag)lobogó,
zászló(cska); árbocszalag 2. papír-
szalag, szerpentin(szalag) 3. *US* ~
(*headline*) szalagcím [újságban]
streaming ['stri:mıŋ] I. *a* folyó, patakzó,
áramló, ömlő, özönlő; *have a* ~ *cold*
erősen náthás, folyik az orra II. *n GB*
szintezés [tanulóké képesség/tudás-
szint szerint]
streamlet ['stri:mlıt] *n* patak, ér
streamline I. *n* 1. áramvonal 2. aka-
dálytalan/sima áramlás/folyás [vízé,
levegőé] II. *vt* 1. áramvónalaz 2. kor-
szerűsít, modernizál
streamlined *a* 1. áramvonalas 2. mo-
dern, a mai ízlésnek megfelelő
streamy ['stri:mı] *a* 1. folyókban gazdag
2. ömlő, patakzó
street [stri:t] *n* utca, út; ~ *accident*
közlekedési baleset; ~ *cries* utcai áru-
sok (árut kínáló) kiáltásai; ~ *level*
utcaszint; ~ *number* házszám; *turn
sy into the* ~ vkt az utcára lök; *not in
the same* ~ *with sy* nem lehet egy napon
említeni vkvel; *biz not up my* ~ kb.
nem az én asztalom; *live on easy* ~
könnyű életet él; *go on the* ~ prostitu-
cióból él, strichel; *he is* ~*s ahead of*

you messze fölötted áll, klasszisokkal
különb nálad
street-arab *n* utcagyerek
streetcar *n US* villamos(kocsi)
street-crossing *n* (kijelölt) gyalogátkelő-
hely
street-door *n* utcai kapu/ajtó
street-island *n* járdasziget
street-lighting *n* közvilágítás
street-refuge *n* járdasziget
street-sweeper *n* utcaseprő (gép)
street-walker *n* utcalány, utcai nő
streetward ['stri:twəd] I. *a* az utcára
néző, utcai [szoba] II. *adv* az utca felé
strength [streŋθ] *n* 1. erő, erősség;
ellenállóerő, tartósság, szilárdság; e-
rély, kitartás; ~ *of will* akaraterő;
by sheer/main ~ puszta erővel; *gather*
~ magához tér; *on the* ~ *of sg* vmnek
alapján 2. létszám; *in great* ~ nagy
létszámban; *fighting* ~ harci/harcoló
állomány 3. érvényesség
strengthen ['streŋθn] A. *vt* megerősít
B. *vi* megerősödik
strengthening ['streŋθənıŋ] I. *a* (meg-)
erősítő II. *n* (meg)erősítés
strenuous ['strenjʊəs] *a* 1. fáradhatat-
lan, buzgó, kitartó 2. fárasztó, ki-
merítő
strenuously ['strenjʊəslı] *adv* határo-
zottan, erélyesen, fáradhatatlanul
streptococcus [streptə'kɔkəs; *US* -'kɑ-]
n (*pl* -cocci -'kɔkaı, *US* -'kɑ-) strep-
tococcus
streptomycin [streptə'maısın] *n* sztrep-
tomicin
stress [stres] I. *n* 1. nyomás, feszültség,
erő, igénybevétel; ~ *bar* hosszanti
vas [vasbetonban]; *bending* ~ hajlító
igénybevétel, -feszültség 2. nyomaték,
hangsúly, fontosság; *lay* ~ *on sg* hang-
súlyoz vmt 3. erőfeszítés; nehézség,
megpróbáltatás; s(z)tressz; *be in* ~
szorult helyzetben van II. *vt* 1. hang-
súlyoz, kiemel; hangoztat 2. feszít,
szorít, nyom
stress-mark *n* hangsúlyjel(zés) [betűn]
stretch [stretʃ] I. *a* ~ *nylon* kreppnylon
(harisnya); ~ *pants/slacks* lasztex
nadrág; ~ *tights* kreppnylon harisnya-
nadrág II. *n* 1. kinyújtás, kiterjesztés,

(ki)feszítés, erőltetés; *by no* ~ *of the imagination* a legmerészebb képzelet sem (közelíti meg); *at full* ~ teljes erőbedobással 2. kiterjedés, tér, terjedelem, terület, sáv, szakasz, (idő-) tartam; *the home* ~ célegyenes; *at a* ~ egyhuzamban; *a great* ~ *of water* nagy víztükör; □ *he did a ten-year* ~ tíz évet ült (a börtönben) 3. feszülés, nyúlás; rugalmasság 4. nyújtózkodás II. A. *vt* 1. (ki)nyújt, (ki)feszít, (ki-) tágít, kiterít; kiegyenesít; ~ (*oneself*) nyújtózkodik; ~ *one's legs* (1) kinyújtja a lábát (2) sétálni megy (sok ülés után) 2. túlfeszít, (túl)erőltet, túloz, erőszakol; ~ *the law* csűri-csavarja (v. kiforgatja) a törvényt; ~ *a point* liberálisan/tágan értelmez [szabályt stb.]; ~ *the truth* (kissé) elferdíti az igazságot; ~*ed to the breaking point* pattanásig feszül 3. □ felakaszt (embert) 4. □ kiterít [vkt ravatalon], felravataloz B. *vi* (meg)feszül, (ki)nyúlik; nyújtózik, kiterjed, terpeszkedik **stretch out** A. *vt* 1. kinyújt; ~ *oneself o.* elnyúlik 2. leterít, kiüt vkt B. *vi* kinyúlik

stretcher ['stretʃə*] *n* 1. nyújtó, tágító, feszítő 2. hordágy 3. futósor [téglákból] 4. lábtámasz [csónakban]; rögzítő ék

stretcher-bearer *n* szanitéc, mentő

stretcher-party *n* mentőosztag

strew [stru:] *vt* (*pt* ~ed stru:d, *pp* ~ed v. ~n stru:n) 1. (be)hint, (be)szór (*with* vmvel) 2. terjeszt

stria ['straɪə] *n* (*pl* ~e 'straɪ:) rovátka, barázda, horony, csík

striated [straɪ'eɪtɪd; *US* 'straɪ-] *a* rovátkolt, barázdás, hornyolt

stricken ['strɪk(ə)n] *a* 1. megsebzett; vm által sújtott/meglepett; † ~ *in years* koros, öreg; ~ *field* véres csatatér 2. ~ *measure* színig telt (v. csapott) mérték ‖ →*strike II.*

strickle ['strɪkl] *n* csapófa, simítófa [űrmértékhez]; ácssablon

strict [strɪkt] *a* szigorú, pontos, szabatos; szoros, feszes; *be* ~ *with sy* szigorú vkvel szemben; *in the* ~ *sense of the word* a szó szoros értelmében

strictly ['strɪktlɪ] *adv* szigorúan, pontosan; ~ *prohibited* szigorúan tilos; ~ *speaking* az igazat megvallva, igazában, szigorúan véve

strictness ['strɪktnɪs] *n* szigorúság, pontosság

stricture ['strɪktʃə*] *n* 1. szigorú bírálat, gáncs, kifogás; *pass* ~*s on sg* kifogásol vmt 2. szűkület

stridden →*stride II.*

stride [straɪd] I. *n* (hosszú/nagy) lépés; terpesztávolság; *make great* ~*s* nagy haladást tesz; *take sg in one's* ~ különösebb megerőltetés nélkül teszi, természetesnek találja; *get into one's* ~ lendületbe jön II. *v* (*pt* **strode** stroʊd, *pp* **stridden** 'strɪdn) A. *vi* lépked, lépdel, nagyokat/hosszúkat lép B. *vt* 1. átlép (egy lépéssel) 2. megül, lovaglóülésben ráül

stridency ['straɪdnsɪ] *n* csikorgósság, recsegősség, élesség [hangé]

strident ['straɪdnt] *a* fülhasogató, metsző, csikorgó [hang]

stridulate ['strɪdjʊleɪt; *US* -dʒə-] *vi* cir(i)pel

stridulation [strɪdjʊ'leɪʃn; *US* -dʒə-] *n* cir(i)pelés

strife [straɪf] *n* küzdelem, harc, viszály, verseny

strike [straɪk] I. *n* 1. ütés, csapás 2. sztrájk, munkabeszüntetés; *be on* ~ sztrájkol; *call a* ~ sztrájkot hirdet; *go on* ~, *come out on* ~ sztrájkba lép 3. légi csapás 4. (telér)lelet II. *v* (*pt/pp* **struck** strʌk, *pp* † **stricken** 'strɪk(ə)n) A. *vt* 1. (meg)üt, csap, odavág (vknek); megver; ~ *sy dead* agyonüt vkt; *a sound struck my ear* egy hang ütötte meg a fülemet; ~ *a match* gyufát gyújt 2. nekiütődik (vmnek), megfeneklik (vhol); ~ *the bottom* feneket ér; ~ *rock* sziklára fut [hajó] 3. ver [pénzt] 4. leenged, bevon [zászlót, vitorlát]; ~ *one's flag* (1) zászlót bevonja (2) meghódol, beadja a derekát 5. ~ *camp/tents* tábort bont; felszedi a sátrakat 6. ráakad, rábukkan (vmre); ~ *it rich* „megüti a főnyereményt" 7. hirtelen vmlyen hatással van (vkre); *how did it* ~ *you?*

mi volt a benyomásod (róla)?; *how did she ~ you?* milyennek tűnt (ő) neked?; *what struck me was* ... nekem az tűnt fel, hogy ...; *the thought ~s me that* ... az a gondolatom támadt, hogy ... 8. vm ellen támad 9. vmre hirtelen szert tesz 10. ~ *a balance* számlát kiegyenlít, egyenleget megállapít 11. ~ *work* beszünteti a munkát, sztrájkba lép 12. □ elcsen, megcsap (vmt) B. *vi* 1. üt; *his hour has struck* ütött az órája 2. nekiütődik (vmnek) 3. sztrájkol 4. megadja magát
  strike against A. *vt* nekiüt, hozzácsap B. *vi* nekiütődik
  strike at *vi* 1. ráüt, rácsap (vkre, vmre), nekiütődik (-nek) 2. vmre céloz
  strike down *vt* lever, leüt, lesújt, lábáról ledönt
  strike for *vi* 1. vm felé indul 2. sztrájkol vmért
  strike in A. *vt* 1. közbevet [megjegyzést] 2. bever [szöget] B. *vi* 1. közbeszól 2. befelé húzódik [betegség] 3. ~ *in with sy/sg* csatlakozik vkhez, megegyezik/összeillik vmvel
  strike into A. *vt* beleüt, -döf, -szúr; ~ *a knife i. sy's heart* kést döf vknek a szívébe; ~ *terror i. sy* vkt megrémít, vkt rémülettel tölt el B. *vi* hirtelen vmbe kezd; rázendít
  strike off A. *vt* 1. leüt [fejet], lever 2. kihúz, (ki)töröl [nevet jegyzékből] 3. kinyomtat, lehúz [bizonyos példányszámban] B. *vi* letér vmely irányból/útról
  strike on A. *vi* 1. ráüt 2. rátalál, rábukkan B. *vt biz get struck on sy* belebolondul vkbe
  strike out A. *vt* 1. kitöröl, kihúz [nevet stb.] 2. kicsihol [szikrát] 3. kitalál, kieszel (vmt), rájön (vmre) B. *vi* 1. teljes erővel üt 2. hirtelen elindul (*for* vm irányba/felé) 3. *biz* ~ *o. on one's own* a maga lábán kezd járni, önállósítja magát
  strike through *vt/vi* 1. átüt, átszúr (vmt); áthatol (vmn) 2. áthúz, kitöröl [szót]
  strike up *vt/vi* 1. rázendít, intonál

2. (vmbe) kezd; (vmbe) elegyedik; ~ *up an acquaintance with sy* megismerkedik vkvel
  strike upon *vi* (rá)bukkan (vmre)
strikebound *a* sztrájk következtében nem működő/dolgozó, sztrájktól megbénított
strike-breaker *n* sztrájktörő
strike-measure *n* (le)csapott mérce/mérték
strike-pay *n* sztrájksegély [szakszervezet részéről]
striker ['straɪkə*] *n* 1. sztrájkoló 2. ütőszerkezet 3. szigonyozó 4. fogadó [teniszben] 5. támadójátékos, csatár [labdarúgásban] 6. *US* tisztiszolga
striking ['straɪkɪŋ] *a* 1. ütő; csapó; *within ~ distance* közvetlen közelben, kéztávolságban 2. meglepő, feltűnő
strikingly ['straɪkɪŋlɪ] *adv* meglepően, feltűnően
Strine [straɪn] *a/n biz* ausztráliai (angolság)
string [strɪŋ] I. *n* 1. zsineg, zsinór, madzag, spárga; cipőfűző; *biz have sy on a* ~ dróton rángat (v. pórázon vezet) vkt; *pull* ~s protekciót/összeköttetéseket vesz igénybe; *with no* ~s *attached* mindenféle kikötés/feltétel nélkül 2. húr [hangszeré, íjé]; *the* ~s vonósok; *touch the* ~s hárfázik, lanton játszik; *have two* ~s *to one's bow* kb. két vasat tart a tűzben 3. gyöngysor, sor; füzér; ~ *of onions* hagymakoszorú 4. rost, szál [növényé] II. *v* (*pt/pp* strung strʌŋ) A. *vt* 1. (zsineggel stb.) megköt 2. felfűz (zsinórral); ~ *out* sorban elhelyez; ~ *up* felköt (vmt, *biz* vkt) 3. (fel)húroz 4. felhangol (*átv is*); felajz, -izgat, -idegesít 5. megtisztít [zöldbabot] 8. *biz* becsap, rászed B. *vi* nyúlóssá/rostossá válik
string-bag *n* hálószatyor
string-bean *n* zöldbab
string-course *n* (egyszerű) szalagtag, övpárkány
stringed [strɪŋd] *a* ~ *instrument* vonós/húros hangszer
stringency ['strɪndʒ(ə)nsɪ] *n* 1. szigorúság; megszorítás; precízség 2. megszorultság, pénztelenség

stringent ['strɪndʒ(ə)nt] *a* 1. szigorú, szoros, kimért 2. pénzszűkében levő, megszorult

stringer ['strɪŋə*] *n* 1. (fel)húrozó 2. tartógerenda, hosszaljzat

stringiness ['strɪŋɪnɪs] *n* szálasság, inasság, rostosság; rágósság [húsé]

string-orchestra *n* vonószenekar

string-quartet *n* vonósnégyes

stringy ['strɪŋɪ] *a* 1. rostos, szálkás, szálas, inas; rágós 2. nyúlós

strip[1] [strɪp] *n* szalag, csík, sáv, hosszú darab, keskeny mező; ~ *(cartoon)* (tréfás) képregény [újságban]; ~ *floor* deszkapadló, hajópadló; ~ *iron* szalagvas; ~ *lighting* fénycsővilágítás

strip[2] [strɪp] I. *n* ~ *mine* külfejtésű bánya II. *v* -pp- A. *vt* 1. levetkőztet; leszerel [hajót]; ~ *sy naked* meztelenre vetkőztet vkt; ~*ped to the waist* derékig meztelenül; ~ *sy of sg* vkt vmtől megfoszt 2. lenyúz, lehúz, lehámoz, lehéjaz, megkopaszt; ~ *flax* lent tilol B. *vi* levetkőzik; ~ *to the skin* teljesen (meztelenre) levetkőzik

stripe [straɪp] I. *n* 1. csík, sáv, szalag, sujtás [zubbony ujján mint rangjelzés]; *lose one's* ~*s* lefokozzák; *get one's* ~*s* előlép [rangban katonaságnál] 2. † korbácsütés II. *vt* csíkoz

striped [straɪpt] *a* csíkos, sávos, tarka csíkos

stripling ['strɪplɪŋ] *n* suhanc, fiatal fickó

stripped [strɪpt] → *strip*[2]

striptease *n* sztriptíz, vetkőzőszám

strive [straɪv] *vi* (*pt* **strove** stroʊv, *pp* ~n 'strɪvn) 1. igyekszik, törekszik (*after*/*for sg* vmre) 2. küzd (*with*/*against* vm/vk ellen), verseng (*with* vkvel)

strobile ['stroʊbaɪl; *US* 'strab(ə)l] *n* fenyőtoboz

stroboscope ['stroʊbəskoʊp; *US* 'strab-] *n* stroboszkóp

strode → *stride II.*

stroke [stroʊk] I. *n* 1. ütés, csapás; lökés; *at a* ~ egy csapással, azonnal 2. (kar)tempó, karcsapás [úszásban]; szárnycsapás; evezőcsapás; (óra)ütés; érverés; *on the* ~ *of 5* pontosan 5 órakor; *set the* ~ irányítja az evezést 3. löket, ütem [dugattyúé motorban]

4. (ecset)vonás; *with a* ~ *of the pen* egy(etlen) tollvonással 5. simogatás, cirógatás 6. felvillanás [gondolaté], váratlan/kedvező helyzet; ~ *of genius* zseniális/fényes tett/ötlet; ~ *of luck* hirtelen nagy szerencse; *a* ~ *of business* kitűnő üzlet 7. roham [betegségé]; (szél)hűdés 8. vezérevezős II. *vt* 1. cirógat, simogat, simít; ~ *sy the wrong way* vkt bosszant; ~ *sy down* vkt lecsendesít, megnyugtat 2. mint vezérevezős evez

stroll [stroʊl] I. *n* séta, kószálás; *take a* ~, *go for a* ~ sétál egyet, sétálni megy II. *vi* sétál, kóborol, kószál, csavarog

stroller ['stroʊlə*] *n* 1. sétáló, kószáló 2. csavargó 3. *US* = *push-chair*

strolling ['stroʊlɪŋ] I. *a* sétáló, kóborló, kószáló, csavargó; ~ *player* vándorszínész II. *n* sétálás, kóborlás, kószálás, csavargás

strong [strɔŋ; *US* -ɔ:-] *a* 1. erős, izmos, hatalmas; szilárd, kemény; ~ *current* nagyfeszültségű áram; ~ *drink* erős/nehéz szeszes ital; ~ *features* markáns vonások; *prices are* ~ az árak emelkedőben vannak; *sy's* ~ *point* vknek erős/jó oldala; ~ *in Greek* görögben igen jó, görögül jól tud 2. heves, gyors, élénk; energikus, határozott, erélyes; ~ *measures* erélyes/drasztikus intézkedések; *with a* ~ *hand* erélyesen; *biz going* ~? megy a dolog?, halad?; *biz going* ~ egészséges, jó egészségben van, csupa életerő; *things are going* ~ minden nagyszerűen megy *biz that is coming it rather* ~ ez kicsit sok a jóból, ezt kissé erősnek érzem 3. ~ *butter* avas vaj; ~ *cheese* erős/csípős sajt; ~ *smell* erős/kellemetlen szag 4. *200 persons* ~ 200 főnyi (v. főből álló)

strong-arm *a* erőszakot (is) igénybe vevő [eljárás], erőszakos

strong-box *n* páncélszekrény

stronghold *n* erőd(ítmény), erősség

strongly ['strɔŋlɪ; *US* -ɔ:-] *adv* erősen, nyomatékosan

strong-minded *a* 1. erélyes, határozott 2. férfias

strong-point *n* erőd(ítmény)

strong-room *n* páncélszoba, -terem

strong-willed *a* erős akaratú, határozott
strontium ['strɔntɪəm; *US* 'strɑnʃɪəm] *n*
stroncium
strop [strɔp; *US* -a-] I. *n* borotvaszíj,
fenőszíj II. *vt* -pp- fen, élesít [borot-
vát szíjon]
strophe ['stroʊfɪ] *n* strófa, versszak
strophic ['strɔfɪk; *US* -a-] *a* strófás,
versszakokból álló
strove → *strive*
struck [strʌk] *a* ~ *measure* csapott mér-
ték ‖ → *strike II.*
structural ['strʌktʃ(ə)rəl] *a* 1. szerkezeti,
strukturális; szerkesztési; ~ *engineer*
tervezőmérnök, szerkesztő (mérnök),
statikus; ~ *erection* műtárgyépítés,
útépítés; ~ *iron* épületvas, idomvas
2. strukturális, strukturalista
structuralism ['strʌktʃ(ə)rəlɪzm] *n* struk-
turalizmus
structurally ['strʌktʃ(ə)rəlɪ] *adv* szer-
kezetileg; strukturálisan
structure ['strʌktʃə*] I. *n* 1. szerkezet,
struktúra; szervezet, felépítés; *social* ~
társadalmi szervezet/rendszer, a tár-
sadalom felépítése 2. épület, épít-
mény; műtárgy 3. építés; szerkesztés
II. *vt* szerkeszt, rendez
struggle ['strʌgl] I. *n* küzdelem, harc;
igyekezet; ~ *for life* a létért folyó küz-
delem, létharc II. *vi* küzd, harcol
(*against/with* vkvel; *for* vmért), eről-
ködik, igyekszik, erejét megfeszíti; *he* ~*d to his feet* nagy nehezen lábra
állt
struggler ['strʌglə*] *n* küzdő, erőlködő
struggling ['strʌglɪŋ] I. *a* küzdő, küszkö-
dő II. *n* küzdés, erőlködés
strum [strʌm] *vi/vt* -mm- kalimpál [zon-
gorán], pötyögtet [zongorát], pöcög-
tet [gitárt stb.], cincog [hegedűn]
struma ['stru:mə] *n* (*pl* ~e -mi:) strúma
strumous ['stru:məs] *a* strúmás
strumpet ['strʌmpɪt] *n* † szajha
strung [strʌŋ] *a* (ki)feszített, feszült;
highly ~ ideges, túlfeszített, (túl)ér-
zékeny (idegrendszerű) ‖ → *string II.*
strut[1] [strʌt] I. *n* kevély járás, feszítés
II. *vi* -tt- büszkén/peckesen lépdel, feszít
strut[2] [strʌt] I. *n* támasztógerenda,
gyámfa II. *vt* -tt- alátámaszt, merevít

strychnine ['strɪkni:n; *US* -ɪn] *n* sztrich-
nin
Stuart [stjʊət] *prop*
stub [stʌb] I. *n* 1. fatönk, törzs, tuskó
2. tompa vég(e vmnek), csonk; mara-
dék; (cigaretta)csikk, ceruzavég; ~
axle féltengely; ~ *nail* eltört/rövid/
vastag szeg; ~ *pen* széles végű írótoll;
~ *pinion* tömpe fogazás 3. *US* (ellen-
őrző)szelvény [csekkfüzeté] II. *vt*
-bb- 1. kigyomlál, (fagyökereket) kiás
2. ~ *one's toe against sg* lába ujját
beleüti vmbe 3. elnyom [cigarettát,
szivart]
stubble ['stʌbl] *n* 1. tarló 2. *biz* borostás
áll, háromnapos szakáll
stubble-field *n* tarló
stubbly ['stʌblɪ] *a* 1. letarolt 2. *biz*
borostás [áll], szúrós [szakáll]
stubborn ['stʌbən] *a* makacs, konok,
akaratos, önfejű; *the* ~ *facts* a rideg
valóság; ~ *soil* rossz talaj
stubbornness ['stʌbənnɪs] *n* makacsság,
konokság, akaratosság
stubby ['stʌbɪ] *a* tömpe, zömök, köpcös
stucco ['stʌkoʊ] *n* stukkó, díszvakolat;
műmárvány
stuccoed ['stʌkoʊd] *a* stukkóval díszített
stuck [stʌk] *a* megragadt, megakadt
2. leszúrt [disznó]; *like a* ~ *pig* mint a
disznó, mikor ölik ‖ → *stick II.*
stuck-up *a* elbizakodott, beképzelt, fel-
fuvalkodott, nagyképű
stud[1] [stʌd] I. *n* 1. inggomb, kézelő-
gomb; díszgomb; szegecs 2. (fa)oszlop
[kerítésnek stb.] 3. *US* szobamagas-
ság 4. pecek, csap II. *vt* -dd- díszít,
nagy (dísz)szegekkel kiver, veretez
stud[2] [stʌd] *n* (tenyész)ménes, méntelep;
versenyistálló (lovai)
stud-book *n* ménestörzskönyv
studdingsail ['stʌdɪŋseɪl; *hajósok nyel-
vén:* 'stʌnsl] *n* szárnyvitorla
student ['stju:dnt; *US* 'stu:-] *n* 1. (egye-
temi/főiskolai) hallgató, főiskolás, e-
gyetemista; *US* diák; *fellow* ~ diák-,
tanulótárs; *law* ~ joghallgató, jogász;
medical ~ orvostanhallgató 2. tudós,
vmt tanulmányozó 3. *GB* ösztöndíjas
studentship ['stju:dnt-ʃɪp; *US* ['stu:-] *n*
1. diákság 2. *GB* ösztöndíj

stud-farm *n* méntelep

stud-horse *n* apamén, tenyészmén

studied ['stʌdɪd] *a* 1. kiszámított, szándékolt, keresett, mesterkélt 2. (sokat) tanult, tudós, olvasott ‖ →*study II.*

studio ['stju:drou; *US* 'stu:-] *n* 1. műterem; ~ *apartment/flat* műteremlakás; ~ *couch* rekamié 2. stúdió

studious ['stju:djəs; *US* 'stu:-] *a* 1. szorgalmas(an tanuló), tanulmányokat folytató; igyekvő 2. megfontolt; kiszámított

studiously ['stju:djəslɪ; *US* 'stu:-] *adv* 1. szorgalmasan 2. hangsúlyozottan

study ['stʌdɪ] I. *n* 1. tanulmány(ok), stúdium, tanulás; tanulmányozás; *make a* ~ *of sg* tanulmányoz vmt 2. tudományág 3. tanulmány [értekezés] 4. [zenében] etűd 5. dolgozószoba; tanulóterem II. *vt/vi (pt/pp studied* 'stʌdɪd) 1. tanul (vmt, vhol), tanulmányokat folytat; betanul [pl. szerepet]; ~ *for an examination* vizsgára készül 2. tanulmányoz, vizsgál (vmt)

stuff [stʌf] I. *n* 1. anyag; nyersanyag; *you'll see what* ~ *he is made of* majd meglátod milyen fából faragták; *that's the* ~! ez az!, helyes! 2. (gyapjú-) szövet, ruhaanyag 3. *(átv is)* dolog 4. vacak; ~ *and nonsense!* szamárság!, buta beszéd! 5. *biz do one's* ~ megteszi a magáét, megmutatja mit tud II. A. *vt* 1. (meg)töm, zsúfol, teletölt *(with* vmvel); ~ *oneself* két pofára zabál, fal; □ ~ *sy (up) with sg* bemesél vmt vknek, (meg)etet vkt vmvel 2. zabáltat 3. kipárnáz, kárpitoz B. *vi* zabál, (mohón) fal

stuffed [stʌft] *a* 1. megtömött, kitömött; *biz* ~ *shirt* nagyképű alak 2. töltött [hústétel]

stuffiness ['stʌfɪnɪs] *n* fülledtség, dohosság

stuffing ['stʌfɪŋ] *n* tömés; töltelék; (ki-) párnázás; *take/knock the* ~ *out of sy* vkt leszállít a magas lóról

stuffy ['stʌfɪ] *a* 1. dohos, fülledt, áporodott 2. begyöpösödött fejű 3. *GB biz* mérges, zabos

stultify ['stʌltɪfaɪ] *vt* 1. bolonddá/nevetségessé tesz 2. érvénytelenné/érték-

telenné tesz [kijelentést, intézkedést], hatálytalanít; hatástalanít; ~ *oneself* önmagának ellentmond

stum [stʌm] *n* must, murci

stumble ['stʌmbl] I. *n* botlás II. *vi* 1. megbotlik *(over* vmn), botladozik 2. botorkál *(along* vmerre) 3. véletlenül rábukkan *(across/upon* vmre)

stumbling ['stʌmblɪŋ] I. *a* (meg)botló, botladozó, botorkáló II. *n* (meg)botlás, botladozás, botorkálás

stumbling-block *n* 1. akadály, gát 2. botránykő

stumer ['stju:mə*; *US* 'stu:-] *n GB* □ 1. hamis pénz/csekk 2. értéktelen dolog

stump [stʌmp] I. *n* 1. (fa)tönk, tuskó; csonk [cigarettáé, fogé, ceruzáé stb.]; csikk; törzs; *biz stir one's* ~ szedi a lábát, siet 2. stumps *pl* célkapu lécei [krikettben] 3. *biz* „hordó" [mint szónoki emelvény]; ~ *orator* hordószónok, demagóg II. A. *vi* 1. nehézkesen lépked/jár 2. *US* korteskörutat tesz, kortesbeszédet tart B. *vt* 1. (farönköket) kiszed [földből]; megcsonkít; (le)csonkol, lenyes 2. *biz* zavarba ejt; nehezet kérdez vktől 3. játékból kiüt 4. eldörzsöl [szénrajzot] 5. □ ~ *up* (ki)fizet, „leszúr" [összeget]

stumper ['stʌmpə*] *n* 1. nehéz/buktató kérdés 2. csonkító, (le)nyeső

stumpy ['stʌmpɪ] *a* 1. zömök, tömzsi; ~ *umbrella* kis női ernyő 2. csonka, levágott

stun [stʌn] *vt* -nn- elkábít, elbódít, megszédít; megdöbbent

stung [stʌŋ] →*sting II.*

stunk [stʌŋk] →*stink II.*

stunner ['stʌnə*] *n biz* nagyszerű/klassz dolog/nő

stunning ['stʌnɪŋ] *a* 1. elkábító [ütés] 2. *biz* meglepő, pompás, klassz

stunt[1] [stʌnt] *vt* elsatnyít, növést akadályoz, csenevésszé tesz

stunt[2] [stʌnt] I. *n biz* meglepő mutatvány, attrakció, „kunszt"; ~ *flying* műrepülés; *perform* ~*s* (1) meglepő/ nyaktörő dolgokkal produkálja magát (2) műrepülést végez; ~ *man* kaszkadőr II. *vi* műrepülést végez stunted ['stʌntɪd] a elsatnyult, satnya, fejlődésben visszamaradt, törpe

stupe [stju:p; US stu:p] n melegvizes borogatás

stupefaction [stju:pɪ'fækʃn; US stu:-] n 1. elképedés 2. elkábulás; kábultság

stupefy ['stju:pɪfaɪ; US 'stu:-] vt 1. elkábít 2. biz elképeszt, megdermeszt [meglepetéstől]

stupendous [stju:'pendəs; US stu:-] a óriási, elképesztő(en nagy méretű), fantasztikus (arányú)

stupid ['stju:pɪd; US 'stu:-] a 1. ostoba; buta, hülye; don't be ~! legyen eszed! 2. kábult

stupidity [stju:'pɪdətɪ; US stu:-] n butaság, hülyeség

stupor ['stju:pə*; US 'stu:-] n kábulat, bódulat, érzéketlenség

sturdily ['stə:dɪlɪ] adv erősen, határozottan, szilárdan

sturdiness ['stə:dɪnɪs] n erő, határozottság, szilárdság

sturdy ['stə:dɪ] a 1. (élet)erős, izmos, robusztus 2. határozott, szilárd; tartós

sturgeon ['stə:dʒ(ə)n] n tok [hal]

stutter ['stʌtə*] I. n dadogás, hebegés II. vi/vt dadog, hebeg

stutterer ['stʌtərə*] n dadogó, hebegő

stuttering ['stʌtərɪŋ] n dadogás, hebegés

sty¹ [staɪ] n (pl sties staɪz) disznóól, hidas

sty² [staɪ] n (pl sties staɪz) = stye

stye [staɪ] n (pl styes staɪz) árpa (a szemen)

Stygian ['stɪdʒɪən] a 1. styxi 2. átv biz sötét, homályos

style¹ [staɪl] I. n 1. stílus, írásmód; he has ~ jól ír, jó stílusa van; in the ~ of... ... modorában 2. mód; ízlés; divat; elegancia, sikk, (előkelő) modor; ~ of living életmód, -vitel; she has ~ sikkes nő; in ~ (1) stílusosan (2) finoman, előkelően; live in (great) ~ nagy lábon él; in good ~ ahogy illik, finoman, jó ízléssel; that ~ of thing ilyesféle dolog; that's the ~! pompás!, így jó!, ez már teszi! 3. fajta, típus, jelleg; modell [autóé stb.] 4. karcolótű, „stílus" [ókori írószerszám] 5. (cég-)

név, cégszöveg; megszólítás [mint cím] 6. bibeszál 7. New S~ Gergelynaptár; Old S~ Julián-naptár II. vt (vkt vmnek) címez, nevez

style² [staɪl] n = stile

stylet ['staɪlɪt] n 1. (vékony pengéjű) tőr 2. sebtisztító pálca; szonda

stylish ['staɪlɪʃ] a elegáns, divatos, ízléses, sikkes

stylishly ['staɪlɪʃlɪ] adv elegánsan, divatosan, ízlésesen, sikkesen

stylishness ['staɪlɪʃnɪs] n elegancia, divatosság, ízlésesség

stylist ['staɪlɪst] n íróművész, stiliszta

stylistic [staɪ'lɪstɪk] a fogalmazási, szövegezési, stilisztikai, stiláris, stílus-

stylistically [staɪ'lɪstɪklɪ] adv stilisztikailag, stilárisan

stylistics [staɪ'lɪstɪks] n stilisztika

stylize ['staɪlaɪz] vt stilizál

stylus ['staɪləs] n (pl ~es sɪz v. styli 'staɪlaɪ) 1. gramofontű, tű; vágótű [hanglemezgyártásban] 2. † = style¹ I. 4.

stymie ['staɪmɪ] A. vt megakaszt, megakadályoz B. vi megfeneklik, elakad

styptic ['stɪptɪk] a vérzéselállító, -csillapító; ~ pencil (vérzéselállító) timsórudacska

suable ['sju:əbl; US 'su:-] a perelhető

suasion ['sweɪʒn] n rábeszélés, meggyőzés

suave [swɑ:v] a nyájas, kellemes, lágy, csiszolt, barátságos

suavity ['swɑ:vətɪ] n nyájasság, szeretetreméltóság, behízelgő modor

sub [sʌb] biz I. n 1. = submarine 2. (= subaltern) GB főhadnagy 3. előleg [fizetésre] 4. (= substitute) helyettes; csere(játékos) II. vt/vi -bb- 1. lemerül, alábukik [tengeralattjáró] 2. előleget kap/ad 3. ~ for sy helyettesít vkt

sub- [sʌb; hangsúlytalanul: səb-] pref ⟨mint igekötő és előképző vmnél kisebb, vm alatti, vmhez közeli értelmet ad az utána következő szónak⟩

subacid [sʌb'æsɪd] a 1. savanykás; kesernyés 2. csípős [hang]

sub-agency [sʌb'eɪdʒ(ə)nsɪ] n fiókügynökség

sub-agent [sʌb'eɪdʒ(ə)nt] n alügynök, almegbízott

subalpine [sʌb'ælpaɪn] a szubalpin, havasalji

subaltern ['sʌblt(ə)n; US sə'bɔːltərn] n/a 1. ⟨százados alatti rangban levő tiszt⟩ GB főhadnagy, hadnagy 2. alárendelt

subaqueous [sʌb'eɪkwɪəs] a víz alatti

subarctic [sʌb'ɑːktɪk] a az északi sarkvidék és a mérsékelt égöv közötti, szubarktikus

subbed [sʌbd] →sub II.

subclass ['sʌbklɑːs; US -æs] n alosztály

subcommittee ['sʌbkəmɪtɪ] n albizottság

subconscious [sʌb'kɔnʃəs; US -'kɑn-] I. a tudat alatti II. n a tudatalatti

subconsciously [sʌb'kɔnʃəslɪ; US -'kɑn-] adv tudat alatt

subcontinent [sʌb'kɔntɪnənt; US -'kɑn-] n nagy kontinensrész, szubkontinens

subcontract I. n [sʌb'kɔntrækt; US -'kɑn-] alvállalkozási szerződés II. vt [sʌbkən'trækt] alvállalkozásba ad/vesz

subcontractor [sʌbkən'træktə*] n alvállalkozó

subcutaneous [sʌbkju:'teɪnjəs] a bőr alá adott, szubkután

subdeacon [sʌb'diːkən] n alesperes

subdeb ['sʌbdeb] n US biz kb. bakfis; ⟨társasági életbe még be nem vezetett fiatal lány⟩

subdivide [sʌbdɪ'vaɪd] A. vt alosztályokra (fel)oszt, tovább feloszt B. vi alosztályokra (fel)oszlik

subdivision ['sʌbdɪvɪʒn; US -'vɪ-] n 1. alosztály 2. (alosztályokra) felosztás; parcellázás

subdue [səb'djuː; US -'duː] vt leigáz, legyőz; megfékez; elfojt, mérsékel, csökkent, letompít, enyhít

subdued [səb'djuːd; US -'duːd] a 1. legyőzött 2. csökkentett; letompított; halk, szelíd

sub-edit [sʌb'edɪt] vt előszerkeszt

sub-editor [sʌb'edɪtə*] n segédszerkesztő; szerkesztőségi főmunkatárs

sub-equatorial [sʌbi:kwə'tɔːrɪəl] a egyenlítő közelében levő

subfamily ['sʌbfæmɪlɪ] n alcsalád

subfebrile [sʌb'fiːbraɪl] a hőemelkedéses, kissé lázas

subfebrility [sʌbfɪ'brɪlətɪ] n hőemelkedés, kis láz

subfusc ['sʌbfʌsk] a komor, sötét(barnás)

subgenus ['sʌbdʒiːnəs] n (pl subgenera -dʒenərə) alnem

subgrade ['sʌbgreɪd] n al(ap)talaj; útágyazat

subheading ['sʌbhedɪŋ] n alcím

sub-human [sʌb'hjuːmən] a az emberi színvonalat el nem érő, félállati

subjacent [sʌb'dʒeɪs(ə)nt] a közvetlenül alatta fekvő

subject I. a ['sʌbdʒɪkt] alárendelt, alávetett; be ~ to sg (1) vm alá esik/tartozik, vm alá van vetve, ki van téve vmnek (2) hajlamos vmre (3) köteles vmre; ~ to dues/fees díjköteles; ~ to duty vámköteles; ~ to your approval hozzájárulásától függően II. n ['sʌbdʒɪkt] 1. állampolgár, alattvaló 2. alany [mondaté] 3. tárgy, téma [beszélgetésé, elbeszélésé stb.]; change the ~ más tárgyra tér [beszélgetésben]; return to one's ~ visszatér a tárgyra; ~ catalogue/index szakkatalógus; ~ picture életkép 4. tantárgy 5. dolog, anyag III. vt [səb'dʒekt] 1. legyőz, leigáz 2. alávet, kitesz (to vmnek)

subject-heading n tárgyszó, vezérszó

subjection [səb'dʒekʃn] n 1. alávetés; leigázás; elnyomás 2. alávetettség, hódoltság, leigázottság

subjective [səb'dʒektɪv] I. a alanyi; egyéni, szubjektív; ~ case alanyeset II. n alany

subjectivism [səb'dʒektɪvɪzm] n szubjektivizmus

subject-matter n tárgy, téma, tartalom [írásműé, előadásé]

subjoin [sʌb'dʒɔɪn] vt mellékel, hozzátesz, hozzáfűz, (hozzá)csatol

subjugate ['sʌbdʒʊɡeɪt; US -dʒə-] vt alávet, legyőz, leigáz, meghódoltat

subjugation [sʌbdʒʊ'ɡeɪʃn; US -dʒə-] n leigázás

subjunctive [səb'dʒʌŋktɪv] n kötőmód, konjuktívusz

sub-lease I. n ['sʌbliːs] al(haszon)bérlet II. vt [sʌb'liːs] = sublet

sub-lessee [sʌble'siː] n al(haszon)bérlő

sublet [sʌb'let] I. n al(haszon)bérlet II. vt al(haszon)bérletbe ad
sub-lieutenant n 1. [sʌblef'tenənt; US -lu:-] GB hadnagy; US alhadnagy 2. [sʌble'tenənt] GB kb. tengerészzászlós
sublimate I. n ['sʌblɪmət] szublimát II. vt ['sʌblɪmeɪt] 1. szublimál 2. nemesít, megtisztít, kifinomít
sublimation [sʌblɪ'meɪʃn] n 1. szublimálás 2. nemesítés
sublime [sə'blaɪm] I. a fenséges, fennkölt, magasztos II. n the ~ a fenséges
subliminal [sʌb'lɪmɪnl] a tudatküszöb alatti
sublimity [sə'blɪmətɪ] n fenség(esség)
submachine-gun [sʌbmə'ʃi:ngʌn] n géppisztoly
sub-manager [sʌb'mænɪdʒə*] n aligazgató; igazgatóhelyettes
submarine [sʌbmə'ri:n] I. a tenger alatti II. n [US 'sʌb-] tengeralattjáró
submerge [səb'mə:dʒ] A. vt elmerít, lesüllyeszt, lebuktat, eláraszt, lenyom (a víz alá) B. vi elmerül, elsüllyed, lemerül
submerged [səb'mə:dʒd] a 1. lemerült; elárasztott; ~ speed víz alatti sebesség 2. the ~ (tenth) a társadalom legnagyobb nyomorban élő rétege, a nyomorgók
submergence [səb'mə:dʒ(ə)ns] n alámerülés, elmerülés
submersible [səb'mə:səbl] a elárasztható; víz alá süllyeszthető
submersion [səb'mə:ʃn] n = submergence
submission [səb'mɪʃn] n meghódolás, behódolás, engedelmeskedés, engedelmesség, alázatosság; alávetés
submissive [səb'mɪsɪv] a engedelmes, alázatos, engedékeny
submissiveness [səb'mɪsɪvnɪs] n engedelmesség; in all ~ alázatosan, mély tisztelettel
submit [səb'mɪt] v -tt- A. vt 1. alávet; ~ oneself to sg aláveti magát vmnek 2. előterjeszt, javasol, állít, kijelent; I ~ that ... úgy vélem, hogy ..., véleményem szerint ... 3. bemutat; benyújt [dolgozatot stb.] 4. vállalatba ad B. vi meghódol, enged(elmeskedik)

submultiple [sʌb'mʌltɪpl] n (maradék nélkül) osztó
subnormal [sʌb'nɔ:ml] a a normálisnál v. az átlagosnál csekélyebb/alacsonyabb
sub-office ['sʌbɔfɪs; US -ɔ:-] n fiók(üzlet), fiókiroda, -intézet; kirendeltség
suborder [sʌb'ɔ:də*] n alosztály
subordinate I. a [sə'bɔ:d(ə)nət] alsóbbrendű; alárendelt; alantas; ~ clause alárendelt mellékmondat II. n [sə'bɔ:d(ə)nət] alárendelt, beosztott III. vt [sə'bɔ:dɪneɪt] alárendel (to vmnek)
subordination [səbɔ:dɪ'neɪʃn] n 1. alárendelés 2. alárendeltség, függés; engedelmesség; fegyelem
suborn [sʌ'bɔ:n] vt felbujt; hamis tanúvallomásra bír; megveszteget
subornation [sʌbɔ:'neɪʃn] n felbujtás; hamis tanúvallomásra bírás; megvesztegetés
suborner [sʌ'bɔ:nə*] n felbujtó; (meg-)vesztegető
sub-plot ['sʌbplɔt; US -ɑt] n mellékcselekmény
subpoena [səb'pi:nə] I. n idézés (bírság terhe alatt) II. vt (pt/pp ~ed -'pi:nəd) (bírság terhe alatt) megidéz [tanút]
subscribe [səb'skraɪb] vt/vi 1. aláír; I do not ~ to it nem azonosítom magam vele, ezt nem írom alá 2. ~ to előfizet [újságra], jegyez [összeget], adakozik [vmlyen célra]
sbuscriber [səb'skraɪbə*] n 1. aláíró 2. előfizető; (vmlyen célra) adakozó 3. részvényjegyző
subscript ['sʌbskrɪpt] n [alsó] index
subscription [səb'skrɪpʃn] n 1. aláírás 2. előfizetés; take out a ~ to a paper előfizet egy újságra 3. hozzájárulás, vm elv elfogadása 4. jegyzés [összege]; adakozás; ~ concert kb. bérleti hangverseny; ~ list gyűjtőív; get up a ~ (1) gyűjtőívet bocsát ki (2) költséget közösen visel; by public ~ közadakozásból
subsequent ['sʌbsɪkwənt] a (rá)következő, azutáni, későbbi, újabb; ~ events az ezt követő események; ~ to sg vm után; ~ upon sg vm következményeképpen
subsequently ['sʌbsɪkwəntlɪ] adv azután

később, azt követően; következésképpen
subserve [səb'sə:v] *vt* elősegít, támogat
subservience [səb'sə:vjəns] *n* 1. hasznosság, célszerűség 2. szolgai engedelmesség
subservient [səb'sə:vjənt] *a* 1. szolgai (an alázatos), engedelmes 2. hasznos, használható, célszerű
subside [səb'saɪd] *vi* 1. leszáll, leülepedik; süllyed, süppeᴅ; ɪeapaᴅ [víz]; *biz* ~ *into a chair* karosszékbe roskad 2. lecsillapul, elül, alábbhagy [szél stb.]; ~ *into silence* elhallgat, elnémul
subsidence [səb'saɪdns] *n* 1. (le)ülepedés, lerakódás 2. (le)süppedés, megereszkedés 3. leɪohadás [daganaté]; lecsendesedés, csökkenés
subsidiary [səb'sɪdjərɪ; *US* -erɪ] I. *a* mellékes, kisegítő, másodlagos, járulékos; ~ *company* leányvállalat II. *n* leányvállalat
subsidize ['sʌbsɪdaɪz] *vt* segélyez, (pénzzel) támogat, szubvencionál; ~*d* szubvencionált, államilag támogatott
subsidy ['sʌbsɪdɪ] *n* (anyagi) támogatás, szubvenció, segély
subsist [səb'sɪst] *vi* fennmarad, él; megél (*on* vmből)
subsistence [səb'sɪst(ə)ns] *n* megélhetés, létezés, létfenntartás, fennmaradás; ~ *farming* naturális gazdálkodás; ~ *level* létminimum [mint színvonal]; ~ *wage* létminimum [mint fizetés/bér]
subsoil ['sʌbsɔɪl] *n* altalaj; ~ *water* talajvíz
subsonic [sʌb'sɒnɪk; *US* -'sɑ-] *a* hangsebesség alatti, szubszonikus
subspecies ['sʌbspi:ʃi:z] *n* (*pl* ~) alfaj
substance ['sʌbst(ə)ns] *n* 1. anyag; állomány; lényeg, vmnek a veleje 2. birtok, vagyon; *man of* ~ vagyonos ember 3. szilárdság
substandard [sʌb'stændəd] *a* gyenge minőségű, selejtes, kifogásolható
substantial [səb'stænʃl] *a* 1. lényeges, alapos, fontos; tekintélyes [mennyiség]; kiadós, tápláló [étel]; értékes 2. szilárd 3. valódi, létező; anyagi 4. vagyonos, tehetős; [gazdaságilag] megalapozott

substantially [səb'stænʃəlɪ] *adv* 1. lényegesen, alaposan, kiadósan 2. szilárdan 3. alapjában véve
substantiate [səb'stænʃɪeɪt] *vt* megalapoz, megokol; bizonyít; igazol
substantive ['sʌbst(ə)ntɪv] I. *a* 1. egyéni; független, önálló 2. lényegi, érdemi 3. tényleges 4. anyagi; ~ *law* anyagi jog 5. ~ *noun* főnév; ~ *verb* létige II. *n* főnév
sub-station [⁺sʌbsteɪʃn] *n* alállomás
substitute ['sʌbstɪtju:t; *US* -tu:t] I. *n* 1. helyettes; [sportban] cserejátékos 2. pótszer, pótlék, pótanyag; *beware of*~*s* óvakodjunk az utánzatoktól II. *vt/vi* 1. helyettesít (*for* vkt) 2. pótol (*for* vmt)
substitution [sʌbstɪ'tju:ʃn; *US* -'tu:-] *n* 1. helyettesítés 2. pótlás
substratum [sʌb'strɑ:təm; *US* -'streɪ-] *n* (*pl* -ta -tə) 1. altalaj, alsó réteg 2. alap; *there's a* ~ *of truth in it* van benne vm igazság 3. anyag
substructure ['sʌbstrʌktʃə*] *n* 1. alépítmény, alap 2. vasúti töltés
subsume [səb'sju:m; *US* -'su:m] *vi* magába foglal, alárendel; ~ *under* vm alá tartozónak vesz, beoszt vm alá
subtenant [sʌb'tenənt] *n* albérlő
subtend [səb'tend] *vt* 1. elnyúlik vm alatt 2. szemben áll vmvel 3. bezár [szöget]
subterfuge ['sʌbtəfju:dʒ] *n* kibúvó, ürügy, kifogás
subterranean [sʌbtə'reɪnjən] *a* föld alatti
subtility [sʌb'tɪlətɪ] *n* = *subtlety*
subtilize ['sʌbtɪlaɪz] A. *vt* kifinomít, finommá tesz B. *vi* aprólékoskodik
subtitle ['sʌbtaɪtl] I. *n* 1. alcím 2. (film)felirat; *with* ~*s* feliratos II. *vt* feliratoz
subtle ['sʌtl] *a* 1. finom, kényes, hajszálnyi 2. szövevényes, körmönfont
subtlety ['sʌtltɪ] *n* 1. finomság, bonyolultság 2. finom megkülönböztetés
subtly ['sʌtlɪ] *adv* finoman; elmésen
subtract [səb'trækt] *vt* kivon [számot]; levon, leszámít
subtraction [səb'trækʃn] *n* kivonás
subtropical [sʌb'trɒpɪkl; *US* -ɑp-] *a* szubtrópusi

suburb ['sʌbə:b] n külváros; előváros
suburban [sə'bə:b(ə)n] a 1. külvárosi
2. US elővárosi, kertvárosi 3. szűk
látókörű
suburbanite [sə'bə:bənaɪt] n külvárosban lakó
suburbia [sə'bə:bɪə] n a külvárosok és
elővárosok
subvention [səb'venʃn] n = subsidy
subversion [səb'və:ʃn; US -ʒn] n 1. felforgatás 2. felfordulás
subversive [səb'və:sɪv] a felforgató [tevékenység], pusztító, romboló, bomlasztó
subvert [sʌb'və:t] vt felforgat
subway ['sʌbweɪ] n 1. GB aluljáró 2.
US földalatti (vasút)
succeed [sək'si:d] vt/vi 1. sikerül (vknek vm); sikert ér el; boldogul; ~ in
(doing) sg sikerül vm(t megtennie) 2.
következik (vk/vm után), követ (vkt),
örökébe lép (vknek)
succeeding [sək'si:dɪŋ] a (utána) következő; egymást követő
success [sək'ses] n 1. siker, boldogulás;
meet with ~ sikert ér el (v. arat); turn
out a ~ sikeresnek bizonyul, sikerül;
make a ~ of sg vmvel jól boldogul,
sikeresen old meg (v. hajt végre) vmt,
sikerre visz vmt; be a ~ sikere van;
it was a great ~ igen jól sikerült, nagy
sikere volt 2. következmény, eredmény
successful [sək'sesfʊl] a sikeres
successfully [sək'sesfʊlɪ] adv sikeresen
succession [sək'seʃn] n 1. sorrend, sorozat, következés; in ~ egymás után 2.
követés, öröklés, utódlás; ~ duties örökösödési illeték; ~ to the throne trónöröklés; in ~ to sy vk után/utódaként
3. örökösök, utódok
successive [sək'sesɪv] a egymás után
következő, egymást követő
successively [sək'sesɪvlɪ] a egymás után
(folyamatosan), egymást követően
successor [sək'sesə*] n (jog)utód, örökös
succinct [sək'sɪŋkt] a tömör, szűkszavú
succour, US -cor ['sʌkə*] I. n 1. segítség 2. segítő II. vt segít(ségére jön)
succubus ['sʌkjʊbəs; US -kjə-] n (pl -bi
-baɪ) parázna (női) démon

succulence ['sʌkjʊləns; US -kjə-] n levesesség, ízes lédússág, nedvbőség
succulent ['sʌkjʊlənt; US -kjə-] a 1. leveses, nedvdús 2. zamatos, ízes, tápláló
succumb [sə'kʌm] vi megadja magát
(to vmnek); összeroskad; ~ to one's
injuries belehal sérüléseibe
such [sʌtʃ] a/pron oly(an), ily(en), olyan
fajta, hasonló; ~ a man (egy) olyan
ember; ~ a clever man egy ilyen okos
ember; did you ever see ~ a thing?
láttál már ehhez foghatót?; in ~ a
way that oly módon, hogy; no ~ thing
exists ilyesmi nem létezik; ~ as úgymint; ~ as was left ami kevés megmaradt; until ~ time as mindaddig,
míg; all ~ as mindazok, akik; sg as ~
vm mint olyan; some ~ valami ilyesféle; thieves and all ~ tolvajok és hasonszőrűek
such-and-such ['sʌtʃ(ə)nsʌtʃ] a ez és ez;
ilyen és ilyen
suchlike ['sʌtʃlaɪk] a ilyesféle, hasonló
suck [sʌk] I. n 1. szívás, szopás; give a ~
(meg)szoptat; have/take a ~ at sg
szop(ogat)/nyal vmt; szív egyet [pipájából] 2. □ pech, csalódás 3. biz
sucks pl cukorka II. vt/vi 1. szív, felszív, kiszív; magába szív; elnyel; ~
sy's brains kihasználja vknek a tudását; ~ sy dry kiszipolyoz vkt 2. szop,
szopik; szopogat
suck at vi (vmt) szopogat; szív/húz
egyet [pipából stb.]
suck in vt beszív, elnyel
suck up A. vt felszív B. vi □ ~ up
to sy nyal vknek, stréberkedik
sucker ['sʌkə*] I. n 1. szívó 2. csecsemő; szopós állat 3. szívóka, szívókorong (állaté) 4. tapadókorong 5. nyalóka 6. dugattyú 7. lopótök 8. fattyúhajtás 9. élősdi; tányérnyaló 10. US
□ balek, pali II. A. vt lefattyaz B. vi
sarjadzik
sucking ['sʌkɪŋ] I. a 1. szívó; ~ disk
tapadókorong 2. szopó(s); ~ pig szopós malac II. n 1. szívás 2. szopás
suckle ['sʌkl] A. vt (meg)szoptat B. vi
szopik
suckling ['sʌklɪŋ] n 1. szoptatás 2. csecsemő; szopós állat

suction ['sʌkʃn] n szívás; szivattyúzás
suction-cup n vákuumos tapadókorong
suction-dredger n szívó-kotró gép
suction-fan n 1. szelelőrosta 2. szívó-
ventillátor
suction-pipe n szívócső
suction-pump n szivattyú
suction-shaft n szelelőakna [bányában]
suctorial [sʌk'tɔːrɪəl] a szívó-, szivornyás
sud [sʌd] →suds
Sudan, (The) [(ðə)su:'dɑːn; US -'dæn]
prop Szudán
Sudanese [su:də'ni:z] a/n szudáni
sudation [sjʊ'deɪʃn; US su:-] n 1. izza-
dás 2. izzasztás
sudatory ['sju:dət(ə)rɪ; US 'su:dətɔːrɪ]
a izzadást okozó, izzasztó
sudden ['sʌdn] a 1. hirtelen, váratlan,
azonnali, gyors; all of a ~ hirtelen,
váratlanul 2. hirtelen haragú
suddenly ['sʌdnlɪ] adv hirtelen, egyszerre
csak
suddenness ['sʌdnnɪs] n váratlanság,
hirtelenség
sudoriferous [sju:də'rɪfərəs; US su:-]
a ~ glands izzadságmirigyek
sudorific [sju:də'rɪfɪk; US su:-] I. a iz-
zasztó [gyógyszer] II. n izzasztószer
suds [sʌdz] n pl 1. szappanlé, szappanos
víz 2. szappanhab
sue [sju:; US su:] vt/vi 1. (be)perel,
perbe fog (vkt), keresetet/pert indít
(vk ellen); ~ sy for damages kártérité-
sért bepöröl vkt, kártérítési pert indít
vk ellen; ~ for a divorce válópert
indít; ~ for peace békét kér 2. kér,
könyörög; ~ for sy's hand udvarol
vknek, a kezére pályázik, megkéri a
kezét
suede, suède [sweɪd] n antilopbőr,
szarvasbőr, őzbőr
suet ['sjʊɪt; US 'su:-] n (marha)faggyú,
birkafaggyú (a vese tájáról)
Suez [US 'su:ez] prop Szuez; ~
Canal Szuezi-csatorna
suffer ['sʌfə*] A. vt 1. (el)szenved; elvi-
sel; eltűr; ~ losses veszteséget szenved,
veszteség éri; ~ fools gladly (könnyen)
elviseli mások hülyeségét 2. (meg-)
enged B. vi 1. szenved (from vmtől) 2.
lakol, bűnhődik, kárt vall

sufferance ['sʌf(ə)rəns] n (el)tűrés, elvi-
selés, hallgatólagos beleegyezés
sufferer ['sʌf(ə)rə*] n szenvedő, tűrő;
áldozat; fellow ~ sorstárs, bajtárs
[nem katonai értelemben]
suffering ['sʌf(ə)rɪŋ] I. a tűrő, szenvedő,
fájó II. n szenvedés, fájdalom
suffice [sə'faɪs] vi/vt 1. elég, elegendő
(vknek); ~ it to say that elég az hozzá,
hogy; your word will ~ elég (biztosíték)
a szavad is 2. kielégít
sufficiency [sə'fɪʃnsɪ] n elegendő mennyi-
ség/jövedelem
sufficient [sə'fɪʃnt] a elegendő, elég(sé-
ges) (for vmre, vknek), megfelelő
mennyiségű; have you had ~? elég
volt?, jóllaktál?
suffix ['sʌfɪks] I. n rag, képző, toldalék
II. vt [US sə'fɪks is] hozzátold, -tesz
[ragot, képzőt]
suffocate ['sʌfəkeɪt] A. vt megfojt, meg-
fullaszt B. vi megfullad; fuldoklik;
elfullad; elfojtódik
suffocating ['sʌfəkeɪtɪŋ] a fojtó, ful-
lasztó
suffocation [sʌfə'keɪʃn] n 1. megfojtás
2. elfojtás 3. megfulladás, elfojtódás
Suffolk ['sʌfək] prop
suffragan ['sʌfrəgən] n ~ bishop segéd-
püspök, püspöki koadjutor
suffrage ['sʌfrɪdʒ] n 1. szavazat 2. vá-
lasztójog; universal ~ általános válasz-
tójog
suffragette [sʌfrə'dʒet] n szüfrazsett
suffragist ['sʌfrədʒɪst] n a női választó-
jogért harcoló (személy)
suffuse [sə'fju:z] vt elborít, elönt; eyes
~d with tears könnyes szemek
suffusion [sə'fju:ʒn] n 1. elöntés, elbo-
rítás 2. pír, pirulás
sugar ['ʃʊgə*] I. n 1. cukor; ~ of lead
ólomacetát; ~ of milk tejcukor 2. biz
hízelgés, kedveskedés, nyájas szavak
II. vt 1. megcukroz, megédesít 2. biz
hízeleg, kedveskedik
sugar-almond n cukrozott mandula
sugar-basin n cukortartó
sugar-beet n cukorrépa
sugar-candy n kandiscukor
sugar-cane n cukornád
sugar-coated a cukormázzal bevont

sugar-daddy n US □ ⟨fiatal nőt kitartó idősebb férfi⟩
sugared ['ʃʊgəd] a 1. cukros, édes 2. mézesmázos
sugariness ['ʃʊgərɪnɪs] n 1. édesség 2. mézesmázosság, édeskésség
sugar-loaf n (pl -loaves) cukorsüveg, süvegcukor
sugar-maple n (amerikai édeslevű) juharfa
sugar-pea n cukorborsó, zöldborsó
sugar-plantation n cukornádültetvény
sugar-plum n cukorka, bonbon, édesség
sugar-refinery n cukorfinomító
sugar-sifter n cukorszóró
sugar-tongs n pl cukorfogó
sugary ['ʃʊgərɪ] a 1. cukros, édes 2. édeskés, mézesmázos [szavak]
suggest [sə'dʒest; US səg'dʒ-] vt 1. javasol, ajánl, tanácsol, felvet, indítványoz, állít; he ~ed going ... (v. to go) javasolta, hogy menjünk ...; it has been ~ed felmerült az az elgondolás, felvetették azt, hogy 2. sugalmaz, sugall, szuggerál 3. vm látszatot kelt, vmre emlékeztet, vmre hasonlít; (vm) érzik (vmn)
suggestibility [sədʒestə'bɪlɪtɪ; US səgdʒ-] n befolyásolhatóság
suggestible [sə'dʒestəbl; US səg'dʒ-] a 1. befolyásolható 2. javasolható
suggestion [sə'dʒestʃ(ə)n; US səg'dʒ-] n 1. javaslat, tanács, ajánlat; gondolat 2. szuggesztió
suggestive [sə'dʒestɪv; US səg'dʒ-] a 1. ~ of vmre emlékeztető/utaló 2. szuggesztív, sokatmondó 3. kétértelmű
suicidal [sjʊɪ'saɪdl; US su:-] a 1. öngyilkos-, öngyilkossági 2. végzetes
suicide ['sjʊɪsaɪd; US 'su:-] n 1. öngyilkosság; ~ note öngyilkos búcsúlevele; commit ~ öngyilkosságot követ el 2. öngyilkos
suit [su:t] I. n 1. per, pör; kereset; bring a ~ against sy vkt beperel, pert indít vk ellen; criminal ~ büntetőper; civil ~, ~ at law polgári per 2. kérés, folyamodás; at the ~ of sy vknek a kérésére; press one's ~ kérését sürgeti 3. leánykérés 4. öltöny; öltözet; a ~ of clothes egy rend ruha, egy öltöny

(ruha); (a woman's) ~ kosztüm; ~ of armour páncélruha, páncélzat 5. sorozat, garnitúra, készlet; ~ of sails vitorlázat 6. (kártya)szín; major ~ nemes szín [bridzsben: kőr v. pikk]; minor ~ káró v. treff; long ~ hosszú szín [négy v. több kártya ugyanazon színből a kézben]; politeness is not his long ~ az udvariasság nem a kenyere; follow ~ utánoz/követ vkt, hasonlóan cselekszik II. vt 1. alkalmas, megfelel, kedvére van; it does not ~ me (1) nem felel meg nekem, nincs kedvemre/ínyemre (2) nem áll jól nekem; ~ oneself saját feje szerint cselekszik; ~ yourself! tégy ahogy tetszik/jólesik; be ~ed for/to sg alkalmas/rátermett vmre; when it ~s me amikor majd kedvem lesz hozzá 2. (hozzá)alkalmaz, (hozzá)illeszt; ~ the action to the word megtartja a szavát; úgy cselekszik, ahogy beszél
suitability [su:tə'brɪlətɪ] n alkalmasság; rátermettség
suitable ['su:təbl] a alkalmas (for/to vmre), megfelelő; hozzáillő; ~ to the occasion alkalomszerű, a(z) alkalomhoz/helyzethez illő
suitably ['su:təblɪ] adv megfelelően, alkalmas módon
suitcase n bőrönd, koffer
suite [swi:t] n 1. kíséret [személyé] 2. sorozat, készlet, garnitúra; ~ of furniture (egy szoba) bútor, garnitúra 3. ~ (of rooms) lakosztály 4. [zenei] szvit
suitor ['su:tə*] n 1. kérő, udvarló 2. felperes
sulf ... US = sulph ...
sulk [sʌlk] I. n durcásság, duzzogás; have the ~s duzzog II. vi durcáskodik, duzzog
sulkiness ['sʌlkɪnɪs] n duzzogás, mogorvaság, barátságtalanság
sulky ['sʌlkɪ] I. a dúzzogó, durcás, mogorva, rosszkedvű, barátságtalan II. n kocsi [ügetőversenyhez]
sullage ['sʌlɪdʒ] n szennyvíz
sullen ['sʌlən] a 1. mogorva, morcos, barátságtalan, komor 2. nehézkes, lassú

sullenly ['sʌlənlɪ] adv 1. mogorván, morcosan, barátságtalanul, komoran 2. nehézkesen, lassan
sullenness ['sʌlənnɪs] n 1. mogorvaság, komorság 2. nehézkesség
Sullivan ['sʌlɪv(ə)n] prop
sully ['sʌlɪ] vt beszennyez
sulpha drugs ['sʌlfə] szulfonamid tartalmú gyógyszerkészítmények [deszeptil stb.]
sulphate ['sʌlfeɪt] n szulfát
sulphide ['sʌlfaɪd] n szulfid
sulphite ['sʌlfaɪt] n szulfit
sulphur ['sʌlfə*] I. n kén; flowers of ~ kénvirág; ~ match kénes gyufa; ~ spring szolfatára, kénes forrás II. vt kénez
sulphureous [sʌl'fjʊərɪəs] a kénes, kéntartalmú
sulphuretted, US -reted ['sʌlfjʊretɪd] a kénes, kén-; kénezett
sulphuric [sʌl'fjʊərɪk] a ~ acid kénsav
sulphurous ['sʌlfərəs] a 1. kénes 2. kénköves, tüzes, pokoli 3. izgatott, paprikás [hangulat]
sultan ['sʌlt(ə)n] n 1. szultán, török császár 2. sweet ~ pézsmacserje, -virág
sultana [sʌl'tɑːnə; US -æːnə] n 1. szultán női hozzátartozója 2. szmirnai (magtalan) mazsola
sultanate ['sʌltənət] n szultánság
sultriness ['sʌltrɪnɪs] n 1. tikkasztóság 2. fülledtség
sultry ['sʌltrɪ] a 1. tikkasztó, rekkenő, perzselő 2. fülledt
sum [sʌm] I. n 1. összeg; ~ total végösszeg; összesen ... 2. biz számtanpélda; do a ~ in his head fejben számol; good at ~s jó számtanos, jó számoló 3. biz lényeg, tartalom, összefoglalás; vmnek a netovábbja; in ~ mindent összevéve/összefoglalva II. vt -mm- up összead, összegez, összefoglal; ~ sy up vkről véleményt alkot; ~ up the situation felméri a helyzetet
sumac(h) ['ʃuːmæk; US 'suː-] n szömörce(fa)
Sumatra [sʊ'mɑːtrə] prop Szumátra
Sumatran [sʊ'mɑːtrən] a/n szumátrai
summarily ['sʌmərəlɪ] adv sommásan, röviden

summarize ['sʌmərɑɪz] vt összegez, összefoglal
summary ['sʌmərɪ] I. a összefoglalt; rövidre fogott, sommás; ~ proceedings gyorsított eljárás II. n összefoglalás, foglalat, áttekintés
summed [sʌmd] →sum II.
summer¹ ['sʌmə*] I. n 1. nyár; in (the) ~ nyáron; a child of ten ~s tízéves gyermek 2. (jelzői haszn) nyári; the ~ holidays nyári vakáció/szünidő, a nagyvakáció; ~ house nyaraló →summer-house; ~ school nyári egyetem; ~ time nyári időszámítás →summer-time II. A. vi nyaral B. vt nyáron át legeltet
summer² ['sʌmə*] n födémgerenda
summer-house n lugas, filagória, szaletli →summer¹
summerly ['sʌmərlɪ] a nyárias
summer-time n nyár(idő) →summer¹
summery ['sʌmərɪ] a nyárias
summing ['sʌmɪŋ] a összegező, összeadó, összefoglaló, summáló
summing-up n (pl summings-up) 1. öszszegezés 2. a bizonyítás eredményeinek összefoglalása [perben]
summit ['sʌmɪt] n csúcs(pont), tetőpont, orom; ~ talks/meeting csúcstalálkozó
summon ['sʌmən] vt 1. behív, beidéz, megidéz, összehív; felszólít 2. összeszed [erőt, bátorságot]
summoner ['sʌmənə*] n † törvényszolga, poroszló
summons ['sʌmənz] I. n 1. megidézés [törvény elé]; serve a ~ on sy idézést kézbesít vknek 2. felszólítás; public ~ hirdetmény, felhívás II. vt törvény elé idéz, megidéz, beidéz
sump [sʌmp] n 1. mocsár, tócsa 2. vízgyűjtő gödör, vízüreg, kút [bányában] 3. olajteknő [gépkocsin]
sumptuary ['sʌmptjʊərɪ; US -tʃʊərɪ] a költekezést/fényűzést szabályozó [törvény]
sumptuous ['sʌmptjʊəs; US -tʃʊ-] a pazar, fényűző, pompás, költséges
sumptuousness ['sʌmptjʊəsnɪs; US -tʃʊ-] n pazar pompa, fényűzés
sun [sʌn] I. n 1. nap, napfény; ~ god napisten; against the ~ jobbról balra, az óramutató járásával ellenkező

irányban; get a touch of the ~ enyhe napszúrást kap; shoot/take the ~ szextánssal megállapítja a nap magasságát (és a földrajzi szélességet); ~ drawing water ⟨felhőkön átszűrődő függönyszerű párhuzamos napsugarak⟩ 2. dicsőség; his ~ is set neki már lealkonyult; have a place in the ~ (1) (előkelő) helye/rangja van a világban (2) joga van az élethez/érvényesüléshez II. v -nn- A. vt napra kitesz; ~ oneself napozik B. vi napozik, sütkérezik Sun. Sunday vasárnap, vas.

sun-baked a napégette (és megrepedezett)
sun-bath n napfürdő
sun-bathe vi napfürdőzik, napozik
sun-bathing n napfürdőzés, napozás
sunbeam n napsugár
sun-blind n vászonroló, napellenző
sun-bonnet n ⟨nap ellen védő széles karimájú női fejfedő⟩
sunbow [-boʊ] n szivárvány [vízesés felett]
sunburn n lesülés, leégés [bőrön]
sunburnt a napbarnított, lesült
sundae ['sʌndeɪ] n ⟨fagylalt tejszínhabbal, cukrozott gyümölccsel és sziruppal⟩
Sunday ['sʌndɪ v. -deɪ] n vasárnap; ~ school vasárnapi iskola [vallásoktatás rendsz. a templomban]; on ~ vasárnap
sun-deck n sétafedélzet [hajón]
sunder ['sʌndə*] A. vt elválaszt; kettévág B. vi széjjelmegy, elválik
sundial n napóra
sun-disk n napkorong
sun-dog n melléknap
sundown n naplemente, este
sun-drenched [-drentʃt] a napfényes, -sugaras
sund-dried a napon szárított, aszalt
sundries ['sʌdrɪz] →sundry II.
sundry ['sʌndrɪ] I. a különböző, különféle, vegyes; all and ~ mindenki, kivétel nélkül mind II. sundries n pl különféle holmik/cikkek, vegyes tételek
sunfast a napálló [szín], nem fakuló
sunflower n napraforgó
sung →sing

sun-glasses n pl napszemüveg
sun-hat n széles karimájú kalap
sun-helmet n trópusi sisak
sunk [sʌŋk] a 1. mélyített, süllyesztett; ~ fence mélyített kerítés [pl. állatkertben] 2. elsüllyedt; ~ in thoughts gondolatokba merült(en) 3. US □ tönkrement, lecsúszott; he's ~ tönkrement (ember) ‖→sink II.
sunken ['sʌŋkən] a 1. elmerült, elsülylyedt 2. beesett [arc] ‖→sink II.
sun-lamp n kvarclámpa
sunless ['sʌnlɪs] a napfénytelen
sunlight n napfény, napvilág
sunlit ['sʌnlɪt] a napsütötte, napos
sunned [sʌnd] →sun II.
sunnily ['sʌnɪlɪ] adv napsugarasan, derűsen
sunniness ['sʌnɪnɪs] n naposság, derűsség
sunny ['sʌnɪ] a 1. napos, napfényes, napsütötte; it is ~ süt a nap 2. vidám, jókedvű, derűs; kellemes; the ~ side of the picture a dolognak a(z) előnyös/kellemes oldala
sun-parlor n US ⟨déli fekvésű üveges veranda⟩
sunproof a napálló, nem fakuló
sun-ray n napsugár; ~ treatment napfénykezelés
sunrise n napkelte
sun-roof n tolótető [autón]
sunset n naplemente, alkony
sunshade n 1. napernyő, napvédő (ernyő) 2. napellenző
sunshine n napfény, napsütés
sunshiny a napos, napsütötte, -fényes
sun-spot n 1. napfolt 2. szeplő 3. biz napos/napfényes hely [üdülésre]
sunstroke n napszúrás, hőguta
sunstruck a napszúrásos
suntan n lesülés; barna arcszín; ~ oil napolaj
sun-up n US napkelte
sunward(s) ['sʌnwəd(z)] a/adv a nap felé
sun-worship n napimádás
sup [sʌp] I. n korty II. v -pp- A. vt 1. hörpint, kortyol(gat); szürcsöl 2. megvacsoráztat B. vi falatozik, vacsorázik (off/on vmt)

super ['su:pə*] I. *a* 1. *biz* extra finom; extra méretű; óriási, klassz, szuper 2. ~ *yard* négyzetyard [0,836 négyzetméter] II. *n* 1. létszámfölötti [személy] 2. = *supernumerary 2.* 3. fölösleges/jelentéktelen személy 4. (fő)felügyelő, (fő)ellenőr; (kerületi, megyei) rendőrfőnök 5. extra finom árucikk

super- [(')su:pə(r)-] *pref* ⟨mint előképző vmnél nagyobbat, felsőbbségeset, vm fölöttit, vmn túlit jelent⟩, (*gyakran:*) szuper-

superable ['su:p(ə)rəbl] *a* legyőzhető, áthidalható [nehézség]

superabound [su:pərə'baʊnd] *vi* bővelkedik (*with sg* vmben)

superabundance [su:p(ə)rə'bʌndəns] *n* bőség, bővelkedés, fölösleg

superabundant [su:p(ə)rə'bʌndənt] *a* bőséges, dús, túláradó, busás

superadd [su:pər'æd] *vt* még hozzátesz/hozzáad/ráad

superannuate [su:pə'rænjʊeɪt] A. *vt* nyugdíjaz, nyugdíjba küld B. *vi* nyugdíjba megy; kiöregszik, kiérdemesül

superannuated [su:pə'rænjʊeɪtɪd] *a* kiérdemesült, kiöregedett, kivénhedt; nyugalmazott

superannuation ['su:pərænjʊ'eɪʃn] *n* nyugdíjazás; ~ *allowance* nyugdíj; ~ *fund* nyugdíjalap; ~ *tax* nyugdíjjárulék

superb [sju:'pə:b; *US* sʊ-] *a* nagyszerű, pompás, remek, fenséges

supercargo ['su:pəka:goʊ] *n* rakományfelügyelő hajóstiszt

supercharged ['su:pətʃa:dʒd] *a* túltelített, -töltött; túlfeszített

supercharger ['su:pətʃa:dʒə*] *n* kompresszor [motoré]

supercilious [su:pə'sɪlɪəs] *a* fölényes, gőgös, dölyfös, önhitt

supercool [su:pə'ku:l] *vt* túlhűt

super-duper [su:pə'du:pə*] *a US* □ 1. pompás, klassz, szuper 2. óriási

superelevated [su:pər'elɪveɪtɪd] *a* túlemelt

supereminent [su:pər'emɪnənt] *a* kimagasló, egészen kiváló

supererogation [su:pərerə'geɪʃn] *n* kötelességen felüli teljesítés, túlbuzgóság

supererogatory [su:pəre'rɔgətərɪ; *US* -'ragətɔ:rɪ] *a* 1. kötelességen felül teljesített; túlbuzgó 2. felesleges

superficial [su:pə'fɪʃl] *a* 1. felületes, felszínes 2. felületi, felszíni; ~ *foot* négyzetláb; ~ *wound* felületi seb

superficially [su:pə'fɪʃəlɪ] *adv* 1. felületesen 2. felszínét tekintve

superficies [su:pə'fɪʃi:z] *n* (*pl* ~) felület, felszín

superfine [su:pə'faɪn] *a* 1. különlegesen/extra finom 2. túl finom

superfluity [su:pə'flʊətɪ] *n* 1. fölösleges dolog 2. vmnek fölösleges/nélkülözhető volta

superfluous [su:'pə:flʊəs] *a* fölösleges, nélkülözhető

superheat ['su:pəhi:t] *vt* túlhevít

superhet ['su:pəhet] *n biz* világvevő [rádiókészülék]

superheterodyne [su:pə'hetərədaɪn] *n* = *superhet*

superhighway [su:pə'haɪweɪ] *n US* autópálya

superhuman [su:pə'hju:mən] *a* emberfölötti

superimpose [su:p(ə)rɪm'pəʊz] *vt* 1. = *superpose* 2. egymásra filmez

superimposition [su:pərɪmpə'zɪʃn] *n* = *superposition 1.*

superintend [su:p(ə)rɪn'tend] *vt* 1. felügyel, ellenőriz 2. igazgat

superintendent [su:p(ə)rɪn'tendənt] *n* 1. (fő)felügyelő; (fő)ellenőr; (*police*) ~ (kerületi, megyei) rendőrfőnök 2. *US* házfelügyelő

superior [su:'pɪərɪə*] I. *a* 1. felső(bb), feljebb/felette lévő/álló; felettes; ~ *court* fellebbviteli bíróság; *he is ~ to flattery* felette áll a hízelgésnek 2. nagyobb, magasabb (rangú), kiválóbb (*to* vmnél, vknél); *be ~ in numbers* számbeli fölényben van 3. fölényes II. *n* elöljáró, feljebbvaló, felettes, főnök

superiority [su:pɪərɪ'ɔrətɪ; *US* -'ɔ:-] *n* felsőbb(rendű)ség, fölény; magasabb rendű volta vmnek

superlative [su:'pə:lətɪv] I. *a* felülmúlhatatlan, páratlan, felsőfokú; ~ *degree* felsőfok [nyelvtani] II. *n* felsőfok;

speak in ~*s* szuperlatívuszokban beszél

superlatively [su:'pə:lətɪvlɪ] *adv* abszolút mértékben, páratlanul

superman ['su:pəmæn] *n (pl* -men -men) felsőbbrendű ember, übermensch

supermarket ['su:pəmɑːkɪt] *n* ABC-áruház; élelmiszer-áruház

supernatural [su:pə'nætʃr(ə)l] *a* természetfölötti

supernumerary [su:pə'nju:m(ə)rərɪ; *US* -'nu:mərərɪ] I. *a* létszám fölötti II. *n* 1. létszám fölötti [személy] 2. statiszta

superphosphate [su:pə'fɒsfeɪt; *US* -'fɑ-] *n* szuperfoszfát [műtrágya]

superpose [su:pə'pəʊz] *vt* egymásra rak/helyez, rátesz, rárak, fölé(je) tesz

superposition [su:pəpə'zɪʃn] *n* 1. egymásra helyezés/rakás, rárakás, fölé helyezés 2. rárakódás

superpower ['su:pəpaʊə*] *n* szuperhatalom

supersaturation [su:pəsætʃə'reɪʃn] *n* túltelítés; túltelítettség

superscribe [su:pə'skraɪb] *vt* 1. föléje ír, ráír 2. felirattal ellát, megcímez

superscript ['su:pəskrɪpt] *n* mutatószám, (felső) index(szám), kitevő

superscription [su:pə'skrɪpʃn] *n* felirat, cím(zés), fej [levélen]

supersede [su:pə'si:d] *vt* 1. feleslegessé tesz, kiszorít, pótol, helyettesít; helyére kerül (vknek) 2. hatálytalanít, túlhalad, tárgytalanná tesz

supersensitive [su:pə'sensɪtɪv] *a* túlérzékeny

supersensory [su:pə'sensərɪ] *a* a normális érzékelés körén kívül eső, parapszichologikus

supersession [su:pə'seʃn] *n* kiszorítás, pótlás, helyettesítés

supersonic [su:pə'sɒnɪk; *US* -'sɑ-] *a* hangsebesség feletti [óránként 1200 km-nél gyorsabb], szuperszonikus

superstition [su:pə'stɪʃn] *n* babona

superstitious [su:pə'stɪʃəs] *a* babonás

superstructure ['su:pəstrʌktʃə*] *n* 1. felépítmény 2. ⟨ nagy hajónak a felső fedélzet feletti része⟩

supertax ['su:pətæks] *n* adópótlék, többletadó, különadó

supervene [su:pə'vi:n] *vi* bekövetkezik, közbejön

supervention [su:pə'venʃn] *n* bekövetkezés, rákövetkezés, vmnek közbejötte

supervise ['su:pəvaɪz] *vt* ellenőriz, felügyel (vmre), felülvizsgál; irányít, vezet

supervision [su:pə'vɪʒn] *n* ellenőrzés, felügyelet; *under police* ~ rendőri felügyelet alatt

supervisor ['su:pəvaɪzə*] *n* ellenőr, felügyelő

supervisory ['su:pəvaɪz(ə)rɪ] *v.* főleg *US* -'vaɪ-] *a* felügyeleti

supine I. *a* [sju:'paɪn; *US* su:-] 1. hanyatt/hátán fekvő 2. egykedvű, tétlen, indolens, lusta II. *n* ['sju:paɪn; *US* 'su:-] [nyelvtani] supinum

supped [sʌpt] →*sup* II.

supper ['sʌpə*] *n* vacsora; *have* ~ vacsorázik

supper-time *n* vacsoraidő

supplant [sə'plɑːnt; *US* -'plænt] *vt* helyébe lép, (helyéről) kiszorít, kitúr; pótol

supplanter [sə'plɑːntə*; *US* -'plæn-] *n* más helyébe lépő, mást kiszorító

supple ['sʌpl] I. *a* 1. hajlékony, rugalmas, ruganyos 2. tanulékony, kezelhető, alkalmazkodó 3. gerinctelen, simulékony II. A. *vt* 1. hajlékonnyá tesz 2. [lovat] idomít, betör 3. megtör [vknek akaratát] B. *vi* hajlékonnyá válik

supplement I. *n* ['sʌplɪmənt] 1. pótlás, kiegészítés; (újság)melléklet; pótkötet 2. (180°-ra) kiegészítő szög II. *vt* ['sʌplɪment] kiegészít, kipótol

supplementary [sʌplɪ'ment(ə)rɪ] *a* kiegészítő, pótló(lagos), pót-, mellék-; ~ *benefit* járulékos kedvezmény/juttatás

suppleness ['sʌplnɪs] *n* hajlékonyság, simulékonyság

suppliant ['sʌplɪənt] *a/n* kérő, könyörgő; folyamodó, kérvényező

supplicant ['sʌplɪk(ə)nt] *a/n* = *suppliant*

supplicate ['sʌplɪkeɪt] *vi/vt* kér, esedezik, könyörög, folyamodik

supplication [sʌplɪ'keɪʃn] *n* könyörgés, esedezés, kérés

supplier [sə'plaɪə*] *n* 1. szállító, ellátó,

szállítmányozó, felszerelő 2. főnyomócső [vízé]
supply[1] [sə'plaı] I. *n* 1. ellátás, beszerzés, szállítás; utánpótlás; szállítmány; ellátmány, készlet; *new supplies* utánpótlás; *lay in a ~ of sg* vmből készletet gyűjt (v. halmoz fel); *~ column* hadtáposzlop; *in short ~* nehezen beszerezhető/pótolható, nem kapható [árucikk], hiánycikk 2. **supplies** *pl* (parlamenti) hitel, (pénz)ellátmány, járadék; *Bill of Supplies* póthitel-megszavazás; *cut off supplies* megszünteti a járadékot/zsebpénzt, nem gondoskodik az ellátmányról 3. kínálat; *~ and demand* kínálat és kereslet 4. helyettes; *arrange for a ~* helyettest állít II. *vt* (*pt/pp* supplied sə'plaıd) 1. ellát, felszerel (*sy with sg* vkt vmvel), szállít (vmt), szolgáltat [gázt, adatokat stb.]; kielégít [szükségletet]; *families supplied daily* rendelések naponta házhoz szállítva 2. (be)pótol [hiányt], betölt [helyet]; *~ sy's place* (v. *vi: ~ for sy*) vkt helyettesít
supply[2] ['sʌplı] *adv* hajlékonyan, ruganyosan; simulékonyan
support [sə'pɔ:t] I. *n* 1. támasz (*átv is*); támaszték, tartó, talpazat; karó, oszlop; alátámasztás; *point of ~* alátámasztási pont 2. segítség, támogatás, segély, pártfogás; *in ~ of* annak bizonyításául/megalapozására; *speak in ~ of sg/sy* vmnek/vknek érdekében szól; *get no ~* nem támogatják 3. eltartás; fenntartás; *claim ~* tartásdíjat követel [elvált férjtől] II. *vt* 1. (alá)támaszt, (meg)tart, fenntart 2. támogat; gyámolít, segít 3. eltart, fenntart [családot] 4. igazol, alátámaszt, megalapoz [elméletet stb.] 5. eltűr, elvisel
supportable [sə'pɔ:təbl] *a* 1. elviselhető, kibírható 2. alátámasztható, igazolható
supporter [sə'pɔ:tə*] *n* 1. támasz (*átv is*); alátámasztás; támaszték 2. vknek párthíve, védő, támogató [ügyé, emberé]; szurkoló
supporting [sə'pɔ:tıŋ] *a* 1. támogató, segítő; *~ actor* epizódszínész; *the ~ cast* a mellékszereplők [sztár mellett]; *~*

film kísérőfilm 2. támasztó, tám-; *~ pillar* tartóoszlop; *~ wall* támfal
supportless [sə'pɔ:tlıs] *a* támasz nélküli, gyámolatlan
supposal [sə'pouzl] *n* feltevés, feltételezés
suppose [sə'pouz] *vt* feltételez, feltesz; képzel, gondol (vmt); *~ you are right* tegyük fel, hogy igazad van; *~ we change the subject* beszéljünk inkább másról; *I ~ so* azt hiszem, úgy vélem; *as you may ~* ahogy sejtheted/gondolhatod; *be ~d to . . .* az ő feladata/kötelessége/dolga . . . ni; *he is ~d to be . . .* (1) állítólag ő . . . , úgy mondják, hogy ő . . . , feltételezik/mondják róla, hogy (2) elvárják tőle, hogy . . . ; *I am not ~d to . . .* nem vagyok köteles . . . ni; *I am not ~d to know* nem volna szabad tudnom
supposed [sə'pouzd] *a* állítólagos, feltételezett, látszólagos
supposedly [sə'pouzıdlı] *adv* állítólag; feltételezhetőleg, feltehetően
supposing [sə'pouzıŋ] *conj* feltéve, hogy . . . , (abban az esetben,) ha . . .
supposition [sʌpə'zıʃn] *n* feltevés, feltételezés, vélekedés; *on the ~ that . . .* feltéve, hogy . . .
suppository [sə'pɔzıt(ə)rı; *US* -'pazıtɔ:rı] *n* 1. (végbél)kúp 2. fogamzásgátló hüvelylabdacs
suppress [sə'pres] *vt* 1. elnyom, elfojt 2. eltitkol, elhallgat 3. elhallgattat 4. elkoboz, lefoglal [sajtótermék példányait]
suppressed [sə'prest] *a* elfojtott, elnyomott
suppression [sə'preʃn] *n* 1. elnyomás, elfojtás 2. elhallgatás, eltussolás
suppurate ['sʌpjʊ(ə)reıt; *US* -jə-] *vi* gennyed, gennyesedik
suppuration [sʌpjʊ(ə)'reıʃn; *US* -jə-] *n* gennyesedés
supraliminal [su:prə'lımınl] *a* tudatküszöb fölötti
supranational [su:prə'næʃənl] *a* nemzetek feletti
suprarenal [su:prə'ri:nl] *a* ~ *gland* mellékvese
supremacy [sʊ'preməsı] *n* főhatalom, felsőbbség, fennhatóság

supreme [sʊ'priːm] a legfőbb, legfelső, legfontosabb, páratlan, végső, döntő; *the S~ Being* Isten; ~ *commander* fővezér; *hold in* ~ *contempt* mélységesen megveti, le se köpi; *US S~ Court* legfelsőbb bíróság; ~ *sacrifice* az élet feláldozása; *S~ Soviet* a Szovjetunió Legfelsőbb Tanácsa
supremely [sʊ'priːmlɪ] *adv* legteljesebben, legjobban
Supt. *superintendent*
surcease [sə'siːs] † I. *n* vég II. *vi* véget ér
surcharge I. *n* ['sə:tʃɑ:dʒ] 1. túlterhelés 2. pótadó; pótdíj, pótilleték 3. felülnyomás [bélyegen] II. *vt* [sə:'tʃɑ:dʒ] 1. túlterhel 2. pótdíjat fizettet (vmért), megportóz 3. felülnyom [bélyeget]
surcoat ['sə:kout] *n* † köpeny
surd [sə:d] I. *a* irracionális II. *n* 1. irracionális szám 2. zöngétlen mássalhangzó
sure [ʃʊə*] I. *a* biztos, bizonyos; *be* ~ *of/about sg* biztos vm felől, biztos vmben; *I am* ~ *(that)* . . . biztos vagyok benne, hogy . . .; *I am not (so)* ~ *about/of it/that* ebben nem vagyok (annyira) biztos; *be* ~ *to write!* ne felejts(en) el írni!, feltétlenül/okvetlenül írj(on)!; *to be* ~ bizony, természetesen, kétségtelenül; *well, to be* ~! ejha!, a kutyafáját!; *be* ~ *of oneself* magabiztos; *make* ~ *of sg* (1) biztosra vesz (2) megbizonyosodik/meggyőződik vmről; *make* ~ *that* . . . győződjék meg róla, hogy . . ., kérdezze meg . . .; *make sy* ~ *of sg* vkt biztosít vmről; *US* □ ~ *thing!* hogyne!, holtbiztos! II. *adv* biztosan, minden bizonnyal; ~ *enough* (1) egészen biztosan, feltétlenül (2) hogyne!, de még mennyire!, persze!; *US* ~! hogyne!, persze!
sure-fire *a US biz* csalhatatlan, holtbiztos
sure-footed *a* 1. nem botló, biztos járású 2. céltudatosan haladó
surely ['ʃʊəlɪ] *adv* kétségtelenül, biztosan, bizonyára, hogyne; *slowly but* ~ lassan de biztosan
sureness ['ʃʊənɪs] *n* 1. biztosság, megbízhatóság 2. bizonyosság

sure-sighted *a* éles látású/szemű
surety ['ʃʊərətɪ] *n* 1. kezes, jótálló; *stand/go* ~ *for sy* kezességet vállal (v. jótáll) vkért 2. kezesség, jótállás 3. † biztosság, biztonság
surf [sə:f] I. *n* tajtékzó hullám [parton], (tengeri) hullámverés II. *vi* akvaplánozik, hullámlovaglást végez
surface ['sə:fɪs] I. *n* 1. felszín, felület; ~ *mail* vasúton/hajón szállított posta [légipostával ellentétben], sima posta; ~ *ship* hajó (ellentétben a tengeralattjáróval); ~ *treatment* felületi kezelés; *break the* ~ (tengeralattjáró) felbukkan 2. látszat, a külső, külszín; *on the* ~ látszólag, külsőleg II. A. *vt* 1. a felületét kikészíti (vmnek), simít, csiszol 2. állandó útburkolattal ellát; ~*d road* köves/betonos/aszfaltos út B. *vi* felszínre emelkedik, felmerül [tengeralattjáró]
surface-coated *a* sima/simított felületű, sima; fényezett
surface-drainage *n* nyílt vízelvezetés
surfaceman ['sə:fɪsmən] *n* (*pl* -men -mən) 1. vasúti pályamunkás/pályaőr 2. felszíni munkás [nyílt bányánál]
surface-plate *n* (márvány) burkolólap
surface-tension *n* felületi feszültség
surface-to-air *a* föld-levegő [rakéta]
surface-to-surface *a* föld-föld [rakéta]
surf-bathing *n* fürdés a tengeri hullámverésben
surf-board *n* hullámlovas [deszka]
surf-boarding *n* = *surf-riding*
surfeit ['sə:fɪt] I. *n* csömör, undor; émelygés; túlterheltség; *have a* ~ *of sg* megcsömörlik vmtől, torkig van vele, már látni se bírja II. *vt/vi* telezabálja magát, megcsömörlik (vmtől)
surfer ['sə:fə*] *n* = *surf-rider*
surfing ['sə:fɪŋ] *n* = *surf-riding*
surf-rider *n* hullámlovas
surf-riding *n* hullámlovaglás
surfy ['sə:fɪ] *a* hullámos, tajtékos
surge [sə:dʒ] I. *n* 1. nagy hullám 2. tenger 3. roham II. *vi* hullámzik; dagad; árad; nekilódul; ~ *out* kiözönlik [tömeg]
surgeon ['sə:dʒ(ə)n] *n* 1. sebész 2. katonaorvos; hajóorvos

surgery ['sə:dʒ(ə)rɪ] n 1. sebészet 2. műtő; (orvosi) rendelő; ~ hours 5 p.m. to 7 p.m. rendel: du. 5—7-ig
surgical ['sə:dʒɪkl] a sebész(eti)i, műtéti; ~ intervention műtéti beavatkozás; ~ instruments orvosi műszerek
surgically ['sə:dʒɪk(ə)lɪ] adv műtéti úton, műtétileg
surging ['sə:dʒɪŋ] a hullámzó, áradó, dagadó, háborgó, kavargó
surlily ['sə:lɪlɪ] adv mogorván, barátságtalanul, bárdolatlanul
surly ['sə:lɪ] a mogorva, komor, barátságtalan, goromba, zsémbes
surmise I. n ['sə:maɪz] feltevés, vélekedés; vélelem II. vt [sə:'maɪz] vél, sejt, gyanít, feltesz, feltételez
surmount [sə:'maʊnt] vt 1. erőt vesz, felülkerekedik (vmn), legyőz, leküzd [nehézséget] 2. felülmúl 3. vm felett van/emelkedik; átv uralkodik (vmn), ural (vmt) 4. vm fölé odaerősít
surmountable [sə:'maʊntəbl] a leküzdhető
surname ['sə:neɪm] n 1. vezetéknév, családnév 2. ragadványnév
surpass [sə:'pɑ:s; US -'pæs] vt felülmúl (vkt), túltesz (vmn, vkn), meghalad (vmt)
surpassing [sə:'pɑ:sɪŋ; US -'pæ-] a kimagasló, kiváló, páratlan
surpassingly [sə:'pɑ:sɪŋlɪ; US -'pæ-] adv kiemelkedően, páratlanul
surplice ['sə:plɪs] n karing, miseing
surpliced ['sə:plɪst] a karinges
surplus ['sə:pləs] n fölösleg, többlet; maradvány; ~ fund tartaléktőke
surprise [sə'praɪz] I. n 1. meglepetés, váratlan dolog; ~ visit meglepetésszerű látogatás; to my great ~ nagy meglepetésemre 2. rajtaütés, rajtakapás, tettenérés II. vt 1. meglep, meghökkent; I shouldn't be ~d if nem lepne meg, ha; be ~d at sg meglepi/megdöbbenti vm 2. ~ sy in the act tetten ér vkt, rajtakap vkt vmn
surprisedly [sə'praɪzɪdlɪ] adv meglep(őd-) ve, meglepetten
surprising [sə'praɪzɪŋ] a meglepő, bámulatos; váratlan
surprisingly [sə'praɪzɪŋlɪ] adv meglepően

surrealism [sə'rɪəlɪzm] n szürrealizmus
surrealist [sə'rɪəlɪst] a/n szürrealista
surrender [sə'rendə*] I. n 1. megadás, feladás [erődítménye stb.]; átadás, kiadás [foglyoké], kiszolgáltatás 2. lemondás (vmről) 3. abbahagyás 4. átadatás, beszolgáltatás II. A. vt 1. megad; felad; átad; kiad; ~ oneself (1) megadja magát (2) átadja magát (to vmnek) 2. lemond (vmről); beszolgáltat (vmt) B. vi megadja magát
surreptitious [sʌrəp'tɪʃəs; US sə:r-] a 1. titkos, lopva tett, alattomos 2. kalózkiadású [könyv]
surreptitiously [sʌrəp'tɪʃəslɪ; US sə:r-] adv titokban, titkon, lopva, alattomban
Surrey ['sʌrɪ] prop
surrogate ['sʌrəgɪt; US 'sə:r-] n 1. helyettes 2. pótlék, pótanyag, pótszer, szurrogátum
surround [sə'raʊnd] I. n szőnyegkeretezés II. vt körülvesz, -fog, -zár, -kerít, bekerít
surrounding [sə'raʊndɪŋ] a körülvevő, környező
surroundings [sə'raʊndɪŋz] n pl környék, vidék, környezet
surtax ['sə:tæks] I. n pótadó, pótdíj II. vt 1. pótadót vet ki (vkre) 2. túladóztat (vkt)
surveillance [sə:'veɪləns] n felügyelet, őrizet
survey I. n ['sə:veɪ] 1. áttekintés, átnézés; áttanulmányozás; felmérés; make a ~ of sg szemrevételez, feltérképez, adatait felveszi 2. (felül)vizsgálat; szemle 3. földmérés; felmérés; national ~ országos földmérés, kataszter; ~ of area terepfelvétel 4. terv(rajz), vázlat II. vt [sə:'veɪ] 1. áttekint, megtekint, szemrevételez 2. felmér [területet] 3. ellenőriz, felülvizsgál
surveying [sə:'veɪɪŋ] n [mérnöki] felmérés; terepfelvétel; ~ instruments (építő)mérnöki műszerek
surveyor [sə:'veɪə*] n 1. ellenőr, felügyelő; ellenőrző mérnök 2. földmérő (mérnök), geodéta 3. US vámtisztviselő
survival [sə'vaɪvl] n életben maradás, túlélés

survive [sə'vaɪv] A. vi tovább él, fennmarad, életben marad B. vt túlél (vmt, vkt), kihever (vmt)
survivor [sə'vaɪvə*] n túlélő, életben maradt, hátramaradott
survivorship [sə'vaɪvəʃɪp] n túlélés, továbbélés
Susan ['suːzn] prop Zsuzsa(nna)
Susanna [suː'zænə] prop Zsuzsanna
susceptibility [səseptə'bɪlətɪ] n fogékonyság (vmre), érzékenység, hajlamosság
susceptible [sə'septəbl] a 1. fogékony, érzékeny, hajlamos (to vmre) 2. képes, alkalmas (of vmre); ~ of proof bizonyítható
suspect I. a ['sʌspekt] gyanús II. n ['sʌspekt] gyanúsított; gyanús személy III. vt [sə'spekt] 1. gyanúsít; be ~ed gyanúsítják; ~ sy of a crime vkt vm bűntény elkövetésével gyanúsít 2. gyanít, sejt, gyanakszik; I ~ed as much ezt sejtettem is
suspected [sə'spektɪd] a gyanúsított
suspend [sə'spend] vt 1. felfüggeszt (átv is), felakaszt 2. félbeszakít, megszakít; elhalaszt; beszüntet
suspended (átv is), függő, lebegő 2. félbeszakított, -szakadt, elhalasztott, beszüntetett; ~ animation mély ájulás
suspender [sə'spendə*] n 1. GB (pair of) ~s harisnyakötő; ~ belt harisnyatartó [női] 2. US ~s nadrágtartó
suspense [sə'spens] n 1. bizonytalanság, izgatott várakozás, kétség 2. felfüggesztés, félbeszakítás, megszakítás, elhalasztás
suspension [sə'spenʃn] n 1. függés, lógás; felfüggesztés (átv is); ~ bridge lánchíd, függőhíd 2. félbeszakítás, megszakítás, elhalasztás, beszüntetés; to the ~ of all other business minden egyebet félretéve; ~ points kipontozás [szövegben hiányzó szavak jelzésére] 3. (kerék)felfüggesztés [autóé]
suspensory [sə'spens(ə)rɪ] n (here)felkötő, szuszpenzor
suspicion [sə'spɪʃn] n 1. gyanú; be above ~ minden gyanún felül áll; hold sy in ~ gyanakszik vkre; lay oneself open to ~ kiteszi magát a gyanúnak; not the

ghost of a ~ a gyanúnak még az árnyéka sem 2. biz sejtés, sejtelem, gyanítás 3. vmnek parányi nyoma
suspicious [sə'spɪʃəs] a 1. gyanús, kétes 2. gyanakvó, bizalmatlan; be/feel ~ about/of sy/sg gyanakszik vkre/vmre
suspiciously [sə'spɪʃəslɪ] adv 1. gyanúsan 2. gyanakodva, bizalmatlanul
suspiciousness [sə'spɪʃəsnɪs] n 1. gyanússág 2. gyanakvás, bizalmatlankodás
Sussex ['sʌsɪks] prop
sustain [sə'steɪn] vt 1. tart; fenntart 2. kibír, elvisel, (el)szenved, eltűr; ~ an injury sérülést szenved 3. életben tart, erőt ad, erősít 4. igazol; helyt ad [panasznak stb. bíróság] 5. eljátszik, alakít [szerepet] 6. kitart [egy hangot]
sustained [sə'steɪnd] a 1. kitartó 2. fenntartott; hosszan tartó 3. kitartott [hang]
sustaining [sə'steɪnɪŋ] a tápláló [étel]; fenntartó [erő]
sustenance ['sʌstɪnəns] n 1. fenntartás, ellátás, élelmezés; means of ~ létszükségleti javak, a létfenntartás eszközei 2. táperték
Sutherland ['sʌðələnd] prop
sutler ['sʌtlə*] n † kantinos; markotányos(nő)
suture ['suːtʃə*] n varrat
suzerain ['suːzəreɪn] n (fő)hűbérúr, fejedelem; főhatalom
suzerainty ['suːzəreɪntɪ; US -rɪntɪ] n hűbéruraság, hűbéri hatalom, fennhatóság
svelte [svelt] a karcsú
S.W., SW south-west délnyugat, DNy
swab [swɔb; US -ɑ-] I. n 1. feltörlőrongy, felmosórongy 2. tampon 3. kenet 4. □ esetlen fickó II. vt -bb- 1. felmos, (fel)súrol [padlót] 2. tamponoz 3. tisztogat [ágyúcsövet]
swaddle ['swɔdl; US -ɑ-] vt bepólyáz
swaddling-bands/clothes ['swɔdlɪŋ-; US -ɑ-] n pl 1. pólya 2. gátló befolyás
swag [swæg] I. n 1. batyu, cucc [Ausztráliában] 2. ingadozás, imbolygás 3. virágfüzérdísz 4. □ szajré, lopott holmi II. vi -gg- himbálódzik, fityeg, (be)lóg, ing, leng

swag-belly n (lelógó) pocak
swagger ['swægə*] I. a □ jampecos, túlöltözött II. n hencegés, felvágás; fesztelenség III. vt 1. parádézik, büszkélkedik 2. hepciáskodik; henceg
swagger-cane n (könnyű) sétapálca [angol katonáé kimenő alkalmából]
swaggerer ['swægərə*] n 1. jampec 2. szájhős
swaggering ['swæg(ə)rɪŋ] a fesztelenül fölényes
swagger-stick n = swagger-cane
swagman ['swægmən] n (pl -men -mən) (ausztráliai) vándormunkás
Swahili [swɑ:'hi:lɪ] a/n szuahéli
swain [sweɪn] n 1. parasztlegény, pásztorlegény 2. [romantikus] udvarló, „lovag"
swallow¹ ['swɔloʊ; US -ɑ-] n fecske
swallow² ['swɔloʊ; US -ɑ-] I. n 1. (le-)nyelés; korty 2. falat II. vt 1. (le)nyel (átv is), elnyel, felemészt; ~ one's words visszaszívja szavát; ~ the bait bekapja a horgot; ~ up lenyel, elnyel, felszív 2. „bevesz" vmt
swallow-hole n lefolyólyuk [búvópataké], pataknyelő
swallow-tail n 1. fecskefarok 2. frakk
swallow-tailed a fecskefarkú; ~ coat frakk
swam →swim II.
swami ['swɑ:mɪ] n 1. hindu vallásoktató, pandit 2. hindu úr, brámin
swamp [swɔmp; US -ɑ-] I. n mocsár, ingovány II. vt eláraszt, elönt, elhalmoz
swamp-fever n mocsárláz
swampy ['swɔmpɪ; US -ɑ-] a mocsaras, ingoványos
swan [swɔn; US -ɑ-] n hattyú; the S~ of Avon az avoni hattyú [= Shakespeare]
swank [swæŋk] biz I. a elegáns, jampec(os), felvágós II. n 1. felvágás; jampecság 2. jampec, felvágós alak III. vi henceg, felvág, hetykélkedik
swanker ['swæŋkə*] n biz hetvenkedő
swanky ['swæŋkɪ] a biz elegáns, felvágós, nagyképű, nyegle, sznob
swan-neck n hattyúnyak
swan's-down ['swɔnz-; US -ɑ-] n 1. hattyútoll 2. pikébarhent

Swansea ['swɔnzɪ] prop
swan-song n hattyúdal
swap [swɔp; US -ɑ-] I. n 1. csere(bere) 2. cseretárgy II. vt -pp- (el)cserél, csereberél, csencsel
swapping ['swɔpɪŋ; US -ɑ-] n cserélés, csere(bere)
sward [swɔ:d] n gyep, pázsit
sware →swear II.
swarm¹ [swɔ:m] I. n raj; tömeg, sokaság II. vi 1. rajzik; ~ out kirajzik 2. biz nyüzsög, hemzseg (with vmtől)
swarm² [swɔ:m] vi/vt ~ (up) sg vmre felkúszik/felmászik
swart [swɔ:t] a = swarthy
swarthiness ['swɔ:ðɪnɪs] n barnabőrűség
swarthy ['swɔ:ðɪ] a barna bőrű, füstös képű
swash [swɔʃ; US -ɑ-] I. n 1. hepciáskodás, kérkedés, hetvenkedés 2. csobogás, locsogás, csobbanás II. A. vi 1. csobog, locsog [víz] 2. kérkedik, hetvenkedik B. vt önt, locsol, spriccel
swashbuckler ['swɔʃbʌklə*; US -ɑʃ-] n hetvenkedő, kalandor, szájhős, krakéler
swashbuckling ['swɔʃbʌklɪŋ; US -ɑʃ-] I. a hetvenkedő, kérkedő II. n hetvenkedés, kérkedés
swastika ['swɔstɪkə; US -ɑs-] n horogkereszt
swat [swɔt; US -ɑ-] vt -tt- agyoncsap [legyet stb.]
swath [swɔ:θ; US -ɑ-] n [lekaszált] rend
swathe [sweɪð] vt beköt, beburkol, bebugyolál, bepólyáz
swathing ['sweɪðɪŋ] n pólya, kötés; borogatás; göngyöleg
swathing-bands n pl pólya(kötő)
swatter ['swɔtə*; US -ɑ-] n légycsapó
sway [sweɪ] I. n 1. lóbálás; hintázás; lengés, ingás; kibillenés [mérlegkaré] 2. uralom, hatalom, befolyás; hold/bear ~ over a people uralkodik egy nép fölött II. A. vi 1. lebeg, libeg, leng; inog, billen 2. elhajlik, lehajlik 3. uralkodik, hatalmat gyakorol B. vt 1. ingat, himbál, lóbál, hintáztat, billent 2. hajlít; ~ sy from his course vkt útjáról kitérít 3. befolyásol, irányít
sway-backed [-'bækt] a csapott hátú [ló]

Swazi ['swɑːzɪ] a/n szvázi
Swaziland ['swɑːzɪlænd] prop Szváziföld
swear [sweə*] I. n káromkodás, szitkozódás II. v (pt swore swɔː*, régies pt sware sweə*, pp sworn swɔːn) A. vi 1. (meg)esküszik, esküt tesz (on/by vmre) 2. káromkódik, szitkozódik B. vt 1. megesket, esküt tétet; ~ a witness tanút felesket 2. esküvel fogad (vmt); ~ an oath (1) esküt tesz (2) káromkodik
swear against vi ~ a. sy eskü alatt vádol vkt
swear at vi szid, káromol, átkoz (vkt)
swear away vt ~ a. sy's life hamis esküvel vkt halálba juttat
swear by vi esküszik vmre (átv is)
swear in vt felesket, esküt kivesz vktől
swear off vt esküvel lemond vmről, fogadalmat tesz vm abbahagyására
swear on vi vmre esküszik
swear to vi eskü alatt vall/tanúsít (vmt); megesküszik vmre
swearing ['sweərɪŋ] n 1. (meg)esküvés vmre, eskütevés 2. káromkodás
swear-word n káromkodás, szitok
sweat [swet] I. n 1. izzadság, veríték; izzadás; by the ~ of one's brow orcája verítékével; cold ~ hideg verejték; be in a ~, biz be all of a ~ (1) izzad, csupa verejték (2) biz izgatott; GB biz an old ~ öreg katona, vén csont 2. biz fárasztó munka, strapa II. A. vi 1. izzad, verítékezik, kiveri a víz; gőzölög; ~ away at one's job sok vesződséggel dolgozik; ~ out a cold kiizzadja a nátháját; ~ it out türelmesen kiböjtöl/kivár vmt 2. izgul; szenved; he shall ~ for it megkeserüli 3. éhbérért dolgozik, robotol B. vt 1. (meg)izzaszt 2. forraszt 3. lecsutakol 4. kizsákmányol, kiszipolyoz, éhbérért (keménynyen) dolgoztat
sweat-band n izzasztó [kalapon]
sweat-cloth n izzasztó [lovon]
sweated ['swetɪd] a rosszul fizetett; kizsákmányolt; ~ labour éhbérért végzett munka
sweater ['swetə*] n 1. szvetter, (vastag)

kötött (gyapjú)mellény; pulóver [női] 2. kizsákmányoló 3. izzadó
sweat-gland n izzadságmirigy
sweating ['swetɪŋ] n 1. izzadás 2. izzasztás 3. kizsákmányolás, agyondolgoztatás [éhbérért]
sweating-room n izzasztókamra, szárazlégkamra [gőzfürdőben]
sweat-shirt n melegítőfelső
sweat-shop n munkásnyúzó (egészségtelen berendezésű) üzem
sweat-suit n melegítő, tréningruha
sweaty ['swetɪ] a 1. izzadt; izzadó; átizzadt 2. izzasztó; fülledt 3. fárasztó, strapás
Swede [swiːd] n 1. svéd (ember) 2. s~ karórépa
Sweden ['swiːdn] prop Svédország
Swedish ['swiːdɪʃ] I. a svéd [nyelv, nép]; ~ movements svédtorna II. n svéd (nyelv)
sweep [swiːp] I. n 1. söprés; make a clean ~ (of sg) (1) mindent besöpör [kártyás] (2) túlad (vmn), megszabadul (vmtől) felszámol (vmt), tabula rasat csinál 2. (nagy) kanyar, (nagy) ív, kanyarulat [folyóé] 3. hordtávolság [fegyveré]; átfogóképesség [elméé] 4. végigseprő mozdulat [szeme, karé]; suhintás [kaszával]; pásztázás [távcsővel stb.]; letapogatás [radarral] 5. gyors folyás, áradás; átv előretörés, lendületes haladás 6. kéményseprő 7. összesöprött hulladék 8. kútgém 9. nagy evező [bárkához] 10. aknakereső hajó 11. biz = sweepstake II. v (pt/pp swept swept) A. vt 1. söpör, seper, [folyómedret] kotor 2. elsodor, elsöpör 3. végigsöpör, -száguld (vmn) 4. pásztáz [látóhatárt stb.]; tekintetét végigjáratja (vmn) 5. evezővel hajt B. vi 1. söpör 2. (el)suhan, (végig)száguld, végigrohan, iramlik 3. kanyarodik 4. méltóságteljesen vonul, peckesen lépdel
sweep along vi előresuhan; (végig-)száguld
sweep aside/away vt félresöpör; elsöpör (átv is), halomra dönt [tervet]
sweep by vi 1. elszáguld, elsuhan (vk mellett) 2. méltóságteljesen elvonul/elhalad (vk mellett)

sweep down A. *vt* lesöpör, magával sodor/ragad **B.** *vi* lecsap
sweep for *vi* ~ *f. mines* aknát keres/szed [hajó]
sweep off *vt* lesöpör; elsodor; *be swept o.* one's feet *by sy* elragadja a lelkesedés vkért
sweep on *vi* ellenállhatatlanul száguld tovább
sweep out *vt* kisöpör [szobát]
sweep over *vi* **1.** végigsöpör **2.** átfut (szemével vmn)
sweep past *vi* = *sweep by*
sweep round *vi* [hajó] nagy ívben megfordul/megkerül.
sweep up A. *vt* összesöpör **B.** *vi* odalendül; odakanyarodik
sweepback *n* hátranyilazás [repgép szárnyáé]
sweep-brush *n* korongecset
sweeper ['swi:pə*] *n* **1.** utcaseprő (gép) **2.** szőnyegseprű **3.** söprögető [játékos futballban]
sweeping ['swi:pıŋ] **I.** *a* **1.** rohanó, nagy lendületű, elsöprő; átfogó; ~ *changes* mélyreható/gyökeres változások; ~ *curtsy* mély meghajlás [nőé]; ~ *generalization* merész általánosítás; ~ *gesture* széles mozdulat/gesztus; ~ *statement* túlzóan általánosító kijelentés **2.** seprő, sepregető; ~ *machine* seprőgép **II. sweepings** *n pl* összesöpört szemét/hulladék
sweepstake ['swi:psteık] *n* ⟨egy fajta sorsjátékkal egybekötött lóversenyfogadás⟩
sweet [swi:t] **I.** *a* **1.** (*átv is*) édes; *biz be* ~ *on sy* szerelmes vkbe; *have a* ~ *tooth* szereti az édességet; ~ *corn* tejes kukorica **2.** illatos, friss; ~ *breath* üde lehelet **3.** kellemes, kedves, nyájas; ~ *temper* szelíd természet; *that's very* ~ *of you* ez igen kedves tőled **II.** *n* **1.** édesség, cukorka **2.** kellemes dolog **3.** *my* ~ drágám, kedvesem
sweetbread *n* borjúmirigy
sweeten ['swi:tn] **A.** *vt* **1.** (meg)édesít, megcukroz **2.** lágyít, kellemessé tesz **B.** *vi* megédesedik
sweetener ['swi:tnə*] *n* édesítő
sweetening ['swi:tnıŋ] *n* édesítőszer

sweetheart ['swi:thɑ:t] **I.** *n* **1.** szerető, kedves, vknek a babája **2.** (*my*) ~ *!* édesem !, drágám !, szívecském ! **II.** *vi go* ~*ing* udvarol(ni megy)
sweeting ['swi:tıŋ] *n* édes alma
sweetish ['swi:tıʃ] *a* egy kicsit édes, édeskés
sweetly ['swi:tlı] *adv* **1.** édesen, kedvesen, kellemesen **2.** zökkenőmentesen, egyenletesen
sweetmeat *n* édesség, cukorka, bonbon
sweetness ['swi:tnıs] *n* édesség, kellemesség
sweet-pea *n* szagosbükköny, borsókavirág
sweet-potato *n* batáta
sweet-root *n* édesgyökér
sweet-scented *a* illatos, jó szagú, illatozó
sweet-shop *n* édességbolt, cukorkabolt
sweet-tempered *a* kellemes modorú, szelíd
sweet-toothed *a* édesszájú
sweet-william *n* török szegfű
swell [swel] **I.** *a biz* **1.** (túl) elegáns, divatos, előkelő **2.** *US* pompás, remek, klassz **II.** *n* **1.** domb(orulat), kiemelkedés, kidudorodás; dagadás, kihasasodás **2.** hömpölygés; vihar előtti/utáni hullámzás, hullámverés **3.** növekedés [hangterjedelemé]; crescendo/diminuendo jele **4.** *biz* „nagyfejű", „nagykutya" **5.** *biz* kb. dendi **III.** *v* (*pt* ~ed sweld, *pp* swollen 'swoʊlən, néha ~ed sweld) **A.** *vi* (meg)dagad, (meg)duzzad; (ki)emelkedik; nagyobbodik, növekszik; ~ *out* kidagad, (meg)dagad [vıtorla]; *biz* ~ *with pride* (a keble) dagad a büszkeségtől **B.** *vt* (fel)dagaszt, (fel)duzzaszt, (fel)pufaszt; növel, szaporít; súlyosbit
swell-box *n* redőnyszekrény [orgonán]
swell-headed *a biz* beképzelt, öntelt
swelling ['swelıŋ] **I.** *a* dagadó, duzzadó, kiöblösödő **II.** *n* **1.** daganat, duzzanat **2.** (meg)dagadás, (meg)duzzadás **3.** áradás **4.** dombocska, kidudorodás, dudor
swelter ['sweltə*] **I.** *n* **1.** tikkasztó/trópusi hőség **2.** bő(séges)/állandó izzadás **II.** *vi* elbágyad, eltikkad; izzad
sweltering ['swelt(ə)rıŋ] *a* tikkasztó, nyomasztó [hőség]

swept →*sweep II.*
swept-back *a* hátranyilazott [szárny]
swept-wing *a* nyilazott/csapott szárnyú, deltaszárnyas [repülőgép]
swerve [swə:v] **I.** *n* kanyarodás, fordulat
II. *vi* elkanyarodik, félrefordul, eltér, (meg)farol, oldalt kicsúszik
swift [swift] **I.** *a* gyors, sebes, fürge; ~ *of wit* gyors észjárású **II.** *adv* gyorsan, fürgén **III.** *n* **1.** sarlós fecske **2.** motolla (köpenye)
swiftness ['swiftnis] *n* gyorsaság, fürgeség
swig [swig] *biz* **I.** *n* nagy húzás/korty [italból] **II.** *vt* -gg- nagyokat húz [italból], vedel, nyakal [italt]
swill [swil] **I.** *n* **1.** öblítés, öblögetés; *give a pail a* ~ *out* kiöblíti a vödröt **2.** moslék **3.** *biz* rossz minőségű ital, lőre, lötty **4.** *biz* vedelés **II.** *vt* **1.** kiöblít, öblöget **2.** *biz* vedel, nyakal
swim [swim] **I.** *n* **1.** úszás; *have/take* (v. *go for) a* ~ úszik egyet, fürdik [a tóban/folyóban] **2.** lebegés; *biz* szédülés **3.** az események sodra/folyása; *biz be in the* ~ ismeri a dörgést **II.** *v* (*pt* **swam** swæm, *pp* **swum** swʌm; -mm-) **A.** *vi* **1.** úszik, úszkál; lebeg, fennmarad [vízen]; ~ *with the tide* úszik az árral; *he* ~*s like a stone* úgy úszik, mint az öreg fejsze **2.** lebeg [a levegőben] **3.** *átv* összefolyik, zavaros/kusza lesz, szédül; *eyes* ~*ming with tears* könnyben úszó szemek; *my head* ~*s* szédülök; *everything swam before his eyes* elhomálycsult szemei előtt a világ **B.** *vt* **1.** úszik [versenyt]; átúszik [folyót] **2.** úsztat [lovat]
swimmer ['swimə*] *n* úszó
swimming ['swimiŋ] **I.** *a* **1.** úszó **2.** sima, akadálymentes **3.** túláradó; könnybe lábadt **II.** *n* **1.** úszás **2.** szédülés **3.** úsztatás **4.** elárasztás
swimming-bath *n* (fedett) uszoda
swimming-bladder *n* úszóhólyag [halé]
swimmingly ['swimiŋli] *adv* könnyedén, simán, mint a karikacsapás
swimming-pool *n* (nyitott) uszoda
swim-suit *n* fürdőruha
Swinburne ['swinbə:n] *prop*
swindle ['swindl] **I.** *n* szélhámosság, csa-

lás, svindli **II.** **A.** *vt* rászed, megcsal, becsap; ~ *sg out of sy* vktől kicsal vmt **B.** *vi* szélhámoskodik, csal
swindler ['swindlə*] *n* csaló, szélhámos, svindler
swine [swain] *n* disznó, sertés; *dirty* ~ disznó gazember, piszok disznó
swine-bread *n* szarvasgomba
swine-herd *n* kondás, kanász
swing [swiŋ] **I.** *n* **1.** (ki)lengés, ingás; hintázás, himbálódzás; lendület; *US biz* ~ *shift* délutáni műszak [du. 4-től éjfélig]; ~ *of the pendulum* (1) az inga lengése (2) [nézetek stb.] váltakozása, ellenkezőre fordulása; *be in full* ~ javában folyik **2.** hinta **3.** ritmus; *go with a* ~ (1) jó ritmusa van (2) ringó járása van (3) *biz* jól/simán megy/zajlik **4.** mozgási tér, kilengés(i távolság) **5.** lengő ütés **6.** szving [zene, tánc] **II.** *v* (*pt/pp* **swung** swʌŋ) **A.** *vi* **1.** leng, ing, himbálódzik; □ ~ *for a crime* lóg/felkötik vm bűntettért **2.** hintázik **3.** (el)fordul, forog; ~ *open* kivágódik [ajtó] **4.** ringó/ruganyos léptekkel megy; ~ *past sg* ruganyos léptekkel elmegy mellette **B.** *vt* **1.** lenget, ingat, lóbál, hintáztat, himbál, forgat, mozgat **2.** *US* eredményesen elintéz; *US* □ *I can* ~ *it* valahogy meg tudom csinálni, erre (még) telik a(z) pénzemből/időmből
  swing into *vi* **1.** ~ *i. the saddle* nyeregbe pattan **2.** ~ *i. action* akcióba lendül
  swing round A. *vi* hirtelen megfordul/kanyarodik **B.** *vt* hirtelen megfordít
  swing to *vi* becsapódik, bevágódik [ajtó]
swing-boat *n* hajóhinta
swing-bridge *n* forgóhíd
swing-cot *n* függő bölcső
swing-door *n* csapóajtó, magától csukódó ajtó, lengőajtó
swinge [swindʒ] *vt* † erős ütést mér
swingeing ['swindʒiŋ] *a biz* igen nagy, hatalmas, erős
swinging ['swiŋiŋ] **I.** *a* **1.** lengő, ringó, himbálódzó, ruganyos **2.** *biz* lendületes, erőteljes; ~ *majority* jelentős szó-

többség II. *n* 1. lengés, hintázás 2. hajó körmozgása horgonya körül; légcsavar forgásba rántása

swingle ['swɪŋgl] I. *n* kendertörő fa, tilolófa; céphadaró II. *vt* [kendert] tilol

swingle-tree *n* hámfa, kisafa

swinish ['swaɪnɪʃ] *a* disznó, trágár

swinishness ['swaɪnɪʃnɪs] *n* 1. disznóság, trágárság 2. zabálás

swipe [swaɪp] I. *n* 1. nyomókar [szivattyúé]; kútgém 2. *biz* erős ütés [teljes karlendülettel] II. *vt* 1. erős lendülettel üt [labdába] 2. □ elcsen, ellop, elemel

swipes [swaɪps] *n pl GB* □ gyenge/rossz sör

swirl [swəːl] I. *n* örvény, forgatag, kavargás II. *vi* örvénylik, kavarog

swish [swɪʃ] I. *a biz* elegáns, sikkes II. *n* 1. suhogás, zizegés, sziszegés 2. suhintás, (ostor)csapás II. A. *vi* suhog, suhint B. *vt* (meg)suhint, megcsap; ~ *its tail* farkával csapkod

swishing ['swɪʃɪŋ] *n* □ *get a* ~ jól megverik/elfenekelik [gyereket]

Swiss [swɪs] *a/n* svájci; ~ *roll* lekváros szelet/tekercs/roládé

switch [swɪtʃ] I. *n* 1. (villany)kapcsoló 2. [vasúti] váltó 3. hajlékony ág; lovaglópálca 4. hamis copf 5. áttérés, átállás II. *vt/vi* 1. (át)kapcsol 2. (meg-)csap, csapkod 3. kitérőbe irányít, más vágányra terel [vonatot]; *US* tolat switch off *vt* 1. kikapcsol [áramot], lecsavar, elolt [villanyt], elzár [rádiót stb.] 2. abbahagy switch on *vt* 1. bekapcsol [rádiót, motort stb.], felcsavar, meggyújt [villanyt] 2. rákezd, rákapcsol switch over *vt* átkapcsol, átvált

switchback *n* 1. ~ *road* zegzugos útvonal, szerpentin út 2. *GB* ~ (*railway*) hullámvasút

switch-bar *n* [vasúti] váltókar

switchblade *n* ~ (*knife*) rugós kés

switchboard *n* kapcsolótábla [telefonközpontban]

switch-lever *n* kapcsolókar; váltókar

switchman ['swɪtʃmən] *n* (*pl* -men -mən) [vasúti] váltókezelő

switch-panel *n* kapcsolótábla

switchyard *n US* rendező pályaudvar

Swithin ['swɪðɪn] *n* ⟨angol férfinév⟩; *St.* ~'*s day* július 15 ⟨megfelel nálunk a Medárd-napnak (június 8.)⟩

Switzerland ['swɪts(ə)lənd] *prop* Svájc

swivel ['swɪvl] I. *n* forgógyűrű, -rész, -kampó; forgattyú II. *vi* -ll- (*US* -l-) elfordul; forog

swivel-chair *n* forgószék

swivel-eyed *a* kancsal

swivel-gun *n* forgótalpas löveg

swizzle ['swɪzl] *n* 1. ⟨erős kevert alkoholos ital⟩ 2. □ becsapás, svindli

swollen ['swoʊlən] *a* (meg)dagadt, (meg)duzzadt →*swell III.*

swollen-headed *a* öntelt, beképzelt

swoon [swuːn] I. *n* ájulás; *go off in a* ~ elájul, elalél II. *vi* elájul

swoop [swuːp] I. *n* lecsapás [ragadozó madáré]; *at one* (*fell*) ~ egyetlen (végzetes) csapással II. A. *vi* ~ *down on sg* lecsap vmre B. *vt* elragad (vmt)

swop [swɔp; *US* -a-] *n/vt* = *swap*

sword [sɔːd] *n* kard; pallos; *the* ~ háború; *at the point of the* ~ fegyverrel kényszerítve; *draw one's* ~ kardot ránt; *draw the* ~ kardot ragad, harcba lép; *cross* ~*s with sy* összeméri kardját/erejét vkvel; *put to the* ~ kardélre hány, felkoncol

sword-arm *n* jobb kar

sword-bearer *n* palloshordozó

sword-belt *n* kardöv, kardkötő

swordbill *n* kardcsőrű kolibri

sword-cut *n* kardvágás

sword-dance *n* kardtánc

sword-fish *n* kardorrú hal, kardhal

sword-guard *n* kardkosár, markolatkosár

sword-knot *n* kardbojt

sword-like *a* kardszerű

sword-play *n* kardforgatás

swordsman ['sɔːdzmən] *n* (*pl* -men -mən) kardforgató; *be a fine* ~ jól bánik a karddal

swordsmanship ['sɔːdzmənʃɪp] *n* kardforgatás művészete

sword-stick *n* tőrös bot, stilét

swore →*swear II.*

sworn [swɔːn] *a* esküt tett, hites; ~

brothers kenyeres pajtások; ~ *enemies*
esküdt ellenségek ‖→*swear II.*
swot [swɔt; *US* -a-] □ **I.** *n* **1.** erős szellemi munka; magolás **2.** magoló **II.**
vt/vi **-tt-** **1.** magol **2.** erőlködik, gürcöl
'**swounds** [zwaʊndz] *int* a kutyafáját !, a teremtésit !
swum →*swim II.*
swung [swʌŋ] *a* ~ *dash* hullámjel, tilde
‖→*swing II.*
sybarite ['sɪbərait] *a/n* szibarita, elpuhult, élvezethajhászó
sybaritic [sɪbə'rɪtɪk] *a* szibarita, elpuhult
sybil ['sɪbɪl] *n* szibilla
sicamore ['sɪkəmɔ:*] *n* **1.** ~ (*maplev*) hegyi juhar **2.** *US* platán(fa)
sycophancy ['sɪkəfənsɪ] *n* hízelgés, talpnyalás
sycophant['sɪkəfænt]*n* hízelgő, talpnyaló
Sydney ['sɪdnɪ] *prop*
syllabic [sɪ'læbɪk] *a* **1.** szótag- **2.** szótagoló **3.** szótagalkotó
syllabify [sɪ'læbɪfaɪ] *vt* szótagol
syllable ['sɪləbl] *n* szótag
-syllabled [-sɪləbld] -szótagú
syllabus ['sɪləbəs] *n* (*pl* ~**es** -sɪz v. **-bi** -baɪ) **1.** összefoglalás, sillabusz, kivonat, vezérfonal **2.** tanmenet
syllepsis [sɪ'lepsɪs] *n* (*pl* **-ses** -si:z) értelem szerinti egyeztetés [nyelvtanban]
syllogism ['sɪlədʒɪzm] *n* szillogizmus
sylph [sɪlf] *n* **1.** karcsú magas (v. szilfid) nő **2.** tündér, szilf
sylvan ['sɪlvən] *a* erdei, erdős; erdőlakó
Sylvester [sɪl'vestə*] *prop* Szilveszter
Sylvia ['sɪlvɪə] *prop* Szilvia
sylviculture ['sɪlvɪkʌltʃə*] *n* = *silviculture*
symbiosis [sɪmbɪ'oʊsɪs] *n* együttélés, szimbiózis, életközösség [biológiai]
symbol ['sɪmbl] *n* **1.** jelkép, szimbólum **2.** jel
symbolic(al) [sɪm'bɔlɪk(l); *US* -'ba-] *a* jelképes, képletes, szimbolikus
symbolically [sɪm'bɔlɪk(ə)lɪ; *US* -'ba-] *adv* jelképesen, szimbolikusan
symbolism ['sɪmbəlɪzm] *n* jelképes/szimbolikus ábrázolás; jelképrendszer; szimbolizmus, szimbolika
symbolize ['sɪmbəlaɪz] *vt* jelképez, szimbolizál

symmetrical [sɪ'metrɪkl] *a* részarányos, szimmetrikus
symmetry ['sɪmɪtrɪ] *n* részarányosság, szimmetria
sympathetic [sɪmpə'θetɪk] *a* **1.** együttérző, rokon érzésű, rokonszenvező; ~ *words* részvétet kifejező szavak [gyászban] **2.** ~ *nerve* szimpatikus ideg **3.** ~ *ink* láthatatlan (írású) tinta
sympathize ['sɪmpəθaɪz] *vi* együttérez (*with* vkvel), megérti vknek az álláspontját; *the Smiths called to* ~ Smithék jöttek részvétlátogatásra
sympathizer ['sɪmpəθaɪzə*] *n* együttérző; rokonszenvező, szimpatizáns
sympathizing ['sɪmpəθaɪzɪŋ] *a* együttérző, részvevő
sympathy ['sɪmpəθɪ] *n* együttérzés, részvét, rokonszenv, szimpátia; *letter of* ~ részvétnyilvánító/kondoleáló levél; *accept my deepfelt* ~ *in your great bereavement* fogadja mély gyászában őszinte részvétemet; *strike in* ~ (1) szimpátiasztrájk (2) együttérzésből/szolidaritásból sztrájkol; *be in* ~ *with sy's ideas* osztja vknek a nézeteit
symphonic [sɪm'fɔnɪk; *US* -'fa-] *a* szimfonikus
symphony ['sɪmfənɪ] *n* szimfónia; ~ *orchestra* szimfonikus zenekar
symposium [sɪm'poʊzjəm] *n* (*pl* ~**s** -z v. **-sia** -zjə) **1.** szimpozion [tudományos tanácskozás] **2.** ⟨tanulmánygyűjtemény különböző szerzőktől ugyanazon tárgyról⟩
symptom ['sɪmptəm] *n* tünet, (elő)jel, kórjel, kórtünet, szimptóma
symptomatic[sɪmptə'mætɪk]*a* előre jelző; tüneti, szimptómás, szimptomatikus
synagogue ['sɪnəgɔg; *US* -ɔ:g] *n* **1.** zsinagóga **2.** zsidó egyházközség
synchromesh ['sɪŋkroʊmeʃ] *n* szinkron sebességváltó
synchronic(al) [sɪŋ'krɔnɪk(l); *US* -an-] *a* egyidejű, szinkronikus, szinkrón
synchronism ['sɪŋkrənɪzm] *n* egyidejűség, időbeli egybeesés, fázisazonosság
synchronize ['sɪŋkrənaɪz] **A.** *vt* **1.** egyidejűvé tesz, összehangol, -igazít [órákat] **2.** szinkronizál [filmet] **B.** *vi* egyidejű, szinkronban van

synchronous ['sɪŋkrənəs] a egyidejű, szinkrón
synchrony ['sɪŋkrənɪ] n egyidejűség, szinkrónia
synchrotron ['sɪŋkrətrɔn; US -an] n szinkrotron
syncopate ['sɪŋkəpeɪt] vt (betűt, szótagot) elhagy; szinkopál
syncopation [sɪŋkə'peɪʃn] n 1. szinkopálás, szinkópa [zenében] 2. hangugratás, szinkópa [nyelvben]
syncope ['sɪŋkəpɪ] n 1. ájulás 2. = syncopation 2.
syndic ['sɪndɪk] n vagyonkezelő
syndical ['sɪndɪkl] a testületi; szakszervezeti
syndicate I. n ['sɪndɪkɪt] 1. szindikátus, konszern 2. intézőség 3. hírügynökség, sajtóügynökség II. vt ['sɪndɪkeɪt] 1. szindikátust alakít 2. egyidejűleg több újságban közöl(tet) [azonos cikket]
syndrome ['sɪndroʊm] n tünetcsoport, szindróma
syne [saɪn] adv sk régen, hajdan, azóta || → auld
synergy ['sɪnədʒɪ] n együttműködés [szerveké]
Synge [sɪŋ] prop
synod ['sɪnəd] n zsinat, szinódus
synonym ['sɪnənɪm] n rokon értelmű szó, szinonima
synonymous [sɪ'nɔnɪməs; US -an-] a rokon értelmű, szinonim
synonymy [sɪ'nɔnɪmɪ; US -an-] n rokonértelműség, szinonimia
synopsis [sɪ'nɔpsɪs; US -ap-] n (pl -ses -si:z) foglalat, vázlat, összegezés, áttekintés, szinopszis
synoptic(al) [sɪ'nɔptɪk(l); US -ap-] a egyszerre áttekinthető, átnézetes, öszszefoglalt, szinoptikus
synovia [sɪ'noʊvjə] n ízületnedv
syntactic(al) [sɪn'tæktɪk(l)] a mondattani
syntactically [sɪn'tæktɪk(ə)lɪ] adv mondattanilag, mondattani szempontból
syntax ['sɪntæks] n mondattan
synthesis ['sɪnθɪsɪs] n (pl -ses -si:z) 1. összefoglalás, (magasabb) egységbe foglalás 2. magasabb egység, szintézis

synthetic(al) [sɪn'θetɪk(l)] a 1. összefoglaló, egységbe foglaló; szintetikus 2. szintetikus, mű-; mesterséges; műszálas; ~ fibre műrost, műszál
synthetize ['sɪnθɪtaɪz] vt magasabb egységbe foglal, szintetizál
syphilis ['sɪfɪlɪs] n vérbaj, szifilisz
syphilitic [sɪfɪ'lɪtɪk] a vérbajos, szifiliszes
syphon ['saɪfn] n = siphon
Syria ['sɪrɪə] prop Szíria
Syriac ['sɪrɪæk] n szír (nyelv)
Syrian ['sɪrɪən] a/n szíriai, szír
syringa [sɪ'rɪŋgə] n 1. orgona [virág] 2. jázmin
syringe ['sɪrɪndʒ] I. n 1. (injekciós) fecskendő 2. tűz(oltó)fecskendő II. vt fecskendez, meglocsol; befecskendez || → hypodermic
syrinx ['sɪrɪŋks] n (pl ~es -sɪz v. syringes sɪ'rɪndʒi:z) 1. nádsíp, pánsíp 2. hangképző szerv, alsó gégefő [madáré] 3. Eustach-kürt
syrup ['sɪrəp; US 'sə:rəp is] n szörp, szirup
syrupy ['sɪrəpɪ; US 'sə:r- is] a szirupos, túl édes
system ['sɪstəm] n 1. rendszer; szisztéma, módszer; ~s analysis rendszerelemzés; ~s analyst rendszerelemző 2. szerkezet, hálózat 3. szervezet [emberé]
systematic [sɪstɪ'mætɪk] a rendszeres, módszeres, szisztematikus
systematization [sɪstɪmətaɪ'zeɪʃn; US -tɪ'z-] n rendszerbe foglalás, rendszerezés
systematize ['sɪstɪmətaɪz] vt rendszerbe foglal, rendszerez, szisztematizál
system-building n házgyári építkezés (előregyártott elemekből)
systemic [sɪ'stemɪk] a 1. rendszeres, rendszerszerű, rendszer- 2. szervezeti, általános [orvosilag]
systole ['sɪstəlɪ] n szívösszehúzódás, szisztolé
systolic [sɪ'stɔlɪk; US -al-] a szisztolés
syzygy ['sɪzɪdʒɪ] n [csillagászati] együttállás, szembenállás, szizigium

T

T¹, t [tiː] *n* T, t (betű); *cross one's t's* *biz* aprólékos(an dolgozik), igen akkurátus/pedáns; *to a t* hajszálnyi pontossággal, pontosan, tökéletesen; *model T* régi Ford autó, elavult típus
t² *ton(s)*
ta [tɑː] *int* köszönöm [gyermeknyelven], kösz!
tab [tæb] *n* 1. fül [ruhán, cipőn]; akasztó [kabáton] 2. (poggyász)címke 3. (tiszti) paroli 4. szegély 5. lovas [kartotékcédulán] 6. *biz keep ~(s) on sg* vmt figyelemmel kísér 7. =*tabulator*
tabard ['tæbəd] *n* lovagi köntös; ujjatlan rövid kabát
tabaret ['tæbərɪt] *n* sávos selyemszövet [bútorhuzatnak]
tabby ['tæbɪ] *n* 1. ~ *(cat)* (1) cirmos cica (2) nőstény macska 2. pletykázó vénasszony, öreglány
tabernacle ['tæbənækl] *n* 1. sátor [régi zsidóknál] 2. imaház; templom 3. szentségtartó 4. beugró, falmélyedés
tabes ['teɪbiːz] *n* tábesz, sorvadás
table ['teɪbl] I. *n* 1. asztal; *clear the ~* leszedi az asztalt; *keep a good ~* jó konyhája van; *átv turn the ~s on sy* visszafordítja vkre a fegyvert 2. asztaltársaság 3. tábla; *the ~ of the law* a mózesi törvénytáblák/kőtáblák 4. táblázat; jegyzék; mutató; ~ *of contents* tartalomjegyzék 5. fennsík, táblavidék, plató 6. sima lap/lemez felület II. *vt* 1. asztalra tesz; kártyát kijátszik 2. előterjeszt [törvényjavaslatot]; ~ *a bill* (1) *GB* törvényjavaslatot benyújt (2) *US* hosszú időre elnapol egy javaslatot 3. egymásba illeszt [gerendákat]

tableau ['tæbloʊ] *n* 1. csoportkép, élőkép 2. drámai helyzet
table-cloth *n* abrosz
table-cover *n* asztalterítő
table d'hôte [tɑːblˈdoʊt] *n* 1. közös ebédlőasztal [vendéglőben, szállodában] 2. menü
table-flap *n* felcsapható asztallap [vasúti kocsiban stb.]
table-fork *n* (nagy) villa [asztali]
table-knife *n* (*pl* -knives) nagy/asztali kés
table-land *n* fennsík, plató
table-leaf *n* (*pl* -leaves) asztaltoldat
table-linen *n* asztalnemű
table-mat *n* tálalátét, abroszvédő tányéralj, szet(t)
table-rapping *n* asztaltáncoltatás
tablespoon *n* leveseskanál
tablespoonful *n* leveseskanálnyi
tablet ['tæblɪt] *n* 1. emléktábla 2. tabletta, pirula [orvosság] 3. ~ *of soap* (egy) darab szappan
table-talk *n* étkezés közben folytatott (v. fehér asztal melletti) beszélgetés/társalgás
table-tennis *n* asztalitenisz, pingpong
table-turning *n* = *table-rapping*
table-ware *n* (étkezési) edények és evőeszközök
table-water *n* ásványvíz
tabling ['teɪblɪŋ] *n* 1. tábla, táblázat 2. táblázatkészítés, osztályozás, besorolás 3. asztalnál való elhelyezés; asztalsor 4. ~ *of a bill* (1) *GB* törvényjavaslat benyújtása (2) *US* javaslat elnapolása
tabloid ['tæblɔɪd] *n* 1. orvosságos tabletta 2. ⟨szenzációhajhászó kisalakú képes napilap⟩

taboo [tə'bu:] I. *a* tabunak/sérthetetlennek nyilvánított; ~ *words* tabu szavak II. *n* 1. tabu, tilalom 2. tiltott/tilos dolog III. *vt* megtilt, tabunak minősít
tabor ['teɪbə*] *n* kis dob
tabouret ['tæbərɪt] *n* kis támlátlan szék
tabular ['tæbjʊlə*; *US* -bjə-] *a* 1. táblázatos 2. lemezes [szerkezet] 3. táblás [vidék]
tabulate ['tæbjʊleɪt; *US* -bjə-] *vt* táblázatba foglal
tabulation [tæbjʊ'leɪʃn; *US* -bjə-] *n* 1. táblázatba foglalás 2. táblázatos kimutatás
tabulator ['tæbjʊleɪtə*; *US* -bjə-] *n* tabulátor [írógépen]
tachometer [tæ'kɔmɪtə*; *US* -'ka-] *n* sebességmérő; fordulatszámmérő
tachycardia [tækɪ'kɑ:dɪə] *n* kórosan gyors szívverés
tacit ['tæsɪt] *a* hallgatólagos; ~ *approval* hallgatólagos beleegyezés
taciturn ['tæsɪtə:n] *a* hallgatag
taciturnity [tæsɪ'tə:nətɪ] *n* hallgatagság, szűkszavúság
tack [tæk] I. *n* 1. kis rövid szeg; széles fejű szegecs; rajzszeg 2. hosszú öltés, fércelés 3. csücsökkötél, szélszarvkötél [vitorlán] 4. irányhelyzet [hajóé]; *on the port* ~ balról fúj a szél [hajón] 5. eljárásmód, taktika; *be on the right* ~ helyes úton van/jár; *try another* ~ más taktikát próbál, másképpen próbálkozik 6. ragadósság [olajfestéké stb.] 7. *biz* étel; *hard* ~ kétszersült; *soft* ~ kenyér [hajón] II. A. *vt* 1. (szeggel) odaerősít, odaszögez 2. (össze)fércel; (össze)tűz, fűz, összefűz 3. *átv biz* ~ *sg* (*on*) *to sg* hozzátesz/hozzáfűz vmhez vmt B. *vi* 1. irányt változtat [hajó] 2. taktikát változtat, megváltoztatja magatartását
tackle ['tækl] I. *n* 1. (emelő) csigasor 2. felszerelés; berendezés; készlet 3. hajókötélzet 4. megbirkózás (vmvel); megállítás, feltartóztatás [ellenfélé] 5. védő(játékos) [rögbiben] II. A. *vt* 1. rögzít, megerősít 2. megragad (vkt); szerel [sportban] 3. megküzd, megbirkózik [feladattal] 4. nekifog, vállal (vmt) 5. vitába száll (vkvel)

tacky ['tækɪ] *a* ragadós
tact [tækt] *n* tapintat
tactful ['tæktfʊl] *a* tapintatos
tactfully ['tæktfʊlɪ] *adv* tapintatosan
tactical ['tæktɪkl] *a* 1. taktikai 2. harcászati
tactician [tæk'tɪʃn] *n* 1. taktikus 2. harcász
tactics ['tæktɪks] *n* 1. harcászat 2. taktika, eljárásmód
tactile ['tæktaɪl; *US* -t(ə)l] *a* 1. tapintási, tapintó-, tapintóérzékhez tartozó 2. tapintható
tactless ['tæktlɪs] *a* tapintatlan
tadpole ['tædpoʊl] *n* ebihal, békaporonty
ta'en [teɪn] = *taken*
taenia ['ti:nɪə] *n* (*pl* ~e 'ti:nɪi:) 1. pálcaszerű/szalagszerű párkány [dór frízen] 2. galandféreg 3. izomszalag
taffeta ['tæfɪtə] *n* taft
taffrail ['tæfreɪl] *n* hajófarkorlát
taffy[1] ['tæfɪ] *n* 1. *US* karamella 2. *biz* hízelgés
Taffy[2] ['tæfɪ] I. *prop* Dávid [welsh nyelven] II. *n biz* walesi ember
Taft [tæft, tɑ:ft] *prop*
tag [tæg] I. *n* 1. fűzőhegy, fémvég [cipőfűzön] 2. cipőhúzó fül 3. függőcímke, cédula; *US* ~ *day* utcai gyűjtési nap [melyen kis jelvényt osztogatnak] 4. elálló/lelógó vég/csúcs; *the* ~ *end of the rope* a kötél szabadon lógó vége 5. toldalék 6. refrén 7. *question* ~ simuló kérdés 8. elcsépelt szólás 9. fogócska II. *vt* -gg- 1. ~ *sg on to sg* hozzáfűz/hozzátold vmt vmhez 2. fűzőheggyel ellát [zsinórvéget] 3. függőcímkét/cédulát tesz [bőröndre stb.]; (fel)címkéz (vmt); ~ *a car* helyszíni bírságolási cédulát ragaszt kocsira [tilos parkolásért] 4. *biz* nyomon követ 5. megfog [fogócskában]
tag-rag *n* = *ragtag*
Tahiti [tɑ:'hi:tɪ] *prop*
Tahitian [tɑ:'hi:ʃn] *a*/*n* tahiti
tail[1] [teɪl] I. *n* 1. farok, fark; *close on his* ~ közvetlenül mögötte; *keep one's* ~ *up* nem veszti el a bátorságát; *the sting is in the* ~ végén csattan az ostor; *turn* ~ sarkon fordul, elinal;

with his ~ between his legs behúzva
a farkát; twist the ~ of sy bosszant
vkt 2. végződés, vég; far [jármüé];
~ of hair varkocs, copf 3. uszály
[ruháé]; szárny [kabáté]; biz wear
~s frakkot hord 4. kíséret, átv uszály
5. biz írás(os oldal) [érméé stb.]
II. A. vt 1. farokkal/végződéssel ellát
2. nyomon követ, megfigyel (vkt)
3. lecsutkáz [gyümölcsöt] B. vi fo-
lyásirányba fordul [hajó]
  tail after vi uszályként követ
  tail away vi 1. elritkul, elvékonyo-
dik 2. elhal [hang] 3. lemarad [ver-
senyző stb.]
  tail in vt beereszt [gerendavéget
falba stb.]
  tail off vi 1. = tail away 2. elsiet,
elinal
  tail on vt hozzáerősít/hozzácsatol
a végén [függelékként stb.]
tail² [teɪl] n utóörökösödési korlátozás;
estate (in) ~ meghatározott lemenők
javára korlátozott tulajdon
tail-board n hátsó saroglya [szekéré]
tail-coat n frakk
-tailed [-teɪld] (vmlyen) farkú
tail-end n vmnek a legvége
tailing ['teɪlɪŋ] n 1. felfekvés [gerendáé],
téglakiugratás [falból] 2. egymásba
futó színek [textilnyomásnál] 3. ocsú,
tönköly 4. salak, bányászott érc alja
tail-lamp n farlámpa; hátsó lámpa/vi-
lágítás
tailless ['teɪllɪs] a farkatlan
tail-light n = tail-lamp
tailor ['teɪlə*] I. n szabó II. vt 1. szab,
készít [öltönyt, kosztümöt] 2. vmlyen
célnak megfelelően alakít
tailoress [teɪlə'res] n szabónő
tailoring ['teɪlərɪŋ] n 1. szabászat 2.
szabás
tailor-made a mérték után készült [ruha]
tail-piece n 1. húrtartó [hegedűn] 2.
záróvignetta, záródísz [fejezet végén
stb.] 3. toldalék 4. egyensúlyozó fa-
rokrész [repülőgépen]
tail-race n malomzúgó
tail-shaft n farokszerkezet [repülőbom-
báé]
ail-spin n dugóhúzó [repülésben]

tail-wind n hátszél
taint [teɪnt] I. n 1. romlottság; fertő-
zés 2. öröklött baj, hajlam betegség-
re/rosszra II. A. vt (átv is) megfertőz,
megront, bemocskol B. vi megfertőző-
dik, megromlik; szagot kap [étel]
tainted ['teɪntɪd] a (átv is) fertőzött;
szennyezett; romlott
taintless ['teɪntlɪs] a átv romlatlan,
szeplőtlen
Taj Mahal [tɑ:dʒmə'hɑ:l] prop
take [teɪk] I. n 1. (film)felvétel 2. fogás
[vadé, halé] 3. biz bevétel, nyereség
[színházi előadásé stb.] II. v (pt took
tʊk, pp taken 'teɪk(ə)n) A. vt 1. (kéz-
be) vesz; fog; he took his hat vette a
kalapját; ~ one's life in one's hands
veszedelmes dologra vállalkozik 2. el-
vesz; megragad; ~ (hold of) sy/sg
megragad/megkaparint vkt/vmt; sy
has ~n my pen valaki elvette a tolla-
mat; ~ the opportunity megragadja
az alkalmat 3. elfog (vkt, vmt);
elfoglal [várost stb.]; ~ sy prisoner
foglyul ejt vkt 4. hatalmába kerít,
megragad, elfogja (vkt vm); what has
~n him? mi ütött beléje? 5. (meg-)
szerez (vmt); ~ $500 a week heti
500 dollárt keres/forgalmaz; ~ posses-
sion of sg birtokba vesz vmt, megsze-
rez vmt 6. lefoglal; (ki)bérel, bérbe
vesz; alkalmaz, szerződtet; ~ a seat
(1) helyet foglal, leül (2) helyet lefog-
lal; „taken" foglalt [asztal, ülőhely];
~ a room szobát bérel; ~ a taxi taxiba
ül, taxit fog; ~ a train vonatra száll;
what paper do you ~? milyen újságot
járat? 7. (magához) vesz [ételt, italt];
~ one's breakfast megreggelizik; ~ tea
teázik, teát iszik; "not to be ~n!" „csak
külsőleg" [orvosságosüvegen] 8. vesz
[részt, órát, félegzetet]; kivesz [sza-
badságot]; felvesz [adatokat, fényké-
pet stb.]; tesz [lépéseket stb]; ~
breath lélegzik; ~ a holiday szabadsá-
got vesz ki, szabadságra megy; ~
a walk sétát tesz 9. igényel; ~ a horse
lóra száll/ül; that will ~ some explain-
ing ez némi magyarázatot kíván;
igényel; this verb ~s a preposition ez az
ige elöljárót vonz 10. tart (vmeddig),

igénybe vesz [időt]; *how long does it* ∼ *to get there?* mennyi idő alatt érünk oda?; *it* ∼*s two hours* két órát vesz igénybe, két óráig tart; *it won't* ∼ *long* nem tart sokáig 1l. választ (vmt); vállalkozik (vmre); *which will you* ∼? melyiket választod? ∼ *an examination* vizsgázik; ∼ *(holy) orders* papi pályára megy; ∼ *pupils* (magán)órákat ad 12. elfogad [ajándékot, pénzt]; megfogad [tanácsot stb.]; ∼ *it or leave it!* kell vagy nem kell?; ha nem tetszik hagyd (ott)!; *how much less will you* ∼? mennyit hajlandó engedni [az összegből]? 13. eltűr, elvisel; kibír; *biz* ∼ *it* bátran elvisel/kiáll [megpróbáltatást stb.]; *biz* ∼ *it easy!* (1) ne izgulj! (2) lassan a testtel!; *biz* ∼ *that (and that)!* nesze (neked)! 14. *biz* felfog, megért; *do you* ∼ *me?* értesz?, kapiskálod?; ∼ *a hint* elérti a célzást 15. feltételez, feltesz (vmt); *I* ∼ *it that* . . . feltételezem, hogy . . .; *how old do you* ∼ *him to be?* milyen idősnek tartod őt? 16. (magával) visz; elvisz; ∼ *home* hazavisz; hazakísér; *which way* ∼*s us to Dover?* melyik út vezet Doverbe? **B.** *vi* 1. hat; *the vaccine has not* ∼*n* az oltás nem eredt/fogamzott meg 2. sikere van; kelendő 3. köt [cement]
take aback *vt* megdöbbent
take after *vi* ∼ *a. sy* (1) hasonlít vkre (2) vk nyomába lép
take along *vt* magával visz
take apart *vt* (darabjaira) szétszed
take away *vt* 1. elvesz, eltávolít; 2. elvisz; magával visz; ∼ *a child a. from school* kivesz gyereket az iskolából 3. kivon, levon
take back *vt* 1. visszavesz, -visz; *átv* (gondolatban) visszavisz [múltba, vhova] 2. visszaszív, -von
take by *vt* vmnél megfog; ∼ *sy by the throat* torkon ragad vkt
take down *vt* 1. levesz (vmt vhonnan) 2. leír, lejegyez; felvesz [hangszalagra stb.] 3. leszerel [gépet]; lebont [épületet] 4. eggyel lejjebb/hátrább ültet [iskolában]
take for *vt* 1. vmnek hisz/néz;

vmvel összetéveszt; *do you* ∼ *me f. a fool?* bolondnak nézel? 2. kér, megkövetel [árat stb.]; *what will you* ∼ *f. it?* mennyit kér érte?
take from *vt* 1. átvesz; elvesz (vhonnan, vmből) 2. elfogad (vktől vmt); *you may* ∼ *it f. me* nekem elhiheted
take in **A.** *vt* 1. bevesz; bevisz 2. bevezet [hölgyet asztalhoz] 3. befogad, magához vesz 4. elfogad, vállal [munkát otthoni elvégzésre]; ∼ *in washing* mosást vállal 5. felfog; ∼ *in the situation* áttekinti/felfogja a helyzetet 6. szűkebbre vesz [ruhát] 7. *biz* becsap, rászed (vkt) 8. előfizet, járat [újságot] **B.** *vi* ∼ *in with sy* vk pártjára áll
take into *vt* 1. (*átv is*) bevisz, bevesz 2. bevon vmbe, befogad
take off **A.** *vt* 1. levesz; levet [ruhafélét]; ∼ *o. one's clothes* levetkőzik; *he cannot* ∼ *his eyes o. sg* nem tudja a szemét levenni vmről; ∼ *o. the receiver* felveszi a telefonkagylót; ∼ *o. a train* egy vonatjáratot megszüntet 2. elvisz, eltávolít; ∼ *oneself o.* elkotródik 3. lenyel, felhajt [italt] 4. utánoz, utánzással nevetségessé tesz 5. leszámít; enged [árból] **B.** *vi* 1. elugrik; (el)indul, elmegy (vhonnan) 2. felszáll [repülőgép]
take on **A.** *vt* 1. magára vesz; (el-)vállal 2. elfogad [kihívást], kiáll megküzdeni (vkvel) 3. felvesz; felfogad 4. továbbvisz [jármű] **B.** *vi* 1. sikere van; divatba jön 2. *biz* bánkódik; felizgatja magát
take out *vt* 1. kivesz (sg out of sg vmt vmből); *have a tooth* ∼*n out* kihúzat egy fogat; ∼ *o. one's pipe* előveszi a pipáját; ∼ *o. a stain* kivesz foltot [ruhából] 2. *biz* ∼ *it o. of sy* kimerít/elcsigáz vkt; *the heat* ∼ *it o. of me* a hőség elbágyaszt/kikészít; ∼ *it o. on sy* kitölti vkn haragját/bosszúságát 3. ∼ *it o. in sg* (le)törleszt vmt vmvel; ∼ *it o. in goods* áruval törleszti le [adósságát] 4. elvisz (vkt hazulról vhova); *he took her o. dancing* elvitte táncolni 5. megszerez [engedélyt stb.]; kivált

[szabadalmat]; ~ *o. an insurance* biztosítási kötvényt kivált; ~ *o. American papers* amerikai állampolgárságot kap/szerez **take over** A. *vt* 1. átvesz, átvállal; ~ *o. a business* átveszi az üzletet 2. végigvisz (vkt vhol); átszállít, átvisz; ~ *sy o. a house* vknek a ház minden helyiségét megmutatja, vkt végigvezet a házon B. *vi* ~ *o. from sy* felvált vkt **take round** *vt* körülhordoz; ~ *r. the plate* tényéroz **take to** A. *vi* 1. megszeret 2. vmre rászokik/rákap; ~ *to drink(ing)* ivásra adja magát 3. vhova megy/indul; vmhez folyamodik; ~ *to the air* felszáll; ~ *to one's heels* elmenekül; ~ *to the road* útnak indul B. *vt* ~ *to heart* szívére vesz **take up** A. *vt* 1. felvesz, felemel; ~ *up a street* felbontja az utca kövezetét 2. elkötöz [eret]; felszed [szemet kötésen] 3. rövidebbre vesz (vmt); felhajt [szoknyát stb.] 4. összegöngyöl, felgöngyöl 5. felvesz [jármű utasokat] 6. felfog, kiegyenlít (vmt); ~ *up the humps* zökkenőket kiegyenlíti [autórugózás] 7. felszív [anyag nedvességet] 8. elfogad [váltót, kihívást]; felvesz [kölcsönt] 9. hozzáfog (vmhez); ~ *up the question* foglalkozni kezd a kérdéssel 10. (hivatásszerűen) foglalkozik (vmvel); vmlyen pályára megy/lép 11. folytat [félbeszakított dolgot] 12. pártfogol (vkt) 13. összeszid; ~ *sy up short* szavába vág vknek 14. elfoglal [helyet]; leköt [időt; gondolatot]; *he is quite* ~*n up with her* fülig bele van bolondulva; *be* ~*n up with sg* (nagyon) leköti vm érdeklődését, nagyon érdekli vm B. *vi* 1. (időjárás) megjavul, kiderül 2. ~ *up with sy* (1) barátságot köt vkvel (2) összeáll vkvel **take upon** *vt* ~ *u. oneself* magára vállal/vesz; ~ *it u. oneself to* merészkedik vmt tenni **take-away** *a* hazavihető, elvihető [étel], vidd-magaddal [tárgy] **take-down** *n biz* megalázás

take-home *a biz* ~ *wages/pay* nettó bér **take-in** *n* beugratás, becsapás, megtévesztés **taken** ['teɪk(ə)n] →*take II.* **take-off** *n* 1. utánzás, karikatúra 2. felszállás 3. elugrás 4. kiindulási pont **takeover** *n* átvétel [hatalomé stb.]; átvállalás; *GB* állami tulajdonba vétel **taker** ['teɪkə*] *n* 1. vevő/fogó személy 2. (vmre) fogadó [személy] 3. tolvaj 4. jegyszedő **take-up** *n* 1. megfeszítés [kötélé] 2. fonalfeszítő [varrógépen stb.] 3. ~ *spool* felvevőtekercs [filmszalagé] **taking** ['teɪkɪŋ] I. *a* 1. megnyerő, rokonszenves 2. *biz* ragályos II. *n* 1. bevétel [váré] 2. **takings** *pl* (1) zsákmány (2) bevétel, jövedelem; nyereség **talc** [tælk] *n* 1. zsírkő; csillám 2. = *talcum powder* **talcum** ['tælkəm] *n* ~ *powder* hintőpor **tale** [teɪl] *n* 1. történet, mese, elbeszélés; *I've heard that* ~ *before* ezt a mesét már ismerem; *no one was left to tell the* ~ még hírmondó sem maradt; *old wives'* ~*s* mesebeszéd, fantasztikus történet; *tall* ~ hihetetlen/fantasztikus történet 2. pletyka; *tell* ~*s (out of school)* (1) elárul vmt, (szándékosan) eljár a szája (2) beárul vkt 3. † mennyiség, darabszám **tale-bearer** *n* 1. pletykahordó 2. besúgó **talent** ['tælənt] *n* 1. képesség, tehetség 2. tehetség(es ember); ~ *contest/show* kb. „ki mit tud?"; ~ *scout/spotter* tehetségkutató 3. talentum [ókori súlyegység, pénzegység] **talented** ['tæləntɪd] *a* tehetséges **taleteller** *n* 1. mesemondó 2. pletykálkodó **talisman** ['tælɪzmən] *n* talizmán **talk** [tɔ:k] I. *n* 1. beszélgetés, társalgás; beszéd; megbeszélés; ~*s* tárgyalás(ok); *have a* ~ *with sy* tárgyal/beszél(get) vkvel 2. előadás [könnyed stílusban], csevegés; beszámoló; *give a* ~ *on* beszél vmről 3. fecsegés, üres beszéd 4. beszédtárgy, -téma; ~ *of the town* amiről az egész város beszél; *there's some* ~ *of...* azt beszélik, hogy..., szó van arról, hogy... II. *vi/vt* 1. beszél (vmt

about vmről/vkről) 2. beszél(get), társalog [vmlyen nyelven]; ~ *English* angolul beszél 3. fecseg; ~ *big* felvág, henceg
talk about *vi* vmről/vkről beszél
talk at *vi* ~ *at sy* burkoltan célozgat jelenlévőre
talk away *vi* beszélgetéssel tölt el [időt]; sokat fecseg
talk back *vi* felesel, visszapofázik
talk down A. *vt* 1. túlbeszél, -kiabál (vkt) 2. távirányítással lehív [repülőgépet] **B.** *vi* ~ *d.* *to one's audience* hallgatói alacsonyabb színvonalához alkalmazkodva beszél, leereszkedik hallgatóságához
talk into *vt* ~ *sy i. sg* (1) vkt vmre rábeszél (2) vknek vmt bebeszél
talk of *vi* ~ *of sg/sy* vmről/vkről beszél; elmond vmt; ~*ing of Frank* apropó Feri, Feriről jut eszembe, ha már Feriről beszélünk
talk on *vi* tovább beszél
talk out *vt* ~ *sy o. of sg* lebeszél vkt vmről, kiver vk fejéből [ötletet stb.]
talk over *vt* 1. megbeszél, megvitat 2. meggyőz (vkt vmről), rábeszél (vkt vmre)
talk round A. *vi* kerülgeti a témát **B.** *vt* rábeszél, meggyőz
talk to *vi* 1. vkhez beszél; vkvel beszél(get); ~ *to oneself* magában beszél 2. *biz* megleckéztet vkt; *I'll* ~ *to him!* majd én beszélek a fejével!
talk up A. *vt biz* (fel)magasztal (vmt) **B.** *vi* hangosan/tisztán beszél
talkative ['tɔːkətɪv] *a* beszédes, bőbeszédű
talkativeness ['tɔːkətɪvnɪs] *n* bőbeszédűség
talker ['tɔːkə*] *n* beszélő, csevegő (ember)
talkies ['tɔːkɪz] *biz n pl* hangosfilm
talking ['tɔːkɪŋ] I. *a* 1. beszélő; ~ *picture* hangosfilm; ~ *point* (beszéd)téma 2. beszédes, kifejező II. *n* beszéd, beszélgetés; *he did all the* ~ csak ő beszélt (egész idő alatt); *no* ~ *please* csendet kérünk
talking-to *n* megfeddés, leszidás
tall [tɔːl] *a* 1. magas (termetű) 2. *biz*

hihetetlen; ~ *order* nagy feladat; *a* ~ *story* képtelen/hihetetlen történet
tallboy *n* magas fiókos szekrény
tallness ['tɔːlnɪs] *n* magasság, nagyság
tallow ['tæloʊ] I. *n* faggyú II. *vt* 1. faggyúz 2. ~ *sheep* birkát hizlal
tallow-chandler *n* gyertyaöntő
tallow-faced *a* sápadt
tally ['tælɪ] I. *n* 1. rovásos pálca/fa 2. rovás; *the* ~ *trade* részletüzlet; *keep* ~ *on sg* számon tart vmt 3. folyószámla, a fél ellenszámlakönyve 4. névcédula, címke 5. vmnek ellenpárja II. A. *vt* 1. jegyzékbe vesz 2. megszámol, ellenőriz; egyeztet 3. megcímkéz, cédulával ellát **B.** *vi* egyezik; *his statement does not* ~ *with the facts* állítása nem egyezik a tényekkel
tally-clerk *n* (listát kipipáló) ellenőr
tally-ho [tælɪ'hoʊ] *int* hajrá!, talihó! [kutyát uszító kiáltás]
tallyman ['tælɪmən] *n* (*pl* -men -mən) (részletüzletre felhajtókkal dolgozó) textilkereskedő
tally-shop *n GB* részletüzlet(tel foglalkozó bolt)
tally-stick *n* rováspálca
talon ['tælən] *n* 1. karom [ragadozó madáré] 2. talon [kártyában stb.] 3. szelvényutalvány
tamable ['teɪməbl] *a* megszelídíthető
tamarind ['tæmərɪnd] *n* tamarindusz-fa (gyümölcse)
tamarisk ['tæmərɪsk] *n* tamariska, tamariszkusz
tambour ['tæmbʊə*] *n* 1. nagydob 2. kerek hímzőkeret 3. (gör)redőny [bútoron] 4. oszloptörzs
tambourine [tæmbə'riːn] *n* tamburin- (dob)
tame [teɪm] I. *a* 1. megszelídített, szelíd; házi [állat] 2. engedelmes, szelíd; erélytelen, passzív 3. ízetlen, unalmas II. *vt* 1. megszelídít; ~ *down* (1) megszelídít (2) *vi* megszelídül, lehiggad 2. megfékez, elfojt
tameable ['teɪməbl] *a* megszelídíthető
tameless ['teɪmlɪs] *a* 1. megszelídítetlen, vad 2. megszelídíthetetlen
tameness ['teɪmnɪs] *n* szelídség

tamer ['teɪmə*] n (állat)szelidítő
taming ['teɪmɪŋ] n 1. szelidítés 2. megfékezés, megzabolázás
Tammany ['tæmənɪ] prop US ⟨a demokrata párt New York-i szervezete⟩
tammy ['tæmɪ] = tam-o'-shanter
tam-o'-shanter [tæmə'ʃæntə*] n kerek skót sapka, barett
tamp [tæmp] vt 1. ledöngöl, sulykol 2. lefojt [fúrólyukat]
tamper ['tæmpə*] vi ~ with (1) babrál vmvel és elront (2) meghamisít [okmányt stb.] (3) megveszteget, befolyásol [tanút]
tampon ['tæmpən] n tampon
tan [tæn] I. a sárgásbarna színű, cserszínű II. n 1. cserhéj [cserzésre] 2. sárgásbarna szín, cserszin 3. lesülés, lebarnulás III. v -nn- A. vt 1. cserez, csáváz [bőrt] 2. lebarnít [nap]; get ~ned lesül 3. □ ~ sy, ~ sy's hide jól elnadrágol B. vi lesül, lebarnul [a naptól]
tan-bark n cserhéj
tandem ['tændəm] I. adv tandemben; drive ~ tandemben hajt II. n 1. ~ (bicycle) kétüléses kerékpár, tandem 2. egymás elé fogott két ló
tang[1] [tæn] n 1. erős/csípős íz/szag 2. csap, nyélcsap, nyak [pengén, kéziszerszámon] 3. markolattüske
tang[2] [tæn] n hínár
tang[3] [tæn] I. n éles csengő hang II. A. vt csendít B. vi cseng
tangent ['tændʒ(ə)nt] I. a érintő; ~ scale (1) tangensskála (2) irányzékskála [fegyveren]; ~ screw finombeállító csavar II. n 1. érintővonal, tangens 2. biz fly/go off at a ~ hirtelen más tárgyra tér
tangential [tæn'dʒenʃl] a érintői
tangerine [tændʒə'riːn] n mandarin [egy fajtája]
tangibility [tændʒə'bɪlətɪ] n (meg)tapinthatóság; átv kézzelfoghatóság
tangible ['tændʒəbl] a 1. (meg)tapintható; érinthető; megfogható 2. átv kézzelfogható, igazi
tangibly ['tændʒəblɪ] adv kézzelfoghatóan
tangle[1] ['tæŋgl] I. n 1. összegabalyodás;

gubanc 2. bonyodalom, kuszaság; összevisszaság; get in a ~ bajba jut II. A. vt 1. összegubancol 2. összekuszál, -zavar; ~d web zavaros kuszaság; get. ~d up belebonyolódik B. vi 1. összegubancolódik 2. belezavarodik
tangle[2] ['tæŋgl] n hínár
tango ['tæŋgoʊ] n tangó [tánc]
tank [tæŋk] I. n 1. (folyadék)tartály; tank 2. ciszterna; mesterséges tó 3. harckocsi, tank; ~ point/drive páncélosék II. vt/vi ~ up (1) feltankol [járművet] (2) □ bepiál
tankard ['tæŋkəd] n fedeles fémkupa
tank-car n (vasúti) tartályvagon
tank-engine n szertartályos mozdony
tanker ['tæŋkə*] n 1. tartályhajó, olajszállító hajó 2. tartálygépkocsi
tank-trap n tankcsapda
tanned [tænd] a 1. (ki)cserzett 2. napbarnitott, barna ‖ →tan III.
tanner[1] ['tænə*] n tímár, cserzővarga
tanner[2] ['tænə*] n GB □ † hatpennys (pénzdarab)
tannery ['tænərɪ] n cserzőműhely
tannic ['tænɪk] a ~ acid csersav
tannin ['tænɪn] n csersav
tanning ['tænɪŋ] n 1. cserzés 2. biz elnadrágolás ‖ →tan III.
tansy ['tænzɪ] n baradicskóró
tantalize ['tæntəlaɪz] vt tantaluszi kínokat okoz (vknek)
tantalizing ['tæntəlaɪzɪŋ] a tantaluszi kínokat okozó, szívfájdító
tantamount ['tæntəmaʊnt] a egyenértékű (to vmvel), annyi mint
tantivy [tæn'tɪvɪ] I. a sebes, gyors II. n 1. vadászkiáltás 2. vágta(tás)
tantrum ['tæntrəm] n biz dühroham; be in a ~ hisztizik; she went into her ~s hisztizett, hisztérikus jelenetet rendezett
tan-yard n cserzőműhely; bőrgyár
Tanzania [tænzə'nɪə] prop Tanzánia
Tanzanian [tænzə'nɪən] a/n tanzániai
tap[1] [tæp] I. n 1. (víz-, gáz- stb.) csap; on ~ csapra vert [hordó] 2. csapolt ital 3. dugó, dugasz 4. söntés 5. menetfúró 6. el-, leágazás(i pont) II. vt -pp- 1. megcsapol, csapra ver 2. be-

vág, bemetsz [fát] 3. ~ the wire (1) áramot lop (2) telefonbeszélgetést lehallgat 4. csavarmenetet fúr 5. biz ~ sy (for money) „megvág" vkt tap² [tæp] I. n 1. könnyű ütés 2. kopogás 3. taps pl US (katonai) takarodó II. v -pp- A. vt koppint; megkopogtat; megérint B. vi kopog; ~ on the door kopog az ajtón
tap-dance n dzsiggelés
tape [teɪp] I. n 1. szalag; cotton/linen ~ pamutszalag, szegőszalag 2. mérőszalag 3. célszalag; breast the ~ átszakítja a célszalagot, elsőnek ér a célba 4. (magnó)szalag, hangszalag; ~ speed/velocity szalagsebesség II. vt 1. szalaggal összefűz/összeköt; ragasztószalaggal megerősít/leragaszt [csomagot stb.] 2. szegélyez, szegőszalaggal eldolgoz [ruhaneműt] 3. megmér, felmér [mérőszalaggal]; □ get ~d vkről véleményt alkotnak, vk „megméretik és vmlyennek találtatik" 5. (szalagra/magnóra) felvesz (vmt)
tape-machine n távírógép
tape-measure n mérőszalag, centiméterszalag
taper ['teɪpə*] I. a hosszú és vékony/vékonyodó, csúcsosodó II. n 1. vékony viaszgyertya 2. gyenge fényforrás 3. fokozatos (el)vékonyodás, szűkülés III. vt/vi ~ (off) (1) fokozatosan vékonyít/szűkít (2) kúposan alakít, kihegyez (3) csökkent (4) fokozatosan szűkül/elvékonyodik, csúcsban végződik (5) csökken; ritkul
tape-record vt magnetofonra/magnóra felvesz (vmt), magnófelvételt készít (vmről)
tape-recorder n magnetofon, magnó
tape-recording n magnetofonfelvétel, magnófelvétel
tapering ['teɪpərɪŋ] a elvékonyodó, hegyes csúcsban végződő
tapering-off a ~ cure elvonókúra
tapestried ['tæpɪstrɪd] a fali szőnyegekkel díszített; kárpitozott
tapestry ['tæpɪstrɪ] n 1. faliszőnyeg, falikárpit 2. gobelin
tapestry-work n 1. hímzett faliszőnyeg 2. kárpitosmunka

tapeworm n galandféreg, szalagféreg
tap-house n kocsma
tapioca [tæpɪ'oʊkə] n tapióka
tapir ['teɪpə*] n tapír
tapped [tæpt] →tap¹ és tap² II.
tapper ['tæpə*] n morzebillentyű
tappet ['tæpɪt] n mozgásátvivő rúd; szelepemelő; emelőbütyök; excenter; kamó
tapping¹ ['tæpɪŋ] n 1. megcsapolás, punkció 2. meglékelés 3. csavarfúrás
tapping² ['tæpɪŋ] n 1. ütögetés 2. kopogtatás ||→tap¹ és tap² II.
taproom n söntés
tap-root n főgyökér
tapster ['tæpstə*] n csaposlegény
tap-water n vízvezetéki víz
tar¹ [tɑː*] I. n kátrány; ~ macadam kátránymakadám útburkolat II. vt -rr- 1. bekátrányoz; ~red felt/paper kátránypapír, fedlemez 2. they are all ~red with the same brush egy húron pendülnek, egyik tizenkilenc a másik meg egy híján húsz
tar² [tɑː*] n matróz, tengerész
tarantella [tær(ə)n'telə] n tarantella
tarantula [tə'ræntjʊlə; US -tʃə-] n tarantulapók
tarboosh [tɑː'buːʃ] n fez
tar-brush n kátránykenő kefe; biz have a dash of the ~ van benne egy kis néger vér
tardigrade ['tɑːdɪgreɪd] I. a lassú, nehézkes II. n (átv is) lajhár
tardily ['tɑːdɪlɪ] adv 1. lassan, nehézkesen 2. későn, elkésve 3. vonakodva
tardiness ['tɑːdɪnɪs] n 1. lassúság; nehézkesség 2. késedelmesség; pontatlanság 3. vonakodás
tardy ['tɑːdɪ] a 1. lassú, nehézkes 2. késlekedő 3. US elkésett, késedelmes
tare¹ [teə*] n 1. bükköny 2. gaznövény
tare² [teə*] I. n 1. tára, göngyölegsúly 2. önsúly [járműnél] II. vt táráz
targe [tɑːdʒ] n † kis kerek pajzs
target ['tɑːgɪt] n 1. (átv is) céltábla, -pont, -tárgy; ~ language célnyelv 2. † kis pajzs 3. US vasúti jelzőtárcsa 4. tervelőirányzat, tervcél 5. birkalapocka

target-practice n céllövészet, lőgyakorlat
tariff ['tærɪf] n 1. díjszabás; (vám)tarifa; ~ *reform* behozatali vámok megváltoztatása; ~ *walls* vámsorompók 2. árszabás, árlista
tarmac ['tɑːmæk] n 1. = *tar*[1] *macadam* 2. [repülőtéri] fel- és leszállópálya
tarn [tɑːn] n tengerszem
tarnish ['tɑːnɪʃ] I. n 1. homályosság, folt [tüköré] 2. patinə, bevonat, hártya II. A. vt (*átv is*) elfakít, elhomályosít B. vi fényét veszti, elhomályosul
taroc ['tærɔk] n tarokk
tarot ['tærou; US -ət] n = *taroc*
tarpaulin [tɑːˈpɔːlɪn] n 1. kátrányos/vízhatlan ponyva 2. † vízhatlan tengerészsapka 3. *biz* † tengerész
tarpon ['tɑːpɔn; US -ɑn] n (közép-amerikai) tarponhal
tarragon ['tærəgən] n tárkony
tarred [tɑːd] →*tar*[1] *II.*
tarry[1] ['tærɪ] A. vi 1. késik, késlekedik 2. tartózkodik, marad B. vt vár (vkre, vkt)
tarry[2] ['tɑːrɪ] a kátrányos
tarsus ['tɑːsəs] n (*pl* -si -saɪ) lábtő
tart[1] [tɑːt] n 1. gyümölcslepény; torta 2. *GB* □ utcalány, ringyó
tart[2] [tɑːt] a 1. fanyar, kesernyés, csípős (ízű); ~ *cherry* meggy 2. *átv* maró, csípős [válasz stb.]
tartan ['tɑːt(ə)n] n skót kockás mintájú gyapjúszövet, tartán
tartar[1] ['tɑːtə*] n 1. borkő; ~ *emetic* hánytató borkő; *cream of* ~ tisztított borkő 2. fogkő
Tartar[2] ['tɑːtə*] I. a tatár II. n 1. tatár férfi/nő; *catch a* ~ törököt fog 2. *t*~ dühös/goromba ember 3. *t*~ *sauce* tartármártás
tartaric [tɑːˈtærɪk] a borkő-; ~ *acid* borkősav
Tartary ['tɑːtərɪ] *prop* † Tatárország
tartlet ['tɑːtlɪt] n kis gyümölcslepény, tortácska
tartness ['tɑːtnɪs] n 1. fanyarság; csípősség; kesernyésség 2. udvariatlanság, mogorvaság
task [tɑːsk; US -æ-] I. n 1. feladat; lecke; *complete a* ~ feladatot teljesít;

he was up to his ~ megfelelt feladatának 2. (önkéntesen vállalt) munka; vállalkozás 3. *take sy to* ~ *about/for sg* elővesz/megleckéztet vkt vmért II. vt 1. feladattal megbíz 2. *átv* megterhel
task-force n különítmény
task-master n 1. munkafelügyelő 2. ⟨vknek nehéz munkát kiadó/kiszabó személy, aki sokat követel [tanulóktól stb.]⟩
taskwork n darab(bér)munka
Tasmania [tæzˈmeɪnjə] *prop*
tassel ['tæsl] n 1. bojt, rojt 2. könyvjelző(szalag) 3. kukoricahaj 4. pompon [sapkán]
tassel(l)ed ['tæsld] a bojtos, rojtos
taste [teɪst] I. n 1. íz 2. (*sense of*) ~ ízlelés [érzékszerv]; megízlelés, ízlés; *add sugar to* ~ tégy hozzá cukrot ízlés szerint; *find sg to one's* ~ vmt kedvére valónak talál 3. (*átv is*) ízlés; *it is bad* ~ (*to* . . .) ízléstelen dolog (vmt tenni); *people of* ~ jó ízlésű emberek 4. érzék, hajlam (*for sg* vmhez/vmre); *it is not to my* ~ nincs ínyemre; *have a* ~ *for sg* kedve/hajlama van vmre 5. (*átv is*) a ~ *of sg* ízelítő vmből II. A. vt 1. (meg)ízlel, (meg)kóstol; ~ *one's tongue* csettint a nyelvével [jó ételt méltányolva] 2. érzi (vmnek) az ízét 3. csipeget (vmből) B. vi ~ *of sg* (1) vmlyen ízű (2) vmbe belekóstolt (3) vmben részesült
taste-bud n ízlelőszemölcs [nyelven]
tasteful ['teɪstfʊl] a 1. ízletes 2. ízléses
tasteless ['teɪstlɪs] a 1. ízetlen 2. ízléstelen
tastelessness ['teɪstlɪsnɪs] n 1. ízetlenség 2. ízléstelenség
taster ['teɪstə*] n kóstoló [személy]
tasty ['teɪstɪ] a *biz* 1. jóízű, ízletes 2. *biz* ízléses [ruha stb.]
tat [tæt] n indiai durva vászon
ta-ta [tæˈtɑː] I. n *go* ~*s* pápá megy [gyermeknyelven] II. *int* pápá!, szia! [gyermeknyelven]
Tate [teɪt] *prop*
tatter ['tætə*] n rongy, cafat
tatterdemalion [tætədəˈmeɪljən] n toprongyos ember

tattered ['tætəd] *a* rongyos, cafatos
Tattersall ['tætəsɔːl] *prop*
tattle ['tætl] I. *n* fecsegés; pletyka II.
vi fecseg, pletykál
tattler ['tætlə*] *n* pletykázó/fecsegő
személy
tattoo[1] [tə'tuː] I. *n* 1. (katonai) takarodó
[dobszóval] 2. *GB* (*torchlight*) ~ zenés
éjszakai katonai parádé 3. kopogás;
dörömbölés; *beat the devil's* ~ ujjaival
idegesen dobol [az asztalon] II. *vi*
(*pt/pp* ~ed -'tuːd) 1. *biz* takarodót
dobol 2. ujjaival idegesen dobol
tattoo[2] [tə'tuː] I. *n* tetoválás II. *vt*
(*pt/pp* ~ed -'tuːd) tetovál
tatty ['tætɪ] *a GB biz* rongyos, topis
taught [tɔːt] →*teach*
taunt [tɔːnt] I. *n* gúnyos megjegyzés,
gúny(olódás) II. *vt* kigúnyol
tauntingly ['tɔːntɪŋlɪ] *adv* gúnyosan
taut [tɔːt] *a* 1. feszes, szoros [kötél
stb.]; kifeszített [vitorla stb.]; *biz*
~ *situation* kiélezett helyzet 2. ~
and trim (1) jó karban levő (2) *biz*
elegáns
tauten ['tɔːtn] A. *vt* megfeszít, szorosra
húz B. *vi* megfeszül
tautness ['tɔːtnɪs] *n* szorosság
tautology [tɔː'tɔlədʒɪ; *US* -'tɑ-] *n*
tautológia, (fölösleges) szószaporítás
tavern ['tæv(ə)n] *n* kocsma
tavern-keeper *n* kocsmáros
taw[1] [tɔː] *n* golyózás [gyerekjáték]
taw[2] [tɔː] *vt* timsóval cserez [bőrt]
tawdriness ['tɔːdrɪnɪs] *a* cifraság; mu-
tatós értéktelen holmi
tawdry ['tɔːdrɪ] *a* cifra, csiricsáré, ízlés-
telen, csicsás
tawer ['tɔːə*] *n* fehértímár, cserző(mes-
ter)
tawery ['tɔːərɪ] *n* cserzőműhely
tawny ['tɔːnɪ] *a* homokszínű; (világos)
sárgásbarna
taws(e) [tɔːz] *n sk* korbács
tax [tæks] I. *n* 1. adó; *assessed/direct* ~*es*
egyenes adók; *free of* ~ adómentes;
lay/levy a ~ *on sg* adót kivet vmre
2. teher; *be a* ~ *on sy* terhére van (vk-
nek) II. *vt* 1. (meg)adóztat; adót ki-
vet; kiszab [illetéket]; megállapít
[perköltséget] 2. *biz* igénybe vesz,

próbára tesz; ~ *sy's patience* próbára
teszi vk türelmét 3. ~ *sy with* megvá-
dol (vkt vmvel); szemére vet (vknek
vmt)
taxable ['tæksəbl] *a* 1. adóköteles, adó
alá eső 2. megadóztatható; felszámít-
ható
taxation [tæk'seɪʃn] *n* 1. adózás; meg-
adóztatás, adókivetés 2. adórendszer
3. felbecsülés; ~ *of costs* (per)költségek
megállapítása
tax-collector *n* adószedő
tax-free *a* adómentes; ~ *shop* vámmentes
üzlet [reptéren stb.]
tax-gatherer *n* adószedő
taxi ['tæksɪ] I. *n* (autó)taxi; *take a* ~
taxit fogad, taxiba ül II. *vi* (*pt/pp*
~ed 'tæksɪd) 1. taxizik 2. gurul [rep-
gép földön]
taxi-cab *n* taxi
taxi-dancer *n* bértáncos(nő) [mulató-
helyen]
taxidermist ['tæksɪdə:mɪst] *n* állatkitömő
taxidermy ['tæksɪdə:mɪ] *n* állatkitömés
taxi-driver *n* taxisofőr
taximeter ['tæksɪmiːtə*] *n* viteldíjmérő,
taxaméter
taxi-plane *n* légi taxi
taxi-rank *n* taxiállomás
taxpayer *n* adózó, adófizető
Taylor ['teɪlə*] *prop*
T.B., TB [tiː'biː] *tuberculosis* tuberkuló-
zis, tbc
tea [tiː] *n* 1. tea; *have/take* (*a cup of*)
~ teát iszik, teázik 2. tea [teázás];
afternoon/plain ~ délutáni tea [hús-
étel nélkül]
tea-bag *n* zacskós tea, garzontea
tea-ball *n* teatojás
tea-basket *n* elemózsiás táska/kosár
tea-biscuit *n* teasütemény
tea-break *n* teaszünet [munkahelyen]
tea-caddy *n* teásdoboz
tea-cake *n* ⟨lapos édes mazsolás pék-
sütemény, rendsz. pirítva és vajjal⟩
teach [tiːtʃ] *vt* (*pt/pp* taught tɔːt)
tanít, oktat; ~ *oneself sg* megtanul
vmt (egészen egyedül); ~ *sy a thing
or two* vkt kitanít vmre; *biz* ~ *sy a
lesson* móresre tanít; *US* ~ *school*
tanítóskodik, tanárkodik

teachable ['ti:tʃəbl] *a* (könnyen) tanítható; tanulékony
teacher ['ti:tʃə*] *n* tanító(nő); tanár(nő); mester; oktató; ~*s' (training) college* tanárképző; tanítóképző (intézet)
teachership ['ti:tʃəʃɪp] *n* tanári/tanítói állás
tea-chest *n* (fémbélésű) teásláda [szállításra]
teach-in *n* (közérdekű) előadássorozat (nyilvános vitával)
teaching ['ti:tʃɪŋ] *n* 1. tanítás; *take up* ~, *go in for* ~ tanári/tanítói pályára lép; ~ *hospital* kb. egyetemi klinika; ~ *post* tanári állás 2. vknek a tanításai/tanai
tea-cloth *n* 1. teásabrosz 2. törlőruha
tea-cosy *n* teababa
teacup *n* teáscsésze
teacupful *a* teáscsészényi
tea-fight *n biz* = *tea-party*
tea-garden *n* 1. kávéház kerthelyisége 2. teaültetvény
tea-gown *n* fogadópongyola
teahouse *n* (japán) teaház
tea-infuser *n* teatojás
teak [ti:k] *n* indiai tölgyfa, tikfa
tea-kettle *n* teáskanna [víz forralására]
teal [ti:l] *n* böjti réce
tea-leaf *n (pl* -**leaves**) tealevél
team [ti:m] I. *n* 1. (ló- vagy ökör)fogat 2. (összetanult) csapat, csoport, team, munkaközösség; brigád; legénység; sportcsapat; ~ *games* csapatjáték, -sport; ~ *spirit* csapatszellem II. A. *vt* befog [állatokat] B. *vi biz* ~ *up with sy* (1) (többedmagával) összeáll vkvel [munka elvégzésére] (2) összeadja magát vkvel
teamster ['ti:mstə*] *n* 1. (teher)kocsis; fuvaros 2. *US* gépkocsivezető [teherautóé]
team-work *n* együttműködés, összjáték; összmunka; brigádmunka, csoportmunka
tea-party *n* tea [délután]
tea-plant *n* teacserje
tea-pot *n* teáskanna [melyben a teát leforrázzák/beadják]
tear¹ [tɪə*] *n* 1. könny(csepp); *be in*

~*s* sír; *move sy to* ~*s* vkt könnyekig megindít; *shed* ~*s* könnyeket ont 2. (folyadék)csepp
tear² [teə*] I. *n* 1. szakadás, repedés, hasadás 2. *biz go full* ~ rohan, száguld, „repeszt" II. *v (pt* **tore** tɔ:*, *pp* **torn** tɔ:n) A. *vt* 1. (el)szakít, szétszakít, (f)eltép; elszaggat; szétszaggat; megszaggat; ~ *one's hair* haját tépi; ~ *sg open* vmt feltép 2. felsebez 3. leszakít, letép; kitép 4. *torn between* két dolog között őrlődve 5. felizgat, feldúl B. *vi* 1. szakad, hasad; *stuff that* ~*s easily* könnyen szakadó anyag 2. *biz* száguld, rohan
  tear about *vi* fel-alá szaladgál, összevissza rohangál
  tear across *vt* 1. kettészakít (vmt) 2. átrohan (vmn)
  tear along *vi biz* (végig)rohan; (végig)száguld
  tear at *vi* ~ *at sg* elszakít/felszakít vmt, tépdes vmt
  tear away *vt* letép; *I couldn't* ~ *myself* *a.* nem tudtam otthagyni
  tear down A. *vt* 1. leszakít 2. lerombol B. *vi* lerohan [hegyről]; végigszáguld [utcán stb.]
  tear off A. *vt* letép B. *vi* elrohan, elsiet
  tear out A. *vt* kitép B. *vi* kirohan
  tear up *vt* 1. kettészakít, összetép 2. felszaggat, kitép
tear-drop ['tɪə-] *n* könnycsepp
tear-duct ['tɪə-] *n* könnycsatorna
tearful ['tɪəful] *a* könnyes, könnyező
tear-gas ['tɪə-] *n* 1. könnygáz 2. ~ *bomb* könnygázbomba
tearing ['teərɪŋ] I. *a* 1. kínzó hasogató [fájdalom] 2. rohanó; *be in a* ~ *hurry* borzasztóan siet 3. *biz* heves, dühöngő, őrjöngő II. *n* szakítás, tépés
tearless ['tɪəlɪs] *a* nem könnyező; könnytelen [szemek]
tea-room *n* teázó(helyiség)
tea-rose *n* tearózsa
tear-stained ['tɪə-] *a* könnyfoltos
tease [ti:z] I. *n* kötekedő/ugrató/kínzó személy II. *vt* 1. kötekedik, ingerel, ugrat, bosszant; gyötör, kínoz 2. kártol, gyaratol, bolyhoz

teasel ['tiːzl] I. n 1. takácsmácsonya 2. kártológép II. vt kártol
teaser ['tiːzə*] n 1. kötekedő/ugrató ember 2. biz fejtörő, fogas/nehéz kérdés
tea-service/set n teáskészlet
tea-shop n teázó; cukrászda
teasing ['tiːzɪŋ] n 1. ugratás, bosszantás; kötekedés, kínzás 2. kártolás
teaspoon n teáskanál, kávéskanál, kiskanál
teaspoonful a kávéskanálnyi
tea-strainer n teaszűrő
teat [tiːt] n mellbimbó, csecs, csöcs; rubber ~ cucli, cumi
tea-table n teázóasztal
tea-things n pl = tea-service/set
tea-time n uzsonnaidő [délután 4 óra]
tea-trolley n zsúrkocsi
tea-urn n szamovár
tea-wagon n zsúrkocsi
teazle ['tiːzl] n/vt = teasel
tec [tek] n □ zsaru, hekus
tech [tek] n biz = technical college
technical ['teknɪkl] a 1. műszaki, technikai; ~ institute ipariskola 2. szakmai, szak-; ~ college (1) kb. szakközépiskola (2) műszaki főiskola; ~ terms szakkifejezések 3. kezelési, gyakorlati 4. alaki; ~ difficulty alaki/eljárásjogi nehézség
technicality [teknɪ'kælətɪ] n szakmai sajátosság; alakiság [jogban]; szakkérdésbeli szempont
technically ['teknɪk(ə)lɪ] adv ~ speaking a szó szoros értelmében
technician [tek'nɪʃn] n műszaki (szakember); szakember
technics ['teknɪks] n 1. technika, műszaki tudományok; technológia 2. pl szaknyelv, -terminológia 3. pl = technique 1.
technique [tek'niːk] n 1. (műszaki) eljárás, módszer, technika, technológia 2. képesség, készség, gyakorlat, szakmai készség/jártasság 3. technika [művészé, sportolóé stb.]; ball ~ labdakezelés
technocracy [tek'nɔkrəsɪ; US -ɑk-] n szakemberek/mérnökök uralma, technokrácia

technocrat ['teknəkræt] n technokrata
technologic(al) [teknə'lɔdʒɪk(l); US -'la-] a 1. technológiai 2. műszaki, technikai
technology [tek'nɔlədʒɪ; US -ɑl-] n 1. technológia 2. technika, műszaki tudományok
tectonic [tek'tɔnɪk; US -ɑn-] a 1. tektonikus 2. szerkezet(tan)i
Ted[1] [ted] prop ⟨Edward, Edmund és Theodore beceneve⟩
ted[2] [ted] vt -dd- forgat, kiterít [szénát]
tedder ['tedə*] n szénaforgató (gép)
Teddy ['tedɪ] prop = Ted[1]; ~ bear játékmackó; ~ boy jampec, jampi
tedious ['tiːdjəs] a unalmas, fárasztó
tediousness ['tiːdjəsnɪs] n unalmasság
tedium ['tiːdjəm] n unalom, unalmasság; ~ vitae ['vaɪtiː] életuntság
tee[1] [tiː] n 1. T-betű, té 2. T alakú cső, T idom
tee[2] [tiː] I. n 1. elütési hely [golflabdáé] 2. ⟨kúpocska melyről induláskor a golflabdát elütik⟩ 3. cél [dobókorong játékban] II. A. vt tee-re tesz [golflabdát] B. vi 1. ⟨labdát tee-ről elüt⟩ 2. ~ (off) elkezdődik
teem[1] [tiːm] vt 1. hemzseg (with vmtől), nyüzsög 2. bővelkedik (with vmben)
teem[2] [tiːm] vi biz ömlik [eső]
teeming ['tiːmɪŋ] a színültig tele, bővelkedő; nyüzsgő, hemzsegő
teenage ['tiːneɪdʒ] a biz serdülőkorú, tizenéves [13-tól 19 éves korig]
teenager ['tiːneɪdʒə*] n serdülő(korú), tinédzser, tizenéves [13 és 19 év közötti fiú/lány]
teens [tiːnz] n pl ⟨a 13-tól 19-ig terjedő évek⟩; still in his ~ még nincs 20 éves; tizenéves
teeny-bopper [-bɔpə*; US -bɑ-] n biz tizenéves kis csaj [aki él-hal a popzenéért]
teeny(-weeny) ['tiːnɪ('wiːnɪ)] a biz icipici, parányi
teeth →tooth I.
teethe [tiːð] vi fogzik
teething ['tiːðɪŋ] n fogzás; átv ~ troubles gyermekbetegség
teetotal [tiː'toʊtl] a 1. antialkoholista 2. biz teljes, abszolút

teetotalism [ti:'toutlızm] n antialkoholizmus

teetotaller [ti:'toutlə*] n bornemissza, antialkoholista (személy)

tegument ['tegjumənt; US -gjə-] n burok, hártya; (test)takaró

tehee [ti:'hi:] vi vihog

Teheran [tɪə'rɑ:n] prop Teherán

Tel., tel. 1. telegraph 2. telephone

tele(-) ['telɪ] I. a 1. táv- 2. televíziós, tévé- II. n biz 1. tévé 2. teleobjektív

telecast ['telɪkɑ:st] I. n televíziós adás/közvetítés, tévéadás, -közvetítés II. vt televízión/tévén ad/közvetít

telecommunications ['telɪkəmju:nɪ'keɪʃnz] n pl távközlés, híradástechnika

telefilm ['telɪfɪlm] n televíziós film, tévéfilm

telegenic [telɪ'dʒenɪk] a televízióra (különösen) alkalmas

telegram ['telɪgræm] n távirat, sürgöny

telegraph ['telɪgrɑ:f; US -æf] I. n táviró(készülék); ~ office távírda, táviróhivatal; ~ boy/messenger táviratkézbesítő; ~ operator távírdász II. vi/vt táviratozik, megtáviratoz, (meg-)sürgönyöz

telegraphese [telɪgrɑ:'fi:z; US -græ-] n sürgönystílus, távirati stílus

telegraphic [telɪ'græfɪk] n távirati

telegraphist [tɪ'legrəfɪst] n távírdász

telegraph-pole/post n sürgönypózna, táviróoszlop

telegraphy [tɪ'legrəfɪ] n távírás, táviratozás

telelens ['telɪlenz] n teleobjektív

telemeter ['telɪmi:tə*] n távolságmérő (készülék)

teleological [telɪə'lɔdʒɪkl; US -'lɑ-] a teleológiai

teleology [telɪ'ɔlədʒɪ; US -'ɑ-] n teleológia

telepathic [telɪ'pæθɪk] a telepatikus

telepathy [tɪ'lepəθɪ] n telepátia, távolbaérzés

telephone ['telɪfoun] I. n távbeszélő, telefon; you are wanted on the ~ (önt) a telefonhoz kérik; are you on the ~? van önnek telefonja?; ~ book/directory telefonkönyv; ~ booth/box/kiosk telefonfülke; ~ exchange táv-beszélő-központ; ~ number telefonszám; ~ operator telefonos, távbeszélő-kezelő; ~ receiver telefonkagyló II. A. vi telefonál (to vknek) B. vt 1. telefonon közöl, (meg)telefonál 2. ~ sy telefonon felhív vkt, telefonál vknek

telephonic [telɪ'fɔnɪk; US -ɑn-] a telefon-

telephonist [tɪ'lefənɪst] n telefonkezelő, telefonos

telephony [tɪ'lefənɪ] n telefonálás, távbeszélés

telephoto [telɪ'foutou] n 1. ~ (lens) teleobjektív 2. = telephotograph

telephotograph [telɪ'foutəgrɑ:f; US -æf] n 1. távfénykép, -felvétel 2. képtávírón továbbított kép, képtávirat

telephotography [telɪfə'tɔgrəfɪ; US -ɑg-] n 1. távfényképezés 2. képtávírás

teleplay ['telɪpleɪ] n tévéjáték

teleprinter ['telɪprɪntə*] n telex(gép), távgépíró

teleprompter ['telɪprɔmptə*; US -ɑm-] n súgógép (tévéadáshoz)

telerecord ['telɪrɪkɔ:d] vt képmagnóra felvesz

telerecorder ['telɪrɪkɔ:də*] n képmagnó, videomagnó

telescope ['telɪskoup] I. n távcső, messzelátó II. A. vt egymásba tol B. vi 1. (teleszkópszerűen) összetolódik 2. egymásba szalad/fúródik [két jármű balesetnél]

telescopic [telɪ'skɔpɪk; US -ɑp-] a 1. messzelátós, teleszkópos; ~ lens teleobjektív 2. összetolható; kihúzható [antenna stb.]

teletype ['telɪtaɪp] n = teleprinter

teletypewriter [telɪ'taɪpraɪtə*] n US = teleprinter

teleview ['telɪvju:] I. n televízión közvetített adás/kép II. vt televízión/tévén (meg)néz

televiewer ['telɪvju:ə*] n tévénéző

televise ['telɪvaɪz] vt/vi televízión közvetít/ad

television ['telɪvɪʒn] n televízió; ~ set televízió(s készülék), tévé(készülék); ~ tube képcső; on ~ a televízióban/tévében [szerepel stb.]

telex ['teleks] I. *n* telex(gép), távgépíró; ~ *message* telexüzenet II. *vt/vi* telexezik

tell [tel] *v* (*pt/pp* told toʊld) A. *vt* 1. mond; elmond; megmond; kijelent; ~ *a lie* hazudik; ~ *the time* (1) megmondja, hogy hány óra (van) (2) jelzi/ mutatja az időt [óra]; ~ *sy sg* elmond vknek vmt; közöl vmt vkvel; *let me* ~ *you* ... biztosíthatom róla, hogy ...; *I told you so!* lám/ugye megmondtam!; *biz you are* ~*ing me!* nekem mondod?!; *don't* ~ *me!* ne mondd!; *biz* ~ *me another!* mesélje ezt másnak!; *I was told* ... úgy hallottam ..., azt mondták (nekem), hogy ... 2. elbeszél, elmesél, elmond [történetet, viccet stb.] 3. utasít; ~ *sy to do sg* megmondja vknek, hogy vmt tegyen; *do as you are told* tégy ahogy parancsolták; *I told him not to* ... mondtam (neki hogy) ne tegye 4. megkülönböztet; ~ *apart*, ~ *from* megkülönböztet (vmtől); *can you* ~ *which is which?* meg tudod állapítani, hogy melyik az egyik és melyik a másik?; *one can* ~ *him by his voice* meg lehet ismerni a hangjáról 5. tud; kitalál, megfejt; *I cannot* ~ nem tudom; *you never can* ~ sohasem lehet tudni; *who can* ~? ki tudja? 6. † ~ (*over*) (meg)számlál, (meg)olvas [pénzt stb.] B. *vi* 1. beszél, szól; *everything told against him* minden ellene szólt 2. hat, hatása/eredménye van; *every shot* ~*s* minden lövés talál

tell about *vi* vmről beszél/beszámol

tell off *vt* 1. (embereket) leszámol, kijelöl [vm munkára/feladatra] 2. *biz* ~ *sy o.* lehord vkt, jól megmondja vknek a magáét

tell¹ **on** *vi* 1. = *tell upon* 2. *biz* beárul, beköp

tell upon *vi it* ~*s* (*up*)*on him* nyomai meglátszanak rajta; *his years are beginning to* ~ *u. him* kezdenek meglátszani rajta az évek

teller ['telə*] *n* 1. elbeszélő 2. bankpénztáros 3. (parlamenti) szavazatszámláló

telling ['telɪŋ] I. *a* hatásos II. *n* 1. el-

beszélés; *there's no* ~ nem lehet megmondani, mit lehet tudni 2. kifecsegés [titoké] 3. ~ (*over*) megszámolás, megolvasás [szavazatoké stb.]

telltale ['telteɪl] I. *a* áruló, árulkodó [pirulás stb.] II. *n* 1. pletykafészek 2. besúgó, árulkodó 3. jelzőkészülék, -berendezés

telly ['telɪ] *n biz* tévé

telpher ['telfə*] *n* 1. (drót)kötélpálya 2. kötélpályakocsi, csille

Telstar ['telstɑ:*] ⟨amerikai híradástechnikai mesterséges hold⟩

temerity [tɪ'merətɪ] *n* vakmerőség

temp. *temperature* hőmérséklet, hőm.

temper ['tempə*] I. *n* 1. összetétel, keverék, vegyülék, kellő elegy 2. keménységi fok [acélé, fémé] 3. [lelki, szellemi] alkat; természet, beállítottság; →*temperament 1.* 4. kedély(állapot), hangulat; *be out of* ~ mogorva, rosszkedvű; *keep one's* ~ megőrzi nyugalmát/hidegvérét; *lose one's* ~ dühbe jön, kijön a sodrából; *try sy's* ~ vknek az idegeire megy 5. rosszkedv, ingerültség; *fly into a* ~ dühbe gurul; *get sy's* ~ *up* vkt méregbe hoz; *out of* ~ *with sy* rosszindulatú/türelmetlen vkvel II. *vt* 1. gyúr, kever [agyagot, habarcsot] 2. temperál [fémet] 3. elegyít 4. mérsékel, csökkent, enyhít 5. temperál [hangot stb.]

tempera ['tempərə] *n* tempera(festék)

temperament ['temp(ə)rəmənt] *n* 1. vérmérséklet, kedély, alkat, temperamentum 2. szenvedélyes/heves/tüzes vérmérséklet, temperamentum

temperamental [temp(ə)rə'mentl] *a* 1. heves, temperamentumos 2. szeszélyes

temperance ['temp(ə)rəns] *n* 1. mértékletesség, mértéktartás 2. alkoholtól tartózkodás, antialkoholizmus; ~ *society* antialkoholista egyesület

temperate ['temp(ə)rət] *a* 1. mértékletes; meggondolt, józan, higgadt [személy, nézetek] 2. mérsékelt; ~ *zone* mérsékelt égöv

temperately ['temp(ə)rətlɪ] *adv* mérsékelten, higgadtan

temperateness ['temp(ə)rətnıs] n 1. mértékletesség; higgadtság 2. enyheség [éghajlaté]
temperature ['temprətʃə*] n hőmérséklet; ~ chart láztábla; a fall in ~ lehűlés; have/run a ~ láza/hőemelkedése van; take sy's ~ megméri vknek a lázát
tempered ['tempəd] a 1. temperált [skála, hangsor] 2. vmlyen kedélyű/természetű; good ~ barátságos természetű
tempest ['tempıst] n (átv is) vihar, förgeteg
tempestuous [tem'pestjuəs; US -tʃʊ-] a (átv is) viharos; szilaj, háborgó
Templar ['templə*] n 1. GB londoni jogász 2. Knight ~ templomos (lovag)
template ['templıt] n = templet
temple¹ ['templ] n 1. templom [nem keresztény] 2. The T~ ⟨két londoni jogásztestület neve⟩
temple² ['templ] n halánték
templet ['templıt] n 1. mintadeszka, mintaléc, (minta)sablon 2. teherelosztó alátét
tempo ['tempoʊ] n (pl ~s -z v. -pi -pi:) tempó
temporal¹ ['temp(ə)rəl] a 1. világi 2. időbeli 3. időleges, mul(and)ó
temporal² ['temp(ə)rəl] I. a halánték-II. n halántékcsont
temporarily ['temp(ə)rərəlı; US -rer-] adv egyelőre, ideiglenesen
temporary ['temp(ə)rərı; US -erı] a ideiglenes, átmeneti
temporization [tempəraı'zeıʃn] n időhúzás
temporize ['tempəraız] vi igyekszik időt nyerni, húzza az időt
tempt [tempt] vt 1. csábít, (meg)kísért; ~ God istent kísért 2. rábeszél, rávesz, rábír
temptation [temp'teıʃn] n csábítás, kísértés
tempter ['temptə*] n kísértő, csábító; the T~ a sátán/kísértő
temptress ['temptrıs] n csábító (nő)
ten [ten] a/n tíz; I'd ~ times rather sokkal/százszor inkább; ~ to one tízet egy ellen (hogy ...)

tenable ['tenəbl] a 1. tartható, megvédhető [erődítmény, nézet stb.] 2. post ~ for four years négy évre szóló állá s
tenacious [tı'neıʃəs] a 1. állhatatos, kitartó, szívós; makacs; be ~ of one's opinion szilárdan kitart véleménye mellett 2. ellenálló 3. megbízható, jó [emlékezőtehetség]
tenacity [tı'næsətı] n 1. állhatatosság, szívósság, kitartás; makacsság 2. megbízhatóság [emlékezőtehetségé]
tenancy ['tenənsı] n 1. bérlemény, birtok 2. bérleti viszony 3. a bérlés ideje
tenant ['tenənt] I. n bérlő; lakó II. vt bérel, bérlőként lakik (vmben, vhol)
tenant-farmer n bérlő [nagybirtokhoz tartozó kisebb tanyán]
tenantry ['tenəntrı] n 1. (kis)bérlők (összessége) [nagybirtokon] 2. lakók [bérházban]
tench [tenʃ] n compó, cigányhal
tend¹ [tend] vt/vi 1. ellát [beteget, állatot]; felügyel, gondját viseli 2. ~ (up)on sy vkt kiszolgál [mint pincér]
tend² [tend] vi 1. tart, halad (towards felé). 2. átv irányul, tart (vmerre); hajlik (vmre) 3. ~ to do sg (1) hajlamos vm megtételére (2) igyekszik vmt megtenni
tendency ['tendənsı] n 1. irányzat, tendencia; célzatosság 2. hajlam, hajlandóság (to vmre)
tendentious [ten'denʃəs] a irányzatos, tendenciózus, célzatos
tender¹ ['tendə*] n 1. gondozó, kezelő, US felügyelő 2. szerkocsi [mozdonyé] 3. kirakóhajó, (kis) üzemanyagellátó hajó
tender² ['tendə*] I. n 1. (ár)ajánlat; invite ~s, ask for ~s versenytárgyalást hirdet 2. legal ~ törvényes fizetési eszköz II. A. vt (fel)ajánl, felkínál; ~ one's apologies (ünnepélyesen) bocsánatot kér B. vi (üzleti) ajánlatot tesz
tender³ ['tendə*] a 1. lágy, puha [bőr], porhanyós [étel, hús] 2. (átv is) gyenge 3. érzékeny, kényes; a ~ spot érzékeny/kényes pont 4. (átv is) fiatal, éretlen; zsenge 5. gyengéd, szerető; gondos 6. tapintatos

tenderer ['tend(ə)rə*] *n* ajánlattevő
tenderfoot ['tendəfʊt] (*pl* ~s v. -feet)
n zöldfülű, újonc
tender-hearted *a* lágy szívű, vajszívű
tenderloin ['tendəlɔɪn] *n US* vesepecsenye(-szelet), bélszínjava
tenderness ['tendənɪs] *n* 1. zsengeség, puhaság; lágyság, finomság 2. nyomásérzékenység [orvosilag] 3. szerető gondoskodás, gyengédség
tendon ['tendən] *n* ín
tendril ['tendrɪl] *n* inda, kacs
tenebrous ['tenɪbrəs] *a* † sötét, homályos; komor
tenement ['tenɪmənt] *n* 1. ingatlan 2. bérlet 3. *GB* (bérelt) lakás 4. ~(-*house*) bérház, -kaszárnya
tenet ['tiːnet; *US* 'tenɪt] *n* elv, tan(tétel), dogma; *biz* vélemény
tenfold ['tenfoʊld] I. *a* tízszeres II. *adv* tízszeresen
Tenn. *Tennessee*
tenner ['tenə*] *n biz* tízes, *GB* tízfontos, *US* tízdolláros [bankjegy]
Tennessee [tenə'siː] *prop*
tennis ['tenɪs] *n* tenisz; *play* ~ teniszezik
tennis-ball *n* teniszlabda
tennis-court *n* teniszpálya
Tennyson ['tenɪsn] *prop*
tenon ['tenən] I. *n* ereszték, csap [gerendakötésre]; beeresztés, fakötés II. *vt* csapoz [gerendát]
tenor ['tenə*] *n* 1. irány(zat), törekvés, szándék, tendencia 2. jelleg, lényeg; *of the same* ~ azonos tartalmú 3. hang(nem), tónus [levélé stb.] 4. tenor (hang); tenorista
tense¹ [tens] *n* (ige)idő
tense² [tens] I. *a* 1. feszes, szoros, merev 2. feszült [figyelem, hangulat]; megfeszített [idegek] 3. merev, mesterkélt [magatartás] II. A. *vt* megfeszít [izmot], kifeszít B. *vi* (meg)feszül, kifeszül
tensely ['tenslɪ] *adv* 1. feszesen 2. feszülten [figyel stb.]
tenseness ['tensnɪs] *n* 1. (*átv is*) feszültség 2. merevség
tensile ['tensaɪl; *US* -s(ə)l] *a* 1. nyújtó, húzó; ~ *strength* húzószilárdság; ~

stress húzófeszültség 2. nyújtható, húzható
tension ['tenʃn] *n* 1. húzóerő; feszítés 2. feszülés 3. (villamos) feszültség 4. *átv* feszültség, izgalom
tent¹ [tent] I. *n* sátor; *pitch* (v. *put up*) *a* ~ sátrat ver/felállít II. A. *vt* 1. sátorban helyez el 2. sátorral borít; ~*ed field* sátrakkal borított mező B. *vi* sátoroz
tent² [tent] I. *n* kutasz, tampon II. *vt* tamponál
tentacle ['tentəkl] *n* csáp, kacs, tapogatószerv, szívókar
tentacular [ten'tækjʊ'ə*] *a* tapogatós, szívókaros
tentative ['tentətɪv] ı. *a* kísérleti, próbaképpen tett II. *n* kísérlet, próba; puhatolódzás
tent-bed *n* mennyezetes ágy
tenter ['tentə*] *n* feszítőkeret
tenterhook *n biz* (*be*) *on* ~s tűkön ül, kínban van
tenth [tenθ] I. *a* tizedik II. *n* 1. a tizedik 2. tized(rész) 3. tized, dézsma
tenthly ['tenθlɪ] *adv* tizedszer(re)
tent-peg *n* sátorcövek
tenuity [te'njuːətɪ] *n* 1. vékonyság, finomság [fonalé] 2. ritkásság [levegőé, folyadéké] 3. erőtlenség [stílusé]
tenuous ['tenjʊəs] *a* 1. vékony, finom 2. ritka, híg 3. túlságosan finom [megkülönböztetés stb.]
tenuousness ['tenjʊəsnɪs] *n* = *tenuity*
tenure ['tenjʊə*; *US* -njər] *n* 1. (hűbéri) birtok 2. hűbéri szolgálat 3. birtoklás/haszonélvezet időtartama; *during his* ~ *of office* hivatali/szolgálati ideje alatt
tepee ['tiːpiː] *n* indián sátor, wigwam
tepid ['tepɪd] *a* 1. langyos 2. *átv* lagymatag, lanyha
tercel ['təːsl] *n* hím sólyom
tercentenary [təːsen'tiːnərɪ; *US* -erɪ] I. *a* háromszáz éves II. *n* háromszáz éves évforduló
tercet ['təːsɪt] *n* háromsoros versszak, terzina
Terence ['ter(ə)ns] *prop* ⟨férfinév⟩
Teresa [tə'riːzə] *prop* Teréz

tergiversation [tə:dʒɪvə:'seɪʃn] *n* kertelés, köntörfalazás
term [tə:m] I. *n* 1. időszak, időtartam; *during his ~ of office* szolgálati ideje alatt 2. határidő; határnap, nap 3. [egyetemi, iskolai] félév, szemeszter; *during ~* a tanév folyamán 4. ülésszak [bíróságé stb.] 5. szó, (pontos) kifejezés; szakszó, szakkifejezés 6. **terms** *pl* kifejezésmód; nyelv; *in ~s of* vmben kifejezve/megadva; *in set ~s* kifejezetten, határozottan; *in these ~s* a következő szöveggel; *he spoke in flattering ~s* elismerőleg/dicsérőleg nyilatkozott; *think in ~s of sg* vmnek jegyében gondolkodik 7. **terms** *pl* feltétel(ek), kikötés(ek) [szerződésé stb.]; *~s of delivery* szállítási feltételek; *~s of payment* fizetési feltételek; *bring to ~s* vmnek elfogadására kényszerít; *come to ~s, make ~s* kiegyezik; *name your own ~s* nevezze meg feltételeit; *~s inclusive* minden mellékköltséget beleértve 8. tag, kifejezés [egyenleté] 9. *be on good ~s with sy* jó viszonyban van vkvel 10. havibaj, menstruáció II. *vt* nevez, mond (vmnek)
termagant ['tə:məgənt] *n* házsártos nő, hárpia
terminable ['tə:mɪnəbl] *a* befejezhető, korlátozható; felmondható [szerződés]
terminal ['tə:mɪnl] I. *a* 1. szegélyező, végső, végén levő, szélső, határ-; *~ disease* halállal végződő betegség 2. időszaki 3. [iskolai] félévi; *~ examinations* félévi/negyedévi vizsgák II. *n* 1. vmt befejező dolog; végződés, vég 2. záródísz 3. végállomás, fejpályaudvar [vasút], (autóbusz-)pályaudvar; városi iroda [légitársaságé] 4. huzalvégződés; (villamos) csatlakozóvég 5. terminál [számítógépé] 6. záróvizsga
terminally ['tə:mɪnəlɪ] *adv* 1. végül, a végén 2. [iskolai] félévenként, negyedévenként; minden félév/negyedév végén
terminate ['tə:mɪneɪt] A. *vt* 1. határol, körülvesz 2. megszüntet, befejez; fel-

mond B. *vi* 1. véget ér; befejeződik 2. végződik [szó] (*in* vmre)
termination [tə:mɪ'neɪʃn] *n* 1. befejezés, bevégzés; vég 2. befejeződés, (be)végződés, végetérés; megszűnés 3. határ 4. rag, végződés
terminator ['tə:mɪneɪtə*] *n* 1. (vmt) befejező [személy, dolog] 2. határvonal [égitesten]
terminological [tə:mɪnə'lɔdʒɪkl; *US* -'lɑ-] *a* szaknyelvi; *~ inexactitude* (1) pontatlan szóhasználat (2) az igazság eltorzítása, hazugság
terminology [tə:mɪ'nɔlədʒɪ; *US* -ɑl-] *n* szaknyelv, szakmai nyelv, terminológia
terminus ['tə:mɪnəs] *n* (*pl ~es -ɪz v. -ni -naɪ*) 1. végállomás, fejpályaudvar 2. végpont, végcél
termite ['tə:maɪt] *n* termesz
term-time *n* oktatási időszak; (főiskolai, iskolai) szorgalmi idő
tern¹ [tə:n] *n* halászkamadár, csér
tern² [tə:n] *n* ternó [lottóban]
ternary ['tə:nərɪ] *a* hármas
terrace ['terəs] I. *n* 1. terasz, lépcsőzet 2. (tengerparti, tóparti) fennsík 3. tetőterasz 4. *GB* ⟨utca magas házsorral és előkertekkel⟩; *~d house* sorház 5. *US* lombos sétány (széles főútvonalon) II. *vt* lépcsőzetesen/teraszosan kiképez
terraced ['terəst] *a* teraszos, lépcsőzetes; *~ garden* függőkert
terra-cotta [terə'kɔtə; *US* -'kɑ-] *n* terrakotta
terrain [te'reɪn] *n* terep
terrapin ['terəpɪn] *n* ehető amerikai teknősbéka
terrene [te'ri:n] *a* (száraz)földi
terrestrial [tɪ'restrɪəl] *a* 1. földi; (e-)világi 2. szárazföldi
terrible ['terəbl] *a* 1. iszonyú, irtózatos, rettenetes, félelmetes 2. *biz* borzasztó, szörnyű
terribly ['terəblɪ] *adv* 1. szörnyen, rettenetesen, iszonyúan 2. *biz* borzasztóan, rémesen
terrier¹ ['terɪə*] *n* terrier [kutya]
terrier² ['terɪə*] *n* telekkönyv
terrific [tə'rɪfɪk] *a* 1. félelmetes, iszonyú 2. szörnyű 3. *biz* óriási, csuda klassz

terrify ['terɪfaɪ] vt megijeszt, megfélemlít; ~ sy out of his wits vkt halálra rémít
terrifying ['terɪfaɪɪŋ] a rémítő, borzasztó
territorial [terɪ'tɔːrɪəl] I. a 1. földi 2. területi, territoriális; ~ waters felségvizek 3. országos; the ~ army kb. népfölkelő hadsereg II. n GB népfölkelő
territory ['terɪt(ə)rɪ; US -ɔːrɪ] n 1. terület, kerület, körzet, vidék 2. felségterület 3. tartomány, territórium; The Northern T~ Észak-Ausztrália 4. rajon [kereskedelmi utazóé]; körzet, élettér [állaté]
terror ['terə*] n 1. rémület, rettegés; be in ~ of one's life élete veszélyben van/forog; go in ~ of sy rettenetesen fél vktől; have a holy ~ of sy fél vktől mint a tűztől; to the ~ of sy vk rémületére 2. rémkép; king of ~s a halál 3. rémuralom, terror 4. biz nehezen kezelhető személy/gyermek
terrorism ['terərɪzm] n rémuralom, terrorizmus
terrorist ['terərɪst] n terrorista
terrorize ['terəraɪz] vt rettegésben tart, megfélemlít, terrorizál
terror-stricken/struck a megrémült, rémülettől dermedt
Terry¹ ['terɪ] prop 1. Teri, Terus, Terka 2. ⟨Terence férfinév becealakja⟩
terry² ['terɪ] n 1. bolyhozás 2. = terrycloth
terrycloth n frottíranyag
terse [təːs] a tömör, velős, rövidre fogott
tersely ['təːslɪ] adv velősen, röviden, tömören
terseness ['təːsnɪs] n tömörség, velősség
tertiary ['təːʃərɪ; US -ʃɪerɪ] a 1. harmadik; harmadfokú; harmadlagos 2. harmadkori
tertius ['təːʃjəs] a ⟨ugyanazon családból v. névből harmadik gyermek az iskolában (Smith ~)⟩
terylene ['terəliːn] n terilén
TESL [tiːiːes'el] teaching English as a second language az angol nyelv tanítása nem angol ajkúaknak
Tess [tes] prop Teri

tessellated ['tesɪleɪtɪd] a ~ pavement mozaikpadló
tessellation [tesɪ'leɪʃn] n mozaik
test¹ [test] I. n 1. próba, kipróbálás; ~ case próbaper; put to the ~ próbára tesz, kipróbál; it has stood the ~ of time régóta bevált 2. (anyag)vizsgálat, próba; ~ drive/run próbaút; ~ flight próbarepülés; ~ pilot berepülő pilóta 3. ismérv, mérték 4. kísérlet, analízis 5. (kémiai) reagens 6. vizsga, teszt; weekly ~ (iskolai) heti dolgozat; ~ paper (1) (írásbeli iskolai) dolgozat, teszt (2) kémlőpapír, lakmuszpapír 7. T~ Act ⟨angol törvény (1672—1828), mely a közalkalmazottaktól az anglikán államvallás gyakorlását kívánta⟩ II. vt 1. (ki-)próbál, próbára tesz 2. megvizsgál; ellenőriz 3. (vegyileg) vizsgál, analizál 4. vizsgáztat
test² [test] n teknősbékapáncél; héj [állaté]
testaceous [te'steɪʃəs] a teknős; páncélos
testament ['testəmənt] n 1. (last will and) ~ végrendelet 2. [a Bibliában:] Old T~ Ószövetség; New T~ Újszövetség
testamentary [testə'ment(ə)rɪ] a végrendeleti
testate ['testeɪt] a/n érvényes végrendeletet hátrahagyott (személy)
testator [te'steɪtə*; US 'tes-] n végrendelkező, örökhagyó [férfi]
testatrix [te'steɪtrɪks] n (pl -trices -trɪsiːz) végrendelkező, örökhagyó [nő]
test-ban treaty atomcsendegyezmény
tester ['testə*] n 1. anyagvizsgáló, -ellenőr 2. (anyag)vizsgáló műszer/készülék
testicle ['testɪkl] n here(golyó)
testifier ['testɪfaɪə*] n tanú(ságtevő)
testify ['testɪfaɪ] vi/vt 1. bizonyít, tanúsít 2. kifejez, jelez (vmt) 3. tanúvallomást tesz (vmről)
testily ['testɪlɪ] adv ingerlékenyen
testimonial [testɪ'moʊnjəl] n 1. (szolgálati, működési) bizonyítvány; ajánlólevél 2. (szolgálat elismeréseként ünnepélyesen átadott) ajándék
testimony ['testɪmənɪ; US -moʊnɪ] n

1. (tanú)vallomás; *bear* ~ *to sg* igazol/
tanúsít vmt 2. tanúság, bizonyság,
bizonyíték; *in* ~ *whereof*... aminek
bizonyságául/bizonyítékául...
testiness ['testɪnɪs] *n* ingerlékenység,
zsémbesség, mogorvaság
test-match *n GB* nemzetközi krikett-
mérkőzés
test-piece *n* próbadarab
test-tube *n* kémcső; ~ *baby* mesterséges
megtermékenyítésből született gyer-
mek, „lombikbébi"
testudo [te'stjuːdoʊ; *US* -tuː-] *n* pajzs-
fedezék
testy ['testɪ] *a* ingerlékeny, zsémbes,
mogorva; haragos
tetanus ['tetənəs] *n* tetanusz, merev-
görcs
tetchy ['tetʃɪ] *a* ingerlékeny
tête-à-tête [teɪtɑː'teɪt] **I.** *adv* négyszem-
közt **II.** *n* négyszemközti megbeszélés
tether ['teðə*] **I.** *n* pányva, kötél;
at the end of one's ~ (1) végére ért
anyagi/szellemi erőinek (2) már nem
bírja tovább [idegekkel, türelemmel
stb.] **II.** *vt* kipányváz
tetragon ['tetrəgən] *n* négyszög
tetragonal [te'trægənəl] *a* négyszögű,
négyszögletes
tetrahedron [tetrə'hedr(ə)n; *US* -'hiː-]
n tetraéder, négylapú test
tetralogy [te'trælədʒɪ] *n* tetralógia
tetrameter [te'træmɪtə*] *n* négyütemű
verssor
tetter ['tetə*] *n* sömör
Teuton ['tjuːt(ə)n; *US* 'tuː-] *n* 1. teu-
ton/germán férfi/nő 2. *biz* német férfi/nő
Teutonic [tjuː'tɒnɪk; *US* tuː'tɑ-] *a*
teuton, germán; ~ *Order* német lo-
vagrend
Tewkesbury ['tjuːksb(ə)rɪ] *prop*
Tex. *Texas*
Texas ['teksəs] *prop*
text [tekst] *n* 1. szöveg, textus 2. =
textbook
textbook *n* tankönyv, kézikönyv
textile ['tekstaɪl; *US* -t(ə)l] **I.** *a* textil-
(ipari) **II.** *n* 1. szövet 2. textil(anyag)
textual ['tekstjʊəl; *US* -tʃ-] *a* szöveg
szerinti, szövegbeli; ~ *criticism* szö-
vegkritika; ~ *error* szöveghiba

texture ['tekstʃə*] *n* 1. szövet 2. szer-
kezet, alkat, struktúra
Thackeray ['θækərɪ] *prop*
Thaddeus [θæ'diːəs] *prop* Tádé
Thailand ['taɪlænd] *prop* Thaiföld
Thames [temz] *prop* Temze ‖→*fire*
than [ðæn; gyenge ejtésű alakjai:
ðən, ðn] **I.** *conj* (középfok után)
mint, -nál, -nél; *I have more* ~ *you*
nekem több van, mint neked; *I know
you better* ~ *he* (*does*) én jobban ismer-
lek téged (mint ő); *I know you better*
~ *him* téged jobban ismerlek, mint őt
II. *prep* ~ *whom* akinél jobban/inkább
thane [θeɪn] *n* lovag, főúr
thank [θæŋk] **I.** *n* (csak többes számban
használatos) ~*s* (1) köszönet (2)
hála (3) köszönöm; *no,* ~*s* köszö-
nöm, nem (kérek); *give* ~*s to sy for sg*
vknek vmt megköszön; ~*s be to God*
hála Isten(nek)!; ~*s to his courage*...
bátorságának volt köszönhető/tulaj-
donítható, hogy... **II.** *vt* 1. megkö-
szön (*sy for sg* vknek vmt), hálát ad;
~ *God*/*heaven*/*goodness!* hála Isten!;
have oneself to ~ *for sg* saját magának
köszönheti, hogy... 2. ~ *you!* kö-
szönöm!; *no,* ~ *you* köszönöm,
nem (kérek) 3. *I will* ~ *you to*...
⟨udvarias de ironikus és erélyes fel-
szólítás bevezetése⟩
thankful ['θæŋkfʊl] *a* hálás
thankfulness ['θæŋkfʊlnɪs] *n* hála
thankless ['θæŋklɪs] *a* hálátlan
thanks [θæŋks] →*thank I.*
thanksgiving *n* hálaadás; *US T*~ (*Day*)
hálaadó ünnep(nap) [USA-ban nov.
negyedik csütörtöke]
thar [ðɑː] *adv GB biz* = *there 1.*
that [ðæt; gyenge kiejtésű alakja:
ðət] **I.** *pron* (*pl* those ðoʊz) 1. az,
amaz; ~ *is*... azaz; *and a poor one
at* ~ és ráadásul gyenge/szegény(es)
is; ~*'s right!,* ~*'s it!* & az!, így van
jól; *and* ~ *is that!* ez a helyzet (nem
lehet rajta változtatni); *have things
come to* ~? hát idáig jutottak a dol-
gok? 2. aki(t); ami(t); *wretch* ~
I am! ó én szerencsétlen!; *no one
has come* ~ *I know of* tudtommal senki
sem jött **II.** *a pl* those 1. ez/az a(z);

~ *one* (1) az ott, amaz (2) az (a darab stb.) **2.** *biz how is* ~ *leg of yours* hogy van az a (híres) lábad? **3.** *biz I have not* ~ *confidence in him*... hát annyira azért nem bízom benne (hogy...) **III.** *adv* ennyire, annyira; ~ *high* ilyen magas **IV.** *conj* **1.** hogy; *not* ~ nem mintha; *now* ~ most hogy **2.** evégből/azért, hogy; *I am telling you (so)* ~ *you should know* közlöm veled, hogy tudd **3.** (felkiáltó mondatokban:) *would that!* bárcsak!, óh bár...

thatch [θætʃ]**I.** *n* zsúptető, -fedél, nádtető **II.** *vt* zsúppal fed [tetőt], zsúpol

thatched [θætʃt] *a* zsúpfedelű

thatcher ['θætʃə*] *n* zsúpoló

thaw [θɔ:] **I.** *n* olvadás; enyhébb idő **II. A.** *vi* **1.** (hideg) felenged; enyhül **2.** (meg)olvad [jég stb.] **3.** *átv* megenyhül; felenged (vkvel szemben) **B.** *vt* (fel)olvaszt

the [magánhangzóval kezdődő szó előtt: ði:, gyengén ejtve: ði; mássalhangzóval kezdődő szó előtt v. hangsúlytalanul: ðə, ð] **I.** (mint határozott névelő:) **1.** a, az; *George* ~ *Sixth* **VI.** György **2.** (melléknévből főnevet képző:) *words borrowed from* ~ *French* franciából kölcsönzött szavak **3.** (gyűjtőfogalom megjelölésekor:) ~ *poor* a szegények **4.** (elosztóan:) *ten pence* ~ *pound* fontonként/fontja 10 penny **5.** (nyomatékos hangsúllyal vmből a legjobbat jelenti:) *Heffer is* **the** *bookshop for Cambridge* H. a legjobb könyvkereskedés C.-ben **II.** *adv* (két középfok előtt) minél... annál; ~ *more* ~ *better* minél több, annál jobb(an)

theatre, *US* **-ter** ['θɪətə*] *n* **1.** színház **2.** *the* ~ (1) a színművészet (2) drámairodalom **3.** filmszínház, mozi **4.** előadóterem (emelkedő padsorokkal); (*operating-*) ~ demonstrációs műtő; ~ *nurse* műtős nővér **5.** ~ *of war|operations* hadszíntér

theatre-goer *n* színházjáró

theatrical [θɪ'ætrɪkl] *a* **1.** színházi; ~ *company* színtársulat **2.** színészi(es), színpadi(as), mesterkélt

theatrically [θɪ'ætrɪk(ə)lɪ] *adv* **1.** színházi szempontból **2.** színészkedve, pózolva

theatricals [θɪ'ætrɪklz] *n pl* (műkedvelő) színjátszás

thee [ði:] *pron* † téged; *to* ~ neked; *of* ~ rólad

theeing ['ði:ɪŋ] *n* tegezés

theft [θeft] *n* lopás, tolvajlás

thegn [θeɪn] *n* = *thane*

their [ðeə*] *pron* (az ő...) -uk, -ük, -juk, -jük, -aik, -eik, -jaik, -jeik; ~ *house* (az ő) házuk; ~ *houses* házaik

theirs [ðeəz] *pron* övék, övéik

theist ['θi:ɪst] *n* istenhivő

them [ðem; gyenge ejtésű alakjai: ðəm, ðm] *pron* **1.** őket, azokat; *to* ~ (1) nekik, azoknak (2) hozzájuk **2.** *of* ~ (1) tőlük (2) róluk; *both of* ~ mindkettőjük; *neither of* ~ egyikük sem **3.** *biz it's* ~! ők azok!

thematic [θɪ'mætɪk] *a* **1.** zenei témákat tartalmazó, tematikus **2.** kötőhangzós

theme [θi:m] *n* **1.** tárgy, téma, anyag **2.** *US* irodalmi dolgozat [megadott tárgyról]; tétel **3.** (zenei) téma, motívum **4.** szótő

themselves [ð(ə)m'selvz] *pron* **1.** (ők) maguk, saját maguk; *by* ~ egyedül **2.** (ön)magukat, (őket) magukat **3.** (nekik) maguknak

then [ðen] **I.** *a* akkori; *the* ~ *director* az akkori igazgató **II.** *adv|conj* akkor, az(u)tán, majd; ~ *and there* azon nyomban; ~ *again* másfelől (viszont); *what* ~? és aztán? **III.** *n by* ~ akkorra, akkorára; *from* ~ *on* akkortól kezdve; *since* ~ azóta; *till* ~ addig (is)

thence [ðens] *adv* **1.** onnét **2.** azóta **3.** azért, amiatt

thenceforth [ðens'fɔ:θ] *adv* attól fogva, attól az időtől kezdve

thenceforward [ðens'fɔ:wəd] *adv* = *thenceforth*

theocracy [θɪ'ɔkrəsɪ; *US* -'ɑ-] *n* papi uralom

theocratic [θɪə'krætɪk] *a* teokratikus, papi uralmon alapuló

theodolite [θɪ'ɔdəlaɪt; *US* -'ɑ-] *n* teodolit

Theodore ['θɪədɔ:*] *prop* Tivadar, Tódor
theologian [θɪə'loʊdʒjən] *n* hittudós,
teológus
theological [θɪə'lɔdʒɪkl; *US* -'lɑ-] *a* hit-
tudományi, teológiai
theology [θɪ'ɔlədʒɪ; *US* -'ɑ-] *n* hittudo-
mány, teológia
Theophilus [θɪ'ɔfɪləs; *US* -'ɑ-] *prop*,
Teofil
theorem ['θɪərəm] *n* (elméleti) tétel
theoretical [θɪə'retɪkl] *a* elméleti
theoretically [θɪə'retɪk(ə)lɪ] *adv* elméleti-
leg
theoretician [θɪərə'tɪʃn] *n* elméleti szak-
ember, teoretikus
theorist ['θɪərɪst] *n* = theoretician
theorize ['θɪəraɪz] *vi* elméletbe foglal,
elméleteket alkot/farag
theory ['θɪərɪ] *n* 1. elmélet, teória; *in* ~
elméletben 2. *biz* elképzelés, nézet
theosophist [θɪ'ɔsəfɪst; *US* -'ɑ-] *n* teozó-
fus
theosophy [θɪ'ɔsəfɪ; *US* -'ɑ-] *n* teozófia
therapeutic(al) [θerə'pju:tɪk(l)] *a* gyó-
gyászati, terápiai
therapeutics [θerə'pju:tɪks] *n* terapeuti-
ka, a gyógyászat tudománya
therapeutist [θerə'pju:tɪst] *n* gyógyászati
szakember
therapy ['θerəpɪ] *n* terápia, gyógymód,
gyógyászat
there [ðeə*; gyenge ejtésű alakja: ðə*]
I. *adv* 1. ott, amott; ~ *and then, then
and* ~ azon nyomban; *he is all* ~ ra-
vasz/agyafúrt ember; *is* ~ *anybody* ~?
van-e itt/ott valaki?; *he is not at all* ~
nincs ott az esze; *he left* ~ *at five* ötkor
ment el onnan; *we are* ~ helyben
vagyunk, megérkeztünk; *US right* ~
éppen ott 2. oda; ~ *and back* oda-
-vissza; *biz get* ~ (1) odaér (2) eléri a
célját 3. azon a ponton; ~ *you are
mistaken* ebben tévedsz; ~ *you have
me!* itt most megfogtál 4. (nyelvtani
alanyként:) ~ *is* van; ~ *are* vannak;
~ *is a book on the table* az asztalon egy
könyv van/fekszik; ~ *you are!* íme !,
nem megmondtam !, ná ugye !; ~
comes a time when eljön egyszer az idő
amikor . . .; ~ *was once a king* volt egy-
szer egy király . . .; ~*'s a good boy* légy

jó kisfiú; *that was all* ~ *was to it* ez volt
a helyzet (nem lehetett rajta változtat-
ni) II. *int* ~! ~! ugyan-ugyan [meg-
nyugtatásképp mondva]; ~ *now!*
na ugye?!, na gyerünk ! III. (főnévi
használatban:) *we go to Paris and from*
~ *to Rome* Párizsba megyünk és onnan
Rómába; *on* ~ (ott) rajta; *up* ~ ott
fenn
thereabout(s) ['ðeərəbaʊt(s)] *adv* 1. kö-
zel, arrafelé 2. körül(belül), annyi,
ilyen tájon; *six pounds or* ~ hat font
körül van
thereafter [ðeər'ɑ:ftə*; *US* -'æf-] *adv*
azután; attól kezdve
thereat [ðeər'æt] *adv* 1. ott, azon 2. ami-
att 3. azután
thereby [ðeə'baɪ] *adv* 1. azáltal 2. attól
3. ott a közelben
therefor [ðeə'fɔ:*] *adv* † ezért, ezen-cél-
ból, ennek okán/következtében
therefore ['ðeəfɔ:*] *adv* azért, ezért,
amiatt, a végett, tehát; *I think* ~ *I am*
gondolkodom, tehát vagyok
therefrom [ðeə'frɔm; *US* -'fram] *adv*
abból, attól, onnét
therein [ðeər'ɪn] *adv* abban (a dologban)
thereinafter [ðeərɪn'ɑ:ftə*; *US* -'æf-] *adv*
a következőkben, alant
thereof [ðeər'ɔv; *US* -'av] *adv* abból;
arról
thereon [ðeər'ɔn; *US* -'an] *adv* azon,
attól [függ]
there's [ðeəz; gyenge ejtésű alakja: ðəz]
= there is/has
Theresa [tɪ'ri:zə] *prop* Teréz
thereto [ðeə'tu:] *adv* 1. ahhoz 2. azon-
kívül
thereunto [ðeər'ʌntu:] *adv* ahhoz, ehhez
thereupon [ðeərə'pɔn; *US* -'pan] *adv*
1. azért, annak következtében, „arra
föl" 2. azonnal 3. arra, mire
therewith [ðeə'wɪð] *adv* 1. azzal 2. azon-
nal
therewithal [ðeəwɪ'ðɔ:l] *adv* † 1. ráadá-
sul 2. = therewith
therm [θə:m] *n* ⟨a hivatalos brit hőegy-
ség⟩
thermal ['θə:ml] I. *a* 1. termál, meleg,
hő- [forrás]; ~ *spring(s)* hőforrás,
hévíz, meleg forrás 2. hő-; ~ *power*

station hőerőmű; ~ *unit* hőegység **II.** *n*
hőlég, termik
thermic ['θə:mɪk] *a* termikus, hő-
thermionic [θə:mɪ'ɔnɪk; *US* -'ɑ-] *a* ~
emission termikus emisszió, termo-
emisszió; ~ *tube* (1) izzókatódos cső
(2) *US* = ~ *valve;* ~ *valve* elektroncső,
vákuumcső
thermo- ['θə:mou-, 'θə:mə-] *pref* hő-,
hővel kapcsolatos, termo-
thermochemistry *n* termokémia
thermodynamics *n* termodinamika
thermoelectric *a* hőelektromos, termo-
elektromos
thermoelectricity *n* hőelektromosság
thermometer [θə'mɔmɪtə*; *US* -'mɑ-] *n*
hőmérő
thermonuclear *a* termonukleáris
thermoplastic *a* hőre lágyuló [műanyag]
thermos ['θə:mɔs; *US* -əs] *n* ~ *(flask/
bottle)* hőpalack, termosz
thermosetting *a* hőre keményedő [mű-
anyag]
thermostat ['θə:məstæt] *n* hő(fok)sza-
bályozó, termosztát
thermostatic [θə:mə'stætɪk] *a* termoszta-
tikus, hőszabályozó
thesaurus [θɪ'sɔ:rəs] *n* (*pl* ~**ri** -raɪ v.
~**es** -əsɪz] **1.** kincsestár; *átv* tárház
2. anyaggyűjtemény; nagyszótár; the-
saurus **3.** fogalomköri szótár
these →*this*
thesis ['θi:sɪs] *n* (*pl* **theses** 'θi:si:z) **1.**
(tan)tétel **2.** értekezés, disszertáció
thews [θju:z; *US* θu:z] *n pl* izmok, inak
they [ðeɪ] *pron* **1.** ők, azok; *it is* ~ ők
azok **2.** az emberek; ~ *say that* ...
azt beszélik, hogy . . .
they'd [ðeɪd] = *they had/would*
they'll [ðeɪl] = *they will/shall*
they're [ðeə*'; gyenge ejtésű alakja: ðə*]
= *they are/were*
they've [ðeɪv] = *they have*
thick [θɪk] **I.** *a* **1.** vastag; *an inch* ~
egy hüvelyk vastag **2.** sűrű **3.** ~ *with*
tömött, tele, vmtől nyüzsgő **4.** ostoba,
buta **5.** *biz* bizalmas, közeli, meghitt;
they are very ~ igen bizalmas barátok;
they are ~ *as thieves* egy húron pendül-
nek **6.** *biz that's a bit* ~ ez már mégis
sok !; □ *lay it on* ~ (1) (otrombán)

hízeleg (2) erősen túloz **II.** *adv* **1.** vas-
tagon **2.** sűrűn; *the blows fell* ~ *and
fast* az ökölcsapások záporként hullot-
tak **III.** *n* vmnek a legvastagabb része,
vmnek a közepe; *the* ~ *of sg* vmnek a
java; *in the* ~ *of the fight* a küzdelem
kellős közepén; *through* ~ *and thin* tű-
zön-vízen át, jóban-rosszban
thicken ['θɪk(ə)n] **A.** *vt* **1.** besűrít, be-
habar [ételt] **2.** vastagít **3.** bonyolult-
tá tesz **B.** *vi* **1.** sűrűsödik, alvad, ko-
csonyásodik **2.** vastagszik **3.** bonyo-
lódik; *the plot* ~*s* a regény/dráma cse-
lekménye bonyolódik
thicket ['θɪkɪt] *n* sűrű (bozót)
thick-head *n biz* fajankó
thick-headed *a biz* tompa eszű, nehéz
felfogású
thickly ['θɪklɪ] *adv* **1.** vastagon **2.** sűrűn;
gyors egymásutánban
thickness ['θɪknɪs] *n* **1.** vastagság **2.** sű-
rűség **3.** réteg
thick-set *a* **1.** sűrűn ültetett/nőtt **2.** zö-
mök
thick-skinned *a* (*átv is*) vastagbőrű; ér-
zéketlen
thief [θi:f] *n* (*pl* **thieves** θi:vz) tolvaj;
set a ~ *to catch a* ~ betyárból lesz a
legjobb pandúr; *stop* ~*!* tolvaj! fog-
ják meg !; *thieves' kitchen* rablótanya
thieve [θi:v] *vi/vt* (el)lop
thieves [θi:vz] →*thief, thieve*
thieving ['θi:vɪŋ] *n* lopás, tolvajlás
thievish ['θi:vɪʃ] *a* lopó, tolvajkodó
thigh [θaɪ] *n* comb
thigh-bone *n* combcsont
thigh-boots *n pl* térden felül érő csizma
thill [θɪl] *n* villás rúd [szekéren, kocsin]
thimble ['θɪmbl] *n* gyűszű
thimbleful ['θɪmblful] *a* gyűszűnyi
thimblerigger [-rɪgə*] *n* szemfényvesztő,
csaló
thimblerigging [-rɪgɪŋ] *n* szemfényvesz-
tés, csalás
thin [θɪn] **I.** *a* (*comp* ~**ner** 'θɪnə*, *sup*
~**nest** 'θɪnɪst) **1.** vékony; *have a* ~
skin érzékeny, sértődékeny **2.** híg **3.**
ritka, gyér [haj, népesség stb.] **4.** so-
vány; *grow* ~*ner* lefogy, (le)soványo-
dik **5.** ~ *excuse* átlátszó/gyenge kifo-
gás **II.** *adv* = *thinly* **III.** *v* -nn- **A.** *vt* **1.**

vékonyít 2. hígít 3. (ki)ritkít **B.** *vi* **1.**
soványodik 2. gyérül
thine [ðaɪn] *pron/a* † **1.** tied, tiéid; *for
thee and* ~ neked és hozzátartozóidnak
2. = *thy*
thing [θɪŋ] *n* **1.** dolog; *for one* ~ először
is . . .; *taking one* ~ *with another* minden figyelembe véve; *he is all* ~*s to all
men* mindenkinek kedvére tud tenni;
and of all ~*s!* és éppen ennek (kellett
megtörténnie) !; *it is (just) one of those*
~*s* ahogy ez már lenni szokott, előfordul néha ez is; *he knows a* ~ *or two* (1)
tud egyet-mást (2) nem esett a feje
lágyára, „dörzsölt fickó"; *I don't know
a* ~ *about it* egy szót se tudok róla 2.
tárgy; ~*s personal* ingó javak; ~*s real*
ingatlan javak 3. ügy; *the* ~ *is* . . . (1)
arról van szó . . . (2) a legfontosabb
szempont az, hogy . . .; *the* ~ *to do* a
helyes eljárás, amit tenni illik; *biz how
are* ~*s?* hogy megy neked? **4. things**
pl holmi, ruhanemű; *take off one's* ~*s*
(1) leszedi/elviszi a cuccát (2) levetkőzik 5. *the (very)* ~ az ami éppen szükséges, ami alkalomszerű/illő; *biz it's
quite the* ~ ez a helyes eljárás; ez így
szokás; *the real* ~, *just the* ~ az igazi
vm amire szükség van; *the play is the* ~
a játék a fontos; *too much of a good* ~
túl sok a jóból; *not look/feel quite the* ~
nem érzi magát egészen jól **6.** *biz* személy, teremtés; *I say old* ~*!* nézd
öreg fiú !; *poor little* ~ szegényke;
pretty little ~ csinos kis teremtés
thingamy, thingummy ['θɪŋəmɪ] *n* izé,
hogyishívják
thingum(a)bob ['θɪŋəm(ɪ)bɔb] *n* = *thingamy*
think [θɪŋk] **I.** *n* gondolkodás, megfontolás; *have another* ~ alszik rá egyet,
(még egyszer) meggondolja, gondolkozik rajta; *biz* ~ *tank* kb. agytröszt
II. *v* (*pt/pp* **thought** θɔːt) *vi/vt* **1.** gondolkodik; töpreng (vmn); *let me* ~
lássuk csak; *only* ~*!* képzeld csak !,
gondold (csak) el ! 2. gondol (vmre,
vmt); képzel, vél(ekedik); *to* ~ . . .
ha arra gondolunk; *don't you* ~? nem
gondolod/gondolja?; *I don't* ~*!* (1)
nem/alig hiszem (2) *biz* nem igen,

soha de soha !; *I* ~ *so* azt hiszem,
igen; *I little thought to see him* nem is
gondoltam, hogy látni fogom; *I
(really) can't* ~ *why* fogalmam sincs
róla, (hogy) miért . . .; *I thought as
much* ezt sejtettem/gondoltam is;
I should ~ *so!* meghiszem azt !; *who'd
have thought it!* ki hitte/gondolta
volna !? **3.** vmlyennek gondol/hisz/
ítél/tart; *I* ~ *her pretty* szerintem csinos
think about *vi* = *think of*
think of *vi* **1.** meggondol, megfontol
2. gondol (vmre, vkre); ~ *of doing sg*
szándékozik vmt tenni, tervez vmt;
~ *of that* gondold csak !, na de ilyet !;
I did not ~ *of it* nem jutott eszembe,
megfeledkeztem róla; *it is not to be
thought of* szóba se jöhet **3.** (vissza-)
emlékezik vmre; *I can't* ~ *of his name*
nem jut eszembe a neve **4.** vmlyen
véleménye van vkről/vmről; ~ *light
of sg* kevésre becsül; ~ *much of sy*
sokra tart vkt; ~ *well/highly of sy*
becsül vkt
think out *vt* kigondol, -eszel, -tervel
think over *vt* megfontol, átgondol;
~ *it o.!* gondolkodjék a dolgon !
think to *vi* ~ *to oneself* gondol magában
think up *vt* *biz* kiagyal, kigondol,
kisüt (vmt)
thinkable ['θɪŋkəbl] *a* elgondolható,
elképzelhető
thinker ['θɪŋkə*] *n* gondolkodó, filozófus
thinking ['θɪŋkɪŋ] **I.** *a* gondolkodó, gondolkodásra képes **II.** *n* gondolkodás;
to my ~ véleményem szerint
thinking-cap *n* *biz* *put on one's* ~ megfontol vmt
think-piece *n* kommentár, hírmagyarázat
thinly ['θɪnlɪ] *adv* **1.** vékonyan 2. soványan 3. ritkán, gyéren; ~ *clad* hiányosan/vékonyan öltözve
thinned [θɪnd] →*thin III.*
thinner ['θɪnə*] *n* hígító ‖→ *thin I.*
thinness ['θɪnnɪs] *n* **1.** vékonyság 2. hígság 3. soványság 4. ritkásság
thinnest ['θɪnɪst] ‖→ *thin I.*
thinning ['θɪnɪŋ] *n* **1.** elvékonyítás 2.
(fel)hígítás 3. ritkítás ‖→ *thin III.*

thinnish ['θιnιʃ] *a* elég híg/vékony/soványy/ritka/gyér
thin-skinned *a* érzékeny, sértődékeny
third [θə:d] **I.** *a* **1.** harmadik; *US ~ degree* rendőri kinvallatás, harmadfokú vallatás; *~ gear* harmadik sebesség; *~ person/party* harmadik/kívülálló személy →*third-party; ~ power* harmadik hatvány; *~ rail* harmadik/áramvezető sín; *travel ~* harmadik osztályon utazik **2.** harmad **II.** *n* **1.** harmad(rész) **2.** hármas [osztályzat] **3.** terc
third-class *a* harmadosztályú, harmadrangú
third-hand *a* harmadkézből származó
thirdly ['θə:dlι] *adv* harmadszor, harmadsorban
third-party *a ~ insurance/liability* kötelező (gépjármű-)felelősségbiztosítás; *~ risk* szavatossági kockázat
third-rate *a* harmadrangú
thirst [θə:st] **I.** *n* **1.** szomjúság **2.** vágy *(for/after* vm után); *~ for knowledge* tudásvágy, -szomj; **II.** *vi* **1.** *~ for* szomjazik vmre **2.** *~ for/after* (hevesen) vágyódik vm után, eped vm után
thirsting ['θə:stιŋ] *a* **1.** szomjas **2.** epedő
thirsty ['θə:stι] *a* **1.** *(átv is)* szomjas **2.** kiszáradt, kiszikkadt [föld]
thirteen [θə:'ti:n] **I.** *a* tizenhárom **II.** *n* a tizenhármas szám(jegy)
thirteenth [θə:'ti:nθ] **I.** *a* tizenharmadik **II.** *n* **1.** a tizenharmadik **2.** tizenharmad(rész)
thirtieth ['θə:tιιθ] **I.** *a* harmincadik **II.** *n* **1.** a harmincadik **2.** harmincad(rész)
thirty ['θə:tι] *a/n* harminc; *T~ Years' War* harmincéves háború; *the thirties* a harmincas évek
this [ðιs] *a/pron (pl these* ði:z) **1.** ez; *~ day last year* ma egy éve; *~ evening* ma este; *~ far* mindezideig; *~ much* ennyi (se több se kevesebb); *by ~ time* ekkorra, ekkor már; *in these days* manapság, mostanság; *it was like ~* így történt (ahogy most elmondom); *I've been watching you these ten minutes* már tíz perce figyellek; *the thing is ~* a következőről van szó **2.** *what's ~?* mi ez?; *who is ~?* ki ez?; *~ is Mr. Smith!* bemutatom Smith urat!

Thisbe ['θιzbι] *prop*
thistle ['θιsl] *n* bogáncs; *land of the ~* Skócia
thistle-down *n* bogáncspihe
thither ['ðιðə*] **I.** *a* túlsó **II.** *adv* oda, addig
tho' [ðoυ] *conj/adv = though*
thole [θoυl] *n* evezőszeg, evezővilla- (csap)
Thomas ['tɔməs; *US* -a-] *prop* Tamás
Thompson ['tɔmpsn] *prop*
Thompson gun géppisztoly
Thomson ['tɔmsn] *prop*
thong [θɔŋ; *US* -ɔ:-] *n* szíj
thoracic [θɔ:'ræsιk] *a* mellkasi, mellüregi
thorax ['θɔ:ræks] *(pl ~es* -sιz v. **thoraces** 'θɔ:rəsi:z) *n* **1.** mellkas **2.** tor [rovaré]
Thoreau ['θɔ:roυ] *prop*
thorn [θɔ:n] *n* **1.** tüske, tövis; *~ in one's side/flesh* szálka a szemében; bosszantó körülmény **2.** csipkebokor; galagonyabokor **3.** ⟨a runikus *th* betű az óangolban⟩
thorn-bush *n = thorn* 2.
thornless ['θɔ:nlιs] *a* tüskétlen
Thornton ['θɔ:ntən] *prop*
thorny ['θɔ:nι] *a* **1.** tüskés, tövises **2.** bonyolult, nehéz [kérdés, ügy]
thorough ['θʌrə; *US* 'θə:roυ] *a* **1.** alapos, mélyreható **2.** teljes, tökéletes
thoroughbred **I.** *a* **1.** faj(ta)tiszta, telivér **2.** arisztokratikus, jól nevelt; alaposan képzett **II.** *n* telivér ló
thoroughfare ['θʌrəfeə*; *US* 'θə:roυ-] *n* főútvonal; *no ~!* (1) „(mindkét irányból) behajtani tilos" [jelzőtábla] (2) tilos az átjárás
thoroughgoing *a* alapos, teljes, százszázalékos
thoroughly ['θʌrəlι; *US* 'θə:roυlι] *adv* teljesen, alaposan, százszázalékosan
thoroughness ['θʌrənιs; *US* 'θə:roυnιs] *n* alaposság
thorough-paced *a* **1.** tökéletesen idomított [ló] **2.** *= thoroughgoing; a ~ rascal* minden hájjal megkent gazember
Thos. *Thomas*
those →*that* I.
thou [ðaυ] *pron* † te
though [ðoυ] *conj/adv* **1.** habár, (ám)bár,

noha; *strange ~ it may appear* bármily különösnek tűnik is 2. *as ~* mintha 3. mégis, mindazonáltal
thought¹ [θɔ:t] *n* 1. gondolkodás 2. gondolat; *I did not give it another ~* nem is gondoltam rá többet; *lost in ~* gondolatban elmerülve; *his ~s were elsewhere* máshol járt az esze 3. meggondolás; *after much ~* hosszas megfontolás után 4. szándék, gondolat; *have ~s of doing sg* vmt tenni szándékozik; *his one ~ (is . . .)* egyetlen célja, másra sem gondol 5. gondoskodás, törődés 6. *biz* valami kevés; *a ~ better* valamicskével jobb, egy gondolatnyival több
thought² →*think II.*
thoughtful ['θɔ:tful] *a* 1. (el)gondolkodó, elmélkedő 2. komoly, meggondolt; gondos 3. gondolatokkal teli, mély [könyv stb.] 4. előzékeny, figyelmes; *be ~ of others* tekintettel van másokra
thoughtfully ['θɔ:tfulɪ] *adv* 1. elmélkedőn, mélyen; elgondolkozva 2. meggondoltan, komolyan 3. előzékenyen, figyelmesen
thoughtfulness ['θɔ:tfulnɪs] *n* 1. gondosság, komolyság 2. előzékenység
thougthless ['θɔ:tlɪs] *a* 1. meggondolatlan 2. figyelmetlen, tapintatlan
thought-provoking *a* elgondolkoztató, gondolatébresztő
thought-reader *n* gondolatolvasó
thought-reading *n* gondolatolvasás
thouing ['ðauɪŋ] *n* tegezés [lefelé]
thousand ['θauznd] I. *a* ezer II. *n* az ezres szám(jegy); *many ~s of times* ezerszer is, számtalanszor; *one in a ~* ezer közül ha egy (is); *~s upon ~s* ezer és ezer, tízezerszám
thousandfold ['θauzndfould] I. *a* ezerszeres II. *adv* ezerszeresen
thousandth ['θauzn(t)θ] I. *a* ezredik; *I told him for the ~ time* ezerszer megmondtam neki II. *n* 1. az ezredik 2. vmnek az ezredrésze
thraldom ['θrɔ:ldəm] *n* (rab)szolgaság
thrall [θrɔ:l] *n* 1. (rab)szolga; jobbágy 2. vmnek a rabja 3. (rab)szolgaság
thrash [θræʃ] A. *vt* 1. üt, elpáhol, elver; megkorbácsol 2. csépel 3. *biz* legyőz;

tönkrever [ellenfelet] 4. *~ out* (1) kicsépel (2) *átv* alaposan/részletesen megvitat/kitárgyal B. *vi* 1. csépel 2. *~ about* dobálja magát, csapkod
thrasher ['θræʃə*] *n* = *thresher 1., 2.*
thrashing ['θræʃɪŋ] *n* 1. elverés, (meg-)verés; *give sy a good ~* jól elver/elfenekel vkt 2. cséplés 3. legyőzés
thread [θred] I. *n* 1. fonal, cérna; *hang by a ~* hajszálon függ 2. csavarmenet II. *vt* 1. befűz [tűbe fonalat] 2. felfűz [fonalra gyöngyöket] 3. csavarmenetet vág 4. *~ one's way through a crowd* átfurakszik a tömegen 5. *~ed with* átszőve (vmvel)
threadbare ['θredbeə*] *a* 1. kopott, foszlott 2. *biz* elcsépelt [téma stb.]
thread-cutter *n* menetvágó
threadlike *a* fonalszerű
thread-mark *n* azonosító jel [bankjegypapírosban]
threadworm *n* orsógiliszta
thready ['θredɪ] *a* 1. fonalas 2. igen vékony/finom
threat [θret] *n* 1. fenyegetés 2. fenyegető veszedelem
threaten ['θretn] *vt/vi* fenyeget
threatening ['θretnɪŋ] *a* fenyegető, vésztjósló
three [θri:] I. *a* három, hármas II. *n* hármas szám/számjegy
three-act *a* háromfelvonásos
three-colour *a* háromszínű; *~ process* háromszínnyomás
three-cornered [-'kɔ:nəd] *a* 1. háromszögletű 2. *biz* három személy között folyó [vita stb.]
three-day *a ~ event* háromnapos verseny, *military* [olimpiai lovasszám]
three-decker [-'dekə*] *n* 1. háromfedélzetű hajó 2. háromemeletes szendvics 3. háromkötetes regény
three-dimensional *a* háromdimenziós, -dimenziójú, térhatású
threefold ['θri:fould] I. *a* háromszoros II. *adv* háromszorosan
three-footed *a* háromlábú
three-halfpence [θri:'heɪpns] *n* másfél penny [1971 előtt]
three-handed *a* háromkezű, háromszemélyes [kártyajáték]

three-lane *a* ~ *road* három (forgalmi) sávú út

three-legged *a* 1. háromlábú [asztal stb.] 2. ~ *race* ⟨versenyfutás melynél 2—2 futó 1—1 lába egymáshoz van kötve⟩

three-master *n* háromárbocos (vitorlás-) hajó

threepence ['θrep(ə)ns] *n* három penny (érték) [rövidítése 1971 előtt: 3d, azóta: 3p]

threepenny ['θrepənɪ] *a* hárompenny értékű, hárompennys

three-piece *a* három darabból/részből álló, háromrészes

three-ply *a* 1. háromrétegű [furnér] 2. háromszálú [fonal, kötél]

three-quarter *a* háromnegyed(es)

threescore [θri:'skɔ:*] *a* hatvan

threesome ['θri:səm] *n* háromszemélyes golfjáték

three-square *a* háromszögletű

three-storey(ed)/storied *a* háromszintes, kétemeletes [ház]

three-way *a* háromirányú

three-wheeled *a* háromkerekű

threnody ['θrenədɪ] *n* gyászdal

thresh [θreʃ] A. *vt* 1. (ki)csépel 2. ~ *out* = *thrash* A. 4.

thresher ['θreʃə*] *n* 1. cséplő 2. cséplőgép 3. farkascápa

threshing ['θreʃɪŋ] *n* cséplés

threshing-floor *n* szérűskert

threshing-machine *n* cséplőgép

threshold ['θreʃ(h)oʊld] *n* 1. (*átv is*) küszöb; ~ *of consciousness* tudatküszöb; *cross the* ~ átlépi a küszöböt 2. kezdet, kiindulópont

threw →*throw II.*

thrice [θraɪs] *adv* háromszor

thrift [θrɪft] *n* 1. takarékosság, gazdaságosság 2. istác [vadnövény]

thriftily ['θrɪftɪlɪ] *adv* takarékosan

thriftiness ['θrɪftɪnɪs] *n* takarékosság

thriftless ['θrɪftlɪs] *a* pazarló

thrifty ['θrɪftɪ] *a* 1. takarékos; gazdaságos 2. *US* virágzó

thrill [θrɪl] I. *n* izgalom, borzongás; ~ *of joy* örömmámor II. A. *vt* felvillanyoz, megborzongat B. *vi* izgalmat érez; megremeg, -borzong

thriller ['θrɪlə*] *n* izgalmas olvasmány; rémregény; detektívregény, krimi

thrilling ['θrɪlɪŋ] *a* izgató, izgalmas, szenzációs

thrive [θraɪv] *vi* (*pl* throve θroʊv, *pp* thriven 'θrɪvn) 1. növekszik, gyarapszik [gyermek, növény, állat] (*on sg* vmn) 2. boldogul, prosperál

thriving ['θraɪvɪŋ] *a* jól menő, virágzó

thro' [θru:] *prop* = *through*

throat [θroʊt] *n* 1. torok; *átv force/thrust sg down sy's* ~ ráerőszakol/ráoktrojál vmt vkre; *stick in one's* ~ (1) torkán akad (2) nem szívesen mondja/teszi 2. nyílás, torok

throaty ['θroʊtɪ] *a* torokhangú; rekedt

throb [θrɔb; *US* -ɑ-] I. *n* lüktetés, dobogás, pulzálás II. *vi* -bb- lüktet, dobog, ver; pulzál; ~ *with sg* (1) vmtől lüktet (2) izgalom lázában ég

throbbing ['θrɔbɪŋ; *US* -ɑ-] *n* lüktetés, dobogás; lüktető fájdalom

throes [θroʊz] *n pl* fájdalom, agónia; vajúdás

thrombosis [θrɔm'boʊsɪs; *US* -ɑm-] *n* trombózis

thrombus ['θrɔmbəs] *n* (*pl* -bi -baɪ) vérrög

throne [θroʊn] *n* trón; *come to the* ~ trónra lép

throng [θrɔŋ; *US* -ɔ:-] I. *n* tömeg, csődület II. A. *vi* (össze)csődül, (oda)tódul B. *vt* megtölt [vmlyen helyet a tömeg]

thronged [θrɔŋd; *US* -ɔ:-] *a* zsúfolt

thronging ['θrɔŋɪŋ; *US* -ɔ:-] *a* szorongó, zsúfolódó, tolongó

throstle ['θrɔsl; *US* -ɑ-] *n* 1. énekes rigó 2. fonógép

throttle ['θrɔtl; *US* -ɑ-] I. *n* 1. *biz* torok, gége; légcső 2. ~ (*valve*) fojtószelep; *open out the* ~ gázt ad [autómotornak] II. *vt* 1. megfojt; fojtogat 2. elfojt, elnyom, gátol [kereskedelmet, véleménynyilvánítást] 3. elfojt [motort]; ~ *down* lelassít [autót stb.]; leveszi a gázt/gőzt

through [θru:] I. *prep/adv* 1. keresztül, át; *he is* ~ *his examination* túl van a vizsgán; *biz be* ~ *with sg* (1) végez/elkészül vmvel (2) elege van vmből; *biz they are* ~ végeztek egymással;

I'm half ~ *this book* félig elolvastam már a könyvet 2. *(időjelöléssel:)* alatt; folyamán; *all* ~ mindvégig, egész idő alatt; *all* ~ *his life* egész életében, egész életén át; *US Monday* ~ *Friday* hétfőtől péntekig bezárólag 3. ~ *(and* ~*)* keresztül-kasul; ~ *the house* az egész házban; *be wet* ~ *(and* ~*)* teljesen átnedvesedett/átázott 4. egyenesen, direkt, átszállás nélkül; *this train goes* ~ *to Vienna* ez a közvetlen vonat Bécsbe 5. *you are* ~ (1) *GB* kapcsoltuk, tessék beszélni [telefonon] (2) *US* bontok [beszélgetés befejezve] 6. által, útján; miatt, következtében; ~ *an advertisement* hirdetés útján; ~ *no fault of mine* nem az én hibámból; *absent* ~ *illness* távol van betegség miatt; ~ *ignorance* tudatlanság következtében II. *a* átmenő, közvetlen [vonat, út]; ~ *carriage for*... közvetlen kocsi ...-ba; ~ *passanger* átutazó (utas); ~ *route* főútvonal; ~ *traffic* átmenő forgalom; ~ *train* közvetlen vonat (v. vasúti összeköttetés)
through-communication *n* vasúti kocsik közötti átjáró
throughout [θruː'aʊt] *prep/adv* 1. egészen, teljesen, minden részében; mindenütt 2. véges-végig, egész idő alatt
through-portion *n* közvetlen szerelvényrész
throughput *n* teljesítmény; eredmény
throughway *n* = *thruway*
throve →*thrive*
throw [θroʊ] I. *n* 1. dobás, vetés; hajítás; *within a stone's* ~ kődobásnyira 2. ~ *(of dice)* kockavetés 3. erőfeszítés 4. kimozdulás; csuszamlás [geológiai rétegé] 5. alternáló/váltakozó mozgás [dugattyúé stb.] II. *v (pt* threw θruː, *pp* thrown θroʊn) A. *vt* 1. dob, vet, hajít; levet [ló lovast] 2. hány [rudat, földet, töltést] 3. ont 4. földhöz vág/ csap; *US biz this* ~*s me* elképeszt/ megdöbbent engem; *biz* ~ *a fit* (ideg-) rohamot kap 5. hullat [madár tollat[; ~ *its skin* vedlik [kígyó] 6. vet [fényt] 7. megfon [selymet] 8. kiformál [edényt korongon] 9. kölykezik, ellik 10. ~ *a switch* kapcsolót állít 11. *US*

biz elad [mérkőzést] 12. ~ *a party* estélyt ad B. *vi* kockázik
throw about *vt* széthány, -dobál; ~ *one's arms a.* kézzel-lábbal hadonászik; ~ *one's money a.* szórja a pénzét; ~ *oneself a.* csapkod maga körül; *be* ~*n a.* hányja-veti a sors
throw at *vt* nekidob, megdob, feléje dob; ~ *a glance at sy* (1) pillantást vet vkre (2) rákacsint vkre
throw away *vt* 1. eldob, elvet 2. kidob, eltékozol [pénzt]; *she threw herself a.* férjhez ment vkhez, aki nem tudja megbecsülni 3. elszalaszt [alkalmat, szerencsét]
throw back A. *vt* 1. visszadob; visszaüt; visszaver [fényt] 2. visszautasít 3. *be* ~*n b.* *(up)on sg* rá van utalva vmre B. *vi* visszaüt [vmely ősre]
throw down *vt* ledob; ~ *oneself d.* leveti magát a földre
throw in *vt* 1. *biz* bedob [labdát stb.] 2. hozzájárul (vmhez vmvel) 3. ráadásul ad 4. közbevet [szót, megjegyzést] 5. ~ *in his hand* megadja magát
throw into *vt* 1. bedob 2. ~ *two rooms i. one* két szobából egyet csinál; ~ *the family i. mourning* a családot gyászba borítja 3. ~ *oneself i. sg* beleveti magát vmbe
throw off *vt* 1. *(átv is)* eldob; ledob; kidob; ~ *a train o. the rails* vonatot kisiklat 2. megszabadul (vktől, vmtől); leráz (vkt) 3. rögtönöz, kiráz a kabátja ujjából [verset stb.]
throw on *vt* 1. rádob; ~ *oneself (up-) on sg* (1) rádől vmre; nekiesik vmnek (2) rábízza magát vmre 2. magára kap/hány [ruhát] 3. ráönt
throw out *vt* 1. kidob; ~ *o. one's chest* kidülleszti a mellét 2. kibocsát, sugároz [hőt, fényt]; ~ *o. light* fényt ad/vet 3. elvet, elutasít, leszavaz [kormányt, törvényjavaslatot] 4. (é-pületszárnyat) épít 5. elejt, odavet [megjegyzést, célzást] 6. megzavar, kivet a kerékvágásból
throw over *vt* cserbenhagy, elhagy
throw together *vt* gyorsan összetákol, *átv* összepofoz

throw up *vt* 1. feldob 2. gyorsan felhúz [épületet] 3. kihány, kiokád 4. lemond (vmről), felad (vmt)
throw-away *n US* 1. (utcán osztogatott) reklámcédula, szórólap 2. (*jelzői haszn*) eldobható [papírzsebkendő stb.] 3. (*jelzői haszn*) *átv* mellékesen odavetett
throw-back *n* 1. atavisztikus visszaütés 2. akadály, visszaesés
thrower ['θroʊə*] *n* 1. dobó 2. selyemfonó
throw-in *n* bedobás [labdarúgásban]
throwing ['θroʊɪŋ] *n* hajítás, dobás
throwing-wheel *n* fazekaskorong
thrown [θroʊn] *a* ~ *silk* sodrott selyem ‖ →*throw II.*
throw-off *n* a vadászat kezdete
throw-outs *n pl* hulladék, selejtes áru
throwster ['θroʊstə*] *n* selyemfonó
thru [θru:] *US = through*
thrum¹ [θrʌm] I. *n* szegély; fonalcsomó; rojt II. *vt* -mm- rojtoz
thrum² [θrʌm] *vi/vt* -mm- 1. = *strum* 2. ujjaival dobol
thrush¹ [θrʌʃ] *n* rigó
thrush² [θrʌʃ] *n* 1. szájpenész 2. nyírrothadás [lópatán]
thrust [θrʌst] I. *n* 1. (hirtelen heves) lökés 2. döfés, szúrás [karddal] 3. támadás 4. csípős megjegyzés 5. vízszintes ívnyomás [boltívé] 6. vonóerő [légcsavaré]; tolóerő [sugárhajtóműé] II. *v* (*pt/pp* ~) A. *vt* 1. lök, taszít, tol 2. szúr, döf B. *vi* tolakodik
 thrust at *vi* ~ *at sy* odavág vknek [bottal stb.]
 thrust away *vt* ellök
 thrust back *vt* ~ *b. the door* belöki az ajtót
 thrust forward *vt* előrelök, -nyom, -taszít; ~ *oneself f.* (1) tolakodik (2) stréberkedik, törtet
 thrust into *vt* belelök, -taszít; -nyom; ~ *one's nose i.* beleüti az orrát (más dolgaiba); ~ *one's hands i. one's pockets* zsebre vágja a kezeit/kezét
 thrust out *vt* kidug
 thrust through *vt* ~ *oneself t.* keresztültolakszik, -furakodik
 thrust upon *vt* ~ *oneself u. sy* vkre rávarrja magát, ráakaszkodik

thruster ['θrʌstə*] *n* törtető, karrierista
thruway ['θru:weɪ] *n US* autópálya
thud [θʌd] I. *n* tompa puffanás II. *vi* -dd- puffan, huppan, zuppan; zöttyen
thug [θʌg] *n* orgyilkos, gengszter
thuggery ['θʌgərɪ] *n* orgyilkosi tett, gengszterség
thumb [θʌm] I. *n* hüvelykujj; *rule of* ~ (1) hozzávetőleges számítás (2) (durva) ökölszabály; *under the* ~ *of sy* vknek az uralma alatt; ~*s up!* remek! II. *vt* 1. lapozgat [könyvben] 2. ujjnyomokat hagy [könyvben] 3. ~ *his nose at sy/sg* fittyet hány vkre/vmre, hosszú orrot mutat vknek 4. ~ *a lift, US* ~ *a ride* autóstopot kér
thumb-index *n* élregiszter [szótárakban]
thumb-mark *n* ujjnyom
thumb-nail *n* hüvelykujj körme; ~ *sketch* tömör rögtönzött (arckép)vázlat
thumb-screw *n* 1. hüvelykszorító 2. pillangócsavar, szárnyas csavar
thumb-stall *n* hüvelykvédő
thumbtack *n US* rajzszeg
thump [θʌmp] I. *n* 1. (erős) ütés [ököllel, furkósbottal stb.] 2. tompa puffanás [ütés/esés következtében] II. *vi/vt* 1. (ököllel) üt, ver 2. dörömböl; kalapál [szív]
thumper ['θʌmpə*] *n* 1. erős ütés 2. *biz* „óriási" dolog
thumping ['θʌmpɪŋ] *a biz* 1. óriási [ebéd stb.] 2. fantasztikus, elképesztő [hazugság]
thunder ['θʌndə*] I. *n* 1. mennydörgés 2. dörgés, dörgő hang [tapsé stb.] 3. *biz steal sy's* ~ kifogja vk vitorláiból a szelet, megelőz vkt (vmben) II. A. *vi* 1. (menny)dörög 2. dörömböl B. *vt* dörögve mond
thunderbolt *n* 1. (*átv is*) mennykő(csapás) 2. meteor(kő)
thunder-clap *n* (*átv is*) mennykőcsapás
thunder-cloud *n* viharfelhő
thundering ['θʌnd(ə)rɪŋ] I. *a* 1. (menny-)dörgő 2. *biz* óriási II. *adv biz* rendkívüli módon, nagyon
thunderous ['θʌnd(ə)rəs] *a* 1. mennydörgő, viharos 2. dörgedelmes
thunder-shower *n* felhőszakadás, zivatar
thunderstorm *n* égzengés, égiháború

thunderstruck *a* meghökkent, megdöbbent, megkövült

thundery ['θʌndərɪ] *a* viharos, viharra hajló

thurible ['θjʊərɪbl; *US* 'θʊ-] *n* tömjénfüstölő

thurifer ['θjʊərɪfə*; *US* 'θʊ-] *n* füstölőt tartó pap, tömjénező

Thur(s). *Thursday* csütörtök, csüt.

Thursday ['θəːzdɪ v. -deɪ] *n* csütörtök

thus [ðʌs] *adv* 1. így, eképpen; ~ *far* (1) idáig, eddig (2) mindeddig 2. ezért, ennek következtében, ilyenformán, tehát

thusness ['ðʌsnɪs] *n biz* ilyenség

thwack [θwæk] *n/int/vt* = *whack*

thwart [θwɔːt] I. *a* keresztező, rézsútos II. *n* evezőspad III. *vt* keresztez, meghiúsít [tervet], (meg)akadályoz

thy [ðaɪ] *pron/a* † (magánhangzóval kezdődő szó előtt: thine ðaɪn] (a te . . .) -d, -od, -ad, -ed, -öd, -aid, -jaid, -eid, -jeid

thyme [taɪm] *n* kakukkfű

thymol ['θaɪmɔl; *US*-ʊl]*a* kakukkfűolaj

thymus ['θaɪməs] *n* (*pl* thymi 'θaɪmaɪ) ~ (*gland*) csecsemőmirigy

thyroid ['θaɪrɔɪd] *n* ~ (*gland*) pajzsmirigy

thyself [ðaɪ'self] *pron* † tenmagad(at)

tiara [tɪ'ɑːrə] *n* 1. tiara, (pápai) fejdísz 2. diadém, fejdísz

Tiberius [taɪ'bɪərɪəs] *prop* Tiberius; Tibériusz; Tibor

Tibet [tɪ'bet] *prop*

Tibetan [tɪ'bet(ə)n] *a* tibeti

tibia ['tɪbɪə] *n* (*pl* ~e 'tɪbiː: v. ~s -ɪəz) 1. sípcsont 2. comb, végtag negyedik íze [rovaroknál]

tic [tɪk] *n* arcrángás

tick¹ [tɪk] I. *n* 1. ketyegés; *on the* ~ hajszálpontosan 2. *biz* pillanat; *half a* ~ *l* egy pillanatra ! 3. kipipálás, pipa [jegyzékben] 4. gondolatjel, vonás II. A. *vi* ketyeg; *biz what makes him* ~ mitől jár, mi tartja üzemben, mi a mozgatója B. *vt* megjelöl; ~ *off* (1) kipipál [nevet névsorban] (2) *biz* megszid, lehord; ~ *out* kikopog(ja a szalagra) [távírógép szöveget]

tick² [tɪk] *n* ciha, párnahuzat

tick³ [tɪk] *n* kullancs, atka

tick⁴ [tɪk] *n GB biz* hitel; *buy on* ~ hitelbe vesz

ticker ['tɪkə*]*n biz* 1. óra 2. szív 3. távírógép 4. *US* (önműködő tőzsdei) árjegyzőkészülék; ~ *tape* (1) távírószalag (2) szerpentin [papírcsík[

ticket ['tɪkɪt] I. *n* 1. jegy; *single* ~ egyszeri utazásra szóló jegy; ~ *clerk* jegypénztáros 2. (ármegjelölő) cédula, címke; igazolvány; *get one's pilot's* ~ pilótaigazolványt kap; *biz get one's* ~ véglegesen leszerelik [katonát] 3. *GB* ~ *of leave* feltételes szabadság(ra bocsátás) [elítélté] →*ticket-of-leave* 4. *US* egy párt képviselőjelöltjeinek névsora 5. *US biz* pártprogram 6. *US* (helyszíni) bírságcédula 7. *biz that's the* ~! helyes !, jól van !, megfelel !, ez az igazi ! II. *vt* címkét felragaszt, árjelzővel/címkével ellát

ticket-collector *n* jegyszedő

ticket-holder *n* (bérlet)jegytulajdonos

ticket-inspector *n* kalauz, ellenőr

ticket-office *n* jegypénztár

ticket-of-leave ~ *a man* feltételes szabadságra bocsátott elítélt →*ticket I. 3.*

ticket-punch *n* jegylyukasztó

ticking¹ ['tɪkɪŋ] *n* 1. ketyegés 2. kipipálás 3. *biz* szidás, letolás

ticking² ['tɪkɪŋ]*n* angin [párnahuzatnak]

tickle ['tɪkl] I. *n* csiklandozás II. A. *vt* 1. (meg)csiklandoz; kellemesen izgat 2. *biz* (meg)nevettet, szórakoztat, mulattat; *be* ~ *d to death* halálra neveti magát; ~ *up* felizgat, felbirizgál 3. (kézzel) halat fog B. *vi* viszket, csiklandik, viszketést érez

tickler ['tɪklə*] *n* 1. csiklandozó személy 2. nehéz kérdés, kényes ügy, csiklandós dolog 3. határidő(napló)

tickling ['tɪklɪŋ] *n* 1. csiklandozás 2. halfogás [kézzel]

ticklish ['tɪklɪʃ] *a* 1. csiklandós 2. nehezen kezelhető, sértődékeny [ember] 3. kényes, nehéz [ügy]

tick-tack ['tɪktæk] *n* tiktak, óra

tidal ['taɪdl] *a* árapály-; ~ *basin* folyammedence; ~ *clock* úszódokk; ~ *water level* árapályszint; ~ *wave* (1) szökőár (2) *biz* nagy érzelmi hullám

tidbit ['tɪdbɪt] *n US = titbit*
tiddler ['tɪdlə*] *n biz* 1. apró hal 2. *GB* félpennys (érme)
tiddley ['tɪdlɪ] *a biz* 1. pici(ke) 2. pityókás
tiddly-winks ['tɪdlɪwɪŋks] *n pl* bolhajáték [zsetonokkal]
tide [taɪd] I. *n* 1. árapály, tengerjárás; *high/rising* ~ dagály, ár; *low* ~ (1) apály (2) mélypont 2. *átv* irány(zat), menet [eseményeké, ügyeké stb.]; *go with the* ~ úszik az árral; *take the* ~ *at the flood* üstökön ragadja a szerencsét; *turn of the* ~ a szerencse fordulása 3. † időszak II. A. *vi* az árral úszik B. ~ *vt over sg* átvergődik vmn, átvészel vmt; ~ *sy over sg* átsegít vkt vmn
tide-bound *a* dagálytól akadályozott
tideland *n* árapályos terület
tideless ['taɪdlɪs] *a* apály és dagály nélküli
tide-mark *n* dagály nyoma
tide-race *n* szökőár
tide-waiter *n* † kikötői vámtiszt
tideway *n* ⟨vízi út, melynek árapálya van⟩; dagály medre
tidied →*tidy III.*
tidily ['taɪdɪlɪ] *adv* rendesen, takarosan
tidiness ['taɪdɪnɪs] *n* csinosság, rendesség takarosság
tidings ['taɪdɪŋz] *n pl* hír, újság, tudósítás
tidy ['taɪdɪ] I. *a* 1. rendes, takaros; gondos 2. *biz* tekintélyes, „csinos" [összeg, jövedelem stb.] II. *n* 1. bútorvédő 2. kosárka [a zsebbeli holmik kirakására] III. *v (pt/pp* tidied 'taɪdɪd) A. *vt* ~ (*up*) rendbe tesz, helyére rak, kitakarít B. *vi* ~ (*up*) rendet csinál, takarít
tie [taɪ] I. *n* 1. kötelék, kötél; zsineg 2. kötés, csomó 3. nyakkendő; *black* ~ (1) fekete csokornyakkendő (2) szmoking; *white* ~ (1) fehér csokornyakkendő (2) frakk 4. kötővas, kötőgerenda 5. *átv* kötelék, kapcsolat; (erkölcsi) kötelezettség 6. döntetlen [mérkőzés]; holtverseny 7. kupamérkőzés 8. kötőjel, ív [kottán] 9. *US* (vasúti) talpfa II. *v (pt/pp* ~d taɪd, *pres part* tying 'taɪɪŋ) A. *vt* 1. (meg)köt; átköt; odaköt; rögzít; összefűz,

-kötöz 2. csomóra köt 3. *átv* leköt [időt, figyelmet stb.]; megköt; akadályoz B. *vi* 1. csomóba kötődik/köthető 2. döntetlenül mérkőzik; döntetlenre játszik; *the score is* ~*d* az eredmény döntetlen
tie down vt 1. leköt, leszorít 2. feltételekhez köt; kötelez [szerződéssel stb.] 3. *átv* leköt (vkt)
tie up A. *vt* 1. felköt; összekötöz [csomagot stb.]; ~ *oneself up in(to) knots* lehetetlen helyzetbe hozza magát 2. beköt, bebugyolál [fejet stb.] 3. korlátoz [cselekvési szabadságban vkt]; feltételeket szab (vknek); *I'm* ~*d up next week* jövő héten el vagyok foglalva 4. befektet [pénzt vmbe]; leköt [tőkét] 5. megköt [elidegenítési tilalommal] 6. *US biz* megbénít [forgalmat stb.] B. *vi* ~ *up with sy/sg* (szoros) kapcsolatban van vkvel/vmvel
tie-beam *n* kötőgerenda
tie-break *n* rövidített játék [teniszben]
tie-clip *n* nyakkendőcsíptető
tied [taɪd] *a* 1. megkötött, átkötött 2. *átv* lekötött [idő stb.]; (szerződésileg) kikötött; ~ *cottage* ⟨szerződéses gyári munkás bérlakása üzemi lakótelepen⟩; ~ (*public*) *house* ⟨csak egy bizonyos cég italainak árusítására jogosított kocsma⟩ || →*tie II.*
tie-in *n* kapcsolt áru; ~ *sale* árukapcsolás
tie-on *a* ~ *label* függőcímke
tie-pin *n* nyakkendőtű
tier[1] [tɪə*] *n* 1. üléssor; *first* ~ *box* első emeleti páholy 2. polcsor
tier[2] ['taɪə*] *n* kötő, megkötő
tierce [tɪəs] *n* 1. terc, harmad 2. harmadik hora canonica [reggel 9-kor] 3. † ⟨űrmérték: 42 gallon⟩ 4. tercvágás [vívásban] 5. harmadik nyomdai korrektúra 6. [tə:s] terc [kártyában]
tiercel ['tə:sl] *n = tercel*
tiered [tɪəd] *a* emeletes
tie-rod *n* kormányösszekötő (rúd)
tie-up *n* 1. szünetelés [munkáé, közlekedésé]; fennakadás; holtpont 2. társulás [vállalatoké stb.] 3. árukapcsolás
tiff [tɪf] *n* összezördülés, -tűzés

tiffany ['tɪfənɪ] n fátyolszövet
tiffin ['tɪfɪn] n délebéd, lunch [Indiában]
tig [tɪg] I. n fogócska II. vt -gg- (fogócskában) megérint
tiger ['taɪgə*] n 1. tigris 2. vérszomjas ember 3. GB kisinas 4. US (még egy) utolsó üdvrivalgás
tiger-cat n ocelot, párducmacska
tiger-eye n macskaszem [kvarcféleség]
tigerish ['taɪgərɪʃ] a tigrisszerű; ragadozó, vérszomjas, kegyetlen
tiger-lily n tigrisliliom
tigged [tɪgd] → tig II.
tight [taɪt] I. a 1. szoros, feszes; szűk, testhezálló; keep a ~ hand/hold over sy vkt kurta pórázon tart, vkt rövid pórázra fog 2. tömör(ített); légmentes; vízhatlan 3. csinos, takaros 4. fukar, fösvény 5. nehezen megszerezhető [pl. áru, pénzösszeg]; szűkös [anyagi helyzet]; money is ~ pénzszűke van 6. nehéz, szorult [helyzet]; szoros [határidő]; a ~ corner/spot nehéz/szorult helyzet 7. □ spicces; get ~ becsip II. adv 1. szorosan; feszesen; hold sg ~ erősen/szorosan fog/markol; draw a cord ~ kötelet kifeszít 2. légmentesen; vízmentesen ‖ → sit, tights
tighten ['taɪtn] A. vt megszükít, -szorit, -húz, feszesebbé/szorosabbá tesz; ~ one's belt (1) szorosabbra húzza az övét (2) átv összébb húzza a nadrágszijat B. vi (meg)feszül, feszesebbé/szorosabbá válik
tight-fisted a szűkmarkú, fösvény
tight-fitting a testhezálló; szorosan záródó
tight-laced a 1. erősen befüzött 2. zárkózott 3. prűd; pedáns
tight-lipped a 1. összeszorított ajkú 2. szófukar, hallgatag
tightly ['taɪtlɪ] adv 1. szűken, szorosan; feszesen 2. szilárdan, keményen
tightness ['taɪtnɪs] n 1. feszülés [kötélé] 2. szorosság 3. vízhatlanság 4. pénzszűke 5. nyomásérzés [mellben]
tight-rope n kifeszitett kötél; ~ walker/dancer kötéltáncos
tights [taɪts] n pl 1. harisnyanadrág 2. (feszes) trikó(ruha) [táncosoké], balett-trikó
tightwad ['taɪtwɔd] n □ zsugori, fösvény

tigress ['taɪgrɪs] n nőstény tigris
tike [taɪk] n = tyke
Tilda ['tɪldə] prop Tilda, Matild
tilde [tɪld v. 'tɪldə] n tilde [hullámjel spanyolban, ill. szótárakban]
tile [taɪl] I. n 1. zsindely; (tető)cserép; csempe, padlóburkoló lap; □ have a ~ loose hibbant, egy kerékkel többje van 2. biz cilinder II. vt zsindelyez; (csempével) burkol; csempéz, befed
tiled [taɪld] a cserepes; zsindelyezett; csempézett; burkolt (út)felületű
tiler ['taɪlə*] n zsindelyező; csempéző
tiling ['taɪlɪŋ] n 1. zsindelyezés, csempézés, burkolás 2. zsindelyfedél 3. csempeburkolat
till[1] [tɪl] prep/conj 1. -ig [időben]; (a-)míg, ameddig; ~ then addig; from morning ~ night reggeltől estig; good-bye ~ Tuesday viszontlátásra kedden 2. not ~ mindaddig nem (amíg)
till[2] [tɪl] n bolti pénztár, kassza
till[3] [tɪl] vt felszánt, (meg)művel
tillable ['tɪləbl] a művelhető [föld]
tillage ['tɪlɪdʒ] n 1. földművelés 2. művelt föld; szántóföld
tiller[1] ['tɪlə*] n szántóvető, földműves
tiller[2] ['tɪlə*] n nyél, kormányrúd [hajóé]
tiller[3] ['tɪlə*] I. n tőhajtás [növényen] II. vi tőhajtásokat ereszt [növény]
Tillotson ['tɪlətsn] prop
tilt[1] [tɪlt] I. n 1. billenés, hajlás, dőlés, lejtés; rézsű 2. döfés [lándzsával]; bajvívás 3. at full ~ teljes sebességgel, lóhalálában II. A. vi 1. dől, lejt, hajlik 2. billen, inog 3. lándzsával viv; ~ at (1) tiltakozik vm ellen (2) átv nekimegy vknek B. vt 1. (meg)billent; (fel)dönt, felborít 2. nekiront (vknek)
tilt[2] [tɪlt] n ponyva(fedél)
tilt-hammer n gőzkalapács
tilting ['tɪltɪŋ] I. a 1. lejtő(s), dőlő, hajló 2. billenő; billenthető; (meg-)dönthető; ~ seat csapószék, felhajtható ülés II. n 1. billen(t)és; buktatás; kibor\ítás 2. lejtés, hajlás, dőlés 3. lándzsás lovagi torna, bajvívás
tilting-lance n bajvívólándzsa
tilt-yard n bajvívótér
timber ['timbə*] n 1. fa(anyag), épületfa; fűrészáru; gerenda 2. erdő [kiter-

melésre] **3.** hajógerendázat, (hajó-) törzsborda **4.** □ **timbers** pl faláb [művégtag]; *shiver my ~s!* teringettét!
timber-cart n gerendaszállító kocsi
timbered ['tɪmbəd] a **1.** gerendával épített; dúcolt; fából levő, fa- **2.** befásított [terület]
timber-hitch n ácscsomó, hurok
timbering ['tɪmbərɪŋ] n dúcolás, állványozás; ácsmunka, famunka
timber-toes n biz falábú ember
timber-tree n szálfa
timber-work n ácsmunka, ácsozat
timber-yard n épületfatelep
timbre ['tæmbə*] n hangszín
timbrel ['tɪmbr(ə)l] n kézi dob
time [taɪm] I. n **1.** idő(tartam); *~ will show* majd meglátjuk/elválik; *all the ~* mindvégig, az egész idő alatt; *a short ~ after* rövidesen azután; *some ~ ago* valamikor, nem is olyan régen; *in no ~* pillanatok alatt, rögtön; *biz do ~* kitölti/leüli (börtön)büntetését; *serve one's ~* (1) tanoncidejét tölti (2) = do *~ ; lose no ~ in doing sg* haladéktalanul megtesz vmt; *play for ~* húzza az időt; *take one's ~ over sg* lassan/kényelmesen csinál vmt; *take your ~!* ne siesd el a dolgot!; *work against ~* versenyt fut az idővel **2.** idő(pont); *what ~ is it?, what is the ~?* hány óra van?, mennyi az idő?; *look at the ~* megnézi az órát; *his ~ has come* elérkezett/lejárt az ideje; *~'s up!* az idő lejárt!; *she is near her ~* rövidesen szülni fog, mindenórás; *some ~ or other* egyszer/valamikor majd; *this ~ next year* jövő ilyenkor; *next ~* legközelebb; *another ~* máskor, más alkalommal; *biz and about ~ too!* legfőbb ideje is!; *at ~s* néha, időnként, olykor; *at all ~s* mindig, mindenkor; *at no ~* soha, semmikor; *by that ~* addigra; *for the ~ being* ez idő szerint, jelenleg; egyelőre; *from that ~* attól (az időtől) kezdve/fogva; *from ~ to ~* időről-időre, időnként; *in due/good ~* kellő időben; *all in due/good ~* minden(t) a maga idején; *be before (one's) ~* korán (érkezik); *be behind (one's) ~* (el)késik; *in ~* (1) jókor, időben, idejében (2) idővel; *just in ~* éppen jókor; *US on ~* pontosan, jókor; időben **3.** (megfelelő) idő; alkalom; *now is the ~ to* ... most van itt az ideje annak, hogy ...; *this ~* ez alkalommal, ezúttal; most; *for the first ~* először; *one at a ~* egyszerre csak egy(et); egyenként; *two at a ~* kettesével; *many a ~* sokszor, gyakran **4.** (szabad) idő; időtöltés; *have no ~ for sg* nem ér rá vmre; *biz have a good ~ (of it)* (1) jól szórakozik/mulat, kellemesen tölti az időt (2) jó dolga van; *have a good ~!* jó mulatást!; *have the ~ of one's life* ragyogóan érzi magát; *~ hangs heavy on his hands* unatkozik **5.** időszámítás; időmérés; *Greenwich mean ~* (1) nyugat-európai idő (2) *GB* pontos időjelzés; *my watch keeps good ~* az órám pontos(an jár) **6.** időszak; korszak; idény; *hard ~s* nehéz idők; *~ was when* ... volt idő, amikor ...; *as~s go* amilyen időket élünk; *at the ~* akkor; *at one ~* valamikor, hajdan; *at my ~ of life/day* az én koromban, mikor az ember már ennyi idős; *ahead of one's ~(s)* megelőzi korát; *behind the ~s* elmaradt, maradi [ember]; *in former ~s* régen(te), hajdan(ában); *in ~s to come* a jövőben, az eljövendő időkben; *once upon a ~* egyszer volt, hol nem volt **7.** **times** [taɪmz] -szor, -szer, -ször; *three ~s* háromszor; *three ~s five is/are fifteen* háromszor öt az tizenöt; *many ~s* sokszor **8.** (zenei) ütem, taktus; *beat ~* üti a taktust, ütemez; *keep ~, be in ~* tartja az ütemet; *march in quick ~* gyorsított ütemben menetel **II.** vt **1.** időt kiszámít **2.** időt megállapít; időzít; (be-)ütemez **3.** beállít [órát, gyújtást stb.]; időzít **4.** idejét méri (vmnek) [stopperral]
time-ball n órajelző (lehulló) gömb
time-bargain n határidőüzlet
time-bomb n időzített bomba
time-card n bélyegzőkártya [blokkolóóránál]
time-clause n időhatározói mellékmondat
time-clock n bélyegzőóra
timed [taɪmd] a időzített

time-expired [-ık'spaıəd] a kiszolgált [katona]

time-exposure n időfelvétel [fényképezésnél]

time-fuse n időzített gyújtó(készülék)

time-honoured [-ɔnəd; US -ɑ-] a hagyományos, igen régi

time-keeper n 1. kronométer, pontos óra [zseb vagy fali] 2. pontos ember 3. munkafelügyelő

time-lag n 1. késés, lemaradás 2. fáziskülönbség, időhátrány, időhézag

timeless ['taımlıs] a 1. időtlen, végtelen 2. időszerűtlen

time-limit n (kiszabott) időhatár

timeliness ['taımlınıs] n alkalomszerűség, időszerűség

timely ['taımlı] I. a időszerű, alkalmas időben történő II. adv † jókor, alkalmas időben

timepiece n óra [fali vagy zseb], időjelző

timer ['taımə*] n 1. időmérő, homokóra 2. időzítő (szerkezet)

time-saving a időt megtakarító

time-server n köpönyegforgató, minden rendszerhez alkalmazkodó

time-serving n köpönyegforgatás

time-sheet n munkaidő-kimutatás

time-signal n pontos időjelzés

timetable n 1. menetrend 2. napi időbeosztás 3. órarend

time-work n órabéres munka

time-worker n órabéres

time-worn a időmarta; tiszteletre méltó régiségű

time-zone n időzóna, óraövezet

timid ['tımıd] a félénk; szégyenlős

timidity [tı'mıdətı] n félénkség

timidly ['tımıdlı] adv félénken; szégyenlősen

timing ['taımıŋ] n 1. időzítés, időmegállapítás; (be)ütemezés 2. (pontos) időmérés [sportban stb.]

Timon ['taımən] prop

timorous ['tımərəs] a félénk, nyúlszívű

timothy ['tıməθı] I. n réti komócsin II. prop T~ Timót, [bibliában] Timóteus

timpanist ['tımpənıst] n üstdobos

timpano ['tımpənou] n (pl -ni -nı) üstdob

tin [tın] I. n 1. ón, cin 2. (fehér)bádog;

□ ~ hat rohamsisak; (little) ~ god (beképzelt) kisisten; ~ soldier ólomkatona 3. bádogdoboz, -edény; konzervdoboz; a ~ of tomatoes (egy doboz) paradicsomkonzerv 4. □ pénz, „dohány" II. vt -nn- 1. ónoz; bádoggal bevon 2. óndobozba/bádogdobozba tesz, konzervál

tin-bearing a óntartalmú

tinct [tıŋkt] a † színű, színárnyalatú

tinctorial [tıŋk'tɔːrıəl] a festő, színező

tincture ['tıŋktʃə*] I. n 1. színárnyalat 2. oldat, tinktúra 3. mellékíz, színezet II. vt 1. színez, árnyal 2. kissé befolyásol/érint

tinder ['tındə*] n tapló, gyújtós

tinder-box n 1. tűzszerszám 2. gyúlékony tárgy 3. lobbanékony személy

tine [taın] n 1. ág, fog [villáé] 2. ág [agancson]

tinfoil n sztaniol, ezüstpapír, alufólia

ting [tıŋ] I. n csengés II. vi cseng, bong

ting-a-ling [tıŋə'lıŋ] n csingilingi

tinge [tındʒ] I. n 1. (halvány) árnyalat 2. mellékíz, színezet II. vt 1. árnyal, színez 2. kissé befolyásol/érint

tingle ['tıŋgl] I. n bizsergés II. vi 1. (átv is) bizsereg; csiklandik; csípős fájdalmat érez; viszket 2. cseng [fül]

tinhorn a/n □ hamis/csekély érték(ű)

tinker ['tıŋkə*] I. n 1. (vándorló) üstfoltozó, kolompár, bádogos 2. kontár II. A. vt megfoltoz, kijavít; összeeszkábál, helyrepofoz (vmt); barkácsol; ~ up felületesen kijavít/összetákol B. vi 1. üstfoltozó munkát végez 2. bütyköl; ~ away at sg piszmog/szöszmötöl vmvel

tinkle ['tıŋkl] I. n csengés, csilingelés II. A. vi csilingel, megcsendül B. vt csilingeltet, megcsendít

tinkling ['tıŋklıŋ] n csilingelés

tinman ['tınmən] n (pl -men -mən) bádogos

tinned [tınd] a 1. ónozott, bádoggal bevont 2. dobozolt, dobozos, konzervált, konzerv-; ~ food konzerv (élelmiszer); ~ fruit gyümölcskonzerv; ~ meat húskonzerv; □ US ~ music gramofonzene; →tin II.

tinner ['tınə*] n bádogos, ónozó

tinniness ['tɪnɪnɪs] n pléhcsörgés
tinning ['tɪnɪŋ] n 1. beónozás, bádogozás
2. bádogbélés
tinny ['tɪnɪ] a 1. óntartalmú 2. ónízű
3. bádoghangú
tin-opener n konzervnyitó
tin-plate I. n ónozott lemez, fehérbádog
II. vt bádoggal borít, beónoz, ónnal
bevon
tin-pot a biz vacak, rossz minőségű
tinsel ['tɪnsl] I. n 1. aranyfüst; flitter
2. aranylamé 3. értéktelen dísz; csillogó látszat II. vt -ll- (US -l-) csillogó
dolgokkal (ki)díszít
tinsmith n bádogos
tint [tɪnt] I. n 1. szín 2. színárnyalat
II. vt árnyal, színez
tin-tack n rajzszeg, kárpitosszeg
tint-drawing n egyszínű festmény; tusrajz
Tintern ['tɪntən] prop
tintinnabulation ['tɪntɪnæbjʊ'leɪʃn] n harangzúgás; csilingelés
tin-ware n bádogosáru; ónedények
tin-work n bádog(os)áru
tiny ['taɪnɪ] a apró, pici
tip¹ [tɪp] I. n vmnek a csúcsa/hegye/vége;
on the ~ of one's tongue a nyelve hegyén; from ~ to toe tetőtől talpig II. vt
-pp- csúccsal ellát; megvasal
tip² [tɪp] I. n 1. gyenge (meg)érintés,
meglegyintés 2. tanács, tipp, figyelmeztetés; take my ~ fogadd meg a tanácsom 3. borravaló 4. szemétdomb,
törmelék-lerakóhely II. v -pp- A. vt
1. borravalót ad (vknek) 2. (meg-)
billent; felborít; kiborít, kiönt; ~
one's hat megbillenti a kalapját; he
~s the scale at 12 stone 76 kilót nyom
3. meglegyint, megérint 4. figyelmeztet (vkt), tippet ad vknek B. vi feldől,
-billen, -borul
   tip off vt 1. kiönt 2. lehajt [italt]
3. borravalót ad 4. bizalmasan figyelmeztet/értesít (vkt)
   tip out A. vt kiborít, kibillent
(vmből) B. vi kiborul, kibillen (vmből)
   tip over/up A. vt felbillent, -borít B.
vi felbillen, -borul
tip-and-run [tɪpən'rʌn] a ~ attack gyors
támadás és azonnali visszavonulás

tip-cart n billenőkocsi; csille
tip-cat n pilinckázás, bigézés [játék]
tip-off n figyelmeztetés, tipp
tipped [tɪpt] a vmlyen végű/hegyű
   ‖ →tip¹ és tip² II.
tipper ['tɪpə*] n 1. billenőszerkezet 2.
billenőkocsi; csille 3. borravalót adó
Tipperary [tɪpə'reərɪ] prop
tipper-truck n önürítő tehergépkocsi
tippet ['tɪpɪt] n körgallér, prémgallér;
szőrmegallér, boa
tipping ['tɪpɪŋ] n 1. billenés, felborulás
2. billentés, felborítás 3. borravalózás;
borravalórendszer 4. tippadás
tipple ['tɪpl] vi/vt biz iszik, italozik
tippler ['tɪplə*] n biz iszákos ember
tippling ['tɪplɪŋ] n biz iddogálás, iszákosság
tipsily ['tɪpsɪlɪ] adv becsípve, részegen
tipsiness ['tɪpsɪnɪs] n részegség, ittasság
tipstaff ['tɪpstɑːf] n törvényszéki szolga;
porkoláb
tipster ['tɪpstə*] n tippadó [lóversenyen]
tipsy ['tɪpsɪ] a becsípett, részeg, ittas
tiptoe ['tɪptoʊ] I. n on ~ (1) lábujjhegyen (2) idegesen, izgatottan II. biz vi
lábujjhegyen jár
tiptop [tɪp'tɒp; US -'tɑp] a legjobb,
tipp-topp
tip-truck n billenőplatós/önürítő tehergépkocsi, dömper
tip-up a ~ seat felcsapható ülés
tirade [taɪ'reɪd] n szóáradat, nagy beszéd,
tiráda
tire¹ ['taɪə*] n/vt = tyre
tire² ['taɪə*] A. vt 1. (ki)fáraszt; ~ out
kimerít, kifáraszt B. vi 1. elfárad,
kifárad 2. ~ of sg beleun(t) vmbe,
(meg)un vmt ‖ →tired
tired ['taɪəd] a 1. fáradt, kimerült; dead
~ holtfáradt 2. be ~ of sg un vmt,
vmbe beleunt; make sy ~ (1) kifáraszt/kimerít vkt (2) untat vkt
tiredness ['taɪədnɪs] n fáradtság
tireless ['taɪəlɪs] a fáradhatatlan
tiresome ['taɪəsəm] n 1. fárasztó 2. unalmas, idegesítő
tire-woman n (pl -women) (színházi) öltöztetőnő
tiring ['taɪərɪŋ] a 1. fárasztó 2. unalmas
tiring-room n (színházi) öltöző

tiro ['taɪərou] n kezdő, újonc

'tis [tɪz] == it is

tissue ['tɪʃu:] n 1. (finom vékony) szövet; fátyol 2. szövet [biológiában]; ~ culture szövettenyészet 3. selyempapír 4. (paper) ~ papírzsebkendő, -törülköző; (facial) ~ arctörlő [papírból] 5. szövedék, szövevény [hazugságoké stb.]

tissue-paper n selyempapír

tit¹ [tɪt] n cinege, cinke

tit² [tɪt] n ~ for tat szemet szemért, fogat fogért

tit² [tɪt] n biz mellbimbó; ~s cici(k)

titan ['taɪt(ə)n] n titán; óriás

Titania [tɪ'tɑ:njə] prop Titánia

titanic [taɪ'tænɪk] a óriási, titáni

titbit ['tɪtbɪt] n (átv is) ínyencfalat, csemege; kóstoló

tithe [taɪð] I. n 1. [papi] dézsma; [egyházi] tized 2. not a ~ egy szemernyit/ tapodtat sem II. vt tizedet kivet; dézsmát kiró

tithing ['taɪðɪŋ] n dézsmafizetés; dézsmaszedés, -kivetés

Titian ['tɪʃn] prop Tiziano

titillate ['tɪtɪleɪt] vt csiklandoz; kellemesen izgat/ingerel

titillation [tɪtɪ'leɪʃn] n 1. (meg)csiklandozás 2. kellemes izgalom

titivate ['tɪtɪveɪt] biz A. vt (ki)díszít, kicicomáz, felpiperéz B. vi kidíszíti/ kicicomázza/kicsípi magát

titlark n parlagi pipiske

title ['taɪtl] I. n 1. cím [könyvé stb.]; felirat [filmen]; elnevezés, név [újságé stb.] 2. (társadalmi, nemesi) cím; persons of ~ előkelőségek 3. bajnoki cím [sportban] 4. jog(cím), jogosultság II. vt címez (vkt vmnek), címet ad [könyvnek]; feliratokkal ellát [filmet]

titled ['taɪtld] a nemes(i ranggal bíró)

title-deed n birtoklevél, ingatlan tulajdonjogát igazoló okirat

title-page n címlap

title-part/role n címszerep

titmouse n (pl -mice) cinege, cinke; coal ~ fenyvescinege, -cinke; great ~ széncinege, -cinke

titter ['tɪtə*] I. n kuncogás, vihogás II. vi kuncog, vihog

tittle ['tɪtl] n parány, darabka; not a ~ of evidence against him szemernyi bizonyíték sincs ellene

tittle-tattle ['tɪtltætl] I. n locsogás, fecsegés, szóbeszéd, pletyka II. vi pletykál

tittup ['tɪtʌp] vi -pp- ugrándozik, táncol [ló], szökdel

titular ['tɪtjʊlə*; US -tʃə-] a 1. címzetes 2. névleges

Titus ['taɪtəs] prop Titus; Titusz

tizzy ['tɪzɪ] n biz izgalom, nyugtalanság

T-junction n T csatlakozás

TLS [ti:el'es] Times Literary Supplement

TNT [ti:en'ti:] trinitrotoluene

to [tu:; gyenge ejtésű alakjai: tʊ, tə, t] I. prep 1. -hoz, -hez, -höz, irányába(n), felé; -ba, -be, -ra, -re; ambassador ~ the Court of St. James's nagykövet az angol királyi udvarnál; secretary ~ the manager az igazgató titkára; the road ~ London a Londonba vezető út; he went ~ France Franciaországba ment; ~ horse! lóra!; ~ my despair kétségbeesésemre 2. -ig; a year ~ the day pontosan egy éve; ~ this day a mai napig; ten minutes ~ six 10 perc múlva 6; generous ~ a fault túlságosan jószívű; killed ~ a man egy szálig megölték/ élestek 3. vmhez képest, -hoz, -hez, -höz; three goals ~ nil három-null (a gólarány); three is ~ six as six is ~ twelve 3 aránylik a 6-hoz mint 6 a 12-höz; that's nothing ~ what I've seen ez semmi ahhoz képest amit én láttam 4. -nak, -nek; hail ~ thee! üdvöz légy!; ~ my knowledge tudtommal; what is that ~ you? mi ez neked!? 5. what did he say ~ my suggestion? mit szólt a javaslatomhoz? 6. ~ repairing boiler kazánjavításért [számlatételek felsorolásakor] II. (a főnévi igenév jele:) -ni; ~ go menni; so ~ speak úgyszólván; good ~ eat ehető, jó enni, jóízü; ~ be found található; ~ be or not ~ be lenni vagy nem lenni; I meant ~ write but forgot ~ akartam írni de elfelejtettem III. adv 1. put the horses ~ lovakat befog; she came ~ magához tért 2. ~ and fro ide-oda

toad [toud] n 1. varangy(os béka) 2. ellenszenves alak, „varangy"

toad-eater *n* hízelgő, talpnyaló
toad-flax *n* gyújtoványfű
toad-in-the-hole *n* ⟨tésztába sütött hús/ virsli⟩
toadstool *n* mérges (kalapos) gomba
toady ['toʊdɪ] **I.** *n* hízelgő, talpnyaló
II. *vt/vi (pt/pp* **toadied** 'toʊdɪd] hízeleg/ nyal vknek
toadyism ['toʊdɪɪzm] *n* hízelgés, nyalás
to-and-fro [tuːən'froʊ] *adv* ide-oda
toast [toʊst] **I.** *n* **1.** pirított kenyér, pirítós; □ *have sy on* ~ hatalmában tart vkt **2.** pohárköszöntő, tószt; *give/propose a* ~ (1) pohárköszöntőt mond (2) iszik vk egészségére **3.** † ünnepelt társasági szépség **II. A.** *vt* **1.** pirít [kenyeret]; átmelegít (vmt) **2.** (fel)köszönt (vkt), iszik (vk) egészségére **B.** *vi* **1.** átmelegszik **2.** megpirul
toaster ['toʊstə*] *n* kenyérpirító (készülék)
toasting ['toʊstɪŋ] **I.** *a* pirító **II.** *n* **1.** pirítás, melegítés **2.** felköszöntés, egészségére ivás
toast-master *n* áldomásmester
toast-rack *n* pirítóstartó rács [asztalon]
tobacco [tə'bækoʊ] *n* dohány; ~ *heart* „dohányosszív"
tobacco-jar *n* dohányosdoboz,-szelence
tobacconist [tə'bækənɪst] *n* dohányárus, trafikos; ~'s *(shop)* trafik, dohánybolt
tobacco-pouch *n* dohányzacskó, kostök
tobacco-shop *n* trafik, dohánybolt
tobacco-stopper *n* pipatömő
to-be [tə'biː] **I.** *a* jövendő(beli), leendő **II.** *n the* ~ a jövendőbeli
Tobias [tə'baɪəs] *prop* Tóbiás
toboggan [tə'bɔg(ə)n; *US* -'bɑ-] **I.** *n* tobogán **II.** *vi* tobogánozik
tobogganer [tə'bɔgənə*; *US* -'bɑ-] *n* szánkózó, tobogánozó
toboggan-run/shoot *n* tobogánpálya, ródlipálya
toby[1] ['toʊbɪ] *n* ~ *(jug)* ember alakú söröskorsó
Toby[2] ['toʊbɪ] *prop* **1.** Tóbiás **2.** ⟨angol bábszínház élő kutyaszereplője⟩
to-come [tə'kʌm] **I.** *a* eljövendő, jövőbeli **II.** *n a* jövő
tocsin ['tɔksɪn; *US* -ɑ-] *n* **1.** vészharang **2.** vészjel

tod [tɔd; *US* -ɑ-] *n* róka
to-day, today [tə'deɪ] **I.** *adv* **1.** ma; ~ *week* mához egy hétre **2.** manapság **II.** *n* jelen(kor), a ma; ~'s *paper* a mai újság; *the writers of* ~ a ma/jelenkor írói, a mai írók
toddle ['tɔdl; *US* -ɑ-] **I.** *n* **1.** totyogás [kisgyermeké] **2.** egy kis séta **II.** *vi* **1.** tipeg, totyog [mint a kisgyermek] **2.** *biz* kényelmesen sétál; ~ *off* elballag
toddler ['tɔdlə*; *US* -ɑ-] *n* (járni tanuló v. totyogó) kisgyer(m)ek
toddy ['tɔdɪ; *US* -ɑ-] *n* puncs
to-do [tə'duː] *n biz* zűrzavar, kavarodás, hűhó; rendetlenség; *it was a rare* ~ nem mindennapos felfordulás volt
toe [toʊ] **I.** *n* **1.** lábujj; *biz keep sy on his* ~*s* (1) állandó készenlétben tart vkt (2) vkt serénységre ösztönöz; □ *turn up one's* ~*s* feldobja a talpát, elpatkol **2.** cipő/harisnya orra **3.** éles vasalás [lópatkón] **II.** *vt* **1.** megfejel [cipőt, harisnyát] **2.** ~ *the line* (1) starthoz áll (2) engedelmeskedik, alkalmazkodik (3) *biz* követi a pártvonalat **3.** ~ *a person out of the room* kirúg vkt a szobából
toe-cap *n* cipőorr, kapli
-toed [-toʊd] lábujjú
toe-dancer *n* balett-táncos(nő)
toehold *n* megkapaszkodási lehetőség, talpalatnyi hely
toe-nail *n* lábujjköröm
toff [tɔf; *US* -ɑ-] **I.** *n GB* □ ficsúr; pasas, muki **II.** *vt* ~ *oneself up* kicsípi magát
toffee ['tɔfɪ; *US* -ɑ-] *n* tejkaramella
toft [tɔft; *US* -ɔː-] *n* † **1.** dombocska **2.** tanya, birtok
tog [tɔg; *US* -ɑ-] □ *vt* -gg- ~ *oneself out/up* kiöltözik || →*togs*
toga ['toʊgə] *n* tóga
together [tə'geðə*] *adv* **1.** együtt **2.** egymás irányába/felé **3.** szakadatlanul, megszakítás nélkül; *for hours* ~ órák hosszat **4.** egyidejűleg, egyszerre **5.** ~ *with* vmvel együtt, úgymint, azonfelül
togetherness [tə'geðənɪs] *n* **1.** összetartozás; együttlét **2.** összetartás
toggle ['tɔgl; *US* -ɑ-] *n* pecek

Togo ['toʊgoʊ] *prop* Togo
Togolese [toʊgə'li:z] *a/n* togói
togs ['tɔgz; *US* -ɑ-] *n pl* □ ruha, szerelés
toil¹ [tɔɪl] I. *n* nehéz munka, erőfeszítés, gürcölés II. *vi* keményen dolgozik, gürcöl, erőlködik, vesződik, bajlódik
toil² [tɔɪl] *n in the* ~*s* (1) hálóban, csapdában, kelepcébe csalva (2) lenyűgözve, elbűvölve
toiler ['tɔɪlə*] *n* nehéz testi munkás, dolgozó
toilet ['tɔɪlɪt] *n* 1. öltözködés 2. öltözék, (női) ruha 3. illemhely, toalett, mosdó, vécé; ~ *training* bilire szoktatás
toilet-case *n* piperetáska, neszesszer
toilet-paper vécépapír
toilet-powder *n* hintőpor; púder
toiletries ['tɔɪlɪtrɪz] *n pl* piperecikkek
toilet-roll *n* vécépapírtekercs
toilet-service/set *n* piperekészlet, öltözködőkészlet
toilet-soap *n* pipereszappan
toilet-table *n* öltözőasztal
toils [tɔɪlz] *n pl* →*toil²*
toilsome ['tɔɪlsəm] *a* fárasztó, vesződséges
Tokay, tokay [toʊ'keɪ] *n* tokaji (bor)
token ['toʊk(ə)n] I. *a* jelképes; figyelmeztető; részleges; ~ *money* tantusz; zseton, játékpénz; ~ *payment* jelképes fizetség II. *n* 1. jel(zés), jelölés; jelkép; zálog; emlék(tárgy); *by the same* ~ (1) azonfelül, továbbá, tetejébe (2) ugyanezen az alapon; *in* ~ *of sg, as a* ~ *of sg* vm jeléül/zálogául 2. játékpénz, zseton; tantusz 3. *gift* ~ ajándékutalvány
Tokyo ['toʊkjoʊ] *prop* Tokió
told →*tell*
Toledo [tə'li:doʊ] *prop* Toledo; ~ *blade* toledói penge
tolerable ['tɔlərəbl; *US* 'tɑ-] *a* 1. tűrhető, elviselhető 2. meglehetős, elég jó
tolerably ['tɔlərəblɪ; *US* 'tɑ-] *adv* 1. tűrhetően 2. meglehetősen
tolerance ['tɔlər(ə)ns; *US* 'tɑ-] *n* 1. türelem, elnézés, kímélet 2. tűrés, tolerancia
tolerant ['tɔlər(ə)nt; *US* 'tɑ-] *a* türelmes, elnéző; béketűrő; kíméletes
tolerate ['tɔləreɪt; *US* 'tɑ-] *vt* elvisel, eltűr; (meg)tűr

toleration [tɔlə'reɪʃn; *US* tɑ-] *n* 1. eltűrés, megtűrés 2. [vallási stb.] türelmesség, türelem
toll¹ [toʊl] *n* 1. vám; hídvám, kövezetvám; helypénz; *take* ~ (*of sy*) (1) vktől vámot szed (2) *átv* áldozatot követel; *the* ~ *of the roads* (halálos) közlekedési balesetek (száma) 2. (őrlési) gabonavám 3. vámszedési jog
toll² [toʊl] I. *n* harangszó II. A. *vt* harangoz B. *vi* megkondul, szól [harang]
toll-bar *n* vámsorompó
toll-bridge *n* vámhíd
toll-call *n* távolsági (telefon)beszélgetés
toll-collector *n* vámszedő
toll-gate *n* vámsorompó
toll-house *n* vámb(lé, vámház
tolling ['toʊlɪŋ] *n* ı. harangozás 2. harangszó
toll-keeper *n* vámos, vámszedő
toll-road *n* vámköteles út
Tom [tɔm; *US* -ɑ-] *prop* 1. Tamás; Tomi; ~ *Dick and Harry* akárki, mindenki, boldog-boldogtalan; ~ *Thumb* Hüvelyk Matyi 2. *biz* t~ (1) kandúr (2) hím (állat)
tomahawk ['tɔməhɔ:k; *US* 'tɑ-] I. *n* [indián] csatabárd II. *vt* csatabárddal leüt
tomato [tə'mɑ:toʊ; *US* -'meɪ-] *n* (*pl* ~es -z) paradicsom
tomb [tu:m] *n* síremlék, sírkő; sírbolt
tombola [tɔm'boʊlə; *US* tɑm-] *n* tombola
tomboy ['tɔmbɔɪ; *US* -'tɑm-] *n* fiús(an viselkedő pajkos) lány]
tombstone *n* sírkő
tom-cat *n biz* kandúr
tome [toʊm] *n* (vastag) kötet
tomfool [tɔm'fu:l; *US* tɑm-] I. *n* mamlasz, bamba, hülye II. *vi* bohóckodik, hülyéskedik
tomfoolery [tɔm'fu:lərɪ; *US* tɑm-] *n* ostobaság, hülyéskedés; bolond dolog
Tommy ['tɔmɪ; *US* -ɑ-] I. *prop* 1. Tomi 2. *GB biz* ~ *Atkins* ⟨az angol közkatona tréfás neve⟩ II. *n* t~ *biz* 1. (angol) közkatona, kiskatona 2. természetben juttatás [munkabér helyett] 3. csavarkulcs
tommy-bar *n* (lapos végű) emelővas

tommy-gun n biz géppisztoly
tommy-rot n biz szamárság; hülyeség
to-morrow, tomorrow [təˈmɔrou; US
-ˈmɔː-] adv/n holnap; ~ week holnap-
hoz egy hétre
tom-tit [ˈtɔmtɪt; US -ɑ-] n (kék) cinege
tom-tom [ˈtɔmtɔm; US -ɑ- -ɑ-] n tam-
tam
ton [tʌn] n 1. tonna; long/gross ~ =
2240 font = 1016 kg; metric ~ met-
rikus tonna [= 2204,6 font = 1000
kg]; short/net ~ = 2000 font =
907,18 kg 2. (hajózásban:) displace-
ment ~ = 35 köbláb víz = 0,99 m³;
freight ~ = 40 köbláb = 1,13 m³; re-
gister ~ regisztertonna [= 100 köb-
láb = 2,83 m³] 3. biz nagy mennyiség
tonal [ˈtounl] a hangszínezeti; tonális
tonality [touˈnælətɪ] n tonalitás
tone [toun] I. n 1. hangszín(ezet), tónus
2. (egész) hang [zenei] 3. hangnem,
hang(hordozás), tónus; biz alter one's
~ más húrokat penget 4. (szó)hang-
súly; hanglejtés 5. hangulat, kedély;
the prevailing ~ általános irányzat/jel-
leg/színvonal; a healthy ~ egészséges
szellem/légkör 6. (szín)árnyalat, tónus
7. tónus [izmoké stb.] II. A. vt 1.
hangsúlyt/hangszínt ad vmnek 2. szí-
nez, árnyal B. vi 1. hangsúlyt/hang-
színt kap 2. színárnyalatot kap, színe-
ződik 3. színben összeillik/harmonizál
  tone down A. vt (átv is) letompít,
mérsékel, csökkent B. vi letompul,
mérséklődik, csökken
  tone in with A. vt összeegyeztet
(vmvel) B. vi harmonizál, összeillik
(vmvel)
  tone up A. vt 1. erősebb színárnya-
latot ad (vmnek) 2. felélénkít, fel-
hangol [idegrendszert stb.] B. vi fel-
frissül
tone-arm n (hangszedő) kar [lemezját-
szóé]
toned [tound] a 1. vmlyen hangú/hang-
színezetű 2. színes; színezett
tone-deaf a botfülű, rossz (zenei) hallású
toneless [ˈtounlɪs] a 1. hangtalan 2.
színtelen 3. lélektelen, kifejezéstelen
[hang]
tone-poem n szimfonikus költemény

tonga [ˈtɔŋgə; US -ɑ-] n könnyű két-
kerekű kocsi [Indiában]
tongs [tɔŋz; US -ɑ-] n pl (pair of) ~s
fogó; laposfogó; csipesz
tongue [tʌŋ] n 1. nyelv [testrész]; find
one's ~ megoldódik/megered a nyelve;
give ~ (1) hangosan szól; kifejezést ad
(to vmnek) (2) ugat, csahol; have a
ready ~ nyelves, fel van vágva a
nyelve; put out one's ~ kiölti a nyel-
vét; with the ~ in his cheek rejtett
gúnnyal/szándékkal; hold your ~!
fogd be a szád!, hallgass! 2. nyelv
[népé, nemzeté]; gift of ~s nyelvkész-
ség 3. beszéd 4. nyelv [cipőé, mér-
legé] 5. földnyelv 6. csap, ereszték
tongue-and-groove joint árokeresztékes
kötés, horonykötés
-tongued [-tʌŋd] -nyelvű, -szavú, hangú
tongue-lashing n □ letolás
tongue-tied a 1. nyelvhibás, beszédhibás
2. zavara miatt nem beszélő 3. szót-
lan, hallgatag
tongue-twister n biz nyelvtörő
tonic [ˈtɔnɪk; US -ɑ-] I. a 1. erősítő,
(fel)frissítő, felpezsdítő 2. ~ accent
szótaghangsúly 3. ~ solfa relatív
szolmizáció II. n 1. erősítő (szer),
frissítő, üdítő ital; ~ (water) tonik
2. alap(hang), tonika
tonicity [touˈnɪsətɪ] n tónus [idegeké,
izmoké]
to-night, tonight [təˈnait] adv/n ma
este/éjjel
toning [ˈtounɪŋ] n színezés [fényképé-
szetben]
tonnage [ˈtʌnɪdʒ] n 1. tonnatartalom,
űrtartalom; raksúly 2. (tonnánkénti)
fuvardíj
tonne [tʌn] n = metric ton →ton 1.
tonsil [ˈtɔnsl; US -ɑ-] n mandula [szerv]
tonsillectomy [tɔnsɪˈlektəmɪ; US tɑn-] n
mandulakivétel, mandulaműtét
tonsil(l)itis [tɔnsɪˈlaɪtɪs; US tɑn-] n
mandulagyulladás
tonsorial [tɔnˈsɔːrɪəl; US tɑn-] a biz
fodrász(at)i
tonsure [ˈtɔnʃə*; US -ɑ-] I. n tonzúra
II. vt tonzúrát vág
ton-up n biz (közveszélyes) gyorshajtó
tony¹ [ˈtounɪ] a biz elegáns, sikkes, divatos

Tony² ['toʊnɪ] *prop* Tóni
too [tu:] *adv* **1.** túl(ságosan), nagyon
(is); *all ~ well* nagyon is jól; *none ~*
nem nagyon/túl **2.** szintén, is; amellett, azonkívül; *I, ~, have been in*
Vienna én is voltam Bécsben; *I have*
been in Vienna, ~ Bécsben is voltam
(már)
tool [tu:l] **I.** *n* **1.** szerszám, eszköz **2.**
[foglalkozási] segédeszköz; *~ subject*
formális képzés célját szolgáló tantárgy **3.** *biz átv* eszköz, báb; *make a ~*
of sy vkt vak eszközként használ **4.**
vulg „szerszám" [férfié] **II.** *vt* **1.**
(szerszámmal) alakít, megmunkál,
megcsinál; *~ up* felszerel [gyárat] **2.**
présel, bordáz [könyvkötést] **3.** *(vi*
is) □ kényelmes tempóban hajt/vezet
[autót], furikázik
tool-bag *n* szerszámtáska
tool-box/chest *n* szerszámláda
tooling ['tu:lɪŋ] *n* **1.** megmunkálás szerszámmal **2.** préselt díszítés [könyv
bőrkötésén]
tool-outfit *n* szerszámkészlet
tool-shed *n* szerszámkamra
toot [tu:t] **I.** *n* kürtszó, dudálás [autókürttel]; hajósziréna [hangja] **II. A.**
vi kürtöl, dudál, tutul **B.** *vt* kürtöt/szirénát/dudát megszólaltat
tooth [tu:θ] **I.** *n (pl* **teeth** ti:θ) **1.** fog; *be*
long in the ~ már elhullatta a csikófogát; *cast sg in sy's teeth* vknek a szemére hány (v. arcába vág) vmt; *cut*
one's teeth fogzik, jönnek a fogai;
draw sy's teeth kihúzza vknek a méregfogát; *fight ~ and nail* foggal, körömmel harcol; *in the teeth of sg* vmnek
ellenére; *set one's teeth* összeszorítja a
fogát; *set sy's teeth on edge* (1) megvacogtatja vknek a fogát (2) (fel-)
borzolja/őrli vk idegeit **2.** pecek, bütyök, fog, cakk **II. A.** *vt* fogaz; csipkéz,
cakkoz **B.** *vi* egymásba illik/kapcsolódik [fogaskerekek]
toothache *n* fogfájás
tooth-brush *n* fogkefe
tooth-comb *n* GB sűrűfésű; *átv* go over
with a ~ aprólékosan átfésül
toothed [tu:θt] *a* fogas, csipkés, fogazott, csipkézett, ágas

toothful ['tu:θfʊl] *n biz* egy korty [szeszes ital]
toothing ['tu:θɪŋ] *n* **1.** fogazás; fogazat;
csorbázat **2.** fogas vésőszemcsézés [kövön]
toothless ['tu:θlɪs] *a* fogatlan
tooth-paste *n* fogkrém, fogpaszta
tooth-pick *n* fogpiszkáló
tooth-powder *n* fogpor
toothsome ['tu:θsəm] *a* ízletes
tootle¹ ['tu:tl] *vi* fújdolgál [hangszert]
tootle² ['tu:tl] *vi ~ along* furikázik
[autóval]; autózgat
top¹ [tɔp; *US* -ɑ-] **I.** *a* **1.** (leg)felső, legmagasabb; *~ dog* (1) győztes (2) nagykutya, fejes; *~ drawer* (1) legfelső
fiók (2) a legjobb/legelőkelőbb (társadalmi) kör *→top-drawer; ~ floor/*
story legfelső emelet; *~ hat* cilinder **2.**
legnagyobb mértékű/fokú, maximális;
~ priority különleges elsőbbség; *~*
secret hétpecsétes titok, legszigorúbban bizalmas **3.** (leg)első, legjobb, legkülönb; *~ boy* osztályelső **II.** *n* **1.**
tető; legmagasabb pont; orom; fa
koronája; *blow one's ~* éktelen dühbe
gurul, majd felrobban mérgében;
come out on ~ győztes lesz; *from ~ to*
toe tetőtől talpig; *on ~ of it all* mindennek tetejében; □ *go over the ~*
rohamra indul; *at the ~ of one's voice*
torka szakadtából; *to the ~ of one's*
bent egészen kedve szerint **2.** vezér,
vezető személyiség; legmagasabb
rang/hely; *he is at the ~ of the form* ő
az osztályelső, ő a legjobb tanuló az
osztályban **3.** árbockosár **4.** tető
[asztalé, járműé]; felszín [vízé, földé]
5. felső (rész) [ruháé, cipőé]; fedő III.
vt -pp- **1.** befed, tetővel ellát; *cake*
~ped with icing cukormázzal bevont
torta **2.** koronáját levágja [fának];
fejel [répát] **3.** tetejére hág (vmnek);
betetőz (vmt); *and to ~ it all* s mindennek a tetejébe, s ráadásul **4.** túltesz
(vkn, vmn), felülmúl, túlszárnyal
(vkt, vmt); kitűnően végez (vmt); *~*
sy in height magasabb vknél **5.** élen
jár; *~ the list* első a névsorban/listán
top off *vt* betetőz (vmt); felteszi a
koronát (vmre)

top up *vt* 1. betetőz (vmt) 2. feltölt [italt, tartályt stb.]

top² [tɔp; *US* -ɑ-] *n* játékcsiga,pörgetytyű; *spin a ~* csigát pörget, csigázik; *sleep like a ~* alszik mint a bunda

topaz ['toʊpæz] *n* topáz

top-boots *n pl* csizma

top-coat *n* felöltő

top-drawer *a biz* elsőrendű, remek ‖→*top¹ I. 1.*

top-dressing *n* fejtrágyázás

tope [toʊp] *vi/vt* iszik [szeszes italt]

topee, topi ['toʊpɪ; *US*-'pi:]*n* trópusi sisak

Topeka [tə'pi:kə] *prop*

toper ['toʊpə*] *n* iszákos (ember)

top-flight *a biz* első osztályú, igen kiváló

topgallant [tɔp'gælənt; *US* tap-] *a/n ~ mast* árbocsudár; *fore ~* elő(árboc-)-sudárvitorla;*main~* fő(árboc-)sudárvitorla ‖→ *staysail*

top-heavy *a* (*átv is*) fejnehéz

top-hole *a* □ remek, klassz

topi →*topee*

topiary ['toʊpjərɪ; *US* -ɪerɪ] *a* műkertészi; nyesett fájú/bokrú

topic ['tɔpɪk; *US* -ɑ-] *n* tárgy, (beszéd-) téma

topical ['tɔpɪkl; *US* 'tɑ-] *a* 1. helyi, alkalmi 2. aktuális, időszerű, tárgyhoz tartozó; *~ song* aktuális dal

topicalities [tɔpɪ'kælətɪz; *US* tɑ-] *n pl* 1. aktuális hírek 2. filmhíradó

topknot *n* fejdísz, bóbita, szalagcsokor [vk hajában/fején]

topless ['tɔplɪs; *US* -ɑ-] *a* 1. tető nélküli 2. égbe nyúló, mérhetetlen 3. mezítelen felsőtestű

top-level *a ~ talks* legmagasabb szintű tárgyalások

topman ['tɔpmən; *US* -ɑ-] *n* (*pl* -men -mən) 1. árbocőr 2. főnök, vezér

topmast *n* árbocsudár →*staysail*

topmost ['tɔpmoʊst; *US* 'tɑ-] *a* 1. legmagasabb, legfelső(bb) 2. legfontosabb, legfőbb, fő-

top-notch *a US biz* remek, pompás

topographer [tə'pɔgrəfə*; *US* -'pɑ-] *n* térképész, topográfus, helyleíró

topographic(al) [tɔpə'græfɪk(l); *US* tɑ-] *a* térképészeti, helyrajzi, helyleíró, topográfiai

topography [tə'pɔgrəfɪ; *US* -'pɑ-] *n* tereprajz, helyrajz, helyleírás, topográfia

toponym ['tɔpənɪm; *US* 'tɑ-] *n* helynév

topped [tɔpt; *US* -ɑ-] *a* fedett, betetőzött ‖→*top¹ III.*

topper ['tɔpə*; *US* -ɑ-] *n* 1. fedő 2. *biz* cilinder 3. *biz* rendes fickó

topping ['tɔpɪŋ; *US* -ɑ-] *a* 1. magasabb (vmnél) 2. *biz* remek, pompás, klassz

topple ['tɔpl; *US* -ɑ-] **A.** *vi* ledől; előreesik; felbukik **B.** *vt* feldönt; ledönt; letaszít

top-ranking [-ræŋkɪŋ] *a* legmagasabb rangú

topsail ['tɔpsl; *US* 'tapseɪl] *n* derékvitorla; *fore upper ~* elő(árboc)-felsőderékvitorla; *main upper ~* fő(árboc-)-felsőderékvitorla; *fore (lower) ~* elő-(árboc)-derékvitorla; *main (lower) ~* fő(árboc)-derékvitorla

topside *n* 1. lágyhús 2. felső rész, ⟨hajóoldal víz fölötti része⟩

topsoil *n* felső földréteg, talajtakaró, termőtalajréteg

topsy-turvy [tɔpsɪ'tə:vɪ; *US* tɑ-] **I.** *a* felfordított; összevissza **II.** *adv* feje tetejére állítva; összevissza **III.** *n* = *topsy-turvydom* **IV.** *vt* felforgat, felfordulást csinál, fejtetőre állít

topsy-turvydom [tɔpsɪ'tə:vɪdəm; *US* tɑ-] *n* felfordulás, zűrzavar, felfordult világ

toque [toʊk] *n* tok [karimátlan női kalap]

tor [tɔ:*] *n* sziklacsúcs

torch [tɔ:tʃ] *n* 1. (*átv is*) fáklya; *hand on the ~* továbbadja (a tudás stb.) fáklyáját 2. *electric ~* (rúd alakú) zseblámpa, rúdlámpa 3. *US* hegesztőpisztoly

torch-bearer *n* fáklyavivő

torch-light *n* fáklyavilág, -fény

tore →*tear² II.*

toreador ['tɔrɪədɔ:*; *US* 'tɔ:-] *n* torreádor

tori →*torus*

torment I. *n* ['tɔ:ment] kín, gyötrelem; fájdalom **II.** *vt* [tɔ:'ment] 1. (meg)kínoz, gyötör 2. zaklat

tormenter [tɔ:'mentə*] *n* = *tormentor*

tormentil ['tɔ:mentɪl] *n* pimpófű

tormentor [tɔːˈmentə*] n kínzó, gyötrő (személy/dolog)

tormentress [tɔːˈmentrɪs] n (vkt) kínzó nő

torn →tear² II.

tornado [tɔːˈneɪdoʊ] n (pl ~es -z) forgószél, tornádó, szélvész

tornado-lamp/lantern n viharlámpa

Toronto [təˈrɒntoʊ; US -ˈrɑ-] prop

torpedo [tɔːˈpiːdoʊ] I. n (pl ~es -z) 1. torpedó; aerial ~ légitorpedó 2. zsibbasztó rája [hal] II. vt megtorpedóz (átv is)

torpedo-boat n torpedónaszád; ~ destroyer torpedóromboló

torpedo-net n torpedóelhárító drótháló

torpedo-plane n torpedóvető repülőgép

torpedo-tube n torpedókilövő cső

torpid [ˈtɔːpɪd] I. a 1. tunya, lomha, renyhe, tétlen; apatikus 2. (el)zsibbadt, (el)tompult II. n GB the ~s ⟨oxfordi másodcsapatok tavaszi evezősversenye⟩

torpidity [tɔːˈpɪdətɪ] n 1. renyheség, tétlenség, tunyaság 2. tompultság, zsibbadás

torpidness [ˈtɔːpɪdnɪs] n = torpidity

torpor [ˈtɔːpə*] n kábulat, tompultság, zsibbadtság

torps [tɔːps] n □ torpedóstiszt

torque [tɔːk] n 1. csavart fém nyaklánc 2. forgatónyomaték

torrefaction [tɒrɪˈfækʃn; US tɔː-] n pörkölés; aszalás, szárítás

torrefy [ˈtɒrɪfaɪ; US -ɔː-] vt pörköl; aszal, szárít

torrent [ˈtɒr(ə)nt; US -ɔː-] n 1. özön; zuhatag, ár(adat) 2. hegyi patak

torrential [təˈrenʃl; US tɔː-] a zuhogó, áradó, szakadó, ömlő

torrid [ˈtɒrɪd; US -ɔː-] a forró, perzselő; ~ zone forró égöv

torridity [tɒˈrɪdətɪ; US tɔː-] n forróság

torsion [ˈtɔːʃn] n 1. csavarás, tekerés 2. csavarodás, tekeredés 3. torzió; ~ balance torziós mérleg

torso [ˈtɔːsoʊ] n 1. (emberi) felsőtest 2. torzó

tort [tɔːt] n magánjogi vétkes cselekmény; sérelem, kár

torticollis [tɔːtɪˈkɒlɪs; US -ˈkɑ-] n merev nyak, reumás nyakmerevség

tortilla [tɔːˈtɪlə] n kb. kukoricalepény

tortoise [ˈtɔːtəs] n (szárazföldi) teknősbéka

tortoiseshell [ˈtɔːtəʃel; US -təʃel] n 1. teknősbékapáncél, teknőc 2. ~ cat cirmos macska

tortuous [ˈtɔːtjʊəs; US -tjʊ-] a tekervényes, görbe; (átv is) nem egyenes

torture [ˈtɔːtʃə*] I. n 1. kínvallatás, kínzás, sanyargatás; put sy to the ~ megkínoz vkt 2. kín(lódás), kínszenvedés, gyötrelem II. vt 1. kínpadra von 2. kínoz, gyötör, sanyargat

torturer [ˈtɔːtʃ(ə)rə*] n kínzó, kínvallató

torus [ˈtɔːrəs] n (pl tori ˈtɔːraɪ) 1. izomcsomó 2. domborléc 3. magház

Tory [ˈtɔːrɪ] a/n GB konzervatív (párti), tory

Toryism [ˈtɔːrɪɪzm] n GB (politikai) konzervativizmus, tory-politika/elvek

tosh [tɒʃ; US -ɑ-] n □ buta beszéd, szamárság

toss [tɒs; US -ɔː-] I. n 1. lökés, taszítás hajítás, dobás 2. (pénz)feldobás, fej vagy írás; win the ~ „fej vagy írás" dobást megnyeri 3. take a ~ leesik a lóról 4. ~ (of the head) türelmetlen, megvető fejmozdulat II. A. vt 1. lök, dob, vet, taszít, hajít; ~ sy in a blanket vkt pokrócról levegőbe dobál; ~ a coin pénzfeldobással sorsot húz 2. ledob B. vi 1. hánykolódik; ~ and tumble in bed ágyban hánykolódik 2. hányódik

toss about A. vi ~ a. in bed hánykolódik az ágyban B. vt összevissza dobál

toss aside/away vt félrelök, félredob

toss for vi ~ f. sg pénzfeldobással sorsot húz

toss off vt 1. ledob [ló lovast] 2. lehajt, felhajt [italt] 3. gyorsan (és könnyedén) elvégez (vmt); összecsap 4. vulg gecizik, kiveri a farkát

toss up A. vt ~ up a coin fej vagy írást játszik B. vi let's ~ up! fej vagy írás!

tossing [ˈtɒsɪŋ; US -ɔː-] n 1. hányódás 2. dobálás, levegőbe dobás

tosspot n † borissza, borzsák

toss-up *n* 1. fej vagy írás [pénzfeldobás]
2. nyílt kérdés, egyenlő esély
tot[1] [tɔt; *US* -ɑ-] *n* 1. *tiny* ~ apróság,
csöppség [gyerekről] 2. *biz* kis pohár
(ital)
tot[2] [tɔt; *US* -ɑ-] I. *n* hosszú számoszlop
összege II. *v* -tt- A. *vt* ~ *up* összead B.
vi ~ *up* (összeget) kitesz
total ['toʊtl] I. *a* 1. összes, teljes, egész;
~ *value* összérték 2. teljes, abszolút,
totális; ~ *war* totális háború II. *n*
(vég)összeg; *grand* ~ végösszeg, teljes
összeg III. *v* -ll- (*US* -l-) A. *vt* 1. összegez, összead 2. *US biz* rapityára tör
[járművet] B. *vi* ~ *up to* . . . valamennyit kitesz, rúg valamennyire
totalitarian [toʊtælɪ'teərɪən] *a* totalitárius; diktatórikus, parancsuralmi
totality [toʊ'tælətɪ] *n* az egész összeg/
mennyiség; összesség, a teljes egész,
minden együtt
totalizator ['toʊtəlaɪzeɪtə*] *n* totalizátőr
totalize ['toʊtəlaɪz] *vt* összead, összesít
totally ['toʊt(ə)lɪ] *adv* teljesen, egészen
tote[1] [toʊt] *n biz* 1. totalizátőr 2. antialkoholista 3. az egész (összeg, súly)
tote[2] [toʊt] *biz vt* cipel, visz, hord
totem ['toʊtəm] *n* totem, törzsjelvény
[indiánoknál]
totem-pole/post *n* totemoszlop
t'other, tother ['tʌθə*] *a/adv* (= *the other*) a másik; ~ *day* a minap
totted ['tɔtɪd; *US* -ɑ-] →*tot*[2] *II.*
Tottenham ['tɔtnəm] *prop*
totter ['tɔtə*; *US* -ɑ-] I. *n* támolygás II.
vi 1. tántorog, támolyog 2. inog, düledezik
tottery ['tɔtərɪ; *US* -ɑ-] *a* 1. támolygó,
tántorgó 2. düledező
totting ['tɔtɪŋ; *US* -ɑ-] →*tot*[2] *II.*
toucan ['tu:kən] *n* tukánmadár
touch [tʌtʃ] I. *n* 1. tapintás; tapintóérzék 2. (meg)tapintás; *it is cold to the*
~ hideg érzést kelt, megtapintva/tapintásra hideg 3. érintés; *at a* ~ érintésre; *be in* ~ *with sy* összeköttetésben/érintkezésben/kapcsolatban van
vkvel; *lose* ~ *with sy* elveszti a kapcsolatot vkvel; *be out of* ~ *with sy* nincs
kapcsolatban vkvel, nem érintkezik
vkvel; *keep in* ~ kapcsolatban marad,

tartja a kapcsolatot (*with* vkvel); *put
sy in* ~ *with sy* vkt vkvel összeismertet/összehoz 4. jellemző vonás/eljárásmód; *a personal* ~ egyéni vonás 5.
ecsetkezelés; ecsetvonás, 6. (zongora-)
billentés 7. próbakő; *put sg to the* ~ kipróbál vmt, próbára tesz vmt; *biz had
a near* ~ egy hajszálon múlt a megmenekülése 8. egy csöpp(nyi), egy kevés
(vmből); *a* ~ *of flu* egy kis meghűlés;
a ~ *of garlic* leheletnyi fokhagymaíz
9. partvonal [labdarúgásban] II. A.
vt 1. (meg)érint, (meg)tapint (vmt);
hozzányúl (vmhez); *don't* ~ *!* ne nyúlj
hozzá !; *he has not* ~*ed his dinner* hozzá
sem nyúlt a vacsorájához; ~ *one's hat*
megbillenti a kalapját; ~ *the spot* rátapint a dolog gyökerére; ~ *wood!* lekopogni! 2. megérint [billentyűket],
megpenget [húrt] 3. ~ *bottom* (1) feneket ér (2) *átv* mélypontot ér el; ~
...and partot ér 4. felvázol; előrajzol;
könnyedén befest (vmt) 5. futólag
érint [témát] 6. vonatkozik (vkre,
vmre); érint (vkt, vmt) 7. meghat,
megindít; *he was* ~*ed* meg volt hatva,
elérzékenyült 8. *nobody can* ~ *him in
sg* utolérhetetlen vmben 9. □ ~ *sy
for ten dollars* tíz dollár erejéig megvág
vkt B. *vi* érintkezik
touch at *vi* ~ *at a port* érint egy
kikötőt [hajó]
touch down *vi* 1. leszáll, földet ér
[repgép] 2. gólt ér el [rögbiben]
touch off *vt* 1. (gyorsan) lerajzol, leskiccel (vmt) 2. elsüt [ágyút]; felrobbant [lövedéket] 3. *átv* kirobbant (vmt)
touch on *vt/vi* = *touch upon*
touch up *vt* 1. (*átv is*) retusál [rajzot stb.]; kiszínez [elbeszélést] 2.
sarkall, ösztönöz
touch upon *vt/vi* (felületesen) érint
(vmt), kitér (vmre)
touchable ['tʌtʃəbl] *a* érinthető, megfogható; kézzelfogható
touch-and-go [tʌtʃən'goʊ] *a a* ~ *business*
kockázatos/veszélyes dolog/ügy
touch-down *n* 1. gól [rögbiben] 2. földetérés [repgép]
touched [tʌtʃt] *a* 1. meghatott, megindult 2. *biz* kissé bolondos, dilis

touchily ['tʌtʃɪlɪ] adv érzékenykedve
touchiness ['tʌtʃɪnɪs] n érzékenység, sértődékenység
touching ['tʌtʃɪŋ] I. a megható, megindító II. prep vmre vonatkozólag, vmt illetőleg
touchingly ['tʌtʃɪŋlɪ] adv meghatóan
touch-line n partvonal [labdarúgásban]
touch-me-not n nebáncsvirág
touchstone n (átv is) próbakő
touch-typing n vakírás [írógépen]
touchwood n gyújtós, tapló
touchy ['tʌtʃɪ] a 1. érzékeny, ingerlékeny, sértődős 2. kényes [ügy]
tough [tʌf] I. a 1. szívós, kemény, rágós [hús]; ~ nut to crack kemény dió 2. kitartó, szívós, edzett, erős 3. makacs 4. nehéz, fáradságos [munka, feladat] 5. ~ luck balszerencse; that's ~! ez igen kellemetlen! 6. US fenyegető, erőszakos; ~ customer nehéz pasas II. n US vagány, huligán
toughen ['tʌfn] A. vt 1. megkeményít 2. szívóssá/edzetté/kitartóvá/erőssé tesz B. vi (átv is) megkeményedik
toughish ['tʌfɪʃ] a 1. meglehetősen szívós/kemény 2. meglehetősen nehéz [feladat]
toughness ['tʌfnɪs] n 1. szívósság, keménység, rágósság [húsé] 2. kitartás, ellenállás, szívósság; edzettség 3. makacsság 4. nehézség, keménység [feladaté] 5. US erőszakosság, fenyegető/rámenős magatartás
toupee ['tuːpeɪ; US -'peɪ] n 1. hajcsomó, üstök 2. kis paróka
tour [tʊə*] I. n 1. utazás; (külföldi) út; körút, körutazás; társasutazás; a ~ of/round Europe európai (kör)út 2. túra 3. (kör)séta [rendsz. vezetéssel, a látnivalók megtekintésére] 4. ~ of inspection ellenőrző út, szemleút 5. vendégszereplés, turné; be on ~ turnézik, vendégszerepel 6. ~ de force [tʊədə'fɔːs] (1) bűvészmutatvány (2) ügyes teljesítmény II. vi/vt körutat/körutazást tesz; utazik; körülutaz, beutaz, bejár [országot]; be ~ing (round) Europe körutazást tesz E.-ban, beutazza Európát

touring ['tʊərɪŋ] I. a körutazó; ~ car túraautó, túrakocsi; ~ company vándor színtársulat II. n 1. utazás 2. turistáskodás, természetjárás, túrázás
tourism ['tʊərɪzm] n 1. turisztika, természetjárás 2. turizmus, idegenforgalom
tourist ['tʊərɪst] n 1. turista, természetjáró 2. turista, külföldi utas/vendég; ~ agency idegenforgalmi hivatal; ~ class turistaosztály [hajón, repgépen]; ~ ticket kedvezményes körutazási jegy
touristic [tʊə'rɪstɪk] a turista
tournament ['tʊənəmənt; US 'tə:r-] n 1. lovagi torna, harcjáték 2. verseny, mérkőzés, torna [sportban]
tourney ['tʊənɪ; US 'tə:r-] n lovagi torna
tourniquet ['tʊənɪkeɪ; US 'tʊrnɪket] n ércsíptető, érleszorító
tousle ['taʊzl] vt összekócol, szétzilál
tout [taʊt] I. n 1. felhajtó; ticket ~ jegyüzér 2. lóversenytippek közvetítője II. vi 1. ~ for customers vevőket hajt fel 2. lóversenytippeket szerez
tow¹ [toʊ] n kóc, csepű
tow² [toʊ] n 1. vontatás; take in ~, have in ~ (1) vontat (2) felügyelete alatt tart (vkt, vmt) (3) kíséretében van (vk) 2. uszály, vontatmány 3. vontatókötél II. vt vontat [kocsit, csónakot stb.]
towage ['toʊɪdʒ] n 1. (hajó)vontatás 2. (hajó)vontatási díj
toward¹ [tə'wɔːd; US tɔːrd] prep 1. (átv is) felé, irányába(n) 2. közel, körül, tájban, tájt [időben]; ~ noon dél felé 3. vmnek céljára/elérésére/érdekében
toward² ['toʊəd; US tɔːrd] a 1. közeledő, küszöbönálló, imminens 2. † készséges, tanulékony; engedelmes
towardly ['toʊədlɪ; US 'tɔːrd-] a † jóindulatú, kedvező
towards [tə'wɔːdz; US tɔːrdz] prep = toward¹
tow-boat n vontatóhajó
towel ['taʊəl] I. n törülköző; biz throw in the ~ megadja magát, bedobja a törülközőt II. vt -ll- (US -l-) 1. törül-

közővel (le)töröl 2. □ jól elver, elagyabugyál

towel-horse/rail n törülközőtartó

towel(l)ing ['taʊəlɪŋ] n törülközőanyag

tower ['taʊə*] I. n torony, bástya; ~ block toronyház; ~ of strength átv oszlop, pillér, megbízható támasz II. vi 1. felszáll, (magasba) emelkedik 2. tornyosul; uralkodik (over vm fölött) 3. ~ above sg (1) magasabb vmnél (2) átv vm fölé emelkedik, túlszárnyal vmt

towered ['taʊəd] a tornyos, tornyú

towering ['taʊərɪŋ] a 1. toronymagasságú 2. heves [szenvedély, düh]

towery ['taʊərɪ] a 1. tornyos 2. magas

tow-headed a (kócos) hirtelenszőke (hajú)

towing ['toʊɪŋ] n vontatás

towing-net n vonóháló

tow-line n vontatókötél

town [taʊn] n 1. város; go (up) to ~ a városba megy; man about ~ világfi, társasági ember; ~ and gown a városi lakosság és az egyetemiek [Oxfordban és Cambridge-ben] 2. (jelzői haszn) ~ clerk városi főjegyző; ~ council városi tanács; ~ councillor városi tanácstag, tanácsnok, városatya; ~ crier kisbíró, kikiáltó; ~ hall városháza, tanácsháza; ~ house (fő)városi lakóház [vidéki családé]

town-planning n városépítés, várostervezés

townscape ['taʊnskeɪp] n városkép

townsfolk ['taʊnzfoʊk] n pl városiak

township ['taʊnʃɪp] n 1. városi közigazgatási terület 2. US vidéki kerület [járásé] 3. kis település [Ausztráliában]

townsman ['taʊnzmən] n (pl -men -mən) városi ember

townspeople ['taʊnz-] n pl városiak, városi lakosság

tow-path n vontatóút [a folyó szélén vontató lovak számára]

tow-rope n vontatókötél

toxic ['tɒksɪk; US -ɑ-] a mérges, mérgező, toxikus

toxicology [tɒksɪ'kɒlədʒɪ; US -ɑ- -ɑ-] n méregtan, toxikológia

toxin ['tɒksɪn; US -ɑ-] n méreganyag, toxin

toy [tɔɪ] I. a 1. játék-; gyermek-; ~ trumpet játéktrombita 2. apró, pici; ~ dog (1) öleb (2) játékkutya II. n játék- (szer) III. vi ~ with sg játszik vmvel; ~ with an idea foglalkozik/eljátszadozik egy gondolattal

toy-book n képeskönyv

toy-box n játék(os)doboz

Toynbee ['tɔɪnbɪ] prop

toy-railway n játékvasút

toyshop n játékbolt, -üzlet

trace[1] [treɪs] I. n 1. (láb)nyom; nyomdok; nyomvonal; (kerék)csapás 2. nyom; maradvány; there's no ~ of it nyoma sincs 3. kis/elenyésző mennyiség; ~ element nyomelem II. vt 1. felrajzol, felvázol, előrajzol, megjelöl, kijelöl 2. (át)másol, átrajzol; tussal kihúz 3. (gondosan) (le)ír 4. kinyomoz, kiszimatol 5. megtalálja nyomait [épületnek, kultúrának stb.]
   trace back vt visszavezet
   trace out vt kijelöl, kirajzol

trace[2] [treɪs] n istráng, hám; biz kick over the ~s kirúg a hámból

traceable ['treɪsəbl] a 1. kinyomozható, kipuhatolható; kimutatható 2. (nyomon) követhető

trace-horse n előfogat [ló]

tracer ['treɪsə*] n 1. előrajzoló, (szabó-)rádli 2. ⟨elveszett tárgyakat kinyomozó személy⟩ 3. keresőlap 4. ~ (bullet) nyomjelző lövedék 5. jelzett atom

tracery ['treɪs(ə)rɪ] n áttört (gótikus) kőcsipkézet, mérmű

trachea [trə'kiːə] n (pl ~e trə'kiːiː v. ~s -z) légcső

trachoma [trə'koʊmə] n trachoma

tracing ['treɪsɪŋ] n 1. (rajz)másolat 2. (át)rajzolás, átmásolás, pauzálás 3. nyomozás (vm után)

tracing-cloth n rajzvászon

tracing-paper n pauszpapír

tracing-wheel n = tracer 1.

track [træk] I. n 1. (láb)nyom, keréknyom; nyomdok; be on sy's ~ vknek nyomában van; cover up one's ~s eltünteti maga után az áruló nyomokat; follow in sy's ~ vknek nyomdokaiba

lép; *keep ~ of sy* nyomon követ vkt, nem veszít szem elől vkt; *lose ~ of sy* nyomát veszti vknek, vk eltűnik a szeme elől; *biz make ~s* meglép, ellóg; *put sy on the right ~* helyes nyomra vezet vkt; *be on the wrong ~* rossz nyomon jár 2. csapás, ösvény; (út-) sáv; út(vonal), útirány; *be off the ~* letér az útról; *be on the right ~* jó úton jár 3. (verseny)pálya; *~ events* futószámok; *~ suit* tréningruha, melegítő 4. (vasúti) vágány, pálya(test); *the train left the ~* a vonat kisiklott; *US the wrong side of the ~s* a szegénynegyed 5. hernyótalp [traktoré]; futófelület [gumiabroncsé] 6. nyomtáv; keréktávolság 7. (hang)barázda II. A. *vt* 1. (nyomon) követ; *~ down* lenyomoz, nyomon követ és elfog 2. kinyomoz, kikövetkeztet 3. vontat [partról hajót] 4. *US* nyomokat hagy B. *vi* követőfelvételt készít [kamerával]
trackage ['trækɪdʒ] *n* 1. (hajó)vontatás [partról] 2. *US* vágányrendszer, vágányzat
track(-)and(-)field events futó-, ugró- és dobószámok, atlétika
tracker ['trækə*] *n* 1. (ki)nyomozó személy; vadász 2. [hajót partról] vontató (személy)
tracking ['trækɪŋ] *n* követés [filmfelvevőgépé]
trackless ['træklɪs] *a* 1. úttalan 2. sín nélküli, vágánytalan 3. nyomot nem hagyó
trackman ['trækmən] *n* (*pl* -men -mən) (vasúti) pályafelvigyázó
track-racing *n* salakpályaverseny
tract[1] [trækt] *n* 1. terület; pászta, földsáv; vidék, tájék 2. *~ (of time)* időtartam, időszak 3. szerv; pálya; *the digestive ~* az emésztőszervek
tract[2] [trækt] *n* 1. értekezés 2. (politikai, vallási) röpirat, traktátus
tractability [træktə'bɪlətɪ] *n* kezelhetőség; engedékenység; hajlékonyság
tractable ['træktəbl] *a* 1. engedékeny; hajlékony, könnyen kezelhető [személy] 2. jól megmunkálható
tractableness ['træktəblnɪs] *n* = *tractability*

Tractarian [træk'teərɪən] *a/n* ⟨az Oxford-mozgalom tagja s a High Church híve a XIX. században⟩, traktáriánus
tractate ['trækteɪt] *n* = *tract*[2]
traction ['trækʃn] *n* 1. vontatás, húzás; vonás; *~ wheel* vonókerék [mozdonyé] 2. (izom)összehúzódás
traction-engine *n* vontatógép, lokomobil
tractive ['træktɪv] *a* vonó, vontató; húzó
tractor ['træktə*] *n* vontató, traktor
Tracy ['treɪsɪ] *prop*
trade [treɪd] I. *n* 1. mesterség, foglalkozás, szakma; ipar; *by ~* foglalkozására nézve; *~ card* névkártya, cégkártya; *~ register* cégjegyzék; *~ school* ipariskola; szak(közép)iskola; *~ secret* gyártási titok; *put sy to a ~* vkt vmlyen szakmára/iparra kitanít(tat) 2. kereskedelem; *~ agreement* kereskedelmi megállapodás; *be in ~* kereskedő, boltos 3. *the ~* a szakma; *the book ~* a könyvkereskedők (összessége), a könyvszakma 4. *~(s) union* szakszervezet; *GB T~s Union Congress* (*T.U.C.*) Szakszervezeti Szövetség 5. **trades** *pl* passzátszelek II. A. *vi* 1. kereskedik, üzletet köt 2. rendszeresen vásárol [egy bizonyos boltban] 3. *~ with sy* érintkezik vkvel 4. *~ on* tisztességtelen módon kihasznál/felhasznál/kiaknáz B. *vt* 1. *~ sg for sg* vmt vmre becserél 2. □ *~ sy down* *the river* átejt vkt
trade-mark *n* védjegy
trade-name *n* márkanév
trade-price *n* nagybani ár
trader ['treɪdə*] *n* 1. kereskedő 2. kereskedelmi hajó
tradescantia [trædəs'kænʃɪə] *n* fancsika, pletyka [szobanövény]
tradesman ['treɪdzmən] *n* (*pl* -men -mən) 1. kereskedő, boltos 2. (kis)iparos
tradespeople *n pl* kereskedők, kereskedőtársadalom
trade-unionism [-'juːnjənɪzm] *n* szakszervezeti rendszer
trade-unionist *n* 1. szakszervezeti tag 2. szakszervezeti rendszer híve
trade-wind *n* passzátszél
trading ['treɪdɪŋ] *a* kereskedelmi; *~*

capital forgótőke; ~ *company* (kül)kereskedelmi vállalat; ~ *concern* kereskedelmi vállalkozás; ~ *post* kereskedelmi ügynökség [bennszülöttekkel cserélő állomás gyarmaton]
tradition [trə'dıʃn] *n* hagyomány, tradíció; régi szokás
traditional [trə'dıʃənl] *a* hagyományos, tradicionális
traditionalist [trə'dıʃnəlıst] *n* 1. hagyományokhoz ragaszkodó (személy) 2. ⟨a Szentírást szó szerint értelmező személy⟩, fundamentalista
traduce [trə'dju:s; *US* -'du:s] *vt* (meg-) rágalmaz; becsmérel, befeketít
traducer [trə'dju:sə*; *US* -'du:-] *n* rágalmazó
Trafalgar [trə'fælgə*] *prop*
traffic ['træfık] I. *n* 1. adásvétel, kereskedés; ~ *return* forgalomkimutatás 2. titkos kereskedés; üzérkedés 3. forgalom, közlekedés; ~ *accident* közlekedési baleset; *US* ~ *circle* körforgalom; ~ *count* forgalomszámlálás; ~ *indicator* irányjelző; ~ *jam* forgalmi akadály/dugó; ~ *lights/signal* forgalmi jelzőlámpa, villanyrendőr; ~ *manager* forgalmista; ~ *sign* közúti jelzőtábla; ~ *warden* kb. parkolási ellenőr II. *vi/vt* (*pt/pp* ~**ked** 'træfıkt) kereskedik, kalmárkodik, csereberél
trafficator ['træfıkeıtə*] irányjelző, index [autón]
trafficker ['træfıkə*] *n* kalmár, üzér(kedő)
trafficking ['træfıkıŋ] *n* üzérkedés; ~ *in votes* szavazatok megvásárlása
tragedian [trə'dʒi:djən] *n* 1. tragédiaíró 2. tragikus színész
tragedienne [trədʒi:dı'en] *n* tragika
tragedy ['trædʒıdı] *n* tragédia
tragic(al) ['trædʒık(l)] *a* 1. tragédiával kapcsolatos 2. tragikus, végzetes, szomorú kimenetelű/végű
tragically ['trædʒık(ə)lı] *adv* szomorúan, gyászosan, tragikusan
tragicomedy [trædʒı'kɔmıdı; *US* -'kɑ-] *n* tragikomédia
tragicomical [trædʒı'kɔmıkl; *US* -'kɑ-] *a* tragikomikus
rail [treıl] I. *n* 1. nyom 2. ösvény, csa-

pás; *blaze a* ~ (1) utat vág (2) *átv* úttörő munkát végez 3. uszály 4. ágyútalp II. A. *vt* 1. ~ *sg* (*along*) maga után húz/hurcol/vonszol/vontat vmt; ~ *one's coat*(*-tails*) keresi, hogy kibe köthessen bele, provokatív kijelentéseket tesz 2. nyomoz, nyomon követ; csapáz B. *vi* 1. (lelóg és) a földet sepri (miközben viszik) 2. nehézkesen/fáradtan jár/cammog 3. vonul (vm után), nyomot hagy maga után 4. hosszúra nyúlik, kúszik [növény]
trail-blazer *n* úttörő
trailer ['treılə*] *n* 1. pótkocsi; utánfutó; lakókocsi 2. kúszónövény 3. hosszú inda/kacs/futó 4. előzetes [filmből]
trailing ['treılıŋ] *a* 1. vm után húzódó, földet seprő 2. vontatott, póttrail-net *n* húzóháló [halászé]
trail-rope *n* kikötőkötél [léghajóé]
train [treın] I. *n* 1. vonat; *get into/on the* ~ beszáll a vonatba; *get off* (v. *out of*) *the* ~ leszáll a vonatról; *go by* ~ vonattal megy; *workmen's* ~ munkásvonat 2. uszály [női ruhán stb.] 3. kíséret 4. vonatosztály, trén 5. sor, sorozat; ~ *of thought* gondolatmenet, -sor; *bring in its* ~ magával hoz, maga után von; *put things in* ~ dolgokat előkészít II. A. *vt* 1. tanít, oktat; ~ *for sg* vmre nevel/előkészít 2. edz, treníroz 3. gyakorlatoztat, kiképez [katonát] 4. felfuttat, irányít [növényt]; nevel [bokrot] 5. irányít [*on sg* vmre fegyvert, látcsövet] B. *vi* gyakorlatozik; tréningezik, edz; ~ *down* ledolgozza súlyfeleslegét
trainband *n GB* polgárőrség, népfelkelők
train-bearer *n* uszályhordozó
trained [treınd] *a* gyakorlott; szakképzett; ~ *nurse* okleveles ápolónő
trainee [treı'ni:] *n* 1. gyakornok 2. (szakmunkás)tanuló 3. (kiképzésben levő) újonc
trainer ['treınə*] *n* 1. edző, oktató 2. idomító
train-ferry *n* vasúti komp(hajó)
training ['treınıŋ] *n* 1. nevelés, oktatás, (ki)képzés; begyakoroltatás, trenírozás; *character* ~ jellemformálás 2. *military* ~ katonai kiképzés 3. gya-

korlat; edzés, tréning; *be in* ~ tréningben van, jó formában van; *be out of* ~ nincs formában; kijött a gyakorlatból **training-college/school** *n* 1. tanítóképző; tanárképző (főiskola) 2. gyakorlóiskola

training-ship *n* (tengerészkadét-)iskolahajó

trainload *n* vonatrakomány, vonatterhelés

trainman ['treɪnmən] *n pl* (-men -mən) (vasúti) fékező, vonatkísérő

train-oil *n* bálnaolaj

train-spotting *n* mozdonyok számának gyűjtése/figyelése [mint szórakozás]

traipse [treɪps] *vi* = *trapes*

trait [treɪ v. *főleg US* treɪt] *n* jellemző vonás, jellegzetesség

traitor ['treɪtə*] *n* áruló, hitszegő; *turn* ~ árulóvá lesz

traitorous ['treɪt(ə)rəs] *a* áruló, hitszegő

traitorously ['treɪt(ə)rəslɪ] *adv* áruló módon, hűtlenül

traitress ['treɪtrɪs] *n* áruló/hitszegő nő

trajectory ['trædʒɪkt(ə)rɪ] *n* röppálya; pályagörbe

tram [træm] I. *n* 1. villamos 2. (bánya-) csille II. *vi* -mm- villamossal utazik, villamosozik

tram-car *n* villamos(kocsi)

tram-line *n* 1. villamosvonal 2. villamossín 3. *biz the* ~*s* folyosó [teniszpályán]

trammel ['træml] I. *n* 1. (*átv is*) akadály, gát; nyűg 2. húzóháló 3. rúdkörző 4. S alakú akasztóhorog, kampó II. *vt* -ll- (*US* -l-) (meg)akadályoz, gátol; béklyóba ver

tramp [træmp] I. *n* 1. csavargó 2. ~ *steamer* alkalmi teherhajó 3. (fárasztó) gyaloglás 4. lábdübörgés 5. vasalás [cipő talpán] II. A. *vi* 1. csavarog, kóborol, gyalogol 2. dübörög [lépések] dübörögve lép B. *vt* bebarangol, bekóborol, bejár

trample [træmpl] A. *vt* ~ *sg down* eltapos/elnyom vmt; ~ *to death* agyontapos B. *vi* ~ *on sg* rátapos vmre

trampoline ['træmpəli:n; *US* -'li:n] *n* ugrószőnyeg [akrobatáké stb.]

tramway *n* villamos(vasút); villamossín(ek)

trance [trɑ:ns; *US* -æ-] *n* révület; elragadtatás; transz

tranquil ['træŋkwɪl] *a* nyugodt, csendes, békés; zavartalan

tranquillity [træŋ'kwɪlətɪ] *n* nyugalom; csendesség

tranquillize ['træŋkwɪlaɪz] *vt* megnyugtat, lecsendesít; lecsillapít

tranquillizer ['træŋkwɪlaɪzə*] *n* nyugtató(szer)

trans. *translation*

transact [træn'zækt] *vt* lebonyolít; végrehajt; ~ *business* üzletet köt/lebonyolít

transaction [træn'zækʃn] *n* 1. lebonyolítás, elintézés, megkötés [üzleté] 2. ügylet, üzlet, tranzakció 3. *transactions pl* tudományos társaság aktái és előadásai

transalpine [trænz'ælpaɪn] I. *a* havasokon/Alpokon túli II. *n* havasokon/Alpokon túl élő személy

transatlantic [trænzət'læntɪk] *a* 1. az Atlanti-óceánon túli, tengerentúli 2. az Atlanti-óceánt átszelő; ~ *flight* óceánrepülés

transcend [træn'send] *vt* 1. meghalad (vmt); túllépi a határait (vmnek) 2. felülmúl (vkt, vmt)

transcendence [træn'sendəns] *n* 1. transzcendencia 2. felsőbbrendűség, kitűnőség

transcendency [træn'sendənsɪ] *n* = *transcendence*

transcendent [træn'sendənt] *a* 1. tapasztalattól független, transzcendens 2. páratlan, kitűnő

transcendental [trænsen'dentl] *a* 1. tapasztalattól független(ül létező), transzcendentális 2. *biz* bizonytalan, határozatlan, homályos, nehezen érthető

transcontinental ['trænzkɔntɪ'nentl; *US* -kɑn-] *a* a kontinensen áthaladó, transzkontinentális

transcribe [træn'skraɪb] *vt* 1. leír, lemásol 2. átír [más jelrendszerbe/hangszerre]; áttesz 3. felvesz [műsort]

transcriber [træn'skraɪbə*] *n* átíró (személy)

transcript ['trænskrɪpt] *n* 1. másolat 2. átírás

transcription [træn'skrıpʃn] *n* **1.** leírás, lemásolás **2.** átírás [más jelrendszerbe]; áttétel [gyorsírásé] **3.** (hang)felvétel

transept ['trænsept] *n* kereszthajó [templomban]

transfer I. *n* ['trænsfə:*] **1.** átvitel, átszállítás, átrakás **2.** áthelyezés [tisztviselőe stb.]; átigazolás [sportolóé] **3.** átruházás, átengedés **4.** átutalás [pénzösszegé] **5.** átszállás [másik járműre]; ~ *ticket* átszálló(jegy) **6.** átmásolás [rajzé stb.]; előnyomás; lehúzóképes/matricás képátvitel; ~ *picture* lehúzókép, matrica II. *v* [træns'fə:*] -rr- A. *vt* **1.** átvisz, átszállít **2.** áthelyez [alkalmazottat]; átigazol *(to* vhova); (el)vezényel **3.** átruház, átenged **4.** utalványoz, átutal **5.** átvisz, átmásol [képet/rajzot kőre/fémlapra] B. *vi* **1.** átköltözik; átmegy [más munkahelyre stb.] **2.** átszáll [járműről járműre]

transferable [træns'fə:rəbl] *a* **1.** átruházható, engedményezhető; *not* ~ másra át nem ruházható **2.** áthelyezhető

transferee [trænsfə:'ri:] *n* engedményes, kedvezményezett

transference ['trænsf(ə)rəns; *US* -'fə:r-] *n* **1.** átvitel **2.** áthelyezés **3.** átköltözés **4.** átruházás, átengedés

transferor [træns'fə:rə*] *n* átruházó, engedményező

transfiguration [trænsfıgju'reıʃn; *US* -gjə-] *n* átváltozás; megdicsőülés, Jézus színeváltozása

transfigure [træns'fıgə*; *US* -gjər] *vt* átváltoztat; átszellemít

transfix [træns'fıks] *vt* **1.** átdöf **2.** áthat; *he stood* ~*ed with horror* kővé dermedt a rémülettől

transform I. *n* ['trænsfɔ:m] transzform II. *v* [træns'fɔ:m] A. *vt* **1.** átalakít [*into* vmvé] **2.** átalakít, transzformál [áramot] B. *vi* átváltozik, átalakul *(into* vmvé)

transformable [træns'fɔ:məbl] *a* átváltoztatható, átalakítható

transformation [trænsfə'meıʃn] *n* **1.** átalakítás *(into* vmvé) **2.** átalakulás, át-

változás ~ *scene* nyíltszíni változás; *undergo a* ~ átalakul(áson esik át) **3.** átalakítás, transzformálás, transzformáció [szaknyelvekben]

transformational [trænsfə'meıʃənl] *a* transzformációs

transformer [træns'fɔ:mə*] *n* áramátalakító, transzformátor, trafó

transfuse [træns'fju:z] *vt* **1.** *(átv is)* átönt **2.** átömleszt [vért]

transfusion [træns'fju:ʒn] *n* átöntés; ~ *(of blood)* vérátömlesztés

transgress [træns'gres] A. *vt* áthág; túllép; megszeg B. *vi* bűnt követ el

transgression [træns'greʃn] *n* **1.** áthágás; megszegés; túllépés **2.** bűn, vétek

transgressor [træns'gresə*] *n* vétkes, bűnös

tranship [træn'ʃıp] *vt* -pp- átrak, átszállít [egyik hajóról a másikra]

transhipment [træn'ʃıpmənt] *n* átrakodás/átszállítás másik járműre

transience ['trænzıəns; *US* -ʃ(ə)ns] *n* mulandóság

transiency ['trænzıənsı; *US* -ʃ(ə)nsı] *n* = *transience*

transient ['trænzıənt; *US* -ʃ(ə)nt] I. *a* = *transitory* II. *n biz* futóvendég

transistor [træn'sıstə*; *US* -'z-] I. *a* tranzisztoros II. *n* **1.** tranzisztor **2.** ~ *(radio)* tranzisztoros rádió

transistorize [træn'sıstəraız; *US* -'z-] *vt* tranzisztorizál

transit ['trænsıt; *US* -z-] *n* **1.** átjárás, átmenés, áthaladás, átutazás; *(jelzői haszn)* átmenő, átutazó, tranzit-; ~ *visa* átutazóvízum; *in* ~ úton, útközben; átutazóban **2.** (áru)szállítás; *in* ~ szállítás alatt; *goods in* ~ tranzitáruk

transit-duty *n* tranzitvám

transition [træn'sıʒn; *US* -'zıʃn] *n* átmenet; ~ *period, period of* ~ átmeneti időszak

transitional [træn'sıʒənl; *US* 'zıʃənəl] *a* átmeneti

transitive ['trænsıtıv] *a* tárgyas [ige]

transitory ['trænsıt(ə)rı; *US* -ɔ:rı] *a* mulandó, tünékeny, ideiglenes, átmeneti

translatable [træns'leıtəbl] *a* lefordítható

translate [træns'leıt] *vt* **1.** (le)fordít; ~

a book from English into Hungarian
egy könyvet angolról magyarra fordít
2. átültet [gondolatot, elvet] **3.** értelmez
translation [træns'leɪʃn] *n* (le)fordítás
translator [træns'leɪtə*] *n* fordító
transliterate [trænz'lɪtəreɪt; *US* -ns-] *vt* (más/idegen ábécé betűivel) átír
transliteration [trænzlɪtə'reɪʃn; *US* -ns-] *n* (betű szerinti) átírás
translucence [trænz'luːsns; *US* -ns-] *n* **1.** átlátszóság **2.** áttetszőség
translucent [trænz'luːsnt; *US* -ns-] *a* **1.** átlátszó **2.** áttetsző
transmigration [trænzmaɪ'greɪʃn; *US* -ns-] *n* **1.** kivándorlás **2.** ~ (*of souls*) lélekvándorlás
transmissible [trænz'mɪsəbl; *US* -ns-] *a* **1.** átvihető, átengedhető, átküldhető **2.** örökölhető; örökbe hagyható
transmission [trænz'mɪʃn; *US* -ns-] *n* **1.** átadás; továbbítás **2.** áttétel, erőátvitel **3.** sebességváltó; ~ *shaft* közlő(mű)tengely **4.** átvitel; ~ *line* (villamos) távvezeték **5.** adás [távközlésben]
transmit [trænz'mɪt; *US* -ns-] *vt* -tt- **1.** átad, közöl; közvetít; továbbad [hírt, hagyományt] **2.** átvisz, átörökít **3.** továbbít, vezet [áramot, fényt, hőt stb.] **4.** (le)ad, sugároz, továbbít [adást]
transmitter [trænz'mɪtə*; *US* -ns-] *n* **1.** átadó, terjesztő, közvetítő [betegségé] **2.** telefonkagyló **3.** adó(állomás) **4.** távíró-adókészülék
transmitting [trænz'mɪtɪŋ; *US* -ns-] *a* **1.** (le)adó, sugárzó; ~ *station* adóállomás **2.** átvivő, közlő
transmogrify [trænz'mɔgrɪfaɪ; *US* -ns-'ma-] *vt* (teljesen/meglepően) átalakít, átvarázsol [tréfás értelemben]
transmutation [trænzmjuː'teɪʃn; *US* -ns-] *n* **1.** átváltoztatás, átalakítás **2.** átváltozás, átalakulás
transmute [trænz'mjuːt; *US* -ns-] *vt* átalakít, átváltoztat
transoceanic ['trænzouʃi'ænɪk; *US* -ns-] *a* **1.** tengerentúli **2.** óceánt átszelő, óceánon átmenő [hajó stb.]
transom ['trænsəm] *n* szemöldökfa, keresztfa, keresztgerenda, osztófa [ajtón, ablakon]
transom-window *n* **1.** keresztes/osztásos ablak **2.** felülvilágító ablak [ajtó fölött] **3.** *US* kémlőablak
transpacific [trænspə'sɪfɪk] *a* Csendes-óceánon túli/átmenő
transparency [træns'pær(ə)nsɪ; *US* -'peər-] *n* **1.** áttetszőség; átlátszóság **2.** dia(pozitív)
transparent [træns'pær(ə)nt; *US* -'peər-] *n* **1.** (*átv is*) átlátszó; áttetsző **2.** tiszta, világos [stílus] **3.** őszinte, nyílt
transpierce [træns'pɪəs] *vt* **1.** átszúr; átfúr, átdöf **2.** áthat
transpiration [trænspɪ'reɪʃn] *n* kipárolgás, kigőzölgés
transpire [træn'spaɪə*] **A.** *vt* kipárologtat, kiizzad **B.** *vi* **1.** kipárolog, kigőzölög **2.** kitudódik, kiszivárog **3.** *biz* (meg)történik, megesik
transplant I. *n* ['trænsplɑːnt; *US* -plænt] **1.** átültetett növény **2.** ~ (*operation*/ *surgery*) (szerv)átültetés; *heart* ~ szívátültetés **3.** átültetendő/átültetett szerv **II.** *vt* [træns'plɑːnt; *US* -'plænt] **1.** átültet [növényt, szervet, szövetet] **2.** áttelepít [lakosságot, üzemet]
transplantation [trænsplɑːn'teɪʃn; *US* -plæn-] *n* **1.** átültetés; *kidney* ~ veseátültetés **2.** áttelepítés
transport I. *n* ['trænspɔːt] **1.** szállítás, fuvarozás, szállítmányozás; utasszállítás; *road* ~ közúti szállítás; *Ministry of T* ~ közlekedésügyi minisztérium; *T* ~ *House* ⟨az angol munkáspárt központi hivatala⟩; ~ *worker* szállítómunkás; *vehicle of* ~ közlekedési eszköz, szállítóeszköz; *public* ~ tömegszállítás, -közlekedés **2.** szállítóhajó, csapatszállító hajó **3.** elragadtatás, extázis **II.** *vt* [træn'spɔːt] **1.** szállít, fuvaroz; szállítmányoz **2.** † deportál [fegyencet] **3.** elragad, hatalmábakerít [érzés]
transportable [træn'spɔːtəbl] *a* szállítható
transportation [trænspɔː'teɪʃn; *US* -spə-] *n* **1.** *US* (vasúti) szállítás, fuvarozás **2.** † deportálás **3.** *US* szállítóeszközök **4.** *US* villamosjegy, autóbuszjegy **5.** *US* fuvardíj, viteldíj

transporter [træn'spɔ:tə*] n 1. szállítmányozó 2. szállítóberendezés; szállítószalag; ~ bridge szállítóhíd, rakodóhíd
transposal [træns'pouzl] n 1. kicserélés 2. áttevés, áttétel
transpose [træns'pouz] vt 1. áttesz, áthelyez 2. felcserél 3. más hangnembe áttesz, transzponál
transposing [træns'pouzɪŋ] I. a transzponáló II. n transzponálás
transposition [trænspə'zɪʃn] n 1. átvitel, felcserélés 2. átírás más hangnembe, transzponálás
trans-ship [træns'ʃɪp] vt -pp- = tranship
transubstantiation ['trænsəbstænʃɪ'eɪʃn] n 1. átváltozás, átlényegülés 2. átváltoztatás
Transvaal ['trænzvɑ:l] prop
transvalue [træns'vælju:] vt átértékel
transversal [trænz'və:sl; US -ns-] a = transverse I.
transverse ['trænzvə:s; US -ns-] I. a átlós, haránt húzódó, rézsútos, transzverzális; ~ bracing keresztkötés; ~ girder kereszttartó; ~ section keresztmetszet II. n harántizom
Transylvania [trænsɪl'veɪnjə] prop Erdély
Transylvanian [trænsɪl'veɪnjən] a erdélyi
trap¹ [træp] I. n 1. (átv is) csapda, kelepce, tőr; lay/set a ~ csapdát állít 2. csapóajtó 3. szagfogó (akna), (bűz)elzáró 4. agyaggalambdobó gép 5. kordé 6. □ pofa, száj II. vt -pp- 1. (átv is) kelepcébe/csapdába ejt, tőrbe csal; csapdával fog 2. szagfogóval ellát 3. leállít [labdát labdarúgó]
trap² [træp] vt -pp- 1. felszerszámoz [lovat] 2. kidíszít
trap-door n 1. csapóajtó 2. kimászóablak [tetőn] 3. [színházi] süllyesztő
trapes [treɪps] vi biz jön-megy, csavarog, cselleng, csatangol
trapeze [trə'pi:z] n/ trapéz [tornaszer]
trapezium [trə'pi:zjəm] n 1. GB trapéz 2. US = trapezoid 2.
trapezoid ['træpɪzɔɪd] n 1. US trapéz 2. GB általános négyszög, trapezoid
trapped [træpt] a tőrbeesett, elfogott →trap¹ II. és trap²

trapper ['træpə*] n észak-amerikai (csapdaállító) prémvadász
trappings ['træpɪŋz] n pl 1. díszes lószerszám 2. ünnepi díszruha
Trappist ['træpɪst] n trappista (szerzetes)
traps [træps] n pl biz 1. holmi, cókmók 2. poggyász, cucc
trap-shooting n agyaggalamb-lövészet
trash [træʃ] n 1. vacak, limlom; szemét, hulladék 2. US söpredék, alja nép; white ~ fehér proletár [néger államokban] 3. ponyva(irodalom), giccs 4. ostoba beszéd
trashy ['træʃɪ] a (átv is) hitvány, értéktelen
trauma ['trɔ:mə] n (pl ~ta -mətə v. ~s -z) sérülés, trauma
traumatic [trɔ:'mætɪk] a 1. sérüléses, traumás 2. nyomasztó emlékű
travail ['træveɪl] n vajúdás
travel ['trævl] I. n 1. utazás; ~ agency/bureau utazási iroda; ~ books, books of ~(s) útleírások 2. járás, menet [gépalkatrészé] II. v -ll- (US -l-) A. vi 1. utazik; ~ by air repülőgéppel utazik/megy 2. utazik [kereskedelmi utazó]; ~ in soap szappanban utazik 3. jár, megy 4. terjed [hang, hír] B. vt 1. beutazik, bejár [területet] 2. megtesz [távolságot]
travel(l)ed ['trævld] a sokat utazott, világlátott
travel(l)er ['trævlə*] n 1. utazó; ~'s cheque, US traveler's check utazási csekk 2. (commercial) ~ kereskedelmi utazó, ügynök 3. csúszógyűrű 4. mozgódaru, futódaru
travel(l)er's-joy n iszalag
travel(l)ing ['trævlɪŋ] I. a 1. utazó; ~ bag útitáska; ~ expenses útiköltség; ~ salesman kereskedelmi utazó, ügynök 2. mozgó, futó; ~ post-office mozgóposta; ~ staircase mozgólépcső; ~ speed utazósebesség, menetsebesség II. n utazás
travelogue, US -log ['trævəlɔg; US -ɑg] n útirajz, útleírás
traverse ['trævəs] I. n 1. átlós vonal 2. keresztgerenda 3. áthaladás, átkelés 4. visszautasítás [vádé, állításé] II. vt

1. keresztez (vmt), átkel (vmn); beutazik [területet] 2. *átv* áttekint [témát] 3. ellenez, kifogásol; tagad [állítást]
travesty ['trævɪstɪ] I. *n* travesztia, paródia; ~ *of justice* az igazságszolgáltatás megcsúfolása II. *vt* 1. nevetségessé tesz, kifiguráz, travesztál 2. rosszul ad elő [szerepet], eredeti jellegéből kiforgat
trawl [trɔ:l] I. *n* húzóháló II. A. *vi* húzóhálóval halászik B. *vt* vontat
trawler ['trɔ:lə*] *n* 1. húzóhálóval halászó halász 2. fenékhálós halászhajó
tray [treɪ] *n* 1. tálca 2. (bőrönd)betét
tray-cloth *n* tálcakendő
treacherous ['tretʃ(ə)rəs] *a* áruló, hűtlen
treachery ['tretʃ(ə)rɪ] *n* árulás; hűtlenség
treacle ['tri:kl] *n* GB melasz
treacly ['tri:klɪ] *a* GB *átv* szirupos, édeskés
tread [tred] I. *n* 1. lépés (zaja) 2. járás(mód) 3. belépő [lépcsőfok lapja] 4. járófelület [lábbelié], cipőtalp; futófelület [gumiabroncsé] II. *v* (*pt* **trod** trɔd, *US* -ɑ-, *pp* **trodden** 'trɔdn, *US* -ɑ-) A. *vi* 1. megy, jár, lépked 2. tapos, tipor B. *vt* 1. tapos; ~ *a path* ösvényt (ki)tapos; ~ *water* a vizet tapossa 2. jár, ró [utat] 3. megbúbol [kakas tyúkot]
  tread down *vt* 1. letapos 2. (*átv is*) elnyom, eltipor
  tread in *vt* betapos [a földbe]
  tread on *vi* ~ *on sg* (1) rálép vmre [véletlenül] (2) eltapos vmt; ~ *on sy's heels* vk nyomdokain halad
  tread out *vt* 1. tapos [szőlőt] 2. eltapos [tüzet] 3. eltipor [felkelést]
  tread under *vt* (*átv is*) eltipor; ~ *sg u. foot* vmt lábbal tipor
  tread upon *vi* = **tread on**
treadle ['tredl] *n* pedál, lábító
treadmill *n* (*átv is*) taposómalom
treason ['tri:zn] *n* 1. árulás, hitszegés 2. (haza)árulás; *high* ~ felségárulás; felségsértés
treasonable ['tri:znəbl] *a* hazaáruló; hitszegő
treasonably ['tri:znəblɪ] *adv* áruló módra/módon

treasonous ['tri:znəs] *a* = *treasonable*
treasure ['treʒə*] I. *n* kincs II. *vt* 1. ~ (*up*) felhalmoz 2. kincsként őriz 3. megőriz [emlékezetében] 4. nagyra becsül
treasure-house *n* kincstár
treasurer ['treʒ(ə)rə*] *n* 1. kincstáros 2. pénztáros
treasure-trove *n* (gazdátlan) kincslelet
treasury ['treʒ(ə)rɪ] *n* 1. kincstár 2. *the T*~ (1) *GB* államkincstár (2) *US* pénzügyminisztérium; *GB T*~ *bench* miniszteri padsor [parlamentben]; ~ *bill* kincstári váltó/jegy; ~ *note* (1) *US* kincstári jegy (2) *GB* † (egyfontos v. tízshillinges) bankjegy; *First Lord of the T*~ a kincstár első lordja [többnyire az angol miniszterelnök] 3. *átv* tárház, (irodalmi) kincsesház
treat [tri:t] I. *n* (ritka) élvezet 2. vendégség; mulatság; megvendégelés; *stand sy a* ~ vkt megvendégel II. A. *vt* 1. bánik (vkvel, vmvel) 2. kezel, tekint (vmt vhogy); ~ *sg as a joke* tréfának tekint vmt 3. kezel [orvosilag, vegyileg], orvosi/vegyi kezelésnek alávet 4. foglalkozik [egy tárggyal]; értekezik (vmről); tárgyal [témát] B. *vi* 1. ~ *of sg* szól vmről [mű] 2. tárgyal (*with sy* vkvel)
treatise ['tri:tɪz] *n* értekezés, tanulmány
treatment ['tri:tmənt] *n* 1. bánásmód 2. (gyógy)kezelés, gyógymód 3. (*átv is*) kezelés; feldolgozás, tárgyalás [témáé]
treaty ['tri:tɪ] *n* 1. (államközi) szerződés; (nemzetközi) egyezmény 2. (magán-)szerződés, megállapodás; *sell by private* ~ magánegyezséggel elad 3. tárgyalás; *be in* ~ *with sy for sg* tárgyal(ásokat folytat) vkvel vmről
treble ['trebl] I. *a* 1. háromszoros 2. szoprán; ~ *clef* violinkulcs, G kulcs II. *n* 1. háromszorosa (vmnek) 2. szoprán (hang); szoprán/felső szólam III. A. *vt* (meg)háromszoroz B. *vi* (meg-)háromszorozódik
trebly ['treblɪ] *adv* háromszorosan
tree [tri:] I. *n* [élő] fa; *be up a* ~ szorult helyzetben van II. *vt* 1. fára felkerget 2. felsámfáz 3. nehéz helyzetbe hoz; *be* ~*d* benne van a csávában

tree-fern *n* trópusi páfrányfa
tree-frog *n* levelibéka
treeless ['tri:lɪs] *a* fátlan, kopár
tree-nail *n* faszeg
tree-trunk *n* fatörzs
trefoil ['trefɔɪl; *US* 'tri:-] *n* 1. (ló)here
2. lóhere dísz(ítés)
trek [trek] I. *n* utazás/költözés ökörfogaton [új hazába Dél-Afrikában]; nagy út II. *vi* -kk- 1. ökörszekéren utazik 2. vándorol, költözik; nagy utat tesz
trellis ['trelɪs] I. *n* lugas, rácsozat [felfutó növénynek, kordonfának] II. *vt* 1. ráccsal/léckerítéssel elkerít 2. rácsra/lugasra felfuttat
trellis-work *n* = *trellis I.*
tremble ['trembl] I. *n* reszketés, remegés; *all of a ~* minden ízében reszketve II. *vi* 1. reszket, remeg; *his fate ~s in the balance* a sorsa függ ettől, ezen múlik a sorsa; *~ with fear* reszket a félelemtől 2. borzong, didereg 3. (nagyon) fél
trembling ['tremblɪŋ] I. *a* reszkető, remegő; *~ poplar* rezgő nyár(fa) II. *n* reszketés, remegés
tremendous [trɪ'mendəs] *a* 1. félelmetes, borzasztó 2. *biz* óriási, irtó(zatosan) nagy
tremor ['tremə*] *n* remegés
tremulous ['tremjʊləs; *US* -mjə-] *a* 1. reszkető, remegő 2. félénk, félős
tremulously ['tremjʊləslɪ; *US* -mjə-] *adv* 1. remegve 2. félve
trench [trentʃ] I. *n* (futó)árok; lövészárok II. **A.** *vt* 1. árkot húz/ás 2. művel, felás [földet], barázdákat von 3. lövészárkot/futóárkot ás; sáncol **B.** *vi* ~ *on/upon sg* (1) bitorol vmt (2) *átv* közel jár vmhez
trenchant ['trentʃ(ə)nt] *a* 1. éles [kard, penge] 2. metsző, éles [humor, stílus], határozott, erőteljes [politika]
trench-coat *n* (katonai) trencskó(t)
trencher ['trentʃə*] *n* 1. húsvágó deszka; fatányér 2. ~ *(cap)* angol/amerikai egyetemi sapka
trencherman ['trentʃəmən] *n* (*pl* -men -mən) (jó) evő; *good ~* nagyevő
trench-fever *n* volhiniai láz

trench-foot *n* (*pl* -feet) fagyott láb, lábfagyás
trend [trend] I. *n* irány; irányzat, irányvonal; áramlat, tendencia, trend II. *vi* *átv* irányul, tart (*to/towards* vm felé)
trend-setter *n* irányzatot elindító/meghatározó [személy]
trendy ['trendɪ] *a* *GB* irányzattá váló, divatba jövő
Trenton ['trent(ə)n] *prop*
trepan [trɪ'pæn] I. *n* 1. koponyalékelő fűrész/eszköz 2. földfúró, magfúró II. *vt* -nn- (meg)lékel [koponyát]
trepang [trɪ'pæŋ] *n* tengeri uborka
trephine [trɪ'fi:n; *US* -'faɪn] *n/vt* = *trepan*
trepidation [trepɪ'deɪʃn] *n* 1. izgalom; felindulás 2. remegés, reszketés
trespass ['trespəs] I. *n* 1. birtokháborítás 2. törvényszegés, -sértés, jogsértés 3. bűn; vétek; *forgive us our ~es* bocsásd meg a mi vétkeinket 4. túlkapás II. *vi* 1. vk területén engedély nélkül átjár; ~ *(up)on sy's rights* vknek a jogait sérti/bitorolja; tilosban jár 2. visszaél [vk türelmével stb.] 3. † vétkezik (*against* vm ellen)
trespasser ['trespəsə*] *n* 1. tilosban járó személy; birtokháborító; *~s will be prosecuted* átjárás büntetés terhe alatt tilos 2. vétkes, bűnös (személy)
tress [tres] *n* 1. (haj)fürt 2. **tresses** *pl* hajzat [nőé]
tressy ['tresɪ] *a* (haj)fürtös
trestle ['tresl] *n* állvány, bak; kecskeláb
trestle-bed *n* tábori ágy
trestle-bridge *n* állványhíd [fából]
trestle-table *n* kecskelábú asztal
trestle-work *n* állványzat
Trevelyan [trɪ'vɪljən] *prop*
trews [tru:z] *n* *pl* hosszúnadrág [skót mintás gyapjúszövetből]
trey [treɪ] *n* hármas [kártyában vagy kockán]
triable ['traɪəbl] *a* 1. megvizsgálható 2. perelhető
triad ['traɪæd] *n* 1. hármas (csoport), triász 2. hármashangzat
trial ['traɪ(ə)l] *n* 1. próba, kipróbálás, kísérlet; vizsgálat; *~ balloon* kísérleti

léggömb; ~ boring próbafúrás; ~ by combat istenítélet [párbaj]; ~ and error fokozatos megközelítés (módszere); próbálgatás(os módszer); ~ game válogató mérkőzés; ~ flight próbarepülés; ~ order próbarendelés; ~ run próbamenet; give sg a ~ kipróbál vmt; on ~ próbaképpen, kipróbálás alatt 2. megpróbáltatás 3. (bírósági) tárgyalás; ~ by jury esküdtszéki tárgyalás; bring sy up for ~, put sy on ~ bíróság elé állít vkt 4. per, bírói eljárás; US ~ judge büntetőbíró
triangle ['traɪæŋgl] n 1. háromszög; the eternal ~ szerelmi háromszög 2. triangulum [hangszer]
triangular [traɪ'æŋgjʊlə*; US -gjə-] a háromszögű
triangulation [traɪæŋgjʊ'leɪʃn; US -gjə-] n háromszögelés
tribal ['traɪbl] a törzsi
tribalism ['traɪbəlɪzm] n törzsi rendszer
tribe [traɪb] n 1. (nép)törzs 2. faj(ta); nem [állati, növényi] 3. pereputty, társaság
tribesman ['traɪbzmən] n (pl -men -mən) törzstag
tribulation [trɪbjʊ'leɪʃn; US -bjə-] n 1. lelki kín; szomorúság, bánat 2. csapás, megpróbáltatás
tribunal [traɪ'bju:nl] n 1. bírói szék 2. bíróság; people's ~ népbíróság
tribune ['trɪbju:n] n 1. néptribun; népvezér 2. szónoki emelvény
tributary ['trɪbjʊt(ə)rɪ; US -bjəterɪ] I. a 1. alárendelt, hűbéres 2. ~ stream mellékfolyó II. n 1. hűbéres; adófizető 2. mellékfolyó
tribute ['trɪbju:t] n 1. sarc; hűbér; adó; fizetség 2. átv köteles tartozás/tisztelet; ~ of respect (1) megillető tisztelet, elismerés (2) kegyelet adója; pay ~ to sy elismeréssel/kegyelettel adózik vk iránt; floral ~ koszorú, virág [temetésen]
trice¹ [traɪs] n pillanat; in a ~ azonnal
trice² [traɪs] vt ~ up kötéllel felhúz (és megköt) [vitorlát]
triceps ['traɪseps] n deltaizom, triceps
trick [trɪk] I. n 1. (ügyes) fogás, fortély, trükk; a dirty ~ aljas kitolás; he knows

a ~ or two minden hájjal megkent fickó, ravasz/„dörzsölt" fickó; play a ~ on sy (1) megtréfál vkt (2) becsap/rászed vkt; know the ~s of the trade ismeri a szakma fortélyait 2. egyéni sajátosság, jellegzetes szokás; he has a ~ of... szokott vmt tenni 3. ütés [kártyában], trikk 4. bűvészmutatvány, trükk; that will just do the ~ ennek majd meglesz a kellő hatása II. A. vt 1. becsap, rászed; ~ sy into doing sg ravaszul beugrat vkt vmbe; ~ sy out of sg kicsal vktől vmt 2. biz ~ sy/sg out/up feldíszít/kicicomáz vkt/vmt B. vi csal
trickery ['trɪkərɪ] n csalás, trükk
trick-flying n műrepülés
trickiness ['trɪkɪnɪs] n 1. ravaszság, furfangosság 2. bonyolultság
trickish ['trɪkɪʃ] a = tricky
trickle ['trɪkl] I. n szivárgás; vékony erecske II. A. vi szivárog, csörgedez; pereg [könny] B. vt csepegtet
trickster ['trɪkstə*] n szélhámos; csaló
tricky ['trɪkɪ] a 1. ravasz, furfangos, agyafúrt 2. elmés, bonyolult [szerkezet]
tricolour, US -color ['trɪkələ*; US 'traɪkʌlər] I. a háromszínű II. n háromszínű zászló, trikolór
tricot ['tri:koʊ] n trikó
tric-trac ['trɪktræk] n ostábla(játék)
tricycle ['traɪsɪkl] n tricikli
trident ['traɪdnt] n háromágú szigony
tried [traɪd] a kipróbált, megvizsgált; megbízható →try II.
triennial [traɪ'enjəl] a 1. három évig tartó, három évig élő [növény] 2. háromévenként ismétlődő
trier ['traɪə*] n megvizsgáló/kipróbáló személy
trier-on n próbakisasszony
trifle ['traɪfl] I. n 1. (jelentéktelen) apróság/csekélység 2. kb. somlói galuska 3. kis/elenyésző mennyiség; a ~ egy kissé, parányit, valamicskét II. A. vt ~ away elfecsérel, elpazarol [pénzt, időt] B. vi 1. tréfálkozik; enyeleg 2. ~ with sg babrál/játszik vmvel; ~ over/with one's food piszkál az ételben 3. lebzsel, haszontalansággal tölti idejét

trrifler ['traɪflə*] *n* **1.** frivol személy **2.** piszmogó, pepecselő
trifling ['traɪflɪŋ] **I.** *a* jelentéktelen, csekély **II.** *n* könnyelműség; felületesség, komolytalanság
triforium [traɪ'fɔ:rɪəm] *n* (*pl* **-ria** -rɪə) oldalkarzat [templomban]
trigger ['trɪgə*] **I.** *n* ravasz [lőfegyveré]; kioldó(gomb) **II.** *vt* ~ *sg off* (1) elsüt [fegyvert] (2) *átv* kivált [hatást]; előidéz [jelenséget]
trigger-finger *n* mutatóujj
trigger-guard *n* ravaszvédő kengyel
trigger-happy *a US biz* lövöldözést kedvelő
trigonal ['trɪgənl] *a* háromszögű (keresztmetszetű)
trigonometric(al) [trɪgənə'metrɪk(l)] *a* háromszögtani, trigonometrikus
trigonometry [trɪgə'nɒmɪtrɪ; *US* -ɑm-] *n* háromszögtan, trigonometria
trilateral [traɪ'læt(ə)rəl] *a* háromoldalú
trilby ['trɪlbɪ] *n* ~ (*hat*) puhakalap
trilingual [traɪ'lɪŋgw(ə)l] *a* háromnyelvű
trill [trɪl] **I.** *n* trilla, pergés **II. A.** *vi* trillázik **B.** *vt* perget [hangot]
trillion ['trɪljən] *n* **1.** *GB* trillió [10¹⁸] **2.** *US* billió [10¹²]
trilobate ['traɪləbeɪt] *a* háromkaréjú
trilogy ['trɪlədʒɪ] *n* trilógia
trim [trɪm] **I.** *n* **1.** állapot, rend; *in good* ~ jó karban/formában/kondícióban van **2.** ruházat **3.** belső kárpitozás [autóé] **4.** egyensúlyi helyzet [hajóé] **II.** *a* takaros, rendes, jó karban levő, karban/rendben tartott **III.** *v* -mm- **A.** *vt* **1.** rendbe hoz/tesz **2.** (le)nyes, (le-) nyír, róvidre vág; ~ *a lamp* lámpabelet tisztít; ~ *meat* húst sütésre előkészít [inakat, zsírt stb. kiszed] **3.** farag [követ]; gyalul [deszkát stb.] **4.** (fel-) díszít, kicicomáz; szegélyez; ~ *sg with fur* prémmel szeg(élyez) **5.** kiegyensúlyoz [hajót, repgépet]; előkészít [vitorlát] **6.** *biz* leszid, lehord **7.** *biz* ~ *sy's jacket* jól elpáhol vkt **8.** *biz* anyagilag becsap/megrövidít **B.** *vi* alkalmazkodik [politikai helyzethez]; köpönyeget forgat
trimester [traɪ'mestə*] *n* (iskolai) harmadév

trimeter ['trɪmɪtə*] *n* háromlábú vers(sor)
trimly ['trɪmlɪ] *adv* csinosan, rendesen, takarosan
trimmed [trɪmd] *a* **1.** rendbe hozott; lenyírt **2.** díszített, szegélyezett ∥→*trim III.*
trimmer ['trɪmə*] *n* **1.** nyeső-, egyengető olló; vágógép **2.** fiókgerenda **3.** köpönyegforgató, opportunista
trimming ['trɪmɪŋ] *n* **1.** körülvágás; nyesés; nyírás, trimmelés **2.** dísz; szegély [ruhán, kalapon]; sujtás **3.** **trimmings** *pl* (1) levágott darabok; forgács (2) szegély(dísz), paszomány, sujtás (3) körítés [húshoz] **4.** szóvirág →*trim III.*
trimness ['trɪmnɪs] *n* **1.** jó állapot **2.** takarosság; rendes külső
tringle ['trɪŋgl] *n* függönyrúd
trinitrotoluene [traɪnaɪtrou'tɒljui:n; *US* -'tɑ-] *n* trinitro-toluol, trotil, TNT
trinity ['trɪnɪtɪ] *n* **1.** háromság, három személy/dolog **2.** *the T*~ a Szentháromság
trinket ['trɪŋkɪt] *n* csecsebecse, bizsu
trio ['tri:ou] *n* trió, hármas
trip [trɪp] **I.** *n* **1.** kirándulás, [kisebb] utazás, út; *field* ~ tanulmányi kirándulás **2.** (*átv is*) (meg)botlás; *biz* ballépés, baklövés **3.** *biz take a* ~ kábítószeres mámort élvez **4.** ~ (*mechanism*) kioldó/kikapcsoló szerkezet **II.** *v* -pp- **A.** *vt* **1.** elgáncsol (vkt), gáncsot vet (vknek) **2.** rajtakap vkt [hibán, tévedésen] **B.** *vi* **1.** ~ *along* könnyedén lépked **2.** (*átv is*) megbotlik, hibát követ el
   trip out *vi* **1.** könnyed léptekkel kitipeg/kilejt **2.** *biz* hallucinációs mámort élvez
   trip over *vi* ~ *o. sg* megbotlik vmben
   trip up A. *vt* **1.** (*átv is*) elgáncsol (vkt), gáncsot vet (vknek) **2.** *biz* rajtakap [vkt hibán stb.] **B.** *vi* (*átv is*) megbotlik, elbotlik
tripartite [traɪ'pɑ:taɪt] *a* **1.** háromrészű **2.** háromoldalú [szerződés]
tripe [traɪp] *n* **1.** pacal **2.** *vulg* **tripes** *pl* belek **3.** □ ócskaság, vacakság **4.** □ szennyirodalom

tripeman *n* belsőrészárus, pacalos
trip-hammer *n* emelős (gőz)kalapács
triphase ['traɪfeɪz] *a* háromfázisú [áram]
triphibious [traɪ'fɪbɪəs] *a* szárazföldi, légi és tengeri harcban egyaránt közlekedni tudó [jármű]
triple ['trɪpl] I. *a* hármas, háromszoros; ~ *time* hármas ütem [zenében] II. A. *vt* (meg)háromszoroz B. *vi* (meg)háromszorozódik
triplet ['trɪplɪt] *n* 1. hármas, trió 2. hármas iker 3. háromsoros rím
triplex ['trɪpleks] *a* háromszoros
triplicate I. *a* ['trɪplɪkət] háromszoros; három példányban készült II. *n* ['trɪplɪkət] harmadpéldány; *in* ~ három példányban, két másolattal III. *vt* ['trɪplɪkeɪt] (meg)háromszoroz; három példányban készít
triply ['trɪplɪ] *adv* háromszorosan, triplán
tripod ['traɪpɔd; *US* -ɑd] *n* háromlábú állvány, fotoállvány
tripos ['traɪpɔs; *US* -as] *n GB* kitüntetéses egyetemi vizsga [Cambridge-ben]
tripped [trɪpt] →*trip II.*
tripper ['trɪpə*] *n* kiránduló, turista
triptych ['trɪptɪk] *n* szárnyas oltárkép
triptyque [trɪp'tiːk] *n* triptik, gépkocsi-vámigazolvány, -útlevél
trireme ['traɪriːm] *n* háromsorevezős görög gálya
trisect [traɪ'sekt] *vt* három részre oszt
trisection [traɪ'sekʃn] *n* három részre osztás/szelés
Tristram ['trɪstrəm] *prop* Trisztán
trisyllabic [traɪsɪ'læbɪk] *a* háromszótagú
trisyllable [traɪ'sɪləbl] *n* háromszótagú szó
trite [traɪt] *a* elcsépelt, banális, közhelyszerű
triteness ['traɪtnɪs] *n* közhely, banalitás, elcsépeltség
triton ['traɪtn] *n* 1. *T~* triton [tengeri félisten]; *T~ among minnows* nagy ember jelentéktelen környezetben 2. kürtös csiga
trituration [trɪtjʊ'reɪʃn; *US* -tʃə-] *n* péppé/porrá zúzás/morzsolás
triumph ['traɪəmf] I. *n* 1. győzelem, diadal 2. diadalmámor; (öröm)ujjongás

3. diadalmenet II. *vi* 1. ~ *(over sy/sg)* diadalmaskodik, győz(edelmeskedik); diadalt ül (vkn, vmn) 2. diadalmenetet tart
triumphal [traɪ'ʌmfl] *a* diadalmi, győzedelmi; ~ *arch* diadalív
triumphant [traɪ'ʌmfənt] *a* 1. diadalmaskodó, győzelmes 2. diadalmas [mosoly stb.]
triumvir [trɪ'ʌmvə*] *n* (*pl* ~s -z v. ~i trɪ'ʊmvɪri:) triumvir, hármas kormány tagja [ókori Rómában]
triumvirate [traɪ'ʌmvɪrət] *n* triumvirátus
trivet ['trɪvɪt] *n* háromlábú állvány; *as right as a* ~ a legnagyobb rendben van
trivial ['trɪvɪəl] *a* 1. jelentéktelen, csekély fontosságú 2. hétköznapias, elcsépelt, unalmas, egyhangú
triviality [trɪvɪ'ælətɪ] *n* 1. jelentéktelenség 2. köznapiság, banalitás
triweekly [traɪ'wiːklɪ] *a* 1. háromhetenkénti 2. hetenként háromszori
troat [trout] I. *n* szarvasbőgés II. *vt* bőg [szarvas]
trochaic [trou'keɪɪk] I. *a* trocheusi II. *n* trocheus (— u)
trochee ['trouki:] *n* trocheus
trod →*tread II.*
trodden ['trɔdn; *US* -ɑ-] *a* kitaposott [út] →*tread II.*
troglodyte ['trɔglədaɪt; *US* -ɑg-] *n* barlanglakó, troglodita
Troilus ['trouɪləs] *prop*
Trojan ['troudʒ(ə)n] I. *a* trójai; ~ *horse* a trójai faló II. *n* trójai férfi/nő; *work like a* ~ serényen dolgozik
troll¹ [troul] *n* törpe, manó; óriás
troll² [troul] I. *n* 1. kánon [ének], kőrének 2. forgatás, forgás 3. villantó(kanál) [horgászáshoz] II. A. *vt* 1. kánont énekel 2. hangosan/vidáman énekel B. *vi* 1. jókedvűen énekel 2. mozgó csónakról horgászik
trolley ['trɔlɪ; *US* -ɑ-] *n* 1. targonca, tolókocsi [utcai árusé]; kézikocsi [pályaudvaron], kofferkuli 2. (vasúti) pályakocsi, kézihajtány 3. zsúrkocsi 4. áramszedő 5. *US* villamos(kocsi)
trolley-bus *n* trolibusz
trolley-car *n US* (felső vezetékes) villamos(kocsi)

trolley-wire n felső vezeték
trollop ['trɔləp; US -ɑ-] n 1. szuty-
kos/lompos nőszemély 2. prostituált
Trollope ['trɔləp] prop
trombone [trɔm'boʊn; US -ɑm-] n har-
sona, puzon
troop [tru:p] I. n csoport; csapat, sereg;
falka; ~ s csapatok, katonaság; call
out the ~s kivezényli(k) a katonaságot;
raise ~s sereget állít II. A. vi 1. cso-
portosul 2. menetel 3. ~ in betódul
[tömeg]; ~ out kicsődül, kitódul [tö-
meg] B. vt GB ~ the colour(s) zászlós
díszszemlét tart
troop-carrier n csapatszállító hajó/repü-
lőgép
trooper ['tru:pə*] n 1. lovas katona;
swear like a ~ káromkodik mint a
záporeső 2. lovassági ló 3. csapatszál-
lító hajó 4. lovas/motoros rendőr
trooping ['tru:pɪŋ] n 1. csapatgyüleke-
zés; összesereglés 2. GB ~ the colour
zászlós díszszemle
troop-ship n csapatszállító hajó
trope [troʊp] n 1. szókép 2. képes be-
széd
trophy ['troʊfɪ] n 1. hadizsákmány, dia-
dalemlék 2. (vadász)trófea 3. (tisz-
telet)díj [sportban]
tropic ['trɔpɪk; US -ɑ-] I. a forró égövi,
délszaki, tropikus II. n 1. T~ of
Cancer Ráktérítő; T~ of Capricorn
Baktérítő 2. the ~s a trópusok, a for-
ró égöv
tropical ['trɔpɪkl; US -ɑp-] a 1. tropi-
kus; forró égövi; ~ fruits déligyümöl-
cs(ök) 2. átv tüzes, szenvedélyes 3.
képes/átvitt értelmű
trot [trɔt; US -ɑ-] I. n 1. ügetés; full ~
sebes ügetés 2. biz sietős járás; be
(always) on the ~ mindig serénykedik
(v. sürög-forog) 3. biz kisgyerek II.
v -tt- A. vt 1. ügetésre fog [lovat] 2.
megfuttat (vkt) B. vi 1. üget 2. siet;
~ short szaporán lépdel, tipeg
trot along vi biz elsiet
trot out vt előhoz (vmt); büszkélke-
dik (vkvel, vmvel), fitogtat (vmt)
trot round vt végigmutogatja a lát-
nivalókat (vknek)
troth [troʊθ; US -ɔ:-] n † by my ~!

hitemre !, szavamra !, becsületemre !;
plight one's ~ (1) szavát adja (2) elje-
gyez vkt
trotter ['trɔtə*; US -ɑ-] n 1. ügetőló 2.
trotters pl (1) disznóláb, csülök (2) bir-
kaláb [mint étel]
trotting-race ['trɔtɪŋ; US -ɑ-] n ügető-
(verseny)
troubadour ['tru:bəduə*] n trubadúr
trouble ['trʌbl] I. n 1. baj, gond, aggo-
dalom; ask/look for ~ keresi a bajt,
kellemetlenségnek teszi ki magát; be
in ~ bajban van; get into ~ bajba
keveredik; biz get a girl into ~ bajba
hoz egy lányt; be in for ~ kellemetlen-
ség/baj vár rá; what's the ~? mi a baj?,
mi baj van?; mi fáj? 2. zavar, nehéz-
ség; money ~s pénzügyi nehézségek;
have ~ in doing sg baja van vmvel,
bajosan boldogul vmvel; put sy to ~
vknek gondot okoz 3. fáradság, fára-
dozás; it is not worth the ~ nem éri
meg a fáradságot; save ~ fáradságot
megtakarít; spare no ~ nem sajnálja
a fáradságot 4. betegség, baj; heart ~
szívbetegség, -panasz 5. politikai za-
var(gás) 6. hiba, üzemzavar; engine ~
~ motorhiba II. A. vt 1. aggaszt, nyug-
talanít 2. zaklat; fáraszt; zavar; may
I ~ you to . . .? szabad (lesz) kérnem,
hogy . . . , megengedi, hogy . . . 3. kí-
noz, fájdalmat okoz [betegség] B. vi
1. aggódik; ~ about sg aggódik vm
miatt 2. veszi magának a fáradságot;
don't ~ to . . . (igazán) ne fáradjon
(azzal, hogy . . .)
troubled ['trʌbld] a 1. (átv is) zavaros 2.
nyugtalan; zaklatott
trouble-maker n bajkeverő; felforgató
[személy]
trouble-shooter n 1. hibakereső [szerelő]
2. nehéz ügyek elintézője/megoldója
3. (politikai) közvetítő
troublesome ['trʌblsəm] a 1. fáradságos,
nehéz [munka] 2. zavaró, kínzó [kö-
högés] 3. kellemetlen [ügy] 4. neve-
letlen [gyerek]
trough [trɔf; US -ɔ:-] n 1. vályú 2. eső-
vízcsatorna, ereszcsatorna 3. ~ of
the sea hullámvölgy
trounce [traʊns] vt 1. elver; megkorbá-

csol 2. megbírál; lehord, leszid 3. megver, legyőz [ellenfelet]
trouncing ['traʊnsɪŋ] n megverés
troupe [tru:p] n színtársulat
trouper ['tru:pə*] n színész
trouser ['traʊzə*] n (pair of) ~s nadrág, pantalló
trouser-clip n nadrágcsíptető [kerékpárosnak]
trousered ['traʊzəd] a nadrágos, pantallós
trousering ['traʊzərɪŋ] n nadrásanyag
trouser-press n éltartósító nadrágakasztó
trouser-stretcher n nadrágakasztó, -feszítő
trouser-suit n nadrágkosztüm
trousseau ['tru:soʊ; US tru:'soʊ] n kelengye
trout [traʊt] n pisztráng
trout-coloured a pettyes, tarka [ló]
trove [troʊv] n = treasure-trove
trowel ['traʊ(ə)l] n 1. vakolókanál; biz lay it on with a ~ otrombán hízeleg 2. ültetőkanál
trowelful ['traʊ(ə)lfʊl] a vakolókanálnyi
troy [trɔɪ] n ~ (weight) ⟨mérték nemesfémek mérésére: 1 pound ~ weight v. 1 ~ pound = 12 oz (uncia) = 373,24 gramm⟩ ‖→ ounce
truant ['tru:ənt] a/n iskolakerülő; munkakerülő, lógós; play ~ iskolát/munkát kerül, bliccel, lóg
truce [tru:s] n 1. fegyverszünet; ~ of God Isten békéje, treuga dei 2. ~ to jesting elég volt a tréfából!
truce-breaker n hitszegő, békebontó
truck¹ [trʌk] n 1. taliga, targonca; fuvaroskocsi 2. GB (nyitott vasúti) teherkocsi 3. US teherautó, kamion 4. forgóalváz [vasúti kocsié]
truck² [trʌk] n 1. csereüzlet 2. áruban fizetés [alkalmazottaknak]; T~ Act alkalmazottak természetbeni fizetését eltiltó törvény(ek); ~ system természetbeni fizetés rendszere 3. biz érintkezés, kapcsolat; have no ~ with sy semmi köze/dolga nincs vele 4. vegyes holmi 5. US piacra termelt zöldség(féle); ~ farm piacra termelő (konyha)kertészet
truckage¹ ['trʌkɪdʒ] n 1. teherszállítás 2. fuvardíj

truckage² ['trʌkɪdʒ] n csereüzlet; cserebere
truckdriver n teherautóvezető
trucking¹ ['trʌkɪŋ] n teherszállítás, fuvarozás (teherautóval)
trucking² ['trʌkɪŋ] n = truckage²
truckle ['trʌkl] vi alázatoskodik, megalázkodik
truckle-bed n (alacsony kerekes) pótágy, tuliágy
truckler ['trʌklə*] n hízelgő, talpnyaló
truck-load n teherkocsi-rakomány
truculence ['trʌkjʊləns; US -kjə-] n garázdaság, vadság
truculency ['trʌkjʊlənsɪ; US -kjə-] n = truculence
truculent ['trʌkjʊlənt; US -kjə-] a vad, garázda
trudge [trʌdʒ] I. n hosszú és fárasztó gyaloglás II. vi 1. vánszorog, cammog 2. hosszú és fárasztó gyalogutat tesz meg
trudgen ['trʌdʒ(ə)n] n gyorsúszótempó
true [tru:] I. a 1. igaz, igazságnak/valóságnak megfelelő; a ~ story igaz történet; come ~ (1) megvalósul (2) igaznak bizonyul; it holds ~ of sg áll/érvényes vmre 2. igazi, eredeti; valódi 3. pontos, hiteles; a ~ copy hiteles másolat; ~ to type (1) szabályos (2) fajtaazonos 4. hű(séges), állhatatos, lojális II. adv 1. igazán, valóban; őszintén; tell me ~ mondd meg őszintén 2. helyesen; szabályosan III. n out of (the) ~ nem egyenes; megvetemedett IV. vt ~ up hozzáigazít, hozzáilleszt; beállít; beszabályoz
true-blue I. a 1. színtartó kék színű 2. tántoríthatatlan, állhatatos, elvhű II. n 1. színtartó kék szín 2. állhatatos/elvhű ember; jó ügy kitartó harcosa
true-born a született, igazi
true-bred a 1. faj(ta)tiszta, telivér 2. jól nevelt
true-hearted a őszinte, nyíltszívű 3. hűséges, lojális
true-love n 1. őszintén szeretett személy, igaz szerelme vknek 2. igaz/hű szerető
truffle ['trʌfl] n szarvasgomba
truism ['tru:ɪzm] n elcsépelt közhely

trull [trʌl] n szajha

truly ['truːlɪ] adv 1. hűségesen; yours ~ őszinte tisztelettel, tisztelő híve [levél végén] 2. őszintén, valóságnak megfelelően 3. valóban, igazán, ténylegesen, tényleg

Truman ['truːmən] prop

trump¹ [trʌmp] I. n 1. ütőkártya, adu; biz turn up ~s várakozáson felül sikerül 2. biz remek ember/fickó II. vt 1. ütőkártyát kijátssza, aduval üt 2. ~ up sg kohol [vádat], kieszel [csalást]

trump² [trʌmp] n harsona; the last ~ a végítélet harsonája

trump-card n ütőkártya, adu

trumpery ['trʌmpərɪ] a/n 1. tetszetős de értéktelen/vacak (holmi), bóvli 2. ostoba beszéd

trumpet ['trʌmpɪt] I. n 1. trombita; blow one's own ~ önmaga dicséretét zengi; flourish of ~s fanfár, trombitaharsogás 2. szócső, hallócső 3. trombitaszó II. A. vi trombitál B. vt kikürtöl, (el)híresztel

trumpet-call n 1. kürtjel, trombitajel 2. jeladás/felszólítás cselekvésre

trumpeter ['trʌmpɪtə*] n trombitás, kürtös

trumpeting ['trʌmpɪtɪŋ] n trombitálás

trumpet-major n ezredtrombitás

trumpet-shell n kürtös csiga

trumpet-tongued a harsona szavú

truncate [trʌŋ'keɪt] vt megcsonkít

truncated [trʌŋ'keɪtɪd] a megcsonkított; ~ cone csonka kúp

truncheon ['trʌntʃ(ə)n] n gumibot [rendőré]

trundle ['trʌndl] I. n 1. görgő(kerék) [bútor lábán] 2. alacsony targonca II. A. vt görget, gurít B. vi gurul

trundle-bed n = truckle-bed

trunk [trʌŋk] n 1. (fa)törzs, tuskó 2. törzs [testrész] 3. főútvonal, fő közlekedési út; GB biz give me ~s kérem a távolsági bejelentőt 4. bőrönd, útiláda; US csomagtartó [gépkocsiban] 5. ormány [elefánté] 6. trunks pl alsónadrág; (bathing) ~s fürdőnadrág

trunk-call n GB távolsági telefonbeszélgetés/hívás

trunk-drawers [-drɔːz] n pl rövid alsónadrág

trunkful ['trʌŋkfʊl] a bőröndnyi

trunk-hose n térdnadrág, rövid bugyogó

trunk-line n 1. (vasúti) fővonal 2. főútvonal 3. távolsági távbeszélő-vezeték

trunk-maker n bőröndös, bőröndkészítő

trunk-road n főútvonal, fő közlekedési út

trunnion ['trʌnjən] n 1. forgattyúcsap 2. kettős csap

truss [trʌs] I. n 1. nyaláb, [széna, virág] csomó 2. váz(szerkezet), rácsos tartó/ szerkezet 3. sérvkötő II. vt 1. csomóba/bálába köt 2. összekötöz [szárnyast sütés előtt]; ~ up (1) † felakaszt [bűnözőt] (2) megkötöz, összekötöz [személyt] 3. merevít, bordákkal feszít, kitámaszt; rácsoz

truss-bridge n rácsos szerkezetű híd

truss-girder n rácsos tartó

trussing ['trʌsɪŋ] n 1. összekötés 2. rácsos tartószerkezet

trust [trʌst] I. n 1. bizalom; breach of ~ hitszegés; position of ~ bizalmi állás; put one's ~ in sy vkbe veti bizalmát; take sg on ~ vakon elhisz vmt 2. remény(ség) 3. erkölcsi kötelesség; felelősség 4. őrizet, megőrzés; letét; on ~ (1) letétbe helyezett, megőrzésre átadott/átvett (2) hitelbe adott; hold sg in ~ for sy vk részére kezel/gondoz vmt; ~ territory gyámsági terület 5. (kereskedelmi) hitel; supply sg on ~ vmt hitelben szállít 6. célvagyonrendelés, bizalmi tulajdonátruházás 7. érdekszövetkezet, tröszt II. A. vt 1. bizalommal viseltetik; hisz (vknek v. vmnek); megbízik (vkben v. vmben); he is not to be ~ed nem lehet benne megbízni 2. megbíz (vkt vmvel), rábíz (vmt vkre) 3. letétbe helyez, megőrzésre (és kezelésre) átad 4. (kereskedelmi) hitelt ad 5. meg van győződve (vmről); hisz (vmt); I ~ to hear from you soon remélem, nemsokára hírt kapok Öntől B. vi 1. ~ in sy (meg)bízik vkben 2. ~ to sg bízik, reménykedik (vmben); don't ~ to luck ne bízzál a szerencsében

trust-deed *n* bizalmi meghatalmazás
trusted ['trʌstɪd] *a* 1. megbízható 2. bizalmas
trustee [trʌs'ti:] *n* 1. meghatalmazott; gondnok; *board of* ~s gondnokság; *public* ~ közgyám; ~ *in bankruptcy* csődtömeggondnok 2. célvagyon kezelője 3. kurátor
trusteeship [trʌs'ti:ʃɪp] *n* 1. meghatalmazotti tisztség/működés 2. gyámság
trust-estate *n* alapítványi vagyon
trustful ['trʌstf(ʊ)l] *a* bizalomteljes
trustfulness ['trʌstf(ʊ)lnɪs] *n* bizalom
trustiness ['trʌstɪnɪs] *n* megbízhatóság
trusting ['trʌstɪŋ] *a* 1. bízó 2. remélő
trustingly ['trʌstɪŋlɪ] *adv* bizalommal, bízva; reménykedve
trustless ['trʌstlɪs] *a* 1. megbízhatatlan 2. gyanakvó
trustworthy ['trʌstwɜ:ðɪ] *a* 1. megbízható 2. hitelt érdemlő, szavahihető
trusty ['trʌstɪ] *a* megbízható, becsületes
truth [tru:θ; *pl* -ðz] *n* igazság, valóság; *in* ~ valójában, igazán; ~ *to tell/say* az igazat megvallva; ~ *will out* az igazság napfényre jön
truthful ['tru:θf(ʊ)l] *a* 1. igaz(mondó), szavahihető, őszinte 2. igaz
truthfully ['tru:θfʊlɪ] *adv* őszintén, az igazságnak megfelelően
truthfulness ['tru:θf(ʊ)lnɪs] *n* 1. igazmondás 2. hitelesség [vallomásé stb.]
truthless ['tru:θlɪs] *a* 1. nem igaz, valótlan 2. szószegő; hamis
try [traɪ] I. *n* 1. kísérlet; *have a* ~ *at (doing)* sg megkísérel/megpróbál vmt 2. hárompontos gól [rögbiben] II. *v* (*pt/pp* **tried** traɪd) A. *vt* 1. ki-, megpróbál, megkísérel; megvizsgál, ellenőriz [gépet stb.]; ~ *one's strength against* sy összeméri az erejét vkvel 2. próbára tesz; megerőltet 3. bíróság elé állít, kihallgat; *which judge will* ~ *the case?* melyik bíró fogja tárgyalni az ügyet?; *he was tried for murder* emberölés vádjával állították bíróság elé B. *vi* 1. próbál(kozik), kísérletet tesz 2. igyekszik
  try after/for *vi* vmt elnyerni/elérni igyekszik, törekszik vmre

try on *vt* felpróbál [ruhadarabot]
try out *vt* kipróbál
trying ['traɪɪŋ] *a* fárasztó; *he's* ~ idegeire megy az embernek
trying-plane *n* simítógyalu
try-on *n* „kísérleti léggömb", beugratási kísérlet
try-out *n* kipróbálás; próba
trysail ['traɪsl] *n* csonka csúcsvitorla
try-square *n* szögletmérő, „vinkli"
tryst [trɪst v. traɪst] *n* † találka, randevú
trysting-place ['trɪstɪŋ- v. 'traɪstɪŋ-] *n* † randevúhely
tsar [zɑ:*] *n* cár
tsetse ['tsetsɪ] *n* cecelégy
T-shirt ['ti:-] *n* (rövid ujjú) trikó, póló(ing)
T-square ['ti:-] *n* fejes vonalzó
T.U. [ti:'ju:] *Trade Union* szakszervezet(i), szaksz.
tub [tʌb] I. *n* 1. kád; dézsa, teknő 2. fürdőkád 3. fürdés [kádban]; *have a* ~ kádban fürdik; *tale of a* ~ dajkamese, zagyva beszéd 4. *biz* tanulóhajó II. *v* **-bb-** A. *vt* 1. kádban fürdet 2. ládába ültet [növényt] B. *vi* kádban fürdik
tuba ['tju:bə; *US* 'tu:-] *n* tuba
tubbed [tʌbd] →*tub II.*
tubby ['tʌbɪ] *a* 1. *biz* köpcös 2. tompa hangú [hangszer]
tube [tju:b; *US* tu:b] I. *n* 1. cső, (cső-)vezeték; *bronchial* ~s hörgők `2. tubus 3. földalatti (vasút) [Londonban] 4. *US* (elektron)cső 5. (gumi-)tömlő [autóé, kerékpáré] II. *vt* csővel bélel/ellát; csőben vezet
tuber ['tju:bə*; *US* 'tu:-] *n* 1. gumó 2. dudor, bütyök 3. *biz* krumpli
tube-railway *n* földalatti vasút
tubercular [tju:'bə:kjʊlə*; *US* tu:'bə:rkjə-] *a* 1. gümős, gumós 2. gümőkóros, tbc-s
tuberculosis [tju:bə:kju'loʊsɪs; *US* tu:-bə:rkjə-] *n* gümőkór, tuberkulózis, tébécé; *pulmonary* ~ tüdővész
tuberculous [tju:'bə:kjʊləs; *US* tu:-'bə:rkjə-] *a* gümőkóros, tuberkukózisos, tébécéses
tuberous ['tju:bərəs; *US* 'tu:-] *a* gumós, bütykös

tube-station *n* földalatti-állomás
tubing ['tju:bɪŋ; *US* 'tu:-] *n* **1.** cső(darab) **2.** csőrendszer
tub-thumper *n* demagóg
tubular ['tju:bjʊlə*; *US* 'tu:bjə-] *a* cső alakú, csöves, cső-; ~ *scaffolding* csőállványzat; ~ *furniture* csőbútor
T.U.C. [ti:ju:'si:] *Trades Union Congress* Szakszervezeti Szövetség
tuck [tʌk] **I.** *n* **1.** behajtás [ruhán]; felhajtás, szegély **2.** *GB* □ nyalánkság **II. A.** *vt* **1.** redőz; felhajtást csinál **2.** behajt; begyűr **B.** *vi* ráncol, redőz
tuck away *vt* **1.** elrak, eltesz **2.** eldug
tuck in **A.** *vt* **1.** behajt, begyűr, bedug; alátűr **2.** ~ *sy in* vkt jól betakar/bebugyolál [ágyban] **B.** *vi biz* „bepakol", „burkol" [ételből]
tuck into *vt* **1.** bedug, begyűr, begyömöszöl **2.** elrejt **3.** *biz* ~ *i. a pie* jól nekilát a pitének
tuck up *vt* **1.** feltűr, felhajt **2.** betakar, bebugyolál
tucker[1] ['tʌkə*] →*bib I. 2.*
tucker[2] ['tʌkə*] *vt US biz* ~ (*out*) agyonfáraszt, kimerít
tuck-in *n biz* nagy evészet, „bepakolás", „burkolás"
tuck-shop *n* iskolai cukrosbolt
Tucson [tu:'sɔn; *US* -'san] *prop*
Tudor ['tju:də*] *prop*
Tues. *Tuesday* kedd
Tuesday ['tju:zdɪ v. -deɪ; *US* 'tu:-] *n* kedd
tufa ['tju:fə; *US* 'tu:-] *n* lávakő, tufa
tuff [tʌf] *n* = *tufa*
tuft [tʌft] *n* **1.** bojt, rojt **2.** bóbita; hajcsomó, üstök, tincs **3.** (fű)csomó; cserjés **4.** *biz* † főnemesi rangú diák [Oxfordban és Cambridge-ben]
tufted ['tʌftɪd] *a* **1.** rojtos, bojtos **2.** bóbitás
tuft-hunting *n* nyalás az előkelőknek
tug [tʌg] **I.** *n* **1.** (meg)rántás, (meg)húzás **2.** vontató(hajó) **II.** *v* -gg- **A.** *vi* ránt, húz; húzgál, rángat **B.** *vt* **1.** (meg)ránt; húz **2.** vontat [hajót]
tugboat *n* vontatóhajó
tug-of-war [tʌgəv'wɔ:*] *n* **1.** kötélhúzás **2.** huzakodás

tuition [tju:'ɪʃn; *US* tu:-] *n* **1.** oktatás, tanítás; *private* ~ magánórák, instruálás **2.** tandíj
tulip ['tju:lɪp; *US* 'tu:-] *n* tulipán; ~ *tree* tulipánfa
tulle [tju:l; *US* tu:l] *n* tüll
tumble ['tʌmbl] **I.** *n* **1.** (le)esés, (fel-) bukás **2.** bukfenc(ezés) **3.** felfordulás, rendetlenség **II. A.** *vi* **1.** (le)esik, bukik, dől; **2.** hánykolódik **3.** bukfencez, bukfencet vet **B.** *vt* **1.** felborít, ledönt **2.** szétzilál, összevissza hány/dobál
tumble down **A.** *vi* elesik; ledől **B.** *vt* feldönt, felborít; ledob
tumble into *vi* ~ *i. a room* beront/beesik a szobába
tumble on *vi biz* véletlenül (rá)bukkan (vmre)
tumble out *vi* **1.** kiesik (vhonnan) **2.** *biz* kiugrik (az ágyból); kiront
tumble over **A.** *vi* felbukik, átbukik (vmn) **B.** *vt* feldönt, felbuktat (vkt, vmt)
tumble to *vi biz* megért, felfog (vmt), (hirtelen) rájön (vmre), kapcsol
tumble-down *a biz* düledező, rozoga
tumbler ['tʌmblə*] *n* **1.** † akrobata **2.** ivópohár, vizespohár **3.** bukógalamb **4.** retesz; rugózat; pecek [záré] **5.** buktató(szerkezet) **6.** dob [kotrógépé] **7.** ~ (*switch*) billenőkapcsoló **8.** ~(*-drier*) tumbler-szárítógép
tumbleweed *n US* ördögszekér
tumbrel ['tʌmbr(ə)l] *n* kordé
tumbril ['tʌmbrɪl] *n* = *tumbrel*
tumefy ['tju:mɪfaɪ; *US* 'tu:-] **A.** *vi* megdagad, megduzzad **B.** *vt* daganatot okoz, felduzzaszt
tumescence [tju:'mesns; *US* tu:-] *n* **1.** (meg)dagadás **2.** daganat, duzzanat
tumescent [tju:'mesnt; *US* tu:-] *a* dagadó, dagadt; duzzadt
tumid ['tju:mɪd; *US* 'tu:-] *a* **1.** dagadt **2.** dagályos, bombasztikus [stílus]
tummy ['tʌmɪ] *n biz* haskó, poci
tumour ['tju:mə* v. -mor ['tju:mə*; *US* 'tu:-] *n* daganat, tumor
tumult ['tju:mʌlt; *US* 'tu:-] *n* **1.** fel-

fordulás, csődület, tumultus 2. izgalom

tumultuous [tju:'mʌltjʊəs; US tu:'mʌltʃʊ-] a 1. viharos, lármás 2. izgatott

tumulus ['tju:mjʊləs; US 'tu:mjə-] n (pl~es-ız v. -lai-laı) (őskori) sírdomb

tun [tʌn] n (erjesztő)hordó

tuna ['tu:nə] n tonhal

tunable ['tju:nəbl; US 'tu:-] a 1. hangolható 2. dallamos

tun-bellied a biz potrohos, pocakos

tundra ['tʌndrə] n tundra

tune [tju:n; US tu:n] I. n 1. dallam; átv hang(nem); change one's ~ más hangon beszél 2. összehangzás; be out of ~ (1) el van hangolva [zongora] (2) hamisan énekel/játszik (3) rosszkedvű [ember]; put in ~ (1) felhangol [hangszert] (2) jókedvre hangol (vkt); be in ~ with sg vmvel összhangban van; be not in ~ for sg nincs kedve vmhez 3. biz to the ~ of . . . . . . erejéig; he was fined to the ~ of 20 dollars 20 dollár bírságot sóztak rá II. vt 1. (fel)hangol 2. zenével kifejez/ünnepel 3. összhangba hoz 4. (be)hangol; beállít [rádiót, tévét stb.]
　　tune in vt beállít, vesz [adást rádión/tévében]
　　tune up A. vt 1. (fel)hangol 2. beállít [rádiót, repgépet stb.] B. vi 1. hangol [zenekar] 2. biz énekelni/zenélni kezd, rázendít

tuneful ['tju:nf(ʊ)l; US 'tu:-] a dallamos, melodikus

tunefully ['tju:nfʊlı; US 'tu:-] adv dallamosan; összhangban

tuneless ['tju:nlıs; US 'tu:-] a dallamtalan

tuner ['tju:nə*; US 'tu:-] n [hangszer-] hangoló

tungsten ['tʌŋstən] n wolfram

tunic ['tju:nık; US 'tu:-] n 1. tunika 2. (katona)zubbony

tuning ['tju:nıŋ; US 'tu:-] n 1. hangolás 2. ~ in behangolás; beállítás

tuning-fork n hangvilla

tuning-hammer n hangolókalapács

Tunis ['tju:nıs; US 'tu:-] prop Tunisz

Tunisia [tju:'nızıə; US tu:'nıʃə] prop Tunézia

Tunisian [tju:'nızıən; US tu:'nıʃən] a/n tunéziai

tunnel ['tʌnl] I. n alagút; drive a ~ alagutat épít II. vt/vi -ll- (US -l-) alagutat fúr

tunny ['tʌnı] n tonhal

tup [tʌp] I. n kos II. vt -pp- befedez, meghág [kos]

tuppence ['tʌpəns] n biz két penny

tuppeny ['tʌpnı] a biz kétpennys; ~ ha'penny affair piszlicsáré ügy

Turanian [tjʊə'reınjən; US tʊ-] a turáni

turban ['tə:bən] n turbán

turbid ['tə:bıd] a (átv is) zavaros, homályos

turbidity [tə:'bıdətı] n (átv is) zavarosság

turbidness ['tə:bıdnıs] n = turbidity

turbine ['tə:baın; US -bın v. -baın] n turbina

turbine-chamber n vízkamra [turbináé]

turbine-driven a turbinahajtású

turbine-pit n turbinaház

turbo- [tə:bou-] turbó-; turbinás

turbo-compressor n turbinás légsűrítő, turbókompresszor

turbo-dynamo n turbinás dinamó

turbo-generator n turbógenerátor

turbojet n 1. ~ (engine) turbó-sugárhajtómű, gázturbinás sugárhajtómű, hőlégsugár-motor 2. turbó-sugárhatású repülőgép

turbo-motor n (gőz)turbina

turbo-prop [-prɔp; US -ap] n 1. ~ (engine) turbólégcsavaros hajtómű 2. turbólégcsavaros repülőgép

turbot ['tə:bət] n nagy rombuszhal

turbulence ['tə:bjʊləns; US -bjə-] n 1. féktelenkedés, duhajság, zajongás 2. zűrzavar; zavargás

turbulent ['tə:bjʊlənt; US -bjə-] a szilaj, féktelen, zajongó, duhaj(kodó); turbulens

turd [tə:d] n vulg szar

tureen [tə:'ri:n; US tʊ-] n levesestál

turf [tə:f] I. n 1. gyep, pázsit; gyeptégla 2. tőzeg 3. the ~ a turf (1) lóversenypálya (2) lóversenyezés II. vt begyepesít

2. dagályos, nagyhangú, bombasztikus
turgidity [təːˈdʒɪdətɪ] *n* 1. duzzadtság, daganat 2. dagályosság
Turk [təːk] *n* 1. török (ember, nyelv); *turn* ~ elfajul, renegát lesz 2. *a regular young* ~ vásott/rossz kölyök
turkey[1] [ˈtəːkɪ] *n* 1. pulyka 2. *US biz talk* ~ nyíltan beszél, a tárgyra tér
Turkey[2] [ˈtəːkɪ] *prop* Törökország; ~ *carpet* keleti szőnyeg, perzsaszőnyeg; ~ *red* buzérvörös; ~ *towel* dörzstörülköző, frottírtörülköző
turkey-cock *n* 1. pulykakakas 2. beképzelt személy
Turkish [ˈtəːkɪʃ] I. *a* török; ~ *bath* gőzfürdő; ~ *delight* szultánkenyér, rahát; ~ *towel* dörzstörülköző, frottírtörülköző II. *n* a török nyelv
turmeric [ˈtəːmərɪk] *n* kurkuma
turmoil [ˈtəːmɔɪl] *n* nyugtalanság, izgalom; (zűr)zavar
turn [təːn] I. *n* 1. megfordítás, megfordulás; *meat done to a* ~ tökéletesen elkészített hús 2. forgás, keringés 3. fordulat; forduló; ~ *of the century* századforduló; *a* ~ *in his fortune* fordulópont sorsában; *a* ~ *for the better* kedvező fordulat; *take a* ~ *to the right* jobbra fordul 4. irány, hajlam, tehetség; ~ *of mind* beállítottság, észjárás, gondolkodásmód; *have a* ~ *for languages* nyelvtehetség 5. (fel-) váltás, turnus; *at every* ~ minduntalan, minden alkalommal; *by* ~s felváltva; *in* ~ (1) sorjában, felváltva (2) pedig, viszont; *each in* ~ sorjában mindegyik; *it is your* ~ rajtad a sor; ~ *and* ~ *about* mindenki sorjában; *out of* ~ soron kívül, nem várva be a sorát; *take* ~s (*at doing sg*) felváltva végeznek vmt 6. ijedtség; *biz you gave me quite a* ~! ugyancsak rám ijesztettél! 7. *do sy a good* ~ vkvel jót tesz 8. *turns pl* havibaj, menstruáció II. A. *vt* 1. (meg)fordít; (meg)forgat; *he didn't* ~ *a hair* a szempillája sem rezdült; ~ *a page* lapoz; *success has* ~*ed his head* a siker elkapatta 2. fordít, irányít [figyelmet] 3. alakít, formál; ~ *a compliment*

kivág egy bókot; ~ *a somersault* bukfencet vet 4. esztergályoz 5. meghajlít; ~ *the edge* eltompít 6. *it has just* ~*ed one* egy óra múlt; *he is* ~*ed fifty* elmúlt ötvenéves B. *vi* 1. forog; forgolódik; *enough to make him* ~ *in his grave* ettől megfordul a sírjában; *my head* ~*s* szédülök 2. (meg-) fordul; kanyarodik; ~ *short* hirtelen megfordul 3. fordul (vhova, vkhez); *I don't know where to* ~ nem tudom hova forduljak 4. lesz, válik (vmvé); ~ *red* elvörösödik; *the milk had* ~*ed* (*sour*) a tej megsavanyodott; *it* ~*ed to dust* porrá vált/omlott 5. esztergályoz
turn about A. *vt* megfordít B. *vi* megfordul; forgolódik
turn against *vi* szembefordul
turn aside A. *vt* 1. félrefordít 2. elhárít B. *vi* 1. félrefordul 2. félremegy
turn away A. *vt* 1. elfordít, félrefordít 2. elhárít, elutasít 3. elküld, elbocsát (vkt) B. *vi* 1. elfordul 2. elmegy
turn back A. *vt* visszafordít; visszaküld B. *vi* visszafordul
turn down A. *vt* 1. lefelé fordít, lehajt 2. lecsavar [lángot]; tompít [fényt]; lehalkít [rádiót] 3. elutasít, kikosaraz 4. ~ *sg upside d.* teljesen felfordít vmt B. *vi* ~ *upside d.* felfordul
turn from A. *vt* elfordít, eltérít B. *vi* elfordul vktől/vmtől
turn in A. *vt* 1. behajt; begörbít 2. átad, bead; beszolgáltat B. *vi* 1. befordul, behajlik 2. betér (vhová) 3. *biz* lefekszik (aludni)
turn into A. *vt* 1. átváltoztat (vmvé) 2. lefordít [más nyelvre] B. *vi* 1. vmvé válik; ~ *i. vinegar* megecetesedik 2. befordul, betér (vhova)
turn off A. *vt* 1. elzár [vizet, gázt stb.], elolt, lecsavar [villanyt], kikapcsol [rádiót, tévét] 2. elbocsát; elküld (vkt) B. *vi* eltér, letér; elkanyarodik [út]
turn on A. *vt* 1. megereszt [vizet]; kinyit [csapot] 2. felcsavar, -gyújt [villanyt]; bekapcsol [rádiót] 3. □ ~ *sy on* felizgat vkt [nemileg] B. *vi*

1. ~ on sy nekitámad vknek 2. függ (vmtől)
turn out A. vt 1. kifordít 2. kirak, kiürít; ~ the room o. kitakarítja a szobát 3. kikerget, kidob 4. előállít, gyárt 5. felszerel 6. elolt [lámpát, elzár [gázt] 7. kicsap legelni [háziállatot] B. vi 1. kifordul, kificamodik 2. kivonul; sztrájkba lép 3. kikel, felkel [ágyból] 4. kiderül, vmnek bizonyul; as it ~ed o. ahogy kiderült; he ~ed o. to ... kiderült róla, hogy ...; ~ o. well, ~ o. a success jól sikerül/végződik
turn over A. vt 1. felborít, felfordít 2. elméjében forgat, meghány-vet [gondolatot] 3. felfordít; felhány 4. forgat [könyvlapokat]; lapoz(gat); please ~ o.! (röv. P.T.O.) fordíts! 5. ~ sg o. to sy vmt átad vknek 6. forgalmaz [pénzt] B. vi 1. megfordul; felfordul 2. átpártol
turn round A. vt megfordít B. vi megfordul; ~ r. and r. forog, pörög
turn to A. vt 1. fordít (vhova, vmre) 2. változtat (vmvé) B. vi 1. nekilát; nekifog (vmnek) 2. fordul (vkhez, vhová) 3. változik (vmvé)
turn up A. vt 1. felfelé fordít; ~ up one's eyes szemeit az ég felé fordítja 2. felhajt, feltűr [ruhát] 3. kifordít vmt (földből) 4. ~ up a word in the dictionary egy szót megkeres a szótárban 5. biz émelyít B. vi 1. felfelé fordul, felhajlik 2. megjelenik, beállít (vhova); előkerül, adódik; sg will ~ up vm majd csak adódik
turn upon vi 1. nekitámad 2. függ (vmtől)
turnabout n 1. megfordulás 2. US körhinta, ringlispil
turn-bench n esztergapad
turn-buckle n feszítőcsavar
turn-coat n biz köpönyegforgató
turncock n szerelő [a vízművektől]
turn-down a ~ collar kihajtós gallér; duplagallér
turned [tə:nd] a 1. (meg)fordított 2. esztergályozott
turner ['tə:nə*] n esztergályos
turnery ['tə:nərɪ] n 1. esztergályozás

2. esztergályozott munkadarab 3. esztergályosműhely
turning ['tə:nɪŋ] n 1. forgás; fordulat 2. (meg)fordítás 3. forduló; kanyar, kanyarodás 4. útelágazás 5. esztergályozás
turning-chisel n völgyelő véső
turning-lathe n esztergapad
turning-moment n forgatónyomaték
turning-point n (átv is) fordulópont
turnip ['tə:nɪp] n (tarló)répa, fehérrépa; Swedish ~ karórépa
turnip-tops n pl répalevél
turnkey I. a ~ contract kulcsátadásos szerződés II. n börtönőr
turn-out n 1. megjelenés, jelentkezés [pl. szolgálattételre] 2. GB sztrájk 3. gyülekezet, összejövetel, nagy tömeg; nézőközönség 4. (dísz)fogat 5. termelés [mennyisége adott időpontban] 6. felszerelés 7. (vasúti) kitérő 8. give sg a good ~ alaposan kitakarít vmt
turnover n 1. (üzleti) forgalom; ~ tax forgalmi adó 2. felborítás 3. felborulás 4. másik oldalon folytatódó újságcikk 5. kb. összehajtott palacsinta
turnpike n 1. forgókorlát 2. vámsorompó; útelzáró sorompó 3. US ~ (road) fizető-autópálya
turn-screw n csavarhúzó
turnsole ['tə:nsoul] n napraforgó
turnspit n nyársforgató
turnstile n (útelzáró) forgókereszt, forgósorompó
turntable n 1. mozdonyfordító korong 2. lemeztányér [lemezjátszóé]
turn-up n GB felhajtás [nadrágon]
turpentine ['tə:p(ə)ntaɪn] n terpentin
turpitude ['tə:pɪtju:d; US -tu:d] n aljasság, gyalázatosság
turquoise ['tə:kwɔɪz; US -kɔɪz] a/n türkiz(kék), égszínkék
turret ['tʌrɪt] n 1. tornyocska 2. (forgatható) páncéltorony
turreted ['tʌrɪtɪd] a tornyos
turtle ['tə:tl] n 1. (vízi) teknősbéka 2. biz turn ~ felborul [hajó, csónak]
turtle-dove n gerle, vadgalamb
turtleneck n garbónyak [pulóveren]
turtle-soup n teknősbékaleves

Tuscany ['tʌskənɪ] *prop* Toscana

tush¹ [tʌʃ] *n* szemfog [lóé]

tush² [tʌʃ] *int* ugyan!, hagyd!

tusk [tʌsk] *n* agyar

tusked [tʌskt] *a* agyaros

tusker ['tʌskə*] *n* *biz* 1. elefánt 2. vaddisznó

Tussaud's [tə'sɔ:dz] *prop* Madame ~ ⟨londoni panoptikum⟩

tussle ['tʌsl] I. *n* birkózás, küzdelem II. *vi* tusakodik, birkózik, viaskodik

tussock ['tʌsək] *n* fűcsomó, hajcsomó

tut [tʌt] *int* ugyan!, hagyd már!, semmi; ~ ... ~! ugyan ... ugyan!

tutelage ['tju:tɪlɪdʒ; *US* 'tu:-] *n* 1. gyámkodás 2. gyámság

tutelar ['tju:tɪlə*; *US* 'tu:-] *a* = *tutelary*

tutelary ['tju:tɪlərɪ; *US* 'tu:-] *a* 1. oltalmazó, gondviselő 2. gyámi, gyámtutor ['tju:tə*; *US* 'tu:-] I. *n* 1. tanulmányvezető/konzultáló tanár [egyes brit egyetemeken] 2. oktató 3. házitanító II. *vt* magánórákat ad; instruál; előkészít [tanulót vmre]

tutorial [tju:'tɔ:rɪəl; *US* tu:-] I. *a* nevelői, oktatói II. *n* oktatói óra; különóra; óra a „tutor"-ral [brit egyetemeken]

tu-whit [tʊ'wɪt; *US* -'hw-] I. *n* (bagoly-) huhogás II. *vi* huhog

tu-whoo [tʊ'wu:] *n/vi* = *tu-whit*

tuxedo [tʌk'si:doʊ] *n* *US* szmoking

TV [ti:'vi:] *television* televízió, TV, tv, tévé

TVA, T.V.A. [ti:vi:'eɪ] *Tennessee Valley Authority* ⟨egy amerikai állami erőműhatóság a T. völgyében⟩

twaddle ['twɔdl; *US* -ɑ-] I. *n* fecsegés, locsogás II. *vi* fecseg

twain [tweɪn] *a/n* kettő; *in* ~ ketté

twang [twæŋ] I. *n* 1. pengés, pengő hang [húré] 2. *(nasal)* ~ orrhang(ú beszéd) II. A. *vi* peng, dong; vibrál, rezonál B. *vt* penget; ~ *a guitar* gitárt penget

'twas [twɔz; gyenge ejtésű alakja: twəz] = *it was*

tweak [twi:k] *vt* csíp és csavar

tweed [twi:d] *n* 1. gyapjúszövet, tweed 2. tweeds *pl* tweedöltöny

tweedledum and tweedledee [twi:dl-

'dʌmən twi:dl'di:] *n* ⟨két egészen egyforma jellemű és küllemű ember⟩; ⟨két egyforma dolog⟩

'tween [twi:n] = *between*

'tween-decks *n* fedélköz

tweet [twi:t] I. *n* csipogás II. *vi* csipog, csiripel

tweezers ['twi:zəz] *n* *pl* csipesz, kis csíptető

twelfth [twelfθ] I. *a* tizenkettedik II. *n* 1. a tizenkettedik 2. tizenkettedrész

Twelfth-night *n* vízkereszt (előestéje); *Twelfth Night; or, what You Will* Vízkereszt, vagy amit akartok

twelve [twelv] I. *a* tizenkettő, tizenkét II. *n* tizenkettő

twelvemo, 12mo ['twelvmoʊ] *a/n* tizenkettedrét [alak, könyv]

twelvemonth I. *n* (egy) év II. *adv this day* ~ (1) mához egy évre (2) ma egy éve

twentieth ['twentɪθ] I. *a* huszadik II. *n* huszad(rész)

twenty ['twentɪ] *a/n* húsz; *the twenties* a húszas évek

'twere [twə:*] = *it were*

twerp [twə:p] *n* □ hitvány fráter

twice [twaɪs] *adv* kétszer, kétszeresen; ~ *as much/many* kétszer annyi; ~ *over* még kétszer; ~ *his age* kétszer olyan idős; *think* ~ *before* ... kétszer is meggondolja, mielőtt ...

twice-told *a* 1. már egyszer elmondott 2. elcsépelt

Twickenham ['twɪknəm] *prop*

twiddle ['twɪdl] A. *vt* ujjával pödör/forgat; ~ *one's thumbs* (1) malmozik (2) ölbe tett kézzel vár B. *vi* babrál, játszik (*with* vmvel)

twig¹ [twɪg] *n* gally, ág(acska); vessző; *biz hop the* ~ beadja a kulcsot

twig² [twɪg] *vt* -gg- *biz* 1. megért, felfog 2. észrevesz; meglát

twilight ['twaɪlaɪt] *n* 1. szürkület, alkony 2. homály

twilit ['twaɪlɪt] *a* 1. alkonyi, szürkületi 2. homályos

twill [twɪl] *n* köpper

'twill [twɪl] = *it will*

twin [twɪn] I. *a* 1. iker-; *US* T~ *Cities* Minneapolis és St. Paul [a

Mississippi két partján] 2. kettős, páros II. *n* ikergyermek; iker(testvér) **twin-cylinder** *a* kéthengeres [motor] **twine** [twaɪn] I. *n* 1. zsinór, spárga, zsineg 2. fonadék II. A. *vt* 1. (össze)teker, (össze)sodor [zsinórt]; ~ *about/ round sg* vm köré csavar 2. átkarol, átölel B. *vi* 1. csavarodik (vmre) 2. kanyarog [út] **twin-engine(d)** *a* kétmotoros **twiner** ['twaɪnə*] *n* futó-, kúszónövény **twinge** [twɪndʒ] I. *n* 1. szúró/hasító fájdalom 2. ~ *of conscience* lelkiismeretfurdalás II. *vt* szúr, lüktetve fáj **twinkle** ['twɪŋkl] I. *n* 1. pislogás, hunyorgás 2. szemvillanás 3. csillogás; csillámlás II. *vi* 1. pislog, hunyorog 2. csillog, villog, ragyog, szikrázik **twinkling** ['twɪŋklɪŋ] *n* pillantás, hunyorítás; *in the* ~ *of an eye* egy szemvillanásnyi idő alatt **twin-screw** *a* ikercsavaros **twirl** [twəːl] I. *n* 1. forgatás, pörgetés; pödrés 2. forgás, pörgés 3. tekeredés, csavarodás 4. cifrázás, cikornya II. A. *vt* forgat, pörget; pödör; ~ *the thumbs* (ujjaival) malmozik; ölbe tett kézzel vár B. *vi* forog, pörög **twirp** [twəːp] *n* □ = *twerp* **twist** [twɪst] I. *n* 1. sodrat; sodrott fonal/kötél 2. ~ *(of tobacco)* dohánytekercs 3. sodrás, pörgetés, csavarás [labdáé] 4. elferdítés; kiforgatás [jelentésé] 5. csavarodás, tekeredés 6. elkanyarodás; kanyar 7. *átv* váratlan fordulat 8. különös hajlam; fonákság 9. *GB biz* farkasétvágy 10. □ csaj 11. tviszt [tánc] II. A. *vt* 1. (össze)fon 2. csavar, sodor, teker 3. *(átv is)* kiforgat, elferdít B. *vi* 1. kanyarog, kígyózik; gyűrűzik 2. elgörbül, vetemedik 3. tvisztel **twisted** ['twɪstɪd] *a* 1. sodrott 2. meggörbült 3. *(átv is)* elferdült **twister** ['twɪstə*] *n* 1. sodró(gép) 2. pörgetett/csavart labda 3. *biz* megbízhatatlan/fortélyos ember 4. *biz* nehéz/fogas kérdés 5. nehezen kiejthető szó; nyelvtörő **twisting** ['twɪstɪŋ] *n* 1. fonás 2. sodrás; csavarás; ~ *force* csavaróerő

twisty ['twɪstɪ] *a* 1. tekeredő, kígyózó; csavarodó, csavaros 2. tisztességtelen; megbízhatatlan **twit** [twɪt] *vt* -tt- *biz* bosszant, szekál (vkt vmvel) **twitch** [twɪtʃ] I. *n* 1. hirtelen (meg)rántás 2. rángatódzás; *facial* ~ arcrángás 3. pipa [lónak] II. A. *vt* (meg)ránt; rángat B. *vi* rángatódzik **twitter** ['twɪtə*] I. *n* 1. csicsergés, csiripelés 2. *biz* izgatottság, reszketés II. *vi* csicsereg, csiripel **'twixt** [twɪkst] = *betwixt* **two** [tuː] *a/n* 1. kettő, két; kettes; *cut in* ~ kettévág; *in* ~*s,* ~ *by* ~ kettesével, kettenként; *one or* ~*,* ~ *or three* egypár, néhány 2. *biz do number* ~ nagydolgozik **two-edged** *a (átv is)* kétélű **two-faced** *a* kétarcú; kétszínű, hamis **two-fisted** *a US biz* energikus, rámenős **twofold** ['tuːfəʊld] I. *a* kétszeres, dupla, kettős II. *adv* kétszeresen **two-footed** *a* kétlábú **two-handed** *a* 1. kétkezű 2. nagy és erős 3. két kézzel használandó 4. kétszemélyes [kártyajáték] **two-legged** *a* kétlábú **twopence** ['tʌp(ə)ns] *n* két penny **twopenny** ['tʌpnɪ] *a* két penny értékű, kétpennys **twopenny-halfpenny** [tʌpnɪ'heɪpnɪ] *a* 1. két és fél pennys 2. *biz* vacak, jelentéktelen **two-phase** *a* kétfázisú **two-piece** *a* kétrészes **two-ply** *a* 1. duplaszálas, két szálból font 2. kétrétegű **two-pole** *a* kétsarkú **two-pronged** *a* ~ *fork* kétágú villa **two-seater** *n* kétüléses gépkocsi/repülőgép **two-sided** *a (átv is)* kétoldalú **twosome** ['tuːsəm] *n* kétszemélyes játék [kártya, golf stb.] **two-speed** *a* kétsebességű **two-step** *n* polka **two-storey(ed)/storied** *a GB* egyemeletes, kétszintes [ház]; *US* kétemeletes **two-stroke** *a* kétütemű [motor] **two-time** *vt* □ megcsal (vkt vkvel)

'twould [twʊd] = *it would*
two-tongued *a* hazug, álnok, hamis
two-way *a* kétirányú [út stb.]
two-yearly *a* kétévenkénti
Tybalt ['tɪbəlt] *prop*
Tyburn ['taɪbə:n] *prop* ⟨a kivégzések egykori helye Londonban⟩; ~ *tree* akasztófa
tycoon [taɪ'ku:n] *n US* iparmágnás
tying ['taɪɪŋ] →*tie II.*
tyke [taɪk] *n* 1. kuvasz 2. bugris
Tyler ['taɪlə*] *prop*
tympanum ['tɪmpənəm] *n (pl* ~s -z v. -na -nə) 1. háromszögű oromfal, timpanon 2. középfül (ürege) 3. dobhártya
Tyndale ['tɪndl] *prop*
type [taɪp] I. *n* 1. jelleg, fajta, típus 2. mintakép 3. (nyomda)betű, betűtest; (betű)típus 4. (nyomdai) szedés; *set* ~ (betűt) szed; *in* ~ ki van szedve; *in bold(face)* ~ félkövér/fett szedés II. A. *vt* 1. írógépen (le)ír, legépel 2. tipizál B. *vi* (író)gépel
type-area *n* laptükör, szedéstükör
type-caster [-kɑ:stə*], -founder *n* betűöntő
type-metal *n* betűfém
typescript *n* gépírott/gépelt kézirat
typeset *vt (pt/pp* ~; -tt-) (ki)szed [szöveget]
typesetter *n* betűszedő
typesetting *n* (betű)szedés
typewriter *n* írógép
typewritten ['taɪprɪtn] *a* géppel írt, gépelt, gépírt
typhoid ['taɪfɔɪd] *a/n* ~ *(fever)* (has)tífusz
typhoon [taɪ'fu:n] *n* tájfun, forgószél
typhus ['taɪfəs] *n* (has)tífusz
typical ['tɪpɪkl] *a* jellemző, jellegzetes, tipikus; típusos; mintaképül szolgáló

typify ['tɪpɪfaɪ] *vt* 1. jellemez, ábrázol, jelképez (vmt) 2. jellemző (vmre) 3. típusa, jellegzetes alakja (vmnek)
typist ['taɪpɪst] *n* gépíró(nő); ~'s *error* gépelési hiba
typographer [taɪ'pɔɡrəfə*; *US* -'pɑ-] *n* nyomdász; (betű)szedő
typographic(al) [taɪpə'ɡræfɪk(l)] *a* nyomdászati, nyomdai; szedési; tipográfiai; ~ *error* sajtóhiba
typography [taɪ'pɔɡrəfɪ; *US* -'pɑ-] *n* nyomdászat, könyvnyomtatás, tipográfia
tyrannical [tɪ'rænɪkl] *a* zsarnoki; kegyetlen
tyrannicide [tɪ'rænɪsaɪd] *n* 1. zsarnokölő [személy] 2. zsarnokölés
tyrannize ['tɪrənaɪz] A. *vt* kegyetlenül elnyom B. *vi* zsarnokoskodik, elnyom *(over sy* vkt)
tyrannous ['tɪrənəs] *a* zsarnoki; kegyetlen
tyranny ['tɪrənɪ] *n* 1. zsarnokság; önkényuralom 2. erőszak; basáskodás
tyrant ['taɪər(ə)nt] *n* zsarnok, kényúr, tirannus
tyre, *US* tire ['taɪə*] I. *n* 1. kerékabroncs, keréksín 2. gumiabroncs, autógumi, köpeny; kerékpárgumi II. *vt* 1. megvasal [kereket] 2. gumiabroncsot felszerel [autóra stb.]
tyred ['taɪəd] *a* gumiabroncsos (kerekű)
tyre-gauge *n* levegőnyomás-mérő, nyomásmérő [gumiabroncshoz]
tyreless ['taɪəlɪs] *a* abroncsozás nélküli
tyre-lever *n* gumiabroncs-szerelő vas, pájszer
tyre-pump *n* kerékpárpumpa; autópumpa
tyro ['taɪərɪʊ] *n* = *tiro*
tzar [zɑ:*] *n* cár
tzigane [tsɪ'ɡɑ:n] *a/n* (magyar) cigány

U

U¹, u [ju:] *n* U, u (betű)
U² [ju:] **1.** *universal* korhatár nélkül (megtekinthető) [film] **2.** *upper-class, fashionable, polite*
ubiquitous [ju:'bɪkwɪtəs] *a* mindenütt jelenlevő/előforduló/található
ubiquity [ju:'bɪkwətɪ] *n* mindenütt jelenvalóság
U-boat ['ju:-] *n* [német] tengeralattjáró
U-bolt ['ju:-] *n* U alakú csapszeg, U vas
udder ['ʌdə*] *n* tőgy
udderless ['ʌdelɪs] *a* anyátlan
udometer [ju:'dɔmɪtə*; *US* -'dɑ-] *n* esőmérő
UFO [ju:ef'oʊ v. 'ju:foʊ] *unidentified flying object* „repülő csészealj"
Uganda [ju:'gændə] *prop* Uganda
Ugandan [ju:'gændən] *a/n* ugandai
ugh [ʌx, ə:h] *int* jaj!, au!, ó!, brr!, pfuj!
ugliness ['ʌglɪnɪs] *n* csúnyaság, rondaság, rútság
ugly ['ʌglɪ] *a* **1.** csúnya, csúf, rút, ronda, undorító; ~ *duckling* csúf kiskacsa ⟨csúnya/jelentéktelen gyerek, akiből szépség/híresség lesz felnőtt korára⟩ **2.** kellemetlen, mogorva; *biz* ~ *customer* kellemetlen fráter; □ *cut up* ~ mérgelődik, nagyon „pipa"
Ugrian ['u:grɪən] *a/n* ugor
Ugric ['u:grɪk] *n* ugor (nyelv)
UHF [ju:eɪtʃ'ef] *ultra-high frequency* ultrarövid hullám, URH
U.K., UK [ju:'keɪ] *United Kingdom* → *united 2.*
Ukraine [ju:'kreɪn] *prop* Ukrajna
Ukrainian [ju:'kreɪnjən] *a/n* ukrajnai
ukulele [ju:kə'leɪlɪ] *n* ukulele ⟨hawaii gitárszerű hangszer⟩

ulcer ['ʌlsə*] *n* fekély
ulcerate ['ʌsəreɪt] **A.** *vi* elfekélyesedik **B.** *vt* kifekélyesít
ulceration [ʌlsə'reɪʃn] *n* (el)fekélyesedés
ulcerous ['ʌls(ə)rəs] *a* fekélyes
ulex ['ju:leks] *n* sülzanót, sülbige
ullage ['ʌlɪdʒ] *n* apadás [folyadéktartályé]; hiány
ulna ['ʌlnə] *n* (*pl* ~e 'ʌlni:) singcsont
ulnar ['ʌlnə*] *a* singcsonti, singcsont-
Ulster ['ʌlstə*] **I.** *prop* Ulster **II.** *n u*~ ⟨hosszú nehéz bő felöltő övvel⟩
ult. [ʌlt] *ultimo* múlt hó/havi
ulterior [ʌl'tɪərɪə*] *a* **1.** túlsó **2.** későbbi, utóbbi, következő, távolabbi **3.** rejtett; ~ *motive* hátsó gondolat
ultimate ['ʌltɪmət] *a* végső, utolsó; alapvető, alap-
ultimately ['ʌltɪmətlɪ] *adv* végül (is), végtére
ultimatum [ʌltɪ'meɪtəm] *n* (*pl* ~s -z v. -mata -'meɪtə) végső felszólítás, ultimátum
ultimo ['ʌltɪmoʊ] *adv* múlt hó/havi
ultra ['ʌltrə] **I.** *a* szélsőséges, végső, túlzó **II.** *n* túlzó, ultra [politikai értelemben]
ultra- [(')ʌltrə-] ultra-, túl
ultra-high *a* ~ *frequency* ultranagy frekvencia ‖→ *UHF*
ultramarine [ʌltrəmə'ri:n] *a/n* ultramarin(kék)
ultramontane [ʌltrə'mɔnteɪn; *US* -ɑn-] *a* pápapárti, ultramontán; túlzottan klerikális
ultrasonic *a* ultraszonikus; ultrahang-; hangsebességen túli
ultra-violet *a* ibolyántúli, ultraibolya
ululate ['ju:ljʊleɪt] *vi* üvölt; huhog

ululation [ju:lju'leɪʃn] n üvöltés; huhogás

Ulysses [ju:'lɪsi:z] prop

umbel ['ʌmbəl] n ernyő(s virágzat)

umbellate ['ʌmbəlɪt] a = umbelliferous

umbelliferous [ʌmbə'lɪfərəs] a ernyős virág(zat)ú

umber ['ʌmbə*] n umbrabarna [szín, festék]

umbilical [ʌmbɪ'laɪkl; US ʌm'bɪlɪkl] a köldöki, köldök-; ~ cord köldökzsinór

umbilicus [ʌm'bɪlɪkəs] n (pl -bilici -'bɪlɪsaɪ) köldök

umbrage ['ʌmbrɪdʒ] n 1. árnyék 2. take ~ at sg neheztel vm miatt, zokon vesz vmt

umbrella [ʌm'brelə] n 1. (es)ernyő; napernyő 2. védelem; under the ~ of the UNO az ENSZ oltalma/védelme alatt 3. légi védelem [hadműveleti terület felett]

umbrella-frame n ernyővám

umbrella-stand n ernyőtartó

umbrella-stick n ernyőrúd

umph [ʌmf] int hmm!

umpire ['ʌmpaɪə*] I. n 1. bíró, játékvezető [sportmérkőzésen] 2. döntőbíró II. vt/vi bíráskodik, vezet [mérkőzést]

umpteen [ʌmp'ti:n] a □ ezer és egy, kismillió

umpteenth [ʌmp'ti:nθ] a □ sokadik, ikszedik

'un [(ə)n] pron biz (= one); the little 'un a kicsi, a gyerek

un- [ʌn-] pref ⟨mint fosztóképző vmnek az ellenkezőjét/hiányát, vm nélküliséget jelent⟩ -tlan, -tlen, -atlan, -etlen, -talan, -telen stb.

U.N., UN· [ju:'en] United Nations Egyesült Nemzetek (Szervezete), ENSZ

unabashed [ʌnə'bæʃt] a pofátlan, szégyentelen; anélkül, hogy zavarba jönne

unabated [ʌnə'beɪtɪd] a nem csökkent

unabating [ʌnə'beɪtɪŋ] a nem csökkenő, változatlanul heves

unable [ʌn'eɪbl] a képtelen, nem képes; be ~ to do sg nem képes/tud vmt megtenni

unabridged [ʌnə'brɪdʒd] a eredeti terjedelmű, csonkítatlan, teljes egész

unaccented [ʌnæk'sentɪd] a hangsúlytalan, hangsúly nélküli

unacceptable [ʌnək'septəbl] a el nem fogadható, elfogadhatatlan

unaccommodating [ʌnə'kɔmədeɪtɪŋ; US -'kɑ-] a alkalmazkodni nem tudó/képes, nem szívélyes

unaccompanied [ʌnə'kʌmp(ə)nɪd] a kíséret/őrizet nélkül(i), egyedül(i)

unaccomplished [ʌnə'kɔmplɪʃt; US -'kɑ-] a 1. befejezetlen 2. hozzá nem értő

unaccountable [ʌnə'kaʊntəbl] a megmagyarázhatatlan; különös, rejtélyes

unaccountably [ʌnə'kaʊntəblɪ] adv rejtélyesen

unaccounted [ʌnə'kaʊntɪd] a ~ for megmagyarázatlan, rejtélyesen hiányzó

unaccustomed [ʌnə'kʌstəmd] a 1. szokatlan 2. ~ to sg vmhez nem szokott, vmt meg nem szokott, vmben járatlan; ~ as I am (to sg) mivel nem vagyok szokva (vmhez)

unacknowledged [ʌnək'nɔlɪdʒd; US -əl-] a 1. el nem ismert, be nem vallott 2. nem viszonzott, válaszolatlan; vissza nem igazolt

unacquainted [ʌnə'kweɪntɪd] a be ~ with nem ismer (vkt, vmt), nem ismerős (vmvel), járatlan (vmben)

unadaptable [ʌnə'dæptəbl] a 1. alkalmazkodásra képtelen 2. nem alkalmazható

unadapted [ʌnə'dæptɪd] a alkalmatlan (to vmre)

unaddressed [ʌnə'drest] a címzetlen

unadmitted [ʌnəd'mɪtɪd] a be nem vallott; meg nem engedett

unadopted [ʌnə'dɔptɪd; US -ɑp-] a el nem fogadott; hatóságilag fenn nem tartott [út]

unadorned [ʌnə'dɔ:nd] a díszítetlen, mesterkéletlen, egyszerű

unadulterated [ʌnə'dʌltəreɪtɪd] a hamisítatlan, természetes; tiszta

unadvisable [ʌnəd'vaɪzəbl] a 1. tanácsot el nem fogadó 2. nem ajánlatos

unadvised [ʌnəd'vaɪzd] a meggondolatlan, elővigyázatlan; önfejű unadvisedly [ʌnəd'vaɪzɪdlɪ] *adv* meggondolatlanul

unaffected [ʌnə'fektɪd] *a* 1. ~ *by sg* vmtől nem befolyásolt, érzéketlen vmre 2. természetes, nem affektáló

unafraid [ʌnə'freɪd] *a be* ~ *of sg* nem fél vmtől

unaided [ʌn'eɪdɪd] *a* 1. segítség nélkül(i), maga erejéből 2. ~ *eye* puszta/szabad szem

unalienable [ʌn'eɪljənəbl] *a* elidegeníthetetlen, át nem ruházható

unallotted [ʌnə'lɔtɪd; *US* -at-] *a* rendelkezésre álló, kiosztatlan

unalloyed [ʌnə'lɔɪd] *a* vegyítetlen, tiszta

unalterable [ʌn'ɔ:lt(ə)rəbl] *a* változatlan, (meg)változtathatatlan

unalterably [ʌn'ɔ:lt(ə)rəblɪ] *adv* (meg-)változ(tat)hatatlanul

unaltered [ʌn'ɔ:ltəd] *a* változatlan(ul)

unambiguous [ʌnæm'bɪgjʊəs] *a* egyértelmű, félreérthetetlen

unambitious [ʌnæm'bɪʃəs] *a* igénytelen, szerény, becsvágy nélküli

unamended [ʌnə'mendɪd] *a* nem módosított, változatlan, ugyanaz

un-American [ʌnə'merɪkən] *a* 1. nem amerikai szellemű, nem amerikaias 2. *US* amerikaellenes

unanchor [ʌn'æŋkə*] *vi/vt* horgonyt felhúz/felszed

unanimity [ju:nə'nɪmətɪ] *n* egyhangúság

unanimous [ju:'nænɪməs] *a* egyhangú, azonos nézetű

unanimously [ju:'nænɪməslɪ] *adv* egyhangúlag, egyhangúan

unannounced [ʌnə'naʊnst] *a be* nem jelentett, bejelentés nélkül(i)

unanswerable [ʌn'ɑ:ns(ə)rəbl; *US* -'æn-] *a* 1. megválaszolhatatlan 2. megdönthetetlen, megcáfolhatatlan, elvitathatatlan

unanswered [ʌn'ɑ:nsəd; *US* -'æn-] *n* 1. megválaszolatlan 2. meg nem döntött/cáfolt 3. viszonzatlan, nem viszonzott

unanticipated [ʌnæn'tɪsɪpeɪtɪd] *a* előre nem várt/látott, váratlan

unappealable [ʌnə'pi:ləbl] *a* megfellebbezhetetlen

unappeased [ʌnə'pi:zd] *a* kielégítetlen, kiengeszteletlen

unappetizing [ʌn'æpɪtaɪzɪŋ] *a* nem étvágygerjesztő, gusztustalan

unappreciated [ʌnə'pri:ʃɪeɪtɪd] *a* nem méltányolt/értékelt

unapproachable [ʌnə'proʊtʃəbl] *a* megközelíthetetlen

unappropriated [ʌnə'proʊprɪeɪtɪd] *a* gazdátlan, felhasználatlan, rendelkezésre álló

unapt [ʌn'æpt] *a* alkalmatlan, nem alkalmas, ügyetlen, nem fogékony (*for* vmre)

unarmed [ʌn'ɑ:md] *a* fegyvertelen(ül)

unascertainable [ʌnæsə'teɪnəbl] *a* meg nem állapítható, megállapíthatatlan

unascertained [ʌnæsə'teɪnd] *a* ki nem derített, meg nem állapított

unashamed [ʌnə'ʃeɪmd] *a* nem szégyenlős, pofátlan, szemérmetlen

unasked [ʌn'ɑ:skt; *US* -'æ-] *a* kéretlen(ül); *do sg* ~ kéretlenül/magától megtesz vmt; ~ *for* önként(es), maga jószántából (való), spontán

unassailable [ʌnə'seɪləbl] *a* megtámadhatatlan

unassertive [ʌnə'sə:tɪv] *a* szerény, visszahúzódó

unassimilated [ʌnə'sɪməleɪtɪd] *a* megemésztetlen, nem asszimilált

unassisted [ʌnə'sɪstɪd] *a* = *unaided*

unassuming [ʌnə'sju:mɪŋ; *US* -'su:-] *a* igénytelen, szerény

unattached [ʌnə'tætʃt] *a* szabad, független; nem tartozó (*to* vkhez/vmhez/vhová)

unattainable [ʌnə'teɪnəbl] *a* elérhetetlen

unattended [ʌnə'tendɪd] *a* 1. kíséret nélkül(i); gazdátlan; *leave* ~ őrizetlenül hagy 2. nem kezelt/ápolt, ellátás/gondozás nélküli

unattested [ʌnə'testɪd] *a* nem igazolt/hitelesített

unattractive [ʌnə'træktɪv] *a* nem vonzó/szép, báj nélküli, bájtalan

unauthentic [ʌnɔ:'θentɪk] *a* nem hiteles/eredeti

unauthorized [ʌn'ɔ:θəraɪzd] *a* jogosulatlan, jogosítatlan, jogtalan, illetéktelen unavailable [ʌnə'veɪləbl] a rendelkezésre nem álló, nem kapható

unavailing [ʌnə'veɪlɪŋ] a hiábavaló, haszontalan, eredménytelen

unavoidable [ʌnə'vɔɪdəbl] a elkerülhetetlen

unaware [ʌnə'weə*] a be ~ of sg nem tud (v. nincs tudomása) vmről, nincs tudatában vmnek

unawares [ʌnə'weəz] adv 1. váratlanul, észrevétlenül, rajtaütésszerűen; take sy ~ (hirtelen) meglep vkt 2. akaratlanul

unbacked [ʌn'bækt] a 1. támogatás nélküli, magára hagyott 2. hátirattal el nem látott

unbaked [ʌn'beɪkt] a (ki)égetetlen; sületlen

unbalanced [ʌn'bælənst] a 1. kiegyensúlyozatlan, ingadozó 2. ki nem egyenlített [számla] 3. tébolyodott

unbar [ʌn'bɑ:*] vt -rr- kinyít, kitár, kireteszel

unbearable [ʌn'beərəbl] a kibírhatatlan, elviselhetetlen, tűrhetetlen

unbeatable [ʌn'bi:təbl] a verhetetlen

unbeaten [ʌn'bi:tn] a 1. veretlen; meg nem döntött 2. járatlan [út]

unbecoming [ʌnbɪ'kʌmɪŋ] a 1. nem jól álló, előnytelen [ruha]; ~ to/for sy nem illő vkhez/vkre 2. illetlen, nem helyénvaló

unbefriended [ʌnbɪ'frendɪd] a baráttalan, társtalan

unbeknown [ʌnbɪ'noʊn] a biz ismeretlen, nem ismeretes

unbeknownst [ʌnbɪ'noʊnst] adv biz nem tudva vmről; he did it ~ to me tudtomon kívül tette

unbelief [ʌnbɪ'li:f] n hitetlenség, kétkedés

unbelievable [ʌnbɪ'li:vəbl] a hihetetlen

unbeliever [ʌnbɪ'li:və*] n hitetlen

unbelieving [ʌnbɪ'li:vɪŋ] a hitetlen, kétkedő

unbend [ʌn'bend] v (pt/pp -bent -'bent) A. vt 1. kiegyenesít 2. ~ oneself, ~ one's mind kipiheni magát, könnyít magán/lelkén B. vi 1. kiegyenesedik; enged 2. felenged

unbending [ʌn'bendɪŋ] a merev, hajlíthatatlan, makacs

unbias(s)ed [ʌn'baɪəst] a elfogulatlan, nem részrehajló

unbidden [ʌn'bɪdn] a 1. hívatlan(ul) 2. önként(elen), spontán

unbind [ʌn'baɪnd] vt (pt/pp -bound -'baʊnd) 1. kiold, megold, kibont 2. feloldoz, kiszabadít, megszabadít

unbleached [ʌn'bli:tʃt] a fehérítetlen

unblemished [ʌn'blemɪʃt] a szeplőtlen, feddhetetlen

unblock [ʌn'blɔk; US -ak] vt akadályt eltávolít (vmből), szabaddá tesz [utat]

unblushing [ʌn'blʌʃɪŋ] a szemtelen, arcátlan, szemérmetlen

unblushingly [ʌn'blʌʃɪŋlɪ] adv arcátlanul

unboiled [ʌn'bɔɪld] a főtlen, forralatlan

unbolt [ʌn'boʊlt] vt kiretes zel, kinyit

unbolted [ʌn'boʊltɪd] a kinyitott

unbone [ʌn'boʊn] vt kicsontoz, csontot/szálkát kiszed, szálkátlanít

unborn [ʌn'bɔ:n] a meg nem született; generations yet ~ az eljövendő nemzedékek

unbosom [ʌn'bʊzəm] vt 1. ~ oneself (to sy) szívét kiönti/kitárja (vknek) 2. bizalmasan közöl, felfed

unbound [ʌn'baʊnd] a 1. kötetlen [fűzött könyv] 2. eloldozott, kioldozott; come ~ kibomlik, eloldódik || →unbind

unbounded [ʌn'baʊndɪd] a határtalan, korlátlan, féktelen

unbowed [ʌn'baʊd] a 1. nem ívelt, meg nem hajlított/hajlott 2. legyőzetlen, veretlen

unbrace [ʌn'breɪs] vt 1. kicsatol 2. megereszt, (meg)lazít

unbreakable [ʌn'breɪkəbl] a törhetetlen

unbribable [ʌn'braɪbəbl] a megvesztegethetetlen

unbridled [ʌn'braɪdld] a zabolátlan, féktelen, szabadjára engedett

unbroken [ʌn'broʊk(ə)n] a 1. töretlen, ép, egész 2. meg nem tört, betöretlen [ló] 3. megdöntetlen [csúcs] 4. megszakítatlan, folytatólagos; zavartalan 5. meg nem szegett [eskü] 6. szűz [talaj]

unbuckle [ʌn'bʌkl] vt lecsatol, levesz

unbuilt [ʌn'bɪlt] a 1. megépítetlen 2. beépítetlen

unburden [ʌn'bə:dn] vt 1. terhétől megszabadít, megkönnyít; ~ one's heart/ mind, ~ oneself (to sy) könnyít a lelkén, kiönti a szívét (vknek) 2. lerak, levesz (terhet)

unbutton [ʌn'bʌtn] vt kigombol; come ~ed kigombolódik

uncalled [ʌn'kɔ:ld] a hívatlan, be nem hívott; ~-for szükségtelen, fölösleges

uncanny [ʌn'kænɪ] a hátborzongató, rejtélyes

uncared-for [ʌn'keədfɔ:*] a gondozatlan, elhanyagolt

unceasing [ʌn'si:sɪŋ] a szakadatlan, szüntelen

unceremonious ['ʌnserɪ'moʊnjəs] a fesztelen (modorú), teketória nélküli

uncertain [ʌn'sə:tn] a 1. bizonytalan; habozó; ingadozó 2. kétes, vitás; in no ~ terms félreérthetetlen formában

uncertainly [ʌn'sə:tnlɪ] adv bizonytalanul

uncertainty [ʌn'sə:tntɪ] n bizonytalanság, kétség

uncertificated [ʌnsə'tɪfɪkeɪtɪd] a képesítés nélküli

uncertified [ʌn'sə:tɪfaɪd] a nem bizonyított/igazolt/garantált/hiteles(ített)

unchain [ʌn'tʃeɪn] vt bilincseitől megszabadít, szabadjára enged

unchallenged [ʌn'tʃæləndʒd] a nem vitatott; let go/pass ~ megjegyzés nélkül hagy, nem vitatja

unchangeable [ʌn'tʃeɪndʒəbl] a (meg-)változtathatatlan, meg nem változtatható

unchanged [ʌn'tʃeɪndʒd] a változatlan, ugyanolyan

unchanging [ʌn'tʃeɪndʒɪŋ] a nem változó

uncharitable [ʌn'tʃærɪtəbl] a könyörtelen, kíméletlen

uncharted [ʌn'tʃɑ:tɪd] a térképezetlen, fel nem kutatott

unchaste [ʌn'tʃeɪst] a tisztátalan, erkölcstelen, szemérmetlen

unchecked [ʌn'tʃekt] a 1. akadálytalan(ul) 2. ellenőrizetlen(ül)

unchivalrous [ʌn'ʃɪvəlrəs] a lovagiatlan

unchristian [ʌn'krɪstjən v. -tʃ-] a 1. nem keresztényi (v. prot. haszn. nem keresztyéni), keresztényietlen 2. pogány, hitetlen 3. biz alkalmatlan [idő]

uncial ['ʌnsɪəl] a/n unciális (betű)

unciform ['ʌnsɪfɔ:m] a horgos, horgas

uncircumcised [ʌn'sə:kəmsaɪzd] a körülmetéletlen

uncivil [ʌn'sɪvl] a barátságtalan, udvariatlan, modortalan

uncivilized [ʌn'sɪv(ə)laɪzd] a civilizálatlan, barbár, műveletlen

unclad [ʌn'klæd] a = unclothed

unclaimed [ʌn'kleɪmd] a 1. nem igényelt/követelt 2. gazdátlan [állat]

unclassified [ʌn'klæsɪfaɪd] a 1. osztályozatlan, vegyes 2. nem titkos

uncle ['ʌŋkl] n 1. nagybácsi; bácsi; ~ John János bácsi; biz U~ Sam ⟨az Egyesült Államok⟩; biz say ~ beadja a derekát 2. □ zálogházas

unclean [ʌn'kli:n] a tisztát(a)lan, nem tiszta, piszkos, mocskos

uncleanness [ʌn'kli:nnɪs] n tisztátalanság

uncleared [ʌn'klɪəd] a 1. leszedetlen [asztal] 2. lerovatlan [adósság] 3. tisztázatlan [vád]

unclose [ʌn'kloʊz] vt kinyit, felnyit

unclothed [ʌn'kloʊðd] a meztelen

unclouded [ʌn'klaʊdɪd] a (átv is) felhőtlen, derült, tiszta [égbolt]

unco ['ʌŋkoʊ] sk I. a rendkívüli, csodálatos, különös II. adv nagyon, rendkívül(ien); the ~ guid [gyd] szenteskedő emberek, a sok „szent fazék"

uncoil [ʌn'kɔɪl] A. vt legombolyít, letekercsel B. vi legombolyodik, letekeredik

uncollected [ʌnkə'lektɪd] a 1. beszedetlen, behajtatlan 2. össze nem gyűjtött, kötetben ki nem adott

uncoloured, US -colored [ʌn'kʌləd] a 1. színezetlen 2. átv színtelen, szürke, egyszerű

uncomely [ʌn'kʌmlɪ] a csúnya, illetlen, tisztességtelen

uncomfortable [ʌn'kʌmf(ə)təbl] a kényelmetlen, kellemetlen, nyugtalan(ító), kínos; be/feel ~ (1) kényelmetlenül/rosszul érzi magát (2) aggódik

uncommitted [ʌnkə'mɪtɪd] a 1. el nem követett/határozott 2. állást nem fog-

laló, magát le nem kötő (to vmhez)
3. el nem kötelezett [ország]
uncommon [ʌn'kɔmən; US -'kɑ-] I.
a rendkívüli, szokatlan, ritka II.
adv biz = uncommonly; ~ good rendkívül jó, kitűnő
uncommonly [ʌn'kɔmənlɪ; US -'kɑ-]
adv rendkívül(ien); not ~ elég gyakran
uncommunicative [ʌnkə'mju:nɪkətɪv;
US -keɪ- v. -kə-] a nem közlékeny,
hallgatag, szófukar, zárkózott
uncompanionable [ʌnkəm'pænjəbl] a
nem barátkozó, emberkerülő
uncomplaining [ʌnkəm'pleɪnɪŋ] a nem
panaszkodó, türelmes
uncompleted [ʌnkəm'pli:tɪd] a befejezetlen, nem teljes
uncomplimentary ['ʌnkɔmplɪ'ment(ə)rɪ;
US -ɑm-] a nem (valami) hízelgő,
udvariatlan
uncompromising [ʌn'kɔmprəmaɪzɪŋ;
US -ɑm-] a meg nem alkuvó, hajthatatlan, tántoríthatatlan, rendíthetetlen
unconcealed [ʌnkən'si:ld] a nem titkolt,
nyílt
unconcern [ʌnkən'sə:n] n közöny, érdektelenség
unconcerned [ʌnkən'sə:nd] a közönyös;
közömbös; semleges; be ~ in/with sg
nincs érdekelve vmben
unconcernedly [ʌnkən'sə:nɪdlɪ] adv közömbösen
unconditional [ʌnkən'dɪʃənl] a feltétlen,
feltétel nélküli
unconfirmed [ʌnkən'fə:md] a meg nem
erősített, megerősítetlen
uncongenial [ʌnkən'dʒi:njəl] a nem
rokon érzelmű, nem azonos beállítottságú, nem egyéniségéhez illő
unconnected [ʌnkə'nektɪd] a összefüggéstelen, kapcsolat nélküli
unconquerable [ʌn'kɔŋk(ə)rəbl; US
-əŋ-] a legyőzhetetlen
unconscionable [ʌn'kɔnʃnəbl; US -'kɑn-]
a 1. lelkiismeretlen 2. take an ~ time
doing sg túlzottan sok időt tölt vmvel
unconscious [ʌn'kɔnʃəs; US -'kɑn-]
I. a 1. öntudatlan, tudattalan; nem
tudatos; be ~ of sg nincs tudatában
vmnek, nincs tudomása vmről, nem

tud vmről 2. eszméletlen; become ~
elájul, eszméletét veszti 3. tudat alatti
II. n the ~ a tudatalatti
unconsciousness [ʌn'kɔnʃəsnɪs; US
-'kɑn-] n 1. eszméletlenség 2. tudattalanság
unconsidered [ʌnkən'sɪdəd] a 1. meggondolatlan, meg nem fontolt 2. jelentéktelen, elhanyagolható
unconstitutional ['ʌnkɔnstɪ'tju:ʃənl; US
-kɑnstɪ'tu:-] a alkotmányellenes, alkotmányba ütköző
unconstrained [ʌnkən'streɪnd] a 1. nem
kényszerített 2. mesterkéletlen
uncontaminated [ʌnkən'tæmɪneɪtɪd] a
szennyezetlen, nem fertőzött
uncontested [ʌnkən'testɪd] a 1. kétségtelen 2. egyhangú [választás]
uncontradicted [ʌnkɔntrə'dɪktɪd; US
-kɑ-] a ellentmondás nélküli; meg
nem cáfolt
uncontrollable [ʌnkən'troʊləbl] a 1. kormányozhatatlan 2. féktelen
uncontrolled [ʌnkən'troʊld] a szabadjára engedett, féktelen, fékevesztett
unconventional [ʌnkən'venʃənl] a konvenciókhoz/formákhoz nem ragaszkodó, mesterkéletlen, nem a megszokott/bevett
unconvincing [ʌnkən'vɪnsɪŋ] a nem
meggyőző
uncooked [ʌn'kʊkt] a nyers, főtlen
uncooperative [ʌnkoʊ'ɔp(ə)rətɪv; US
-'ɑ-] a együttműködni nem akaró,
nem segítőkész
uncoordinated [ʌnkoʊ'ɔ:dɪneɪtɪd] a koordinálatlan, összefüggéstelen, rendszertelen
uncork [ʌn'kɔ:k] vt dugót kihúz (vmből)
uncouple [ʌn'kʌpl] vt szétkapcsol, kikapcsol; ereszt
uncourtly [ʌn'kɔ:tlɪ] a 1. nem udvarképes 2. udvariatlan, faragatlan
uncouth [ʌn'ku:θ] a faragatlan, durva
uncover [ʌn'kʌvə*] vt 1. kitakar (vmt);
ponyvát/fedőt levesz (vmről); ~ oneself levesz i a kalapját 2. leleplez;
elárul
uncovered [ʌn'kʌvəd] a 1. fedetlen;
remain ~ nem teszi fel a kalapját
2. fedezetlen

uncritical [ʌn'krɪtɪkl] a kritikátlan
uncrossed [ʌn'krɔst; US -ɔ:-] a nem
keresztezett
uncrowned [ʌn'kraʊnd] a koronázatlan
uncrushable [ʌn'krʌʃəbl] a gyűrhetetlen
unction ['ʌŋkʃn] n 1. kenet 2. felkenés
unctuous ['ʌŋktjʊəs; US -tʃʊ-] a kenetes, kenetteljes
unctuousness ['ʌŋktjʊəsnɪs; US -tʃʊ-]
n kenetesség
uncurbed [ʌn'kə:bd] a féktelen, korlátozatlan
uncut [ʌn'kʌt] a 1. lábon álló [termés]
2. felvágatlan [könyv] 3. csiszolatlan [gyémánt]
undamaged [ʌn'dæmɪdʒd] a sértetlen, ép
undamped [ʌn'dæmpt] a 1. nem elfojtott; csillapítatlan [rezgések] 2. lankadatlan
undated [ʌn'deɪtɪd] a keltezetlen
undaunted [ʌn'dɔ:ntɪd] a rettenthetetlen, félelmet nem ismerő
undealt [ʌn'delt] a problem still ~ with
még nem tárgyalt kérdés
undeceive [ʌndɪ'si:v] vt kiábrándít, kijózanít, felvilágosít
undecided [ʌndɪ'saɪdɪd] a 1. határozatlan, bizonytalan 2. eldöntetlen
undecipherable [ʌndɪ'saɪf(ə)rəbl] a kibetűzhetetlen, kivehetetlen
undeclared [ʌndɪ'kleəd] a 1. ki nem jelentett; ~ war hadüzenet nélküli
háború 2. be nem vallott
undefended [ʌndɪ'fendɪd] a védtelen,
védelem nélküli
undefiled [ʌndɪ'faɪld] a tiszta, szeplőtlen
undefinable [ʌndɪ'faɪnəbl] a meghatározhatatlan
undefined [ʌndɪ'faɪnd] a meg nem határozott, meghatározatlan
undelivered [ʌndɪ'lɪvəd] a 1. kézbesítetlen 2. el nem mondott [beszéd]
undemanding [ʌndɪ'mɑ:ndɪŋ] a nem
igényes, igénytelen
undemocratic [ʌndemə'krætɪk] a nem
demokratikus, antidemokratikus
undemonstrative [ʌndɪ'mɔnstrətɪv; US
-'mɑ-] a tartózkodó, kimért, zárkózott
undeniable [ʌndɪ'naɪəbl] a tagadhatatlan, cáfolhatatlan, kétségtelen

undeniably [ʌndɪ'naɪəblɪ] adv tagadhatatlanul
undependable [ʌndɪ'pendəbl] a megbízhatatlan
under ['ʌndə*] prep/adv 1. alatt(a),
alá, alul, lenn; from ~ alól, alulról;
see ~ ... lásd ... alatt; ~ the circumstances az adott körülmények között;
be ~ sy alárendeltje vknek, vknek alá
van rendelve; study ~ sy vk irányítása
alatt végzi tanulmányait; field ~
corn búzával bevetett föld; be ~ age
kiskorú; ~ conditions bizonyos feltételek mellett; question ~ discussion
a szóban forgó kérdés; (be) ~ repair
javítás alatt (van) 2. ⟨mint előtag,
igekötő és egyéb egybeírt szóelem:
lent, alul, lejjebb, nem kellően s hasonló jelentésekben⟩
underage [ʌndər'eɪdʒ] a kiskorú
underbelly ['ʌndəbelɪ] n hastáj, hasalj
underbid [ʌndə'bɪd] vt (pt/pp ~; -dd-)
olcsóbban kínál, alákínál, kevesebbet
kínál
under-body ['ʌndəbɔdɪ; US -bɑ-] n
alváz [járműé]
underbred [ʌndə'bred] a neveletlen,
modortalan
underbrush ['ʌndəbrʌʃ] n US bozót
under-carriage ['ʌndəkærɪdʒ] n 1. futószerkezet [repgépé] 2. alváz [járműé]
undercharge [ʌndə'tʃɑ:dʒ] vt kevesebbet számít fel (vknek)
underclothes ['ʌndəkloʊðz; US -kloʊz]
n pl fehérnemű, alsóruha
underclothing ['ʌndəkloʊðɪŋ] n = underclothes
undercover [ʌndə'kʌvə*] a titkos; ~
man kém, besúgó, beépített ügynök
undercroft ['ʌndəkrɔft; US -ɔ:ft] n
kripta, altemplom
undercurrent ['ʌndəkʌr(ə)nt] n rejtett/
ellentétes áramlat/áramlás
undercut I. n ['ʌndəkʌt] pecsenyeszelet
II. vt [ʌndə'kʌt] (pt/pp ~; -tt-) 1.
aláás; alámetsz 2. olcsóbb áron ad
(másnál); alákínál (vknek)
underdeveloped [ʌndədɪ'veləpt] a 1. fejletlen, (fejlődésben/gazdaságilag) elmaradt 2. alulhívott, gyengén előhívott [negatív]

underdog ['ʌndədɔg; US -dɔ:g] n hátrányos/elnyomott helyzetben levő, gyengébb/estélytelenebb fél, az alul maradó fél [küzdelemben]

underdone [ʌndə'dʌn v. 'ʌn-] a nem eléggé átsütött, félig nyers, véres, angolos [hús]

underemployed [ʌndərɪm'plɔɪd] a nem kielégítően foglalkoztatott [dolgozó]

underestimate [ʌndər'estɪmeɪt] vt alábecsül

underexposure [ʌnd(ə)rɪk'spouʒə*] n al(ul)exponálás

underfeed [ʌndə'fi:d] v (pt/pp -fed -fed) vt hiányosan táplál, alultáplál

underfoot [ʌndə'fʊt] adv 1. lent, alul, láb alatt 2. elnyomva

undergarment ['ʌndəgɑ:mənt] a alsóruha, fehérnemű

undergo [ʌndə'gou] vt (pt -went -'went, pp -gone -'gɔn, US -'gɔ:n) keresztülmegy, átmegy, átesik (vmn); aláveti magát (vmnek); eltűr, elvisel, kiáll (vmt)

undergrad [ʌndə'græd] n biz = undergraduate

undergraduate [ʌndə'grædjʊət; US -dʒ-] n (egyetemi) hallgató, egyetemista

underground I. a ['ʌndəgraʊnd] 1. föld alatti; ~ water talajvíz 2. illegális II. adv [ʌndə'graʊnd] föld alatt, titokban III. ['ʌndəgraʊnd] n 1. földalatti (vasút) 2. illegalitás, földalatti (titkos) szervezet

undergrowth ['ʌndəgroʊθ] n bozót, aljnövényzet

underhand I. a ['ʌndəhænd] 1. alattomos 2. alulról adogatott/ütött [labda] II. adv [ʌndə'hænd] 1. alattomban 2. alulról

underhanded [ʌndə'hændɪd] a = undermanned

underhung [ʌndə'hʌŋ] a előreálló/előreugró állú

underlay ['ʌndəleɪ] n 1. süppedés 2. aljzat; (nemez)alátét [pl. szőnyeg alá] || → underlie

underlease ['ʌndəli:s] n albérlet

underlet [ʌndə'let] vt (pt/pp ~; -tt-) 1. albérletbe ad 2. értéken alul kiad

underlie [ʌndə'laɪ] vt (pres part -lying -'laɪŋ; pt -lay -'leɪ, pp -lain -'leɪn) vmnek az alapja, alapjául szolgál (vmnek), alapját alkotja (vmnek), vmnek a mélyén van

underline I. n ['ʌndəlaɪn] 1. aláhúzás 2. képszöveg II. vt [ʌndə'laɪn] aláhúz (átv is)

underlinen ['ʌndəlɪnɪn] n = underlothes

underling ['ʌndəlɪŋ] n alárendeltje vknek [megvető értelemben], alantas

underlining [ʌndə'laɪnɪŋ] n belső bélés, vásznazás

underlying [ʌndə'laɪŋ] a alapját alkotó, vmnek alapjául szolgáló; ~ principles alapelvek, elvi alap(ok) || → underlie

undermanned [ʌndə'mænd] a elegendő személyzettel/munkaerővel nem rendelkező, munkaerőhiánnyal küzdő; be badly ~ túlságosan kicsi a személyzete

undermentioned [ʌndə'menʃnd] a alant említett, alábbi, alanti

undermine [ʌndə'maɪn] vt aláaknáz; aláás; alámos

undermost ['ʌndəmoʊst] a legalsó

underneath [ʌndə'ni:θ] prep/adv alatt, alá, alul, lenn; from ~ vm alól, alulról

undernourished [ʌndə'nʌrɪʃt; US -'nə:-] a hiányosan/rosszul táplált

underpaid [ʌndə'peɪd] a rosszul fizetett

underpants ['ʌndəpænts] n pl (rövid) alsónadrág

underpass ['ʌndəpɑ:s; US -æs] n (vasúti) aluljáró

underpin [ʌndə'pɪn] vt -nn- aládúcol, -falaz, -támaszt, megerősít

underplot ['ʌndəplɔt; US -at] n mellékcselekmény

underpopulated [ʌndə'pɔpjʊleɪtɪd; US -'pɑpjə-] a gyér népességű, gyéren lakott

underprivileged [ʌndə'prɪvɪlɪdʒd] a társadalmilag/gazdaságilag/anyagilag hátrányos helyzetben levő, elnyomott, kisemmizett

underproduction [ʌndəprə'dʌkʃn] n elégtelen termelés

underprop [ʌndə'prɔp; US -ap] vt -pp- kitámaszt, alátámaszt, -dúcol

underquote [ʌndə'kwoʊt] vt olcsóbb árajánlatot tesz (sy vknél)
underrate [ʌndə'reɪt] vt alábecsül
underscore [ʌndə'skɔ:*] vt aláhúz
undersea ['ʌndəsi:] a tenger alatti
undersecretary [ʌndə'sekrət(ə)rɪ] n 1. miniszterhelyettes, államtitkár; parliamentary ~ politikai államtitkár; permanent ~ adminisztratív államtitkár 2. helyettes titkár
undersell [ʌndə'sel] vt (pt/pp -sold -'soʊld; -ll-) (vknél) olcsóbban ad el, áron alul ad el [vkhez képest]
under-sexed [ʌndə'sekst] a hideg, halvérű, frigid
undershirt ['ʌndəʃə:t] n alsóing
undershot ['ʌndəʃɒt; US -ɑt-] a alulcsapott [vízikerék]
under-side ['ʌndəsaɪd] n alsó oldal/lap/rész; alapzat
undersigned ['ʌndəsaɪnd] a/n alulírott
undersized [ʌndə'saɪzd] a rendesnél kisebb, méreten aluli; kis növésű
underskirt ['ʌndəskə:t] n alsószoknya
underslung [ʌndə'slʌŋ] a mély építésű [karosszéria], alul felfüggesztett
undersoil ['ʌndəsɔɪl] n altalaj
undersold → undersell
understaffed [ʌndə'stɑ:ft; US -æft] a = undermanned
understand [ʌndə'stænd] vt (pt/pp -stood -'stʊd) 1. (meg)ért, felfog; I am at a loss to ~ képtelen vagyok megérteni, nem megy a fejembe; make oneself understood megérteti magát 2. értesül (vmről); I ~ he is in England úgy értesültem/tudom, hogy Angliában van; am I to ~ that...? ez azt jelentse, hogy...?, ezt úgy vegyem, hogy...?; give sy to ~ értésére adja vknek 3. hozzáért, hozzágondol [szót] ǁ → understood
understandable [ʌndə'stændəbl] a érthető
understanding [ʌndə'stændɪŋ] n 1. megértés; értelmi képesség; man of ~ értelmes/okos ember 2. megállapodás, megegyezés; egyetértés; come to an ~ megegyezik/megállapodik vkvel 3. feltétel; on the ~ that azon az alapon, hogy; azzal a föltétellel, hogy 4. értelem

understate [ʌndə'steɪt] vt ⟨a valósághoz képest kevesebbnek/kisebbnek tüntet fel v. mond⟩; (el)bagatellizál
understatement [ʌndə'steɪtmənt] n kevesebbet mondás/állítás (mint a valóság); that would be an ~ ez kevesebbet mond a valóságnál
understood [ʌndə'stʊd] a it is an ~ thing that közismert/tudott (v. magától értetődő) dolog, hogy... ǁ → understand
understrapper ['ʌndəstræpə*] n = underling
understudy ['ʌdstʌdɪ] I. n helyettesítő/beugró színész(nő) II. vt helyettesítésre/beugrásra betanul [szerepet]
undertake [ʌndə'teɪk] vt (pt -took -'tʊk, pp -taken -'teɪk(ə)n) 1. (magára) vállal, elvállal, válalkozik [to do sg vmre, vm megtételére] 2. belekezd, -fog (vmbe), nekilát (vmnek)
undertaker ['ʌndəteɪkə*] n temetkezési vállalkozó
undertaking [ʌndə'teɪkɪŋ] n 1. vállalkozás 2. vállalat 3. kötelezettség- (vállalás); ígéret 4. ['ʌndəteɪkɪŋ] temetkezési vállalat
undertenant [ʌndə'tenənt] n albérlő
under-the-counter [ʌndəðə'kaʊntə*] a pult alatti [áru]
undertone ['ʌndətoʊn] n* 1. (alig hallható) halk hang 2. there was an ~ of discontent in his words elégedetlenség csendült ki szavából
undertook → undertake
undertow ['ʌndətoʊ] n hullámtörés, hullámvisszaözönlés
undervaluation ['ʌndəvæljʊ'eɪʃn] n alábecslés, aláértékelés
undervalue [ʌndə'vælju:] vt alábecsül, aláértékel
underwater [ʌndə'wɔ:tə* v. 'ʌn-] a víz alatti
underwear ['ʌndəweə*] n = underclothes
underwent → undergo
underwood ['ʌndəwʊd] n bozót, aljnövényzet [erdőben]
underworld ['ʌndəwə:ld] n alvilág
underwrite ['ʌndəraɪt] vt (pt -wrote -roʊt, pp -written -rɪtn) 1. aláír 2. jegyez [részvényt], hajóbiztosítást vállal; ~ a policy biztosítást köt

underwriter ['ʌndəraɪtə*] n 1. aláíró 2. jótállást vállaló 3. hajóbiztosító; a biztosító (fél)
undescribable [ʌndɪ'skraɪbəbl] a leírhatatlan
undeserved [ʌndɪ'zə:vd] a meg nem érdemelt, érdemtelen
undeservedly [ʌndɪ'zə:vɪdlɪ] adv érdemtelenül, igazságtalanul
undeserving [ʌndɪ'zə:vɪŋ] a méltatlan, érdemtelen
undesigned [ʌndɪ'zaɪnd] a szándéktalan, nem szándékos, akaratlan
undesigning [ʌndɪ'zaɪnɪŋ] a ártatlan, egyenes lelkű, hátsó gondolattól ment
undesirable [ʌndɪ'zaɪərəbl] a nem kívánatos
undesired [ʌndɪ'zaɪəd] a nem kívánt
undetected [ʌndɪ'tektɪd] a észrevétlen; pass ~ nem veszik észre
undetermined [ʌndɪ'tə:mɪnd] a meghatározatlan, eldöntetlen
undeterred [ʌndɪ'tə:d] a el nem tántorított/rettentett
undeveloped [ʌndɪ'veləpt] a 1. fejletlen 2. kiaknázatlan, kellően még nem kihasznált [terület] 3. előhívatlan [film]
undeviating [ʌn'di:vɪeɪtɪŋ] a 1. el nem térő/hajló, egyenes 2. állhatatos
undid →undo
undies ['ʌndɪz] n pl biz női alsóruha/fehérnemű
undigested [ʌndɪ'dʒestɪd] a 1. emésztetlen, nem (teljesen) megemésztett 2. nem kivonatolt
undignified [ʌn'dɪgnɪfaɪd] a rangjához/méltóságához nem illő; nevetséges
undiluted [ʌndaɪ'lju:tɪd; US -dɪ'lu:-] a hígítatlan, nem vizezett, tömény
undiminished [ʌndɪ'mɪnɪʃt] a nem csökkent(ett); töretlen; teljes
undimmed [ʌn'dɪmd] a elhomályosítatlan ragyogású; tiszta [látás]
undine ['ʌndi:n] n vízitündér, sellő
undiplomatic [ʌndɪplə'mætɪk] a nem diplomatikus, tapintatlan
undiscernible [ʌndɪ'sə:nəbl] a [szabad szemmel] kivehetetlen
undiscerning [ʌndɪ'sə:nɪŋ] a nem éles eszű, kritikátlan, judícium nélküli

undischarged [ʌndɪs'tʃɑ:dʒd] a 1. ki nem egyenlített [adósság] 2. fel nem mentett 3. nem teljesített 4. el nem sütött, ki nem lőtt
undisciplined [ʌn'dɪsɪplɪnd] a fegyelmezetlen
undiscovered [ʌndɪ'skʌvəd] a felfedezetlen, fel nem fedezett, rejtett
undiscriminating [ʌndɪ'skrɪmɪneɪtɪŋ] a válogatás nélküli; disztingválni nem tudó; kritikátlan
undisguised [ʌndɪs'gaɪzd] a leleplezetlen, nyílt, őszinte
undismayed [ʌndɪs'meɪd] a csüggedetlen; rettenthetetlen
undisputed [ʌndɪ'spju:tɪd] a kétségbe nem vont, vitathatatlan
undistinguishable [ʌndɪ'stɪŋgwɪʃəbl] a megkülönböztethetetlen, kivehetetlen
undistinguished [ʌndɪ'stɪŋgwɪʃt] a középszerű, nem kiváló
undisturbed [ʌndɪ'stə:bd] a zavartalan, nyugodt, fel/meg nem zavart
undivided [ʌndɪ'vaɪdɪd] a 1. osztatlan, teljes, egész 2. egyhangú [vélemény]
undo [ʌn'du:] vt (pt -did -'dɪd, pp -done -'dʌn) 1. kibont, felbont, meglazít, feloldoz; felfejt, kinyit, kigombol, kikapcsol; come undone kibomlik, -gombolódik, kinyílik, felfeslik 2. megsemmisít, tönkretesz 3. meg nem történté tesz, visszacsinál; what is done cannot be undone ami történt, megtörtént
undoing [ʌn'du:ɪŋ] n 1. felbontás, kibontás 2. romlás, veszte vknek
undone [ʌn'dʌn] a 1. kibontott, kibomlott 2. meg nem tett; leave ~ nem végez el, befejezetlenül hagy 3. tönkretett, romlásba döntött; I am ~ ! végem van ! ‖ →undo
undoubted [ʌn'daʊtɪd] a kétségtelen
undoubtedly [ʌn'daʊtɪdlɪ] adv kétségtelenül, tagadhatatlanul, biztosan
undraped [ʌn'dreɪpt] a meztelen, ruhátlan; burkolatlan
undreamed-of [ʌn'dremtɔv v. (főleg US:) ʌn'dri:mdɔv v.-əv]a amiről(még csak) nem is álmodtak
undress [ʌn'dres] I. n (könnyű) háziruha, pongyola; utcai ruha; ~ (uniform)

szolgálati egyenruha II. A. *vi* levet-
kőzik B. *vt* levetkőztet
undressed [ʌn'drest] *a* 1. öltözetlen
2. dísztelen 3. kicserzetlen, nyers
[bőr]
undrinkable [ʌn'drɪŋkəbl] *a* ihatatlan
undue [ʌn'dju:; US -'du:] *a* 1. arányta-
lan, túlságos, túlzott 2. helytelen,
nem megfelelő 3. jogtalan, illetékte-
len, indokolatlan; ~ *influence* jogta-
lan/illetéktelen befolyásolás
undulate ['ʌndjʊleɪt; US -dʒə-] A. *vi*
hullámzik B. *vt* hullámossá tesz
undulating ['ʌndjʊleɪtɪŋ; US -dʒə-]
a 1. hullámzó 2. (dimbes-)dombos
undulation [ʌndjʊ'leɪʃn; US -dʒə-] *n*
1. hullámzás, hullámmozgás; rengés
2. hullámosság
undulatory ['ʌndjʊlətrɪ; US -dʒələtɔːrɪ]
a hullámos, hullámzó; hullám-
unduly [ʌn'dju:lɪ; US -'du:-] *adv* 1. in-
dokolatlanul, helytelenül 2. túlságo-
san
undutiful [ʌn'dju:tɪfʊl; US -'du:-] *a*
kötelességéről megfeledkező, hálát-
lan, tiszteletlen
undying [ʌn'daɪɪŋ] *a* halhatatlan
unearned [ʌn'ə:nd] *a* 1. meg nem érde-
melt 2. nem munkával szerzett; ~
income befektetésekből (nem munká-
ból) származó jövedelem
unearth [ʌn'ə:θ] *vt* kiás, felfedez, nap-
világra hoz
unearthly [ʌn'ə:θlɪ] *a* 1. nem földi,
mennyei, földöntúli, misztikus 2.
ijesztő 3. *biz at an* ~ *hour* lehetetlen
időben
uneasily [ʌn'i:zɪlɪ] *adv* kényelmetlenül,
kellemetlenül; szorongva
uneasiness [ʌn'i:zɪnɪs] *a* nyugtalanság,
zavar
uneasy [ʌn'i:zɪ] *a* 1. nyugtalan, aggo-
dalmaskodó, aggódó, zavarban levő,
zavart; *be/feel* ~ *about sg* aggódik/
nyugtalan(kodik) vm miatt 2. ké-
nyelmetlen, kellemetlen, kínos 3. ne-
hézkes, esetlen, ügyetlen
uneatable [ʌn'i:təbl] *a* ehetetlen
uneconomic(al) ['ʌni:kə'nɔmɪk(l)); US
-am-] *a* nem gazdaságos; pazarló;
ráfizetéses

uneducated [ʌn'edjʊkeɪtɪd; US -dʒʊ-]
a kellő nevelésben nem részesült;
tanulatlan
unembarrassed [ʌnɪm'bærəst] *a* 1.
könnyed, fesztelen 2. = *unencumbered*
unemotional [ʌnɪ'moʊʃənl] *a* szenvedély-
mentes, nem érzelgős
unemployed [ʌnɪm'plɔɪd] *a* 1. munka-
nélküli, foglalkozás nélküli; *the* ~
a munkanélküliek 2. fel nem használt;
~ *capital* holt tőke
unemployment [ʌnɪm'plɔɪmənt] *n* mun-
kanélküliség; ~ *benefit* munkanélkü-
li-segély
unencumbered [ʌnɪn'kʌmbəd] *a* teher-
mentes, adósságmentes, meg nem
terhelt (*by/with* vmvel)
unending [ʌn'endɪŋ] *a* véget nem érő,
szűnni nem akaró, végtelen, örökös
unendurable [ʌnɪn'djʊərəbl; US -'dʊ-]
a kibírhatatlan, elviselhetetlen
unengaged [ʌnɪŋ'geɪdʒd] *a* nem elfog-
lalt, szabad
un-English [ʌn'ɪŋglɪʃ] *a* nem angolos,
angol felfogással ellenkező
unenterprising [ʌn'entəpraɪzɪŋ] *a* nem
vállalkozó szellemű
unenviable [ʌn'envɪəbl] *a* nem irigylen-
dő, nem valami irigylésre méltó
unequal [ʌn'i:kwə)l] *a* 1. nem egyenlő,
egyenlőtlen; nem összeillő 2. *be* ~
to sg nem tud megfelelni vmnek, nem
bír vmvel, nem tud megbirkózni vmvel
unequalled, *US* **-equaled** [ʌn'i:kwə)ld]
a páratlan, hasonlíthatatlan, egyedül-
álló
unequivocal [ʌnɪ'kwɪvəkl] *a* egyértelmű,
kétségtelen, világos
unerring [ʌn'ə:rɪŋ] *a* csalhatatlan, té-
vedhetetlen, biztos
unescapable ˌ[ʌnɪ'skeɪpəbl] *a* = *in-*
escapable
UNESCO, Unesco [ju:'neskoʊ] *United*
Nations Educational, Scientific, and
Cultural Organization az ENSZ Ne-
velésügyi, Tudományos és Kulturá-
lis Szervezete
unessential [ʌnɪ'senʃl] *a* 1. lényegtelen
2. nélkülözhető, mellőzhető
uneven [ʌn'i:vn] *a* 1. egyenetlen, egyen-
lőtlen 2. páratlan [szám]

unevenness [ʌn'i:vnnɪs] *n* egyenetlenség
uneventful [ʌnɪ'ventfʊl] *a* eseménytelen, csendes
unexamined [ʌnɪg'zæmɪnd] *a* át/meg nem vizsgált
unexampled [ʌnɪg'zɑ:mpld; *US* -'zæ-] *a* példátlan, páratlan, egyedülálló
unexcelled [ʌnɪk'seld] *a* felül nem múlt, hasonlíthatatlan, párját ritkító
unexceptionable [ʌnɪk'sepʃnəbl] *a* feddhetetlen, kifogástalan
unexciting [ʌnɪk'saɪtɪŋ] *a* nem izgalmas, egyhangú, unalmas
unexhausted [ʌnɪg'zɔ:stɪd] *a* ki nem merített, kimerít(het)etlen
unexhaustible [ʌnɪg'zɔ:stəbl] *a* kimeríthetetlen
unexpected [ʌnɪk'spektɪd] *a* váratlan, meglepetésszerű, nem várt
unexpectedly [ʌnɪk'spektɪdlɪ] *adv* váratlanul, hirtelen
unexpired [ʌnɪk'spaɪəd] *a* le nem járt, még érvényes
unexplained [ʌnɪk'spleɪnd] *a* meg nem magyarázott, rejtélyes, tisztázatlan
unexplored [ʌnɪk'splɔ:d] *a* ki/fel nem derített, (még) ismeretlen
unexposed [ʌnɪk'spoʊzd] *a* 1. megvilágítatlan 2. fel nem fedett, leleplezetlen 3. ~ *to sg* vm ellen védett, vmnek ki nem tett
unexpressed [ʌnɪk'sprest] *a* ki nem mondott/fejezett
unexpurgated [ʌn'ekspəgeɪtɪd] *a* kihagyás nélküli, teljes (terjedelmű,) csonkítatlan [szöveg]
unfading [ʌn'feɪdɪŋ] *a* hervadhatatlan
unfailing [ʌn'feɪlɪŋ] *a* 1. kifogyhatatlan, kiapadhatatlan 2. hűséges [barát]; csalhatatlan, biztos [szer]
unfair [ʌn'feə*] *a* 1. igazságtalan, méltánytalan 2. nem korrekt, tisztességtelen
unfairly [ʌn'feəlɪ] *adv* tisztességtelenül, igazságtalanul, méltánytalanul
unfairness [ʌn'feənɪs] *n* igazságtalanság, méltánytalanság
unfaithful [ʌn'feɪθfʊl] *a* 1. hűtlen, (házastársát) megcsaló, csalfa; *be ~ to* . . . (meg)csalja [férjét, feleségét] 2. nem pontos, megbízhatatlan

unfaltering [ʌn'fɔ:lt(ə)rɪŋ] *a* határozott, biztos, habozás nélküli
unfamiliar [ʌnfə'mɪljə*] *a* 1. nem ismerős, ismeretlen, kevéssé/alig ismert *(to* vk előtt/számára); *be ~ with sg/sy* nem ismer vmt/vkt 2. szokatlan
unfamiliarity ['ʌnfəmɪlɪ'ærətɪ] *n* 1. ismeretlen/szokatlan/újszerű jelleg 2. járatosság/tapasztalat hiánya (vmben)
unfashionable [ʌn'fæʃnəbl] *a* nem divatos, divatjamúlt
unfasten [ʌn'fɑ:sn; *US* -'fæ-] *vt* kiold, kioldoz, felbont, kinyit, kikapcsol, meglazít
unfathomable [ʌn'fæð(ə)məbl] *a* 1. mérhetetlenül mély 2. kifürkészhetetlen
unfathomed [ʌn'fæð(ə)md] *a* kifürkészetlen, megméretlen
unfavourable, *US* **-favorable** [ʌn'feɪv(ə)rəbl] *a* kedvezőtlen
unfeasible [ʌn'fi:zəbl] *a* alkalmatlan, célszerűtlen; kivihetetlen
unfed [ʌn'fed] *a* táplálatlan
unfeeling [ʌn'fi:lɪŋ] *a* 1. érzéketlen 2. kegyetlen, lelketlen
unfeigned [ʌn'feɪnd] *a* őszinte, nyílt, nem színlelt, palástolatlan
unfelt [ʌn'felt] *a* 1. nem érzett/tapasztalt 2. nem érezhető/érzékelhető
unfertile [ʌn'fə:taɪl; *US* -t(ə)l] *a* terméketlen
unfettered [ʌn'fetəd] *a* bilincstelen, szabad(jára engedett)
unfilial [ʌn'fɪljəl] *a* hálátlan(ul viselkedő) [szülővel szemben]
unfilled [ʌn'fɪld] *a* ki/meg nem töltött; betöltetlen
unfinished [ʌn'fɪnɪʃt] *a* befejezetlen, kidolgozatlan, kikészítés nélküli
unfit [ʌn'fɪt] **I.** *a* 1. alkalmatlan, nem alkalmas; ~ *to drink* ihatatlan, nem ivóvíz 2. *feel ~* nem jól érzi magát **II.** *vt* -tt- alkalmatlanná tesz
unfitness [ʌn'fɪtnɪs] *n* 1. alkalmatlanság 2. gyengélkedés
unfitting [ʌn'fɪtɪŋ] *a* nem odavaló/-illő
unfix [ʌn'fɪks] *vt* leszerel, levesz, kikapcsol, lekapcsol
unflagging [ʌn'flægɪŋ] *a* fáradhatatlan, lankadatlan, ernyedetlen

unflappable [ʌn'flæpəbl] *a biz* rendíthetetlen nyugalmú

unflattering [ʌn'flæt(ə)rɪŋ] *a* nem hízelgő, kedvezőtlen

unfledged [ʌn'fledʒd] *a* 1. tollatlan 2. *biz* tapasztalatlan, éretlen

unflinching [ʌn'flɪntʃɪŋ] *a* rendíthetetlen, megingathatatlan

unfold [ʌn'fould] **A.** *vt* 1. szétbont, -nyit, felbont, kibont, kinyit; kiterít, kitár 2. kifejt, megmagyaráz, feltár; elmond, előad **B.** *vi* kitárul, kinyílik

unforced [ʌn'fɔ:st] *a* természetes, mesterkéletlen, nem erőszakolt

unforeseen [ʌnfɔ:'si:n] *a* előre nem látott, váratlan

unforgettable [ʌnfə'getəbl] *a* felejthetetlen

unforgivable [ʌnfə'gɪvəbl] *a* megbocsáthatatlan

unforgiving [ʌnfə'gɪvɪŋ] *a* meg nem bocsátó, engesztelhetetlen

unforgotten [ʌnfə'gɔtn; *US* -'gɑ-] *a* el nem felejtett

unfortified [ʌn'fɔ:tɪfaɪd] *a* megerősítetlen, védtelen, nyílt [város]

unfortunate [ʌn'fɔ:tʃnət] **I.** *a* szerencsétlen, nem szerencsés, sajnálatos; *it is ~ that* . . . sajnálatos/kár, hogy . . . **II.** *n the ~* a nyomorultak, a társadalom kitaszítottjai

unfortunately [ʌn'fɔ:tʃnətlɪ] *adv* sajnos, sajnálatosan, sajnálatos módon

unfounded [ʌn'faundɪd] *a* alaptalan, megalapozatlan, meg nem alapozott

unfreeze [ʌn'fri:z] *v* (*pt* -**froze** -'frouz, *pp* -**frozen** -'frouzn) **A.** *vt* megolvaszt, felolvaszt **B.** *vi* megolvad, felolvad

unfrequented [ʌnfrɪ'kwentɪd] *a* nem látogatott, kis forgalmú; magányos

unfriended [ʌn'frendɪd] *a* baráttalan, barátok nélküli, társtalan

unfriendly [ʌn'frendlɪ] *a* 1. barátságtalan, ellenséges 2. kedvezőtlen

unfrock [ʌn'frɔk; *US* -ak] *vt* egyházi rendből kitaszít

unfruitful [ʌn'fru:tful] *a* terméketlen, nem termő/gyümölcsöző, meddő

unfulfilled [ʌnful'fɪld] *a* beteljesületlen, meg nem valósult

unfunded [ʌn'fʌndɪd] *a* függő, nem fundált [adósság]

unfurl [ʌn'fə:l] *vt* kibont [zászlót, vitorlát], szétnyit [ernyőt]

unfurnished [ʌn'fə:nɪʃt] *a* bútorozatlan

ungainly [ʌn'geɪnlɪ] *a* idomtalan, esetlen, félszeg, idétlen, suta

ungallant [ʌn'gælənt] *a* udvariatlan, lovagiatlan

ungenerous [ʌn'dʒen(ə)rəs] *a* 1. szűkkeblű, fukar 2. igazságtalan

ungentlemanly [ʌn'dʒent!mənlɪ] *a* úriemberhez nem méltó, neveletlen

un-get-at-able [ʌnget'ætəbl] *a* hozzáférhetetlen, megközelíthetetlen

unglazed [ʌn'gleɪzd] *a* 1. (be)üvegezetlen 2. fényezetlen, matt

ungodly [ʌn'gɔdlɪ; *US* -'gɑ-] *a* istentelen, bűnös

ungovernable [ʌn'gʌv(ə)nəbl] *a* féktelen, nem irányítható

ungraceful [ʌn'greɪsful] *a* esetlen, félszeg, bájtalan, báj nélküli

ungracious [ʌn'greɪʃəs] *a* barátságtalan, nem szíves, udvariatlan

ungrammatical [ʌngrə'mætɪkl] *a* nyelvtanilag helytelen

ungrateful [ʌn'greɪtful] *a* 1. hálátlan 2. kellemetlen

ungrudging [ʌn'grʌdʒɪŋ] *a* bőkezű, szíves

ungrudgingly [ʌn'grʌdʒɪŋlɪ] *adv* szívesen, örömest, bőven

unguarded [ʌn'gɑ:dɪd] *a* 1. őrizetlen, védtelen 2. óvatlan, vigyázatlan

unguent ['ʌŋgwənt] *n* kenőcs, ír

ungulate ['ʌŋgjuleɪt; *US* -gjəlɪt] *a* patás

unhallowed [ʌn'hæloud] *a* 1. meg nem szentelt 2. istentelen, elvetemült

unhand [ʌn'hænd] *vt* † elereszt

unhandy [ʌn'hændɪ] *a* ügyetlen; kézre nem eső

unhanged [ʌn'hæŋd] *a* fel nem akasztott

unhappily [ʌn'hæpɪlɪ] *adv* 1. sajnálatosan, sajnos 2. szerencsétlenül, boldogtalanul

unhappiness [ʌn'hæpɪnɪs] *n* 1. boldogtalanság 2. sajnálatosság

unhappy [ʌn'hæpɪ] *a* 1. boldogtalan, szerencsétlen 2. sajnálatos 3. nem helyénvaló/szerencsés [megjegyzés]

unharmed [ʌn'hɑːmd] a ép, sértetlen
unharness [ʌn'hɑːnɪs] vt kifog [lovat]
unhealthy [ʌn'helθɪ] a egészségtelen,
nem egészséges, egészségre ártalmas;
beteg(es)
unheard [ʌn'hə:d] a 1. nem hallott
2. meg nem hallgatott; condemn sy ~
vkt meghallgatás nélkül elítél
unheard-of [ʌn'hə:dɔv; US -ɑv] a 1.
hallatlan, hihetetlen 2. soha nem
hallott; precedens nélküli
unheeded [ʌn'hiːdɪd] a figyelembe nem
vett, mellőzött; he was ~ rá sem hede-
rítettek
unheeding [ʌn'hiːdɪŋ] a figyelmetlen,
nemtörődöm, hanyag, gondatlan
unhelped [ʌn'helpt] a segítség nélkül(i),
egyedül
unhelpful [ʌn'helpfʊl] a 1. haszonta-
lan, keveset érő/mondó, értéktelen
2. nem készséges 3. gyámoltalan
unhesitating [ʌn'hezɪteɪtɪŋ] a habozás
nélküli, határozott
unhindered [ʌn'hɪndəd] a akadályozat-
lan, akadálytalan
unhinge [ʌn'hɪndʒ] vt 1. kiakaszt, ki-
emel [ajtót, ablakot] 2. ~d mind
tébolyodott/megzavarodott elme
unhistoric(al) [ʌnhɪ'stɔrɪk(l); US -ɔːr-]
a nem történelmi (szemléletű/hitelű)
unholy [ʌn'hoʊlɪ] a 1. istentelen, go-
nosz 2. szörnyű
unhook [ʌn'hʊk] vt kikapcsol, horogról
levész, kiakaszt
unhoped-for [ʌn'hoʊptfɔ:*] a nem re-
mélt/várt
unhorse [ʌn'hɔːs] vt lóról leszállít,
nyeregből letaszít/ledob; be ~d leesik
a lóról
unhouse [ʌn'haʊz] vt kitesz az utcára;
kisemmiz
unhurt [ʌn'hə:t] a ép(en), sértetlen(ül)
Uniat ['juːnɪæt] a/n görög szertartású
katolikus
UNICEF ['juːnɪsef] United Nations (In-
ternational) Children's (Emergency)
Fund az ENSZ Gyermeksegélyezési
Alapja
unicellular [juːnɪ'seljʊlə*; US -jə-] a
egysejtű
unicolour(ed) ['juːnɪkʌlə(d)] a egyszínű

unicorn ['juːnɪkɔːn] n egyszarvú, uni-
kornis
unidentified [ʌnaɪ'dentɪfaɪd] a fel nem
ismert, ismeretlen
unidirectional [juːnɪdɪ'rekʃənl] a egy-
irányú
unification [juːnɪfɪ'keɪʃn] n egyesítés,
egységesítés
uniform ['juːnɪfɔːm] I. a 1. egyöntetű,
egyforma, egynemű, egységes 2. állan-
dó, egyenletes, változatlan II. n
egyenruha, formaruha III. vt egyenru-
hába öltöztet
uniformity [juːnɪ'fɔːmɪtɪ] n 1. egyön-
tetűség, egyformaság, egységesség 2.
egyenletesség, változatlanság
unify ['juːnɪfaɪ] vt 1. egyesít, egybefog-
lal 2. egységessé/egyöntetűvé tesz
unilateral [juːnɪ'læt(ə)rəl] a egyol-
dalú
unilingual [juːnɪ'lɪŋgw(ə)l] a egynyelvű
unimaginable [ʌnɪ'mædʒɪnəbl] a elkép-
zelhetetlen
unimaginative [ʌnɪ'mædʒɪnətɪv] a fan-
táziátlan, földhöz tapadt
unimpaired [ʌnɪm'peəd] a ép, sértetlen
unimpeachable [ʌnɪm'piːtʃəbl] a kifo-
gástalan, megtámadhatatlan
unimpeded [ʌnɪm'piːdɪd] a akadályta-
lan, szabad
unimportance [ʌnɪm'pɔːt(ə)ns] n jelen-
téktelenség, érdektelenség
unimportant [ʌnɪm'pɔːt(ə)nt] a jelen-
téktelen, nem fontos
unimpressed [ʌnɪm'prest] a nem meg-
hatott, hatás/benyomás nélkül maradt
unimpressive [ʌnɪm'presɪv] a hatásta-
lan, nem figyelemre méltó
uninflected [ʌnɪn'flektɪd] a nem ragozó/
ragozott
uninfluenced [ʌn'ɪnflʊənst] a nem be-
folyásolt, befolyásolatlan
uninfluential [ʌnɪnflʊ'enʃl] a befolyás
nélküli, befolyással nem rendelkező
uninformed [ʌnɪn'fɔːmd] a tájékozat-
lan; be ~ of sg nincs tudomása vmről
uninhabitable [ʌnɪn'hæbɪtəbl] a lakha-
tatlan
uninhabited [ʌnɪn'hæbɪtɪd] a lakatlan
uninhibited [ʌnɪn'hɪbɪtɪd] a gátlások-
tól mentes, gátlás nélküli

uninitiated [ʌnɪ'nɪʃɪeɪtɪd] a be nem avatott, avatatlan [személy]

uninjured [ʌn'ɪndʒəd] a sértetlen, meg nem sebesült/sérült

uninspired [ʌnɪn'spaɪəd] a lélek nélküli, ihlettelen; lapos

unintelligent [ʌnɪn'telɪdʒ(ə)nt] a nem értelmes/intelligens, unintelligens

unintelligible [ʌnɪn'telɪdʒəbl] a érthetetlen; értelmetlen

unintentional [ʌnɪn'tenʃənl] a nem szándékos/szándékolt, akaratlan

uninterested [ʌn'ɪntrɪstɪd] a 1. érdeklődést nem mutató 2. nem érdekelt/ részes; önzetlen

uninteresting [ʌn'ɪntrɪstɪŋ] a nem érdekes, unalmas, érdektelen

uninterrupted ['ʌnɪntə'rʌptɪd] a félbe nem szakított, folyamatos, zavartalan

uninvited [ʌnɪn'vaɪtɪd] a (meg)hívatlan, kéretlen

uninviting [ʌnɪn'vaɪtɪŋ] a 1. nem/kevéssé vonzó/bizalomgerjesztő 2. nem étvágygerjesztő

union ['ju:njən] n 1. egyesítés; ~ catalogue központi címjegyzék/katalógus 2. egyesülés, egybeolvadás 3. szövetség, unió; the U~ (1) az Egyesült Államok (2) az Egyesült Királyság; U~ flag/Jack a brit zászló/lobogó 4. egybekelés, házasság 5. egyetértés, összhang 6. szegényház 7. szakszervezet; ~ card szakszervezeti tagkönyv; ~ shop ⟨olyan üzem melyben csak szervezett munkások dolgoznak⟩ 8. összeforradás, -hegedés [sebszéleké] 9. összeillesztés [csöveké], csőkötés 10. US ~ suit kezeslábas [alsóruha]

unionist ['ju:njənɪst] n 1. a(z) szövetkezés/egyesülés/unió híve 2. szakszervezeti tag

uniparous [ju:'nɪpərəs] a egyszerre egyet szülő/ellő

unipolar [ju:nɪ'poʊlə*] a egysarkú

unique [ju:'ni:k] a egyedülálló, páratlan (a maga nemében), kivételes

uniquely [ju:'ni:klɪ] adv egyedülálló módon, páratlanul

unisex ['ju:nɪseks] a uniszex, ⟨mindkét nem által viselhető⟩

unison ['ju:nɪzn] n 1. [zenei] összhang, harmónia; együtthangzás 2. egyszólamú éneklés, uniszónó; sing in ~ egy szólamban v. uniszónó énekel 3. egyetértés, összhang; act in ~ with sy vkvel egyetértésben cselekszik

unissued [ʌn'ɪʃu:d] a kibocsátatlan, ki nem bocsátott [részvény]

unit ['ju:nɪt] n 1. egység; ~ price egységár 2. (mérték)egység 3. az egyes szám 4. [géptanban stb.] elem, gépegység; ~ furniture elemes/varia bútor

Unitarian [ju:nɪ'teərɪən] a/n unitárius

unite [ju:'naɪt] A. vt 1. egyesít, összekapcsol; ~ a wound sebet összevarr 2. összeházasít 3. magába foglal, [tulajdonságokat] magában egyesít; összeegyeztet, -hangol B. vi 1. egyesül, egybeolvad 2. megegyezik, egyetért [elvekben stb.]

united [ju:'naɪtɪd] a 1. egyesített; make a ~ effort egységbe tömörülnek, egyesítik erőiket 2. egyesült; the U~ Kingdom az Egyesült Királyság; U~ Kingdom of Great Britain and Northern Ireland Nagy-Britannia és Észak-Írország Egyesült királysága; the U~ Nations az Egyesült Nemzetek (ENSZ); the U~ States (of America) az (Amerikai) Egyesült Államok

unity ['ju:nətɪ] n 1. egység; ~ is strength egységben az erő; the dramatic unities a (színpadi) hármas egység 2. egyetértés 3. közös birtoklás

Univ. University

univalent [ju:nɪ'veɪlənt] a egy(vegy-)értékű

universal [ju:nɪ'və:sl] a 1. egyetemes, általános; ~ language világnyelv 2. mindenre használható, univerzális

universe ['ju:nɪvə:s] n világegyetem, mindenség

university [ju:nɪ'və:sətɪ] n egyetem; he has had a ~ education egyetemet végzett; ~ student egyetemi hallgató

unjust [ʌn'dʒʌst] a 1. igazságtalan, méltánytalan 2. hamis, hibás [mérleg]

unjustifiable [ʌn'dʒʌstɪfaɪəbl] a nem igazolható, meg nem okolható

unjustified [ʌn'dʒʌstɪfaɪd] a igazolatlan, indokolatlan, nem menthető unkempt [ʌn'kempt] a 1. borzas, fésületlen 2. rendetlen, ápolatlan

unkind [ʌn'kaɪnd] a 1. nem szíves; that's very ~ of him ez nem szép tőle

2. kegyetlen, rosszindulatú

unkindly [ʌn'kaɪndlɪ] I. a barátságtalan, kellemetlen, nyers II. adv rosszindulatúan; barátságtalanul; don't take it ~ if ... ne vegye rossz néven, ha ...

unkindness [ʌn'kaɪndnɪs] n 1. barátságtalanság, nyerseség 2. rosszindulat, kegyetlenség, kíméletlenség

unknowing [ʌn'noʊɪŋ] a 1. vmt nem ismerő 2. tudatlan

unknown [ʌn'noʊn] a ismeretlen; he did it ~ to me tudtom nélkül tette

unlace [ʌn'leɪs] vt kifűz

unladen [ʌn'leɪdn] a 1. kirakott 2. meg nem rakott, terheletlen; ~ weight önsúly

unladylike [ʌn'leɪdɪlaɪk] a úrinőhöz nem méltó

unlaid [ʌn'leɪd] a 1. megterítetlen 2. le nem csendesített; ~ ghost hazajáró lélek, visszajáró kísértet

unlatch [ʌn'lætʃ] vt kinyit [ajtót]

unlawful [ʌn'lɔ:fʊl] a törvénytelen, törvényellenes, meg nem engedett

unlearn [ʌn'lə:n] vt (pt/pp -learned -'lə:nt v. -learnt -'lə:nt) elfelejt [vm megtanultat], kitanul (vmből)

unlearned a 1. [ʌn'lə:nɪd] tudatlan, tanulatlan 2. [ʌn'lə:nt] meg nem tanult

unleash [ʌn'li:ʃ] vt 1. pórázról elenged 2. kirobbant [háborút]

unleavened [ʌn'levnd] a kovásztalan; feast of ~ bread a kovásztalan kenyér ünnepe, pészach

unless [ən'les] conj ha(csak) nem, kivéve (hogy)ha; ~ I am mistaken ha nem tévedek

unlettered [ʌn'letəd] a írástudatlan, műveletlen, nem olvasott [személy]

unlicensed [ʌn'laɪs(ə)nst] a engedély nélküli; szabadalmazatlan

unlicked [ʌn'lɪkt] a 1. faragatlan; an ~ cub tapasztalatlan ifjonc, faragatlan/neveletlen fickó 2. el nem páholt

unlike [ʌn'laɪk] a/prep nem hasonló; elt, ő, más; be ~ (to) sy/sg nem hasonló/hasonlít vkhez/vmhez

unlikelihood [ʌn'laɪklɪhʊd] n valószínűtlenség

unlikeliness [ʌn'laɪklɪnɪs] n = unlikelihood

unlikely [ʌn'laɪklɪ] a 1. valószínűtlen; most ~ felettébb kétséges/valószínűtlen, egyáltalán nem valószínű; he is ~ to come nem valószínű, hogy eljön 2. nem sok jót ígérő, sikerrel nem kecsegtető

unlimited [ʌn'lɪmɪtɪd] a korlátlan, határtalan

unlisted [ʌn'lɪstɪd] a ~ telephone number titkos telefonszám

unlit [ʌn'lɪt] a (ki)világítatlan, sötét

unload [ʌn'loʊd] A. vt 1. kirak, lerak [terhet, rakományt] 2. ürít [fegyvert] 3. megszabadul [árukészlettől] B. vi lerakodik, kirakodik

unloaded [ʌn'loʊdɪd] a rakomány/terhelés nélküli, terheletlen, üres

unlock [ʌn'lɔk; US -ak] vt 1. kinyit [zárat] 2. ~ one's heart kiönti szívét

unlocked [ʌn'lɔkt; US -ɑ-] a (kulccsal) be nem zárt

unlooked-for [ʌn'lʊktfɔ:*] a váratlan, nem várt/remélt

unloose(n) [ʌn'lu:s(n)] vt 1. kibont, megoldoz 2. megszabadít, kiszabadít

unlovable [ʌn'lʌvəbl] a nem szeretetreméltó, nem rokonszenves

unlovely [ʌn'lʌvlɪ] a nem szép, csúnya, kellemetlen, ellenszenves

unlucky [ʌn'lʌkɪ] a 1. szerencsétlen, peches 2. baljóslatú 3. rosszul választott, időszerűtlen

unmake [ʌn'meɪk] vt (pt/pp -made -'meɪd) 1. elront, tönkretesz 2. visszacsinál; megszüntet

unman [ʌn'mæn] vt -nn- 1. férfiatlanná tesz, elbátortalanít, lehangol 2. kiherél

unmanageable [ʌn'mænɪdʒəbl] a kezelhetetlen, nehezen kezelhető, zabolátlan

unmanly [ʌn'mænlɪ] a 1. férfiatlan, gyáva 2. nőies, elpuhult

unmanned [ʌn'mænd] a pilóta nélküli, távirányítású [űrhajó stb.]; műszeres [repülés]

unmannerly [ʌn'mænəlɪ] a rossz modorú, modortalan, neveletlen

unmarked [ʌn'mɑ:kt] a 1. jelöletlen 2. észre nem vett; pass ~ nem vesz észre/tudomásul (vmt)
unmarketable [ʌn'mɑ:kɪtəbl] a eladhatatlan, nem kelendő
unmarriageable [ʌn'mærɪdʒəbl] a (még) nem férjhez adható korú
unmarried [ʌn'mærɪd] a nőtlen, hajadon; ~ mother leányanya; ~ state nőtlenség
unmask [ʌn'mɑ:sk; US -æ-] A. vt 1. álarcot levesz (vkről) 2. leleplez B. vi 1. leveszi álarcát 2. leleplezi magát
unmatched [ʌn'mætʃt] a 1. páratlan, egyedülálló 2. nem összeillő, felemás
unmeaning [ʌn'mi:nɪŋ] a értelmetlen
unmeant [ʌn'ment] a nem szándékos
unmeasured [ʌn'meʒəd] a 1. megméretlen, leméretlen 2. mérhetetlen 3. bőséges 4. mértéktelen
unmentionable [ʌn'menʃnəbl] I. a kimondhatatlan II. n biz ~s intim ruhadarabok
unmerciful [ʌn'mə:sɪful] a könyörtelen, kegyetlen
unmerited [ʌn'merɪtɪd] a meg nem érdemelt, érdemtelen
unmethodical [ʌnmɪ'θɔdɪkl; US -'θɑ-] a 1. rendszertelen, nem módszeres 2. zavaros, fejű, kapkodó [ember]
unmindful [ʌn'maɪndful] a 1. megfeledkező (of vmről), feledékeny 2. hanyag, nemtörődöm 3. kíméletlen
unmistakable [ʌnmɪ'steɪkəbl] a félreérthetetlen, félreismerhetetlen
unmitigated [ʌn'mɪtɪgeɪtɪd] a 1. nem enyhített 2. biz legteljesebb, abszolút; an ~ scoundrel hétpróbás gazember
unmixed [ʌn'mɪkst] a 1. vegyítetlen, nem kevert 2. zavartalan, tiszta, fenntartás nélküli; not an ~ blessing nem fenékig tejföl
unmolested [ʌnmoʊ'lestɪd] a zavartalan, háborítatlan, nem háborgatott
unmoor [ʌn'mʊə*] vt horgonyát felszedi [hajónak]
unmotherly [ʌn'mʌðəlɪ] a nem anyához illő
unmounted [ʌn'maʊntɪd] a 1. gyalogos [katona] 2. foglalatlan [drágakő]; keretezetlen [kép]

unmoved [ʌn'mu:vd] a 1. mozdulatlan 2. remain ~ nem hajtja meg (vm) 3. el nem téríthető [elhatározástól]
unmoving [ʌn'mu:vɪŋ] a 1. mozdulatlan 2. érzelmeket nem keltő
unmusical [ʌn'mju:zɪkl] a 1. nem dallamos 2. botfülű; nem muzikális
unmuzzle [ʌn'mʌzl] vt 1. szájkosarat levesz [kutyáról] 2. cenzúrát megszüntet (vhol)
unnameable [ʌn'neɪməbl] a megnevezhetetlen, meg nem nevezhető
unnamed [ʌn'neɪmd] a 1. névtelen, ismeretlen 2. meg nem említett
unnatural [ʌn'nætʃr(ə)l] a 1. nem természetes, természetellenes; erőltetett 2. szeretetlen, gonosz [szülő]
unnaturalized [ʌn'nætʃrəlaɪzd] a honosítatlan
unnavigable [ʌn'nævɪgəbl] a hajózhatatlan
unnecessarily [ʌn'nesəs(ə)rəlɪ; US -erɪ-] adv fölöslegesen, szükségtelenül; értelmetlenül
unnecessary [ʌn'nesəs(ə)rɪ; US -erɪ] a fölösleges, szükségtelen, nem szükséges
unneeded [ʌn'ni:dɪd] a szükségtelen, fölösleges, nem kívánt
unneighbourly [ʌn'neɪbəlɪ] a jó szomszédhoz nem illő
unnerve [ʌn'nə:v] vt elbátortalanít
unnoticed [ʌn'noʊtɪst] a 1. észrevétlen 2. mellőzött
unnumbered [ʌn'nʌmbəd] a 1. számozatlan 2. (meg)számlálatlan 3. számtalan, megszámlálhatatlan, rengeteg
U.N.O., UNO ['ju:noʊ] United Nations Organization Egyesült Nemzetek Szervezete, ENSZ
unobjectionable [ʌnəb'dʒekʃnəbl] a kifogástalan, nem kifogásolható
unobservant [ʌnəb'zə:v(ə)nt] a nem jó megfigyelő, figyelmetlen
unobserved [ʌnəb'zə:vd] a észrevétlen; be ~ nem veszik észre
unobstructed [ʌnəb'strʌktɪd] a akadálytalan, korlátozatlan, szabad
unobtainable [ʌnəb'teɪnəbl] a beszerezhetetlen, megszerezhetetlen, nem kapható

unobtrusive [ʌnəb'tru:sɪv] a 1. szerény, nem tolakodó, tartózkodó, diszkrét 2. nem feltűnő

unoccupied [ʌn'ɔkjupaɪd; US -'akjə-] a el/le nem foglalt; szabad; lakatlan

unoffending [ʌnə'fendɪŋ] a ártalmatlan, nem sértő/bántó

unofficial [ʌnə'fɪʃl] a nem hivatalos, félhivatalos, meg nem erősített; magán-

unopened [ʌn'oʊp(ə)nd] a felbontatlan, ki nem nyitott, zárt

unopposed [ʌnə'poʊzd] a nem ellenzett, egyetlen [jelölt]

unorganized [ʌn'ɔ:gənaɪzd] a szervezetlen

unorthodox [ʌn'ɔ:θədɔks; US -aks] a nem hithű/ortodox, nem a bevett felfogás szerinti, liberális szellemű

unostentatious ['ʌnɔsten'teɪʃəs; US -as-] a nem kérkedő/hivalkodó, egyszerű, feltűnés nélküli, feltűnést kerülő

unpack [ʌn'pæk] vt kicsomagol

unpaged [ʌn'peɪdʒd] a lapszámozatlan

unpaid [ʌn'peɪd] a 1. kifizetetlen, meg/ki nem fizetett 2. fizetéstelen; nem díjazott 3. felbélyegezetlen

unpalatable [ʌn'pælətəbl] a 1. rossz ízű 2. élvezhetetlen, kellemetlen

unparalleled [ʌn'pærəleld] a példátlan, (össze)hasonlíthatatlan, párját ritkító

unpardonable [ʌn'pɑ:dnəbl] a megbocsáthatatlan

unparliamentary ['ʌnpɑ:lə'ment(ə)rɪ] a 1. nem parlamentáris 2. biz durva (nyelvezetű)

unpatriotic ['ʌnpætrɪ'ɔtɪk; US -'ɑ-] a hazafiatlan, nem hazafihoz illő/méltó

unpaved [ʌn'peɪvd] a kövezetlen, kőburkolat nélküli

unperceivable [ʌnpə'si:vəbl] a észrevehetetlen

unperceived [ʌnpə'si:vd] I. a észrevétlen II. adv észrevétlenül

unperforated [ʌn'pə:fəreɪtɪd] a kilyukasztatlan, perforálatlan

unperturbed [ʌnpə'tə:bd] a higgadt, nyugodt, zavartalan, háborítatlan

unpick [ʌn'pɪk] vt felfejt, felbont [varrást]

unpin [ʌn'pɪn] vt -nn- tűket kiveszi (vmből), kibont [ruhát]

unpitying [ʌn'pɪtɪɪŋ] a könyörtelen

unplaced [ʌn'pleɪst] a 1. helyezetlen 2. nem a helyén levő

unpleasant [ʌn'pleznt] a kellemetlen

unpleasantness [ʌn'plezntnɪs] n 1. kellemetlenség 2. visszataszító volta vmnek 3. egyenetlenség, ellentét, veszekedés, viszálykodás

unpleasing [ʌn'pli:zɪŋ] a 1. kellemetlen 2. nem tetszetős

unplug [ʌn'plʌg] vt -gg- dugót kivesz (vmből), kihúz [falidugót], kikapcsol [készüléket]

unplumbed [ʌn'plʌmd] a megmér(het)etlen, feneketlen [mélység]; ~ depths of ignorance a tudatlanság feneketlen mélységei

unpoetic(al) [ʌnpoʊ'etɪk(l)] a nem költőies, költőietlen, prózai

unpointed [ʌn'pɔɪntɪd] a hegyezetlen; életlen, tompa

unpolished [ʌn'pɔlɪʃt; US -'pɑ-] a 1. csiszolatlan, fényezetlen 2. durva, faragatlan [viselkedés], csiszolatlan [stílus]

unpolluted [ʌnpə'lu:tɪd] a mocsoktalan, szennyezetlen, tiszta

unpopular [ʌn'pɔpjʊlə*; US -'pɑpjə-] a népszerűtlen

unpopularity ['ʌnpɔpjʊ'lærətɪ; US -pɑpjə-] n népszerűtlenség

unpractical [ʌn'præktɪkl] a nem gyakorlatias, unpraktikus

unpractised, US -ticed [ʌn'præktɪst] a gyakorlatlan, járatlan

unprecedented [ʌn'presɪd(ə)ntɪd] a példa nélkül álló, még elő nem fordult

unpredictable [ʌnprɪ'dɪktəbl] a előre meg nem mondható, kiszámíthatatlan

unprejudiced [ʌn'predʒʊdɪst] a előítéletmentes, elfogulatlan, nem részrehajló

unpremeditated [ʌnprɪ'medɪteɪtɪd] a előre meg nem fontolt, nem szándékos

unprepared [ʌnprɪ'peəd] a 1. készületlen; be ~ for sg nincs felkészülve vmre 2. rögtönzött

unprepossessing ['ʌnpri:pə'zesɪŋ] a nem megnyerő, ellenszenves unpresuming [ˌʌnprɪ'zjuːmɪŋ; US -'zuː-] a önteltség nélküli, nem gőgös, szerény

unpretending [ˌʌnprɪ'tendɪŋ] a = unpretentious

unpretentious [ˌʌnprɪ'tenʃəs] a igénytelen, szerény

unprincipled [ʌn'prɪnsəpld] a elvtelen; lelkiismeretlen, aljas

unprintable [ʌn'prɪntəbl] a nyomdafestéket (el) nem tűrő

unprinted [ʌn'prɪntɪd] a kiadatlan

unprocurable [ˌʌnprə'kjʊərəbl] a megszerezhetetlen, beszerezhetetlen

unproductive [ˌʌnprə'dʌktɪv] a 1. nem termelő/jövedelmező 2. terméketlen

unprofessional [ˌʌnprə'feʃənl] a 1. nem
• hivatásos/diplomás, szakképzettség nélküli 2. nem szakszerű 3. magán(jellegű) [látogatás]

unprofitable [ʌn'prɒfɪtəbl; US -əf-] a 1. hasznot nem hajtó, nem jövedelmező 2. haszontalan, eredménytelen

unpromising [ʌn'prɒmɪsɪŋ; US -ɑm-] a nem sokat (v. keveset) ígérő, nem biztató

unprompted [ʌn'prɒmptɪd; US -ɑm-] a spontán, felszólítás nélkül(i), magától tett

unpronounceable [ˌʌnprə'naʊnsəbl] a ki nem ejthető, kiejthetetlen

unprotected [ˌʌnprə'tektɪd] a védtelen, szabadon levő [alkatrész]

unproved [ʌn'pruːvd] a 1. ki nem próbált 2. be nem bizonyított

unprovided [ˌʌnprə'vaɪdɪd] a 1. el nem látott, ellátatlan (with vmivel); be left ~ for minden nélkül marad 2. felkészületlen

unprovoked [ˌʌnprə'vəʊkt] a ok nélküli, indokolatlan, ki nem provokált

unpublished [ʌn'pʌblɪʃt] a kiadatlan, közzé nem tett

unpunctuality ['ʌnpʌŋktjʊ'ælətɪ; US -tʃʊ-] n pontatlanság

unpunished [ʌn'pʌnɪʃt] a büntetlen

unqualified [ʌn'kwɒlɪfaɪd; US -ɑl-] a 1. képesítetlen; képesítéssel nem rendelkező; ~ to vote szavazójoggal nem rendelkező 2. feltétlen, fenntartás/kikötés nélküli

unquenchable [ʌn'kwentʃəbl] a olthatatlan (átv is)

unquenched [ʌn'kwentʃt] a 1. oltatlan 2. kielégítetlen

unquestionable [ʌn'kwestʃənəbl] a kétségbevonhatatlan, kétségtelen

unquestioned [ʌn'kwestʃ(ə)nd] a 1. kétségbe nem vont, nem vitatott 2. ki nem hallgatott/kérdezett

unquestioning [ʌn'kwestʃənɪŋ] a feltétlen, vak [engedelmesség]

unquiet [ʌn'kwaɪət] a nyugtalan, zavaros

unquote [ʌn'kwəʊt] vt „idézőjel bezárva !" [diktálás közben]

unquoted [ʌn'kwəʊtɪd] a 1. nem idézett 2. nem jegyzett [tőzsdén]

unratified [ʌn'rætɪfaɪd] a ratifikálatlan

unravel [ʌn'rævl] vt -ll- (US -l-) 1. kigöngyölít, kibont, kibogoz; felfejt [kötést] 2. megfejt, megold

unread [ʌn'red] a 1. olvasatlan [könyv] 2. nem olvasott, műveletlen [személy]

unreadable [ʌn'riːdəbl] a 1. olvashatatlan 2. nem olvasmányos

unready [ʌn'redɪ] a 1. készületlen 2. habozó

unreal [ʌn'rɪəl] a nem valódi, irreális

unreasonable [ʌn'riːznəbl] a 1. ésszerűtlen, esztelen 2. túlságos, túlzott

unreasoning [ʌn'riːznɪŋ] a oktalan, ésszerűtlen, irreális

unrecognizable [ʌn'rekəgnaɪzəbl] a felismerhetetlen

unrecognized [ʌn'rekəgnaɪzd] a 1. fel nem ismert 2. el nem ismert

unrecorded [ˌʌnrɪ'kɔːdɪd] a feljegyzetlen, meg nem említett

unredeemed [ˌʌnrɪ'diːmd] a 1. be nem váltott [ígéret] 2. be nem hajtott [kinnlevőség], ki nem váltott [zálogtárgy] 3. jóvá nem tett

unreel [ʌn'riːl] vt legombolyít, letekercsel

unrefined [ˌʌnrɪ'faɪnd] a 1. finomítatlan 2. faragatlan

unregarded [ˌʌnrɪ'gɑːdɪd] a 1. figyelemre nem méltatott 2. észrevétlen

unregistered [ʌn'redʒɪstəd] a 1. bejegyzetlen 2. nem ajánlott [levél]

unregretted [ˌʌnrɪ'gretɪd] a nem sajnált, meg nem siratott/bánt

unrehearsed [ʌnrɪ'hə:st] *a* próba nélküli, előkészületlen, rögtönzött
unrelated [ʌnrɪ'leɪtɪd] *a* nem rokon, kapcsolattal/vonatkozással nem rendelkező, össze nem függő
unrelaxing [ʌnrɪ'læksɪŋ] *a* ernyedetlen
unrelenting [ʌnrɪ'lentɪŋ] *a* kérlelhetetlen, hajthatatlan, könyörtelen
unreliable [ʌnrɪ'laɪəbl] *a* megbízhatatlan
unrelieved [ʌnrɪ'li:vd] *a* 1. fel/meg nem szabadított, nem enyhített 2. egyhangú
unremitting [ʌnrɪ'mɪtɪŋ] *a* szüntelen, lankadatlan
unrepentant [ʌnrɪ'pentənt] *a* bűnbánat nélkül(i), dacos, megátalkodott
unrequited [ʌnrɪ'kwaɪtɪd] *a* viszonzatlan
unreserved [ʌnrɪ'zə:vd] *a* 1. nyílt, őszinte, fesztelen 2. feltétel/fenntartás nélküli 3. fenn nem tartott, le nem foglalt, számozatlan [ülés]
unreservedly [ʌnrɪ'zə:vɪdlɪ] *adv* fenntartás nélkül, őszintén, nyíltan
unresisting [ʌnrɪ'zɪstɪŋ] *a* ellen nem álló, engedékeny
unresponsive [ʌnrɪ'spɔnsɪv; *US* -ɑn-] *a* 1. hűvös, tartózkodó 2. nem reagáló/fogékony [*to* vmely behatásra]
unrest [ʌn'rest] *n* nyugtalanság
unrestful [ʌn'restfʊl] *a* nyugtalan
unrestrained [ʌnrɪ'streɪnd] *a* korlátozatlan, féktelen
unrestricted [ʌnrɪ'strɪktɪd] *a* korlát(ozat)lan, feltételhez nem kötött
unretentive [ʌnrɪ'tentɪv] *a* megbízhatatlan, gyenge [emlékezet]
unrevenged [ʌnrɪ'vendʒd] *a* (meg)bosszulatlan, megtorolatlan
unrewarded [ʌnrɪ'wɔ:dɪd] *a* jutalomban/elismerésben nem részesült
unrighteous [ʌn'raɪtʃəs] *a* 1. gonosz, istentelen 2. igazságtalan
unripe [ʌn'raɪp] *a* éretlen
unrivalled, *US* **-rivaled** [ʌn'raɪvld] *a* páratlan, versenytárs nélküli
unroll [ʌn'roʊl] A. *vt* kigöngyöl; leteker B. *vi* letekeredik
unromantic [ʌnrə'mæntɪk] *a* hétköznapias, sivár, prózai
unruffled [ʌn'rʌfld] *a* 1. sima, csendes 2. higgadt, nyugodt

unruly [ʌn'ru:lɪ] *a* engedetlen, rakoncátlan, nyakas
unsaddle [ʌn'sædl] *vt* 1. lenyergel 2. nyeregből kivet, hátáról levet
unsafe [ʌn'seɪf] *a* nem biztonságos, veszélyes
unsaid [ʌn'sed] *a* ki/el nem mondott; *leave sg* ~ elhallgat vmt → *unsay*
unsalaried [ʌn'sælərɪd] *a* fizetéstelen, nem fix fizetéses
unsaleable [ʌn'seɪləbl] *a* eladhatatlan
unsanitary [ʌn'sænɪt(ə)rɪ; *US* -erɪ] *a* egészségtelen
unsatisfactory ['ʌnsætɪs'fækt(ə)rɪ] *a* elégtelen, nem kielégítő
unsatisfied [ʌn'sætɪsfaɪd] *a* kielégítetlen, elégedetlen; kielégületlen
unsatisfying [ʌn'sætɪsfaɪɪŋ] *a* nem kielégítő, elégtelen
unsaturated [ʌn'sætʃəreɪtɪd] *a* telítetlen
unsavoury, *US* **-vory** [ʌn'seɪv(ə)rɪ] *a* 1. gusztustalan, rossz ízű 2. kellemetlen [ügy]
unsay [ʌn'seɪ] *vt* (*pt/pp* **-said** -'sed) viszszaszív, -von
unscathed [ʌn'skeɪðd] *a* ép, sértetlen
unscheduled [ʌn'ʃedju:ld; *US* -'skedʒ-] *a* nem betervezett, tervbe nem vett
unscholarly [ʌn'skɔləlɪ; *US* -ɑl-] *a* nem tudományos/tudósi, tudománytalan
unschooled [ʌn'sku:ld] *a* iskolázatlan
unscientific ['ʌnsaɪən'tɪfɪk] *a* tudománytalan
unscramble [ʌn'skræmbl] *vt*, kirejtjelez, megfejt, kihüvelyez [szöveget]
unscreened [ʌn'skri:nd] *a* 1. (spanyol-fallal/függönnyel) el nem takart 2. szitálatlan, rostálatlan 3. nem priorált/káderezett
unscrew [ʌn'skru:] A. *vt* lecsavar, kicsavar; kinyit B. *vi* lecsavarodik, kicsavarodik, „lejön"
unscrupulous [ʌn'skru:pjʊləs; *US* -pjə-] *a* lelkiismeretlen, gátlástalan
unseal [ʌn'si:l] *vt* pecsétjét felbontja/feltöri (vmnek), felnyit [levelet]
unseasonable [ʌn'si:znəbl] *a* nem az időszakhoz illő; időszerűtlen
unseasoned [ʌn'si:znd] *a* 1. fűszerezetlen 2. éretlen, tapasztalatlan
unseat [ʌn'si:t] *vt* 1. ledob a nyeregből

[lovast]; *be ~ed* bukik [lovas] 2. kibuktat [képviselőt]
unseaworthy [ʌn'si:wə:ðɪ] *a* nem tengerbíró, hajózásra alkalmatlan
unsecured [ʌnsɪ'kjʊəd] *a* 1. nem biztosított 2. fedezetlen
unseeing [ʌn'si:ɪŋ] *a* 1. világtalan, vak 2. gyanútlan
unseemly [ʌn'si:mlɪ] *a* helytelen, illetlen, nem illő/helyénvaló
unseen [ʌn'si:n] *a* 1. láthatatlan, látatlan 2. ex-abrupto, kapásból való [fordítás]
unselfconscious [ʌnself'kɔnʃəs; US -ɑn-] *a* vmnek tudatában nem levő; fesztelen
unselfish [ʌn'selfɪʃ] *a* önzetlen, altruista
unserviceable [ʌn'sə:vɪsəbl] *a* hasznavehetetlen, alkalmatlan
unsettle [ʌn'setl] *vt* megzavar, felizgat, összezavar, felkavar
unsettled [ʌn'setld] *a* 1. változékony [időjárás] 2. nyugtalan 3. rendezetlen, elintézetlen [tartozás] 4. bizonytalan, határozatlan 5. állandó lakhellyel nem rendelkező 6. lakatlan 7. zavaros, le nem ülepedett
unshakeable [ʌn'ʃeɪkəbl] *a* rendíthetetlen
unshaken [ʌn'ʃeɪk(ə)n] *a* rendületlen, szilárd
unshapely [ʌn'ʃeɪplɪ] *a* alaktalan, idomtalan, formátlan
unshaven [ʌn'ʃeɪvn] *a* borotválatlan
unsheathe [ʌn'ʃi:ð] *vt* hüvelyéből kiránt/kihúz [kardot]
unsheltered [ʌn'ʃeltəd] *a* védtelen
unship [ʌn'ʃɪp] *vt* -pp- 1. hajóból kirak, kirakodik 2. *biz* elküld, elzavar
unshod [ʌn'ʃɔd; US -ɑd] *a* 1. mezítlábas 2. patkolatlan; vasalatlan
unshrinkable [ʌn'ʃrɪŋkəbl] *a* össze nem menő, zsugorodásmentes
unshrinking [ʌn'ʃrɪŋkɪŋ] *a* vissza nem riadó, rendíthetetlen
unsightly [ʌn'saɪtlɪ] *a* csúnya, idétlen
unsigned [ʌn'saɪnd] *a* alá nem írt
unskilful, *US* -skill- [ʌn'skɪlfʊl] *a* ügyetlen
unskilled [ʌn'skɪld] *a* 1. gyakorlatlan, nem szakértő, szakképzetlen 2. szakértelmet/szakképzettséget nem igény-

lő; ~ *labour* (1) szakképzettséget nem igénylő munka (2) szakképzetlen munkaerő, segédmunkás(ok)
unslaked [ʌn'sleɪkt] *a* oltatlan
unsleeping [ʌn'sli:pɪŋ] *a* éber, ernyedetlen
unsling [ʌn'slɪŋ] *vt* (*pt/pp* -slung -slʌŋ]) lecsatol, levesz
unsociable [ʌn'soʊʃəbl] *a* emberkerülő, barátságtalan, nem barátkozó
unsocial [ʌn'soʊʃl] *a* antiszociális
unsoiled [ʌn'sɔɪld] *a* tiszta
unsold [ʌn'soʊld] *a* eladatlan
unsoldierly [ʌn'soʊldʒəlɪ] *a* nem katonás, katonához nem illő/méltó
unsolicited [ʌnsə'lɪsɪtɪd] *a* kéretlen, önként adott
unsolved [ʌn'sɔlvd; US -ɑ-] *a* megoldatlan
unsophisticated [ʌnsə'fɪstɪkeɪtɪd] *a* 1. egyszerű, naiv, őszinte, természetes 2. keresetlen, mesterkéletlen [szavak]
unsought [ʌn'sɔ:t] *a* nem kívánt; kéretlen(ül)
unsound [ʌn'saʊnd] *a* 1. nem egészséges, beteg; *of ~ mind* elmebajos 2. romlott [étel], hibás [áru] 3. téves, hibás [okoskodás] 4. bizonytalan, ingatag
unsparing [ʌn'speərɪŋ] *a* 1. nem takarékoskodó, bőkezű 2. szigorú, könyörtelen
unspeakable [ʌn'spi:kəbl] *a* 1. kimondhatatlan 2. kimondhatatlanul rossz
unspecified [ʌn'spesɪfaɪd] *a* nem részletezett, közelebbről meg nem határozott
unspent [ʌn'spent] *a* el nem költött/fogyasztott, fel nem használt
unspoiled, -spoilt [ʌn'spɔɪlt] *a* 1. romlatlan 2. el nem kényeztetett/rontott 3. el nem csúfított [táj]
unspoken [ʌn'spoʊk(ə)n] *a* ki nem mondott, hallgatólagos
unsportsmanlike [ʌn'spɔ:tsmənlaɪk] *a* sportszerűtlen
unsprung [ʌn'sprʌŋ] *a* rugózatlan
unstable [ʌn'steɪbl] *a* 1. bizonytalan, ingadozó, változékony, labilis 2. megbízhatatlan, ingatag
unstamped [ʌn'stæmpt] *a* felbélyegezetlen; lepecsételetlen

unsteadiness [ʌn'stedɪnɪs] n 1. bizonytalanság, változékonyság, ingadozás 2. állhatatlanság, megbízhatatlanság, ingatagság 3. kicsapongásra való hajlam
unsteady [ʌn'stedɪ] a 1. bizonytalan, ingatag, tántorgó [járás] 2. változékony [idő] 3. állhatatlan, megbízhatatlan
unstick [ʌn'stɪk] vt (pt/pp -stuck -'stʌk) leválaszt; come unstuck leválik, leesik
unstinted [ʌn'stɪntɪd] a korlátlan, bőséges
unstitch [ʌn'stɪtʃ] vt felfejt; come ~ed felfeslik, kibomlik
unstop [ʌn'stɔp; US -ap] vt -pp- 1. dugót kivesz (vmből) 2. dugulást megszüntet (vmben)
unstressed [ʌn'strest] a 1. hangsúlyozatlan 2. hangsúlytalan
unstring [ʌn'strɪŋ] vt (pt/pp -strung -'strʌŋ) 1. megereszt, tágít; meglazit 2. zsinórról lefejt 3. húrt levesz [hangszerről] 4. = unnerve
unstrung [ʌn'strʌŋ] a 1. meglazult [húrozat] 2. feldúlt [idegek]; ideges ‖ → unstring
unstuck → unstick
unstudied [ʌn'stʌdɪd] a 1. mesterkéletlen, természetes, nem betanult, keresetlen, közvetlen 2. járatlan (in vmben) 3. nem tanulmányozott/tanult
unsubdued [ʌnsəb'djuːd; US -'duːd] a le nem győzött, csüggedetlen
unsubstantial [ʌnsəb'stænʃl] a lényegtelen, üres, nem kézzelfogható
unsubstantiated [ʌnsəb'stænʃɪeɪtɪd] a bizonytalan, megalapozatlan
unsuccesful [ʌnsək'sesfʊl] a 1. sikertelen 2. hasztalan, hiábavaló
unsuitable [ʌn'suːtəbl] a alkalmatlan, célszerűtlen, helytelen
unsuited [ʌn'suːtɪd] a alkalmatlan, nem való (to/for vmre)
unsullied [ʌn'sʌlɪd] a mocsoktalan, tiszta
unsung [ʌn'sʌŋ] a el nem dalolt, meg nem énekelt
unsupported [ʌnsə'pɔːtɪd] a alá nem támasztott, meg nem erősített

unsurpassable [ʌnsə'paːsəbl; US -'pæ-] a felülmúlhatatlan
unsurpassed [ʌnsə'paːst; US -'pæ-] a felül nem múlt
unsuspected [ʌnsə'spektɪd] a nem gyanított/gyanús/gyanúsított
unsuspecting [ʌnsə'spektɪŋ] a gyanútlan
unsuspicious [ʌnsə'spɪʃəs] a 1. gyanútlan 2. nem gyanús
unsweetened [ʌn'swiːtnd] a édesítetlen
unswerving [ʌn'swəːvɪŋ] a határozott, tántoríthatatlan, nyílegyenes
unsymmetrical [ʌnsɪ'metrɪkl] a aszimmetrikus
unsympathetic ['ʌnsɪmpə'θetɪk] a részvétlen, közönyös
unsystematic [ʌnsɪstɪ'mætɪk] a nem rendszeres/szisztematikus, rendszertelen
untalented [ʌn'tæləntɪd] a tehetségtelen
untameable [ʌn'teɪməbl] a megszelídíthetetlen, fékezhetetlen
untamed [ʌn'teɪmd] a meg nem szelídített, vad
untapped [ʌn'tæpt] a 1. meg nem csapolt 2. kiaknázatlan
untaught [ʌn'tɔːt] a 1. nem tanított, tudatlan; tanulatlan 2. vele született [és nem tanult képesség]
unteachable [ʌn'tiːtʃəbl] a taníthatatlan, nem tanulékony, nehézfejű
untearable [ʌn'teərəbl] a elszakíthatatlan
untenable [ʌn'tenəbl] a tarthatatlan
untenanted [ʌn'tenəntɪd] a lakatlan, ki/bérbe nem adott
untested [ʌn'testɪd] a kipróbálatlan, megvizsgálatlan, meg nem vizsgált
unthankful [ʌn'θæŋkfʊl] a hálátlan, nem hálás
unthinkable [ʌn'θɪŋkəbl] a elképzelhetetlen, elgondolhatatlan, hihetetlen
unthinking [ʌn'θɪŋkɪŋ] a 1. nem gondolkodó, meggondolatlan 2. át nem gondolt
unthought [ʌn'θɔːt] a nem gondolt/várt/ sejtett
unthought-of [ʌn'θɔːtɔv; US -av] a el sem képzelt, nem is sejtett, nem várt
unthread [ʌn'θred] vt 1. kifűz [tűt] 2. kihüvelyez, megold, kibogoz [rejtélyt]

untidy [ʌn'taɪdɪ] a rendetlen, piszkos, gondozatlan, ápolatlan

untie [ʌn'taɪ] vt (pres part -tying -'taɪɪŋ) kibont, kibogoz [csomót], megold [köteléket], szabadjára ereszt [lovat]; come ~d kibomlik, kioldódik, szétfeslik [kötés]

until [ən'tɪl] prep/conj = till¹

untilled [ʌn'tɪld] a (fel)szántatlan, (meg-) műveletlen [föld]

untimely [ʌn'taɪmlɪ] I. a 1. korai, időelőtti 2. időszerűtlen II. adv idő előtt, rosszkor

untinged [ʌn'tɪndʒd] a ment(es) vmtől

untiring [ʌn'taɪərɪŋ] a fáradhatatlan

untitled [ʌn'taɪtld] a (főnemesi) címmel nem rendelkező

unto ['ʌntʊ] prep 1. -ig; -hoz, -hez, -höz; ~ this day (1) (mind) a mai napig (2) addig az időig 2. -nak, -nek

untold [ʌn'toʊld] a 1. el nem mondott, elmondatlan 2. számtalan, tömérdek, elmondhatatlan [gazdagság stb.]

untouchable [ʌn'tʌtʃəbl] a érinthetetlen; kaszton kívüli [Indiában]

untouched [ʌn'tʌtʃt] a érintetlen

untoward [ʌntə'wɔːd; US ʌn'tɔːrd] a 1. kellemetlen, kínos [eset], szerencsétlen [időpont] 2. † önfejű, makacs

untraceable [ʌn'treɪsəbl] a kinyomozhatatlan; ~ person eltűnt személy

untrained [ʌn'treɪnd] a 1. képzetlen, gyakorlatlan 2. idomítatlan

untrammelled [ʌn'træm(ə)ld] a akadálytalan

untransferable [ʌntræns'fəːrəbl] a átruházhatatlan, át nem ruházható

untranslatable [ʌntræns'leɪtəbl] a lefordíthatatlan

untravelled, US -veled [ʌn'trævld] a 1. keveset utazott [ember] 2. be nem járt, kevéssé ismert [terület]

untried [ʌn'traɪd] a 1. kipróbálatlan; ~ on fel nem próbált 2. [bíróság által] még nem tárgyalt

untrodden [ʌn'trɒdn; US -ɑ-] a járatlan, töretlen [út], le nem taposott, szűz [hó], nem látogatott, szűz [terület]

untroubled [ʌn'trʌbld] a 1. nyugodt, háborítatlan, nem aggódó 2. nem zavaros, csendes, sima [vízfelület]

untrue [ʌn'truː] a 1. nem igaz, valótlan, hamis, hazug 2. hűtlen (to vkhez) 3. pontatlan, nem pontos

untrustworthy [ʌn'trʌstwəː:ðɪ] a megbízhatatlan, bizalomra nem méltó

untruth [ʌn'truːθ] n hazugság, valótlanság

untruthful [ʌn'truːθfʊl] a 1. hazug, hazudozó 2. valótlan, nem igaz

untuned [ʌn'tjuːnd; US -'tuː-] a 1. elhangolt, fel nem hangolt [hangszer] 2. nincs kedve (to vmre)

untuneful [ʌn'tjuːnfʊl; US -tu-:] a dallamtalan

unturned [ʌn'təːnd] a meg/fel nem forgatott

untutored [ʌn'tjuːtəd; US -'tuː-] a tanulatlan, kiműveletlen, pallérozatlan

untwist [ʌn'twɪst] A. vt kibont, kicsavar B. vi kibomlik, kicsavarodik

untying →untie

unusable [ʌn'juːzəbl] a használhatatlan

unused a 1. [ʌn'juːzd] használatlan, új, alig használt 2. [ʌn'juːst] be ~ to sg nincs hozzászokva vmhez; get ~ to sg elszokik vmtől

unusual [ʌn'juːʒʊəl] a szokatlan, rendkívüli, különös, furcsa

unusually [ʌn'juːʒʊəlɪ] adv 1. szokatlanul 2. biz nagyon, rendkívül

unutilized [ʌn'juːtɪlaɪzd] a ki/fel nem használt, felhasználatlan

unutterable [ʌn'ʌt(ə)rəbl] a kimondhatatlan

unvaried [ʌn'veərɪd] a állandó, változatlan, egyforma, egyhangú

unvarnished [ʌn'vɑːnɪʃt] a 1. fényezetlen, matt 2. egyszerű, cicomátlan; kendőzetlen, leplezetlen [igazság]

unvarying [ʌn'veərɪŋ] a = unvaried

unveil [ʌn'veɪl] A. vt leleplez (átv is) B. vi lelepleződik

unverifiable [ʌn'verɪfaɪəbl] a (be) nem igazolható/bizonyítható

unverified [ʌn'verɪfaɪd] a (be) nem igazolt

unversed [ʌn'vəːst] a járatlan (vmben)

unvoiced [ʌn'vɔɪst] a 1. kifejezetlen, ki nem mondott 2. zöngétlen

unwanted [ʌn'wɒntɪd] a 1. felesleges, nem kívánt/kívánatos 2. akaratlan

unwarped [ʌn'wɔ:pt] a 1. meg nem vetemedett 2. elfogulatlan
unwarrantable [ʌn'wɔr(ə)ntəbl] a nem igazolható, jogtalan, helytelen
unwarranted [ʌn'wɔr(ə)ntɪd] a 1. jótállás nélküli 2. jogtalan, felhatalmazás nélküli, illetéktelen
unwary [ʌn'weərɪ] a (elő)vigyázatlan, nem óvatos, könnyelmű
unwashed [ʌn'wɔʃt] a 1. mosdatlan, piszkos; † the great ~ a plebsz 2. mosatlan
unwatered [ʌn'wɔ:təd] a 1. öntözetlen 2. víztelen, vízszegény
unwavering [ʌn'weɪv(ə)rɪŋ] a rendületlen, kitartó, megingathatatlan
unwearied [ʌn'wɪərɪd] a 1. (el) nem fáradt, friss 2. fáradhatatlan
unwearying [ʌn'wɪərɪɪŋ] a fáradhatatlan, lankadatlan
unwelcome [ʌn'welkəm] a nem szívesen látott, alkalmatlan, kellemetlen
unwell [ʌn'wel] a be ~ gyengélkedik, betegeskedik, nem jól érzi magát
unwholesome [ʌn'hoʊlsəm] a 1. egészségtelen, egészségre káros 2. nem egészséges, beteges(kedő) 3. káros, ártalmas
unwieldy [ʌn'wi:ldɪ] a esetlen, nehezen kezelhető, ormótlan [tárgy]
unwilling [ʌn'wɪlɪŋ] a vonakodó; be ~ to do sg nem hajlandó/akar vmt megtenni
unwillingness [ʌn'wɪlɪŋnɪs] n nem akarás, vonakodás, húzódozás
unwind [ʌn'waɪnd] v (pt/pp -wound -'waʊnd] A. vt lecsavar, legombolyít, letekercsel B. vi 1. lecsavarodik, letekeredik 2. átv lazít
unwise [ʌn'waɪz] a nem okos, esztelen, oktalan
unwittingly [ʌn'wɪtɪŋlɪ] adv akaratlanul, nem tudva, tudtán kívül
unwomanly [ʌn'wʊmənlɪ] a nem nőies
unwonted [ʌn'woʊntɪd] a szokatlan, ritka, rendkívüli
unworkable [ʌn'wə:kəbl] a 1. kivihetetlen 2. meg nem munkálható
unworked [ʌn'wə:kt] a 1. üzemben nem tartott [bánya] 2. fel nem dolgozott, megmunkálatlan

unworkmanlike [ʌn'wə:kmənlaɪk] a szakszerűtlen, kontár
unworldly [ʌn'wə:ldlɪ] a nem evilági, túlvilági(as), átszellemült
unworthy [ʌn'wə:ðɪ] a 1. méltatlan, érdemtelen (of vmre) 2. értéktelen, gyarló, hitvány
unwound →unwind
unwounded [ʌn'wu:ndɪd] a meg nem sebesült/sérült, sértetlen, ép
unwrap [ʌn'ræp] vt -pp- kibont, kicsomagol, kigöngyöl
unwrinkled [ʌn'rɪŋkld] a ránctalan, redőtlen, sima
unwritten [ʌn'rɪtn] a íratlan; ~ law (1) szokásjog (2) íratlan törvény
unwrought [ʌn'rɔ:t] a meg nem munkált, megmunkálatlan, nyers
unyielding [ʌn'ji:ldɪŋ] a 1. nem hajlékony, merev 2. ellenszegülő, makacs
unyoke [ʌn'joʊk] vt 1. igából kifog [ökröt] 2. szétkapcsol, szétválaszt
unzip [ʌn'zɪp] vt -pp- cipzárját/zipzárját kinyitja/lehúzza
up [ʌp] I. a felfelé menő/haladó; the ~ line a fővárosba vezető vágány, GB a londoni vágány; the ~ train a főváros felé menő vonat; on the ~ grade emelkedő/javuló irányzat(ú) II. adv 1. fel, felfelé; walk ~ and down fel s alá járkál; be ~ for (1) jelölik [vm tisztségre] (2) műsoron van, elő:vették [vm okból]; go ~ for an examination vizsgára megy; go ~ to town (1) bemegy a városba (2) felmegy (vidékről) Londonba; go ~ to university egyetemre megy 2. fent, fenn; ~ there ott fenn, odafenn; be ~ fent/fenn/ ében van, (már) felkelt; be ~ all night egész éjjel fenn van/marad; be ~ and about (már) fenn van, felkelt, már kijár [beteg]; be ~ and doing tevékenykedik, sürgölődik; the moon is ~ a hold (már) feljött/felkelt; prices are ~ az árak magasak/felszöktek; "road ~" „vigyázat ! útépítés"; Star with Black ~ Star, nyergében Blackkel, Star, lovagolja Black; be (well) ~ in sg alaposan ismer vmt, (igen) jártas vmben; one goal ~ egy góllal vezet; one ~ to you (1) egy null(a) a javadra

(2) ez becsületedre válik; ~ *and at 'em!* rajta!; üsd, vágd, nem apád! **3.** oda; közel(be) **4.** -ig [időben, értékben]; ~ *to now* (mind)eddig, mostanáig, ezideig; ~ *to this day* (mind) a mai napig; *from my youth* ~ ifjúkoromtól kezdve; ~ *to £200* 200 font erejéig **5.** *be* ~ *against sg* (1) vmvel szemközt találja magát (2) szembenáll, küzd [nehézséggel] **6.** *biz there is sg* ~ itt valami készül; *what's* ~? na mi az?, mi baj (van)?; *what's* ~ *with him?* mi van vele?, mi (baj) történt vele?; *it's all* ~ *with him* végét járja, neki már vége; *time is* ~ az idő lejárt; zárás! **7.** *be* ~ *to sg* (1) felér vmvel, felveszi a versenyt vmvel (2) vmben sántikál/mesterkedik, vmben töri a fejét; *be* ~ *to anything* mindenre képes, minden kitelik tőle; *be* ~ *to a job* jól megfelel feladatának; *I don't feel* ~ *to it* (1) nem érzem magam képesnek rá (2) nem érzem magam egészen jól; *be not* ~ *to much* nem valami jó, nem sokat ér **8.** *biz it's* ~ *to him* ... tőle függ..., rajta múlik... **III.** *prep* **1.** fenn vmn; fel vmre; *go* ~ *the stairs* felmegy a lépcsőn; *climb* ~ *a tree* felmászik a fára; *travel* ~ *the country* az ország belsejébe utazik; ~ *and down the land* keresztül-kasul az egész országban **2.** vmvel szemben; ~ *the river* a folyón felfelé; ~ *the stream* szemben az árral **IV.** *n* ~*s and downs* (1) hepehupák (2) a szerencse forgandósága; viszontagságok **V.** *v* -**pp**- **A.** *vt* **1.** megjelöl [hattyút] **2.** *biz* emel, fokoz **B.** *vi biz* **1.** feláll, felemelkedik **2.** ~ *with sg* felemel/felkap vmt
UP [ju:'pi:] *United Press* ⟨egy nagy amerikai hírügynökség és lapvállalat⟩
up-and-coming [ʌpən'kʌmɪŋ] *a* nagy jövőjű
up-and-up [ʌpən'ʌp] *n biz on the* ~ (1) javulóban, emelkedőben (2) rendes(en), becsületes(en)
upas ['ju:pəs] *n* **1.** upászfa **2.** méreg
upbear [ʌp'beə*] *vt* (*pt* -**bore** -'bɔ:*, *pp* -**borne** -'bɔ:n) felemel, támogat
upbeat ['ʌpbi:t] *n* ütemelőző; felütés; beintés

upbraid [ʌp'breɪd] *vt* ~ *sy with/for sg* megszid vkt vm miatt
upbringing ['ʌpbrɪŋɪŋ] *n* (fel)nevelés [gyereké]
upcast ['ʌpkɑ:st] **I.** *a* **1.** felfelé fordított, felemelt **2.** feldobott **II.** *n* (kihúzó) szellőzőakna [bányában]
up-country [ʌp'kʌntrɪ] *a* az ország belsejében levő, várostól távol eső
update [ʌp'deɪt] *vt* korszerűsít, modernizál
up-end [ʌp'end] **A.** *vt* **1.** fenekével felfelé fordít **2.** fenekére állít, felállít [hordót] **B.** *vi* feláll, felül
upgrade **I.** *n* ['ʌpgreɪd] emelkedő, lejtő; *be on the* ~ (1) javul (2) emelkedik **II.** *vt* [ʌp'greɪd] (minőségben) feljavít; felosztályoz, felminősít
upheaval [ʌp'hi:vl] *n* felfordulás
upheld →*uphold*
uphill [ʌp'hɪl] **I.** *a* **1.** emelkedő, felfelé haladó **2.** nehéz, fárasztó, fáradságos **II.** *adv* dombra fel, hegynek (fel), hegymenetben
uphold [ʌp'hoʊld] *vt* (*pt/pp* -**held** -'held) fenntart; támogat, megerősít (*átv is*); jóváhagy
upholder [ʌp'hoʊldə*] *n* támogató, híve vmnek
upholster [ʌp'hoʊlstə*] *vt* **1.** kárpitoz, behúz [bútort], kipárnáz **2.** berendez [lakást függönnyel, szőnyeggel stb.]
upholsterer [ʌp'hoʊlst(ə)rə*] *n* kárpitos
upholstery [ʌp'hoʊlst(ə)rɪ] *n* kárpitosmunka, kárpitozás, párnázat [ülőbútoré, autóé]
upkeep ['ʌpki:p] *n* **1.** üzemben tartás, karbantartás **2.** fenntartási/üzemeltetési/karbantartási költség
upland ['ʌplənd] **I.** *a* felföldi, felvidéki, hegyvidéki **II.** *n* felföld; ~*s* felvidék
uplander ['ʌpləndə*] *n* felföldi lakos
uplift **I.** *n* ['ʌplɪft] **1.** fölemelkedés; földkéreg gyűrődése **2.** (lelkileg/erkölcsileg) felemelő/lelkesítő hatás **II.** *vt* [ʌp'lɪft] **1.** felemel **2.** (fel)lelkesít
upon [ə'pɔn; *US* -'pɑn] *prep* = *on*
upper ['ʌpə*] **I.** *a* felső, felülső, felsőbb; ~ *classes* felsőbb osztályok [társadalomban]; *get/gain the* ~ *hand of sy* fölébe kerekedik vknek; *the U~ House*

felsőház, főrendiház; *biz the ~ ten/crust*
a felső tízezer/körök **II. uppers** *n pl*
(cipő)felsőrész; *biz be (down) on one's*
~s toprongyos, kilóg a lába a cipőjéből
upper-class *a* felsőbb osztályokbeli, a
felsőbb osztályokra jellemző; elit
upper-cut *n* felütés [bokszban]
uppermost ['ʌpəmoʊst] **I.** *a* **1.** legfelső,
legmagasabb **2.** legelső **II.** *adv* legfelül, legelöl, legelsőnek
upping ['ʌpɪŋ] →*up V.*
uppish ['ʌpɪʃ] *a biz* beképzelt, fölényeskedő, öntelt, rátarti
uppity ['ʌpɪtɪ] *a US biz* = *uppish*
upright I. *a* **1.** [ʌp'raɪt] egyenes(en álló),
függőleges, álló **2.** ['ʌpraɪt] egyenes,
becsületes **II.** *adv* [ʌp'raɪt] egyenesen
III. *n* ['ʌpraɪt] álló tag/oszlop, támasztógerenda, gyámfa, pillér
uprightness ['ʌpraɪtnɪs] *n* egyenesség,
becsületesség
uprising ['ʌpraɪzɪŋ] *n* felkelés, (fel)lázadás
up-river I. *a* ['ʌprɪvə*] folyón felfelé
haladó **II.** *adv* [ʌp'rɪvə*] folyón felfelé
uproar ['ʌprɔ:*] *n* zajongás, nagy zsivaj,
zenebona
uproarious [ʌp'rɔ:rɪəs] *a* **1.** zajos, lármás
2. harsány [nevetés]
uproot [ʌp'ru:t] *vt* **1.** gyökerestül kitép
2. kiszakít [környezetéből]
uprush ['ʌprʌʃ] *n* feltörés [vízé], felbuggyanás [forrásé]
upset [ʌp'set] **I.** *a ~ price* kikiáltási ár
II. *n* **1.** felfordulás (*átv is*) **2.** izgalom
3. gyengélkedés; *mental ~* lelki zavar
III. *v* (*pt/pp ~*; *-tt-*) **A.** *vt* **1.** felborít,
felfordít, feldönt **2.** megbuktat, megdönt [kormányt] **3.** meghiúsít, felborít [terveket] **4.** megzavar, kihoz a
sodrából, kiborít, kizökkent; *she was*
very much ~ nagyon izgatott volt;
be easily ~ könnyen „kiborul" **5.**
megárt (vknek vm); *~ one's stomach*
elrontja a gyomrát **B.** *vi* felfordul, felborul
upshot ['ʌpʃɔt; *US* -ɑt] *n* következmény,
(vég)eredmény, kimenetel
upside ['ʌpsaɪd] *n* vmnek a teteje
upside-down [ʌpsaɪd'daʊn] *adv* felfor-

dítva, fejjel lefelé; a feje tetején/tetejére; *turn sg ~* tűvé tesz vmt vmért
upstage [ʌp'steɪdʒ] *adv* a színpad mélyén/hátterében, a háttérben
upstairs [ʌp'steəz] **I.** *a* emeleti, fenti
II. *adv* (lépcsőn) föl/fel, az emeletre;
az emeleten, fent; *go ~* felmegy (az
emeletre)
upstanding [ʌp'stændɪŋ] *a* **1.** (egyenesen)
álló; jó tartású/alakú, szálas **2.** derék,
becsületes
upstart ['ʌpstɑ:t] *n* újgazdag, uborkafára felkapaszkodott, parvenü
upstate ['ʌp'steɪt] *a US* az állam északi/
távoli részében levő
up-stream [ʌp'stri:m] *a/adv* ár/folyásirány ellen (haladó), folyón felfelé
upstroke ['ʌpstroʊk] *n* **1.** felfelé húzott
(toll)vonás **2.** felfelé haladó löket **3.**
vonóhúzás felfelé [vonós hangszeren]
upsurge [ʌp'sə:dʒ] *n* nekilendülés, feltörés
upsweep ['ʌpswi:p] *n* felfelé ívelés
upswing ['ʌpswɪŋ] *n* fellendülés
uptake ['ʌpteɪk] *n* **1.** értelem, felfogás;
quick in the ~ gyors felfogású/észjárású
2. füstcső, szellőzőakna
uptight ['ʌptaɪt] *a US* □ **1.** ideges **2.**
ókonzervatív
up-to-date [ʌptə'deɪt] *a* modern, korszerű
uptown I. *a* [ʌp'taʊn v. 'ʌp-] **1.** felsővárosi **2.** *US* külső, lakónegyedbeli
II. *adv* [ʌp'taʊn] *US* kifelé
upturned [ʌp'tə:nd] *a* **1.** felfelé fordított
2. feltűrt, felhajtott
upward I. *a* ['ʌpwəd] **I.** *a* emelkedő, felfelé
menő/irányuló **II.** *adv* = *upwards*
upwards ['ʌpwədz] *adv* **1.** felfelé **2.** (bizonyos éven) felül; *~ of* több mint,
-nél/-nál több, vmn felül/túl
uraemia [jʊə'ri:mjə] *n* urémia
Ural ['jʊər(ə)l] *prop* Urál
Ural-Altaic ['jʊər(ə)læl'teɪɪk] *a* urál-altaji
uranium [jʊ'reɪnjəm] *n* urán(ium)
urban ['ə:bən] *a* városi
urbane [ə:'beɪn] *a* udvarias, finom modorú, előzékeny
urbanity [ə:'bænətɪ] *n* udvariasság
urbanization [ə:bənaɪ'zeɪʃn; *US* -nɪ'z-] *n*

urbanizálás; urbanizáció; (el)városiasodás

urbanize ['ə:bənaɪz] *vt* városiassá tesz, urbanizál

urchin ['ə:tʃɪn] *n* lurkó, csibész, srác

Urdu ['ʊədu:] *n* urdu [nyelv]

ureter [jʊə'ri:tə*] *n* húgyvezeték, uréter

urethra [jʊə'ri:θrə] *n* húgycső

urge [ə:dʒ] I. *n* (belső) ösztönzés, belső kényszer, leküzdhetetlen vágy [vmt tenni] II. *vt* 1. unszol, siettet; ~ *sy to do sg* vkt vmnek a megtételére ösztökél/buzdít 2. serkent, ösztönöz (*on* vmre) 3. sürget, szorgalmaz

urgency ['ə:dʒ(ə)nsɪ] *n* sürgősség; *of great* ~ igen sürgős

urgent ['ə:dʒ(ə)nt] *a* 1. sürgős 2. sürgető; nyomatékos

uric ['jʊərɪk] *a* ~ *acid* húgysav

urinal ['jʊərɪnl] *n* 1. (*bed*) ~ vizelőedény, kacsa 2. vizelde

urinate ['jʊərɪneɪt] *vi* vizel

urination [jʊərɪ'neɪʃn] *n* vizelés

urine ['jʊərɪn] *n* húgy, vizelet

urn [ə:n] *n* 1. urna, hamvveder 2. szamovár

Ursula ['ə:sjʊlə] *prop* Orsolya

urticaria [ə:tɪ'keərɪə] *n* csalánkiütés

Uruguay ['jʊərʊgwaɪ] *prop* Uruguay

Uruguayan [jʊərʊ'gwaɪən] *a/n* uruguayi

us [ʌs] *pron* 1. minket, bennünket; *let* ~ *go* menjünk; *of* ~ rólunk, ránk [mondott vmt]; *three of* ~ mi hárman, közülünk három, hármunk 2. nekünk

US [ju:'es] *United States* →*U.S.A.*

U.S.A., USA [ju:es'eɪ] 1. *United States of America* Amerikai Egyesült Államok, USA 2. *United States Army* az USA hadserege

usable ['ju:zəbl] *a* (fel)használható

USAF [ju:eseɪ'ef] *United States Air Force* az USA légiereje

usage ['ju:zɪdʒ] *n* 1. használat, bánásmód, kezelés; *his* ~ *of me* velem való bánásmódja 2. (szó)használat, nyelvszokás, nyelvhasználat; ~ *label/note* (szótári) stílusminősítés 3. szokás, gyakorlat

usance ['ju:zns] *n* üzleti/kereskedelmi szokás, „üzansz"

use I. *n* [ju:s] 1. használat, (fel)használás, alkalmazás; *directions for* ~ használati utasítás; *in* ~ használatos; *go/fall out of* ~ kimegy a használatból/divatból; *not in* ~ nem használatos/szokásos; *put sg to* ~, *make* ~ *of sg* felhasznál vmt, hasznát veszi vmnek 2. használat joga; haszonélvezet; ~ *of the bathroom* fürdőszoba-használat 3. haszon, hasznosság; *be of* ~ *for sg* hasznos/jó vmre (v. *to sy* vk számára); *it's no* ~ (1) hasznavehetetlen (2) céltalan, értelmetlen; *what's the* ~ *of/to* ...? mi haszna/értelme ...? 4. szokás, gyakorlat; *as was his* ~ ahogy szokta volt 5. egyházi ritus II. *v* [ju:z] A. *vt* 1. (fel)használ; alkalmaz; ~ *one's influence* protekcióval él; ~ *every means* minden eszközt felhasznál; *you may* ~ *my name* hivatkozhatsz rám; ~ *force* erőszakot alkalmaz 2. ~ (*up*) (1) (f)elhasznál, (el)fogyaszt [üzemanyagot, nyersanyagot stb.] (2) kimerít 3. bánik (vkvel); ~ *sy well* jól bánik vkvel B. *vi* (múlt időben használva segédigei értelmű és kiejtése: [ju:st]) *we* ~*d to play bridge* azelőtt sokat bridzseztünk; *there* ~*d to be a house here* itt valaha/azelőtt egy ház állt; *I* ~*d to like it* azelőtt szerettem; *he* ~*d not* v. *he use(d)n't* ['ju:snt] v. *he didn't* ~ [ju:s] *to do sg* azelőtt/régebben vmt nem csinált ‖ →*used*

used *a* 1. [ju:zd] használt; *hardly* ~ alig használt 2. [ju:st] hozzászokott; *be* ~ *to sg* hozzászokott vmhez, szokva van vmhez; *get* ~ *to sg* hozzászokik vmhez, vmt megszokik ‖ →*use II.*

usedn't ['ju:snt] →*use II. B.*

useful ['ju:sf(ʊ)l] *a* hasznos, hasznavehető; *make oneself* ~ hasznosítja magát

usefulness ['ju:sf(ʊ)lnɪs] *n* hasznosság, hasznavehetőség

useless ['ju:slɪs] *a* 1. hasznavehetetlen 2. hiábavaló, hasztalan

usen't ['ju:snt] →*use II. B.*

user ['ju:zə*] *n* 1. használó 2. haszonélvező

usher ['ʌʃə*] I. *n* 1. jegyszedő [színházban stb.] 2. (bírósági) teremszolga 3.

szertartásmester **4.** † segédtanár [fiú-
iskolában] II. *vt* **1.** bevezet **2.** bejelent
usherette [ʌʃə'ret] *n* jegyszedőnő
USN, U.S.N. [juːes'en] *United States
Navy* az USA haditengerészete
USS [juːes'es] *United States Ship* az
USA hadihajója
USSR [juːeses'ɑː*] *Union of Soviet
Socialist Republics* Szovjet Szocialista
Köztársaságok Szövetsége, SZSZKSZ
usual ['juːʒʊəl] *a* szokásos, szokott,
rendes; *as* ~ mint máskor/rendesen
usually ['juːʒʊəlɪ] *adv* rendszerint, több-
nyire, általában, rendesen
usufruct ['juːsjuːfrʌkt] *n* haszonélvezet
usurer ['juːʒ(ə)rə*] *n* uzsorás
usurious [juː'zjʊərɪəs; *US* -'ʒʊ-] *a* uzso-
rás; uzsora-
usurp [juː'zə:p] *vt* bitorol
usurpation [juːzə:'peɪʃn] *n* bitorlás
usurper [juː'zə:pə*] *n* bitorló (személy)
usurping [juː'zə:pɪŋ] *a* bitorló
usury ['juːʒʊrɪ; *US* -ʒə-] *n* **1.** uzsora;
uzsoráskodás **2.** uzsorakamat; *his ser-
vice was repaid with* ~ szívességét
kamatostul/busásan visszafizette
Ut. *Utah*
Utah ['juːtɑː; *US* 'juːtɔ: v. -tɑ:] *prop*
utensil [juː'tensl] *n* **1.** szerszám, eszköz,
felszerelés **2.** konyhaedény; *household*
~*s* konyhaedény(ek), háztartási esz-
közök
uterine ['juːtəraɪn; *US* -ɪn] *a* méh-
uterus ['juːtərəs] *n* (*pl* -ri -raɪ v. ~es
-sɪz] (anya)méh
utilitarian [juːtɪlɪ'teərɪən] *a* **1.** haszon-
elvű, utilitarista **2.** haszonleső
utilitarianism [juːtɪlɪ'teərɪənɪzm] *n* ha-
szonelvűség, utilitarizmus
utility [juː'tɪlɪtɪ] I. *a* típus-; ~ *furniture*
típusbútor II. *n* **1.** hasznosság, hasz-
nálhatóság; *of public* ~ közhasznú,

közérdekű; ~ *man* mindenre használ-
ható ember, mindenes, tótumfaktum
2. *public* ~ közmű; *the public utilities*
(1) közművek (2) (köz)szolgáltatások
utilizable ['juːtɪlaɪzəbl] *a* felhasználható
utilization [juːtɪlaɪ'zeɪʃn; *US* -lɪ'z-] *n*
hasznosítás, felhasználás, kiaknázás
utilize ['juːtɪlaɪz] *vt* hasznosít, felhasznál,
kihasznál, kiaknáz
utmost ['ʌtmoʊst] I. *a* **1.** legtávolabbi;
legvégső [térben] **2.** (a lehető) leg-
nagyobb, legtöbb; *of the* ~ *importance*
rendkívül fontos II. *n* a lehető legtöbb,
a legvégső; *do one's* ~ minden tőle tel-
hetőt megtesz; *he is fifty at the* ~ leg-
följebb ötven (éves); *to the* ~ a végső-
kig
Utopia [juː'toʊpjə] *n* utópia
Utopian [juː'toʊpjən] *a* utópisztikus,
utópista, délibábos
utricle ['juːtrɪkl] *n* léghólyag
utter[1] ['ʌtə*] *a* teljes, legteljesebb, töké-
letes, abszolút, végleges
utter[2] ['ʌtə*] *vt* **1.** kimond, kiejt **2.** írás-
ban/szóban kifejez **3.** forgalomba hoz
[hamisítványt]
utterance ['ʌt(ə)rəns] *n* **1.** vmnek a ki-
fejezése/kimondása; *give* ~ *to sg* kife-
jezést/hangot ad vmnek **2.** beszédmód,
kiejtés, hangképzés **3.** kijelentés; meg-
nyilatkozás **4.** kibocsátás [hamisítvá-
nyoké]
utterly ['ʌtəlɪ] *adv* teljesen
U-turn ['juːtə:n] *n* **1.** U forduló **2.** meg-
fordulás; (*átv is*) teljes fordulat; *no* ~ *!*
megfordulni tilos !
uvula ['juːvjʊlə; *US* -vjə-] *n* (*pl* ~e
-liː) nyelvcsap, uvula
uvular ['juːvjʊlə*; *US* -vjə-] *a* nyelv-
csappal képzett, nyelvcsapi, veláris
uxorious [ʌk'sɔ:rɪəs] *a* **1.** feleségimádó
[férj] **2.** papucs alatt tartott, papucs-

V

V,[1] **v** [vi:] *n* V, v (betű)
V[2] 1. (= *victory*) győzelem; ~(-)*sign* a győzelem jele 2. *volt(s)* volt, V
v.[3], **v** 1. *verse* 2. = *vs.* 3. vide (=*see*) lásd, l.
V.A. [vi:'eɪ] *Vice-Admiral*
vac [væk] *n biz* vakáció
vacancy ['veɪk(ə)nsɪ] *n* 1. üresség; űr, semmi 2. (meg)üresedés; állás 3. **vacancies** *pl* kiadó szobák
vacant ['veɪk(ə)nt] *a* 1. üres, szabad [hely, idő]; ~ *possession* azonnal beköltözhető ingatlan 2. kifejezéstelen, üres [tekintet], gondolat nélküli, (szellemileg) tunya
vacate [və'keɪt; *US* 'veɪ-] *vt* 1. kiürít, szabaddá tesz [helyet], kiköltözik [szobából] 2. lemond [állásról] 3. érvénytelenít, hatálytalanít
vacating [və'keɪtɪŋ; *US* 'veɪ-] *n* 1. kiürítés [lakásé] 2. ~ *of office* lemondás; letétel [hivatalé]
vacation [və'keɪʃn; *US* veɪ-] I. *n* 1. szünidő, vakáció, szünet; *the long* ~ a nyári szünidő/vakáció 2. kiürítés 3. megüresedés II. *vi US* szabadságra megy; vakációzik, nyaral (*at*/*in* vhol)
vacationist [və'keɪʃnɪst; *US* veɪ-] *n* nyaraló, üdülő, vakációzó [személy]
vaccinate ['væksɪneɪt] *vt* beolt (*against* vm ellen)
vaccination [væksɪ'neɪʃn] *n* (himlő)oltás
vaccine ['væksi:n] *n* oltóanyag, vakcina; ~ *point* oltótű
vacillate ['væsɪleɪt] *vi* 1. habozik, ingadozik, tétovázik 2. ing, rezeg, reszket, oszcillál
vacillating ['væsɪleɪtɪŋ] *a* 1. habozó,

ingadozó, tétovázó 2. rezgő, reszkető, oszcilláló, remegő
vacillation [væsɪ'leɪʃn] *n* 1. habozás, ingadozás, tétovázás 2. rezgés, reszketés, remegés
vacuity [væ'kju:ətɪ] *n* űr, üresség
vacuole ['vækjʊoʊl] *n* víztér, vakuóla
vacuous ['vækjʊəs] *a* 1. üres, kifejezéstelen [nézés]; ostoba [megjegyzés]; bárgyú [nevetés] 2. értelmetlen [élet stb.]
vacuum ['vækjʊəm] I. *n* (*pl* ~s -z v. -cua* -kjʊə) légűr, légüres tér, vákuum; ~ *bottle*/*flask* hőpalack, termosz; ~ *brake* légfék; ~ *cleaner* porszívó; ~ *pump* légszivattyú; ~ *tube*/*valve* vákuumcső, elektroncső II. *vt*/*vi biz* (ki)porszívóz
vacuum-clean *vt*/*vi* (ki)porszívóz
vade-mecum [veɪdɪ'mi:kəm] *n* zsebkönyv; útikalauz
vagabond ['vægəbɔnd; *US* -ɑnd] *a*/*n* csavargó
vagabondage ['vægəbɔndɪdʒ; *US* -ɑn-] *n* csavargás, kóborlás
vagary ['veɪgərɪ] *n* szeszély, hóbort
vagina [və'dʒaɪnə] *n* hüvely, vagina
vagrancy ['veɪgr(ə)nsɪ] *n* csavargás, kóborlás
vagrant ['veɪgr(ə)nt] *a*/*n* csavargó, kóborló
vague [veɪg] *a* bizonytalan, tétova, határozatlan; *I haven't the* ~*st idea* halvány sejtelmem sincs (róla)
vaguely ['veɪglɪ] *adv* határozatlanul, bizonytalanul
vagueness ['veɪgnɪs] *n* bizonytalanság, határozatlanság
vain [veɪn] *a* 1. hiú, csalóka 2. hiába-

való; *in* ~ hiába; *take God's name in* ~ Istent káromol

vainglorious [veɪn'glɔ:rɪəs] *a* dicsekedő, kérkedő, hencegő; öntelt, beképzelt

vainglory [veɪn'glɔ:rɪ] *n* 1. elbizakodott gőg 2. beképzeltség, önteltség

vainly ['veɪnlɪ] *adv* 1. hiún 2. hiába- (valóan)

vainness ['veɪnnɪs] *n* 1. hiúság 2. hiába- valóság

valance ['væləns] *n* 1. rövid kárpit/függöny 2. *US = pelmet*

vale¹ [veɪl] *n* völgy; *this* ~ *of tears* e földi siralomvölgy

vale² ['veɪlɪ] *int* isten veled!

valediction [vælɪ'dɪkʃn] *n* búcsúbeszéd

valedictory [vælɪ'dɪktərɪ] I. *a* búcsúztató II. *n* búcsúbeszéd, búcsúztató

valence ['veɪləns] *n US* vegyérték

valency ['veɪlənsɪ] *n GB* vegyérték; valencia

Valentine ['væləntaɪn] I. *prop* Bálint; *St.* ~*'s day* Bálint napja [febr. 14-e] II. *n* v~ 1. ⟨Szt. Bálint napján, febr. 14-én képeslapon küldött nyomtatott tréfás v. kedveskedő szerelmi üzenet⟩ 2. (Bálint-napkor) választott szerető, kedves

valerian [və'lɪərɪən] *n* macskagyökérfű, valerián

valet ['vælɪt] I. *n* (urasági) inas II. *vt* kiszolgál [vkt inas]

valetudinarian [vælɪtju:dɪ'neərɪən; *US* -tu:-] *a/n* gyengélkedő, betegeskedő (ember)

valiant ['væljənt] *a* bátor, vitéz, derék

valid ['vælɪd] *a* 1. érvényes; ~ *until recalled* visszavonásig érvényes 2. alapos, megalapozott, indokolt

validate ['vælɪdeɪt] *vt* 1. érvényesít 2. megerősít; jóváhagy

validity [və'lɪdətɪ] *n* érvényesség

valise [və'li:z; *US* -s] *n US* 1. (katonai) poggyászzsák 2. kézitáska, útitáska

valley ['vælɪ] *n* völgy

valor →*valour*

valorize ['væləraɪz] *vt* 1. árat megállapít 2. felértékel, valorizál

valorous ['vælərəs] *a* bátor, derék, vitéz

valour, US -or ['vælə*] *n* bátorság, hősiesség, vitézség

valse [vɑ:ls; *US* -æ-] *n* keringő

valuable ['væljʊəbl] I. *a* értékes, becses, drága II. **valuables** *n pl* értéktárgyak

valuation [vælju'eɪʃn] *n* 1. becslés, értékelés; *conservative* ~ óvatos becslés; *make a* ~ *of sg* megbecsül vmt 2. becsérték; *set high* ~ *on sg* sokra becsül vmt

valuator ['væljʊeɪtə*] *n* becsüs

value ['vælju:] I. *n* 1. érték; *be of* ~ értékes; *of great* ~ nagy értékű; *of no* ~ értéktelen; *set a low* ~ *on sg* vmt leértékel, kevésre becsül; *set great* ~ *by sg* nagyra értékel vmt, nagyon értékesnek tart vmt; *actual* ~ tényleges érték 2. **values** *pl* (szellemi, erkölcsi) értékrend II. *vt* 1. értékel, (meg)becsül (vmt) 2. tisztel, (meg)becsül [személyt]

value-added tax (*VAT*) közvetett forgalmi adó

valued ['vælju:d] *a* értékes, becses

valueless ['vælju:lɪs] *a* értéktelen

valuer ['væljʊə*] *n* becsüs

valve [vælv] *n* 1. szelep, tolózár, billentyű(s zár) 2. ventil 3. billentyű [szívé] 4. rádiócső, elektroncső, cső; *four-*~ set négycsöves rádiókészülék 5. kagylóhéj 6. [növényi] maghártya

valve-box *n* szelepszekrény, dugattyúszekrény

valve-cap *n* szelepfej, -sapka

valve-gear *n* szelepvezérlés

valve-head *n* szelepfej

valvular ['vælvjʊlə*; *US* -vjə-] *a* szelepes; billentyűs

vamoose [və'mu:s] *vi US* □ meglóg, ellép

vamp¹ [væmp] I. *n* 1. felsőbőr [cipőé] 2. cipőfej; csizmafej 3. foltozás 4. rögtönzött zenekíséret II. *vt* 1. javít, foltoz [cipőt]; ~ *up* összetákol 2. zenekíséretet rögtönöz

vamp² [væmp] *biz n* kalandornő, démon, vamp

vampire ['væmpaɪə*] *n* 1. vámpír, vérszopó (kísértet) 2. *biz* vérszopó, szipolyozó [ember]

van¹ [væn] I. *n* 1. (zárt) tehergépkocsi, (zárt) teherautó; *delivery* ~ árukihordó tehergépkocsi/-autó, áruszállító kocsi

2. (fedett vasúti) teherkocsi II. *vt* -nn-
teherautón (házhoz) szállít [árut]
van² [væn] *n = vanguard; be in the ~
of progress* a haladás előharcosa
van³ [væn] *n* szelelőrosta, -lapát
van⁴ [væn] *n biz ~ in* előny az adogató-
nál [teniszben]; *~ out* előny a fogadó-
nál
Vanbrugh ['vænbrə] *prop*
Van Buren [væn'bjʊərən] *prop*
Vancouver [væn'kuːvə*] *prop*
V & A [viːən'eɪ] *Victoria and Albert
Museum*
Vandal ['vændl] *n* 1. vandál [néptörzs]
2. *v~* vandál, barbár, romboló
vandalism ['vændəlɪzm] *n* vandalizmus;
rombolás, értelmetlen pusztítás; *piece
of ~* vandál tett
van-dwellers *n pl* cigányosan élők
Vanderbilt ['vændəbɪlt] *prop*
vane [veɪn] *n* 1. (*átv* is) szélkakas 2.
szárny [szélmalomé, légcsavaré]
vanguard ['vængɑːd] *n* 1. élcsapat, elő-
őrs 2. *átv* élgárda; élharcos || → *van²*
vanilla [və'nɪlə] *n* vanília
vanish ['vænɪʃ] *vi* eltűnik, elenyészik;
elveszik
vanishing ['vænɪʃɪŋ] I. *a* eltűnő, elenyé-
sző; *~ cream* nappali arckrém; *~ point*
távlatpont II. *n* eltűnés, elenyészés
vanity ['vænətɪ] *n* 1. hiúság 2. hiába-
valóság; *V~ Fair* Hiúság vására
[= az előkelő társaság élete]; *all is ~*
hiúságok hiúsága 3. *~ bag/case* pipere-
táska
vanman ['vænmən] *n* (*pl* -men -mən)
árukihordó [áruszállító teherkocsin]
vanned [vænd] → *van¹ II.*
vanquish ['væŋkwɪʃ] *vt* 1. legyőz (vkt);
leküzd [szenvedélyt] 2. győz(edelmes-
kedik)
vanquisher ['væŋkwɪʃə*] *n* győztes, hó-
dító
vantage ['vɑːntɪdʒ; *US* 'væn-] *n* előny;
coign of ~, ~(-)point/ground (1) jó ki-
látást nyújtó pont (2) előnyös helyzet;
helyzeti előny
vapid ['væpɪd] *a* 1. ízetlen 2. sületlen
3. *átv* lapos, unalmas
vapidity [væ'pɪdətɪ] *n* 1. ízetlenség 2.
átv laposság, üresség, unalmasság

vapidness ['væpɪdnɪs] *n = vapidity*
vaporization [veɪpəraɪ'zeɪʃn] *n* 1. páro-
logtatás, elgőzölögtetés; porlasztás,
permetszerű szórás
vaporize ['veɪpəraɪz] A. *vi* 1. (el)párolog,
elgőzölög 2. elporlik B. *vt* 1. (el)páro-
logtat, elgőzölögtet 2. elporlaszt
vaporizer ['veɪpəraɪzə*] *n* 1. elgőzölög-
tető, párologtató (edény) 2. porlasztó;
permetező
vaporous ['veɪpərəs] *a* 1. párás; pára-
szerű; páratelt 2. hóbortos; beképzelt
vapour, *US* -por ['veɪpə*] I. *n* 1. pára;
kigőzölgés; gőz; *~ trail* kondenzcsík
2. **vapours** *pl* idegesség; szeszély;
deprimáltság II. *vi* 1. párolog, gőzölög
2. *biz* henceg 3. fecseg, dumál
vapour-bath *n* gőzfürdő
vapouring ['veɪpərɪŋ] *n* üres beszéd
variability [veərɪə'bɪlətɪ] *n* változékony-
ság
variable ['veərɪəbl] I. *a* 1. változó, vál-
tozékony 2. változtatható, variálha-
tó, módosítható 3. állhatatlan, inga-
tag II. *n* változó [mennyiség, tényező]
variableness ['veərɪəblnɪs] *n = varia-
bility*
variably ['veərɪəblɪ] *adv* 1. változóan;
változékonyan 2. változtathatóan 3.
állhatatlanul
variance ['veərɪəns] *n* 1. ellentét; vi-
szály; diszharmónia; *be at ~ with sy*
nézeteltérése van vkvel, eltér a véle-
ménye vkétől; *be at ~ with sg* ellentét-
ben áll vmvel; *set two people at ~*
összeveszít két embert 2. eltérés,
ellentmondás [tanúvallomásé stb.]
variant ['veərɪənt] I. *a* eltérő, különböző
(*from* vmtől); *~ spelling* írásváltozat
[szóé] II. *n* változat, variáns; eltérő
olvasat
variation [veərɪ'eɪʃn] *n* 1. változat,
variáció; *theme with ~s* változatok egy
témára 2. változás
varicella [værɪ'selə] *n* bárányhimlő
varicoloured, *US* -ored ['veərɪkʌləd] *a*
sokszínű; tarka
varicose ['værɪkoʊs] *a* visszeres; *~ vein*
visszértágulás
varied ['veərɪd] *a* 1. változatos; változó;
sokféle 2. tarka, sokszínű || → *vary*

variegated ['veərɪgeɪtɪd] a 1. változatos 2. tarka

variegation [veərɪ'geɪʃn] n 1. tarkázás 2. tarkaság, sokszínűség

variety [və'raɪətɪ] n 1. változatosság; választék; lend ~ to sg változatossá tesz vmt 2. változat, fajta 3. ~ entertainment (szórakoztató) műsor [étteremben stb.]; ~ show revü; ~ theatre varieté, revüszínház

variola [və'raɪələ] n himlő

variole ['veərɪoʊl] n himlőhely

variorum [veərɪ'ɔ:rəm] n ~ (edition) (1) szövegváltozatokat (is) tartalmazó kiadás (2) több kommentátor jegyzeteit tartalmazó kiadás

various ['veərɪəs] a különféle; változatos; for ~ reasons többféle okból

varlet ['vɑ:lɪt] n 1. biz fickó, gézengúz 2. † cseléd 3. apród [középkorban]

varletry ['vɑ:lɪtrɪ] n † cselédnépség

varmint ['vɑ:mɪnt] n 1. fickó, gézengúz 2. róka

varnish ['vɑ:nɪʃ] I. n 1. fénymáz, lakk, politúr 2. fényezés, politúr(ozás) [mint felület] 3. átv külső máz II. vt 1. fényez, lakkoz, politúroz 2. biz ~ (over) szépítget [tényeket]

varnishing-day ['vɑ:nɪʃɪŋ-] n vernisszázs, megnyitónap [kiállításé]

varsity ['vɑ:sətɪ] n 1. biz (= university) egyetem 2. egyetemi válogatott [sportcsapat]

vary ['veərɪ] v (pt/pp varied 'veərɪd) A. vt 1. változtat; váltogat; módosít; változatossá tesz; tarkít 2. variál [zenei témát] B. vi 1. (meg)változik; váltakozik 2. ~ from... eltér/elüt/ különbözik vmtől; ~ in sg különbözik vmben

varying ['veərɪɪŋ] a változó, változékony

vascular ['væskjʊlə] US -kjə-] a 1. (vér)edény-; ér-; ~ system érrendszer 2. ~ plants edényes növények

vase [vɑ:z; US veɪs v. veɪz] n 1. váza, virágtartó 2. urna

vasectomy [væ'sektəmɪ] n vasectomia

vaseline ['væsɪli:n] I. n vazelin II. vt bevazelinez

vaso-motor [veɪzoʊ'moʊtə*] a vazomotorikus, érbeidegző

vassal ['væsl] n hűbéres, vazallus; ~ state hűbéri állam

vassalage ['væsəlɪdʒ] n 1. hűbéresség, hűbéri függőség 2. szolgaság

vast [vɑ:st; US -æ-] a óriási, hatalmas (nagy), mérhetetlen; rengeteg

vastly ['vɑ:stlɪ; US -æ-] adv mérhetetlenül, szertelenül

vastness ['vɑ:stnɪs; US -æ-] n mérhetetlenség, óriási nagyság

vat [væt] I. n kád [erjesztéshez, cserzéshez], üst, dézsa II. vt -tt- kádba tesz, kádban erjeszt

VAT [væt] value-added tax

Vatican ['vætɪkən] prop Vatikán

vaudeville ['voʊdəvɪl] n 1. GB énekes-zenés vígjáték; vidám operett 2. US varieté(műsor); kabaré; revü

Vaughan [vɔ:n] prop

vault[1] [vɔ:lt] I. n 1. boltozat, bolthajtás, boltív 2. (boltozatos) pince; (safety) ~ páncélterem [banké] 3. égbolt II. vt beboltoz

vault[2] [vɔ:lt] I. n ugrás, rúdugrás II. A. vi ugrik B. vt átugrik vmt

vaulted ['vɔ:ltɪd] a boltozatos, bolthajtásos

vaulting[1] ['vɔ:ltɪŋ] n boltozat

vaulting[2] ['vɔ:ltɪŋ] n. a szökellő, ugró; ~ ambition nagyra törő vágy II. n szökellés; ugrás

vaulting-horse n ló [tornaszer]

vaunt [vɔ:nt] I. n hencegés, kérkedés II. A. vt magasztal, feldicsér B. vi dicsekszik (of sg vmvel)

Vauxhall [vɔks'hɔ:l] prop

V-belt n ékszíj

V.C. [vi:'si:] Victoria Cross → Victoria[2]

VD [vi:'di:] venereal disease

V-Day ['vi:deɪ] n (= Victory Day) a győzelem napja, az első békenap [II. világháború után]

've = have

veal [vi:l] n borjúhús

vector ['vektə*] n 1. vektor 2. betegséghordozó, vírushordozó

vectorial [vek'tɔ:rɪəl] a vektoriális

VE-day ['vi:i:deɪ] (= Victory in Europe day) a német kapituláció napja [1945. máj. 8.]

veep [vi:p] n = V.I.P.

veer [vɪə*] I. n irányváltozás [szélé, hajóé, véleményé] II. A. vi megfordul, irányt változtat; biz ~ round (1) megfordul [szél] (2) ellenkező végletbe csap B. vt kienged, lazít; ~ out kiereszt [kötelet]
vegetable ['vedʒtəbl] I. a növényi (eredetű); ~ butter növényi zsiradék; ~ garden konyhakert; ~ kingdom a növényvilág; ~ marrow tök; ~ matter növényi/szerves anyag; ~ oil növényi olaj II. n 1. növény 2. főzelék(féle), zöldség(féle)
vegetable-dish n főzelék
vegetal ['vedʒɪtl] a növényi [funkciók]
vegetarian [vedʒɪ'teərɪən] a növényevő, vegetáriánus
vegetate ['vedʒɪteɪt] vi 1. tenyészik 2. vegetál, tengődik; tesped
vegetation [vedʒɪ'teɪʃn] n növényzet, vegetáció
vegetative ['vedʒɪtətɪv; US -teɪ-] a vegetatív, nem akaratlagos
vehemence ['viːɪməns] n hevesség; hév
vehement ['viːɪmənt] a heves, erős; szilaj, vehemens
vehicle ['viːɪkl] n 1. jármű, közlekedési eszköz; public ~ közhasználati/közforgalmi jármű/szállítóeszköz, tömegközlekedési eszköz 2. hordozó/közvetítő közeg; eszköz 3. vivőanyag
vehicular [vɪ'hɪkjʊlə*; US -kjə-] a közlekedési; járművel kapcsolatos, közúti; ~ traffic járműforgalom, közúti forgalom
veil [veɪl] I. n fátyol; függöny; lepel; take the ~ fátyolt ölt [= apácának megy]; cast/throw a ~ over sg fátyolt borit vmre II. vt 1. (le)fátyoloz; fátyollal borit 2. leplez
veiled [veɪld] a 1. elfátyolozott 2. leplezett
veiling ['veɪlɪŋ] n 1. fátyol(szövet) 2. elfátyolozás 3. leplezés
vein [veɪn] I. n 1. ér, véredény; vivőér, véna 2. erezet, erezés 3. tehetség, hajlam; kedv; be in the ~ of doing sg kedvet érez vmhez, kedve van vmt tenni II. vt erez
veined [veɪnd] a erezett; eres
velar ['viːlə*] I. a veláris II. n veláris hang, ínyhang

veld(t) [velt] n dél-afrikai préri
vellum ['veləm] n pergamen [borjúbőrből]
velocipede [vɪ'lɔsɪpiːd; US -'la-] n 1. (régimódi) kerékpár, velocipéd 2. háromkerekű (gyerek)bicikli, hajtóka
velocity [vɪ'lɔsətɪ; US -'la-] n sebesség, gyorsaság; ~ of light fénysebesség
velour(s) [və'lʊə*] n velúr
velvet ['velvɪt] I. a 1. bársony(ból való) 2. bársonyos(an sima) II. n 1. bársony 2. □ fölösleg, nem remélt haszon; on ~ előnyös/nyerő helyzetben; be/play on ~ könnyű munkája/sora van
velveteen [velvɪ'tiːn] n pamutbársony
velvety ['velvɪtɪ] a bársonyos
Ven. Venerable
venal ['viːnl] a 1. megvásárolható, megvesztegethető 2. haszonleső
venality [viː'nælətɪ] n megvásárolhatóság, megvesztegethetőség
vend [vend] vt 1. elad 2. kereskedik (vmvel); árul [újságot stb.]
vender ['vendə*] n = vendor
vendetta [ven'detə] n vérbosszú
vendible ['vendəbl] a eladható
vending ['vendɪŋ] a ~ machine (árusító) automata
vendition [ven'dɪʃn] n eladás
vendor ['vendɔ:*; US -dər] n eladó, árus
veneer [və'nɪə*] I. n 1. borítólemez; furnér(lemez) 2. borítás, burkolat 3. felszín, látszat; átv máz II. vt 1. furnéroz, lemezel, burkol 2. takargat, leplez
venerable ['ven(ə)rəbl] a 1. tiszteletre méltó 2. nagytiszteletű [anglikán főesperes címe]
venerate ['venəreɪt] vt tisztel; hódol vk előtt
veneration [venə'reɪʃn] n (mélységes) tisztelet; tisztelés; hódolat; hold sy in ~ igen tisztel vkt
venereal [və'nɪərɪəl] a nemi; ~ disease nemi baj/betegség
venery ['venərɪ] n bujálkodás
Venetian [və'niːʃn] a velencei; ~ blind lécroletta, kb. reluxa; ~ window háromosztású ablak
Venezuela [vene'zweɪlə] prop Venezuela

Venezuelan [vene'zweɪlən] a/n venezuelai
vengeance ['vendʒ(ə)ns] n bosszú; take
~ on sy bosszút áll vkn; biz with a ~
(1) nagyon is (2) vadul, hevesen (3) a
javából
vengeful ['vendʒful] a 1. bosszúálló
2. bosszúvágyó, -szomjas
venial ['viːnjəl] a jelentéktelen; bocsá-
natos [bűn]
veniality [viːnɪ'ælətɪ] n megbocsátható-
ság
Venice ['venɪs] prop Velence
venison ['venzn] n szarvashús, őzhús
venom ['venəm] n méreg [kígyóé, stb.]
venomous ['venəməs] a 1. mérges 2.
biz epés, dühös
venous ['viːnəs] a eres, vénás
vent [vent] I. n 1. nyílás, rés; szelelő-
lyuk 2. kibúvó, kifolyó 3. hasíték,
slicc [ruhadarabon] 4. give ~ to one's
anger szabad folyást enged haragjá-
nak, haragra lobban II. vt 1. kiereszt
[levegőt] 2. szellőztet 3. kitölt [ha-
ragot] (on sy/sg vkn, vmn)
vent-hole n 1. szelelőlyuk 2. hordószáj
ventilate ['ventɪleɪt] vt 1. szellőztet
[helyiséget stb.] 2. rostál [gabonát]
3. biz nyilvánosság előtt tárgyal,
szellőztet
ventilation [ventɪ'leɪʃn] n 1. szellőzés
2. szellőztetés 3. gabonarostálás
ventilator ['ventɪleɪtə*] n szellőztető-
készülék, ventillátor
ventricle ['ventrɪkl] n 1. kamra [agy-
ban, szivben] 2. gyomor; gyomrocs
ventriloquism [ven'trɪləkwɪzm] n has-
beszélés, hasbeszéd
ventriloquist [ven'trɪləkwɪst] n hasbe-
szélő
venture ['ventʃə*] I. n 1. kockázat;
(kockázatos) vállalkozás; vakmerőség;
spekuláció; put to the ~ kockára tesz
2. at a ~ véletlenül, találomra, kapás-
ból II. A. vt (meg)kockáztat, mer(é-
szel); (meg)kísérel B. vi merészkedik;
~ upon sg megkísérel vmt
venturesome ['ventʃəsəm] a 1. merész,
kockázatos 2. vállalkozó szellemű
venue ['venjuː] n 1. illetékes bíróság;
fix the ~ kijelöli a tárgyalás helyét
2. találkozóhely

Venus ['viːnəs] prop Vénusz
veracious [və'reɪʃəs] a igazmondó; meg-
bízható
veraciousness [və'reɪʃəsnɪs] n 1. igaz-
mondás 2. igazság (vmé), igaz volta
vmnek
veracity [və'ræsətɪ] n = veraciousness
veranda(h) [və'rændə] n veranda, tornác
verb [vəːb] n ige ||→ pattern 1. 2.
verbal ['vəːbl] I. a 1. igei; ~ noun igenév
2. szóbeli; ~ mistake szóhiba 3. szó/
betű szerinti [fordítás] II. n igenév
verbalism ['vəːbəlɪzm] n 1. szóbeliség
2. szavakon nyargalás, verbalizmus
verbalize ['vəːbəlaɪz] A. vt 1. szavakba
foglal 2. igévé alakít B. vi bőbeszédű,
fecseg
verbally ['vəːbəlɪ] adv 1. élőszóban 2.
szó szerint
verbatim [vəː'beɪtɪm] I. a szó/betű
szerinti II. adv szó/betű szerint
verbena [vəː'biːnə] n verbéna
verbiage ['vəːbɪɪdʒ] n szószaporítás;
szóáradat
verbose [vəː'bous] a bőbeszédű, szó-
szátyár, fecsegő
verboseness [vəː'bousnɪs] n = verbosity
verbosity [vəː'bɔsətɪ; US -'bɑ-] n bő-
beszédűség, szószátyárság
verdant ['vəːd(ə)nt] a 1. zöld(ellő) 2.
kezdő, tapasztalatlan, éretlen
verderer ['vəːdərə*] n GB királyi erdész
verdict ['vəːdɪkt] n 1. ítélet; döntés,
verdikt [esküdteké]; bring in a ~ of
guilty a vádlottat bűnösnek mondja
ki; return a ~ döntést/verdiktet hoz
2. vélemény
verdigris ['vəːdɪgrɪs] n patina
verdure ['vəːdʒə*] n 1. zöldellés; zöld(el-
lő) természet 2. üdeség, életerős ifjú-
ság
verge [vəːdʒ] I. n széle (vmnek), szegély;
határ; perem; be on the ~ of sg vmnek
a szélén/határán van II. vi ~ (up)on sg
határos vmvel
verger ['vəːdʒə*] n 1. templomszolga
2. pálcavívő
veriest ['verɪɪst] →very
verifiable ['verɪfaɪəbl] a ellenőrizhető;
igazolható
verification [verɪfɪ'keɪʃn] n 1. (be)bizo-

nyítás, (be)igazolás, okirati bizonyítás/igazolás, megerősítés 2. beigazolódás, igaznak bizonyulás, bebizonyosodás 3. felülvizsgálat
verify ['verɪfaɪ] vt 1. igazol, megerősít 2. ellenőriz, átvizsgál
verily ['verəlɪ] adv valóban, bizony
verisimilitude [verɪsɪ'mɪlɪtjuːd; US -tuːd] n valószínűség, valószerűség
veritable ['verɪtəbl] a valóságos; igazi
veritably ['verɪtəblɪ] adv valósággal, igazán, csakugyan
verity ['verətɪ] n igazság; való dolog; the eternal verities az örök igazságok
vermeil ['vəːmeɪl] n 1. aranyozott ezüst 2. cinóberpiros
vermicelli [vəːmɪ'selɪ] n cérnametélt
vermicide ['vəːmɪsaɪd] n féregirtó (szer)
vermicular [vəː'mɪkjʊlə*] a féregszerű
vermiform ['vəːmɪfɔːm] a féreg alakú; ~ appendix féregnyúlvány
vermifuge ['vəːmɪfjuːdʒ] a/n féregűző (szer), gilisztahajtó
vermilion [və'mɪljən] a/n cinóbervörös (szín)
vermin ['vəːmɪn] n 1. férgek, élősdiek, (kis) kártékony állatok 2. csőcselék
verminiferous [vəːmɪ'nɪfərəs] a tetves, férges
verminous ['vəːmɪnəs] a férgektől hemzsegő
Vermont [vəː'mɔnt; US -ɑnt] prop
vermouth ['vəːməθ; US -'muːθ] n ürmös, vermut
vernacular [və'nækjʊlə*] I. a népi, népnyelvi, nemzeti [kultúra stb.] II. n nemzeti nyelv, anyanyelv
vernal ['vəːnl] a tavaszi; ~ equinox tavaszi napéjegyenlőség
Vernon ['vəːnən] prop ⟨angol férfinév⟩
veronal ['verənl] n veronál [altatószer]
veronica [vɪ'rɔnɪkə; US -'rɑ-] n veronikafű
versatile ['vəːsətaɪl] a 1. sokoldalú 2. ügyes, járatos 3. változékony, ingatag
versatility [vəːsə'tɪlətɪ] n 1. sokoldalúság 2. változékonyság, ingatagság
verse [vəːs] I. n 1. vers, költemény 2. versszak, strófa 3. verssor II. A. vt versbe szed B. vi versel

versed [vəːst] a jártas, tapasztalt, verzátus (in sg vmben)
versification [vəːsɪfɪ'keɪʃn] n 1. verselés(i technika) 2. versmérték
versifier ['vəːsɪfaɪə*] n versíró
versify ['veːsɪfaɪ] A. vt (meg)versel; megversesít [prózát] B. vi verset farag/ír, költ
version ['vəːʃn; US -ʒn] n 1. változat, verzió 2. (le)fordítás
verso ['vəːsoʊ] n 1. hátoldal [lapé, éremé] 2. bal/páros oldal [könyvé]
versus ['vəːsəs] prep ellen
vert [vəːt] n 1. zöld szín 2. erdő/növényzet zöldje
vertebra ['vəːtɪbrə] n (pl ~e -briː) 1. (hát)csigolya 2. the vertebrae a hátgerinc
vertebral ['vəːtɪbr(ə)l] a gerinc-; ~ column gerincoszlop
vertebrate ['vəːtɪbrət] a/n gerinces
vertex ['vəːteks] n (pl ~es -eksɪz v. -tices -tɪsiːz) 1. tetőpont, csúcs; orom 2. koponyatető
vertical ['vəːtɪkl] I. a függőleges; ~ take-off (and landing) függőleges fel- (és le)szállás(ú) II. n függőleges vonal
vertices → vertex
vertiginous [vəː'tɪdʒɪnəs] a 1. örvénylő, kavargó 2. szédülő 3. szédítő
vertigo ['vəːtɪgoʊ] n szédülés
vertu [vəː'tuː] n = virtu
vervain ['vəːveɪn] n verbéna
verve [vəːv] n lendület, hév, lelkesedés
very[1] ['verɪ] I. a 1. igazi, valóságos 2. maga a..., maguk a..., éppen az a... [azonosságot hangsúlyozó szó]; the veriest fool kötözni való bolond, a legnagyobb bolond; the ~ devil a megtestesült ördög; he is the ~ man (1) ő az igazi ember (2) pont(osan)/éppen ő az (az ember) [akire szükség van stb.]; in this ~ place pontosan azon/ezen a helyen; at that ~ moment ugyanabban a pillanatban; at the ~ beginning a legelején; the ~ centre a keilős közepe; the ~ same pontosan ugyanaz II. adv 1. nagyon, igen; not ~ nem nagyon; ~ good (1) igen jó (2) igenis, jól van; ~ interesting nagyon érdekes; ~ much (1) igen sok(at) (2) nagyon

2. *the* ~ *best* a legeslegjobb; *the* ~ *first* a legelső; *at the* ~ *latest* legkésőbb 3. ~ *well!* (1) jó!, nagyon helyes!, rendben van! (2) nagyszerű! → *well²*
Very² ['vɪərɪ; *US* 'verɪ] *prop* ~ *light* [pisztolyból kilőtt] világítórakéta
vesica ['vesɪkə; *US* və'saɪkə] *n* (húgy-) hólyag
vesical ['vesɪkl] *a* hólyag-
vesicant ['vesɪkənt] *a/n* hólyaghúzó
vesicle ['vesɪkl] *n* 1. hólyag(ocska); vízhólyag 2. ciszta 3. üreg
vesper ['vespə*] *n* 1. este 2. V~ esthajnalcsillag 3. **vespers** *pl* vecsernye
vespiary ['vespɪərɪ] *n* darázsfészek
vessel ['vesl] *n* 1. edény 2. hajó; nagy csónak 3. [bibliában] eszköz; *chosen* ~ Isten kiválasztott edénye; *weaker* ~ a gyengébb/női nem
vest [vest] **I.** *n* 1. (trikó) alsóing, atlétatrikó 2. mellény **II. A.** *vt* 1. felöltöztet 2. felruház (*sy with sg* vkt vmvel), ráruház, rábíz (*sg in sy* vmt vkre); ~ *sy with authority* hatalommal ruház fel vkt **B.** *vi* ~ *in sy* átszáll vkre [birtok stb.]
vestal ['vestl] *a/n* ~ (*virgin*) Vesta-szűz
vested ['vestɪd] *a* háramlott, rászállott; ~ *interest/rights* (1) szerzett jogok (2) (anyagi) érdekeltség (vmben)
vestiary ['vestɪərɪ; *US* -erɪ] *n* öltöző-(szoba)
vestibule ['vestɪbjuːl] *n* 1. előszoba; előcsarnok, hall 2. *US* zárt peron [vasúti kocsiban]
vestibule-car *n US* átjárókocsi [vasúton]
vestige ['vestɪdʒ] *n* 1. nyom, nyomdok; maradvány 2. csökevény
vestigial [ve'stɪdʒɪəl] *a* csökevényes [szerv]
vestment ['vestmənt] *n* 1. díszruha, (hivatali) formaruha 2. miseruha
vest-pocket *a* miniatűr (méretű), miniatűr
vestry ['vestrɪ] *n* 1. sekrestye 2. egyházközségi tanács
vestryman ['vestrɪmən] *n* (*pl* -men -mən) egyházközségi tanácstag
vesture ['vestʃə*] *n* köntös; öltözék, ruha
vet¹ [vet] *biz* **I.** *n* állatorvos **II.** *vt* -tt- 1. megvizsgál [embert] 2. lektorál

[kéziratot] 3. felülvizsgál, ellenőriz; lekáderez
vet² [vet] *n US biz* veterán, kiszolgált/leszerelt katona
vetch [vetʃ] *n* bükköny
vetchling ['vetʃlɪŋ] *n* réti lednek
veteran ['vet(ə)rən] **I.** *a* öreg, tapasztalt, gyakorlott **II.** *n* kiszolgált/volt katona, veterán
veterinarian [vetərɪ'neərɪən] *n US* állatorvos
veterinary ['vet(ə)rɪn(ə)rɪ; *US* -erɪ] **I.** *a* állatorvosi; ~ *medicine* állatorvostan; ~ *surgeon* állatorvos **II.** *n* állatorvos
veto ['viːtou] **I.** *n* (*pl* ~es -z) 1. vétó, tiltakozás; *put a* ~ *on sg* vétót emel vm ellen 2. vétójog **II.** *vt* (*pt/pp* ~ed -toud) vétót mond (vmre), megvétóz, megtilt (vmt)
vetted ['vetɪd] → *vet¹ II.*
vex [veks] *vt* 1. zaklat, nyaggat, boszszant; *be* ~ed *with sy* mérges vkre 2. felkavar, felzavar [tengert]
vexation [vek'seɪʃn] *n* 1. bosszantás, zaklatás, nyugtalanítás 2. aggodalom 3. bosszúság
vexatious [vek'seɪʃəs] *a* bosszantó, kellemetlen; terhes; zaklató
vexed [vekst] *a* 1. bosszankodó, ideges, mérgelődő 2. vitás, vitatott [kérdés]; kérdéses [ügy]
vexing ['veksɪŋ] *a* bosszantó; nyugtalanító
VHF [viːeɪtʃ'ef] *very high frequency* igen magas frekvencia, VHF [30—300 MHz]
via ['vaɪə] *prep* át, keresztül; ~ *Dover* Doveren át
viability [vaɪə'bɪlətɪ] *n* 1. életképesség 2. *átv* járhatóság [úté]; megvalósíthatóság
viable ['vaɪəbl] *a* 1. életképes 2. (*átv is*) járható [út]
viaduct ['vaɪədʌkt] *n* völgyhíd, viadukt
vial ['vaɪəl] *n* üvegcse, fiola, ampulla
viands ['vaɪəndz] *n pl* élelmiszer, élelem
vibrant ['vaɪbr(ə)nt] *a* rezgő, vibráló; rezonáló
vibrate [vaɪ'breɪt; *US* 'vaɪ-] **A.** *vi* rezeg; leng; remeg, vibrál **B.** *vt* rezget, ráz, (meg)reszkettet

vibrating [vaɪ'breɪtŋɪ; US 'vaɪ-] a rezgő, remegő, vibráló
vibration [vaɪ'breɪʃn] n rezgés; lengés; remegés, vibrálás
vibrator [vaɪ'breɪtə*; US 'vaɪ-] n 1. rázókészülék, vibrátor 2. (elektromos) masszírozógép 3. búgó, zümmögő, berregő
vibratory ['vaɪbrət(ə)rɪ; US -ɔ:rɪ] a rezgő; lengő
viburnum [vaɪ'bə:nəm] n kányafa, labdarózsa
Vic. Victoria
vicar ['vɪkə*] n 1. [anglikán] lelkész; plébános; biz ~ of Bray köpönyegforgató, opportunista 2. helynök, helyettes; ~ apostolic apostoli vikárius
vicarage ['vɪkərɪdʒ] n 1. plébánia 2. parókia, paplak
vicar-general n általános érseki helynök
vicarious [vɪ'keərɪəs; US vaɪ-] a 1. helyettes(ítő); ~ pleasure más öröméből vknek jutó kis rész 2. más helyett végzett/tűrt
vicariously [vɪ'keərɪəslɪ; US vaɪ-] adv helyettesként, másodkézből
vice¹ [vaɪs] n 1. bűn, vétek; ~ squad erkölcsrendészet(i járőr) 2. hiba, hiányosság 3. idegesség [ló]
vice² [vaɪs] I. n satu II. vt satuba (be)fog
vice³ ['vaɪsɪ] I. prep helyett, helyébe II. adv ~ versa [vaɪsɪ'və:sə] fordítva, kölcsönösen, és viszont
vice- [vaɪs-] pref al-
vice-admiral n altengernagy
vice-chairman n (pl -men) alelnök, másodelnök
vice-chancellor n [egyetemi] rektor ⟨a tényleges egyetemi rektor, aki a felette levő névleges rektor helyett az ügyeket intézi⟩
vice-consul n alkonzul
vicegerent [vaɪs'dʒer(ə)nt] I. a helyettes(ítő) II. n helyettes, helytartó, kormányzó
vice-governor n alkormányzó, kormányzóhelyettes
vice-marshal n hadosztályparancsnok
vicennial [vaɪ'senjəl] n 1. húsz évig tartó 2. húszévenkénti
vice-presidency n alelnökség

vice-president n alelnök
vice-principal n aligazgató, igazgatóhelyettes [iskolában]
viceregal [vaɪs'ri:gl] a alkirályi
vicereine [vaɪs'reɪn] n alkirályné
viceroy ['vaɪsrɔɪ] n alkirály
viceroyalty [vaɪs'rɔɪəltɪ] n alkirályság
vicinity [vɪ'sɪnətɪ] n 1. szomszédság, környék 2. közelség; in the ~ of (1) vmnek táján/vidékén (2) körülbelül ... [mennyiségről]
vicious ['vɪʃəs] a 1. gonosz, rosszindulatú 2. romlott; erkölcstelen 3. hibás, helytelen; ~ circle körben forgó okoskodás, circulus vitiosus 4. harapós [ló]
viciously ['vɪʃəslɪ] adv 1. gonoszul, rosszakaratúan 2. erősen
viciousness ['vɪʃəsnɪs] n gonoszság, rosszakarat(úság), rosszindulat; rossz természet
vicissitude [vɪ'sɪsɪtju:d; US -tu:d] n viszontagság, forgandóság, hányattatás
Vickers ['vɪkəz] prop
victim ['vɪktɪm] n áldozat; make a ~ of oneself megjátssza a mártírt
victimization [vɪktɪmaɪ'zeɪʃn; US -mɪ'z-] n 1. elnyomás; there shall be no ~ nem lesz megtorlás 2. becsapás, rászedés
victimize ['vɪktɪmaɪz] vt 1. feláldoz 2. megtorlást gyakorol, elnyom 3. becsap, rászed
Victor¹ ['vɪktə*] prop Viktor, Győző
victor² ['vɪktə*] n győztes, győző
victoria¹ [vɪk'tɔ:rɪə] n ⟨nyitott félfedeles hintó⟩
Victoria² [vɪk'tɔ:rɪə] prop Viktória; ~ Cross (V.C.) Viktória-kereszt [a legnagyobb brit hadi kitüntetés]
Victorian [vɪk'tɔ:rɪən] a viktoriánus, Viktória korabeli
victorious [vɪk'tɔ:rɪəs] a győztes, győzelmes; diadalmas; send him ~ tedd győztessé
victory ['vɪkt(ə)rɪ] n győzelem, diadal
victual ['vɪtl] v -ll- (US -l-) A. vt 1. élelmez 2. élelmiszert beraktároz B. vi biz táplálkozik || →victuals
victualler, US -aler ['vɪtlə*] n élelmiszer-szállító || →licensed

victualling, *US* **-aling** ['vɪtlɪŋ] *n* élelmiszer-ellátás
victuals ['vɪtlz] *n pl* élelmiszer(ek); eleség; élelem, ennivaló || →*victual*
vide ['vaɪdi:] *int* lásd; ~ *infra* ['ɪnfrə] lásd alább; ~ *supra* ['su:prə] lásd fentebb
videlicet [vɪ'di:lɪset] *adv* = *viz.*
video ['vɪdɪoʊ] I. *a* televíziós; televízió-, video-, kép-; ~ *recorder* képmagnó; ~ *recording* képfelvétel; ~ *signal* videojel, képjel II. *n US* televízió
videotape I. *n* képszalag; ~ *recorder* képmagnó II. *vt* képmagnóra felvesz
vie [vaɪ] *vi* (*pres part* **vying** 'vaɪɪŋ) versenyez, verseng (*with* sy vkvel)
Vienna [vɪ'enə] *n* Bécs
Viennese [vɪə'ni:z] *a/n* bécsi
Vietnam [vjet'næm] *prop* Vietnam
Vietnamese [vjetnə'mi:z] *a/n* vietnami
view [vju:] I. *n* 1. (meg)látás, (meg)nézés; *at first* ~ első látásra; *be on* ~ megtekinthető, ki van állítva 2. láthatóság; *be in* ~ (1) látható (2) kilátásban van; *come into* ~ láthatóvá válik, feltűnik 3. kilátás; látvány; (lát)kép; *take some* ~*s of Tihany* néhány képet/ felvételt készít Tihanyról 4. nézet, vélemény; *point of* ~ szempont; *hold the* ~*that* . . . az a véleménye, hogy . . ., azt a nézetet vallja, hogy . . .; *hold extreme* ~*s* szélsőséges nézeteket vall; *take a dim/poor* ~ *of sg* nem sokra tart vmt, nem helyesel vmt 5. szándék; cél; *in* ~ *of* . . . (1) vmre tekintettel (2) vm miatt/következtében; *have sg in* ~ tervez/szándékol vmt; *with a* ~ *to sg* azon szándékkal, azzal a céllal, hogy . . . II. *vt* 1. (meg)néz, megtekint, megszemlél (vmt) 2. *biz* néz [tévéadást] 3. megfontol, fontolóra vesz 4. vmlyennek tekint
viewer ['vju:ə*] *n* 1. szemlélő, néző 2. (téve)néző 3. dianéző [eszköz]
view-finder *n* kereső [fényképezőgépen]
view-halloo *n* hallali [kiáltás falkavadászaton a róka megpillantásakor]
viewing ['vju:ɪŋ] *n* megtekintés, megnézés; szemrevétel
view-point *n* szempont

vigil ['vɪdʒɪl] *n* 1. virrasztás; *keep* ~ virraszt 2. ünnep előestje, vigilia
vigilance ['vɪdʒɪləns] *n* éberség, vigyázat; ~ *committee US* önkéntes erkölcsrendészeti felügyelőség, polgárőrség
vigilant ['vɪdʒɪlənt] *a* 1. éber, szemfüles 2. őrködő, vigyázó
vignette [vɪ'njet] I. *n* 1. fejléc, záródísz; címrajz 2. háttérbe olvadó arckép 3. jellemkép II. *vt* mellképet készít (elmosódó háttérrel)
vigor →*vigour*
vigorous ['vɪg(ə)rəs] *a* 1. (élet)erős; erőteljes 2. élénk; nyomatékos
vigour, *US* **-or** ['vɪgə*] *n* 1. (élet)erő, energia 2. nyomaték; erély
Viking ['vaɪkɪŋ] *n* viking
vile [vaɪl] *a* 1. hitvány; gyarló; értéktelen 2. aljas, gonosz 3. *biz* ócska, vacak
vilely ['vaɪllɪ] *adv* aljasul, hitvány módra
vileness ['vaɪlnɪs] *n* hitványság, aljasság
vilification [vɪlɪfɪ'keɪʃn] *n* becsmérlés, rágalmazás
vilifier ['vɪlɪfaɪə*] *n* becsmérlő, rágalmazó
vilify ['vɪlɪfaɪ] *vt* becsmérel, rágalmaz
villa ['vɪlə] *n* 1. villa, nyaraló 2. családi ház; (vidéki) rezidencia
village ['vɪlɪdʒ] *n* falu; község; ~ *green* ⟨a falu közös és középponti zöld területe⟩
villager ['vɪlɪdʒə*] *n* falusi (ember/asszony), falubeli
villain ['vɪlən] *n* 1. gazember 2. cselszövő, intrikus [színműben]
villainous ['vɪlənəs] *a* 1. hitvány, aljas 2. *biz* ócska, komisz [minőségű]
villainy ['vɪlənɪ] *n* 1. gazság, alávalóság 2. gaztett
villein ['vɪlɪn] *n* jobbágy
villeinage ['vɪlɪnɪdʒ] *n* jobbágyság
vim [vɪm] *n biz* energia, életerő, tetterő
Vincent ['vɪns(ə)nt] *prop* Vince
vincible ['vɪnsəbl] *a* legyőzhető
vindicate ['vɪndɪkeɪt] *vt* 1. igényt tart (vmre), magáénak követel, vindikál; ~ *one's rights* érvényesíti jogait 2. megvéd, igazol
vindication [vɪndɪ'keɪʃn] *n* 1. (meg)védelmezés, fenntartás 2. (vissza)követelés; érvényesítés [jogé]

vindicative ['vɪndɪkətɪv; US vɪn'dɪ-] a
1. védelmező, igazoló 2. = vindictive 1.
vindicator ['vɪndɪkeɪtə*] n védelmező
vindictive [vɪn'dɪktɪv] a 1. bosszúálló,
bosszúszomjas 2. haragtartó, gyűlöl-
ködő
vindictiveness [vɪn'dɪktɪvnɪs] n bosszú-
állás, bosszúszomj
vine [vaɪn] n 1. szőlő(tő) 2. US kúszó-
növény (ágai)
vine-arbour n szőlőlugas
vine-dresser n 1. szőlőtermelő 2. vin-
cellér
vinegar ['vɪnɪgə*] n ecet
vinegar-cruet n (asztali) ecettartó
vinegary ['vɪnɪgərɪ] a 1. ecetes, ecet-
2. átv savanyú; barátságtalan; csípős
vine-grower n szőlősgazda
vine-growing I. a szőlőtermelő II. n
szőlészet, szőlőtermelés
vine-pest n filoxéra
vinery ['vaɪnərɪ] n 1. † szőlő(kert) 2.
üvegház [szőlőtermelésre]
vine-stock n szőlőtő(ke)
vineyard ['vɪnjəd] n 1. szőlő(skert),
szőlőhegy 2. átv munkaterület
viniculture ['vɪnɪkʌltʃə*] n szőlőműve-
lés; bortermelés
vinous ['vaɪnəs] a 1. borízű; borszagú;
borszínű 2. ittas, boros
vintage ['vɪntɪdʒ] n 1. szüret 2. évi
bortermés; wine of 1928 ~ 1928-as
évjáratú bor; ~ year (minőségileg) jó
bortermésű év; ~ wine márkás bor,
fajbor 3. ⟨régi klasszikus márkájú
tárgy/dolog⟩
vintager ['vɪntɪdʒə*] n szüretelő
vintner '[vɪntnə*] n borkereskedő
viola¹ [vɪ'oʊlə] n brácsa, mélyhegedű
viola² ['vaɪələ] n 1. árvácska 2. tavaszi
ibolya
violable ['vaɪələbl] a megsérthető, át-
hágható [szabály]
violate ['vaɪəleɪt] vt 1. megsért, áthág,
megszeg [szabályt] 2. megszentség-
telenít [szentélyt] 3. erőszakot követ
el [nőn]
violation [vaɪə'leɪʃn] n 1. megsértés,
megszegés, áthágás; ~ of contract
szerződésszegés 2. megbecstelenítés,
nemi erőszak 3. háborgatás, erőszak

violator ['vaɪəleɪtə*] n 1. törvénysértő,
(szabály)sértő 2. zavaró
violence ['vaɪələns] n 1. erőszak, bántal-
mazás; do ~ on sy (1) vkt meggyilkol
(2) erőszakot követ el vkn, meggyaláz
vkt; do ~ to sg sért, megszeg [jogot
stb.]; ellenkezik [igazsággal stb.];
resort to ~ erőszakhoz folyamodik;
robbery with ~ rablótámadás 2. heves-
ség, hév, tűz
violent ['vaɪələnt] a 1. erőszakos; ~
death erőszakos halál 2. heves; erő],
erőteljes; ~ colours rikító színek
violently ['vaɪələntlɪ] adv 1. erőszakosan
2. hevesen
violet ['vaɪələt] n ibolya [szín és virág]
violet-coloured a lila, ibolyaszínű
violin [vaɪə'lɪn] n hegedű; ~ concerto
hegedűverseny
violinist ['vaɪəlɪnɪst] n hegedűs, hegedű-
művész
violoncellist [vaɪələn'tʃelɪst] n gordon-
kás, csellista, gordonkaművész
violoncello [vaɪələn'tʃeloʊ] n gordonka,
cselló
V.I.P., VIP [vi:aɪ'pi:] very important
person fontos ember/személyiség, nagy-
fejű, fejes
viper ['vaɪpə*] n vipera
virago [vɪ'rɑ:goʊ] n durva/csörfös asz-
szony, sárkány
Virgil ['və:dʒɪl] prop Vergilius
virgin ['və:dʒɪn] I. a szűz, érintetlen;
~ forest őserdő II. n szűz, hajadon
virginal ['və:dʒɪnl] I. a szűzi, szűz-; ~
membrane szűzhártya II. n (pair of) ~s
virginál
Virginia¹ [və'dʒɪnjə] prop Virginia [ál-
lam az USA-ban]; ~ creeper vadszőlő
virginia² [və'dʒɪnjə] n virzsínia(dohány)
virginity [və'dʒɪnətɪ] n szüzesség
virgule ['və:gju:l] n ferde vonal, virgula
viridity [vɪ'rɪdətɪ] n 1. zöldellőség, zöl-
dellés 2. frissesség
virile ['vɪraɪl; US -r(ə)l] a férfias
virility [vɪ'rɪlətɪ] n férfiasság
virology [vaɪə'rɔlədʒɪ; US -'rɑ-] n viro-
lógia, víruskutatás
virtu [və:'tu:] n művészetek kedvelése,
művészi ízlés; articles/objects of ~
műtárgyak

virtual ['və:tʃʊəl] a 1. tényleges, tulajdonképpeni, lényegbeni 2. látszólagos, virtuális; ~ image virtuális kép 3. benne lappangó/rejlő
virtually ['və:tʃʊəlɪ] adv gyakorlatilag, úgyszólván, jóformán, tulajdonképpen
virtue ['və:tju: v. (főleg US) -tʃu:] n 1. erény, erkölcsi tisztaság; make a ~ of necessity szükségből erényt csinál 2. érték, előny 3. in/by ~ of vmnek folytán, vmnél fogva, vmnek az alapján
virtuosity [və:tjʊ'ɔsətɪ v. -tʃʊ-; US -tʃʊ'ɑ-] n virtuozitás
virtuoso [və:tjʊ'ʊʊzʊʊ; US -tʃʊ'ʊʊsʊʊ] n (pl ~s -z v. -si zi:, US -si:) mester, virtuóz
virtuous ['və:tʃʊəs] a erényes, erkölcsös
virulence ['vɪrʊləns; US 'vɪr(j)ə-] n 1. ártalmasság; fertőzőképesség; heveny jelleg, hevesség, virulencia 2. keserűség, epésség [bírálaté]
virulent ['vɪrʊlənt; US 'vɪr(j)ə-] a 1. heveny; rosszindulatú; heves 2. fertőző, virulens 3. epés, maró [szavak stb.]
virus ['vaɪərəs] n vírus
visa ['vi:zə] I. n vízum II. vt (pt/pp ~ed v. ~'d 'vi:zəd) láttamoz [útlevelet], vízumot ad (vknek), vízumot beüt [útlevélbe]
visage ['vɪzɪdʒ] n arc, tekintet, ábrázat
vis-à-vis ['vi:zɑ:vi:] I. a szemben (álló), szemközti II. adv szemben, szemközt
Visc. viscount
viscera ['vɪsərə] n pl belső részek, zsigerek
visceral ['vɪsərəl] a zsigeri
viscid ['vɪsɪd] a ragadós, nyúlós, viszkózus
viscidity [vɪ'sɪdətɪ] n ragadósság, nyúlósság, viszkozitás
viscose ['vɪskoʊs] n viszkóza; ~ silk viszkóz műselyem
viscosity [vɪ'skɔsətɪ; US -'kɑ-] n nyúlósság, viszkozitás
viscount ['vaɪkaʊnt] n vicomte [a báró és a gróf közötti rang]
viscountcy ['vaɪkaʊntsɪ] n vicomte-i rang
viscountess ['vaɪkaʊntɪs] n vicomte felesége

viscous ['vɪskəs] a nyúlós, ragadós, viszkózus
vise [vaɪs] n US = vice²
visibility [vɪzɪ'bɪlətɪ] n láthatóság; látási viszonyok
visible ['vɪzəbl] a látható; feltűnő; be ~ látszik
visibly ['vɪzəblɪ] adv szemmel láthatólag
vision ['vɪʒn] n 1. látomás, vízió 2. látás, látóképesség 3. látvány 4. előrelátás; éleslátás; man of ~ látnoki szellemű ember; nagy koncepciójú ember
visionary ['vɪʒ(ə)nərɪ; US -erɪ] I. a 1. képzeletbeli; képzelt 2. látomásokat látó [ember] II. n látnok; képzelgő
visioned ['vɪʒnd] a ihletett
visionless ['vɪʒnlɪs] a világtalan, vak
visit ['vɪzɪt] I. n 1. látogatás, vizit; pay a ~ to sy, pay sy a ~ meglátogat vkt; return a ~ látogatást viszonoz 2. (orvosi) látogatás, vizit 3. szemle(út), kiszállás II. A. vt 1. meglátogat (vkt), látogatást tesz, vizitel (vknél) 2. ellátogat (vhova); megtekint, megnéz (vmt) 3. (rendszeresen) látogat (vmt); jár (vhova) 4. megtámad (vkt), lesújt (vkre) [betegség stb.] 5. meglátogat, megpróbáltatásokkal sújt B. vi 1. látogatást tesz (vknél, vhol); US ~ with sy (1) látogatóban van vknél (2) (el)beszélget vkvel 2. ~ (up)on sy megbüntet vkt
visitant ['vɪzɪt(ə)nt] n 1. látogató 2. költözőmadár
visitation [vɪzɪ'teɪʃn] n 1. (hivatalos) látogatás, szemle 2. megfenyítés, ítélet; ~ of God Isten csapása 3. biz túl hosszú (udvariassági) látogatás
visiting ['vɪzɪtɪŋ] I. a látogató, vendég-; ~ hours (beteg)látogatási idő; US ~ professor kb. meghívott előadó, vendégelőadó [egyetemen]; be on ~ terms látogató viszonyban van(nak) II. n látogatás
visiting-card n névjegy
visitor ['vɪzɪtə*] n 1. látogató, vendég; ~s' book vendégkönyv 2. felügyelő, ellenőr
visor ['vaɪzə*] n 1. sisakrostély; † álarc 2. (sapka)ellenző 3. napellenző [autón]

vista ['vɪstə] n 1. (átv is) kilátás, látkép; távlat; open up new ~s új lehetőségekre mutat 2. fasor, allé
visual ['vɪzjuəl v. (főleg US) -ʒʊ-] a látási, látó-; vizuális; ~ aid szemléltető eszköz; ~ nerve látóideg
visualization [vɪzjuəlaɪ'zeɪʃn v. -ʒʊ-; US vɪʒʊəlɪ'z-] n 1. elképzelés, felidézés 2. láthatóvá tevés
visualize ['vɪzjuəlaɪz v. (főleg US) -ʒʊ-] vt 1. megjelenít, láthatóvá tesz 2. elképzel, képet felidéz (maga előtt)
visually ['vɪzjuəlɪ v. (főleg US) -ʒʊ-] adv vizuálisan
vital ['vaɪtl] a 1. élethez szükséges; ~ force életerő 2. alapvető, életbevágó; létfontosságú; of ~ importance létfontosságú; ~ error helyrehozhatatlan hiba 3. ~ statistics (1) népmozgalmi statisztika (2) biz (női) testméretek [mell, derék, csípő] 4. élettel teli
vitality [vaɪ'tælətɪ] n életerő, vitalitás
vitalize ['vaɪtəlaɪz] vt 1. életre pezsdít, éltet 2. (fel)frissít; elevenné tesz
vitally ['vaɪtəlɪ] adv életbevágóan
vitals ['vaɪtlz] n pl 1. nemes (belső) szervek 2. lényeg
vitamin ['vɪtəmɪn; US 'vaɪ-] n vitamin
vitellus [vɪ'teləs] n tojássárgája
vitiate ['vɪʃɪeɪt] vt 1. megront, elront, (be)szennyez; ~d air rossz (szoba)levegő 2. érvénytelenít, hatálytalanít
vitiation [vɪʃɪ'eɪʃn] n 1. elrontás, megrontás, (be)szennyezés 2. hatályon kívül helyezés, érvénytelenítés
viticultural [vɪtɪ'kʌltʃ(ə)rəl] a szőlészeti
viticulture ['vɪtɪkʌltʃə*] n szőlőművelés, szőlészet
vitreous ['vɪtrɪəs] a üvegszerű; ~ body üvegtest [a szemben]
vitrify ['vɪtrɪfaɪ] A. vt megüvegesít B. ví megüvegesedik
vitriol ['vɪtrɪəl] n 1. (tömény) kénsav, vitriol; blue ~ rézszulfát; ~ throwing vitriolos merénylet 2. átv merő gúny
vitriolic [vɪtrɪ'ɔlɪk; US -'a-] a (átv is) vitriolos, maró
vituperate [vɪ'tju:pəreɪt; US vaɪ'tu:-] vt összeszid, lehord
vituperation [vɪtju:pə'reɪʃn; US vaɪtu:-] n szidalom, szidás

vituperative [vɪ'tju:p(ə)rətɪv; US vaɪ'tu:pəreɪtɪv] a szidalmazó, gáncsoló
viva ['vaɪvə] n biz szóbeli (vizsga)
vivacious [vɪ'veɪʃəs; US rendsz. vaɪ-] a élénk, eleven; vidám
vivaciousness [vɪ'veɪʃəsnɪs; US rendsz. vaɪ-] n élénkség, elevenség, vidámság, jókedv
vivacity [vɪ'væsətɪ; US rendsz. vaɪ-] n = vivaciousness
viva voce [vaɪvə'vousɪ] I. a élőszóval való, szóbeli II. adv szóbelileg III. n biz szóbeli (vizsga)
Vivian ['vɪvɪən] prop ⟨angol férfinév⟩
vivid ['vɪvɪd] a 1. élénk [szín] 2. eleven [képzelet stb.] 3. eleven, színes [stílus stb.]
vividly ['vɪvɪdlɪ] adv élénken, színesen
vividness ['vɪvɪdnɪs] n elevenség; élénkség; frisseség
Vivien ['vɪvɪən] prop Viviána, Vivien
vivify ['vɪvɪfaɪ] vt élénkít, feléleszt, életre kelt
viviparous [vɪ'vɪpərəs] a elevenszülő
vivisect [vɪvɪ'sekt; US 'vɪvɪsekt] vt élveboncol
vivisection [vɪvɪ'sekʃn] n élveboncolás, viviszekció
vixen ['vɪksn] n 1. nőstény róka 2. biz komisz asszony, (női) sárkány
vixenish ['vɪks(ə)nɪʃ] a házsártos, sárkánytermészetű
viz. [vɪ'di:lɪset v. viz; kimondva rendsz.: 'neɪmlɪ] videlicet (= namely) azaz, úgymint, úm., tudniillik, ti.
vizier [vɪ'zɪə*] n török miniszter, vezír
vizor ['vaɪzə*] n = visor
V-neck ['vi:-] hegyes kivágás [ruha nyakán]
vocable ['voukəbl] n szó
vocabulary [və'kæbjʊlərɪ; US -bjələrɪ] n 1. szókincs 2. szótár, szójegyzék; ~ entry címszó
vocal ['voukl] I. a 1. hanggal bíró, hang-; ~ cords hangszálak 2. vokális; énekelt 3. magánhangzói 4. hangzó, zengő; ~ hills visszhangzó hegyek 5. lármás, zajos; become ~ beszélni/lármázni kezd II. n magánhangzó
vocalic [vou'kælɪk] a 1. zengő, dallamos 2. magánhangzókban bővelkedő

vocalist ['voukəlıst] n énekes(nő)
vocalization [voukəlaı'zeıʃn; US -lı'-] n zengzetessé tétel; vokalizálás
vocalize ['youkəlaız] A. vt vokalizál; megszólaltat, kifejez, kiejt B. vi énekel; beszél; hangosan mond
vocally ['voukəlı] adv 1. élőszóval 2. dallamosan
vocation [vou'keıʃn] n 1. hivatás, foglalkozás; what is your ~? mi a foglalkozása/mestersége/szakmája?; miss one's ~ pályát téveszt 2. elhivatottság, hajlam
vocational [vou'keıʃənl] a 1. hivatásszerű; 2. szakmai, szak-; ~ guidance pályaválasztási tanácsadás; ~ school szakiskola; ~ training szakmai képzés, szakképzés, szakmai gyakorlat(i képzés)
vocative ['vokətıv; US 'va-] a/n megszólító (eset), vocativus
vociferate [və'sıfəreıt] vt/vi kiabál; lármáz
vociferation [vəsıfə'reıʃn] n kiabálás, lármázás
vociferous [və'sıf(ə)rəs] a lármás, zajos, handabandázó
vogue [voug] n divat; in ~ divatos, felkapott; all the ~ a legutolsó divat
voice [vɔıs] I. n 1. hang; zönge; give ~ to kifejezést/hangot ad vmnek; lift up one's ~ felemeli hangját, szót emel 2. vélemény, szavazat; have no ~ in sg nincs beleszólása vmbe; with one ~ egyhangúlag 3. igealak; active ~ cselekvő igealak; passive ~ szenvedő igealak II. vt 1. kifejez, kimond (vmt) 2. zöngésít, zöngésen ejt
voiced [vɔıst] a 1. zöngés 2. hangú, szavú
voiceless ['vɔıslıs] a 1. hangtalan 2. zöngétlen
void [vɔıd] I. a 1. üres; mentes (vmtől); be ~ of sg nincs/hiányzik vmje, nélkülöz vmt; ~ of sense értelmetlen 2. érvénytelen, semmis; become ~ érvénytelenné válik II. n űr, üresség III. vt érvénytelenít, felbont [szerződést stb.] || →null
voidable ['vɔıdəbl] a megtámadható, felbontható [szerződés stb.]

voile [vɔıl] n fátyol(szövet)
vol. volume kötet, k.
volatile ['vɔlətaıl; US 'valət(ə)l] a 1. elpárolgó, illó, illékony; ~ oil illó olaj 2. állhatatlan, ingatag
volatility [vɔlə'tılətı; US va-] n illékonyság
vol-au-vent ['vɔlouva:ŋ] n vajaspástétom
volcanic [vɔl'kænık; US val-] a vulkáni, vulkanikus; ~ glass obszidián, vulkánüveg
volcano [vɔl'keınou; US val-] n (pl ~es -z) tűzhányó, vulkán
vole[1] [voul] n mezei egér
vole[2] [voul] n összes ütések [kártyában]
volition [və'lıʃn] n akarás, akarat
volitional [və'lıʃənl] a akarati
volley ['vɔlı; US -a-] I. n 1. sortűz 2. zápor [ütéseké, köveké stb.] 3. biz (szó)áradat, özön 4. levegőből ütés, röpte, volé; kick the ball on the ~ levegőből/kapásból rúgja a labdát II. A. vt 1. zúdít [sértéseket vkre] 2. levegőből üt; levegőből/kapásból lő [labdát] B. vi 1. (sortűz) (el)dördül, sortüzet ad le 2. röptézik, röptét üt
volley-ball n röplabda; play ~ röplabdázik
volley-firing n sortűz
Volpone [vɔl'pounı] prop
vols. volumes kötetek
volt [voult] n volt [villamosságban]
voltage ['voultıdʒ] n (villamos) feszültség
volte-face [vɔlt'fa:s] n pálfordulás
voltmeter ['voultmi:tə*] n voltméter, feszültségmérő
volubility [vɔlju'bılətı; US 'valjə-] pergő beszéd; szóbőség
voluble ['vɔljubl; US 'valjə-] a 1. bőbeszédű, szóbő, beszédes 2. pergő, szapora [beszéd]
volume ['vɔlju:m; US 'valjəm] n 1. kötet; könyv; speak ~s (for) sokatmondó, sok fényt vet (vmre) 2. tömeg; (nagy)mennyiség; volumen; ~s of smoke füstfelhők 3. térfogat, űrtartalom 4. hangerő; a voice of great ~ nagy terjedelmű (ének)hang
volume-control n hangerő-szabályozó

volumed ['vɔljuːmd; *US* 'vɑljəmd] *a* kötetes

voluminous [vəˈljuːmɪnəs; *US* -'luː-] *a* terjedelmes; sokkötetes

voluntarily ['vɔlənt(ə)rəlɪ; *US* 'vɑlənter-] *adv* 1. önként 2. akaratlagosan

voluntary ['vɔlənt(ə)rɪ; *US* 'vɑlənterɪ] I. *a* 1. önkéntes 2. önkéntes adományokból fenntartott; ~ *hospital* magánkórház; ~ *school* magániskola 3. akaratlagos II. *n* orgonaszóló [istentisztelet előtt v. után]

volunteer [vɔlənˈtɪə*; *US* vɑ-] I. *n* 1. önkéntes, önként jelentkező 2. gyakornok II. A. *vt* önként felajánl B. *vi* önként jelentkezik; *no one* ~s senki sem jelentkezett önként

voluptuary [vəˈlʌptjʊərɪ; *US* -tʃʊerɪ] *n* kéjenc, élv(ezet)hajhászó

voluptuous [vəˈlʌptʃʊəs] *a* kéjes, érzéki; kéjsóvár

volute [vəˈljuːt; *US* -'luːt] *n* csiga(vonal) [oszlopfőn], voluta

voluted [vəˈljuːtɪd; *US* -'luː-] *a* csigavonalas, volutás

vomit ['vɔmɪt; *US* -ɑ-] I. *n* 1. hányás 2. hányadék, okádék II. A. *vt* (ki)hány, (ki)okád 2. ont, okád [füstöt stb.] B. *vi* hány, okádik

voodoo ['vuːduː] *n* 1. néger varázslás/ boszorkányság 2. fekete varázsló

voracious [vəˈreɪʃəs] *a* falánk, telhetetlen; mohó

voraciousness [vəˈreɪʃəsnɪs] *n* falánkság, mohóság

voracity [vɔˈræsətɪ] *n* = *voraciousness*

vortex ['vɔːteks] *n* (*pl* ~es -ɪz v. -tices -tɪsiːz) 1. örvény 2. (*átv is*) örvénylés, forgatag

vortical ['vɔːtɪkl] *a* örvényszerű; örvénylő

vortiginous [vɔːˈtɪdʒɪnəs] *a* örvénylő

votable ['voʊtəbl] *a* 1. megszavazható 2. szavazóképes

votary ['voʊtərɪ] *n* 1. szerzetes 2. híve/ tisztelője vknek/vmnek

vote [voʊt] I. *n* 1. szavazás; *put to the* ~ szavazás alá bocsát; *take a* ~ szavazást rendez; ~ *of confidence* bizalom megszavazása 2. szavazat; *cast a* ~ szavaz; *give one's* ~ *to/for sy* vkre szavaz

3. szavazólap 4. szavazati jog, választójog 5. határozat, indítvány 6. hitel II. A. *vi* szavaz; ~ *for sg* vmre szavaz, vmt megszavaz; ~ *against sy* vk ellen szavaz, vkt leszavaz B. *vt* 1. ~ *down* leszavaz (vkt, vmt); ~ *in* beválaszt (vhova) 2. megszavaz (vmt) 3. (vmnek) nyilvánít 4. *biz* javasol, indítványoz

voteless ['voʊtlɪs] *a* szavazati joggal nem rendelkező

voter ['voʊtə*] *n* 1. választó 2. szavazó

voting ['voʊtɪŋ] *n* szavazás, választás

voting-machine *n* szavazógép

voting-paper *n* szavazólap

votive ['voʊtɪv] *a* fogadalmi

vouch [vaʊtʃ] A. *vi* tanúskodik; ~ *for sg/sy* kezeskedik/jótáll vmért/vkért B. *vt* tanúsít; állít

voucher ['vaʊtʃə*] *n* 1. bizonyíték 2. nyugta, elismervény; bizonylat 3. utalvány; *hotel* ~ szállodai szobautalvány; *luncheon* ~ ebédjegy 4. jótálló

vouchsafe [vaʊtʃˈseɪf] *vt* 1. megenged (*sy sg* vknek vmt); teljesít [kérést] 2. kegyeskedik, méltóztatik [vmt tenni]

vow [vaʊ] I. *n* fogadalom, eskü; *take* ~s szerzetesnek megy, szerzetesi fogadalmat tesz II. *vt* 1. megfogad, fogadalmat tesz 2. szentül ígér

vowel ['vaʊ(ə)l] *n* magánhangzó; ~ *harmony* hangrendi illeszkedés

voyage ['vɔɪɪdʒ] I. *n* utazás, hajóút; ~ *out* elutazás otthonról [hajóval] II. *vi* utazik, hajózik [tengeren, vízen]

voyager ['vɔɪədʒə*] *n* hajóutas

voyaging ['vɔɪɪdʒɪŋ] *n* tengeri utazás, hajóút

V.P. [viːˈpiː] *Vice-President*

V.R. *Victoria Regina* (= *Queen Victoria*) Viktória királynő

V.S. [viːˈes] *Veterinary Surgeon*

vs. ['vɜːsəs] *versus* (= *against*) ellen

V-shaped *a* V alakú, hegyes, ék alakú

Vt. *Vermont*

VTO [viːtiːˈoʊ], **VTOL** [viːtiːoʊˈel, 'viːtɔl; *US* -ɑl] *vertical take-off (and landing)* →*vertical*

vulcanite ['vʌlkənaɪt] *n* (vulkanizált) kaucsuk, ebonit

vulcanization [vʌlkənaɪ'zeɪʃn; US -nɪ'z-]
n vulkanizálás
vulcanize ['vʌlkənaɪz] vt vulkanizál
vulgar ['vʌlgə*] a 1. közönséges, útszéli,
otromba, durva 2. közkeletű, általá-
nosan/közönségesen használt; vulgá-
ris; ~ errors elterjedt tévhit; ~ fraction
közönséges tört; the ~ tongue a köz-
nyelv
vulgarian [vʌl'geərɪən] n felkapaszko-
dott ember, újgazdag
vulgarism ['vʌlgərɪzm] n 1. közönséges/
durva kifejezés, vulgarizmus 2. közön-
ségesség
vulgarity [vʌl'gærətɪ] n 1. közönséges-
ség, otromba viselkedés 2. útszéli
megjegyzés, durva kifejezés

vulgarization [vʌlgəraɪ'zeɪʃn; US -rɪ'z-]
n eldurvítás, vulgarizálás
vulgarize ['vʌlgəraɪz] vt 1. eldurvít,
vulgarizál 2. népszerűsít [tudományt]
vulnerability 'vʌln(ə)rə'bɪlətɪ] n sebez-
hetőség
vulnerable ['vʌln(ə)rəbl] a 1. sebezhető,
gyenge, (még)támadható (átv is) 2.
be ~ bellben van [bridzsben]
vulpine ['vʌlpaɪn] a 1. rókaszerű 2. ra-
vasz
vulture ['vʌltʃə*] n keselyű
vulturine ['vʌltʃʊraɪn; US -tʃə-] a ke-
selyűszerű
vulva ['vʌlvə] n (külső) szeméremtest
vying ['vaɪɪŋ] a versengő →vie

W

W¹, w ['dʌblju:] *n* W, w (betű), dupla vé
W.,² w 1. *watt(s)* watt, W 2. *west* nyugat,
Ny. 3. *western* nyugati, ny.
w.,³ w 1. *wide* 2. *width*
W.A. 1. *West Africa* Nyugat-Afrika 2.
Western Australia Nyugat-Ausztrália
WAC [wæk] *Women's Army Corps* ⟨egy
amerikai női kisegítő katonai alakulat
a második világháborúban⟩
wacky ['wækɪ] *a* □ bolond, ütődött
wad [wɔd; *US* -ɑ-] I. *n* 1. fojtás, tömí-
tőanyag, tampon 2. vatta; vatelin 3.
US biz bankjegyköteg II. *vt* -dd- 1.
(fojtással) tömít; töm, tamponoz 2.
vattáz, vatelinoz [ruhát]
wadding ['wɔdɪŋ; *US* -ɑ-] *n* 1. vattabé-
lés, vatelin 2. fojtás 3. vattacsomó,
tampon
waddle ['wɔdl; *US* -ɑ-] I. *n* kacsázás II.
vi kacsázik, döcög, totyog
wade [weɪd] A. *vi* gázol [vízben] B. *vt*
átgázol, átvergődik (vmn)
wader ['weɪdə*] *n* gázlómadár
waders ['weɪdəz] *n pl* derékig érő gumi-
csizma [sporthorgászoknak]
wadi ['wɔdɪ; *US* -ɑ:-] *n* vádi ⟨csak eső
után nedves folyómeder⟩
wading ['weɪdɪŋ] *a* gázló
wafer ['weɪfə*] *n* 1. ostya, vafli 2. pa-
pírpecsét
waffle ['wɔfl; *US* -ɑ-] *a* ⟨ropogósra sü-
tött recés palacsinta⟩
waffle-iron *n* „waffle"-sütő
waft [wɑ:ft; *US* -æ-] I. *n* 1. fuvallat,
szellő 2. (illat)foszlány 3. lebegés II.
vt fúj, sodor [szellő]; lebegtet
wag¹ [wæg] I. *n* 1. (fark)csóválás 2.
(fej)biccentés, fejcsóválás II. *v* -gg- A.
vt csóvál [fejet, farkat], ide-oda moz-

gat; ~ *one's finger at sy* mutatóujjával
megfenyeget vkt B. *vi* ide-oda mozog
[farok]; *her tongue* ~*s* jár a szája
wag² [wæg] *n* 1. kópé, vidám fickó 2.
biz iskolakerülő; *play the* ~ iskolát
kerül, lóg az iskolából
wage [weɪdʒ] I. *n* (munka)bér, munka-
díj; ~*s* munkabér, kereset; ~(*s*) *scale*
bérskála; ~(*s*) *stop* bérrögzítés II. *vt* ~
war against/on hadat visel vk/vm ellen
wage-cut *n* bérleszállítás, -csökkentés
wage-earner [-ə:nə*] *n* 1. kenyérkereső
2. bérből és fizetésből élő
wage-freeze *n* bérbefagyasztás, bérrög-
zítés
wage-packet *n* a „boríték" [a bérrel]
wager ['weɪdʒə*] I. *n* fogadás; *lay a* ~
fogad(ást köt) II. *vt* fogad (*on* vmbe)
wage-sheet *n* bérlista, fizetési jegyzék
wage-worker *n* bérmunkás
wagged [wægd], **wagging** ['wægɪŋ]
→*wag¹ II.*
waggish ['wægɪʃ] *a* huncut
waggle ['wægl] A. *vi* 1. mozog, jár 2.
inog, lötyög, billeg 3. kacsázik B.
vt 1. billeget 2. csóvál
waggon, *US* **wagon** ['wægən] *n* 1. sze-
kér, kocsi; *covered* ~ ekhós szekér; *US
be on the* (*water*-)~ nem iszik szeszes
italt 2. [nyitott vasúti] teherkocsi,
vagon; *flat* ~ (1) pőrekocsi (2) stráf-
kocsi; teherkocsi; *refrigerator/insulated*
~ hűtőkocsi 3. *US* árukihordó au-
tó/(gép)kocsi [fedett]
wag(g)oner ['wægənə*] *n* szekeres, ko-
csis; fuvarozó
wag(g)onette [wægə'net] *n* † négykerekű
társaskocsi [hosszpadokkal], vadász-
kocsi

wag(g)on-load *n* (tár)szekérrakomány, kocsirakomány

wagtail *n* barázdabillegető

waif [weɪf] *n* 1. bitang jószág 2. lelenc, elhagyott gyerek

wail [weɪl] I. *n* jajgatás, jajveszékelés; sírás II. *vi* üvölt, jajgat, sír

wailing ['weɪlɪŋ] I. *a* jajgató, siránkozó; W~ Wall [jeruzsálemi] siratófal II. *n* jajgatás, siránkozás

wain [weɪn] *n* szekér; Charles's ~ Göncölszekér

wainscot ['weɪnskət; US -ɑt] I. *n* fa falburkolat, falborítás, lambéria II. *vt* fával/falapokkal burkol [szobafalat]

wainscoting ['weɪnskətɪŋ; US -ɑt-] *n* 1. faburkolat 2. burkolás, borítás [fával]

wainwright ['weɪnraɪt] *n* kocsigyártó, bognár

waist [weɪst] *n* derék [emberé, ruháé]; ~ measurement derékbőség

waistband *n* öv

waist-belt *n* derékszíj, nadrágszíj

waistcoat ['weɪskoʊt; US 'weɪstkoʊt v. 'weskət] *n* mellény

waist-deep *a* derékig érő

-waisted [-weɪstɪd] (-)derekú

waist-high *a* derékig érő

waistline *n* 1. derékbőség 2. derékvonal

waist-lock *n* derékfogás [birkózásban]

wait [weɪt] I. *n* 1. várakozás; lie in ~ for sg les(ben áll) vmre 2. felvonásköz 3. waits *pl* ⟨karácsonyesti/szilveszteri utcai énekes/zenész⟩ II. *vi* 1. vár(a-kozik) (for vkre, vmre); ~ a minute! vár(jon) egy percig/kicsit!; ~ and see! majd meglátjuk!, majd elválik!; ~ up for sy vkt vár és nem fekszik le, fenn vár vkt; keep sy ~ing megváráztat vkt 2. felszolgál; ~ at (US on) table asztalnál felszolgál; ~ (up)on sy (1) kiszolgál vkt, felszolgál vknek, rendelkezésére áll vknek (2) kísér vkt

wait-and-see ['weɪtən'si:] *a* ~ policy várakozó/halogató politika ||→ wait II.

waiter ['weɪtə*] *n* pincér

waiting ['weɪtɪŋ] I. *a* 1. váró, várakozó 2. felszolgáló, kiszolgáló; ~ woman/maid szobalány, komorna II. *n* 1. várakozás, várás; no ~! várakozni tilos! 2. felszolgálás, kiszolgálás

waiting-list *n* várólista, előjegyzési ív

waiting-room *n* váróterem, -szoba

waitress ['weɪtrɪs] *n* pincérnő

waive [weɪv] *vt* lemond (vmről); ~ a right jogot felad; ~ a rule szabályt/előírást (ideiglenesen) felfüggeszt

waiver ['weɪvə*] *n* jogfeladás

wake[1] [weɪk] I. *n* 1. halottvirrasztás 2. templombúcsú II. *v* (*pt* woke woʊk v. ~d weɪkt, *pp* woken 'woʊk(ə)n v. ~d) A. *vi* 1. (fel)ébred; ~ up (1) felébred (2) felocsúdik; ~ up to sg ráébred/rádöbben vmre 2. ébren van B. *vt* 1. ~ sy (up) felébreszt/felkelt vkt 2. feléleszt 3. serkent, sarkall

wake[2] [weɪk] *n* nyomdokvíz [hajóé], (hajó)sodor; in the ~ of nyomában

Wakefield ['weɪkfi:ld] *prop*

wakeful ['weɪkfʊl] *a* 1. éber 2. ébren levő, álmatlan, nem álmos

wakefulness ['weɪkfʊlnɪs] *n* 1. éberség, óvatosság 2. álmatlanság; ébrenlét

waken ['weɪk(ə)n] A. *vt* felébreszt B. *vi* felébred; felocsúdik

waker ['weɪkə*] *n* ébredő

waking ['weɪkɪŋ] I. *a* éber, fenn levő; ~ or sleeping ébren vagy álmában II. *n* ébredés

wale [weɪl] I. *n* 1. hurka [vesszőütés helye], csík 2. bordázat [textilanyagban] II. *vt* 1. csíkosra ver 2. bordásra sző

Wales [weɪlz] *prop* Wales

walk [wɔːk] I. *n* 1. séta; járás, gyaloglás; go for a ~, take a ~ sétálni megy; it is an hour's ~ egy óra járásra van 2. járásmód 3. sétány 4. ~ of life (1) társadalmi helyzet/állás (2) életkörülmények (3) életpálya, -hivatás II. A. *vi* 1. jár, megy; gyalog megy, gyalogol; sétál; ~ home gyalog hazamegy; "~!" indulj!; ~ in one's sleep holdkóros; ~ with God istenfélően él 2. viszszajár, hazajár [mint kísértet] B. *vt* 1. (be)jár (vmt); ~ a mile egy mérföldet jár/gyalogol; ~ the boards színészi pályán van; ~ the hospitals/wards kórházi gyakorlatot folytat [szigorló orvos]; ~ the streets (1) járja az utcákat (2) utcai nőként él, strichel 2. sétáltat, jár(t)at

walk about *vi* fel-alá jár, járkál
walk away A. *vi* elmegy, elsétál; *biz ~ a. with sg* meglép vmvel 2. *~ a. from sy* elhúz vktől v. vk mellett [versenyben] B. *vt* elvezet (vkt)
walk in *vi* belép; *please ~ in* tessék besétálni, fáradjon be (kopogás nélkül)
walk into *vi* 1. belép; besétál [csapdába] 2. □ nekiesik (az ételnek) 3. □ lehord (vkt)
walk off A. *vi* elmegy, elsétál; *~ o. with sg* vmvel meglép; *~ o. a job* (1) állást otthagy (2) munkát beszüntet, sztrájkba lép B. *vt* 1. elvezet (vkt) 2. lejár [bő ebédet] 3. kifáraszt [sétával]
walk out A. *vi* 1. kisétál, kimegy; *biz ~ o. with sy* jár vkvel 2. sztrájkba lép 3. *biz ~ o. on sy* vkt cserbenhagy B. *vt* 1. kivezet (vkt) 2. sétálni visz
walk over *vi* 1. átsétál, bejár 2. versenytárs nélkül indul, könnyen győz
walk round *vi* 1. körbejár, körüljár 2. megkerül
walk up *vi* 1. fel-alá jár 2. végigmegy [úton] 3. *~ up to sy* odalép/odamegy vkhez
walkaway *n US biz* = *walkover*
walker ['wɔːkə*] *n* 1. gyalogló, sétáló, gyalogos 2. járóka, járóváz
walkie-talkie [wɔːkɪ'tɔːkɪ] *n biz* kézi adó-vevő (készülék), hasábrádió
walking ['wɔːkɪŋ] I. *a* sétáló, járó; *~ gentleman* némaszereplő, statiszta; *biz ~ papers* elbocsátó levél II. *n* sétálás, séta; gyaloglás; *be within ~ distance* csak pár percnyire van gyalog
walking-boots *n pl* turistacipő
walking-pace *n* gyalogtempó
walking-race *n* távgyalogló verseny
walking-stick *n* sétabot, sétapálca
walking-tour *n* (gyalog)túra, (turista)kirándulás
walk-on *n ~ part* némaszerep
walk-out *n* munkabeszüntetés, sztrájk
walkover *n biz* könnyű győzelem [ellenfél nélkül]
walk-up *a/n US* lift nélküli (ház)
wall [wɔːl] I. *n* fal, közfal; *within the ~s* a városban, a városfalakon belül; *drive to the ~* sarokba szorít; *biz go to the ~*

(1) félreállítják (2) engedni kénytelen, alulmarad, „elvérzik" II. *vt* fallal körülvesz/megerősít/elválaszt; *~ off* elfalaz; *~ up* befalaz
wallaby ['wɔləbɪ; *US* -ɑ-] *n* kis kenguru
Wallace ['wɔlɪs] *prop*
walla(h) ['wɔlə; *US* -ɑ-] *n biz* ember; alkalmazott, segéd, szolga [Indiában]
wall-board *n* falburkoló lap, farostlemez
walled [wɔːld] *a* fallal körülvett; (-)falú
wallet ['wɔlɪt; *US* -ɑ-] *n* 1. (levél)tárca 2. szerszámtáska 3. (koldus)tarisznya
wall-eyed *a* 1. fehérsávos szemű [ló stb.] 2. széttartóan kancsalító
wallflower *n* 1. sárgaviola 2. *biz* petrezselymet áruló nő [bálban]
wall-fruit *n* kordonfa/lugasfa gyümölcse
wall-hook *n* 1. falihorog 2. csatornabilincs
walling ['wɔːlɪŋ] *n* 1. falazás; falazat 2. falépítő anyag
wall-map *n* falitérkép
Walloon [wɔ'luːn; *US* wɑ-] *a/n* vallon
wallop ['wɔləp; *US* -ɑ-] *biz* I. *n* súlyos ütés; puffanás II. *vt* 1. elnáspángol, elver 2. fölényesen legyőz, lehengerel
walloping ['wɔləpɪŋ; *US* 'wɑ-] *biz* I. *a* nagy, hatalmas II. *n* 1. elverés 2. fölényes győzelem, legyőzés, lehengerlés
wallow ['wɔloʊ; *US* -ɑ-] I. *n* 1. fetrengés 2. fetrengőhely sárban [disznóknak stb.], dagonya II. *vi* 1. fetreng, hentereg 2. gázol; *~ in money* felveti a pénz
wall-painting *n* falfestmény
wallpaper I. *n* tapéta II. *vt* tapétáz
wall-plote *n* gerendafészek [falban], alátét
wall-plug *n* 1. tipli 2. fali csatlakozódugó, villásdugó
wall-seat *n* padka [falfülkében]
wall-socket *n* fali csatlakozó(aljzat), (fali) konnektor
Wall Street ['wɔːl] ⟨New York pénznegyede⟩
wall-to-wall carpet faltól falig szőnyeg, szőnyegpadló, feszített szőnyeg
walnut ['wɔːlnʌt] *n* 1. dió; *~ (tree)* diófa 2. diófa [mint anyag]

Walpole ['wɔːlpoʊl] *prop*
walrus ['wɔːlrəs] *n* rozmár; *biz* ~ *moustache* harcsabajusz
Walt [wɔːlt] *prop* Valter
Walter ['wɔːltə*] *prop* = *Walt*
waltz [wɔːls; *US* wɔːlts] I. *n* keringő, valcer II. *vi* keringőzik
wampum ['wɒmpəm; *US* -ɑ-] *n* 1. felfűzött (indián) kagylópénz 2. □ pénz, „dohány", „guba"
wan [wɒn; *US* -ɑ-] *a* hal(o)vány, sápadt
wand [wɒnd; *US* -ɑ-] *n* pálca, vessző
wander ['wɒndə*; *US* -ɑn-] A. *vi* 1. vándorol, barangol, kóborol, kószál 2. letér [*from* útról]; eltér, elkalandozik (*from* vmtől); ~ *from the point/subject* eltér a tárgytól 3. félrebeszél; *his mind* ~*s* félrebeszél B. *vt* bebarangol, bejár
wanderer ['wɒndərə*; *US* -ɑn-] *n* vándor(ló)
wandering ['wɒnd(ə)rɪŋ; *US* -ɑn-] I. *a* vándorló; ~ *Jew* bolygó zsidó II. *n* 1. vándorlás, kóborlás 2. félrebeszélés
wanderlust ['wɒndəlʌst; *US* -ɑn-] *n* mehetnék, kóborlási hajlam/kedv
wane [weɪn] I. *n* csökkenés, apadás, fogyatkozás; *be on the* ~ hanyatlóban/csökkenőben van II. *vi* csökken, hanyatlik, fogy(atkozik), megcsappan
wangle ['wæŋgl] □ I. *n* vmnek kiügyeskedése, kb. umbulda II. *vt* kiügyeskedik, kibulizik (vmt)
waning ['weɪnɪŋ] *a* fogyó, csökkenő
want [wɒnt; *US* -ɑ-] I. *n* 1. hiány, szükség; szükséglet; igény; *a long-felt* ~ régóta érzett hiány; *for* ~ *of sg* vmnek hiányában/híján; *for* ~ *of sg better* jobb híján; *be in* ~ *of sg* vmre nagy szüksége van; *US* ~ *ad* apróhirdetés [főleg állás- v. lakáskeresőé] 2. szükölködés, nélkülözés, nyomor II. A. *vt* 1. akar, kíván, óhajt; *what does he* ~ *with me?* mit akar velem?; *you are* ~*ed* önt keresik/kérik; ~*ed, a good cook* jó szakács(nő) kerestetik, jó szakácsot felveszünk 2. kell, kíván (vmt), szüksége van (vmre), kell neki (vm); *your hair* ~*s cutting* meg kellene már nyiratkoznod 3. hiányzik, nincs (neki) (vmje), nélkülöz (vmt); *he* ~*s*

patience nincs türelme, türelmetlen B. *vi* 1. *be* ~*ing* hiányzik, nincs neki/meg 2. szükölködik, nélkülöz; *he* ~*s for nothing* semmiben sem szenved hiányt 3. *the dog* ~*s out* ki akar menni a kutya
wanted ['wɒntɪd; *US* -ɑn-] *a* 1. kívánatos, kívánt, keresett 2. körözött [bűnöző]
wanting ['wɒntɪŋ; *US* -ɑn-] I. *a* 1. hiányzó, hiányos 2. (vmben) szükölködő II. *prep* nélkül, híján
wanton ['wɒntən; *US* -ɑn-] I. *a* 1. könnyelmű, felelőtlen, játékos, szeszélyes 2. buja [növényzet]; ledér 3. indokolatlan, önkényes II. *n* 1. ledér nő 2. kéjenc III. *vi* hancúrozik, enyeleg, csapong
wantonly ['wɒntənlɪ; *US* -ɑn-] *adv* 1. féktelenül; vidáman 2. önkényesen, szeszélyesen, indokolatlanul 3. buján
wantonness ['wɒntənnɪs; *US* -ɑn-] *n* 1. bujaság 2. felelőtlenség
wapiti ['wɒpɪtɪ; *US* -ɑ-] *n* vapiti
war [wɔː*] I. *n* háború; ~ *correspondent* haditudósító; ~ *criminal* háborús bűnös; *on a* ~ *footing* hadilétszámon, hadra kelve; *W*~ *Department/Office* honvédelmi minisztérium, hadügyminisztérium; ~ *loan* hadikölcsön; ~ *machine* hadigépezet; ~ *material* hadianyag; ~ *memorial* háborús emlékmű; ~ *of independence* szabadságharc; ~ *of resources* ⟨háború mint anyagcsata⟩; *seat of* ~ hadszíntér; *be at* ~ *with sy* hadiállapotban van vkvel; *powers at* ~ hadviselő felek; *declare* ~ *on sy* hadat üzen vknek; *make/wage* ~ *on sy*, *go to* ~ *against sy* vk ellen hadba száll, háborút indít (v. hadat visel) vk ellen; *US W*~ *between the States* amerikai polgárháború [1861—65] II. *vi* -rr- harcol, küzd; hadat visel, háborúzik
warble ['wɔːbl] I. *n* trillázás, éneklés II. *vi/vt* 1. énekel, trillázik 2. csicsereg
warbler ['wɔːblə*] *n* 1. énekesmadár 2. poszáta 3. énekes, költő
warbling ['wɔːblɪŋ] *n* éneklés, trillázás
war-bonnet *n* ⟨tollas indián fejdísz⟩
war-chest *n* hadipénztár
war-cloud(s) *n* (*pl*) háborús veszély

war-cry *n* csatakiáltás
ward ['wɔ:d] I. *n* **1.** gyámság **2.** gyámolt **3.** őrség; őrszem **4.** (kórházi) osztály; kórterem; ~ *sister* osztályos nővér **5.** börtönosztály **6.** (városi) kerület; *US biz* ~ *heeler* (kisebb) pártmunkás, helyi agitátor II. *vt* véd; ~ *off* elhárít, kivéd, felfog [ütést] -**ward** [-wəd] *suff* -felé
war-dance *n* harci tánc [vad népeké]
war-debt *n* háborús adósság
warden[1] ['wɔ:dn] *n* **1.** felügyelő, gondnok **2.** (börtön)igazgató **3.** igazgató [iskoláé, kollégiumé stb.]
warden[2] ['wɔ:dn] *n GB* téli körte
warder ['wɔ:də*] *n* börtönőr
Wardour Street ['wɔ:də*] *prop* **1.** ⟨a régiségkereskedők utcája Londonban⟩ **2.** ~ *English* nyelvi régieskedés **3.** ⟨ az angol filmipar központja⟩
wardress ['wɔ:drɪs] *n* női börtönőr
wardrobe ['wɔ:droʊb] *n* **1.** ruhatár, gardrób **2.** (ruha-)szekrény; ~ *trunk* szekrénykoffer
ward-room *n* tiszti étkezde [hadihajón] -**wards** [-wədz] *suff* -felé
wardship ['wɔ:dʃɪp] *n* **1.** gyámság, gondnokság **2.** kiskorúság
ware[1] [weə*] *n* áru
ware[2] [weə*] *vt* ~! vigyázat!, vigyázz!
warehouse I. *n* ['weəhaʊs] **1.** raktár, közraktár; *ex* ~ *ab raktár;* ~ *receipt* közraktári jegy **2.** *GB* áruház **3.** *GB* nagykereskedés II. *vt* ['weəhaʊz] beraktároz, raktárban elhelyez
warehouseman ['weəhaʊsmən] *n (pl* -**men** -mən) **1.** raktártulajdonos **2.** raktáros
warfare ['wɔ:feə*] *n* hadviselés, háború
war-fever *n* háborús őrület/pszichózis
war-game *n* harcjáték
warhead *n* robbanófej, gyújtófej
war-horse *n* csataló, harci mén; *biz old* ~ vén csataló [személy]
warily ['weərəlɪ] *adv* óvatosan, körültekintően
wariness ['weərɪnɪs] *n* óvatosság, körültekintés
warlike ['wɔ:laɪk] *a* **1.** harcias **2.** háborús, hadi
war-lord *n* fővezér, hadúr

warm [wɔ:m] I. *a* **1.** meleg; *be* ~ (1) meleg (van) (2) melege van; *in* ~ *blood* indulatosan; *I'll make things* ~ *for you* majd én megtáncoltatlak, majd én befűtök neked **2.** heves; élénk; meleg, lelkes, szívélyes II. *n* felmelegedés III. A. *vt* **1.** melegít; ~ *up* felmelegít **2.** *biz* ~ *sy,* ~ *sy's jacket* elnadrágol vkt B. *vi* **1.** melegszik; ~ *up* felmelegszik, bemelegszik **2.** *biz* megélénkül; lelkesedni kezd (*to* vm iránt); ~ *to the subject* belemelegszik a tárgyba
warm-blooded [-'blʌdɪd] *a* **1.** melegvérű **2.** forróvérű
warm-hearted *a* melegszívű, szívélyes, jóságos
warming ['wɔ:mɪŋ] *n* (fel)melegítés
warming-pan *n* ágymelegítő
warmish ['wɔ:mɪʃ] *a* meglehetősen meleg
warmly ['wɔ:mlɪ] *adv* melegen, szívélyesen, lelkesen
warmonger *n* háborús uszító
warmongering *n* háborús uszítás
warmth [wɔ:mθ] *n* **1.** meleg(ség), hő **2.** hevesség, lelkesedés, hév
warn [wɔ:n] *vt* **1.** figyelmeztet, óva int **2.** felszólít **3.** ~ *off* kitilt/elriaszt vhonnan, távozásra szólít fel
warning ['wɔ:nɪŋ] I. *a* figyelmeztető, riasztó; ~ *device* jelzőkészülék; ~ *triangle* elakadásjelző háromszög II. *n* **1.** figyelmeztetés, jelzés; *let this be a* ~ *to you* szolgáljon ez neked figyelmeztetésül **2.** felszólítás; előzetes értesítés; *give sy a month's* ~ egyhónapi felmondási idővel felmond vknek **3.** megintés
warp [wɔ:p] I. *n* **1.** láncfonal [szövetben], nyüst(fonal) **2.** vontatókötél **3.** vászonbetét [gumiabroncsé] **4.** leülepedett iszap **5.** vetemedés [deszkában] **6.** lelki elferdülés II. A. *vt* **1.** elgörbít, meghajlít **2.** vontat [hajót] **3.** befolyásol [ítélőképességet]; megront [lelkileg] **4.** feliszapol [földet] **5.** kifeszít fonalat szövéskor] B. *vi* **1.** elgörbül, meghajlik **2.** megvetemedik, türemlik
war-paint *n* **1.** harcra kifestés, harci színek [vad népeknél] **2.** *biz* teljes dísz/felszerelés, kiöltözöttség

war-path *n on the* ~ harcra készülve/készen, dühösen
warped [wɔ:pt] *a* 1. megvetemedett 2. meghibbant 3. betegesen egyoldalú/elfogult [gondolkodású]
war-plane *n* harci repülőgép
warrant ['wɔr(ə)nt; *US* -ɔ:-] I. *n* 1. jogosultság; meghatalmazás 2. végrehajtási parancs, végzés; ~ *to arrest* elfogatási parancs; ~ *to appear* idézés; ~ *for payment* fizetési meghagyás 3. biztosíték; jótállás, kezesség 4. igazolvány, bizonylat II. *vt* 1. biztosít, garantál (vmt), szavatol, kezeskedik (vmért) 2. igazol, indokol
warranted ['wɔr(ə)ntɪd; *US* -ɔ:-] *a* 1. szavatolt, garantált 2. jogosult
warrant-officer *n* kb. tiszthelyettes
warrantor ['wɔr(ə)ntɔ:*; *US* 'wɔ:rəntər] *n* jótálló, kezes
warranty ['wɔr(ə)ntɪ; *US* -ɔ:-] *n* 1. meg-, felhatalmazás 2. jótállás, szavatosság, garancia; biztosíték 3. megbízólevél
warred [wɔ:d] →*war II.*
warren ['wɔr(ə)n; *US* -ɔ:-] *n* 1. kotorék [üreginyúlé] 2. vadaskert 3. (túl)zsúfolt bérkaszárnya/lakótelep
warring ['wɔ:rɪŋ] *a* hadban/harcban álló, háborút viselő, szemben álló
warrior ['wɔrɪə*; *US* -ɔ:-] *n* harcos, katona
Warsaw ['wɔ:sɔ:] *prop* Varsó; ~ *Pact* Varsói Szerződés
warship *n* hadihajó
wart [wɔ:t] *n* szemölcs, bibircsók
wart-hog *n* varacskos disznó
wartime *a* háborús, hadi
war-weary *a* háborúba belefáradt
Warwick ['wɔrɪk] *prop*
wary ['weərɪ] *a* óvatos, körültekintő; *be* ~ *of sg* nem bízik vmben
was →*be*
wash [wɔʃ; *US* -a-] I. *n* 1. mosás; lemosás; mosakodás; *have a* ~ (meg)mosakszik, megmosdik; *have a* ~ *and brush up* rendbe hozza magát; *biz it will all come out in the* ~ a végén majd minden kiderül, végén csattan az ostor 2. szennyes; kimosott fehérnemű 3. hullámzás, hullámverés; hajósodor 4. (szem-/száj-/haj)víz 5. (ki)meszelés 6.

tussal/vízfestékkel festés, lavírozás 7. moslék 8. üledék; (folyami) hordalék 9. mocsár 10. folyótorkolat (sekély része) II. A. *vt* 1. (meg)mos, lemos; kimos; ~ *one's hands of sg átv* mossa a kezét (vm ügyben) 2. (be)mázol, bevon, beken 3. mos, áztat [partot tenger]; ~ *sy ashore* partra vet vkt [víz]; ~ *sy overboard* a fedélzeten átcsapó hullám lesodor vkt 4. iszapol B. *vi* 1. mosdik, mosakszik 2. mos 3. színtartó, mosható, mosódik; *this material won't* ~ ez az anyag nem mosható 4. kiállja a próbát; *biz that story won't* ~ ezt a mesét nem lehet beadni
wash away *vt* kimos; elmos, lemos
wash down *vt* lemos, leöblít
wash off *vt* lemos, kimos
wash out *vt* 1. kimos; *be/look/feel* ~*ed* o. halálra fáradt, teljesen kivan 2. elmos [terveket]
wash up *vt* 1. felmos 2. (el)mosogat, elmos [edényt] 3. partra vet/sodor [hullám]
Wash. *Washington*
washable ['wɔʃəbl; *US* -a-] *a* mosható, mosó, színtartó
wash-and-wear [wɔʃən'weə*; *US* wa-] *a* „mosd-és-hordd" [ruhanemű]
wash-basin *n* mosdókagyló
wash-board *n* 1. hullámos mosólap, rumpli 2. *pl* szegélyléc, hullámléc [csónakon]
wash-bowl *n* mosdótál
wash-cloth *n* 1. mosogatórongy 2. mosdókesztyű
wash-day *n* mosási nap
wash-down *n* lemosás, felsőmosás [kocsié]
washed-out [wɔʃt'aʊt; *US* wa-] *a* 1. elszíntelenedett, fakó; ~ *complexion* (halál)sápadt arc 2. *biz* legyengült, (tökéletesen) kimerült, „hulla"
washer ['wɔʃə*; *US* -a-] *n* 1. mosó [személy] 2. mosógép 3. *plate/print* ~ előhívótál 4. csavaralátét, aljlemez, alátétgyűrű, tömítőgyűrű
washer-up *n* mosogatólány, mosogatófiú
washerwoman *n* (*pl* -women) mosónő
washfast *a* mosásálló, színtartó

wash-hand stand mosdóállvány
wash-house n mosókonyha
washily ['wɔʃɪlɪ; US -ɑ-] adv 1. hígan,
vizenyősen 2. erőtlenül
washing ['wɔʃɪŋ; US -ɑ-] I. a 1. mos-
ható 2. ~ bear mosómedve II. n 1.
mosás; mosdás; she takes in ~ mosást
vállal 2. szennyes; kimosott ruha 3.
moslék 4. befestés, kimeszelés [falé]
washing-day n mosási nap
washing-glove n mosdókesztyű
washing-machine n mosógép
washing-soda n mosószóda
Washington ['wɔʃɪŋtən; US 'wɑ-] prop
washing-up n (el)mosogatás
wash-leather n szarvasbőr, zergebőr
wash-line n ruhaszárító kötél
wash-out n 1. kimosás, (ki)öblítés 2.
(árvíz/felhőszakadás által) kimosott
hely 3. □ it is a complete ~ teljes
kudarc
wash-room n US illemhely (mosdóval),
mosdó(helyiség)
wash-stand n mosdóállvány
wash-tint n vízfesték; tus
wash-tub n mosóteknő
washup n 1. (el)mosogatás 2. US biz
mosdás 3. bemosakodás [orvosé]
washy ['wɔʃɪ; US -ɑ-] a 1. híg; vizenyős,
nedves 2. erőtlen, akarat nélküli, áll-
hatatlan 3. fakó, vízszínű, elmosódott
wasn't ['wɔznt; US -ɑ-] = was not →be
wasp [wɔsp; US -ɑ-] n darázs; ~s' nest
darázsfészek
WASP [wɔsp; US -ɑ-] n biz rosszalló
fehér bőrű angolszász származású pro-
testáns
waspish ['wɔspɪʃ; US -ɑ-] a 1. darázs-
szerű 2. tüskés természetű
wasp-waisted a darázsderekú
wassail ['wɔseɪl; US 'wɑs(ə)l] n 1. dári-
dó 2. ⟨ital fűszeres sörből és borból⟩
wast →be
wastage ['weɪstɪdʒ] n 1. hulladék, vesz-
teség 2. pazarlás, tékozlás
waste [weɪst] I. a 1. puszta, parlag; ~
land terméketlen/kopár és lakatlan
föld; lie ~ parlagon hever 2. felesle-
ges, eldobott, értéktelen; hulladék(-),
selejt(es); ~ matter hulladék; ~ oil
fáradt olaj; ~ paper papírhulladék; ~

product selejt; ~ steam fáradt gőz II.
n 1. pazarlás; ~ of money kidobott
pénz; ~ of time időpocsékolás 2. túl-
csorduló fölösleg; hulladék; atomic/
nuclear ~ atomhulladék 3. szennyvíz
4. pusztaság, sivatag, parlag 5. rongá-
l(ód)ás III. A. vt 1. elpazarol, elveszte-
get [időt, pénzt stb.]; ~ breath/words
hiába beszél, falra borsót hány 2. el-
pusztít; elkoptat B. vi 1. pazarol; ~
not want not aki nyáron nem gyűjt,
télen keveset fűt 2. fogy, csökken; ~
away elsorvad, lesoványodik
waste-basket n papírkosár
waste-bin n szemétvödör
wasted ['weɪstɪd] a 1. elpusztított 2. el-
pazarolt 3. lesoványodott, csont és bőr
wasteful ['weɪstfʊl] a 1. pazarló, költe-
kező, könnyelmű 2. pusztító
waste-paper basket papírkosár
waste-pile n anyagtároló, depónia
waste-pipe n lefolyócső
waster ['weɪstə*] n 1. pazarló 2. =
wastrel 4. 3. selejt
wasteway n szennyvízelfolyás; folyóka
wasting ['weɪstɪŋ] I. a 1. tékozló 2.
pusztító 3. sorvasztó II. n 1. pazarlás
2. ~ (away) (el)sorvadás
wastrel ['weɪstr(ə)l] n 1. pazarló 2. se-
lejt 3. utcagyerek, otthontalan gyerek
4. semmirevaló, senkiházi
watch [wɔtʃ; US -ɑ-] I. n 1. őr; őrség;
őrködés, őrszolgálat; átv éberség, figye-
lem; be on the ~ lesben áll, résen van;
vigyáz; be on ~, keep ~ őrségen van,
őrt áll; keep a close ~ on sg éberen
őriz/figyel vmt 2. négyórás szolgálat(i
időszak) [hajón] 3. zsebóra, karóra;
~ strap (kar)óraszíj; set the ~ (1) beiga-
zítja/beállítja az órát (2) őrszolgálatot
beoszt II. A. vi 1. őrködik, virraszt 2.
vigyáz, figyel, ügyel; ~ out! figyelj!,
légy óvatos!; vigyázz! 3. ~ for sg
les/vár vmt/vmre; ~ over sg őriz vmt,
vigyáz vmre B. vt 1. megfigyel, szem-
mel tart; néz, szemlél; we are being
~ed figyelnek minket; ~ the television
nézi a tévét, tévézik 2. őriz
watch-case n óratok [zsebóráé]
watch-chain n óralánc
watch-dog n 1. házőrző kutya 2. éber őrző

watcher ['wɔtʃə*; US -ɑ-] n 1. őr(ző) 2.
virrasztó [beteg/halott mellett]
watch-fire n őrtűz
watchful ['wɔtʃful; US -ɑ-] a 1. éber,
szem(fül)es 2. körültekintő, óvatos
watchfulness ['wɔtʃfulnɪs; US -ɑ-] n
éberség
watch-glass n óraüveg
watch-guard n óralánc
watch-keeper n őr(szem) [hajón]
watch-key n órakulcs
watch-maker n órás
watchman ['wɔtʃmən; US -ɑ-] n (pl
-men -mən) őr(szem)
watch-night n szilveszteresti ájtatosság
watch-pocket n órazseb
watch-spring n hajszálrugó [órában]
watch-tower n őrtorony
watchword n jelszó, jelmondat
water ['wɔ:tə*] I. n 1. víz; by ~ vízen,
vízi úton; on land and ~ szárazon és
vízen; have the ~ laid on bevezetteti a
vízvezetéket; have ~ on the brain víz-
fejű; keep one's head above ~ nehezen
bár, de tartja magát; make ~ (1) (lé-
ken) vizet enged be (2) vizel; pass ~
vizel; take the ~ vizre száll, úszni
kezd; what ~ does the ship draw?
mennyi a hajó vízkiszorítása?; it
won't hold ~ (1) nem vízálló (2) tartha-
tatlan [elmélet stb.]; still ~s run deep
lassú víz partot mos 2. rendsz pl ás-
ványvíz, gyógyvíz; take the ~s (1)
gyógyfürdőket vesz (2) gyógyvizet
iszik 3. víz(tisztaság) [drágakőé]; of
the first ~ elsőrendű, hamisítatlan 4.
(jelzői haszn) vízi, víz-; ~ bus vízibusz
II. A. vt 1. (meg)öntöz, meglocsol,
nedvesít, (vízzel) eláraszt 2. (meg)i-
tat, vízzel ellát 3. felönt, (fel)hígít; ~
down (1) felvizez (2) enyhít B. vi 1.
nedvesedik 2. könnyezik 3. vizet vesz
fel [hajó, mozdony] ‖→ mouth I. 1.
waterbag n víztömlő
water-bailiff n 1. halászati felügyelő 2.
vámtiszt [kikötőben]
water-bath n vízfürdő
water-bed n vízágy [betegnek]
water-blister n vízhólyag
water-borne a vízen úsztatott, vízi úton
szállított [áru]

water-bottle n 1. vizespalack 2. [kato-
nai] kulacs
water-butt n esővízgyűjtő hordó
water-can n vizeskanna
water-cannon n vízágyú
water-carriage n vízi (úton való) szállítás
water-carrier n 1. vízhordó 2. W~ víz-
öntő [csillagkép]
water-cart n öntözőkocsi, lajt
water-chute n vízi csúszda [vurstliban]
water-closet n (angol) vécé
water-colour, US -color n 1. vízfesték 2.
vízfestmény, akvarell
water-cooled [-ku:ld] a vízhűtésű, vízhű-
téses
water-course n 1. vízfolyás, áramló/fo-
lyó víz 2. (folyó)meder 3. folyóka,
csatorna 4. patak, kis folyó
watercress n vízitorma
water-cure n vízgyógymód, vízkúra
watered ['wɔ:təd] a 1. vízdús, folyók
által öntözött 2. moaré (mintás)
waterfall n vízesés
water-finder n (varázsvesszős) forrásku-
tató
waterfowl n vízimadár
water-front n vízpart, városi tenger-
part/folyampart
water-gate n zsilipkapu, vízikapu
water-gauge n 1. vízállásmérő [kazán-
ban stb.] 2. víznyomásmérő
water-glass n 1. vízüveg 2. vizespohár
3. távcső [víz alatti dolgok vizsgála-
tára]
water-heater n vízmelegítő; electric ~ vil-
lanybojler
waterhen n vízityúk
water-hole n víztócsa [száraz folyam-
mederben]
water-ice n gyümölcsfagylalt
wateriness ['wɔ:tərɪnɪs] n 1. vizesség,
nedvessgé 2. híg állapot 3. ízetlen-
ség
watering ['wɔ:t(ə)rɪŋ] n 1. (meg)locso-
lás, (meg)öntözés 2. (fel)vizezés, (fel-)
hígítás 3. itatás 4. könnyezés
watering-can n öntözőkanna
watering-cart n öntözőkocsi
watering-place n 1. GB fürdőhely 2.
ivóhely [vadon élő állaté]
watering-pot n öntözőkanna

water-jacket n vízhűtő köpeny [motorhengeré]
water-jet n vízsugár
water-jug n vizeskancsó
water-jump n vizesárok [akadályversenyen]
waterless ['wɔːtəlɪs] a víztelen
water-level n 1. vízszint, vízállás 2. vízszintező 3. vízállásmérő
water-lily n vízililiom
water-line n 1. vízvonal, merülési vonal [hajón] 2. vízjel
waterlogged [-lɔgd; US -ɑ-] a 1. vízzel teleivódott 2. túl sok vizet beeresztett (és nehezen kezelhető) [hajó]
Waterloo [wɔːtə'luː] prop
water-main n vízvezetéki fő nyomócső
waterman ['wɔːtəmən] n (pl -men -mən) 1. csónakos, révész 2. evezős
watermark n 1. vízjel [papírban] 2. vízállás jele
water-meadow n vizes rét
water-melon n görögdinnye
water-meter n vízóra
water-mill n vízimalom
water-nymph n vízisellő
water-pipe n vízvezetéki cső
water-polo n vízilabda, vízipóló
water-pot n öntözőkanna
water-power n vízierő
waterproof I. a vízhatlan, vízálló, impregnált II. n 1. vízhatlan szövet 2. esőkabát III. vt vízhatlanít, impregnál
water-rat n vízipatkány
water-rate n vízdíj
water-repellent a víztaszító, vízhatlan
water-shed n 1. vízválasztó 2. vízgyűjtő medence [folyóé]
water-shoot n levezető ereszcsatorna
waterside I. a (víz)parti, vízmelléki II. n (víz)part, folyópart, tengerpart
water-skiing n vízisí(zés)
water-snake n vízisikló
water-softener n vízlágyító (szer)
water-soluble a vízben oldódó
water-spout n 1. vízoszlop, víztölcsér [tengeren] 2. vízköpő [háztetőn]
water-sprite n sellő
water-supply n 1. vízellátás, vízszolgáltatás 2. vízvezeték
water-table n 1. vízelvezető 2. talajvízszint

watertight a 1. vízhatlan, vízálló 2. helytálló, kifogástalan [érvelés]
water-tower n víztorony
water-vole n vízipatkány
water-wag(g)on n lajt ‖ →wag(g)on
water-wave n vízhullám [hajban]
water-way n vízi út
water-wheel n vízikerék
water-wings n pl karúszó [úszóöv a két karra erősítve]
waterworks n pl vízművek; □ turn on the ~ bőgni/pityeregni kezd; □ are your ~ all right? tud pisilni?
watery ['wɔːtərɪ] a 1. vízi, tengeri; find a ~ grave elmerül a hullámsírban 2. vizes, nedves; ~ clouds esőfelhők; ~ sky esős ég 3. könnyes 4. híg, ízetlen, víz ízű; erőtlen, vizenyős [stílus]
watt [wɔt; US -ɑ-] n watt
wattage ['wɔtɪdʒ- US -ɑ-] n wattfogyasztás; watt-teljesítmény
watt-hour n wattóra
wattle¹ ['wɔtl; US -ɑ-] I. n 1. vesszőfonat; vesszősövény; ~ and daub paticsfal 2. cserény II. vt vesszőből fon [kerítést]
wattle² ['wɔtl; US -ɑ-] n bőrlebernyeg [pulyka stb. nyakán]
wattmeter n wattméter, wattóra
Waugh [wɔː] prop
waul [wɔːl] vi nyávog, jajgat
wave [weɪv] I. n 1. hullám; have a ~ berakatja a haját 2. lengetés, lebegtetés, intés; ~ of the hand kézlegyintés II. A. vi 1. hullámzik 2. leng, lobog 3. hullámos [a haja] B. vt 1. int; ~ one's hand integet; ~ sy aside vkt intéssel félrehív, vkt félreint; ~ sy away int vknek, hogy menjen el; ~ down megállást int 2. lenget, lobogtat 3. berak [hajat]
waveband n hullámsáv; ~ switch hullámváltó, csatornaválasztó
waved [weɪvd] a hullámos
wave-length n hullámhossz
waveless ['weɪvlɪs] a hullámtalan, sima
wavelet ['weɪvlɪt] n hullámocska
waver ['weɪvə*] vi 1. libeg-lobog, remeg [fény stb.] 2. ingadozik, meginog, habozik
waverer ['weɪvərə*] n habozó (ember)

wavering ['weɪv(ə)rɪŋ] I. *a* ingadozó, habozó II. *n* ingadozás, habozás
waveringly ['weɪv(ə)rɪŋlɪ] *adv* habozva
Waverley ['weɪvəlɪ] *prop*
wave-set *n* berakás [hajé]
waviness ['weɪvɪnɪs] *n* hullámosság
waving ['weɪvɪŋ] I. *a* 1. hullámzó; lobogó, lengő 2. hullámos 3. intő II. *n* 1. hullámzás 2. int(eget)és
wavy ['weɪvɪ] *a* 1. hullámos; hullámzó; fodros 2. lengő, lebegő
wax¹ [wæks] I. *n* viasz; ~ *candle* viaszgyertya II. *vt* viaszol, viasszal beken
wax² [wæks] *vi* 1. nő, növekszik 2. lesz/válik vmvé; ~ *merry* felvidul; ~ *old* megöregszik
wax³ [wæks] *n* □ dühroham; *get into a* ~ dühbe jön
wax-bean *n* vajbab
wax-chandler *n* gyertyöntő, -mártó
waxen ['wæks(ə)n] *a* 1. viaszos, viaszból való 2. viasszerű
wax-light *n* viaszgyertya
wax-sheet *n* stencil(lap)
waxwing *n* csonttollú madár
waxwork *n* viaszbáb, -figura; ~s panoptikum
waxy¹ ['wæksɪ] *a* 1. viasszerű, viaszos; ~ *potatoes* szappanos krumpli 2. puha, lágy
waxy² ['wæksɪ] *a* □ dühös, zabos, pipás
way [weɪ] I. *n* 1. út; *(igékkel alkotott kapcsolatok:) ask one's* ~ megkérdezi, merre kell menni; *find one's* ~ *back* visszatalál, visszaér; *give* ~ enged, hátrál (2) lesüllyed, beszakad; *give* ~ *(to sy)* (1) utat enged (vknek) (2) elsőbbséget ad (vknek); *go one's own* ~ (1) a maga útját járja (2) a saját/maga feje után megy; *know one's* ~ *about/ around* kiismeri magát, jól eligazodik; *make one's* ~ *back* visszatér; *make one's* ~ *in life* boldogul (az életben); *make* ~ *for sy/sg* utat enged/csinál vknek/vmnek, alkalmat szolgáltat vmnek; *it is making* ~ megy, halad, terjed, előrejut; *show sy the* ~ (meg-) mutatja vknek az utat; *work one's* ~ *up* felküzdi magát; *(elöljárókkal alkotott kapcsolatok:)* ~ *in* bejárat; ~ *out* kijárat; ~ *through* átjáró; *along the* ~ útközben; *by* ~ *of sg* (1) vmn át/keresztül, vm útvonalon (2) vmként, vm gyanánt, vmképpen; *by* ~ *of introduction* bevezetésképpen, elöljáróban; *by the* ~ (1) mellesleg (2) erről jut eszembe!, igaz is!, apropó!; *be in sy's* ~ út(já)ban van vknek; *on the* ~ útban, útközben; *on one's* ~ *home* útban/úton hazafelé; *over/across the* ~ az út másik oldalán; *get out of the* ~ félreáll az útból; *go out of one's* ~ *to* ... mindent elkövet, hogy...; *keep out of sy's* ~ félreáll vk útjából, kitér vk elől; *be under* ~ (1) úton/útközben van (2) folyamatban van; *get under* ~ mozgásba/lendületbe jön 2. távolság, út; *all the* ~ (végig) az egész úton, végig; *a short* ~ *off* nem messz(ir)e; *not by a long* ~ távolról/cseppet sem; *go a long* ~ *towards sg* vmt jelentékenyen megközelít; *it will go a long* ~ (1) sokáig elég lesz (2) futja vmből 3. irány; *that* ~ arra, erre; *this* ~ *out* a kijárat erre van, erre tessék kifáradni; *this* ~, *please* erre tessék; *look the other* ~ elfordítja a fejét, másfelé néz 4. mód; eljárás; módszer; ~s *and means* utak és módok, módozatok és lehetőségek; ~ *of living* életmód; *that's his* ~ ez az ő módszere; *the* ~ *things are (going)* ahogy ma a dolgok állnak; *in this* ~ így, ily módon; *either* ~ akár így, akár úgy; *in no* ~ semmiképpen, sehogy; *in some* ~ *or other* így vagy úgy, valahogyan; *in a small* ~ szerény keretek között; *he always has his* ~ mindig keresztülviszi az akaratát; *where there's a will there's a* ~ az erős akarat diadalt arat 5. szokás; *be in the* ~ *of doing sg* szokása vmt megtenni 6. szempont, tekintet; *in a* ~ bizonyos tekintetben/fokig; *in many* ~s (1) sok tekintetben/szempontból (2) sokféleképpen; *in some* ~s bizonyos tekintetben II. *adv US* el, messze, távol; ~ *back in 1907* még valamikor 1907-ben
waybill *n* fuvarlevél
wayfarer ['weɪfeərə*] *n* 1. utas(ember) 2. vándor(ló)

wayfaring ['weɪfeərɪŋ] a gyalogos, (gyalogszerrel) utazó
waylay [weɪ'leɪ] vt (pt/pp -laid -'leɪd) 1. (az úton) megles és orvul megtámad 2. úton feltartóztat
way-leave n 1. útjog, (út)szolgalom 2. átrepülési jog
wayside I. a útszéli, útmenti II. n út széle
wayward ['weɪwəd] a akaratos, önfejű, csökönyös; bogaras —
W.C., WC [dʌblju:'si:] 1. water-closet vécé 2. West Central ⟨London egyik postai kerülete⟩
WCC [dʌblju:si:'si:] World Council of Churches Egyházak Világtanácsa
W/Cdr. Wing-Commander
W.D. [dʌblju:'di:] War Department hadügyminisztérium
we [wi:; gyenge ejtésű alakja: wɪ] pron mi; ~ both mindketten; as ~ say ahogy mondani szokás
weak [wi:k] a 1. gyenge, gyönge; ~ form gyenge (ki)ejtésű alak 2. híg 3. gyarló 4. hatástalan 5. ~ in the head ostoba
weaken ['wi:k(ə)n] A. vt 1. (le)gyengít 2. hígít B. vi (el)gyengül, legyengül
weakening ['wi:kənɪŋ] I. a gyengülő II. n 1. gyengítés 2. gyengülés
weak-eyed a gyenge szemű, vaksi
weak-headed a butus, nehéz felfogású
weak-hearted a gyáva
weakish ['wi:kɪʃ] a gyengécske, gyengus
weak-kneed a biz határozatlan; gyenge jellemű; ijedős
weakling ['wi:klɪŋ] n 1. nyápic/vékonydongájú ember 2. puhány
weakly ['wi:klɪ] I. a gyenge, beteges II. adv gyengén, betegesen
weak-minded a 1. gyengeelméjű 2. határozatlan
weakness ['wi:knɪs] n 1. gyengeség 2. gyengéje (v. a gyenge oldala/pontja) vknek/vmnek
weal [wi:l] n jólét, közjó, boldogulás
Weald [wi:ld] n the ~ ⟨erdős-dombos vidék Dél-Angliában⟩
wealth [welθ] n gazdagság, jólét, vagyon, bőség; be rolling in ~ majd felveti a pénz
wealthy ['welθɪ] a gazdag, vagyonos

wean [wi:n] vt 1. elválaszt [csecsemőt, borjút stb.] 2. leszoktat (from vmről)
weaning ['wi:nɪŋ] n elválasztás [csecsemőé, borjúé stb.]
weanling ['wi:nlɪŋ] n elválasztott csecsemő/borjú stb., választási malac
weapon ['wepən] n fegyver
weaponless ['wepənlɪs] a fegyvertelen
weaponry ['wepənrɪ] n fegyverzet
wear [weə*] I. n 1. használat; kop-(tat)ás; ~ and tear elhasználódás, kopás (okozta értékcsökkenés); for hard ~ strapabíró 2. viselet; ladies' ~ női ruhák/divatáru II. v (pt wore wɔ:*, pp worn wɔ:n) A. vt 1. visel, hord; what shall I ~? mit vegyek föl?; ~ a smile mosoly ül az arcán, mosolyog 2. elhord, (el)koptat, elnyű, elhasznál; ~ holes in sg lyukasra koptat, kilyukaszt [harisnyát stb.] 3. kimerít, kifáraszt B. vi 1. ~ well (1) tartós, strapabíró (2) „jól tartja magát" [öregedő ember] 2. (le)kopik 3. (el)múlik
wear away A. vt 1. elkoptat, elnyű 2. eltölt [időt] B. vi 1. elkopik, elhasználódik 2. elmúlik [idő]
wear down A. vt 1. lekoptat 2. zaklatással kifáraszt B. vi lekopik
wear off A. vt 1. elhord [ruhát] 2. lekoptat B. vi 1. lekopik; elmosódik 2. megszokottá válik 3. elenyészik
wear on vi lassan elmúlik; time wore on telt-múlt az idő
wear out A. vt 1. elkoptat, elhasznál; kifáraszt; he wore himself o. agyondolgozta magát (és korán megöregegedett); be worn o. (1) agyonhasznált (2) (halálosan) kimerült 2. eltölt [időt] B. vi elhasználódik, elkopik
wear through vt 1. kilyukaszt [koptatással] 2. ~ t. the day átvergődik vmn vhogyan
wearable ['weərəbl] a viselhető, hordható
wearer ['weərə*] n aki vmt hord/visel, viselő
wearied ['wɪərɪd] a fáradt, lankadt
wearily ['wɪərəlɪ] adv fáradtan, ernyedten
weariness ['wɪərɪnɪs] n 1. fáradtság, kimerültség 2. unalom 3. türelmetlenség

wearing ['weərɪŋ] I. *a* 1. koptató 2. kopásnak kitett; ~ *surface* koptató réteg, kopási felület 3. fárasztó II. *n* 1. viselés, hordás 2. koptatás
wearing-apparel *n* ruházat, ruhanemű
wearisome ['wɪərɪs(ə)m] *a* 1. fárasztó 2. unalmas, hosszadalmas
weary ['wɪərɪ] I. *a* 1. fáradt, kimerült; *be ~ of sg* vmbe beleunt/belefáradt 2. fárasztó, kimerítő, unalmas II. *v* (*pt/pp* wearied 'wɪərɪd) A. *vt* 1. kifáraszt, kimerít 2. untat B. *vi* ~ *of sg* beleun/belefárad vmbe
weasel ['wi:zl] *n* menyét
weasel-faced *a* sunyi arcú
weather ['weðə*] I. *n* 1. idő(járás); (*jelzői haszn*) időjárási, meteorológiai; *US the W~ Bureau* Meteorológiai Intézet; ~ *conditions* időjárási viszonyok; ~ *report* időjárásjelentés; ~ *permitting* ha az időjárás (meg)engedi; *be under the ~* nem érzi jól magát, roszszul érzi magát; *make heavy ~* (1) (nehezen) küzd a hullámokkal (2) nehéznek talál vmt 2. (*jelzői haszn*) széloldali, szél irányába néző II. A. *vt* 1. időjárásnak kitesz; elmállaszt 2. kiáll, átvészel (vmt); ~ *a storm* vihart kiáll 3. edz 4. elmegy vm mellett baj nélkül B. *vi* 1. elmállik, széporlad 2. patinát kap
weather-beaten *a* 1. viharvert(e), viharedzett 2. cserzett arcbőrű
weather-board *n* vízvető deszka, viharléc
weather-boarding *n*, weather-boards *n pl* külső védődeszkázat, vízvető deszkázat, vihardeszka
weather-bound *a* (rossz idő miatt) veszteglő
weather-chart *n* időjárási térkép
weathercock *n* (*átv is*) szélkakas
weather-deck *n* viharfedélzet
weathered ['weðəd] *a* levegőn szétmállott/megpatinásodott, mállott
weather-eye *n biz keep one's ~ open* jól nyitva tartja a szemét
weather-forecast *n* várható időjárás
weather-glass *n* barométer
weatherman ['weðəmən] *n* (*pl* -men -mən) *biz* meteorológus, időjós

weather-proof *a* 1. időálló, viharálló 2. szélmentes; hézagzáró; vízhatlan
weather-side *n* 1. szeles oldal 2. széloldal [hajóé]
weather-strip *n* tömítőfilc [ajtón, ablakon], windfix; légszigetelő szalag
weather-station *n* meteorológiai állomás
weather-vane *n* szélkakas
weather-wise *a* időjárást megjósolni tudó
weather-worn *a* viharvert
weave [wi:v] I. *n* 1. szövés(mód) 2. szövet II. *v* (*pt* wove wouv, *pp* woven 'wouv(ə)n) A. *vt* 1. sző 2. (össze)fon 3. kieszel; ~ *a plot* összeesküvést sző B. *vi* 1. szövődik 2. kígyózik, kanyarog 3. (ki)leng
weaver ['wi:və*] *n* 1. takács 2. szövő(madár)
weaving ['wi:vɪŋ] *n* szövés
web [web] *n* 1. szövet, szövedék, háló 2. úszóhártya [madarak lábán] 3. penge [kardé, fűrészé] 4. toll [kulcsé] 5. vég [szövet] 6. rotációs henger [papír]
webbed [webd] *a* úszóhártyás
webbing ['webɪŋ] *n* 1. nádfonás [ülőbútoron] 2. heveder
web-footed *a* úszóhártyás lábú
webster ['webstə*] *n* † takács
wed [wed] *v* -dd- A. *vt* 1. feleségül vesz (vkt), férjhez megy (vkhez) 2. összead, összeesket B. *vi* egybekel, (öszsze)házasodik
Wed. *Wednesday* szerda
we'd [wi:d] = *we had/should/would*
wedded ['wedɪd] *a* 1. házas; hitvesi; ~ *life* házasélet; *my ~ wife* hites feleségem 2. *be ~ to an opinion* makacsul ragaszkodik egy véleményhez
wedding ['wedɪŋ] *n* esküvő; menyegző, lakodalom; ~ *breakfast* lagzi, lakodalmi/esküvői ebéd
wedding-cake *n* lakodalmi torta
wedding-day *n* 1. esküvő napja 2. házassági évforduló
wedding-march *n* nászinduló
wedding-party *n* 1. násznép 2. lakodalmi/esküvői ebéd/vacsora, lagzi
wedding-present *n* nászajándék
wedding-ring *n* jegygyűrű
wedge [wedʒ] I. *n* ék; *the thin edge of the ~* ⟨későbbi nagy változások v. bajok

jelentéktelennek látszó kezdete⟩ **II.** *vt*
1. ~ (*in*) beékel; beszorít; ~ *oneself in*
bepréseli magát **2.** széthasít [ékkel]
wedged [wedʒd], **wedge-shaped** *a* ék alakú
wedgie ['wedʒɪ] *n* telitalpú cipő
Wedgwood ware ['wedʒwʊd] ⟨egy angol
porcelánfajta⟩
wedlock ['wedlɔk] *n* házasság
Wednesday ['wenzdɪ v. -deɪ] *n* szerda
wee [wiː] *a sk* pici, parányi; *a* ~ *bit* egy
kissé, (ici)picit
weed [wiːd] **I.** *n* **1.** gyom, gaz, dudva; *ill*
~*s grow apace* a dudva gyorsan nő **2.**
biz cingár ember **3.** † dohány **4.** □
marihuána **II.** *vt* ~ (*out*) (ki)gyomlál
(*átv is*); ~ *out* kiselejtez, kihajigál
weed-grown *a* elgazosodott
weeding ['wiːdɪŋ] *n* gyomlálás, sarabolás
weed-killer *n* gyomirtó(szer)
weeds [wiːdz] *n pl* özvegyi gyászruha
weedy ['wiːdɪ] *a* **1.** gazos, gyomos **2.**
biz cingár, beteges külsejű
week [wiːk] *n* hét; *last* ~ múlt héten;
next ~ jövő héten; *this* ~ ezen a héten;
~ *in* ~ *out* hétről-hétre; *this day* ~ (1)
mához egy hétre (2) ma egy hete; *once*
a ~ hetenkint egyszer; *Tuesday* ~
keddhez egy hétre; *a* ~ *of Sundays* (1)
egy örökkévalóság (2) hét hét; *what*
day of the ~ *is it today?* milyen nap
van ma?; □ *knock sy into the middle*
of next ~ behúz vknek
weekday *n* hétköznap
weekend I. *n* hétvég, hét vége, víkend; ~
trip hétvégi kirándulás **II.** *vi* a hét
végét vhol tölti, víkendezik
weekender [-endə*] *n* hétvégi turista/
kiránduló, víkendező
weekly ['wiːklɪ] **I.** *a* heti, hetenkénti **II.**
adv hetenkint **III.** *n* hetilap
weeny ['wiːnɪ] *a biz* icipici
weep [wiːp] **I.** *n have a good* ~ jól kisírja
magát **II.** *v* (*pt/pp* **wept** wept) **A.** *vi* **1.**
sír; ~ *for/over* megsirat **2.** folyik, csö-
pög, (át)szivárog **3.** könnyezik, gyön-
gyözik **B.** *vt* (meg)sirat; ~ *tears* köny-
nyeket ont
weeper ['wiːpə*] *n* **1.** síró **2.** sirató
weep-hole *n* szivárgónyílás [támfal-
ban]
weeping ['wiːpɪŋ] **I.** *a* **1.** síró **2.** csö

pögő, gyöngyöző **3.** lecsüngő **II.** *n* **1.**
sírás **2.** csöpögés, gyöngyözés
weepy ['wiːpɪ] *a* sírós, siránkozó
weevil ['wiːvɪl] *n* zsizsik
weft [weft] *n* **1.** vetülék(fonal) **2.** szövet
weigh [weɪ] **A.** *vt* **1.** (meg)mér, (meg-)
mázsál **2.** mérlegel, latolgat, megfon-
tol; ~ *one's words* megfontolja szavait
B. *vi* **1.** nyom (vmennyit), (vm) súlya
van; *how much does it* ~ mennyit
nyom?, mi a súlya? **2.** súlya/befo-
lyása van **3.** nehezedik
  weigh down *vt* **1.** lenyom **2.** nyo-
masztólag hat (vkre)
  weigh in *vi* **1.** súlyát ellenőrzi, le-
mér(et)i magát [verseny előtt] **2.** ~ *in*
with an argument nyomós érvvel hoza-
kodik elő
  weigh on *vi it* ~*s on my mind* nyo-
maszt, lehangol
  weigh out *vt* kimér
  weigh upon *vi* = *weigh on*
  weigh with *vi* ~ *w.* *sy* befolyásol
vkt, (nagy) tekintélye van vk előtt
weigh-beam *n* tolósúlyos mérleg
weigh-bridge *n* hídmérleg
weighing ['weɪɪŋ] **I.** *a* **1.** mérő; ~
enclosure mázsáló [lóversenytéren] **2.**
vmennyit nyomó **II.** *n* **1.** mérés **2.**
horgonyfelszedés
weighing-machine *n* mázsáló, mázsa,
mérleg
weighman ['weɪmən] *n* (*pl* -men -mən)
mázsáló
weight [weɪt] **I.** *n* **1.** súly; ~ *bath* súly-
fürdő; *a* ~ *off my mind* egy kő a szí-
vemről; *pull one's* ~ nekifeszül
(vmnek); *gain* ~, *put on* ~ (meg)hí-
zik; *biz throw one's* ~ *about* hatalmát
feltűnően mutogatja, nagyzol **2.** *átv*
súly, nyomaték, fontosság; *of no* ~
jelentéktelen, súlytalan; *his word car-*
ries ~ szavának súlya van; *have great*
~ *with sy* nagy befolyása van vkre **II.**
vt megrak, megterhel, súlyosabbá tesz
weightiness ['weɪtɪnɪs] *n* **1.** súlyosság **2.**
nyomósság
weightlessness ['weɪtlɪsnɪs] *n* súlytalan-
ság
weight-lifter [-lɪftə*] *n* súlyemelő
weight-lifting *n* súlyemelés

weighty ['weɪtɪ] *a* **1.** súlyos **2.** nyomós, nyomatékos, fontos
weir [wɪə*] *n* bukógát, vízduzzasztó
weird [wɪəd] I. *a* **1.** természetfölötti, furcsa, hátborzongató **2.** *the ~ sisters* a végzet istennői, a boszorkányok II. *n* sors, végzet
weirdly ['wɪədlɪ] *adv* különösen, furcsán, hátborzongatóan
welcome ['welkəm] I. *a* **1.** szívesen látott, kellemes; *it was ~ news* örvendetes hír volt **2.** *you are ~ to it* rendelkezésedre áll; *you are ~!* [köszönetre válaszolva] szívesen! II. *int* Isten hozta/hozott III. *n* fogadtatás, üdvözlés; *bid sy ~* örömmel üdvözöl vkt; *give sy warm ~* meleg fogadtatásban részesít vkt IV. *vt* **1.** üdvözöl **2.** fogad **3.** szívesen lát/vesz
weld [weld] I. *n* hegesztés (helye) II. A. *vt* (meg)hegeszt B. *vi* összeforr(ad)
welded ['weldɪd] *a* hegesztett
welding ['weldɪŋ] I. *a* hegesztő; *~ torch* hegesztőpisztoly II. *n* hegesztés
welfare ['welfeə*] *n* jólét, jóllét, boldogulás; *~ centre* (beteg)gondozó; *~ officer* kb. szociálpolitikai előadó; *~ state* (köz)jóléti állam; *~ work* szociális gondozási munka; *~ worker* szociális gondozó
welkin ['welkɪn] *n* † égbolt
well¹ [wel] I. *n* **1.** kút; *sink a ~* kutat ás/fúr **2.** forrás **3.** üreg, akna II. *vi* ömlik, bugyog; *~ forth/up* kiárad, kiömlik, kibuggyan. dől
well² [wel] I. *a* jó, szerencsés; egészséges; *be ~* jól érzi magát, jól van; *get ~* javul; *it is ~ that* szerencse, hogy; *all's ~* minden rendben van; *all's ~ that ends ~* minden jó ha jó a vége; *that's all very ~ but* . . . ez mind szép és jó, de . . .; *~ enough* elég jó(l) II. *adv* (*comp* **better** 'betə*, *sup* **best** best) **1.** jól, helyesen, szerencsésen; *very ~* nagyon jól, kitűnően →*very¹* II.; *met!* isten hozott/hozta!; *be ~ off* jómódban él; *you don't know you are ~* nem tudod mikor van jó dolgod; *you'd do ~ to* . . . jól tennéd, ha . . .; *stand ~ with sy* be van vágódva vknél **2.** nagyon; *~ on in years* már nem fiatal,

koros; *~ up in a subject* egy tárgyban igen tájékozott; *be ~ worth seeing* nagyon érdemes megnézni **3.** *as ~* szintén, is, azonkívül; *you might as ~* . . . legjobb lesz, ha . . ., nem marad más hátra, mint hogy . . .; *you/one might as ~ say* azt is lehetne mondani . . .; *you may as ~ stay* akár maradhatsz is; *we may as ~ begin at once* akár azonnal (el is) kezdhetjük; *it's just as ~* (ami) nem is baj, jobb is (ha); *as ~ as* (1) valamint, és (2) éppúgy mint **4.** nos, szóval; hát; *~, ~!* (1) ejha!, mit akarsz? (2) ugyan-ugyan!; *~ then* nos hát!, rajta!, hát akkor; *~ I never!* ejha!, no de ilyet! III. *n wish sy* jóakarója vknek, jóindulatú vkvel szemben ‖→*do¹*
we'll [wi:l; gyenge ejtésű alakja: wɪl] = *we shall/will*
well-advised [-əd'vaɪzd] *a* megfontolt, bölcs
well-appointed [-ə'pɔɪntɪd] *a* jól felszerelt/berendezett
well-balanced *a* **1.** kiegyensúlyozott **2.** értelmes, okos
well-behaved [-bɪ'heɪvd] *a* jó modorú, illedelmes
well-being *n* jólét, kényelem
well-beloved *a* igen szeretett
well-born *a* előkelő származású
well-bred *a* **1.** jól nevelt, jó családból való **2.** pedigrés [háziállat]
well-chosen *a* választékos
well-conditioned *a* jó karban levő, ép
well-conducted [-kən'dʌktɪd] *a* **1.** illedelmes **2.** jól vezetett
well-connected *a* jó összeköttetésekkel rendelkező
well-content *a* (meg)elégedett
well-defined [-dɪ'faɪnd] *a* **1.** helyesen értelmezett **2.** élesen kirajzolódó; jól körülhatárolt
well-directed [-dɪ'rektɪd] *a* jól irányzott
well-dish *n* húsostál (végén kis mélyedéssel lének)
well-disposed *a* jóindulatú
well-doing I. *a* jótevő II. *n* jótett
well-done *a* **1.** jól elvégzett **2.** jól átsütött [hús] ‖→*do¹* I. A. **1.**

well-earned [-'ə:nd] a jól megérdemelt
well-educated a jól nevelt; képzett
well-favoured, US -favored a csinos, jóképű, jó megjelenésű
well-fed a jól táplált
well-found a jól felszerelt
well-founded [-'faʊndɪd] a jól megalapozott, alapos, indokolt
well-groomed [-'gru:md] a ápolt (külsejű), jól öltözött
well-grounded a 1. = well-founded 2. jó alapismeretekkel bíró
well-head n 1. forrás (foglalata/eredete) 2. kútfő, kútforrás
well-heeled a biz jómódú, pénzes
well-informed [-ɪn'fɔ:md] a jól értesült
wellington ['welɪŋtən] n ~ (boot), ~s magasszárú csizma; (női) gumicsizma
well-intentioned [-ɪn'tenʃnd] a jó szándékú
well-kept a jól ápolt/gondozott
well-knit a 1. erős, markos, keménykötésű 2. biztos, szilárd
well-known a jól ismert, közismert, ismeretes; híres; as is ~ ahogy köztudomású
well-lined a jól bélelt; ~ purse jól megtömött pénztárca
well-made a 1. szép termetű/szál, jó alakú/kötésű 2. jól elkészített/megszerkesztett
well-mannered a jó modorú, jól nevelt
well-marked a jól látható, feltűnő
well-matched [-'mætʃt] a jól összeillő/összeválogatott
well-meaning/meant a jó szándékú, jóhiszemű
wellnigh ['welnaɪ] adv majdnem
well-off a jómódú →well² II.
well-ordered a jól szervezett
well-posted [-'poʊstɪd] a jól tájékozott/értesült
well-read a olvasott
well-room n ivócsarnok [gyógyforrásnál]
Wells [welz] prop
well-set a = well-knit 1.
well-sinker n kútásó, kútfúró
well-spent a jól töltött/felhasznált
well-spoken a 1. finom beszédű, nyájas modorú 2. szép kiejtésű

well-spring n = well-head
well-stored [-'stɔ:d] a ~ mind (széleskörűen) művelt koponya/elme
well-thought-of a jó hírű, megbecsült
well-thought-out a (logikailag) jól felépített, jól átgondolt
well-timed a jól időzített
well-to-do [weltə'du:] a jómódú, gazdag, tehetős
well-tried a kipróbált, bevált
well-turned a szépen kifejezett
well-wisher [-wɪʃə*] n jóakaró, pártfogó
well-worn a 1. elhordott [ruha] 2. elkoptatott, elcsépelt
Welsh¹ [welʃ] a/n walesi; ~ rabbit/rarebit (meleg) sajtos pirítós
welsh² [welʃ] vi megszökik [bukméker a tétekkel]
Welshman ['welʃmən] n (pl -men -mən) walesi (ember)
Welshwoman n (pl -women) walesi nő
welt [welt] I. n 1. biz hurka [bőrön ütéstől], csík 2. recés szárrész [zoknié] 3. varróráma [cipészé] II. vt 1. biz elnáspángol, elagyabugyál 2. beszeg; rámán varr
welted ['weltɪd] a rámán varrott
welter ['weltə*] I. n 1. zűrzavar 2. hömpölygés, háborgás II. vi 1. hullámzik, zajlik 2. fetreng, hentereg
welter-weight n váltósúly; light ~ kisváltósúly
Wembley ['wemblɪ] prop
wen [wen] n kelevény [tarkón]
wench [wentʃ] n fiatal (paraszt)lány, szolgáló
wenching ['wentʃɪŋ] n nők után járás, nőzés
wend [wend] vt ~ one's way lépteit (vhová) irányítja
went →go II.
wept →weep II.
were →be
we're [wɪə*] = we are
weren't [wə:nt] = were not
werewolf ['wɪəwʊlf] n (pl -wolves) farkasember
wert →be
Wesley ['wezlɪ; US -slɪ] prop
Wesleyan ['wezlɪən; US -sl-] a/n wesleyánus, metodista

Wessex ['wesıks] *prop*
west [west] I. *a* nyugati; *W~ Central*
⟨London egyik postai kerülete⟩; *W~*
End ⟨London előkelő nyugati negye-
de⟩ →*west-end; the W~ Indies* Nyu-
gat-India; *US W~ Side* ⟨Manhattan
nyugati része⟩ II. *adv* nyugat felé,
nyugatra; *go ~* (1) nyugatra megy (2)
biz beadja a kulcsot [= meghal] III.
n 1. nyugat 2. nyugati terület(ek);
the W~ a Nyugat [az USA-nak a
Mississippi és a Csendes-óceán közé eső
része]
west-end *a* az előkelő/elegáns (város)ne-
gyedből való, „előkelő", West End-i
westering ['westərıŋ] *a* nyugatra irá-
nyuló, nyugati; *~ sun* lenyugvó nap
westerly ['westəlı] I. *a* nyugati II. *adv*
nyugatra, nyugat felé
western ['westən] I. *a* nyugati; *W~ Em-
pire* Nyugat-Római Birodalom; *W~*
Europe Nyugat-Európa II. *n biz* vad-
nyugati film, western
westerner ['westənə*] *n* nyugati ember
[különösen az USA nyugati részén
lakó]
westernize ['westənaız] *vt* nyugati kultú-
rával átitat
westernmost ['westənmoʊst] *a* legnyu-
gatibb
westing ['westıŋ] *n* haladás nyugat felé
Westinghouse ['westıŋhaʊs] *prop*
Westminster ['westmınstə*] *prop*
westward ['westwəd] I. *a* nyugat felé
eső II. *adv* (*~s* 'westwədz is) nyugatra,
nyugat felé III. *n* nyugat felé levő táj
|| →*ho*
wet [wet] I. *a* (*comp ~ter* 'wetə*, *sup*
~test 'wetıst) 1. nedves, vizes, (át-)
ázott; *~ pack* vizes borogatás; *~*
paint! vigyázat mázolva !; *~ through*,
~ to the skin bőrig ázott; *get ~* megá-
zik; *biz ~ blanket* savanyú alak, ünnep-
rontó 2. esős 3. *US biz* szabad alko-
holfogyasztást engedő, prohibícióelle-
nes [állam] II. *n* 1. nedvesség; csapa-
dék, eső 2. □ ivás 3. *US biz* alkohol-
tilalom-ellenes III. *vt* -tt- megnedvesít,
benedvesít; beáztat
wether ['weðə*] *n* ürü
wetness ['wetnıs] *n* nedvesség

wet-nurse *n* szoptatós dajka
wetted ['wetıd], wetting ['wetıŋ] →*wet*
we've [wi:v] = *we have*
wh ... kezdetű szavak kezdő hangjának
GB ejtése: [w ...]. Az USA-ban el-
terjedtebb (de nem kizárólagos) ejtés:
[hw ..]
whack [wæk; *US* hw-] I. *n* 1. ütés 2. □
megillető rész; nagy adag 3. *biz have a*
~ at sg megpróbálkozik vmvel II. *int*
puff!, durr! III. *vt* elnadrágol, jól
elver
whacker ['wækə; *US* 'hw-] *n* □ 1. irtó
nagy dolog/ember 2. oltári hazugság
whacking ['wækıŋ; *US* 'hw-] *a* □ irtó
nagy
whale [weıl; *US* hw-] I. *n* 1. bálna,
cet(hal) 2. *biz a ~ of* ... rengeteg ...;
a ~ of difference óriási különbség; *be*
a ~ for work kitűnő munkás II. *vi*
bálnára vadászik
whale-boat *n* bálnavadászhajó
whalebone *n* halcsont, (bálna)szila
whale-oil *n* cetzsír, bálnazsír
whaler ['weılə*; *US* 'hw-] *n* 1. cetva-
dász 2. bálnavadász(hajó)
whaling ['weılıŋ; *US* 'hw-] *n* bálnava-
dászat; *~ ground* cetvadászatra alkal-
mas terület
whaling-gun *n* szigonyágyú
whang [wæŋ; *US* hw-] I. *n* puffanás II.
A. *vt* elpüföl B. *vi* puffan
wharf [wɔ:f; *US* hw-] I. *n* (*pl ~s* -fs v.
-ves -vz) rak(odó)part II. *vt* rakparton
kiköt/kirak [hajót]
wharfage ['wɔ:fıdʒ; *US* 'hw-] *n* 1.
rakpartilleték 2. rakparthasználat
wharfinger ['wɔ:fındʒə*; *US* 'hw-] *n*
rakpartőr
wharves →*wharf*
what [wɔt; *US* hwɑt] I. *a/pron* 1. mi?,
mit?; *~ is it?* (1) mi az? (2) mi van?;
~'s on? (1) mi az?, mi történik? (2)
mit adnak?, mi megy ma? [moziban
stb.]; *~ did you say?* mit mondott/
mondtál?; *~ is to be done?* (most) mit
csináljunk?; *~ is that to you?* mi közöd
hozzá?; *~ on earth are you doing here?*
hát te mi a csudát keresel itt?; *~ for?*
miért?, mi célból?; *~ do you take me*
for? minek nézel?; *so ~?* hát aztán?,

na és (aztán)? **2.** milyen?, micsoda?;
mennyi?, hány?; ~ *colour is it?* milyen színű?; ~ *is it like?* (mondd el,
hogy) milyen?, hogy néz ki?; ~ *good
is it?* mi értelme van ennek?, mire
jó ez?; ~ *news?* mi újság/hír?; ~ *time
is it?* hány óra van?; ~ *day of the
month is it?* hányadika van?; ~ *an
idea!* micsoda ötlet! **3.** amj(t), amely(et), az ami, azt amit; ~ *I like is
music* a zene az, amit szeretek; *and
~ is more* sőt mi több; ~ *with one
thing and another* egy és más okból;
részben ennek, részben annak következtében **II.** *n biz know ~'s* ~ ismeri
a dörgést, tudja mitől döglik a légy;
I'll tell you ~ mondok neked valamit;
biz give sy ~ *for* jól lehord vkt, lekap
vkt a tíz körméről
what-d'you-call-it ['wɔtdjʊkɔ:lɪt; *US*
'hwɑtdjə-] *n* hogyishívják, izé
whate'er [wɔt'eə*; *US* hwɑt-] = *whatever*
whatever [wɔt'evə*; *US* hwɑt-] *pron* **1.**
akármi(t), bármi(t) (is), ami(t) csak **2.**
akármilyen(t), bármilyen(t); *at* ~ *cost*
bármi áron (is); *no chance* ~ egyáltalán
semmi esély
whatnot *n* **1.** állvány, polc, stelázsi **2.**
amit akarsz, apróság, holmi
whatsoever [wɔtsoʊ'evə*; *US* hwɑt-]
pron = whatever
wheat [wi:t; *US* hw-] *n* búza
wheaten ['wi:tn; *US* hw-] *a* búzából való,
búza-
wheat-grass *n* tarackbúza
wheatmeal *n* búzaliszt, búzadara
Wheatstone ['wi:tstən] *prop*
wheedle ['wi:dl; *US* 'hw-] *vt* hízeleg
(vknek); ~ *into* hízelgéssel rábír vmre;
~ *out of* kikunyerál, kicsikar [pénzt]
wheedling ['wi:dlɪŋ; *US* 'hw-] *n* mézesmázos rábeszélés
wheel [wi:l; *US* hw-] **I.** *n* **1.** kerék; ~*s
within* ~*s* bonyolult összefüggések;
break sy on the ~ vkt kerékbe tör **2.**
kormány(kerék); *at the* ~ a kormánynál/volánnál **3.** *US* kerékpár **4.**
forgás **II. A.** *vt* **1.** gördít, gurít **2.** tol
[kerekeken járó dolgot], tolókocsin
tol (vkt) **B.** *vi* **1.** gördül, gurul **2.**

kering, kígyózik **3.** kanyarodik **4.** ~
round körbefordul, megfordul **5.** *US
biz* kerekezik, bringázik
wheelbarrow *n* talicska, taliga
wheel-base *n* tengelytáv(olság)
wheel-chair *n* tolókocsi [betegnek]
wheeled [wi:ld; *US* hw-] *a* kerekes; kerekű
wheeler ['wi:lə*; *US* 'hw-] *n* **1.** three-~
háromkerekű jármű **2.** kerékgyártó **3.**
rudas [ló]
wheel-horse *n* **1.** = *wheeler 3.* **2.** megbízható munakerő (aki húz mint egy
ló)
wheel-house *n* kormányosfülke
wheeling ['wi:lɪŋ; *US* 'hw-] *n* **1.** gurítás
2. kanyarodás **3.** *US biz* kerekezés
wheel-lock *n* † kovás puska
wheel-window *n* kerékablak, (mérműves) rózsaablak
wheel-wright *n* kerékgyártó, bognár
wheeze [wi:z; *US* hw-] **I.** *n* **1.** zihálás,
asztmás légzés **2.** □ bemondás, tréfa **II.** *vi* liheg, zihál
wheezy ['wi:zɪ; *US* 'hw-] *a* lihegő,
ziháló
whelk [welk; *US* hw-] *n* kürtcsiga
whelp [welp; *US* hw-] **I.** *n* kölyök **II.**
vi/vt (meg)kölykezik
when [wen; *US* hw-] **I.** *adv* **1.** mikor? **2.**
amikor; ~ *at school* iskolás korában;
say ~ mondd (meg) mikor elég; *since*
~ (a)mióta; *till* ~ meddig? **II.** *conj* **1.**
amikor, midőn **2.** noha; pedig
whence [wens; *US* hw-] *adv* **1.** honnan?,
honnét? **2.** ahonnan, ahonnét; amiből
whencesoever [wenssoʊ'evə*; *US* hw-]
adv ahonnan csak, bárhonnan is
whene'er [wen'eə*; *US* hw-] = *whenever*
whenever [wen'evə*; *US* hw-] *adv* akármikor, bármikor, valahányszor
whensoever [wensoʊ'evə*; *US* hw-]
adv = whenever
where [weə*; *US* hw-] **I.** *adv/pron/conj* **1.**
hol?, hová?, merre?; ~ *are you going
to?* hová mész?; ~ *do you come from?*
honnan jössz?; ~ *does it concern us?*
mennyiben érint bennünket? **2.** ahol,
ahova; ott ahol, oda ahova; *from* ~
ahonnan; *from* ~ *I stand* onnan ahol

állok; to ~ ahova; this is ~ I live itt
lakom én; that is ~ you are mistaken
ez az amiben tévedsz II. n the ~ and
when a helye és ideje vmnek
whereabouts I. adv [weərə'baʊts; US
hw-] 1. hol?, merre? 2. ahol II. n
['weərəbaʊts; US 'hw-] hollét
whereafter [weər'ɑ:ftə*; US hweər'æ-]
adv ami után
whereas [weər'æz; US hw-] conj 1. mi-
után, minthogy, mivel; tekintettel ar-
ra, hogy 2. habár, jóllehet, noha 3.
(míg) ellenben/viszont, míg
whereat [weər'æt; US hw-] adv 1. ami-
re, amin, amiért 2. min?
whereby [weə'baɪ; US hw-] adv 1. mi-
ből?; mi által?, hogyan? 2. amiből,
ami által, amitől, amivel
where'er [weər'eə*; US hw-] = wher-
ever
wherefore ['weəfɔ:*; US 'hw-] I. adv 1.
miért? 2. azért, amiért, miért is II.
n ok
wherefrom [weə'frɔm; US hweər'frɑm]
adv 1. † honnan? 2. ahonnan, amiből
wherein [weər'ɪn; US hw-] adv 1. mi-
ben?, mennyiben?2. amiben, amelyben
whereof [weər'ɔv; US hweər'ɑv] adv 1.
miből?, mire?, kitől?, miről? 2. ami-
ből, amire, amiről, aki(k)ről
whereon [weər'ɔn; US hweər'ɑn] adv
1. min?, mire? 2. amin, amire
wheresoever [weəsoʊ'evə*; US hw-] adv
= wherever
whereto [weə'tu:; US hw-] adv 1. ho-
va?, mire? 2. ahova, amire
whereupon [weərə'pɔn; US hweərə-
'pɑn] adv (a)mire, ami után
wherever [weər'evə*; US hw-] adv akár-
hol, bárhol, ahol/ahova csak, akár-
hova, bárhova
wherewith [weə'wiθ; US hw-] adv 1.
mivel? 2. amivel
wherewithal ['weəwɪðɔ:l; US 'hw-] n the
~ a szükséges összeg, az anyagiak
wherry ['werɪ; US 'hw-] n ladik
whet [wet; US hw-] I. n 1. élesítés, kö-
szörülés 2. biz étvágygerjesztő II. v
-tt- 1. (meg)köszörül, (ki)élesít, fen 2.
~ sy's appetite étvágyat csinál vknek
whether ['weðə*; US 'hw-] conj 1. vajon

2. ~ ... or ... akár ... akár; ~ or no
minden körülmények között, akár igen
akár nem
whetstone ['wetstoʊn; US 'hw-] n kö-
szörűkő
whetting ['wetɪŋ; US 'hw-] I. n élesítés,
köszörülés, fenés
whew [hju:] int tyű(ha)!, ejha!, hű!
whey [weɪ; US hw-] n savó
whey-faced a sápadt, hal(a)vány
which [wɪtʃ; US hw-] a/pron 1. me-
lyik(et)?, mely(et)?; ~ one? melyi-
k(et)?; ~ ones? melyek(et)?; ~ is ~?
melyik másik (a kettő közül)?; ~
way merre(felé)?, milyen irányba(n)?;
~ way is the wind? honnan fúj a szél?
2. amelyik(et), amely(et), az(t) ami(t)
whichever [wɪtʃ'evə*; US hw-] pron
akármelyik(et), bármelyik(et), ame-
lyik(et) csak
whiff [wɪf; US hw-] I. n 1. fuvallat 2.
szag 3. kis szivar II. A. vi pöfékel B.
vt elfúj, lefúj
Whig [wɪg; US hw-] a/n liberális párti,
whig
Whiggery ['wɪgərɪ; US 'hw-] n GB (poli-
tikai) szabadelvűség
Whiggish ['wɪgɪʃ; US 'hw-] a whigekre
jellemző
while [waɪl; US hw-] I. conj 1. míg,
mialatt, amíg (csak); ~ reading olva-
sás közben 2. noha, bár II. n 1. (rö-
vid) idő; a good ~ jó ideig/ideje; for a
~ rövid időre; for a long ~ jó ideje,
régóta; in a little ~ rövidesen, nem-
sokára; once in a ~ néha, időnként,
hébe-hóba, egyszer-egyszer; all the ~
az egész idő alatt, mindvégig; stay a ~
marad(j) egy kicsit 2. fáradozás;
worth (one's) ~ megéri a fáradságot,
érdemes III. A. vi időz(ik) B. vt ~
away eltölt, agyonüt [időt]
whilom ['waɪləm; US 'hw-] a † hajdani,
néhai
whilst [waɪlst; US hw-] conj = while I.
whim [wɪm; US hw-] n szeszély, hóbort
whimper ['wɪmpə*; US 'hw-] I. n
nyöszörgés, nyafogás II. vi/vt nyafog,
nyöszörög
whimsical ['wɪmzɪkl; US 'hw-] a sze-
szélyes, fur(cs)a, rigolyás, hóbortos

whimsicality [wɪmzɪ'kælətɪ; US hw-] n szeszélyesség, bogarasság, furcsaság

whimsy ['wɪmzɪ; US 'hw-] n szeszély, hóbort

whin¹ [wɪn; US hw-] n tövises rekettye

whin² [wɪn; US hw-] n 1. bazalt 2. kemény homokkő

whinchat ['wɪntʃæt; US 'hw-] n rozsdás csaláncsúcs [madár]

whine [waɪn; US hw-] I. n 1. nyafogás, szűkölés 2. biz siránkozás II. vt/vi 1. nyafog, jajong, szűköl, nyüszít 2. biz siránkozik

whinny ['wɪnɪ; US 'hw-] I. n nyerítés II. vi nyerít, röhög [ló]

whip [wɪp; US hw-] I. n 1. ostor, korbács 2. kocsis 3. szárny [szélmalomé] 4. vadászinas [falkavadászaton] 5. GB ⟨politikai párt parlamenti fegyelmi és szervezési vezetője⟩; take the ~ aláveti magát a pártfegyelemnek 6. GB felszólítás parlamenti párttagokhoz; three-line ~ sürgős felszólítás (képviselőhöz szavazáson való megjelenésre) 7. felhúzókötél [hajón] 8. (tojás)hab II. v -pp- A. vt 1. ostoroz, korbácsol 2. felver [habot] 3. csapkod, ver [eső ablakot, hal farka vizet] 4. biz legyőz 5. összevarr [két posztószélt], beszeg 6. felhúz (csigával) B. vi 1. csapkod, ver 2. fürgén mozog, suhan 3. felverődik [tejszín]
   whip back vi visszacsapódik
   whip in vt 1. ráterel [falkát vad nyomára] 2. GB szavazásra berendel [parlamenti párttagot]
   whip into vt ~ i. shape gatyába ráz, formába pofoz
   whip off vt 1. leránt, lekap; felkap 2. elver (vhonnan)
   whip out vt kiránt, előránt
   whip round A. vt körülteker, beteker. B. vi hirtelen megfordul/befordul
   whip up vt 1. fölélénkít 2. fölkap 3. összecsap [vm munkát stb.]

whipcord n ostorszíj, ostorzsinór

whip-hand n biz have the ~ (of sy) ő tartja a kezében a gyeplőt, felülkerekedik vkn

whip-lash n ostorszíj

whipped [wɪpt; US hw-] a ~ cream tejszínhab ‖→whip II.

whipper ['wɪpə*; US 'hw-] n ostoros

whipper-in n 1. vadászinas 2. = whip I. 5.

whipper-snapper [-snæpə*] n szemtelen kis alak

whippet ['wɪpɪt; US 'hw-] n szalonagár

whipping ['wɪpɪŋ; US 'hw-] n 1. (meg-) verés, (meg)korbácsolás 2. vereség ‖→whip II.

whipping-post n szégyenfa [amihez a megkorbácsolandót kötötték]

whipping-top n (ostorral hajtott) játékcsiga

whippoorwill ['wɪppʊəwɪl; US 'hw-] n amerikai kecskefejő

whip-saw n szalagfűrész

whip-stitch n beszegő öltés

whip-stock n ostornyél

whir →whirr

whirl [wə:l; US hw-] I. n 1. forgás, pörgés 2. forgó, örvény II. A. vi 1. forog 2. örvénylik 3. siet B. vt 1. (meg)pörget 2. magával ragad/sodor

whirligig ['wə:lɪgɪg; US 'hw-] n 1. forgatag, örvény 2. körhinta, ringlispíl 3. búgócsiga

whirlpool n örvény

whirlwind n forgószél; sow the wind and reap the ~ ki szelet vet vihart arat

whirr, US whir [wə:*; US hw-] I. n suhogás [pergő mozgáskor] II. vi zümmög, búg [teljes sebességgel forgó vm]

whisht [wɪʃt; US hw-] int pszt!

whisk [wɪsk; US hw-] I. n 1. suhintás, legyintés 2. habverő 3. kis söprű 4. (légy)csapó II. A. vi 1. suhint 2. surran B. vt 1. (meg)suhint 2. felver [habot] 3. ~ away/off (1) elhessent (2) gyorsan elröppent/elvisz

whiskered ['wɪskəd; US 'hw-] a pofaszakállas

whiskers ['wɪskəz; US 'hw-] n pl 1. pofaszakáll 2. szakáll, bajusz [macskáé stb.]

whisk(e)y ['wɪskɪ; US 'hw-] n whisky

whisper ['wɪspə*; US 'hw-] I. n 1. suttogás, súgás, halk hang 2. súgás-búgás, sugdosás, pletyka II. vi/vt suttog, susog, súg, halkan beszél/mond; ~ a word to sy fülébe súg egy szót vknek

whisperer ['wɪspərə*; *US* 'hw-] *n* suttogó, súgó
whispering ['wɪspərɪŋ; *US* 'hw-] I. *a* suttogó II. *n* 1. suttogás 2. = *whisper*
I. 2.; ~ *campaign* suttogó propaganda
whispering-gallery *n* 1. suttogókupola 2. pletykaközpont
whist [wɪst; *US* hw-] *n* whist [játék]; ~ *drive* whistverseny [jótékony célú]
whistle ['wɪsl; *US* 'hw-] I. *n* 1. fütty, fütyülés 2. fütyülő, síp; *biz wet one's* ~ megöntözi a torkát [iszik]; *pay for one's* ~ sokba kerül ez még neki II.
vi/vt (el)fütyül, sípol, sivít; ~ *for the road* (mozdony tilos szemafor előtt) fütyül; *you'll have to* ~ *for it* keresztet vethetsz rá, ugrott (a pénzed stb.)
whistler ['wɪslə*; *US* 'hw-] *n* 1. fütyülő személy 2. kehes ló 3. fütyülőruca 4. havasi mormota
whit[1] [wɪt; *US* hw-] *n* darabka; *not a* ~ egy cseppet sem
Whit[2] [wɪt; *US* hw-] *n* ~ *Sunday* pünkösdvasárnap; ~ *Monday* pünkösdhétfő
Whitaker ['wɪtəkə*] *prop*
Whitby ['wɪtbɪ] *prop*
white [waɪt; *US* hw-] I. *a* 1. fehér; ~ *ant* termesz; ~ *bear* jegesmedve; ~ *birch* nyírfa; ~ *blood cell*, ~ *corpuscule* fehér vérsejt; ~ *clover* fehér lóhere; ~ *coffee* tejeskávé; ~ *flag* [megadást jelző] fehér zászló; ~ *heat* fehér izzás; ~ *horses* tajtékos (gerincű) hullámok; *US W*~ *House* a Fehér Ház [az elnöki rezidencia Washingtonban]; ~ *lead* (1) ólomfehér [porfesték] (2) fehér ólomérc, cerusszit; ~ *man* (1) fehér ember (2) *US* becsületes (v. jól nevelt) ember; ~ *matter* fehér agyállomány; ~ *meat* fehér hús [borjúhús, csirkemell, házinyúlhús]; ~ *metal* fehér fém; *W*~ *Paper* „fehér könyv"; ~ *pudding* májashurka; ~ *sauce* besamelmártás; ~ *slave* prostituáltnak eladott nő →*white-slave;* ~ *tie* (1) fehér nyakkendő (2) frakk [mint előírt viselet] 2. sápadt, halvány; ~ *hope* halvány/végső remény 3. ősz (hajú) 4. tiszta, ártatlan; ~ *lie* ártatlan füllentés II.
n 1. fehér (szín, öltözet); ~*s* (1) fehér

flanellnadrág (2) fehérfolyás 2. ~ *of egg, egg* ~ tojásfehérje 3. fehér bőrű emberek
whitebait *n* apróhal
white-caps *n pl* tajtékos gerincű hullámok
white-collar *a* értelmiségi, szellemi [dolgozó, munka]
whitefish *n* fehérhasú hal
white-haired *a* fehér/ősz hajú
Whitehall [waɪt'hɔ:l; *US* hw-] *n GB* 1. ⟨minisztériumok és kormányhivatalok utcája Londonban⟩ 2. a brit kormány
white-headed *a* 1. ősz fejű 2. elkényeztetett, kedvenc [gyerek]
white-hot *a* 1. fehéren izzó 2. (nagyon) forró
white-lipped *a* 1. vértelen ajkú 2. (ijedtségtől) halálsápadt
white-livered [-lɪvəd] *a* félénk, gyáva
whiten ['waɪtn; *US* 'hw-] A. *vt* fehérít, (ki)meszel B. *vi* (el)fehéredik, kifehéredik
whiteness ['waɪtnɪs; *US* 'hw-] *n* 1. fehérség 2. sápadtság
whitening ['waɪtnɪŋ; *US* 'hw-] I. *a* 1. fehérítő 2. meszelő II. *n* 1. fehérítés 2. (fehérre) meszelés 3. mész
white-slave traffic leánykereskedelem
whitethorn *n* galagonya
whitethroat *n* mezei poszáta
whitewash ['waɪtwɔʃ; *US* 'hw-] I. *n* 1. meszelés 2. mész(festék) 3. szerecsenmosdatás II. *vt* 1. bemeszel, kimeszel 2. erkölcsileg tisztáz, tisztára mos
Whitey ['waɪtɪ; *US* 'hw-] *n US* fehér ember [gúnyos megjelölés színes bőrűek részéről]
whither ['wɪðə*; *US* 'hw-] *adv* 1. hova?, merre(felé)? 2. ahova, amerre
whithersoever [wɪðəsoʊ'evə*; *US* hw-] *adv* ahova csak, akárhova, akármerre
whiting ['waɪtɪŋ; *US* 'hw-] *n* 1. mészfesték, mész(por) 2. sárga tőkehal
whitish ['waɪtɪʃ; *US* 'hw-] *a* fehéres
whitlow ['wɪtloʊ; *US* 'hw-] *n* körömméreg, ujjgyulladás
Whitman ['wɪtmən; *US* 'hw-] *prop*
Whitsun(tide) ['wɪtsn(taɪd); *US* 'hw-] *n* pünkösd

whittle ['wɪtl; US 'hw-] vt faragcsál; ~
down lefarag
whiz(z) [wɪz; US 'hw-] I. n zúgás [repü-
lő testé] II. vi zúgva/sivítva repül,
süvít
who [hu:] pron 1. ki?, kicsoda?, kik?;
~ on earth? ki a csuda?; ~ does he
think he is? kinek képzeli magát?;
~ ever told you that? ugyan ki mondta
ezt neked?; who's who ki kicsoda?
2. biz ~ are you waiting for? kit/kire
vár(sz)? 3. aki(k), az(ok) aki(k)
W.H.O., WHO [dʌblju:eɪtʃ'oʊ; biz hu:]
World Health Organization Egészség-
ügyi Világszervezet
whoa [woʊ] int hő(he)!, hó(ha)!; hé!
who'd [hu:d] = who had/would
whodunit [hu:'dʌnɪt] n US □ detektív-
regény, krimi
whoever [hu:'evə*] pron akárki, bárki,
aki csak
whole [hoʊl] I. a 1. egész, teljes; ~
coffee szemes kávé; ~ meal korpás
liszt; ~ milk teljes tej; US ~ note =
semibreve; ~ number egész szám
2. ép, sértetlen 3. (be)gyógyult II.
n 1. az egész; as a ~ teljes egészében;
on the ~ egész(é)ben véve, nagyjából
2. egység
whole-coloured a egyszínű
whole-hearted a szívből jövő, lelkes,
őszinte; teljes mértékű [támogatás
stb.]
whole-length a teljes hosszúságú, élet-
nagyságú [kép]
whole-meal a ~ bread korpás lisztből
készült kenyér
wholesale ['hoʊlseɪl] I. a 1. nagybani,
nagykereskedelmi; ~ dealer nagyke-
reskedő; ~ price nagykereskedői ár
2. általános; ~ slaughter tömegmé-
szárlás II. adv nagyban III. n nagy-
bani eladás; by ~ nagyban
wholesaler ['hoʊlseɪlə*] n nagykereskedő
wholesome ['hoʊls(ə)m] a 1. egészséges
2. üdvös, hatékony
whole-time a teljes munkaidejű
who'll [hu:l] = who will/shall
wholly ['hoʊllɪ] adv teljesen, egészen
whom [hu:m] pron 1. kit?, kicsodát?,
kiket?; to ~ ki(k)nek?; ~ did you

give the money (to) kinek adtad a
pénzt? 2. akit, akiket; to ~ aki(k-)
nek
whomsoever [hu:msoʊ'evə*] pron akit
csak, bárkit, akárkit; to ~ akinek
csak, bárkinek, akárkinek
whoop [hu:p] I. n 1. kiáltás 2. „húzás"
[szamárköhögésben] II. vi 1. kiált,
ujjong, rivalg 2. „húz" [szamárkö-
högős]
whoopee I. int [wʊ'pi:] ihaj-csuhaj! II.
n ['wʊpi:] biz make ~ nagy dáridót
csap, zajosan mulat
whooping-cough ['hu:pɪŋ-] n szamárkö-
högés
whop [wɔp; US hwɑp] □ I. n puffanó
ütés II. vt -pp- 1. jól elver, megbu-
nyóz 2. legyőz, megver
whopper ['wɔpə*; US 'hwɒ-] n □ irtó
nagy dolog/hazugság
whopping ['wɔpɪŋ; US 'hwɒ-] □ I. a
óriási II. n 1. elpüfölés 2. legyőzés
who're ['hu:ə*] = who are
whore [hɔ:*] n kurva, szajha
whoremonger n kurvahajcsár
whoreson ['hɔ:sn] n † kurafi
whoring ['hɔ:rɪŋ] n kurválkodás
whorl [wə:l] n 1. örv [növényen leve-
lekből] 2. (egy) csigafordulat [embe-
ri ujj begyén is]
whorled [wə:ld] a 1. örvös 2. spirális,
csigavonalú
whortleberry ['wə:tlberɪ] n feketeáfonya
who's [hu:z] = who is/has
whose [hu:z] pron 1. ki(k)é?, ki(k)nek
a...? 2. aki(k)é, aki(k)nek a...
3. amelynek a..., aminek a...
whosoever [hu:soʊ'evə*] pron akárki,
bárki, aki csak
who've [hu:v] = who have
why [waɪ; US hw-] I. adv miért, mi
okból?; ~ so? miért?; ~ not? miért
ne(m)?; that is ~... ezért, emiatt
II. int 1. no de, nocsak, no 2. nini,
nézd csak 3. hát, nos 4. hiszen III.
n the ~s and wherefores az okok
wick [wɪk] n gyertyabél, kanóc
wicked ['wɪkɪd] a 1. bűnös, gonosz,
rossz, komisz 2. csintalan, haszontalan
wickedly ['wɪkɪdlɪ] adv 1. gonoszul
2. roppantul

wickedness ['wɪkɪdnɪs] *n* 1. gonoszság, bűn 2. csintalanság
wicker ['wɪkə*] I. *a* vesszőből font, fonott II. *n* vesszőfonás
wickerwork *n* fonott áru, kosáráru
wicket ['wɪkɪt] *n* 1. (nagykapuba vágott) kis ajtó/kapu; rácsajtó 2. pénztárablak 3. (krikett)kapu; krokettkapu
wicket-keeper *n* kapus [krikettben]
Wickliffe →Wyclif(fe)
wick-trimmer *n* gyertyakoppantó
widdershins ['wɪdəʃɪnz] *adv* † óramutató járásával ellenkező irányba(n), jobbról balra
wide [waɪd] I. *a* 1. széles; nagy kiterjedésű; ~ screen széles vászon; the ~ world a nagyvilág 2. tág, bő, széles körű; ~ knowledge széles körű tudás; in a ~r sense tágabb értelemben II. *adv* 1. messze, messzire, távol; ~ apart távol egymástól 2. szélesen, szélesre [kitár stb.]; ~ open (1) szélesre kitárva, tárva-nyitva (2) tágra nyílt [szem] (3) félre
wide-angle *a* nagy látószögű
wide-awake *n* széles karimájú puha kalap ‖→awake
widely ['waɪdlɪ] *adv* 1. széles kör(ök)ben; nagy távolságokban; ~ read (igen) olvasott 2. *biz* erősen, nagyon; ~ different merőben más
wide-meshed *a* nagyszemű [háló]
widen ['waɪdn] A. *vt* (ki)tágít, (ki)szélesít B. *vi* (ki)tágul, kibővül
wide-ranging [-reɪndʒɪŋ] *a* kiterjedt, sokrétű, széles körű
widespread *a* széles körben elterjedt, kiterjedt, általános
widgeon ['wɪdʒən] *n* fütyülő réce
widow ['wɪdoʊ] *n* özvegy(asszony)
widowed ['wɪdoʊd] *a* özvegységre jutott, megözvegyült
widower ['wɪdoʊə*] *n* özvegyember
widowhood ['wɪdoʊhʊd] *n* özvegység
width [wɪdθ] *n* 1. szélesség; bőség; of double ~ dupla széles 2. ~ of mind liberalizmus [gondolkodásban]
wield [wi:ld] *vt* 1. kezel [eszközt], forgat [kardot] 2. kormányoz [országot]; gyakorol [hatalmat]

wiener ['wi:hə*] *n US* bécsi virsli
wife [waɪf] *n* (*pl* wives waɪvz) 1. feleség; hitves; take a ~ megnősül; take sy to ~ feleségül vesz vkt 2. asszony
wifely ['waɪflɪ] *a* asszonyhoz illő
wig [wɪg] I. *n* 1. paróka 2. *biz* szidás, „fejmosás" II. *vt biz* leszid, megmossa a fejét
wigged [wɪgd] *a* parókás
wigging ['wɪgɪŋ] *n biz* összeszidás, „fejmosás"
wiggle ['wɪgl] *n/v* = wriggle II.
wight [waɪt] *n* † ember, fickó
wig-maker *n* parókakészítő
wigwag ['wɪgwæg] *vi* 1. ide-oda mozog; farkát csóválja 2. zászlójeleket ad [tengerész]
wigwam ['wɪgwæm] *n* ⟨indián sátor⟩
Wilberforce ['wɪlbəfɔ:s] *prop*
Wilbur ['wɪlbə*] *prop* ⟨angol férfinév⟩
wild [waɪld] I. *a* 1. vad; ~ beast vadállat; ~ cat vadmacska →wildcat; W~ West vadnyugat; run ~ elvadul, elburjánzik 2. vad, tomboló; kegyetlen; féktelen; lead a ~ life kicsapongó életet él; ~ talk felelőtlen/összevissza beszéd; ~ with joy odavan az örömtől; be ~ about sy bele van bolondulva vkbe; drive sy ~ felbőszít/megőrjít vkt II. *n* vadon, pusztaság
wild-boar *n* vaddisznó
wildcat *a* megbízhatatlan, fantasztikus, kockázatos [vállalkozás stb.]; ~ strike nem hivatalos sztrájk ‖→wild
Wilde [waɪld] *prop*
wildebeest ['wɪldɪbi:st] *n* gnú
Wilder ['waɪldə*] *prop*
wilderness ['wɪldənɪs] *n* vadon, pusztaság
wild-eyed *a* vad tekintetű
wildfire *n* 1. futótűz 2. görögtűz 3. lidércfény
wild-fowl *n* szárnyas/vízi vad
wild-goose *n* (*pl* -geese) vadliba, vadlúd; ~ chase hiábavaló vállalkozás, ábrándkergetés
wilding ['waɪldɪŋ] *n* vadon termő gyümölcsfa
wildlife *n* vadvilág
wildly ['waɪldlɪ] *adv* vadul, féktelenül
wildness ['waɪldnɪs] *n* vadság, zabolátlanság

wile {waɪl] I. *n* fortély, ravaszság II.
vt 1. csábít, ámít 2. ~ *away* eltölt
[időt]
Wilfred ['wɪlfrɪd] *prop* ⟨angol férfinév⟩
wilful, *US* willful ['wɪlfʊl] *a* 1. szándékos; ~ *desertion* hűtlen elhagyás;
~ *murder* előre kitervelt módon elkövetett emberölés 2. akaratos, makacs,
önfejű
wilfully, *US* will- ['wɪlfʊlɪ] *adv* 1. szándékosan 2. makacsul
wilfulness, *US* will- ['wɪlfʊlnɪs] *n* 1.
szándékosság 2. makacsság
wilily ['waɪlɪlɪ] *adv* ravaszul
wiliness ['waɪlɪnɪs] *n* ravaszság
will¹ [wɪl] I. *n* 1. akarat; akarás; kívánság; szándék; *at* ~ (1) tetszés szerint
(2) rendelkezésre; *freedom of the* ~
szabad akarat; *with a* ~ szívvel-lélekkel; *have one's* ~ keresztülviszi az
akaratát; *thy* ~ *be done* legyen meg a
te akaratod 2. rendelkezés 3. végrendelet II. *vt* (*pt/pp* ~ed wɪld) 1.
akar, óhajt 2. parancsol, meghagy,
kényszerít; ~ *sy into doing sg* vkt
vmnek megtételére kényszerít 3. végrendeletileg ráhagy, testál (*sg to sy*
v. *sy sg* vkre vmt); ~ *one's property
away from sy* végrendeletileg kitagad
vkt (az örökségből) III. *v aux* (régies
2. szem. wilt [wɪlt]; will not gyakran
összevonva won't [woʊnt]; *pt* would
[wʊd; gyenge ejtésű alakjai: wəd, d];
would not, többnyire így: wouldn't
['wʊdnt]; régies 2. személyű *pt*
would(e)st [wʊdst]; a will az élő beszédben rendszerint 'll-re rövidül,
pl. he'll [hi:l], you'll [ju:l]) 1. (a
2. és 3. személyben leggyakrabban
jövő időt fejez ki:) ~ *call* (1) érte
fog jönni [levélért stb.] (2) hívni fog
[telefonon], látogatóba jön (v. fog
jönni); *he* ~ (v. *he'll*) *come* el fog
jönni, (majd) eljön; ~ *you come?*
eljössz?, el fogsz jönni?; *what* ~ *you
do next?* és aztán mit csinálsz?, mit
fogsz azután tenni?; *he* ~ *not* (v.
won't) *return for lunch* nem jön haza
(v. nem fog hazajönni) ebédre; *I
said* (*that*) *he would do it* megmondtam, hogy megcsinálja (v. meg

fogja csinálni); *he thought that it would
rain* azt hitte, (hogy) esni fog 2. (az
1. személyben szándékot v. akaratot
fejez ki:) *I* ~ *be obeyed* megkívánom
az engedelmességet; *I'll try it* majd
megpróbálom, meg fogom próbálni;
I said that I would help him mondtam, hogy segítek (v. fogok segíteni) neki; *I won't see him again* nem
akarom újra látni; *do as you* ~ tégy
ahogy akarsz; *say what you* ~ mondhatsz amit akarsz; *he* ~ *have none of
it* hallani sem akar róla; *he would not
go home* nem akart/akaródzott hazamenni; *this window won't open* nem
akar kinyílni ez az ablak 3. (udvarias
kérésekben:) ~ *you come in?* lesz szíves bejönni!; ~ *you help me?* nem
segítenél/segítene nekem (egy kicsit)?;
would you (*please*) . . . , *would you
kindly* . . . , *if you* ~/*would kindly* . . .
lenne olyan kedves . . ., legyen (olyan)
szíves . . .; *won't you sit down* kérem
foglaljon helyet!; *wait a moment,*
~ *you?* légy/legyen szíves várj/várjon egy pillanatig! 4. (az „ugye"
kifejezésére:) *you* ~ *go, won't you?*
ugye elmész majd (oda)?; *you won't
forget,* ~ *you?* ugye nem feledkezel
meg róla? 5. (kívánság, óhaj kifejezésére:) *I would like to* . . . szeretném . . ., szeretnék . . .; *if only he
would drive more slowly* bárcsak lassabban vezetne; *would there were no* . .
bár ne lenne . . . 6. (feltételes mondatokban:) *if I dropped this it would
explode* ha leejteném, felrobbanna;
he could if he would megtenné, ha
akarná; *they would have come, if
you had given them longer notice* eljöttek volna, ha korábban szóltatok volna nekik 7. (elkerülhetetlenül
ismétlődő v. szokásszerű cselekvés
kifejezésére:) *accidents* ~ *happen* balesetek mindig lesznek; *boys* ~ *be boys*
a fiúk mindig csak fiúk maradnak,
a fiúk már csak ilyenek; *sometimes
he* ~ *go out for the whole day* néha
egész nap nem jön haza
Will² [wɪl] *prop* Vili, Vilmos
willed [wɪld] *a* akaratú

willful →*wilful*
William ['wɪljəm] *prop* Vilmos
willies ['wɪlɪz] *n* *pl* □ félelem, félsz, idegesség
willing ['wɪlɪŋ] *a* 1. hajlandó, kész (*to* vmre) 2. készséges; önkéntes
willingly ['wɪlɪŋlɪ] *adv* szívesen, önként
willingness ['wɪlɪŋnɪs] *n* hajlandóság, (szolgálat)készség, jóakarat
will-o'-the-wisp [wɪlədə'wɪsp] *n* lidércfény
Willoughby ['wɪləbɪ] *prop*
willow ['wɪloʊ] *n* 1. fűz(fa); *weeping* ~ szomorúfűz 2. *biz* (krikett)ütő 3. farkasoló (gép)
willow-bed *n* füzes
willow-pattern *n* ⟨kék szomorúfűzfás és pagodás díszítés kínai porcelánon⟩
willow-warbler *n* fitiszfüzike
willowy ['wɪloʊɪ] *a* 1. füzes 2. karcsú, hajlékony, nyúlánk
will-power *n* akaraterő
willy-nilly [wɪlɪ'nɪlɪ] *adv* kénytelenkelletlen, akarva nem akarva
Wilson ['wɪlsn] *prop*
wilt¹ [wɪlt] A. *vi* 1. (el)hervad 2. *biz* elszontyolodik B. *vt* elhervaszt
wilt² →*will¹* *III.*
Wilts. [wɪlts] *Wiltshire*
Wiltshire ['wɪlt-ʃə*] *prop*
wily ['waɪlɪ] *a* ravasz, fortélyos, minden hájjal megkent
Wimbledon ['wɪmbld(ə)n] *prop*
wimple ['wɪmpl] *n* apácafátyol
win [wɪn] *v* (*pt/pp* won wʌn; -nn-) A. *vt* 1. (meg)nyer; ~ *back* visszanyer, -szerez; ~ *over* maga oldalára hódít, megnyer magának 2. szerez, elnyer B. *vi* győz, nyer; ~ *by a head* fejhosszal győz; ~ *home* eléri a célját (nehézségek ellenére); ~ *upon* növekvő befolyást gyakorol (vkre); *US* ~ *out* győz; ~ *through* diadalmaskodik, legyőz [nehézségeket]
wince [wɪns] I. *n* megrezzenés, arcrándulás II. *vi* megrándul/megvonaglik az arca [fájdalmában], összerezzen
winch [wɪntʃ] I. *n* 1. forgattyú, hajtókar 2. csörlő; emelődob 3. orsó [horgászboton] II. *vt* csörlővel felemel
Winchester ['wɪntʃɪstə*] *prop*

wind¹ [wɪnd] I. *n* 1. szél; fuvallat *before/down the* ~ szél irányában, (hát)széllel; *take the* ~ *out of sy's sails* kifogja a szelet vk vitorláiból; *there's sg in the* ~ vm van/lóg a levegőben; *see how the* ~ *blows/lies* megvárja honnan fúj a szél; *throw caution to the* ~ elővigyázatossággal nem törődik; *between* ~ *and water* sebezhető/érzékeny ponton; *gyomorszájon [üt]* 2. lélegzet; *get* ~ lélegzethez jut 3. *biz get* ~ *of sg* megszimatol/,,megszagol" vmt 4. szél, gázok [belekben]; *break* ~ (szelet) ereszt, szellent; □ *get/have the* ~ *up* be van gyulladva/tojva 5. ~ *instrument* fúvós hangszer; *the* ~ a fúvósok II. *vt* (*pt/pp* ~ed 'wɪndɪd) 1. megszimatol (vmt), szagot kap (vmről) [kutya] 2. kifullaszt; agyonhajszol [lovat]; *be* ~*ed* elállt a lélegzete, kifullad(t) 3. hagyja, hogy kifújja magát 4. szellőztet, szélnek kitesz 5. [waɪnd] (*pt/pp* ~*ed* 'waɪndɪd, néha wound waʊnd) fúj [kürtöt]
wind² [waɪnd] *v* (*pt/pp* wound waʊnd) A. *vi* kígyózik, kanyarog, kanyarodik B. *vt* 1. csavar, (fel)teker; felcsévél; gombolyít; ~ *sy round one's finger* az ujja köré csavar vkt 2. felhúz [órát]
wind into *vt* ~ *oneself i.* észrevétlenül behatol/befurakodik vhova; ~ *one's way i. her heart* belopta magát a szívébe
wind off *vt* leteker, lecsavar
wind out *vi* kisiklik (vknek a keze közül), elszökik
wind up A. *vt* 1. feltekercsel, -gombolyít, -csavar 2. felhúz [órát] 3. felszámol [vállalatot]; befejez [beszédet, vitát], véget vet [összejövetelnek] 4. felizgat, végsőkig feszít; ~ *oneself up (for an effort)* nekigyürkőzik (feladatnak) B. *vi* 1. befejeződik, véget ér 2. felszámol [vállalat]
windbag ['wɪndbæg] *n* 1. fújtató 2. □ szószátyár, üres fecsegő, szófosó
wind-bound ['wɪnd-] *a* (ellen)szél által akadályozott
windbreak ['wɪnd-] *a* szélfogó [erdősáv stb.]

windcheater ['wɪndtʃiːtə*], US -breaker
n viharkabát
wind-chest ['wɪnd-] n szélláda [orgonában]
wind-colic ['wɪnd-] n szélgörcs (belekben), puffadás
winded ['wɪndɪd] a kifulladt
wind-egg ['wɪnd-] n csírátlan tojás, szűztojás
winder ['waɪndə*] n 1. csévélő(gép), gombolyítókészülék 2. csörlő 3. órafelhúzó kulcs 4. íves lépcső, csigalépcső(fok) 5. kúszónövény
Windermere ['wɪndəmɪə*] prop
windfall ['wɪndfɔːl] n 1. hullott gyümölcs 2. váratlan szerencse/haszon/ajándék, „talált pénz"
wind-flower ['wɪnd-] n szellőrózsa, anemóna
wind-force ['wɪnd-] n szélerősség (foka)
wind-gauge ['wɪnd-] n szélerősségmérő
windhover ['wɪndhɔvə*; US -hʌ-] n vörös vércse
windiness ['wɪndɪnɪs] n szelesség
winding ['waɪndɪŋ] I. a kanyargó(s), kanyarodó; ~ staircase/stairs csigalépcső II. n 1. kanyargás, kanyarodás; ~s (1) kanyarulatok (2) tekercselés 2. felhúzás [óráé]
winding-drum n csörlődob
winding-sheet n szemfedő
winding-up n felszámolás
wind-jammer ['wɪnddʒæmə*] n kereskedelmi vitorláshajó
windlass ['wɪndləs] n csörlő, motolla
windless ['wɪndlɪs] a szélmentes
windmill ['wɪnd-] n 1. szélmalom; tilt at ~s szélmalomharcot vív 2. forgó [színes papírból]
window ['wɪndou] n 1. ablak 2. kirakat
window-box n virágláda ablakban
window-display n kirakat(i tárgyak)
window-dresser n kirakatrendező
window-dressing n 1. kirakatrendezés 2. tetszetős csoportosítás [tényeké, adatoké], szemfényvesztés
window-envelope n ablakos levélboríték
window-frame n ablakkeret
window-ledge n ablakpárkány
window-pane n ablaküveg, -tábla

window-raiser n ablakemelő (szerkezet)
window-sash n ablakkeret
window-screen n szúnyogháló
window-seat n ülőhely ablakmélyedésben
window-shade n roló, roletta
window-shopping n kirakatnézegetés (vásárlás nélkül)
window-sill n ablakpárkány, könyöklő
windpipe ['wɪnd-] n légcső
windrow ['wɪndrou] n rend [széna stb.]
wind-sail ['wɪnd-] n szelelő [hajón]
windscreen ['wɪndskriːn] n szélvédő [autón]
windscreen-wiper n ablaktörlő [autón]
windshield ['wɪnd-] n US = windscreen; ~ wiper = windscreen-wiper
wind-sleeve/sock ['wɪnd-] n szélzsák
Windsor ['wɪnzə*] prop
wind-storm ['wɪnd-] n szélvihar
wind-sucker ['wɪnd-] n kehes ló
windsurf ['wɪndsəːf] n szörf, szélsikló
windsurfing ['wɪndsəːfɪŋ] n szörfözés
wind-swept ['wɪnd-] a szeles, széljárta [terület]
wind-tight ['wɪnd-] a szélmentes, légmentes
windup ['waɪndʌp] n befejezés, felszámolás, lezárás
wind-vane ['wɪnd-] n szélkakas
windward ['wɪndwəd] I. a széloldali, szél felé eső; ~ side széloldal II. adv szél irányában, szélnek III. n ⟨vidék ahonnan a szél fúj⟩
windy ['wɪndɪ] a 1. szeles, széljárta; viharos 2. szeleket okozó, felpuffasztó 3. bőbeszédű, semmitmondó
wine [waɪn] I. n bor; ~ list borlap; be in ~ borkőzi állapotban van; good ~ needs no bush jó bornak nem kell cégér II. vt ~ and dine sy vkt jól tart (étellel-itallal)
wine-bibber [-bɪbə*] n borissza, iszákos
wine-bin n rekeszes palacskosláda
wine-cellar n bor(os)pince
wine-coloured a borszínű, borvörös
wine-glass n borospohár
wine-grower n bortermelő
wine-growing I. a bortermel(el)ő II. n bortermelés, szőlészet
wine-merchant n bornagykereskedő
wine-press n szőlőprés

wine-vault n 1. borospince 2. borpince [vendéglő]
wing [wɪŋ] I. n 1. szárny; be on the ~ repül, szárnyal; take sy under one's ~s pártfogásába (v. szárnyai alá) vesz vkt; take ~ szárnyra kel; his ~s are sprouting (olyan jó, hogy) nem erre a világra való 2. hordfelület, szárny [repülőgépé] 3. repülőosztály [három század] 4. repülés 5. pilótajelvény; get one's ~s leteszi a pilótavizsgát 6. szélső [futballban] 7. the ~s kulisszák II. A. vt 1. szárnyat ad 2. röpít 3. megszárnyaz [madarat] B. vi röpül, szárnyal
wing-beat n szárnycsapás
wing-case n szárnyfedél [bogaraké]
wing-chair n füles karosszék
wing-commander n repülőalezredes
winged [wɪŋd] a 1. szárnyas; szárnyú 2. megszárnyazott, megsebesített [madár] 3. gyors 4. magas röptű, szárnyaló
winger ['wɪŋə*] n (futball)szélső
wing-flap n csűrőlap [repgépen], segédszárny, fékszárny
wing-game n szárnyas vad
wingless ['wɪŋlɪs] a szárnyatlan
wing-nut n szárnyas anya(csavar)
wing-rib n hátszínszelet
wing-screw n fülescsavar
wing-span/spread n szárnyszélesség; fesztávolság
Winifred ['wɪnɪfrɪd] prop ⟨angol női név⟩
wink [wɪŋk] I. n szempillantás, hunyorítás, pislantás, kacsintás; in a ~ egy pillanat alatt/múlva; without a ~ of the eyelid szemrebbenés nélkül; have forty ~s szundít egyet, kicsit ledől (aludni); not a ~ egy szemhunyásnyit sem [aludt]; biz tip sy the ~ hunyorítással jelez vknek II. A. vi 1. pislog, pislant, hunyorít, kacsint; ~ at sy rákacsint vkre, szemével int vknek 2. ~ at sg szemet huny vm fölött B. vt 1. ~ one's eye(s) pislant, pislog, hunyorít, kacsint 2. ~ a hint szemével figyelmeztet
winkers ['wɪŋkəz] n pl 1. szemellenző [lóé] 2. villogó [autón]
winking ['wɪŋkɪŋ] n pislogás, hunyorítás, kacsintás

winkle ['wɪŋkl] I. n = periwinkle² II. vt ~ out kipiszkál
winner ['wɪnə*] n 1. nyertes, győztes 2. biz nagy siker, bombasiker [pl. regény]
Winnie ['wɪnɪ] prop ⟨angol női név⟩
winning ['wɪnɪŋ] I. a (meg)nyerő, nyertes, győztes II. n 1. győzelem, (meg-) nyerés 2. winnings pl nyereség [játékban]
winningly ['wɪnɪŋlɪ] adv megnyerően, kedvesen
winning-post n céloszlop
Winnipeg ['wɪnɪpeg] prop
winnow ['wɪnoʊ] vt 1. szelel, rostál [gabonát] 2. kiválogat
winnower ['wɪnoʊə*] n gabonarosta
winsome ['wɪnsəm] a kedves, megnyerő
Winston ['wɪnst(ə)n] prop
winter ['wɪntə*] I. n tél; (jelzői haszn) téli; ~ garden télikert; ~ sports télisportok II. vi telel
wintering ['wɪnt(ə)rɪŋ] n telelés
winter-kill vt be ~ed (télen) elfagy
winterly ['wɪntəlɪ] a télies
winter-time n télidő, télvíz ideje
wintry ['wɪntrɪ] a télies, fagyos
wipe [waɪp] I. n (le)törlés, feltörlés II. vt (le)töröl, megtöröl; ~ one's eyes letörli a könnyeit, abbahagyja a sírást; □ ~ sy's eye vkt durván letorkol; □ ~ the floor with sy tönkrever, laposra ver vkt
wipe away/off vt letöröl
wipe out vt 1. kitöröl 2. eltöröl a föld színéről
wipe up vt feltöröl
wiper ['waɪpə*] n (ablak)törlő
wire ['waɪə*] I. n 1. drót, huzal; sodrony; ~ mattress sodrony(betét); ~ netting dróthálló; pull (the) ~s (1) a háttérből irányít (2) összeköttetéseit felhasználja 2. távirat; send sy a ~ táviratot/sürgönyt küld vknek, táviratoz/sürgönyöz vknek; reply by ~ drótválasz II. A. vt 1. (össze)drótoz, bedrótoz, sodronnyal odaerősít; ~ in dróttal körülkerít; ~ off drótkerítéssel elkerít 2. vezetéket szerel, villanyt bevezet (vhova) 3. megtávira-

toz, megsürgönyöz (vmt) **B.** *vi* távira-
toz (*to* vknek)
wire-brush *n* drótkefe
wire-cloth *n* drótszövet, -fonat
wire-cutter(s) *n pl* drótvágó (olló)
wired ['waɪəd] *a* **1.** (meg)drótozott **2.**
drótkerítéssel elkerített
wiredrawn *a* **1.** sodronnyá kihúzott
2. szőrszálhasogató [érvelés]
wire-haired *a* drótszőrű
wireless ['waɪəlɪs] *n* **1.** rádió; ~ *officer*/
operator rádiós; ~ *telegraphy* rádiótáv-
írás; *talk on the* ~ rádióelőadást tart
2. ~ (*set*) rádió(készülék)
wirephoto *n* képtávirat
wire-puller *n* protekcióval élő
wire-pulling *n* **1.** intrika **2.** protekció
(igénybevétele)
wire-rope *n* drótkötél, kábel
wire-tapping *n* (illetéktelen) lehallgatás
[távbeszélőé, táviraté]
wirework *n* drótháló, sodronyáru
wireworm *n* drótféreg
wiriness ['waɪərɪnɪs] *n* **1.** drótszerűség
2. szívósság
wiring ['waɪərɪŋ] *n* **1.** (elektromos)
vezeték (építése), huzalozás; ~ *dia-*
gram huzalozási rajz **2.** huzal, drót(há-
ló)
wiry [waɪərɪ] *a* **1.** drótszerű, drót- **2.**
szívós és izmos (de sovány)
Wis. *Wisconsin*
wisdom ['wɪzd(ə)m] *n* bölcsesség
wisdom-tooth *n* (*pl* -teeth) bölcsességfog
wise¹ [waɪz] *a* bölcs, okos; *The W*~
Men of the East a napkeleti bölcsek;
US biz get ~ *to a fact* felismer egy hely-
zetet; *US biz put sy* ~ *to sy* előre fi-
gyelmeztet (v. kitanít) vkt vk más-
nak különlegességeire; *he is none the*
~*r for it* semmivel sem lett okosabb
(tőle)
wise² [waɪz] *n* † *in no* ~ semmiképp, se-
hogy(an); *in this* ~ ilyenképpen,
ily módon
-wise [-waɪz] -szerűen, -módon, -képpen
wiseacre ['waɪzeɪkə*] *n* tudálékos em-
ber, álbölcs
wisecrack *n biz* jó bemondás, aranyköp-
és
wisely ['waɪzlɪ] *adv* bölcsen, okosan

wish [wɪʃ] **I.** *n* kívánság, óhaj; vágy ;
best ~*es* jókívánságok **II. A.** *vt* kíván
óhajt; vágyik (vmre); akar; ~ *sy*
further vkt pokolba kíván; *I* ~ *I were*
in your place szeretnék a helyedben
lenni; *I* ~ *I could do it* bár(csak)
megtehetném; *it is to be* ~*ed that*
kívánatos, hogy **B.** *vi* ~ *for sg* vmt
kíván
wish-bone *n* villacsont, sarkantyú(csont)
[szárnyasé]
wishful ['wɪʃfʊl] *a* kívánó, sóvár(gó); ~
thinking vágyálom, ábrándozás
wishy-washy ['wɪʃɪwɔʃɪ; *US* -aʃɪ] *a*
híg [lötty], ízetlen, se íze se bűze
[ételről]
wisp [wɪsp] *n* **1.** csutak, szalmacsomó
2. ~ *of hair* hajfürt **3.** seprűcske **4.**
~ (*of smoke*) füstgomolyag **5.** emberke
wispy ['wɪspɪ] *a* vékony, könnyed, lehe-
letszerű
wist →*wit²*
wistaria [wɪ'steərɪə] *n* glicínia
wistful ['wɪstfʊl] *a* (reménytelenül) vm
után vágyakozó, szomorkásan sóvárgó
wit¹ [wɪt] *n* **1.** szellemesség, elmésség;
ész, gyors felfogás, intelligencia; *keep*
one's ~*s about one* minden eszét össze-
szedi, ésszel él; *live by one's* ~*s* mái ról-
-holnapra él (ötleteiből); *be out of*
one's ~*s* elment az esze; *I am at my*
~*'s end* megáll az eszem **2.** szellemes
ember
wit² [wɪt] *vt* (jelen idejű 1. és 3. szem
wot [wɔt]; 2. szem **wottest** ['wɔtɪst];
pt **wist** [wɪst]) † tud; *God wot* Isten a
megmondhatója; *to* ~ azaz
witch [wɪtʃ] **I.** *n* **1.** boszorkány **2.** vén
banya **3.** elbűvölő nő **4.** ~*es' broom*
funguszos sarjhajtások [fákon] **II.**
vt **1.** elbűvöl **2.** boszorkányságot mű-
vel/tesz (vkvel)
witchcraft ['wɪtʃkrɑːft; *US* -æft] *n*
boszorkányság
witch-doctor *n* ördögűző, vajákos ember
witchery ['wɪtʃərɪ] *n* boszorkánymes-
terség; elbűvölés
witch-hunt *n* (politikai) boszorkányüldö-
zés
witching ['wɪtʃɪŋ] *a* elbűvölő, boszorká-
nyos

with [wɪð] *prep* 1. -val, -vel; ~ *all speed* teljes sebességgel, azonnal; *I am* ~ *you there* ebben egyetértek veled; ~ *this/that* ezzel, ezután 2. -nál, -nél; *stay* ~ *a friend* egy barátjánál száll meg; *I have no money* ~ *me* nincs nálam pénz; *it's a habit* ~ *me* (ez nekem) szokásom, megszoktam 3. -tól, -től, miatt; *stiff* ~ *cold* hidegtől megmeredve/meggémberedve 4. ~ *child* állapotos, terhes; ~ *young* vemhes 5. ellenére; ~ *all his faults* minden hibája ellenére 6. *biz be* ~ *it* benne van a dologban, nincs lemaradva, korszerű

withal [wɪ'ðɔːl] I. *adv* azonkívül, amellett II. *prep* -val, -vel; vele

withdraw [wɪð'drɔː] *v* (*pt* -drew -'druː, *pp* ~n -'drɔːn) A. *vt* 1. visszahúz (vmt vmből); kivon [csapatot]; visszavon; kivesz [gyereket iskolából] 2. kiold [kuplungot] 3. bevon [forgalomból] 4. felvesz, kivesz [összeget számláról] B. *vi* visszahúzódik, -vonul

withdrawal [wɪð'drɔː(ə)l] *n* 1. kivonás [csapaté] 2. visszavonás [rendeleté stb.]; visszaszívás [ígéreté] 3. kivét [pénzé] 4. visszalépés; visszavonulás

wither ['wɪðə*] A. *vi* 1. elhervad, elszárad; elsorvad 2. eltűnik B. *vt* 1. elhervaszt, elszárít 2. ~ *sy with a look* vkt gyilkos pillantással elhallgattat

withered ['wɪðəd] *a* 1. hervadt, fonynyadt, elhalt, aszott; ráncos 2. meghiúsult [remény]

withering ['wɪð(ə)rɪŋ] *a* 1. (el)hervadó 2. lesújtó [pillantás]

withers ['wɪðəz] *n pl* [ló] marja

withershins ['wɪðəʃɪnz] *adv* = widdershins

withhold [wɪð'hoʊld] *vt* (*pt/pp* -held -'held) 1. visszatart 2. nem ad meg, megtagad [beleegyezést stb.]; elhallgat (*sg from sy* vmt vk előtt) 3. megakadályoz

within [wɪ'ðɪn] I. *adv* benn, bent, belül; *go* ~ bemegy (a házba) II. *prep* (vmnek) belsejében; ~ *doors* házon belül, bent (a házban); ~ *an inch of death* egy hajszálnyira a halál-

tól; ~ *the law* a törvény szabta határokon belül; ~ *named* az itt/alábbiakban megnevezett; ~ *a radius of 10 miles* 10 mérföld körzeten belül; ~ *sight* látótávolban, látható; ~ *a short time* rövid idő alatt

with-it ['wɪðɪt] *a biz* divatos, korszerű

without [wɪ'ðaʊt] I. *adv* † kívül, kinn, künn; *seen from* ~ kívülről nézve, külsőleg II. *prep* 1. nélkül; ~ *end* vég nélkül, végtelen(ül); ~ *whom* aki nélkül; *not* ~ *difficulty* nem könnyen, nem minden nehézség nélkül; ~ *so much as* anélkül, hogy; *it goes* ~ *saying* mondanom sem kell, ez magától értetődik; *a week never passes* ~ *his writing* egy hét el nem múlik, hogy ne írna 2. † (vmn) kívül; ~ *doors* házon kívül, szabadban

withstand [wɪð'stænd] *vt* (*pt/pp* -stood -'stʊd) ellenáll (vknek, vmnek)

v ithy ['wɪðɪ] *n* fűzfakötés, fűzfavessző (vmnek átkötésére)

witless ['wɪtlɪs] *a* ostoba, szellemtelen

witness ['wɪtnɪs] I. *n* 1. tanú; szemtanú; *be a* ~ *to* szemtanúja vmnek; *produce a* ~ tanút állít 2. tanúságtétel, (tanú-)bizonyság; *call sy to* ~ tanúvallomás-tételre szólít fel vkt; *bear* ~ *to sg* vmt tanúsít, vm mellett tanúskodik, tanúbizonyságot tesz vmről; *bear false* ~ hamis tanúvallomást tesz; *in* ~ *thereof* aminek bizonyságául/hiteléül; ~ *for the crown* a vád tanúja II. A. *vt* 1. tanúsít, tanúként aláír/igazol 2. szemtanúja (vmnek), jelen van (vmnél) B. *vi* 1. tanúvallomást tesz, tanúskodik (*for* vk mellett, *against* vk ellen, *to* vm mellett) 2. bizonyságot tesz

witness-box/stand *n* tanúk padja

-witted [-'wɪtɪd] vmlyen észjárású

witticism ['wɪtɪsɪzm] *n* szellemes megjegyzés, szellemeskedés

wittily ['wɪtɪlɪ] *adv* szellemesen

wittingly ['wɪtɪŋlɪ] *adv* tudatosan, szándékosan

witty ['wɪtɪ] *a* szellemes

wives →wife

wizard ['wɪzəd] *n* varázsló

wizardry ['wɪzədrɪ] *n* varázslás

wizened ['wɪznd] *a* aszott, töpörödött, ráncos
wk. *week* hét
Wm. *William* Vilmos
W.N.W., WNW *west-north-west* nyugat--északnyugat
wo [woʊ] *int* hőhe !, hó !
woad [woʊd] *n* 1. festő csülleng, festőfű 2. kék festék
wobble ['wɔbl; *US* -a-] I. *n* 1. ingadozás 2. kalimpálás 3. lötyögés II. *vi* 1. inog 2. kalimpál 3. lötyög 4. ingadozik, tétovázik, habozik
wobbler ['wɔblə*; *US* -a-] *n* bizonytalan/határozatlan/tétovázó ember
wobbly ['wɔblɪ; *US* -a-] *a* ingó, bizonytalan lábon álló
Wodehouse ['wʊdhaʊs] *prop*
woe [woʊ] *n* 1. szomorúság, bánat; ~ *is me!* jaj nekem! 2. **woes** *pl* bajok, csapások
woebegone ['woʊbɪgɔn; *US* -ɔ:n] *a* szomorú, levert, bánatos
woeful ['woʊfʊl] *a* búbánatos, szerencsétlen
woefully ['woʊfʊlɪ] *adv* szomorúan
wog [wɔg; *US* -a-] *n GB* □ ázsiai bennszülött [megvető szóhasználat]
woke [woʊk] →*wake II.*
wold [woʊld] *n* dombvidék
wolf [wʊlf] I. *n* (*pl* **wolves** wʊlvz) 1. farkas; *cry* ~ vaklármát csap; *have/hold a* ~ *by the ears* törököt fogott; *keep the* ~ *from the door* távol tartja a nyomort; *a* ~ *in sheep's clothing* báránybőrbe bújtatott farkas 2. □ nagy kan II. *vt* befal [ételt]
wolf-dog *n* farkaskutya
Wolfe [wʊlf] *prop*
wolf-hound *n* farkaskuvasz, ír óriáskutya
wolfish ['wʊlfɪʃ] *a* 1. farkasszerű 2. kapzsi 3. kegyetlen
wolfram ['wʊlfrəm] *n* volfrám
wolfsbane ['wʊlfsbeɪn] *n* sisakvirág
wolf-tooth *n* (*pl* **-teeth**) farkasfog
wolf-whistle *n* füttyentés (csinos nő láttán) [férfiúi elismerés]
Wolsey ['wʊlzɪ] *prop*
wolverine ['wʊlvəri:n] *n* rozsomák, torkosborz

wolves →*wolf I.*
woman ['wʊmən] *n* (*pl* **women** 'wɪmɪn) asszony, nő; *the new* ~ a modern nő; *single* ~ hajadon, egyedülálló nő; *there's a* ~ *in it* nő van a dologban; ~'s, *women's* női [ruha stb.]
woman-hater [-heɪtə*] *n* nőgyűlölő
womanhood ['wʊmənhʊd] *n* 1. asszonyiság, asszonnyá érés 2. a nők
womanish ['wʊmənɪʃ] *a* nőies, elnőiesedett, asszonyos [férfi]
womanize ['wʊmənaɪz] *vi* nőzik [férfi]
womankind [wʊmən'kaɪnd] *n* a nők, az asszonyok, asszonynép(ség)
womanlike ['wʊmənlaɪk] *a* nőies
womanliness ['wʊmənlɪnɪs] *n* nőiesség
womanly ['wʊmənlɪ] *a* női(es), gyengéd
womb [wu:m] *n* (anya)méh
women →*woman*
womenfolk ['wɪmɪnfoʊk] *n* = *womankind*
won →*win*
wonder ['wʌndə*] I. *n* 1. csoda; *work* ~s csodát tesz; *nine-days'* ~ három napig tartó csoda; *for a* ~ csodálatosképpen; *the* ~ *is that* az a csodálatos, hogy; *no/little* ~ *that* nem csoda, hogy 2. csodálkozás; csodálat II. *vi/vt* 1. csodázik, meglepődik (*at* vmn); *biz I shouldn't* ~ *if* ... egyáltalán nem lepődnék meg, ha ... 2. szeretné tudni, kíváncsi vajon, azon tűnődik, hogy; *I* ~ *!* (1) erre aztán kíváncsi vagyok! (2) kétlem!, nem tartom valószínűnek!; *I* ~ *who she is* vajon ki ő?
wonderful ['wʌndəf(ʊ)l] *a* csodálatos, csodás, bámulatos
wonderfully ['wʌndəflɪ] *adv* csodá(lato)san, remekül
wondering ['wʌnd(ə)rɪŋ] I. *a* csodálkozó, kíváncsi II. *n* csodálkozás, tűnődés
wonderland *n* csodák világa, csodaország, tündérország
wonderment ['wʌndəmənt] *n* csodálkozás
wonder-struck *a* elcsodálkozott, (b)ámuló
wonder-worker *n* csodatevő
wondrous ['wʌndrəs] *a* = *wonderful*

wonky ['wɔŋkɪ; US -ɑ-] a □ 1. bizony-
talan járású, rozoga 2. beteg, nya-
valyás
wont [woʊnt] I. a (meg)szokott; as he was
~ to do ahogy szokta tenni II. n
szokás III. v aux (pt ~, pp ~ v. ~ed
'woʊntɪd] as he ~s to do ahogy szo-
kott/szokta tenni
won't [woʊnt] = will not →will¹
wonted ['woʊntɪd] a (meg)szokott, szo-
kásos
woo [wu:] vt 1. udvarol (vknek) 2.
megkéri a kezét (vknek) 3. megnyer-
ni igyekszik
wood [wʊd] n 1. (gyakran pl) erdő;
can't see the ~ for the trees nem látja
a fától az erdőt; take to the ~s erdőbe
menekül; we are not yet out of the ~
még nem vagyunk túl a veszélyen;
don't halloo till you are out of the ~
ne igyál előre a medve bőrére 2. fa-
(anyag); (jelzői haszn) fa-; small ~
aprófa; ~ alcohol faszesz; ~ tar kát-
rány, facement; ~ turning faeszter-
gályozás; ~ vinegar faecet; touch ~,
US knock (on) ~ kopogd le!, lekopog-
ni! 3. hordó 4. tekebábu, fa
woodbin n fásláda
woodbine ['wʊdbaɪn] n 1. lonc 2. US
vadszőlő
wood-block n 1. fakocka 2. (fa) nyomódúc
wood-carving n fafaragás, -faragvány
woodchuck n amerikai mormota
woodcock n erdei szalonka
woodcraft n az erdei életmód ismerete;
erdőismeret
woodcut n fametszet
wood-cutter n 1. favágó 2. fametsző
wood-cutting n favágás
wooded ['wʊdɪd] a erdős, fás
wooden ['wʊdn] a 1. fából való, fa-;
~ horse trójai faló; ~ shoes facipő,
klumpa 2. ügyetlen, esetlen, merev
[mozdulat]
wood-engraver n fametsző
wood-engraving n 1. fametszés 2. fa-
metszet
wooden-headed a fafejű
wood-fibre n farost
woodland ['wʊdlənd] n erdős vidék,
erdőség

woodlander ['wʊdləndə*] n erdőlakó
wood-louse n (pl -lice) fatetű; pinceászka
woodman ['wʊdmən] n (pl -men -mən)
1. erdész 2. favágó
wood-notes n pl erdei zsongás/hangok,
madárdal
wood-nymph n erdei tündér, driád
wood-paper n fapapír
woodpecker ['wʊdpekə*] n harkály, fa-
kopáncs
wood-pigeon n vadgalamb
wood-pile n farakás
wood-pulp n fapép; cellulóz
wood-ruff n szagos müge
wood-shed n fáskamra
woodsman ['wʊdzmən] n (pl -men
-mən) 1. erdőlakó 2. erdei vadász
3. erdei favágó
wood-spirit n faszesz
wood-stack n farakás
wood-wind [-wɪnd] n fafúvósok
wood-wool n fagyapot
woodwork n famunka
woody ['wʊdɪ] a fás, erdős
wooer ['wu:ə*] n udvarló, (leány)kérő
woof [wu:f] n = weft
wooing ['wu:ɪŋ] n udvarlás
wool [wʊl] n 1. gyapjú; all/pure ~
tiszta gyapjú; pull the ~ over sy's
eyes port hint vknek a szemébe
2. (gyapjas) haj [négeré]; □ lose
one's ~ dühbe gurul, begurul
wool-bearing a gyapjútermő
woolen →woollen
wool-fat n gyapjúzsír; lanolin
wool-fell n birkabőr
wool-gathering n ábrándozás, szórako-
zottság
wool-hall n gyapjútőzsde
woollen, US woolen ['wʊlən] I. a gyap-
jú- II. n gyapjúszövet, -anyag; ~s
gyapjúáru, -holmi
woolliness ['wʊlnɪs] n 1. gyapjasság
2. ködösség [stílusé]
woolly ['wʊlɪ] I. a 1. gyapjas 2. ködös,
elmosódó [stílus] II. n gyapjú alsó-
ruha; woollies gyapjúholmi
woolsack n gyapjúzsák ⟨a lordkancel-
lár ülőhelye az angol felsőházban⟩
wool-stapler n gyapjúkereskedő
wool-waste n hulladékgyapjú

Woolwich ['wʊlɪdʒ] *prop*
woolwork *n* (gyapjú)hímzés
Woolworth ['wʊlwəθ] *prop*
wop [wɔp; *US* -ɑ-] *n US* □ olasz bevándorolt, digó
Worcester(shire) ['wʊstə(ʃə)*] *prop* ~ *sauce* Worcester-mártás
word [wəːd] **I.** *n* **1.** szó; ~ *order* szórend; ~ *for* ~ szó szerint, szóról-szóra; *in a* ~ egyszóval; *in so many* ~*s* részletesen kifejtve; *get a* ~ *in, put one's* ~ *in* közbeszól; *in other* ~*s* más szóval; *have a* ~ *with sy* beszél vkvel; *have* ~*s with sy* szóváltása van vkvel; *put in a* ~ *for sy* jó szót szól (v. felszólal) vk érdekében; *by* ~ *of mouth* élőszóval; *a* ~ *in season* jókor adott tanács, jókor elejtett szó; *the last* ~ (*in sg*) a legmodernebb vm, a legutolsó divat (vmben) **2.** üzenet; *send* ~ üzen **3.** ígéret, adott szó; ~ *of honour* becsületszó; *upon my* ~ (becsület)szavamra; *be a man of his* ~ ura a szavának; *be as good as one's* ~ állja a szavát; *give sy one's* ~ *for sg* szavát adja vknek vmre; *take my* ~ *for it* szavamra mondom; *take sy at his* ~ szaván fog vkt; *he was better than his* ~ többet tett mint amennyit ígért **4.** *the W* ~ (*of God*) az Isten igéje, az Ige **5. words** *pl* szöveg [dalé stb.] **II.** *vt* megfogalmaz, szavakba foglal
word-book *n* szótár, szószedet
word-division *n* (szó)elválasztás
worded ['wəːdɪd] *a* fogalmazott, kifejezett
word-formation *n* szóképzés
wordiness ['wəːdɪnɪs] *n* **1.** terjengősség **2.** szóbeliség
wording ['wəːdɪŋ] *n* **1.** szövegezés **2.** szóhasználat, kifejezés
wordless ['wəːdlɪs] *a* **1.** szótlan **2.** ki nem fejezett
word-perfect *a* szerepét/leckéjét tökéletesen tudó
word-picture *n* szemléletes leírás, szókép
word-play *n* szójáték
word-splitting *n* szőrszálhasogatás
Wordsworth ['wəːdzwəθ] *prop*
wordy ['wəːdɪ] *a* **1.** terjengős, szóbő,

bőbeszédű **2.** szóbeli, szavakba foglalt
wore →*wear II.*
work [wəːk] **I.** *n* **1.** munka, dolog, elfoglaltság; *be at* ~ (1) munkában van, dolgozik (2) működik; *be out of* ~ (1) munka nélkül van (2) nem működik; *set to* ~ munkához kezd/lát **2.** mű, alkotás; ~ *of art* műalkotás, műremek; ~ *in progress* készülő mű **3. works** *pl* (1) műtárgyak (2) erődök, erődítmények **4.** (-)**works** gyár(telep); üzem; -művek; ~*s council* üzemi bizottság; ~*s manager* műszaki igazgató **5.** *the* ~*s of the watch* az óra szerkezete **6.** *good* ~*s* jó cselekedetek **II.** *v* (*pt/pp* ~**ed** wəːkt, régies **wrought** rɔːt) **A.** *vi* **1.** dolgozik; ~ *hard* keményen dolgozik; ~ *like a nigger/horse* rogyásig dolgozik, kulizik; ~ *to rule* szándékosan lassítja a munkát [bérharcként] →*work-to-rule* **2.** működik, jár [gép stb.] **3.** hat [gyógyszer], beválik [rendszer] **4.** kézimunkázik, hímez **5.** kotyog [gépalkatrész]; ~ *loose* meglazul [csavar] **6.** forr, dolgozik [bor]; erjed [sör stb.] **B.** *vt* **1.** megdolgoztat vkt; ledolgoz [munkaidőt]; ~ *one's passage* ledolgozza az útiköltség árát; ~ *one's way* (1) utat tör (vhová) (2) maga keresi meg tanulmányainak költségeit **2.** működtet, járat, kezel [gépet stb.]; üzemeltet, művel [bányát] **3.** (meg)művel [földet] **4.** megmunkál [fémet], feldolgoz [anyagot]; (meg)dagaszt, kidolgoz [tésztamasszát] **5.** ~ *itself loose* eloldódik [kötél vége]; ~ *one's hands free* kiszabadítja kezeit **6.** tesz, véghezvisz [csodát]; előidéz, létrehoz [változást] **7.** kiszámít, megold [számtanpéldát] **8.** (ki)hímez, kivarr; kézimunkával készít, köt [ruhadarabot] **9.** működik [területen], megdolgoz [rábeszéléssel vkt]; ~ *a district* bejárja/beutazza a körzetet [ügynök]
work at *vi* vmin dolgozik, vmt tanulmányoz
work away *vi* állandóan dolgozik (*at* vmn)

work for *vi* (vkért, vmért, vknél) dolgozik

work in A. *vt* be(le)dolgoz, belesző **B.** *vi* **1.** beleillik **2.** behatol, beveszi magát

work into *vt* **1.** belecsúsztat; belekényszerít; ~ *himself i. sg* befurakodik **2.** belehajszol vkt vmbe; ~ *oneself i. a rage* (fokozatosan) feldühösíti magát

work off A. *vt* **1.** feldolgoz, ledolgoz, eldolgoz **2.** leráz magáról [terhes, kellemetlen dolgot] **3.** elsüt [árut, gyenge viccet] **B.** *vi* (lassanként) leválik, lecsavarodik; eltűnik, felszívódik

work on A. *vi* **1.** vmn dolgozik **2.** hatása van vmre, hat vmre **B.** *vt* ráhímez vmt

work out A. *vt* **1.** ledolgoz [adósságot, időt], kitölt [időt]; ~ *o. one's time* (tanuló)idejét leszolgálja **2.** kidolgoz [tervet stb.] **3.** (gyakorlatban) megvalósít; véghezvisz, (fáradsággal) kivív **4.** kiszámít, megfejt, megold [példát] **5.** kimerít [bányát, személyt] **B.** *vi* **1.** megoldódik **2.** (ki)alakul, fordul [dolog, helyzet] **3.** (végeredményeként) kitesz; kijön [számtanpélda]

work up A. *vt* **1.** feldolgoz **2.** kiépít, kialakít, kidolgoz **3.** (fokozatosan) felizgat **4.** ~ *one's way up* felküzdi magát **B.** *vi* **1.** feljebb jut; feltornássza/felküzdi magát; *what are you ~ing up to?* hová akarsz kulyukadni? **2.** felcsúszik [ruha]

work upon *vi/vt* = *work on*

workable ['wə:kəbl] *a* **1.** megmunkálható, feldolgozható **2.** megvalósítható; *átv* járható [út]

workaday ['wə:kədeɪ] *a* hétköznapias, prózai; praktikus

workaholic [wə:kə'hɔlɪk; *US* -'hɔ:-] *n US* munkamániás

work-bag *n* **1.** szerszámtáska, -zsák **2.** varródoboz, kézimunkatáska

work-basket *n* kézimunkakosár

work-bench *n* munkapad, -asztal, gyalupad

workbook *n* **1.** munkafüzet **2.** kezelési útmutató

work-box *n* **1.** szerszámláda **2.** kézimunkadoboz

work-day *n* munkanap, hétköznap

work-dog *n* munkakutya

worker ['wə:kə*] *n* **1.** munkás, dolgozó; *fellow* ~ (1) munkatárs (2) munkástárs, -testvér; *the* ~*s are out* a munkások sztrájkolnak **2.** ~ *(bee)* dolgozó- (méh)

work-force *n* munkáslétszám; munkaerő

workhouse *n* **1.** *GB* † szegényház **2.** *US* dologház

working ['wə:kɪŋ] **I.** *a* **1.** dolgozó, munkás-; *the* ~ *class(es)* a munkásosztály, a munkásság; ~ *man* munkás, dolgozó; ~ *party* munkabrigád **2.** működő [gép stb.] **II.** *n* dolgozás; működés; üzemeltetés; munka; ~ *capital* forgótőke; ~ *conditions* munkafeltételek; ~ *day* = *work-day*; ~ *dinner*/*lunch*(*eon*) munkaebéd; ~ *drawing* műhelyrajz, kiviteli terv; ~ *expenses* üzemi költségek; ~ *hours* munkaidő; ~ *hypothesis*/*theory* munkahipotézis; ~ *knowledge* gyakorlati ismeret; *in* ~ *order* üzemképes (állapotban); ~ *paper(s)* a [konferencia] írásos anyaga, munkaanyag; ~ *plan* kiviteli terv, munkaterv

working-class *a* munkásosztályból való, munkásszármazású, munkás-

working-out *n* kidolgozás

workless ['wə:klɪs] *a* munka nélküli, tétlen

work-load *n* munkaterhelés

workman ['wə:kmən] *n* (*pl* -men -mən) munkás; kézműves; *workmen's dwellings* munkáslakások

workmanlike ['wə:kmənlaɪk] *a* szakszerű, ügyes

workmanship ['wə:kmənʃɪp] *n* **1.** kivitelezés (módja), kidolgozás, szakszerűség **2.** (kézi) munka **3.** vknek a műve

workout *n US biz* edzés [verseny előtt]

workpeople *n* munkásság

workpiece *n* munkadarab

workroom *n* **1.** műhely **2.** dolgozószoba

worksheet *n* **1.** munkalap **2.** feladatlap

workshop *n* műhely

work-shy *a* dolgozni nem akaródzó, lusta, lógós

work-table *n* kézimunkaasztal, varróasztal

worktop *n* munkaasztal, -felület

work-to-rule *n* szándékos munkalassítás, túlbuzgósági sztrájk

workwoman *n* (*pl* -women) 1. munkásnő, -asszony; dolgozó nő 2. varrónő

world [wə:ld] *n* 1. világ, föld; W~ Cup (labdarúgó-)világbajnokság; világkupa; ~ *fair* világkiállítás; ~ *language* világnyelv; ~ *record* világcsúcs; ~ *war* világháború; *the next* ~, *the* ~ *to come* a másvilág/túlvilág; ~ *without end* az idők végezetéig, mindörökké; *for all the* ~ (1) a világért sem (2) minden tekintetben; *all the* ~ *over*, *all over the* ~ az egész világon; *it's the way of the* ~, *such is the* ~ ilyen az élet; *in the* ~ (1) a világon/földön (2) egyáltalán, valaha; W~ *Series* ⟨az USA hivatásos baseball-csapatainak országos bajnoksága⟩ 2. *a* ~ *of* tömérdek, rengeteg

world-famous *a* világhíres, -hírű

worldliness ['wə:ldlɪnɪs] *n* világiasság

worldling ['wə:ldlɪŋ] *n* világias/anyagias ember

worldly ['wə:ldlɪ] *a* 1. világi(as) 2. anyagias; ~ *wisdom* gyakorlatias/anyagias életbölcsesség 3. evilági, földi

worldly-minded *a* anyagias gondolkodású

world-politics *n* világpolitika

world-power *n* nagyhatalom, világhatalom

world-weary *a* életunt

world-wide *a* az egész világon elterjedt, világméretű, világ-; ~ *fame* világhír

worm [wə:m] I. *n* 1. féreg, hernyó, kukac, nyű, giliszta; *even a* ~ *will turn* a féreg is megtekeri magát, ha reáhágnak [= a legelnyomottabb embernek is elfogy egyszer a türelme] 2. csavarmenet 3. csigafúró 4. kígyócső [lepárlókészülékben] II. *vt* 1. ~ *oneself* (v. *one's way*) (1) ... *into* beférkőzik/befurakodik vhova (2) ... *through* átfurakodik vmn 2. ~ *sg out of sy* vmt kicsal/kipiszkál vkből

worm-bit *n* vágóél [fúrón]

worm-cast *n* gilisztatúrás

worm-drive *n* csigakerékhajtás

worm-eaten *a* 1. szúette, férges, féregrágta, hernyórágta 2. idejétmúlt

worm-gear *n* csigakerék(hajtás)

worm-hole *n* szújárat; kukacrágás

worm-like *a* féregszerű, hernyószerű

worm-powder *n* féregirtó (szer)

worm's-eye view ['wə:mzaɪ] békaperspektíva, alulnézet

worm-wheel *n* csigakerék, csavarkerék

wormwood *n* 1. üröm 2. keserűség

wormy ['wə:mɪ] *a* 1. kukacos, férges 2. féregrágta 3. alázatoskodó, csúszómászó

worn [wɔ:n] *a* kopott, elnyűtt, viseltes; →*wear II.*

worn-out *a* 1. elfáradt, kimerült, lerobbant 2. agyonhasznált, elnyűtt

worried ['wʌrɪd; *US* 'wə:-] *a* gondterhelt, aggódó, nyugtalan →*worry II.*

worry ['wʌrɪ; *US* 'wə:-] I. *n* aggodalom, nyugtalankodás, gond II. *v* (*pt/pp* **worried** 'wʌrɪd, *US* 'wə:-) A. *vi* aggódik, nyugtalankodik (*about/over* vm miatt); *don't* ~! ne aggódj/aggodalmaskodj!, ne izgasd magad!; *what's the use of* ~*ing?* kár ezen gyötrődni! B. *vt* 1. gyötör, zaklat 2. aggaszt, izgat

worse [wə:s] I. *a* 1. rosszabb; *so much the* ~ annál rosszabb; *the* ~ *for wear* erősen viseltes 2. betegebb II. *adv* rosszabbul; *none the* ~ semmivel sem kevésbé, még inkább; *none the* ~ *for* ... nem ártott neki ...; *you might do* ~ *than* ... okosan tennéd, ha; még mindig jobb az, ha ... III. *n* 1. rosszabb dolog 2. rosszabb állapot; *a change for the* ~ rosszra fordulás 3. vereség; *have the* ~ vereséget szenved ‖ →*bad*

worsen ['wə:sn] A. *vt* rosszabbít, (el-)ront B. *vi* rosszabbodik

worship ['wə:ʃɪp] I. *n* 1. imádás; istentisztelet; *place of* ~ templom 2. méltóság; *Your* W~ méltóságod II. *v* -**pp**- A. *vt* imád B. *vi* imádkozik; istentiszteleten vesz részt

worshipful ['wə:ʃɪpfʊl] *a* tiszteletre méltó; kb. nagy tekintetű [tanács stb.]

worshipper ['wə:ʃɪpə*] n 1. imádó 2.
the ~s a hívek
worst [wə:st] I. a legrosszabb II. adv
legrosszabbul III. n a legrosszabb
dolog; at (the) ~ a legrosszabb eset-
ben; get the ~ of it alulmarad [küzde-
lemben]; if the ~ comes to the ~ ha a
legrosszabbra kerül(ne) a sor IV. vt
legyőz, fölébe kerekedik (vknek);
|| →bad
worsted ['wʊstɪd] n fésűsgyapjú fonal/
szövet, kamgarn (szövet)
-wort [-wə:t] -fű, -növény
worth [wə:θ] I. a 1. értékű; be ~ sg
ér vmt; be little ~, be ~ little keveset
ér; be ~ thousands ezreket ér; for all
one is ~. teljes erejéből; . . . for what
it is ~ nem állok jót érte (hogy így
van), nem tulajdonítva neki túl nagy
értéket; he is ~ a million milliomos
2. érdemes; is it ~ it/while? érdeme-
e?, megéri-e?; be well ~ seeing nagyon
érdemes megnézni; it isn't ~ . . .-ing
nem éri meg . . ., nem érdemes . . .
II. n érték; a pound's ~ of . . . egy
font értékű . . .
worthily ['wə:ðɪlɪ] adv 1. méltóképpen
2. érdemlegesen, érdemesen
worthiness ['wə:ðɪnɪs] n érdem(esség)
worthless ['wə:θlɪs] a 1. értéktelen, hit-
vány 2. érdemtelen
worthwhile [wə:θ'waɪl; US -'hw-] a
érdem(leg)es, a fáradságot megérő,
valamirevaló
worthy ['wə:ðɪ] I. a érdemes, méltó
(of vmre) II. n kiválóság, kiváló em-
ber
wot →wit²
would →will¹ III.
would-be ['wʊdbi:] a 1. leendő, jöven-
dőbeli, ⟨olyan aki vm szeretne lenni,
de még nem az⟩ 2. állítólagos
wouldn't ['wʊdnt] = would not →will¹
wouldst [wʊdst] →will¹ III.
wound¹ [wu:nd] I. n 1. seb; sebesülés
2. sértés, sérelem II. vt 1. megsebesít;
be ~ed megsebesül; the ~ed a sebesül-
tek 2. megsért
wound² →wind¹ II. 5. és wind²
wove(n) ['woʊv(n)] a szövött; →weave
II.

wow [waʊ] n □ nagy siker, remek do-
log; it's a ~! remek !, pompás dolog!
wrack [ræk] n 1. † pusztulás 2. † =
wreck 3. partra vetett hínár
wraith [reɪθ] n kísértet, alakmás [élő
emberé halála előtt]
wrangle ['ræŋgl] I. n pörlekedés II. vi
1. pörlekedik, veszekedik 2. US lo-
vászkodik, csikósként működik
wrangler ['ræŋglə*] n 1. veszekedő 2.
mennyiségtani vizsga kitüntetettje
[cambridge-i egyetemen] 3. US csi-
kós, csordás
wrap [ræp] I. n 1. burkolat; ~s útita-
karók, pokrócok, sálak 2. felöltő;
belépő [ruhadarab] II. vt -pp- 1. be-
takar, beburkol; (be)csomagol (in
vmbe); ~ up sg vmt becsomagol;
~ oneself up beburkolózik, bebugyo-
lálja magát; be ~ped up in his work
belemerül munkájába; be ~ped up in
sy teljesen vknek él 2. palástol, elrejt
wrapper ['ræpə*] n 1. burkolat, borítás,
csomagolás; csomagolóanyag, gön-
gyöleg 2. keresztkötés [újságé]; bo-
rítólap, burkoló [könyvé] 3. pongyola
wrapping ['ræpɪŋ] n ~(s) csomagolás;
göngyöleg
wrapping-paper n csomagolópapír
wrath [rɔθ; US -æ-] n harag
wrathful ['rɔθfʊl; US -æ-] a haragos
wreak [ri:k] vt kitölt [bosszút/haragot
upon vkn]
wreath [ri:θ; pl -ðz] n 1. koszorú
2. füstcsiga
wreathe [ri:ð] A. vt 1. (meg)koszorúz
2. koszorúba köt 3. ~ one's arms
round sy vk köré fonja karjait, átölel
vkt 4. ~d column csavart oszlop
B. vi gombolyog
wreck [rek] I. n 1. roncs [hajóé stb.];
a nervous ~ idegroncs 2. hajótörés
3. (el)pusztulás, összetörés, tönkre-
menés 4. partra vetett (vagyon-)
tárgy II. A. vt összeroncsol, tönkretesz;
be ~ed hajótörést szenved; összetörik
[jármű] B. vi zátonyra fut, hajótörést
szenved
wreckage ['rekɪdʒ] n 1. (hajó)roncs
2. összeomlás
wrecked [rekt] a hajótörött, tönkrejutott

wrecker ['rekə*] n 1. zátonyra juttató 2. hajóroncsrabló 3. bontási vállalkozó 4. US autómentő
wrecking ['rekɪŋ] n 1. zátonyra futás 2. tönkretétel
wren [ren] n ökörszem [madár]
wrench [rentʃ] I. n 1. csavarkulcs, villáskulcs; franciakulcs 2. ficam; gave a ~ to his ankle kificamította a bokáját 3. elválás okozta fájdalom II. vt 1. kiránt 2. elcsavar, elgörbít 3. kificamít
wrest [rest] I. n 1. elcsavarás 2. hangolókulcs II. vt 1. elcsavar 2. kiforgat 3. kiránt vknek a kezéből, elragad
wrestle ['resl] I. n birkózás II. vi birkózik, küzd
wrestler ['reslə*] n birkózó
wrestling ['reslɪŋ] n birkózás
wrest-pin n hangolószeg [zongorahúré]
wretch [retʃ] n 1. nyomorult, hitvány ember 2. szegény ördög, szerencsétlen alak
wretched ['retʃɪd] a 1. szerencsétlen, boldogtalan, nyomorult [ember] 2. nyamvadt, vacak, silány [dolog]
wrick [rɪk] I. n rándulás II. vt megrándít
wriggle ['rɪgl] I. n 1. izgés-mozgás 2. tekergőzés II. A. vi 1. izeg-mozog; tekergőzik, csúszik-mászik, kígyózik; ~ out of kibújik [felelősség alól], kikecmereg [bajból] 2. hímez-hámoz, köntörfalaz B. vt 1. ide-oda mozgat 2. teker, csavargat
-wright [-raɪt] -műves
Wrigley ['rɪglɪ] prop
wring [rɪŋ] I. n facsarás; szorítás II. vt (pt/pp wrung rʌŋ) 1. kicsavar, (ki)facsar; ~ing wet csuromvizes; ~ the neck of kitekeri a nyakát; ~ sg from sy kicsikar vkből vmt 2. ~ one's hands kezét tördeli 3. gyötör 4. elferdít [értelmet]
wringer ['rɪŋə*] n facsarógép
wrinkle¹ ['rɪŋkl] I. n ránc, redő II. A. vt ráncol, redőz B. vi ráncolódik, redőződik
wrinkle² ['rɪŋkl] n biz 1. ötlet 2. bizalmas értesülés, tipp
wrist [rɪst] n csukló

wristband n kézelő
wrist-bone n kézfejcsont
wristlet ['rɪstlɪt] n 1. karperec; woollen ~ érmelegítő 2. biz bilincs
wrist-pin n dugattyúcsap(szeg), csuklócsapszeg
wrist-watch n karóra
writ [rɪt] n 1. bírói parancs/megkeresés/idézés; ~ of summons perbeidézés; serve a ~ on sy bíróság elé idéz vkt 2. Holy W~ Szentírás ‖ →write
write [raɪt] vt (pt wrote rout, pp written 'rɪtn, régies writ rɪt) (meg)ír, leír; ~ in ink tintával ír; ~ in Greek letters görög betűkkel ír; writ large (on it) nagy betűkkel olvasható rajta, szinte kiabál róla; nothing to ~ home about semmi különös, nem nagy szenzáció
  write down vt 1. leír [szöveget, követelést] 2. ábrázol, leír 3. biz (le-) becsmérel 4. vmnek tart
  write off vt 1. megír és elküld; lefirkant; letud [munkát] 2. leír, stornóz [követelést] 3. lemond (vmről)
  write out vt 1. lemásol, letisztáz 2. teljesen kiír 3. kiállít, kitölt [csekket] 4. (meg)ír [receptet] 5. ~ oneself o. kiírja magát [író]
  write up vt 1. feldolgoz, kidolgoz, megír [témát] 2. feldicsér, előnyösnek igyekezik feltüntetni 3. naprakész állapotba hoz
write-off n leírás [veszteségé]
writer ['raɪtə*] n 1. író, szerző; the (present) ~ e sorok írója, a szerző 2. írnok; ~'s cramp írógörcs
write-up n biz 1. sajtóbeszámoló, újságcikk 2. feldicsérő cikk
writhe [raɪð] vi 1. vonaglik, gyötrődik 2. lelki kínokat áll ki
writing ['raɪtɪŋ] n 1. írás; in ~ írásban; put (down) in ~ leír 2. irat, (írás)mű
writing-book n füzet, irka
writing-case n írómappa [írófelszereléssel], írókészlet
writing-desk n íróasztal, írópolc
writing-materials n pl írószerek
writing-pad n írómappa, blokk, jegyzettömb
writing-paper n írópapír, levélpapír

writing-table *n* íróasztal
written ['rɪtn] *a* írott; ~ *examination*
írásbeli (vizsga) ‖→*write*
wrong [rɔŋ; *US* -ɔ:-] I. *a* helytelen,
rossz, hibás, nem (a) jó, téves; *what's*
~ *with him?* mi történt vele?, mi a
baja?; *be* ~ téved; *go (down) the* ~
way cigányútra megy/téved [falat];
take the ~ *turning* eltéved; *he brought
me the* ~ *book* nem azt a könyvet hoz-
ta, amit kellett volna; ~ *number* téves
kapcsolás; *be on the* ~ *side of forty* túl
van már a negyvenen II. *adv* helytele-
nül, nem jól, hibásan, tévesen; rosszul;
get it ~ [számolásnál] elhibáz; félre-
ért; *go* ~ (1) baj éri (2) hibázik, téved,
hibát követ el, letér a helyes útról
(erkölcsileg is) (3) rosszul jár/műkö-
dik/sikerül (4) elromlik [készülék stb.];
you took me up ~ félreértettél III. *n* 1.
igazságtalanság, méltatlanság; *do* ~ *to
sy* méltatlanul bánik vkvel 2. jogsér-
tő cselekedet 3. sérelem 4. hiba, téve-
dés; *be in the* ~ nincs igaza; *put sy in
the* ~ vkt vmben hibásnak tüntet fel
(v. elmarasztal) IV. *vt* 1. igazságtala-
nul bánik (vkvel) 2. megkárosít, meg-
rövidít (vkt), árt (vknek) 3. megsért
wrongdoer [rɔŋ'duə*; *US* 'rɔ:ŋdu:ər] *n*
bajszerző; bajkeverő; jogsértő, bűnös
wrongdoing [-'du:ɪŋ] *n* 1. igazságtalan-
ság, méltánytalanság 2. gaztett, bűn
wrongful ['rɔŋful; *US* -ɔ:-] *a* jogtalan,
igazságtalan, törvénytelen
wrong-headed *a* 1. (téveszméihez) csö-

könyösen ragaszkodó, fonák gondol-
kodású, önfejű 2. elhibázott
wrongly ['rɔŋlɪ; *US* -ɔ:-] *adv* 1. helyte-
lenül, tévesen; ártatlanul [vádolják];
rightly or ~ joggal vagy jogtalanul 2.
gonoszul
wrote →*write*
wroth [rouθ] *a* haragos, dühös
wrought [rɔ:t] *a* feldolgozott, kidolgo-
zott; ~ *iron* kovácsolt vas ‖→*work*
wrought-up *a* izgatott
wrung [rʌŋ] →*wring II.*
wry [raɪ] *a* ferde, elfintorított; kénysze-
redett [mosoly]; *make a* ~ *face* sava-
nyú képet vág
wryneck *n* 1. nyaktekercs [madár] 2.
nyakferdülés
W.S.W., WSW *west-south-west* nyugat-
-délnyugat
wt. *weigth*
wuther ['wʌðə*] *vi* zúg, (s)üvölt [szél]
W.Va. *West Virginia*
wych-elm [wɪtʃ'elm] *n* hegyi szil
Wycherley ['wɪtʃəlɪ] *prop*
Wyclif(fe), Wickliffe ['wɪklɪf] *prop*
Wyclif(f)ite ['wɪklɪfaɪt] *a/n* Wyclif köve-
tője
wye [waɪ] *n* Y (betű); ipszilon alakú dolog
Wykehamist ['wɪkəmɪst] I. *a* winchesteri
kollégiummal kapcsolatos II. *n* ⟨win-
chesteri kollégium jelenlegi v. volt
növendéke⟩
Wyo. *Wyoming*
Wyoming [waɪ'oumɪŋ] *prop*
wyvern ['waɪvən] *n* sárkány

X

X,[1] x [eks] *n* X, x (betű)
X.,[2] x 1. *Cross* kereszt 2. csak 18 éven felülieknek [filmről]
Xanadu ['zænədu:] *prop*
Xanthippe [zæn'θɪpɪ] *n* házsártos feleség
xebec ['zi:bek] *n* ⟨háromárbocos kis hajó⟩
xenon ['zenɔn; *US* 'zi:nɑn] *n* xenon [nemesgáz]
xenophobe ['zenəfoʊb] *a/n* idegengyűlölő
xenophobia [zenə'foʊbjə] *n* idegengyűlölet
xeranthemum [zɪ'rænθɪməm] *n* szalmavirág, vasvirág
xerography [zɪə'rɔgrəfɪ; *US* -'rɑ-] *n* xerográfia
xerophilous [zɪ'rɔfɪləs; *US* -'rɑ-] *a* száraz éghajlatot kedvelő, szárazságkedvelő
xerophyte ['zɪrəfaɪt] *n* száraz éghajlatot kedvelő növény

xerox ['zɪərɔks; *US* -ɑks] I. *n* xerox II. *vt* xeroxoz(tat), xerox másolatot készít(tet)
Xerxes ['zə:ksi:z] *prop* Xerxész
xiphoid ['zɪfɔɪd] *a* kard alakú
Xmas ['krɪsməs] *n* (= *Christmas*) karácsony
X-ray [eks'reɪ] I. *a* röntgen-; ~ *examination* röntgenvizsgálat, -átvilágítás; ~ *photograph/picture* röntgenfelvétel II. *n* 1. *X-rays pl* röntgensugarak 2. röntgenfelvétel III. *vt* (meg)röntgenez, átvilágít
Xt *Christ* Krisztus
xylograph ['zaɪləgrɑ:f; *US* -æf] *n* fametszet
xylographer [zaɪ'lɔgrəfə*; *US* -'lɑ-] *n* fametsző
xylography [zaɪ'lɔgrəfɪ; *US* -'lɑ-] *n* fametszés, fametszetkészítés
xylophone ['zaɪləfoʊn] *n* xilofon

Y

Y, y [waɪ] *n* Y, y, ipszilon
y.² **1.** *yard* **2.** *year* év
yacht [jɔt; *US* -ɑ-] **I.** *n* jacht, verseny-
vitorlás **II.** *vi* jachtozik, vitorlázik
yacht-club *n* jachtklub
yachting ['jɔtɪŋ; *US* -ɑ-] *n* vitorlázás,
jachtozás, vitorlássport
yachtsman ['jɔtsmən; *US* -ɑ-] *n (pl
-men* -mən) vitorlázó, jachtozó
yah [jɑ:] *int* ugyan-ugyan!, na, ne
mondd!
yahoo [jə'hu:; *US* 'jɑ:hu:] *n* jehu ⟨gulli-
veri félállatias undorító ember⟩
yak [jæk] *n* jak
Yale [jeɪl] *prop*
yam [jæm] *n* yamgyökér
yammer ['jæmə*] *vi* nyafog, óbégat,
sopánkodik, jammerol
yank¹ [jæŋk] *biz* **I.** *n* rántás, tépés **II.** *vt*
(meg)ránt, rángat; ~ *out* kiránt
Yank² [jæŋk] *n US biz* jenki
Yankee ['jæŋkɪ] *n* jenki; ~ *Doodle* ⟨ame-
rikai hazafias dal (nem himnusz)⟩
Yankeedom ['jæŋkɪdəm] *n* jenkik, jenki-
világ
yankeefied ['jæŋkɪfaɪd] *a* elamerikaiaso-
dott
yap [jæp] **I.** *n* csaholás **II.** *vi* **-pp-** **1.** csa-
hol, ugat **2.** *biz* jár a szája
yard¹ [jɑ:d] *n* **1.** yard [mértékegység =
3 láb, 36 inch, 0,914 méter] **2.** (ke-
reszt)vitorlarúd
yard² [jɑ:d] *n* **1.** udvar; műhely, telep **2.**
rendező pályaudvar **3.** *biz the Y*~ a
(Scotland Yard)
yardage ['jɑ:dɪdʒ] *n* yardmennyiség
yard-arm *n* vitorlarúdvég
yard-man ['jɑ:dmən] *n (pl -men* -mən)
= *yardsman*

yard-master *n* tolatásmester
yardsman ['jɑ:dzmən] *(pl -men* -mən) *n*
1. tolatómunkás **2.** vitorlakezelő
yard-stick *n* egy yardos mérőrúd
Yarmouth ['jɑ:məθ] *prop*
yarn [jɑ:n] **I.** *n* **1.** fonal, fonál **2.** *biz*
történet, mese **II.** *vi* mesél ‖ → *spin II.*
yarn-beam *n* lánchenger
yarn-dyed *a* fonálban festett
yarrow ['jæroʊ] *n* cicfarkkóró
yashmak ['jæʃmæk] *n* arcfátyol [moha-
medán nőé]
yataghan ['jætəgən] *n* jatagán
yaw [jɔ:] **I.** *n* hirtelen irányváltoztatás,
oldalirányú lengés/kitérés **II.** *vi* hirte-
len eltér [eredeti irányától], farol
[hajó]
yawl [jɔ:l] *n* **1.** kétárbocos kis vitorlás **2.**
kis csónak [hajóé]
yawn [jɔ:n] **I.** *n* ásitás **II.** *vi* **1.** ásít **2.**
tátong
yawning ['jɔ:nɪŋ] *a* **1.** ásítozó **2.** tátongó
yaws [jɔ:z] *n pl* framboesia [fertőző bőr-
betegség]
yclad [ɪ'klæd] *a* † öltözve, öltözött [a
clothe ige régies *pp*-je]
yclept [ɪ'klept] *a* † nevezett, nevezve
yd(s). *yard(s)*
ye¹ [ji:] *pron* † te, ti; *hark* ~ ['hɑ:kɪ] ide
figyelj(etek), hallga; *how d'*~ *do?* [haʊ-
dɪ'du:] hogy vagy(tok)?; *thank* ~
['θæŋkɪ] köszönöm
ye² [ji: v. helyesebben ðə, ill. magán-
hangzó előtt: ði:] † = *the*
yea [jeɪ] *adv* **1.** igen, bizonnyal **2.** sőt
yeah [jeə] *int US biz* **1.** igen **2.** = *yah*
yean [ji:n] *vt/vi* ellik [juh, kecske]
year [jə:* v. *főleg US* jɪə(r)] *n* **1.** év,
esztendő; *last* ~ tavaly, a(z el)múlt

év(ben); ~ *by* ~, ~ *in* ~ *out, from* ~ *to*
~ *évről évre; in a* ~*'s time* egy év
alatt/múlva; *biz in the* ~ *one* réges-
-rég; *all the* ~ *round* az egész éven át;
see the old ~ *out* szilveszterezik; *he
does not look his* ~s fiatalabbnak lát-
szik koránál; *he is young for his* ~s
korához képest fiatal; *he is in* ~s benne
van a korban; *it is* ~s *since we met*
ezer éve nem láttalak 2. évfolyam
[iskolai]
year-book *n* évkönyv
yearling ['jə:lɪŋ; *US* 'jɪər-] *n* egyéves
állat
year-long *a* egy évig tartó, egyéves
yearly ['jə:lɪ v. *főleg US* 'jɪə(r)lɪ] I. *a*
évenkénti II. *adv* 1. évenként, minden
évben 2. egyszer egy évben; évente
egyszer
yearn [jə:n] *vi* sóvárog, vágyódik, áhí-
tozik (*after/for* vm után)
yearning ['jə:nɪŋ] I. *a* sóvárgó, epe(ke)dő
II. *n* sóvárgás, epekedés
yeast [ji:st] *n* 1. élesztő 2. (hullám)taj-
ték
yeast-powder *n* sütőpor
yeasty ['ji:stɪ] *a* 1. erjedő 2. tajtékos,
habos 3. nyugtalan, forrongó
Yeats [jeɪts] *prop*
yegg(man) [jeg(mən)] *n* (*pl* -men -mən)
US □ kasszafúró, mackós
yell [jel] I. *n* 1. ordítás, sikoltás 2. *US*
ütemes csapatbuzdító kiáltás, a szur-
kolók kórusa II. *vi/vt* sikolt, ordít,
üvölt, kiált
yellow ['jeloʊ] I. *a* 1. sárga; ~ *cake* éleszt-
tős kelt tészta; ~ *dough* nyers élesztős
tészta (masszája); ~ *fever* sárgaláz; ~
flag = ~ *Jack (1)*; ~ *Jack* (1) [egész-
ségügyi zárlatot jelző] sárga zászló (2)
biz sárgaláz; *US* ~ *pages* szaknévsor
[telefonkönyvben]; ~ *peril* sárga ve-
szedelem; *biz the* ~ *press* (szenzáció-
hajhászó) (bulvár)sajtó; ~ *spot* sárga
folt 2. *biz* gyáva, berezelt 3. *biz* irigy,
féltékeny II. *n* 1. sárga (szín) 2. *the*
~s sárgaság III. A. *vt* (meg)sárgít; *be*
~*ed* megsárgul(t), elsárgul(t) B. *vi*
(meg)sárgul
yellow-hammer *n* citromsármány
yellowish ['jeloʊɪʃ] *a* sárgás

yellowness ['jeloʊnɪs] *n* 1. sárgaság 2.
biz gyávaság
Yellowstone ['jeloʊstoʊn; *US* 'jelə-is]*prop*
yellowy ['jeloʊɪ] *a* sárgás
yelp [jelp] I. *n* csaholás, ugatás II. *vi*
csahol, ugat
Yemen ['jemən] *prop* Jemen
Yemeni ['jemənɪ] *a* jemeni
yen[1] [jen] *n* jen [japán pénzegység]
yen[2] [jen] *n US biz* vágy(ódás)
yeoman ['joʊmən] *n* (*pl* -men -mən) 1.
szabad kisbirtokos, kisgazda; *do* ~*('s)
service* értékes segítséget nyújt 2. ön-
kéntes lovaskatona 3. *Y*~ *of the
Guard* testőr (a Tower-ban)
yeomanry ['joʊmənrɪ] *n* 1. önkéntes
lovasság 2. szabad kisbirtokosság
yep [jep] *int* □ igen
Yerkes ['jə:ki:z; *US* 'jə:r-] *prop*
yes [jes] I. *adv* 1. igen, igenis 2. sőt II.
n igen [felelet, szavazat]
yes-man ['jesmæn] *n* (*pl* -men -men) *biz*
fejbólintó János, csacsener
yesterday ['jestədɪ v. -deɪ] *adv/n* tegnap;
the day before ~ tegnapelőtt
yet [jet] *adv/conj* 1. még; eddig; már;
has Judy come home ~? *No, not* ~.
Hazajött már Jutka? Még nem.; *as*
~ még eddig, eddig még, mostanáig,
a mai napig, ezideig, mindeddig; *nor*
~ (sőt) még . . . sem; *he won't listen
to me nor* ~ *to her* nem is hallgat rám
sőt még rá sem 2. mégis, de azért
yew [ju:] *n* tiszafa
YHA [waɪeɪtʃ'eɪ] *Youth Hostels Associ-
ation*
yid [jɪd] *a/n* □ zsidó
Yiddish ['jɪdɪʃ] *a/n* jiddis
yield [ji:ld] I. *n* (termés)hozam II. A. *vt*
1. hoz, ad, terem, jövedelmez; nyújt,
szolgáltat; ~ *profit* hasznot hajt 2.
átad, átenged [elsőbbséget]; felad
[területet stb.]; ~ *oneself* megadja
magát; ~ *the place to sy* vknek helyet
(át)enged/átad 3. beismer, megenged
B. *vi* 1. terem 2. megadja magát,
meghódol, behódol, enged (*to* vknek,
vmnek); beletörődik (*to* vmbe) 3. el-
sőbbséget ad; ~! elsőbbségadás köte-
lező 4. lazul, megereszkedik, megha-
jol, beszakad

yielding ['ji:ldɪŋ] *a* 1. hajlékony 2. engedékeny, könnyen befolyásolható
Y.M.C.A. [waɪemsi:'eɪ] *Young Men's Christian Association* Keresztyén Ifjak Egyesülete, KIE
yodel ['joʊdl] *vi/vt* -ll- (*US* -l-) jódlizik
yodelling ['joʊd(ə)lɪŋ] *n* jódlizás
yoga ['joʊgə] *n* jóga
yogh(o)urt, yogurt ['jɔgət; *US* 'joʊgə:rt] *n* joghurt
yogi ['joʊgɪ] *n* jógi
yogurt →*yogh(o)urt*
yo-heave-ho ['joʊhi:v'hoʊ] *int* hó-rukk!
yo-ho [joʊ'hoʊ] *int* hó-rukk!
yoicks [jɔɪks] *int* hajrá!, halihó! [kutyauszító kiáltás]
yoke [joʊk] I. *n* 1. iga, járom; *a ~ of oxen* egy pár (igás)ökör 2. rabszolgaság, rabiga 3. szemöldökfa 4. tejhordó iga [vállra] 5. vállrész [ruhán] II. *vt* 1. járomba fog, igába hajt 2. összeköt, -házasít
yoke-bone *n* járomcsont
yoke-fellow *n* 1. munkatárs 2. házastárs
yokel ['joʊkl] *n* paraszt, falusi (ember)
yolk [joʊk] *n* 1. tojássárgája 2. gyapjúzsír
yolk-bag/sac *n* peteburok, -hártya
Yolland ['jɔlənd] *prop*
yon(der) ['jɔn(də*)]; *US* -ɑ-] I. *a* amaz, ottani II. *adv* amott
yore [jɔ:*] *n* hajdankor; *of ~* (1) hajdanán (2) hajdani, hajdan való
Yorick ['jɔrɪk] *prop*
York [jɔ:k] *prop*
Yorks. [jɔ:ks] = *Yorkshire*
Yorkshire ['jɔ:kʃə*] *prop*
Yosemite [joʊ'semɪtɪ] *prop*
you [ju:; gyenge ejtésű alakjai: jʊ, jə] *pron* 1. te, téged, ti, titeket, maga, maguk, magát, magukat, ön, önt, önök, önöket; *to ~* (1) neked, nektek, magának, maguknak, önnek, önöknek (2) hozzád, hozzátok, magához, magukhoz, önhöz, önökhöz; *here's to ~!* [koccintáskor:] egészségére!, egészségükre! stb.; *all of ~* ti/maguk/önök mind 2. (az általános alanyt is kifejezi:) az ember...; *~ never can tell* nem lehet tudni
you'd [ju:d] = *you had/should/would*

you'll [ju:l] = *you shall/will*
young [jʌŋ] I. *a* 1. fiatal, ifjú; *old and ~* mindenki 2. új 3. tapasztalatlan, kezdő II. *n* 1. fióka, kölyök; (*be*) *with ~* vemhes, hasas 2. *the ~* a fiatalok/fiatalság
youngish ['jʌŋɪʃ] *a* elég fiatal, fiatalos
youngster ['jʌŋstə*] *n* ifjú, gyerkőc, ifjonc
your [jɔ:*] *pron/a* -a, -e, -ja, -je, -uk, -ük, -atok, -etek; *~ children* gyermekeid, gyermekeitek
you're [jʊə*] = *you are*
yours [jɔ:z] *pron* a tied/tietek, az öné/önöké(i), a magáé/maguké(i); *a friend of ~* egyik barátod; *you and ~s* te és tiéid/hozzátartozóid; *what's ~?* mit parancsol (inni)?; *~ truly* (1) őszinte tisztelettel [levélzáró formula] (2) *biz* én, engem, csekélységem(et)
yourself [jɔ:'self] *pron* (*pl* -selves -'selvz) (te) magad(at), saját magad, önmaga, önmagát; (*all*) *by ~* egyedül (segítség nélkül), egymaga(d), magad(tól); *US be ~!* szedd össze magad!; *you can be proud of yourselves* büszkék lehettek magatokra
youth [ju:θ; *pl* -ðz] *n* 1. ifjúság, ifjúkor, fiatalság; fiatalok; (*jelzői hasz*) ifjúsági; *~ hostel* ifjúsági (turista)szálló/ház, turistaház 2. ifjú, fiatal
youthful ['ju:θfʊl] *a* 1. ifjú(i), fiatalos, életerős 2. fiatalkori, ifjúkori
youthfully ['ju:θfʊlɪ] *adv* fiatalosan
you've [ju:v] = *you have*
yowl [jaʊl] I. *n* csaholás, nyivákolás, vonítás II. *vi* csahol, nyivákol, vonít
yr. 1. *year* év 2. *your*
yucca ['jʌkə] *n* jukka [növény]
Yugoslav [ju:goʊ'slɑ:v] *a/n* jugoszláv
Yugoslavia [ju:goʊ'slɑ:vjə] *prop* Jugoszlávia
Yugoslavian [ju:goʊ'slɑ:vjən] *a/n* jugoszláv(iai)
yule [ju:l] *n* † karácsony
yule-log *n* ⟨régente karácsonykor gyújtott nagy fahasáb⟩
yule-tide *n* karácsony (ideje)
Y.W.C.A. [waɪdʌbljʊsi:'eɪ] *Young Women's Christian Association* Keresztyén Leányok Egyesülete

Z

Z, z [zed; *US* zi:] *n* Z, z (betű)
Zachariah [zækə'raɪə] *prop* Zakariás
Zaïre [zɑ:'ɪə*] *prop* Zaire
Zaïrean [zɑ:'ɪərɪən] *a/n* zaire-i
Zambezi [zæm'bi:zɪ] *prop*
Zambia ['zæmbɪə] *prop* Zambia
Zambian ['zæmbɪən] *a/n* zambiai
zany ['zeɪnɪ] I. *a* bolondos, bohóckodó
/ II. *n* bohóc
Zanzibar [zænzɪ'bɑ:*] *prop*
zeal [zi:l] *n* buzgalom, buzgóság, lelkesedés, hév
zealot ['zelət] *n* fanatikus/(vak)buzgó ember
zealous ['zeləs] *a* buzgó, lelkes, fanatikus
zebra ['zi:brə] *n* zebra; *GB* ~ *(crossing)* zebra, (kijelölt) gyalogátkelőhely
zebu ['zi:bu:] *n* zebu
zed [zed] *n* a z betű, z
zee [zi:] *n US* = *zed*
zenith ['zenɪθ; *US* 'zi:-] *n* csúcspont, tetőpont, zenit
Zeno ['zi:noʊ] *prop* Zénó
zephyr ['zefə*] *n* 1. enyhe szellő, zefir 2. zefír [szövetanyag]
zepp [zep] *n biz* = *zeppelin*
zeppelin ['zepəlɪn] *n* kormányozható léghajó, zeppelin
zero ['zɪəroʊ] I. *n* zéró, zérus, nulla, semmi; ~ *adjustment* nullapont-beállítás; ~ *hour* támadás kezdete/ideje, „Cs" idő; ~ *point* kezdőpont, null(a)pont II. *vt/vi* ~ *in* belövi magát, rááll vmre
zest [zest] *n* 1. lelkesedés, kedv, lendület, friss tempó; ~ *for life* életöröm, életkedv; *with* ~ szívvel-lélekkel 2. étvágygerjesztő/pikáns íz, zamat; *add* ~ *to sg* vmnek sajátos színt ad

Zeus [zju:s] *prop* Zeusz
ziggurat ['zɪgʊræt] *n* (babiloni) lépcsős templom-piramis
zigzag ['zɪgzæg] I. *n* zegzug, cikkakk, szerpentin II. *vi* -gg- zegzugos(an halad)
Zimbabwe [zɪm'bɑ:bwɪ] *prop* Zimbabwe
Zimbabwean [zɪm'bɑ:bwɪən] *a/n* zimbabwei
zinc [zɪŋk] *n* horgany, cink; ~ *plate* horganylemez, cinklemez; horgany nyomólemez
zincograph ['zɪŋkəgrɑ:f; *US* -æf] *n* cinkográfiai klisé, cink nyomólemez
zincographer [zɪn'kɔgrəfə; *US* -'kɑ-] *n* cinkográfus
zincography [zɪŋ'kɔgrəfɪ; *US* -'kɑ-] *n* cinkográfia
zinc-ware *n* cinkedény, horganyáru
zinc-works *n* horgany(áru)gyár
Zion ['zaɪən] *prop/n* 1. Sion (hegye) 2. Jeruzsálem 3. mennyország 4. a keresztény egyház 5. nem anglikán imaház
Zionism ['zaɪənɪzm] *n* cionizmus
Zionist ['zaɪənɪst] *n/a* cionista
zip[1] [zɪp] I. *n* 1. fütyülés [golyóé] 2. lendület, energia; *full of* ~ energikus, lendületes, rámenős II. A. *vi* -pp- fütyül, süvít [golyó] B. *vt* villámzárat/cipzárat behúz/felhúz
ZIP,[2] **Zip** [zɪp] (= *zone improvement plan*) *US* ~ *code* (postai) irányítószám
zip-fastener *n* húzózár, villámzár, cipzár [helyesebben: zip-]
zipper ['zɪpə*] *n* = *zip-fastener*
zirconium [zə:'koʊnjəm] *n* cirkónium
zither ['zɪðə*] *n* citera
zodiac ['zoʊdɪæk] *n* állatöv

zodiacal [zoʊ'daɪəkl] *a* állatövi
zombie ['zɔmbɪ; *US* -ɑ-] *n* 1. boszorkánysággal életrekeltett hulla 2. *biz* reaktivált ember 3. *biz* buta/unalmas ember
zonal ['zoʊnl] *a* övezeti, zonális, zónai, zóna-
zone [zoʊn] *n* öv(ezet), zóna; földöv, égöv, éghajlati öv; sáv; körzet; *torrid* ~ forró (éghajlati) öv (v. égöv)
zoning ['zoʊnɪŋ] *n* sávokra/övezetekre osztás, övezeti rendszer
zoo [zu:] *n biz* állatkert
zoolite ['zoʊəlaɪt] *n* állati (eredetű) kövület
zoological [zoʊə'lɔdʒɪkl; *US* -'lɑ-] *a* állattani; ~ *garden(s)* állatkert
zoologist [zoʊ'ɔlədʒɪst; *US* -'ɑ-] *n* zoológus
zoology [zoʊ'ɔlədʒɪ; *US* -'ɑ-] *n* állattan, zoológia

zoom [zu:m] I. *n* 1. függőleges felrántás/emelkedés [repülőgépé] 2. zúgás 3. ~ *lens* gumilencse, -objektív II. *vi* 1. meredeken emelkedik, „gyertyát" repül [repgép] 2. zümmög, búg 3. ~ *in* (*on*) gumilencsével „behoz" (vmt)
zoophyte ['zoʊəfaɪt] *n* növényállat, zoofita
zootomy [zoʊ'ɔtəmɪ; *US* -'ɑ-] *n* állatboncolás
zounds [zaʊndz] *int* † a kutyfáját !
Zulu ['zu:lu:] *n/a* zulu
Zurich ['zjʊərɪk] *prop* Zürich
zygoma [zaɪ'goʊmə] *n* (*pl* ~ta -tə) járomcsont; járomív
zygomatic [zaɪgə'mætɪk] *a* járomcsonti
zymase ['zaɪmeɪs] *n* zimáz
zymosis [zaɪ'moʊsɪs] *n* erjedés
zymotic [zaɪ'mɔtɪk; *US* -'mɑ-] *a* 1. erjedési 2. fertőző [betegség]

FÜGGELÉK

I.

A legfontosabb képzők, jelek, végződések

(Utótagok, mint *-fold*, *-like*, *-ward* stb. a szótárban találhatók)

-able, -ible [-əbl] melléknévképző ⟨vmre alkalmas⟩ -as, -es, -os, -ös; -ható, -hető

-age [-ɪdʒ; *néha:* -ɑ:ʒ] főnévképző -ás, -és; -ság, -ség

-al [-l, -əl] 1. melléknévképző -as, -es, -os, -ös; -i
2. főnévképző -ás, -és

-an [-n, -əᵤ] melléknévképző -i; -ánus

-ance, -ence [-(ə)ns] főnévképző -ás, -és; -ság, -ség

-ant, -ent [-(ə)nt] 1. melléknévképző -as, -es, -os, -ös, -ó, -ő
2. főnévképző ⟨vmt végző⟩

-ary [-(ə)rɪ; *US* többnyire: -erɪ] főnévképző ⟨aki/ami vmt teljesít⟩

-ate 1. [-ət] melléknévképző -as, -es, -os, -ös
2. [-ət] főnévképző -ság, -ség
[-eɪt] kémiai nevekben pl. *nitrate*
3. [-eɪt] igeképző ⟨vmvé lesz/tesz⟩

-ation →-ion

-ative [-ətɪv; *US* többnyire: -eɪtɪv] melléknévképző -i; -atív

-cy [-sɪ] főnévképző -ság, -ség

-d →-ed

-dom [-dəm] főnévképző -ság, -ség

-ed [t és d után: -ɪd; egyéb zöngétlen mássalhangzó után: -t, zöngés után: -d]
-d [zöngétlen mássalhangzó + e után -t; zöngés mássalh. + e után: -d]
1. múlt idő és múlt idejű melléknévi igenév képzője
2. melléknévképző -ú, -ű

-ee [-i:] főnévképző ⟨aki vmt tesz v. kap⟩

-eer [-ɪə*] főnévképző ⟨aki vmt űz, vmvel foglalkozik⟩

-en [-n, -ən] 1. melléknévképző ⟨vmlyen⟩; -ból/-ből való
2. igeképző ⟨vmlyenné tesz/lesz⟩

-ence →-ance
-ent →-ant

-er, -r [-ə*] 1. főnévképző ⟨aki vmt tesz⟩, -ó, -ő
2. a középfok képzője -bb, -abb, -ebb

-ery [-ərɪ] főnévképző ⟨vmlyen hely/foglalkozás/tulajdonság⟩

-es →**-s**		
-ess [-ɪs]	nőnemű főnévképző	-nő, női...
-est [-ɪst]	a felsőfok képzője	a leg... -bb
-fied →**-fy**		
-ful [-fʊl, -fl]	1. melléknévképző	-teli, -as, -es, -os, -ös
	2. főnévképző	-nyi, -ra/-re való
-fy [-faɪ] múlt ideje: **-fied**	igeképző	⟨vmvé tesz⟩
[-faɪd]		
-hood [-hʊd]	főnévképző	-ság-, -ség
-ible →**-able**		
-ic(al) [-ɪk(l)]	melléknévképző	-i; -ikus
-ie [-ɪ]	kicsinyítőképző	-ka, -ke, -cska, -cske
-ier, -ies, -iest →**-y**		
-ily →**-y**		
-ing [-ɪŋ]	1. jelen idejű melléknévi	
	igenévképző	-ó, -ő, ⟨vmt tevő⟩
	2. igei főnévképző	-ás, -és
-ion [-n], **-sion, -tion** [-ʃn]	főnévképző	-ság, -ség; -mány, -mény
-isation →**-ization**		
-ise →**-ize**		
-ish [-ɪʃ]	melléknévképző	-s, -as, -es, -os, -ös, -szerű
-ism [-ɪzm]	főnévképző	-ság, -ség, -izmus
-ist [-ɪst]	főnévképző	⟨vmt tevő⟩; ⟨vmnek hí-
		ve⟩, -ista
-ity [-ətɪ]	főnévképző	-ság, -ség, -itás
-ive [-ɪv]	melléknévképző	-ó, -ő, -s, -ív
-ization, -isation [-aɪˈzeɪʃn;	főnévképző	-ás, -és, -álás, -élés, -álódás,
US -ɪˈzeɪʃn] (Lásd a		-(iz)áció stb.
megjegyzést **-ize, -ise**		
alatt)		
-ize, -ise [-aɪz] (Megjegy-	igeképző	⟨vmvé tesz⟩, -izál
zés: a brit angol szóhasz-		
nálat ingadozik; az ame-		
rikaira szinte kizárólag		
az **-ize** végződés a jel-		
lemző; szótárunk általá-		
ban ezt tünteti fel.)		
-less [-lɪs, de terjed a -ləs	fosztóképző	-talan, -telen, -atlan, -etlen
ejtés]		
-let [-lɪt, de terjed a -lət	kicsinyítőképző	-ka, -ke, -cska, -cske
ejtés]		
-ly [-lɪ]	1. határozószóképző	-an, -en, -lag, -leg
	2. (ritkábban:) melléknév-	
	képző	-i, -ias, -ies
-ment [-mənt]	főnévképző	-ság, -ség, -ás, -és
-ness [-nɪs, de terjed a	főnévképző	-ság, -ség
-nəs ejtés]		
-or [-ə*]	főnévképző	⟨aki vmt tesz⟩
-ory [-(ə)rɪ; US -ɔ:rɪ v.	1. melléknévképző	-ó, -ő
-ərɪ]	2. főnévképző	-órium
-ous [-əs]	melléknévképző	-s, -as, -es, -os, -ös

-r → -er
-ry [-rɪ]
-s [zöngétlen mássalhangzó után: -s; zöngés mássalh. után: -z], **-es** [-ɪz]
-'s [zöngés mássalhangzó után: -z; /p/, /t/, /k/, /f/, /θ/ után: -s; /s,/ /z/, /ʃ/, /ʒ/, /tʃ/, /dʒ/ után: -ɪz]
-ship [-ʃɪp]
-sion → -ion
-some [-səm]
-th [-θ]
-tion → -ion
-y [-ɪ]

főnévképző
1. a főnévi többes szám jele
2. igék jelen idejű egyes sz. 3. személyének ragja
főnévi egyes számú birtokosjel

főnévképző

melléknévképző
sorszámnévképző

1. melléknév- és kicsinyítőképző
határozószóképzés: **-ily** [-ɪlɪ]
középfok: **-ier** [-ɪə*]
felsőfok: **-iest** [-ɪɪst]
2. főnévképző
l. még **-ary, -ery, -ity, -ory, -ry**
tóbbes szám jele: **-ies** [-ɪz]
3. igevégződés:
l. még **-fy**
jelen idejű egyes szám 3. személy: **-ies** [-ɪz]
múlt idő és múlt idejű melléknévi igenév: **-ied** [-ɪd]

-ság, -ség
-k

-ság, -ség

-s, -as, -es, -ös, -ős, -szerű
-ik

-s, -as, -es, -ös, -os, -ka, -ke, -cska, -cske

-ság, -ség

II.

Mértékegységek

Súlyok — Weights

1 dram			=	1,77 g
1 ounce (oz.)	=	16 *drams*	=	28,35 g
1 pound (lb.)	=	16 *ounces*	=	45,36 dkg
1 stone	=	14 *pounds*	=	6,35 kg
1 quarter	=	2 *stone*	=	12,70 kg
1 (GB) hundredweight (cwt.)	=	4 *quarters*	=	50,80 kg
1 (US) hundredweight	=	100 *pounds*	=	45,36 kg
1 ton	=	20 cwt.	=	1016,05 kg

Az *ounce* súlyt kiszámíthatjuk, ha a *gramm* súlyt megszorozzuk 0,035-tel.

Űrmértékek — Measures of Capacity

1 gill			=		0,142 l.
1 pint	=	4 gills	=	GB	0,568 l.
				US	0,473 l.
1 quart	=	2 pints	=	GB	1,136 l.
				US	0,946 l.
1 gallon	=	4 quarts	=		4,543 l.
1 peck	=	2 gallons	=		9,097 l.
1 bushel	=	4 pecks	=		36,348 l.
1 quarter	=	8 bushels	=		290,789 l.
1 barrel (kőolaj)			=	US	158,987 l.

Hosszmértékek — Linear Measures

1 line			=	2,54 mm
1 inch	=	10 lines	=	2,54 cm
1 foot	=	12 inches	=	30,48 cm
1 yard	=	3 feet	=	91,44 cm
1 fathom	=	2 yards	=	1,83 m
1 pole/perch/rod	=	5 $^1/_2$ yards	=	5,03 m
1 furlong	=	40 poles	=	201,16 m
1 statute mile	=	8 furlongs		
	=	1760 yards	=	1609,33 m
1 nautical mile	=	2026 yards	=	1853,18 m
1 league	=	3 stat. miles	=	4,828 km
	=	3 naut. miles	=	5,565 km

Átszámítási táblázat: lábról méterre — Conversion Table: Feet to Meters

	0	1	2	3	4	5	6	7	8	9
0		3,2528	3,6576	3,9624	4,2672	4,5720	4,8768	5,1816	5,4864	2,7432
10	3,0480	0,30480	0,60960	0,91440	1,2192	1,5240	1,8288	2,1336	2,4384	5,7912
20	6,0960	6,4008	6,7056	7,0104	7,3152	7,6200	7,9248	8,2296	8,5344	8,8392
30	9,1440	9,4488	9,7536	10,058	10,363	10,668	10,973	11,278	11,582	11,887
40	12,192	12,497	12,802	13,106	13,411	13,716	14,021	14,326	14,630	14,935
50	15,240	15,545	15,850	16,154	16,459	16,764	17,069	17,374	17,678	17,983
60	18,288	18,593	18,898	19,202	19,507	19,812	20,117	20,422	20,726	21,031
70	21,336	21,641	21,946	22,250	22,555	22,860	23,165	23,470	23,774	24,079
80	24,384	24,689	24,994	24,298	25,603	25,908	26,213	26,518	26,822	27,127
90	27,432	27,737	28,042	28,346	28,651	28,956	29,261	29,566	29,870	30,175
100	30,480	30,785	31,090	31,394	31,699	32,004	32,309	32,614	32,918	33,223

Területmértékek — Square Measures

1 square inch			=	6,45 cm^2
1 square foot	=	144 sq. inches	=	929,01 cm^2
1 square yard	=	9 sq. feet	=	0,836 m^2
1 square	=	100 sq. feet	=	9,290 m^2

1 acre	= 4840 *sq. yards*	=	0,405	ha
		=	0,703	kat. hold
		=	4046,78	m²
		=	1125	négyszögöl
1 square mile	= 640 *acres*	=	258,99	ha
		=	2,59	km²
		=	450	kat. hold

Köbmértékek — Cubic Measures

1 cubic inch		=	16,38	cm³
1 cubic foot	= 1728 *c. inches*	=	28 316,08	cm³
1 cubic yard		=	0,764	m³
1 register ton	= 100 *c. feet*	=	2,831	m³

Metrikus mértékek angol megfelelői

1 méter	= 39,371 *inches*	=	1,094 *yard*
1 kilométer	= 1093,6 *yards*	=	0,621 *mile*
1 négyzetméter	= 1550 *sq. inches*	=	1,196 *sq. yards*
	= 10,764 *sq. feet*		
1 kilogramm	= 2,205 *lb*	=	2 *lb* 3$^1/_4$*oz*
1 liter		=	1,76 *pints*
1 hektoliter		=	22 *gallons*

Könyvformák — Book Sizes

(4to = quarto = negyedrét; 8vo = octavo = nyolcadrét)

foolscap 8vo	= 17 x 12 cm
crown 8vo	= 19 x 12,7 cm
demy 8vo	= 21,3 x 13,6 cm
royal 8vo	= 25,4 x 15,8 cm
crown 4to	= 25,4 x 19 cm
demy 4to	= 28,6 x 22,2 cm
royal 4to	= 31,7 x 25,4 cm
crown folio	= 38,1 x 25,4 cm
royal folio	= 50,8 x 31,7 cm

Hőmérőrendszer — Thermometer Comparisons

212° Fahrenheit	= + 100° Celsius	= + 80° Réaumur
32° Fahrenheit	= 0° Celsius	= 0° Réaumur
0° Fahrenheit	= − 18° Celsius	= 14° Réaumur

Átszámítási képletek:

$$+ X° \text{ Fahrenheit} = \frac{(X-32)5}{9} \text{ Celsius}$$

$$- X° \text{ Fahrenheit} = \frac{(X+32)5}{9} \text{ Celsius}$$

$$X° \text{ Celsius} = \frac{9X}{5} + 32 \text{ Fahrenheit}$$

Pénzrendszer

Anglia

(1971. február 15-ig)

1 *guinea*	= 21	*shillings*
1 **pound** *sovereign* (£1)	= 20	*shillings*
1 *crown*	= 5	*shillings*
1 *half crown*	= 2	*shillings* 6 *pence*
1 *florin*	= 2	*shillings*
1 **shilling** (1s)	= 12	*pence*
1 **penny** (1d)	= 4	*farthings*

(1971. február 15-től)

1 **pound** (£1) = 100 *pence* (100p)

Amerika

1 **dollar** ($1)	= 100	*cents* (¢)
1 *quarter*	= 25	*cents*
1 *dime*	= 10	*cents*
1 *nickel*	= 5	*cents*

FORRÁSMUNKÁK

A Kéziszótár szerkesztősége elsősorban ugyanezen szerzőnek Angol—magyar nagyszótára 1976-ban megjelent ötödik, teljesen átdolgozott, bővített kiadására támaszkodott.

Az angol nyelvterületen megjelent művek közül a következőket vette igénybe: *A Supplement to the Oxford English Dictionary*, edited by R. W. Burchfield. Oxford, Clarendon Press, Vol. I A—G (1972), Vol. II H—N (1976).

The Concise Oxford Dictionary of Current English. Sixth edition, ed. by J. B. Sykes. Oxford, Clarendon Press, 1976.

Oxford Advanced Learner's Dictionary of Current English, ed. by A. S. Hornby. London, Oxford University Press, 1974.

Longman Dictionary of Contemporary English, Ed.-in-Chief Paul Procter, Longman, 1978.

Chambers Twentieth Century Dictionary, ed. by A. M. Macdonald, Chambers, 1977.

Oxford Dictionary of Current Idiomatic English, Vol. 1: Verbs with Prepositions & Particles, by A. P. Cowie and R. Mackin. London, Oxford University Press, 1975.

Webster's Third New International Dictionary of the English Language, Unabridged. Ed. by Ph. B. Gove, Springfield, Mass., G. & C. Merriam, 1961.

The World Book Dictionary, ed. by C. L. and R. K. Barnhart. Chicago, 1976.

The Barnhart Dictionary of New English since 1963, ed. by C. L. Barnhart, S. Steinmetz, R. K. Barnhart. New York, 1973.

The American Heritage Dictionary of the English Language, ed. by W. Morris, Boston, Houghton Mifflin, 1969.

Computational Analysis of Present-Day American English, by H. Kučera & W. N. Francis. Brown U. Press, Providence, R. I., 1967.

A magyar kiadású szaknyelvi szótárak közül Véges István *Angol—magyar külkereskedelmi szótára* második kiadását használtuk (Budpaest 1974).

Az angol kiejtési szótárakat lásd A KIEJTÉS JELÖLÉSE c. fejezetben.

JEGYZETEK

JEGYZETEK

JEGYZETEK